dicionário do petróleo
em língua portuguesa

Lexikon | *obras de referência*

ELOI FERNÁNDEZ Y FERNÁNDEZ
OSWALDO A. PEDROSA JUNIOR
ANTÓNIO CORREIA DE PINHO

dicionário do petróleo
em língua portuguesa

exploração e produção de petróleo e gás
uma colaboração Brasil, Portugal e Angola

1ª edição | 2ª impressão

© 2014, by Faculdades Católicas

Direitos de edição da obra em língua portuguesa adquiridos pela LEXIKON EDITORA DIGITAL LTDA. Todos os direitos reservados. Nenhuma parte desta obra pode ser apropriada e estocada em sistema de banco de dados ou processo similar, em qualquer forma ou meio, seja eletrônico, de fotocópia, gravação etc., sem a permissão do detentor do copirraite.

LEXIKON EDITORA DIGITAL LTDA.
Rua da Assembleia, 92 / 3º andar – Centro – 20011-000
Rio de Janeiro – RJ – Brasil
Tel.: (21) 2526-6800 – Fax: (21) 2526-6824

FACULDADES CATÓLICAS
Rua Marquês de São Vicente, 225 Gávea –22453-100
Rio de Janeiro – RJ – Brasil
Tel. geral: (21) 3527-1001
www.puc-rio.br

Cip-Brasil. Catalogação na Fonte
Sindicato Nacional dos Editores de Livros, RJ

D542   Dicionário do petróleo em língua portuguesa : exploração e produção de petróleo e gás : uma colaboração Brasil, Portugal e Angola / [editores] Eloi Fernández y Fernández, Oswaldo A. Pedrosa Junior, António Correia de Pinho. — Rio de Janeiro : Lexikon : PUC-Rio, 2009.
        656p. : il. — (Obras de referência)

        ISBN 978-85-86368-55-4

        1. Petróleo-Dicionários. 2. Gás-Dicionários. I. Fernández y Fernández, Eloi, 1949-. II. Pedrosa Junior, Oswaldo A. (Oswaldo Antunes). III. Pinho, António Correia de. IV. Série.

09-5857.   CDD: 665.503
                                                CDU: 665.6(038)

PROJETO DE DESENVOLVIMENTO DO DICIONÁRIO

Direção geral do projeto
Eloi Fernández y Fernández

**Coordenação de desenvolvimento
e administração do projeto**
Márcia Christina Borges Fernandes

Coordenação institucional
Alfredo Renault

Coordenação internacional
António Correia de Pinho (Portugal)
Jeconias Queiroz (Angola)

Patrocinado por
PETROBRAS
SOCIEDADE NACIONAL DE COMBUSTÍVEIS DE ANGOLA — SONANGOL
PARTEX OIL & GAS
INSTITUTO BRASILEIRO DE PETRÓLEO, GÁS E BIOCOMBUSTÍVEIS — IBP

Com a colaboração de
INSTITUTO DE ENERGIA DA PUC-RIO — IEPUC
EDITORA PUC-RIO
INSTITUTO NACIONAL DE METROLOGIA, NORMALIZAÇÃO E QUALIDADE INDUSTRIAL — INMETRO

LEXIKON OBRAS DE REFERÊNCIA

Direção editorial
Carlos Augusto Lacerda

Edição
Paulo Geiger

Produção
Ilustrarte Design e Produção Editorial

Copidesque
Maria Flávia dos Reis
Michelle Mitie Sudoh
Perla Serafim

Revisão
Eduardo Carneiro Monteiro
Isabel Newlands
Márcia Capella

Projeto gráfico, capa e ilustrações
Ilustrarte Design e Produção Editorial

Diagramação
Ilustrarte Design e Produção Editorial
Priscila Gurgel Thereso

PRODUÇÃO DE CONTEÚDO

Editores
Eloi Fernández y Fernández
Oswaldo A. Pedrosa Junior
António Correia de Pinho

Conselho editorial
Alvaro Alves Teixeira — IBP
António Correia de Pinho — PARTEX
Antonio Sergio Fragomeni — PETROBRAS (*in memoriam*)
Eloi Fernández y Fernández — PUC-Rio
Jeconias Queiroz — SONANGOL
Jonas Fonseca — IBP
Osvair Vidal Trevisan — UNICAMP
Oswaldo A. Pedrosa Junior — PUC-Rio

Coordenação dos temas

Tecnologia de reservatório	**Tecnologia de produção**	**Tecnologia de poço**
Antonio Cláudio de França Corrêa	Elisio Caetano Filho	João Carlos Ribeiro Plácido

Geologia e geofísica		**Regulação e contratos**
Ciro Jorge Appi		Jean Paul Prates

Consolidação de conteúdo
Hélio Guedes de Oliveira

Revisão final de conteúdo

Alfredo Renault	Eloi Fernández y Fernández	Nilce Olivier Costa
Alvaro Alves Teixeira	Elisio Caetano Filho	Osvair Vidal Trevisan
Antonio Cláudio de França Corrêa	Frederico Reis de Araújo	Oswaldo A. Pedrosa Junior
António Correia de Pinho	Hélio Guedes de Oliveira	Roberto Gomes Jardim
Ciro Jorge Appi	João Carlos Ribeiro Plácido	
	Jonas Fonseca	

Revisores Brasil
Adalberto da Silva
Alex Furtado Teixeira
Antonio Cláudio de França Corrêa
Antônio Felipe Flutt
Carlos Alberto Capela Moraes
Ciro Jorge Appi
Eduardo Borges Rodrigues
Elisio Caetano Filho
Euthymios José Euthymiou
Evaldo Cesário Mundim
Jean Paul Prates
João Carlos Ribeiro Plácido
Kazuo Miura
Letícia Maria Seabra Monteiro Lázaro
Lindalva do Carmo Ferreira
Marcelo Fagundes de Rezende
Marcos Pellegrini Ribeiro
Maria Cristina Moreira Coelho
Mitsuru Arai
Nelson de Oliveira Rocha
Paulo Buarque de M. Guimarães
Paulo Sérgio Barbosa Rodrigues
Peter Szatmari
Roberto Gomes Jardim

Revisor Portugal
António Correia de Pinho

Revisor Angola
Angelo João Pereira Ribeiro

Revisão dos verbetes em inglês no glossário
Mônica D. Harvey

Redatores
Adalberto da Silva
Alberto Alves de Oliveira
Alex Furtado Teixeira
Alex Rodrigues de Andrade
Alex Tadeu de Almeida Waldmann
Álvaro Gomes Sobral Barcellos
Ana Maria Travalloni Louvisse
André Luiz Ferrari
Antônio Carlos Vieira Martins Lage
Antonio Cláudio de França Corrêa
Antônio Luiz Serra de Souza
Arlindo de Matos
Arthur Ayres Neto
Artur Cezar Bastos Neto
Bruno Almeida Gonçalves
Carlos Alberto Capela Moraes
Carlos Eduardo da Fonseca
Carlos Siqueira Bandeira de Mello
Cesar José Moraes Del Vecchio
Ciro Jorge Appi
Claudio Marcos Ziglio
Clemente José de Castro Gonçalves
Cleveland Maximino Jones
Cristiane Richard de Miranda
Cristina Aiex Simão
Daniel Cabral Pavani
Darcy Correa Neto
Edson Reiji Hirose
Eduardo Lopes de Faria
Elisio Caetano Filho
Emilio Paulo dos Santos Sousa
Euthymious José Euthymiou
Fábio Soares de Lima
Fernando Antônio Lucena Soares Junior
Francisco Gontijo de Castro
Francisco Henriques Ferreira
Guilherme da Silva Telles Naegeli
Hélio Guedes de Oliveira
Isaias Quaresma Masetti
Jean Paul Prates
João Baptista de Vasconcelos Dias Júnior
João Carlos Ribeiro Plácido
João Luiz Bastos Vieira
João Siqueira Bandeira de Melo
João Siqueira de Matos
João Vicente Martins de Magalhães
José Alberto Pinheiro da Silva Filho
José Gutman
José Marcelo Silva Rocha
José Mário Miccolis
Juliana Victal Mesquita
Kazuo Miura
Letícia Maria Seabra Monteiro Lázaro
Lindalva do Carmo Ferreira
Lívio Marques Pinto
Lucila Massae Hayashi
Luiz Carlos Tosta da Silva
Luiz Marcelo R. Martins
Luzia Antoniolli
Manuel de Almeida Barreto Filho
Marcelo Oliveira Mello
Marcelo Torres Piza Paes
Marco André Malmann Medeiros
Marcos de Barros Muniz
Marcos Lourenço Lopes
Marcos Pellegrini Ribeiro
Marcus Vinícius Duarte Ferreira
Maria Cristina Moreira Coelho
Nelson de Oliveira Rocha
Nelson Shiratori
Nilce Olivier Costa
Nilo Chagas Azambuja Filho
Paulo Buarque de M. Guimarães
Paulo Dore Fernandes
Paulo Sergio Rovina
Paulo Valois Pires
Pedro Augusto Sanches Guedes de Oliveira
Rafael Mendes
Ricardo Muñoz Freitas
Ricardo Reppold Marinho
Roberto da Fonseca Junior
Roberto Gomes Jardim
Rodrigo Azevedo Silva
Rosana Fátima Teixeira Lomba
Rui Gomes da Silva
Rui Passarelli
Silvio Alves da Silva
Sthener Rodrigues Vieira Campos
Thereza Cristina Nogueira de Aquino
Walmar Baptista
Wellington Campos

Homenagem a Antonio Sergio Pizarro Fragomeni

O Conselho Editorial do Dicionário do Petróleo registra seu pesar pela ausência do conselheiro e amigo Antonio Sergio Pizarro Fragomeni, que não pode compartilhar da emoção desse momento de conclusão de um trabalho conjunto, fruto do empenho de muitos. Comprometido com o desenvolvimento da indústria de óleo e gás, e com os profissionais que nela atuam, Fragomeni abraçou desde o início a ideia da construção desta Obra.

Nascido no Rio de Janeiro, em 22 de abril de 1946, engenheiro metalúrgico graduado pelo Instituto Militar de Engenharia, Fragomeni ingressou na Petrobras em 1968. Pós-graduou-se na Inglaterra em tecnologia de materiais na Imperial College of Science and Technology e dedicou mais de 40 anos de trabalho à Petrobras, onde exerceu funções gerenciais de grande responsabilidade e participou de momentos importantes da história da empresa e do desenvolvimento da indústria de petróleo no Brasil.

Foi diretor do Instituto Brasileiro de Petróleo, Gás e Biocombustíveis — IBP, onde teve uma participação relevante nas atividades do Instituto. Diretor da Associação Nacional de Pesquisa e Desenvolvimento das Empresas Inovadoras — Anpei, foi agraciado, em 2009, com o Prêmio de Mérito Tecnológico daquela instituição. Exerceu ainda as funções de Secretário de Desenvolvimento Tecnológico e Inovação do Ministério da Ciência e Tecnologia, tendo sido condecorado pelo presidente da República com o título de Comendador da Ordem Nacional do Mérito Científico.

Diretor Vice-presidente e Conselheiro Benemérito da Fundação Brasileira de Tecnologia da Soldagem — FBTS, Fragomeni também foi membro do Conselho Técnico Científico do Instituto Nacional de Tecnologia — INT. Até o seu falecimento, em 13 de maio de 2009, era Presidente do Conselho Empresarial de Inovação e Tecnologia da Associação Comercial do Rio de Janeiro.

Que seu exemplo seja seguido pelos novos profissionais que agora iniciam sua jornada e farão uso dessa obra.

Sumário

Introdução, xi

Apresentações
    Petrobras, xiii
    Partex, xiv
    Sonangol, xv
    IBP, xvi

Nota da editora, xvii

Como usar este dicionário, xviii

Verbetes A a Z, 1

Glossário, 525

Siglário, 617

Unidades legais de medida (Inmetro), 632

Introdução

A língua portuguesa navegou pelo mundo, de Portugal ao Brasil, do Brasil a Goa, de Portugal a Moçambique, de Angola a Macau. As caravelas foram substituídas pelos grandes navios e a energia dos ventos pela que vem do petróleo.

Desafio de A a Z, a realização de um dicionário nos leva às imagens das miragens em um deserto. O oásis chegou. A chegada só foi possível por se tratar de esforço coletivo. A obra agora lançada é fruto do apoio e colaboração de muitos. Profissionais experientes, que conseguiram compatibilizar suas atividades com a dedicação necessária à execução desta obra.

O papel dos países de língua portuguesa, notadamente Brasil, Portugal e Angola, no cenário de desenvolvimento do Setor Óleo e Gás, tem sido cada vez de maior destaque. E somos muitos os que têm sua identidade marcada pelo idioma comum. Portanto, nada mais adequado do que criar uma referência que levasse em consideração o idioma com suas variações regionais, mas que ao mesmo tempo unificasse a linguagem do setor, afirmando esta identidade, disseminando a língua portuguesa e criando uma fonte de consulta confiável. Apresentamos uma obra de referência, resultante do trabalho conjunto da academia e da indústria, pensando na formação dos futuros profissionais e também na prática diária da indústria.

Construído com base num projeto de desenvolvimento que reuniu uma equipe multidisciplinar, geograficamente distante, trabalhando com alto grau de complexidade, envolvendo várias idas e vindas, aprovações e validações, esperamos ter conseguido cobrir, dentro do campo semântico da atividade de exploração e produção no setor óleo e gás natural, o máximo possível do respetivo conteúdo.

Em um período de desafios tecnológicos impactantes, a exploração e a produção de petróleo se apresentam como forças motrizes significativas para o desenvolvimento das economias de Angola, Brasil e Portugal, com reflexos no setor industrial de toda cadeia de fornecedores de bens e serviços, pelo que se impunha a necessidade da realização desta obra.

Aqui se encontra reunida uma habitual linguagem do setor, num universo de cerca de 9.000 verbetes, num formato que facilitará o entendimento e a comunicação. Sempre que possível fomos além da definição do termo, apresentando uma descrição de aplicabilidade ou até uma contextualização histórica. Da geologia à regulação, mas sem a pretensão de abranger todo o universo da terminologia utilizada, acreditamos que esta obra possa ser uma efetiva contribuição para os que atuam ou pensam em atuar no setor, incluindo estudantes de Geologia e de Engenharia.

Não pretendemos esgotar aqui a terminologia, muitas contribuições ainda se farão necessárias, mas oferecemos um ponto de partida, que servirá de base para novas inclusões. Este *Dicionário do Petróleo em Língua Portuguesa* é o primeiro a cobrir termos e expressões do Brasil, de Portugal e de Angola. Apesar do esforço de revisão feito para eliminar deficiências, é possível e natural que algumas ainda tenham escapado e esperamos que estejam reduzidas ao mínimo para que as próximas edições possam ser mais facilmente aprimoradas. Para tal, sugestões e recomendações dos leitores poderão contribuir, indicando uma melhor adequação de textos e novas correlações de remissivos, entre outros aspectos (*dicoleoegas@puc-rio.br*).

Finalmente, gostaríamos de agradecer o apoio incondicional de nossos patrocinadores, PETROBRAS, SONANGOL, PARTEX e IBP, que viram na elaboração desta obra uma iniciativa digna da participação de empresas e instituições de tão alto renome. Parabenizar a

PUC-Rio pela iniciativa e pela realização de mais uma atividade acadêmica. Agradecemos também a dedicação do Conselho Editorial, e todo o empenho de Coordenadores, Redatores e Revisores, incansáveis na busca da qualidade. Não teríamos aqui chegado sem o esforço de todos.

Eloi Fernández y Fernández
Oswaldo A. Pedrosa Junior
António Correia de Pinho

A língua portuguesa falada no Brasil atesta a grande mistura de culturas que caracteriza nossa Nação. Enriquecendo o legado lusitano, nosso vernáculo está repleto de sonoros nhãs, çus, yis e ôos herdados dos aborígenes e do povo africano, trazido ao Brasil como escravo. Completando a "salada" linguística, há os sotaques regionais, incorporados dos imigrantes europeus, chegados ao Brasil no século dezenove.

Do mesmo modo que importantes passagens da nossa história deixaram marcas no idioma, a comunicação científica reflete também o modo e as influências sofridas no processo de implantação do saber no Brasil. E a comunicação especializada do setor petróleo não foge à regra.

Com a criação da Petrobras, pelo Presidente Getúlio Vargas, o Brasil decide ter definitivamente este segmento econômico consolidado e sob domínio do povo brasileiro. Para encurtar caminhos o processo de aprendizado se fez apoiado, principalmente, no modelo tecnológico e industrial anglo-saxão, o que implicou forte influência da língua inglesa na terminologia por nós adotada ao tratar de atividades do setor petróleo.

Mas a comunicação e difusão de conhecimentos utilizando o idioma do país são desafios de um povo que valoriza sua cultura, entendendo-a como elemento de afirmação da sua soberania. Com a publicação do *Dicionário do Petróleo em Língua Portuguesa* a Petrobras reafirma seu compromisso de oferecer aos brasileiros e demais cidadãos que se expressam em Português a oportunidade de adequar-se e consolidar seu próprio modo de se comunicar no exercício das atividades da indústria do petróleo.

Coordenada pelo Professor Eloi Fernández y Fernández, da Pontifícia Universidade Católica do Rio de Janeiro, a obra é abrangente, de conteúdo atualizado, com aproximadamente 9.000 verbetes, termos técnicos e conceitos de interesse geral. É uma enciclopédia que facilita o acesso de acadêmicos, técnicos, empresários e público em geral ao saber tecnológico do setor do petróleo num país que teve a capacidade de construir uma empresa petrolífera como a Petrobras, de alcançar a autossuficiência em petróleo, de constituir-se num fator decisivo para o desenvolvimento nacional e de tornar essa empresa uma referência mundial.

Vale lembrar que vivemos um momento especial no Brasil, que volta a reconhecer o valor estratégico do petróleo e seu papel no cenário mundial. A descoberta de gigantescas acumulações de hidrocarbonetos abaixo da extensa camada de sal que acompanha a costa brasileira é o prêmio maior à ousadia e ao esforço investigativo dos brasileiros sobre essa nova fronteira geológica.

Finalmente, saudamos o Professor Eloi Fernández y Fernández e sua equipe pela realização da obra. Que este *Dicionário do Petróleo em Língua Portuguesa* torne-se ferramenta de trabalho e instrumento motivador de novo modo de comunicação técnica entre os povos de língua portuguesa.

Guilherme Estrella
Diretor de E&P da Petrobras

Este dicionário representa um marco muito importante para a indústria de petróleo de língua portuguesa, especialmente para as actividades de Pesquisa e Produção, com repercussão no treinamento e formação de profissionais de petróleo, uma vez que deverá ser muito utilizado pelas universidades ou entidades de ensino médio quando ministrarem este assunto.

Trata-se de uma feliz ideia à qual a Sonangol se vinculou desde a primeira hora orgulhando-se de ter dado apoio financeiro e colaboração técnica com alguns dos seus melhores profissionais, tal como fizeram o Instituto Brasileiro de Petróleo, a Petrobras e a Partex, para elaboração de uma obra de alcance eminentemente científico em todos os países de língua portuguesa que garanta e procure manter as peculiaridades de expressão linguística de todos os países envolvidos. Representando um bom começo poderá ser enriquecida em futuras actualizações com a colaboração daqueles que por qualquer razão não puderam participar na primeira edição do dicionário.

A qualidade desta obra é garantida pela competência sobejamente reconhecida dos abnegados participantes que dedicaram na elaboração, análise e crítica dos verbetes o seu precioso tempo de trabalho e que no final conseguiram uma obra equilibrada e precisa. A eles nossos agradecimentos e a certeza que, com a participação de outros, estarão prontos para revisões de actualização e enriquecimento que o futuro exigirá.

Nossas congratulações a todos pelo esforço de elaboração de um vocabulário científico com definições exactas dispostas por ordem lógica que dão a esta obra a marca da seriedade, qualidade, abrangência e alcance que terá grande repercussão na comunidade petrolífera de língua portuguesa e nas universidades, visto que se passará a contar com uma peça facilitadora ao entendimento e aproximação entre elas. Especiais congratulações para a PUC — Pontifícia Universidade Católica do Rio de Janeiro, coordenadora incansável e determinada de tão valiosa obra.

Mateus Morais de Brito
Administrador Executivo (Sonangol)

A Partex não podia deixar de estar associada a esta iniciativa da Pontifícia Universidade Católica do Rio de Janeiro e da Fundação padre Leonel Franca para o desenvolvimento do projecto de publicação de um *Dicionário do Petróleo em Língua Portuguesa*. A equipa que trabalhou neste projecto fé-lo com profissionalismo e dedicação e o resultado alcançado é um espelho da qualidade pretendida.

Queria agradecer a todos os membros da equipa pelo trabalho feito, em especial ao Dr. Eloi Fernández y Fernández, que coordenou os trabalhos, e ao Dr. António Correia de Pinho, que representou a Partex neste projecto. Queria também felicitar a Petrobras e a Sonangol por terem desde a primeira hora apoiado o projecto que vem preencher uma lacuna já antiga.

A Partex é uma Companhia pioneira na indústria do petróleo e gás, existe há mais de 80 anos, foi fundada pelo Senhor Calouste Gulbenkian, que desempenhou um papel importante na génese da indústria petrolífera no Médio Oriente. Tendo em conta esse passado histórico numa indústria que é fortemente dominada pela língua inglesa, é com alegria que vemos a língua portuguesa abrir um novo espaço de diálogo técnico e científico com a publicação deste Dicionário. Estamos certos que esta iniciativa vai marcar o desenvolvimento futuro da indústria petrolífera nos países de expressão portuguesa e vai transformar-se numa referência e numa ferramenta de trabalho para todos os profissionais, técnicos, gestores e académicos que trabalham na área da energia no Brasil e em Angola, em Moçambique e na Guiné-Bissau ou em Cabo Verde, em Portugal ou em Timor.

Fernando Pessoa, num verso famoso, formulou a ideia de que a nossa pátria é a nossa língua. A publicação deste *Dicionário do Petróleo em Língua Portuguesa* amplia a pátria comum que é a nossa língua, inaugura um novo território de diálogo, abre novos horizontes. Nesta obra que agora sai à estampa convergem a multiplicidade e a riqueza do português falado em diferentes países e em diferentes continentes. Esta obra funda um novo espaço de comunicação ao nível científico e técnico, ao mesmo tempo que celebra a diversidade, a vibração e a dinâmica da língua portuguesa, sem esquecer o referencial e a regra.

A indústria da energia vai continuar a estar no centro da vida económica e social da nossa civilização. Neste século XXI novos desafios se colocam à energia em geral e à indústria petrolífera em particular. Este dicionário vai contribuir para que as novas gerações de profissionais dos países de expressão portuguesa participem na solução dos grandes desafios técnicos e económicos que a indústria e a sociedade têm pela frente, potenciando um eixo de diálogos nos problemas energéticos internacionais que fala português e que pode desempenhar um papel ainda mais importante no futuro.

António Costa Silva
Presidente da Comissão Executiva da Partex Oil and Gas

A incessante demanda de aperfeiçoamento técnico de profissionais que atuam nas atividades de Exploração e Produção de petróleo e gás natural evidencia a necessidade de uma linguagem que possa acompanhar as transformações tecnológicas experimentadas por esse importante setor econômico.

O dicionário que aqui se apresenta não apenas consolida o léxico da atividade "upstream" da indústria do petróleo, mas, sobretudo, enriquece a própria língua portuguesa, quando a referencia às manifestações do idioma nas suas variações empregadas em países de diferentes culturas e de economias fortemente alicerçadas nas atividades petrolíferas, como são os exemplos do Brasil, Angola, Portugal, Guiné Bissau e Moçambique.

A grande maioria dos autores dos verbetes deste dicionário é constituída de profissionais envolvidos em todas as atividades do setor de Exploração e Produção de petróleo e gás natural, preocupados em oferecer com objetividade e clareza, os elementos indispensáveis na terminologia técnica, jurídica, econômica e regulatória aplicada ao setor através de uma seleção cuidadosa de vocábulos, termos e expressões que certamente trarão grande auxílio aos seus usuários.

Contudo, sabemos que a edição de uma obra desse gênero, em que pese a qualidade e os esforços empreendidos, requer uma permanente atualização e aperfeiçoamento. Ao introduzir o seu uso nos diversos cursos o IBP acompanhará a sua evolução, visando utilizá-la como um ferramental vivo e de largo emprego.

Finalmente, considerando ainda o dinamismo que o setor petrolífero tomou nos últimos anos e o expressivo crescimento de sua participação na economia, entendemos que com o presente dicionário, os profissionais e interessados no conhecimento das atividades petrolíferas vão dispor de mais um instrumento que os auxiliem na realização de suas tarefas, razão pela qual o Instituto Brasileiro de Petróleo, Gás e Biocombustíveis — IBP apoiou com entusiasmo a realização desta importante obra.

João Carlos de Luca
Presidente – IBP

Nota da editora

Especializada em obras de referência, informação e conhecimento, a Lexikon sentiu-se honrada com a confiança que lhe foi depositada pelos mais idôneos representantes do setor petróleo no Brasil e nos países de língua portuguesa, que a incumbiram de editar e publicar este primeiro *Dicionário do petróleo em língua portuguesa*.

A relevância do tema em si já seria motivação suficiente para a publicação de uma obra como a que segue. A importância econômica ímpar do petróleo e do gás, seu potencial de desenvolvimento humano e social, o desafio que representa para o desenvolvimento tecnológico e a perspectiva que cria para a autossuficiência energética de gerações, nos deram a certeza de que estamos oferecendo ao público uma obra única em nossa língua, que consolida o conhecimento específico de todos os aspectos de sua prospecção, exploração e explotação nos países lusófonos.

Com este dicionário, os termos relativos ao petróleo e ao gás nas fases de exploração e produção, bem como a descrição de todos os elementos e processos que as compõem, passam a ser acessíveis a qualquer interessado em língua portuguesa, e firmam uma terminologia própria, no momento oportuno em que tudo indica um crescimento exponencial da importância e da atuação do setor nos contextos da economia, da tecnologia e do desenvolvimento social dos países produtores.

Ao esforço, à competência e à dedicação de seus idealizadores e realizadores a Lexikon somou também os seus, para fazer dessa obra um marco diferencial, um ponto de inflexão positiva no que se refere à informação, à referência e ao conhecimento do petróleo e do gás. Temos certeza de que esta primeira realização terá desdobramentos, e que a iniciativa evoluirá juntamente com a evolução de todo o setor, no Brasil, em Portugal e em Angola.

Rio de Janeiro, novembro de 2009.

Como usar este dicionário

A obra é composta de quatro módulos, a saber:

1. O DICIONÁRIO DO PETRÓLEO E DO GÁS

Todo o dicionário segue a ortografia proposta pelo Acordo Ortográfico de 1990, em vigor no Brasil a partir de 2009.

Os temas estão organizados em ordem alfabética pelo termo em português (ou pelo termo em inglês se for o único), segundo o critério de que um espaço quebra a sequência alfabética. Ou seja, o verbete **barra transversal** vem antes do verbete **barramento industrial,** apesar de a letra 't' vir depois da 'm', pois a sequência foi interrompida pelo espaço, e se considera apenas a palavra 'barra'.

As cabeças (títulos) de cada verbete têm, em geral, dois setores: o termo em português, em **negrito**, e, depois de uma barra, o respectivo termo em inglês, em ***negrito itálico***. Ex.: **barra /** *bar*.

Os termos em português usados em Portugal ou Angola ou em ambos são seguidos das marcações, respectivamente, (Port.), (Ang.) e (Port.) (Ang.).

Esses termos usados em Portugal e/ou Angola remetem aos verbetes correspondentes com terminologia usada no Brasil, para não haver duplicidade de informação.

Alguns verbetes entram pelo termo em inglês somente, quando não existe em uso um termo correspondente em português.

Estruturalmente, um verbete é formado por:
a) cabeça, como acima descrito;
b) uma ou mais definições; caso sejam mais de uma, são numeradas;
c) pode haver ou não uma descrição técnica, precedida do símbolo ⇥;
d) pode haver ou não remissivas (que enviam a outros verbetes), precedidas do símbolo ▶;
Alguns verbetes têm ilustrações elucidativas.

2. GLOSSÁRIO INGLÊS-PORTUGUÊS

Todos os termos em língua inglesa usados como cabeça de verbete, quer tenham correspondente em português quer não, em ordem alfabética pelo inglês; os correspondentes em português, caso haja, são apresentados ao lado do termo em inglês.

Os termos em inglês que não têm correspondente em português referem-se aos verbetes que têm entrada só em inglês.

O glossário permite a localização de temas no dicionário para aqueles que conheçam apenas o termo em inglês.

3. SIGLÁRIO

Uma lista em ordem alfabética de todas as siglas de organizações, empresas, firmas, instituições oficiais ou privadas, do setor de petróleo no Brasil, Portugal, Angola e no mundo todo.

4. UNIDADES DE MEDIDA

Relação das unidades oficiais de medidas de grandezas e suas notações, oficialmente adotadas pelo Instituto Nacional de Metrologia, Normalização e Qualidade Industrial — Inmetro.

dicionário do petróleo

a / a. Fator de tortuosidade na relação do Fator de Formação (F) para a porosidade (PHI). ↛ O valor de a é obtido graficamente a partir da reta de ajuste dos valores de F e PHI determinados em laboratório em amostras de rocha e plotados em gráfico log-log. A interseção dessa reta com a ordenada determina o valor de a. Matematicamente, o valor de a pode ser obtido por meio de regressão linear. O valor de a é bastante variável desde 0,5 a 5. Na ausência de um valor adequado, toma-se 0,62 para arenitos (Fórmula de Humble) e 1 para carbonatos. ▶ Ver *equações de Archie*.

aa / aa. Designação de fluxos de um determinado grupamento de lavas vertidas de fissuras vulcânicas, classificados em função de sua aparência. ↛ O grupamento mencionado é classificado em *(I)* lavas *pahoehoe*, *(II)* lavas *aa* e *(III)* lavas *em blocos*. Os fluxos *aa*, assim como as *pahoehoe*, são termos introduzidos no final do século 19 com o objetivo de indicar os principais tipos de lavas encontrados nos vulcões Mauna Loa e Kilauea, no Havaí. ▶ Ver *vulcanismo*.

aaleniano / Aalenian. Estágio da Escala Cronoestratigráfica Global Padrão. Idade (Andar) do Período (Sistema) Jurássico, da Era (Eratema) Mesozoica. Pertence ao Jurássico Médio, sucede a idade Toarciana do Jurássico Inferior e precede a idade Bajociana do Jurássico Médio.

abafamento / quenching. Em sísmica marítima, significa a eliminação do sinal dos hidrofones pela esteira de um navio.

abaixador de ponto de fluidez / pour-point depressant. Aditivo que reduz o ponto de fluidez de um petróleo parafínico por intermédio da redução da tendência de solidificação das parafinas. ▶ Ver *ponto de fluidez*.

abaixamento da pressão (Port.) / pressure drawdown. Queda de pressão dada pela diferença entre a pressão estática da formação e a pressão de fluxo. ▶ Ver *pressão estática*; *pressão de fluxo*; *Índice de Produtividade*; *Índice de Injetividade (II)*.

abandono de poço / well plugging, well abandonment. Conjunto de operações para isolar as formações portadoras de fluidos por meio de tampões de cimento, retirar os equipamentos de superfície e recuperar a locação de um poço. Quando todas estas operações são executadas, os tampões são de natureza permanente e os revestimentos são cortados abaixo da superfície, a atividade é denominada *abandono permanente*. Quando se planeja reentrar no poço, é realizado somente um tamponamento simplificado e, neste caso, a atividade é denominada *abandono temporário*. ↛ No Brasil, a recuperação da área da locação, normalmente considerada como uma atividade do abandono definitivo de poço, é denominada *arrasamento*.

abandono do campo / field abandonment. Conjunto de operações que compreende as atividades de abandono definitivo dos poços, desativação das instalações de produção e recuperação das áreas ocupadas por essas instalações. ↛ O abandono do campo deve ser realizado de acordo com os padrões e procedimentos regulamentares de cada país.

abandono permanente / plugging and abandonment. Abandono de poço quando não há interesse na continuidade das operações. ▶ Ver *abandono de poço*.

abandono temporário / well suspension, temporary abandonment. Abandono de poço onde ainda há interesse na continuidade das operações. ▶ Ver *abandono de poço*.

abaulamento (Port.) / vault. O mesmo que hogback. ▶ Ver hogback.

aberração / aberration. Distorção ou deformação da imagem, como a causada por imperfeição de um sistema óptico.

abertura central da plataforma / moonpool. Passagem existente no convés de uma plataforma de perfuração e/ou de intervenção em poços, posicionada logo abaixo da torre de perfuração, pela qual passam as ferramentas e/ou componentes de perfuração e/ou de completação de poços quando da execução dessas operações.

abertura de fratura / fracture width. Distância entre as duas faces da fratura induzida em uma rocha. O mesmo que largura da fratura. Supondo a fratura elíptica, a abertura equivale ao eixo menor. ▶ Ver *altura de fratura*; *largura de fratura*; *comprimento de fratura*; *geometria de fratura*.

abertura de janela / window milling. Abertura de uma seção lateral do revestimento por intermédio de ferramenta destruidora com o objetivo de desviar da trajetória do poço ou iniciar um *infill drilling*.

abertura do choke / choke aperture. Diâmetro de orifício do dispositivo de controle de fluxo (*choke*) do fluido da formação. ↛ A abertura do *choke* é também controlada durante a operação de remoção de um influxo (*kick*) do anular. Durante o teste de formação, a abertura do *choke* é descrita em unidades de 1/32 polegada.

abertura do estrangulador (Port.) / choke aperture. O mesmo que *abertura do* choke. ▶ Ver *abertura do* choke.

abertura em barco para a tubagem de perfuração (Port.) / *moonpool*. Abertura no casco de um barco-sonda, ou o espaço abaixo do *drill floor* (onde se situa a mesa rotativa) nas plataformas semissubmersíveis, através do qual são montados os equipamentos que serão descidos no poço. ▶ Ver *abertura central da plataforma*.

abertura em barco-sonda para a tubagem de perfuração (Port.) / *moonpool*. O mesmo que *abertura em barco para a tubagem de perfuração*. ▶ Ver *abertura em barco para a tubagem de perfuração (Port.)*.

abiogênico / *abiogenic*. O mesmo que não biológico, não relacionado a organismos vivos. ▶ Ver *abiótico*.

abiótico / *abiotic*. O mesmo que *abiogênico*. ▶ Ver *abiogênico*.

abissal / *abyssal*. Porção oceânica entre 3.500 e 6.000 m de profundidade. Termo utilizado também, mas atualmente em desuso, para designar rochas magmáticas de grande profundidade (plutônicas).

ablação / *ablation*. 1. Remoção da superfície de um objeto por perda de massa causada por vaporização, desgaste ou outros processos erosivos. Comumente usado para descrever a perda de massa de uma geleira através do derretimento e evaporação da neve e do gelo nas mudanças de estações climáticas. 2. Também usado na geoquímica, no contexto de ablação a *laser*, para descrever o processo da química molecular em que um mineral é transformado em forma gasosa por intermédio de *laser*. 3. Na geocronologia isotópica é um processo bastante eficaz para a seleção, na forma gasosa, de certos elementos radiogênicos, através de espectômetros de massa com ablação a *laser*, usados nas datações isotópicas de rochas e minerais. 4. Processo de perda de massa de um meteoro que entra na atmosfera terrestre. ▶ Ver *datação absoluta*.

abrasão / *abrasion*. Desgaste de duas superfícies em contato e em movimento relativo causado pelo atrito entre elas. No caso de um poço, pode ser o desgaste da parede de uma tubulação pelo atrito com as paredes do poço, tendo um fluido, abrasivo ou não, entre as superfícies de contato. Deve-se lembrar que os fluidos de perfuração são normalmente formados por uma mistura de líquidos e sólidos, sendo que estes conferem certa abrasividade ao sistema.

abrasão por efeito de pressão / *blasting*. Emprego de explosivos para desmontar a formação geológica de modo a auxiliar na extração ou remoção de rochas ou outros materiais consolidados.

absoluto / *absolute*. Refere-se a substância quimicamente pura, como, por exemplo, o *álcool absoluto*. Que não depende de qualquer outro aspecto condicionante ou limitante. ▶ Ver *temperatura absoluta*.

absorção / *absorption*. 1. Processo pelo qual parte da energia de uma onda sísmica é convertida em calor quando passa através de um meio. 2. Remoção da energia de um feixe de sonar à medida que este se propaga na água. ↦ A *absorção* é um dos fatores limitantes para a varredura de um sistema de sonar de varredura lateral. Em sinais de baixa frequência o relaxamento químico do sulfato de magnésio presente na água do mar é o principal fator de absorção. Os sistemas de frequência mais alta são basicamente afetados pela física de cisalhamento e viscosidade da água.

absorção linear / *linear absorption*. Fenômeno pelo qual um corpo sólido, líquido ou gasoso armazena parte da energia radiante que sobre ele incide. Quando os raios gama ou raios X incidem sobre um material, a absorção dos raios variará em função da espessura do material. ↦ A intensidade da onda, ou seja, a energia transportada pelo feixe de radiação na unidade de tempo, diminuirá com o aumento da espessura da substância atravessada pela radiação. Se medirmos a intensidade da radiação a certa distância da superfície do corpo, μ seria o coeficiente de absorção para o qual, através de uma espessura $X = 1/\mu$, a intensidade do feixe se reduz a aproximadamente 37% da intensidade inicial. Este coeficiente depende da composição do material, de sua densidade e do comprimento de onda da radiação. Uma vez que depende da densidade do material, usualmente é relacionado com esta grandeza. μ é expresso no sistema SI (Sistema Internacional) como m^{-1}. ▶ Ver *coeficiente de absorção de massa*.

absorvedor de choque / *shock absorber, shock sub*. Equipamento usado para absorver os choques e as vibrações axiais transmitidos pela broca através da coluna de perfuração. ↦ Este equipamento pode ser mecânico ou hidráulico. Tem como objetivo manter um peso constante sobre a broca e reduzir os problemas de falhas na coluna de perfuração gerados por fadiga. Além disso, reduz o tempo perdido com as falhas nos equipamentos de medição de fundo de poço, tais como MWD e LWD.

absorvência / *absorptance*. Razão entre a energia radiante adsorvida e a energia incidente. Corresponde à razão entre energia absorvida e energia total incidente em um corpo. ▶ Ver *adsorção*.

acamamento / *bedding*. 1. Arranjo de uma rocha em camadas ou estratos limitados entre si por planos que representam as superfícies de deposição. 2. Termo mais comumente usado para designar a existência de camadas em rochas sedimentares. ▶ Ver *estratificação*.

acamamento concordante / *concordant bedding*. 1. Estrutura sedimentar representada por camadas paralelas, sem terminações angulares e sem superfícies erosionais intercaladas. 2. Antônimo de acamamento discordante.

acamamento convoluto / *convolute bedding, curly bedding*. Acamamento deformado e dobra-

do restrito a uma única camada. As camadas adjacentes normalmente preservam suas formas inalteradas. ▶ Ver *laminação convoluta*.
acamamento corrugado / *crinkled bedding*.
1. Acamamento que apresenta pequenas corrugações ou vincos. 2. Em camadas de calcário associam-se estas corrugações à presença de tapetes de algas.
acamamento da broca / *setting down a bit*. Operação feita no início da perfuração para permitir que a broca forme seu perfil no fundo do poço. ↠ Os parâmetros *peso sobre a broca* e *rotação* devem ser aumentados gradativamente até atingirem os valores que serão usados durante a perfuração.
acamamento deltaico / *delta bedding*. Acamamento típico de depósitos deltaicos, composto de camadas de topo horizontais, camadas frontais inclinadas e camadas de fundo sub-horizontais.
acamamento discordante / *discordant bedding*. 1. Estrutura em que se observa discordância angular entre formações contíguas, que são chamadas, por isso, discordantes. 2. Estrutura sedimentar na qual os leitos sedimentares estão inclinados. O mesmo que *estratificação entrecruzada* ou *inclinada*.
acamamento do conjunto de lâminas frontais / *foreset bedding*. Depósito sedimentar formado de camadas com conjuntos de lâminas e camadas com forte inclinação frontal e em direção à bacia; nas porções inferiores do corpo dessas camadas, o ângulo de inclinação diminui rapidamente, passando a quase horizontal ou a baixo ângulo. ▶ Ver *estrutura sedimentar*.
acamamento gradacional / *graded bedding*. Sequência granulométrica que possui depósitos grosseiros na base, evoluindo verticalmente para sedimentos cada vez mais finos. ↠ Sedimentação típica que, entre outros parâmetros, identifica deposição por corrente de turbidez (turbidito). ▶ Ver *turbidito*.
acamamento indistinto / *slurried bed, slurry bedding*. Depósito argiloso, arenoso ou com cascalho, sem seleção ou gradação, com exceção de um fino nível com gradação na base, formado por escorregamento e fragmentação de uma camada parcialmente consolidada, ao longo do declive de um talude, normalmente subaquoso.
acamamento simétrico / *symmetrical bedding*. Conjunto de camadas ou fácies sedimentares onde o arranjo se dá pela repetição invertida da sucessão das mesmas, com retorno à camada ou fácies inicial.
aceitação de sistemas / *acceptance of systems*. Ocorrência na qual todas as pendências essenciais e impeditivas à partida de uma instalação, sistema ou equipamento principal ou subsistema de determinada unidade industrial tiverem sido sanadas e estes estiverem aptos para a operação.

↠ Observa-se que na transferência dos sistemas deverão constar todas as pendências remanescentes a serem retiradas.
aceleração de vibração / *vibration acceleration*. Aceleração máxima de um corpo quando a sua velocidade é nula. ↠ A velocidade de vibração deste corpo não é uniforme e, consequentemente, sua aceleração também não o será. O fato de a velocidade ser nula nos limites superiores e inferiores de seu movimento vibratório ocasiona que, nestes limites, sua aceleração seja máxima.
acelerador / *accelerator*. 1. Comando utilizado para aumentar a velocidade de vários equipamentos da sonda, tais como: motor do guincho, mesa rotativa ou *top drive*. 2. Dispositivo usado para acelerar a velocidade de elétrons ou partículas nucleares para altas energias. Em perfilagem de nêutrons pulsados, o deutério é acelerado para colidir com um alvo de trítio e, consequentemente, produzir nêutrons. ▶ Ver *acelerador de pega*.
acelerador de jar / *jar intensifier*. Equipamento acumulador de energia usado numa coluna de perfuração ou numa coluna de pescaria, em conjunto com o *jar* convencional, para aumentar a intensidade do impacto. Articulação que transmite flexibilidade à haste de perfuração. ▶ Ver *ferramenta de percussão*.
acelerador de pega / *accelerator, set accelerator*. Aditivo utilizado na pasta de cimento com o objetivo de reduzir o tempo de pega da pasta e o tempo necessário para que ela atinja resistência suficiente para a continuidade da perfuração. ↠ Utilizado em operações de cimentação nas quais a temperatura é baixa, normalmente inferior a 40 °C. Os principais aceleradores utilizados são: cloreto de cálcio ($CaCl_2$), normalmente na concentração entre 2% e 4% com relação à massa de cimento; e cloreto de sódio ($NaCl$) na concentração entre 1,5% e 5% em relação à massa de água. ▶ Ver *aditivo*; *cimento*; *cimentação*; *pasta de cimento*; *tempo de espessamento*.
acelerômetro / *accelerometer*. 1. Sismômetro cuja resposta é diretamente proporcional à aceleração do material com o qual esteja em contato. 2. Transdutor sísmico que gera na saída um sinal elétrico proporcional à derivada segunda do deslocamento das partículas do meio.
acerto de entrega / *balancing*. Ajustamento físico das quantidades de gás entregues ou recebidas como previstas contratualmente.
acesso livre / *open access*. Formato regulatório de organização do acesso, por parte de múltiplos usuários, a instalações em rede consideradas monopólios naturais (como, por exemplo, as de transporte dutoviário de gás natural ou linhas de transmissão de energia elétrica), segundo regulamentos e regras predefinidas pelo ente regulador. ▶ Ver *livre acesso à rede de terceiros*.
acessório da coluna de revestimento / *casing hardware*. Dispositivo mecânico fixado ou conec-

tado à coluna de revestimento com a finalidade de garantir um melhor desempenho na operação de cimentação primária. ↔ Os principais acessórios da coluna de revestimento são a sapata, o colar flutuante, o colar de estágio e os centralizadores. ▶ Ver *cimentação primária*.

acetaldeído / *acetaldehyde*. Aldeído, sendo o mais simples destes, com a seguinte fórmula C_2H_4O (segundo na série análoga, depois do formaldeído), encontrado na atmosfera por emissões resultantes da fabricação de ácido acético, plástico e matéria-prima, bem como do produto de alguma reação de oxidação em ar poluído. ↔ O acetaldeído é produzido diretamente da oxidação do eteno catalisado por paládio pelo processo *Wacker Chemie*. Cerca de 85% do acetaldeído produzido é usado para obter ácido acético e seus derivados (principalmente anidrido acético e acetato de etila).

acíclica / *acyclic*. Ligação de carbono, carbono em linha, ou carbono ramificado em um composto sem estruturas em anéis. Refere-se também a uma porção não cíclica da molécula.

acidente / *accident*. Evento ou sequência de eventos que, ocorrendo de forma anormal e não intencional, tem consequências indesejadas, como danos, perdas ou prejuízos de qualquer natureza.

acidez / *acidity*. 1. Grau de intensidade do caráter ácido de uma substância ou solução, medida através de seu pH. 2. Presença de ácidos em uma solução. ▶ Ver *alcalinidade*.

acidificação / *acidification*. Processo de reação química no qual se destrói a maior parte dos minerais inorgânicos que formam a matriz de uma rocha. ↔ O ácido clorídrico (HCl) é usado para destruir os carbonatos; o ácido fluorídrico (HF) é utilizado para destruir os silicatos. ▶ Ver *acidificação de matriz*; *acidificar*.

acidificação de matriz / *matrix acidizing*. Tratamento químico feito na formação para aumento de permeabilidade original, por meio da injeção de uma solução ácida (normalmente HCl a 15% ou 12%, ou HF 3%), de forma a dissolver compostos inorgânicos presentes na matriz da rocha. ▶ Ver *acidificação*; *fraturamento ácido*.

acidificar / *acidize*. 1. Injetar ácido na formação rochosa para aumentar a permeabilidade da formação nas imediações do poço. 2. Operação correspondente à limpeza das paredes ou do revestimento do poço por meio da circulação de solução ácida.

ácido / *acid*. Solução ácida injetada na formação (rocha), para aumento de permeabilidade original ou remoção de dano. ↔ Normalmente é utilizado HCl (ácido clorídrico) a 15% ou solução de HCl 12% HF (ácido fluorídrico) a 3%. ▶ Ver *acidificação*; *acidificação da matriz*; *fraturamento ácido*.

ácido com aditivo redutor de corrosão (Port.) / *inhibited acid*. O mesmo que *ácido inibido*. ▶ Ver *ácido inibido*.

ácido gordo (Port.) / *fatty acid*. O mesmo que *ácido graxo*. ▶ Ver *ácido graxo*.

ácido graxo / *fatty acid*. Ácido carboxílico de longa cadeia alifática não ramificada e que pode ser saturada ou insaturada. ▶ Ver *alifático*.

ácido húmico / *humic acid*. Proveniente da extração de componentes orgânicos do solo ou subsolo, principalmente húmus; a solução ácida, através da percolação *per descensum*, é importante no processo de intemperismo das rochas subjacentes.

ácido inibido / *inhibited acid*. Formulação ácida usada em uma operação de estimulação, que contenha uma concentração de inibidor de corrosão capaz de proteger os equipamentos por um tempo maior que o da operação. ▶ Ver *estimulação do poço*.

ácido naftênico / *naphthenic acid*. Ácido orgânico encontrado em abundância em petróleos naftênicos e em águas associadas. ▶ Ver *nafteno*.

ácido orgânico / *organic acid*. Ácido caracterizado pela presença do grupo carboxila, que é tipicamente representado em fórmulas químicas como COOH. As moléculas que possuem este grupo funcional são chamadas *ácidos carboxílicos* ou *ácidos orgânicos*. ▶ Ver *estimulação do poço*.

acidófilo / *acidophilous*. Relativo a organismo que cresce melhor em condições ácidas (tão baixa como pH = 1).

acionador / *actuator*. Dispositivo, normalmente eletromecânico, utilizado na operação remota de válvulas e/ou outros dispositivos. ↔ A aplicação desses acionadores é normalmente em válvulas que estejam em locais de difícil acesso e/ou de alto risco, demandando rápido posicionamento e ainda sob regime de alta frequência de manobras. É largamente utilizado no controle automático de processos.

acionamento contínuo ou intermitente / *continuous or intermittent operation*. Técnica de controle na qual as variáveis, correspondentes aos sinais de correção ou realimentação, são ajustadas ou corrigidas continuamente no tempo. ↔ Neste tipo de técnica ou estratégia de controle existe um sinal, correspondente a uma variável ou planta a ser controlada, que é continuamente comparado a um sinal ou valor de referência (*set point*), produzindo um valor correspondente à diferença entre ambos (sinal de erro), que deve ser zerado continuamente.

aço-carbono / *carbon steel*. Liga de ferro e carbono, largamente empregada na fabricação de equipamentos para aplicação em poços de petróleo, tais como: tubos de revestimento e produção, árvores de natal, válvulas de controle de poço e ferramentas auxiliares de instalação desses equipamentos. ↔ O aço-carbono apresenta corrosão severa quando aumenta o teor de água produzida juntamente com óleo ou gás, além de gás carbônico e/ou cloretos. Um critério adotado para seleção de aço-carbono é o cálculo da pressão parcial (pp) de CO_2 no fluido produzido. Por definição, pp CO_2 é igual à fração molar de CO_2 no fluido x pressão do fluido na profundidade em que o equipamento está. Quando pp CO_2 é menor que 2 psi em ambiente de pressão e temperatura normais, o aço-carbono é adequado. Acima deste teor, ligas com maior teor de cromo são recomendadas.

aço de alta liga / *high-alloy steel.* Liga de aço em que a presença de outros elementos como molibdênio, manganês, cromo ou níquel se apresenta em quantidades superiores a 10%, medidas em peso. ▶ Ver *aço-carbono; aço inoxidável.*

aço de liga especial (Ang.) / *high-alloy steel.* O mesmo que *aço de alta liga.* ▶ Ver *aço de alta liga.*

aço galvanizado / *galvanized steel.* Aço estrutural, normalmente de aço-carbono, revestido com uma camada de zinco em banho fundido onde o revestimento formado tem a função de conferir uma proteção anticorrosiva contra a corrosão atmosférica. ↬ Os aços galvanizados são bastante utilizados para proteção de estruturas metálicas submetidas à corrosão atmosférica industrial e marinha. Tal revestimento pode ainda ser pintado com tintas especiais de modo a aumentar sua capacidade de proteção anticorrosiva. Eventualmente, são aplicados na forma de ligas com adição de alumínio e até mesmo ligas ternárias com adição de alumínio e magnésio. Exemplos de aplicação na indústria do petróleo: tubulações de água industrial ou água de resfriamento a temperaturas abaixo de 50 °C, cabos de aço para sistemas de ancoragem de plataformas e lanças de guindastes, torres de perfuração etc.

aço inoxidável / *stainless steel.* Liga de ferro e cromo, com teor de cromo superior a 10% em massa. Pode conter níquel e molibdênio e apresenta propriedades físico-químicas superiores aos aços comuns, sendo a alta resistência à oxidação atmosférica sua principal característica. ▶ Ver *aço-carbono; aço de alta liga.*

aço supercromo 13 / *super 13-chrome steel.* Aço-liga cromo 13 contendo teor de carbono (C) inferior a 0,03% em massa, além da adição de 5,5% de níquel (Ni) e 2% de molibdênio (Mo) em massa, aumentando sua resistência à corrosão pontual ou generalizada em altas temperaturas, e sua resistência à tensão induzida por sulfeto de hidrogênio (SSC). ▶ Ver *aço-carbono; aço inoxidável.*

acomodação / *accommodation.* Termo usado na estratigrafia de sequências para representar a quantidade de espaço criado para acomodar um determinado volume sedimentar. ↬ Espaço disponível de determinado produto, relativo à combinação/variação de três principais fatores: (*I*) Nível da superfície do mar (eustasia: medida global do nível do mar a partir de um *datum*, como o centro da terra). (*II*) Nível do assoalho marinho (tectônica). (*III*) Mudanças nas taxas de acumulação sedimentar. ▶ Ver *estratigrafia de sequências.*

acoplamento / *coupling.* Dispositivo constituinte do conjunto de fundo de um sistema de *bombeamento centrífugo submerso (BCS)*, utilizado para transmitir o torque entre os eixos do motor ao do protetor e ao da bomba. ↬ Tipicamente, tal dispositivo é do tipo estriado, e assim se assemelha a um acoplamento do tipo de engrenagens (dentes retos). ▶ Ver *bombeio centrífugo submerso; protetor do motor elétrico.*

acoplamento de bombeio mecânico / *sucker-rod coupling.* Conexão entre duas hastes de bombeio. ↬ A coluna de hastes, que transmite para o pistão da *bomba de fundo* o movimento alternativo gerado na superfície por uma unidade de bombeio, é descida dentro do poço acoplando-se haste a haste até ser atingida a profundidade final da bomba de fundo.

acoplamento geofone-terreno / *geophone-to-ground coupling.* Operação de afixar o geofone ao solo.

acoplamento nulo / *null coupling.* Dispositivo em que as bobinas de transmissão e recepção anulam, pelo seu posicionamento, a recepção do campo eletromagnético primário. ↬ Aplicado em levantamentos aeromagnetométricos.

acordo comum de desenvolvimento / *joint development agreement.* 1. Acordo que regula o desenvolvimento de um campo ou uma concessão pelas várias partes interessadas. 2. O mesmo que *acordo de desenvolvimento compartilhado.*

acordo de arbitragem / *arbitration agreement.* Ato pelo qual as partes, contratante e contratada, decidem, de comum e livre vontade, submeter a arbitragem todos ou determinados litígios que tenham surgido ou que poderão surgir, em função de cláusulas específicas constantes nos respectivos contratos firmados entre estas mesmas partes. ↬ Normalmente existe em contratos de caráter internacional. ▶ Ver *arbitragem.*

acordo de desenvolvimento compartilhado / *shared development agreement.* Acordo de gerenciamento que coordena todas ou algumas partes de um reservatório de óleo e gás pelos proprietários das áreas ou blocos situados sobre o reservatório. ↬ Refere-se a Acordo de Individualização da Produção ou Acordo de Unificação da Produção, que são termos comumente empregados no Brasil para *Unitization Agreement*. Embora o termo "Acordo de Desenvolvimento Compartilhado" esteja correto, não é o usualmente aplicado no Brasil. ▶ Ver *joint development agreement.*

Acordo de Individualização da Produção (Port.) / *shared development agreement.* O mesmo que *acordo de desenvolvimento compartilhado.* ▶ Ver *acordo de desenvolvimento compartilhado.*

acordo de levantamento de petróleo (Port.) / *offtake agreement.* O mesmo que *acordo de reti-*

rada ordenada de produção. ▶ Ver *acordo de participação*; *acordo de retirada ordenada de produção.*
acordo de operações conjuntas / joint operating agreement. Acordo entre parceiros de um consórcio para a gestão das operações demandadas para a exploração e produção de petróleo e gás natural em uma área sedimentar.
acordo de participação / offtake agreement. Acordo para a retirada ordenada da produção de petróleo. O mesmo que *lifting.* ▶ Ver *acordo de retirada ordenada de produção.*
acordo de retirada ordenada de produção / lifting agreement. Acordo que regula a produção de um campo a ser distribuída às partes signatárias de um contrato de concessão ou de partilha de produção. O mesmo que *acordo de participação.*
acordo de unificação da produção / shared development agreement. O mesmo que *acordo de desenvolvimento compartilhado.* ▶ Ver *acordo de desenvolvimento compartilhado.*
acordo de unificação de operações / joint operating agreement. Acordo firmado entre concessionários de áreas adjacentes passíveis de unificação, contemplando os direitos e obrigações dos concessionários interessados, definindo a área unificada, seu operador, as participações de cada um na exploração, avaliação, desenvolvimento e produção da jazida, os investimentos realizados e previstos pelas partes para apuração das participações governamentais e de terceiros e todos os demais aspectos de acordos do gênero, respeitadas as obrigações contratuais da *Agência Nacional do Petróleo, Gás Natural e Biocombustíveis (ANP).* ▶ Ver *Agência Nacional do Petróleo, Gás Natural e Biocombustíveis (ANP).*
acordo de unitização (Port.) / unitization agreement. O mesmo que *acordo de desenvolvimento compartilhado.* ▶ Ver *acordo de desenvolvimento compartilhado.*
acreditação / accreditation. Atestação de terceira parte relacionada a um organismo de avaliação da conformidade, comunicando a demonstração formal da sua competência para realizar tarefas específicas de avaliação da conformidade.
acresção tectônica / tectonic accretion. Acresção de material, dominantemente sedimentar, à crosta continental em zonas de subducção. ↦ Os sedimentos depositados sobre a placa subductante são raspados e anexados à placa superior, podendo envolver pedaços da crosta oceânica, formando um prisma denominado *prisma acrescionário.*
actinídeo / actinide. Série de elementos metálicos pesados, radioativos, de número atômico crescente, superior a 88, que começa com o actínio (89) e termina com o elemento de número atômico 103, o laurêncio.
actinolita / actinolite. Mineral do grupo dos anfibólios, relativamente comum em algumas rochas metamórficas, de aspecto fibroso, de cor comumente brilhosa cinza-esverdeada. Além de sílica, contém cálcio, magnésio e ferro em sua composição.

Faz parte de uma série da classe dos silicatos que vai da tremolita ($Ca_2Mg_5Si_8O_{22}(OH)_2$) à actinolita ferrosa ($Ca_2(Mg,Fe)_5Si_8O_{22}(OH)_2$). ↦ A série da tremolita à actinolita ocorre quando os íons podem ser livremente substituídos entre cada um deles. Neste caso, quando predomina o ferro, o mineral é chamado de actinolita ferrosa; e quando predomina o magnésio, obtém-se a tremolita. A actinolita é um membro intermediário desta série. Uma variedade de actinolita é composta de cristais microscopicamente fibrosos (asbestos), e entre estes está a serpentinita, mais largamente utilizada em inúmeras aplicações. Entretanto, os asbestos têm sido apontados como prejudiciais à saúde, e quando inalados em grande quantidade por seres humanos podem causar doenças graves. Os asbestos são usados como materiais de proteção contra o fogo e em lama de perfuração. ▶ Ver *anfibólio.*
actinolite (Port.) / actinolite. O mesmo que *actinolita.* ▶ Ver *actinolita.*
acumulação / accumulation. 1. Termo usado na sedimentologia para representar um volume de sedimento depositado numa determinada posição geográfica em uma bacia sedimentar. **2.** Representa também a fase de desenvolvimento de um sistema petrolífero quando o óleo que migra da rocha geradora é absorvido e retido no reservatório. **3.** Quantidade de petróleo que fica retido em uma armadilha (rocha selante). ↦ Para que aconteça, depois do processo de geração (cozinha de geração) e expulsão, ocorre a migração do óleo e/ou gás através das camadas de rochas adjacentes, até encontrar uma estrutura geológica que detenha seu caminho, sob a qual ocorrerá a acumulação do óleo e/ou gás em uma rocha porosa e permeável chamada reservatório. ▶ Ver *sedimento.*
acumulação sedimentar por avalanche / avalanche bedding. Depósito do tipo caótico, produzido por avalanches, onde as geometrias externas de corpos ou camadas são bastante irregulares e internamente apresentam também arcabouços desorganizados, imaturos e mal selecionados.
acumulador / accumulator. Conjunto de vasos de pressão utilizado para estocar fluido hidráulico sob pressão de gás nitrogênio. ↦ O fluido hidráulico é empregado no funcionamento do sistema de controle remoto do preventor de erupção (*blowout preventer, BOP*) ou da árvore de natal.
acunhamento / pinch-out. Afinamento ou estreitamento progressivo de uma camada em uma direção, até sua extinção.
acurácia / accuracy. Proximidade entre o resultado de uma medição e o valor verdadeiro convencional da quantidade. Quanto maior a proximidade, maior a acurácia. ↦ Acurácia não é exatamente o mesmo que precisão. Em perfilagem, as medições são caracterizadas no projeto e construção da ferramenta regularmente calibrada a algum padrão. A acurácia de um perfil depende, portanto, da caracterização inicial, da

reprodutibilidade do padrão e da estabilidade da medição entre calibrações e sob as condições de poço. A acurácia depende também do desempenho do equipamento, que deve ser operado de acordo com as especificações. ▶ Ver *processamento alfa*; *calibração*.

adaptador / *adapter, substitute, sub*. 1. Peça de contenção de pressão para conectar dois equipamentos de diferentes tamanhos nominais e/ou pressões de trabalho. A conexão pode ser flangeada, com *clamp* ou rosqueada. A conexão superior pode ter pressão de trabalho maior que a conexão inferior. 2. O mesmo que *sub*. ↝ Em poços de plataforma fixa, *adaptador* é o nome dado ao carretel de união do flange da cabeça de produção com o flange da árvore de natal. Este *adaptador* também fornece sustentação e vedação ao suspensor de coluna e permite o acesso à linha de controle hidráulico da válvula de segurança. ▶ Ver *sub*.

adaptador A5S / *A5S adapter*. 1. Modelo de adaptador. 2. O mesmo que *adaptador*. ↝ Um dos modelos usados nos poços de plataformas fixas da bacia de Campos. ▶ Ver *adaptador*.

adaptador da broca (Port.) / *bit sub*. O mesmo que *sub da broca*. ▶ Ver *sub da broca*.

adaptador de cisalhamento por pressão (Port.) / *shear-out sub*. O mesmo que *sub de cisalhamento por pressão*. ▶ Ver *sub de cisalhamento por pressão*.

adaptador de conexão / *make up crossover*. Dispositivo usado durante a montagem de *riser* de perfuração para facilitar a instalação de *clamps*.

adaptador de cruzamento (Port.) / *crossover sub*. O mesmo que *sub de cruzamento*. ▶ Ver *sub de cruzamento*.

adaptador de desvio (Port.) / *bent sub*. O mesmo que *sub torto*. ▶ Ver *sub torto*.

adaptador de elevação (Port.) / *lifting sub*. O mesmo que *sub de elevação*. ▶ Ver *sub de elevação*.

adaptador de preservação do *kelly* (Port.) / *kelly sub, kelly saver*. O mesmo que *sub de salvação do* kelly. ▶ Ver *sub de salvação do* kelly; kelly.

adaptador de pressurização (Port.) / *shear sub*. O mesmo que *sub de pressurização*. ▶ Ver *sub de pressurização*.

adaptador de salvação do *kelly* (Port.) / *kelly-saver sub*. O mesmo que *sub de salvação do* kelly. ▶ Ver *sub de salvação do* kelly.

adaptador de válvula flutuante (Port.) / *float sub*. O mesmo que *sub com válvula flutuante*. ▶ Ver *sub com válvula flutuante*.

adaptador do carretel de ligação (Port.) / *adapter*. O mesmo que *adaptador*. ▶ Ver *adaptador*.

adaptador do *kelly* (Port.) / *kelly sub*. O mesmo que *sub de salvação do* kelly. ▶ Ver *sub de salvação do* kelly; kelly.

adaptador para camisa de bombeamento centrífugo submerso / *ESP shroud adapter*. 1. Peça de união entre a camisa (*shroud*) e a bomba de bombeamento centrífugo submerso *(BCS)*. 2. Suspensor de camisa de bombeamento centrífugo submerso.

adaptador torto (Port.) / *bent sub*. O mesmo que *sub torto*. ▶ Ver *sub torto*.

adensante / *weighting agent*. Aditivo utilizado na pasta de cimento com o objetivo de aumentar o peso específico da pasta. Os principais adensantes são: baritina, hematita, ilmenita (óxido de ferro-titânio) e óxido de manganês. ▶ Ver *aditivo*; *cimento*; *cimentação*; *pasta de cimento*; *densidade*.

aderência da pasta de cimento / *cement bond*. Aderência do cimento ao revestimento e à formação, que está atrelada aos dois objetivos principais de uma cimentação: prover suporte mecânico para o revestimento e assegurar que a(s) zona(s) de interesse esteja(m) hidraulicamente isolada(s). ↝ Existem dois tipos de aderência da pasta de cimento: aderência mecânica e aderência hidráulica. A aderência mecânica é definida como sendo a razão entre a força requerida para iniciar o deslocamento de um tubo cimentado e a área lateral de contato. Já a aderência hidráulica é definida como a pressão de líquido aplicada na interface revestimento/cimento ou formação/cimento que provoca vazamento. Ela é normalmente expressa em "psi" e corresponde à aderência que impede a migração de fluidos.

adesão / *adhesion*. Expressão das forças intermoleculares que ocorrem entre substâncias químicas distintas. ↝ O trabalho de *adesão* entre dois líquidos imiscíveis, como água e óleo, é igual ao trabalho necessário para separar uma unidade de área de interface líquido-líquido, com formação de duas interfaces separadas de líquido-ar. O trabalho de *adesão* é dado pela equação de Dupré: $W_a = \gamma_A + \gamma_B - \gamma_{AB}$. Onde: γ_A é a tensão superficial da fase A, γ_B é a tensão superficial da fase B e γ_{AB} é a tensão interfacial entre A e B. ▶ Ver *coesão*; *força intermolecular*; *tensão superficial*; *tensão interfacial*; *equação de Dupré*.

adiabático / *adiabatic*. Condição relativa à transformação adiabática. ▶ Ver *transformação adiabática*.

aditivo / *additive*. Termo empregado para alguma substância adicionada a um alimento, produto de petróleo, ou uma borracha ou, ainda, uma mistura de plástico, para criar um produto com função particular ou nova propriedade. ↝ Na maioria dos casos a proporção necessária para alcançar os resultados desejados é de 1% ou menos. No caso de gasolina e óleos lubrificantes, os aditivos incluem os inibidores de goma, supressores de ruídos, aperfeiçoamento de ignição etc.

aditivo ácido / *acid additive*. Substância química utilizada no tratamento ácido. ▶ Ver *tratamento ácido*.

aditivo contratual / *contract amendment*. Instrumento contratual que tem por finalidade introduzir alterações no contrato original, tais como as relativas ao escopo, prazos e/ou custos.

aditivo controlador da filtração / *filtration-control agent*. O mesmo que *controlador de filtrado*.

aditivo de cimento / *cement additive*. Produto químico apresentado em estado sólido ou líquido, adicionado à pasta de cimento a fim de modificar suas propriedades, ajustando-as às condições da operação de cimentação. ↪ Os principais tipos de aditivos de cimento são: acelerador de pega, adensante, agente antirregressão da resistência à compressão do cimento, antiespumante, controlador de migração de gás, dispersante, estendedor, modificador reológico, redutor de filtrado e retardador de pega.

aditivo de lama / *mud additive*. Material ou produto químico adicionado a uma formulação de fluido de perfuração com o objetivo de conferir ao mesmo uma ou mais características específicas. ▶ Ver *lama*; *fluido de perfuração*.

aditivo para perda de fluidos (Port.) / *fluid-loss additive, filtration-control additive*. O mesmo que *controlador de filtrado*. ▶ Ver *controlador de filtrado*.

aditivo para perda de lama (Port.) / *fluid-loss additive, filtration-control additive*. O mesmo que *controlador de filtrado*. ▶ Ver *controlador de filtrado*.

aditivo redutor de densidade / *density-reducing additive*. Material utilizado tanto nos fluidos de perfuração como nas pastas de cimento com o objetivo de reduzir a densidade. ↪ A água é o material mais barato que pode ser adicionado para redução da densidade. No caso das pastas de cimento, estas podem ficar tão diluídas a ponto de ocorrer a sedimentação de seus constituintes, com formação de muita água livre. Na prevenção deste problema os aditivos redutores de densidade podem atuar de forma a absorver o excesso de água ou reduzir a densidade da pasta, por possuir massa específica inferior à do cimento. As argilas atuam no sentido de adsorver a água, sendo que a bentonita sódica, também denominada *montmorilonita*, é a mais utilizada. Materiais como microesferas de vidro ou de cerâmica, perlita expandida e gilsonita atuam tanto absorvendo água quanto conferindo menor densidade à pasta pelo próprio peso específico inferior desses materiais.

aditivo redutor de H_2S / *H_2S-reducing agent*. 1. Esponja de magnetita Fe_3O_4. 2. Aditivo de fluido de perfuração com a função de sequestrar sulfeto de hidrogênio introduzido no sistema de circulação de fluido por influxo das formações perfuradas ou alguma outra fonte. ↪ O tratamento com aditivo redutor de H_2S reduz a concentração do gás e/ou sulfeto S_2 livre no sistema a níveis que garantam a segurança operacional. ▶ Ver *aditivo de lama*.

aditivo redutor de perda de fluido / *fluid-loss reducing additive*. Aditivo utilizado na pasta de cimento com o objetivo de controlar a quantidade de água perdida por filtração pela pasta de cimento para as zonas permeáveis adjacentes. ↪ A sua utilização evita a desidratação prematura da pasta, as mudanças em suas propriedades e o dano induzido em zonas de produção pelo filtrado de cimento. Os redutores de filtrado são geralmente polímeros, tais como a celulose, o álcool polivinílico, poliacriloamidas, poliaquiloaminas e látex do copolímero de estireno/butadieno. O mecanismo de atuação deste aditivo pode ocorrer de duas maneiras: pelo aumento da viscosidade da fase líquida da pasta de cimento ou pelo aumento da superfície das partículas do polímero em contato com a água, formando assim uma rede reticulada com as partículas do cimento.

aditivo redutor de perda de lama (Port.) / *fluid-loss reducing additive*. O mesmo que *aditivo redutor de perda de fluido*. ▶ Ver *aditivo redutor de perda de fluido*.

aditivo redutor de viscosidade / *viscosity-reducing additive*. Aditivo usado no fluido de perfuração para reduzir sua viscosidade.

admissão / *intake*. 1. Dispositivo que permite a entrada de fluido da formação para o conjunto de bombeio centrífugo submerso (BCS). 2. Dispositivo usado para conectar o protetor à bomba centrífuga submersa. ↪ Em poços de RGO (*Relação Gás-Óleo*) elevado com BCS, esta admissão é denominada *separador de gás*. ▶ Ver *admissão da bomba*; *separador de gás de bombeio centrífugo submerso*.

admissão da bomba / *pump intake*. Parte, em um conjunto de bombeamento centrífugo submerso (BCS), que permite a entrada/admissão de fluidos ao interior da bomba. ↪ Tal área visa a facilitar o ingresso de fluidos no interior da bomba. Quando estas áreas ficam sujeitas a atípicas quantidades de gás livre (fato este comum), adotam-se separadores de gás nessa região de admissão. Nesse caso, o gás é tipicamente direcionado para o anular do poço, para ulterior ou contínuo descarregamento. Essa técnica é possível em poços de produção em terra. ▶ Ver *bombeio centrífugo submerso*; *bomba centrífuga submersa*; *separador de gás de bombeio centrífugo submerso*.

admissão temporária / *temporary admission*. Processo que permite a permanência no Brasil de bens procedentes do exterior, por prazo e para finalidade determinados, com suspensão do pagamento de impostos incidentes na importação, ou com pagamento proporcional ao tempo de permanência no país. No âmbito do Regime Aduaneiro de Exportação e Importação (Repetro), ela será concedida tanto para bens que estejam sob este regime que procedam diretamente do exterior (cf. Regulamento Aduaneiro, art. 411, § 3°) quanto para os equipamentos nacionais (art. 411, I) e suas partes ou peças de reposição (art. 411, II), após a exportação ficta dos mesmos.

adoçamento de gás / *gas sweetening*. Processo de tratamento de gás para retirada de componentes ácidos. ▶ Ver *sistema de tratamento de gás*.

adolescência geológica / *late youth*. Estágio do ciclo de erosão posicionado entre a juventude e a maturidade.

adsorbato / *adsorbate*. Material que adere a uma superfície ou camada superficial de outro material, que é chamado de *adsorvente*.

adsorção / *adsorption*. Fenômeno que descreve a aderência de moléculas de um gás ou líquido à superfície de outra substância, usualmente um sólido. ↝ As moléculas adsorvidas a uma superfície formam um estreito filme de aderência mantido por forças eletrostáticas que são consideravelmente mais fracas que as ligações químicas.

adsorção específica / *specific adsorption*. Processo de acúmulo de substâncias (moléculas ou átomos) à superfície de material adsorvente através da formação de ligações químicas geralmente covalentes. ↝ A adsorção específica, também denominada *quimissorção*, é empregada na separação de contaminantes específicos, como metais pesados, de efluentes ou fluidos orgânicos. A ligação estabelecida em processo de adsorção específica é de intensidade maior em relação à adsorção física.

adsorção negativa / *negative adsorption*. Processo termodinâmico no qual a concentração de um componente diminui na região de interface em comparação ao interior da fase. ▶ Ver *adsorção*; *fase*.

adsorção positiva / *positive adsorption*. Processo termodinâmico no qual a concentração de um componente aumenta na região de interface em comparação ao interior da fase. ▶ Ver *adsorção*; *fase*.

adsorvente / *adsorbent*. Material com propriedades peculiares, geralmente associadas a sua estrutura cristalina ou lamelar, que lhe confere qualidades de superfície e microporosidade interna adequadas a processos de adsorção. ↝ Os principais materiais adsorventes utilizados são: resinas sintéticas, carvão ativado, alumina ativada, sílica-gel, zeólitas, diatomita, bentonita, turfa, húmus, vermiculita, cascas de arroz, casca de noz e terras-raras. ▶ Ver *resina*; *carvão ativado*; *sílica-gel*; *zeólita*; *diatomito*; *bentonita*, *vermiculita*.

advanced payment bond. Instrumento que, por intermédio do mercado segurador e/ou bancário, assegura garantias de que determinados fornecedores de materiais e equipamentos e prestadores de serviços, contratados pela empresa contratada principal (ou por seus subcontratados), cumprirão suas obrigações financeiras quanto ao respectivo fornecimento, limitadas às condições contratuais assumidas entre as partes. ↝ Surge da necessidade de a contratante ter garantias de que o pagamento antecipado será devidamente utilizado na execução do serviço ou fornecimento de um componente necessário ao escopo original de fornecimento

advecção / *advection*. Transporte ou carregamento. Em termos de qualidade de ar, é a razão pela qual a matéria particulada é transportada. Corrente de fluxo horizontal de particulados e de propriedades atmosféricas.

aeração / *aeration*. 1. Passagem de ar através de um líquido, ou de camadas de solo, permitindo que a oxidação ocorra nesses meios. Geralmente ocorre nas camadas superficiais do solo, até o nível do aquífero existente. 2. Oxigenação de um meio, através da introdução de ar. ▶ Ver *zona aerada*.

aerossol / *aerosol*. 1. Suspensão de partículas sólidas ou líquidas, ultramicroscópicas, presentes no ar ou gás, como fumaça, nevoeiro e garoa. 2. Partículas sólidas ou líquidas suspensas no ar. 3. Substância coloidal armazenada sob pressão que, após sua liberação, assume o estado líquido ou sólido; o recipiente em que a substância é armazenada.

afastamento / *offset*. Distância entre o ponto de tiro e o centro do grupo de geofones mais próximo. ▶ Ver *geofone*.

afastamento do geofone / *geophone offset*. Distância compreendida entre geofone e fonte sísmica. ▶ Ver *geofone*.

afastamento do ponto de tiro / *shotpoint gap*. Maior distância entre grupos de geofones, em lados opostos do ponto de tiro, num arranjo uniforme.

afastamento fonte-receptor / *source-to-receiver offset*. Distância entre a fonte e o receptor.

afastamento horizontal / *horizontal displacement*. Distância horizontal que o poço se afasta da origem na mesa rotativa da sonda ou da plataforma.

afastamento lateral / *lateral offset*. Afastamento transversal dos geofones em relação à linha de tiro.

afastamento longitudinal / *in-line offset*. Distância longitudinal do ponto de tiro à fonte mais próxima do lanço.

aferição de conteúdo local / *local content measurement*. Processo de verificação da participação do fornecimento de bens e serviços de origem nacional em um determinado empreendimento, seja ele uma atividade exploratória, um módulo, uma plataforma ou todo o sistema de produção de um campo de petróleo. ↝ Aplicável a qualquer segmento da indústria do petróleo. ▶ Ver *conteúdo local*.

aferição de débito (Ang.) / *flow-rate gauging*. O mesmo que *aferição de vazão*. ▶ Ver *aferição de vazão*.

aferição de vazão / *flow-rate gauging*. Procedimento que consiste em deixar certo volume de óleo produzido diminuir em tanques atmosféricos e calcular o fator de correção para o medidor empregado. ↝ Durante um teste de produção em um poço de óleo a medida de vazão é necessária para

definir o real potencial do poço. A medição de vazão indicada pelo medidor é afetada pela presença de gás em solução, indicando um volume superior à vazão de óleo em condições atmosféricas. O fator de correção é a relação entre o volume medido no tanque e o volume indicado pelo medidor.
aferição de volume de líquido (Port.) / *liquid volume gauging.* O mesmo que *provação de volume de líquido.* ▶ Ver *provação de volume de líquido.*
aferidor (Port.) / *gauger.* O mesmo que *provador.* ▶ Ver *provador.*
aferidor medidor padrão (Port.) / *master meter gauger.* O mesmo que *medidor padrão.* ▶ Ver *medidor padrão*; *medidor mestre.*
aferidor tipo compacto (Port.) / *compact or small volume gauger.* O mesmo que *provador tipo compacto.* ▶ Ver *provador tipo compacto.*
aferidor tipo convencional (Port.) / *conventional type gauger.* O mesmo que *provador tipo convencional.* ▶ Ver *provador tipo convencional.*
after production. O mesmo que *sobrefluxo.* ▶ Ver *sobrefluxo.*
afinamento com cisalhamento / *shear thinning.* Propriedade de fluido pseudoplástico em que a viscosidade do fluido decresce com a taxa de cisalhamento a que esse fluido é exposto. Conhecido também como *afinar com cisalhamento.* ↔ Essa propriedade é característica de algumas soluções multifásicas complexas.
afloramento / *outcrop.* 1. Exposição do substrato rochoso ou de camadas sedimentares que despontam visíveis em superfície ou no fundo marinho. 2. Exposição natural ou artificial da rocha. ↔ Os afloramentos podem ser naturais, devido a processos naturais, ou artificiais, devido a obras de engenharia (cortes de estradas, trincheiras, cavas de minas, túneis etc). A análise de afloramentos é uma importante fonte de informação acerca das rochas em subsuperfície. ▶ Ver *rocha matriz.*
afluente / *affluent.* Corrente de fluido que se dirige a uma outra corrente ou a determinado equipamento. ↔ Termo normalmente empregado para designar uma corrente que se dirige a um fluxo principal, ou compõe a alimentação de um equipamento de processamento. Usado em oposição às correntes efluentes, ou seja, que deixam o equipamento.
AFRAMAX. Navio petroleiro de óleo cru ou de produtos, com capacidade entre 75 mil e 120 mil TPB ou cerca de 800 mil barris, e com dimensões que, de forma geral, permitem sua operação em portos comerciais. ↔ O prefixo *AFRA* representa a expressão *Averate Freight Rate Assessment* (tarifa de frete médio).
afretamento / *charter.* Modalidade correspondente à aquisição de um determinado bem, devidamente regulada por instrumento contratual específico, em que se transfere para um contratante o direito exclusivo de utilização deste bem por um período determinado e mediante o pagamento de valores estabelecidos em contrato.
after production. O mesmo que *sobrefluxo.* ▶ Ver *sobrefluxo.*
agarrador de testemunho / *core catcher.* Dispositivo de retenção do testemunho após este penetrar no barrilete interno, durante a operação de testemunhagem.
agência de fomento / *development agency.* Entidade que busca ajudar no desenvolvimento de projetos empresariais ou institucionais, por intermédio da oferta de linhas especiais de crédito, cujos recursos podem ser utilizados tanto no financiamento do capital de giro quanto nos investimentos destes projetos.
Agência de Proteção Ambiental / *Environmental Protection Agency.* Agência do governo federal dos Estados Unidos da América encarregada de proteger a saúde humana, salvaguardando o meio ambiente, em termos de água, ar e solo. ↔ Tal agência determina, por exemplo, padrões de emissão dos gases resultantes das combustões de combustíveis derivados de petróleo, bem como do descarte de fluidos em operações de processamento primário de petróleo.
agência financeira de fomento (Port.) / *development agency.* O mesmo que *agência de fomento.* ▶ Ver *agência de fomento.*
agência financeira oficial de fomento / *official finance agency.* Instituição financeira estatal brasileira voltada para o financiamento da atividade produtiva, segundo políticas estabelecidas em lei de diretrizes orçamentárias. ▶ Ver *agência de fomento.*
Agência Nacional do Petróleo, Gás Natural e Biocombustíveis (ANP), Brasil / *National Petroleum, Natural Gas and Biofuels Agency (ANP), Brazil.* Autarquia que tem como objetivo regular, contratar e fiscalizar as atividades econômicas integrantes da indústria do petróleo no Brasil, em linha com as orientações do Conselho Nacional de Política Energética (CNPE) e de acordo com os interesses do país. ↔ Órgão vinculado ao Ministério de Minas e Energia, a ANP é responsável pela execução da política nacional para o setor energético do petróleo, gás natural e biocombustíveis, de acordo com a Lei do Petróleo (Lei nº 9.478/1997), *(I)* estabelecendo regras por meio de portarias, instruções normativas e resoluções, *(II)* promovendo licitações e celebrando contratos em nome da União com os concessionários em atividades de exploração, desenvolvimento e produção de petróleo e gás natural e *(III)* fiscalizando as atividades das indústrias reguladas, diretamente ou mediante convênios com outros órgãos públicos. A Agência Nacional do Petróleo, Gás Natural e Biocombustíveis (ANP) foi implantada por intermédio do Decreto nº 2.455, de 14 de janeiro de 1998.
agência reguladora / *regulatory agency.* 1. Entidade governamental que tem competência para regular determinado setor da econo-

mia. **2.** Órgão governamental para regular e fiscalizar os serviços prestados por empresas privadas que atuam na prestação de serviços. •◦ No Brasil, a Agência Nacional do Petróleo, Gás Natural e Biocombustíveis (ANP) exerce essas atribuições para o setor petróleo. ▶ Ver *Agência Nacional do Petróleo, Gás Natural e Biocombustíveis (ANP)*.

agente antieletrostático / *anti-electrostatic agent.* Surfactante que pode ser aplicada para reduzir a ocorrência de eletrização estática de componentes. •◦ Um exemplo de material utilizado para este fim são os alquilsulfonatos e alquilfosfatos.

agente antiespumante / *antifoam agent.* Substância química adicionada a um fluido com a finalidade de inibir a formação de espuma.

agente complexante / *complexing agent.* Substância capaz de formar compostos complexos com outro material em solução.

agente corrosivo / *corrosion agent.* Agente externo que causa corrosão.

agente de escoramento / *propping agent.* O mesmo que *agente de sustentação*. ▶ Ver *agente de sustentação*; *propante*.

agente de extrema pressão / *extreme pressure agent.* Aditivo para lubrificantes e graxas que tem a capacidade de aderir à superfície dos metais sob altas cargas, reduzindo o atrito e o desgaste, e impedindo a soldagem de parte dos mesmos quando sob carga e movimento relativo. •◦ Tipicamente estes aditivos contêm compostos à base de enxofre, fósforo ou cloro que reagem com a superfície metálica sob alta pressão, gerando uma camada superficial que facilita o deslizamento e evita o desgaste. São aditivos utilizados em situações em que as cargas são elevadas, a exemplo da que ocorre na lubrificação de engrenagens de transmissão de altas cargas.

agente de obstrução (Ang.) / *bridging agent.* O mesmo que *agente obturante*. ▶ Ver *agente obturante*.

agente de sustentação / *proppant.* **1.** Material granular utilizado para sustentação de fraturas hidráulicas. **2.** Material granular utilizado para empacotamento de sistemas de exclusão de areia em operações de *frac-packing*. ▶ Ver *propante*.

agente molhante / *wetting agent.* O mesmo que *surfactante*. ▶ Ver *surfactante*.

agente obturante / *bridging agent.* Partículas sólidas que devem ser previamente selecionadas quanto a seu tamanho e forma, adicionadas na composição do fluido de perfuração, com a função de restringir ou minimizar o processo invasivo do filtrado do fluido de perfuração na rocha-reservatório de petróleo. São responsáveis pela formação do reboco na parede do poço.

agente oxidante / *oxidizing agent.* Substância química que promove oxidação em algum outro material.

agentes desemulsificadores (Port.) / *stock tank emulsion breakers.* O mesmo que *stock tank emulsion breakers*. ▶ Ver *stock tank emulsion breakers*.

agente selante / *sealing agent.* Sólido ou gel adicionado ao fluido de perfuração com o objetivo de efetuar o selamento/tamponamento de zonas permeáveis, prevenindo com isso a perda de fluido para essas zonas e o consequente dano à formação. O tamponamento da formação cria um filme na parede do poço, conhecido como *reboco externo*. A espessura desse reboco deve levar em consideração as condições de estabilidade do poço, a invasão de filtrado na formação e o controle de pressões. Este plugueamento pode ser temporário ou permanente. ▶ Ver *agente obturante*.

agente vedante (Port.) (Ang.) / *sealing agent.* O mesmo que *agente selante*. ▶ Ver *agente selante*; *agente obturante*.

agentes da indústria do gás natural / *main players.* Agentes ligados às fases da indústria, isto é: a) exploração e produção (produtor); b) transporte e armazenamento (transportador); c) processamento (processador); d) comercialização, distribuição e venda (distribuidor); e e) consumo (consumidor). Quatro deles são ditos *agentes principais*, como a seguir: produtores/processadores, transportadores, companhias de distribuição local e consumidores.

agitação do fundo do mar (Port.) / *water-bottom roll.* O mesmo que *rolamento do fundo do mar*. ▶ Ver *rolamento do fundo do mar*.

agitação do solo / *ground unrest.* Ruído provocado pelas condições do ambiente, como chuva, vento ou microssismos.

agitador mecânico / *mechanical agitator.* Dispositivo destinado a promover a mistura de líquidos em tanques, constituído de um hélice situado na extremidade de um eixo que é acionado por um motor, geralmente elétrico, com velocidade ajustável. •◦ Nas instalações de produção de petróleo esse tipo de equipamento é utilizado em tanques de produtos químicos injetados em diferentes pontos da planta de processamento primário. O agitador promove a mistura do produto químico concentrado com o diluente requerido para a injeção.

aglomerante / *binder.* **1.** Material que aglomera partículas de outros materiais, formando uma massa coerente. Os aglomerantes mais comuns são o cimento e resinas. **2.** Mineral precipitado sobre os grãos de sedimentos, que produz a cimentação entre eles. Este fenômeno faz parte do processo de litificação de rochas sedimentares. Os minerais cimentantes mais comuns são os carbonatos e o quartzo.

aglutinação / *agglutination.* **1.** Processo pelo qual um mineral é precipitado nos espaços entre as partículas de um depósito não consolidado, causando sua consolidação. **2.** Sinônimo de *cimentação*.

aglutinado / *agglutinate*. Variedade de aglomerado vulcânico no qual fragmentos piroclásticos ejetados estão em estado físico plástico e, ao serem depositados, são cimentados por uma fina película de vidro vulcânico em torno dos fragmentos.

agradação costeira / *coastal aggradation*. Componente vertical de uma estrutura deposicional do tipo transgressivo. A agradação costeira resulta da deposição na vertical de sedimentos na região costeira, à medida que o nível relativo do mar sobe.

agradação do conjunto de parassequências / *aggradational parasequence set*. Conjunto de parassequências no qual há sucessiva deposição de parassequências mais novas sobre as mais antigas, sem significativas mudanças laterais de fácies. ↪ A agradação é caracterizada pela proximidade de valores entre a taxa de acomodação e a taxa de deposição sedimentar. ▶ Ver *parassequência*.

agregado / *aggregate*. Termo descritivo genérico aplicado a uma massa de fragmentos de rochas ou grãos minerais, ou uma mistura de ambos.

água ácida / *sour water*. Água de descarte, com cheiro forte e característico, contendo, usualmente, compostos de enxofre.

água adsorvida à argila / *clay-bound water*. Água adsorvida na rede cristalina de alguns minerais de argila. Esta água não se desloca quando, em um reservatório, o hidrocarboneto presente flui através da rocha. ↪ Na análise de perfil, a água adsorvida não é parte da porosidade efetiva, corresponde à diferença entre a porosidade total e a efetiva. O volume de água adsorvida está relacionado à capacidade de troca catiônica por volume unitário, o que depende da salinidade e da temperatura do eletrólito em que a argila está imersa. ▶ Ver *água livre*.

água aprisionada / *bound water*. 1. Água adsorvida nas superfícies de partículas ou grãos de uma formação. Normalmente esta água não é móvel, mas detém suas propriedades eletrolíticas. **2.** A água quimicamente ligada numa estrutura mineral cristalina, não sendo, portanto, móvel. Esta água não apresenta propriedades eletrolíticas. ↪ A água aprisionada pode ser água conata ou água que entrou subsequentemente na formação.

água conata / *connate water*. 1. Água trapeada nos interstícios de uma rocha sedimentar durante a deposição. **2.** Água que não teve contato com a atmosfera pelo menos durante um apreciável período geológico. **3.** Água aprisionada nos poros de uma rocha-reservatório antes do início da produção da mesma.

água condensada / *condensate water*. Água presente em forma de vapor em reservatórios de gás e que se condensa na superfície quando o gás é produzido.

água de flanco / *flank water*. Água adjacente à zona de óleo, formando um aquífero associado à jazida de petróleo. ↪ Utiliza-se também, com o mesmo significado, o termo *aquífero de flanco*. ▶ Ver *aquífero*.

água de formação / *formation water*. Água retida nos interstícios de uma rocha sedimentar desde a sua formação. O mesmo que *água congênita* ou *água fóssil*. Contém grande quantidade de sais dissolvidos, principalmente cloreto de sódio (NaCl). O mesmo que *água conata*.

água de fundo / *bottom water*. Água localizada abaixo da zona de óleo, formando um aquífero associado à jazida de petróleo. ↪ Utiliza-se também, com o mesmo significado, o termo *aquífero de fundo*. ▶ Ver *água de flanco*.

água de mistura (Ang.) / *mixture water*. O mesmo que *água de mistura para cimento*. ▶ Ver *água de mistura para cimento*.

água de mistura para cimento / *mixture water*. Água de mistura corresponde ao volume total de água doce e/ou do mar contendo aditivos nelas dissolvidos e/ou dispersos por cada pé cúbico de cimento. Este volume é expresso em galões por pé cúbico de cimento. A principal função da água de mistura é a de molhar as partículas do cimento de forma a produzir uma pasta que seja bombeável no poço. ▶ Ver *aditivo*; *cimento*; *cimentação*; *pasta de cimento*; *reologia*; *densidade*.

água de percolação / *percolated water*. 1. Chuva que cai e escorre sem exercer pressão sobre a superfície. **2.** Água situada na zona não saturada, acima do nível freático e com circulação predominantemente horizontal. O mesmo que *água meteórica* e *água vadosa*. ▶ Ver *água meteórica*; *água vadosa*.

água de poro / *pore water*. Água livre em um reservatório que possa fluir pela rocha.

água doce / *fresh water*. Água de baixa salinidade (< 1.000 ppm) oriunda de rios e mananciais (aquíferos) e que pode ser utilizada não só para fins industriais, mas também, após tratamento adequado, para consumo humano. ↪ Largamente utilizada na produção de petróleo, quando facilmente disponível, para recuperação secundária (injeção de água) e terciária (injeção de vapor). ▶ Ver *aquífero*; *recuperação secundária*; *recuperação terciária*.

água em formação / *formation water*. O mesmo que *água conata*. ▶ Ver *água conata*.

água fóssil / *fossil water*. O mesmo que *água conata*. ▶ Ver *água conata*.

água industrial / *industrial water*. Água doce para uso industrial, imprópria para consumo humano.

água infiltrante / *infiltrating water*. Água que flui para dentro do reservatório à medida que a produção de gás e/ou óleo tende a reduzir a pressão do reservatório.

água intersticial livre / *free interstitial water*. Água presente nos poros da rocha-reservatório com potencial de deslocamento. •» A água intersticial livre é a que ocorre nos aquíferos associados ao reservatório de petróleo. Entretanto, por ação capilar, a água pode invadir a coluna de óleo e assim vir a ocorrer na zona de óleo — formando, nesse caso, a chamada *zona de transição*. Dessa forma, esta água corresponde à *água conata*. ▶ Ver *água conata*.

água juvenil / *juvenile water*. Água que entra no ciclo hidrológico pela primeira vez, sendo derivada diretamente do magma.

água livre / *free water*. 1. Parte da água produzida que, embora escoe juntamente com o óleo, forma uma camada contínua, não se encontrando dispersa sob a forma de gotículas, no seio do óleo. Opõe-se ao termo *água emulsionada*, que forma o conteúdo complementar da *água produzida*. Eventualmente, durante o escoamento a água livre pode sofrer algum grau de dispersão no óleo, mas sempre de modo muito instável, decantando rapidamente na ausência de turbulência. 2. Na pasta de cimento a água livre corresponde ao percentual de volume de água sobrenadante, sem característica cimentante, obtido em relação a um volume total de pasta utilizado nessa determinação. O percentual de água livre é determinado após um período de duas horas, com o recipiente contendo a pasta em repouso. A temperatura de teste pode ser a ambiente ou superior, até o máximo de 82 °C (água livre aquecida). ▶ Ver *pasta de cimento*.

água meteórica / *meteoric water*. 1. Termo usado para designar a água presente na atmosfera, e que se precipita sob a forma de chuva. 2. Também pode ser definida como água subterrânea originada da superfície que se tenha infiltrado em subsuperfície em tempos recentes.

água oleosa / *oily water*. Água produzida em associação com os hidrocarbonetos, tendo sempre algum teor, ainda que bem reduzido, de hidrocarbonetos sob forma dispersa e até mesmo em solução.

água para perfuração / *drill water*. Água utilizada na sonda para preparação do fluido de perfuração.

água produzida / *produced water*. Água de um reservatório, juntamente com óleo e gás. •» Esta água é geralmente salobra e rica em sulfato de sódio, bicarbonato de sódio, cloreto de magnésio e cloreto de cálcio. A água produzida de um reservatório é tratada e reinjetada no próprio reservatório, ou descartada no mar.

água química / *chemical water*. Água que é parte da fórmula química de um mineral, também conhecida como *água de hidratação* (*hydration water*).

água residual / *residual water*. 1. Água que se encontra nos poros da rocha-reservatório e que não pode ser retirada devido a um valor mínimo de saturação, conhecido como *saturação irredutível de água*. Isso acontece porque a efetiva permeabilidade da água atingiu um valor nulo, ou seja, não há mais mobilidade da água através da rocha. 2. Fina camada de água em contato com a parede dos minerais e finas descontinuidades pendulares de água, formadas a partir da pressão capilar no contato entre grãos e por grandes poros. A *água residual* não flui através da rocha permeável. ▶ Ver *saturação de água irredutível*.

água salina / *saline water*. 1. Água que apresenta uma concentração de sal superior a 2g/l (grama/litro). 2. Diz-se da água de alguns aquíferos.

água subterrânea / *ground water*. 1. Água encontrada em subsuperfície dentro da zona saturada. 2. Toda a água situada abaixo da superfície freática.

água vadosa / *vadose water*. Água meteórica que se acumula na zona de aeração do solo.

aguardamento da pega do cimento / *waiting on cement (WOC)*. Operação de espera para que a pasta de cimento atinja o tempo de espessamento e a resistência à compressão adequada para que se inicie o processo de perfuração. Também conhecido como *aguardando pega do cimento*.

aguardando pega do cimento / *waiting on cement (WOC)*. O mesmo que *aguardamento da pega do cimento*. ▶ Ver *aguardamento da pega do cimento*.

águas profundas / *deepwaters*. Águas oceânicas situadas em áreas com lâmina d'água em geral entre 300 m e 1.500 m. •» De maneira geral, os limites mencionados resultam de aspectos associados ao estado da arte na tecnologia requerida para as unidades estacionárias de perfuração ou de produção, limites de mergulho humano. Não há um consenso universal sobre os limites de profundidade para definir águas profundas; diferentes entidades internacionais têm instituído distintos limites para tal área. Na década de 1980, o termo *águas profundas* representou a lâmina d'água entre 180 m e 450 m. A ISO define o termo *águas profundas* como referente à lâmina d'água entre 610 m (2.000 ft) e 1.830 m (6.000 ft). ▶ Ver *águas rasas*; *águas ultraprofundas*.

águas rasas / *shallow waters*. Águas oceânicas situadas em áreas com lâmina d'água, em geral, inferior a 300 m. ▶ Ver *águas profundas*; *águas ultraprofundas*.

águas ultraprofundas / *ultra deep waters or ultra-deep waters*. Águas oceânicas situadas em áreas com lâmina d'água, em geral, acima de 1.500 m. ▶ Ver *águas profundas*; *águas rasas*.

agulha / *bean*. Parte interna de uma válvula tipo estranguladora (*choke*). •» A válvula do tipo estranguladora, *choke*, é largamente utilizada e compõe o conjunto de equipamentos constituintes da chamada *cabeça de poço*, à semelhança da árvore de natal, aplicados no controle do escoamento. À semelhança de tal aplicação, encontram-se ainda tais válvulas em manifoldes de produção, bem como em linhas de *gas lift*, onde contribuem para o estabelecimento da injeção da vazão desejada de *lift gas*.

ajudante de sondador (Port.) / roughneck, tong man. O mesmo que *plataformista*. ▶ Ver *plataformista*.

ajuste de instrumento de medição / adjustment (of a measuring instrument). Operação destinada a fazer com que um instrumento de medição tenha desempenho compatível com o seu uso. O ajuste pode ser automático, semiautomático ou manual.

ajuste de superfície / surface fitting. 1. Método aplicado aos dados obtidos em levantamentos potenciais, com o auxílio de um filtro passa-baixas, para a definição do campo regional. 2. Método de aproximação de uma superfície real a uma superfície matemática, de modo geral de baixa ordem.

alagado parálico / paralic swamp. Ambiente de sedimentação próximo ao litoral apresentando, simultaneamente, características marinhas e continentais.

ALARA / As Low As Reasonably Achievable. Conceito de regulamentação ambiental, aplicado em várias instâncias e originado na legislação americana, que se baseia no princípio de que os padrões de liberação de poluentes sejam mantidos tão baixos quanto razoavelmente exequível.

alargador de braços móveis / underreamer. Ferramenta descida na coluna de perfuração com braços e cortadores móveis, recolhidos internamente e limitados a seu diâmetro externo, que permite sua abertura para alargar o poço para um diâmetro maior que a broca descida. •◦ Alargador de fundo.

alargador de poço / reamer. O mesmo que *escareador*. ▶ Ver *escareador*.

ALARP / As Low As Reasonably Practicable. Conceito de regulamentação de segurança que se baseia no princípio de que os níveis de risco de um projeto ou atividade devem ser tão baixos que qualquer redução adicional traria benefícios que não compensariam os custos envolvidos.

alavanca de freio / brake lever. Braço metálico, geralmente posicionado na parte traseira da unidade de bombeio mecânico, que ao ser acionado faz atuar o freio da mesma. •◦ Dispõe de uma catraca — que retém o braço, quando acionado e mantendo a unidade de bombeio freada — e de um dispositivo para destravar a catraca, liberando o freio.

albedo / albedo. Coeficiente de reflexão que ocorre entre a quantidade incidente e a irradiação eletromagnética refletida, de forma direta ou difusa. Expresso geralmente em porcentagem. •◦ É importante parâmetro radiométrico utilizado tanto no sensoriamento remoto quanto em climatologia e astronomia.

albertita / albertite. Asfaltito com densidade específica de 1,07 a 1,10 e com 25% a 50% de carbono fixo, possuindo um brilho lustroso, fratura conchoidal, dureza entre 1 e 2, e risco marrom a preto. É praticamente insolúvel em dissulfito de carbono, porém parcialmente solúvel em tupertino.

álcali / alkali. Composto que possui propriedades altamente alcalinas (básicas). Os compostos alcalinos possuem o índice de pH superior a 7. •◦ A característica básica pode ser de acordo com as teorias de Arrhenius ou de Brönsted-Lowry. ▶ Ver *alcalinidade*; *alcalino*.

alcalinidade / alkalinity. 1. Qualidade de uma base que tem pH maior do que 7. 2. Propriedade de uma solução aquosa em que há mais íons de hidroxila, ou maior propensão a sua formação do que à formação de íons de hidrogênio. ▶ Ver *acidez*.

alcalinidade a metil-orange do filtrado / methyl orange alkalinity of filtrate. Nível de alcalinidade que requer para sua neutralização o uso do indicador metil-orange (pH 4,3), medido com o volume de solução 0,02 normal de ácido por mililitro de filtrado.

alcalino / alkaline. 1. Referência ao elemento que possui propriedades de um álcali, ou seja, que tem pH superior a 7. Referente a uma base em solução aquosa. 2. Referente a águas contendo elevadas concentrações de carbonatos de sódio, cálcio, potássio ou magnésio. 3. Referente a rochas que possuem maiores teores de sódio ou potássio do que o necessário para a formação de feldspato, entre os minerais presentes.

alcance (Port.) / range. O mesmo que *varredura*. ▶ Ver *varredura*.

slant range. Distância equivalente à hipotenusa de um triângulo retângulo definido pelo transdutor de um equipamento de posicionamento acústico submarino ou de sonar de varredura lateral.

alcano / alkane. Hidrocarboneto saturado, contendo somente hidrogênio e carbono sem ligações duplas, que podem ser retas (normal), ramificadas ou cíclicas. •◦ O mais simples alcano é o metano (CH_4), segue-se o etano (C_2H_6), o propano (C_3H_8), e assim por diante. O mesmo que parafina. ▶ Ver *alceno*; *alifático*.

alcatrão / tar. 1. Petróleo viscoso de alto °API, que ocorre naturalmente na superfície, na forma de exsudação. 2. Líquido escuro viscoso, resultado da destilação de matéria orgânica, como carvão e madeira. ▶ Ver *exsudação*.

alceno / alkene. 1. Hidrocarboneto alifático insaturado que possui uma ou mais ligações duplas entre dois átomos de carbono. 2. Hidrocarboneto insaturado, contendo somente hidrogênio e carbono com uma ou mais ligações duplas, porém não aromáticas. •◦ Normalmente os alcenos não ocorrem no petróleo, exceto quando este é rapidamente aquecido, como durante a pirólise. O eteno (C_2H_4) é o mais simples dos alcenos. ▶ Ver *olefina*; *alifático*.

alcino / alkyne. Hidrocarboneto alifático insaturado que possui uma ou mais ligações triplas entre dois átomos de carbono.

álcool anidro / anhydrous ethanol. O mesmo que *álcool etílico anidro carburante*. ▶ Ver *álcool etílico anidro carburante*.

álcool etílico anidro carburante / *anhydrous fuel ethanol*. Álcool utilizado em mistura com a gasolina, com o objetivo de aumentar o poder antidetonante em motores de ciclo Otto. A quantidade de água encontrada no álcool anidro deve ser ínfima, daí seu nome (anidro = sem água).

alga calcária / *calcareous algae*. Grupo de algas que removem o carbonato de cálcio da água em que vivem e secretam, ou depositam-no em torno de sua estrutura corporal, a qual não possui diferenciação na raiz, na haste e na folha, como nos *thallophytes*, estrutura mais ou menos sólida de carbonato de cálcio.

algálico / *algal*. Condição referente ao sedimento ou rocha composto de algas. ▶ Ver *carbonato*.

álias. Ambiguidade na frequência, falseamento. Caracteriza-se pela existência de frequências no sinal de entrada maiores que a frequência de Nyquist.

álias principal / *principal alias*. Intervalo de frequência definido entre o valor da frequência de Nyquist e o seu dobro.

alifático / *aliphatic*. Condição referente a hidrocarbonetos de petróleo que contêm ligações saturadas e/ou insaturadas simples e fluem durante a cromatografia líquida usando solventes não polares. Incluem os alcanos, alcenos e alcinos, porém excluem os aromáticos. ↔ Os alifáticos constituem a maior série dos compostos orgânicos cujas moléculas são arranjadas em cadeias retas ou ramificadas, algumas vezes chamadas *cadeias abertas*, ou insaturadas, formadas por uma ou mais ligações duplas ou triplas. Aqueles que possuem ligações simples são alcanos ou parafinas; aqueles que possuem ligações duplas são alcenos ou olefinas; os que têm duas ligações duplas são diolefinas; e os que têm ligações triplas são alcinos ou acetilenos. As séries alifáticas incluem os hidrocarbonetos, aldeídos, cetonas, alcoóis, ácidos orgânicos e carboidratos sem estrutura em anel. ▶ Ver *alcano*; *alceno*; *alcino*.

alíquota de *royalties* / *royalty rate*. Percentual com que determinado tributo ou participação governamental incide sobre a sua base de cálculo. Por exemplo, no Brasil, os *royalties* possuem a alíquota básica definida na Lei nº 9.478/97 e indicada como igual a 10%, vindo a incidir sobre o valor da produção do campo, que no caso é a base de cálculo.

alóctone / *allochthonous*. Significativo volume de solo ou massa rochosa, localizado fora da região onde foi formado, transportado por movimentos de falhas, grandes deslizamentos por gravidade ou outros processos similares. Originado em local distante, opõe-se a *autóctone*, que é gerado no local. ↔ A origem do sedimento ou solo, se alóctone ou autóctone, influencia muito a avaliação de uma determinada área. No caso de solos, a investigação deve ser precedida da avaliação dos horizontes para se ter certeza de sua origem local ou distante.

aloestratigrafia / *allostratigraphy*. Estudo de unidades estratigráficas limitadas por superfícies de descontinuidades que as envolvem, permitindo o seu mapeamento geológico. ↔ À semelhança das unidades litoestratigráficas, na aloestratigrafia as unidades são hierarquizadas, distinguindo-se: *alogrupo*, *aloformação* e *alomembro*. Entretanto, enquanto na litoestratigrafia o critério principal é a identidade litológica ou de associação litológica, na aloestratigrafia as unidades podem conter rochas formadas em diferentes ambientes e, portanto, litologicamente diferenciadas, mas balizadas por superfícies de não deposição ou de erosão que as amarram lateralmente. ▶ Ver *estratigrafia de sequências*.

alogênico / *allogenic*. **1.** Termo aplicado aos constituintes de uma rocha clástica originados pela desagregação de uma rocha preexistente. Por exemplo, seixos de um conglomerado, minerais clásticos em rochas sedimentares. **2.** O antônimo de *autigênico*. ▶ Ver *mineral detrítico*; *autigênico*.

alojador / *housing*. Componente dos sistemas submarinos de cabeça de poço, constitui-se de um dispositivo tubular dotado de paredes, geralmente mais espessas que os tubos de revestimento, com um perfil externo que permite o acoplamento de outros equipamentos. Internamente, tem perfil próprio para assentamento de revestimentos ou outro alojador. ▶ Ver *alojador de baixa pressão*; *alojador de alta pressão*.

alojador com curvatura / *bent housing*. Parte do corpo de um motor de fundo que, graças à curvatura, permite que essa ferramenta seja usada como defletora. Pode ser de ângulo fixo ou ajustável. Como a curvatura está mais próxima da broca que do sistema que emprega um sub torto (*bent sub*) acima do motor, é possível perfurar sem alteração na direção original quando a coluna de perfuração é girada. ▶ Ver *motor de fundo com carcaça curva*; *ferramenta defletora*.

alojador com curvatura ajustável / *adjustable bent housing*. Alojador com curvatura (*bent housing*) que permite o ajuste da sua inclinação na sonda. ▶ Ver *alojador com curvatura*; *motor de fundo com carcaça curva*; *sonda*.

alojador de alta pressão / *high-pressure housing*. Dispositivo soldado ao revestimento de superfície (normalmente de 20 polegadas), sendo assentado e travado no interior do alojador de baixa pressão. ↔ Possui as funções de: (*I*) sustentar o revestimento de superfície; (*II*) servir de sede para os suspensores dos revestimentos a serem descidos posteriormente no poço; (*III*) possibilitar o acoplamento do preventor de erupção (*blowout preventer, BOP*), conectado via conector hidráulico que atua no seu perfil externo. Esta conexão entre o alojador de alta pressão e o preventor de erupção (*blowout preventer, BOP*) permite que este fique apoiado com a manutenção da vedação. No alojador de alta pressão, a pressão de trabalho é geralmente de 10.000 psi. ▶ Ver *alojador*.

alojador de baixa pressão / *low-pressure housing*. Dispositivo instalado na cabeça de poço e acoplado a uma base guia ou de jateamento. Sustenta o revestimento condutor (normalmente de 30") e, internamente, constitui a sede para assentamento e travamento do alojador de alta pressão. No alojador de baixa pressão, usualmente, a pressão de trabalho é de 2.000 psi. ▶ Ver *alojador*; *alojador de alta pressão*.

alojador de coluna / *tubing head*. Componente da cabeça de poço. Aloja um dispositivo que sustenta a coluna de tubos e permite a conexão da árvore de natal com a cabeça de poço. ↪ Este componente e o dispositivo nele alojado sustentam a coluna de tubos e propiciam, ainda, um isolamento hidráulico entre o interior da coluna de tubos e o espaço anular. ▶ Ver *cabeça de poço*; *coluna de produção*; *espaço anular*.

alomorfismo / *allomorphism*. 1. Existência de substâncias com mesma composição química e formas cristalinas distintas. 2. Ocorrência de mudanças produzidas em minerais sem ganho ou perda de componentes, como a mudança da kyanite para a silimanita.

alongamento da coluna de hastes / *rod stretch*. No método de produção por bombeio mecânico, é o aumento do comprimento da coluna de hastes, resultado da deformação geralmente elástica que ocorre quando esta é submetida às cargas do poço durante o curso ascendente.

alongamento da coluna de produção / *tubing stretch*. No método de produção por bombeio mecânico, é o aumento do comprimento da coluna de produção, resultado da deformação geralmente elástica que ocorre quando esta é submetida às cargas do poço durante o curso descendente.

altimetria por radar / *radar altimetry*. Processo de determinação da altimetria, que utiliza a medição do tempo que as ondas de radiofrequência emitidas em direção à Terra por um radar em uma aeronave levam para voltar à origem.

altitude / *altitude*. Distância entre o fundo marinho e um equipamento de sonar de varredura que se desloca lateralmente, definindo-se com este processo a topografia do fundo. ↪ A altitude em que um sonar de varredura lateral deve ser rebocado é fator importante na aquisição de dados de qualidade, evitando colisões do equipamento com o fundo marinho.

altura de fratura / *fracture height*. Extensão vertical de uma fratura hidráulica. Supondo a fratura elíptica, a altura equivale ao eixo maior. ▶ Ver *abertura de fratura*; *largura de fratura*; *comprimento de fratura*; *geometria de fratura*.

altura do fio de rosca / *height of thread*. Distância radialmente medida entre o topo (*crest*) do fio de rosca e sua base (*root*). ▶ Ver *rosca externa*; *rosca interna*.

altura do peixe / *fish height*. O mesmo que *altitude*. ▶ Ver *altitude*.

altura do ponto de tiro / *shot-hole elevation*. Elevação da boca do poço ou do furo no qual a carga é detonada.

altura geoidal / *geoidal height*. Diferença de altura entre o elipsoide de referência e o nível médio do mar. Altura do geoide acima do elipsoide.

altura manométrica / *head*. Máxima altura linear de uma coluna de fluido de interesse que uma máquina de escoamento, à semelhança de uma bomba de bombeio centrífugo submerso, é capaz de gerar em uma tubulação com qualquer diâmetro. ▶ Ver *bombeio centrífugo submerso*.

aluvial / *alluvial*. Condição relacionada com os sedimentos clásticos da planície de inundação gerados pela ação de águas correntes.

aluvião / *alluvium*. Sedimentos clásticos (areia, cascalho e lama) depositados por sistemas fluviais no leito e nas margens da sua drenagem, incluindo as planícies de inundações fluviais e das áreas deltaicas. Quando o volume de material transportado é mais fino, durante as cheias ocorrem extravasamentos com deposição lateral aos canais. Alguns autores incluem também nesta categoria os sedimentos clásticos depositados em zonas estuarinas, e aqueles terrígenos retrabalhados diretamente por ondas nas zonas costeiras marinhas ou lacustrinas. ↪ Os depósitos aluviais em geral são muito retrabalhados e mutáveis devido a exposição à erosão fluvial. Depositados durante o final das cheias ou nos locais de remansos quando cai a energia da corrente do rio, vão ser, em seguida, erodidos pela força da água da nova cheia ou pela mudança do curso do rio. Normalmente são depósitos clásticos mal selecionados e imaturos, de cascalho, areias e lamas, podendo ocorrer depósitos de blocos maiores, às vezes arredondados, nas regiões elevadas das cabeceiras com maior energia e maior desenvolvimento nas planícies de inundação, com lamas (silte e argilas) por extensas áreas, e em sopés de montanhas com a forma de leques, os chamados leques fluviais. São os compostos de depósitos comuns de fanglomerados e areias associados que atingem boa expressão areal e grandes espessuras. ▶ Ver *leque aluvial*.

amarra de ancoragem / *anchor chain*. Linha formada por elos de aço, usada para ancorar plataformas e outros equipamentos no mar. Sinônimo: *corrente*. ↪ Elas são robustas, com boa capacidade de carga e de fadiga. Suportam bem o atrito com o solo marinho e têm grande flexibilidade de armazenagem e manuseio. Há amarras com malhete ou sem malhete e possuem vários acessórios, como elos finais, elos alongados, manilhas, placas triangulares, entre outros. São largamente utilizadas no mundo.

amarração / *mooring*. Ligação de uma unidade flutuante, normalmente do tipo navio, a um cais, boia ou outra embarcação, de forma a restringir seus movimentos relativos. O termo em inglês correspondente a *amarração* é o mesmo aplicado a *ancoragem*. ➠ A amarração normalmente é feita por cabos de aço, cabos sintéticos, amarras ou uma combinação desses componentes. Na produção *offshore* são particularmente críticas as amarrações entre os navios aliviadores e os FPSOs ou as monoboias. ▶ Ver *ancoragem*.

amarração de poço / *well tie*. Técnica que consiste em correlacionar os intervalos de tempo de reflexão sísmica com os horizontes estratigráficos atravessados pelo poço, usada para transformar uma seção sísmica em uma seção geológica em profundidade. ▶ Ver *conversão tempo-profundidade*.

amarração de tempo / *time tie*. Técnica que consiste em correlacionar temporalmente registros de reflexão sísmica com dados de poços.

âmbar / *amber*. 1. Substância derivada da oxidação e da polimerização de terpanoides não voláteis em rochas sedimentares ou em praias, como no mar Báltico. 2. Fóssil frágil de resina, de coloração de amarela a marrom, podendo conter fósseis de insetos e vegetais. 3. Grupo de resinas fósseis contendo considerável quantidade de ácido sucínico e razão C/H muito variável. ▶ Ver *resina*.

ambientalismo / *environmentalism*. Modo de pensar ou filosofia que elege como valor a defesa inadiável do ambiente natural e dos sistemas de suporte da vida na Terra e da biosfera.

ambiente colaborativo / *collaboration management, collaboration platform*. Sistema eletrônico utilizado para armazenamento e transmissão de documentos e para a comunicação entre as partes envolvidas em um projeto, independentemente de onde estejam localizadas fisicamente essas partes. Possui flexibilidades tais como interação com intra e internet (salas de *chat*, listas de *e-mail*, videoconferências, fóruns etc). ➠ O acesso ao ambiente colaborativo, sempre que houver necessidade de intervenção do usuário, será por intermédio de chaves de acesso, previamente autorizadas. Propicia interatividade (*on-line*) entre as várias etapas de desenvolvimento de um empreendimento do setor petrolífero, tais como Engenharia, Procura e Construção (EPC).

ambiente de deposição / *depositional environment*. Área ou região em que ocorre a deposição dos sedimentos sob condições físico-químicas e biológicas favoráveis. É uma condição particular de um ambiente sedimentar, onde prevalecem as características físico-químicas e/ou biológicas que favoreçem a acumulação de sedimentos e sua preservação. ▶ Ver *ambiente sedimentar*.

ambiente de fundo submarino / *deep-sea environment*. Corresponde à zona abissal, tendo potencial de oxidação-redução positivo (oxidante) ou negativo (redutor). ▶ Ver *abissal*.

ambiente fluvioeólico / *fluvioeolian environment*. Área ou região onde existem depósitos formados pela ação dos sistemas fluvial e eólico.

ambiente fluvioglacial / *fluvioglacial environment*. Área ou região onde existem depósitos formados pela ação conjunta dos sistemas fluvial e glacial, em um ambiente periglacial. São formados quando os sedimentos depositados pelas geleiras em retração, as *morainas*, são retrabalhados pelos rios gerados pelo derretimento destas, nas denominadas *planícies de outwash*.

ambiente fluviolacustre / *fluviolacustrine environment*. Área ou região onde existem depósitos formados pela ação dos sistemas fluvial e lacustre. ➠ Ocorrem quando estes sistemas deposicionais se intercalam no tempo.

ambiente fluviomarinho / *fluviomarine environment*. Área ou região onde existem depósitos formados pela ação dos sistemas fluvial e marinho. ➠ São característicos de ambientes nos quais os sistemas fluviais alcançam o mar, mas a sua descarga é insuficiente para gerar um delta.

ambiente sedimentar / *sedimentary environment*. Ambiente geológico caracterizado por processos sedimentares controlados por condições físicas, químicas e biológicas. Os ambientes sedimentares podem apresentar características tanto erosionais como deposicionais ou não deposicionais.

ambiente sulfurado / *sulfur environment, sour environment*. Ambiente que contém fluidos com sulfeto de hidrogênio (H_2S) e que podem causar trinca por tensão de hidrogênio em materiais suscetíveis.

ambiente sulfuroso (Port.) / *sulfur environment, sour environment*. O mesmo que *ambiente sulfurado*. ▶ Ver *ambiente sulfurado*.

ambligonita / *amblygonite* (Lithium Sodium Aluminum Phosphate Fluoride Hydroxide). Mineral de fosfato relativamente comum. É encontrada nas rochas pegmatíticas ricas em lítio e fosfato como um mineral primário. Às vezes compõe uma porcentagem significante da rocha. ➠ O nome *ambligonita* vem da palavra grega "ângulos cegos", em alusão à variabilidade dos seus ângulos de clivagem. A ambligonita pode ser facilmente confundida com outros minerais de uma rocha como o quartzo e a albita. Geralmente sua aparência se confunde com a destes dois minerais, especialmente com a albita, podendo ser diferenciada através de um teste de chama para o lítio, pela densidade ou por sua clivagem não usual.

amblygonite (Port.) / *amblygonite*. O mesmo que *ambligonita*. ▶ Ver *ambligonita*.

amido / *starch*. Redutor de filtrado de fluido de perfuração à base de água. Aditivo de fluido de perfuração aquoso com a função de reduzir e controlar a invasão de filtrado no meio poroso. ➠ O grão de amido é uma mistura de dois polissacarídeos: amilose e amilopectina. A amilose é uma macromolécula constituída de 250 a 300 resíduos de D-glicopiranose, ligados por pontes glicosídicas α-1,4, que conferem à molécula uma estrutura helicoidal. A amilopectina é uma macromolécula, menos hidrossolúvel que a amilose, constituída de aproximadamente 1.400 resíduos de α-glicose ligados por pontes glicosídicas α-1,4, ocorrendo também ligações α-1,6. A amilopectina constitui, aproximadamente, 80% dos polissacarídeos existentes no grão de amido. ▶ Ver *aditivo de lama*; *lama à base de água*.

amígdala / *amygdale*. Cavidade ou vesícula em rocha vulcânica, ou ocasionalmente em rocha intrusiva, preenchida por material tardimagmático ou deutérico, tais como: zeólitas, calcita, calcedônia ou quartzo. ↬ Origina-se a partir de bolhas geradas pela exsolução de voláteis devido a supersaturação do magma. Termo confundido com *vesícula*, que tem a mesma origem, mas não é completamente preenchida.

amigdaloidal / *amygdaloidal*. 1. Termo descritivo complementar aplicado a rochas que contenham amígdalas. 2. Textura ou estrutura de uma rocha com amígdala. 3. Sinônimo de *amigdaloide*. ▶ Ver *amigdaloide*; *amígdala*.

amigdaloide / *amygdaloid*. 1. Termo genérico atribuído a rochas vulcânicas e intrusivas que contenham uma quantidade considerável de amígdalas. 2. Sinônimo de *amigdaloidal*. ▶ Ver *amígdala*.

amorfo / *amorphous*. 1. Modo de ocorrência da matéria onde os átomos não estão ordenadamente arranjados. 2. Termo aplicado a minerais sem estrutura cristalina definida, ou em que o arranjo interno dos átomos é tão irregular que não produz uma forma externa regular. 3. Termo utilizado para descrever uma rocha que ocorre como uma massa contínua, sem estar dividida em partes. 4. Refere-se a um mineral que não possui estrutura cristalina, ou cujos elementos constituintes estejam dispostos de maneira desordenada na matéria. Geralmente são isótropos para as propriedades contínuas. Os casos de anisotropia são raros entre os minerais amorfos. Antônimo de *cristalino*. 5. Sem forma. ▶ Ver *forma cristalina*.

amortecedor / *absorber, damper*. Dispositivo para reduzir, abrandar, suavizar ou moderar o efeito de choques, pulsações e/ou vibrações. ▶ Ver *amortecedor de pulsação*; *absorvedor de choque*.

amortecedor de choque / *shock absorber, shock sub*. Elemento tubular que compõe a coluna de perfuração, acima da broca, com a finalidade de amortecer as solicitações decorrentes de vibrações axiais e reduzir choques, de modo a trazer ganhos de desempenho na taxa de penetração e reduzir problemas de falhas da coluna de perfuração.

amortecedor de pulsação / *pulsation dampener*. Dispositivo utilizado para reduzir ou atenuar as pulsações provocadas por bombas de deslocamento positivo.

amortecer um poço / *kill a well*. 1. Impedir o fluxo de fluidos da formação para o poço. 2. Promover as operações necessárias para substituir o fluido existente no poço, de forma a obter uma pressão hidrostática suficiente para impedir o fluxo de fluidos da formação para o poço. ▶ Ver *fluido de amortecimento*.

amortecimento ótimo / *optimum damping*. Máximo amortecimento. Nos geofones, fator de amortecimento igual a 0,66.

amortização / *amortization*. Redução, amenização ou suavização de determinadas dívidas financeiras, em forma de prestações. Como exemplo, pode ser considerada a ocorrência financeira relativa a recursos aplicados em gastos intangíveis (por exemplo, estudos de reservatórios, projetos de engenharia), sendo esta ocorrência capitalizada no ativo de determinada empresa, ficando sujeita a uma redução de valor ao longo do tempo, segundo os critérios contábeis e legais.

amostra de calha / *drill cuttings*. 1. Corte de um pedaço de rocha no processo de perfuração do poço, que remove a amostra do furo através do bombeamento de lama de perfuração. 2. Em perfuração petrolífera, conjunto dos fragmentos de rocha que ficam retidos na peneira de separação de lama.

amostra de fundo / *bottom sample*. Amostra de fluido (óleo, gás ou água) retirada do poço na profundidade do reservatório ou do aquífero. ↬ A amostra de fundo é normalmente retirada sob pressão utilizando-se uma garrafa térmica resistente a pressão, de modo a manter as condições originais do fluido do reservatório. Amostras de óleo, água ou gás podem ser coletadas nessas condições.

amostra de testemunho / *core sample*. Amostra obtida por testemunhagem; um ou vários pedaços de rocha obtidos de partes do testemunho, selecionados para análises.

amostra isocinética / *isokinetic sample*. Amostragem realizada de forma que a velocidade linear do líquido através da sonda (de amostragem) seja igual à velocidade linear do líquido na tubulação principal do processo no ponto de amostragem e em mesma direção e sentido. ↬ É utilizada para caracterização, de forma confiável, de efluentes quanto à distribuição de tamanho de gota ou sólidos suspensos e do teor de óleo ou graxa. ▶ Ver *amostrador isocinético*.

amostra lateral / *lateral core*. Amostra cilíndrica de rocha obtida ortogonalmente à parede do poço. Há métodos percursivos e rotativos para a obtenção de amostras laterais.

amostra representativa / *representative sample*. Quantidade de amostra suficiente para caracterizar fielmente a rocha ou fluido em estudo. ↬ As amostras representativas de rocha são aquelas que conservam todos os constituintes minerais do solo, embora a estrutura deste seja perturbada pelo processo de extração.

amostrador / *sampler*. 1. Equipamento mecânico para seleção de certas partes fracionadas de minério, a ser usada como amostra de experimento. 2. Instrumento designado para coletar amostras de um equipamento de combustão ou outros gases de explosão em intervalos predeterminados durante uma explosão. 3. Recipiente cilíndrico longo, provido de uma válvula na extremidade inferior, usado para coletar água, areia, lama ou óleo de um poço.

amostrador automático / *automatic sampler*. Equipamento que, em intervalos determinados, coleta amostras de fluido de forma a se obter melhor representatividade do mesmo ao longo do tempo. ↠ Geralmente consiste em uma sonda de amostragem, um extrator de amostra, um controlador associado, um elemento de medição de vazão e um sistema de recebimento de amostra. Um sistema que consiste em um condicionador de fluxo, um amostrador automático e um misturador de amostra e manuseio.

amostrador de testemunhos/*corer*. Dispositivo com a função de extrair testemunhos de rochas durante a perfuração de poços.

amostrador isocinético / *isokinetic sampler*. Dispositivo instalado em tubulação num processo destinado a permitir a coleta de uma amostra do fluido em escoamento, mantendo, durante a coleta, a velocidade do fluido no tubo de coleta igual à sua velocidade quando no interior da tubulação. ↠ Trata-se de um tubo pescador de amostragem, na forma de L, similar a um tubo de Pitot. Essa configuração contribui para se obter uma amostra com características similares às do fluido no interior da tubulação principal, mesmo tratando-se de sistemas multifásicos.

amostragem / *sampling*. 1. Todos os passos necessários para se obter uma amostra que seja representativa do fluido contido em qualquer tubulação, tanque ou vaso e para condicioná-la num contêiner do qual um espécime de teste possa ser tomado para análise. **2.** Em geologia corresponde ao ato de recolher amostras. **3.** Em geofísica é a denominação dada ao ato de converter uma função contínua em discreta.

amostragem de fundo / *bottom-hole sampling, bottom-hole bailing*. Operação no poço que consiste em coletar amostras de fluido da formação no fundo do poço para análise de pressão, volume e temperatura (PVT).

amostragem de superfície / *surface sampling*. Operação durante um teste do poço que consiste em coletar amostras de fluido da formação na superfície através da linha de teste, para análise de pressão, volume e temperatura (PVT).

amostragem lateral / *sidewall coring*. Técnica empregada para se obter amostras cilíndricas da parede do poço, através de equipamentos descidos a cabo elétrico. ↠ Retirada de um *plug* da formação com equipamentos descidos a cabo elétrico.

amostragem por sonda / *probe sampling*. Método de amostragem de fluidos por meio de um tubo de amostragem (sonda) que se estende para dentro do duto de processo e obtém uma porção do fluido.

amostras de calha / *cuttings*. Fragmentos de rocha resultante da ação de corte efetuado pela broca. Estes fragmentos são transportados para a superfície pelo fluido de perfuração.

amplificador de ganho binário / *binary-gain amplifier*. Esquema antigo para o registro de dados em reflexão sísmica.

amplificador de ponto flutuante / *floating-point amplifier*. Amplificador que trabalha com amplitudes representadas por pontos flutuantes.

amplitude / *amplitude*. 1. Deslocamento máximo sofrido por uma partícula em cada tempo, durante a passagem de uma onda. **2.** Em dados sísmicos registrados e processados, representa o coeficiente de reflexão de uma interface. Como um sistema vibratório pode ser considerado um deslocamento alternativo, este, em determinado momento, muda de sentido dentro de uma mesma direção, possuindo um limite superior e outro inferior. A distância entre esses dois limites, chamada de *deslocamento "pico a pico"*, é conceituada como *amplitude dupla* e, em um mesmo ciclo de deslocamento, a metade dessa distância intitula-se *amplitude* ou *amplitude simples*.

amplitude absoluta / *absolute amplitude*. Valor absoluto (módulo) da amplitude, sendo o próprio valor se a amplitude for positiva ou nula, e oposto se a amplitude for negativa.

amplitude anômala / *amplitude anomaly*. Anomalia de amplitude. Grupo de valores anormalmente elevados de amplitudes (positivas ou negativas) em uma seção ou volume de dados sísmicos ou mapas de amplitude de um horizonte (interface); muitas vezes (nem sempre) associada à presença de hidrocarbonetos.

amplitude anormal / *abnormal amplitude*. Valor de amplitude gerado por variações laterais ou verticais anômalas de impedâncias, muitas vezes associadas a indicadores da presença de hidrocarbonetos (*DHI*). ↠ Em reflexão sísmica representa a variação lateral de um evento sísmico. Esta variação pode ser pontual e, quando na maioria dos casos esta anomalia corresponde a um aumento da magnitude (em valor absoluto), é comumente chamada de *bright spot*. Quando esta anomalia corresponde a uma diminuição da magnitude, é chamada de *dim spot*.

amplitude da envoltória / *envelope amplitude*. A função que descreve a maneira como a amplitude máxima de uma forma de onda se desenvolve no tempo.

amplitude da onda / *wave amplitude*. Deslocamento sofrido por uma partícula fixa em cada tempo. A amplitude máxima é denominada *pico* (*peak*) ou *crista* e a mínima, *cava* (*trough*) ou *vale*.

amplitude de reflexão / *reflection amplitude*. Magnitude da excursão máxima de um pulso representativo da reflexão.

amplitude do fluxo (Port.) / *flow range.* O mesmo que *faixa de medição*. ▶ Ver *faixa de medição*.

amplitude ecológica / *ecological amplitude.* Intervalo de uma variável ou de um conjunto de variáveis do meio que é tolerado por uma espécie. As espécies de amplitude ecológica estreita são os melhores *bioindicadores*.

amplitude rms / *rms amplitude.* Atributo muito usado como indicador de espessura e/ou porosidade e/ou presença de fluidos em reservatórios. ↝ É calculada pela raiz quadrada da média quadrática de valores de amplitude (geralmente uma janela de tempo acima e/ou abaixo de uma reflexão).

amplitude sísmica / *seismic amplitude.* Magnitude do sinal sísmico registrado.

amplitude versus afastamento (AVO) / *amplitude versus offset (AVO).* Variação da amplitude da reflexão sísmica com a mudança de distância entre o local do tiro e o receptor, que indica diferenças na litologia e no conteúdo do fluido das rochas acima e abaixo do refletor.

amplitude *versus* ângulo (AVA) / *amplitude versus angle (AVA).* Amplitude de uma reflexão em função do ângulo de incidência.

amplitude *versus* offset / *amplitude versus offset.* O mesmo que *amplitude* versus *afastamento (AVO)*. ▶ Ver *amplitude* versus *afastamento (AVO)*.

amplitude-tempo / *amplitude-time.* Modo de exibição de um trem de onda. Uma curva do trem de onda acústica no plano X-Y, em que a amplitude de cada ponto é representada com uma função do tempo.

anadiagênese / *anadiagenesis.* Estágio diagenético de maturação e compactação de sedimentos clásticos e químicos, desenvolvido durante o soterramento profundo (aproximadamente 10.000 m), no qual os sedimentos vêm a ser litificados. ↝ Esse estágio é caracterizado pela migração e expulsão de água e outros fluidos contidos no sedimento.

anaeróbico / *anaerobic.* 1. Condição referente ao processo químico ou biológico que ocorre fora do contato do ar ou de oxigênio livre, ou sem utilizar o oxigênio atmosférico. 2. Atividade ou vida sem a presença de oxigênio. 3. Biofácies resultante de uma coluna de água ou sedimentos contendo 0,0 ml de oxigênio por litro de água, ou menos que 0,1 ml de oxigênio por um litro de água. ↝ Os organismos anaeróbicos se proliferam na ausência do oxigênio elementar.

anaeróbio / *anaerobic.* O mesmo que *anaeróbico*. ▶ Ver *anaeróbico*.

analisador de carbono LECO / *LECO carbon analyzer.* Instrumento de uso comum para medições de valores de carbono orgânico total (*TOC*) em uma amostra de sedimentos, utilizando combustão de carbono orgânico e realizando medidas subsequentes do dióxido de carbono produzido.

análise acústica / *acoustic analysis.* Análise em que somente a onda acústica (*acoustic wave*) é considerada, sendo ignoradas as ondas cisalhantes (*shear waves*). Na geofísica, refere-se especificamente às ondas-P e, na sua ausência, às ondas-S (isto é, nos líquidos, que não suportam ondas-S, ou nos casos em que as ondas-S nos sólidos são ignoradas), em oposição ao meio elástico, que considera as ondas mencionadas.

análise da lama de perfuração (Port.) / *mud analysis, drilling fluid analysis.* O mesmo que *análise de fluido de perfuração*. ▶ Ver *análise de fluido de perfuração*.

análise das fácies sísmicas / *seismic facies analysis.* Descrição e interpretação geológica de características de reflexões sísmicas, baseadas na configuração, continuidade, amplitude, frequência e velocidade intervalar.

análise de ativação / *activation analysis.* Método de identificação de isótopos estáveis de elementos em uma amostra, através de irradiação com nêutrons, partículas carregadas ou raios gama para tornar o elemento radioativo, após o quê, os elementos são identificados por suas características radioativas.

análise de ciclo de vida / *life cycle analysis.* Metodologia de avaliação de impacto ambiental de atividades produtivas e de prestação de serviços que enumera e quantifica todos os impactos originados nesses processos, desde a aquisição das matérias-primas até o descarte dos materiais e equipamentos usados. ↝ A metodologia envolve geralmente quatro etapas: (*I*) definição de escopo, onde se delimita o sistema produtivo e suas fronteiras, (*II*) elaboração do inventário do sistema, quantificando as entradas e saídas de matéria e energia, (*III*) identificação e avaliação dos impactos de todos os fluxos inventariados e (*IV*) interpretação de resultados e estudos de sensibilidade do resultado nos dados. Na área de certificação a metodologia é comumente denominada *análise do berço ao túmulo*. ▶ Ver *avaliação de impacto ambiental*.

análise de *cluster* / *cluster analysis.* Procedimento para organizar um número de objetos em subgrupos homogêneos baseados em suas similaridades mútuas e relações hierárquicas.

análise de curva de declínio / *decline curve analysis.* Método de análise do comportamento de um reservatório que consiste em ajustar ao declínio da produção uma função matemática determinada. ↝ O declínio da produção pode ser modelado matematicamente por uma função hiperbólica (declínio hiperbólico), cujos limites definem as funções exponencial (declínio exponencial) e harmônica (declínio harmônico). Este tipo de declínio é também conhecido como *declínio de Arps*. ▶ Ver *declínio volumétrico*.

análise de custo de ciclo de vida / *life-cycle cost (LCC) analysis.* Fornece a metodologia para calcular o custo do produto sobre o tempo de vida. Pode ser acrescido de diferentes tipos de custo, tais como de projeto, produção, garantia, reparo e disposição final. Contando os itens frequentemente negligenciados, como custo de falha de componente e de consertos, a ferramenta *custo de ciclo de vida* promove o fornecimento de um quadro verdadeiro de custo sobre o ciclo de vida do produto.

análise de fácies / *facies analysis.* Análise sedimentológica que é fundamentalmente baseada na escala de observação macroscópica que leva em consideração as características faciológicas ou genéticas de cada corpo de rocha ou sedimento de um depósito. Normalmente, esse tipo de análise é efetuado a partir de trabalho de campo em superfície, ou da observação de testemunhos de sondagem, e/ou por amostras de fragmentos de rocha calibrados com resultados de atributos extraídos de perfilagem de poços em subsuperfície. ▶ Ver *fácies*.

análise de fluido de perfuração / *mud analysis, drilling fluid analysis.* Conjunto de testes efetuados com a finalidade de medir as propriedades dos fluidos de perfuração.

análise de frequência granulométrica / *size-frequency analysis.* O mesmo que *análise granulométrica*. ▶ Ver *análise granulométrica*.

análise de lama / *mud analysis.* Conjunto de testes efetuados com a finalidade de medir as propriedades dos fluidos de perfuração.

análise de modos e efeitos de falhas / *failure modes and effects analysis (FMEA).* Técnica indutiva estruturada para identificar modos de falha de sistemas, equipamentos ou componentes e avaliar os respectivos efeitos.

análise de modos, efeitos e criticidade de falhas / *failure modes, effects and criticality analysis (FMECA).* Técnica indutiva estruturada para identificar modos de falha de sistemas, equipamentos ou componentes e avaliar qualitativamente a criticidade dos respectivos efeitos. ↝ O nível de criticidade em tais análises é obtido a partir da conjugação da probabilidade de ocorrência com a severidade da consequência de cada falha.

análise de óleo cru / *crude oil analysis.* Método para identificar e isolar os constituintes do petróleo em função, geralmente, de seu peso molecular e de grau de polaridade. ↝ Os constituintes podem ser analisados em função de seu peso molecular e/ou solubilidade por meio de técnicas de cromatografia gasosa ou líquida. ▶ Ver *óleo cru*; *cromatografia gasosa*; *cromatografia líquida de alta performance*; *óleo cru médio*; *alifático*; *hidrocarboneto aromático*; *resina*; *asfalteno*.

análise de perigos e falhas operacionais / *risk and failure analysis.* Ação, representada por intermédio de documento de projeto básico, em que são analisadas as principais falhas operacionais da unidade de processamento, sendo suas consequências também analisadas e classificadas segundo a gravidade e probabilidade de ocorrência. ↝ A análise reproduzida nesse documento permite classificar alguns eventos como críticos e buscar soluções de projeto que minimizem a possibilidade de sua ocorrência e/ou contemple soluções que minimizem as consequências dessa ocorrência.

análise de perigos em operação / *hazard and operability (HAZOP) study.* O mesmo que *estudo de perigos e operabilidade*. ▶ Ver *estudo de perigos e operabilidade*.

análise de pontos de ebulição verdadeiros (PEV) / *true boiling point analysis.* Técnica laboratorial, especificada nas normas ASTM D2892 e ASTM D5236, que fornece as frações evaporadas de um dado tipo de petróleo em função da temperatura.

análise de risco / *risk analysis.* Estimativa da probabilidade ou da frequência de ocorrência de eventos indesejados, associando-as às consequências dos eventos. ↝ A análise de risco é aplicada em vários contextos. Assim, (I) *análise de risco acidental* que se refere à quantificação do risco de acidentes, e (II) *análise de risco ambiental*, originalmente para quantificar o risco toxicológico de substâncias poluentes e ampliada para a quantificação do risco a que o ambiente é submetido pelos seres humanos. Quase sempre a análise de risco parte do registro histórico de acidentes no tipo de ambiente em que ela deve ser realizada e utiliza técnicas como a da árvore de eventos para estimar as consequências. Como o risco, por definição, é a probabilidade de ocorrência do evento indesejado e suas consequências, ele é afetado pela localização dos empreendimentos, pelos procedimentos operacionais, pelos padrões de projeto, pelas tecnologias empregadas, entre outros fatores.

análise de ruído / *noise analysis.* Análise de uma área para determinar as características de ruído no local, ou um perfil, ou série de perfis, destinados a obter dados para uma análise de sequência coerente de ruídos.

análise de sedimentação / *sedimentation analysis.* Análise laboratorial que objetiva a determinação da distribuição do tamanho das partículas de um dado sedimento ou rocha sedimentar através de medição do diâmetro das partículas, sua distribuição granulométrica e suas velocidades de decantação.

análise de sensibilidade / *sensitivity analysis.* Estudo dos impactos das mudanças das variáveis críticas (por exemplo, preços, volumes etc.) de um projeto.

análise de sequência sísmica / *seismic sequence analysis.* Interpretação e identificação sísmicas de sequências deposicionais, subdividindo-se a seção sísmica em pacotes de reflexões concordantes, separadas por superfícies de descontinuidade, e sua interpretação como sequências deposicionais.

análise de tarefa segura / *safe job analysis* (SJA). Revisão sistemática e passo a passo de todos os elementos de risco mapeados antes da realização de uma tarefa ou operação específica, de modo a tomar medidas para remover ou controlar quaisquer elementos de risco identificados durante a preparação ou a execução da referida tarefa ou operação. ↠ Uma SJA deve ser executada, na fase de planejamento, quando existem ou podem ocorrer elementos de risco que não tenham sido suficientemente descritos e controlados através de procedimentos e permissões de trabalho, ou onde é requerida em procedimentos, diretrizes ou programas de trabalho.

análise de testemunho / *core analysis*. Testes de laboratório realizados em testemunhos, para se obterem informações sobre as propriedades da formação geológica perfurada, geralmente uma rocha-reservatório, tais como sua permeabilidade, porosidade ou saturação de fluidos.

análise de testemunho por lavagem / *core-flood, core flushing*. Injeção de fluidos em um testemunho contendo hidrocarbonetos para avaliar métodos de recuperação suplementar de petróleo.

análise de velocidade / *velocity analysis*. Método utilizado para a determinação da velocidade das reflexões das ondas sísmicas em camadas sedimentares na subsuperfície. ↠ Utilizado em casos como empilhamento, migração em tempo e distância, que requerem o valor correto da velocidade como entrada. A velocidade ou o empilhamento de velocidades podem ser calculados pela mudança no tempo de chegada produzida pelo afastamento entre a fonte e o receptor.

análise do tamanho das partículas / *particle-size analysis*. Determinação estatística da proporção ou distribuição de determinados tamanhos de partículas em uma fração de sedimento, solo ou rocha.

análise elemental / *elemental analysis*. Análise quantitativa de vários elementos presentes numa amostra.

análise espectral / *spectral analysis*. Estudo dos níveis de variação de amplitude e fase de um determinado sinal em relação àqueles referentes à frequência.

análise f-k / *f-k analysis*. Análise dos dados no domínio f-k. ↠ f e k são as frequências temporal e espacial, respectivamente, na obtenção de dados sísmicos.

análise granulométrica / *sieve analysis*.
1. Determinação do espectro de diâmetros de grãos de uma amostra de material granular. 2. Caracterização geométrica de uma amostra de material granular. 3. Determinação dos tamanhos de grãos de uma amostra de material granular.
▶ Ver *granulometria*; *distribuição granulométrica*; *análise do tamanho das partículas*

análise lateral de velocidade / *horizon velocity analysis*. Análise de velocidade feita ao longo de uma reflexão na qual o tempo de trânsito e a posição do refletor geram uma amostra representativa de um horizonte subterrâneo.

análise pelo método de Horner / *Horner analysis*. Análise que consiste em se ajustar uma linha reta entre os dados de pressão quando grafados contra $\log(t_p+\Delta t)/\Delta t$, onde t_p é o tempo de produção antes do fechamento do poço e Δt o tempo contado a partir deste fechamento. ↠ É o método de análise de testes de crescimento de pressão mais utilizado.

análise por árvore de falhas / *fault tree analysis* (FTA). Processo lógico e dedutivo que, partindo de um evento principal indesejado (chamado *evento-topo*), busca identificar suas possíveis causas. Prevê uma descrição concisa e ordenada das várias combinações de possíveis ocorrências dentro desse sistema que poderiam resultar na ocorrência desse evento-topo.

análise preliminar de perigos / *preliminary hazard assessment*. Identificação e avaliação dos perigos em uma instalação e, após isto, identificação dos eventos acidentais associados, suas causas, consequências, os meios de prevenção e de proteção e controle. Diz-se também *análise preliminar de riscos*.

análise preliminar de riscos / *preliminary hazard analysis*. O mesmo que *análise preliminar de perigos*. ▶ Ver *análise preliminar de perigos*.

análise quantitativa de risco / *quantitative risk assessment*. Avaliação de risco na qual os resultados são expressos numericamente, como probabilidade ou distribuição de probabilidades. Esta análise usa dados objetivos e mensuráveis para determinar o valor de um ativo, a probabilidade de perda e os riscos associados. ↠ Avaliação quantitativa do risco a que se expõe a saúde do ser humano e/ou ao ambiente, como, por exemplo, pela liberação real ou potencial de substâncias perigosas, poluentes ou contaminantes.

análise RAM / *RAM analysis*. Análise de confiabilidade, disponibilidade e mantenabilidade. Utilizada tipicamente para prever o desempenho de sistemas de processo e transportes e prover uma base para a otimização de tais sistemas. O principal indicador de desempenho é a disponibilidade. Geralmente as unidades de processo são divididas em subsistemas, e a análise RAM permite identificar aqueles de maior influência na disponibilidade da planta. A partir de uma análise mais detalhada destes subsistemas, são propostas modificações no projeto, de forma a otimizar o desempenho da unidade. ↠ Existem diversos *softwares* comerciais para executar análises RAM usando tanto simulações de Monte Carlo quanto métodos analíticos. Uma análise RAM por métodos analíticos exige uma premissa simplificadora de que todos os tempos de falhas e de reparo sejam distribuídos exponencialmente. Os métodos de Monte Carlo permitem que qualquer distribuição de probabilidade seja usada para descrever as falhas e tempos de reparo, além de permitir interações mais complexas entre os componentes do sistema em estudo. A simulação de Monte Carlo envolve coletar inúmeras vezes amostras de tempos para falhar e para reparar, a partir das distribuições de probabilidade escolhidas. O desempenho do sistema é simulado para muitos ciclos de vida, obtendo-se uma estimativa estatística de parâmetros do sistema, tais como disponibilidade ou eficiência produtiva. Uma análise RAM pode ser comparada a uma simulação de processo, uma vez que considera situações em que parte do sistema pode falhar, levando a unidade a uma redução de sua capacidade. Estas reduções são calculadas e levadas em consideração para o cálculo da disponibilidade da unidade. Um perfil de produção variável ao longo da vida útil de um campo de produção de petróleo também pode ser considerado. ▶ Ver *disponibilidade*; *mantenabilidade*; *método de Monte Carlo*; *eficiência produtiva*.

análise regressiva / *regressive analysis*. Análise que consiste na aplicação de uma técnica estatística que procura determinar a dependência de uma quantidade em relação às demais.

analógico / *analog*. Refere-se a processo caracterizado pela utilização ou medição de variáveis físicas para representar números por meio de uma associação ou analogia.

anastomosado / *anastomosed*. Termo que se refere à feição fluvial na qual os canais se bifurcam, deixando como divisor os depósitos sedimentares caracterizados como barras longitudinais. Este sistema fluvial de canais anastomosados forma-se em função de um específico regime de energia de seus fluxos sedimentares canalizados e da topografia, muito plana e alagável. ↦ Refere-se também a veios de quartzo (ou outros materiais) que possuem esta propriedade, frequentemente relacionada a cisalhamentos em regiões metamórficas

âncora / *anchor*. 1. Dispositivo metálico preso a uma amarra ou cabo de ancoragem, empregado para amarração de embarcações, inclusive sondas de intervenção em poços e linhas de fluxo. As mais comuns possuem uma unha que é cravada no solo marinho após lançamento por embarcação apropriada (AHTS). Uma variante é a âncora torpedo, cuja unha é substituída por um torpedo, mais adequado para águas profundas, onde é submetida a maiores cargas de tração. 2. Equipamento cilíndrico de fundo de poço conectado à extremidade da parte superior de uma coluna de produção. Dotado de garras segmentadas com dentes de perfil horizontal, é encaixado no topo de um *packer* e só pode ser liberado pela rotação da coluna acima, de cerca de 14 giros. ▶ Ver *ancoragem*; *âncora selante*; *extensão selante*; *conjunto selante*; *trava*.

âncora de carga vertical / *vertical load anchor (VLA)*. Âncora com a forma predominante de uma placa, instalada no interior do solo marinho a uma profundidade adequada para que resista a cargas que possuam uma significativa componente normal ao leito marinho. ↦ As âncoras de carga vertical compõem-se de uma estrutura do tipo placa e de um sistema de haste ou de cabos de cabresto que transmitem o esforço da linha de ancoragem à placa. A placa é reforçada para resistir aos esforços que surgem quando é solicitada de forma a ser arrancada do solo. Essas âncoras são cravadas no solo usualmente por rebocadores que aplicam grande esforço, com elevada componente horizontal, na linha de cravação. Dessa forma, podem penetrar até umas poucas dezenas de metros no solo. Em seguida é usual romper-se um elemento fusível na linha de cravação deixando a *VLA* conectada à linha de ancoragem. Alternativamente, a própria linha de cravação, ou parte desta podem ser usadas como linha de ancoragem. Neste caso, a *VLA* incorpora algum dispositivo que permite sua transição do modo de cravação para o modo de ancoragem.

âncora de fundo / *mud anchor*. Tubo perfurado de grande diâmetro e extremidade inferior tamponada. ↦ Tubo externo que armazena sólidos carreados pelo fluido vindo da formação. Esses sólidos são separados do fluido por mecanismos gravitacionais, sedimentando-se na extremidade tamponada. ▶ Ver *âncora de gás*.

âncora de gás / *gas anchor*. Dispositivo composto de dois tubos concêntricos, acoplado logo abaixo da bomba utilizada no método de produção por bombeio mecânico, tendo por função reduzir a passagem de gás por dentro da bomba, reduzindo assim os efeitos do bloqueio de gás. ↦ Utilizada em poços cuja vazão de gás esteja prejudicando o bombeio mecânico, reduzindo sua eficiência volumétrica. O tubo externo tem perfurações na parte superior e sua extremidade inferior é tamponada. O tubo interno é enroscado na sucção da bomba e tem comprimento menor que o do primeiro. Este dispositivo faz com que o fluido do poço penetre através das perfurações, percorrendo um caminho descendente até atingir a extremidade do tubo interno, para então subir até a bomba. O gás, que é mais leve do que o óleo, se desprende do óleo no trecho descendente e sai novamente pelas perfurações, sendo produzido pelo anular do poço.

âncora de tubulação / *tubing anchor*. Equipamento que ancora a extremidade inferior da tubulação no revestimento de produção. Mais utilizado em poços profundos. ↦ A tubulação de produção de um sistema de bombeio mecânico é ancorada no revestimento para reduzir ao mínimo sua elongação durante o movimento descendente da coluna de hastes. Nesse estágio do ciclo, todo o peso do fluido é suportado pela válvula de pé da bomba de fundo. A elongação da coluna de tubos reduz o curso efetivo do pistão da bomba de fundo.

âncora do whipstock / whipstock anchor. Cunha da ferramenta *whipstock*, que permite o travamento no revestimento para permitir que as ferramentas de corte abram uma janela no mesmo sem risco de haver giro do conjunto. Cunha de assentamento do *whipstock*.

âncora natural de gás / natural gas anchor. Dispositivo que possui o mesmo princípio da *âncora de gás*, posicionando a bomba do método de produção por bombeio mecânico abaixo do intervalo canhoneado. ⇒ Por estar a bomba posicionada em profundidade superior à da região canhoneada, o fluido produzido tem de percorrer um trecho descendente para atingir a sucção da bomba. Nesse percurso o gás, que é mais leve que o óleo, se desprende e vem a ser produzido pelo espaço anular do poço.

âncora selante / anchor seal. Conjunto de âncora e extensões selantes com várias gaxetas para vedação na área polida do interior de um *packer* de produção de um poço. ⇒ A eficiência do engaxetamento das unidades selantes garante que não haverá vazamento do fluido produzido para o espaço anular entre a coluna de produção e a tubulação de revestimento do poço. O emprego da âncora exige a instalação de uma junta de dilatação acima para absorver a dilatação ou contração da parte superior da coluna de produção quando submetida a variação de temperatura. ▶ Ver *âncora*; *extensão selante*; *obturador para* gravel packer; *conjunto selante*; *trava*.

ancoragem / mooring. Procedimento que consiste em utilizar barcos do tipo AHTS para lançar previamente as âncoras e os cabos na nova locação, deixando os elos das extremidades dos cabos presos às boias. Com a chegada da sonda, suas amarras são conectadas a estes elos e cada sistema é tracionado. A técnica de pré-lançamento permite mudar uma sonda ancorada de uma locação para outra em tempo similar ao de uma sonda de posicionamento dinâmico. ▶ Ver *amarração*; *âncora*.

ancoragem com complacência diferenciada (DICAS) / differentiated compliance anchoring (DICAS). Sistema de ancoragem aplicado a unidades marítimas que possuam formato alongado, e que confere maior complacência a uma de suas extremidades (proa ou popa). Este sistema permite que, quando o mar atinge a unidade de través, esta mude seu aproamento de forma a reduzir o esforço ambiental a que deve resistir. ⇒ Foi observado que navios ancorados em quadro de boias, quando submetidos a uma solicitação ambiental muito severa com mar de través, eventualmente tinham uma ou mais linhas de ancoragem rompidas. Esse rompimento fazia o navio girar reduzindo o ângulo de incidência da solicitação ambiental. Em consequência, o navio adquiria um novo aproamento e era capaz de resistir sem o rompimento das demais linhas de ancoragem. A partir dessa observação, este novo sistema foi concebido e posto em prática, com informado sucesso.

ancoragem de fundo / bottom hold-down. No método de produção por bombeio mecânico, mecanismo de ancoragem de bomba insertável, que se localiza na parte inferior da bomba. ⇒ Por estar ancorada na parte inferior, não permite que a camisa da bomba sofra esforços repetitivos de tração, provocados pelo movimento alternativo do bombeio mecânico. A bomba insertável é ancorada no *niple* de assentamento e descida junto à extremidade da coluna de produção. ▶ Ver *ancoragem de topo*.

ancoragem de topo / top hold-down. No método de produção por bombeio mecânico, mecanismo de ancoragem de bomba insertável, que se localiza na parte superior da bomba. ⇒ Por estar ancorada na parte superior, não permite que se acumulem sólidos como areia e cascalhos no espaço entre as paredes do tubo de produção e da camisa da bomba, prevenindo contra prisão da bomba. A bomba insertável é ancorada no *niple* de assentamento e descida junto à extremidade da coluna de produção. ▶ Ver *ancoragem de fundo*.

anédrico / anhedral. 1. Termo aplicado a mineral sem faces cristalinas. O mineral possui estrutura interna definida e sua forma externa irregular foi condicionada por fatores como, por exemplo, o crescimento de minerais adjacentes. 2. Sinônimo de *alotriomórfico* e *xenomórfico*. ⇒ Nos cristais anédricos a estrutura interior não se manifesta exteriormente.

anel benzênico / benzene ring. Estrutura de hidrocarboneto de seis carbonos em forma de anel (C_6H_6), encontrada no benzeno.

anel de calibração / gauge ring. Componente de alguns equipamentos descidos em poços revestidos, tendo como objetivo aferir o *drift*, ou seja, o diâmetro de passagem do revestimento pelo qual será descida a ferramenta ou instalado o equipamento. Assim sendo, o diâmetro do anel é um pouco menor que o *drift* do revestimento. Também conhecido como anel-guia ou *guide ring*. ▶ Ver *anel-guia*; *diâmetro de passagem*.

anel de vedação / gasket. Selo mecânico utilizado para preencher o espaço entre dois objetos para prevenção de vazamentos entre eles, enquanto estiverem em compressão.

anel-guia / guide ring. O mesmo que *anel de calibração*. ▶ Ver *anel de calibração*; *diâmetro de passagem*.

anel pera / pear link. Anel de sustentação de uma lingada composta de uma ou mais pernas de cabo de aço.

anel tensionador / tensioner ring. Equipamento instalado no topo da coluna do *riser* de perfuração, que transfere o carregamento gerado pelo conjunto de tensionadores de *riser*, através do cabo tensionador de *riser*, para a coluna de *riser*. ▶ Ver *riser de perfuração*.

anfibola (Port.) / *amphibole*. O mesmo que anfibólio. ↝ Termo usado para um grupo de minerais. ▶ Ver *anfibólio*.

anfibólio / *amphibole*. Grupo de minerais de silicatos compostos por cristais em forma de prismas ou pontiagudos. Os minerais do grupo dos anfibólios em geral contêm na sua composição: ferro, magnésio, cálcio e alumínio em quantidades variadas, juntamente com H_2O. A hornblenda é o que sempre contém o alumínio na sua composição e, dos anfibólios, é o mais comum dos minerais de cor verde-escuro, e está presente tanto em rochas ígneas como metamórficas. A actinolita não possui alumínio e tem a forma de cristais pontiagudos com coloração verde-claro e brilhosa. Os anfibólios azuis contêm sódio.

anfibolito (Port.) / *amphibolite*. O mesmo que *anfibólio*. ↝ Termo usado especificamente para uma rocha. ▶ Ver *anfibólio*.

anfotérico / *amphoteric*. 1. Elemento que reúne em si duas qualidades opostas. 2. Que pode adquirir propriedades ácidas, na presença de bases, ou básicas, na presença de ácidos. 3. Que possui afinidade tanto com fluidos de base aquosa quanto com os de base orgânica.

ângulo crítico / *critical angle*. Ângulo de incidência em que uma onda viajando de um meio para outro é refratada e se desloca ao longo da interface entre os dois meios, sem penetrar no segundo.

ângulo da face da ferramenta / *tool-face angle*. Ângulo da ferramenta defletora usada no desvio ou na criação da curvatura de um poço. Também chamado *dog-leg* da ferramenta.

ângulo de ataque / *angle of attack or back-rake angle*. Ângulo definido entre um determinado cortador de uma broca PDC e a superfície da rocha exposta. Ele determina quão agressivamente o cortador penetra na formação rochosa. ↝ Em geral, na medida em que o *ângulo de ataque* decresce, a eficiência do cortador aumenta, propiciando maiores taxas de penetração, porém, simultaneamente, o cortador torna-se mais vulnerável a quebra por impacto. ▶ Ver *ângulo de saída lateral*.

ângulo de azimute / *azimuth angle*. Ângulo medido no plano horizontal, que estabelece a direção na qual o poço está se desenvolvendo em relação aos pontos cardeais. Usualmente medido no sentido dos ponteiros do relógio a partir do Norte.

ângulo de balanço / *roll*. Movimento rítmico de uma embarcação, ou equipamento rebocado, sobre seu eixo longitudinal. ↝ O efeito de ângulo de balanço da embarcação não afeta o comportamento do equipamento rebocado, como o é o caso do movimento de arfagem sob qualquer condição de mar. O movimento de ângulo de balanço pode afetar a capacidade de trabalho da tripulação da embarcação, assim como pôr equipamentos em risco de queda. Seus efeitos devem ser corrigidos nos dados batimétricos a fim de aumentar a precisão do valor medido.

ângulo de contato / *contact angle*. Ângulo de interseção da interface entre dois fluidos em uma superfície sólida. Medido a partir da superfície sólida através da fase água, ou em um teste óleo e gás através da fase óleo. ↝ O teste do ângulo de contato usa cuidadosamente amostras preservadas de óleo do reservatório para determinar a molhabilidade. Uma gota de óleo bruto é suspensa entre duas placas paralelas de quartzo ou calcita, imersas em um líquido simulando água da formação, na temperatura do reservatório e, às vezes, na pressão do reservatório. Deslocando lateralmente uma das placas, um ângulo de contato é determinado no lado da gota em que a água está forçando o óleo a partir do sólido. Um ângulo pequeno, inferior a 90°, indica a preferência de ser molhado por água, enquanto um ângulo grande, superior a 90°, indica molhabilidade ao óleo. Ângulos próximos a 90° são de molhabilidade intermediária. Diferentes minerais apresentam diferentes molhabilidades, embora a maioria deles seja preferencialmente molhada por água. ▶ Ver *molhabilidade*.

ângulo de desvio / *deviation angle*. Inclinação do poço a partir da vertical. É o ângulo em graus que mostra a variação do poço a partir da vertical quando revelado por um levantamento de desvio ou levantamento direcional.

ângulo de emergência / *emergence angle*. 1. Ângulo de um raio ao ser refletido em uma interface. 2. Ângulo entre a frente de uma onda e uma superfície.

ângulo de guinada / *yaw*. Instabilidade caracterizada pelo movimento de uma embarcação, ou equipamento rebocado, sobre seu eixo vertical. Esse movimento ocorre principalmente em condições de baixa velocidade de navegação e pode gerar nos registros sonográficos efeitos que se assemelham a curvas pequenas e rápidas.

ângulo de incidência / *angle of incidence*. Ângulo, em relação à normal, no qual um sinal acústico incide sobre uma superfície. O ângulo de incidência é importante na intensidade do sinal refletido para os sistemas de batimetria, sonar de varredura e sísmica de alta resolução. Se a altitude de um sistema de sonar de varredura é muito baixa, o ângulo de incidência do sinal na faixa mais externa dos registros será muito grande, acarretando pouca reflexão de energia em direção ao equipamento. Da mesma forma, se o fundo marinho apresentar gradientes muito acentuados, o sinal incidente se refletirá seguindo a lei de Snell, dispersando grande parte da energia na direção oposta ao transdutor.

ângulo de inclinação / *inclination angle*. Ângulo que a tangente à trajetória do poço no ponto de interesse estabelece em relação a uma linha vertical imaginária. ↝ Por convenção da atividade de construção de poços da indústria de óleo e gás,

0° de inclinação estabelece a vertical, apontando para baixo, e a horizontal é definida por noventa graus de inclinação. Um ângulo de inclinação superior a 90° significa que a trajetória do poço está sendo construída de baixo para cima no trecho em pauta. ▶ Ver *ângulo de desvio*.

ângulo de reflexão / *reflection angle*. Ângulo entre um raio refletido em uma interface e a normal a esta interface; em meio homogêneo e isotrópico e para o mesmo tipo (modo) de onda; corresponde ao ângulo de incidência.

ângulo de refração / *refraction angle*. Ângulo entre um raio refratado em uma interface e a normal a esta interface; em meio homogêneo e isotrópico, corresponde ao ângulo crítico. ▶ Ver *ângulo crítico*.

ângulo de saída lateral / *side rake angle*. Ângulo que o cortador estabelece no plano horizontal e que direciona o cascalho para a periferia da broca, facilitando a remoção dos sólidos cortados pela ação da broca. Este ângulo afeta o processo de limpeza dos cascalhos. ▶ Ver *ângulo de ataque*.

ângulo do feixe / *beam angle*. Ângulo entre duas direções opostas em relação ao eixo central do feixe do sinal acústico, onde a intensidade corresponde a 50% da intensidade no ponto central do feixe. O ângulo do feixe determina a taxa de divergência durante a propagação e a área de influência do sinal no fundo marinho. ↪ Transdutores de baixa frequência de sistemas de batimetria apresentam feixes mais largos, fazendo com que o valor medido possua imprecisões maiores. Sistemas de batimetria de alta frequência possuem feixes mais estreitos, gerando medidas mais precisas. Diferente dos feixes de sistemas de batimetria que possuem forma cônica, o feixe emitido por sistemas de sonar de varredura possui ângulos horizontais e verticais diferentes. O ângulo horizontal do feixe é bem menor que o ângulo vertical do feixe.

ângulo do *riser* / *riser angle*. Ângulo de inclinação formado pelo *riser* de perfuração e a vertical. Próximo à conexão com a junta flexível (*flex joint*), deve sempre ser mantido dentro de níveis aceitáveis (inferior a 10°), caso contrário será necessário executar uma operação de desconexão por emergência para evitar danos ao conjunto da cabeça de poço submarino.

ângulo-guia / *lead angle*. Diferença entre o azimute de projeto de um poço direcional e o azimute pelo qual se deve orientar o poço para iniciar e executar o desvio programado. ▶ Ver *poço*; *poço direcional*; *desvio*.

anidrita / *anhydrite*. Mineral evaporítico sedimentar pertencente à classe dos sulfatos ($CaSO_4$). É relativamente comum e forma espessas camadas de rochas. A *anidrita* não é formada diretamente, mas é o resultado da desidratação do gesso ($CaSO_4 \cdot 2H_2O$). Essa perda de água produz uma redução no volume da camada de rocha e pode causar a formação de cavernas como produto da perda de volume.

anidrita enterolítica / *enterolithic anhydrite*. Anidrita com pequenas dobras, desenvolvidas pelo aumento de volume durante sua hidratação. ↪ Esse processo é comum em depósitos evaporíticos. ▶ Ver *enterolítica*.

anidrite (Port.) (Ang.) / *anhydrite*. O mesmo que *anidrita*. ▶ Ver *anidrita*.

anidrite enterolítica (Port.) / *enterolithic anhydrite*. O mesmo que *anidrita enterolítica*. ▶ Ver *anidrita enterolítica*.

anidro / *anhydrous*. Qualidade de um composto químico que não contém água, seja adsorvida em sua superfície, seja combinada em forma de água de cristalização. Um exemplo de mineral anidro é o sulfato de cálcio natural ($CaSO_4$), ou anidrita. ▶ Ver *anidrita*.

anisotropia / *anisotropy*. 1. Propriedade, de uma rocha, de mostrar duas respostas ou medidas diferentes quando medida ao longo de diferentes eixos. *Anisotropia microscópica* refere-se à variação de uma medida tomada perpendicularmente à estratificação em relação à medida tomada paralelamente, uma vez que os grãos e interstícios, dispostos em plano, tendem a se orientar paralelamente à estratificação. *Anisotropia macroscópica* refere-se à variação resultante de planos de camadas e fratura, cujas propriedades diferem consideravelmente daquela do volume remanescente no qual a medida é feita. 2. Variação na magnitude de uma grandeza vetorial (velocidade, resistividade, permeabilidade etc.) em função da direção em um meio físico. 3. Propriedade de um material ou formação, em que suas propriedades físicas variam de acordo com a direção em que elas são medidas. Essa variação pode ocorrer em qualquer escala. Nas rochas sedimentares, geralmente ocorre devido aos arranjos deposicionais dos sedimentos; nos materiais cristalinos, devido às diferenças estruturais entre seus eixos cristalinos. ↪ Oposto de isotrópico

anisotropia aparente / *apparent anisotropy*. Razão entre a velocidade determinada numa medida horizontal e a velocidade medida verticalmente, em um perfil sísmico vertical.

anisotropia de velocidade / *velocity anisotropy*. Condição na qual a velocidade de propagação da onda varia em função da direção.

anisotropia elétrica / *electrical anisotropy*. Diferença entre as resistividades horizontal e vertical dentro de uma formação, e na escala da medida de resistividade. Embora existam diferentes tipos de anisotropia, o termo geralmente é usado quando as propriedades elétricas são as mesmas em todas as direções horizontais, mas diferentes na direção vertical.

anisotropia sísmica / *seismic anisotropy*. Variação da densidade do meio e/ou das velocidades das ondas P e S em função da direção.

anisotrópico / *anisotropic*. Condição referente à anisotropia. ▶ Ver *anisotropia*.

annubar. Tubo tipo Pitot usado para medir a vazão de gás ou líquido em uma tubulação. ↦ O volume de gás ou líquido é calculado a partir da diferença entre a pressão estática e a pressão de fluxo na tubulação, com base no princípio de Bernoulli.

ânodo / *anode*. 1. Eletrodo para onde se dirigem os íons negativos. Denominação atribuída ao eletrodo positivo. 2. A imersão em água salgada de dois metais diferentes cria uma pequena corrente elétrica; essa corrente provoca galvanização por meio de uma eletrólise. O resultado dessa eletrólise é a deterioração do metal de maior condutividade elétrica, que é chamado de *ânodo*. ▶ Ver *ânodo de sacrifício*; *ânodo galvânico*.

ânodo de alumínio / *aluminum anode*. Liga metálica na qual o principal constituinte é o alumínio e que, em contato com os eletrólitos naturais, como a água do mar, por exemplo, funciona como ânodo de uma célula eletrolítica na qual o cátodo é o equipamento que se deseja proteger contra a corrosão.

ânodo de sacrifício / *sacrificial anode*. Peça metálica colocada em equipamentos submersos para ser corroída em lugar de outras partes expostas às ações corrosivas do meio. ▶ Ver *ânodo galvânico*.

ânodo de zinco / *zinc anode*. Peça de zinco com alta pureza que, em contato com os eletrólitos naturais, como a água do mar, por exemplo, funciona como ânodo de uma célula eletrolítica na qual o cátodo é o equipamento que se deseja proteger contra a corrosão.

ânodo galvânico / *galvanic anode*. 1. Ânodo utilizado para proteger metais da corrosão galvânica. Por ser constituído de um metal menos nobre, é consumido, protegendo assim outros metais mais nobres quando imersos em um mesmo eletrólito (por exemplo, a água do mar). 2. O mesmo que *ânodo de sacrifício*. ▶ Ver *ânodo de sacrifício*; *célula galvânica*; *corrosão galvânica*.

anomalia / *anomaly*. Condição irregular que caracteriza uma anormalidade. Na sísmica de reflexão, as de maior interesse são anomalias de amplitude, associadas muitas vezes às rochas com melhor porosidade e/ou com hidrocarbonetos (a exceção principal são os folhelhos de baixa velocidade, que geralmente podem ser identificados em análises de variação da amplitude com afastamento *AVO*).

anomalia de amplitude / *amplitude anomaly*. 1. O mesmo que *amplitude anômala*. 2. Em reflexão sísmica, aumento ou redução localizada da magnitude do sinal, sem afetar o espectro de fase. ▶ Ver *amplitude anômala*.

anomalia de Bouguer / *Bouguer anomaly*. Diferença entre o valor normal da gravidade e o valor teórico desta (ar livre e Bouguer).

anomalia de fundo / *water-bottom anomaly*. Na reflexão sísmica marítima, distorção que aparece por causa das variações laterais da lâmina d'água.

anomalia de velocidade / *velocity anomaly*. Feição estrutural introduzida no registro sísmico de uma determinada interface sedimentar, relacionada com a variação lateral da velocidade nas camadas sobrejacentes. ↦ Termo amplamente utilizado nas técnicas de processamento e interpretação sísmica. As anomalias são geradas principalmente por mudanças de litologia e compactação das camadas sedimentares. Um dos principais exemplos são modelos geológicos em que arenitos/folhelhos são cortados por rochas intrusivas (basaltos) de alta velocidade sísmica, o que gera anomalias de velocidade nas camadas adjacentes. ▶ Ver *velocidade acústica*.

anomalia do fundo do mar / *water-bottom anomaly*. Feição estrutural introduzida no registro sísmico, relacionada com a variação lateral da lâmina d'água.

anomalia intraembasamento / *intrabasement anomaly*. Feição estrutural anômala do registro sísmico ocasionada por mudanças litológicas dentro do embasamento.

anomalia isostática / *isostatic anomaly*. 1. Anomalia da gravidade, calculada com a hipótese de que o efeito gravitacional das massas acima do nível do mar seja compensado por uma deficiência da densidade do material abaixo dessas massas. 2. Valor residual depois que a correção isostática em gravimetria é aplicada.

anomalia magnética / *magnetic anomaly*. Variação local do campo magnético bem diferente dos valores de uma região.

anomalia superficial / *surface anomaly*. Feição estrutural anômala em registros geofísicos ocasionada por fontes na superfície, ou próximas dela.

anóxico / *anoxic*. Condição referente a coluna de água ou sedimentos que contêm menos que 0,1 ml de oxigênio por litro de água (baixo Eh, ou potencial de redução), considerado como o limite inferior, onde a capacidade de depósito alimentar multicelular é significativamente depletada. Falta de oxigênio, como a resultante de oxigenação inadequada do sangue (anoxia). Em ambientes aquáticos, refere-se à água que se torna pobre em oxigênio pelo decréscimo bacteriológico da matéria orgânica.

anquimetamorfismo / *anchimetamorphism*. Metamorfismo incipiente de grau extremamente fraco, com preservação de estruturas e texturas primárias e pequenas modificações mineralógicas.

antechoque / *foreshock*. Em sismologia, pequeno tremor que geralmente precede um grande terremoto de um intervalo de tempo que pode variar entre segundos ou semanas, e que se origina perto do foco do terremoto.

antena de posicionamento / *positioning antenna*. Antena usada para radioposicionamento. Anterior ao GPS.

antena de um quarto de onda / *quarter-wave antenna*. A antena um quarto de onda, ou unipolo, é uma antena de um único elemento que se comporta como uma antena dipolo.

antena direcional / *yagi*. Antena direcional para recepção e transmissão de rádio nas faixas *HF*, *VHF* e *UHF*. ↝ A antena é formada basicamente por um dipolo ativo de meia-onda, um dipolo passivo paralelo ao ativo que funciona como refletor, e uma série de dipolos passivos no lado oposto, denominados *diretores*. Tal arranjo faz com que a antena fique altamente direcional para os lados dos diretores.

antialias filter. O mesmo que *filtro antifalseamento*. ▶ Ver *filtro antifalseamento*; *filtro álias*.

anticompressão / *antisqueeze*. Efeito em um lateroperfil pelo qual as linhas de corrente não são adequadamente focalizadas, mas se dispersam a certa distância na formação. ↝ Este efeito ocorre em frente a uma camada de alta resistividade, intercalada em camadas de baixa resistividade; consequentemente, os lateroperfis tendem a ler valores muito baixos e atingir pequena profundidade de investigação. ▶ Ver *compressão*; *lateroperfil em arranjo*.

antidesgaste / *anti-wear*. Diz-se de aditivos para lubrificantes que previnem o contato metal-metal quando em movimento relativo. ↝ Os aditivos antidesgaste são tipicamente compostos à base de zinco, fósforo e enxofre.

antidetonante / *anti-knock*. Substância que, quando adicionada aos combustíveis, aumenta a resistência dos mesmos à combustão prematura (detonação). ↝ Tais aditivos permitem, assim, maiores taxas de compressão para o mesmo combustível, o que em princípio permite melhores níveis de combustão. Um dos mais usuais aditivos antidetonantes é o chumbo tetraetila.

antiespuma (Port.) / *defoamer*. O mesmo que *antiespumante*. ▶ Ver *antiespumante*.

antiespumante / *foam inhibitor*. Termo utilizado indistintamente para caracterizar tanto o produto químico utilizado para prevenir a formação de espuma em equipamentos de processamento primário de petróleo como aquele empregado para promover a "quebra" da espuma já formada. ↝ Tecnicamente, a maioria dos produtos empregados na indústria do petróleo para combate à espuma (compostos orgânicos de silicone) atua tanto como inibidores à formação quanto como quebradores de espuma.

antioxidante / *antioxidant*. Substância que impede ou dificulta reações de oxidação. ↝ A aplicação de um antioxidante em forma de aditivo é recomendada para itens destinados a ter longa vida útil, expostos a temperaturas relativamente elevadas ou ao oxigênio. Tais aditivos são largamente utilizados em lubrificantes e graxas.

antracito / *anthracite*. Carvão de alta maturidade termal. Carvão mineral que apresenta o mais alto teor de carbono fixo, ou seja, de 92% a 98%. Apresenta coloração negra, brilho semimetálico, fratura conchoidal, baixo conteúdo de substâncias voláteis e alto poder calorífero.

anular / *annulus*. Espaço entre duas extensões de tubos concêntricos ou entre o poço aberto e a tubulação descida no poço, como, por exemplo, o espaço existente entre o poço aberto e a coluna de perfuração, ou o espaço existente entre a coluna de produção e o revestimento de produção.

anular revestimento-coluna de produção / *tubing-casing annulus*. **1.** Espaço situado entre o diâmetro externo da coluna de produção e o diâmetro interno do revestimento de produção. Neste espaço se materializam muitas das ações de controle do poço ou de alimentação para algum método de produção aplicado no mesmo, por exemplo, a passagem do cabo de alimentação elétrica do BCS, ou injeção do *gas lift* para os mandris das válvulas de *gas lift*, instaladas ao longo da coluna de produção. **2.** Espaço entre o tubo de perfuração e a formação.

ânulo / *annulus*. Espaço entre dois objetos concêntricos, tal como aquele entre o poço ou revestimento e a tubulação de perfuração, completação ou produção, onde um fluido pode fluir. Sinônimo: *espaço anular*.

apara de rocha (Port.) / *rock cutting*. O mesmo que *cascalho*. ▶ Ver *cascalho, sedimento detrítico*.

aparecimento de gás / *gas show*. Ocorrência de gás detectada durante a perfuração.

apatita / *apatite*. Mineral da classe dos fosfatos que se apresenta em três tipos diferentes, a depender da predominância da quantidade do fluoretos, cloretos ou hidróxidos presentes. ↝ Os íons presentes na apatita podem se substituir livremente na gelosia cristalina e todos os três podem estar normalmente presentes em qualquer espécime, embora em alguns os percentuais possam variar até 100%. Os nomes passam a refletir a predominância dos respectivos íons: fluorapatita, clorapatita e hidroxiapatita. O nome *apatita* provém de uma palavra grega cujo significado, "engano, fraude", é como uma insinuação para sua semelhança com outros minerais mais valiosos, como a olivina/peridoto e o berilo. A apatita é distribuída amplamente em todos os tipos de rocha (ígnea, sedimentar e metamórfica), quase sempre ocorrendo em pouca quantidade, como grãos disseminados ou fragmentos de criptocristalinos.

apatite (Port.) / *apatite*. O mesmo que *apatita*. ▶ Ver *apatita*.

aphron. Microesfera de ar, independente, em ambiente viscoso, onde fica encapsulada em múltiplas camadas de filme tensoativo. ↝ Utilizada em fluidos de perfuração com a finalidade de combater a invasão de filtrado para o interior da formação rochosa.

apófise / *apophysis (intrusive rocks).* Ramificação em forma de veio ou dique, vinculada a um corpo intrusivo maior, intrudida em uma rocha adjacente.

apoiar na viga / *support on beam.* Apoiar equipamentos sobre vigas, normalmente posicionadas no *moonpool*.

após o empilhamento / *after-stack, post-stack.* Condição referente à imagem obtida após correção de traços para eliminação de estática.

apropriação de reserva / *appropriation of reserves or reserves appropriation.* Processo de estimativa de reservas de petróleo e gás natural em conformidade com códigos e procedimentos internacionalmente reconhecidos pela indústria de petróleo, ou estabelecidos por uma autoridade competente de um determinado país. •• A apropriação de reservas permite classificar os volumes recuperáveis de petróleo em reservas "provadas", "prováveis" e "possíveis", de acordo com o grau de certeza da existência desses volumes e de sua economicidade. Denominam-se reservas "desenvolvidas" aquelas existentes em campos de petróleo onde as instalações de produção já estão implantadas.

aproveitamento econômico / *economic exploitation.* Expressão que indica que a exploração da reserva, de acordo com os estudos de viabilidade técnico-econômicos, é viável, de modo a assegurar o retorno do investimento, com lucro.

aquecedor / *heater.* Vaso integrante de uma planta de processo, normalmente instalado imediatamente a montante do vaso separador, que tem por função aquecer o óleo e facilitar tanto a sua queima como a separação da água incorporada. É sempre empregado em testes de poços submarinos, onde o óleo é resfriado pela baixa temperatura do mar, transmitida através dos *risers* de perfuração ou de completação. ▶ Ver *separação*; *separação em dois estágios*; *separação em três estágios*.

aquecimento adiabático / *adiabatic heating.* Processo de transformação termodinâmica de um sistema em que o aquecimento se dá exclusivamente pelo aumento da pressão ou pela compressão. ▶ Ver *transformação adiabática*.

aquecimento dinâmico / *dynamic heating.* O mesmo que *aquecimento adiabático*. ▶ Ver *aquecimento adiabático*.

aquífero / *aquifer.* Qualquer corpo de rocha sedimentar que esteja saturado com água subterrânea e suficientemente permeável para possibilitar a circulação da mesma. •• Na perfuração, cuidado especial deve ser tomado ao se perfurar aquíferos superficiais, caso estes contenham água potável, para que não sejam contaminados. Em um reservatório de petróleo o aquífero é a parte inferior do mesmo que estiver saturada com água. ▶ Ver *reservatório*.

aquífero confinado / *confined aquifer.* Aquífero que se encontra entre duas camadas impermeáveis de rocha.

aquífero geopressurizado / *geopressure aquifer.* Reservatório de água que tem uma pressão de fluido maior que a pressão hidrostática referente a sua profundidade.

aquisição de parte de concessão por terceiros / *farm-in.* O mesmo que *aquisição de participação*, tendo como referência os processos de *farm-in* e *farm-out*. ▶ Ver farm-in; farm-out.

aquisição sísmica / *seismic acquisition.* Aquisição dos dados de reflexão ou refração sísmica.

aquitardo / *aquitard.* Formação geológica, ou mesmo um aquífero, com baixa condutividade hidráulica, restringindo e retardando a transmissão de água entre camadas diferentes, não sendo viável seu aproveitamento econômico.

aquoso / *aqueous.* **1.** Condição referente a um fluido, especialmente de perfuração, à base de água, em contraposição ao que é formulado à base de outros líquidos ou de óleos. **2.** Que contém água. **3.** Da mesma natureza da água.

aragonita / *aragonite.* Polimorfo da calcita que tem a mesma composição química, mas com uma estrutura diferente e, caracteristicamente, com simetria e formas de cristal diferentes. ▶ Ver *carbonato*.

aragonite (Port.) / *aragonite.* O mesmo que *aragonita*. ▶ Ver *aragonita*.

arame / *solid wire line, slick line.* Arame especial bastante resistente, normalmente de 0,066 a 0,092 polegadas de diâmetro, usado para operações dentro do poço.

arbitragem / *arbitration.* Mecanismo fora do Poder Judiciário (este constituído na tripartição constitucional dos poderes) para solução de conflitos, visando a uma maior celeridade em suas soluções. Abrange desde pequenas causas de direito privado até os negócios de grande envergadura, principalmente em questões internacionais, nas quais pode ser um recorrente fator facilitador, tendo em vista a morosidade e os altos custos envolvidos na resolução de conflitos pela justiça tradicional e a complexidade do direito internacional privado. •• Os contratos de concessão, os contratos de partilha de produção e os acordos de operações conjuntas incluem normalmente cláusulas reguladoras de arbitragem para resolução de disputas.

arcabouço / *fabric.* **1.** Arranjo espacial e orientação das partículas sedimentares que constituem a estrutura interna das rochas sedimentares, também usado para as ígneas e metamórficas. **2.** Completa configuração espacial e geométrica de todos os componentes de uma rocha deformada. Engloba alguns termos, como textura, estrutura e orientação preferencial. **3.** Denominação dada ao *arranjo dos grãos de uma rocha*. ▶ Ver *petrografia sedimentar*.

arcose (Port.) / ***arkose***. O mesmo que *arcósio*. ▶ Ver *arcósio*.

arcósio / ***arkose***. Rocha sedimentar composta de grãos de tamanho areia e com composição de minerais de feldspatos e quartzo.

ardósia / ***slate***. Rocha levemente metamorfizada, derivada de folhelho de clivagem em lâminas resistentes, cujos planos independem do plano de estratificação original.

área a ser evitada / ***area to be avoided***. Condição restritiva a ser obedecida pela navegação comercial não relacionada com operações *offshore*. Tem como objetivo garantir o aumento da segurança das atividades de exploração e produção de óleo e gás, por meio da redução do risco de abalroamento de embarcações mercantes com plataformas de petróleo e suas utilidades em determinada região produtora.

área classificada / ***classified area***. Região espacial ao redor de cada um dos equipamentos das instalações de produção onde haja risco, ainda que potencial, da formação de mistura explosiva (ar + hidrocarboneto gasoso). O mapeamento dessas regiões e a classificação específica de cada uma delas são realizados seguindo normas internacionalmente reconhecidas. Representada por mapa que define, entre outras coisas, o volume de risco dentro do qual pode ocorrer mistura inflamável. •• No projeto básico da instalação é gerado um documento denominado *Mapa de classificação de áreas*, com base no qual são especificados os equipamentos que possam produzir centelhas e que tenham de se localizar nessas áreas. Requisitos técnicos especiais, também normalizados, são exigidos dos citados equipamentos, que recebem a denominação genérica de *equipamentos à prova de explosão* (*explosion proof*), segundo determinado padrão. Para as atividades relativas às unidades de perfuração e produção de petróleo e gás, marítimas e terrestres, os respectivos equipamentos operam com parâmetros de pressão, vazão e volume relativamente baixos, pois o gás que vem associado ao petróleo é na verdade uma mistura de gases com predominância de metano. Isso faz com que a densidade em relação ao ar seja de aproximadamente 0,6, ou seja, mais leve que o ar, o que se torna uma vantagem, do ponto de vista de classificação de áreas.

área controlada / ***controlled area***. Área que requer controle de acesso, onde não pode haver presença de pessoas não autorizadas nem fontes de ignição estranhas às operações. •• Área definida na qual a exposição ocupacional do pessoal à radiação ou ao material radioativo deve estar sob a supervisão de um indivíduo responsável pela proteção à radiação.

área costeira / ***coastal area***. Região de terra ou de águas que bordeja a costa; no caso do mar, estendendo-se além da zona de surfe ou de arrebentação.

área de acesso restrito (Port.) / ***restricted access area***. O mesmo que *área classificada*. ▶ Ver *área classificada*.

área de domínio / ***domain area***. Área sob responsabilidade direta de uma operadora, constituída das áreas de operação e de transição.

área de drenagem / ***drainage area***. Área de um campo drenada por um poço. •• A superposição de áreas de drenagem de poços em um campo deve ser evitada, visando a otimizar o fator de recuperação de hidrocarbonetos do campo.

área de locação / ***location area***. Área de terreno terraplenada e isolada, onde são instalados uma sonda de perfuração ou intervenção e todos os equipamentos de apoio necessários aos trabalhos no poço. ▶ Ver *sonda de perfuração*; *sonda de completação*.

área de localização (Port.) / ***location area***. O mesmo que *área de locação*. ▶ Ver *área de locação*.

área de navegação restrita (Port.) / ***restricted navigation area***. O mesmo que *área a ser evitada*. ▶ Ver *área a ser evitada*.

área de operação / ***operational area***. Área, em uma plataforma de produção de petróleo, destinada a sonda de intervenção em poço e seus equipamentos de apoio. ▶ Ver *sonda de perfuração*; *sonda de completação*.

área de proteção ambiental, Brasil / ***environmental protection area, Brazil***. Área delimitada pelo Poder Executivo para "assegurar o bem-estar das populações humanas e conservar ou melhorar as condições ecológicas" (Lei nº 6.902/81). •• As áreas de proteção ambiental (APAs) fazem parte do Sistema Nacional de Unidades de Conservação e seu ato de criação específica os objetivos e as restrições de seu uso.

área de relevante interesse ecológico, Brasil / ***relevant ecological interest area, Brazil***. Área com características naturais notáveis (espécies raras, singularidade da paisagem, entre outras) e que, por isso, exigem proteção pelo Poder Público que instituem para elas limitações específicas de uso dos recursos ou até mesmo a preservação da harmonia da paisagem.

área fonte / ***source area***. Região normalmente mais elevada topograficamente, cujas rochas estão sujeitas a um intenso processo de denudação, que resulta na geração de sedimentos.

área inativa com acumulações marginais / ***idle field with marginal accumulations***. Área com descoberta de petróleo e/ou gás natural conhecida, onde ou não houve produção ou esta foi interrompida por falta de interesse econômico.

área interfacial / ***interfacial area***. Área correspondente à superfície de separação entre fase dispersa e meio de dispersão. •• Em uma dispersão, em que existe uma elevada área interfacial, ou seja, uma razão elevada entre área e volume, os fenômenos de superfície característicos à região interfacial, tais como adsorção e dupla camada elétrica, irão determinar as propriedades físicas do sistema completo. ▶ Ver *dispersão*; *adsorção*; *emulsão*; *espuma*; *contato gás/água*; *contato gás/óleo*; *contato óleo/água*.

área marítima abrigada / *sheltered sea area*. Área contemplando rios, lagos, canais, lagoas, baías, angras e demais áreas marítimas pertencentes a determinado território nacional.

área marítima protegida (Port.) / *sheltered sea area*. O mesmo que *área marítima abrigada*. ▶ Ver *área marítima abrigada*.

área medida em acres / *acreage*. Determinada área de concessão, medida em acres.

área não classificada / *non-classified area*. Área ou região de uma instalação de produção (planta de processo e utilidades) onde não há possibilidade de ocorrência de mistura explosiva devido à presença de hidrocarbonetos voláteis. ↝ Nas áreas não classificadas permite-se a instalação de equipamentos elétricos sem os requisitos de "à prova de explosão" (*explosion proof* ou *ex proof*). Nessas áreas não podem ser instalados equipamentos que contenham inventário de hidrocarbonetos gasosos ou líquidos voláteis.

área negativa / *negative area*. Área grande da crosta terrestre sujeita, por um grande período geológico, a subsidência, ou seja, frequentes e claros movimentos tectônicos para baixo.

areia / *sand*. 1. Termo genérico utilizado para classificar elementos granulares produzidos de formações friáveis, com diâmetro entre 1/16 e 2 mm ou de 4 a -1 unidades de phi. 2. Sedimento predominantemente composto de grãos com tamanho de areia entre 1/16 mm e 2 mm. ↝ Quando o termo é utilizado de modo genérico, normalmente refere-se a um material cuja composição é silicosa (predominantemente quartzo), mas as partículas de areia podem ter composição variada, inclusive carbonática. De acordo com a escala de Udden-Wentworth, areia é maior que silte e menor que grânulo. A areia é classificada, granulometricamente em: areia fina (1/16 mm < grão < 1/4 mm), areia média (1/4 mm < grão < 1 mm) e areia grossa (1 mm < grão < 2 mm).

areia argilosa / *clayey sand*. Uma das classificações dos solos que, por sua vez, são designados pelo nome do tipo de sua fração granulométrica mais ativa (no caso, areia), seguida dos adjetivos referentes às frações que influenciam seu comportamento (no caso, argilosa). ▶ Ver *areia*.

areia asfáltica / *asphaltic sand, tar sand*. 1. Areia e/ou arenito friável que contém elevados teores de resíduos asfálticos, geralmente formando grandes depósitos que são minerados a céu aberto. 2. Areia betuminosa.

areia betuminosa / *bituminous sand*. 1. Areia contendo elevados teores de betume, geralmente formando grandes depósitos que são minerados a céu aberto. 2. O mesmo que *areia asfáltica*.

areia com gás / *sand with gas*. Arenito que apresenta gás em seus poros, ou seja, reservatório de gás.

areia de canal / *channel sand*. Arenito ou areia depositado no leito de um curso d'água ou em uma incisão do substrato. Podem ser importantes reservatórios de hidrocarbonetos ou outros bens minerais.

areia de duna / *dune sand*. Areia composta geralmente por grãos de quartzo arredondados com diâmetros variando de 0,1 a 1 mm, utilizados para vários fins graças ao seu tamanho, uniformidade e pureza química.

areia de grão grosseiro (Port.) / *coarse sand*. O mesmo que *areia grossa*. ▶ Ver *areia grossa*.

areia em lençol / *sheet sand*. Corpo arenoso ou arenito, com geometria tabular, e que possui uma ampla distribuição em área com espessura relativamente constante e delgada. Sinônimo de *blanket sand*.

areia fluvial / *river sand*. Sedimento clástico arenoso composto de partículas de tamanho entre 0,625 mm e 2 mm, arredondadas, podendo conter ou não argilas ou outras impurezas e formado por processos sedimentares de origem fluvial. ↝ São normalmente encontradas nos depósitos denominados *barras* ou *bancos* fluviais, que formam acamamentos com estratificações cruzadas

areia grossa / *coarse sand*. 1. Fragmento de mineral ou de rocha cujo diâmetro esteja entre 0,5 e 1 mm ou entre 1 e 0 unidade de phi na escala granulométrica utilizada em geologia. 2. Termo da engenharia para partículas com diâmetro em torno de 2 mm.

areia movediça / *quicksand*. 1. Massa ou camada de areia fina constituída de grãos arredondados com pequena e mútua aderência e usualmente saturada com água, que flui para cima através dos vazios formando uma massa semilíquida e altamente móvel. 2. Depósito de natureza arenosa ou areno-argilosa, com saturação de água que, como consequência da ação da pressão hidrostática, torna-se capaz de escoar como um fluido.

areia suja / *dirty sand*. Termo usado em perfilagem geofísica de poço como sinônimo de *arenito argiloso*.

arenito / *sandstone*. Designação dada a rocha sedimentar proveniente da litificação de sedimento arenoso, cujo arcabouço é composto de grãos do tamanho areia (0,625 mm a 2 mm), podendo ocorrer em menor quantidade fragmentos de tamanho menor ou maior, o que, dependendo do caso, adjetiva a sua designação, como no caso do *arenito seixoso* e do *arenito argiloso*. ↝ De acordo com a sua composição, os arenitos podem receber nomes específicos: *grauvacas*, *arcósios* e *calcarenitos*. ▶ Ver *rocha sedimentar*.

arenito argiloso (Port.) / *clayey sand.* O mesmo que *areia argilosa.* ▶ Ver *areia argilosa.*

arenito asfáltico (Port.) / *asphaltic sand, tar sand.* O mesmo que *areia asfáltica.* ▶ Ver *areia asfáltica.*

arenito betuminoso (Port.) / *bituminous sand.* O mesmo que *areia betuminosa.* ▶ Ver *areia betuminosa.*

arenito calcário / *calcareous sandstone.* 1. Areia consolidada por calcário. 2. Arenito cimentado com calcário. 3. Arenito contendo quantidade apreciável de carbonato de cálcio, mas com uma quantidade de quartzo clástico maior que 50%.

arenito calcítico / *calcarenaceous sandstone.* Arenito que contém detritos de carbonato de cálcio em abundância, ou cimento carbonático.

arenito carbonático / *carbonate-arenite.* Arenito predominantemente derivado de material carbonático, tais como fragmentos de conchas de moluscos, algas e outros organismos com carapaça calcária.

arenito com gás (Port.) / *sand with gas.* O mesmo que *areia com gás.* ▶ Ver *areia com gás.*

arenito de canal (Port.) / *channel sand.* O mesmo que *areia de canal.* ▶ Ver *areia de canal.*

arenito de duna (Port.) / *dune sand.* O mesmo que *areia de duna.* ▶ Ver *areia de duna.*

arenito de grão grosseiro (Port.) / *coarse sand.* O mesmo que *areia grossa.* ▶ Ver *areia grossa.*

arenito em lençol (Ang.) (Port.) / *sheet sand.* O mesmo que *areia em lençol.* ▶ Ver *areia em lençol.*

arenito fluvial (Port.) / *river sand.* O mesmo que *areia fluvial.* ▶ Ver *areia fluvial.*

arenito grosso (Port.) / *coarse sand.* O mesmo que *areia grossa.* ▶ Ver *areia grossa.*

arenito limpo / *clean sandstone.* Arenito que contém quantidades mínimas de minerais de argila. Os arenitos limpos constituem-se em reservatórios que normalmente possuem boas porosidade e permeabilidade, comparados com arenitos argilosos ou, ditos corriqueiramente, arenitos sujos, os quais apresentam seus poros obstruídos com partículas finas de argila.

arenito movediço (Port.) / *quicksand.* O mesmo que *areia movediça.* ▶ Ver *areia movediça.*

arenito sericito / *sericitic sandstone.* Arenito no qual a sericita, derivada da decomposição de feldspatos, se encontra intercalada com quartzo finamente granulado que preenche os espaços vazios entre os grãos.

arenito silicioso (Port.) / *siliceous sandstone.* O mesmo que *arenito silicoso.* ▶ Ver *arenito silicoso.*

arenito silicoso / *siliceous sandstone.* Arenito cimentado por quartzo ou sílica criptocristalina, normalmente chamado de *ortoquartzito.*

arenito sujo (Port.) / *dirty sand.* O mesmo que *areia suja.* ▶ Ver *areia suja.*

arenito-folhelho / *sandshale.* Depósito sedimentar caracterizado pela intercalação de delgadas camadas de arenito e folhelho.

arenito-xisto argiloso (Port.) / *sandshale.* O mesmo que *arenito-folhelho.* ▶ Ver *arenito-folhelho.*

arenoso / *arenaceous.* Adjetivo usado para um sedimento ou rocha nos quais ocorre uma quantidade de grãos com dimensão equivalente à da areia, entre 0,625 mm e 2 mm. ▶ Ver *areia.*

arfagem / *heave.* Movimento vertical de subida e descida de uma embarcação ou equipamento rebocado, causado pela passagem das ondas.
•◦ Equipamentos rebocados têm esse movimento amortecido quando a quantidade de cabos de reboque na água for muito grande. Dados batimétricos, por terem normalmente o transdutor fixo ao casco ou costado da embarcação, deverão ser corrigidos para este efeito. Dados de movimento da embarcação são anotados por um sensor de movimento (*motion sensor*).

argila / *clay.* 1. Sedimento clástico constituído por silicatos hidratados de alumínio. 2. Componente comum de lamas e solos, aos quais agregam-se hidróxidos coloidais floculados e diversos outros componentes cristalinos ou amorfos. 3. Família de minerais filossilicáticos hidratados, aluminosos de baixa cristalinidade e pequenas dimensões, como caolinita, montmorilonita, ilitas e clorita, que são estáveis, geralmente, nas condições termodinâmicas e geoquímicas da superfície terrestre ou de crosta rasa. 4. Classe de material constituído de partículas com menos de 1/256 mm (<4 µm) de diâmetro, menores do que partículas de silte muito fino. Também se refere a sedimentos com mais de 67% de suas partículas incluídas nesta classe granulométrica. 5. Mineral aluminossilicato formado por intemperismo e hidratação de outros silicatos.

argila calcária / *calcareous clay.* Argila que contém uma quantidade significativa de carbonato de cálcio, mas inferior a 30%.

argila de carvão / *coal clay.* Argila comumente associada a camadas de carvão.

argila síltica / *silty clay.* Sedimento inconsolidado que contém entre 40% e 75% de argila e o restante composto de partículas de maior tamanho, com predominância de silte.

argilito / *claystone, clay rock.* Rocha pouco laminada composta por material argiloso detrítico, oriundo principalmente da decomposição de feldspatos, mas não alterada quimicamente ou metamorfizada.

argilocinese / *shale flowage.* Deformação plástica dos sedimentos argilosos, causando a movimentação vertical ou lateral dos mesmos.

argilosidade / *shaliness.* 1. Razão entre o volume de argilas e o volume total de uma rocha sedimentar. 2. Conteúdo de argila presente em uma formação.

argiloso / *clayey, argillaceous*. 1. Adjetivo dado aos sedimentos ou rochas cuja matriz é composta predominantemente de argila. 2. Que contém grande quantidade de argila.

armadilha (Port.) / *trap*. O mesmo que *trapa*. ▶ Ver *trapa*.

armadilha de gás / *gas trap*. Trapa ou armadilha geológica onde o fluido armazenado é o gás.

armadilha estratigráfica (Port.) / *stratigraphic trap*. O mesmo que *trapeamento estratigráfico*. ▶ Ver *trapeamento estratigráfico*.

armadilha para caçador de amarras / *chaser trap*. Acessório para ser instalado em uma linha de amarras, de forma a servir de armadilha quando da passagem do *chaser*, permitindo assim que esta linha possa ser içada por este ponto.

armadilha sedimentar / *sedimentary trap*. Feição estrutural ou lenticular que pode propiciar a acumulação de hidrocarbonetos. •• As armadilhas estruturais são formadas a partir de movimentos tectônicos em uma área sedimentar, causando falhamentos e/ou dobramentos das camadas. Em condições especiais ocorre a migração e acumulação de hidrocarbonetos para as partes altas das estruturas, que apresentam uma rocha capeadora impermeável. Os depósitos lenticulares, bem mais raros, são formados de rochas porosas, isoladas por rochas impermeáveis.

armadura / *armor*. Camadas de fios de aço da parte externa de um cabo de perfilagem. Tipicamente, há duas camadas de fios de aço, uma enrolada no sentido horário e outra no anti-horário, dando ao cabo resistência a tração. Também usada como retorno de corrente em algumas medidas elétricas.

armadura de cabo / *cable shield*. Parte integrante da proteção de cabos redondos e chatos de bombeio centrífugo submerso. •• A armadura tem a função de fazer a proteção mecânica do cabo elétrico, minimizando seus danos durante a descida do conjunto de BCS no poço. ▶ Ver *bombeio centrífugo submerso*; *cabo elétrico para bombeamento centrífugo submerso*.

armadura de seixo / *pebble armor*. Concentração de capas que envolvem os seixos nas áreas de deserto. ▶ Ver *seixo*.

armar canhão / *arm*. Preparo de detonação de um canhão de canhoneio através de circuito elétrico ou por conexão de detonador.

armazenamento de tubos (Port.) / *laying down of pipe, rods or tubing*. O mesmo que *estaleiro de tubos*. ▶ Ver *estaleiro de tubos*.

aromático / *aromatic*. Composto orgânico cíclico planar que é estabilizado por deslocamento de pi-elétrons. Inclui hidrocarbonetos aromáticos, como o benzeno (H_nH2_{n-6}), cicloalcanoaromáticos, como esteroides monoaromáticos, alguns compostos heterocíclicos, como benzotiofenos e porfirinas. Devido a suas altas solubilidades, os aromáticos de baixo peso molecular, como benzeno e tolueno, são facilmente lixiviados do petróleo por circulação de água subterrânea. Processo de conversão de um sistema alicíclico em aromático. •• A aromatização é um processo oxidante que ocorre durante a catagênese e a metagênese. ▶ Ver *hidrocarboneto aromático*.

aromatização / *aromatization*. Processo de conversão de um sistema alicíclico em aromático. É um processo oxidante que ocorre durante a catagênese e a metagênese.

arqueação / *outage measurement*. Conjunto de operações efetuadas para determinar a capacidade de um tanque, ou outro depósito análogo, até um ou vários níveis de enchimento. ▶ Ver *arqueação de tanques*.

arqueação de tanques / *tank measurement*. 1. Processo de cálculo do volume contido em grandes depósitos de combustíveis, produtos químicos e diversos outros líquidos. 2. Volume correspondente ao espaço vazio existente num contêiner, tanque ou vaso. Constitui-se num método de determinar o real conteúdo de um tanque por meio da medição da distância da superfície do líquido ao topo do tanque. ▶ Ver *arqueação*; *tanque de armazenamento atmosférico*.

arranhador / *casing scraper, scratcher*. Acessório externo da coluna de revestimento com a função de remover mecanicamente o reboco da parede do poço para permitir uma perfeita aderência entre a pasta de cimento e a parede do poço. •• A ação mecânica se deve ao movimento de reciprocação (movimentos verticais) ou rotação da coluna de revestimento, empregando-se para cada caso um tipo apropriado de arranhador. ▶ Ver *acessório da coluna de revestimento*; *reboco*.

arranjo / *array*. Na aquisição sísmica, distribuição geométrica ou espacial de fontes e/ou receptores que procuram realçar determinados componentes de frequência e/ou direções de propagação de ondas e/ou eventos com distintos sobretempos normais (NMO).

arranjo colinear / *collinear array*. Padrão de disposição dos eletrodos, em que MN (tensão) e AB (corrente) estão na mesma reta.

arranjo cruzado / *cross array*. Dois arranjos lineares ortogonais.

arranjo de canhões / *air-gun array*. Disposição espacial de *air-guns* com diferentes volumes, com objetivo de atenuar o efeito de bolhas ou privilegiar uma direção desejada.

arranjo de canhões de ar / *air-gun array*. 1. Conjunto de canhões de ar de diferentes volumes dispostos de modo a funcionar de uma só vez, simultaneamente, gerando um pulso único. 2. Disposição espacial de *air guns* utilizados na aquisição sísmica. •• O arranjo pode conter dezenas de canhões de ar. Sua utilização faz com que o efeito de bolhas seja atenuado pela interferência destrutiva. As assinaturas das fontes dos canhões de ar são registradas e superpostas, e esta superposição tem como objetivo a preservação do pulso original.

arranjo de Chebyshev / *Chebyshev array*. Arranjo linear equiespaçado, com o peso dos elementos definidos por um polinômio de Chebyshev, o que gera um espectro de amplitude com máximos (picos) de mesmo valor na faixa de rejeição, e limites abruptos. ▶ Ver *arranjo*.

arranjo de detetores / *detectors array*. Disposição dos detetores que serão utilizados para qualquer processo.

arranjo de eletrodos / *electrode array*. O mesmo que *matriz de eletrodos*. ▶ Ver *matriz de eletrodos*.

arranjo de hidrofones / *hydrophone array*. Disposição dos hidrofones interligados, colocados regularmente dentro do cabo flutuador arrastado pelo navio. ▶ Ver *hidrofone*.

arranjo de Wenner / *Wenner's array*. Arranjo de eletrodos utilizado normalmente para a perfilagem elétrica horizontal, visando à determinação lateral da resistividade a uma profundidade constante. ▶ Ver *resistividade elétrica*.

arranjo equatorial / *equatorial array*. Arranjo particular dos eletrodos de medida de resistividade em que estes formam um retângulo. ▶ Ver *arranjo de Wenner*.

arranjo pluma / *feather pattern*. Disposição dos geofones dentro de um grupo de pontos de tiro ou de pontos de queda, de tal forma que a contribuição dos elementos da disposição diminua com a sua distância ao centro.

arranjo ponderado / *weighted array, tapered array*. Arranjo de fontes ou receptores utilizado na aquisição sísmica, no qual cada elemento tem um peso determinado.

arranjo produtivo local / *local productive arrangement*. Conjunto de ações que constituem um tipo de configuração com elevado potencial de desenvolvimento de relações verticais entre produtores e fornecedores de insumos e equipamentos, reduzindo riscos associados a inovação e custos de informação; também é elevado o potencial de cooperação horizontal entre empresas do mesmo setor e de portes diferentes, o que pode gerar "eficiências coletivas", especialmente por meio da redução dos custos de transação.

arranjo sincronizado / *tuned array*. disposição de vários canhões, de diferentes volumes, sincronizados para que os tiros aconteçam segundo um espectro de frequências.

arranque a frio (Port.) / *cold-cranking simulator*. O mesmo que *simulador de partida a frio*. ▶ Ver *simulador de partida a frio*.

arranque em baixa corrente (Port.) / *soft starter driver*. O mesmo que *unidade de partida em baixa corrente*. ▶ Ver *unidade de partida em baixa corrente*.

arraste / *drag*. Força adicional necessária para mover uma coluna dentro do poço, devido ao contato desta com a parede do poço.

arrasto de fluido / *heating fluid*. Fluido utilizado para transferência de calor em unidades de processamento. ↠ Trata-se normalmente de um líquido derivado de petróleo de alto peso molecular, termicamente estável, mesmo em altas temperaturas, que é utilizado como veículo de energia térmica para trocadores de calor que operam como aquecedores de fluidos de processo. A vantagem da utilização desses fluidos de aquecimento (ou fluidos térmicos) é que não se tem mudança de estado do fluido na faixa de temperaturas de interesse. ▶ Ver *permutador de calor*.

arredondamento / *roundness*. Grandeza que consiste na relação entre o raio médio de uma partícula e o raio de uma esfera inscrita. Consideram-se como perfeitamente esféricas as partículas que apresentam esta relação igual a 1.

arrendamento mercantil / *mercantile leasing*. Negócio jurídico realizado entre pessoa jurídica, na qualidade de arrendadora, e pessoa física ou jurídica, na qualidade de arrendatária, e que tenha por objeto o arrendamento de bens adquiridos pela arrendadora, segundo especificações da arrendatária e para uso próprio desta.

arrendamento operacional / *operational leasing*. Procedimento em que uma empresa proprietária de certos bens os dá em arrendamento a pessoa, mediante o pagamento por esta de prestações determinadas, incumbindo-se, entretanto, o proprietário dos bens a prestar assistência técnica ao arrendatário durante o período do arrendamento. ▶ Ver *operational leasing*.

arriar peso / *slack off*. Processo de arriar o peso próprio da coluna de perfuração ou da coluna de assentamento, comprimindo a parte inferior destas colunas. Por exemplo, esta operação permite colocar peso sobre a broca ou assentar um *packer*.

artefato / *artifact*. 1. Evento falso gerado por erros em alguma etapa da aquisição ou processamento sísmico. 2. Qualquer interferência ocorrida em um levantamento magnetométrico causada por fontes magnéticas não naturais, enterradas na subsuperfície ou aparentes, responsáveis por anomalias que podem falsear o mapeamento.

artesiano / *artesian*. Condição referente a poço artesiano. ▶ Ver *poço artesiano*.

articulação flexibilizadora da coluna de perfuração (Port.) / *drilling jar*. O mesmo que *intensificador de força axial*. ▶ Ver *intensificador de força axial*.

articulação usada em pesca (Port.) / *fishing jar*. O mesmo que *percussor para pescaria*. ▶ Ver *percussor para pescaria*.

árvore de decisão / *decision tree*. Técnica empregada para facilitar uma tomada de decisão quando há incertezas durante a programação de operações. O programador desenha um diagrama de blocos indicando as opções possíveis e as ações subsequentes a cada opção inicial. ▶ Ver *árvore de falhas*.

árvore de eventos / *event tree*. Técnica indutiva estruturada que utiliza um modelo gráfico-lógico que identifica os cenários resultantes dos possíveis desdobramentos de um determinado evento iniciador, permitindo quantificar a frequência de ocorrência desses cenários.

árvore de falhas / *fault tree*. Técnica dedutiva estruturada que representa graficamente a associação de portões lógicos, para identificar possíveis combinações de eventos que resultam na ocorrência de um evento principal indesejado, denominado *evento topo*, permitindo assim quantificar a probabilidade de ocorrência desse evento.

árvore de fluxo de superfície / *surface flow tree*. Equipamento contendo uma combinação de válvulas que pode ser colocada no topo de *riser* de completação para controlar a pressão e desviar o fluxo. ▶ Ver *árvore de superfície*.

árvore de natal / *christmas tree*. Conjunto de válvulas, conexões e adaptadores instalados sobre a cabeça do poço com a finalidade de controlar o fluxo de fluidos da formação para a superfície. Dependendo da aplicação, pode ser classificada como *árvore de natal seca* (poços de terra ou poços de mar com a cabeça na plataforma de produção) ou *árvore de natal molhada* (poços de mar com a cabeça submersa). ↝ O equipamento recebeu esta denominação devido ao seu formato mais antigo e tradicional que lembra um pinheiro natalino. Em geral esse tipo de equipamento é também denominado *árvore de natal convencional*. ▶ Ver *cabeça de poço*; *completação seca*; *completação molhada*.

árvore de natal molhada / *wet christmas tree*. Equipamento submarino composto por um conjunto de válvulas operadas remotamente por acionadores hidráulicos, sensores de pressão e de temperatura. É instalado na cabeça do poço de completação molhada, no leito marinho. Embora seja mais complexa, conceitualmente é muito similar à árvore de natal seca. ↝ Uma árvore de natal molhada (*ANM*) pode ser do tipo vertical ou horizontal; o tipo vertical também é chamado no Brasil de *convencional*, enquanto que a de tipo horizontal, com sigla ANMH, permite a retirada da coluna de produção sem a retirada da ANM. O método de instalação de uma ANM iniciou-se com o uso de cabos-guia, mas a instalação em águas mais profundas atualmente é realizada sem cabos-guia (*guidelineless*). A parte superior da ANM é chamada de *capa da árvore* (*tree cap*) e realiza diversas funções, incluindo o controle das linhas hidráulicas das válvulas *fail-safe close*, do travamento dos conectores e outras funcionalidades associadas à instalação ou intervenção na ANM. Conecta-se às linhas de exportação do fluido produzido e de acesso ao anular, e com o umbilical de controle eletroidráulico, responsável pelo controle do equipamento, realizado remotamente a partir da unidade estacionária de produção. Tem como principal função permitir que o escoamento dos fluidos de um poço seja enviado sob controle para uma unidade estacionária de produção. ▶ Ver *completação molhada*.

árvore de natal seca / *surface tree*. 1. Árvore de natal instalada em poços cuja cabeça se encontra na superfície. 2. Árvore de natal instalada em poços de completação seca (plataformas fixas) ou em poços localizados em campos de terra. ▶ Ver *completação seca*; *árvore de natal*; *cabeça de poço*.

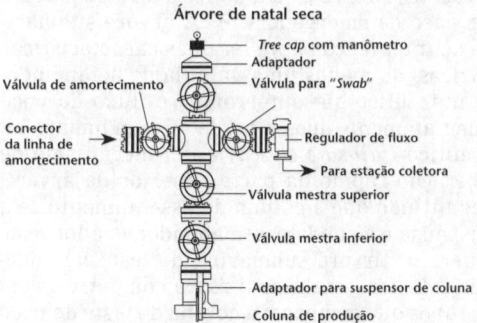

Árvore de natal seca

árvore de natal submarina (Ang.) / *WCT*. O mesmo que *árvore de natal molhada*. ▶ Ver *árvore de natal molhada*.

árvore de pistoneio / *flow tree, flow tee, surface flowhead*. 1. Equipamento usado na extremidade superior da coluna durante uma operação com arame, cabo ou flexitubo, para se ter acesso lateral para retorno e/ou injeção do fluido. 2. Dispositivo similar a uma cruzeta, conectado à coluna de produção, dotado de pelo menos três válvulas de bloqueio, de acionamentos manuais e compatíveis com a pressão do poço. Duas válvulas são orientadas na vertical, alinhadas com o poço, e permitem passagem controlada dos equipamentos de indução de produção. Uma outra válvula é acoplada lateralmente para direcionamento da produção. ▶ Ver *árvore de superfície*; *tê de fluxo*; *cabeça de produção*.

árvore de produção / *production tree*. O mesmo que *árvore de natal*. ▶ Ver *árvore de natal*.

árvore de sucção de fluidos por êmbolo (Port.) / *flow tree, flow tree, surface flowhead*. O mesmo que *árvore de pistoneio*. ▶ Ver *árvore de pistoneio*.

árvore de superfície / *surface tree*. Equipamento usado na extremidade superior da árvore de natal seca, durante uma operação com arame, cabo ou flexitubo, sendo este último somente para indução de surgência por injeção de N_2, para se ter acesso à coluna de produção para retorno do fluido pela válvula lateral da árvore de natal. ↝ A operação mencionada refere-se a pistoneio ou instalação ou retirada de equipamentos da coluna de produção. ▶ Ver *árvore de pistoneio*; *tê de fluxo*.

árvore submarina / *subsea tree*. O mesmo que *árvore de natal molhada* (ANM). ▶ Ver *árvore de natal molhada*.

árvore submarina de intervenção / *subsea intervention tree*. Equipamento de segurança instalado imediatamente acima da ferramenta de instalação do *tubing hanger* quando há necessidade de operar o poço para a sonda de intervenção, seja para um teste de formação ou fluxo de limpeza. Serve para fechar o poço no fundo do mar durante um fluxo, permitindo a desconexão do preventor de erupção (*blowout preventer, BOP*) e o abandono seguro da locação em caso de emergência. ↝ A árvore submarina de intervenção deve ter duas características básicas: ao menos uma válvula de acionamento hidráulico que interrompa o fluxo do poço imediatamente após a perda de suprimento hidráulico (*fail-safe closed*) e um mecanismo de liberação rápido da parte superior da árvore, permitindo que a coluna de assentamento seja suspensa e a sonda possa abandonar a locação. Difere da árvore submarina de teste na conexão inferior: esta possui rosca compatível com os tubos que compõem a coluna de teste do poço e fica assentada na cabeça de poço submarina. A árvore de intervenção é acoplada diretamente à ferramenta de instalação do *tubing hanger*. ▶ Ver *árvore submarina de teste; válvula de segurança*.

árvore submarina de teste / *subsea test tree*. Dispositivo de segurança usado durante teste de poço em sondas flutuantes. No caso de uma emergência, este dispositivo pode ser fechado e rapidamente desconectado no fundo por meio de um controle remoto, se a sonda tiver de sair da locação deixando o preventor de erupção (BOP) no fundo. ↝ O dispositivo é dimensionado e ajustado para que a gaveta de tubos do BOP feche sobre o dispositivo, garantindo o isolamento do anular do poço durante o teste. O dispositivo também é dimensionado e ajustado para que, quando desconectado, vede a coluna de teste e possibilite o fechamento da gaveta cega do BOP.

as built. Termo que significa "tal como construído", na revisão de projetos conforme executados nas fases de construção, montagem, comissionamento, pré-operação e operação assistida de unidades industriais.

ascensão capilar / *capillary rise*. Elevação de um fluido em um tubo capilar, contendo dois ou mais fluidos imiscíveis, causada pela interação de tensões interfaciais e forças gravitacionais. O mesmo que *elevação capilar*. ↝ Em condições de equilíbrio, a elevação capilar (h) é proporcional à tensão interfacial (σ) e ao ângulo de contato (θ) e inversamente proporcional ao raio do capilar (r) e à diferença de densidade entre os fluidos (Δρ), conforme a fórmula abaixo:

$$h = \sigma \cos\theta / (gr\, \Delta\rho)$$

Existem muitas fórmulas empíricas que modelam a dinâmica da elevação capilar, sendo a de Washburn a mais usual.

ascensão de óleo por meio de gás injetado (Port.) / *gas lift*. O mesmo que gas lift. ▶ Ver gas lift.

asfalteno / *asphaltene*. Mistura de hidrocarbonetos de grande peso molecular (entre 1.000 e 2.500), que possuem alta relação carbono/hidrogênio e presença de enxofre, oxigênio e nitrogênio (de 6,9% a 7,3%), frequentemente contendo no centro de sua estrutura molecular um átomo de metal pesado. A estrutura molecular básica é constituída de 3, 10 ou mais anéis, geralmente aromáticos. São sólidos escuros e não voláteis, solúveis em bissulfeto de carbono e em tetracloreto de carbono. Não se dissolvem no petróleo, mas se encontram dispersos na forma coloidal. ↝ Os asfaltenos causam problemas na produção de óleos pesados por sua tendência a flocular e se precipitar durante a produção e o refino do óleo bruto. Técnicas analíticas de espectroscopia fornecem usualmente as principais características da fração asfaltênica, que pode ser isolada pela adição de solvente normal parafínico à razão de 1:40 v/v.

asfáltico / *asphaltic*. Petróleo ou outros minerais, como areias, com elevados teores de compostos naftênicos, como asfaltenos, e geralmente com baixos teores de parafinas.

asfaltito / *asphaltite*. Grupo que envolve formas sólidas de betumes naftênicos nativos, que são mais duros e menos fusíveis que o verdadeiro asfalto. Compõe-se principalmente de hidrocarbonetos (substancialmente livre de corpos oxigenados e alcanos cristalizáveis), tanto os de forma pura quanto os associados com matéria mineral. ↝ Os asfaltitos são derivados também de betumes naftênicos ou querogênios, e são alterados durante ou após a migração. São normalmente encontrados em veios ou fissuras. São divididos em dois grupos em função das solubilidades no dissulfito de carbono e benzeno, a saber: aqueles muito solúveis, como gilsonita e grahamita, e aqueles extremamente insolúveis, como elaterita, wurtzilita, albertita, impsonita e antraxolita. É possível que a elaterita e a wurtzilita representem material imaturo querogênico; se assim for, devem ser tratados como sapropélicos. A albertita, a impsonita e a antraxolita podem ser asfaltitos com alta maturidade adquirida após a migração. ▶ Ver *querogênio*.

asfalto / *asphalt*. 1. Mistura de hidrocarbonetos resultante da remoção das frações leves ou voláteis do óleo bruto, através de processos naturais ou de sua destilação. 2. Genericamente, forma negra de betume, sólida ou semissólida em temperatura ambiente. 3. Betume asfáltico. 4. Produto final e pesado, derivado do petróleo, de coloração marrom a negra, sólido a semissólido, que gradualmente se liquefaz quando aquecido e que é geralmente solúvel em dissulfito de carbono, porém insolúvel em n-heptano. ↝ Os *asfaltos* naturais e refinados contêm resinas, asfaltenos, graxas pesadas e são constituídos dominantemente por carbono e hidrogênio. São também ricos em nitrogênio, enxofre, oxigênio e metais complexos, tais como vanádio e níquel. Os asfaltos de refinaria são resíduos da destilação de óleos crus. Mistura de betume asfáltico com material mineral sólido, usada principalmente na pavimentação de estradas.

asfalto nativo / *native asphalt*. Asfalto da classe de betumes naturais com baixos pontos de fusão, densidades em torno de 1 a 1,1 e valores de carbonos fixos entre 4% e 20%.

asfalto pirobetuminoso / *asphaltic pyrobitumen*. Betume comumente negro e sem estrutura, similar em composição ao asfaltito, porém infusível e insolúvel em dissulfito de carbono; geralmente contém menos de 5% de oxigênio. Os exemplos são albertita, elaterita, impsonita e wurtzilita. ▶ Ver *asfalto*.

assembleia / *assemblage*. 1. Termo genérico aplicado aos minerais de uma rocha, especialmente às rochas ígneas e metamórficas. 2. Associação de minerais ou rochas cuja ocorrência remete a condições específicas de equilíbrio de formação. 3. Associação de fósseis observada na sequência vertical de uma análise bioestratigráfica.

assentamento / *landing*. Posicionamento correto de algum equipamento descido no poço. ▶ *niple de assentamento*.

assentamento da broca (Port.) / *setting down the bit*. O mesmo que *acamamento da broca*. ↝ ▶ Ver *acamamento da broca*.

assentamento de cunhas / *setting of slips*. Operação de assentamento das cunhas para segurar uma coluna de trabalho. O assentamento será na mesa rotativa, no caso de coluna de perfuração ou de produção, ou na mesa auxiliar, no caso de uma coluna de revestimento ou de uma junta de *riser* de perfuração.

assentamento do obturador / *packer seating*. Operação através da qual o obturador é acunhado no revestimento por seus elementos de ancoragem (cunhas e *hold-down*), além de ter seus elementos de vedação (borrachas) expandidos. ↝ O assentamento pode ser mecânico, por diferencial de pressão entre o interior e o exterior da coluna, ou a cabo. ▶ Ver *obturador; packer*.

assentamento tipo anel / *seating ring*. Ancoragem mecânica da parte fixa da bomba de fundo na coluna de produção. ↝ O assentamento é propiciado pela ação de uma mola. A vedação é conseguida através de um anel que faz um selo metal-metal. Este tipo de assentamento é especialmente recomendado para altas profundidades da bomba de fundo. ▶ Ver *bomba insertável*.

assentamento tipo copo / *seating cup*. Ancoragem por atrito da parte fixa da bomba de fundo na coluna de produção. ↝ O assentamento é propiciado por uma fricção mecânica. A vedação é conseguida através de um copo plástico moldado. ▶ Ver *bomba insertável*.

assento (Port.) / *seating cup*. O mesmo que *sedes*. ▶ Ver *sedes*.

assimilação / *assimilation*. Processo magmático de incorporação de rochas ou minerais, originalmente presentes em rochas adjacentes ao conduto de passagem do magma ou em seu local de posicionamento.

assinatura / *signature*. 1. Forma de onda característica de uma fonte em particular, de uma trajetória de recepção ou de uma sequência de reflexões. 2. Forma de onda característica de um terremoto.

assinatura da fonte / *source signature*. Pulso emitido por uma fonte sísmica e que é representativo da forma da onda.

assinatura sísmica / *seismic signature*. Assinatura de uma reflexão sísmica característica, que pode assim ser identificada.

assistência a pré-operação, arranque e operação (Port.) / *assistance to pre-operation, start-up and operation*. O mesmo que *assistência a pré-operação, partida e operação*. ▶ Ver *assistência a pré-operação, partida e operação*.

assistência a pré-operação, partida e operação / *assistance to pre-operation, start-up and operation*. Atividades de supervisão e prestação de serviços com mão de obra direta e recursos de equipamentos e ferramentas de empresas contratadas para os serviços de pré-operação, partida e operação assistida, compreendendo também a mobilização de técnicos dos fabricantes e dos materiais de seu escopo de fornecimento. Fornece as melhores condições técnicas para a operação da unidade industrial construída.

assistida por mergulhador / *diver assisted*. Condição referente à instalação/manutenção de equipamento submarino realizada com o auxílio de mergulhadores. Aplicável às instalações submarinas em águas rasas (lâminas d'água menores que 300 m).

Associação Americana de Empreiteiros de Perfuração de Poços de Petróleo / *American Association of Oil-well Drilling Contractors (AAODC)*. Organização dedicada a pesquisa, educação, prevenção de acidentes e outros assuntos de interesse de empreiteiros ligados à área de perfuração.

Associação Americana de Engenheiros / *Society of American Engineers (SAE)*. Associação que promove intercâmbio de informações em projetos, construção, manutenção e operação de veículos para uso em terra, mar, ar ou no espaço. ↝ Esta associação é de abrangência internacional e congrega mais de 84.000 engenheiros, educadores, executivos e estudantes de mais de 97 países. Seus comitês técnicos são responsáveis pela publicação dos padrões técnicos relacionados a esses meios de transporte, inclusive padrões relacionados a lubrificantes para motores.

Associação Americana para Testes e Materiais / *American Society for Testing and Mate-*

***rials* (ASTM)**. Associação de abrangência internacional, fonte de padrões técnicos para materiais, produtos, sistemas e serviços. •» Esta associação é conhecida por seu alto padrão técnico e relevância no mercado, executando importante papel na instituição da infraestrutura da informação que orienta projetos, produção e comercialização na economia global.

Associação Brasileira de Normas Técnicas (ABNT) / *Brazilian Technical Standards Association*. Entidade oficial responsável pela elaboração de normas técnicas no Brasil. Representante no Brasil das seguintes entidades internacionais: ISO (*International Organization for Standardization*), IEC (*International Electrotechnical Commission*) e das entidades de normalização regional COPANT (Comissão Pan-americana de Normas Técnicas) e a AMN (Associação Mercosul de Normalização).

associação de fácies / *fácies association*. Conjunto de fácies sedimentares genéticas e espacialmente relacionadas que formam um corpo sedimentar ou parte dele e que podem caracterizar um ambiente, subambiente, um trato de sistemas ou um sistema deposicional. ▶ Ver *estratigrafia de sequências*.

associação de rochas / *rock association*. 1. Grupo de rochas ígneas de uma mesma província petrográfica, relacionadas química e petrograficamente, em geral classificadas de maneira sistemática semelhante àquela usada para os dados de química das rochas, com plotagens que geram curvas e diagramas de variações composicionais. 2. A associação de depósitos minerais com certos tipos de rocha também é muito usada para definir esta associação.

associação mineral / *mineral association*. 1. Grupo de minerais que coexistiram em equilíbrio químico num determinado estágio da história evolutiva de uma rocha ígnea ou metamórfica. 2. Em metalogênese, o termo é aplicado para um conjunto de minerais que caracteriza um depósito, mesmo que estes não tenham sido formados nas mesmas condições de pressão e temperatura. •» Por exemplo, os minerais de minérios primários e seus produtos de alteração constituem uma associação mineral.

associação por ações de capital (Port.) / *equity joint venture*. O mesmo que equity joint venture. ▶ Ver equity joint venture; joint venture corporation.

atalho / *cutoff*. 1. Canal novo e relativamente mais curto formado quando um córrego ou rio corta ou abre uma passagem através de um estreito pedaço de terra, reduzindo o comprimento do canal. 2. Canal construído para alinhar um córrego ou para atalhar curva, livrando áreas normalmente sujeitas a inundações ou à erosão do canal. 3. Corpo de água em forma de meia-lua, separado do canal principal por uma passagem.

atapulgita / *attapulgite*. Argilomineral utilizado como aditivo viscosificante em fluidos de perfuração à base de água. Aditivo de fluido de perfuração aquoso com a função de aumentar a viscosidade deste fluido. Ao contrário da bentonita, os cristais de atapulgita apresentam forma de agulha e sua utilização em fluidos salgados e/ou em água do mar dispensa pré-hidratação em água doce. •» Argilomineral de fórmula estrutural aproximada $Mg_5Si_8O_{20}(OH)_6.4H_2O$. ▶ Ver *aditivo de lama; lama à base de água; bentonita*.

atapulgite (Port.) / *attapulgite*. O mesmo que *atapulgita*. ▶ Ver *atapulgita*.

atenuação / *attenuation*. Redução de amplitude de uma onda eletromagnética ao atravessar a formação, geralmente medida em decibéis/metro, dB/m. Termo usado particularmente com referência ao perfil de resistividade de propagação e ao perfil de propagação eletromagnética. ▶ Ver *medida de propagação eletromagnética; resistividade de atenuação*.

atenuação da onda / *wave attenuation*. Fenômeno relacionado a perda de amplitude da onda em função do tempo. •» Relacionada principalmente a três causas: perdas devido à expansão da onda (divergência esférica); perdas por transmissão, relacionadas com a partição da onda nas interfaces; e perdas resultantes da transformação da energia da onda em calor, fenômeno conhecido como *absorção*. ▶ Ver *divergência*.

atenuação por raios gama / *gamma-ray attenuation*. Método de atenuação radioativa no qual a radiação incidente é do tipo gama. ▶ Ver *atenuação radioativa*.

atenuação radioativa / *radiation attenuation*. Método no qual uma parte ou o total da radiação ionizante emitida por uma fonte é absorvida por um material. •» No processo de monitoramento e medição do escoamento de fluidos tem-se, tipicamente, uma fonte e um detetor posicionados de forma diametralmente oposta num duto. Conhecendo-se a quantidade de energia emitida pela fonte e aquela recebida no detetor, pode-se inferir a quantidade absorvida pelo fluido. Então, em função dessa absorção/atenuação pode-se inferir o fluido que deve estar sendo atravessado pela radiação. Os métodos podem incluir um, dois ou múltiplos níveis de energia, utilizando raios gama (tipicamente) e do tipo X.

aterramento da proteção catódica / *grounding strap*. Condutor elétrico, de modo geral uma cordoalha de aço inox, utilizado para garantir a continuidade elétrica para partes periféricas de um equipamento protegido catodicamente.

aterramento intrafuro / *downhole grounding*. Aterramento por eletrodo acima ou abaixo da ferramenta em perfilagem de poços.

aterro de tampão (Ang.) / *slug pit*. O mesmo que *tanque de tampão*. ▶ Ver *tanque de tampão*.

aterro sanitário / *sanitary landfill*. Local de disposição final de resíduos sólidos classificados como não perigosos, construído em padrões adequados de engenharia e com critérios de operação que garantam do confinamento e evitem riscos à saúde pública e ao meio ambiente.

atirador / *shooter*. Aquele que detona os explosivos em sísmica terrestre ou atira com o canhão de ar em sísmica marítima.

ativação / *activation*. Processo de tornar uma substância radioativa pelo bombeamento com partículas nucleares. A radioatividade assim produzida é chamada *radioatividade induzida*. ↠ Na perfilagem de poços, a ativação, ou excitação, dos átomos de certos elementos é induzida pelo bombardeamento das formações com nêutrons. Estes átomos, por sua vez, retornam desse estado de excitação emitindo raios gama, cuja energia pode ser medida para determinar a presença de determinados elementos, e, portanto, a composição das rochas da formação. A análise dessa radiação é a análise da ativação dos elementos pelos nêutrons.

atividade química / *chemical activity*. Tendência que tem uma substância de reagir espontânea e energicamente com outras substâncias. É numericamente expressa em unidades de concentração, em geral simbolizada por um *a* (de *atividade*).

atividades da indústria do petróleo / *petroleum industry activities*. Atividades da cadeia da indústria do petróleo segmentadas em exploração e produção (*upstream*), armazenagem e transporte (*midstream*) e refino e distribuição (*downstream*).

ativo circulante / *current assets*. Caracterização do ativo disponível e realizável. ▶ Ver *ativos*.

ativo fixo / *fixed assets*. Caracterização do ativo imobilizado. ▶ Ver *ativos*.

ativo imobilizado (Port.) / *fixed assets*. O mesmo que *ativo fixo*. ▶ Ver *ativos*; *ativo fixo*.

ativo realizável (Port.) / *current assets*. O mesmo que *ativo circulante*. ▶ Ver *ativo circulante*.

ativos / *assets*. 1. Situação contábil que compreende os ativos circulante (*current asset*) e fixo (*fixed asset*), sendo que o primeiro caracteriza o ativo disponível e realizável, e o segundo o ativo imobilizado. **2.** Bens e direitos que uma determinada organização possui em um determinado momento, como resultado de transações ou eventos passados dos quais futuros benefícios econômicos podem ser obtidos.

ativos de exploração / *exploration assets*. Direitos de exploração de determinada área sedimentar.

atol / *atoll*. Recife rugoso e circular com um pequeno e ocasional baixo formando uma laguna, rodeado de uma ilha de areia de corais.

átomo / *atom*. Menor partícula de um elemento que não pode ser separada de maneira química. Consiste em um núcleo central de prótons e nêutrons, chamado *núcleo*, na região em torno do qual os elétrons giram em órbita.

atrás da costa / *backshore*. Região costeira que compreende uma faixa entre o ponto de ação da maré alta e o pé das dunas costeiras, ou o limite efetivo acima da ação das ondas.

atraso (Port.) / *time lag*. O mesmo que *retardo*. ▶ Ver *retardo*.

atraso de fase / *phase delay, phase lag*. Representa o atraso de tempo experimentado por cada componente senoidal do sinal de entrada: $t_p = \varphi/\omega$, onde φ é o ângulo de fase e ω a frequência angular.

atraso de grupo / *group delay*. Na aquisição sísmica terrestre é o deslocamento estático causado pela elevação topográfica ou ainda relacionada à espessura de camada de baixa velocidade.

atributo / *attribute*. Propriedade mensurável dos dados sísmicos coletados, como amplitude, frequência, polaridade, intensidade do reflexo e defasagem. ↠ Os atributos podem ser medidos instantaneamente ou durante um determinado período de tempo e com base nos dados sísmicos de um traço, de uma sequência de traços, ou de uma superfície interpretada a partir de dados sísmicos. Os atributos são analisados para se chegar às interpretações sísmicas de diversos parâmetros de uma formação. Qualquer tipo de medida obtida de dados geofísicos, como, por exemplo, na sísmica: tempo de trânsito, velocidades (de migração, correção de NMO, Dix), amplitude, frequência, fase, atenuação, entre outros; geralmente não são independentes e são mais usados quando correlacionados a alguma propriedade física de interesse (por exemplo, amplitude com porosidade e/ou saturação de hidrocarboneto).

atributo sismoestratigráfico / *seismostratigraphic attribute*. Atributo para a inferência estratigráfica, composto de continuidade, amplitude, polaridade, velocidade intervalar, configuração e conteúdo de frequências.

atributos instantâneos / *instantaneous attributes*. Representação do traço sísmico através de uma função complexa cujos argumentos variam com o tempo.

atuador / *actuator*. Dispositivo que transforma sinais de entrada, principalmente sinais elétricos ou hidráulicos, em movimentos. Constitui uma subdivisão dos transdutores. ↠ Pistões hidráulicos, relés, polímeros eletroativos e dispositivos de movimentação de carga em servomecanismos são alguns exemplos de atuadores.

atuador hidráulico / *hydraulic actuator*. Dispositivo utilizado para acionar válvulas de bloqueio nos equipamentos submarinos de produção. ↠ Este atuador atualmente é dotado de pistão hidráulico para a atuação e de mola para o retorno à condição de repouso, o que é conseguido pela despressurização do pistão de atuação ou por falha de atuação. O suprimento hidráulico é realizado por umbilical contendo mangueiras ou tubos hidráulicos, onde o suprimento é controlado remotamente, diretamente da superfície ou por um sistema de controle submarino. Alternativamente ao atuador hidráulico com retorno por mola, o atuador pode ser do tipo elétrico, no qual um motor elétrico e um sistema de engrenamento realizam a atuação, enquanto a energia para o retorno da válvula à posição de falha segura é obtido de uma mola ou de um conjunto de baterias para atuação de emergência.

atualismo / *actualism*. Um dos princípios fundamentais da geologia é a teoria do atualismo (uniformitarismo), segundo o qual "o presente é a chave do passado", ou seja, as leis da natureza são constantes, e assim o estudo dos registros geológicos, essencialmente rochas e suas estruturas, decorrentes de processos atuais, permite que se interprete a evolução geológica a partir de registros geológicos antigos. •• Este princípio, hoje, é adequado a novos conhecimentos que indicam ter existido variações de intensidade e/ou velocidade nos processos geológicos, como, por exemplo, o da duração de um dia solar, que era menor no passado; o do gradiente geotérmico terrestre, que era maior quando existiam mais elementos radiativos aquecendo a crosta terrestre, entre tantas outras condições.

áudio magnetotelúrico / *audio-magnetotelluric*. Condição referente ao método de pesquisa magnetotelúrico, que usa frequências do campo eletromagnético natural, acima de 20Hz.

auditoria / *audit*. Conjunto de atividades e processos para confrontação de equipamentos, procedimentos operacionais, capacitação ou sistemas de gestão com as disposições contidas em documentos ou normas que os especificam. •• O processo de auditoria é usado em muitas áreas de atividade humana, como a auditoria ambiental, que pode ser obrigação legal ou voluntária, que tem por objetivo a verificação da gestão ambiental de alguma atividade econômica em relação à conformidade com a legislação ou com a estratégia empresarial. As auditorias são instrumentos para obtenção de certificação de acordo com normas de sistemas de gestão, sejam eles ambientais ou não.

aumento crítico do desvio / *dog leg severity (DLS)*. O mesmo que *intensidade da variação da trajetória*. ▶ Ver *intensidade da variação da trajetória*.

aumento súbito de pressão do bombeio centrífugo submerso (Port.) / *surge*. O mesmo que surge. ▶ Ver *surge*.

auréola / *aureole*. Termo genérico descritivo, aplicado a um padrão de distribuição circular de um material geológico em torno de outro. Utilizado frequentemente para descrever feições de metamorfismo de contato, feições petrográficas relacionadas a substituição mineral, a zonas concêntricas de alteração hidrotermal, a feições relacionadas a processos intempéricos e a padrões observados no processamento de dados geofísicos.

auréola de contato / *contact halo, contact aureole*. Parte da rocha encaixante afetada por metamorfismo de contato gerado por uma intrusão ígnea. ▶ Ver *metamorfismo de contato*.

austenita / *austenite*. 1. Forma cristalina cúbica de face centrada do ferro. **2.** Solução sólida de carbono em ferro, metálica, não magnética e que existe no aço acima da temperatura de 723 °C (1.333 °F). •• Tem estrutura cúbica de face centrada, permitindo que alta concentração de carbono fique em solução. A medida que ela resfria, a estrutura tanto pode se quebrar, dando origem a uma mistura de ferrita e cementita, quanto pode sofrer uma pequena distorção, conhecida como *transformação martensítica*. A velocidade com que o resfriamento ocorre é que determina a proporção relativa entre estes materiais e, consequentemente, as propriedades mecânicas do aço (dureza, resistência a tração etc.). Os processos de fabricação dos aços de alto desempenho usualmente incluem tratamentos térmicos que conduzem à formação destes materiais.

austenite (Port.) / *austenite*. O mesmo que *austenita*. ▶ Ver *austenita*.

austenítico / *austenitic*. Diz-se de elemento de natureza da austenita ou que a contém. ▶ Ver *austenita*.

autigênese / *authigenesis*. 1. Processo formador de minerais concomitante com ou posteriormente à formação da rocha da qual eles fazem parte. **2.** Processo de recristalização, substituição ou crescimento de cristal *in situ*. **3.** O antônimo de *alogênese*.

autigênico / *authigenic*. 1. Termo aplicado a minerais constituintes de uma rocha que foram cristalizados onde se encontram atualmente. **2.** Termo frequentemente utilizado para minerais formados após a deposição de um sedimento. **3.** Referência aos elementos gerados na própria rocha. O mesmo que *autigenético* e antônimo de *alogênico*. ▶ Ver *alogênico*.

autígeno / *authigenic*. O mesmo que *autigênico*. ▶ Ver *autigênico*.

autociclicidade / *autocyclicity*. Redistribuição dos elementos do mesmo sistema. Deposição que não requer mudança na energia total e no acarreio de material para um sistema sedimentar.

autocorrelação / *autocorrelation*. Relação entre os valores de uma variável em determinados períodos, e seus valores em outros períodos em uma série temporal de sinais. A comparação entre estes valores pode identificar ciclos ou repetições dentro de uma série complexa de sinais, que podem ser usados no desenvolvimento de filtros de desconvolução, para ajudar na interpretação dos sinais. Frequentemente analisada para interpretar dados sísmicos.

autóctone / *autochthonous*. Solo ou material que não sofreu deslocamentos significativos em relação ao local de origem. Antônimo de *alóctono*. ▶ Ver *autigênico*; *autígeno*.

autodiagnóstico / *self-diagnostics*. Recursos inerentes a um determinado sistema de medição que identificam automaticamente mau funciona-

autoignição

mento e valores de parâmetros internos de sua programação (por exemplo, velocidade do som no fluido, ganho, existência de movimento de rotação do fluido etc.) e de comunicação de dados, integridade dos sinais etc.

autoignição / *auto-ignition*. Ignição espontânea de uma mistura ar-combustível na câmara de combustão de um motor de combustão interna. ▶ Ver *antidetonante*.

autoinjeção / *auto-injection*. 1. Processo magmático no qual os líquidos residuais de um magma submetido a diferenciação são injetados na porção cristalizada de seu magma de origem. 2. Sinônimo de *autointrusão*. 3. Processo sedimentar no qual uma camada ou estrato sedimentar são injetados em outra porção do mesmo depósito.

automação / *automation*. Conjunto de técnicas e sistemas de produção baseados em máquinas com capacidade de executar tarefas previamente executadas pelo homem e de controlar sequências de operações sem a intervenção humana. ↝ A automação é baseada na medição das grandezas físicas de campo, condicionamento de sinal, identificação de variáveis controladas e manipuladas que atuarão no controle em malha aberta ou fechada do processo. ▶ Ver *controle em malha aberta*; *controle em malha fechada*; *controlador lógico programável*.

automação de poços / *well automation*. Conjunto de técnicas e sistemas caracterizado através de uma malha fechada, dada pela aquisição em tempo real das variáveis de processo (sensores), pelo processamento dessas variáveis (sinal de controle) e pela ação direta sobre o processo (atuadores), na sua mais simples configuração. Isso permite a identificação e correção de problemas operacionais, minimizando o risco e aumentando a segurança operacional. ↝ A automação de poços pode ser aplicada a todos os poços injetores e produtores, independentemente do método de elevação utilizado. Seus principais objetivos são a otimização dos métodos de elevação e a garantia da continuidade e segurança operacional. O seu nível de complexidade está relacionado com o nível de instrumentação e as técnicas de controle associadas ao desempenho do poço. ▶ Ver *automação*; *controle em malha fechada*; *atuador*.

autorização de compra / *authorization to purchase*. 1. Instrumento contratual existente entre o mercado fornecedor (empresa contratada) e comprador (empresa contratante) quando da aquisição de determinado material, equipamento ou sistema para a indústria do petróleo. 2. Documento substituto da carta de crédito comercial e que permite ao banco ao qual é dirigido o instrumento negociar títulos sacados sobre o importador em vez de sobre outro banco.

autorização de despesas / *authorization for expenditure*. Aprovação pelas partes signatárias de um acordo de operações conjuntas do orçamento detalhado para execução de atividades programadas. ↝ Procedimento comum em todos os consórcios da indústria do petróleo. ▶ Ver *acordo de operações conjuntas*.

autorização de exercício / *authorization to carry out activities*. Ato pelo qual a ANP autoriza a uma empresa o exercício das atividades econômicas integrantes da indústria do petróleo, na forma estabelecida na Lei do Petróleo e sua regulamentação no Brasil.

autotravamento / *auto lock*. Situação ou condição de qualquer processo ou sistema de travamento acionados automaticamente. ▶ Ver *travamento*.

AVA de ângulo de incidência / *incidence-angle AVA*. 1. Técnica de análise utilizada para obtenção de parâmetros elásticos dos meios investigados. 2. Representa a variação da amplitude de acordo com o ângulo de incidência. ▶ Ver *AVO de ângulo de afastamento*.

avalanche de detritos / *debris avalanche*. Avalanche rápida e repentina de blocos de rocha causada pelo deslizamento de solo em locais com abundância de seixos e matacões, sendo comum em regiões íngremes, especialmente relacionadas com degelo, junto a geleiras, e em ambientes com inundações repentinas.

avaliação da cimentação de poço / *well cement evaluation*. Processo que utiliza basicamente um transmissor e dois receptores acústicos com transdutores, um cabo condutor e uma unidade de processamento, permitindo assim a investigação da qualidade da cimentação em um poço. ↝ O transmissor recebe pelo cabo condutor a energia elétrica e a converte em energia mecânica, emitindo pulsos curtos de energia acústica. Esses pulsos propagam-se pelo fluido no interior do poço, revestimento, cimento e formação. Quando chega ao receptor, a energia mecânica é reconvertida em energia elétrica e os sinais são enviados para a unidade de processamento. Em função desses sinais, é possível obter informações relativas aos diversos meios atravessados pela onda acústica. Novas ferramentas têm sido desenvolvidas, tais como o SBT (*Segmented Bond Tools*), o CEL, o PET, o Usit e o Cast-V. Elas possuem tecnologias mais sofisticadas, que permitem uma investigação mais acurada da qualidade da cimentação em todo o perímetro do revestimento, com a capacidade de detectar pequenas canalizações.

avaliação de campo petrolífero / *field appraisal*. Estudos realizados com o objetivo de avaliar a capacidade de produção de determinado campo petrolífero.

avaliação de descoberta / *discovery evaluation*. Conjunto de operações que, como parte da exploração, se destinam a verificar a comercialidade de uma descoberta, ou conjunto de descobertas, de petróleo ou gás natural na área da concessão.

41

avaliação de desempenho ambiental / *environmental performance assessment.* Processo que envolve medição, análise e comunicação do desempenho de uma instituição ou empresa segundo critérios gerenciais próprios.

avaliação de formação / *formation evaluation, well testing, drill stem testing.* Análise dos resultados obtidos nos testes e perfilagens realizados nos poços com o objetivo de avaliar as propriedades do reservatório e as características de produtividade das formações. Conjunto de operações com o objetivo de avaliar o potencial de produção, o tamanho da reserva e o tipo de fluido produzido em determinada formação. ▶ Ver *teste de formação a poço revestido.*

avaliação de impacto ambiental / *environmental impact assessment.* Procedimento para identificação, previsão e qualificação dos efeitos de uma atividade ou empreendimento no ambiente em que está inserido. ↠ A avaliação de impacto ambiental é produto de duas análises: a descrição pormenorizada da atividade ou empreendimento, principalmente nos aspectos críticos em relação a uso de recursos ambientais e efeitos de poluição, e a descrição ambiental da área afetada. Esta área se denomina *área de influência*. A avaliação se processa pela comparação de dois cenários, um com a realização do empreendimento e outro sem ela. A influência do empreendimento pode ser direta, quando os efeitos são imediatos, ou indireta, quando estes são mediatos. Os impactos são avaliados por meio de metodologias específicas e descritos segundo vários aspectos: natureza (positivo, negativo, direto, indireto, cumulativo), magnitude (moderado ou severo), extensão espacial, tempo de ocorrência (construção, operação, desativação, retardado), duração, reversibilidade, significância e probabilidade de ocorrência. Além dos impactos, avaliam-se também os aspectos relativos a riscos ambientais.

avaliação de terceira parte / *third-party evaluation.* Avaliação feita por pessoa ou organismo reconhecidos como independentes das partes envolvidas.

avaliação formal de segurança / *formal safety assessment (FSA).* Metodologia estruturada e sistemática com o objetivo de aumentar a segurança marítima, incluindo a proteção da vida, da saúde, do ambiente marinho e da propriedade, usando análise de risco e avaliação de custo/benefício. Pode ser usada como uma ferramenta para ajudar na avaliação de regulamentos novos para segurança marítima e proteção do ambiente marinho, ou fazer uma comparação entre regulamentos existentes e possivelmente melhorados, com visão para alcançar um equilíbrio entre os vários assuntos técnicos e operacionais, inclusive o elemento humano, e entre segurança marítima ou proteção do ambiente marinho e custos. ↠ Esta avaliação foi originalmente desenvolvida, em parte, como resposta ao desastre de Piper Alpha em 1988, quando uma plataforma marítima explodiu no mar do Norte e 167 pessoas perderam a vida. As diretrizes para avaliação formal de segurança (FSA) para o uso no processo de elaboração de regras da International Maritime Organization (IMO) foram aprovadas em 2002.

avaliação independente / *independent evaluation.* O mesmo que *avaliação de terceira parte.* ▶ Ver *avaliação de terceira parte.*

avaliação por entidade independente (Port.) / *independent third-party evaluation.* O mesmo que *avaliação de terceira parte.* ▶ Ver *avaliação de terceira parte.*

avaliação por terceiros (Port.) / *third-party evaluation.* O mesmo que *avaliação de terceira parte.* ▶ Ver *avaliação de terceira parte.*

avanço costeiro / *coastal encroachment.* Componente horizontal de uma feição sedimentar deposicional do tipo transgressiva. ↠ O avanço costeiro resulta da deposição na horizontal de sedimentos na região costeira à medida que o nível relativo do mar sobe e o mar transgride, ou recobre, regiões anteriormente não submersas. Como resultado forma-se uma cunha transgressiva de sedimentos, normalmente assentados sobre uma superfície transgressiva ou uma discordância.

average bond. Carta de garantia para pagamento de avaria de algum material ou equipamento. ▶ Ver *performance bond.*

aversão ao risco / *risk aversion.* Característica dos agentes econômicos que denota a preferência por uma renda certa a um emprego de risco ou à exigência de prêmios maiores por um emprego de risco.

AVO de ângulo de afastamento / *offset-angle AVO.* 1. Técnica de análise utilizada para obtenção de parâmetros elásticos dos meios investigados. 2. Variação da amplitude com a distância fonte--receptor. 3. Mudança no coeficiente de reflexão de uma interface de acordo com o ângulo de incidência, sendo este função da distância fonte-receptor ou *offset.* ▶ Ver *AVA de ângulo de incidência.*

avulsão / *avulsion.* 1. Evento de migração lateral de um canal, produzido por inesperada e rápida inundação ou abrupta mudança no curso de um canal, como aquela resultante de um aumento de energia em um sistema de canais meandrantes ou pela formação de extravasamento natural de um flanco de rio, ou pela migração lateral na direção da corrente de um fluxo sedimentar produzido por um canal mais novo sobre um canal mais antigo. 2. Separação forçada ou descolamento; súbito corte ou erosão ocasionados por inundação, correntes, ou mudança em curso de um corpo de água.

azimutal / *azimuthal.* Investigação de perfilagem focalizada em uma direção. Uma medida azimutal ou focalizada azimutalmente tem direção perpendicular à superfície de uma ferramenta de perfilagem, a partir da qual ela recebe a maior parte do sinal. Por exemplo: perfis de densidade, lateroperfil e microrresistividade. ↝ Uma medida não azimutal ou azimutalmente simétrica é a que mede igualmente em todas as direções em volta da ferramenta. Por exemplo: perfis de indução, de resistividade por propagação e de raios gama. ▶ Ver *densidade azimutal*; *lateroperfil azimutal*.

azimute / *azimuth*. Ângulo medido no plano horizontal que estabelece a direção na qual o poço está se desenvolvendo em relação aos pontos cardeais. Usualmente, este ângulo é estabelecido no sentido dos ponteiros do relógio a partir do Norte. Em outras palavras, o azimute de 0° corresponde ao Norte, o azimute de 90° ao Este, o azimute de 180° ao Sul, e o azimute de 270° ao Oeste. ▶ Ver *ângulo de azimute*.

azoto / *nitrogen*. O mesmo que *nitrogênio*. ▶ Ver *nitrogênio*.

azurita / *azurite (copper carbonate hydroxide)*. Mineral do grupo dos carbonatos, formado de cobre, carbonato e hidróxido ($Cu_3(CO_3)_2(OH)_2$), muito popular por sua cor característica, um fundo azul chamado "azure", que deu origem ao seu nome. Possui a dureza que varia entre 3,5 a 4,0 e peso específico próximo a 3,9. ↝ Azure ou cerúleo é derivado da palavra arábica que significa azul. A cor ocorre pela presença de cobre (agente de coloração forte) e o modo com que este combina-se quimicamente com os grupos de carbonato (CO_3) e hidróxidos (OH). A azurita foi usada como tintura para pinturas e tecidos durante épocas. Infelizmente, às vezes sua cor é semelhante à de cristais muito fundos e maiores, que podem parecer pretos. Cristais pequenos e crostas mostram bem a cor azul mais clara. A azurita é frequentemente associada a seu primo colorido, a malaquita. ▶ Ver *carbonato*.

azurite (Port.) / *azurite (copper carbonate hydroxide)*. O mesmo que *azurita*. ▶ Ver *azurita*.

Bb

bacia / *basin*. Região deprimida da superfície, da atmosfera ou de camadas da subsuperfície terrestre. ▸ A delimitação de bacias se faz considerando aspectos variados. A exemplo da bacia sedimentar, importante para a geologia do petróleo, duas formas de delimitação são muito importantes para os estudos ambientais, a *bacia hidrográfica* e a *bacia atmosférica*. A primeira, região que é drenada por um rio e seus afluentes, tem importância na dispersão de poluentes por via hídrica e nos sistemas de planejamento de resposta a derramamentos de substâncias perigosas e de óleo em terra. A bacia atmosférica (ou aérea) é a parte da troposfera parcialmente confinada pelo relevo e na qual a circulação e os efeitos da poluição atmosférica que aí se concentram podem ser estudados de forma isolada.
bacia carbonífera (Port.) / *coal basin*. O mesmo que *bacia de carvão*. ▶ Ver *bacia de carvão*.
bacia de carvão / *coal basin*. Bacia sedimentar que contém expressivas quantidades de carvão.
bacia de tampão (Ang.) / *slug pit*. O mesmo que *tanque de tampão*. ▶ Ver *tanque de tampão*.
bacia estrutural / *structural basin*. Depressão tectônica que acomoda sedimentos, em geral depositados previamente, e na qual as camadas mergulham para o centro da bacia.
bacia fechada / *closed basin*. Área de deposição em que a água é retirada apenas por evaporação, o que é causado pela ausência de cursos d'água que drenem a bacia. Ocorre comumente em regiões áridas.
bacia fluvial / *pluvial basin*. Bacia hidrográfica definida como uma área de ocorrência de drenagem, denominada *captação de águas*, que recolhe toda a precipitação decorrente e atua como um reservatório de águas e sedimentos. O escoamento resultante se dá em uma única seção fluvial, denominada *exutório*. ▸ As condições de formação da bacia hidrográfica mencionada dependem das características geográficas e topográficas em que esta esteja inserida.
bacia hidrográfica / *hydrographic basin*. 1. Bacia de drenagem de um rio. 2. Área ocupada por um lago e sua bacia de drenagem. 3. Conjunto de terras drenadas por um rio principal e seus afluentes. ▶ Ver *bacia fluvial*.
bacia marginal / *marginal basin*. Bacia sedimentar posicionada na margem de um continente e com fundo constituído de crosta continental.
bacia sedimentar / *sedimentary basin*. 1. Área geográfica indicativa de uma depressão corresponde a uma subsidência de um determinado terreno, formando, em consequência, sedimentos provenientes das áreas mais elevadas que a circundam, formando uma sucessão de estratos de rochas sedimentares. 2. Depressão da crosta terrestre onde ocorre subsidência e consequente preenchimento sedimentar. ▸ Com o aumento continuado da pressão, originado pelo soterramento dos sedimentos, são formadas as rochas sedimentares pelo processo denominado de litificação. ▶ Ver *bacia*; *acumulação*.
back to back. 1. Operação financeira com clientes para prover capital de giro, realizada por banco nacional mediante garantia pelo financiador no exterior, em forma de depósitos em outro país, na mesma moeda ou em moeda diferente, ou numa cesta de moedas. 2. Expressão que qualifica operação na qual a aquisição e a entrega da mercadoria ocorrem no exterior, sem trânsito pelas fronteiras do Brasil, sob comando de uma empresa localizada no país que deve realizar o pagamento ao exterior pela compra efetuada, sob autorização do Banco Central do Brasil, e o correspondente recebimento de valores pela venda.
backflow. Fluxo de fluido num componente de processo, no sentido oposto ao do fluxo normal. ▸ No contexto do poço, é uma operação para despressurizar determinado trecho do poço até uma pressão abaixo da pressão de formação, geralmente para verificar a integridade desse trecho.
backup. Sistema pelo qual o método de *gas lift* é utilizado como sistema reserva em caso de falha de um sistema cujo método principal é o bombeio centrífugo submerso. ▸ O sistema de *backup* de *gas lift* é constituído de um mandril de *gas lift* com a respectiva válvula para injeção de gás, instalado no interior de um poço de petróleo acima do conjunto de bombeio centrífugo submerso. ▶ Ver gas lift; *mandril de* gas lift; *bombeio centrífugo submerso*; *bomba centrífuga submersa*; *poço-satélite submarino*; *válvula de* gas lift.
backwardation. Condição de mercado que ocorre quando os preços à vista excedem os preços futuros. O termo é mais usado no mercado de petróleo, mas também é aplicado a certas *commodities* e no mercado de energia. Pode indicar uma carência imediata.
bactéria / *bacterium*. 1. Microrganismo unicelular desprovido de núcleo individualizado e cujo material cromossomático é constituído por um único filamento de ADN incluído no citoplasma, sem pigmento de clorofila, que vive no solo, na água, sobre os animais e vegetais ou nos líquidos orgânicos destes. É responsável pela decomposição de substâncias orgânicas e pela propagação de doenças. 2. Organismo unicelular microscópico que não contém clorofila e que se multiplica por divisão simples. As bactérias podem ser classificadas em *aeróbicas*, que usam oxigênio do ar ou da água; e *anaeróbicas*, que quebram componen-

tes químicos para obter oxigênio. Existem desde o Pré-cambriano. 3. O mesmo que *micróbio*. ▶ Ver *degradação bacteriana*.
bactéria aeróbia (Port.) / ***aerobic bacteria***. O mesmo que *bactéria aeróbica; microrganismo aeróbico*. ▶ Ver *bactéria aeróbica*.
bactéria aeróbica / ***aerobic bacteria***. Bactéria que necessita do oxigênio para a realização do seu metabolismo vital. ↔ No que diz respeito a sua reação ao oxigênio, este tipo de bactéria vive, cresce e se multiplica somente na presença deste. ▶ Ver *bactéria; bactericida; bactéria anaeróbica*.
bactéria anaeróbica / ***anaerobic bacteria***. Bactéria que não necessita do oxigênio para a realização do seu metabolismo vital. ↔ No que diz respeito a sua reação ao oxigênio, este tipo de bactéria não vive, não cresce e não se multiplica na presença deste. ▶ Ver *bactéria; bactericida; bactéria aeróbica*.
bactéria redutora de sulfato mesofílico / ***mesophilic sulfate-reducing bacteria***. Bactéria redutora de sulfato que cresce otimamente no intervalo de temperaturas de 20 °C a 40 °C.
bactéria sulfatorredutora / ***sulfate-reducing bacteria***. Bactéria que necessita de redutores utilizados na sua respiração para a realização do seu metabolismo vital. Estas bactérias, chamadas *litotróficas*, usam compostos inorgânicos, como o sulfureto de hidrogênio. ↔ As bactérias sulfatorredutoras são responsáveis pela corrosão de dutos de aço-carbono, devido à reação de oxirredução que realizam no seu metabolismo. ▶ Ver *bactéria; bactericida; bactéria aeróbica; bactéria anaeróbica, degradação bacteriana*.
bactericida / ***bactericide***. 1. Produto que elimina bactérias. É geralmente utilizado para conter o crescimento descontrolado de bactérias cuja ação poderia alterar as propriedades de lamas ou outros fluidos que contenham compostos que favorecem o crescimento de bactérias, ou que são suscetíveis à degradação bacteriana. Usado também para controlar a corrosão causada por bactérias sulfatorredutoras ou ferro-oxidantes; para controlar danos à formação provenientes do crescimento de bioflocos. 2. Produto com qualidade bacteriostática. 3. O mesmo que *biocida*. ↔ Substância colocada no fluido de perfuração e de completação que destrói somente as bactérias nele contidas.
bacteriogênico / ***bacteriogenic***. 1. Referente a depósito de minérios formado por ação de bactérias anaeróbicas, por redução de enxofre ou por oxidação de metais. 2. De origem bacteriana. 3. Que produz bactérias.
bacteriostático / ***bacteriostatic***. Qualidade de produto que inibe a multiplicação bacteriana.
bahamito / ***bahamite***. Rocha carbonática grão-suportada formada a partir de depósitos do Holoceno, nas Bahamas. Sua composição é largamente constituída de agregados de *pellets* (coprólitos) de lama carbonática. ▶ Ver *carbonato*.

baía fechada / ***closed bay***. Baía que se comunica com o mar apenas por uma passagem estreita.
bainha de cimento / ***cement sheath***. Pasta de cimento curada que preenche o espaço anular entre o revestimento e a parede do poço, como resultado da operação de cimentação primária, cujas principais funções são a de aderir e sustentar o revestimento e de evitar o movimento de fluidos entre formações ou para a superfície. ▶ Ver *pasta de cimento*.
balança de pagamentos (Port.) / ***balance of payments***. O mesmo que *balanço de pagamentos*. ▶ Ver *balanço de pagamentos*.
balança de torção / ***torsion balance***. Equipamento utilizado em prospecção gravimétrica de 1915 a 1950. Substituída pelos gravímetros, atualmente tem apenas interesse histórico.
balança eletrônica / ***electronic balance***. Balança operada eletronicamente, usada em laboratório para a medida precisa da quantidade de produtos sólidos ou líquidos, e que exibe digitalmente o valor medido. Em laboratórios de cimentação, exige-se o uso de balanças (eletrônicas ou mecânicas) com precisão de 0,1% da carga indicada. ↔ Instrumento eletromecânico usado para medidas precisas de massa. O sistema eletromecânico é composto de três funções básicas: *(I)* mecanismo de transferência de carga; *(II)* transdutor de torque; e *(III)* sistema de processamento. ▶ Ver *equipamento de laboratório de cimentação*.
balança magnética / ***magnetic balance***. 1. Aparelho utilizado para medida do campo magnético de um ímã. 2. Aparelho utilizado para medida da constante de permeabilidade magnética do ar. ↔ Normalmente é o ajuste da deflexão de uma mola num magnetrômetro, sendo a permeabilidade magnética do ar aproximadamente aquela encontrada no vácuo.
balança pressurizada / ***pressurized fluid density balance***. Equipamento utilizado para determinar, em laboratório e em campo, a massa específica de fluidos usados na perfuração de poços de petróleo (tais como pastas de cimento e fluidos de perfuração), no qual um dispositivo de pressurização permite eliminar o erro causado pela incorporação de ar na amostra. Consiste de uma barra metálica graduada fixada em sua extremidade a um recipiente, em que a amostra a ser testada é colocada e pressurizada com a injeção do mesmo fluido a ser testado. A barra é apoiada sobre um suporte e nela corre um cursor. O equipamento é calibrado de forma que a posição do cursor onde ocorre a estabilização horizontal da barra indique a massa específica da amostra.
balança vertical / ***vertical-field balance***. Instrumento que mede variações dos componentes verticais do campo magnético terrestre.
balança vertical Schmidt / ***Schmidt vertical balance***. Variômetro magnético que se tornou pa-

drão em medições terrestres do campo magnético, principalmente nos Estados Unidos, no Canadá, na Alemanha, e na Inglaterra. Constava de dois ímãs de aço-tungstênio ligados por um cubo de alumínio, que podiam girar em torno de um eixo, sustentados por dispositivo de quartzo. As medições eram muito demoradas, feitas sobre tripé, devidamente horizontalizadas e direcionadas em relação ao norte magnético. ↝ A sensibilidade era da ordem de 10 nT por divisão de escala.

balanceado / *balanced*. **1.** Termo usado para estabelecer a existência de um ponto de equilíbrio entre duas forças opostas. Se o sistema em questão está balanceado, existe um equilíbrio entre as forças opostas atuantes de tal modo que não há supremacia de nenhuma delas. **2.** Em termos operacionais, estar balanceado significa que a pressão exercida pelo fluido contido no poço equilibra-se com a pressão de poros da formação rochosa exposta. Assim, tanto o reservatório exposto não produz para o poço quanto o fluido contido no poço não penetra no meio poroso. ▶ Ver *balanceando*; *sub-balanceado*; *sobrebalanceado*.

balanceamento da unidade de bombeio / *balance sucker rod pumping unit*. Consiste em deixar as cargas da unidade de bombeio (no método de produção por bombeio mecânico) equilibradas com as do poço, ajustando a posição dos contrapesos na manivela, com o objetivo de minimizar esforços de torque no redutor da unidade durante os cursos ascendente e descendente. ↝ As cargas do poço dependem diretamente da profundidade e do diâmetro do pistão da bomba de fundo e das cargas da unidade afetadas pelo comprimento do curso, pelo desbalanceamento estrutural e pelos pesos dos contrapesos. O cálculo do balanceamento da unidade de bombeio é realizado medindo, a cada instante do ciclo de bombeio, as cargas do poço e, através da mudança de posição dos contrapesos na manivela, buscando e encontrando o melhor equilíbrio de forças. Uma maneira simples de verificar o balanceamento é por intermédio da medição de corrente elétrica do motor elétrico da unidade de bombeio. Quando as correntes nos cursos ascendente e descendente estiverem iguais, a unidade de bombeio estará balanceada.

balanceamento de coluna de hastes / *balancing of sucker rod string*. Consiste em deixar a coluna de hastes (do método de produção por bombeio mecânico) dentro do poço com o comprimento ajustado para permitir que a unidade de bombeio possa operar em condições normais, ou seja, com espaço morto do pistão e altura da haste polida adequados. ↝ O ajuste do comprimento da coluna de hastes é obtido através da escolha adequada da haste curta, que é colocada logo abaixo da haste polida.

balanceamento de traço / *trace balancing*. Ajuste dos traços, de tal forma que a amplitude média seja uniforme.

balanceando / *balancing*. Termo associado à existência de um estado caracterizado pela obtenção e manutenção de um equilíbrio entre forças opostas. ▶ Ver *balanceado*; *sub-balanceado*; *sobrebalanceado*.

balanceio / *space out*. Operação para ajustar corretamente o comprimento da coluna de produção ou de injeção (COP ou COI) de modo a permitir o assentamento do *tubing hanger* e o encamisamento de cerca da metade do curso do mandril do TSR (*Tube Seal Receptacle* / junta telescópica selante separável) pela camisa do TSR. ↝ A sequência operacional é a seguinte: *(I)* pintar tubo de perfuração com tinta branca e deixar secar por uma hora aproximadamente; *(II)* descer camisa do *TSR* e coluna de produção (*COP*); *(III)* conectar tubo pintado; *(IV)* descer camisa de *TSR* e *COP* com o auxílio da coluna de trabalho (*COT*); *(V)* encamisar o mandril do *TSR* até o final do curso (cerca de 6 m); *(VI)* fechar BOP anular e fazer marca no tubo pintado; *(VII)* abrir BOP e retirar *COT* até a superfície; *(VIII)* medir distância da marca no tubo pintado e efetuar os cálculos de balanceio de modo a encamisar metade do curso do mandril do *TSR*; *(IX)* conectar *tubing hanger* e ferramenta de assentamento do *tubing hanger* ou *tubing hanger running tool* (*THRT*) e descer coluna de trabalho; *(X)* completar coluna de trabalho com *pup joints* de acordo com os cálculos. Operação e procedimento de medição e cálculo para ajustar o comprimento da coluna de produção, coluna de injeção ou coluna de teste de formação de modo a fazer coincidir o assentamento da coluna na cabeça do poço (*tubing hanger* no alojador no caso de completação com o encamisamento do mandril do *TSR*, no caso de completação, ou assentamento do *packer* na posição correta para canhoneio, no caso de teste de formação. ▶ Ver tubing hanger; packer.

balancim / *walking beam*. Componente de uma unidade de bombeio instalado sobre o mancal de sela e ligado à biela através do mancal equalizador. ↝ Possui uma área de seção transversal suficiente para suportar as altas de carga de fluido do poço e o movimento imposto pela biela. ▶ Ver *bombeio mecânico*; *cavalo de pau*; *elevação artificial*.

balancim da bomba embutida / *pumping jack*. Unidade de operações montada sobre um poço que aciona a bomba embutida (*hole pump*).

balanço / *heave*. Movimento oscilatório em relação ao fundo do mar, realizado por uma plataforma ou sonda de perfuração ao longo do eixo vertical em função das ondas do mar. O limite de segurança operacional normalmente empregado no Brasil é de aproximadamente 3,5 m (12 fts). O mesmo que *heave*. ▶ Ver *sonda de perfuração*.

balanço da densidade do fluido a pressão (Port.) / *pressurized fluid density balance*. O mesmo que *balança pressurizada*. ▶ Ver *balança pressurizada*.

balanço de pagamentos / *balance of payments*. Registro que compreende o lançamento de transações econômicas ocorridas em dado período entre indivíduos econômicos de determinado país (residentes) e indivíduos econômicos do exterior (não residentes).

balanço do barco (Port.) / *rocking of the boat*. O mesmo que *cabeceio do barco*. ▶ Ver *cabeceio do barco*.

balanço hidrofílico-lipofílico / *hydrophilic-lipophilic balance (HLB)*. Utilizado para expressar numericamente a atração simultânea do emulsificante pela água e pelo óleo. A avaliação do *HLB* serve para classificar de forma empírica o tipo de emulsão que pode ser formada em função das quantidades de sistemas lipofílicos (que têm afinidade por gorduras ou óleos, ou que são facilmente solúveis nelas) e hidrofílicos (que absorvem bem a água) presentes em uma cadeia de tensoativo. Possui valor máximo de 20. Em casos de um sistema tensoativo com 100% de cadeias hidrófilas, o valor de *HLB* será 20. O valor de *HLB* é um valor percentual comum dividido por 5 (cinco). Corresponde a uma classificação empírica, elaborada por Griffin, baseada nas contribuições dos grupamentos hidrofílicos e lipofílicos do tensoativo. ↔ O *HLB* se baseia nas contribuições das frações polares, que fornecem caráter hidrofílico, e não polares, que fornecem caráter lipofílico, da molécula de tensoativo. Um valor elevado do *HLB* indica uma molécula com maior afinidade e solubilidade pela fase aquosa, enquanto um pequeno valor de *HLB* indica molécula com alta afinidade e solubilidade pela fase oleosa, portanto, menos solúvel em meios aquosos ou polares. Existe uma relação entre o valor de *HLB* de um tensoativo e sua aplicação. Misturas de tensoativos diferentes podem ter seu *HLB* calculado pela soma algébrica do *HLB* de cada tensoativo individualmente.

balangeroíta / *balangeroite*. Mineral da classe dos hidróxidos, pertencente ao sistema cristalino monoclínico. ↔ Ocorre em serpentinitos próximos a grandes maciços ultramáficos.

baleeira / *lifeboat*. Embarcação de emergência, construída em fibra de vidro, utilizada na desocupação de um navio ou plataforma em perigo. O nome é derivado das pequenas embarcações, com propulsão mista, a remo e a vela, muito rápidas, ligeiras e manobráveis, utilizadas na caça à baleia a partir de navios-mãe. ▶ Ver *barco salva-vidas*.

baliza emétrica / *acoustic transponder*. Equipamento utilizado para localização no fundo do mar. Normalmente compreende quatro unidades, com rastreador na plataforma.

balsa / *barge*. Embarcação longa com fundo chato utilizada para transporte de cargas pesadas em rios e canais. Também denominada *chata*. Tem baixo calado, um convés plano, e normalmente é rebocada. Uma sonda de perfuração completa pode ser montada em uma balsa para perfurar poços em lagos e em águas internas. Também pode ser usada como suporte para montar um guindaste, entre outros equipamentos.

balsa-guindaste / *crane barge*. Embarcação com guindaste de grande capacidade de içamento e sustentação para movimentação de cargas e estruturas *offshore*.

bálsamo do canadá / *Canada balsam*. Material resinoso utilizado como adesivo para a preparação de lâminas delgadas de rochas ou minerais, para análise ou identificação por microscopia óptica. ↔ Possui índices de refração entre 1,534 e 1,540.

banco / *bank*. Região do reservatório com elevada saturação de um fluido. A injeção de água em um reservatório depletado forma um banco de óleo a jusante da frente de avanço da água. ▶ Ver *banco de areia*.

banco de areia / *sandbank*. Acúmulo de sedimentos, composto de areia, cascalho e outros detritos de forma geral, depositados no leito de um rio, constituindo obstáculo ao fluxo deste ou interpondo-se em relação a sua navegação. ↔ Em condições oceânicas pode ser considerada uma formação de areia que cria obstáculo a uma determinada onda, ocasionando sua quebra.

banco de carvão / *coal bench*. Camada fina de carvão interrompida ou acamadada.

banco marinho / *marine bank*. Elevação do fundo do mar que pode ser constituída de areia, coral, lama etc.

Banco Nacional de Desenvolvimento Econômico e Social (BNDES), Brasil / *National Bank for Economic and Social Development, Brazil*. Órgão vinculado ao Ministério do Desenvolvimento, Indústria e Comércio Exterior do Brasil, que tem como objetivo apoiar empreendimentos que contribuam para o desenvolvimento do país.

banda / *band*. Extensão de valores de uma grandeza; na sísmica, geralmente refere-se a frequências ou amplitudes.

banda de argila / *clay band or clayband*. Níveis argilosos em *clay ironstone*. ▶ Ver *clay ironstone*.

band-pass. Circuito que tem como característica a passagem de uma determinada faixa de frequências, atenuando as faixas acima e abaixo desta. O mesmo que *passa-banda*.

banhado costeiro / *coastal marsh*. Área alagada próxima à costa, composta de vegetação rasteira, tal como gramíneas, juncos e arbustos, em um contexto de águas rasas. Diferente de um pântano, que é dominado por árvores. As águas do banhado (*marsh*) podem ser doces, salobras ou salinas. Banhados costeiros podem estar associados a estuários e barreiras costeiras.

banho-maria / *water-curing bath*. O mesmo que *banho termostático*. ▶ Ver *banho termostático*.

banho termostático / *water-curing bath*. Equipamento utilizado para a cura da pasta de cimento a pressão atmosférica e a temperatura controlada, limitada a 80 °C, constituindo-se de um tanque no qual são colocados imersos em água os moldes contendo as amostras de pasta de cimento. O mesmo que *banho-maria*. ↭ O equipamento é dotado de um sistema de aquecimento geralmente com controle automático.

barcaça (Port.) / *barge*. O mesmo que *balsa*. ▶ Ver *balsa*.

barcaça-guindaste (Port.) / *crane barge*. O mesmo que *balsa-guindaste*. ▶ Ver *balsa-guindaste*.

barcana / *barchan*. Termo que define um processo de transporte eólico e a forma como uma duna em meia-lua se movimenta e cresce com a ação dos ventos e como as pontas da meia-lua apontam na direção do fluxo principal do vento. Tem um flanco frontal suave e um talude a sotavento bastante íngreme. Estas dunas normalmente possuem alturas que alcançam 30 m e até 300 m de extensão lateral de uma ponta à outra da meia-lua. Estas formas sedimentares se movem em média 15 m por ano, através de uma superfície dura e plana, crescendo na proporção do suprimento sedimentar disponível. ▶ Ver *duna barcana*.

barco de abastecimento / *supply vessel*. O mesmo que *navio de suprimento*. ▶ Ver *navio de suprimento*.

barco de apoio (Port.) / *supply boat*. O mesmo que *barco graneleiro pressurizável* ou *embarcação de suprimento*. ▶ Ver *barco graneleiro pressurizável*; *embarcação de suprimento*.

barco de apoio a desenvolvimento / *Research Supply Vessel (RSV)*. Barco de apoio à pesquisa e à coleta de dados sísmicos.

barco de apoio a mergulho (Port.) / *diving support vessel*. O mesmo que *barco de mergulho* ou *embarcação de mergulho*. ▶ Ver *embarcação de mergulho*.

barco de apoio à plataforma / *Platform Supply Vessel (PSV)*. Barco utilizado no apoio às plataformas de petróleo, transportando material de suprimento: cimento, tubos, lama, salmoura, água doce, óleo, granéis. Mede de 60 a 100 metros de comprimento e tem HP em torno dos 5.000. Possui impelidores laterais (*BHP*).

barco de apoio a ROV (Port.) / *ROV support vessel*. Embarcação de apoio especializada em operação de ROV, *Remote Operate Vehicle*, pequeno veículo operado do navio e que atua no fundo do mar através de braços mecânicos, luzes e lentes no manuseio e montagem de equipamentos submarinos *offshore*. O mesmo que *embarcação de apoio a ROV*. ▶ Ver *embarcação de apoio a ROV*.

barco de apoio para manuseio de âncoras / *anchor handling tug supply (AHTS) vessel*. O mesmo que *barco de manuseio de âncora*. ↭ Embarcação que pode medir entre 60 e 80 metros de comprimento e potência (HP) de 6.000 a 20.000, atua com rebocador, manuseio de âncoras e transportes de suprimentos (tubos, água doce, óleo, lama, salmoura, cimento, peças etc.). Possui impelidores laterais (BHP) e *side thrusters*. ▶ Ver *barco de manuseio de âncora*.

barco de estimulação / *stimulation vessel*. 1. Barco equipado com bombas e tanques para trabalhos de estimulação de poços. 2. Unidade flutuante autotransportável, equipada com sistemas de bombeio e armazenamento de fluidos e produtos químicos para aplicações em operações de estimulação de poços. ▶ Ver *estimulação do poço*; *acidificação*.

barco de estimulação de poços / *well stimulation vessel*. O mesmo que *barco de estimulação*; *navio de estimulação de poços*. ▶ Ver *barco de estimulação*, *navio de estimulação de poços*.

barco de lançamento de linhas (Port.) / *laying support vessel*. O mesmo que *navio de lançamento de linhas*. ▶ Ver *navio de lançamento de linhas*.

barco de manuseio de âncora / *anchor handling tug supply (AHTS) vessel*. 1. Barco usado para manusear a âncora. Por ter custo menor que as plataformas de petróleo, este tipo de embarcação tem sido muito usado para algumas operações ligadas a perfuração, completação e produção. Por exemplo, tem sido utilizado para lançamento de bases-torpedo para início de poço no mar. Outro tipo de aplicação é o lançamento de *manifolds* submarinos. 2. O mesmo que *navio de manuseio de âncoras*. ▶ Ver *navio de manuseio de âncoras*.

barco de mergulho (Port.) / *diving support vessel*. O mesmo que *embarcação de mergulho*. ▶ Ver *embarcação de mergulho*.

barco de passageiros (Port.) / *crew boat and utility vessel*. O mesmo que *embarcação de passageiros*. ▶ Ver *embarcação de passageiros*.

barco de posicionamento dinâmico (Port.) / *dynamic positioning vessel*. Barco controlado por sistemas computacionais de posicionamento dinâmico de última geração, ou seja, que não necessitam de ancoragem convencional com cabos, amarras e âncoras. ▶ Ver *navio-aliviador DP*.

barco de ROV (Port.) / *ROV support vessel*. O mesmo que *embarcação de ROV*. ▶ Ver *embarcação de ROV*.

barco de suporte tipo balsa (Port.) / *tender support vessel*. O mesmo que *balsa*. ▶ Ver *balsa*.

barco de suporte tipo barcaça (Port.) / *tender support vessel*. O mesmo que *balsa*. ▶ Ver *balsa*.

barco de suprimento (Port.) / *supply vessel*. O mesmo que *navio de suprimento*. ▶ Ver *navio de suprimento*.

barco graneleiro pressurizável / *supply boat*. Barco utilizado para suprir cimento e outros materiais transportados a granel para as sondas marítimas. Geralmente dotado de silos pneumáticos, equipamento pneumático de carga e unidade de compressão de ar.

barco para lançamento de condutas (Port.) / pipe laying support vessel. O mesmo que *embarcação para lançamento de linhas*. ▶ Ver *embarcação para lançamento de linhas*.

barco para lançamento de linhas (Port.) / pipe laying support vessel. O mesmo que *embarcação para lançamento de linhas*. ▶ Ver *embarcação para lançamento de linhas*.

barco salva-vidas / lifeboat. O mesmo que *baleeira*. ▶ Ver *baleeira*.

barco-sonda (Port.) / drillship. O mesmo que *navio-sonda*. ▶ Ver *navio-sonda*.

barita / barite. 1. Adensante utilizado em fluidos de perfuração. 2. Aditivo de fluido de perfuração com a função de aumentar a massa específica desse fluido. ↝ Sulfato de bário ($BaSO_4$).

barite (Port.) / barite. O mesmo que *barita*. ▶ Ver *barita*.

baritina / barite. O mesmo que *barita*. ▶ Ver *barita*.

barlavento / windward. Direção de onde sopra o vento. ↝ Diz-se em relação ao lado da estrutura de encontro ao qual o vento incide.

barométrico / barometric. Condição de determinada variável física medida por meio de um barômetro, como, por exemplo, a altura barométrica, o nivelamento barométrico, a pressão barométrica e a pressão atmosférica. ▶ Ver *barômetro*; *pressão barométrica*.

barômetro / barometer. Instrumento para medir a pressão atmosférica, sendo normalmente utilizado na predição do tempo. ↝ Altas pressões atmosféricas numa dada região indicam tempo bom, enquanto baixas pressões indicam tempo ruim. Valores mais elevados de pressão atmosférica atuam como uma barreira, impedindo a aproximação de frentes frias. Por outro lado, valores mais baixos de pressão atmosférica constituem o caminho de menor resistência à aproximação de frentes frias. ▶ Ver *barométrico*; *pressão barométrica*.

barra / bar. Depósito sedimentar com morfologia plano-convexa composta de areia, cascalho, ou aluvião no fundo de um canal, mar, lago, ou na boca de um canal.

barra cuspada composta / compound cuspate bar. Esporão composto que une dois extremos de uma praia.

barra de canal / channel bar. Um dos três principais tipos de depósito de canal. Corresponde ao acúmulo de material de carga de fundo que se deposita principalmente nas partes mais rasas dos canais, no interior dos canais meandrantes e anastomosados. ▶ Ver *canal anastomosado*.

barra de desembocadura de canal / channel-mouth bar. Depósito de areia de forma alongada construído na desembocadura de um curso d'água em um lago ou mar, causado pela diminuição da capacidade de transporte desse curso d'água.

barra de desembocadura de distributário / distributary mouth bar. Barra arenosa formada na desembocadura de um canal distributário. Importante componente de um depósito deltaico, é alvo exploratório como possível reservatório de petróleo.

barra em cúspide / cuspate bar. Banco arenoso em forma de meia-lua, unido à praia, com suas extremidades apontando em direção ao mar. Pode ser formado pelo crescimento de um único esporão em direção ao mar a partir da praia, e depois retornando a ela, ou pelo crescimento de dois esporões a partir da praia que se unem para formar uma barra em forma de cúspide.

barra em pontal / point bar. Crista de areia desenvolvida na parte interna do meandro por acreção lateral.

barra fluvial / river bar. Crista ou monte de matacões, cascalho, seixos, areia e lama situada ao longo de um canal num lugar no qual a velocidade do fluxo decresce, causando a deposição do material transportado. As barras fluviais são denominadas por sua geometria deposicional, que é resultado da energia e direção do modo de transporte e de deposição, em *longitudinais* ou *transversais* ou *em pontal*.

barra transversal / cross bar. 1. Crista arenosa, curta e bifurcada de uma marca ondulada. 2. Crista baixa, orientada transversalmente num vale seco, ou seja, um vale cujas águas desaparecem no substrato.

barragem de detritos / debris dam. Massa de detritos grosseiros, de origem aluvial, acumulada na desembocadura de um sistema de drenagem, causando a obstrução do vale.

barramento industrial / fieldbus. Redes de comunicação que, ao se interconectarem a diversos dispositivos através de um único cabo, capacitam a realização de supervisão e controle de processos. ↝ Os barramentos industriais, também conhecidos como *redes industriais*, economizam cabos e facilitam a monitoração de erros de transmissão de dados. Os barramentos são bastante empregados em processos em que a quantidade de cabos é requisito básico para a implementação da supervisão e controle do processo. Algumas tecnologias são capazes de realizar controle distribuído.

barreira / barrier. Dispositivo que bloqueia o fluxo dentro do poço. ▶ Ver *preventor de erupção*; *barreira primária*; *barreira secundária*.

barreira ativa / active barrier. Barreira que necessita de uma ação externa para ser ativada. O BOP, a árvore de natal e a DHSV são exemplos de barreiras ativas. ▶ Ver *barreira*.

barreira condicional / conditional barrier. Barreira que pode não estar sempre instalada e não ser sempre capaz de atuar como bloqueio. ▶ Ver *barreira*.

barreira de segurança / *safety barrier*. Separação física composta de um ou mais elementos, apta a conter ou isolar um evento indesejável ao longo de um caminho específico entre o sistema em estudo e o meio ambiente. ↝ Para poços de petróleo, a barreira de segurança pode ser redefinida como "separação física apta a impedir o fluxo não intencional dos fluidos de um intervalo permeável (formação) ao longo de um caminho específico". Por exemplo, *(I)* tampão mecânico testado sob pressão de baixo para cima e vice-versa; *(II)* válvula de retenção quando associada ao fluido de amortecimento e testada, devendo a pressão hidrostática na profundidade da válvula ser superior à pressão do reservatório; *(III)* válvula de segurança de subsuperfície fechada e testada; *(IV)* válvula de contrapressão (BPV).

barreira ecológica / *ecological barrier*. Obstáculo espacial, temporal ou comportamental que impede o fluxo gênico e ocasiona o isolamento reprodutivo de populações. ↝ As interferências humanas são os maiores fatores de estabelecimento de barreiras ecológicas. Em particular, na indústria do petróleo, são importantes as grandes estruturas lineares: estradas e pistas de dutos.

barreira primária / *primary barrier*. Barreira que está ou deve estar em contato direto com o poço durante condições normais de operação, proporcionando a constituição de um invólucro mais interno e de atuação mais imediata. Este invólucro é responsável por impedir que os fluidos contidos em alguma formação produtora exposta escoem de modo não intencional para a superfície ou para outra formação rochosa permoporosa também exposta. Para operações em poços amortecidos, a pressão hidrostática exercida pelo fluido de perfuração é uma das barreiras primárias. Por outro lado, se o poço está produzindo, são barreiras primárias o *packer* que veda o anular, a DHSV e a coluna de produção abaixo dela. ▶ Ver *barreira*; *barreira secundária*.

barreira secundária / *secondary barrier*. Barreira que está ou deve estar atuando no sentido de propiciar a constituição de um invólucro, caso qualquer um dos elementos que compõem o conjunto de barreiras primárias venha a falhar. Estes elementos proporcionam a constituição de um invólucro externo ao conjunto de barreiras primárias, que impede que os fluidos contidos em alguma formação produtora exposta escoem de modo não intencional para a superfície ou para outra formação rochosa permoporosa também exposta. Para operações em poços amortecidos, o BOP é uma das barreiras secundárias. Por outro lado, se o poço está produzindo, são barreiras secundárias a coluna de produção acima da DHSV, a cabeça de poço e a árvore de natal. ▶ Ver *barreira*; *barreira primária*.

barreiras à entrada / *entry barriers*. Fatores que elevam os custos das empresas que querem entrar em um mercado relativamente já estabelecido. ↝ Por exemplo, custos irrecuperáveis (*sunk costs*), economias de escala e de escopo tendem a elevar as barreiras à entrada.

barril / *barrel*. Unidade padrão de medida de líquido na indústria de petróleo. ↝ 1 barril = 158,98 litros; 1 barril = 35 galões imperiais (aproximadamente); 1 barril = 42 galões US; 6,293 barris = 1 metro cúbico; 7,5 barris = 1 tonelada (aproximadamente).

barril à superfície (Port.) / *stock tank barrel*. O mesmo que *stock tank*. ▶ Ver *stock tank*.

barril de óleo equivalente (boe) / *barrel of oil equivalent (boe)*. Unidade utilizada para permitir a conversão de um volume de gás natural em volume de líquido equivalente, tomando por base a equivalência energética entre o petróleo e o gás, medida pela relação entre o poder calorífico dos fluidos. ↝ Em geral, utiliza-se a seguinte relação aproximada: 1.000 m^3 de gás para 1 m^3 de petróleo.

barril em condição de superfície / *barrel at stock tank conditions*. Barril em condição de pressão e temperatura de superfície, 1 atm e 15,6 °C (60 °F). ↝ Nas condições de superfície, um barril de óleo equivale a 5,615 ft^3 ou 0,159 m^3 (ou 159 litros).

barril em condições de tanque / *stock tank barrel*. Refere-se ao volume de um barril de óleo morto, ou seja, na condição padrão adotada de 60 °F e 14,7 psia.

barrilete de testemunhagem / *core barrel*. Ferramenta de fundo de poço descida com broca especial denominada *coroa* na sua extremidade, para cortar e extrair um cilindro de rocha, conhecido como *testemunho*.

barrilete interno de testemunhagem / *inner core barrel*. Tubo interno do barrilete onde se retém o testemunho, o qual é recuperado na superfície. ▶ Ver *barrilete de testemunhagem*.

basáltico / *basaltic*. Relativo a basalto. ▶ Ver *basalto*.

basalto / *basalt*. Rocha vulcânica constituída essencialmente de plagioclásio cálcico e piroxênio. Olivina e feldspatoides podem estar presentes. ↝ Termo químico para rocha vulcânica com conteúdo de SiO_2 entre 45% e 52% em peso e álcalis inferior a 5% em peso.

basalto alcalino / *alkaline basalt*. Rocha ígnea vulcânica, composta essencialmente de plagioclásio cálcico e piroxênios.

base adaptadora de produção (BAP) / *production adapter base (PAB)*. Primeiro equipamento instalado na cabeça do poço, o que permite a interconexão simultânea da árvore de natal molhada com o poço e com as linhas de produção e de controle, permitindo, assim, que o poço esteja em condições de produção. Este procedimento ocorre na fase de completação de poços submarinos. ↝ Este equipamento é assentado e travado sobre a cabeça do poço através de um conector, geralmente de 16¾ (polegadas). A base adaptadora de produção é o equipamento concebido para alojar o *tubing hanger* (que sustenta a coluna de produção), receber e travar a árvore de natal molhada e receber os *hubs* de conexão das linhas de produção e de controle. ▶ Ver *completação*; tubing hanger.

base da camada de intemperismo / *base of weathering*. Interface entre o material desagregado próximo à superfície (solo, material intemperizado, aluviões etc.) e o topo da rocha sã; sua profundidade varia de poucos a dezenas de metros; geralmente corresponde a uma camada superficial de baixa velocidade que afeta a propagação do sinal sísmico (efeitos esses que se procuram atenuar na etapa de correção estática do processamento sísmico).

base da unidade de bombeio / *skid*. Estrutura horizontal reforçada feita de perfis de aço soldados, nos quais são montados os principais componentes da unidade de bombeio do método de produção por bombeio mecânico. ▶ Ver *cavalo de pau*.

base de deflação / *deflation basin*. Depressão topográfica formada por erosão eólica, que remove o material inconsolidado e geralmente deixa uma borda resistente que cerca a depressão.

base de jateamento / *jetting base*. Estrutura instalada no topo do revestimento condutor quando o início de poço submarino for feito por jateamento. Permite a reentrada no poço na fase seguinte e serve de base para os equipamentos de cabeça de poço de fases posteriores.

base de projeto / *design basis*. Descrição de todas as premissas adotadas no projeto de desenvolvimento e das características de todos os componentes do projeto, incluindo poços, unidades de produção e sistemas de escoamento e coleta da produção.

base do petróleo bruto / *crude-oil base*. Estrutura básica do petróleo, que dependente da natureza química de seus principais constituintes. ↪ Um óleo de base parafínica contém predominantemente hidrocarbonetos parafínicos, enquanto um petróleo intermediário, ou de base mista, contém, grosso modo, misturas equivalentes de parafinas e naftenos (cicloparafinas). Um petróleo de base naftênica contém predominantemente hidrocarbonetos naftenos. Um petróleo de base asfáltica contém relativamente alta proporção de constituintes diferentes dos hidrocarbonetos, tais como nitrogênio, enxofre e compostos de oxigênio. O termo 'de base aromática' não é usado porque não existem óleos predominantemente constituídos por hidrocarbonetos aromáticos

base-guia / *guide base*. Equipamento posicionado no solo marinho, por meio do qual são descidas as ferramentas para a perfuração de um poço. ▶ Ver *base-guia permanente*; *base-guia temporária*.

base-guia permanente / *permanent guide base*. Estrutura de suporte de cabeça do poço que promove a guia para a instalação da árvore de natal molhada (ANM) através dos postes-guias. ↪ Estrutura com quatro postes-guias descida junto com o revestimento condutor de 30" (trinta polegadas) e instalada sobre a base-guia temporária. Os postes-guias têm os cabos-guias conectados até a sonda e permitem guiar as ferramentas a serem descidas no fundo do mar. Os postes também guiam o conjunto BOP e permitem a centralização do conjunto sobre a cabeça do poço. ▶ Ver *base-guia*.

base-guia temporária / *temporary guide base*. Primeira peça do equipamento submarino, no formato de um *template*, que é descida ao fundo do mar. Esse *template* leva quatro cabos-guias que permitem guiar as ferramentas para o centro do poço a ser perfurado. ▶ Ver *base-guia*.

base-torpedo / *torpedo stake*. Estrutura de aço soldada ao alojador e ao revestimento condutor e uma tubulação com um Cabeçote, na qual é presa a amarra principal, após ser preenchida com cimento de alta densidade. ↪ A tubulação mencionada de 26" (polegadas) é encapsulada no revestimento condutor de 30" (polegadas) e constitui um espécie de martelo ou torpedo. O conjunto então é descido até cerca de 30 m a 60 m de altura do solo, de onde é solto em queda livre, promovendo sua cravação, com o auxílio da gravidade. Se necessário, o martelo é utilizado para golpear a base até que ela atinja o ponto de cravação planejado. Finalizados os trabalhos, o torpedo é recuperado, podendo ser utilizado em outra instalação. Vale lembrar que o processo de cravação é mais adequado para a obtenção de maior aderência entre o tubo de revestimento e o solo do que o jateamento, propiciando significativa redução dos problemas de afundamento da cabeça de poço. ▶ Ver *alojador*; *estaca-torpedo*; *jateamento*; *base-guia*; *revestimento condutor*; *amarra de ancoragem*.

batelada / *batch*. Ação de repetição, não contínua, envolvendo quantidades e/ou volumes em princípios constantes. ↪ Tipicamente, o processo de batelada é praticado, por exemplo, quando da dosagem de reagentes ou componentes dentro de um recipiente, de forma sequencial ou simultânea, permitindo, no final de um determinado período, a sua descarga em um sistema de transporte. O recipiente pode ser um simples tanque e pode ter, montado dentro desse tanque, um misturador, um agitador ou uma fonte de calefação ou refrigeração. Os reagentes ou componentes são colocados dentro do recipiente por correias, extrusoras, vibradores, bombas, manualmente ou pela gravidade, abrindo e fechando gavetas.

batelada de cimento / *batch of cement*. Corresponde a uma quantidade mínima de 1.000 toneladas composta pelo conjunto dos lotes produzidos continuamente por um mesmo produtor, em uma mesma unidade de fabricação. A quantidade de cimento assim produzida é armazenada em um único silo. ▶ Ver *cimento*; *cimentação*; *pasta de cimento*.

batimetria / *bathymetry*. Processo de medida da profundidade dos oceanos, mares e outros corpos aquáticos, com o uso de sistemas acústicos (ecobatímetros). ↝ É o equivalente submarino de altimetria. Os principais sistemas de batimetria são divididos em sistemas de feixe único, que operam apenas com um transdutor, ou multifeixes, que operam com até 240 transdutores alinhados lateralmente. Esses sistemas podem operar em frequências variáveis de acordo com a profundidade da área de interesse.

batitermograma / *bathythermogram*. Gravação (ou uma fotografia impressa), em oceanografia, obtida com um batitermógrafo.

batólito / *batholith*. Massa de rocha ígnea plutônica de forma irregular e com superfície de exposição maior que 100 km². ↝ Termo originalmente definido em 1895 para uma massa de rocha ígnea intrusiva com forma semiesférica ou de escudo, gerada pela fusão de formações de rochas mais antigas.

bauxita / *bauxite*. 1. Mineral que ocorre na natureza, composto basicamente de hidróxido de alumínio, sílica, ferro e silicato de alumínio. 2. A bauxita sinterizada é um material esférico, obtido por meio do beneficiamento da bauxita bruta, de alta resistência a compressão, utilizado como sustentação no fraturamento de poços mais profundos de petróleo e gás. ▶ Ver *fraturamento hidráulico*; *agente de sustentação*; *propante*.

bauxite (Port.) / *bauxite*. O mesmo que *bauxita*. ▶ Ver *bauxita*.

BCS a cabo / *through flow ESP*. Equipamento de bombeio centrífugo submerso cuja instalação é feita através de um cabo que incorpora condutores para transmissão de energia elétrica e malha de alta, com resistência a cargas de tração. ↝ Esse equipamento é utilizado quando se exige grande rapidez de instalação, visando a evitar perdas de produção por intervenção em poço de petróleo. Possui uma desvantagem associada ao grande tamanho da bobina do cabo, o que exige um grande espaço, nem sempre disponível em instalações próximas ao poço. Ainda não é normalmente utilizado em produção de petróleo no Brasil, mas já é usado no bombeamento de pequenas vazões de água em poços, tanques etc. ▶ Ver *bombeio centrífugo submerso*.

BCS em completação seca / *ESP in dry completion*. Sistema de bombeio centrífugo submerso cuja instalação possui uma árvore de natal para completação seca. ↝ Nesse sistema as válvulas de controle de fluxo de fluidos do poço, localizadas na plataforma, estão acessíveis na plataforma (ou em terra, quando da produção em campos terrestres). ▶ Ver *bombeio centrífugo submerso*; *bombeio centrífugo submerso submarino*; *árvore de natal seca*; *árvore de natal molhada*.

BCS em completação molhada / *ESP in wet completion*. Sistema de bombeio centrífugo submerso cuja instalação possui uma árvore de natal para completação molhada. ↝ Nesse sistema as válvulas de controle de fluxo de fluidos do poço estão localizadas na árvore de natal no leito marinho. É normalmente utilizado em instalações de poços-satélites submarinos de petróleo. ▶ Ver *bombeio centrífugo submerso*; *bombeio centrífugo submerso submarino*; *árvore de natal seca*; *árvore de natal molhada*; *poço-satélite submarino*.

BCS em completamento molhado (Port.) / *ESP in wet completion*. O mesmo que *BCS em completação molhada*. ▶ Ver *BCS em completação molhada*.

BCS em completamento seco (Port.) / *ESP in dry completion*. O mesmo que *BCS em completação seca*. ▶ Ver *BCS em completação seca*.

BCS instalado em *riser* / *riser-mounted ESP*. Sistema de bombeio centrífugo submerso cujo conjunto motobomba é instalado em um *riser* poucos metros acima da árvore de natal molhada (ANM). ↝ Este tipo de instalação só se justifica para poços de lâminas d'água profundas. ▶ Ver *bombeio centrífugo submerso*; *bombeio centrífugo submerso submarino*; *riser*; *árvore de natal molhada*.

BCS *riser-mounted* / *riser-mounted ESP*. O mesmo que *BCS instalado em riser*. ▶ Ver *BCS instalado em riser*; *bombeio centrífugo submerso*; *bombeio centrífugo submerso submarino*; *riser*; *árvore de natal molhada*.

BCS *shroud* / *ESP shroud*. 1. Camisa usada em torno do motor de BCS (bombeio centrífugo submerso) para aumentar a velocidade de fluxo na região e assim obter o resfriamento do motor. 2. Tubos de revestimento menores que o revestimento de produção, suspensos pelo adaptador de *shroud*, o qual está preso na primeira bomba de BCS.

BCS submarino / *subsea ESP*. O mesmo que *sistema de bombeio centrífugo submerso submarino com completação molhada*. ↝ Possui várias configurações de sistema, como, por exemplo, o sistema de bombeio centrífugo submerso submarino instalado no poço produtor e fora do poço produtor. Quando fora do poço produtor: em poço falso e revestido, em poço alojador não revestido, em estrutura metálica (*skid*), no leito submarino, e instalado em *riser* (*riser mounted*) de produção. ▶ Ver *bombeio centrífugo submerso submarino*; *completação molhada*.

BCSS em poço alojador / *subsea ESP on a hole*. 1. Sistema de bombeio centrífugo submerso submarino com o conjunto de bombeio instalado fora do poço produtor. 2. Tipo de configuração de sistema de bombeio centrífugo submerso submarino (BCSS) em que o conjunto de bombeio é instalado em um poço falso, localizado próximo ao poço produtor. ↝ A grande vantagem deste sistema é que o poço não precisa interromper sua produção em caso de necessidade de troca do conjunto de bombeio centrífugo submarino submerso, pois continuará produzindo por surgência ou *gás lift* que, a depender do caso, pode ser de eficiência próxima ao de bombeio. ▶ Ver *bombeio centrífugo submerso*; *bombeio centrífugo submerso submarino*; *sistema BCSS em base metálica*.

BCSS em poço falso / *subsea ESP in a dummy well*. Configuração de sistema de bombeio centrífugo submarino submerso (BCSS) em que o conjunto de bombeio centrífugo submerso é instalado em um poço falso de pequena profundidade, revestido e propriamente denominado *poço falso*, localizado próximo ao poço produtor. ↝ A grande vantagem deste sistema reside no fato de que o poço não precisa interromper sua produção em caso de falha do conjunto de bombeio centrífugo submerso, pois a intervenção para a substituição do conjunto pode ser feita sem a necessidade de parar a produção do poço produtor. ▶ Ver *bombeio centrífugo submerso*; *bombeio centrífugo submerso submarino*; *sistema BCSS em base metálica*; *poço produtor*.

BCSS horizontal / *horizontal subsea ESP*. Conjunto de bombeio centrífugo submerso submarino disposto horizontalmente. ↝ O equipamento é utilizado em estações de bombeamento para transferência de fluido bombeado com alta pressão a grandes distâncias. ▶ Ver *bombeio centrífugo submerso submarino*; *bombeio centrífugo submerso*.

BCSS montado em *skid* / *skid-mounted subsea ESP*. O mesmo que sistema *BCSS em base metálica*. ▶ Ver *sistema BCSS em base metálica*.

bead. Partículas plásticas, contendo material radioativo, usadas para indicar zonas de elevada injetividade. ↝ As *beads* são misturadas no fluido injetado no poço e se acumulam nas heterogeneidades do reservatório, por onde o fluido escoa. Uma posterior perfilagem GR identifica a forte emanação radioativa das *beads*, possibilitando a inferência de áreas de maior injetividade.

bean. O mesmo que *orifício medidor de vazão*. ▶ Ver *orifício medidor de vazão*.

belemnita / *belemnite*. Molusco da classe dos cefalópodes que tem conchas internas retas.

belemnite (Port.) / *belemnite*. O mesmo que *belemnita*. ▶ Ver *belemnita*.

bell nipple. O mesmo que *niple sino*. ▶ Ver *niple sino*.

bem / *good*. Tudo aquilo que tem utilidade, com ou sem valor econômico. Quando tratados como econômicos, os bens podem ser caracterizados como bens *de capital*, *de produção*, *de consumo*, *de consumo durável*, *de consumo semidurável* e *de consumo não durável*.

bem de arrendamento (Port.) / *rented capital good*. O mesmo que *bem para uso temporal*. ▶ Ver *bem*; *bem para uso temporal*.

bem de capital (BK) / *capital good*. Bem utilizado na produção de outros bens. Sua aquisição caracteriza uma despesa de investimento e não de consumo. São exemplos as máquinas, os equipamentos, instalações industriais diversas e materiais de transporte. ▶ Ver *bem*.

bem de capital seriado (BKS) / *serial capital good*. Bem de capital fabricado por um processo industrial em série, não sob encomenda. ▶ Ver *bem de capital (BK)*.

bem de capital sob encomenda (BKE) / *one-of-a-kind good*. Bem de capital que não tem características construtivas necessariamente padronizadas, ou demanda suficiente para fabricação em série, e portanto é fabricado sob encomenda. ▶ Ver *bem de capital (BK)*.

bem de consumo / *consumer good*. Bem utilizado diretamente pelo consumidor final, isto é, que não se destina à produção de outros bens, seja como bem de capital, seja como bem intermediário. ▶ Ver *bem*.

bem de série (BKS) (Port.) / *serial capital good*. O mesmo que *bem de capital seriado (BKS)*. ▶ Ver *bem de capital seriado (BKS)*.

bem intermediário / *intermediate good*. Bem utilizado como insumo para a produção de outros bens. Os bens intermediários são completamente absorvidos no processo de produção. Exemplos são os eletrodos, solventes, tintas, gases para soldagem, arames etc. ▶ Ver *bem*.

bem para uso temporal / *rented capital good*. Bem utilizado mediante contratos de aluguel, afretamento, arrendamento ou *leasing* operacional ou financeiro (arrendamento mercantil). ▶ Ver *bem*.

bem para uso temporal / *benchmark crude*. O mesmo que *petróleo de referência*. ▶ Ver *petróleo de referência*; *cesta de referência da Opep*.

benefício remuneratório especial / *Special Remuneratory Benefit (SRB)*. Mecanismo de tributação que taxa adicionalmente os lucros significativos inesperados advindos da exploração e produção de petróleo e gás (*windfall profits*). ↝ Por exemplo, taxação do lucro adicional resultante de elevação substancial e repentina do preço do petróleo.

bêntico / *benthic*. Condição referente ao fundo de qualquer corpo de água.

bentônico / *benthonic*. Designação de de seres marinhos cujo *habitat* característico é o fundo do mar. ▶ Ver *bêntico*.

bentonita / *bentonite*. 1. Rocha que consiste de sílica coloidal e composta essencialmente de minerais de argila (principalmente do grupo da montmorilonita) na forma de cristais extremamente diminutos, produzida por devitrificação e acompanhada de alteração química de material opaco ígneo, usualmente cinza ou tufo vulcânico. A cor varia de branco a verde-claro e azul-claro quando fresca, tornando-se creme-claro quando exposta, e mudando gradualmente para amarelo. 2. Argilomineral de estrutura lamelar, constituído basicamente por silicatos do tipo encontrado em micas. Sua estrutura interlamelar com possibilidade de se expandir lhe confere excelentes qualidades de superfície e elevada microporosidade. 3. Argilomineral de três camadas, utilizado como aditivo viscosificante em fluidos de perfuração à base de água. 4. Aditivo de fluido de perfuração aquoso com a função primária de aumentar a viscosidade desse fluido. Atua secundariamente como redutor de filtrado API de fluidos aquosos convencionais.

bentonita de Wyoming / *Wyoming bentonite*. Argila constituída principalmente de montmorilonita. Por sua elevada capacidade de inchamento e formação de estrutura gelificada, é utilizada como aditivo viscosificante em fluidos de perfuração à base de água. ↪ Argila expansível, denominada bentonita em referência à formação Benton (estrato geológico em Fort Benton), na região leste do estado de Wyoming (EUA).

bentonite (Port.) / *bentonite*. O mesmo que *bentonita*. ▶ Ver *bentonita*.

bentonite de Wyoming (Port.) / *Wyoming bentonite*. O mesmo que *bentonita de Wyoming*. ▶ Ver *bentonita de Wyoming*.

bentos / *benthos*. Conjunto de seres vivos que vivem no fundo do mar.

benzeno / *benzene*. O mais simples dos hidrocarbonetos aromáticos, consistindo de um anel plano formado por seis membros. Sua fórmula é C_6H_6. Pode ser produzido pelo uso de plásticos ou por meio da queima de combustíveis fósseis. O benzeno também pode ser encontrado em solos, bem como em algumas áreas de poluição de águas. A exposição ao benzeno pode estar relacionada com a leucemia.

benzol / *benzol*. Forma comercial de benzeno que contém no mínimo 80% de benzeno, mas também possui seus homólogos tolueno e xileno. ▶ Ver *benzeno*; *BTEX*.

berço de linhas / *cradle*. Suporte existente na base adaptadora de produção (BAP) para instalação do mandril de linha de fluxo (MLF). ↪ Termo utilizado para descrever o suporte disponível na BAP, que auxilia no correto alinhamento do MLF para posterior conexão com a ANM (árvore de natal molhada). ▶ Ver *base adaptadora de produção (BAP)*; *árvore de natal molhada*; *lay-away*; *mandril de linhas de fluxo*.

berma / *berm*. Pequeno terraço na região entre o pé das dunas litorâneas e a porção acima da ação das ondas na costa, com a face levemente inclinada em direção ao mar.

betão (Port.) / *concrete*. O mesmo que *concreto*. ▶ Ver *concreto*.

betume / *bitumen*. 1. Matéria orgânica extraída de rochas finamente granuladas por meio de solventes orgânicos comuns, tal como o cloreto de metileno. Ao contrário do óleo, o betume é originário da rocha na qual é encontrado. 2. Termo genérico aplicável a diversos hidrocarbonetos naturais, notadamente ao resíduo da evaporação das frações mais leves do petróleo.

betume asfáltico / *asphaltic bitumen*. Mistura, sólida ou semissólida, de hidrocarbonetos que ocorre na natureza ou é obtida através da destilação de petróleo ou carvão.

betuminoso / *bituminous*. Material similar ao betume e que contém material orgânico ou carbonáceo usualmente descrito como betume. ▶ Ver *betume*.

BHA (Bottom-Hole Assembly). O mesmo que *composição de fundo de poço*. ▶ Ver *composição de fundo de poço*.

BHA para ganho de ângulo / *angle-build assembly*. Composição de fundo de poço (BHA) que tem por característica propiciar o aumento da inclinação do poço. ▶ Ver *ângulo de desvio*.

BHA para perda de ângulo / *angle-dropping assembly*. Composição de fundo de poço (BHA) que tem por característica propiciar a diminuição da inclinação do poço. ▶ Ver *ângulo de desvio*.

BHA rígido / *stiff bottomhole assembly*. Composição de fundo de poço (BHA) que tem por característica propiciar a manutenção do ângulo de desvio preexistente no poço. ▶ Ver *ângulo de desvio*.

BHA sem estabilizadores / *slick bottomhole assembly*. Composição de fundo de poço (BHA) que não utiliza estabilizadores. ▶ Ver *estabilizador*.

bid bond. O mesmo que *seguro garantia do concorrente*. ▶ Ver *seguro garantia do concorrente*.

biela / *pitman*. 1. No método de produção por bombeio mecânico, é o mesmo que *braços do equalizador*. 2. O mesmo que *haste de aço*. ▶ Ver *bombeio mecânico*.

bifásico / *two-phase*. Estado da matéria em duas fases distintas. ↪ Tipicamente, tal denominação é largamente atrelada a escoamento de fluidos e, por vezes, envolve um fluido e um sólido. Por exemplo, o fluxo bifásico simultâneo de dois fluidos em estados físicos diferentes, como petróleo (líquido) e gás natural (gasoso).

binário / *high-torque down hole motor, low-speed positive-displacement motor*. O mesmo que *motor de fundo de alto torque*. ▶ Ver *motor de fundo de alto torque*.

biocronozona / *biochronozone*. Cronozona baseada em uma unidade bioestratigráfica. ▶ Ver *cronozona*.

biodegradação / *biodegradation*. Alteração da matéria orgânica ou do petróleo por ação de bactérias durante a migração ou após a acumulação em rochas-reservatório, podendo ocorrer também em áreas de surgências em superfície. A biodegradação do petróleo é limitada a baixas temperaturas (nunca acima da faixa de 60 °C a 80 °C), profundidades rasas, e condições nas quais as circulações de águas subterrâneas, que dissolvem oxigênio, são disponíveis para a bactéria aeróbica. A lixiviação da água usualmente acompanha a biodegradação. Os microrganismos degradam tipicamente o petróleo através do ataque aos compostos menos complexos e ricos em hidrogênio, a exemplo das n-parafinas e dos isoprenoides acíclicos, que são atacados antes dos esteranos e dos triterpanos.

biodegradável / *biodegradable*. 1. Material com condição de ser decomposto por processo biológico 2. Substância suscetível de ser decomposta por bactérias em substâncias simples ▶ Ver *biodegradação*.

biodiesel / *biodiesel*. Combustível renovável (biocombustível) e biodegradável, obtido comumente a partir da reação química de óleos ou gorduras, de origem animal ou vegetal, com um álcool na presença de um catalisador (reação conhecida como *transesterificação*). Também pode ser obtido pelos processos de craqueamento e esterificação.

biodiversidade / *biodiversity*. Diversidade biológica considerada em todos os níveis taxonômicos. ↠ O conceito se estende ainda para além dos níveis taxonômicos dos seres vivos, abrangendo ecossistemas, hábitats e paisagens.

bioestratigrafia / *biostratigraphy*. Caracterização de um corpo rochoso com base no conteúdo fossilífero.

biofácies / *biofacies*. Diferenciação de uma unidade estratigráfica caracterizada por seus fósseis.

biogás / *biogas*. Gás de origem orgânica que é formado principalmente de metano, como gás natural, gás de pântano, ou gás originado de matéria orgânica em aterros sanitários ou lixões. ▶ Ver *biodegradação*.

biogênico / *biogenic*. Material formado biologicamente por um organismo ou no interior deste. ▶ Ver *abiogênico*.

bio-horizonte / *biohorizon*. Superfície ou camada fina distinta que se traduz numa mudança bioestratigráfica importante em correlação; pode ser reconhecida pelo surgimento de uma forma fóssil, pela mudança de frequência ou de número de fósseis. O mesmo que *horizonte bioestratigráfico*. ▶ Ver *horizonte bioestratigráfico*.

bioma / *biome*. Comunidade biótica complexa caracterizada por espécies típicas de animais e plantas mantidas pelas condições climáticas e edáficas regionais e onde a biota evoluiu para um clímax.

biomarcador / *biomarker*. 1. Composto orgânico complexo constituído por carbono, hidrogênio e outros elementos, empregado como ferramenta auxiliar na determinação de ambientes pretéritos. Dentre os biomarcadores destacam-se o pristano, o fitano, esteranos, triterpanos, porfirinas e outros compostos. 2. O mesmo que *fóssil molecular*.

biomassa / *biomass*. Quantidade total de organismos vivos de uma espécie animal ou vegetal normalmente referente à área ou ao volume presente numa população de espécies.

biopolímero / *biopolymer*. Polímero criado por enzimas. Possui estrutura bastante regular e previsível. ▶ Ver *geopolímero*.

biosfera / *biosphere*. Parte mais externa da litosfera, a maior parte da hidrosfera e a parte inferior da atmosfera terrestre habitada por seres vivos. Termo aplicado às esferas terrestres que podem ser ocupadas pelos seres vivos.

biota / *biota*. 1. Designação de dados que engloba aqueles da fauna e da flora numa área. 2. Conjunto de seres vivos que habitam um determinado ambiente.

biozona / *biozone*. 1. Unidade básica da classificação bioestratigráfica, definida como uma ou mais camadas caracterizadas pelo conteúdo fossilífero. 2. Camada de rocha definida por seu conteúdo fossilífero.

biquinário / *biquinary*. Referente ao esquema, ou o próprio esquema de codificação numérica usado em muitos ábacos e em alguns computadores antigos. ↠ O termo biquinário indica que o código compreende um componente de dois estados (bi) e outro de cinco estados (quinário). Diferentes representações de decimais codificados na forma biquinária têm sido utilizadas em diferentes máquinas. O componente de dois estados é codificado com um ou dois bits e o de cinco, com três ou cinco bits.

birrefringência / *splitting*. 1. Fenômeno que pode ocorrer com ondas S em meios anisotrópicos, nos quais uma onda incidente gera duas transmitidas. 2. Propriedade óptica de minerais anisótropos transparentes, sendo que a radiação luminosa refratada é dividida em dois feixes ortogonais que se propagam com velocidades diferentes dentro de determinado elemento mineral. ↠ Entre as duas ondas transmitidas, uma é mais rápida (geralmente chamada S1) e paralela à direção dominante de fraturas preenchidas por fluidos, e outra mais lenta (S2), geralmente ortogonal à S1; as diferenças de tempo e amplitude entre S1 e S2 são parâmetros indicativos da quantidade de anisotropia (fraturas, geralmente) do meio atravessado e as direções S1 e S2 mostram a direção preferencial de fraturas. Este fenômeno não ocorre com ondas P. ▶ Ver *onda S*; *onda P*.

biselamento (Port.) / *pinch-out*. O mesmo que *acunhamento*. ▶ Ver *acunhamento*.

black oil. 1. Óleo que contém uma porcentagem relativamente alta de moléculas longas, pesadas e não voláteis de hidrocarbonetos. 2. Característica de modelo utilizado para descrever o comportamento de hidrocarbonetos sujeitos às variações de pressão e temperatura em decorrência do seu próprio escoamento, tanto no reservatório quanto no poço ou em dutos de transporte. O modelo *black oil* supõe a existência de dois componentes — óleo e gás — e que a composição de cada fase permanece inalterada, independentemente das condições de pressão e temperatura. 3. Óleo com baixa quantidade de gás em solução. 4. Comportamento das fases de fluidos em um determinado reservatório, independentemente das composições molares das mesmas. 5. Óleo utilizado na determinação das propriedades físicas das fases constituintes de um escoamento multifásico. ↝ Na determinação do comportamento do escoamento bifásico é importante ter-se o conhecimento do comportamento das propriedades das fases constituintes ao longo do escoamento. A caracterização dita *black oil* se aplica preferencialmente aos fluidos mais pesados e com menores razões gás-óleo, ou seja, qualitativamente, um par líquido dominado. As propriedades físicas das fases em separado e igualmente aquelas relativas às interações das mesmas (por exemplo, a troca de massa) são determinadas por correlações empíricas e específicas desenvolvidas em laboratório, muitas das vezes fazendo uso de banco de dados experimentais obtidos no campo e de propriedades específicas das fases, tais como grau API para o líquido e densidade do gás. Observa-se também que os reservatórios do tipo *black oil* não apresentam variações significativas das propriedades do gás e do óleo durante sua vida produtiva, contrariamente aos reservatórios de óleo volátil.

blackriveriano / *blackriverian*. Estágio norte-americano: metade do Ordoviciano.

blank liner. 1. Seção curta de tubos comuns de *liner* não perfurados, que é usada para separar ou posicionar os componentes de *liners* perfurados, mais específicos da coluna, em frente ao(s) ponto(s) de interesse. 2. Termo muito usado para denominar seções de *liner* não perfuradas ou sem ranhuras.

blasting. O mesmo que *abrasão por efeito de pressão*. ▶ Ver *abrasão por efeito de pressão*.

bleed off. Relaxamento da pressão de fluido, operando com uma redução lenta da pressão por intermédio de uma válvula de controle.

blocagem / *sample and hold*. Em eletrônica, ação de circuito elétrico que retém, por um breve momento, a voltagem de um sinal durante o processo de discretização.

bloco / *block*. 1. Termo atribuído a constituintes de rochas sedimentares com tamanho médio entre 64 mm e 256 mm. 2. Piroclasto com diâmetro médio maior que 64 mm e com forma de angular a subangular, indicativa de que o piroclasto estava em estado sólido durante a sua formação. 3. Fragmento de rocha naturalmente arredondado, entre matacão e seixo na escala granulométrica, ou seja, com diâmetro entre 64 e 256 mm. 4. Parte de uma bacia sedimentar onde as concessionárias conduzem operações de exploração e produção de petróleo. 5. Parte de uma bacia sedimentar, formada por um prisma vertical de profundidade indeterminada, com superfície poligonal definida pelas coordenadas geográficas de seus vértices, onde são desenvolvidas atividades de exploração ou produção de petróleo e gás natural (a lei brasileira o define como um prisma vertical, determinado pela área de concessão na superfície). 6. Montagem de um conjunto de polias numa estrutura comum, compartilhando um mesmo eixo de suporte.

bloco cimeiro (Port.) / *crown block*. O mesmo que *bloco de coroamento*. ▶ Ver *bloco de coroamento*.

bloco de coroamento / *crown block*. Conjunto de polias, montadas no mesmo eixo instalado no topo da torre ou mastro de perfuração. O bloco de coroamento permite que o cabo de perfuração seja passado de modo a possibilitar o movimento ascendente ou descendente da catarina entre ele e a mesa rotativa. ▶ Ver *bloco*; *catarina*.

bloco no cimo da torre de sonda (Port.) / *crown block*. O mesmo que *bloco de coroamento*. ▶ Ver *bloco de coroamento*.

bloco petrolífero / *petroliferous block*. Parte de bacia sedimentar onde ocorrem atividades de exploração e produção de petróleo ou gás natural.

bloco viajante (Port) / *travelling block*. O mesmo que *catarina*. ▶ Ver *catarina*.

blooey line, blooie line. Tubo de descarga por onde retornam os fluidos no caso da perfuração do poço com ar. Esta tubulação é utilizada para conduzir o ar ou gás que retornam à superfície oriundos do fundo do poço a uma distância segura da sonda, reduzindo o risco de ocorrência de incêndio e possibilitando a deposição dos cascalhos a uma distância adequada do poço.

blooey pit, blooie pit. Dique, em geral escavado temporariamente, para deposição dos cascalhos e líquidos que retornam do poço numa perfuração a ar. Localiza-se logo na saída da *blooey* ou *blooie line*. ▶ Ver *blooey line*.

bloqueio de gás em bombeio centrífugo submerso / *gas lock*. Condição de operação em que a bomba de bombeio centrífugo submerso é preenchida com uma grande quantidade de gás e perde a capacidade de pressurizar o fluido bombeado. ↝ O bloqueio de gás em bombas de bombeio centrífugo submerso frequentemente ocorre quando o poço produtor produz muito gás ou quando a pressão de admissão da bomba é inferior à pressão de saturação do gás no fluido. Uma vez que o princípio de funcionamento dessas bombas é, inicialmente, a conversão de energia mecânica (aquela que impulsiona o impulsor) em energia cinética na mistura, ocorre uma segregação das fases (se presentes) na mistura em função de sua massa específica: aquela mais pesada, em função da centrifugação, tende a ir para a periferia, enquanto a mais leve (gás) tende a ficar no centro, daí provocando o bloqueio de gás (no olho do impulsor). ▶ Ver *bombeio centrífugo submerso*.

bloqueio de gás em bombeio mecânico / *gas lock*. Condição de bombeio indesejável, onde a presença de gás no interior da bomba de fundo (no método de produção por bombeio mecânico) não permite que haja alimentação de fluido na mesma, inibindo, assim, a produção. •» Para o bom funcionamento da bomba de fundo é necessário que as válvulas de passeio e de pé estejam abrindo e fechando em sincronia, o que depende unicamente da diferença de pressão que ocorre durante um ciclo de bombeio. A presença de gás, que é altamente compressível, entre as válvulas faz com que essa diferença de pressão não seja suficiente para a abertura das mesmas, não permitindo a entrada de fluido. O bloqueio de gás é minimizado ou anulado com a instalação de âncora de gás, abaixo da bomba.

blowdown. Método de produção de um reservatório de gás condensado, por meio de sua despressurização com o passar do tempo, sem qualquer reinjeção de gás.

blowout. O mesmo que *erupção de poço*. ▶ Ver *erupção*.

blue sky. 1. Gíria oriunda do mercado financeiro do Canadá e dos Estados Unidos, que se aplica à legislação. *Blue sky laws* foram leis promulgadas para proteger o público contra fraudes no mercado financeiro. Nesse contexto, o termo *blue sky* indica que um dado papel em lançamento no mercado financeiro foi avaliado por um comitê responsável e pode ser comprado pelo público sem risco de fraude. **2.** Termo também aplicado ao desenvolvimento tecnológico. Nesse contexto, um projeto *blue sky* indica um projeto com alto potencial para mudança do paradigma existente, mas com poucas chances de êxito no que tange ao seu desenvolvimento.

bobina de excitação / *energizing coil*. Bobina que gera campos eletromagnéticos.

bobina de Helmholtz / *Helmholtz coil*. Par de bobinas coaxiais em que a distância entre elas é igual ao seu raio, o que permite um cálculo preciso do campo magnético entre ambas.

bobine (Port.) / *spool*. O mesmo que spool. ▶ Ver spool.

boca de sino / *bell mouth, reentry guide*. Extremidade de uma tubulação cuja geometria se assemelha ao perfil de um sino. •» Equipamento colocado na extremidade inferior da coluna de produção, que tem como finalidade guiar a reentrada dos equipamentos descidos pelo interior da coluna (*reentry guide*). É utilizado no *i-tube* de uma UEP (*bell mouth*).

bocal de medição / *flow nozzle*. O mesmo que *bocal de vazão*. ▶ Ver *bocal de vazão*; *bocal sônico*.

bocal de vazão / *flow nozzle*. Dispositivo de medição de vazão com perfil geométrico de entrada elíptico ao longo de seu eixo central e construído segundo padrão normativo. •» O bocal de vazão tem maior aplicabilidade em escoamentos em altas velocidades e que demandem resistência à erosão por causa de seu formato. Utilizado como padrão secundário de vazão operando em regime de fluxo crítico. Construído conforme normas pertinentes. ▶ Ver *bocal sônico*; *bocal de medição*.

bocal roscado / *nipple*. O mesmo que *nipple*. ▶ Ver *niple*.

bocal roscado de assentamento (Port.) / *seating cup nipple*. O mesmo que *niple de assentamento*. ▶ Ver *niple de assentamento*.

bocal roscado inferior (Port.) / *lower extension coupling*. O mesmo que *niple de extensão inferior*. ▶ Ver *niple de extensão inferior*.

bocal roscado R (Port.) / *R nipple*. O mesmo que *niple R*. ▶ Ver *niple R*.

bocal roscado superior (Port.) / *upper extension coupling*. O mesmo que *niple de extensão superior*. ▶ Ver *niple de extensão superior*.

bocal sônico / *flow nozzle*. O mesmo que *bocal de vazão*. ▶ Ver *bocal de vazão*; *bocal de medição*.

boia CALM / *CALM buoy*. Boia ancorada ao leito marinho por meio de um sistema de linhas em catenária, que possui um sistema de transferência de fluidos ao navio que nela se amarra. A transferência de fluido ao navio se faz por intermédio de um mangote. •» A boia tipo CALM, ou monoboia, é largamente empregada em terminais para carregamento ou descarregamento de fluidos. Na produção de petróleo *offshore*, essas boias vêm sendo usadas para exportar a produção de um campo por meio de navios. Tais boias possibilitam ao navio se alinhar com a direção ambiental predominante, e para isso possuem uma junta rotativa (*swivel*); graças a tal dispositivo, a transferência de fluidos entre a boia e o navio (ou vice-versa) pode ser realizada de maneira ininterrupta. ▶ Ver *monoboia*; *catenária*.

boia de calibração / *calibration buoy*. Hidrofone em uma boia para registro de fontes marítimas.

boia de marcação / *marker buoy*. Objeto flutuante ancorado que tem como finalidade marcar uma locação ou indicar um canal de navegação. •» Na indústria do petróleo, é utilizada para demarcar a locação onde se deve iniciar a perfuração de um poço. Posicionam-se três boias no fundo do mar, sendo que o poço deve ser perfurado dentro da área do triângulo formado por elas.

boia telemétrica / *telemetric buoy*. Boia utilizada em sísmica marítima, dotada de pequeno transmissor de rádio que transmite os sinais captados por um hidrofone para o navio.

bola / *ball*. Esfera, geralmente metálica, lançada ou bombeada através da coluna de tubos de um poço, com a finalidade de ativar uma ferramenta ou um dispositivo de subsuperfície que faz parte da composição da própria coluna. •» Quando a bola atinge o seu ponto de assentamento, aplica-se, usualmente, pressão hidráulica para acionar o mecanismo responsável pela atuação.

bola de argila / *clay ball or clayball*. Fragmento de argila erodido da margem de um banco argiloso e que se torna arredondado durante o transporte; encontrado frequentemente em depósito de canais de rios meandrantes. Quando ainda plástico, pode agregar grãos ao seu redor durante o transporte por rolamento no fundo dos rios e formar uma bola de argila com armadura de grãos.

boletim diário de operações / daily report. Relatório diário detalhado das operações realizadas na sonda durante 24 horas do dia anterior, elaborado pelo fiscal. Todos os pontos relevantes, do ponto de vista da fiscalização, são registrados nesse boletim. O detalhamento pode chegar até a descrição de cada meia hora de operação num dia de 24 horas.

bolha assassina / restriction diagram. Diagrama com área de restrição ao redor da sonda de posicionamento dinâmico, utilizado para análise de convivência desta sonda em locação muito próxima a obstáculos na superfície ou no fundo do mar. ↔ É representada pela envoltória criada a partir de dados estatísticos de condições de tempo e histórico de deriva de embarcações de posicionamento dinâmico (duração de *black-out* e distância percorrida à deriva durante esse tempo). O formato e o tamanho da bolha variam em função da área em estudo. O tamanho da bolha é proporcional ao tempo de duração do *black-out* e da confiabilidade da sonda. ▶ Ver *diagrama de restrição*.

bolha de gás / gas bubble. Bolha que se forma nos líquidos quando agitados, em ebulição ou abaixo do ponto de saturação do óleo. ▶ Ver *ponto de ebulição*.

bomba / pump. Máquina hidráulica, do tipo geratriz, cuja finalidade é realizar o deslocamento de um líquido por escoamento. Sendo uma máquina geratriz, transforma a energia que recebe para seu funcionamento em energia fornecida ao líquido sob as formas de energia de pressão e cinética. ↔ Os modos pelos quais se realizam a transformação do trabalho e o recurso para cedê-lo ao líquido, aumentando sua pressão e/ou velocidade, permitem classificar as bombas em: *(I)* deslocamento positivo, volumógenas ou volumétricas; e *(II)* turbobombas, rotodinâmicas ou hidrodinâmicas. Nas bombas volumétricas (por exemplo, êmbolo, engrenagem, parafusos, palhetas), o escoamento é conseguido pela movimentação (rotativa ou alternativa) de um volume fixo determinado pela máquina. Nas turbobombas (por exemplo, radial ou centrífuga, axial, helicoaxial), a conversão de energia se faz inicialmente para a forma cinética (o que ocorre nos ditos *impulsores*) e posteriormente para a forma de pressão (o que ocorre nos ditos *difusores*).

bomba alternativa / reciprocating pump. Máquina de escoamento do tipo de deslocamento volumétrico composta de um ou mais pistões e/ou êmbolos, cujo movimento tem a direção mantida, mas o sentido é alternado a cada curso no ciclo de enchimento e esvaziamento da câmara da bomba. ↔ Por meio de uma válvula de retenção na admissão do pistão, o fluido é succionado e posteriormente expelido na descarga, através de outra válvula de retenção. O movimento alternativo do pistão gera descontinuidades na vazão do fluido, que podem ser minimizadas utilizando-se bombas de múltiplos pistões, acionados de forma defasada, de modo a haver sempre um pistão bombeando fluido enquanto outro se enche para novo ciclo.

bomba centrífuga / centrifugal pump. Máquina de escoamento rotodinâmica utilizada para propiciar o escoamento (fluxo) de um líquido através da cessão de energia, inicialmente na forma de energia cinética, posteriormente convertida em energia de pressão. ↔ Numa bomba centrífuga, o fluido entra pela parte central da parte girante, chamada *impelidor* (*impeller*) ou *impulsor*, composto de um disco com palhetas retas ou curvadas. O fluido então é acelerado, adquirindo energia cinética. Ao sair do impulsor, o líquido se choca contra a parede da carcaça ou voluta, convertendo parte de sua energia cinética em energia de pressão, através do princípio de Bernoulli. Havendo resistência ao fluxo, a pressão aumenta até que toda a energia cinética do fluido, adquirida no impulsor, tenha sido convertida em energia de pressão. Uma bomba centrífuga é acionada por um motor que, por sua vez, ao girar o eixo, aciona o impulsor. Este impulsor, através de suas palhetas, transfere a energia para o fluido como energia cinética. Quando ocorre resistência ao fluxo do fluido, sua energia é convertida em energia de pressão, criando uma coluna estática do fluido. Esta coluna estática é chamada de "carga da bomba" (*head*), cuja dimensão é de comprimento, para um dado fluido. Mesmo que fluidos com diferentes densidades sejam bombeados, a carga não se altera; o que se altera é a pressão estática. Por isso, a curva de desempenho de bomba centrífuga é expressa como vazão x carga.

bomba centrífuga de múltiplos estágios / multistage centrifugal pump. Máquina de escoamento rotodinâmica utilizada para o deslocamento de líquidos, composta de dois ou mais estágios de bombas centrífugas simples, em que cada estágio tem seu impulsor e voluta acionados por um eixo comum. ↔ Neste tipo de arranjo de bomba, a descarga do primeiro estágio alimenta a sucção do segundo estágio, e assim por diante. Como os estágios são em série, a vazão que passa por cada um deles é a mesma, mas a energia de pressão é proporcional ao número de estágios empregado.

bomba centrífuga submersa / electrical submersible pump, ESP. Bomba que tem motor elétrico hermeticamente selado acoplado ao corpo da bomba. Todo o conjunto é submerso no fluido a ser bombeado. A vantagem desse tipo de bomba é que ela pode fornecer significante potência de elevação, pois independe da pressão externa do ar para elevar o fluido. Utilizada nos poços de óleo como método de elevação artificial. ↔ Bomba centrífuga de múltiplos estágios, que consistem de impelidores rotativos e difusores estacionários. O rotor, ao girar no interior do estator, origina um movimento axial das cavidades, no sentido da sucção para a descarga, realizando progressivamente a ação de bombeamento.

bomba centrifugadora (Port.) (Ang.) / *centrifugal pump*. O mesmo que *bomba centrífuga*. ▶ Ver *bomba centrífuga*.

bomba centrifugadora de múltiplos estágios (Port.) (Ang.) / *multistage centrifugal pump*. O mesmo que *bomba centrífuga de múltiplos estágios*. ▶ Ver *bomba centrífuga de múltiplos estágios*.

bomba centrifugadora submersa (Port.) (Ang.) / *electrical submersible pump, ESP*. O mesmo que *bomba centrífuga submersa*. ▶ Ver *bomba centrífuga submersa*.

bomba de bombeamento mecânico / *sucker rod pump*. Equipamento conhecido como *bomba de fundo*. ▶ Ver *bomba de fundo*.

bomba de carga (Ang.) / *booster*. O mesmo que booster. ▶ Ver booster.

bomba de cavidade progressiva (BCP) / *progressive cavity pump (PCP)*. Equipamento de bombeio de deslocamento positivo, instalado na extremidade da coluna de produção e imerso no fluido. ↝ É constituída de um rotor de forma helicoidal e estator ou camisa estacionária. O acionamento é feito pelo conjunto motor-cabeçote, instalado na superfície, que transmite movimento rotativo às hastes de bombeio e daí ao estator. Introduzida no Brasil na década de 1980, é largamente empregada para extração de petróleos muito viscosos. As hastes são as mesmas utilizadas no bombeio mecânico.

bomba de cimentação / *cementing pump*. Equipamento que faz parte de uma unidade de cimentação. Essas unidades normalmente dispõem de duas bombas de deslocamento positivo. Nos sistemas que funcionam a altas pressões, uma das bombas é utilizada na mistura e a outra no deslocamento da pasta. Em sistemas com pressões inferiores, uma bomba centrífuga é utilizada na mistura e duas bombas de deslocamento positivo, no deslocamento da pasta. A maioria das bombas de uma unidade de cimentação é de deslocamento positivo, podendo ser do tipo dúplex ou tríplex.

bomba de deslocamento positivo / *positive displacement pump*. 1. Bomba que após 1 (uma) rotação de seu eixo, desloca um volume fixo de produto, independentemente das condições de pressão na saída, o que não é conseguido nas bombas centrífugas. A vazão da bomba é proporcional à velocidade de rotação de seu eixo. No entanto, no bombeamento de líquidos pouco viscosos e a pressões elevadas, observa-se uma pequena redução de aproximadamente 10% na vazão por rotação do eixo. Essas bombas podem ser alternativas ou rotativas. Trabalham com o princípio de aprisio-nar um volume de fluido no lado de baixa pressão (sucção), adicionando energia ao fluido ao transportá-lo para uma zona de alta energia (descarga). 2. Também chamada *bomba volumétrica*. ↝ Neste tipo de máquina de escoamento, o fluido ou mistura de fluidos enche espaços (e depois deles é expulso, sucessivamente) com volume determinado no interior da bomba. As mais comuns, no bombeamento de fluidos multifásicos, são as do tipo duplo-parafuso. ▶ Ver *bomba multifásica*; *bomba multifásica duplo-parafuso*.

bomba de fundo / *bottomhole pump*. No método de produção por bombeio mecânico, equipamento instalado dentro do poço, na extremidade da coluna de produção, que tem a função de bombear o fluido do poço através de movimento alternativo transmitido pela coluna de hastes. ↝ Seus componentes principais são: camisa, pistão, válvula de passeio e válvula de pé. Seu funcionamento se dá através do movimento alternativo do pistão dentro da camisa, fazendo com que haja um diferencial de pressão na presença de fluido, o que acarreta a abertura e o fechamento das válvulas de sede esfera, tipo retenção, o que permite fluxo somente no sentido de baixo para cima. Existem dois tipos principais: *(I)* bomba tubular e *(II)* bomba insertável.

bomba de inserção (Port.) / *rod pump*. O mesmo que *bomba insertável*. ▶ Ver *bomba insertável*; *bomba de fundo*.

bomba de lama / *slush pump*. Equipamento utilizado em sondagens rotativas para injetar lama no furo de sondagem durante o procedimento de perfuração. ↝ As bombas de lama são bombas volumétricas alternativas de pistões horizontais, constituídas fundamentalmente de duas partes: parte mecânica, ou *power end*, que recebe a energia de acionamento na forma rotativa e a transforma em movimento alternativo; parte hidráulica, ou *fluid end*, onde a potência mecânica alternativa é transferida ao fluido na forma pressão x vazão. As bombas de lama podem ser de dois tipos: *(I)* as bombas dúplex, que possuem dois pistões de duplo efeito, ou seja, o bombeamento é realizado nos dois sentidos do curso do pistão. Assim, em cada cilindro, enquanto em um dos lados do pistão está succionando, o outro está descarregando; *(II)* as bombas tríplex, dotadas de três pistões de simples efeito, ou seja, apenas na face anterior do pistão se succiona e se descarrega. Comparando-se as tríplex com as dúplex de mesma potência, as triplex são menores, mais leves e de custo menor, tanto de aquisição como de manutenção.

bomba de múltiplas palhetas / *multi-vane pump*. Bomba de bombeio centrífugo submerso especial para manuseio de gás, cujo estágio permite a passagem de determinadas quantidades de gás acumuladas em seu interior. ↝ Equipamento utilizado para minimizar os efeitos de redução da capacidade de bombear de uma bomba de bombeio centrífugo submerso. ▶ Ver *bomba centrífuga submersa*; *separador de gás de bombeio centrífugo submerso*; *estágio de bomba*.

bomba de três cilindros (Port.) / *triplex pump*. O mesmo que *bomba tríplex*. ▶ Ver *bomba tríplex*.

bomba de três cilindros de êmbolo (Port.) / *triplex plunger pump*. O mesmo que *bomba tríplex de êmbolo*. ▶ Ver *bomba tríplex de êmbolo*.

bomba ejetora / *hydraulic jet pump*. Máquina de escoamento sem peças móveis, cujo funcionamento é baseado no princípio de Bernoulli, segundo o qual um escoamento subsônico gera uma pressão local inversamente proporcional a sua velocidade. ↝ Através do abaixamento de pressão local (que ocorre na região dita garganta do ejetor e que se assemelha a um tubo de Venturi), torna-se possível aspirar um segundo fluido e assim provocar o escoamento deste, em adição ao escoamento forçado do fluido dito motriz (ou de trabalho) do ejetor. O fluido ejetado é a mistura do fluido motriz e do fluido aspirado. No caso de geração de vácuo, podem ser usados ejetores em múltiplos estágios, onde todo o fluido ejetado pelo estágio anterior é aspirado pelo estágio subsequente. ▶ Ver *tubo Venturi*; *equação de Bernoulli*.

bomba hidráulica / *hydraulic pump*. Bomba cuja energia de alimentação é oriunda da própria energia cinética do escoamento que a alimenta. ↝ A conversão de energia é provocada pela interrupção periódica do escoamento, o qual forçosamente há de alimentar a referida bomba. A bomba dita *Carneiro*, aplicada tipicamente no bombeamento de água em pequenas propriedades rurais, é um exemplo desse tipo de bomba. ▶ Ver *bomba*.

bomba hidráulica de jato (Ang.) / *hydraulic jet pumping*. O mesmo que *bombeio hidráulico a jato*. ▶ Ver *bombeio hidráulico a jato*.

bomba insertável / *rod pump*, *insert pump*, *insert sucker rod pump*. Bomba inserida na coluna de produção, tendo seu niple de assentamento descido na extremidade dessa coluna. ↝ Tipo de bomba utilizada no bombeio mecânico e no bombeio com bomba de cavidade progressiva, onde todas as suas partes descem conectadas à coluna de hastes. Há a necessidade de se utilizar um mecanismo que prenda a parte estacionária da bomba (camisa ou pistão) à coluna de produção. Este mecanismo, conhecido como *trava*, pode estar na parte inferior ou superior da bomba. ▶ Ver *ancoragem de topo*; *ancoragem de fundo*.

bomba invertida / *bottom-intake pump*. Equipamento de bombeio centrífugo submerso em que a bomba centrífuga está montada no sentido de escoamento, a montante do motor. ↝ Determinadas configurações de instalação, tais como de bombeio centrífugo submerso a cabo, exigem este tipo de montagem em que é necessário prover conexão elétrica ao motor acima da bomba. ▶ Ver *bombeio centrífugo submerso*.

bomba multiestágios / *multistage pump*. Máquina de escoamento utilizada para deslocar líquidos, composta de dois ou mais estágios de uma bomba simples e ligados em série, geralmente do tipo centrífugo. ↝ Em tais bombas, os múltiplos estágios aumentam a energia do líquido, permitindo que ele escoe mesmo contra grandes diferenciais de pressão, mantendo, naturalmente, a mesma vazão entre os estágios. ▶ Ver *bomba centrífuga de múltiplos estágios*.

bomba multifásica / *multiphase pump*. Bomba que pode manusear a produção completa de um poço (óleo, gás natural, água e areia) sem a necessidade de separar ou processar a produção na cabeça de poço ou perto desta. A bomba multifásica permite o desenvolvimento de locações remotas ou campos anteriormente antieconômicos.

bomba multifásica de parafuso / *screw multiphase pump*. Bomba multifásica de deslocamento positivo e rotativa. Pode ter um ou mais parafusos que transportam o fluido ao longo de seu eixo. O fluido é transferido sucessivamente através das câmaras formadas entre a carcaça da bomba e o corpo do parafuso.

bomba multifásica duplo-parafuso / *twin-screw multiphase pump*. Tipo de bomba multifásica rotativa de deslocamento positivo. Possui dois parafusos sincronizados por uma engrenagem de modo a permitir que eles girem sem se tocar, formando as câmaras nas quais os fluidos multifásicos são transportados da região de sucção (baixa pressão) para a descarga (alta pressão). ↝ Os parafusos criam câmaras estanques que se deslocam da sucção até a descarga. Os tamanhos do passo e dos diâmetros (de filete e de raiz) dos parafusos determinam o volume das câmaras formadas por tal engrenamento. Tal volume igualmente determina a capacidade volumétrica (vazão) dessas bombas quando associados à rotação da máquina. Entre a parede interna da carcaça da bomba e o topo dos filetes dos parafusos, um fino filme de líquido garante a selagem entre câmaras, a qual é ainda dependente da selagem entre flancos, topo e raiz desses filetes. A capacidade volumétrica dessas bombas é diretamente dependente de sua geometria, mais especificamente do passo. São capazes de manipular fluidos com altos valores de frações volumétricas de gás (média até 95%), viscosidade e densidade. ▶ Ver *bomba multifásica*; *bomba de deslocamento positivo*; *bomba multifásica de parafuso*; *passo*.

bomba multifásica helicoaxial / *helico-axial multiphase pump*. Bomba multifásica rotodinâmica. São máquinas híbridas, entre as concepções funcionais para uma bomba e um compressor. É constituída de conjuntos de pares de impulsores centrífugos e difusores axiais. ↝ É a mais largamente utilizada concepção de bomba multifásica do tipo rotodinâmica. Tipicamente aplicada a médias e altas vazões, devido aos usuais valores altos de rotação, e com tolerância mediana na presença de gás livre (no limite de 75%). ▶ Ver *bomba multifásica*; *bomba rotodinâmica*; *impulsor*; *difusor da bomba*.

bomba rotodinâmica / *rotodynamic pump*. Elemento mecânico também chamado turbobomba. ↪ Transforma inicialmente energia mecânica em energia cinética e posteriormente em energia potencial (pressão). Tal tipo de máquina de escoamento é caracterizado pela presença de um impulsor (também chamado *rotor* ou *impelidor*), que imprime aceleração ao fluido, fazendo-o adquirir, desse modo, energia cinética, e um difusor, onde a maior parte dessa energia cinética é transformada em ganho de pressão (energia potencial). Podem possuir múltiplos estágios. As mais comuns, no bombeamento de fluidos multifásicos, são as do tipo helicoaxial. ▶ Ver *bomba multifásica*; *bomba multifásica helicoaxial*.

bomba tríplex / *triplex pump*. Bomba de deslocamento positivo composta de três pistões. A bomba tríplex é a configuração mais comum de bomba utilizada em operações de poço, capaz de trabalhar com vários tipos de fluidos, incluindo abrasivos, corrosivos e pastas contendo partículas relativamente grandes. ▶ Ver *sistema de circulação de lama*.

bomba tríplex de êmbolo / *triplex plunger pump*. Máquina de escoamento do tipo bomba, de deslocamento positivo, composta de três pistões axiais e em linha, acionados por um eixo tipo virabrequim que defasa em 120° o acionamento de cada pistão. ↪ O ciclo de bombeamento de cada pistão, que funciona como uma bomba alternativa, consiste em aspirar fluido do coletor de entrada, pressurizá-lo e descarregá-lo no coletor de saída, de forma defasada. Com isso, a vazão total de saída oscila, mas nunca se reduz a zero, evitando grandes oscilações de pressão.

bomba tubular / *tubing pump*. No método de produção por bombeio mecânico, é o tipo de bomba de fundo cuja camisa é descida no poço conectada à extremidade inferior da coluna de produção e o pistão, à extremidade da coluna de hastes.

bombagem centrífuga submersa (Port.) / *electrical submersible pumping*. O mesmo que *bombeamento centrífugo submerso*. ▶ Ver *bombeamento centrífugo submerso*.

bombagem centrífuga submersa submarina (Port.) / *subsea electrical submersible pumping*. O mesmo que *bombeio centrífugo submerso submarino*. ▶ Ver *bombeio centrífugo submerso submarino*.

bombagem do tampão (Port.) / *pumping the plug*. O mesmo que *bombeio do tampão*. ▶ Ver *bombeio do tampão*.

bombagem elétrica submersível (Port.) / *electrical submersible pump*. O mesmo que *bombeio* ou *bombeamento centrífugo submerso*. ▶ Ver *bombeio centrífugo submerso*.

bombagem em vazio (Port.) / *pump-off*. O mesmo que *bombeamento em vazio*. ▶ Ver *bombeamento em vazio*.

bombagem hidráulica (Port.) (Ang.) / *hydraulic pumping*. O mesmo que *bombeio hidráulico*. ▶ Ver *bombeio hidráulico a jato*.

bombagem multifásica submarina (Port.) / *subsea multiphase pumping*. O mesmo que *bombeamento multifásico submarino*. ▶ Ver *bombeamento multifásico submarino*.

bombagem ou bombeamento hidráulico (Port.) / *hydraulic pumping*. O mesmo que *bombeio hidráulico*. ▶ Ver *bombeio hidráulico a jato*.

bombeabilidade / *pumpability*. Propriedade de graxas lubrificantes que permite que estas fluam sob pressão por linhas e bocais de um sistema de lubrificação.

bombeabilidade do cimento / *cement pumpability*. Tempo necessário para que a pasta de cimento atinja 50 Uc no teste de consistometria. Este parâmetro representa o valor limite no qual a pasta ainda é bombeável. Com o resultado do tempo de espessamento e da bombeabilidade tem-se uma informação do tempo disponível para efetuar com segurança o trabalho de campo. ▶ Ver *teste de tempo de espessamento do cimento*.

bombeamento centrífugo submerso (BCS) / *electrical submersible pumping*. Conjunto de bombeamento instalado no fundo de poços de petróleo, composto basicamente por uma bomba centrífuga submersa acoplada a um motor elétrico de subsuperfície, o qual aciona a bomba, alimentado por um cabo elétrico que transmite a energia elétrica da superfície até o fundo do poço. O mesmo que *bombeio centrífugo submerso*. ↪ O conjunto de *BCS* é composto por equipamentos de subsuperfície e por equipamentos de superfície. Os principais equipamentos de subsuperfície são: motor elétrico submerso, protetor do motor, bomba centrífuga e cabos elétricos redondo e chato. Os principais equipamentos de superfície são: cabeça de produção, cabo elétrico de superfície, caixa de junção, quadro de comando elétrico ou variador de velocidade do motor e transformador elétrico. Os motores elétricos utilizados são do tipo trifásico e funcionam com uma velocidade de aproximadamente 3.500 rpm ao serem alimentados com energia elétrica a uma frequência de rede de 60 Hz. Esses motores são projetados para suportar condições muito severas, pois estão sujeitos a altas pressões e altas temperaturas, bastante comuns no fundo do poço. ▶ Ver *cabo elétrico para bombeamento centrífugo submerso*; *bomba centrífuga submersa*; *motor elétrico para bombeio centrífugo submerso horizontal*; *motor elétrico*; *protetor do motor elétrico*; *cabo redondo*; *cabo chato*; *cabeça* *de produção; caixa de junção; quadro de comando elétrico.*

bombeamento elétrico submersível (Ang.) / *electrical submersible pumping*. O mesmo que *bombeamento centrífugo submerso*. ▶ Ver *bombeamento centrífugo submerso*.

bombeamento em vazio / *pump-off*. No método de produção por bombeio mecânico é a condição de bombeio indesejável, em que a capacidade de bombeio está muito maior do que a capacidade de vazão do poço. ↦ Nessa situação ocorre, a cada ciclo de bombeio, choque do pistão no fluido no interior da camisa, o que é denominado *pancada de fluido*. ▶ Ver *pancada de fluido*.

bombeamento multifásico submarino / *subsea multiphase pumping*. Sistema baseado na aplicação de bomba multifásica para a elevação e o escoamento do fluido multifásico (óleo, gás livre, água e, eventualmente, sólidos em suspensão), proveniente diretamente da cabeça do poço ou de um manifolde para o sistema de processamento primário, instalado numa UEP (unidade estacionária de produção) no mar ou em terra. ▶ Ver *bomba multifásica*.

bombeio centrífugo submerso (BCS) / *electrical submersible pumping*. Método de elevação artificial que utiliza uma bomba centrífuga de subsuperfície, acionada eletricamente. O mesmo que *bombeamento centrífugo submerso (BCS)*. ▶ Ver *bombeamento centrífugo submerso (BCS); elevação artificial*.

bombeio centrífugo submerso submarino / *subsea electrical submersible pumping*. Designação empregada para se referir ao tipo de elevação artificial de petróleo em que a transferência de energia ao fluido do poço se dá por meio de uma eletrobomba centrífuga submersível num poço de completação.

bombeio do tampão / *pumping the plug*. Operação que corresponde à injeção de um tampão que consiste num determinado volume de fluido com características específicas.

bombeio hidráulico / *hydraulic pumping*. Sistema de elevação artificial constituído de uma bomba de fundo de poço. ↦ Uma bomba hidráulica instalada na superfície pressuriza o óleo cru, que coloca em funcionamento a bomba de fundo. Quando uma única coluna de produção é utilizada, o óleo é bombeado pela coluna e a produção do óleo da formação com o óleo bombeado se dá pelo anular formado pela coluna de produção e a coluna de revestimento. Se o poço está equipado com duas colunas de produção, o óleo é bombeado da bomba de superfície por uma das colunas de produção e a produção do óleo bombeado com o óleo da formação se dá pela outra coluna. ▶ Ver *bombeio hidráulico a jato*.

bombeio hidráulico a jato / *hydraulic jet pumping*. Método de elevação artificial de petróleo em que a transferência de energia ao fluido do poço se dá por meio de uma bomba hidráulica a jato. ↦ A energia hidráulica é fornecida pelo bombeio de água pelo anular do poço. A bomba funciona pelo princípio do tubo de Venturi, que gera uma zona de baixa pressão na qual o óleo da formação é 'sugado'.

bombeio mecânico / *sucker rod pumping*. Método de elevação artificial que utiliza uma bomba alternativa de subsuperfície acionada por uma coluna de hastes que se estende até a superfície. ↦ Uma unidade de bombeio mecânico (*cavalo de pau*) movimenta verticalmente a coluna de hastes, de forma a transmitir o movimento para o pistão da bomba de fundo. A bomba de fundo, por sua vez, tem uma válvula de passeio, acoplada ao pistão, e uma válvula de pé, acoplada à camisa, que transforma o movimento vertical alternativo do pistão em fluxo vertical de fluidos, do fundo para a superfície. ▶ Ver *elevação artificial; cavalo de pau*.

bonnet. 1. Parte da válvula que envolve e sela a haste da válvula. 2. Trata-se da porção do invólucro do corpo da válvula que guia a haste de acionamento e que contém os elementos responsáveis pela vedação do conjunto corpo-haste.

bônus de assinatura / *signature bonus*. Valor correspondente ao montante ofertado pelo licitante vencedor na proposta para obtenção da concessão de petróleo ou gás natural, devendo ser pago no ato da assinatura do contrato de concessão. Em geral, o órgão regulador estabelece o *seu* valor mínimo no edital de licitação. Em Portugal usa-se o termo *bônus assinatura de produção e de reembolso*.

bônus de produção / *production bonus*. Mecanismo que possui como único propósito a arrecadação de determinados montantes em momentos previamente definidos no contrato, sendo tal espécie de bônus mais comum nos contratos de partilha da produção ou nos contratos de *joint venture* na Ásia e na África. O fato gerador do bônus de produção varia conforme a criatividade e a opção do legislador ou negociador de cada país, podendo ser devido na descoberta comercial, na submissão do Plano de Desenvolvimento, no início da produção, após determinado volume de produção ou, ainda, após ser atingido determinado patamar de produção.

bônus de reembolso / *refundment bonds*. Garantia de devolução de pagamento, no caso de cancelamento ou rescisão do respectivo contrato. O mesmo que refundment bonds.

boomer. Fonte sísmica marítima na qual o pulso é gerado por cavitação.

booster. 1. Dispositivo empregado para aumentar a potência ou a efetividade de um sistema hidráulico ou eletroeletrônico. 2. Em instalações hidráulicas, trata-se da bomba instalada na linha de injeção, onde alguma pressão já está disponível, e tem por finalidade elevar ou aumentar a pressão no sistema. 3. Tipo de amplificador muito empregado em som automotivo, que reforça a saída de potência. O *booster* trabalha com baixa impedância de entrada, banda de passagem limitada e nível mais alto de ruídos que um módulo de potência que recebe o sinal de um pré-amplificador em alta impedância. O termo também é usado para pré-amplificadores de radiofrequência em receptores de FM.

booster compressor. Compressor que utiliza o ar ou a gás previamente comprimido num sistema principal de compressão e aumenta a pressão disponível de modo a atender aos requisitos de uma determinada aplicação. ▶ Ver *booster*.

BOP / BOP. O mesmo que *preventor de erupção*. ▶ Ver *preventor de erupção*.

BOP de baixa pressão / diverter. Dispositivo de segurança utilizado para direcionar o escoamento que retorna do poço para longe da sonda de perfuração. ↝ Quando ocorre um *kick* durante a perfuração de formações rasas, o poço, em geral, não pode ser fechado com segurança. Nestes cenários, o BOP de baixa pressão (*diverter*) é utilizado de modo a desviar o escoamento de retorno do poço e permitir que o poço continue fluindo através de uma linha lateral (*diverter line*) sem comprometer, em princípio, a segurança.

BOP de flexitubo / CT BOP, coiled tubing BOP. Termo que representa o preventor de erupção de flexitubo. ↝ Preventor de erupções utilizado em operações de unidade de flexitubo. As gavetas estão preparadas para vedar ao redor do flexitubo e a gaveta cisalhante para cortá-lo.

BOP de haste de bombeamento (Port.) / sucker rod BOP. O mesmo que *BOP de haste de bombeio*. ▶ Ver *BOP de haste de bombeio*.

BOP de haste de bombeio / sucker rod BOP. Preventor de erupção com duas gavetas, utilizado em sondas de produção terrestre. É conectado na árvore de natal de bombeio e, quando fechado, permite o isolamento do poço ao redor da haste de bombeio.

BOP de superfície / surface BOP. Sistema preventor de erupção do poço composto somente de dois preventores de gavetas cisalhantes no fundo, com um BOP normalmente utilizado em plataforma fixa ou autoelevatória (*jack up*) na superfície. Substitui o tradicional BOP submarino, permitindo redução de tempo de manuseio do BOP e de sua manutenção.

BOP de trabalhos de restauro de poço (Port.) / workover BOP. O mesmo que *BOP de workover*. ▶ Ver *BOP de workover*.

BOP de vara de bomba mecânica (Ang.) / sucker rod BOP. O mesmo que *BOP de haste de bombeio*. ▶ Ver *BOP de haste de bombeio*.

BOP de workover / workover BOP. Equipamento de segurança usado nas intervenções (*workover*) de reentrada, para permitir o acesso ao poço através da árvore de natal. ↝ É um equipamento de segurança cuja função básica é a de permitir o fechamento do poço. Ele é usado acima da árvore de natal numa operação de reentrada no poço. O *BOP* de *workover* é projetado para cortar o arame, cabo ou flexitubo e também para viabilizar uma desconexão de emergência no caso de operação em plataformas flutuantes.

BOP rotativo / rotating BOP. Dispositivo que efetua vedação de modo a fechar o espaço anular ao redor da haste quadrada ou da coluna de perfuração, confinando pressão na superfície. O *BOP rotativo* é usualmente instalado em cima ou acima do BOP convencional. Ele permite perfurar avante mesmo quando há pressão no anular em consequência do peso do fluido de perfuração não ser suficiente para conter as formações expostas em poço aberto. Trata-se de um equipamento essencial para a realização da perfuração na condição sub-balanceada. ↝ A denominação *BOP rotativo* é usualmente empregada para designar um dispositivo rotativo de controle que possui algum mecanismo ativo de manutenção da vedação ao redor da haste quadrada ou da coluna de perfuração. ▶ Ver *preventor de erupção*.

BOP stack / blowout-preventer stack, BOP stack. Denominação dada ao conjunto de válvulas de prevenção de *blowout* instalado no poço. Preventores de anular, gavetas cegas, gavetas vazadas e gavetas cisalhantes são montadas umas sobre as outras, formando o *BOP stack*. ▶ Ver *preventor de erupção*.

borda da plataforma / shelf edge. Região de transição entre a plataforma e o talude.

borda resfriada / cooling halo. Porção externa de um corpo de rocha ígnea resfriada mais rapidamente que a porção interna, graças ao seu contato com rochas de temperatura mais baixa. ↝ Frequentemente caracterizada por uma textura de granulação mais fina.

borra ácida / acid sludge. Resíduo proveniente de tratamento de óleo mineral, com ácido sulfúrico, para remoção de impurezas.

borra de petróleo / petroleum sludge. Resíduos semissólidos oriundos do processo gradual de sedimentação de frações pesadas do petróleo, quando este é submetido às condições clássicas de estocagem. ↝ Tais resíduos apresentam-se sob a forma emulsionada variando consistência, densidade, espessura e composição em toda a extensão do fundo do vaso. Resíduos constituídos fundamentalmente de uma parte orgânica e outra inorgânica. A parte orgânica é tipicamente composta de parafinas, aromáticos, resinas e/ou asfaltenos; e a parte inorgânica por produtos de corrosão, areia e outros constituintes oriundos do reservatório produtor, arrastados pelo escoamento da produção de petróleo. ▶ Ver *SGN tanque*.

bota / boot. Vaso cilíndrico vertical conectado a um vaso cilíndrico horizontal em alguma região da geratriz inferior deste vaso. ↝ Trata-se de um acumulador de líquido, empregado em separadores trifásicos, quando a concentração da fase líquida mais densa não é elevada. O emprego da bota possibilita maior facilidade no controle de nível da fase densa, uma vez que, no interior deste dispositivo, normalmente de dimensões muito inferiores às do vaso em que se conecta, a espessura da camada dessa fase densa é muito maior que a verificada no interior do vaso cilíndrico horizontal de maior diâmetro.

bottle. o mesmo que *garrafa de BOP.* ▶ Ver *garrafa de BOP.*

bottoms up. Termo associado ao tempo do qual o fluido de perfuração e os cascalhos gerados pela broca necessitam para retornar do fundo do poço até a superfície. ↪ O cálculo desse intervalo de tempo é bastante útil, pois estabelece o tempo de espera necessário para o retorno dos cascalhos e do fluido oriundo do fundo do poço até a superfície após uma parada da circulação. Além disso, o *bottoms up* é útil para que se faça a amarração entre a profundidade e as amostras de cascalhos recolhidos na peneira. ▶ Ver *tempo de retorno dos cascalhos.*

bowl. Dispositivo no qual as cunhas são instaladas para suportar a coluna de produção (*tubing*). ▶ Ver *cunha*; *cunha de tubos.*

braçadeira / *clamp*. Acessório usado para prender uma determinada peça a outra. Por exemplo, no caso de colunas de produção, usam-se braçadeiras para prender o cabo do PDG a essa coluna.

braçadeira de cabo / *cable clamp*. Peça metálica que abraça duas partes, apertando-as uma contra a outra. Em perfilagem, é comumente usada ao emendar duas extremidades do cabo.

braçadeira de cabo elétrico / *electrical cable clamp*. Cinta metálica especial para fixar o cabo elétrico, chato ou redondo na coluna de produção de poços equipados com sistema de bombeamento centrífugo submerso. ↪ Tal braçadeira propicia uma afixação de maior durabilidade quando comparada com aquelas conseguidas com fitas convencionais e, mais raramente, introduz danos no próprio cabo em afixação na coluna. ▶ Ver *bombeio centrífugo submerso*; *cabo chato*; *cabo redondo.*

braço / *arm*. Mola em arco ou alavanca articulada a uma sonda de perfilagem para pressioná-la contra a parede do poço e desse modo manter o patim ou almofada; provido de sensores, é aplicado à formação, eliminando os efeitos de lama e, em parte, do reboco.

braço da manivela / *crank arm*. O mesmo que *braço de aço*. ↪ Em uma unidade de bombeio mecânico existem dois braços de manivela, situados em cada um dos lados do redutor, que são acionados pelo eixo da manivela localizado na caixa de redução. ▶ Ver *caixa de redução*; *correia.*

braço do queimador / *flare boom*. Estrutura metálica, horizontal ou inclinada, afixada por uma de suas extremidades à plataforma ou à unidade de produção e que suporta, em sua extremidade oposta, o queimador ou tocha. ↪ Sua função é afastar das facilidades de produção a fonte de calor, proveniente da queima (para descarte) de hidrocarbonetos.

braço do equalizador / *pitman*. Peça alongada que une a viga principal à manivela e que tem a função de converter o movimento de rotação do redutor para o alternativo da unidade de bombeio no método de produção por bombeio mecânico.

brasagem / *brazing*. Processo de união de dois materiais, no qual um metal de adição de baixo ponto de fusão é colocado entre os dois metais a serem unidos e a temperatura é aumentada de modo a fundir o metal de adição sem fundir os metais a serem ligados.

brecha / *breccia*. 1. Rocha clástica cujos componentes principais são fragmentos angulosos, com mais de 50% de fração de cascalho, cimentados por uma matriz mais fina. Termo também utilizado para rochas de origem não sedimentar que apresentem textura similar. 2. Rocha clástica formada como resultado da trituração da rocha matriz ao longo das superfícies de falha.

brecha argilosa / *clayey breccia*. Brecha contendo pelo menos 80% de clastos e 10% de argila. O termo foi definido por Woodford em 1925. ▶ Ver *brecha.*

brecha calcária / *calcibreccia*. Brecha cujos fragmentos de rocha são carbonáticos. Calcirrudito.

brecha clástica / *clastic breccia*. Conglomerado composto de fragmentos clásticos, angulares, de tamanho e formas variados, oriundos de erosão sedimentar. ▶ Ver *brecha.*

brecha de ablação / *ablation breccia*. Brecha de colapso formada quando o material solúvel foi parcial ou completamente removido pela solução, permitindo, por consequência, o início da fragmentação da parte da rocha não solúvel. Por exemplo, uma brecha formada de fragmentos de cherte agrupados através da dissolução do material calcário em uma rocha calcária.

brecha de diápiro de sal / *salt-dome breccia*. Brecha constituída por fragmentos de folhelho, encontrada nas imediações de um diápiro de sal, formada pela diferença de pressão causada pela ascensão do sal. Também é aceita a expressão *brecha diápiro de sal.*

brecha de erupção / *eruption breccia*. 1. Brecha vulcânica formada por uma erupção piroclástica. 2. Sinônimo de *brecha de explosão* e *brecha piroclástica.*

brecha de escorregamento / *slump breccia*. Camada sedimentar produzida por deslizamento e exibindo brechação.

brecha sedimentar / *sedimentary breccia*. Brecha formada por processos sedimentares, comumente composta por fragmentos de rocha angulares e com pouca seleção, típicos de pouco ou nenhum transporte, podendo ser composta por material de uma única fonte ou por diversos ma-

brent

teriais depositados conjuntamente. Por exemplo, *brecha de talus*.

brent. Mistura de petróleos produzidos no mar do Norte, oriundos dos sistemas petrolíferos Brent e Ninian, com grau API de 39,4 (trinta e nove inteiros e quatro décimos) e teor de enxofre de 0,34% (trinta e quatro centésimos por cento). ↔ Esta especificação é referência para o comércio de petróleo e derivados produzidos na Europa e na Ásia. Para os petróleos produzidos nos Estados Unidos a referência é o petróleo tipo WTI (West Texas Intermediate).

Brent Dated. Cotação publicada diariamente pela *Platt's Crude Oil Marketwire*, que reflete o preço de cargas físicas do petróleo *Brent* embarcadas de 7 (sete) a 17 (dezessete) dias após a data da cotação, no terminal de *Sullom Voe*, na Grã-Bretanha.

bright stock. Óleo básico lubrificante refinado e desparafinado de alta viscosidade.

broca / *bit*. Ferramenta utilizada na perfuração para desbastar mecanicamente a rocha e penetrar gradualmente o subsolo. É o elemento cortante usado na perfuração de poços de óleo e gás. ↔ A broca consiste num elemento cortante e num elemento circulante. O elemento circulante permite a passagem de fluido de perfuração e emprega a força hidráulica do fluxo para melhorar a taxa de perfuração. A broca de perfuração tem bocais (jatos) pelos quais o fluido é dirigido num jato de alta velocidade para a rocha.

broca *antiwhirl* / *anti-whirl drill bit*. Broca de cortadores fixos, tipo PDC, projetada para perfurar com maior estabilidade lateral. Este tipo de broca busca reduzir a vibração lateral (*whirl*) durante a perfuração.

broca bicêntrica / *bicentric bit*. Broca de perfuração descentralizada cuja função é alargar o poço.

broca bicônica / *bicone bit*. Broca de perfuração composta de dois cones girantes. ↔ É um projeto cuja proposta é gerar menos problemas de encerramento (*balling*) do que os provocados pelas brocas de três cones, pois oferece mais espaço para limpeza e remoção dos cascalhos abaixo da broca.

broca de calibre ativo / *active-gauge bit*. Broca de perfuração que tem capacidade de corte lateral. ▶ Ver *broca de perfuração*.

broca de cones / *roller-cone bit*. Broca mais usada na perfuração de poços de petróleo por sua versatilidade. Composta por elementos girantes denominados *cones*, presos ao corpo da broca por meio de eixos. O sistema de rolamento pode ser através de cilindros ou de mancais de fricção (*journal*). Os elementos cortantes podem ser do tipo dentes de aço usinados diretamente nos cones ou do tipo insertos de carbureto de tungstênio presos por interferência em locais apropriados usinados nos cones de aço. As brocas de cones possuem normalmente três cones, porém existem no mercado variações de brocas com um ou dois cones.

broca para destruição

broca de dentes de aço / *steel-tooth bit*. Broca de perfuração com cones girantes, os quais têm como elementos cortantes dentes de aço usinados no próprio cone.

broca de diamante / *diamond bit*. Broca de perfuração sem partes móveis, cujos elementos cortantes são diamantes. ↔ Os diamantes podem ser inseridos no corpo da broca durante sua fundição; no caso das mais modernas, as brocas são preparadas através da sinterização de pó de diamante junto com a matriz de corpo de aço, formando as brocas impregnadas. As brocas de diamante perfuram normalmente por esmerilhamento e são mais adequadas para formações muito duras. Para melhorar seu desempenho, normalmente são utilizadas com turbinas, o que permite que se trabalhe com rotações da ordem de 1.000 rpm (rotações por minuto). ▶ Ver *broca de perfuração*.

broca de diâmetro máximo (Port.) / *full-gage bit*. 1. Broca com o diâmetro máximo do poço. 2. O mesmo que *full-gage bit*. ▶ Ver *full-gage bit*.

broca de disco / *disc bit*. Broca normalmente utilizada na mineração para perfuração de túneis. ↔ Discos de aço são montados em um corpo, também de aço, que tem o diâmetro do túnel a ser perfurado. O diâmetro dos discos varia de acordo com as cargas axiais que serão aplicadas. Uma adaptação deste tipo de broca para perfuração de poços de petróleo encontra-se em fase de pesquisa, e alguns testes de campo já foram realizados. Nos testes com brocas com diâmetro de $12^{1/4}$" (polegadas) usaram-se oito discos de $3^{1/2}$" (polegadas).

broca de perfuração / *drill bit*. Ferramenta conectada na extremidade inferior da coluna de perfuração, utilizada para desbastar mecanicamente a rocha e penetrar gradualmente o subsolo. ↔ As brocas de perfuração podem ser de partes móveis, como é o caso das brocas de cones de dentes de aço e das de insertos de carboneto de tungstênio, ou sem partes móveis, que é o caso das brocas PDC (diamante policristalino compactado) e das brocas de diamante natural. Este tipo de broca tem bocais (jatos) pelos quais o fluido é dirigido num jato de alta velocidade para a rocha.

broca de testemunhagem / *core bit*. Broca utilizada para testemunhar, ou seja, retirar amostras cilíndricas da rocha. Normalmente formada por uma coroa de diamantes naturais ou de PDC (diamante policristalino compactado). ▶ Ver *broca PDC*.

broca gasta (Port.) / *milled bit*. O mesmo que *broca para destruição*. ▶ Ver *broca para destruição*.

broca moída (Port.) / *milled bit*. O mesmo que *broca para destruição*. ▶ Ver *broca para destruição*.

broca para destruição / *milled bit*. Ferramenta similar a uma broca, porém sem os cones, em que são inseridas ou soldadas pastilhas de carboneto de tungstênio ou diamantes com o objetivo de destruir qualquer pedaço de ferro indesejável no poço.

broca PDC / *PDC bit*. Broca usada na perfuração rotativa de poços de petróleo, na qual os elementos cortantes são compostos por uma camada de diamantes policristalinos e uma camada de carbureto de tungstênio. Estas duas camadas são soldadas por uma liga de cobalto. A camada de diamante policristalino é responsável pelo mecanismo de raspagem da rocha e apresenta uma característica de autoafiação.

broca-piloto / *pilot bit*. Broca normalmente conectada a um alargador, que pode ser fixo ou de braços móveis (*undereamer*). Essa broca perfura um poço-piloto enquanto o alargador amplia o diâmetro do poço.

broca rabo de peixe / *fishtail bit*. Broca antiga com dentes do feitio de rabo de peixe. Termo em desuso. ⚬⚬ Assim como as brocas PDC e TSP, esta também é caracterizada pela ausência de partes móveis e rolamentos. Tem como característica principal perfurar por cisalhamento. O grande problema deste tipo de broca é a curta vida útil das lâminas. ▶ Ver *broca PDC; broca TSP.*

broca tricônica / *three-cone bit, tricone bit*. Broca de perfuração de poços de petróleo que tem três cones girantes onde se encontram os elementos cortantes. Estes elementos podem ser dentes de aço usinados no próprio cone ou insertos de carbureto de tungstênio presos nos cones por interferência.

broca TSP / *TSP drill bit*. Broca projetada para perfuração de rochas mais duras e abrasivas. Como não tem o cobalto na ligação entre os diamantes, acaba suportando melhor o calor gerado durante a perfuração de tais rochas. Assim como as PDCs (diamante policristalino compactado), as TSPs (*Thermally Stable Polycrystalline*) são caracterizadas pela inexistência de partes móveis e rolamentos.

BTEX (benzeno, tolueno, etilbenzeno, xileno) / *BTEX (benzene, toluene, ethyl benzene, and xylene)*. Hidrocarbonetos aromáticos, comumente identificados como BTEX, geralmente presentes nos derivados de petróleo e em líquidos de gaseificação de carvão, com capacidade de dissolverem-se em água, em especial o benzeno. ⚬⚬ São, todos eles, substâncias com graves efeitos sobre a saúde humana e, por esta razão, motivo de preocupação para os órgãos ambientais de todo o mundo. Podem contaminar o ar por emissões evaporativas ou as águas subterrâneas e os solos por vazamentos em instalações industriais e postos de serviços. Nos Estados Unidos, a Agência de Proteção Ambiental, EPA (*Environmental Protection Agency*), padronizou a análise desses aromáticos através do método EPA 8240. ▶ Ver *benzeno.*

BTX / *BTX*. O mesmo que *BTEX*. ▶ Ver *BTEX.*

bucha / *bushing*. 1. Elemento interno ou externo a um equipamento (mesa rotativa ou *kelly*) cuja finalidade é transmitir torque à coluna de perfuração. 2. Elemento usado para evitar desgaste da cabeça de poço pelo contato com a coluna de perfuração.

bucha adaptadora / *adapter bowl, adapter bushing*. Bucha usada para adaptar o perfil de último suspensor de revestimento da cabeça de poço submarino e possibilitar o assentamento do suspensor de coluna.

bucha da haste quadrada / *rotary kelly bushing*. Dispositivo que se encaixa na mesa rotativa com a função de girar a haste quadrada (*kelly*). ⚬⚬ O interior da bucha apresenta uma seção transversal igual à da seção transversal do *kelly*, a fim de transmitir rotação a essa haste. ▶ Ver *haste quadrada.*

bucha da mesa rotativa / *master bushing*. Equipamento instalado na mesa rotativa, onde se alojam as cunhas (*slip bowls* ou *insert bowls*) que suportam o peso da coluna de perfuração ou de produção quando apoiadas na mesa rotativa. É também onde se fixa a bucha do *kelly*, que por sua vez permitirá que a rotação da mesa seja transmitida ao *kelly*. ⚬⚬ Peça quadrangular ou redonda, normalmente bipartida, que se aloja na abertura da mesa rotativa, para receber a bucha do *kelly* ou o adaptador para as cunhas denominado *insert bowl*, onde se instalarão as cunhas. ▶ Ver *bucha do* kelly; *mesa rotativa.*

bucha de desgaste / *wear bushing*. 1. Camisa de aço usada para proteger a área de vedação na cabeça do revestimento, ou *casing hanger*, durante a perfuração. 2. Equipamento usado para proteger a área de vedação da cabeça de poço submarino, na altura dos suspensores dos revestimentos (*casing hanger*), do desgaste causado pelo movimento relativo da coluna de perfuração. Projetado para atuar como guia da broca, protege a área de assentamento do suspensor de revestimento e previne o desgaste do suspensor de revestimento já instalado no poço. ⚬⚬ A bucha de desgaste trava no conjunto de vedação (*packoff*) do suspensor de revestimento. No mar, a bucha é instalada ou assentada e, posteriormente, recuperada ou pescada por meio da ferramenta de assentamento da bucha de desgaste.

bucha do *kelly* / *kelly bushing*. Equipamento instalado na mesa rotativa através do qual passa o *kelly* (também denominado *haste quadrada*), e que transmite o giro da mesa rotativa à coluna de perfuração. ⚬⚬ Sua parte inferior, de seção quadrada ou hexagonal, se aloja na parte superior do rotor da mesa, de modo que seu movimento se transfere para a bucha do *kelly* graças às arestas do encaixe. Seu centro é vazado, com um orifício quadrado ou hexagonal (a depender da forma do *kelly*), por onde passa a haste. O contato da bucha do *kelly* com o *kelly* é feito por meio de roletes existentes

no interior da bucha, montados em eixo horizontal, que permitem o livre movimento vertical do *kelly*. ▶ Ver *mesa rotativa*; *haste quadrada*; *junta do* kelly; *rolete da bucha da haste quadrada*.
buildup. 1. Desenvolvimento ou acumulação. Geralmente aplicado ao acúmulo de incrustações em tubulações e outros equipamentos sujeitos a deposição de substâncias que aderem às superfícies. 2. O aumento gradual de um parâmetro medido. Geralmente aplicado ao aumento da pressão em um poço cuja produção foi interrompida.
bulbo de ácido / *acid bottle*. Tubo de vidro colocado em uma abertura do contêiner de aço para registrar o desvio da vertical (inclinação). Nesse tubo encontra-se o ácido hidrofluórico que ataca o vidro em qualquer variação, gravando assim esse ângulo.
bulk material. O mesmo que *material produzido pela indústria primária*. ▶ Ver *material produzido pela indústria primária*.
bull plug. Equipamento colocado na extremidade da coluna de produção. É uma peça rosqueada com uma extremidade fechada para isolamento da coluna.
bullheading. Bombeamento de fluido pesado de perfuração pela linha de ataque (*kill line*) para o anular do poço em operações de controle de *kick*. ⇢ Em alguns casos força-se o fluido causador do *kick* a retornar à formação de onde veio. Um dos riscos de operação de *bullheading* é o de não se saber onde o fluido vai penetrar. Se somente o revestimento de superfície estiver instalado, o fluido pode penetrar pela formação próxima à sapata e atingir a superfície, desestabilizando o solo ou fundo do mar e podendo causar danos à cabeça do poço, até com perda de equipamentos.
bullnose. 1. *Plug* que se encaixa na "*flowline*" de produção submarina e permite que uma linha entre na tubulação. 2. *Plug* ou tubo com rosca ou acessórios para tubo rosqueado com terminação fechada e arredondada colocado na frente de uma coluna ou broca, que serve para guiá-las por dentro de um duto ou poço perfurado anteriormente. Pode ser utilizado em operações de alargamento de poços guiando a coluna alargadora, mantendo-a na trajetória do poço de menor calibre já perfurado.
bunker. Combustível utilizado para abastecimento de navios.
buraco do rato / *rat hole*. Local onde fica posicionada a haste quadrada, ou *kelly*, quando não está conectada à coluna de perfuração.
butano / *butane*. Hidrocarboneto composto por quatro átomos de carbono e dez de hidrogênio C_4H_{10}. Possui peso molecular de 58,12, temperatura crítica de 766 °R e pressão crítica de 551 psi.
butano misto / *mixed butane*. Butano normal e isobutano, separados do gás úmido em uma planta de processamento de gás natural.
buy-back provision. Cláusula contratual, em contratos de prestação de serviços, que permite à operadora contratada optar por receber sua remuneração pelos serviços prestados em óleo a preço de mercado.
bypass. Desvio feito em uma linha de fluxo ou manifolde, de maneira a isolar um trecho dessa linha e desviar o escoamento do fluido através de uma derivação específica para tal.

Cc

C¹⁴ carbono / *carbon-14*. Isótopo radioativo de carbono com massa atômica 14 que pode ser usado para determinar a idade dos materiais com menos de 5.000 anos de idade. ▶ Ver *fracionamento isotópico*.

C5+. 1. O mesmo que *gasolina natural*. 2. O mesmo que *corrente C5+*. ▶ Ver *gasolina natural*.

cabeça (Port.) / *head*. O mesmo que *cabeceio*. ▶ Ver *cabeceio*.

cabeça da unidade de bombeio / *horsehead*. Método de produção por bombeio mecânico, no qual o componente da unidade de bombeio, localizado na extremidade frontal da viga principal, tem a função de suportar as cargas do poço através do cabresto e manter a haste polida centralizada na caixa de vedação, durante todo o ciclo de bombeio.

cabeça de cabo / *cable head*. Dispositivo de conexão e desconexão rápida, incorporado na extremidade do cabo de perfilamento, que proporciona meio de acoplamento elétrico e mecânico a ferramentas de poço.

cabeça de cimentação / *cementing head*. Equipamento que recebe a linha de cimentação. Conectada ao topo da coluna de revestimento, pode abrigar em seu interior os tampões ou *plugs* de borracha que separam a pasta do fluido de perfuração. Um mecanismo de travamento retém esses tampões até o momento próprio para sua liberação. Pode ter entrada para três linhas, rolamento para permitir o giro da coluna de revestimento e sistema de conexão especial para maior rapidez de instalação. ▶ Ver *cimentação*.

cabeça de descarga / *discharge head*. Dispositivo utilizado para acoplar a descarga da bomba de fundo de bombeio mecânico à coluna de produção.

cabeça de disparo / *firing head*. Dispositivo usado no canhoneio com coluna (*tubing conveyed perforation, TCP*) para disparar o canhão.

cabeça de injeção / *swivel*. Equipamento do sistema de circulação de fluidos da sonda de perfuração. ⇒ Utilizada para injetar o fluido de perfuração para dentro da coluna de perfuração. Composta por rolamentos, para isolar a rotação da coluna de perfuração, e conectada à extremidade inferior do sistema de suspensão da coluna de perfuração, que se inicia no gancho preso na alça da cabeça de injeção. Também é composta por selos hidráulicos, para evitar vazamento do fluido de perfuração para a parte externa.

cabeça de pesca (Port.) / *fishing head*. O mesmo que *cabeça de pescaria*. ▶ Ver *cabeça de pescaria*.

cabeça de pescaria / *fishing head*. Extremidade superior de qualquer ferramenta ou equipamento descido em um poço com desenho e formato próprios para ser pescado em caso de necessidade.

cabeça de poço / *wellhead*. 1. Equipamento composto de *spools*, válvulas e adaptadores conectados à parte terminal superior do poço, que garante vedação, controle de fluxo e sustentação mecânica dos equipamentos suspensos, tais como *tubing* e revestimentos. 2. Terminação de superfície de um poço que incorpora conexões para suspensores de revestimentos, suspensores de colunas, árvore de natal e linhas de fluxo para controle do poço durante a sua produção. Cabeças de poço secas (instalações em terra) e molhadas (instalações submarinas) podem apresentar diversas diferenças em suas concepções, por causa dos diferentes graus de complexidade operacional exigidos por cada um destes ambientes. ▶ Ver *árvore de natal*; *completação seca*; *completação molhada*; *base adaptadora de produção (BAP)*.

cabeça de poço submarina / *subsea wellhead, subsea housing*. Cabeça de poço com completação submarina, na qual são instalados suspensores de revestimentos, suspensor de coluna de produção e elementos de vedação. Tem perfil externo padronizado, onde o preventor de erupção (*blowout preventer, BOP*) ou a árvore de natal molhada (*ANM*) são travados e vedados.

cabeça de produção / *production head*. 1. Equipamento especial que possui passagem para a coluna de produção e para o cabo elétrico de bombeio centrífugo submerso. 2. Em Portugal significa *cruzeta* e em Angola *árvore de pistoneio*. ⇒ Em poços terrestres, onde geralmente há baixa pressão no anular, é utilizado um flange bipartido com borrachas, conhecido como *mandril eletrosub* que, quando pressionadas, garantem a vedação da coluna de produção e do cabo elétrico. ▶ Ver *árvore de pistoneio*; *bombeio centrífugo submerso*; *cruzeta*; *mandril* eletrosub.

cabeça de teste submarina (Ang.) /

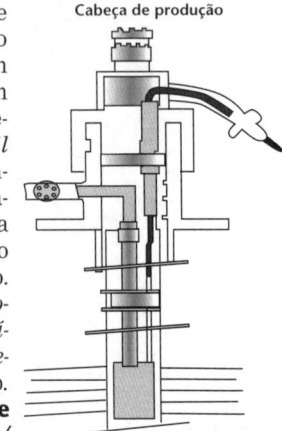

Cabeça de produção

subsea test tree. O mesmo que *árvore submarina de teste.* ▶ Ver *árvore submarina de teste.*

cabeçalho do traço / *trace header.* Descrição dos dados que caracterizam um traço sísmico, contida em um bloco de informações que o precede.

cabeceio / *head.* 1. Operação intermitente de injeção de gás por curto período, seguida de produção de fluido da formação na superfície. 2. Condição indesejável de bombeio mecânico em que um bloqueio parcial de gás torna intermitente a produção de óleo pela bomba de fundo. •• A bomba de fundo sob efeito do bloqueio de gás passa algum tempo sem ter alimentação de fluido, pois a válvula de pé não abre em função da pressão interna da bomba, que pode não ter sido reduzida de forma suficiente, abaixo da pressão de sucção, durante o curso ascendente. Mas como a zona produtora continua a alimentar o poço, o nível de fluido no espaço anular vai se elevando até que a pressão na sucção consiga superar a pressão interna da bomba, e então acontece o enchimento da bomba e, consequentemente, a produção.

cabeceio do barco / *pitch.* Movimento da embarcação ou do equipamento rebocado, definido por movimentos de subida e descida longitudinalmente ao eixo principal da embarcação.

cabo chato / *flat cable.* Cabo elétrico achatado para ser utilizado em pequenos espaços no interior de poços, equipados com bombeio centrífugo submerso, entre o anular e a carcaça do motor para sua alimentação elétrica. Possui três condutores e armadura para proteção mecânica. ▶ Ver *bombeio centrífugo submerso; motor elétrico de bombeio centrífugo submerso.*

cabo de aço (Port.) / *wire.* O mesmo que *arame.* ▶ Ver *arame.*

cabo de ancoragem / *mooring rope.* Cabo, geralmente trançado ou torcido, usado para ancorar embarcações e unidades flutuantes de produção. •• Em geral, o cabo de ancoragem é de aço, podendo, todavia, para redução de peso em ancoragem de unidades flutuantes em águas profundas, ser de poliéster ou outras fibras.

cabo de diagrafias (Port.) / *logging cable, survey cable.* O mesmo que *cabo de perfilagem.* ▶ Ver *cabo de perfilagem.*

cabo de freio / *brake cable.* No método de produção por bombeio mecânico, vareta metálica fina e comprida que tem a função de transmitir os movimentos de acionamento da alavanca ao freio. Normalmente é tracionado para acionar o freio e comprimido para liberar. •• Para melhor transmitir esses movimentos, geralmente dispõe de pequenas alavancas e conexões até atingir o freio. Eventualmente pode ser de cabo de aço. Neste caso, o freio deve dispor de molas com a função de liberar o mesmo, após cessar a força de tração.

cabo de fundo do mar / *ocean-bottom cable.* Cabo colocado no fundo do oceano para aquisição sísmica.

cabo de hidrofones / *hydrophone streamer.* Condutores elétricos que levam o sinal dos hidrofones até o navio. Também chamado *cabo flutuador.* •• Espécie de mangueira, geralmente de plástico transparente e com diâmetro em torno de 20 cm, preenchida com óleo que permita a flutuação, no interior da qual coloca-se um cabo de aço no qual são presos os hidrofones (receptores marinhos, muito parecidos com microfones). ▶ Ver *hidrofone.*

cabo de perfilagem / *logging cable, survey cable.* Cabo para descida das ferramentas de perfilagem em um poço, utilizado também para transmissão de sinais. •• O *cabo* consiste de uma seção central com um ou mais condutores, envolvidos por uma armadura metálica capaz de suportar cargas.

cabo de sismógrafo / *seismograph cable.* Cabo especial, constituído de muitos condutores elétricos destinados a conduzir o sinal de geofones e hidrofones até onde se vai registrá-los. Chamado de *streamer* em sísmica marítima. Os mais modernos já acoplam um multiplexador/digitalizador no próprio cabo. ▶ Ver *cabo de hidrofones; cabo do geofone.*

cabo do geofone / *geophone cable.* Cabo elétrico que liga os geofones à estação de medida. ▶ Ver *geofone.*

cabo do tensionador do *riser* / *riser tensioner line.* Cabo que transfere a carga gerada pelo sistema tensionador de *riser* ao anel tensionador e, consequentemente, à coluna de *riser* de perfuração. ▶ Ver *riser de perfuração; anel tensionador.*

cabo duplo / *dual cable.* Medida com dois cabos flutuadores paralelos em sísmica marítima.

cabo elétrico para bombeamento centrífugo submerso / *electrical submersible pumping cable.* Cabo elétrico de superfície utilizado em poços terrestres para alimentar o motor elétrico de bombeio centrífugo submerso. ▶ Ver *bombeio centrífugo submerso; motor elétrico de bombeio centrífugo submerso.*

cabo esticador do *riser* (Port.) / *riser tensioner line.* O mesmo que *cabo do tensionador do* riser. ▶ Ver *cabo do tensionador do* riser.

cabo flutuador / *streamer.* O mesmo que *cabo de hidrofones.* ▶ Ver *cabo de hidrofones.*

cabo-guia / *guide-line.* Cabo utilizado na instalação de equipamento submarino e que o guia da superfície até o leito submarino, onde se encontra um gabarito no qual o cabo é normalmente afixado. •• Geralmente utilizado para lâminas d'águas rasas com auxílio de mergulhadores.

cabo mensageiro / *pick-up line.* Cabo utilizado para mover um equipamento de uma unidade submarina para outra. •• Na conexão *lay-away*, o MLF (mandril das linhas de fluxo), já conectado às linhas de fluxo e controle, é passado com auxílio de um cabo mensageiro do navio para a sonda de completação, chegando ao *moonpool* da sonda pela parte de baixo, ou seja, pela água.

cabo na água / *in-water cable.* Quantidade de cabo de reboque lançado na água, potencialmente afetado por forças de arrasto. ◆ Ao rebocar equipamentos com pouco cabo na água, as manobras entre linhas de sondagens são mais simples e rápidas. À medida que a profundidade aumenta, existe a necessidade de lançar mais cabo na água para manter o equipamento de sonar de varredura lateral em uma altura ideal. Neste caso, os movimentos da embarcação são mais restritos, afetando a manobrabilidade desta em casos de risco de colisão do equipamento com o fundo marinho.

cabo óptico / *fiber-optic cable.* Cabo composto de fibras ópticas revestidas, armadura de proteção em aço e revestimento externo (polietileno ou PVC), utilizado em poços de petróleo com sensores de fibra óptica. ◆ A fibra óptica é uma fibra fina e transparente, feita de vidro ou plástico, para a transmissão de luz. ▶ Ver *sensor de fibra óptica.*

cabo redondo / *round cable.* Cabo elétrico redondo utilizado no interior de poços de petróleo para alimentar o motor elétrico de bombeio centrífugo submerso. Possui três condutores e armadura para proteção mecânica. Muitas vezes utilizado como cabo elétrico de superfície. ▶ Ver *bombeio centrífugo submerso*; *cabo elétrico para bombeamento centrífugo submerso.*

cabo tensor do *riser* **(Port.)** / *riser tensioner line.* O mesmo que *cabo do tensionador do* riser. ▶ Ver *cabo do tensionador do* riser.

cabotagem / *coastal navigation.* Navegação realizada próximo à costa, podendo utilizar acidentes geográficos como cabos (daí o nome), penínsulas e ilhas como pontos de referência.

cabrestante / *windless.* Guincho auxiliar para manobras, localizado nas laterais do convés da embarcação, na parte de ré, com saia vertical.

cabresto / *bridle.* Método de produção por bombeio mecânico, onde um componente da unidade de bombeio feito de cabo de aço é preso, na parte superior, à cabeça e, na parte inferior, à mesa do cabresto, e esta à haste polida. Tem a função de transmitir as cargas do poço à unidade de bombeio.

caçambeio / *cement dump bailer.* Técnica antiga de cimentação que consistia em utilizar um recipiente, do tipo contêiner, para a colocação de um volume de pasta de cimento em um intervalo de poço. O recipiente era introduzido no poço através de um tubo condutor especial, sendo aberto quando tocava em um tampão (*permanent plug*) posicionado logo abaixo do intervalo a ser cimentado. Essa técnica era empregada em poços mais rasos e a principal vantagem era a facilidade no controle da profundidade para a colocação da pasta, além de ser um procedimento econômico. A desvantagem era que a quantidade de pasta estava limitada à capacidade do recipiente, cuja capacidade máxima era equivalente a 50 sacos de cimento. ◆ A técnica de cimentação denominada *dump bailer* foi substituída pela técnica denominada *two-plug cementing*. Nessa técnica são utilizados dois tampões metálicos à frente e atrás da pasta, de forma a separar os fluidos durante o deslocamento da pasta.

cadastro técnico federal de atividades e instrumentos de defesa ambiental, Brasil / *federal technical register of potentially activities and users of environmental resources, Brazil.* Cadastro de pessoas e instituições que se dedicam à consultoria na área ambiental ou à produção e comercialização de equipamentos de medição e controle ambiental.

cadastro técnico federal de atividades potencialmente poluidoras ou utilizadoras de recursos ambientais, Brasil / *federal technical register of potentially polluting activities and environmental resources consumer, Brazil.* Cadastro de pessoas físicas e jurídicas responsáveis por atividades efetiva ou potencialmente poluidoras ou que se utilizam de produtos da fauna ou da flora.

cadeia de carbono / *carbon chain.* Molécula constituída por dois ou mais átomos de carbono interligados entre si a partir de ligações simples, duplas ou triplas, onde cada átomo de carbono pode ligar-se a um, dois ou três átomos de hidrogênio, formando cadeias simples como o etano ou cadeias complexas, com centenas de átomos de carbono.

cadeia insaturada / *unsaturated chain.* Cadeia de composto orgânico em que há ligações duplas ou triplas entre átomos de carbono, podendo igualmente haver ligações simples.

cadeia logística / *logistic chain.* Rede de participantes da cadeia de suprimentos ligados às funções de armazenagem, estocagem, movimentação, transferência, transporte e comunicação que contribuem para o fluxo eficiente de materiais e equipamentos.

cadeia saturada / *saturated chain.* Cadeia de composto orgânico onde não há ligações duplas ou triplas entre átomos de carbono, apenas ligações simples.

caisson. 1. Termo atrelado ao circuito de efluentes de uma plataforma de produção de petróleo e gás. 2. Tipo de plataforma de produção na qual uma de suas pernas de afixação no leito submarino é igualmente utilizada para o recebimento dos fluidos produzidos. ▶ Ver *tubo de despejo.*

caixa de câmbio combinada / *combination drive.* Sistema de transmissão de força onde há um arranjo de eixos de engrenagens em ângulo reto com o eixo propulsor horizontal, mas que permite o acoplamento de uma força motriz com eixo propulsor vertical. Geralmente utilizada para mover a mesa rotatória de uma plataforma de perfuração.

caixa de junção / *junction box.* Caixa metálica para ventilar o gás que pode migrar através das seções internas do cabo elétrico, e que transfere energia da superfície para o conjunto motobomba do BCS na subsuperfície, instalado no interior do poço. ◆ A caixa de junção une duas seções de cabo e a energia é transmitida através de um conector aberto para cada seção de cabo, garantindo assim a ventilação dos gases oriundos do interior do poço. ▶ Ver *bombeio centrífugo submerso*; *cabo elétrico para bombeamento centrífugo submerso*.

caixa de redução / *gear box*. Redutor da unidade de bombeio. Componente da unidade de bombeio responsável pela redução da velocidade imposta pela polia motora e que também suporta o torque necessário ao giro da manivela. ▶ Ver *redutor*; *polia do redutor*; *relação de redução*; *unidade de bombeio*.

caixa de testemunho / *core box*. Caixa retangular de comprimento pouco superior a um metro, com largura suficiente para comportar um pedaço de rocha chamado *testemunho*, e que serve para protegê-lo durante o transporte da sonda até o laboratório.

caixa de vedação / *stuffing box*. No método de produção por bombeio mecânico, é um dispositivo instalado acima do tê de fluxo (ou de produção), na cabeça do poço, comportando em seu interior um conjunto de gaxetas de borracha que proporciona estanqueidade junto à haste polida. ↦ Este dispositivo permite o movimento alternativo da haste polida, que aos poucos tende a desgastar as gaxetas de borracha. Para manter a vedação do poço, não permitindo que ocorra vazamento (poluição) de petróleo, a peça superior enroscada serve como ajuste manual no aperto das gaxetas.

cal livre / *free lime*. Cálcio presente no clínquer na forma de óxido de cálcio (CaO), hidróxido de cálcio ($Ca(OH)_2$) ou carbonato de cálcio ($CaCO_3$), sendo o resultado de sua dosagem expresso em CaO. ↦ Este composto é indicativo de problema na clinquerização, no resfriamento ou no proporcionamento da matéria-prima utilizada na fabricação do cimento Portland. ▶ Ver *cimento*.

cal livre hidratada / *hydrated lime*. Produto obtido através da hidratação da cal livre (CaO). Gera um produto expansivo formando a portlandita ($Ca(OH)_2$). A presença da cal livre no clínquer (produto intermediário formado durante a manufatura do cimento) indica problema na clinquerização, no resfriamento ou na proporção adotada para a matéria-prima.

calcarenito / *calcarenite, calcareous sandstone*. 1. Rocha calcária constituída predominantemente por partículas com granulometria tamanho areia, compostas por fragmentos de fósseis de carapaça calcária, oólitos, oncólitos e fragmentos de rochas calcárias. 2. Rocha calcária constituída predominantemente de partículas de calcita recicladas do tamanho de grão de areia.

calcário / *calcitite, limestone*. Termo usado para denominar uma rocha composta predominantemente por calcita. Para alguns técnicos, de forma tradicional, é aceita a denominação *calcário* para identificar esse tipo de rocha. ↦ Rocha sedimentar composta de mais de 50% de carbonato de cálcio, majoritariamente (em torno de 95%) do mineral calcita $CaCo_3$, e menos de 5% de dolomita. Formadas por processos orgânicos e inorgânicos, essas rochas contêm outros constituintes comuns como sílica, feldspatos, argilas, pirita e siderita. Grande parte de rochas calcárias possuem textura clástica detrital, porém existem também aquelas não clásticas, como as de textura cristalina ou recristalizadas e químicas. Entre tantos tipos podem-se incluir calcarenitos, coquinas e o travertino. Muitas delas são altamente fossilíferas e representam acúmulos de restos fósseis, como antigos bancos de conchas ou corais. As rochas carbonáticas, calcários e dolomitas compreendem aproximadamente entre 12% e 22% das rochas sedimentares que afloram acima do nível do mar.

calcário calcítico / *calcitic limestone*. Calcário que consiste essencialmente de calcita.

calcário com numulites / *nummulite limestone*. Espessa camada de calcário de idade do Eoceno, composta principalmente de macroforaminíferos denominados *numulites*. ↦ A formação *Stretches* vai dos Alpes até a China. São as rochas com que foram construídas as grandes pirâmides do Egito.

calcário coquinoide / *coquinoid limestone*. Calcário constituído de conchas normalmente inteiras, de granulometria grossa, mal selecionadas, com pouco retrabalhamento ou transporte, contendo normalmente uma matriz de granulometria fina.

calcário cristalino / *crystalline limestone*. Mármore formado pela recristalização de um calcário causado por metamorfismo. Sinônimo de *mármore sedimentar*.

calcário químico / *chemical limestone*. Calcário proveniente de precipitação química ou por consolidação de vaza carbonática.

calcário silicioso / *siliceous limestone*. 1. Calcário escuro e denso, em geral finamente laminado, resultado de uma mistura de carbonato de cálcio com sílica precipitada quimicamente. 2. Calcário silicificado, formado possivelmente pela substituição do carbonato de cálcio por sílica.

calcedônia / *chalcedony*. 1. Variedade de quartzo criptocristalino, normalmente revelando-se fibrosa quando observada no microscópio óptico. 2. Constituinte da ágata. ↦ Depositada a partir de soluções aquosas, encontrada como preenchimento de cavidades ou constituinte de rochas.

calcífero / *calciferous*. 1. Termo que se refere a mineral que contém cálcio. 2. Estratigraficamente, refere-se a uma sucessão sedimentar que contém estratos carbonáticos.

calcilutito / *calcilutite*. 1. Calcário composto predominantemente por partículas de calcita do tamanho de silte e/ou argila. 2. Calcário argiloso consolidado. 3. Alguns autores utilizam o termo para incluir rochas calcárias que contêm componentes carbonáticos precipitados quimicamente

de origem orgânica ou inorgânica. 4. Rocha sedimentar composta principalmente por calcita clástica tamanho silte e/ou argila, em porcentagens maiores que 50%. 5. Lama carbonática.
calcirrudito / calcirudite. Calcário composto predominantemente por fragmentos carbonáticos maiores que tamanho areia (maior que 2 mm de diâmetro) e frequentemente cimentados por calcita.
calcita / calcite. Carbonato de cálcio ($CaCO_3$) na forma de pó finamente dividido. É também o nome do produto comercial, muito usado no combate de perda de circulação. ▶ Ver *carbonato de cálcio*.
calcite (Port.) / calcite. O mesmo que *calcita*. ▶ Ver *calcita*.
calcitização / calcitization. 1. Processo de transformação isoquímica de aragonita para calcita. 2. Processo de alteração de uma rocha, onde alguns minerais são substituídos por calcita, gerando uma rocha de composição calcária. 3. Variedade do processo de fossilização por substituição em que as partes orgânicas são substituídas por calcita.
calcrete / calcrete. O mesmo que *crosta calcária* ou *caliche*. ▶ Ver *crosta calcária*; *caliche*.
cálculo flash / flash calculation. Cálculo para determinar as frações molares dos componentes de uma mistura de hidrocarbonetos em equilíbrio líquido/vapor.
calda de cimento (Ang.) / slurry. O mesmo que *pasta de cimento*. ▶ Ver *pasta de cimento*.
caldeira / caldera. 1. Depressão em ambiente vulcânico, com geometria aproximadamente circular e espacialmente vinculada a condutos vulcânicos. A origem desta feição pode estar relacionada a explosões piroclásticas, colapso e erosão do sistema vulcânico. 2. Equipamento responsável por geração de vapor. ▶ Ver *cratera de colapso*.
calha de frente deltaica / delta-front trough. Vale submarino em forma de calha, gerado na frente de um grande rio na plataforma continental e talude. Possui um substrato plano que mergulha em direção ao mar e paredes retas compostas por sedimentos pouco consolidados.
calha de retorno da lama / mud ditch. Calha pela qual a lama retorna da peneira vibratória para o tanque de sucção da bomba de circulação.
calha erosional / erosion groove. Marca escavada pela erosão em forma de calhas ou canais.
calhau / cobble. Fragmento de rocha cujo tamanho situa-se entre o de um seixo e o de um pedregulho, com diâmetro na faixa 64 mm a 256 mm (2,5 a 10 polegadas, ou –6 a –8 unidades phi). ↠ Tem forma gerada pelo agente e processo de transporte, como o hídrico (pela água), o eólico ou o glacial. Na Grã-Bretanha é usada a escala de 60 mm a 200 mm. ▶ Ver *granulometria*.
calibração / calibration, gaging. Conjunto de operações que estabelecem, sob condições padronizadas ou especificadas, a relação entre os valores indicados por um instrumento e os valores estabelecidos por padrões para as mesmas grandezas em medição. ↠ A calibração permite estabelecer tanto os valores mensurados para as indicações como a determinação das correções a serem aplicadas. Na prática, a calibração de um equipamento, instrumento, aparelho, sensor ou de um sistema é realizada em diferentes condições especificadas. Cada uma destas condições especificadas é um ponto de calibração. O conjunto dos diversos pontos de calibração constitui a calibração propriamente dita. Uma calibração pode, também, determinar outras propriedades metrológicas, como o efeito das grandezas de influência. ▶ Ver *transdutor de monitoramento de pressão*; *transdutor de pressão e manômetro*; *ponto de calibração*.
calibração a seco / dry calibration. O mesmo que *calibração intrínseca*. ▶ Ver *calibração intrínseca*; *calibração in situ*; *calibração de campo*; *calibração de fábrica*; *calibração de laboratório*; *calibração independente*; *calibração dinâmica*; *calibração estática*; *provação*.
calibração com tubo vazio / empty pipe calibration. Calibração do tipo estática de medidores de vazão, na qual o tubo de medição é mantido vazio durante tal procedimento de calibração. ↠ Quando do uso de medidores do tipo multifásico é comum o emprego desta técnica de calibração em que, inicialmente, o tubo de medição é mantido vazio e não preenchido com quaisquer dos esperados fluidos a serem escoados e medidos em tal tubo. ▶ Ver *medidor multifásico*; *calibração*; *calibração estática*; *calibração dinâmica*.
calibração de campo / field calibration. Calibração de um instrumento realizada no campo, fazendo uso dos próprios fluidos da unidade operacional.
calibração de fábrica / factory calibration. Calibração executada pelo fabricante do instrumento, sendo, normalmente, realizada em instalações de propriedade do mesmo. ▶ Ver *calibração intrínseca*; *calibração a seco*; *calibração in situ*; *calibração de campo*; *calibração de laboratório*; *calibração independente*; *calibração dinâmica*; *calibração estática*; *calibração*; *provação*.
calibração de laboratório / laboratory calibration. Calibração executada em instalações laboratoriais utilizando padrões representativos das condições de processo. ▶ Ver *calibração intrínseca*; *calibração a seco*; *calibração in situ*; *calibração de campo*; *calibração de fábrica*; *calibração independente*; *calibração dinâmica*; *calibração estática*; *calibração*; *provação*.
calibração de partículas (Port.) / particle calibration. O mesmo que *seleção de partículas*. ▶ Ver *seleção de partículas*.
calibração dinâmica / dynamic calibration. Calibração realizada por diferentes meios e em locais diversos. ↠ No uso de medidores multifá-

sicos, o propósito da calibração dinâmica é o de comparar os valores de vazão para o óleo, a água e o gás, oferecidos pelo medidor, com os valores de referência. Entretanto, tais referências podem variar desde o porte até as capacidades de vazão. Previamente a uma calibração dinâmica, deve ser garantido que os envelopes do medidor em uso e do sistema de medição de referência se sobreponham. Caso isso não seja possível, então somente a calibração de uma parte do envelope de medição do medidor será realizada (às vezes tais testes são considerados testes de funcionalidade). ▶ Ver *calibração intrínseca*; *calibração a seco*; *calibração in situ*; *calibração de campo*; *calibração de fábrica*; *calibração de laboratório*; *calibração independente*; *calibração estática*; *provação*.

calibração do medidor / *meter calibration*. Calibração ou calibragem de um medidor; sua operação consiste em obter a relação entre o valor lido e o valor real. ▶ Ver *medidor*; *fator de acurácia do medidor*; *fator do medidor*.

calibração estática / *static calibration*. Calibração (ou teste) que não requer condições de escoamento e normalmente realizada durante os TAF (Testes de Aceitação de Fábrica) e em procedimentos de condicionamento no local de operação. ↪ Embora os testes estáticos possam variar para cada caso de aplicação de medidores do tipo multifásico, por exemplo, o seu propósito principal é o de estabelecer uma referência baseada em um fluido conhecido no interior desse medidor. Os testes estáticos podem ser repetidos em intervalos regulares e comparados, de forma que se configurem como uma verificação do funcionamento do medidor em uso. ▶ Ver *calibração intrínseca*; *calibração a seco*; *calibração in-situ*; *calibração de campo*; *calibração de fábrica*; *calibração de laboratório*; *calibração independente*; *calibração dinâmica*; *calibração*; *provação*.

calibração in situ / *in-situ calibration*. O mesmo que *calibração de campo*. ▶ Ver *calibração de campo*; *calibração intrínseca*; *calibração a seco*; *calibração de fábrica*; *calibração de laboratório*; *calibração independente*; *calibração dinâmica*; *calibração estática*; *calibração*; *provação*.

calibração intrínseca / *intrinsic calibration*. Calibração na qual a incerteza da medição de vazão pode ser verificada ao se comparar a velocidade do som medida e a calculada para um fluido conhecido, normalmente em condições estáticas. ↪ Nesse tipo de calibração, interpretações adicionais serão necessárias, pois os níveis de incerteza, na medição da velocidade do som e na medição da velocidade ou vazão do fluido, não são os mesmos. ▶ Ver *calibração a seco*.

calibração primária / *primary calibration*. Processo de ajustar uma medida a um padrão de modo que cópias do mesmo tipo de ferramenta de perfilagem ou instrumento de laboratório apresentarão o mesmo resultado. ↪ A ferramenta ou instrumento são colocados na presença de um calibrador ou ambiente de calibração, por exemplo uma fonte de raios gama para uma ferramenta de raio gama, ou o ar, a certa distância do solo, para uma ferramenta de indução. As ferramentas de perfis radioativos são primariamente calibradas em poços especialmente projetados na Universidade de Houston, Texas. Há padrões secundários próprios para uso na oficina ou no poço. ▶ Ver *poço-teste API*; *unidade API*.

calibrado (Port.) / *calibrated*. O mesmo que *selecionado*. ▶ Ver *selecionado*.

caliche / *caliche*. 1. Solo intemperizado rico em carbonatos. 2. Material carbonático, calcítico muitas vezes, ou de nitrato de sódio, entre outros sais, derivado de intemperismo químico em climas áridos, que se acumula localmente em crostas, permeando e cimentando fragmentos residuais e solos dessas regiões. 3. O mesmo que *calcrete*.

calor de hidratação / *heat of hydration*. Calor liberado na reação exotérmica do cimento com a água. ↪ Quanto maior for a massa de cimento contida na pasta, maior será o calor de hidratação. Esta propriedade é influenciada pela granulometria e composição química do cimento, por aditivos e, no caso da pasta de cimento, pelas condições de fundo de poço. No laboratório, essa propriedade é medida por um equipamento denominado *calorímetro*.

calor específico / *specific heat*. Número de calorias necessárias para elevar em 1 °C, 1g de uma substância qualquer. ↪ O calor específico de um fluido de perfuração é um indicativo de sua propriedade de resfriar a broca.

calor latente / *latent heat*. Quantidade de calor por unidade de massa ou por mol envolvida nas mudanças de fases das substâncias simples.

caloria / *calorie*. Unidade de energia igual ao calor requerido para elevar a temperatura de 1g de água de 14,5 °C para 15,5 °C sob pressão de 1 atmosfera. ↪ Uma caloria é igual a 4,1868 J.

calorímetro / *calorimeter*. Instrumento para medir a quantidade de calor gerada ou absorvida por materiais durante diversos processos, tais como reações químicas, mudanças de estado físico ou formação de soluções (endo ou exotérmicas).

camada / *layer*. 1. Estrato de rocha, em geral sedimentar. 2. Uma de uma série de zonas concêntricas ou cinturões da Terra, reconhecidas pelas descontinuidades sísmicas. ↪ Uma camada pode ter ordem de grandeza de centimétrica até a de vários metros de espessura.

camada A / *A layer*. Camada mais externa da Terra, basicamente composta de silicato de alumínio, que se estende da superfície até a descontinuidade de Mohorovicic (ou Moho), que ocorre em virtude da diferença de composição entre as camadas rochosas. Sua espessura varia entre 5 e 70 km. Também chamada *crosta*.

camada aerada / *aerated layer*. O mesmo que *camada de aeração*. ▶ Ver *camada de aeração*.

camada B / *B layer*. Camada superficial da Terra composta de argila, Fe, Al, Si, $CaCO_3$, $CaSo_4$ e restos decompostos de vegetais e animais, conhecidos como *húmus*.

camada C / *C layer*. Horizonte ou camada mineral inconsolidado abaixo do solo, relativamente pouco afetado por processos pedogenéticos que podem ou não ter dado origem ao solo, sem ou com pouca expressão de propriedades identificadoras de qualquer outro horizonte principal.

camada cega / *blind layer*. Camada sedimentar que não pode ser detectada por levantamentos sísmicos, por conta de suas propriedades de reflexão sísmica em relação às camadas sobrejacentes. O mesmo que *camada oculta*. ▶ Ver *camada oculta*.

camada confinante / *confining bed*. 1. Camada resistente à penetração de águas. É representada por uma camada impermeável ou distintamente menos permeável que as camadas sobre ou sotopostas. Camadas confinantes bloqueiam a passagem de águas tanto ascendentes quanto descendentes. 2. Corpo de rocha impermeável ou distintamente menos permeável que o material estratigraficamente adjacente a um ou mais aquíferos.

camada congelada / *permafrost*. 1. Regolito permanentemente congelado, num âmbito de espessura de 30 cm até mais de 1.000 m. 2. Camada do solo ou subsolo permanentemente congelada, ou crosta de rocha, a qual ocorre em profundidades variadas abaixo da superfície da terra nas regiões árticas e subárticas. Está distribuída, recobrindo o subsolo, em aproximadamente uma quinta parte da área do mundo.

camada de aeração / *aerated layer*. Camada sedimentar inconsolidada que foi sujeita ao intemperismo e cujos poros são preenchidos de ar em vez de líquido. Uma camada de aeração tem tipicamente uma velocidade sísmica baixa. O mesmo que *camada aerada*. Camada na superfície do terreno ou próxima dele, onde os interstícios são preenchidos com ar e não com líquido (água). ▶ Ver *camada de baixa velocidade*.

camada de alta velocidade / *high-velocity layer*. Camada que pode ser refratora porque sua velocidade é maior que a da camada que está acima.

camada de baixa velocidade / *low-velocity layer*. 1. Camada subsuperficial em que a velocidade da onda sísmica é menor que a das camadas imediatamente acima ou abaixo dela. 2. Cinturão de material de baixa velocidade, próximo da superfície, de efeito marcante nas reflexões sísmicas.

camada de carvão / *coal bed*. Camada sedimentar com alta concentração de fragmentos de carvão.

camada de fundo / *bed load*. Carga de material denso formando uma camada de sedimentos e água que se move próximo ao fundo em fluxos canalizados, graças a sua concentração e densidade; geralmente ocorre em um sistema de transporte sedimentar fluvial. ▶ Ver *transporte fluvial*.

camada de fundo betuminosa / *basal tar mat*. Camada de betume, composto por óleo pesado com alta concentração de asfaltenos, existente na base de alguns reservatórios de óleo, restringindo a comunicação do aquífero com a zona de óleo.

camada de intemperismo / *weathering layer*. 1. Camada alterada próxima da superfície cujas rochas sofreram ação de agentes atmosféricos. 2. Camada sísmica imediatamente abaixo da superfície, em que a velocidade de propagação é inferior a 1.500 m/s. ▶ Ver low-velocity layer.

camada de oxigênio mínimo / *oxygen-minimum layer*. Camada de água no interior da qual o conteúdo de oxigênio dissolvido é mais baixo que o das camadas de água abaixo e acima. Isso é causado pela demanda excessiva de oxigênio que ocorre no decaimento da matéria orgânica que cai da zona fótica superior.

camada delgada / *thin bed, thin layer*. 1. Camada sedimentar de espessura maior que 5 cm e menor que 50 cm. 2. Na análise de reflexão sísmica, camada de espessura inferior a meio comprimento de onda da frequência dominante.

camada difusa / *diffuse layer*. Camada externa, móvel, de íons em um eletrólito, que deve satisfazer um desequilíbrio de cargas com o sólido com o qual o eletrólito está em contato.

camada dura / *shell*. Termo utilizado em perfuração para designar uma camada fina e dura encontrada durante a perfuração de um poço.

camada E / *E layer*. 1. Termo sísmico aplicado à porção da Terra equivalente ao núcleo externo. 2. Camada diferenciada pela sismologia, que se estende de 2.900 km de profundidade até a descontinuidade de Gutenberg. 3. Camada situada na ionosfera, responsável pela reflexão das ondas de rádio e situada a 110 km acima da superfície da Terra. 4. Horizonte mineral cuja característica principal é a perda de argilas silicatadas, óxidos de ferro e alumínio ou matéria orgânica, individualmente ou em conjunto, daí resultando uma concentração de areia e silte de quartzo ou outros minerais resistentes.

camada F / *F layer*. Zona de transição entre o centro sólido da Terra e a sua camada externa mais fluida, composta de ferro, níquel e silício, em profundidades de 5.000 km.

camada fragmentada / *fragmented bed*. Camada com estrutura interna caótica ou desorganizada.

camada-guia / *marker bed*. Camada estratigraficamente bem caracterizada e selecionada para ser usada na preparação de mapas estruturais ou paleográficos, a fim de enfatizar a natureza ou altitude de um plano ou uma superfície. É selecionada geralmente por suas características litológicas, porém os constituintes biológicos e as discordâncias podem ser fatores restritivos a seu uso.

camada inclinada / *inclined bedding*. 1. Camada sedimentar que forma um determinado ângulo com o plano horizontal. 2. Também se refere às estratificações cruzadas.

camada infrassalífera (Port.) / *pre-salt layer*. O mesmo que *pré-sal*. ▶ Ver *pré-sal*.

camada intercalada / *intercalated bedding*. Camada sedimentar depositada pela alternância de energia no processo de transporte e deposição. •• Podem ser alternâncias de variações granulométricas ou de espessura das camadas. Costuma-se considerar as camadas predominantes como *intercaladas* pelas de menor ocorrência ou significado. Por exemplo, espessas camadas de arenito intercaladas por finas camadas de folhelhos.

camada isócrona / *isochronous stratum*. Camada depositada com a mesma duração temporal (no mesmo espaço de tempo).

camada isotrópica / *isotropic layer*. Corpo rochoso que apresenta constância de propriedades em todas as direções, independentemente do ângulo de observação. •• Apresenta substâncias amorfas ou não cristalinas e/ou de cristais do sistema isométrico ou cúbico.

camada lenticular / *lenticular bedding*. 1. Arranjo geométrico de uma camada de rocha com acamamento em forma de lente. 2. Arranjo interno de um depósito sedimentar no qual as camadas de areia são descontínuas lateralmente, em forma de lentes, e apresentam-se intercaladas com argilas. Essas estruturas sedimentares são normalmente interpretadas como tendo sido formadas mais comumente em ambientes de frente deltaica e de maré, onde existe uma marcada flutuação na energia. As formas lenticulares compostas por areias são cristas descontínuas de marcas onduladas, depositadas durante os eventos de alta energia.

camada oculta / *hidden layer, masked layer*. 1. Camada que não pode ser detectada por refração sísmica, por estar sotoposta a uma camada de maior velocidade ou por ter espessura muito pequena. 2. O mesmo que *camada cega*.

camada pré-sal / *pre-salt layer*. O mesmo que *pré-sal*. ▶ Ver *pré-sal*.

camada produtora / *net pay*. Porção da rocha-reservatório que, dentro de limites preestabelecidos de parâmetros como porosidade, argilosidade e saturação de água, contém hidrocarbonetos em quantidade tal que viabilizam economicamente a sua explotação.

camada sedimentar / *sedimentary bed*. Camada constituída por sedimentos, podendo ter composição siliciclástica, carbonática, evaporítica ou orgânica.

CAMAI. Denominação de fluido de completação, formado por água do mar, sequestrador de CO_2 e bactericida. •• Utilizado em perfuração e completação de poços *offshore*. ▶ Ver *CASAM*; *fluido de completação*.

câmara de cura / *pressurized curing vessel*. Equipamento de laboratório de cimentação utilizado para cura de corpos de prova de pasta de cimento sob temperatura e pressão. •• Após um tempo preestabelecido de cura em condições estáticas, que simulem aquelas a que a pasta será submetida no fundo do poço, os corpos de prova são utilizados para ensaios que podem ser de resistência à compressão pelo método destrutivo, permeabilidade, propriedades mecânicas ou estabilidade da pasta. O equipamento consiste de um vaso pressurizável com óleo, manômetro para monitoramento, sistema de aquecimento elétrico e dispositivo controlador/indicador de temperatura. Geralmente os limites operacionais destes equipamentos são: pressão de 30.000 psi e temperatura de 700 °F. ▶ Ver *resistência à compressão do cimento*; *permeabilidade*; *decantação*.

câmara de elevação a gás / *gas-lift chamber*. Câmara utilizada em reservatórios de baixa pressão e alto IP. Com um alto *drawdown*, a vazão aumenta, possibilitando maior produção. Câmara utilizada no método de *gas lift* intermitente.

câmara de ionização / *ionization chamber*. Dispositivo utilizado para dois propósitos principais: *(I)* detecção de partículas no ar e *(II)* detecção ou medida de radiação ionizante.

câmera / *camera*. 1. Equipamento usado em perfilagem para registrar as curvas de perfis em um filme fotográfico. 2. Equipamento utilizado para tornar visível um sinal elétrico. Consiste em uma luz que incide sobre galvanômetros, providos de microespelhos que a refletem, produzindo um traço (ou curva) sobre um ou mais filmes. Os galvanômetros defletem de acordo com a medida e consequentemente dão a leitura do perfil. Os filmes giram em sincronia com o medidor de profundidade, estabelecendo o eixo de profundidade do perfil.

camião de cimentação (Port.) / *truck-mounted mixing system*. O mesmo que *caminhão de cimentação*. ▶ Ver *caminhão de cimentação*.

camião de gravação (Port.) / *recording truck*. O mesmo que *caminhão de gravação*. ▶ Ver *caminhão de gravação*.

camião de tiro (Port.) / *shooting truck*. O mesmo que *caminhão de tiro*. ▶ Ver *caminhão de tiro*.

caminhão de cimentação / *truck-mounted mixing system*. Unidade de cimentação para utilização em sondas terrestres, geralmente montadas sobre caminhões convencionais para transporte por estradas. Estas unidades também podem ser adaptadas a veículos apropriados para locações de difícil acesso, como territórios não pavimentados ou zonas de deserto. ▶ Ver *unidade de cimentação*.

caminhão de gravação / *recording truck*. Veículo que conduz os equipamentos eletrônicos (amplificadores e gravadores), cabos diversos, ferramentas e outros para a realização de um levantamento sísmico.

caminhão de tiro / *shooting truck*. Veículo do qual se comanda a detonação da carga explosiva em levantamentos sísmicos terrestres.

caminho de canal / *channelway*. Leito por onde flui, contínua ou periodicamente, um corpo natural de águas superficiais.

camisa / *barrel tube*. Tubo usado em bombeio mecânico, com superfície interna polida e perfeitamente ajustado ao pistão para que, durante o ciclo de bombeio, seja minimizado o escorregamento de fluido bombeado. A válvula de pé é acoplada na extremidade inferior desse tubo. ↝ Quanto ao tipo, pode ser de parede grossa ou de parede fina; quanto ao material, pode ser de aço-carbono, aço-liga, bronze, monel; e sua parede interna pode ser revestida de cromo duro para obter maior resistência mecânica à abrasão e à corrosão.

camisa de cilindro / *cylinder liner*. Componente mecânico de um equipamento alternativo tipo motor, bomba ou compressor, que guia o movimento alternativo do pistão no seu interior, sendo capaz de resistir a pressões, temperaturas e esforços gerados durante o ciclo de acionamento do dito equipamento. ↝ Em motores de combustão interna e nos compressores, em função do calor gerado no ciclo, é comum que exista um recurso de refrigeração para controlar a temperatura do equipamento, através da circulação de um fluido refrigerante, geralmente água ou ar, pelo lado externo da camisa do cilindro.

camisa de refrigeração / *cooling shroud*. Tubo com diâmetro interno superior ao diâmetro externo do motor elétrico de bombeio centrífugo submerso, para encamisá-lo, visando a melhorar a refrigeração do mesmo. ↝ Ao reduzir a área para escoamento do fluido produzido, responsável pela refrigeração do motor, aumenta a velocidade de tal escoamento, e assim igualmente aumenta a transferência de calor por convecção forçada dessa corrente junto à parede do motor. ▶ Ver *bombeio centrífugo submerso (BCS)*; *motor elétrico de bombeio centrífugo submerso*.

camisa deslizante / *sliding sleeve*. Dispositivo de utilização em poços, destinado a promover a comunicação anular-coluna ou coluna-anular, por meio de abertura e fechamento de camisa interna e externa. ↝ Tal dispositivo é geralmente operado e controlado por operações com arame, nas quais o dispositivo deslizante é deslocado, permitindo dessa forma o escoamento através do alinhamento de orifícios existentes na camisa. Pode ser utilizado em completações seletivas, possibilitando, assim, colocar o poço em produção ou isolar zonas empacotadas por *packers*.

campo de dunas / *dune field*. Região extensivamente coberta por dunas arenosas.

campo de espaço livre / *free-space field*. Campo medido numa antena na ausência de condutores próximos.

campo de onda / *wavefield*. Determinada região do espaço onde efeitos ondulatórios podem ser observados. ▶ Ver *onda acústica*; *onda aérea*.

campo de petróleo / *oil field*. 1. Área que contém acumulações comerciais conhecidas de petróleo em unidades tectônicas, tais como uma bacia sedimentar, ou em geossinclinais, ou seja, em grande bacia geológica que recebeu a sedimentação de grandes espessuras de sedimentos originadas das áreas adjacentes mais elevadas. 2. Área que contém um suprimento ou estoque subterrâneo de petróleo de valor econômico comprovado. ↝ As acumulações ditas *estruturais* estão associadas a movimentações tectônicas, e as *estratigráficas* a fatores exclusivamente litoestratigráficos. Os reservatórios de um campo de petróleo produzem por uma série de circunstâncias complexas, através dos canais porosos para o poço. A maior quantidade do petróleo é deslocada para o poço através da expansão do gás livre ou da água existentes dentro do reservatório. Assim, num reservatório, a produção é resultado do mecanismo que utiliza a pressão existente, sendo reconhecidos os seguintes mecanismos: *(I)* Reservatório de Mecanismo de Gás em Solução, em que a área porosa está completamente envolvida por rocha densa, não permeável, evidenciando migração de pequena distância. É um mecanismo pobre, com produção declinante em curto período; *(II)* Reservatório de Mecanismo de Capa de Gás, acumulações de óleo junto com um volume de material leve, grande demais para ser todo dissolvido no óleo, nas condições de temperatura e pressão existentes no reservatório. Este gás livre migra para o topo do depósito, formando uma capa de gás, que é uma fonte de energia para levar o óleo até o poço e, depois, até a superfície. Neste tipo de reservatório uma grande porção do óleo existente originalmente é retida durante a vida produtiva do reservatório; *(III)* Reservatório de Mecanismo de Influxo de Água, no qual a fonte de energia é a grande quantidade de água salgada existente nos canais porosos da rocha associada com as jazidas de petróleo existentes. Apesar de ser considerado incompressível, o volume total comprimido de água é muito grande, propiciando o seu movimento à medida que o óleo é produzido. É o mecanismo predominante e mais eficiente na maioria dos grandes campos produtores; *(IV)* Reservatório de Mecanismo Combinado, caracterizado pelo fato de que tanto o gás livre como a água livre estão presentes para deslocar o óleo para o poço produtor. É o tipo mais comum de mecanismo; *(V)* Reservatório de Mecanismo de Segregação Gravitacional, mais uma modificação de todos os mecanismos. É caracterizado pela tendência (devido às forças gravitacionais) de o gás, o óleo e a água voltarem

à distribuição que tinham no início da vida do reservatório, de acordo com suas próprias densidades. ► Ver *campo de produção*.
campo de produção / *production field*. Parte de uma bacia sedimentar que compreende uma ou mais acumulações de hidrocarbonetos, localizadas em uma mesma feição geológica estrutural e/ou sob a mesma condição estratigráfica, e as instalações de produção necessárias ao escoamento e tratamento da produção petrolífera. Pode haver um ou mais reservatórios no campo separados verticalmente por rochas impermeáveis, ou lateralmente por barreiras geológicas, ou por ambas. •• Este é o conceito mais universalmente adotado, inclusive na legislação brasileira. O campo pode ser de petróleo se sua produção for predominantemente de líquidos, produzindo simultaneamente gás associado ao petróleo. O campo é denominado campo de gás natural quando o fluido principal é gás, embora possa produzir, também, condensado ou pequenas quantidades de óleo. ► Ver *campo de petróleo*.
campo inteligente / *smart field*. Campo operado por um conjunto integrado de tecnologia de poços inteligentes, automação, instrumentação, aquisição de dados de reservatório, tecnologia da informação, gerenciamento integrado de sistemas reservatório-produção, entre outros, com o objetivo de otimizar a recuperação petrolífera. •• Os poços de um campo inteligente são completados seletivamente, utilizando-se sensores e controladores de vazão para gerenciar a produção de cada zona, de forma a aumentar a sua produtividade.
campo maduro / *mature field*. 1. Campo de petróleo ou gás que se encontra em estágio avançado de sua vida produtiva. **2.** Campo produtor de petróleo ou gás natural cujo perfil de produção encontre-se no seu declínio final, aproximando-se da fase de abandono. •• O campo de petróleo ou gás que esteja em declínio de produção, em função de seu estágio avançado de sua vida produtiva, poderá, entretanto, eventualmente e a depender da economicidade, receber métodos de recuperação mais avançados visando à manutenção da produção ou mesmo à reversão de seu declínio.
campo magnético reverso / *reversed magnetic field*. Configuração do campo magnético terrestre com o polo magnético positivo, na qual as linhas de campo deixam a Terra perto do polo magnético geográfico.
campo marginal / *marginal field*. Todo e qualquer campo produtor de petróleo ou gás natural de pequeno porte, baixa capacidade de produção e curta vida economicamente produtiva. •• Em geral, a produção de um campo marginal é proveniente exclusivamente de recuperação primária, não sendo viáveis técnicas de recuperação secundária ou melhorada. Comumente utilizam infraestrutura de produção existente em outros campos. É comum se associar, também, o conceito de campo marginal à baixa economicidade de sua produção.
campo marginal de gás natural / *marginal natural gas field*. Todo e qualquer campo produtor de gás natural, em geral de pequeno porte, cuja lucratividade seja marginalmente econômica tendo em vista fatores como a produtividade do campo, custos operacionais e gerenciais da operadora, preço de venda do gás, condições de acesso e logística, entre outros. A Agência Nacional do Petróleo, Gás Natural e Biocombustíveis (ANP) (Brasil) atualmente define, por portaria, como campo marginal de gás aquele que produz predominantemente gás natural não associado, e cuja produção de gás natural, à época da assinatura do termo de cessão, não ultrapasse 70.000 metros cúbicos diários de gás não associado, e ainda cuja última previsão de produção, aprovada pela ANP (Brasil), não ultrapasse esse limite. Caso não haja, até 10 quilômetros de distância, infraestrutura para o escoamento do gás produzido, o limite para efeito da definição de campo marginal de gás natural passará para 150.000 metros cúbicos diários de gás não associado.
campo marginal de petróleo / *marginal oil field*. Todo e qualquer campo produtor de petróleo, em geral de pequeno porte, cuja lucratividade seja economicamente marginal, tendo em vista fatores como a produtividade do campo, custos operacionais e gerenciais da operadora, preço de venda do gás, condições de acesso e logística, entre outros. A Agência Nacional do Petróleo, Gás Natural e Biocombustíveis (ANP) (Brasil) atualmente define, por portaria, como campo marginal de petróleo aquele que produz predominantemente petróleo, cuja produção, à época da assinatura do termo de cessão ou em sua última previsão de produção, aprovada pela ANP, não ultrapasse o limite de 500 barris diários.
campo remoto / *far-field*. Em fenômenos eletromagnéticos, representa a energia radiada em que a fonte é suposta no infinito.
campo secundário / *secondary field*. Campo eletromagnético resultante da indução de corrente elétrica em um meio por um campo primário.
canal / *channel*. 1. Feição linear produzida pela água numa superfície sedimentar, paralela à corrente e frequentemente preservada como um molde de canal. Suas dimensões variam em largura de 0,5 m a 2,0 m, em profundidade de 20 cm a 50 cm e em comprimento até 30 m, sendo mais bem desenvolvida em sequências turbidíticas. **2.** Superfície na qual um corpo natural de água flui ou pode fluir. **3.** Passagem natural ou depressão de extensão perceptível contendo água, permanente ou periodicamente, ou que conecta dois corpos de água. **4.** Feição erosional que é parte de um sistema integrado de transporte, podendo apresentar-se meandrante ou bifurcada. **5.** Curso de água abandonado e enterrado representado por depósitos de cascalho e areia. **6.** Caminho artificial de

conduto de água, tal como valas para irrigação, ou canal. **7.** Falha na qualidade da cimentação ao tentar prover o isolamento hidráulico, geralmente na forma de 'vazios' presentes no anular atrás do revestimento. O canal propicia a comunicação entre duas zonas com características distintas.

canal aluvial / *alluvial channel*. Calha do rio. Dentro do sistema deposicional fluvial corresponde ao leito do rio.

canal anastomosado / *anastomosing stream*. Termo utilizado para definir rios onde os canais se bifurcam e se fundem de forma mais duradoura, permitindo que as barras se desenvolvam como ilhas permanentes.

canal ativo / *active channel*. Canal ou fluxo canalizado durante a fase ou período de tempo em que este é atuante e alimentado pela passagem de fluxos sedimentares e correntes aquosas em seu leito. O conceito pode abranger todos os tipos de canais, como os fluviais principais e seus secundários. ↝ O complexo canalizado dos leques aluviais, os fluxos canalizados produzidos pelo rápido degelo nas regiões glaciais, os canais submarinos e até mesmo os uádis nos sistemas desérticos podem ser classificados como canais ativos. ▶ Ver *sistemas canalizados*.

canal auxiliar / *auxiliary channel*. Canal de registro auxiliar em sísmica.

canal de areia / *channel sand*. Arenito ou depósito de areia disposto como uma camada dentro de um canal. Esses depósitos podem servir de reservatórios para água, óleo ou gás, bem como outros minerais, tais como urânio, ouro e diamante. ▶ Ver shoestring sand.

canal de atalho / *chute, chute cutoff*. 1. Canal estreito cortado através de um meandro durante o período de cheias, quando o fluxo principal é desviado para o lado interno do canal através de uma barra de pontal. **2.** Canal estreito através do qual a água corre rápido, especialmente relacionado com inundações de rios. Devido ao aumento da velocidade das águas durante os períodos de enchente, ao invés de fazer curvas, o rio escava canais de atalho. **3.** Atalho que acontece em um rio meandrante durante um período de cheia, quando a vazão do rio é maior do que a capacidade de vazão do canal meandrante.

canal de crevassa / *crevasse channel*. Passagem formada pelo arrombamento do dique marginal de um canal durante as cheias.

canal de crevasse (Port.) / *crevasse channel*. O mesmo que *canal de crevassa*. ▶ Ver *canal de crevassa*.

canal de dados / *data channel*. Canal ou caminho por onde passam as informações ou um traço do registro gravado.

canal de maré vazante / *ebb channel*. Canal de maré no qual as correntes de maré vazante são mais fortes do que aquelas da maré cheia ou de inundação.

canal efluente / *effluent stream*. Fluxo de água que se origina no terreno ou na rocha substrato. São típicos de climas úmidos onde o lençol freático é alto. A descarga de um fluxo de canal efluente pode ser sustentada durante um longo período de tempo por uma mina no solo, entre a duração de um período de chuva ou fusão da neve. Fluxos de canais de efluência geralmente aumentam a descarga em direção às partes baixas e permanecem às vezes por longos períodos de tempo. ▶ Ver *hidrologia*.

canal em plataforma / *shelf channel*. Vale raso, relativamente descontínuo, que corta a plataforma. Normalmente são resquícios de drenagens fluviais ou estuarinas formadas durante períodos de mar baixo.

canal entrelaçado / *braided stream*. Sistema canalizado que se entrelaça com barras ou ilhas entre seus canais, formando um sistema fluvial específico. ▶ Ver *sistema fluvial*.

canal logístico (Port.) / *logistic chain*. O mesmo que *cadeia logística*. ▶ Ver *cadeia logística*.

canalização / *channeling*. 1. Caminho preferencial aberto pelos fluidos injetados no reservatório, permitindo a irrupção precoce de tais fluidos nos poços produtores e reduzindo o fator de recuperação. **2.** Condição em que o cimento não se distribui homogeneamente em todo o espaço anular revestimento-formação, comprometendo o isolamento hidráulico em todos os azimutes. ↝ O canal frequentemente se manifesta como um sinal de amplitude intermediário no perfil de aderência do cimento. Ferramentas de ecopulso são capazes de detectar um canal porque elas medem a aderência em diferentes azimutes.

caneca de prova Seraphin / *Seraphin can prover*. Tanque de calibração volumétrica utilizado como padrão secundário de campo, com capacidade de 20 a 500 litros. ▶ Ver *tanque de calibração*.

canelura glacial / *glacially-striated rocks*. Conjunto de sulcos deixados em rochas pela passagem das geleiras, quando em terra. ▶ Ver glacial grooves.

canguru / *junk sub, junk basket*. Ferramenta de fundo com um perfil externo projetado para recolher e recuperar sucatas ou detritos do poço (pequenos pedaços de metal como, por exemplo, dentes de broca). ↝ Os detritos são carregados para cima, até a ferramenta, através da circulação do fluido. Um perfil recortado na ferramenta cria uma maior área no anular, que faz diminuir a velocidade de escoamento de fluido neste trecho e permite que os detritos caiam na cesta ou receptáculo situados na base da ferramenta. Também conhecido como *junk basket*. ▶ Ver *cesta de pescaria*.

canhão / *canyon*. Vale profundo em um platô ou área montanhosa, de paredes íngremes e relativamente próximas. Também conhecido por *cânion*. ↝ Resulta da ação erosiva de um curso d'água durante milhares de anos. Os cânions adquirem características mais pronunciadas quando cortam sequências sedimentares, vulcânicas e vulcanossedimentares horizontalizadas, como, por exemplo, o Grand Canyon, nas montanhas Rochosas (E.U.A.). É característico de uma região árida ou semiárida (tal como o ocidente dos Estados Unidos).

canhão / *casing gun*. Equipamento que contém cargas explosivas montadas ao redor de uma estrutura cilíndrica e empregado para perfurar o revestimento e as formações de interesse, de forma a criar um canal de fluxo entre a formação e o poço. ↦ O diâmetro do canhão pode variar de acordo com a configuração do poço, possibilitando o canhoneio pelo revestimento, sem coluna de produção no poço, ou através da coluna, com o poço já equipado para produção. Pode ser descido a cabo, flexitubo ou coluna de tubos, dependendo do objetivo e das condições mecânicas do poço. O acionamento das cargas pode ser elétrico ou hidráulico. ▶ Ver *canhoneio*; *canhoneado*.

canhão de alta densidade / *high-shot density gun*. Canhão que apresenta densidade de cargas maior que quatro jatos por pé. Este tipo de canhão, além de prover um alto número de canhoneados, também torna possível que se trabalhe com um menor ângulo de fase entre as cargas.

canhão de ar / *air gun*. Fonte sísmica (quase sempre marítima) em que um cilindro de metal, com duas câmeras, libera ar comprimido (geralmente originado em compressores, com pressão entre 2.000 psi e 3.000 psi) na água em um tempo muito curto (inferior a 0,1 s); tem alta repetibilidade e confiabilidade, e relativa simplicidade.

canhão de ar terrestre / *land air gun*. Canhão de ar usado em levantamentos sísmicos terrestres.

canhão para revestimento (Ang.) / *casing gun*. O mesmo que *canhão*. ▶ Ver *canhão*.

canhão submarino / *submarine canyon*. Canhão submerso encontrado em áreas de plataforma ou taludes continentais. ↦ Na maioria das vezes foi originado durante o Pleistoceno, como vales fluviais, submersos no decorrer da transgressão holocênica.

canhoneado / *perforation*. Orifício perfurado nas formações pela operação de canhoneio. ▶ Ver *canhão*; *canhoneio*.

canhoneio / *perforating*. Operação em que, por meio de cargas explosivas, são realizadas perfurações de orifícios no revestimento, cimento e formação adjacente de forma a estabelecer um canal de fluxo entre a formação e o interior do poço. ↦ As cargas explosivas, quando detonadas, produzem jatos de altíssima pressão que perfuram o revestimento e a parede de cimento, penetrando alguns centímetros na formação. A penetração e o diâmetro do canhoneado são determinados pelo tipo de carga utilizada. ▶ Ver *canhão*; *canhoneado*.

canhoneio orientado / *oriented perforating*. Técnica que consiste em orientar os canhões numa operação de canhoneio de forma a alinhar os jatos numa determinada direção, minimizando o risco de produção de areia. ↦ Testes feitos em laboratórios indicaram que a estabilidade mecânica das cavidades dos canhoneados varia com a direção dessas perfurações na rocha. Ao orientar os canhões para uma determinada direção (jatos defasados em 180°), é possível minimizar as tensões de cisalhamento atuando nas paredes das cavidades. ▶ Ver *canhoneio*.

canhoneio sub-balanceado / *underbalanced perforating*. Técnica de canhoneio realizada em condição de pressão de fundo de poço menor do que a pressão do reservatório. Quando a perfuração é realizada, ocorrerá o influxo de fluido do reservatório para dentro do poço. ▶ Ver *canhoneio*.

capa da árvore de natal / *tree cap*. Equipamento que faz a interligação entre os controles da plataforma de produção e as funções da árvore de natal molhada. ▶ Ver *árvore de natal molhada*.

capa da válvula / *bonnet*. Parte do corpo da válvula que guia a haste de acionamento e que contém os elementos responsáveis pela vedação do conjunto corpo-haste.

capa de abandono / *abandonment cap, corrosion cap*. Capa para cabeça de poço submarino ou para árvore de natal molhada (ANM) para abandono temporário ou permanente, que pode ser instalada remotamente ou com auxílio de mergulhador.

capa de coral / *coral cap*. Espesso depósito composto por corais e fragmentos de corais, que recobre um depósito cuja origem não é coralina. ▶ Ver *crosta de coral*.

capa de corrosão / *corrosion cap*. Invólucro protetor utilizado sobre os conectores mecânicos de equipamentos submarinos com o objetivo de proteger as regiões de vedação desses conectores, durante a operação de lançamento e instalação. ▶ Ver *capa de abandono*.

capa de delta / *delta cap*. Leque aluvial construído sobre planície deltaica e que tem um ápice que migra em direção à montante da drenagem.

capa de gás / *gas cap*. Parte superior de um reservatório de petróleo saturado cujos poros são preenchidos por gás livre (não dissolvido no petróleo). Também chamada *capa de gás livre*. ↦ Sob determinadas condições de pressão e temperatura, alguns reservatórios de petróleo permitem que as fases vapor e líquido coexistam em equilíbrio termodinâmico. Devido à diferença de densidade, as fases apresentam-se naturalmente segregadas, e o gás, por ser menos denso, situa-se na parte superior do reservatório, formando uma capa de gás.

capa de gás livre / *free-gas cap*. O mesmo que *capa de gás*. ▶ Ver *capa de gás*.

capa de gelo / *ice cap*. Período glacial alpino que cobre o pico das montanhas, formando uma capa.

capa do alojador / *housing cap.* Peça utilizada para cobrir e proteger os alojadores de alta pressão em poços submarinos, até que seja feita a reentrada no poço. ↝ As capas são normalmente descidas ou retiradas com coluna, ou por meio de ROV. Quando manipuladas por veículo submarino de operação remota, as capas são mais leves, sendo denominadas *tampão suíço*. Quando descidas com coluna, utilizam-se ferramentas de descida da capa ou ganchos presos às alças na capa. ▶ Ver *capa de abandono*; *capa de corrosão*.

capa esférica / *spherical cap.* Em gravimetria, parte de uma concha esférica, limitada por um cone circular, com o ápex no centro da esfera.

capacidade calorífica / *heat capacity.* Quantidade de calor necessária para aumentar em um grau a temperatura de uma determinada massa de uma substância (1 °C no Sistema Internacional de Unidades).

capacidade da tubagem (Port.) / *pipe capacity.* O mesmo que *capacidade do tubo*. ▶ Ver *capacidade do tubo*.

capacidade de carga / *load capacity.* Máxima carga ou peso que um equipamento, parte de um equipamento ou um instrumento pode suportar, sem que lhe seja acarretado desgaste ou dano excessivo. ▶ Ver *capacidade de carga no gancho*.

capacidade de carga no gancho / *hook load capacity.* Capacidade máxima de peso sustentável pelo sistema de elevação de uma sonda, ou seja, da torre ou mastro, guincho, bloco de coroamento, compensador fechado, *swivel*, catarina, gancho e braços dos elevadores. ▶ Ver *capacidade de carga*.

capacidade de fluxo / *flow capacity.* Produto da permeabilidade do reservatório por sua espessura. Expressa a capacidade produtiva de um poço.

capacidade de fluxo aberto / *open-flow capacity.* Produção máxima de óleo e/ou gás em um poço pela energia natural do reservatório, sem restrições no interior do poço ou na superfície.

capacidade de fluxo em fraturas / *fracture-flow capacity.* Capacidade de vazão de um fluido em uma fratura, medida pelo produto da permeabilidade pela altura da fratura, em md-ft ou md-m.

capacidade de perfuração / *drilling capacity.* Limite de capacidade de perfurar de determinado equipamento. Mais usado em referência às sondas, sendo que a capacidade de perfuração é usualmente referida uma profundidade limite.

capacidade de troca catiônica (CTC) / *cation-exchange capacity (CEC).* Quantidade de íons carregados positivamente (cátions) que um material de grande área superficial, como argilas e solos, pode adsorver em sua superfície. ↝ A CTC é geralmente expressa como miliequivalentes por 100 g (meq/100 g). É uma medida de grande importância para o solo, pois a capacidade de troca catiônica é um dos fatores determinantes da fertilidade. Nas operações de perfuração, esta propriedade é de grande significado, pois está estreitamente relacionada com o 'inchamento' das formações, principalmente as argilosas (quanto maior a CTC, mais ocorre inchamento da formação quando em contato com um fluido de baixa concentração de sais). As argilas são silicatos de alumínio em que alguns íons de alumínio e silício foram substituídos por elementos diferentes, dando origem a cargas negativas superficiais não equilibradas onde podem se ligar íons positivos. Várias técnicas são usadas para medir a capacidade de troca catiônica (CTC) em laboratório, tais como química úmida (titulação de um cátion com o qual se saturou a amostra), salinidade múltipla e potencial de membrana. *Mutatis mutandis,* define-se igualmente a 'capacidade de troca aniônica'.

capacidade de troca de catiões (Port.) / *cation-exchange capacity (CEC).* O mesmo que *capacidade de troca catiônica (CTC)*. ▶ Ver *capacidade de troca catiônica*.

capacidade do tubo / *pipe capacity.* Volume por unidade de comprimento contido no interior de uma tubulação. ↝ A capacidade de um tubo é usualmente expressa em bbl/m (barris por metro).

capacidade em débito máximo (Ang.) / *open-flow capacity.* O mesmo que *capacidade em fluxo pleno*. ▶ Ver *capacidade em fluxo pleno*.

capacidade em fluxo pleno / *open-flow capacity.* 1. Máxima capacidade de fluxo de um sistema na ausência de restrições. 2. Vazão de produção quando o poço estiver aberto para a atmosfera. ↝ A capacidade máxima em fluxo pleno ocorreria se a pressão de fundo no poço se reduzisse à pressão atmosférica. ▶ Ver *potencial em fluxo pleno*.

capacidade térmica / *thermal capacity.* O mesmo que *capacidade calorífica*.

capacitância / *capacitance.* Propriedade que alguns dispositivos eletrônicos têm de armazenar carga elétrica sob a forma de campo eletrostático. ↝ Essa propriedade é medida pelo quociente da quantidade de carga (Q) armazenada pela diferença de potencial ou tensão (V) que existe entre os eletrodos do dispositivo. ▶ Ver *capacitor*; *condensador*.

capacitância na medição multifásica / *capacitance in multiphase metering.* Propriedade elétrica dos fluidos, a qual, ao ser determinada, permite igualmente determinar o percentual de presença de cada um dos fluidos num escoamento multifásico (óleo, gás e água). ↝ Os métodos de impedância elétrica são utilizados para a medição de frações dos componentes em misturas multifásicas. O fluido no escoamento é considerado um condutor elétrico, possibilitando que suas propriedades como condutância (ou indutância) e capacitância possam ser medidas. Tais medições dependem da condutividade e da permissividade do óleo, da água e do gás. A permissividade dielétrica (ou constante dielétrica) é uma propriedade elétrica que tem valores distintos para cada uma das fases de uma mistura multifásica (por exemplo, óleo, água e gás). Assim, determinando a permissividade da mistura, é possível determinar o percentual de presença de cada uma das fases na mistura. Sensores capacitivos permitem determinar a permissividade de um fluido ou mistura. ▶ Ver *impedância (medição multifásica)*; *indutância (medição multifásica)*; *capacitância*.

capacitor / *capacitor*. Componente eletrônico que armazena energia num campo elétrico. ↬ Basicamente consiste em duas placas ou eletrodos opostamente posicionados. A capacidade de armazenar energia é denominada *capacitância*. Em geral, quanto maior a capacitância e a tensão, maior o tamanho físico do capacitor. ▶ Ver *capacitância*; *condensador*.

capacitor de armazenamento e retenção / *sample-and-hold capacitor*. 1. Elemento, dispositivo ou circuito eletroeletrônico responsável pela amostragem e retenção de sinal elétrico para a amostragem e conversão de dados. 2. Composto por uma chave eletrônica, um capacitor e um amplificador de tensão, promove a isolação entre a tensão de saída e a tensão do capacitor. ↬ Utilizado nos conversores de dados analógicos para dados digitais e também nos conversores de dados digitais para dados analógicos. ▶ Ver *conversor digital-analógico*.

capeamento contra desgaste / *hardfacing*. Revestimento de carbureto de tungstênio ou outro metal de alta resistência, aplicado nas conexões dos tubos de perfuração (*tool joints*), aumentando-lhes a vida útil. Sem este revestimento, a abrasão provocada pelo atrito dos *tool joints* com as paredes do revestimento durante a perfuração poderia desgastar os tubos em demasia. Caso a dureza do material utilizado para este fim seja muito alta, a parede interna do revestimento do poço pode ser danificada. ▶ Ver *conexão do tubo de perfuração*.

capilar / *capillary*. 1. Termo aplicado a minerais cujos cristais têm formas semelhantes às de fios de cabelo. 2. Termo relacionado com capilaridade. ▶ Ver *capilaridade*.

capilar de injeção de química / *chemical injection tubing*. Capilar metálico, em separado ou incorporado ao cabo redondo, para injeção de produtos químicos abaixo da bomba de bombeio centrífugo submerso. ↬ A injeção serve para produtos do tipo anti-incrustantes e antiemulsionantes. ▶ Ver *bombeio centrífugo submerso*; *cabo redondo*; *mandril de injeção de química de bombeio centrífugo submerso*; *incrustação em bombas de bombeio centrífugo submerso*.

capilaridade / *capillarity*. 1. Fenômeno relacionado com as tensões interfaciais entre dois ou mais fluidos imiscíveis e a rocha constituinte de um meio poroso que os contém, como reservatórios petrolíferos. 2. Fenômeno relacionado à ascensão de um fluido dentro de um tubo capilar quando em contato com outro fluido, devido à interação entre as forças de tensão interfacial e forças gravitacionais. Considerando um empacotamento de grãos esféricos em um meio poroso, a diferença de pressão na interface de separação de dois fluidos (por exemplo, água e óleo), denominada *pressão capilar* (P_c), é dada pela equação de Laplace, como abaixo representada.

$$P_c = \sigma_{ao} (1/R - 1/R')$$

onde:

σ_{ao} é a tensão interfacial entre os dois fluidos e R e R' os raios principais de curvatura da interface. O efeito de capilaridade é tão mais intenso quanto menor forem os poros da rocha-reservatório. ▶ Ver *pressão capilar*; *ascensão capilar*.

capital de especulação (Port.) / *venture capital*. O mesmo que venture capital. ▶ Ver venture capital.

capital de risco / *venture capital*. Capital para investimentos em novos negócios ou desenvolvimento de patentes, tecnologias, ciência e processos de inovação. ▶ Ver venture capital.

cápsula de salvamento / *survival capsule, brucker survival capsule*. Cápsula de formato circular usada para abandono da plataforma. Substitui a baleeira nas operações de abandono.

captura / *capture*. 1. Substituição, em uma estrutura de cristal, de um elemento-traço por um elemento principal de maior valência. Na estrutura cristalina, a substituição de um elemento-traço por um elemento maior de valência mais baixa. Os elementos-traços capturados geralmente têm uma concentração relativamente superior ao elemento maior no fluido no qual o mineral se cristalizou. 2. Desvio natural das águas das nascentes de um córrego ou rio para a calha de outro córrego.

captura de drenagem / *stream capture*. Fenômeno que ocorre quando um curso d'água, geralmente de maior ordem, captura as águas de outra drenagem.

caráter / *character*. Aparência característica de um conjunto de reflexões sísmicas, geralmente indicativo de algum ambiente deposicional e/ou regime tectônico específico. Entre os mais comuns estão o paralelo, o caótico e o sem reflexão. ▶ Ver *fácies sísmica*; *sismofácies*.

caráter de reflexão / *reflection character*. Características de uma reflexão, como sua forma, seus ângulos etc.

carbonáceo (Port.) / *carbonaceous*. O mesmo que *carbonoso*. ▶ Ver *carbonoso*.

carbonato / *carbonate*. Sais derivados do ácido carbônico, cujo ânion é o CO_3^{++}. ↬ Os carbonatos são constituintes majoritários das rochas carbonáticas, formadas geralmente pela acumulação de carapaças de microrganismos calcários ou precipitação de carbonato de cálcio ou magnésio; por exemplo: calcário e dolomito.

carbonato autigênico marinho / *marine authigenic carbonate*. Produto formado devido à ação conjunta de temperatura e do pH em um dado corpo de água do mar. A precipitação ocorre quando a água é quente e o gás carbônico é perdido, como acontece durante a fotossíntese. Esse fenômeno é comum em águas relativamente rasas e tropicais, a exemplo das Bahamas e da costa oriental da Flórida. Alguns autores sustentam que as atividades biológicas estão sempre presentes na precipitação de carbonato de cálcio na água do mar.

carbonato de cálcio / *calcium carbonate*. Sal de cálcio, de fórmula $CaCO_3$, branco, de baixa dureza e pouco solúvel na água. Abundante, ocorre na natureza como os minerais calcita, aragonita e outros, genericamente conhecidos como *calcários*. •• Decompõe-se por aquecimento, formando cal virgem (CaO) e dióxido de carbono. Sob a ação de chuvas ácidas, se dissolve lentamente. Em cimentos, é usado como acelerador de secagem. Geralmente, é o principal componente das incrustações em sistemas hidráulicos. Principal constituinte do calcário, utilizado na fabricação do cimento e da cal hidratada. Encontrado em materiais como o giz, o mármore e em corais.

carbonetação do aço / *carburizing of steel*. Processo de introdução de carbono na superfície de um material de aço, formando carbonetos superficiais, com o objetivo de aumentar a dureza superficial e a resistência à abrasão desse material. •• A carbonetação, também conhecida como *cimentação sólida*, é aplicada a partir de tratamentos térmicos específicos que envolvem uma fonte de carbono sólida, gasosa, líquida ou na forma de plasma. ▶ Ver *dureza*; *abrasão*.

carbonização / *carbonization*. Termo antigo referente à concentração de carbono durante a fossilização.

carbono / *carbon*. Elemento químico encontrado principalmente na forma tetravalente, com número atômico 6 e peso atômico 12,01115. Principal elemento de todos os hidrocarbonetos. Capaz de combinar-se com o hidrogênio para formar um grande número de compostos. Ocorre na natureza tanto na forma amorfa como cristalina, como nos minerais grafita e diamante. Principal constituinte do petróleo, calcários e outros carbonatos e de todos os compostos orgânicos.

carbono orgânico / *organic carbon*. Sinônimo de *carbono não carbonático*. O carbono que é deixado no sedimento após a remoção da matéria orgânica solúvel (por extração) e dos carbonatos (extraíveis por HCl).

carbono orgânico total / *total organic carbon (TOC)*. Quantidade de carbono orgânico (excluindo o carbono do carbonato), expresso em porcentagem de peso da rocha. •• Para rochas de maturidade termal equivalente à refletância da vitrinita, de 0,6% (início da janela geradora), as porcentagens de TOC são classificadas em porcentagem de peso como: pobre (TOC menor que 0,5); moderado (entre 0,5 a 1,0); bom (entre 1,0 e 2,0); muito bom (maior que 2,0). A TOC decresce com a maturidade.

carbonoso / *carbonaceous*. 1. Referente a rocha ou sedimento rico em carbono. 2. Referente a sedimento contendo altos teores de matéria orgânica.

carboximetilcelulose / *carboxymethylcellulose*. Produto de celulose não fermentado usado no fluido de perfuração para combater a contaminação de anidrita (gesso) e diminuir a perda de água do fluido de perfuração. Também utilizado para fabricação de gel de fraturamento.

carga / *charge*. 1. Massa de explosivo, em geofísica, usada para a geração das ondas elásticas com o objetivo de levantamentos sísmicos. 2. Peso resultante das rochas sobrejacentes a uma camada. 3. Denominação dada ao pacote de rochas posicionado acima de um refrator. 4. Corpo de rocha estéril acima do intervalo mineralizado. 5. Altura de uma coluna de um fluido necessária para produzir, em sua base, determinado valor de pressão, dito *carga hidrostática*.

carga alongada / *elongated charge*. Coluna de explosivos detonados a certa distância, geralmente colocados no fundo de uma perfuração na rocha.

carga de entrada / *feedstock*. Óleo cru ou gás usado como matéria-prima para plantas de processamento de petróleo ou gás natural.

carga de jato / *jet charge*. Carga explosiva utilizada nos canhões descidos nos poços, que lançam a força da explosão em forma de jato. •• As cargas explosivas são dispostas e alojadas de forma conveniente em canhões. Uma vez posicionado o canhão em frente ao intervalo desejado, é acionado um mecanismo de disparo que detona as cargas explosivas. Essas cargas são devidamente moldadas de forma a produzirem jatos de alta energia, com velocidades até 6.000 m/s, que incidindo numa pequena superfície do revestimento geram pressões da ordem de 4.000.000 psi e promovem a perfuração no revestimento, cimento e formação.

carga de ruptura / *rupture load*. Força ou carga mecânica em tração aplicada a um material que o leva à ruptura ou fratura. •• Tecnicamente considerada como valor associado à fratura dúctil do material em questão. ▶ Ver *ruptura*; *fratura*; *dúctil*.

carga de silte / *silt load*. Carga ou quantidade de material transportada ou existente em suspensão em água corrente ou parada, representada essencialmente por silte.

carga de vassoura / *broom charge*. O mesmo que *carga alongada*. ▶ Ver *carga alongada*.

carga de velocidade / *velocity head*. Razão entre o quadrado da velocidade de um fluido em escoamento e duas vezes a aceleração da gravidade. ↬ Tal carga é a mesma que a carga de pressão estática, a qual corresponde a um valor de pressão que representa a energia cinética transferida a um fluido por unidade de volume do mesmo. Numa bomba centrífuga, refere-se à velocidade de escoamento de um fluido através da mesma, convertida em pressão e expressa em coluna desse fluido, em metros ou pés. ▶ Ver *pressão hidrostática*; *carga hidrostática*.

carga direcional / *directional charge*. Carga explosiva que tem um efeito maior em dada direção.

carga hidrostática / *hydrostatic head*. O mesmo que *pressão hidrostática*, expressa em metros de coluna do fluido, tipicamente água. ▶ Ver *pressão hidrostática*.

carga máxima de suporte da torre da sonda (Port.) / *hook load capacity*. O mesmo que *capacidade de carga no gancho*. ▶ Ver *capacidade de carga no gancho*.

carga máxima na haste polida / *peak polished-rod load*. A maior carga imposta à haste polida durante o ciclo de bombeamento no método de produção por bombeio mecânico, conhecida pela sigla em inglês PPRL. ↬ Ocorre sempre no curso ascendente do pistão, onde a válvula de passeio está fechada e a coluna de hastes suporta o peso do fluido, além do peso próprio das hastes.

carga mínima na haste polida / *minimum polished-rod load*. A menor carga imposta à haste polida durante o ciclo de bombeamento no método de produção por bombeio mecânico, conhecida pela sigla em inglês MPRL. ↬ Ocorre sempre no curso descendente do pistão, onde a válvula de passeio está aberta e a coluna de hastes suporta apenas o peso das mesmas.

carga no gancho / *hook load*. Peso suspenso na torre pelo sistema de elevação de uma sonda de perfuração. ↬ A carga no gancho, durante a perfuração, é igual ao peso da coluna imersa no fluido, acrescido dos peso da cabeça de injeção (*swivel*), do gancho, da catarina, além do *top drive* e compensador de movimento quando a sonda tem esses equipamentos. A carga no gancho é medida no indicador de peso por uma célula de carga ou transdutor de pressão, o qual é fixado na linha morta, que é a extremidade do cabo de perfuração ancorado na torre. Algumas forças podem fazer variar o peso suspenso no gancho, como, por exemplo, a força de atrito (*drag*) causada pela fricção ao longo da parede do poço durante o movimento de subida ou descida da coluna, especialmente em poços direcionais.

carga tributária / *tax burden*. Percentual da renda destinada ao pagamento de impostos.

caroteiro (Port.) / *core barrel*. O mesmo que *barrilete de testemunhagem*. ▶ Ver *barrilete de testemunhagem*.

caroteiro interno (Port.) / *inner core barrel*. O mesmo que *barrilete interno de testemunhagem*. ▶ Ver *barrilete interno de testemunhagem*.

carreamento de gás pelo líquido / *gas carry-under*. Arraste de gás (ou vapor de hidrocarboneto), pela corrente de líquido, efluente do separador. ↬ Este termo é um indicativo da eficiência de separação de líquido do equipamento em questão.

carreamento de líquido pelo gás / *liquid carry-over*. Arraste de líquido, pela corrente de gás, efluente do separador. ↬ Esse termo é um indicativo da eficiência de separação de gás do equipamento em questão.

carreamento de líquido sem escorregamento / *no-slip liquid holdup*. No escoamento bifásico, fração do volume líquido-gás da seção de escoamento ocupada pela fase líquida e que flui em velocidade igual àquela na qual flui o gás. ↬ O *holdup* do líquido, sem escorregamento, é definido como a relação do volume de líquido em um segmento de tubo, dividido pelo volume do segmento de tubo que existiria caso o líquido e o gás fluíssem à mesma velocidade (sem escorregamento).

carregamento cíclico / *cyclic loading*. Carregamento mecânico no qual a força ou tensão aplicada varia ao longo do tempo. ↬ Tipo de carregamento mecânico que difere do carregamento estático por haver variação na magnitude de tensão aplicada ao longo do tempo, podendo haver ainda variação na sua frequência e na velocidade de aplicação. É típico na indústria do petróleo, p.ex. em equipamentos que trabalham com variação de pressão interna ou temperatura interna, em *risers* de plataformas *offshore* em catenária para escoamento de fluidos, *risers* de perfuração, hastes de bombeio etc. Este tipo de carregamento normalmente leva a mecanismos de falha por fadiga. Eventualmente pode acarretar fratura frágil, caso a taxa de carregamento aplicada seja muito elevada (carregamento dinâmico). ▶ Ver *fadiga*.

carretel (Port.) / *adapter spool*. O mesmo que *carretel adaptador*. ▶ Ver *carretel adaptador*.

carretel adaptador / *adapter spool*. Peça adaptadora de conexão tipo *flange* ou *hub/clamp*, vazada, que une duas conexões diferentes. ↬ O carretel adaptador, ou simplesmente *adaptador*, em geral é usado para unir a árvore de natal convencional (das plataformas fixas e terrestres) à cabeça de produção.

carretel de revestimento / *casing head spool*. Equipamento utilizado em plataformas fixas de perfuração e sondas terrestres para suspender e vedar o revestimento. ↬ Este equipamento é parte da cabeça de poço onde o preventor de erupção (*blowout preventer*, BOP) é conectado.

carretel espaçador / *spacer tool*. Equipamento cilíndrico e vazado (formato tubular) com *flange* ou *clamp*, com pressão de trabalho e diâmetro de passagem compatíveis com o BOP e a cabeça de poço. Utilizado para ajustar a altura do BOP em relação à saída de fluido para a peneira vibratória de lama.

carste / *carst*. Relevo de ambientes sedimentares de rochas carbonáticas, caracterizados por cavernas, dolinas, vales e paredões rochosos expostos, gerado pela dissolução química dessas rochas, em decorrência do fluxo de água subterrânea. Também chamado *relevo cárstico*.

carta / *chart*. 1. Mapa desenvolvido especialmente para a navegação, assim como a carta de hidrografia, o mapa do tempo ou a carta batimétrica. **2.** Documento com a finalidade genérica de informar sobre algo.

carta amperimétrica / *ammeter chart*. O mesmo que *gráfico de corrente*. ▶ Ver *gráfico de corrente*.

carta batimétrica / *bathymetric chart*. Carta que apresenta as profundidades do fundo de um corpo aquoso através de contorno de linhas ou por contraste de cores. ▶ Ver *curva batimétrica*.

carta cronoestratigráfica / *chronostratigraphic chart*. Exposição gráfica, com tempo geológico ao longo do eixo vertical e distância referente a uma seção de referência no eixo horizontal, para demonstrar idades relativas e extensão geográfica de estratos ou unidades estratigráficas de uma determinada área; conhecida também como *diagrama de Wheeler*. ⟿ Fornece, também, informações sobre dados sísmicos, amostras de rocha e outros registros. As informações bioestratigráficas e litoestratigráficas podem ser mostradas dentro de cada unidade cronoestratigráfica. Essa carta pode ilustrar de maneira resumida interpretações derivadas de análise estratigráfica com base na teoria da estratigrafia de sequências.

carta de garantia (Port.) / *average bond*. O mesmo que average bond. ▶ Ver average bond.

carta de garantia em licitações (Port.) / *bid bond*. O mesmo que bid bond. ▶ Ver bid bond.

carta dinamométrica / *dynamometer card*. Registro gráfico das cargas suportadas pela haste polida durante o ciclo de bombeamento mecânico de um poço. ⟿ A abscissa desse gráfico representa o deslocamento da haste polida. Como o ciclo de bombeamento é um movimento alternativo, a carta dinamométrica é um gráfico atípico no que tange ao fato de o ponto inicial e o final coincidirem no registro. A ordenada representa as cargas que atuam na haste polida. O formato desta carta pode fornecer importantes informações acerca do funcionamento da bomba, tais como: eficiência, vazão de bombeio, vazamentos nas válvulas de pé ou passeio, presença de gás e outros problemas no poço como tubulação furada, rompimento de haste, filtro obstruído etc.

carta isobática / *sounding and contour plan*. Mapa demonstrativo das profundidades e contornos do fundo oceânico.

cartucho / *cartridge*. Parte ou seção de uma ferramenta de perfilagem a cabo que contém componentes eletrônicos e fontes de alimentação necessários para efetuar medições. ⟿ Distingue-se da 'sonda', que contém os sensores. O termo refere-se estritamente ao conjunto de componentes eletrônicos dentro de uma carcaça de aço, mas também é usado para se referir a todo o conjunto, incluindo a carcaça.

cartucho-escorva / *booster, primer*. Explosivo usado para iniciar a detonação de explosivos utilizados nos levantamentos sísmicos.

carvão antraxílico / *anthraxylous coal*. Carvão brilhante, no qual predomina a matéria húmica translúcida ou a matéria translúcida da degradação da parede celular. ▶ Ver *antracito*.

carvão ativado / *activated charcoal*. Carvão ativado por um processo destinado a produzir uma estrutura granulométrica muito fina, com grande superfície, o que lhe confere grande capacidade de adsorção. ⟿ Outros tratamentos químicos podem ser aplicados ao carvão ativado para melhorar seu desempenho. O carvão ativado é um pó leve, de pouca dureza, e com teor de carbono entre 85% e 99%. Geralmente é produzido a partir de matéria orgânica animal ou vegetal, em especial madeira, casca de coco etc.

carvão betuminoso / *bituminous coal*. Carvão que contém elevados teores de betume, também utilizado para gerar gás de carvão. Carvão macio, com grau intermediário de metamorfismo, contendo 15% a 20% de voláteis.

carvão carbonoso / *carbonaceous coal*. Carvão de composição intermediária entre carvão metabetuminoso e antracito.

carvão parálico / *paralic coal*. Carvão formado na região compreendida entre o continente e o mar, em uma região rasa, alagada, normalmente separada do mar por uma ilha barreira.

carvão sapropélico / *sapropelic coal*. Caustobiolito rico em matéria orgânica lipídea, com menos de 33% de matéria mineral. É um carvão betuminoso, muito homogêneo e com alto teor de substâncias voláteis. Na verdade não se trata de carvão no sentido estrito, mas de sapropelito com alto conteúdo de carvão húmico (6% a 12%). ⟿ Na destilação destrutiva gera um alto conteúdo de óleo. O carvão sapropélico distingue-se do folhelho betuminoso por possuir menos de 33% de matéria mineral.

CASAM / *CASAM, completion fluid*. Fluido de completação composto de CAMAI (água do mar + sequestrador de O_2 + bactericida) e um inibidor de corrosão. ▶ Ver *CAMAI*; *fluido de completação*.

cascalho / *gravel*. Sedimento clástico (ou detrítico) cujos fragmentos constituintes têm tamanhos que se situam entre 16 mm e 128 mm na escala granulométrica de Wenthworth. Estes sedimentos, quando litificados, dão origem aos conglomerados. ⟿ Os cascalhos podem ser divididos nas seguintes classes granulométricas: Cascalho fino: com granulometria situada entre 16 mm e 32 mm. Cascalho médio: com granulometria situada entre 32 mm e 64 mm. Cascalho grosso: com granulometria entre 64 mm e 128 mm.

cascalho de argila / *clay gravel*. Cascalho composto por fragmentos de argila com finos grãos de areia.

cascalho de carvão / *coal gravel*. Depósito normalmente originado durante eventos transgressivos do mar pela erosão de camadas de carvão e sua redeposição. Este tipo de carvão apresenta elevados teores de silte e areia, sendo comumente denominado *cinza*.

cascalho de piedmont / *piedmont gravel*. 1. Cascalho oriundo das porções mais elevadas das montanhas, transportado por correntes torrenciais e depositado na base da encosta em área plana extensa e larga, onde as correntes perdem energia. 2. Termo também aplicado ao depósito formado por esse mesmo processo.

cascalho de poço / *well cuttings*. Fragmento da formação cortado pela broca, retirado do poço pela a circulação do fluido de perfuração e separado deste por meio de peneiras vibratórias localizadas na sonda. ↔ Os cascalhos são analisados pelo especialista do fluido de perfuração ou geólogo quanto à composição granulométrica, tamanho, forma, cor, textura e teor de hidrocarbonetos presentes. Em geral, amostras são armazenadas em arquivos para futura correlação. ▶ Ver *fluido de perfuração*; *especialista de fluido de perfuração*; *peneira vibratória*.

cash calls. Antecipações financeiras pedidas pelo operador de determinado(s) campo(s) produtor(es), em suporte aos estudos de viabilidade econômica e respectivos investimentos anteriormente programados.

casing profile nipple (CPN). Acessório conectado como primeira junta de revestimento nas operações de perfuração com revestimento (*casing drilling*) com recuperação da composição de fundo ou *BHA* (*bottom-hole assembly*). O *CPN* contém perfis internos onde a parte superior do *BHA*, denominada *drill lock assembly* (*DLA*) é conectada. Dois perfis permitem o funcionamento de duas travas: a que transmite carga axial do revestimento para o *BHA* e a que transmite torque do revestimento para o *BHA*.

caso fortuito / *unforeseeable circumstance*. Termo que designa um acontecimento natural inesperado, sem controle ou possibilidade de interveniência das partes interessadas.

cat line. Cabo do molinete de fricção. ▶ Ver *molinete*.

catagênese / *catagenesis*. 1. Mudança que ocorre em uma rocha sedimentar já formada e soterrada quando coberta por uma camada diferente, embora às vezes fina, caracterizada por condições de pressão e temperatura muito diferentes daquelas da deposição. 2. Processo em que, com o aumento da pressão, o querogênio se altera e a maioria do petróleo é formada.

catalisador / *catalyst*. Substância que altera a energia de ativação de uma reação química, aumentando ou retardando a velocidade de reação, mas sem sofrer qualquer alteração química permanente no processo.

catarina / *traveling block*. Sistema de polias móveis utilizado em dispositivos de levantamento de carga para diminuir a exigência de torque em seu acionamento. ↔ Em sondas, este equipamento é composto por um conjunto de roldanas paralelas e alinhadas e que se move para cima e para baixo na torre ou no mastro. Os cabos de perfuração que passam por essas roldanas também passam pelas roldanas fixas do bloco de coroamento que, ao contrário da catarina, fica imóvel no topo da torre. Este sistema permite que cargas pesadas, como a coluna de perfuração e de revestimento, sejam movimentadas dentro do poço.

catasismo / *kataseism*. Movimento da terra em direção ao foco do terremoto. Contrário de *anasismo*.

catastrofismo / *catastrophism*. 1. Doutrina segundo a qual repentinos eventos violentos, de curto período de tempo, mais ou menos de escala mundial e fora da nossa experiência ou nosso conhecimento atual da natureza, modificaram extremamente a crosta da Terra. 2. Doutrina pela qual as mudanças na fauna e na flora da Terra são explicadas por catástrofes recorrentes, seguidas pela criação de diferentes organismos.

categoria de serviços / *service category*. Categoria de desempenho para lubrificantes utilizados em motores a gasolina (ciclo Otto), desenvolvida pelo API (American Petroleum Institute). ↔ Esta categoria de serviços faz uso do alfabeto para designar seus níveis de desempenho. A categoria SA é a mais simples e, no momento, a classificação mais avançada é a do tipo SM.

catenária / *catenary*. 1. Curva plana assumida por um fio suspenso sob a ação única de seu próprio peso. 2. Curva assumida por um cabo de reboque que se move através da coluna d'água, tipicamente induzida por forças de arrasto sobre o cabo. A catenária é um fator complicador significante na determinação da distância horizontal entre o equipamento rebocado e a embarcação. A forma da catenária é função do coeficiente de arrasto do sistema rebocado, da profundidade, da quantidade e do peso do cabo na água. ↔ Na produção no mar, tal configuração é a mais comum dentre aquelas exibidas por umbilicais e linhas de produção quando da suspensão das mesmas por UEPs (Unidades Estacionárias de Produção).

catião (Port.) / *cation*. O mesmo que *cátion*. ▶ Ver *cátion*.

cátion / *cation*. 1. Átomo ou grupo de átomos que tenha perdido um ou mais elétrons. 2. Íon carregado positivamente.

cátodo

cátodo / *cathode*. 1. Eletrodo de uma célula eletroquímica no qual a redução é a principal reação. 2. Elemento de uma válvula eletrônica ou de um semicondutor, responsável pela emissão dos elétrons.

catodoluminescência / *cathodoluminescence*. Fenômeno óptico e elétrico originado pela emissão de luz a partir de um material luminescente quando atingido por um feixe de elétrons. ↔ O exemplo mais conhecido desse fenômeno é a televisão. Em geologia, é mais comumente utilizado para analisar a estrutura interna de minerais.

caução / *security deposit*. Garantia do cumprimento de um dever ou de uma obrigação, e que consiste em colocar bens à disposição do juízo ou apresentar fiador idôneo que assegure tal finalidade. ▶ Ver *performance bonds*.

cauda / *coda*. Oscilação ocorrida após o surgimento de um evento sismológico principal.

cauda para cimentação / *stinger*. Coluna formada por tubos de perfuração, utilizada na cimentação de poços com cabeça de poço submarina. ↔ Esta coluna se estende abaixo da cabeça do poço, reduzindo o volume de pasta, principalmente na operação de cimentação de revestimentos de maiores diâmetros.

cáustico / *caustic*. Substância que, por ser uma base forte, queima tecidos orgânicos, como a soda cáustica.

cavalo de pau / *sucker rod pump*. Unidade utilizada para acionar bomba alternativa localizada no interior de poço terrestre de produção de petróleo. Também conhecida como *unidade de bombeio mecânico (UBM)*. ↔ Geralmente montado sobre base, é constituído por um motor (elétrico, na maioria das vezes) que aciona uma caixa de redução e esta, por sua vez, um mecanismo biela-manivela que transmite movimento alternativo a uma das extremidades de uma viga pivotada (*balancim*) montada sobre o cavalete. Situada na outra extremidade da viga está a cabeça do cavalo de pau, que, por meio de um cabo de aço, transmite o movimento alternativo ao conjunto de hastes que aciona a bomba instalada dentro do poço. ▶ Ver *bombeio mecânico*; *bomba alternativa*; *bomba insertável*; *coluna de hastes*; *balancim*.

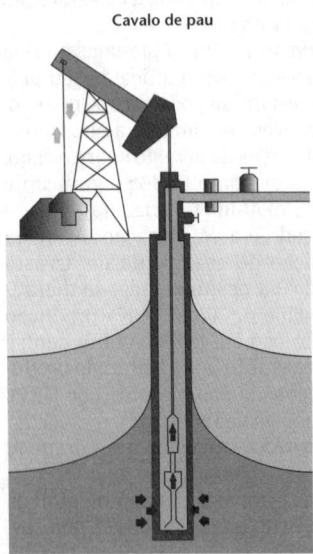

Cavalo de pau

célula de carga

cavalo de potência / *horsepower (hp)*. Unidade de medida de potência, componente do Sistema Britânico de Medidas, correspondente a 745,6999 W. ↔ James Watt, engenheiro escocês, estimou que um cavalo, trabalhando em uma mina de carvão, era capaz de elevar uma cesta de carvão com 330 libras-força de peso (149,7 kgf), a uma altura de 100 pés (30,48 m), gastando para isso o tempo de 1 minuto, e chamou essa potência de 1 *horsepower*. Utilizando a fórmula de potência, temos: 1 *horsepower* (hp) = (330 lbf x 100 ft) / 1 min. = 33.000 lbf.ft/min.

caverna, Brasil / *cave, Brazil*. Cavidade natural subterrânea penetrável pelo homem, incluindo seu ambiente, seu conteúdo mineral e hídrico, as comunidades animais e vegetais ali agregadas e o corpo rochoso em que se insere (Resolução Conama n° 005/1987). ↔ São declaradas as cavernas patrimônio natural de importância por razões técnico-científicas e para usos étnico-culturais, recreativos e educativos.

cavitação / *cavitation*. Fenômeno caracterizado pela formação de bolhas em regiões do escoamento de um líquido onde a pressão atinge valores inferiores à sua pressão de vapor, e o ulterior colapso dessas bolhas em regiões de pressão mais elevada, provocando ondas de choque que podem danificar dispositivos internos de equipamentos de fluxo. ↔ A cavitação pode ocorrer em bombas de fundo de poço ou de transferência, provocando erosão do corpo do impulsor. O fenômeno pode ocorrer, em princípio, em qualquer máquina de escoamento.

ceifamento / *clipping, flat-topping, peak shaving*. Corte ou perda dos picos de um sinal ou dos bits de mais alta ordem de um registro digital.

cela / *bin*. Área (geralmente um retângulo ou quadrado) limitada por um conjunto de linhas (quase sempre paralelas ou ortogonais), definida (geralmente) pela posição de pontos de tiros e receptores em uma aquisição sísmica 3-D.

cela cristalina / *crystal cell*. Unidade básica da estrutura de uma substância cristalina. ↔ Sua repetição tridimensional segundo os três eixos do respectivo sistema de cristalização origina a forma externa do cristal. O número de átomos em uma cela cristalina unitária é um número inteiro, pequeno ou múltiplo do número mostrado pela fórmula química. Qualquer subdivisão menor não teria as propriedades da espécie mineral. ▶ Ver *retículo cristalino*.

***cellar deck*.** O mesmo que *convés inferior*. ▶ Ver *convés inferior*.

célula de carga / *load cell*. Dispositivo eletrônico que transforma força em sinal elétrico. ↔ Neste tipo de célula, uma série de estensômetros (*stain-gages*) é colada em uma estrutura construída de um metal que tem suas propriedades elásticas conhecidas. Quando se aplica uma carga a essa estrutura ela se deforma segundo um determinado padrão, e a estrutura provoca a deformação dos *strain-gages*. Estes dispositivos, quando deformados, alteram sua resistência elétrica e causam uma perturbação na corrente elétrica que flui por eles. Essa perturbação na corrente e/ou tensão é registrada e, por meio de curvas de calibração, estima-se a força atuante. Há células de carga que utilizam outros princípios físicos, porém são mais raras.

célula de filtração HTHP / *HTHP fluid loss cell*. Equipamento de laboratório utilizado para medir a perda de fluido de uma pasta de cimento com temperatura até 180 °C e diferencial de pressão de 1.000 psi. ↝ A célula consiste de um cilindro, contendo em seu interior um meio filtrante, fechado por duas tampas com válvulas e um sistema de coleta e resfriamento do filtrado. Esse conjunto é inserido em uma manta de aquecimento, geralmente com controle de temperatura manual. A primeira válvula permite a entrada de nitrogênio para pressurização e a segunda válvula serve para a saída do filtrado. ▶ Ver *perda de fluido*.

célula de filtrado com agitação / *stirred fluid loss cell*. Célula de filtrado para alta temperatura e alta pressão, dotada de um sistema de agitação que permite a realização do condicionamento da pasta de cimento e do ensaio de determinação da perda de fluido em um só passo, evitando, assim, o manuseio de fluidos aquecidos entre essas duas etapas. ▶ Ver *perda de fluido*.

célula galvânica / *galvanic cell*. Célula na qual reações eletroquímicas espontâneas constituem uma fonte de energia elétrica. Composta normalmente por dois materiais metálicos com potenciais eletroquímicos diferentes em contato entre si e com um eletrólito.

célula voltaica / *voltaic cell*. É uma célula eletroquímica formada por dois metais diferentes imersos cada um em um recipiente com solução salina e ligados por uma ponte salina. ↝ A corrente elétrica que tem origem quando se ligam os dois metais por um fio resulta das diferentes tendências de cada metal de passar à solução na forma de íon (potencial eletroquímico de cada metal); a ponte salina tem por objetivo prover o contato entre as duas soluções, balanceando-as eletricamente sem permitir que se misturem. Várias células voltaicas em série constituem uma bateria ou pilha.

celulose / *cellulose*. Composto orgânico que compõe a estrutura primária das plantas verdes, sendo considerado um biopolímero, sendo uma das principais partes de suas paredes celulares.

cement retainer. O mesmo que *retentor de cimento*. ▶ Ver *retentor de cimento*.

cenário / *scenario*. Construção intelectual com uma sequência imaginada ou projetada de eventos. ↝ A construção de cenários é técnica usual em várias disciplinas, especialmente no planejamento, na avaliação econômica e na avaliação de impactos ambientais.

cenozona / *cenozone*. Zona de associação de três ou mais grupos de fósseis, quer estejam todos presentes ou não, e pode ser restrita ou incorporar duas ou mais associações. ▶ Ver *zona de associação*.

centistokes. Unidade de viscosidade cinemática igual a 100 *stokes* e de símbolo cSt. ↝ A viscosidade cinemática é igual à viscosidade dinâmica dividida pela massa específica do fluido. Todas as medidas devem se referir à mesma temperatura.

central de ligações de condutas (Port.) / *flowline hub*. O mesmo que *conector de linha de fluxo*. ▶ Ver *conector de linha de fluxo*.

centralizador / *centralizer*. Dispositivo que ajuda a manter a ferramenta de perfilagem no centro do poço. ↝ Nas ferramentas de perfilagem, este dispositivo comumente tem três ou mais molas flexíveis em arco. Pode ser montado na superfície externa da ferramenta ou conectado em linha entre dois cartuchos ou sondas. Algumas medidas, como os perfis sônicos, respondem melhor quando a ferramenta está centralizada, enquanto outras, inclusive os perfis de indução, são melhores quando descentralizadas.

centralizador de crivo (Ang.) / *screen centralizer*. O mesmo que *centralizador de tela*. ▶ Ver *centralizador de tela*.

centralizador de hastes / *sucker rod centralizer*. Dispositivo usado para manter as hastes de bombeio mecânico centralizadas dentro da coluna de produção, visando a reduzir o desgaste devido ao atrito entre estas e a tubulação de produção. ↝ Pode ser moldado nas hastes ainda na fábrica ou ser instalado na coluna de hastes durante a intervenção com sonda de produção.

centralizador de revestimento / *casing centralizer*. Acessório de cimentação conectado à coluna de revestimento com a finalidade de evitar o contato direto desta coluna com a parede do poço. ↝ Esse acessório é composto por um jogo de lâminas curvas de aço que são afixadas externamente à coluna de revestimento, visando a centralizá-la para criar um afastamento mínimo da parede do poço (*stand off*) e garantindo um selo hidráulico adequado. Existem dois tipos de centralizadores: o de (I) lâminas flexíveis e o de (II) lâminas rígidas. O primeiro é mais utilizado em poços verticais e de baixa inclinação, onde as forças laterais são pequenas. Em poços direcionais, o de lâminas rígidas é mais utilizado, pois as altas forças laterais, devido ao peso do revestimento, geram altas deformações laterais dos centralizadores flexíveis, impedindo a centralização do revestimento, observando-se que a aplicação destes centralizadores é crítica no caso de poços direcionais. ▶ Ver *centralizador flexível*; *centralizador rígido*; *centralizador soldado*; *centralizador não soldado*.

centralizador de tela / *screen centralizer*. Equipamento de *gravel packing* utilizado para manter a tela de contenção de areia no centro da seção do poço. ▶ Ver *tela*; *tela de contenção de areia*.

centralizador flexível / *flexible centralizer, spring-bow centralizer*. Centralizador de revestimento constituído de mola em forma de arco fixada em suas extremidades a anéis articuláveis, formando um conjunto flexível de diâmetro maior que o do poço. Embora flexíveis, são rígidos o suficiente para manter o revestimento centralizado em poços verticais ou de pouca inclinação. ▶ Ver *centralizador rígido*; *centralizador não soldado*; *centralizador soldado*.

centralizador não soldado / *non-welded centralizer*. Centralizador flexível no qual as molas em forma de arco são fixadas (sem solda) aos anéis que unem o conjunto. ▶ Ver *descentralização*; *centralizador flexível*; *centralizador soldado*.

centralizador rígido / *rigid centralizer*. Centralizador de revestimento de diâmetro externo constante, usado em poços direcionais onde os centralizadores flexíveis não poderiam manter o tubo afastado da parede do poço por não suportarem o peso do revestimento. ▶ Ver *centralizador de revestimento*; *centralizador flexível*; *centralizador rígido com mínimo arraste*; *centralizador rígido com mínimo torque*.

centralizador rígido com mínimo arraste / *low-drag rigid centralizer*. Centralizador rígido que contém roletes dispostos de forma a reduzir o arraste durante a descida da coluna no poço. São utilizados em poços de longo afastamento ou horizontais, para descida de revestimento tipo *liner* ou tela para contenção de areia. ▶ Ver *centralizador de revestimento*; *centralizador flexível*; *centralizador rígido*; *centralizador com mínimo torque*.

centralizador rígido com mínimo binário (Port.) / *low-torque rigid centralizer*. O mesmo que *centralizador rígido com mínimo torque*. ▶ Ver *centralizador rígido com mínimo torque*.

centralizador rígido com mínimo torque / *low-torque rigid centralizer*. Centralizador rígido que contém roletes dispostos de forma a reduzir o torque causado pelo movimento de rotação da coluna. São utilizados em poços de longo afastamento para permitir a rotação do revestimento ou *liner*. ▶ Ver *centralizador de revestimento*; *centralizador flexível*; *centralizador rígido*; *centralizador rígido com mínimo arraste*; *centralizador rígido com mínimo torque*.

centralizador soldado / *welded centralizer*. Centralizador flexível no qual as molas em forma de arco são soldadas aos anéis que unem o conjunto. ▶ Ver *centralizador de revestimento*; *centralizador não soldado*; *centralizador flexível*.

centrífuga / *centrifuge*. 1. Equipamento de laboratório usado para a determinação das saturações de fluidos em amostras de testemunhos. Por possuir um dispositivo interno que gira em alta velocidade, a extração dos fluidos das amostras ocorre pela ação da força centrífuga. Pode ser usada em múltiplas velocidades para obtenção da curva de pressão capilar, ou estudos de mineralogia de argilas. 2. Equipamento do sistema de circulação de fluido de uma sonda, utilizado para a remoção de sólidos de fluidos de perfuração. Enquanto peneiras e hidrociclones têm como função promover a separação mecânica e o descarte de partículas sólidas de maiores dimensões (mais grosseiras), as centrífugas são utilizadas para a separação e o descarte de partículas menores, ultrafinas (partículas de baritina e fragmentos muito finos da rocha perfurada). Quando utilizada no tratamento de um fluido adensado com baritina, tem a função de remover sólidos de dimensões coloidais. 3. Equipamento de separação dotado de dispositivo interno que gira em alta rotação para promover, por efeito centrífugo, a segregação das fases de densidades distintas que estão no seu interior. É utilizada como equipamento de separação dos fluidos produzidos no processamento primário de petróleo.

centrifugador (Port.) / *centrifuge*. O mesmo que *centrífuga*. ▶ Ver *centrífuga*.

centrifugadora (Ang.) / *centrifuge*. O mesmo que *centrífuga*. ▶ Ver *centrífuga*.

cera / *wax*. Depósito orgânico oriundo principalmente de hidrocarbonetos parafínicos de cadeia longa. ⁕ Termo usual para significar depósitos parafínicos, diferente do termo mais específico que significa triglicerídeo de cadeia longa. ▶ Ver *parafina*.

cernozem / *chernozem*. Grande grupo de solos zoneados cuja superfície é escura e rica em matéria orgânica e o horizonte inferior é de coloração clara com acumulação de carbonato. Desenvolve-se sob condições de clima que variam de subúmido temperado a subúmido frio.

certame licitatório / *bidding round*. O mesmo que *licitação*. ▶ Ver *licitação*.

certificação ambiental / *environmental certification*. Processo de verificação da conformidade de uma determinada instalação industrial ou projeto de engenharia em relação a procedimentos, códigos ou regulamentos existentes para assegurar a proteção ambiental numa região onde um empreendimento venha a ser executado. ⁕ Em geral, a certificação ambiental é realizada por uma entidade independente, credenciada pela autoridade ambiental de um determinado país ou por organismos internacionais.

certificação de conteúdo local / *local content certification*. Processo que visa a verificar se o conteúdo local de um bem ou serviço está em conformidade com regulamentos pertinentes, emitidos por uma autoridade reguladora competente. ⁕ No Brasil, trata-se do conjunto de atividades desenvolvidas por uma entidade devidamente credenciada pela Agência Nacional do Petróleo, Gás Natural e Biocombustíveis (ANP), com o objetivo de atestar publicamente, por meio da emissão de um certificado, que determinado bem, serviço ou instalação industrial está em conformidade com os requisitos especificados na regulamentação do conteúdo local emitida por esta agência. ▶ Ver *conteúdo local*.

certificação de reservas / *certification of reserves*. Processo que visa verificar se a determinação das reservas de petróleo e gás natural de uma companhia está em conformidade com códigos e procedimentos internacionalmente reconhecidos pela indústria de petróleo ou estabelecidos por uma autoridade competente de um determinado país. •• Em geral, a certificação de reservas é executada por empresas especializadas e independentes, mediante auditoria técnica.

certificado de gerenciamento de segurança / *safety management certificate*. Documento emitido para um navio e que atesta se a companhia proprietária e a gerência a bordo operam de acordo com o sistema de gestão de segurança aprovado pelo International Safety Management Code (ISM Code).

cessão / *assignment*. Venda, cessão, transferência ou qualquer forma de alienação de todos ou qualquer parte dos direitos e obrigações do concessionário no contrato de concessão, acordo de participação conjunta, ou qualquer outro contrato de associação, consórcio ou empreitada. •• No caso da cessão parcial ou total de direitos relativos ao contrato entre o concessionário e a Agência Nacional do Petróleo, Gás Natural e Biocombustíveis (ANP) (Brasil), a cessão deve ser aprovada pelo órgão regulador. A sua ocorrência enseja a alteração nos percentuais de participação no projeto, a solidariedade entre as partes quanto às obrigações concessionais e imediato recolhimento do pagamento pela ocupação ou retenção de área, por parte do eventual novo participante, entre outras consequências.

cesta de cimentação / *cementing basket*. Ferramenta acoplada ao revestimento, ou *liner*, em pontos onde há necessidade de suporte mecânico suplementar, como, por exemplo, no caso das formações frágeis ou porosas. Dessa forma, a coluna de cimento é suportada com o auxílio dessa ferramenta até o início da "pega" do cimento. •• Essa ferramenta é instalada de forma que deslize externamente pelo revestimento com o auxílio de 'colares' ou braçadeiras para fixá-la no local apropriado.

cesta de moedas / *basket of currencies*. Mecanismo utilizado como índice de variação de ativos financeiros, buscando assim evitar variações bruscas de uma única moeda. •• O critério de sua formação considera a definição de moedas de diferentes países, atribuindo uma média ponderada para cada uma delas; o resultado indicará uma espécie de moeda internacional. A definição das moedas componentes desse mecanismo poderá, por exemplo, estar sujeita aos interesses de determinada empresa contratante quando esta estiver desenvolvendo empreendimentos ou projetos de larga escala de fornecimento internacional, principalmente para a aquisição no mercado internacional de equipamentos e sistemas com várias procedências.

cesta de pesca (Port.) / *junk basket*. O mesmo que *cesta de pescaria*. ▶ Ver *cesta de pescaria*.

cesta de pescaria / *junk basket*. Ferramenta composta de um tubo cilíndrico que tem em sua extremidade superior um sub de topo com rosca para conectar na coluna, na parte inferior uma sapata-guia ou trituradora e internamente uma aranha de dedos para aprisionar qualquer pedaço de ferro que entre no tubo. Existem diversos modelos, inclusive com passagem de fluxo para circulação reversa, através de uma esfera que é colocada no sub de topo e que muda o fluxo para o lado externo.

cesta de referência da Opep / *OPEC reference basket*. Média de preços de misturas (*blends*) de petróleo produzido por países componentes da Opep (Organização dos Países Exportadores de Petróleo). •• Usada como uma importante referência para preços de petróleos. Os *blends* que atualmente compõem a cesta são os seguintes: Angolan Girassol (Angola), Saharan Blend (Argélia), Oriente (Equador), Minas (Indonésia), Iran Heavy (Irã), Basra Light (Iraque), Kuwait Export (Kuwait), Es Sider (Líbia), Bonny Light (Nigéria), Qatar Marine (Catar), Arab Light (Arábia Saudita), Murban (Emirados Árabes Unidos) e BCF 17 (Venezuela). ▶ Ver *Organização dos Países Exportadores de Petróleo (OPEP)*.

chamada de capital / *cash call*. Antecipações financeiras pedidas pelo operador ou líder de consórcio de determinado empreendimento de exploração e produção para a execução de atividades programadas, cujos orçamentos foram previamente aprovados pelos consorciados.

chaminé / *chimney*. **1.** Caminho formado na rocha-capa, geralmente por conta de fraturas, através do qual os fluidos de um reservatório podem migrar verticalmente. **2.** Tubo vertical que conduz gases de combustão de uma fornalha ou caldeira para uma região elevada, com o objetivo de permitir dispersão atmosférica desses gases em uma região segura. •• Além das chaminés de fornos e caldeiras, também são frequentemente assim denominadas as tubulações de descarga das turbomáquinas (turbocompressores e turbogeradores).

chaminé de gás / *gas chimney*. Fenômeno causado pela ascensão de bolhas gasosas que escapam de campos de petróleo submarinos pelas fraturas ou falhamentos do selo que retém os hidrocarbonetos trapeados. As chaminés de gás costumam ser identificadas através de sísmica causada por empobrecimento e aumento do tempo das reflexões provocadas pela baixa velocidade de propagação do gás.

chaminé vulcânica / *volcanic chimney*. Conduto vertical de um vulcão por onde o magma flui até a superfície.

chave CDP / CDP switch, roll-along switch. Chave rotativa que seleciona quais estações de geofones serão registradas em cada tiro.

chave de broca / bit breaker box, bit box. Dispositivo que encaixa na mesa rotativa, utilizado para enroscar ou desenroscar a broca da coluna de perfuração. O tamanho e o formato desta chave dependem da broca.

chave eletromecânica / electromechanical switch. Dispositivo usado para ativar ou desativar um sistema ou equipamento, por intermédio de acionamento mecânico, manual ou automático. Comporta-se como um componente binário simples e fundamental, com uma entrada e uma saída. Este dispositivo é muito encontrado em sistemas de proteção, alarmes ou acionamento de motores.

chave na mão (Port.) / turnkey. O mesmo que turnkey. ▶ Ver turnkey; *contrato EPC*; *contrato LSTK*.

chaves flutuantes / makeup tongs. Equipamentos usados para proporcionar torque quando dois elementos da coluna são conectados ou desconectados. ⇨ As chaves flutuantes manuais são mantidas suspensas na plataforma por um sistema cabo de aço/polia/contrapeso. São duas chaves que permitem dar o torque para conectar ou desconectar as uniões cônicas dos elementos tubulares da coluna. A chave utilizada para a conexão é denominada *makeup tong*, enquanto a usada na desconexão é a *backup tong*. Uma das chaves tem sua extremidade presa por cabo de aço a um ponto fixo da plataforma, enquanto a extremidade da outra é puxada, pelo cabo de aço, pelo tambor exterior do guincho (*cathead*). As mandíbulas das chaves são providas de mordentes intercambiáveis, responsáveis pela fixação das chaves na tubulação.

cheque de validade / validity check. Teste para aceitação ou rejeição de um dado, usando por base um critério. Como exemplo, na aquisição sísmica marítima, para um determinado *cut-off* de razão sinal-ruído, o cliente pode recusar um dado sísmico, e este ser novamente levantado.

cherte (Port.) / chert. O mesmo que *silexito*. ▶ Ver *silexito*.

cherte arenoso / sandy chert. Rocha formada pela substituição de grãos por sílica em camadas de arenito, apresentando estruturas semelhantes às encontradas em oólitos. O contato entre os grãos adsorvidos pela sílica e a sílica secundária é normalmente gradacional por causa do intenso processo de substituição.

chertificação / chertification. Silicificação em que os grãos de quartzo ou calcedônia são introduzidos em calcários.

chicana / baffle. Dispositivo interno em equipamentos e tubulações que visa a bloquear parcialmente ou desviar o fluxo de fluidos. ⇨ Tem por objetivo direcionar as correntes de fluidos no interior de equipamentos de processamento, de forma que o escoamento interno se verifique conforme previsto no projeto.

chicote / harness. Parte do conjunto de fundo de bombeio hidráulico a pistão.

chirp. Tecnologia de sonar que utiliza transmissores e receptores separados. O transmissor emite um pulso linear de FM produzido digitalmente, o que resulta em sinais com maior largura de banda. Como esses sistemas são de multifrequências, uma maior largura de banda resulta teoricamente em maior resolução.

choke ajustável / adjustable choke. 1. Válvula, geralmente composta por uma agulha cônica em sua sede, cuja posição pode ser modificada de modo a alterar a vazão de fluido ou gás que passa através dela. Normalmente usada durante o controle de poço, quando um influxo é deslocado para fora do anular do poço passando por essa válvula, que mantém uma pressão no fundo suficiente para impedir a entrada de mais influxo, porém com o cuidado de que a pressão logo abaixo da sapata do revestimento seja menor que a pressão de fratura. O controle dessa válvula pode ser automático ou manual. O *choke* ajustável contrasta com o *choke* fixo. **2.** Válvula localizada sob a árvore de natal ou perto dela, e que é utilizada para controlar a produção de fluido de um poço. A abertura ou fechamento da válvula variável modifica a pressão na qual os fluidos produzidos fluem pelas linhas (*pipeline*) ou outras instalações de processamento. O *choke* ajustável é normalmente ligado a um sistema de controle automatizado para permitir que os parâmetros de produção de poços individuais possam ser controlados com precisão. ▶ Ver choke *variável*.

choke manifold. Conjunto de válvulas automáticas sensores, *chokes* e linhas em uma sonda de perfuração. ⇨ O *choke manifold* é utilizado para circular um influxo (*kick*) para fora do poço ou circular fluidos de perfuração pesados para dentro do poço e, assim, controlá-lo. É conectado ao *BOP stack* e normalmente é composto por pelo menos dois *chokes* ajustáveis, posicionados de forma que se um deles está defeituoso ou fora de serviço, ele pode ser isolado e o fluxo do poço direcionado para o outro *choke*. Pode também direcionar o fluxo para os tanques de lama, queimadores ou equipamentos de condicionamento de fluido. Pode ser operado remotamente por um painel de controle na plataforma de perfuração.

choke variável / variable choke. Válvula com orifício que pode ser controlado, diminuindo ou aumentando de diâmetro de modo a controlar a perda de carga de um fluxo. ⇨ O *choke* variável é utilizado para regular a vazão e pressão de um fluido em operações de controle de poço. Essas válvulas são construídas de modo que seus elementos de restrição e vedação resistam ao desgaste causado por fluxo de fluidos com sólidos em alta velocidade. Esse controle pode ser automático ou manual. ▶ Ver choke *ajustável*.

choque sísmico / *seismic shock*. Onda que viaja através da terra para fora do local de um terremoto. O mesmo que *onda de choque sísmico*.

choque térmico / *thermal shock*. Brusca mudança de temperatura (usualmente de uma temperatura elevada para uma baixa) que causa falha em materiais frágeis.

chuva ácida / *acid rain*. Precipitação atmosférica acidificada, natural ou artificialmente, que afeta os ecossistemas terrestres e aquáticos e provoca o intemperismo de rochas.

chuva de erupção / *eruption rain*. 1. Chuva relacionada a erupção vulcânica e originada pela condensação de gases. 2. Sinônimo de *chuva vulcânica*. ↔ Os gases podem ou não ser exclusivamente vulcânicos.

ciclo aberto / *open cycle*. Ciclo de geração de energia em que os gases do escape de uma turbina são descartados ainda quentes, sem aproveitamento. ↔ Operação tipicamente empregada nas primeiras fases de funcionamento das plantas de geração de energia.

ciclo biogeoquímico / *biogeochemical cycle*. Circulação natural dos elementos químicos através dos meios físicos e dos organismos vivos. ↔ Os elementos ou substâncias químicas usados pelos seres vivos circulam entre um grande reservatório e um pequeno reservatório em escalas de tempo e de espaço variáveis segundo sua natureza. Assim, no ciclo da água, o grande reservatório é a água superficial, o pequeno reservatório é a água do solo, e entre eles a água circula por evaporação e por evapotranspiração das plantas. Há inúmeros ciclos: do nitrogênio, do carbono, do enxofre, entre outros.

ciclo climático / *climatic cycle*. Ciclo produzido pela interação dos parâmetros orbitais da Terra: excentricidade, obliquidade e precessão dos equinócios, os quais periodicamente alteram o grau de insolação dos hemisférios terrestres. ▶ Ver *ciclos de Milankovitch*.

ciclo combinado / *combined cycle*. Ciclo de geração de energia que emprega mais de um ciclo termodinâmico, em que o calor residual dos gases de escape das turbinas é aproveitado para geração de vapor. ↔ A turbina a gás gera energia e os gases de escape da turbina (quentes) são usados para gerar vapor em uma caldeira recuperadora. Este vapor aciona a turbina a vapor produzindo mais eletricidade. Aplicado na maioria das usinas termelétricas quando concluídas todas as fases de construção.

ciclo de avalanche / *avalanche cycle*. Distinto período de tempo durante o qual uma sequência natural de avalanches ocorre, comumente associadas a períodos de tempestades ou durante os aumentos de temperatura nos sistemas glaciais. Neste caso, um ciclo sempre começa no início da tempestade ou durante ela, e termina usualmente em poucos dias. ↔ Nas encostas de regiões vulcânicas ocorrem avalanches durante o início das atividades sísmicas que acompanham os processos de vulcanismo, e podem perdurar até o seu fim. Em regiões de encostas e taludes íngremes, não relacionados a geleiras, os ciclos de avalanches podem iniciar-se durante ou imediatamente após os períodos de alta pluviosidade. Estes ciclos também ocorrem durante as atividades tectônicas e nos taludes marinhos, além de acompanharem os abalos sísmicos que podem ocorrer por instabilidades gravitacionais.

ciclo de erosão / *cycle of erosion*. Sequência completa de mudanças naturais na topografia de uma superfície recém-soerguida, desde o início de sua erosão até o nível de peneplanização. O mesmo que *ciclo de denudação*.

ciclo de erupção / *eruption cycle*. Sequência de eventos durante uma erupção vulcânica.

ciclo de excentricidade / *eccentricity cycle*. Ciclo da gradual mudança da órbita da Terra, de mais circular para a forma mais elíptica; um ciclo dura aproximadamente 100.000 anos. Muito usado como ferramenta para estudos de ciclicidade sedimentar.

ciclo de linha de praia / *shoreline cycle*. Sucessão de mudanças que uma região costeira sofre ao longo de um período de desenvolvimento de uma praia, desde o nível mais baixo de água até o ponto mais alto, quando a água não consegue mais realizar os processos de erosão ou deposição.

ciclo de operação / *operation cycle*. Ciclo composto de cinco etapas: injeção, elevação, produção, descompressão e alimentação. Ao término dessas etapas o ciclo se reinicia, num ciclo de elevação pneumática intermitente (*gas lift* intermitente). ↔ Este tipo de método é utilizado quando a pressão estática ou o IP do poço são baixos. Em poços em terra (*onshore*) este método pode ser utilizado para dar continuidade à produção quando o método de *gas lift* contínuo não é mais aplicável devido às baixas vazões. A produtividade de poços com GLI é baixa, por isso geralmente não é utilizado em produções de poços no mar (*offshore*).

ciclo deltaico / *delta cycle*. 1. Repetições de padrão numa sedimentação deltaica, causadas pela mudança de posição do canal e, consequentemente, do lobo ativo. 2. Período de tempo compreendido entre o início e o final da deposição de um delta, ou seu representante sedimentar.

ciclo do carbono / *carbon cycle*. Caminho biogeoquímico do carbono, envolvendo sua transformação em CO_2 e HCO_3^-, sua dissolução, deposição em minerais, o metabolismo e a regeneração desse elemento fixado biologicamente. ↔ O dióxido de carbono é fixado para formar a matéria orgânica mediante fotossíntese ou quimiossíntese, através de vários níveis tróficos na biosfera, parcialmente perdido para os sedimentos e finalmente retornado ao seu estado original através da respiração e da combustão. O carbono circula através da atmosfera, dos oceanos e da terra, nos quais inclui vegetação, solo e o próprio carbono em suas várias formas e estados de oxidação através do ciclo.

ciclo eustático / *eustatic cycle*. Intervalo de tempo geológico relacionado à variação eustática. Corresponde ao espaço entre a subida e a descida do nível médio do mar.
ciclo geomórfico / *geomorphic cycle*. Sequência das diferentes fases por que passa o relevo de uma região. O mesmo que *ciclo de erosão*. ▶ Ver *ciclo de erosão*.
ciclo glacial / *glacial cycle*. Sucessão de épocas de glaciação e interglaciação correspondentes, respectivamente, à grande formação de geleiras e ao seu derretimento.
ciclo hidrológico / *hydrologic cycle*. Termo empregado para descrever a circulação planetária da água, através de processos como: precipitação, interceptação, escoamento, infiltração, percolação, armazenamento, evaporação e transpiração. O mesmo que *ciclo biogeoquímico da água*. ↝ A evaporação da água da superfície continental e da água do mar gera nuvens que, por sua vez, causam precipitações atmosféricas. Estas se acumulam no solo (armazenamento subterrâneo) ou em corpos de água superficial e irão sofrer evaporação novamente. A dinâmica do processo de formação e transporte do vapor é realizada pela energia do Sol, enquanto a precipitação e o fluxo da água são primariamente por gravidade.
ciclo secundário geoquímico / *secondary geochemical cycle*. Sucessão dos processos de intemperismo, formação de solos, erosão, transporte e sedimentação.
ciclo sedimentar / *sedimentation cycle, sedimentary cycle*. Sequência de processos sedimentares repetitivos associados à gênese de uma bacia.
ciclone / *cyclone*. Equipamento separador de fases que utiliza a força centrífuga para promover a segregação de fases de densidades distintas, quando a fase contínua for constituída por um gás. A fase dispersa pode ser um líquido ou um sólido. ↝ Nessa classe de dispositivos, o equipamento é totalmente estático e a rotação é imposta ao fluido pela configuração da alimentação (entrada tangencial ou utilização de um estrator com pás conformadas de forma a produzir a rotação).
ciclonita / *cyclonite*. Material altamente explosivo (ciclotrimetileno-trinitramina), usado como o principal componente de cargas moldadas. Também chamado de *RDX*.
cicloparafina / *cycloparaffin*. Hidrocarboneto saturado homocíclico com fórmula empírica (C_nH_{2n}). Os exemplos mais conhecidos são o ciclopentano e o ciclo-hexano, ambos encontrados no petróleo. Também conhecida como *nafteno* ou *parafina naftênica*.
ciclos de Milankovitch / *Milankovitch cycles*. Sucessão de alternâncias glaciais resultantes das variações dos parâmetros orbitais da Terra (orientação, precessão e excentricidade orbital) que presumivelmente afetam a insolação e, em consequência, o clima do planeta. ▶ Ver *excentricidade*; *precessão*.

cimentação / *cementing*. Operação de deslocamento de uma pasta de cimento, íntegra e não contaminada, no espaço anular entre um poço e a coluna de revestimento, de modo a isolar hidraulicamente as diversas formações atravessadas. ▶ Ver *revestimento*; *cimento*; *resistência à compressão*.
cimentação através da tubagem de perfuração assente na sapata (Port.) / *stab-in cementing*. O mesmo que *cimentação stab-in*. ▶ Ver *cimentação stab-in*.
cimentação com alternância de bombagem e períodos de paragem (Port.) / *hesitation, squeeze*. O mesmo que *hesitação*. ▶ Ver *hesitação*.
cimentação de rochas / *cementation*. Processo diagenético em que sedimentos inconsolidados são aglutinados pela ação de minerais presentes na água da formação, que atuam como cimentos ao se precipitarem nos interstícios porosos.
cimentação em estágios / *stage cementing*. Cimentação realizada em etapas diferentes ou em estágios múltiplos. Esta técnica é utilizada nos casos em que a coluna de revestimento é muito longa ou quando são atravessadas formações com características diferentes. Tal procedimento diminui o risco de contaminação por fluido de perfuração, diminuindo ainda a possibilidade de fratura da formação.
cimentação em um estágio / *single-stage cementing*. Cimentação realizada em uma só etapa ou estágio com um mesmo tipo de pasta de cimento, sendo o trecho cimentado uniforme e não muito extenso.
cimentação em uma fase (Port.) / *single-stage cementing*. O mesmo que *cimentação em um estágio*. ▶ Ver *cimentação em um estágio*.
cimentação por fases (Port.) / *phase cementing*. O mesmo que *cimentação em estágios*. ▶ Ver *cimentação em estágios*.
cimentação primária / *primary cementing*. Cimentação principal realizada logo após a descida de cada coluna de revestimento no poço. ↝ As cimentações primárias são executadas ao término de cada uma das fases do poço, sendo previstas em seu programa. Os objetivos básicos de uma cimentação são a aderência mecânica do revestimento às formações, visando ao isolamento das formações atravessadas e à proteção do revestimento contra corrosão e contra cargas dinâmicas decorrentes de operações em seu interior. ▶ Ver *cimento*; *pasta*; *aditivos*; *cimentação em estágios*.
cimentação secundária / *secondary cementing*. Modalidade de cimentação realizada com o objetivo de corrigir as falhas decorrentes da cimentação primária. ↝ A cimentação secundária visa a impedir a migração de fluidos entre zonas permeáveis, tamponar intervalos com alta produção de água, abandonar zonas depletadas ou reparar vazamentos da coluna. ▶ Ver *cimentação*; *cimentação primária*.

cimentação sob alta pressão / high-pressure squeeze. O mesmo que *compressão de cimento a alta pressão*. ▶ Ver *compressão de cimento a alta pressão*.

cimentação sob baixa pressão / low-pressure squeeze. O mesmo que *compressão de cimento a baixa pressão*. ▶ Ver *compressão de cimento a baixa pressão*.

cimentação sólida do aço / carburizing of steel. O mesmo que *carbonetação*. ▶ Ver *carbonetação do aço*; *dureza*; *abrasão*.

cimentação stab-in / stab-in cementing. Cimentação realizada através da coluna de perfuração colocada no interior do revestimento. Normalmente é aplicada nos casos em que os revestimentos possuem grandes diâmetros. Com esta técnica, o revestimento é descido com uma sapata flutuante especial (*stab-in float shoe*), com ponta menos arredondada do que a das sapatas usuais, sendo que a coluna de perfuração é descida com o auxílio de uma ferramenta denominada *stab-in stinger* por dentro do revestimento, ficando suspensa a aproximadamente um metro acima da sapata. A circulação é estabelecida e o retorno do fluido ocorre entre o espaço anular da coluna de perfuração-revestimento. A pasta de cimento é então bombeada através da coluna de perfuração até uma altura de anular correspondente à superfície. Uma das vantagens dessa técnica é a otimização do volume total de pasta a ser misturado e bombeado, principalmente considerando a cimentação dos revestimentos de superfície e condutor, onde ocorrem maiores perdas de volumes de pasta. ▶ Ver *cimentação*; *cabeça de cimentação*; *plugs*.

cimento / cement. 1. Material geralmente precipitado quimicamente no espaço poroso de uma rocha sedimentar, aglutinando os grãos dessa rocha e formando uma estrutura consolidada. Pode ser derivado do sedimento ou de suas águas conatas, ou pode ser trazido para dentro dos poros por soluções oriundas de fontes exteriores. É geralmente representado por carbonatos (calcita, dolomita, siderita), silicatos (quartzo, calcedônia e opala) ou óxido de ferro. Podem ser incluídos minerais como barita, gipso e pirita. Minerais argilosos, tais como clorita, ilita, ilita-esmectita, esmectita e caolinita, também podem se precipitar nos poros das rochas como cimento. **2.** Material cerâmico usado como aglomerante em operações de cimentação que, misturado com água, forma uma pasta reativa com propriedades de endurecimento (cura) e resistência mecânica. ↔ Geralmente o cimento utilizado em poços é do tipo cimento Portland. Esta denominação se deve a Joseph Aspdin, que, em 1824, recebeu na Inglaterra a patente do cimento obtido a partir da queima de calcário e argila, finamente moídos e misturados a altas temperaturas. O nome *Portland* deve-se à semelhança desse material, uma vez enrijecido, com rochas calcárias da península de Portland, localizada no sul da Inglaterra. Atualmente, para a fabricação do cimento são empregados materiais como calcário, rocha calcária e gesso, além de alumina e sílica.

cimento com alto teor de alumina / high-alumina cement. Material fabricado a partir do calcário e da bauxita ou outro mineral rico em compostos aluminosos, com baixo teor de sílica. Um tipo de cimento especial com alto teor de alumina pode ser obtido também da alumina purificada. ↔ As principais propriedades deste cimento incluem o rápido desenvolvimento da resistência à compressão, boa resistência ao ataque por sulfatos e a outras formas de ataque químico, além de ser um material refratário capaz de suportar temperaturas na faixa de 427 °C a 538 °C, condições nas quais o cimento Portland se desintegraria. Portanto, uma das aplicações deste cimento é na combustão *in situ* em poços onde as temperaturas estão nessa faixa de aplicação.

cimento de resina / resin cement. Cimento em cuja composição está presente uma resina em dispersão aquosa e um catalisador ou ativador de resina, que são misturados ao cimento API classe A, B. G ou H. A característica principal desse tipo de cimento é a sua plasticidade, o que facilita a sua injeção em zonas permeáveis, constituindo um "selo" dentro da formação. Também chamado *cimento plástico*. ↔ As pastas de cimento com resina são utilizadas em volumes pequenos para aplicações na faixa de 15 °C a 93 °C. Os estudos mais recentes convergem para o desenvolvimento de novas pastas cimentantes compostas por cimento Portland classe G e polímeros resistentes a altas temperaturas, adequadas às condições de temperatura, pressão e variações térmicas características de poços sujeitos a injeção de vapor.

cimento pastoso / slurry. O mesmo que *pasta de cimento*. ▶ Ver *pasta de cimento*.

cimento pozolânico / silica-lime cement. Mistura seca, constituída de cimento e material pozolânico, como é o caso da sílica amorfa. ↔ Quando as pozolanas são utilizadas em combinação com o cimento Portland, o hidróxido de cálcio, liberado pela hidratação do cimento, reage com os aluminossilicatos presentes nelas, formando compostos cimentantes com poder de adesão e coesão. As pozolanas naturais são oriundas de processos vulcânicos e normalmente adicionadas ao cimento, pois, além de ser um material mais barato, não causam sua diluição e aumentam a resistência à compressão. Pode-se ainda adicionar pequenas quantidades de cloreto de cálcio para regular o tempo de 'pega' da pasta, pois este tende a ser mais longo.

cimento puro / neat cement. Cimento Portland sem aditivos. Pode ser classificado em três tipos: cimento Portland comum, cimento Portland de alta resistência inicial (ARI) e cimento resistente a sulfatos (ARS). ▶ Ver *cimento*.

cimento sílico-calcário (Port.) / *silica-lime cement*. O mesmo que *cimento pozolânico*. ▶ Ver *cimento pozolânico*.

cinta de cabo elétrico / *electrical cable belt*. Cinta metálica convencional para fixar o cabo elétrico, chato ou redondo, na coluna de produção de poços equipados com sistema de bombeamento centrífugo submerso. •• A operação de afixação é feita concomitantemente à descida da coluna de produção. Para tanto, se faz necessário apenas a cinta e uma ferramenta de dobramento e travamento desta. ▶ Ver *bombeio centrífugo submerso (BCS)*; *cabo chato*; *cabo redondo*.

cinta metálica / *band-it*. Fita metálica utilizada para cintar (fixar) linhas de controle ou de sensores à coluna de produção ou de injeção.

cintadeira / *band strapping tool*. Ferramenta manual para cintar a fita metálica à coluna.

cintilação ionosférica / *ionospheric scintillation*. Efeito de difração e espalhamento de sinais de rádio que atravessam regiões ionosféricas estruturadas regularmente. •• Quando recebidos numa antena, estes sinais mostram flutuações aleatórias temporais tanto na amplitude quanto na fase.

cinza / *ash*. Material de origem vulcânica piroclástica com diâmetro médio < 2 mm. ▶ Ver *piroclasto*.

cinza de combustão / *fly ash*. Cinza fina dispersa no ar devido ao processo de combustão. Para um observador desatento pode parecer fumaça, e realmente este material particulado fino ocorre frequentemente misturado a fumaça. •• A cinza de combustão ocorre porque os combustíveis contêm uma baixa percentagem de matéria incombustível, a exemplo do carvão, onde ocorrem finos fragmentos de material silicoso. O petróleo produz um percentual de cinzas inferior ao do carvão, porém o produto costuma vir associado com óxidos, tais como vanádio, ou ainda esferas ocas de carbono.

circuito antizumbido / *humbucking circuit*. Filtro ou arranjo de duas bobinas com o objetivo de eliminar o ruído causado pela proximidade de redes de alta tensão.

circuito de calibração / *calibration loop*. Dispositivo usado na calibração de ferramentas de indução. Consiste em um anel de material eletricamente condutivo que contém um resistor de precisão conectado em série. O objetivo do circuito é fornecer um sinal preciso, calibrado e repetitivo nas bobinas receptoras, quando ele é colocado sobre o ponto de medida da ferramenta e em um ambiente de condutividade zero.

circuito linear / *linear circuit*. Qualquer circuito eletrônico cujas informações de saída são linearmente proporcionais às de entrada.

circulação / *circulation*. Operação de circulação do fluido de perfuração em um poço de petróleo com o intuito de limpar e condicionar o poço, preparando-o para outras operações, como, por exemplo, a descida de revestimento. •• Esta circulação tem como objetivos condicionar as propriedades reológicas deste fluido, remover a lama geleificada/desidratada dos intervalos alargados ou estreitos do anular, remover cascalhos, assegurar que não ocorra fluxo de gás e, finalmente, avaliar as condições hidráulicas do poço.

circulação reversa / *reverse circulation*. Situação na qual, intencionalmente, o fluido é bombeado através do anular e retorna pelo interior da coluna, ou seja, no sentido contrário ao da operação normal. Como o volume da coluna é menor do que o do anular, este tipo de circulação traz mais rapidamente os fluidos presentes no fundo do poço para a superfície sob uma mesma vazão. No entanto, há duas situações de potencial perigo quando se circula reversamente: trazer cascalhos para o interior da coluna, podendo entupi-la; e acelerar a chegada do fluido do reservatório em caso de ocorrência de *kick*. ▶ Ver *região anular*; *interior da coluna*; *vazão de fluido*; *fluido do reservatório*; *cimentação*; *pescaria*.

círculo de Mohr / *Mohr circle*. Representação gráfica bidimensional do estado de tensão ou deformação em um ponto de um determinado material. Introduzido por Otto Mohr em 1882. ▶ Ver *tensão normal*; *tensão cisalhante*.

cisalhamento / *shearing*. 1. Força aplicada a um material paralelamente a sua superfície, enquanto a sua face oposta sofre força contrária. 2. Componente tangencial de uma força que atua sobre a superfície de um material. ▶ Ver *tensão de cisalhamento*; *taxa de cisalhamento*.

Cites / *Convention on International Trade in Endangered Species*. Convenção sobre o Comércio Internacional das Espécies da Fauna e da Flora Selvagens Ameaçadas de Extinção. •• No Brasil, significa Convenção sobre o Comércio Internacional das Espécies da Fauna e da Flora Silvestres Ameaçadas de Extinção.

city gate. 1. Local físico onde se dá o recebimento, a medição e a distribuição local de gás natural. 2. O mesmo que *estação de entrega e recebimento de gás natural* e *estação de transferência de custódia*. ▶ Ver *estação de entrega e recebimento de gás natural*.

cladeamento / *cladding*. Processo de união metalúrgica de duas superfícies metálicas planas ou cilíndricas. •• O processo de cladeamento pode ser feito de várias formas, tais como: explosão (chapas), colaminação (chapas) e coextrusão (tubos), soldagem (chapas e tubos). É um processo bastante utilizado quando se busca obter que um dos lados da superfície tenha propriedades especiais, tais como anticorrosivas ou antidesgaste, e sendo ainda de pequena espessura (máximo 3 mm), enquanto na superfície oposta um material de baixo custo (por exemplo, aço-carbono) é usado para suportar o carregamento mecânico global aplicado.

clamp de cabo elétrico / *electrical cable clamp*. Denominação similar para *braçadeira de cabo para* *bombeamento centrífugo submerso (BCS).* ▶ Ver *cabo chato*; *cabo redondo*; *braçadeira de cabo*; *cinta metálica*.

claros / *clean petroleum products*. O mesmo que *produto claro*. ▶ Ver *produto claro*.

classe cristalográfica / *crystal class*. Uma das 32 possíveis combinações cristalográficas ou grupos de operações de simetria efetuadas a partir de um ponto ou origem fixa. ▶ Ver *sistema cristalográfico*.

classe de exatidão / *accuracy class*. Classe de instrumentos de medição que satisfazem certas exigências metrológicas destinadas a conservar os erros dentro de limites especificados.

classes de cimento API / *API cement classes*. Classes de cimento que foram padronizadas pelo American Petroleum Institute (API) de acordo com os processos de fabricação e de composição química do cimento. Foram classificadas oito classes de cimento, de A até H, cujas propriedades diferem quanto à faixa de aplicação (temperatura e pressão), sua resistência inicial e retardamento, a resistência ao ataque por sulfatos e ao calor de hidratação. ▶ Ver *cimento*; *cimentação*; *pasta de cimento*.

classificação API para óleo de motor / *engine oil API classification*. Sistema que classifica os lubrificantes para motores a gasolina e a diesel de acordo com seu desempenho. ↔ Este sistema consiste em especificações que contêm testes de bancada e testes de motores como forma de definir o desempenho desejado. A codificação aplicada utiliza letras, sendo que a primeira letra (*S* ou *C*) define o tipo de aplicação (*S* para motores a gasolina e *C* para motores a diesel) e a segunda letra segue a ordem alfabética, separando as especificações mais modernas das mais antigas. ▶ Ver *teste de bancada*.

classificação climática / *climate classification*. Organização dos vários tipos de clima por fatores descritivos particulares, tais como temperatura, precipitação, vegetação e posição relativa da terra e do mar. ▶ Ver *zona climática*.

classificação cronoestratigráfica / *chronostratigraphic classification*. Organização dos estratos de rocha em unidades em função de sua idade ou tempo de origem.

classificação de Folk / *Folk classification*. Classificação de rochas carbonáticas ou calcárias baseada na relação matriz/cimento e o seu principal componente litológico/textural. ↔ Folk usou quatro principais tipos de grãos na sua proposta de classificação de rochas carbonáticas. São eles: oólitos, bioclastos, peloides e intraclastos. P.ex.: uma rocha calcária com matriz micrítica, contendo principalmente oólitos, seria denominada *oomicrito*. Se a mesma rocha possuísse cimento esparito, seria denominada *oosparito*. ▶ Ver *rocha carbonática*.

classificação NLGI para graxas / *NLGI grease classification*. Classificação desenvolvida pela NLGI e baseada na consistência de graxas medida pelo método ASTM de penetração pelo cone (ASTM D 217). Em Portugal, usa-se *classificação NLGI para massas lubrificantes*.

clastos calcários / *calciclastic*. Rocha sedimentar composta por fragmentos de carbonato, de tamanho de areia e seixos, caracterizando uma rocha clástica carbonática.

clatrato / *clathrate*. Composto químico no qual uma molécula solta é trapeada no interior de uma estrutura de moléculas circundantes, usualmente um composto diferente. ▶ Ver *hidrato de gás*.

cláusula de aceleração / *acceleration clause*. Cláusula empregada com frequência em contratos que preveem pagamentos parcelados, especificando que se o devedor não cumprir com as respectivas cláusulas de pagamento, todo incremento da dívida será adicionado ao saldo devedor que será cobrado futuramente no processo de liquidação de garantia previsto também no respectivo instrumento contratual.

cláusula de antecipação / *anticipation clause*. Cláusula empregada em contratos para permitir que a totalidade do saldo seja exigida se houver inadimplência nos pagamentos acordados, ou se indicadores de desempenho estabelecidos contratualmente não forem cumpridos.

cláusula de Calvo / *Calvo clause*. Cláusula em que se entende que o contratado renuncia a levar qualquer demanda resultante dos termos do contrato a organizações internacionais ou diplomáticas.

cláusula de compra de óleo / *buy-back provision*. Cláusula segundo a qual os contratados seriam remunerados em dinheiro, mas poderiam adquirir o óleo a preço de mercado, limitado ao valor de sua remuneração, com a ressalva de que esse direito poderia ser parcial ou totalmente suspenso em caso de crise de abastecimento interno. ▶ Ver buy-back provision.

cláusula de compra de óleo pelo produtor (Port.) / *buy-back provision*. O mesmo que buy-back provision. ▶ Ver buy-back provision.

cláusula de escala móvel / *escalator clause*. Dispositivo contratual que prevê reajustamento de valores monetários na proporção de eventual desequilíbrio econômico-financeiro.

cláusula de força maior / *force-majeure clause*. Provisão em contratos que permite sua interrupção ou repactuação no caso de força maior. ▶ Ver *força maior*.

cláusula de seguro de transporte / *warehouse-to-warehouse clause*. Provisão em contratos de transporte que obriga o responsável pelo mesmo a segurar os bens transportados de forma que, no trajeto entre as instalações da empresa contratada (fornecedor, fabricante ou representante) e as da empresa contratante (comprador) os materiais e equipamentos ficam garantidos e a contratante terá seus prejuízos ressarcidos no caso de alguma perda.

cláusula de seguro de transporte de armazém a armazém (Port.) / *warehouse-to-warehouse clause*. O mesmo que *cláusula de seguro de transporte*. ▶ Ver *cláusula de seguro de transporte*.

clay ironstone. O mesmo que *siderita argilosa*. ▶ Ver *siderita argilosa*; *ironstone*.

clima / *climate*. É a descrição estatística típica (médias e momentos) das variáveis meteorológicas (temperatura, umidade, pressão atmosférica, velocidade do vento, precipitação etc.) por um longo período de tempo em dada região. ↦ O período clássico considerado para a descrição estatística é de 30 anos, conforme definição da Organização Mundial de Meteorologia (OMM). Os climas são classificados de acordo com sistemas consagrados cientificamente com objetivos de caracterização específicos, como o de Bergeron (classificação de acordo com características das massas de ar), o de Köppen (que associa os climas aos biomas), entre outros. O clima, num sentido mais amplo, é o estado do sistema meteorológico, incluindo as descrições estatísticas.

clinoforme / *clinoform*. 1. Forma geométrica, vista em perfil ou corte, da fisiografia de um substrato ou fundo subaquoso, atual ou soterrado, representando a progradação desse perfil deposicional. Essas formas são normalmente encontradas no talude continental dos oceanos ou nas frentes deltaicas resultantes da progradação das camadas frontais de um delta. 2. Em sismoestratigrafia, feição na qual as camadas se apresentam paralelas e com grande inclinação, com os mergulhos tendendo a zero, à medida que as terminações das camadas frontais se aproximam do topo e da base do pacote sedimentar contíguo.

clínquer de cimento / *cement clinker*. Produto resultante do processamento térmico de calcário e argila e outros minerais, que sofreu processo de sinterização em forno a temperatura de cerca de 1.500 °C, formando grânulos, e que, depois de moído com outros materiais em proporções definidas, forma o cimento.

clivagem ardosiana / *slaty cleavage*. Foliação pervasiva de minerais platiformes, finamente granulados, compostos principalmente por clorita e sericita, em direção perpendicular à principal direção de compressão, desenvolvida em uma ardósia ou outra rocha sedimentar homogênea por deformação e baixo grau de metamorfismo.

cloreto de cálcio / *calcium chloride*. Sal ($CaCl_2$) utilizado com a finalidade de reduzir o tempo de pega da pasta de cimento. ↦ Usado no caso de cimentações em profundidades menores nas quais, pela baixa temperatura, um tempo de espessamento muito longo acarretaria uma espera longa para a retomada da perfuração. O cloreto de cálcio é o agente mais eficiente e econômico para essa função. É normalmente utilizado em concentrações de 2% a 4% por peso do cimento. ▶ Ver *aditivo*; *cimento*; *cimentação*; *pasta de cimento*; *tempo de espessamento*.

coalescedor de placas / *plate coalescer*. Outra denominação, menos comum, para *separador de placas*. ▶ Ver *separador de placas*; *placa coalescedora*.

coalescedor eletrostático / *electrostatic coalescer*. Equipamento utilizado para promover a coalescência das gotículas de água dispersas em uma corrente constituída de fase contínua oleosa. ↦ Trata-se de um equipamento a ser montado em linha, e que não promove qualquer separação, pois tem apenas uma entrada e uma saída de fluidos. Este equipamento deve ser posicionado a montante de um separador gravitacional ou ciclônico, promovendo o crescimento das gotículas de água dispersas e, portanto, aumentando a eficiência do separador situado a jusante. ▶ Ver *coalescência*.

coalescência / *coalescence*. 1. Fenômeno que ocorre em sistemas dispersos, e que consiste na condensação de dois ou mais glóbulos (gotículas ou bolhas) da fase dispersa de uma emulsão, resultando num único glóbulo, que reúne a massa dos glóbulos originais. 2. Fenômeno de fusão natural de duas ou mais gotas de líquido, atingindo um estado energético mais favorável. ↦ É um processo espontâneo que ocorre acompanhado de uma redução da energia livre de superfície do sistema. Resulta, geralmente, de uma separação de fases ou quebra de emulsão. Trata-se de um fenômeno necessário para que ocorra a 'quebra' de uma emulsão (ou de uma espuma) e a separação das fases constituintes da emulsão (ou espuma).

cobertura / *coverage*. 1. Área descrita pela largura da varredura de um sistema de sonar de varredura lateral e pela distância percorrida pela embarcação ao longo da linha de sondagem. 2. Quantidade de vezes que um ponto (ou cela) é mostrado em subsuperfície na técnica CDP (*Common Depth Points*).

cobertura com curva ajustável / *adjustable bent housing*. O mesmo que *alojador com curvatura ajustável*. ▶ Ver *alojador com curvatura ajustável*.

cobertura com curvatura (Port.) / *bent housing*. O mesmo que *alojador com curvatura*. ▶ Ver *alojador com curvatura*.

cobertura com curvatura ajustável (Port.) / *adjustable bent housing*. O mesmo que *alojador com curvatura ajustável*. ▶ Ver *alojador com curvatura ajustável*.

cobertura de alta pressão (Port.) / *high-pressure housing*. O mesmo que *alojador de alta pressão*. ▶ Ver *alojador de alta pressão*.

cobertura de baixa pressão (Port.) / *low-pressure housing*. O mesmo que *alojador de baixa pressão*. ▶ Ver *alojador de baixa pressão*.

cobertura de gás disponível / *available gas cap*. O mesmo que *capa de gás*. ▶ Ver *capa de gás*.

cobertura de tubagem de produção (Port.) / *tubing head*. O mesmo que *alojador de coluna*. ▶ Ver *alojador de coluna*.

cobertura múltipla / *multiple coverage.* Arranjo sísmico no qual a mesma porção de subsuperfície está envolvida em vários registros, como se faz em tiros CDP (*Common Depth Points*).

cobertura singela / *single coverage, single fold.* Levantamento com cobertura total dos pontos de reflexão sísmica.

cocólito / *coccolith.* Estrutura microscópica de carbonato de cálcio encontrada em depósitos marinhos e produzida por nanoplâncton.

código estratigráfico / *stratigraphic code.* Conjunto de disposições e regulamentos que definem as normas de nomenclatura, hierarquia e individualização dos diferentes litótipos.

código P / *P-code.* Código militar para uso nos GPS (*Global Positioning System*), com o objetivo de realizar um serviço de posicionamento preciso.

código Y / *Y-code.* Código secreto utilizado na rede de GPS (*Global Positioning System*) de satélites. Consiste numa enorme sequência de números pseudoaleatórios (PRN, *Pseudo Random Noise*) que se estende por 37 semanas. Sua função é servir de subportadora para os sinais transmitidos pelos 24 satélites da rede GPS, para que eles compartilhem as portas L1 e L2. O sinal transmitido por cada um dos satélites corresponde ao resultado da modulação de um segmento específico do PRN. Cada satélite tem uma assinatura específica, que é o intervalo equivalente a uma semana do PRN. No receptor, a separação dos sinais dos diversos satélites é feita por meio da correlação do sinal recebido na antena, com uma réplica do PRN gerada internamente. Assim, recuperam-se os dados dos satélites e o intervalo de tempo que a onda eletromagnética levou para ir do satélite até a antena do receptor GPS. Para tanto, é necessário o conhecimento da fórmula matemática do PRN, para que a réplica no receptor possa ser gerada. O código Y substituiu o código P em 31 de janeiro de 1994. O conhecimento das fórmulas matemáticas para a geração da réplica do PRN é um artifício utilizado pelo Departamento de Defesa dos Estados Unidos para bloquear o acesso de usuários não autorizados ao modo GPS. Esse sistema também tem a grande vantagem de ser imune a interferências radioelétricas.

coeficiente de absorção / *absorption coefficient.* Grau de decaimento exponencial de amplitude devido a absorção, que pode ser definido pela fórmula:

$$A_1 = A_0 e^{\alpha x}$$

onde:

A_1 e A_0 = amplitudes, x = distância e α = coeficiente de absorção do meio.

coeficiente de absorção de massa / *mass absorption coefficient.* Coeficiente de absorção linear pela massa específica do material ($\mu m = \mu/p$). Grandeza expressa no Sistema Internacional (SI) como m^2/kg. ▶ Ver *absorção linear*.

coeficiente de atenuação / *attenuation coefficient.* Fator que determina o decaimento exponencial da amplitude de uma onda que percorre uma determinada distância.

coeficiente de branqueamento / *whitening coefficient.* Fator ligeiramente maior que a unidade, utilizado em processamento sísmico para aumentar o coeficiente central (*lag* zero) da autocorrelação, utilizada nos cálculos dos filtros de Wiener-Hopf. Tem como função principal estabilizar o cálculo e/ou inibir a ação do filtro. ↔ O coeficiente de branqueamento é expresso em porcentagem. Assim, a adição de 1% de ruído branco é o mesmo que a multiplicação do coeficiente central por 1,01. ▶ Ver *luz branca*.

coeficiente de compressibilidade isotérmica / *coefficient of isothermal compressibility.* Coeficiente que expressa a variação volumétrica de um fluido com a variação da pressão, a uma temperatura constante.

coeficiente de correlação / *correlation coefficient.* Forma normalizada da correlação cruzada que expressa o grau de similaridade de uma função deslocada em relação a uma outra. Comumente empregado para avaliar o grau de dependência entre os elementos químicos de uma área investigada.

coeficiente de descarga / *discharge coefficient.* Razão entre a vazão real e a vazão teórica de um medidor. ↔ Tal coeficiente é aplicado à equação de vazão teórica do medidor, tipo orifício (ou pressão diferencial), de forma a se obter a vazão real do mesmo.

coeficiente de expansão Joule-Thompson / *Joule-Thompson expansion coefficient.* Coeficiente que expressa o quanto a temperatura de um gás inerte será reduzida quando este for submetido à expansão adiabática sem trabalho externo. É expresso em unidade de temperatura por unidade de pressão. ↔ O coeficiente de Joule-Thompson é diferente para cada gás, mas é positivo para a maioria deles, o que significa que o gás resfria ao sofrer expansão. Os gases hidrogênio e hélio têm coeficientes negativos, podendo aquecer até certa temperatura ao se expandir. Óleos pesados geralmente possuem coeficientes negativos. ▶ Ver *gás inerte*; *efeito Joule-Thompson*.

coeficiente de expansão térmica isobárica / *isobaric thermal expansion coefficient.* Coeficiente que expressa a variação volumétrica de um material com a temperatura, a uma pressão constante.

coeficiente de fugacidade / *fugacity coefficient.* Razão entre a fugacidade e a pressão parcial de uma substância. ↔ Para um gás ideal, o coeficiente de fugacidade é igual a 1. Quanto mais afastado da unidade for o coeficiente de fugacidade de uma substância, mais a mesma se afasta do comportamento de um gás ideal. ▶ Ver *fugacidade*.

coeficiente de permeabilidade / *permeability coefficient.* Vazão de água em galões por dia (aproximadamente 0,03 m³) por uma seção de 1ft² (aproximadamente 0,09 m²) em um gradiente hidráulico em temperatura ambiente.

coeficiente de reboco / *wall coefficient*. Parâmetro que caracteriza o comportamento de filtração de um fluido de perfuração ou completação para o interior de uma formação, criando uma película de reboco na parede do poço. •• Parâmetro obtido a partir de ensaio de filtração estática. É a declividade da curva obtida num diagrama de volume de filtrado por unidade de área *versus* raiz quadrada do tempo. ▶ Ver *filtração dinâmica*; *filtração estática*; *reboco*; *teste de filtração*.

coeficiente de reflexão / *reflection coefficient*. Razão entre a amplitude de uma onda refletida na interface de dois meios distintos e a amplitude da onda incidente. •• É obtido pelas equações de Zoeppritz, em função das velocidades das ondas P e S e da densidade dos meios acima e abaixo da interface e do ângulo de incidência.

coeficiente de reflexão de energia / *energy reflection coefficient*. Razão entre a energia da onda transmitida e a da onda incidente na interface de dois meios distintos.

coeficiente de transmissão / *transmission coefficient*. Razão entre a amplitude na onda transmitida por uma interface de dois meios distintos e a amplitude da onda incidente. •• É obtido pelas equações de Zoeppritz, em função das velocidades das ondas P e S e a densidade dos meios acima e abaixo da interface e do ângulo de incidência.

coeficiente de transmissibilidade / *transmissibility coefficient*. Coeficiente de variação da transmissibilidade com uma variação da pressão. Indica a facilidade que um fluido tem em escoar em um meio poroso quando submetido a um diferencial de pressão. Matematicamente é definido em função da permeabilidade do meio, da área da seção transversal ao escoamento e da viscosidade do fluido.

coeficiente de uniformidade / *uniformity coefficient*. Parâmetro utilizado para medir a dispersão entre os diâmetros de grãos de uma determinada amostra de rocha. É bastante utilizado na análise granulométrica de arenitos nos quais se deseja dimensionar sistemas de exclusão ou controle de produção de areia. ▶ Ver *controle de produção de areia*; *exclusão de areia*; *análise granulométrica*.

coerência / *coherence*. 1. Sucessão de ciclos de ondas que se movem com a mesma velocidade e em fase. **2.** Similaridade de duas funções matemáticas avaliadas no domínio das frequências. **3.** Avaliação quantitativa da similaridade de três ou mais funções.

coerência de fase / *phase coherence*. Estado em que dois sinais mantêm uma relação de fase fixa um com o outro, ou com um terceiro sinal, que pode servir como referência para ambos.

coesão / *cohesion*. 1. Expressão das forças intermoleculares que ocorrem entre espécies químicas iguais. **2.** Propriedade que permite aos grãos dos minerais aderir uns aos outros em oposição às forças que tendem a separá-los. **3.** Força de atração das partículas da matéria. **4.** Resistência à fragmentação, ao cisalhamento.

cogeração / *co-generation*. 1. Processo de geração simultânea de duas ou mais formas de energia, a partir do uso sequencial e eficiente de quantidades de energias de uma mesma fonte. **2.** Processo pelo qual o calor excedente de um processo é fonte de energia para outro. Exemplo: o gás natural usado na geração de vapor e eletricidade. •• Aumenta a eficiência térmica do sistema termodinâmico como um todo. Na produção de petróleo, turbinas a gás são utilizadas para gerar energia elétrica, enquanto o calor gerado é utilizado para produzir energia térmica (vapor de processo).

cogeração com ciclo combinado / *combined cycle co-generation*. Mescla dos dois tipos de geração de energia. •• É utilizado quando a demanda de vapor e água quente é menor que a capacidade de produção de energia térmica do ciclo simples. Neste caso, além da produção de vapor e água quente, a usina produz também energia elétrica a partir do vapor.

colapso / *collapse*. 1. Deformação plástica que ocorre em um tubo ou recipiente, causada pelo diferencial de pressão externa e interna. **2.** Esmagamento de um tubo ou recipiente quando a pressão externa excede a pressão interna além do limite de colapso suportado pelo equipamento. ▶ Ver *resistência ao colapso*.

colapso de poros / *pore collapse*. Desagregação da estrutura porosa de um meio em função do aumento da tensão efetiva que atua sobre ela. •• Durante a explotação de um campo, com o decréscimo da pressão de poros e consequente aumento da tensão efetiva, pode haver, dependendo da resistência mecânica da rocha, o colapso de seu espaço poroso. Este fato compromete drasticamente a porosidade e permeabilidade do meio. ▶ Ver *pressão de poros*; *tensão efetiva*; *permeabilidade*; *porosidade*.

colapso do revestimento / *casing collapse*. Fenômeno que ocorre quando a pressão ou força atuante externamente ao revestimento provoca deformação excessiva de parte dele ou de todo ele. ▶ Ver *resistência ao colapso*.

colar / *collar*. Luva que conecta a camisa da bomba de fundo tubular à tubulação ou a uma extensão. ▶ Ver *bomba tubular*; *extensão*; *luva*.

colar da tubagem de revestimento (Port.) / *casing collar locator log (CCL)*. O mesmo que *localizador de juntas*. ▶ Ver *localizador de juntas*.

colar de estágio / *stage collar*. Ferramenta que permite que a cimentação seja realizada em dois ou mais estágios. •• Ela é instalada em pontos específicos da coluna de revestimento antes de sua descida no poço. Após a colocação da pasta do primeiro estágio, a ferramenta é aberta por meio do deslocamento de um torpedo que se apoia no topo do mandril. Quando o mandril é deslocado, há a comunicação do interior da coluna com o anular. Dessa forma, a cimentação do segundo estágio é concluída. Outro torpedo de fechamento é lançado apoiando-se no topo de outro mandril, externo ao anterior, para iniciar um novo estágio, caso necessário. ▶ Ver *cimentação em estágios*.

colar de perfuração curto (Port.) / *pony collar, short drill collar*. O mesmo que *comando curto*. ▶ Ver *comando curto*.

colar de retenção / *baffle collar*. Acessório para cimentação utilizado para batida dos *plugs* de cimentação no ponto específico em que estiver conectado à coluna de revestimento. ↝ É útil em situações caracterizadas pela não utilização do colar flutuante e da sapata flutuante. Em geral, consiste num colar preenchido com cimento de modo a ser facilmente cortado pela broca de perfuração. ▶ Ver *colar*.

colar de revestimento / *casing collar*. Acessório rosqueado a um tubo de revestimento formando uma conexão tipo caixa, a qual será usada para conectar-se à extremidade tipo pino de outro tubo de revestimento. O colar de revestimento é também denominado *luva*. ▶ Ver *luva*.

colar de segurança / *safety collar*. Equipamento de segurança posicionado próximo ao topo da coluna, que tem a função de evitar a queda da coluna de perfuração no poço, caso ocorra algum escorregamento pela cunha. Normalmente utilizado em comandos de perfuração sem ressalto (pescoço).

colar flutuante / *float collar*. Acessório descido conectado ao revestimento por dois tubos acima da sapata, cuja função é servir de batente para os tampões de fundo e de topo. Os colares flutuantes, assim como as sapatas flutuantes, possuem um dispositivo que impede o retorno do fluido para o interior do revestimento. Os dois tubos entre a sapata e o colar flutuante garantem a cimentação da parte inferior do revestimento e, principalmente, da sapata.

colar não magnético (Port.) / *non-magnetic collar, K-Monel*. O mesmo que *comando não magnético*. ▶ Ver *comando não magnético*.

colchão / *cushion*. Coluna de fluido, geralmente água ou óleo diesel, colocada dentro da coluna de teste para proporcionar uma contrapressão no início de um teste de poço e, assim, limitar o elevado diferencial de pressão entre a formação e o interior da coluna, imediatamente após a abertura da válvula de fundo. ↝ O colchão de água ou óleo diesel reduz impacto do diferencial de pressão, evitando danos à coluna, ao revestimento, aos equipamentos de fundo e à formação. Em reservatórios depletados, é comum utilizar-se um colchão de nitrogênio para permitir que o intervalo testado possa produzir.

colchão de diesel / *diesel plug*. Volume de diesel bombeado para dentro do poço ou equipamentos com funções específicas como, por exemplo, diminuir o peso da coluna hidrostática dentro do poço.

colchão de perda de circulação / *lost-circulation pill*. Colchão que minimiza a invasão de fluidos na formação, decorrente do diferencial de pressão positivo entre o poço e a formação (*overbalance*). ↝ A perda de fluido de perfuração ou completação para a formação pode gerar dano, comprometer a segurança e dificultar a futura indução de surgência. O bombeio de colchões compostos por materiais que podem selar as formações, como calcita ou baritina, tem por objetivo reduzir a perda destes fluidos para a formação. ▶ Ver *colchão*; *tampão para conter perda de circulação*; *tampão de perda de circulação*.

colchão espaçador / *spacer*. O mesmo que *espaçador*. ▶ Ver *espaçador*; *cimentação*.

colchão lavador / *chemical washer, washer*. Fluido deslocado à frente da pasta de cimento durante a operação de cimentação de poços com a função de remover o fluido de perfuração das paredes e melhorar a aderência cimento-formação e cimento-revestimento. Geralmente os colchões lavadores não são adensados com sólidos insolúveis e contêm surfactante, dispersante além do inversor de molhabilidade e solvente mútuo, quando necessário. ▶ Ver *perda de fluido*; *teste de filtração*.

coleta automática de dados de poço / *automatic well testing*. Medição e coleta de dados de forma constante e automatizada, por intermédio de instrumentos que transmitem os dados remotamente. Geralmente mede-se pressão, temperatura e vazão.

coletor de detrito / *junk catcher*. 1. Ferramenta descida nos poços para remover detritos. 2. Ferramenta de *slickline* utilizada para impedir que cascalhos, ferrugem, ou qualquer outro material ou peça que possam cair no poço acidentalmente, se alojem sobre as ferramentas instaladas na coluna, o que poderia dificultar a retirada das mesmas. Com a utilização do coletor, a sujeira ou detrito se alojará dentro do mesmo, mantendo a coluna limpa após ser retirado. Também conhecido como *coletor de peixe* ou *coletor de sucata*. ▶ Ver *cesta de pescaria*.

coletor de golfadas / *slug catcher*. Vaso ou conjunto de vasos e/ou tubulações de grande porte, destinados a receber um elevado volume de líquido proveniente de escoamentos em golfadas. ↝ O escoamento multifásico (gás/líquidos) pode-se dar em condições transientes, com grande variação nas vazões instantâneas das fases líquida e gasosa. Desse modo, a instalação de processamento primário que recebe esse fluxo de fluidos é, normalmente, dimensionada para as vazões médias, e deve ser protegida das consequências de uma alimentação instantânea com vazão excessiva de líquido. Uma das formas de se proteger a planta de processamento consiste em instalar na entrada dessa planta (local que recebe a linha de chegada dos fluidos) um coletor de golfadas.

colmatação / *clogging, void filling*. Deposição de partículas finas, como argila ou silte, nos interstícios de um meio poroso permeável, reduzindo-lhe a permeabilidade.

coloide / *colloid*. Dispersão homogênea em que a fase dispersa se distribui na fase contínua em partículas de diâmetro entre 5 e 200 nanômetros. •• Os coloides são misturas termodinamicamente estáveis e suas propriedades são determinadas pela área superficial da fase dispersa ou pela área interfacial. Dependendo do estado físico das fases constituintes, os coloides são chamados *aerossóis coloidais, emulsões coloidais, espumas coloidais, dispersões coloidais* ou *hidrossóis*. ▶ Ver *fase*; *área superficial*; *área interfacial*.

coloide de argila / *clay colloid*. 1. Partícula que tem um diâmetro menor que 1 mícron (0,001 mm). 2. Substância coloidal que consiste de partículas do tamanho de argila (menores que 1/255 mm).

coluna / *string*. 1. Sequência de tubos conectados uns aos outros, por roscas ou por flanges, empregada nas operações de perfuração, completação, elevação, dentre outras. 2. Em hidráulica, trata-se da coluna hidrostática de fluidos que transmite uma pressão hidrostática em uma dada profundidade vertical. ▶ Ver *tubos*; *perfuração*; *completação*.

coluna capilar / *capillary column*. Tubo estreito muito longo, frequentemente utilizado na cromatografia gasosa. Pelo fato de a coluna ser muito estreita, a fase estacionária recobre a parede interna da coluna.

coluna cromatográfica / *column chromatography*. Tubulação de pequeno diâmetro, preenchida com uma substância com propriedade de adsorver diferencialmente outras substâncias, denominada *fase estacionária*. •• A fase estacionária é em geral constituída de material finamente granulado (50 a 200 micrômetros, dependendo da técnica), como sílica-gel, peneiras moleculares ou alumina, de grande área específica. Através desse meio poroso se faz escoar um solvente, denominado *fase móvel*, em geral um hidrocarboneto alifático como o n-hexano, no qual se injeta um pulso de mistura de substâncias; a adsorção diferencial dos componentes dessa mistura faz com que eles sejam separados em pulsos (picos), cada um correspondente a um distinto tempo de passagem pelo comprimento da coluna. Cada pulso corresponde a uma substância particular e a sucessão de picos é denominada *cromatograma da mistura analisada*.

coluna curta / *short string*. Coluna de produção para a zona mais rasa em poços com completação dupla.

coluna d'água / *water column*. 1. Seção vertical de água a partir da superfície até o fundo marinho, também descrita como *profundida-* *de* ou *lâmina d'água*. 2. Unidade de medida de pressão. Uma atmosfera é equivalente a aproximadamente uma coluna de água de 10 metros de altura.

coluna de amortecimento / *kill string*. Coluna através da qual é bombeado o fluido de perfuração ou de completação com peso (densidade) suficiente para amortecer um poço. ▶ Ver *amortecer um poço*; *fluido de amortecimento*.

coluna de gás / *gas column*. Espessura vertical da acumulação de gás acima do contato gás-óleo. ▶ Ver *contato gás-óleo*.

coluna de hastes / *sucker rod string, stem*. Coluna de hastes que tem a função de transmitir o movimento da superfície até a bomba de fundo. •• No caso do método de elevação por bombeio mecânico, o movimento alternativo da haste polida é transmitido até o pistão da bomba de fundo, promovendo a elevação do fluido produzido até a superfície. No método de elevação por bombeio de cavidades progressivas, o movimento rotativo da coluna de hastes aciona o rotor da bomba de fundo. Pode ser composta de hastes de diâmetros diferentes, caso em que passa a ser referida como *coluna de hastes combinadas*. ▶ Ver *bombeio mecânico*; *cavalo de pau*; *haste polida*.

coluna de injeção / *injection string*. Coluna de tubos utilizada para equipar poços injetores, de forma a promover o escoamento do fluido da superfície até o fundo do poço. ▶ Ver *tubing*; *coluna de produção*.

coluna de mercúrio / *mercury column*. Unidade de medida de pressão. Uma atmosfera é equivalente a aproximadamente 760 mm de coluna de mercúrio.

coluna de óleo / *oil column*. Seção vertical de uma formação saturada por óleo em seus poros.

coluna de percussão / *jarring string*. Conjunto de ferramentas descidas em um poço, utilizando-se a coluna de perfuração ou completação para efetuar batidas ascendentes ou descendentes com o objetivo de liberar alguma tubulação presa no poço.

coluna de perfuração / *drill string*. Coluna composta por tubos de perfuração, inclusive tubos pesados, componentes da composição de fundo de poço (*BHA*), broca e demais ferramentas aplicadas na perfuração de poços, cujas funções consistem em aplicar peso e transmitir rotação à broca; conduzir o fluido de perfuração; manter o poço calibrado; e garantir a inclinação e direção do poço. ▶ Ver *tubo de perfuração*; *tubo de perfuração pesado*; *broca*; *peso sobre a broca*; *fluido de perfuração*; *poço calibrado*; *inclinação do poço*.

coluna de perfuração de aumento do desvio (Ang.) / *angle-build assembly*. O mesmo que *BHA para ganho de ângulo*. ▶ Ver *BHA para ganho de ângulo*.

coluna de perfuração de redução do desvio (Ang.) / *angle-dropping assembly*. O mesmo que BHA *para a perda de ângulo*. ▶ Ver BHA *para perda de ângulo*.

coluna de pesca (Port.) (Ang.) / *fishing assembly*. O mesmo que *coluna de pescaria*. ▶ Ver *coluna de pescaria*.

coluna de pescaria / *fishing assembly*. Conjunto de ferramentas ou equipamentos descido em um poço, através da coluna de perfuração ou completação, com o objetivo de efetuar uma pescaria. ▶ Ver *pescaria*.

coluna de produção / *tubing; production string*. Tubulação composta por tubos interconectados, utilizada para conduzir os fluidos produzidos até a superfície, evitando assim que o revestimento seja exposto a fluidos agressivos e pressões elevadas, bem como para alojar equipamentos de elevação artificial. •• Ao criar um espaço anular dentro do poço, a coluna de produção permite a circulação de fluidos para amortecimento do poço, quando necessário. A seleção dessa tubulação está baseada no diâmetro interno da coluna de revestimento de produção, vazão de produção esperada, tipo e frações de fluidos a serem produzidos e esforços mecânicos a serem suportados.

coluna de profundidade / *depth column*. 1. Faixa de profundidades. 2. Uma estreita coluna, geralmente com um diâmetro de 1,9 cm (0,75"), próxima ao centro do perfil, na qual são registradas as profundidades do poço. Esta coluna também é usada para representar as diferentes litogias atravessadas pelo poço, combinadas com diferentes curvas de perfis. Tal combinação final é conhecida como *perfil composto*. ▶ Ver *grade API*.

coluna de revestimento / *casing string*. Conjunto de tubos de aço descido dentro do poço para isolamento de formações. •• Os tubos são conectados individualmente no ato da descida, através de enroscamento ou acoplamento, utilizando equipamentos próprios para manuseio e aperto. Normalmente este conjunto tem centenas de metros nos mais variados diâmetros. Cada tubo tem um comprimento aproximado de 12 m. Uma coluna de revestimento pode ter mais de uma seção, entendendo-se por 'seção' um conjunto de tubos de revestimentos com mesmo diâmetro nominal, peso e grau.

coluna de trabalho / *work string*. Tubulação composta por vários tubos interconectados, utilizada para realizar qualquer trabalho no poço para operações de intervenção com sonda. ▶ Ver *coluna de tubing*.

coluna de trabalho de interligação de coluna / *drillpipe riser (DPR)*. Coluna de trabalho que interliga o suspensor de coluna, a árvore de natal molhada (ANM), a capa de árvore e as ferramentas de instalação à superfície.

coluna de tubagem de produção (Port.) / *tubing string*. O mesmo que *coluna de tubing*. ▶ Ver *coluna de* tubing.

coluna de *tubing* / *tubing string*. O mesmo que *coluna de produção*. ▶ Ver *coluna de produção*.

coluna estratigráfica / *stratigraphic column*. Diagrama ou quadro que explicita a relação cronológica das rochas de uma região, mostrando o empilhamento de unidades estratigráficas, as superfícies de discordância e as feições intrusivas, entre outras.

coluna geológica / *geologic column*. Disposição das rochas em uma sequência cronológica, segundo os princípios da superposição de camadas, em que se observam, além das sucessões litológicas, sucessões de fauna e flora fósseis.

coluna hidrostática / *hydrostatic column or hydrostatic head*. Altura de fluido que exerce pressão em certa profundidade.

coluna longa / *long string*. A mais longa dentre as colunas de revestimento, cujo comprimento vai desde a zona de produção até a cabeça do poço. •• Nem sempre a coluna longa é instalada até a cabeça do poço, pois a última coluna pode ser um *liner*, que terá sua extensão desde a zona produtora até o suspensor ancorado no revestimento anterior, pouco acima da sua sapata. ▶ Ver *revestimento de produção*; liner *de produção*; *revestimento tipo* liner.

coluna macaroni / *macaroni string*. Coluna composta por tubos do tipo *macaroni*, que são de pequeno diâmetro (usualmente ¾" ou 1"). ▶ Ver *macaroni*.

coluna mista / *mixed string*. Coluna de revestimento composta de tubos de diferentes diâmetros, ou de mesmo diâmetro nominal mas com espessuras diferentes.

coluna para *gas lift* / *gas-lift column*. Coluna de diâmetro externo menor que o diâmetro interno do revestimento e equipada com mandris de *gas lift*. •• A coluna é responsável por conduzir os fluidos até a superfície. No caso do *gas lift*, os mandris são responsáveis pela passagem do gás do anular para a coluna, diminuindo a massa específica do fluido produzido.

coluviação / *colluviation*. Processo de formação de um coluvião. ▶ Ver *coluvião*.

coluvial / *colluvial*. Referente a coluvião. ▶ Ver *coluvião*.

coluvião / *colluvium*. Termo genérico aplicado a qualquer acumulação de fragmentos de rocha, minerais e solo, inconsolidados e mal selecionados, formada no sopé ou nas faldas de uma escarpa ou talude, por movimentos de massa gravitacionais e por fluxos de água superficiais não canalizados.

colúvio / *colluvium*. O mesmo que *coluvião*. ▶ Ver *coluvião*.

comando curto / *pony collar; short drill collar*. Comando de perfuração com comprimento inferior a 9,0 m (30 pés). •• Usado como elemento espaçador entre os demais elementos da composição de fundo (*BHA*). Normalmente tem medidas-padrão de 4,5 m (15 pés) e 3,0 m (10 pés). ▶ Ver *comando de perfuração*.

comando de perfuração / *drill collar*. Tubos de aço que fazem parte da composição de fundo (*BHA*) da coluna de perfuração e apresentam maior espessura que os demais componentes da mesma. Sua principal função é aplicar peso sobre a broca, mantendo os outros componentes tracionados, além de permitir a circulação do fluido de perfuração e conferir rigidez à coluna (aliado aos estabilizadores), permitindo controlar a inclinação e o desvio do poço, no caso de poços direcionais. ↝ Atualmente, alguns comandos apresentam sulcos externos, tomando a forma espiralada, o que aumenta a área de passagem do fluido na região anular, minimizando a ocorrência de prisão da coluna por diferencial de pressão. Em poços com grande inclinação, os comandos são deslocados para um trecho superior da coluna de perfuração, de preferência vertical, de maneira a transmitir peso para a broca. ▶ Ver *coluna de perfuração*; *peso sobre a broca*; *estabilizador*; *inclinação*; *poço direcional*; *prisão de coluna por diferencial de pressão*.

comando de perfuração espiralado / *spiral or spiral-grooved drill collar*. Comando de perfuração (*drill collar*) fabricado com espirais em seu corpo para reduzir a probabilidade de prisão por pressão diferencial. ▶ Ver *comando de perfuração*.

comando não magnético / *non-magnetic collar, K-Monel*. 1. Comando com permeabilidade magnética baixa, usado para evitar a interferência magnética da coluna de perfuração nos registros dos instrumentos magnéticos que medem a direção do poço. 2. Também conhecido como *K-Monel*.

combustão direta / *forward combustion*. Combustão *in situ*, em que a frente de queima avança do poço injetor em direção ao poço produtor.

combustão espontânea / *spontaneous combustion*. 1. Aquecimento e combustão lenta de um carvão e material carbonoso iniciado pela absorção de oxigênio. 2. Erupção de fogo num material combustível que ocorre sem aplicação direta de chama ou fagulha. ↝ É normalmente causado pelo processo lento de oxidação (como uma oxidação atmosférica ou fermentação bacteriana) sob condições que não permitem a dissipação do calor. Ignição que pode ocorrer quando certos materiais, tais como sementes oleaginosas, são estocados em grandes quantidades, resultando na geração de calor que não pode ser dissipado; frequentemente o calor é gerado pela ação microbiana. O processo é também conhecido como *ignição espontânea*.

combustão in situ / *in-situ combustion*. Método de recuperação avançada, no qual ar quente é injetado no reservatório provocando a ignição quando em contato com hidrocarboneto. ↝ São geradas temperaturas superiores a 600 °C na frente de queima, diminuindo a viscosidade do óleo e provocando o craqueamento dos hidrocarbonetos, o que facilita seu deslocamento dentro do reservatório.

combustão reversa / *reverse combustion*. Movimento da frente de queima durante a aplicação do método de recuperação avançada partindo do poço produtor em direção ao poço injetor. ▶ Ver *combustão in situ*.

combustível / *fuel, combustible*. 1. Produto utilizado com a finalidade de produzir energia diretamente a partir de sua queima ou pela sua transformação em outros produtos também combustíveis. 2. Classificação de substâncias líquidas que podem queimar a partir de seus pontos de ignição.

combustível fóssil / *fossil fuel*. Combustível que ocorre naturalmente a partir da decomposição dos vegetais e de organismos terrestres e marítimos durante milhões de anos (carvão, petróleo, folhelhos betuminosos e gases naturais). ↝ Esse combustível também libera, através da queima, vários tipos de poluentes, tais como enxofre, dióxido de carbono e dióxido de nitrogênio.

Comissão de Limites da Plataforma Continental / *Commission on the Limits of the Continental Shelf*. Instituição pertencente à ONU, que analisa situações de direitos no mar relativas à plataforma continental.

Comissão de Supervisão Conjunta (CSC) (Port.) / *Joint Supervision Committee (CSC)*. O mesmo que *Comitê de Supervisão Conjunta (CSC)*. ▶ Ver *Comitê de Supervisão Conjunta (CSC)*.

comissionamento / *commissioning*. Conjunto de procedimentos técnicos e administrativos que objetiva a garantia de que equipamentos, sistemas e serviços realizados estejam em consonância com as condições projetadas e testadas para determinado projeto industrial. ↝ As atividades de comissionamento devem garantir que a conclusão dos serviços de construção e montagem de determinada unidade industrial seja verificada de forma ordenada, segura e alinhada com a sua perfeita operabilidade em termos de desempenho, confiabilidade e rastreabilidade de informações. O fornecedor ou prestador de serviços deve prover assistência técnica, treinamento operacional e respectiva documentação que descreva os procedimentos a serem aplicados. ▶ Ver *condicionamento*; *construção e montagem*; *operação assistida*; *pré-operação*.

Comitê de Supervisão Conjunta (CSC) / *Joint Supervision Committee (CSC)*. Comitê constituído normalmente por dois membros designados pelas partes signatárias de um acordo de operações conjuntas, antes do início da produção comercial, com atribuições para estabelecer os procedimentos operacionais para o período de produção, à taxa mínima de eficiência. ↝ É função desse comitê promover a integração entre seus membros, analisando todas as operações de produção, revendo dados técnicos e registros contábeis gerados pelas operações de produção.

commodity. Produto em estado bruto ou com pequeno grau de industrialização, de qualidade quase uniforme, típico na agricultura e na mineração, sujeito a uma classificação de qualidade ou padronização, e que será objeto de transações comerciais.

como construído / *as built*. O mesmo que as built. ▶ Ver as built.

compactação / *compaction*. 1. Processo através do qual uma camada sedimentar se consolida em decorrência do peso das camadas sobrejacentes ou pela pressão lateral proveniente de movimentos tectônicos, resultando na redução do espaço poroso, aumento de densidade e da velocidade de propagação das ondas sísmicas. 2. Redução da porosidade intergranular de um pacote de sedimentos em decorrência do contínuo incremento da sobrecarga de material sotopostamente depositado, ou como consequência de pressões exercidas por força tectônica. 3. Parte do processo de litificação de sedimentos.

compactação diferencial / *differential compaction*. Fenômeno de compactação que ocorre quando há variações laterais no tipo de sedimento, em função de diferentes volumes relativos de poros e suscetibilidades à compactação.

compacto / *compact*. 1. Diz-se de uma rocha com empacotamento fechado de grãos, de tal modo que não seja possível individualizar grãos a olho nu. 2. Diz-se de uma rocha de granulação fina cuja matriz apresente baixa porosidade.

compartimento / *compartment*. Segmento produtivo de um campo de óleo ou gás, hidraulicamente independente de outras regiões dos reservatórios produtores. ↔ Os compartimentos podem se formar isolados de outros, ou podem passar a ser isolados por processos diagenéticos ou estruturais (falhas).

compensação de encerramento / *closeout netting*. 1. Condição que propicia a redução de riscos em contratos se uma das partes não possui determinadas condições de cumprimento de suas obrigações contratuais. 2. Denominada, também, *compensação de inadimplência*, *compensação de contratos em aberto* ou *compensação de contratos de substituição*.

compensador da coluna de perfuração (Port.) (Ang.) / *drill string compensator*. O mesmo que *compensador de movimentos*. ▶ Ver *compensador de movimentos*.

compensador de movimentos / *heave motion compensator*. Equipamento instalado na torre de perfuração em unidades flutuantes e que é utilizado para absorver os movimentos verticais da sonda (*heave*) causados pelo mar, sem transmiti-los para a coluna. Dessa forma, pode-se manter o peso sobre a broca durante a perfuração, ou assentar um *packer* e manter um peso constante sobre ele. ↔ O compensador consiste de dois pistões e dois cilindros, montados como parte integral da catarina (*travelling block*). À medida que a embarcação se move para cima e para baixo, um sistema ar-óleo dentro do sistema pistão/cilindro compensa o movimento vertical. O pistão movimenta-se dentro do cilindro, enquanto este se move com a sonda, ou seja, o pistão fica fixo em relação ao fundo do mar, enquanto o cilindro se move. Na parte superior do selo do pistão há óleo, e na inferior há ar. É a pressão do ar, controlada pelo sondador, que suportará o peso da coluna a ser compensada. Assim, quando se quiser aliviar o peso sobre a coluna, reduz-se a pressão do ar. O compensador possui uma barra de travamento para fechá-lo. Nessa situação a coluna se move com a sonda. O compensador é travado durante a descida ou retirada da coluna. ▶ Ver *catarina*.

compensador do bloco de coroamento / *crown-mounted compensator*. Equipamento apoiado na torre de perfuração para compensar o movimento relativo da sonda flutuante causado pelas ondas (*heave*) no bloco de coroamento. O bloco de coroamento e a catarina (bloco viajante) podem se mover em harmonia em relação ao mastro, com movimento oscilatório proporcional ao *heave* sentido pela sonda flutuante. ▶ Ver *compensador de movimentos*.

compilador / *compiler*. Dispositivo que traduz programas escritos numa linguagem-fonte para a linguagem-objeto da máquina alvo, onde os programas vão ser executados.

completação / *completion*. 1. Conjunto de operações realizadas com o objetivo de condicionar o poço para sua colocação em produção. 2. Sequência de operações realizadas após a perfuração do poço de modo a transformá-lo em uma unidade produtiva ou de injeção. 3. Configuração dos materiais e equipamentos instalados em um poço para produção ou injeção de fluidos. ▶ Ver *perfuração de poço*; *intervenção em poço*.

completação a poço aberto / *open-hole completion*. 1. Completação de poço produtor ou injetor na qual o revestimento de produção não é instalado. 2. Completação na qual a zona produtora não possui qualquer tipo de contenção ou isolamento hidráulico. ▶ Ver *revestimento de produção*; *cimentação*.

completação de poços / *well completion*. O mesmo que *completação*. ▶ Ver *completação*.

completação dupla / *dual completion, parallel tubing-string completion*. Completação que possibilita produzir simultaneamente, num mesmo poço, duas zonas ou reservatórios diferentes, de modo controlado e independente, no que diz respeito tanto aos volumes produzidos quanto às pressões, razões gás/óleo e óleo/água etc. ↔ A completação dupla consiste na instalação de duas colunas de produção com obturadores (*packers*). As principais vantagens desse método são: produção e controle de vários reservatórios produzidos simultaneamente; possibilidade de produção de zonas marginais que poderiam não justificar a perfuração de poços

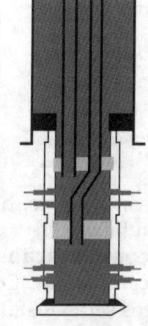

Completação dupla

somente para produzi-las; aceleração do desenvolvimento do campo; liberação mais rápida do investimento para novas aplicações; diminuição do número de poços necessários para drenar as diversas zonas produtoras. As principais desvantagens do método são: maior dificuldade na seleção e utilização dos equipamentos, com maiores possibilidades de problemas; as restaurações, embora menos frequentes, são mais complexas; maior dificuldade na aplicação dos métodos artificiais de elevação. ▶ Ver *completação*; *completação inteligente*; *técnicas de completação*.

completação inteligente / *smart completion*. Processo de completação de um poço no qual se controla a produção de cada zona, permitindo otimizar a produção do poço de acordo com a solicitação da engenharia de reservatório. Normalmente utilizada na completação de poços horizontais com várias zonas, as quais são isoladas por equipamentos especiais de isolamento do anular. Em frente a cada zona são instalados controladores de fluxo, que podem ter duas ou mais posições de abertura.

completação molhada / *wet completion*. Completação de um poço no qual a cabeça de produção fica localizada no leito marinho. ↔ No poço referido, sobre a cabeça de produção é instalada uma árvore de natal molhada, interligada à unidade estacionária de produção (UEP) por linhas submarinas. Os equipamentos utilizados nesse tipo de completação devem suportar altas pressões hidrostáticas associadas à profundidade de instalação, e são operados e monitorados remotamente, o que os torna mais complexos que os utilizados em completação seca. ▶ Ver *árvore de natal molhada*.

completação múltipla / *multizone completion*. Completação que possibilita produzir ou injetar simultaneamente, num mesmo poço, duas ou mais zonas ou reservatórios diferentes, de modo controlado e independente, no que diz respeito tanto aos volumes produzidos ou injetados quanto às pressões. ↔ Este tipo de completação pode utilizar apenas obturadores (*packers*) simples, como também uma combinação entre os simples e os duplos (*dual string packers*), dependendo das condições requeridas para produção e isolamento entre zonas.

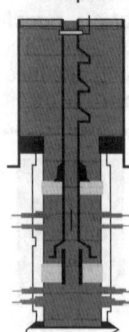
Completação múltipla

completação natural / *natural completion*. Completação na qual ocorre a surgência natural do poço, sem a utilização dos métodos de elevação artificial (como, por exemplo, o *gas lift* ou o bombeio centrífugo submerso).

completação permanente / *permanent well completion*. Completação em que os equipamentos serão instalados uma única vez. As operações de intervenção serão feitas com a utilização de flexitubo, cabo elétrico ou arame, sem a necessidade de retirar a coluna de produção. Mais usual em poços terrestres, onde a intervenção pode ser feita sem sonda, reduzindo os custos.

completação seca / *dry completion*. Completação de um poço em que a cabeça de produção fica localizada na superfície (em terra ou em convés de plataforma). Sobre a cabeça de produção, é instalada a árvore de natal seca ou convencional. ▶ Ver *cabeça de produção*; *árvore de natal seca*.

completação sem revestimento / *barefoot completion*. Completação de poço horizontal na qual o trecho produtor não é revestido, sendo equipado apenas com algum dispositivo para controle de produção de areia (telas, *slotted liners* ou *gravel pack*). ▶ Ver *completação*; *poço horizontal*; *tela*; *gravel pack*; *slotted liner*.

completação stand alone / *stand-alone completion*. Completação de poço horizontal com controle de produção de areia, na qual é instalado apenas uma coluna de telas ou *slotted liners*, sem empacotamento com *gravel*. ▶ Ver *completação*; *poço horizontal*; *tela*; *gravel pack*; *slotted liner*.

completação submarina / *subsea completion*. Completação na qual a cabeça do poço e a árvore de natal ficam no fundo do mar. Neste caso, utiliza-se a árvore de natal submarina ou molhada. ▶ Ver *árvore de natal molhada*; *árvore molhada*.

completamento (Port.) / *completion*. O mesmo que *completação*. ▶ Ver *completação*.

completamento de poços (Port.) / *well completion*. O mesmo que *completação de poços*. ▶ Ver *completação de poços*.

completamento duplo (Port.) / *dual completion, parallel tubing-string completion*. O mesmo que *completação dupla*. ▶ Ver *completação dupla*.

completamento inteligente (Port.) / *smart completion*. O mesmo que *completação inteligente*. ▶ Ver *completação inteligente*.

completamento isolado do poço (Port.) / *stand-alone completion*. O mesmo que *completação stand alone*. ▶ Ver *completação stand alone*.

completamento molhado (Port.) / *wet completion*. O mesmo que *completação molhada*. ▶ Ver *completação molhada*.

completamento múltiplo (Port.) / *multizone completion*. O mesmo que *completação múltipla*. ▶ Ver *completação múltipla*.

completamento natural (Port.) / *natural completion*. O mesmo que *completação natural*. ▶ Ver *completação natural*.

completamento permanente (Port.) / *permanent well completion*. O mesmo que *completação permanente*. ▶ Ver *completação permanente*.

completamento seco (Port.) / *dry completion*. O mesmo que *completação seca*. ▶ Ver *completação seca*.

completamento sem revestimento (Port.) / barefoot completion. O mesmo que *completação barefoot*. ▶ Ver *completação barefoot*.

completamento stand alone (Port.) / stand alone completion. O mesmo que *completação stand alone*. ▶ Ver *completação stand alone*.

completamento submarino (Port.) / subsea completion. O mesmo que *completação submarina*. ▶ Ver *completação submarina*.

complexante / complexing. O mesmo que *agente complexante*. ▶ Ver *agente complexante*; *composto complexante*.

complexo cristalino / basement complex. Complexo não diferenciado de rochas ígneas e/ou metamórficas que forma a parte mais externa da crosta terrestre ou a base das bacias sedimentares. É formado, geralmente, por rochas de idade paleozoica ou pré-cambriana. ▶ Ver *rocha do embasamento*.

complexo de dunas / dune complex. Conjunto de dunas de areia móveis e fixas em determinada área, com planícies arenosas e pequenos lagos e pântanos produzidos pelo bloqueio de um córrego por dunas. As dunas são frequentemente associadas às regiões costeiras e os grandes complexos de dunas encontrados no interior do continente normalmente estão associados a clima seco e a lagos ou mares antigos, atualmente secos. ↠ O termo *dune* é originário da palavra do alemão medieval ou nórdico *dun*, que significa *colina*.

complexo deltaico / delta complex. Conjunto de ambientes sedimentares (deposicionais, não deposicionais ou erosionais) que compõem um delta. ↠ Devido a sua variabilidade tanto em termos de energia (delta dominado por rios, ondas, marés ou a combinação dos três) quanto geográfica e temporalmente, o depósito irá registrar a fácies deposicional dominante. Mesmo quando um sistema deltaico é classificado, como, por exemplo, 'dominado por rios', podemos encontrar depósitos gerados por maré ou onda.

complexo plataforma-vale / shelf-valley complex. Conjunto de feições geomorfológicas que compõem uma região ao longo de vales da plataforma como resultado da retração de um sistema deltaico-estuarino, em decorrência de uma subida relativa do nível do mar.

componente de estrato-tipo / component-stratotype. Um de muitos intervalos que formam um estrato-tipo composto.

composição da carga / bulk fluid composition. Composição da corrente de hidrocarbonetos (frações molares de cada componente), que deixa os poços produtores e atinge a planta de processamento primário de petróleo. ↠ A composição da carga é normalmente determinada, em laboratório, por cromatografia realizada sobre os fluidos de uma amostra coletada em poço pioneiro da futura instalação. Esta composição é utilizada no projeto básico da planta de processamento primá-

rio, permitindo as simulações computacionais do balanço de massa e energia da planta, que são documentadas nos fluxogramas de processo.

composição de fundo de poço / bottom-hole assembly. Conjunto de equipamentos na extremidade inferior da coluna de perfuração, consistindo, geralmente, de broca, sub-broca, motor de perfuração (em certos casos), estabilizadores, comandos de perfuração, tubos pesados de perfuração, *jar* e *subs* de cruzamento que permitem a conexão entre elementos tubulares com roscas diferentes. Também chamado *conjunto de fundo de poço*. ↠ A composição de fundo de poço deve propiciar peso à broca de modo a permitir que ela penetre nas camadas rochosas, e possibilitar o controle direcional na construção do poço. Em geral dispõe de motor de perfuração, ferramentas de perfuração e controle direcional, ferramentas de MWD, LWD e outras ferramentas especializadas. ▶ Ver *conjunto de fundo de poço*.

composto complexante / complexing compound. Composto que contém pares de elétrons livres (não comprometidos em nenhuma outra ligação química) para formar ligações covalentes coordenadas com um cátion metálico, geralmente um metal de transição que contém orbital 'd' disponível. ▶ Ver *agente complexante*; *ligação covalente coordenada*.

compostos NOS / NOS compounds. Compostos formados por elementos como nitrogênio, oxigênio e enxofre. ▶ Ver *óleo cru*.

compressão / compression. Redução do tamanho de alvos em imagens sonográficas causada pelas distorções na varredura ou por velocidade de reboque. ↠ A compressão pode ser corrigida por processamento digital que leva em consideração a velocidade de reboque e a correção da varredura, em função da altitude do equipamento em relação ao fundo marinho.

compressão axial / axial compression. Esforço de compressão exercida ao longo do eixo de uma coluna.

compressão de cimento / squeeze. Injeção forçada de uma pasta de cimento com o objetivo de corrigir a cimentação primária ou impedir a produção de zonas que passaram a produzir água. ↠ Nessa operação de compressão, a pasta de cimento é comprimida contra os canhoneados até sua completa vedação. ▶ Ver *cimentação primária*; *restauração de poço*; *tampão balanceado*.

compressão de cimento a alta pressão / high-pressure squeeze. Técnica que consiste em comprimir a pasta de cimento com uma pressão que possa criar uma pequena fratura na formação, possibilitando a comunicação do poço com os espaços a serem preenchidos com cimento, em cenários nos quais a compressão a baixa pressão pode não atender aos objetivos da correção de cimentação. ↠ Utilizável em casos nos quais a técnica de compressão a baixa pressão pode não ser bem-sucedida, como em canalizações não conectadas diretamente com os canhoneados, pequena fissuras ou microanulares que permitem o fluxo de gás mas não da pasta de cimento, canhoneados em frente a zonas impermeáveis ou sem injetividade, ou *squeezes* em ambientes onde há fluido de perfuração. Entretanto, mesmo a utilização de uma boa técnica a alta pressão envolve uma série de riscos que podem comprometer o sucesso da operação. Entre eles podemos citar: a possibilidade da criação de grandes fraturas, que podem propiciar a comunicação indesejada entre zonas que se pretendia isolar; a fratura pode não interceptar o canal que se pretendia eliminar, uma vez que ela pode se desenvolver numa direção preferencial ditada pelo estado de tensões da rocha; a fratura pode se estender ao longo de intervalo com boa cimentação e ocasionar rachaduras no cimento e comunicação indesejada entre zonas. ▶ Ver *cimentação sob alta pressão*; *compressão de cimento*.

compressão de cimento a baixa pressão / low-pressure squeeze. Técnica que consiste em deslocar uma pasta de cimento com baixa perda de filtrado à frente de um intervalo canhoneado e forçá-la com uma pressão abaixo da pressão de quebra da formação, suficiente para que, por um processo de filtração, haja a deposição de sólidos nas paredes dos canhoneados, nas faces das formações permeáveis, nas cavidades e espaços vazios interconectados por detrás do revestimento. ↝ O filme de cimento depositado na parte mais permeável da formação funciona inicialmente como agente divergente, levando a pasta a filtrar-se contra outra parcela menos permeável que esteja exposta, ou para vazios não cimentados. Quando a formação em contato com a pasta estiver impermeabilizada por este processo de desidratação, obter-se-á uma filtração nula para a pressão exercida, permanecendo o restante da pasta no interior do revestimento. Nos trabalhos a baixa pressão é essencial que as canalizações e os canhoneados a preencher com cimento estejam desobstruídos de lama e/ou sólidos e que contenham um fluido que possa ser injetado na formação, seja fluido de completação isento de sólidos ou fluido produzido do próprio intervalo. ▶ Ver *compressão de cimento*; *método de compressão por hesitação*; *hesitação*.

compressão de sinal / signal compression. Tratamento de sinais para comprimir os pulsos das reflexões sísmicas.

compressibilidade / compressibility. Propriedade que tem um material de variar seu volume com a pressão, sob temperatura constante. ↝ A compressibilidade isotérmica de uma substância pode ser expressa pela razão da variação relativa de volume com a pressão, sob temperatura constante.

compressibilidade do gás / gas compressibility. Propriedade dos gases de variar seu volume sob ação de uma pressão, sob temperatura constante. ↝ A compressibilidade de um gás varia acentuadamente se o processo for adiabático ou isotérmico. Para gases reais, a compressibilidade isotérmica c_g é dada por

$$c_g = -1/p - 1/Z\,(\partial Z/\partial p)_T$$

onde: Z é o fator de compressibilidade do gás. No caso de gases ideais (Z = 1), a compressibilidade é o inverso da pressão absoluta, ou seja, $c_g = 1/p$.

compressibilidade do óleo / oil compressibility. Propriedade que mede a variação relativa de volume de óleo com a pressão, sob temperatura constante.

compressibilidade do volume poroso / pore-volume compressibility. Propriedade que expressa a variação fracional de volume poroso da rocha com a pressão. ↝ Quando fluidos são produzidos de uma rocha-reservatório ocorre uma diminuição de pressão interna da rocha, e, com isto, ela estará sujeita a tensões resultantes diferentes das originais. Esta variação de tensões resulta em modificações nos grãos, poros e algumas vezes no volume total da rocha. O valor da compressibilidade da rocha pode ser determinado experimentalmente em laboratório a partir das medições de porosidade em diferentes estágios de pressão, ou pelo uso de correlações.

compressor a jato / jet (engine) compressor. Equipamento de escoamento do tipo rotativo, similar a uma turbina, que comprime um fluido gasoso. Pode ser composto por um ou mais estágios, do tipo centrífugo ou axial, podendo, cada um, ter geometria, taxa de compressão e velocidade de giro específicas. ↝ Nessas máquinas de escoamento, cada estágio possui palhetas curvadas no impulsor, que transferem energia cinética e alguma entalpia ao gás, e outras palhetas no difusor, que é responsável pela maior conversão da energia cinética em entalpia, com ganho de pressão. A compressão por estágio axial é tipicamente maior que 15%, ocorrendo altas velocidades do fluido, maiores que 0,3 Mach. Maiores diferenciais de pressão são obtidos com múltiplos estágios de compressão.

compressor de arranque de poços (Port.) / kick-off compressor. O mesmo que *compressor de partida de poços*. ▶ Ver *compressor de partida de poços*.

compressor de bombagem ou de intensificação (Port.) / booster compressor. O mesmo que *booster compressor*. ▶ Ver *booster compressor*.

compressor de carga (Ang.) / booster. O mesmo que *booster*. ▶ Ver *booster*.

compressor de dois estágios / two-stage compressor. Equipamento de escoamento do tipo 'deslocamento positivo' composto de três pistões axiais e em linha, acionados por um eixo tipo virabrequim que defasa em 120 graus o acionamento de cada pistão. ↝ Nessas máquinas, o ciclo de bombeamento de cada pistão, que funciona como bomba alternativa, consiste em aspirar fluido do coletor de entrada, pressurizá-lo e descarregá-lo no coletor de saída, de forma defasada. Com isso, a vazão total de saída oscila, mas nunca se reduz a zero, evitando grandes oscilações de pressão.

compressor de gás / *gas compressor*. Equipamento de escoamento que aumenta a pressão de um gás a partir de sua redução de volume. ↦ Uma máquina compressora de gás pode ser do tipo 'dinâmica' ou do tipo 'deslocamento positivo'. Entre as pertencentes ao primeiro tipo, as mais comuns são: centrífugas e axiais. No segundo tipo, as mais comuns são: lóbulos, de parafusos, de palhetas, todas rotativas; e as alternativas (êmbolo ou pistão). O segundo tipo, deslocamento positivo, é aquele em que se conseguem as maiores taxas de compressão num simples estágio.

compressor de *gas lift* / *gas-lift compressor*. Equipamento concebido para aumentar a pressão do gás que será utilizado para fazer o *gas lift*. ↦ Os compressores de *gas lift* geralmente possuem três estágios e em cada saída dos estágios resfria-se o gás comprimido e retira-se o condensado. Normalmente o gás utilizado é o gás produzido pelos poços.

compressor de partida de poços / *kick-off compressor*. Equipamento similar ao compressor de *gas lift*, mas que tem por função dar a partida nos poços de produção e, por isso, tem uma capacidade de compressão maior do que a do compressor de *gas lift*. Em Portugal usa-se o termo *compressor de arranque de poços*. ↦ A depender do ponto de injeção do *gas lift* far-se-á necessário um valor maior de pressão para que seja iniciada a produção do poço, quando então poder-se-á manter o *gas lift* injetado em pressões menores e/ou em pontos mais rasos de injeção. ▶ Ver *compressor de* gas lift.

compressor de três estágios / *three-stage compressor*. Equipamento de escoamento do tipo deslocamento positivo aplicado na compressão de gás em taxas de compressão elevadas, composto de três compressores de um estágio cada, geralmente acionados pelo mesmo sistema motor, de funcionamento similar ao compressor de dois estágios.

comprimento de canal / *channel length*. Extensão longitudinal da feição geomorfológica associada ao canal.

comprimento de fratura / *fracture length*. 1. Tamanho de uma asa de fratura, considerando-se que a mesma se propaga simetricamente em relação ao poço. 2. O termo 'comprimento de asa' é mais adequado, a fim de evitar confusão com 'comprimento total de fratura', que denota a distância de uma extremidade da fratura à outra. ▶ Ver *fratura*; *fraturamento hidráulico*; *geometria de fratura*.

comprimento de onda / *wavelength*. Distância entre dois pontos sucessivos de um sinal acústico caracterizado pela mesma fase de oscilação, medida na direção de propagação da onda. ↦ Juntamente com a potência de transmissão, o comprimento de onda (relacionado diretamente com a frequência) irá determinar o alcance de um sistema de batimetria ou sonar de varredura lateral. Menores comprimentos de onda (maiores frequências) resultam em melhores resoluções, mas ao custo de menores alcances.

comprimento de onda aparente / *apparent wavelength*. Comprimento de onda medido pelos receptores quando uma onda aproxima-se em ângulo. ↦ A relação entre comprimento de onda verdadeiro e aparente é definida pelo seno do ângulo no qual a onda se aproxima dos receptores.

comprimento do operador / *operator length*. Comprimento da resposta impulsiva de um operador de convolução.

comprimento do pulso / *pulse length*. Tempo que um sistema de sonar ativo necessita para emitir um pulso, normalmente expresso em milissegundos (ms). Pulsos mais longos permitem que uma quantidade maior de energia seja transmitida, à custa, no entanto, de perda de resolução.

comprimento entre tangentes / *seam-to-seam length*. Dimensão linear medida entre as costuras dos tampos e o corpo de vasos cilíndricos.

computador de vazão / *flow computer*. Instrumento que realiza o cálculo de vazões e volumes, correções de volume de gás ou petróleo para a pressão e temperatura de referência, segundo as normas pertinentes para cada caso. ↦ Os computadores de vazão são, geralmente, instrumentos dedicados (independentes) ao processo.

comunicação assíncrona / *asynchronous communication*. Comunicação definida pelo número de sinais em um barramento, determinando o respectivo tipo de controle. Nesta comunicação, o instante da transferência não é conhecido *a priori*, pois é indicado por sinais de controle próprio, sendo que seus significados e os seus relacionamentos é que definem o protocolo de comunicação. ↦ A comunicação assíncrona pode ser a 'controlada por um fio' (*OWC One Way Controlled*) ou a 'comunicação assíncrona controlada por dois fios' (Req/Ack). A forma mais simples de comunicação assíncrona utiliza um único fio para controlar a comunicação entre dois dispositivos. Existem duas maneiras de se controlar a comunicação com um único fio. Na primeira, o circuito fornecedor de dados gera um sinal de controle para indicar a existência de um dado válido para ser escrito num registrador receptor. Na segunda maneira, o circuito receptor de dados gera um sinal requisitando ao fornecedor o envio de dados.

comunicação síncrona / *synchronous communication*. Comunicação caracterizada pela existência de um barramento governado por um sistema central de relógio (*clock*) que define intervalos de tempo (*time slots*) de mesmo tamanho para cada operação no barramento. Em geral essas operações são do tipo 'comunicação de dados' entre um elemento mestre e outro escravo. ↦ Existem duas técnicas básicas para a alocação do intervalo de tempo para as operações, a saber: *intervalo dedicado* e *intervalo não dedicado*. Na técnica de 'comunicação síncrona por intervalo dedicado' o tempo é alocado permanentemente a uma operação, mesmo que esta não seja realizada. De acordo com esta técnica os intervalos de tempo são definidos de forma a encobrir a operação mais lenta. Isso compromete o desempenho do sistema, pois as operações mais rápidas não poderão trabalhar a plena velocidade. Outra restrição ao desempenho global do sistema ocorre se as operações que têm intervalos dedicados não forem realizadas. Na técnica 'comunicação síncrona com intervalo não dedicado' os intervalos de tempo são alocados a uma operação somente se ela for realizada. Isto implica a necessidade de se estabelecer um mecanismo de alocação de intervalos em *hardware* para identificar se as operações vão ocorrer.

conata / *connate*. Referência especial à água e a materiais voláteis, como o dióxido de carbono, aprisionados nos sedimentos e formados ao tempo da deposição destes, sem contato com a atmosfera, por intervalos de tempo geológicos.

concentração de coagulação crítica / *critical coagulation concentration* (CCC). Concentração de eletrólitos na qual ocorre o processo de coagulação das fases dispersas. A CCC é específica para cada sistema surfactante; alguns trabalhos atuais apresentam estudos relativos à generalização empírica dessa propriedade.

concentração de sedimentos / *sediment concentration*. Referência à concentração de sedimento em suspensão em um líquido.

concentração micelar crítica / *critical micelle concentration*. 1. Concentração na qual se inicia o processo de formação de agregados de moléculas de tensoativos, denominados *micelas*. 2. Concentração de um tensoativo a partir da qual a tensão superficial permanece constante ou a sua diminuição é menos acentuada. Outras propriedades físicas, como, por exemplo, densidade e condutância específica, também mudam a sua dependência da concentração nesta mesma faixa de composição. Todos os agentes preventores e/ou quebradores de emulsão apresentam alguma tendência de se adsorverem nas interfaces onde atuam, reduzindo a tensão interfacial. O início do processo de associação das moléculas do surfactante em solução provoca o aparecimento de agregados, ou micelas, sendo que a concentração na qual eles se formam denomina-se 'concentração micelar crítica' (CMC). ↦ A associação das moléculas de tensoativos, formando agregados, a partir da concentração micelar crítica, resulta em variações acentuadas das propriedades físicas da solução de tensoativos, tais como a solubilidade, a condutividade, a turbidez e a pressão osmótica.

▶ Ver *micela*; *tensoativo*; *solubilidade*; *condutividade*; *turbidez*; *pressão osmótica*.

concessão / *concession*. 1. Regime administrativo de permissão de pesquisa e lavra de recursos minerais de propriedade pública ou de prestação de serviços públicos, no qual o concessionário não tem a propriedade do recurso mineral *in situ* nem dos meios de prestação do serviço. 2. Contrato administrativo por meio do qual a Administração Pública delega a um particular a gestão e a execução, por sua conta e risco e sob controle do Estado, de uma atividade definida pelas leis do país como serviço público. ↦ A concessão é uma modalidade de delegação de uma atividade econômica pelo poder público, geralmente mediante processo concorrencial, a um agente econômico que demonstre capacidade para seu desempenho, por sua conta e risco e por prazo determinado. No Brasil, o contrato administrativo à delegação é feito pela Agência Nacional do Petróleo, Gás Natural e Biocombustíveis (ANP), que outorga a empresas o exercício das atividades de exploração e produção de petróleo e gás natural no território brasileiro.

concessionário / *concessionnaire*. 1. Agente econômico com o qual o poder concedente de um país celebra contrato de concessão. 2. Empresa ou consórcio de empresas com os quais o poder concedente de um país celebra contrato de concessão para exploração e produção de petróleo ou gás natural em bacia sedimentar localizada no território nacional. Normalmente é exigido que a empresa seja constituída sob as leis nacionais, com sede e administração no país concedente. O mesmo que *empresa concessionária*, *operadora* ou *operador*.

concordante / *concordant*. 1. Termo referente a estratos que apresentam paralelismo das superfícies de acamamento. O termo pode ser utilizado em casos onde a presença de um hiato não seja detectável, embora não possa ser descartada sua existência. 2. Situação em que os estratos se dispõem paralelamente como resultado de uma deposição sem interrupção durante um período geológico. ▶ Ver *discordante*.

concreção / *concretion*. 1. Feição geológica compacta, de forma geralmente esférica ou discoide, que se destaca na rocha normalmente resultante da precipitação de hidróxidos, carbonatos ou sílica, acarretando o fechamento dos poros da rocha. Adicionalmente este processo pode até substituir minerais e partículas da rocha em torno de um núcleo que favorece esta precipitação. O núcleo de uma concreção normalmente é um fragmento de concha, osso, fóssil ou de rocha vulcânica. A maioria das concreções é formada durante a diagênese em seus estágios iniciais, em especial em calcários, logo após a deposição. 2. Termo também aplicado de modo genérico para designar segregações primárias e secundárias de minerais de diversas origens, incluindo nódulos irregulares, esferulitos, agregados cristalinos, geodos, septária e outros corpos semelhantes.

concreto / *concrete*. Mistura, em determinadas proporções, de quatro elementos básicos: cimento, pedra, areia e água. ↠ Os concretos são, em geral, materiais compostos, heterogêneos, que apresentam duas fases: a matriz (cimento e água) e a carga (agregados). Existem três tipos de concreto: *simples*, *armado* e *magro*. O concreto simples é preparado com os quatro componentes básicos e tem grande resistência aos esforços de compressão, mas baixa resistência aos esforços de tração. Já o concreto armado tem elevada resistência tanto aos esforços de tração quanto aos de compressão, mas para isso precisa de um quinto componente que é a armadura ou o ferro. O concreto magro é na verdade o concreto simples com menos cimento. Ele é mais econômico, embora só possa ser usado em partes da construção que não exijam tanta resistência e impermeabilidade.

condensação / *condensation*. 1. Mudança do estado gasoso para o estado líquido. A temperatura onde a condensação ocorre é chamada *ponto de orvalho* da substância. A condensação é vastamente utilizada na indústria como um processo, ato ou efeito físico de separação de misturas homogêneas (líquido-líquido e gasoso-gasoso). **2.** Processo sedimentar no qual ocorre o adelgaçamento do depósito ou sucessão sedimentar contemporaneamente à deposição.

condensado / *condensate*. Fração líquida do gás natural obtida no processo primário de separação de campo, mantida na fase líquida na condição de pressão e temperatura de separação.

condensado estabilizado / *stabilized condensate*. Líquido do gás natural que permanece na fase líquida em condições atmosféricas de pressão e temperatura. ↠ O condensado estabilizado é um líquido muito leve, com densidades ente 45° e 60 °API.

condensado retrógrado / *retrograde condensate*. O mesmo que *líquido retrógrado*. ▶ Ver *líquido retrógrado*.

condensador / *condenser*. O mesmo que *capacitor*. ▶ Ver *capacitância*; *capacitor*.

condensador de armazenamento e retenção (Port.) / *sample-and-hold condenser*. O mesmo que *capacitor de armazenamento e retenção*. ▶ Ver *capacitor de armazenamento e retenção*.

condicionador de escoamento / *flow conditioner*. Elemento passivo instalado a montante do elemento primário de medida de vazão com o objetivo de modificar o perfil de velocidades e eliminar o movimento de rotação do fluido. ↠ O condicionador de escoamento visa a tornar o sistema de medição independente das influências da instalação. Pode ser construído segundo projetos específicos ou patentes. ▶ Ver *retificador de fluxo*.

condicionamento / *conditioning*. 1. Atividade caracterizada pela aplicação de procedimentos e testes que objetivam garantir que equipamentos e instrumentos venham a desempenhar todas as suas funções técnicas, conforme originalmente especificadas. **2.** Conjunto de atividades de preservação, verificação de funcionalidade e preparação para o bom funcionamento de um determinado componente de uma instalação. ↠ A atividade deve ser executada antes, quando na fase de armazenamento, e posteriormente quando da execução da respectiva montagem. O fornecedor deve prover assistência técnica, treinamento operacional e respectiva documentação que descreva os procedimentos a serem realizados em relação às duas situações mencionadas. ▶ Ver *comissionamento*; *construção e montagem*; *operação assistida*; *pré-operação*.

condicionamento da lama / *mud conditioning*. Tratamento do fluido de perfuração por meio da adição de produtos químicos e/ou circulação no sistema para remoção de sólidos ou gás, de forma a adequar suas propriedades a uma determinada operação.

condicionamento de malhas / *loop conditioning*. Conjunto de atividades de verificação de funcionabilidade e preparação para atestar a conformidade entre a especificação do projeto (diagrama de malha) e a situação 'como montado', de forma a assegurar que cada componente das malhas se encontre adequadamente fabricado, montado, instalado, identificado, interligado e intrinsecamente preparado para ser energizado, para atingir a condição 'pronto para energizar/atuar'. Isso se faz por meio de testes de simulação sem carga (a frio) e preparação para seu funcionamento.

condicionamento do gás / *gas conditioning*. Processamento primário do gás natural, realizado nas instalações de produção, para adequá-lo às condições de exportação. ↠ Este condicionamento compreende as operações de remoção de partículas ou gotículas dispersas, remoção de frações pesadas de hidrocarbonetos (gasolina natural), desidratação, remoção de gases ácidos, remoção de metais pesados etc.

condições ambientais / *environmental conditions*. 1. Conjunto de variáveis de natureza climática, oceanográfica e edáfica, conjugadas com os fatores bióticos e antrópicos do meio. **2.** Condições (de pressão, temperatura, umidade etc.) do meio que envolvem um objeto, como, por exemplo, medidor, instrumento ou transdutor.

condições básicas de produção / *basic production conditions*. O mesmo que *condições-padrão*. ▶ Ver *condições-padrão*.

condições de referência / *reference conditions*. Condições de temperatura e pressão nas quais as medidas de um medidor volumétrico devam ser corrigidas. ↠ A temperatura e pressão para a correção de volumes podem ser as condições-padrão, adotadas por um determinado país, ou quaisquer outras acordadas pelas partes num contrato comercial.

condições-padrão / *standard conditions*. Condições a que se referenciam as medições de petróleo e gás natural, sendo a pressão atmosférica (0,101325 MPa) e a temperatura de 20 °C. ↠ No Brasil, as condições-padrão são utilizadas para expressar as estimativas de reservas e volumes produzidos de óleo, condensado e gás natural.

condições-padrão de tanque / *stock-tank conditions*. Condições usadas na medição de petróleo nas quais a temperatura de referência é 60 °F (sessenta graus Fahrenheit) e a pressão, 14,7 psia.

condrito / *chondrite*. Traço de fóssil formado por uma estrutura de túneis ramificados em torno de um tubo central, provavelmente feito por um verme marinho. É comumente chamado de *fucoide*.

condução intrínseca / *intrinsic conduction*. Condução que considera somente os elementos naturais das rochas.

conduta (Port.) / *pipeline*. O mesmo que *duto*. ▶ Ver *duto*.

conduta de controlo (Port.) / *control line, kill line*. O mesmo que *linha de matar*. ▶ Ver *linha de matar*.

conduta de gás (Port.) / *gas line, gas pipeline*. O mesmo que *gasoduto*. ▶ Ver *gasoduto*.

conduta de óleo (Port.) / *oil flowline*. O mesmo que *oleoduto*. ▶ Ver *oleoduto*.

condutância longitudinal / *longitudinal conductance*. Produto da condutividade elétrica pela espessura de uma camada sedimentar, usado em métodos elétricos de prospecção.

condutividade / *conductivity*. Propriedade de um material, sólido ou líquido, de conduzir uma forma de energia, elétrica ou térmica. A condutividade elétrica pode ser através de elétrons (condutividade eletrônica) ou através de íons (condutividade iônica ou eletrolítica). A condutividade é o inverso da resistividade.

condutividade de fratura / *fracture conductivity*. Propriedade que expressa a capacidade de uma fratura de transportar fluidos em seu interior, podendo ser representada pelo produto da permeabilidade do leito de agente de sustentação pela largura sustentada da fratura.

condutividade térmica / *thermal conductivity*. Propriedade que expressa a maior ou menor capacidade de um material de permitir a transferência de energia através dele na forma de condução térmica. ↔ Baseado na Lei de Fourier da condução de calor, a condutividade térmica indica a quantidade de calor por unidade de área que flui por um corpo quando o gradiente de temperatura é unitário. Materiais de alta condutividade térmica são chamados *condutores* e de baixa condutividade são chamados *isolantes*. A condutividade térmica varia com a temperatura, porém, em muitos problemas práticos de engenharia, essa variação pode ser desconsiderada.

condutor eletrônico / *electronic conductor*. Material que conduz eletricidade em função da mobilidade de seus elétrons, como o metal.

condutor marinho / *marine conductor*. Revestimento condutor utilizado em poço no mar. ▶ Ver *revestimento condutor*.

cone / *cone*. Depósito sedimentar de grandes massas detríticas, em forma de leque, de águas profundas, geralmente associado a um delta ativo de grandes dimensões, como, por exemplo, os dos rios Mississippi, Nilo, Ganges, Amazonas.

cone aluvial / *alluvial cone*. Termo normalmente utilizado para um leque aluvial que resulta em depósitos sedimentares de alto declive. ↔ É composto de material imaturo e grosseiro e sua deposição é atribuída a grandes fluxos provenientes de grandes canais ou fluxo de detritos. ▶ Ver *leque aluvial*.

cone de água / *water coning*. Elevação da interface óleo-água nas proximidades do poço causando aumento prematuro da produção prematura de água. ↔ O cone de água ocorre se a vazão de produção exceder um valor limite (vazão crítica) que leva a sua formação.

cone de dejeção / *dejection cone*. 1. Acumulação de sedimentos detríticos transportados e depositados principalmente por cursos de água de montanha, quando seu gradiente diminui bruscamente no sopé. 2. O mesmo que *cone aluvial*. ↔ Formam-se, assim, autênticos cones de detritos constituídos por material grosseiro, de tamanhos e naturezas as mais diversas, ligados por cimento argiloarenítico. Podem ocorrer, também, em outras regiões, como em bajadas (regiões com acúmulo de sedimentos) de deserto e regiões periglaciais, desde que haja uma brusca queda na velocidade da corrente de transporte. ▶ Ver *cone aluvial*.

cone de depressão / *cone of depression*. Abaixamento do lençol freático ao redor de um poço bombeado.

cone de detritos / *cone of detritus*. O mesmo que *cone de dejeção*, *cone aluvial*. ▶ Ver *cone aluvial*; *cone de dejeção*.

cone de gás / *gas cone*. Depressão da interface gás-óleo nas proximidades de um poço, causando aumento prematuro da produção de gás, que ocorre quando a vazão de produção excede um valor limite (vazão crítica).

cone delta / *delta cone*. O mesmo que *cone aluvial*. ▶ Ver *cone aluvial*.

conector de árvore de natal molhada / *wet christmas tree connector*. Módulo para conectar a árvore de natal molhada (ANM) ao mandril de linhas de fluxo (MLF). ▶ Ver *mandril de linhas de fluxo*; *árvore de natal molhada*.

conector de linha de fluxo / *flow line connector*. Módulo utilizado em árvores de natal molhadas (ANM) *diverless* (DL) para conectar as linhas flexíveis e de controle à base adaptadora de produção (BAP). ↔ Módulo que representa o interfaceamento das linhas de fluxo e umbilical com o conector da ANM. Apresenta furações e *stabs* de conexão. ▶ Ver stab.

conector de potência do umbilical / *umbilical power connector*. O mesmo que *conector de potência submarino*. ▶ Ver *conector de potência submarino*.

conector de potência submarino / *subsea power connector*. Conector submarino especial que interliga o umbilical submarino de potência ao sistema elétrico da árvore de natal molhada, em instalações de bombeio centrífugo submerso submarino. Conector normalmente utilizado em instalações de poços-satélites submarinos de petróleo. ▶ Ver *bombeio centrífugo submerso (BCS); bombeio centrífugo submerso submarino; árvore de natal molhada; poços-satélites submarinos; umbilical de potência de sistema de bombeio centrífugo submerso submarino; umbilical integrado de sistema de bombeio centrífugo submerso submarino*.

conector de teste / *test connector*. Conector utilizado para teste de integridade do conjunto de bombeio centrífugo submerso (BCS) durante sua instalação em poços de petróleo no mar. ↠ Durante a instalação de um conjunto de BCS, o conector de teste, com o respectivo umbilical de teste para instalação no mar, é conectado ao suspensor de coluna de produção e, durante a instalação, várias medições de isolamento são executadas para verificar a integridade do sistema elétrico de BCS pós-descida no poço. ▶ Ver *bombeio centrífugo submerso; bombeio centrífugo submerso submarino; umbilical de teste para instalação no mar*.

conector elétrico / *electrical pothead*. Conector elétrico do motor de bombeio centrífugo submerso que permite a interligação com o cabo de alimentação elétrica desse motor. ↠ A instalação desse conector pode ser realizada através de emenda das três fases do cabo com os três terminais do motor, com o uso de fitas especiais, chamadas *tape in*, ou do tipo tomada elétrica, chamada *plug in*, que pode ser realizada com maior rapidez. ▶ Ver *bombeio centrífugo submerso; motor elétrico de bombeio centrífugo submerso; cabo chato*.

conector elétrico do suspensor de coluna / *tubing hanger electrical connector*. Conector elétrico localizado na parte inferior do suspensor de coluna e utilizado para interligar o cabo elétrico do conjunto de bombeio centrífugo submerso (BCS) ao umbilical submarino de potência. ↠ O conector do suspensor de coluna para cabo elétrico de BCS é utilizado em instalações de poços-satélites submarinos de petróleo. ▶ Ver *bombeio centrífugo submerso; bombeio centrífugo submerso submarino; árvore de natal molhada; poço-satélite submarino; suspensor de coluna; tubing hanger; cabo elétrico para bombeamento centrífugo submerso*.

conector elétrico molhado para sinais / *wet-mateable electrical connector for signals*. Equipamento utilizado em sistemas submarinos e de poço, que tem como função a conexão e desconexão de linhas de sinais elétricos de comunicação e de sensores entre unidades de superfície e unidades remotas submarinas, linhas de supervisão e controle, veículos de controle remoto, cabos, umbilicais submarinos, ferramentas e sensores de poço, sob a superfície da água ou na presença de fluidos de poço.

conector elétrico seco para sinais / *dry-mateable electrical connector for signals*. Equipamento utilizado em sistemas submarinos e de poço, que tem como função a conexão e desconexão das linhas de sinais elétricos de comunicação e de sensores entre unidades de superfície e unidades remotas submarinas, linhas de supervisão e controle, cabos, umbilicais, veículos de controle remoto, ferramentas e sensores de poço, cuja conexão é sempre realizada preliminarmente na superfície.

conector hidráulico / *hydraulic connector or coupler*. Dispositivo hidráulico que permite a conexão e desconexão de uma linha hidráulica mais de uma vez, geralmente sem o uso de ferramentas ou componentes adicionais. ↠ É basicamente composto de duas partes, sendo um o lado macho (*nipple*) e o outro lado fêmea (*coupling*). Pode possuir válvulas de retenção em cada uma dessas partes, de forma a bloquear o vazamento de cada lado da linha quando a conexão estiver aberta, mas possibilitando a passagem livre de fluido quando as partes macho e fêmea do conector estiverem acopladas. As terminações de cada parte podem ser de vários tipos, permitindo seu uso diretamente em mangueiras ou mesmo em tubulações.

conector molhado / *wet-mateable connector*. Conector de uso submarino, de potência elétrica, de sinais elétricos ou ópticos, capaz de evitar a presença de água nos seus contatos durante a conexão realizada no meio submarino (molhado). ↠ Trata-se de equipamento de conexão e uso no meio submarino, daí ser particularmente aplicável a componentes considerados recuperáveis (à superfície) para manutenção e ulterior instalação (no leito marinho). ▶ Ver *conector seco*.

conector óptico / *optical connector*. Terminação utilizada para conectar fibra óptica em equipamentos ópticos, como sensores de fibra óptica ou fonte emissora de luz. ▶ Ver *cabo óptico; sensor de fibra óptica*.

conector óptico molhado para sinais / *wet mateable optical connector for signals*. Equipamento utilizado em sistemas submarinos e de poço, que tem como função a conexão e desconexão das linhas de sinais de comunicação e de sensores entre unidades de superfície e unidades remotas submarinas de supervisão e controle, cabos, umbilicais, veículos de controle remoto, ferramentas e sensores de poço, baseados em tecnologia óptica, sob a superfície da água ou na presença de fluidos de poço.

conector óptico seco para sinais / *dry-mateable optical connector for signals*. Equipamento utilizado em sistemas submarinos e de poço, que tem como função a conexão e desconexão das linhas de sinais ópticos de comunicação e de sensores entre unidades de superfície e unidades remotas submarinas, de supervisão e controle, cabos, umbilicais, veículos de controle remoto, ferramentas e sensores de poço, cuja conexão é sempre realizada preliminarmente na superfície.

conector seco / *dry-mateable connector*. Conector de uso submarino, de potência elétrica ou de sinais elétricos ou ópticos, capaz de evitar a presença de água nos seus contatos após ter sua conexão realizada na superfície (seco). •• Trata-se de equipamento de conexão na superfície e de uso no meio submarino e, por consequência, é particularmente aplicável a componentes que ficarão residentes no leito marinho ou com manutenção exclusiva na superfície (seco).

conexão API / *API connection*. Conexão de tubulações normalizadas pela API. •• As conexões que não são API são denominadas *proprietárias* e são específicas dos fabricantes. Normalmente, em tubos de revestimentos, as conexões não API são aquelas com selo metal-metal e cada fabricante tem o seu projeto específico. ▶ Ver *rosca*; *revestimento*.

conexão caixa / *box connection*. Terminal de um tubo com rosca fêmea. A conexão caixa é feita para se encaixar na conexão pino de outro tubo. •• Esta conexão pode ser adaptada em qualquer tipo de tubulação. Normalmente, na engenharia de poço, é usada nos tubos da coluna de perfuração, de completação, de produção e de revestimento.

conexão de linhas na unidade estacionária de produção / *pull-in into FPS*. Operação final da interligação submarina de um poço à unidade estacionária de produção (UEP), onde os *risers* das linhas que compõem um poço são conectados nos respectivos berços, disponíveis nos bordos da unidade em questão.

conexão do *riser* de perfuração / *marine riser connection*. União sem rosca, que permite a junção de duas juntas de *riser* de perfuração. •• Na operação de conexão da junta de *riser* há travas (*dogs*) na caixa (normalmente no topo da junta) que são atuadas por meio de parafusos para dentro de ressaltos (*grooves*) que existem no pino. Um torque insuficiente nos parafusos pode prejudicar a conexão, por permitir um movimento relativo entre a caixa e o pino. Um torque excessivo pode provocar deformações ou mossas no *groove* do pino. Geralmente é utilizada uma chave de impacto com pressão de ar regulada para dar o torque necessário. A soldagem e o tratamento térmico dos conectores durante a fabricação é importante para evitar a fadiga. As linhas de *kill* e *choke* são partes integrantes das juntas de *riser*, sendo ligadas entre si por meio de encaixe macho-fêmea, com vedação tipo *polipack*. ▶ Ver riser *de perfuração*.

conexão do *riser* de perfuração marinho (Port.) / *marine riser connection*. O mesmo que *conexão do* riser *de perfuração*. ▶ Ver *conexão do* riser *de perfuração*.

conexão do tubo de perfuração / *tool joint*. Conexão normalmente rosqueada entre seções da coluna de perfuração, sejam tubos, hastes ou ferramentas.

conexão EU / *external upset joint*. Conexão API usada em tubos normais de produção ou de injeção.

conexão pino / *pin connection*. Terminal de um tubo com rosca macho. •• A conexão pino é feita para se encaixar na conexão caixa de outro tubo. Este tipo de conexão pode ser adaptado em qualquer tipo de tubulação. Normalmente, na engenharia de poço, é usada nos tubos da coluna de perfuração, de completação, de produção e de revestimento.

configuração de eletrodos / *electrode configuration*. Arranjo linear de quatro eletrodos, sendo dois de injeção de corrente (A e B) e dois de medida de diferença de potencial (M e N), usados para medição de resistividade, colocados na superfície ou dentro de um poço. •• A depender do arranjo linear dos eletrodos, três configurações são usadas: *(I)* configuração alfa com arranjo AMNB; *(II)* configuração beta com o arranjo MNAB; e *(III)* configuração gama com arranjo AMBN.

configuração de poços próximos / *piggy-back*. Configuração aplicada em casos de poços próximos, na qual uma árvore de natal molhada principal (*master*) é interligada a outra, permitindo produção ou injeção por uma única linha. Também identificada por *ANM-ANM* ▶ Ver *árvore de natal molhada*.

configuração Janus / *Janus configuration*. Arranjo de transdutores de sonar orientados em duas direções diametralmente opostas.

configuração oblíqua / *oblique configuration*. Padrão sismoestratigráfico constituído de reflexões paralelas e inclinadas que indicam progradação.

configuração *tandem* / *tandem configuration*. Configuração que envolve duas ou mais seções semelhantes de bomba, protetor ou motor elétrico ligados em série. •• A configuração *tandem* do motor elétrico de um conjunto de bombeio centrífugo submerso, além de envolver uma montagem de dois ou três motores em série, envolve também uma conexão elétrica em série entre os motores. ▶ Ver *bombeio centrífugo submerso (BCS)*.

conformação do pulso / *wavelet shaping*. Substituição de uma função de entrada, representativa da influência da fonte sísmica, por uma função desejada, realizada através de uma desconvolução nas etapas do processamento dos dados sísmicos. ▶ Ver *filtro conformador de Wiener*.

conformação do pulso / *conformance*. Termo usado qualitativamente para indicar a eficácia do varrido do óleo dentro de um reservatório em processos de deslocamento por injeção de fluidos, em decorrência de efeitos de estratificação com variação de permeabilidades nas direções horizontal e vertical. ↝ A *conformance* é dita perfeita quando não deixa restos de óleo no reservatório; do contrário é dita *imperfeita*.

conforme / *conformable*. 1. Termo referente a estrato ou estratificação caracterizada por um conjunto de camadas que foram depositadas umas sobre as outras, de forma paralela devido à deposição regular, que ocorre sem interrupções sob as mesmas circunstâncias gerais em um evento geológico. **2.** O mesmo que *concordante*. ↝ O contato entre as camadas conformes pode ser do tipo brusco ou gradativo. ▶ Ver *concordante*.

conformidade / *conformity*. 1. Relacionamento mútuo, ou contato sem perturbação entre os estratos sedimentares adjacentes que foram depositados na sequência, em ordem, com quase nenhuma evidência de lapsos de tempo. Continuidade estratigráfica na sequência das camadas sem evidência de que as camadas mais antigas estiveram dobradas, inclinadas, ou erodidas antes de as camadas superiores serem depositadas. **2.** Condição na qual uma sequência deposicional de camadas não apresenta evidências de erosão ou de não deposição.

conformidade correlata / *correlative conformity*. Representação da correspondência de uma superfície de discordância em posição mais distal, onde não seja mais possível identificar hiato ou relações discordantes entre os estratos adjacentes mais antigos e mais novos. Discordâncias e superfícies transgressivas passarão lateralmente para conformidades em posições marinhas distais e profundas.

conglomerado / *conglomerate*. Rocha sedimentar clástica de granulometria grosseira, composta por fragmentos maiores que 2 mm de diâmetro (grânulos, seixos, matacões, pedregulhos), envoltos por uma matriz de areia ou silte, geralmente cimentados por carbonato de cálcio, óxido de ferro, sílica ou argila endurecida. ↝ Quando predominam fragmentos angulosos, a rocha é denominada *brecha sedimentar*. A proporção, classificação, seleção, arredondamento e natureza dos componentes do conglomerado, por terem relação direta com o ambiente de origem e com os processos de transporte e sedimentação (fluvial, glacial, marinho, residual, coluvionar), são a base da classificação das rochas conglomeráticas.

conglomerado basal / *basal conglomerate*. Conglomerado que forma a base de uma unidade estratigráfica sedimentar e está posicionado sobre uma superfície erosiva, marcando, desse modo, uma discordância do tipo erosiva. ▶ Ver *discordância*.

conglomerado de blocos / *cobble conglomerate*. Rocha sedimentar composta principalmente por fragmentos de rocha de tamanho de blocos, ou seja, com diâmetros que variam entre 64 mm e 256 mm.

conglomerado de seixos planos / *flat-pebble conglomerate*. Conglomerado intraformacional cujos clastos são derivados de fragmentos de crostas duras e finas ou de sedimentos no início do processo de litificação.

conglomerado intraformacional / *intraformational conglomerate*. Conglomerado que forma clastos arredondados com a fragmentação causada por dessecação ou por rachas na lama.

conjunto da extremidade inferior do *riser* de perfuração / *lower marine riser package (LMRP)*. Conjunto que contém uma junta flexível (*flex joint*), um preventor de anular e os acumuladores. ↝ No caso de uma emergência onde se tem a necessidade de saída imediata da sonda da locação, o *riser* de perfuração pode ser desconectado no LMRP, mantendo o BOP na cabeça do poço.

conjunto de desconexão de emergência / *emergency disconnect package*. Dispositivo submarino que permite a desconexão e reconexão remota do *riser* em situações de emergência.

conjunto de elementos do BOP (Port.) / *blowout-preventer stack, BOP stack*. Conjunto de válvulas de prevenção de *blowout* instalado no poço. Preventores de anular, gavetas cegas, gavetas vazadas e gavetas cisalhantes são montadas umas sobre as outras formando o BOP *stack*. ▶ Ver *preventor de erupção*.

conjunto de extremidade de *riser* de completação / *lower workover riser package (LWRP)*. 1. Conjunto que permite a desconexão no topo para a retirada do *riser* de completação enquanto um equipamento de arame está operando dentro do poço. **2.** Conjunto de interface com a conexão superior da árvore de natal molhada (ANM) que permite a vedação do(s) orifício(s) vertical(is) da mesma.

conjunto de fundo de poço / *bottom-hole assembly*. Representa a extremidade inferior da coluna de perfuração, ou o trecho da coluna de perfuração mais afastado da mesa rotativa. Consiste, geralmente, de broca, sub-broca, motor de perfuração (em certos casos), estabilizadores, comandos de perfuração, tubos pesados de perfuração, *jar* e *subs* de cruzamento que permitem a conexão entre elementos tubulares com roscas diferentes. O *BHA* (*Bottom-Hole Assembly* / composição de fundo) deve propiciar peso à broca de modo a permitir que ela penetre nas camadas rochosas e possibilitar o controle direcional na construção do poço. Em geral dispõe de motor de perfuração, ferramentas de perfuração e controle direcional, ferramentas de *MWD* (*Measure While Drilling* / medição durante a perfuração), *LWD* (*Logging While Drilling* / perfilando durante a perfuração) e outras ferramentas especializadas. ▶ Ver *composição de fundo de poço*.

conjunto de fundo de poço rígido (Ang.) / stiff bottom-hole assembly. O mesmo que BHA rígido. ▶ Ver BHA rígido.

conjunto de trabalhos de restauro do poço (Port.) / WBOP, workover BOP. Também conhecido como *preventor de erupção do poço*, é um equipamento de segurança usado nas intervenções (*workover*) de reentrada, para permitir o acesso ao poço através da árvore de natal.

conjunto de travamento do BHA, revestimento / drill lock assembly. Parte superior da composição de fundo da coluna de perfuração (*BHA*) que se conecta na parte inferior do revestimento, chamada *casing profile nipple* (*CPN*). ↠ Este conjunto de equipamentos é usado para realizar a operação de 'revestir enquanto perfura' (*casing while drilling*), na qual é possível fazer a troca do BHA sem retirar o revestimento, usando-se um sistema de cabo de aço (*wireline*) ou os tubos de perfuração (*drill pipes*).

conjunto de vedação universal / universal seal assembly. Conjunto de vedação da cabeça submarina de poço, adaptado para ser posicionado dentro do recesso anular entre a cabeça submarina de poço e o suspensor de revestimento, provendo a vedação desse anular. É chamado *universal* porque serve para qualquer suspensor de revestimento colocado no interior da cabeça submarina de poço (uma cabeça pode ter até três suspensores de revestimento).

conjunto de vedação universal-metal (CVU) / metal-to-metal casing packoff. Elemento vedante entre o suspensor de revestimento e o alojador da cabeça de poço (*housing*).

conjunto selante / locator seal assembly. Conjunto de batente e extensões selantes com séries de gaxetas para vedação na área polida do interior de um *packer* de produção. ↠ Difere da âncora selante por não possuir garras, o que permite ao conjunto assumir a função de junta de expansão e absorver a dilatação ou contração da coluna de produção. ▶ Ver *âncora*; *âncora selante*; *extensão selante*; *trava*.

consistência / consistency. Propriedade reológica de um material que indica sua resistência ao escoamento. ↠ A consistência de pastas de cimento é determinada pelo teste de tempo de espessamento e é expressa em unidades de consistência, segundo a norma API RP 10B.

consistência do reboco / mud cake consistency. Propriedade do reboco que representa a coesão de suas moléculas constituintes, relacionada à sua espessura, dureza e solidez.

consistência do reboco do poço (Port.) / mud cake consistency. O mesmo que *consistência do reboco*. ▶ Ver *consistência do reboco*.

consistômetro / cement consistometer. Equipamento utilizado para determinar o tempo de espessamento da pasta de cimento (consistômetro pressurizado) ou da homogeneização da pasta (consistômetro atmosférico). ↠ Os dois equipamentos têm características construtivas semelhantes e consistem essencialmente de um cilindro rotativo, onde a pasta está contida, equipado com um conjunto de palhetas estacionárias. O copo cilíndrico é girado a 150 rpm (rotações por minuto) durante o teste, e o torque exercido nas palhetas pela pasta equivale a uma determinada voltagem. ▶ Ver *consistômetro atmosférico*; *consistômetro pressurizado*.

consistômetro atmosférico / atmospheric consistometer. Equipamento utilizado na homogeneização da pasta de cimento até a temperatura máxima de 82 °C. ↠ O consistômetro atmosférico é um banho termostático com água, com sistema de controle de aquecimento manual ou programável e dispositivo de rotação com velocidade constante em torno de 150 rpm (rotações por minuto). Duas células com hélices estacionárias contendo a pasta de cimento podem ser acopladas ao equipamento. O motor impulsiona a célula cujo hélice está acoplado a um sistema mecânico para avaliar o torque exercido pela pasta.

consistômetro pressurizado / pressurized consistometer. Equipamento utilizado para a determinação do tempo de espessamento de uma pasta de cimento. Os testes são realizados nas condições de temperatura e pressão sob as quais a pasta é submetida durante o seu deslocamento. ↠ O equipamento consiste de um cilindro rotativo onde a pasta é colocada, equipado com um conjunto de palhetas estacionárias. Todo este conjunto é colocado em uma câmara capaz de alcançar temperaturas e pressões compatíveis com a operação de cimentação. O copo cilíndrico é girado a 150 rpm durante o teste e o torque exercido nas palhetas pela pasta equivale a uma voltagem. Através de uma curva de calibração, a voltagem é transformada em unidade de consistência, Uc. Os consistômetros pressurizados podem operar a temperaturas e pressões de 400 °F e 25.000 psig.

consolidação / consolidation. 1. Termo genérico atribuído a processos que transformam qualquer material natural (sólido ou líquido), desagregado ou fracamente agregado, em uma massa coesa ou mais tenaz, como, por exemplo, a consolidação do magma por resfriamento ou a transformação de um sedimento em rocha. **2.** Processo de redução do volume e aumento da densidade de um material, em resposta ao aumento de carga ou tensão compressiva efetiva. **3.** Termo geotécnico para o ajuste de um solo saturado em água por causa do aumento de carga, ocasionando a expulsão da água contida nos poros.

consolidação de areia / sand consolidation. Consolidação de arenitos friáveis por meio da injeção de produtos químicos, basicamente resinas. Esse método busca garantir o aumento da resistência mecânica do arenito, sem comprometer significativamente sua permeabilidade. ▶ Ver *produção de areia*; *permeabilidade*.

consolidado / *consolidated*. Qualidade de um sedimento que foi compactado e cimentado até se converter em uma rocha sólida e coesa. Geralmente o processo resulta em aumento da densidade e redução da porosidade.

consórcio / *partnership*. Associação, com responsabilidade solidária, de duas ou mais pessoas físicas ou jurídicas, as quais, sem constituição de uma nova empresa, se unem para a execução de determinado fim contratual abrangendo aspectos técnicos e comerciais.

constante de AGC / *AGC constant, attack time*. Tempo requerido para que o controle automático de ganho recupere aproximadamente 62,2% de uma variação abrupta do ganho aplicado ao sinal de entrada. ⇝ O AGC é usado geralmente em processamento sísmico para melhorar a visibilidade dos eventos tardios em que a divergência da atenuação ou do *front* da onda causou a deterioração da amplitude.

constante de equilíbrio / *equilibrium constant*. Razão entre a fração molar de um componente na fase de vapor e a fração molar do mesmo componente na fase líquida de uma mistura multicomponente em equilíbrio termodinâmico. ⇝ A constante de equilíbrio é uma função de temperatura, pressão e composição, e é utilizada no cálculo do equilíbrio de fases.

constante dielétrica / *dielectric constant*. Propriedade que representa a capacidade relativa de um material de armazenar carga elétrica para uma dada potência de campo. ⇝ Em um meio isotrópico, a constante dielétrica é a relação entre a capacitância de um material nesse meio e a capacitância do mesmo material no vácuo. O mesmo que *permissividade dielétrica relativa*. ▶ Ver *permissividade dielétrica relativa*.

constante elástica / *elastic constant*. Constante que define as propriedades de um material que, ao ser submetido a um esforço, se deforma e retorna ao seu estado original ao cessar o esforço aplicado. ⇝ As constantes elásticas incluem o módulo de volume, o módulo de Young, a razão de Poisson e as constantes de Lamé. ▶ Ver *módulo de volume*; *módulo de rigidez*; *módulo de Young*; *razão de Poisson*; *constantes de Lamé*.

constante universal dos gases / *universal gas constant*. Constante termodinâmica encontrada na equação de estado de um gás ideal. ▶ Ver *lei dos gases ideais*.

constantes de Lamé / *Lamé constants*. Parâmetros da teoria da elasticidade, assim denominados em homenagem ao matemático francês Gabriel Lamé. ⇝ São dois os parâmetros de Lamé: l (primeiro parâmetro de Lamé) e G, módulo de cisalhamento (segundo parâmetro de Lamé). O primeiro parâmetro de Lamé não tem significado físico, mas sua utilização simplifica os termos da matriz de rigidez.

construção carbonática / *carbonate buildup*. 1. Massa de rocha carbonática mais espessa, diferente do estrato lateralmente equivalente. 2. Construção recifal. 3. Construção carbonática derivada da aglomeração, superposição e crescimento de organismos de carapaça calcária ao longo do tempo geológico.

construção e montagem / *construction and installation*. Conjunto das atividades técnicas e administrativas que contemplam a realização de serviços relativos às áreas da construção civil e montagem eletromecânica de uma determinada unidade industrial. ⇝ Essas atividades podem considerar a implantação de novas unidades ou ampliação, reforma e manutenção de unidades existentes. Tradicionalmente, incorpora as atividades de condicionamento de materiais e equipamentos 'pós-montagem', comissionamento de sistemas, pré-operação, operação assistida e assistência técnica à partida das instalações. ▶ Ver *condicionamento*; *comissionamento*; *operação assistida*; *pré-operação*.

consumo interno / *internal or self consumption*. O mesmo que *consumo próprio*. ▶ Ver *consumo próprio*.

consumo próprio / *self or internal consumption*. Parcela de produtos de derivados de petróleo, gás e gás úmido, consumidos pela própria unidade produtora ou pela indústria do petróleo.

contabilidade ambiental / *environmental accounting*. Ramo da contabilidade que considera o valor dos recursos ambientais na contabilidade dos governos e das empresas.

contagem Doppler / *Doppler count*. Diferença entre as frequências transmitida e observada de um sinal transmitido a partir de um satélite, para posicionamento GPS.

contango / *contango*. Condição de mercado em que os preços futuros excedem os preços à vista, muitas vezes por causa dos custos de armazenagem e do seguro das mercadorias subjacentes. O termo é mais usado no mercado de petróleo, mas também é aplicado para certas *commodities* e no mercado de energia. Contango pode indicar uma oferta imediata.

contato gás/água / *gas/water contact*. Interface de separação entre a zona de gás de um reservatório e o aquífero contíguo, abaixo da qual só há escoamento de água livre. ▶ Ver *contato gás/óleo*; *contato óleo/água*.

contato gás/óleo / *gas/oil contact*. Interface de separação entre a zona de óleo e a capa de gás em um reservatório saturado, acima da qual só há escoamento de gás livre. ▶ Ver *contato gás/água*; *contato óleo/água*.

contato intrusivo / *intrusive contact*. Contato geológico entre uma rocha ígnea intrusiva e sua rocha encaixante. ⇝ O contato intrusivo pode ser identificado pela ocorrência de um dique, pela presença de um fragmento da rocha mais antiga, pela identificação de uma margem resfriada na rocha intrusiva ou pela formação de auréola de metamorfismo de contato.

contato óleo/água / *oil/water contact*. Interface de separação entre a zona de óleo em um reservatório e o aquífero adjacente, abaixo da qual só há escoamento de água livre. ▶ Ver *contato gás/água*; *contato gás/óleo*.

conteúdo de água livre / *free-water content*. O mesmo que *índice de água livre*. ▶ Ver *índice de água livre*.

conteúdo local / *local content or national content*. Valor agregado de componentes nacionais necessários à confecção de um determinado produto (bem ou serviço). ↝ No Brasil, considera-se que o custo de produção de um determinado bem incorpora os custos de componentes (materiais, insumos, equipamentos e serviços) de origem nacional ou estrangeira, definindo-se assim o *conteúdo local* por intermédio da comparação entre estes custos.

conteúdo nacional / *national content or local content*. O mesmo que *conteúdo local*. ▶ Ver *conteúdo local*.

continental / *continental*. Termo referente a formações em terra ou associadas ao continente. Depósitos continentais podem ser formados em lagos, pântanos, rios ou ser de origem vulcânica.

continuação ascendente / *upward continuation*. Extrapolação de um campo de onda (método sísmico) ou do campo potencial (método de magnetometria e gravimetria) para um *datum* de cota mais elevada. ▶ Ver datum.

continuação descendente / *downward continuation*. Extrapolação de um campo de onda (método sísmico) ou do campo potencial (método de magnetometria e gravimetria) para um *datum* de cota mais baixa. ▶ Ver datum.

continuando a perfurar (Port.) / *drilling ahead*. O mesmo que *perfurar adiante*. ▶ Ver *perfurar adiante*.

continuidade da reflexão / *reflection continuity*. Indicativo da facilidade em seguir uma reflexão ao longo de uma seção sísmica.

contornitos / *contourites*. Depósito de sedimentos de granulação fina, mais bem selecionados que os turbiditos, com formas alongadas e formado por correntes de contorno. Contornitos arenosos ocorrem em locais onde as correntes têm velocidades elevadas, e são relativamente bem menos frequentes que os lamosos.

contorno de fácies / *facies contour*. Traçado de linhas que indicam, cada uma delas, o contorno da espessura de ocorrência de uma particular litofácies, como, por exemplo, os valores quantitativos na razão entre o conteúdo de areia e folhelhos nas mesmas.

contrabalanceamento / *counterbalancing*. No método de produção por bombeio mecânico, é o mesmo que *balanceamento da unidade de bombeio*. ▶ Ver *balanceamento da unidade de bombeio*.

contrabalanceio / *counterbalancing*. O mesmo que *balanceamento da unidade de bombeio*. ▶ Ver *balanceamento da unidade de bombeio*; *contrapeso*; *potência do motor*.

contracorrente / *backwash*. 1. Retorno do fluxo de água para o mar, após o avanço das ondas à praia. 2. Ondas ou fluxos de água que retornam quando encontram uma obstrução por algum corpo sólido. ▶ Ver *praia*.

contramolde / *cast*. Reprodução das características externas de um fóssil pelo preenchimento de uma cavidade resultante da decomposição ou dissolução das partes duras que constituíram determinado organismo.

contrapeso / *counterweight*. No método de produção por bombeio mecânico, é uma peça metálica caracterizada pelo seu grande peso que, quando acoplada à manivela, tem a função de aumentar o efeito de contrabalanceamento, permitindo o balanceamento da unidade de bombeio. ↝ Para facilitar o balanceamento existem contrapesos de diferentes tamanhos, os quais podem ser afixados em qualquer ponto ao longo da manivela, mas devem ser instalados sempre aos pares, iguais e simétricos nas duas manivelas.

contrapressão / *backpressure*. Pressão imposta na saída de um sistema hidráulico para garantir o perfeito funcionamento de um equipamento ou a execução de uma operação, colocando-se uma válvula na saída do sistema hidráulico para gerar uma perda de carga localizada: esta válvula é chamada *válvula de contrapressão* (*choke valve*).

contraste de densidade / *density contrast*. Diferença de densidade entre duas estruturas sedimentares contíguas.

contraste de velocidade / *velocity contrast*. Diferença entre as velocidades de propagação de duas estruturas sedimentares contíguas. ↝ Um dos principais exemplos são modelos geológicos em que arenitos/folhelhos são cortados por falhas geológicas ou domos de sal, o que resulta em rochas de diferentes velocidades lateralmente conectadas.

contratação por resultados / *result contracting*. Modalidade contratual que tem como base de remuneração os resultados obtidos pela empresa contratante quando usufruir os serviços executados pela empresa contratada. Como exemplo, pode-se citar o desempenho operacional aferido como base de remuneração ou bônus contratual.

contrato chave na mão (Port.) / *turnkey contract*. O mesmo que *contrato turnkey*. ▶ Ver *contrato turnkey*; *contrato EPC*; *contrato LSTK*; *turnkey*.

contrato com construção e transferência / *build and transfer contract* (BT). Modalidade contratual em que a contratada é responsável pelo financiamento e executa a montagem e a construção do empreendimento que, uma vez concluído, é transferido ao contratante.

contrato de balanceamento de gás (Port.) / *Gas Balancing Agreement*. O mesmo que gas balancing agreement. ▶ Ver gas balancing agreement.

contrato de compra de energia (Port.) / power purchase agreement. O mesmo que power purchase agreement. ▶ Ver power purchase agreement.

contrato de concessão / concession contract. Contrato que prevê que empresas sejam responsáveis por exploração e produção de petróleo sob sua conta e risco, e, em caso de êxito, tenham direito à propriedade do petróleo produzido. ⇝ À concedente é feita remuneração por compensações (*royalties*, participações especiais para grandes campos, bônus de assinatura ofertados em rodadas de licitação, aluguel pela ocupação ou retenção de áreas etc.).

contrato de construção, arrendamento e transferência / build, lease and transfer (BLT) contract. Modalidade contratual na qual o empreendimento, após seu término, é entregue ao contratante na forma de arrendamento.

contrato de construção, operação e transferência de ativos / build, operate and transfer (BOT) contract. Modalidade contratual na qual a empresa contratada, além de construir e operar o ativo relativo à unidade industrial, objeto do instrumento contratual entre as partes, deverá, ao final do período de concessão, transferir o ativo relativo a essa infraestrutura para a empresa contratante, de acordo com as condições estabelecidas no respectivo contrato.

contrato de construção, operação, treinamento e transferência de ativos / build, operate, train and transfer (BOTT) contract. O mesmo que *contrato de construção, operação e transferência de ativos* (*BOT*), incluindo, porém, o treinamento para operação das instalações, objeto do contrato original, nos serviços prestados.

contrato de construção, posse e operação / build, own and operate (BOO) contract. Modalidade contratual na qual o contratado deverá construir, manter a posse e operar a unidade industrial, objeto do contrato entre as partes.

contrato de construção, posse, operação e transferência / build, own, operate and transfer (BOOT) contract. Modalidade contratual na qual o contratado, além de construir, manter a posse e operar o ativo relativo à unidade industrial, objeto do instrumento contratual entre as partes, deverá, ao final do período de concessão, transferir o ativo dessa infraestrutura para a empresa contratante, de acordo com condições estabelecidas no respectivo contrato.

contrato de construção, transferência e operação / build, transfer and operate (BTO) contract. Modalidade contratual na qual a entidade empreendedora (que pode ser uma prestadora de serviços ou operadora) financia, constrói, transfere e depois presta serviços na sua operação.

contrato de custo mais remuneração de incentivo / cost-plus-incentive-fee contract. Instrumento jurídico com forma de pagamento por custos reembolsáveis, atendimento a cláusulas de estímulo de produtividade e desempenho predefinidos.

contrato de modernização e operação / contract, add and operate (CAO). Modalidade contratual pela qual a empresa prestadora de serviços ou operadora é contratada para conduzir a expansão de uma unidade já existente e explorá-la.

contrato de modernização, operação, transferência ou manutenção / modernize, operate, transfer or own contract (MOT/O). Modalidade contratual em que a empresa prestadora de serviços ou operadora moderniza instalações existentes, opera e transfere para a contratante, podendo também se responsabilizar pela manutenção, de acordo com condições contratuais previamente ajustadas.

contrato de opção / option contract. Opção do comprador (ou o vendedor) de comprar (ou de vender) o gás durante a vigência do contrato, a um preço especificado.

contrato de parceria na produção / partnerships in oil and gas production-sharing contract. Contrato que oferece uma razoável participação para as partes envolvidas, tanto na gerência do projeto como na divisão final do produto do empreendimento. ▶ Ver *production-sharing contractual*.

Contrato de partilha de produção (CPP) / production sharing agreement (PSA) or production sharing contract (PSC). Contrato firmado entre uma empresa estatal, que representa interesses governamentais, e uma empresa ou consórcio de empresas de petróleo (contratada) para exploração e produção de petróleo mediante compensação das partes através de uma partilha da produção de um campo de petróleo. O pagamento devido à empresa contratada, que pode se dar em produto ou em espécie, destina-se ao ressarcimento dos custos (*cost oil*) e à sua participação no resultado do empreendimento (*profit oil*), sendo os percentuais da partilha definidos no contrato. ⇝ A contratada assume os riscos exploratórios e os riscos técnicos e financeiros na etapa de desenvolvimento da produção de uma acumulação comercial de petróleo; a produção é partilhada entre a estatal e a contratada, segundo regras previamente acordadas, seja para recuperação dos custos incorridos pela contratada (*cost oil*), seja para a divisão dos volumes do petróleo produzido (*profit oil*).

contrato de prestação de serviços / service contract. Acordo entre duas ou mais pessoas ou entidades, com disposições específicas, inclusive um compromisso de prestação de serviços que corresponda a uma determinada compensação, que pode ser financeira ou de outra natureza.

contrato de projeto, construção, financiamento e operação / design, build, finance and operate (DBFO) contract. Modalidade contratual na qual o contratado deverá executar o projeto, a construção, o financiamento e a operação da unidade industrial, objeto do contrato.

contrato de projeto, construção, gerência e financiamento / *design, construct, manage and finance (DCMF) contract*. Modalidade contratual na qual o contratado deverá executar o projeto, a construção, o gerenciamento e o financiamento da unidade industrial, objeto de instrumento contratual entre as partes.

contrato de seguro / *insurance contract*. Instrumento contratual, expresso em forma de apólice, pelo qual o segurador, mediante o recebimento de remuneração, denominada *prêmio*, obriga-se a ressarcir o segurado, em dinheiro ou mediante reposição, dentro dos limites convencionados na apólice, das perdas e danos causados por um sinistro, ou sinistros, ou a pagar um capital ou uma renda se ou quando verificar-se um evento relacionado com a vida ou faculdades humanas.

contrato de serviços em regime de preço global / *fixed-price contract*. 1. Contrato de serviços em que a empresa contratada se responsabiliza técnica e administrativamente, de forma integral, pela execução de um determinado escopo, sendo o critério de medição de realização destes serviços definido normalmente por intermédio de eventos. **2.** Contrato em que os serviços ajustados são pagos com base no seu custo total preestabelecido, nele compreendidas todas as despesas diretas e indiretas e o lucro a ser aferido pela empresa contratada. **3.** Também identificado como *contrato por empreitada global*.

contrato de troca de fluxos de pagamento / *swap contract*. 1. Contrato que considera troca de indexadores, funcionando como *hedge* (proteção), permitindo consequentemente aos participantes do mercado se protegerem dos riscos inerentes aos ativos que operam. **2.** Tipo tradicional de *swap* de petróleo, consiste em contrato no qual uma parte compra por determinado preço fixo e vende pela cotação futura flutuante.

contrato do tipo 'aliança' / *head alliance agreement*. Modelo de parcerias nos riscos e resultados, entre a empresa contratante e a empresa contratada, utilizando como fundamento básico o contrato do tipo de incentivos de desempenho. ↦ No caso da indústria petrolífera, os projetos em *alliance* surgiram não pelas mãos das grandes operadoras, mas pelas operadoras independentes. As independentes, graças ao seu porte, não tinham em seus quadros técnicos tecnologia atualizada permanentemente para desenvolver seus campos de petróleo descobertos em águas profundas, sendo então obrigadas a procurar as soluções no mercado, para contratá-las sem a garantia do sucesso. Daí surgiram as 'parceiras nos riscos e nos resultados', vetor básico das alianças. ▶ Ver *contrato por desempenho*.

contrato EPC / *Engineering, Procurement and Construction (EPC) Contract*. 1. Contrato a preço fixo (global) por meio do qual a parte contratante fornece o projeto básico de instalação, cabendo à empresa contratada (ou consórcio) o detalhamento do referido projeto, bem como o fornecimento de materiais e equipamentos, serviços de construção civil e montagem eletromecânica, assim como todas as demais obrigações contratuais contidas nas condições legais entre as partes. **2.** O mesmo que *contrato turnkey*. ↦ O conceito apresentado representa um critério normalmente adotado. ▶ Ver *contrato de serviços em regime de preço global*; *contrato LSTK*; *turnkey*; *projeto básico*; *projeto executivo*; *construção e montagem*.

contrato LSTK / *Lump Sum turnkey contract*. Contrato a preço fixo (global) por meio do qual a parte contratante fornece o projeto conceitual de instalação, cabendo à empresa contratada (ou consórcio) o desenvolvimento do projeto básico e executivo, bem como o fornecimento de materiais e equipamentos, serviços de construção civil e montagem eletromecânica, assim como todas as demais obrigações contratuais contidas nas condições legais entre as partes. Representa a expressão *Engenharia, Suprimento e Construção & Montagem*. ↦ O conceito apresentado representa um critério normalmente adotado. ▶ Ver *contrato de serviços em regime de preço global*; *contrato EPC*; *projeto conceitual*; *projeto básico*; *projeto executivo*; *construção e montagem*; *turnkey*.

contrato por administração / *cost-reimbursable contract*. Instrumento contratual no qual a empresa contratada é paga pelos custos incorridos, além de uma remuneração para cobrir os custos não reembolsáveis e o lucro.

contrato por bônus / *bonus contract*. O mesmo que *contrato por desempenho*. ▶ Ver *contrato por desempenho*.

contrato por desempenho / *performance contract*. Instrumento contratual em que há concessão de bônus ao contratado em função do desempenho alcançado, com base em indicadores previamente definidos. ↦ Essa modalidade de contrato traz benefícios mútuos para o contratante e a contratada, já que são previstas cláusulas de desempenho segundo as quais o fornecedor contratado recebe um acréscimo de remuneração caso apresente, por exemplo, um produto ou serviço com melhor desempenho operacional, ou entregue em um prazo menor, ou a construção e montagem com menor peso que outros. ▶ Ver *contrato do tipo 'aliança'*.

contrato por empreitada global / *fixed-price contract*. O mesmo que *contrato de serviços em regime de preço global*. ▶ Ver *contrato de serviços em regime de preço global*.

contrato por empreitada por preços unitários / *unit-price contract*. O mesmo que *contrato por preços unitários*. ▶ Ver *contrato por preços unitários*.

contrato por preço global / *fixed-price contract*. O mesmo que *contrato de serviços em regime de preço global*. ▶ Ver *contrato de serviços em regime de preço global*.

contrato por preço móvel / *cost-reimbursable contract*. O mesmo que *contrato por administração*. ▶ Ver *contrato por administração*.

contrato por preços unitários / *unit-price contract*. Contrato de serviços, por meio do qual a parte contratante remunera a parte contratada em função dos preços ajustados para cada um dos itens que compõem a integridade do objeto contratual. ↝ Os serviços são medidos e pagos por intermédio da comprovação da realização dos quantitativos definidos contratualmente.

contrato por reembolso de custo (Port.) / *cost-reimbursable contract*. O mesmo que *contrato por administração*. ▶ Ver *contrato por administração*.

contrato turnkey / *turnkey contract*. O mesmo que *contrato EPC* ▶ Ver *contrato EPC*; *contrato LSTK*; *contrato de serviços em regime de preço global*; turnkey.

controlador / *controller*. Equipamento ou estratégia utilizados para realizar o controle de um determinado processo. ↝ Tratando-se de equipamentos, o mercado oferece diversos equipamentos desenvolvidos para realizar o controle, como, p.ex., CLP, SDCD, microcontroladores, e os próprios computadores. Pensando em estratégia de controle, podem-se citar os PID, algoritmos genéticos, lógica nebulosa, redes neurais, robusta, preditiva, entre outros.

controlador de filtrado / *fluid-loss additive, filtration-control additive*. Aditivo utilizado na pasta de cimento com o objetivo de reduzir o volume de fluido perdido da pasta por filtração para uma formação permeável, evitando a mudança das propriedades da pasta, a ocorrência de desidratação da pasta e dano à formação produtora. Os principais controladores de filtrado têm como base polímeros orgânicos (celulose) e dispersantes. ▶ Ver *aditivo*; *cimento*; *cimentação*; *pasta de cimento*; *perda de fluido*; *filtração*; *controlador de perda de fluido*.

controlador de perda de fluido / *fluid-loss additive or filtration-control additive*. O mesmo que *controlador de filtrado*. ▶ Ver *aditivo*; *cimento*; *cimentação*; *pasta de cimento*; *perda de fluido*; *filtração*; *controlador de filtrado*.

controlador de profundidade / *depth controller*. Dispositivo usado em levantamentos sísmicos marítimos para controlar o cabo sismográfico numa mesma profundidade.

controlador lógico programável / *programmable logic controller*. Dispositivo eletrônico usado para automação de processos industriais, tal como o controle de planta de processamento primário de petróleo. ↝ Diferentemente de computadores de uso geral, o PLC é projetado para um arranjo de múltiplas entradas e saídas, classe estendida de temperatura, imunidade ao ruído elétrico e resistência à vibração e ao impacto. O programa para controlar a operação de um componente está normalmente armazenado numa memória não volátil ou com redundância de bateria. Um PLC é um exemplo de um sistema de tempo real, pois os resultados devem ser produzidos em resposta às condições de entrada, dentro de um tempo acoplado; de outro modo, pode ocorrer uma operação não pretendida.

controlador PID / *PID controller*. Controlador que utiliza as ações de controle proporcional (P), integral (I) e derivativo (D) gerando um único sinal de controle (variável de controle) para correção do erro entre a variável de processo e o ponto de trabalho desejado. ↝ O ponto de trabalho (*set point*) é uma variável aplicada no controlador que define o valor desejado para a variável de processo. A variável de processo é aquela que vem do campo e é aplicada no controlador para comparação com o valor desejado (*set point*). Também chamada *medida*, a variável de controle sai do controlador e é aplicada no processo para ajustar o parâmetro que se deseja controlar, cujo resultado será dado pela variável de processo. ▶ Ver *controle em malha fechada*.

controlar um poço (Port.) (Ang.) / *kill a well*. 1. O mesmo que *amortecer um poço*. 2. Dominar ou controlar (a pressão de fundo de) um poço. ▶ Ver *amortecer um poço*; *matar o poço*.

controle adaptativo / *adaptive control*. Controle cujos valores das expressões matemáticas, booleana ou nebulosa utilizadas no algoritmo, modificam-se no decorrer do tempo a fim de melhor sintonizar a estratégia de controle.

controle avançado / *advanced control*. Estratégia de controle projetada para gerir mais de uma variável de controle em uma mesma malha (processos multivariáveis) ou processos de grande complexidade.

controle da alcalinidade / *alkalinity control*. Método de controlar a tendência de formação de sais precipitados, especialmente de cálcio e magnésio, causada pela elevação do pH do fluido de perfuração, e realizado através da adição de ácidos ou de agentes de tamponamento.

controle de ganho / *gain control*. Mecanismo que varia o ganho de um amplificador.

controle de ganho automático / *automatic gain control*. Sistema para o controle do ganho, ou o aumento da amplitude de um sinal, da sua entrada original até a sua saída amplificada.

controle de mobilidade / *mobility control*. Método utilizado nas técnicas de recuperação avançada, que procura manter a mobilidade do fluido deslocante igual ou inferior à mobilidade do fluido deslocado.

controle de produção de areia / *sand control*. Instalação de equipamentos ou utilização de técnicas para prevenir a migração de areia da formação para dentro do poço e para as instalações de superfície. Em formações inconsolidadas, torna-se imprescindível, uma vez que a produção de areia leva à redução de vazão de produção e causa severos danos às facilidades de produção. ▶ Ver *tela*; gravel-pack; slotted-liner.

controle em malha aberta / *open loop control*. Controle em que o sinal de entrada é determinado a partir do estado atual e do conhecimento prévio sobre o comportamento do processo, conforme a seguir:.

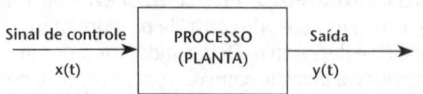

•» Nesta estratégia, o sinal de controle não é calculado a partir da realimentação do valor da variável controlada; sendo assim, o controlador não realiza a compensação de distúrbios que possam interferir no cumprimento do objetivo do sistema de controle. Os sistemas de controle em malha aberta são simples e baratos, porém não compensam as possíveis variações internas da planta, nem as perturbações externas inerentes a um processo industrial. As características do atuador, a relação entre os sinais de entrada e saída e os possíveis distúrbios do processo devem ser previamente conhecidos, visto que são utilizados para a determinação do sinal de controle.

controle em malha fechada / *feedback control, closed loop-control*. Controle que utiliza um sensor para medir a variável controlada e compara o valor medido com um valor de referência (*set point*), sendo que a diferença identificada é utilizada para o cálculo do sinal de controle, conforme a seguir:

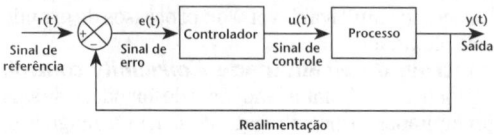

•» Nesta estratégia, o sinal de controle calculado é enviado para o atuador, que é o elemento responsável por interferir no processo, levando a variável controlada para o seu valor de referência. O controle em malha fechada é mais caro do que o controle em malha aberta, mas é capaz de manter a variável controlada muito próxima do valor de referência (*set point*), corrigindo os distúrbios inerentes ao processo industrial. O controlador PID (proporcional-integral-derivativo) é o sistema de controle em malha fechada mais utilizado na área industrial. ▶ Ver *controlador PID*.

controle inteligente / *intelligent control*. Estratégia de controle que se baseia em algoritmos de inteligência artificial. •» Essa estratégia utiliza algoritmos que se baseiam em redes neurais, lógica nebulosa, algoritmos genéticos, entre outros, e é muito utilizada em controle multivariável.

controle multiplexado / *multiplex control*. Controle que envia sinais elétricos da superfície para controlar as funções hidráulicas dos sistemas submarinos, com o objetivo de reduzir o tempo de resposta. Normalmente este tipo de controle é usado em águas profundas, onde o tempo de resposta é aumentado pela distância entre a plataforma e o fundo do mar.

controlo de areias (Port.) / *sand control screen*. O mesmo que *tela de contenção de areia*. ▶ Ver *tela de contenção de areia*.

convecção / *convection*. Movimento de massa de um fluido com temperatura não uniforme, produzindo uma variação de densidade e a formação de fluxos ascendentes ou descendentes. Ocorre, por exemplo, no manto terrestre, nos oceanos e na atmosfera.

Convenção Ambiental Internacional / *International Environmental Convention*. Acordo internacional sobre aspecto ambiental ou sobre conservação de recursos ambientais. •» Há dezenas de convenções dessa natureza. Os textos e status de implementação dos tratados respectivos podem ser obtidos nos sítio da rede mundial de computadores das instituições curadoras, como a Organização Marítima Internacional, as Nações Unidas ou seus programas, a Organização dos Estados Americanos etc. As convenções mais citadas são em geral referidas de forma usual simplificada: Marpol, Ospar, Ramsar, Lei do Mar, Agenda 21 etc.

Convenção Internacional para a Prevenção da Poluição por Navios (Marpol 73/78) / *International Convention for the Prevention of Pollution from Ships (Marpol 73/78)*. Convenção internacional que atua com o objetivo de prevenir a poluição causada por navios. •» A convenção Marpol 73/78 foi concluída em Londres em 2 de novembro de 1973 e alterada pelo Protocolo de 1978 em 17 de fevereiro de 1978. Emendas posteriores foram ratificadas pelo Brasil, por intermédio da Lei 9.966/00.

Convenção sobre Comércio Internacional de Espécies Ameaçadas de Extinção / *Convention on International Trade of Endangered Species*. Convenção assinada por cerca de oitenta países, entre os quais o Brasil, que proíbe o comércio internacional das 600 espécies de plantas e animais mais ameaçadas de extinção no mundo e exige licença do país de origem para exportação de outras duzentas espécies.

convergência / *convergence*. Redução gradual da distância vertical entre duas camadas; acunhamento, causado pela redução da espessura numa dada direção, ou por efeito de uma relação de discordância.

conversão analógico-digital / *A-to-D conversion*. Conversão de sinal analógico para digital, realizada através de discretização dos valores contínuos em classes de valores inteiros.

conversão de modo / *mode conversion*. Conversão da energia da onda-*P* na energia da onda-S e vice-versa, por sua incidência oblíqua numa interface.

conversão de onda / *wave conversion*. Fenômeno que ocorre quando uma onda sísmica muda o modo de oscilação, de P para S ou vice-versa. ↝ Durante a obtenção das equações de Zoeppritz observa-se que, no caso de incidência não normal de uma *onda-P* em uma interface sólido-sólido, são geradas (além de uma *onda-P* refletida e outra transmitida) duas ondas (uma refletida, outra transmitida) cisalhantes com polarização vertical (SV). Tal fato deve ser esperado intuitivamente, pois o componente de deslocamento tangencial à interface tem de ter continuidade na camada seguinte — isto é obtido com a geração da onda-SV. Este fenômeno de conversão de onda permite a geração de *ondas-S* usando-se fontes convencionais (de *ondas-P*), e é a base do desenvolvimento da sísmica multicomponente nos últimos dez anos. Deve ser registrado que, apesar de simplificar (e baratear) a aquisição, o uso de ondas convertidas é um complicador para o processamento. ▶ Ver *partição de onda*.

conversão digital analógica / *digital-to-analog conversion*. Conversão de um sinal digital para um sinal analógico (corrente, voltagem ou carga elétrica). ↝ Esta conversão transforma números (geralmente números binários de ponto fixo) em quantidades físicas, como uma voltagem. Normalmente essa voltagem de saída é uma função linear do número de entrada. ▶ Ver *sinal digital*; *sinal analógico*.

conversão profundidade-tempo / *depth-to-time conversion*. Mudança da representação de dados sísmicos numa escala de profundidade para uma escala de tempo.

conversão tempo-profundidade / *time-to-depth conversion*. Mudança da representação de dados sísmicos numa escala de tempo para uma escala de profundidade.

conversor de rosca / *crossover sub*. Pedaço de tubo, também chamado de *sub*, com dois tipos de conexões em suas extremidades. Seu objetivo é converter uma conexão de um tubo para que seja conectado a outro com conexão diferente.

conversor digital-analógico / *digital-to-analog converter*. Circuito ou sistema de captação, registro e conversão de sinais elétricos digitais em sinais elétricos analógicos.

conversor sigma-delta / *sigma-delta converter*. Conversor de sinal analógico para digital. Os *sigma-delta analog-digital converters* são conhecidos já há várias décadas, mas somente agora foram fabricados como circuito integrado barato e monolítico a ser usado em diversas aplicações que requerem um conversor ADC.

convés / *deck*. 1. Estrutura de superfície horizontal e contínua numa plataforma de petróleo, dimensionada para receber e suportar as facilidades necessárias para a produção de óleo e gás. 2. Estrutura que subdivide uma embarcação horizontalmente. O convés principal de uma embarcação geralmente vai da proa à popa e de um bordo a outro.

convés inferior / *cellar deck*. Convés localizado na parte inferior da estrutura de uma plataforma de petróleo, onde são instalados equipamentos de produção. O mesmo que cellar deck.

convolução / *convolution*. 1. Mudança na configuração da onda sísmica como resultado da sua passagem através de um filtro linear. 2. Operação matemática envolvendo duas outras funções, usada para representar processos de filtragem linear e descrever o comportamento de sistemas e fenômenos naturais. ↝ A convolução pode ser aplicada a funções de tempo e espaço; por exemplo, onde uma dessas funções pode ser considerada como um filtro que atua sobre a outra. Esta operação matemática é também designada *sobreposição linear*. ▶ Ver *espectro de amplitude*; *ruído branco*.

convolução circular / *circular convolution*. Convolução em que as séries ou funções envolvidas são consideradas periódicas. ▶ Ver *convolução*.

convolução de multicanal / *multichannel convolution*. Convolução feita em mais de um canal.

convulsionismo / *convulsionism*. O mesmo que *catastrofismo*. ▶ Ver *catastrofismo*.

coordenadas UTM / *UTM coordinates*. Coordenadas métricas referentes a cada uma das 60 zonas UTM da projeção universal transversal de Mercator e cujos eixos referenciais cartesianos são o equador, para coordenadas N que crescem de S para N, acrescidas de 10.000.000 para que não se tenham valores negativos, e o meridiano central de cada zona, para coordenadas E que crescem de W para E, acrescidas de 500.000 para que não se tenham valores negativos, indicando-se ainda a zona UTM da projeção. O nome é uma homenagem ao matemático e geógrafo flamengo Gerhardus Mercator (1512-1594).

copolímero / *copolymer*. Molécula de elevada massa molar constituída da repetição de dois ou mais tipos diferentes de unidades químicas. ↝ Os copolímeros são obtidos por via sintética e podem apresentar dois ou mais tipos diferentes de unidades químicas repetidas ao longo da cadeia. De um modo geral, podem ser classificados em função da sequência de distribuição dessas unidades em: *(I)* alternado, quando as unidades de diferentes tipos estão dispostas de modo alternado ao longo da cadeia; *(II)* aleatório, estatístico ou randômico, quando as unidades de diferentes tipos estão dispostas aleatoriamente ao longo da cadeia; *(III)* em bloco, quando o copolímero apresenta um segmento constituído da repetição de um tipo de unidade ligado quimicamente a outro segmento constituído da repetição de outro tipo de unidade química; *(IV)* enxertado ou grafitizado, quando a cadeia é constituída de um segmento dito principal, que contém uma repetição de unidades químicas iguais, e cadeias laterais, pendentes a essa cadeia principal, constituídas da repetição de outro tipo de unidade química. A obtenção de copolímeros visa a reunir em uma só molécula características de dois tipos diferentes de polímero. Por exemplo, o copolímero de EVA é constituído da repetição de unidades de etileno e de acetato de vinila, ligadas quimicamente entre si, ao longo da cadeia macromolecular. ▶ Ver *polímero*.

coque / *coke*. 1. Combustível derivado da aglomeração de carvão, e que consiste de matéria mineral e carbono, fundidos juntos. O coque é cinza, duro e poroso, e como combustível é praticamente isento de fumaça. Ocorre na natureza, mas a maioria é produzida industrialmente. 2. Resíduo sólido e coeso restante da destilação destrutiva de carvão, petróleo ou outros resíduos carbonáceos e contendo, principalmente, carbono.

coqueamento / *coking*. Processo de conversão térmica de resíduos pesados do óleo cru em coque. ▶ Ver *coque*; *óleo cru*.

coquina / *coquina*. 1. Calcário detrítico composto única ou principalmente por fragmentos de fósseis mecanicamente selecionados, que sofreram processo de transporte e abrasão antes de atingir o sítio deposicional. Geralmente pouco cimentado. 2. Calcário poroso, esbranquiçado, formado por agregados friáveis de conchas e fragmentos de conchas, à semelhança dos depósitos que ocorrem na Flórida, e utilizado como pavimentação de estradas.

coral / *coral*. Organismo marinho invertebrado, pertencente à classe *Anthozoa*, que habita o fundo do mar e produz esqueletos externos de carbonato de cálcio. Muito abundante nos registros fósseis.

coral-alga / *coralgal*. Rocha carbonática consistente formada pelo intercrescimento de corais e algas, em especial algas coralinas. O material decorrente é um excelente formador de recifes de corais e algas. ▶ Ver *geofone*.

cordão de geofones / *geophone string, string of geophones*. Linha de geofones interligados por um cabo. ▶ Ver *geofone*.

cordão litoral (Port.) / *tombolo*. O mesmo que *tômbolo*. ▶ Ver *tômbolo*.

cordel detonante / *detonating cord, explosive cord*. Explosivo na forma de um fio flexível.

coroa de testemunhagem / *core bit, core head*. Elemento que substitui a broca durante a testemunhagem, localizado na extremidade inferior do barrilete, fabricado com um orifício no centro que determinará o diâmetro do testemunho durante o corte da formação. Normalmente a coroa circular é preenchida com diamante industrial.

correção ao datum / *datum correction*. Valor adicionado aos tempos dos dados de reflexão sísmica a fim de compensar a posição do geofone e da fonte a um *datum* de referência. ▶ Ver *datum*; *correção estática*.

correção da elevação / *elevation correction*. Correção das elevações topográficas de um terreno com a finalidade de referenciar os dados sísmicos a um mesmo *datum* ou plano de referência.

correção da latitude / *latitude correction*. 1. Correção nos dados de gravidade em decorrência da variação da força centrífuga da Terra e do achatamento do globo terrestre nos polos. 2. Correção das bússolas giroscópicas pela rotação do vetor norte horizontal em função da latitude.

correção de ar livre / *free-air correction*. Correção das variações de altitude de forma a expressar as medidas gravimétricas em relação a um mesmo *datum*.

correção de base / *base correction*. Correção ou ajuste das medidas geofísicas para expressá-las relativamente aos valores da estação-base.

correção de Bouguer / *Bouguer correction*. Ajuste de uma medida de aceleração gravitacional, que considera a diferença da elevação e a densidade da rocha, entre a estação de medida e um nível de referência.

correção de campo / *field correction*. Correção determinada concomitantemente com o levantamento sísmico para compensar efeitos de topografia, camadas de baixa velocidade e profundidades da fonte e do receptor.

correção de compactação / *compaction correction*. Mudança feita na medição da porosidade dos perfis sônicos para compensar a falta de compactação. Correções de porosidade são normalmente feitas em sedimentos não compactados.

correção de diferencial da camada de intemperismo / *differential weathering correction*. Correção estática que compensa os atrasos em tempos de refrações e reflexões sísmicas, em relação a dois pontos (dois geofones ou dois grupos de geofones). ↠ Esses atrasos são em geral induzidos por zonas de baixa velocidade frequentemente associadas às porções mais intemperizadas próximas à superfície terrestre.

correção de filtro / *filter correction*. Correção dos tempos de registro, necessária para correlacionar os dados quando filtros com diferentes tempos de atraso são usados na gravação de partes diferentes dos dados.

correção de intemperismo / *weathering correction*. Correção aplicada a dados sísmicos para compensar efeitos de propagação em zonas de baixa velocidade. ↠ São aplicadas principalmente em dados terrestres, sendo determinadas geralmente por refração rasa ou algoritmos computacionais, procurando corrigir atrasos causados por variações topográficas nas posições de fontes e receptores e/ou mudanças de velocidade nas camadas superiores (zona de intemperismo), muitas vezes associadas a variações no lençol freático.

correção de maré / *tidal correction*. Correção de dados gravimétricos para compensar variações de maré causadas pelas atrações gravimétricas do Sol e da Lua.

correção de poço / *uphole correction*. Correção estática de dados sísmicos para compensar o deslocamento relacionado com a profundidade da carga. ▶ Ver *correção estática*.

correção de superfície / *surface correction*. O mesmo que *correção de campo*. ▶ Ver *correção de campo*.

correção de varredura / *slant-range correction*. Etapa de processamento de imagens sonográficas na qual a medida de alcance é transformada em varredura. ▶ Ver *alcance*; *varredura*.

correção de velocidade / *speed correction*. Etapa de processamento de uma imagem sonográfica na qual se aplica um ajuste da dimensão da imagem gerada com a velocidade da embarcação. Como a imagem sonográfica é gerada a uma taxa constante, se o sistema de sonar de varredura lateral for rebocado a uma velocidade muito lenta, um alvo aparecerá esticado em relação ao seu eixo paralelo à direção de navegação. Ao contrário, se a velocidade de reboque for muito rápida, o alvo aparecerá comprimido em relação a seu tamanho original.

correção do mergulho / *dip correction*. Algoritmo para corrigir os efeitos de mergulho ou desvio do poço nas respostas de uma medida de perfilagem. ↝ Estes efeitos são significativos no perfil de leitura profunda, como os dispositivos de indução e de eletrodos focalizados. O processamento padrão adotado considera um poço vertical com camadas horizontais. Na presença de um mergulho razoável entre o poço e as camadas da formação, o perfil pode ler incorretamente. Para perfis mais antigos como o de indução dupla (DIL), um conjunto de filtros inversos pode ser projetado para corrigir o efeito do mergulho até cerca de 60°. Para perfis modernos, de arranjo, a modelagem iterativa progressiva com o modelo da camada unidimensional pode corrigir até cerca de 85°.

correção do terreno / *terrain correction*. Correção de dados gravimétricos e magnetométricos para compensar variações topográficas na área de prospecção.

correção estática / *static correction*. Correção aplicada aos dados sísmicos com o objetivo de eliminar os efeitos das variações em elevação e intemperismo.

correção estática residual / *residual static correction*. Tratamento de dados sísmicos para eliminar deslocamentos estáticos que permanecem após as correções estáticas de campo.

correção isostática / *isostatic correction*. Ajuste feito nos valores da gravidade para compensar a densidade lateral ou variações de espessura entre grandes blocos da crosta da Terra.

correção-Q / *Q-correction*. Correção dos dados da reflexão sísmica para compensar as perdas por absorção.

correção troposférica / *tropospheric correction*. Correção em medidas de radioposicionamento devido à refração das ondas de rádio nas camadas superiores da troposfera.

correções do campo próximo / *near-field corrections*. Artifício empregado em sísmica marítima, que transforma a assinatura da fonte de campo próximo como se fosse de campo remoto.

córrego / *chalk stream*. Termo escocês para pequenos córregos que cortam rochas compostas por giz, também chamadas *bourne*.

correia / *belt*. Cinta de borracha que transmite o movimento da polia motora para a polia do redutor. ↝ As correias são instaladas nos gornes das polias. O número de gornes depende do diâmetro da polia do redutor. ▶ Ver *correia em V*; *gorne*; *polia*; *redutor*; *motor*.

correia em V / *V-belt*. Cinta circular sem emenda, feita geralmente em borracha com lona resistente, que tem a função de transmitir o movimento de rotação de uma polia a outra. ↝ Tal tipo de correia tem o perfil de corte transversal trapezoidal (comumente chamado de "V") para que permita uma boa área de contato com os gornes das polias, reduzindo o escorregamento correia-polia. ▶ Ver *correia*; *bombeio mecânico*.

correlação / *correlation*. 1. Comparação de propriedades químicas ou físicas, de forma geral ou detalhada, de duas ou mais amostras geoquímicas. No caso da matéria orgânica procura-se relacioná-la às suas origens, diagênese, catagênese, migração e alteração. 2. Relação quantitativa entre duas variáveis que, embora sugerindo alguma conexão entre ambas, não garante a existência de uma dependência funcional. 3. Em geologia, é a comparação da equivalência de dois ou mais fenômenos geológicos em áreas diferentes, sendo utilizadas como ferramentas a cronoestratigrafia, com o objetivo de datar de maneira absoluta dois ou mais eventos que ocorreram ao mesmo tempo, e a bioestratigrafia, com o objetivo de datar de maneira relativa, através de fóssil-guia, dois ou mais eventos. 4. Em geofísica é a comparação, na seção sísmica de reflexão, de feições e eventos e dados de poços que implique uma conexão ou um relacionamento entre os eventos decorrentes nesses poços. ↝ As correlações têm natureza fortemente empírica, baseando-se na análise, com pouco ou nenhum embasamento físico ou fenomenológico, devendo, assim, ter aplicações restritas aos limites inerentes aos experimentos que as geraram. Em escoamento multifásico buscam explicitar relações que levem a determinações de parâmetros macroscópicos do escoamento, tais como vazão, quedas de pressão, frações volumétricas das fases etc. Algumas dessas correlações, principalmente as primeiras, desconsideravam diversas grandezas físico-geométricas relevantes aos escoamentos multifásicos, tais como o arranjo de fases. Com a evolução do enfoque, novas correlações foram aperfeiçoadas e introduzidas e igualmente acrescentaram melhorias às já existentes. ▶ Ver *coeficiente de correlação*.

correlação cruzada / *cross-correlation*. Método de processamento de sinais padronizados para se determinar as velocidades de escoamentos. ↦ Uma determinada propriedade do escoamento é medida por dois sensores idênticos posicionados a uma distância conhecida entre eles ao longo do duto. Um padrão de sinal medido pelo primeiro sensor será repetido no segundo sensor após um curto período de tempo. Os sinais dos dois sensores são processados em uma rotina de correlação cruzada que sobrepõe, no domínio do tempo, o traçado do sinal do segundo sensor ao traçado do sinal do primeiro sensor. O deslocamento do tempo que apresentar o melhor ajuste entre os dois sinais corresponde ao tempo que o escoamento leva para trafegar entre os sensores. Como a distância entre os dois sensores é conhecida, é possível calcular a velocidade do escoamento.

correlação de escoamento / *flow correlation*. Técnica de simulação numérico-computacional de escoamentos baseada em situações julgadas similares e cujos resultados são conhecidos e foram mapeados na forma de correlações. ↦ Historicamente e ainda em considerável parcela, tal técnica é muito aplicada na resolução de problemas presentes nas atividades de produção e escoamento de misturas multifásicas (óleo, água e gás). A depender da riqueza de dados que propiciaram a elaboração dos modelos correlacionais, os resultados podem ser iguais ou até superiores àqueles hoje passíveis de serem igualmente obtidos por meio de uma modelagem de natureza mecanicista, aquela que busca traduzir matematicamente a fenomenologia do escoamento. Naturalmente, por mais ricos e abrangentes que sejam tais modelos correlacionais, estes não exibem uma universalidade de solução, assim como os níveis de incerteza são desconhecidos *a priori*. Entretanto, o uso continuado de um modelo numa aplicação particular (por exemplo, análise da produção de um poço) e os associados testes experimentais, quando passíveis de realização, permitem 'calibrar' tal modelo e obter resultados de incerteza admissível para as práticas de produção.

correlação estratigráfica / *stratigraphic correlation*. Correlação feita entre um ou mais pontos distantes entre si, com base nos seus atributos litológicos e nas relações existentes entre seus estratos.

correlação litológica / *lithologic correlation*. Relação lateral entre duas ou mais formações rochosas com características litológicas semelhantes, como veios minerais e camadas de carvão. Estas correlações podem ser feitas entre corpos a uma longa distância.

correlação não normalizada / *unnormalized cross-correlation*. Correlação cruzada (convolução de uma função com a segunda função invertida) em que os coeficientes do resultado não ficam limitados ao intervalo [-1, 1]. ↦ Neste caso, as duas funções não são similares e diferem entre si não só por um fator de escala. ▶ Ver *correlação cruzada*.

correlação por saltos / *jump correlation, spot correlation*. 1. Correlação de reflexões em sismogramas isolados ao se notarem similaridades em caráter e intervalo. 2. Método de interpretação da reflexão com cobertura menor que 100%.

corrente alternada / *alternating current*. Corrente elétrica cuja magnitude e direção variam ciclicamente, ao contrário da corrente contínua, cuja direção permanece constante e que possui polos positivo e negativo definidos. ↦ A forma de onda usual em um circuito de potência CA (corrente alternada) é senoidal, por ser a forma de transmissão de energia mais eficiente. ▶ Ver *corrente contínua*.

corrente artificial / *flume*. Modelo de um fluxo canalizado ou corrente e sua sedimentação, produzido em laboratório. Este experimento consiste na montagem de um tanque ou caixa onde é induzido e simulado um fluxo com sedimentos dissolvidos e carreados pela água. ▶ Ver *simulação sedimentar*.

corrente C5+ / *C5+ current*. O mesmo que *gasolina natural*. ▶ Ver *gasolina natural*.

corrente contínua / *direct current*. Fluxo constante da carga elétrica. ↦ Normalmente ocorre dentro de um material condutor, tal como um fio metálico, mas também pode ocorrer através de semicondutores, isolantes, ou até mesmo no vácuo, como uma ponte de íons ou elétrons. Na corrente contínua, a carga elétrica flui no mesmo sentido, diferentemente da corrente alternada. Antigamente, essa corrente era denominada *corrente galvânica*. ▶ Ver *corrente alternada*.

corrente costeira / *coastal current*. Corrente litorânea que se desloca paralelamente à linha de praia.

corrente de águas profundas do Atlântico Norte / *North Atlantic deep water*. Corrente de água marinha superficial que resfria no Ártico e desce para a região profunda, derivando na direção sul e indo muito além, chegando a 60° sul.

corrente de contorno / *contour current*. Corrente oceânica que flui aproximadamente ao longo de linhas isopicnais, deslocando-se paralelamente ao talude continental, contornando-o, semelhantemente ao que ocorre com as correntes profundas no noroeste do oceano Atlântico.

corrente de densidade / *density current*. Fluxo de uma corrente através, embaixo ou acima de outra, induzido pela gravidade. Entre os fatores que afetam a densidade estão temperatura, salinidade e concentração das partículas suspensas.

corrente de maré / *tidal current*. Corrente horizontal gerada pelo movimento periódico das águas, de acordo com o qual se elevam ou se abaixam em relação a um ponto de referência fixo no solo.

corrente de maré vazante / *ebb current*. Corrente de maré que se forma durante a fase de maré vazante com o movimento do fluxo das águas de maré em direção ao mar, e consequente abaixamento do nível de água nos canais de maré.

corrente de petróleo nacional / *domestic crude oil stream*. Denominação conferida a determinado tipo de petróleo, com características físico-químicas próprias, formado pela mistura de petróleos oriundos da produção de diferentes campos. Pode ocorrer um caso particular em que a corrente seja composta por petróleo proveniente de um único campo.

corrente de turbidez / *turbidity current*. 1. Corrente formada por fluxos gravitacionais episódicos, subaquosos, que podem se formar em ambientes marinhos ou lacustres. 2. Corrente de água com grande quantidade de sedimentos em suspensão, sobretudo nos taludes das margens das placas continentais; a concentração de material clástico a torna mais pesada que o resto do fluido em que se encontram, podendo provocar efeito tanto de transporte de partículas quanto erosivo. ▶ Ver *turbiditos*.

corrente efêmera / *ephemeral stream*. Corrente formada em drenagens canalizadas, usualmente intermitentes, variando rapidamente o nível de água em seus canais, o que é causado por episódios muito breves de chuva. Na maioria das regiões desérticas ocorre esse tipo de drenagem de canais efêmeros. ▶ Ver *evento episódico*.

corrente elétrica / *electrical current*. Fluxo de cargas elétricas através de um condutor de natureza elétrica. ↝ Existem, basicamente, dois tipos de corrente elétrica: a corrente alternada e a corrente contínua.

corrente geostrófica / *geostrophic current*. Corrente termo-hialina que se desloca dos polos para o equador, seguindo paralelamente e ao longo do contorno dos continentes. ▶ Ver *corrente de contorno*.

corrente litorânea / *littoral current*. Corrente gerada por ondas que arrebentam formando um ângulo com a linha de praia ou a costa, e usualmente se movem paralelamente à linha de costa entre a região ou zona do surfe.

correr gabarito / *run a rabbit*. Checagem do diâmetro de passagem de uma junta de revestimento ou coluna de produção, por meio da passagem de um equipamento cilíndrico compatível com o diâmetro e o peso linear da junta checada. ▶ Ver *gabarito*; *coluna de revestimento*; *tubo de produção*.

corrida de calibração / *meter proving run*. Medidas de volume num conjunto de medições de um provador, necessárias para calibrar (ou provar) um medidor de vazão.

corrosão / *corrosion*. Deterioração das propriedades essenciais de um material, causada por reações químicas ou eletroquímicas com o meio. Para os materiais inorgânicos, representa a volta ao estado em que o mesmo ocorre na natureza.

corrosão a alta temperatura / *high-temperature corrosion*. Corrosão acelerada de uma superfície metálica como resultado da ação combinada de um processo de oxidação devido a altas temperaturas e de reação com contaminantes, tais como compostos de enxofre e cloreto. ↝ Tal ação combinada resulta em altos níveis de corrosão, uma vez que o produto dessas reações dá origem a um sal fundido que destrói o óxido protetor do metal. ▶ Ver *corrosão*.

corrosão ácida / *sour corrosion*. Processo corrosivo que ocorre na presença de um eletrólito que contém usualmente compostos de enxofre. ▶ Ver *corrosão*.

corrosão alveolar / *pitting corrosion*. Forma de corrosão também denominada *corrosão por pites*, que consiste na formação de pequenas cavidades (alvéolos, ou pites) localizadas na peça metálica, que podem chegar a perfurar toda a espessura da peça, com pouca ou nenhuma perda de espessura do material. ↝ Trata-se de um ataque localizado, causado pela presença de soluções de sais halógenos. Este ataque se produz pela localização de íons halógenos numa zona em que a capa passivadora ou protetora tenha sido violada. Com isso, um par eletroquímico é formado entre a superfície intacta do metal (cátodo) e a superfície pontual onde se alojou o halógeno (anodo). Considerando que a intensidade de corrente é pontual e inversamente proporcional à superfície anódica, a corrosão avança de forma rápida, destruindo o metal por perfuração. ▶ Ver *corrosão*.

corrosão atmosférica / *atmospheric corrosion*. Processo corrosivo que ocorre em estruturas aéreas. ↝ A intensidade da corrosão atmosférica depende basicamente da umidade relativa do ar, do teor de sais em suspensão e do teor de gases poluentes. ▶ Ver *corrosão*.

corrosão eletrolítica / *electrolytic corrosion*. Corrosão resultante da circulação direta de um fluxo indesejável de corrente contínua de um metal para um eletrólito. ↝ Tal tipo de corrosão é também conhecido como *corrosão por fuga de corrente*. Este mecanismo de corrosão raramente ocorre em equipamentos submarinos. Em geral ocorre em dutos que cruzam com os trilhos de trens subterrâneos ou de superfície. ▶ Ver *corrosão*.

corrosão eletroquímica / *electrochemical corrosion*. Processo corrosivo acompanhado pelo fluxo de elétrons entre regiões catódicas e anódicas na superfície metálica. ▶ Ver *corrosão*.

corrosão-erosão / *erosion corrosion*. Ataque que ocorre quando o aço inoxidável está exposto simultaneamente à corrosão e à abrasão, causando perda de espessura maior do que se o material estivesse submetido somente a uma delas. ↝ A corrosão-erosão ocorre porque a capa passiva é continuamente reduzida, ficando a capa subjacente do aço ativa e exposta ao meio agressivo. Este tipo de corrosão ocorre em dispositivos nos quais circulam soluções. O efeito da corrosão-erosão será mais forte se as soluções tiverem partículas de areia, lodo ou bolhas de gás e se a velocidade do fluido for elevada. Esta corrosão pode ser evitada ou controlada reduzindo a turbulência ou a velocidade do fluxo, ou ainda utilizando aços com maior dureza superficial, como AISI 316 LN ou 304 LN. ▶ Ver *corrosão*.

corrosão-fadiga / *corrosion fatigue*. Mecanismo de degradação influenciado simultaneamente por corrosão e fadiga, agindo de modo sinérgico, o que torna o processo muito mais severo quando comparado com cada processo separadamente. ▶ Ver *corrosão*.

corrosão galvânica / *galvanic corrosion*. Corrosão que ocorre quando dois metais com diferentes potenciais eletrolíticos estão em contato mútuo em um meio corrosivo, onde o metal ânodo é corroído. ↝ Tanto a formação de pares galvânicos como o aumento ou diminuição da corrosão vão depender da corrosão dos elementos na escala eletrolítica de potenciais de oxirredução. Para eliminar os riscos desse tipo de corrosão, a superfície de contato dos aços deve ser isolada. O efeito do ataque também pode ser diminuído mantendo um menor contato entre as superfícies do metal nobre com a do metal menos nobre. ▶ Ver *corrosão*.

corrosão generalizada / *generalized corrosion*. Ataque corrosivo uniformemente distribuído sobre toda a superfície metálica. Também referido como *corrosão uniforme*. ▶ Ver *corrosão*.

corrosão induzida por microrganismos / *microbiological induced corrosion*. Processo de corrosão eletroquímica que pode ser desencadeado ou acelerado pela presença de certos microrganismos. ↝ É importante observar que a atuação das bactérias se dá por intermédio da modificação do meio, tornando-o agressivo ou intensificando sua agressividade. ▶ Ver *corrosão*.

corrosão intergranular / *intergranular corrosion*. Forma de corrosão responsável pelo aparecimento de trincas ao longo do contorno de grãos da estrutura metalúrgica do material. ▶ Ver *corrosão*.

corrosão pela água do mar / *seawater corrosion*. Processo corrosivo a que estão submetidos equipamentos e estruturas que operam totalmente imersos em água do mar. ↝ A água do mar é um eletrólito extremamente complexo, pois, além de diversos sais em solução, possui diversos gases e microrganismos em sua composição. O principal fator da corrosividade da água do mar é o oxigênio dissolvido. ▶ Ver *corrosão*.

corrosão pelo dióxido de carbono / *sweet corrosion*. Deterioração de um material metálico causado pelo contato com um fluido que contém dióxido de carbono, mas não contém sulfeto de hidrogênio. ▶ Ver *corrosão*.

corrosão por erosão / *erosion corrosion*. O mesmo que *corrosão-erosão*. ▶ Ver *corrosão*; *corrosão-erosão*.

corrosão por fresta / *crevice corrosion*. Corrosão localizada que acontece quando há pequena retenção de líquido corrosivo em cavidades ou espaços confinados na peça metálica. ↝ Apresenta-se nos pequenos espaços livres entre as paredes dos materiais em contato, de onde o líquido flui com dificuldade. Isso faz com que a capa passiva não se regenere adequadamente e que o metal fique exposto aos ataques corrosivos do meio que o banha. A corrosão em frestas pode ocorrer em juntas ou flanges, embaixo de areias ou impurezas depositadas sobre a superfície do aço, além de pontos de contato com materiais não metálicos. ▶ Ver *corrosão*; *corrosão sob contato*.

corrosão por pite / *pitting corrosion*. O mesmo que *corrosão alveolar*. ▶ Ver *corrosão*; *corrosão alveolar*.

corrosão sob contato / *crevice corrosion*. O mesmo que *corrosão por fresta*. ▶ Ver *corrosão*; *corrosão por fresta*.

corrosão sob fresta / *crevice corrosion*. O mesmo que *corrosão por fresta*. ▶ Ver *corrosão*; *corrosão por fresta*.

corrosão sob tensão / *stress corrosion*. Corrosão que ocorre em todas as ligas metálicas. São poucos, porém, os agentes específicos que provocam este tipo de corrosão. ↝ As causas não são conhecidas, mas em todos os casos constatou-se a presença de três parâmetros: tensões de tração no metal, temperatura do metal superior a 70° C, presença de cloreto na solução circundante. Essa corrosão se manifesta em forma de fissuras transcristalinas no material, que se propagam em forma arborescente. A forma de evitar esta corrosão é tratar termicamente as peças ou equipamentos de aços inoxidáveis austeníticos ou utilizar novas ligas existentes no mercado e que se caracterizam por possuir uma dupla matriz metalográfica austenoferrítica. ▶ Ver *corrosão*.

corrosão sulfurosa / *sour corrosion*. O mesmo que *corrosão ácida*. ▶ Ver *corrosão ácida*; *corrosão*.

corrosão uniforme / *uniform corrosion*. Forma de corrosão que se manifesta aproximadamente por igual em toda a superfície da peça em contato com o meio corrosivo, causando uma perda mais ou menos constante de espessura. ▶ Ver *corrosão*.

corrosividade / *corrosiveness*. Tendência de um metal de ser atacado por um mecanismo químico ou eletroquímico. ▶ Ver *corrosão*.

corrosividade ao cobre / *copper-strip corrosion*. Teste de bancada qualitativo utilizado na determinação da corrosividade de derivados de petróleo, ao observar seus efeitos sobre lâminas de cobre polido imersas no produto. ↝ Tal teste é padronizado pelo ASTM D 130.

corrugação / *corrugation*. Processo de deformação que transforma camadas sedimentares em pequenas dobras, pregas ou vincos.

corta-chama / *flame arrestor*. Dispositivo posicionado nas tubulações de respiro de tanques que contenham hidrocarbonetos voláteis, e que impede a propagação de chama para o interior destes tanques. ↝ É utilizado nos sistemas de respiro.

corta-chama para válvulas de pressão e vácuo / *flame arrester for PVRV*. Elemento de segurança requerido por norma para proteger a saída atmosférica dos respiros de vapores/gases inflamáveis em válvulas de alívio e em válvulas de pressão e vácuo (PVRV). ↝ Este elemento de proteção é requerido por normas, como API-620, API-2000 e ASME VIII Div.2, inibindo a propagação de chamas em gases e vapores e protegendo linhas e tanques de armazenamento que contêm produtos inflamáveis. Composto por duas ou mais placas metálicas perfuradas tipo colmeia, em aço galvanizado (zincado) ou aço inoxidável, cada placa é intercalada com espaçadores de pequena espessura e a montagem é mantida unida por uma armação cilíndrica que acomoda de forma compacta o conjunto. Quando é elemento de proteção isolado, é instalado nos respiros de tanques de teto fixo, em bases de armazenamento de combustíveis e acima desse corta-chama pode ser instalada a *PVRV*. Quando é parte integrante da *PVRV*, pode-se encontrá-lo montado na saída da *PVRV*. ▶ Ver *válvula de pressão e vácuo*.

cortador a jato / *jet cutter*. Ferramenta descida com cabo elétrico ou flexitubo e que, através da detonação de uma carga explosiva, pode seccionar um tubo de produção. ↝ Há ocasiões em que a superfície cortada pode apresentar rebarbas que poderão dificultar a operação de pescaria (caso necessária) do tubo cortado.

cortador de revestimento / *casing cutter*. Equipamento que serve para cortar o revestimento, normalmente usado em operações para iniciar o desvio de um poço (*side track*). ▶ Ver side track.

cortador lateral / *core slicer*. Testemunhador lateral a cabo provido de duas lâminas de diamante com borda em serra e com orientação convergente. ↝ A ferramenta é posicionada frente à zona de interesse quando uma sapata posterior força as lâminas contra a parede do poço, a qual deve ser uniforme. É possível conseguir amostras em formações até 1,5 m (5 ft). A amostra é recolhida em um cilindro logo abaixo das lâminas. Após o corte, as lâminas se retraem, a ferramenta é retirada e a amostra é recolhida na superfície. O mesmo que *testemunhador tricore*.

cortador químico / *chemical cutter*. Equipamento de corte que utiliza combinação química para o corte de diversos materiais dentro do poço.

corte / *cut*. Fração da vazão de um determinado fluido na produção total de uma mistura multifásica em um poço, como, por exemplo, o corte de água. ↝ O corte de um fluido é normalmente referido a vazões medidas em condições-padrão de superfície.

corte a jato / *jet cutter*. Operação destinada ao corte de tubos (de revestimento, de perfuração ou de produção) com a utilização de explosivos. Esta ferramenta é normalmente descida no poço por intermédio de um *wireline* ou de um tubo flexível (*coiled tubing*).

corte de abertura (Port.) / *window milling*. Janela na tubagem de revestimento para furo direcional. O mesmo que *abertura de janela*. ▶ Ver *abertura de janela*.

corte de água / *water cut*. Fração volumétrica de água, relativa à vazão volumétrica total de uma mistura multifásica (óleo, água e gás), sendo as vazões volumétricas expressas nas mesmas condições de pressão e de temperatura (normalmente nas condições de referência).

corte de óleo / *oil cut*. Fração volumétrica de óleo na corrente de produção de um poço ou de um conjunto de poços.

corte e preenchimento / *scour and fill*. Estrutura sedimentar caracterizada por uma pequena erosão em formato de canal, tendo sofrido posterior preenchimento.

corte e solda submarina / *underwater cutting and welding*. Operação de corte e soldagem, usualmente realizada a arco, quando empregada debaixo d'água.

corte em profundidade / *depth slice*. Corte horizontal de um cubo sísmico de reflexão em escala de profundidade.

corte horizontal / *horizontal section*. Corte horizontal nos dados de uma seção sísmica 3-D.

corte temporal / *time slice*. Em sísmica 3-D, corresponde a um corte horizontal na escala dos tempos. É uma maneira rápida e conveniente de se avaliar mudanças na amplitude dos dados sísmicos.

corte temporal duplo / *double time slice*. No levantamento 3-D, seção que resulta da sobreposição de dois cortes horizontais adjacentes para deixar mais clara a direção do mergulho.

costa afora / *foreshore*. 1. Área de uma costa ou praia que se situa entre a linha de alcance da maré mais alta e aquela da maré mais baixa. 2. Algo que seja operado ou esteja localizado no mar. 3. Também chamada *zona de intermaré*. 4. O mesmo que *offshore*. ↝ Por vezes se faz uso do termo *offshore*, na mesma conotação aqui oferecida para o termo *costa afora*. ▶ Ver offshore.

costa de recifes de coral / *coral-reef coast*. Costa formada por depósitos de corais e algas. ↝ No caso dos recifes atuais, o crescimento vertical dos depósitos condiciona-se à elevação do nível do mar, pois os organismos formadores não suportam uma longa exposição ao ar, expandindo-se horizontalmente quando o nível do mar permanece estável.

costa erosiva / *erosional coast*. Linha de costa na qual a sedimentação não é acumulada e a ação das ondas é altamente erosiva, arrastando parte da costa e sedimentos mar adentro, formando depósitos na plataforma continental ou costa afora.

costeiro / *coastal*. Área ou região que bordeja uma costa; por exemplo: águas costeiras, zona costeira, faixa costeira. Relativo a costa. ▶ Ver *área costeira*.

costura longitudinal / *longitudinal seam*. Junção longitudinal na superfície de um tubo formado pelo encurvamento de uma chapa de aço. ↝ A junção pode ser feita por intermédio de solda por resistência elétrica, solda por fusão, ou aquecendo e pressionando as bordas da chapa. ▶ Ver *tubos sem costura*.

cossurfactante / *cosurfactant*. 1. Surfactante adicionado ao sistema para aumentar a efetividade de outro surfactante. O termo *cossurfactante* também tem sido empregado, de forma não apropriada, para algumas espécies que não têm aplicação como ativadores de superfície, não causam mudança nas propriedades superficiais ou interfaciais, mas atuam aumentando a efetividade de surfactantes. **2.** Forma simples, geralmente uma molécula menor, de um surfactante utilizado para aumentar a eficiência de outro surfactante na recuperação suplementar do petróleo.

covariância / *covariance*. Média aritmética ou valor médio esperado do produto do desvio de duas variáveis em relação ao respectivo valor médio.

covenants. Compromisso ou promessa em qualquer contrato formal de dívida, reconhecido em lei, que protege os interesses do credor e estabelece se determinados atos devem ou não cumprir-se. Pode-se entender como *compromissos restritivos* (*restrictive covenants*) ou *obrigações de proteção* (*protective covenants*).

cratão (Port.) / *craton*. O mesmo que craton. ▶ Ver craton.

cratera / *crater*. 1. Depressão topográfica de forma aproximadamente circular, com inclinações laterais normalmente íngremes, localizada no topo do edifício vulcânico. **2.** Depressão circular originada por impacto de meteoritos. ▶ Ver *cratera de colapso*.

cratera aparente / *apparent crater*. Depressão topográfica com forma aproximadamente circular e modificada por processos erosivos. A origem de uma cratera aparente pode estar vinculada a ambientes vulcânicos ou ao impacto de meteorito.

cratera de colapso / *collapse crater*. Depressão em ambiente vulcânico, com geometria aproximadamente circular, similar a uma caldeira, originada pelo colapso do teto de uma câmara magmática rasa, geralmente causada pela diminuição do volume de magma na câmara. ▶ Ver *caldeira*.

craton. Termo aplicado a grandes extensões de crosta continental não afetada por um dado evento orogenético. ↝ No Brasil, o termo é aplicado às áreas não afetadas pela orogênese neoproterozoica.

cré (Port.) / *chalk*. O mesmo que *greda*, chalk. ▶ Ver *greda*.

crédito ao comprador / *buyer's credit*. O mesmo que *crédito ao importador*. ▶ Ver *crédito ao importador*.

crédito ao importador / *buyer's credit*. Modalidade de financiamento de uma importação na qual o crédito é concedido por um terceiro que não o exportador ou o fabricante do material, equipamento ou sistema no exterior.

crédito transferível / *transferable credit*. Crédito com cláusula que permite ao beneficiário transferi-lo a terceiros de forma parcial ou totalmente.

cremagem / *creaming*. 1. Forma de instabilidade de dispersão de líquidos imiscíveis. **2.** Deslocamento gravitacional de agregados formados na fase de floculação de dispersões de um líquido em outro. ↝ Dispersão de líquidos não miscíveis, onde a fase dispersa tem diâmetros entre 0,1 e 100 micra, porém nunca completamente estáveis. A instabilidade pode ocorrer através de três fenômenos: floculação, cremagem e coalescência. Durante a cremagem ocorre um deslocamento gravitacional de agregados formados na fase de floculação de dispersões de um líquido em outro.

crescente de folhelho / *shale crescent*. Preenchimento da depressão de uma ondulação por folhelho, constituindo uma estrutura sedimentar *flaser*. ▶ Ver *estrutura* flaser.

crescente de xisto argiloso (Port.) / *shale crescent*. O mesmo que *crescente de folhelho*. ▶ Ver *crescente de folhelho*.

crescimento de pressão / *pressure buildup*. Taxa de aumento de pressão com o fechamento do poço.

crevassa / *crevasse*. 1. Abertura natural num dique marginal de um canal fluvial. **2.** Fissura numa superfície, provocada por um terremoto. **3.** Fissura na superfície de uma geleira.

crevasse (Port.) / *crevasse*. O mesmo que *crevassa*. ▶ Ver *crevassa*.

cricondenbar. Máxima pressão na qual duas fases (líquido e vapor) de uma dada substância podem coexistir em equilíbrio. ↝ No escoamento de gás, quando a pressão se situa abaixo da *cricondenbar*, pode ocorrer a condensação de líquido.

cricondenbárica / *cricondenbar*. Referente a *cricondenbar*. ▶ Ver *cricondenbar*; *envelope de fase*.

cricondenterma / *cricondentherm*. Maior temperatura na qual duas fases (líquido e vapor) de uma dada substância podem coexistir em equilíbrio. ↝ No escoamento de gás, quando a temperatura se situa abaixo da cricondenterma, pode ocorrer a condensação de líquido.

cricondentérmica / *cricondentherm*. Referente a *cricondenterma*. ▶ Ver *cricondenterma*; *envelope de fases*.

criogenia / *cryogenics*. Área da físico-química que estuda tecnologias para a produção de temperaturas muito baixas (abaixo de $-150\,°C$, de $-238\,°F$ ou de $123\,°K$), principalmente até a temperatura de ebulição do nitrogênio líquido, ou ainda mais baixas.

criometria / *freezing-point depression*. Estudo da redução do ponto de congelamento de um solvente pela adição de um soluto não volátil, que age diminuindo a pressão de vapor da solução. ↝ O cálculo respectivo é fornecido por:

$$\Delta t_c = K_c \cdot W \cdot i$$

Onde: $\Delta t_c = T_c - T_s$ = abaixamento de temperatura; T_s = temperatura de fusão do solvente; T_c = temperatura de fusão da solução; K_c = pressão de vapor do solvente puro; W = concentração molal; i = constante de Van't Hoff). ▶ Ver *propriedades coligativas*.

criptocristalino / *cryptocrystalline*. 1. Estado de organização de um material onde existe um arranjo ordenado dos átomos, mas no qual as dimensões dos cristais são tão pequenas que suas propriedades não podem ser determinadas ao microscópio óptico. 2. Termo aplicado à textura de uma rocha ígnea cristalina de granulação fina constituída de minerais tão pequenos que não podem ser identificados ao microscópio óptico.

crista algálica / *algal ridge*. Estrutura resistente formada por algas coralináceas que sustentam a porção alta e frontal de um recife de coral moderno ou antigo. ▶ Ver *recife de corais*.

crista de coral-alga / *coralgal ridge*. Crista baixa ou margem elevada num banco de recife, na parte voltada para o mar, composta por incrustações de algas calcárias que ligam ou agregam os diversos tipos de fragmentos de corais e cascalhos de conchas, formando uma massa carbonática.

crista de duna / *dune ridge*. Sequência de dunas paralelas cujos movimentos são bloqueados pelo crescimento de vegetação ao longo de uma praia regressiva.

crista erosiva / *erosion ridge*. Série de pequenas cristas na superfície da neve formada pela ação dos ventos durante a queda da neve, podendo se distribuir em um pequeno ângulo ou se alinhar na direção do vento. ▶ Ver *erosão*.

cristal / *crystal*. 1. Material sólido com arranjo atômico ordenado. 2. Forma poliédrica regular constituída por superfícies planas determinadas pela repetição periódica ou regular do arranjo interno dos átomos, ou seja, da cela cristalina. 3. Termo comercial frequentemente utilizado para designar o quartzo. ▶ Ver *cela cristalina*.

cristalino / *crystalline*. Termo referente à cristalografia. ▶ Ver *cristalografia*.

cristalização / *crystallization*. 1. Processo pelo qual substâncias cristalinas são precipitadas a partir de uma fase fluida ou gasosa. 2. Processo de solidificação de um magma. ↠ A cristalização pode ocorrer por saturação, diminuição de temperatura ou alívio de pressão.

cristalografia / *crystallography*. Estudo dos cristais, da sua origem, estrutura, propriedades físicas e classificação, com base em suas formas.

critério de medição de reservas / *reserve measurement criteria*. O mesmo que reserves criteria sec and spe. ▶ Ver reserves criteria sec and spe.

critério mini-max / *mini-max criterion*. 1. Ajustamento dos dados na saída de um sistema para minimizar o somatório dos erros em relação à saída desejada, elevados a uma potência *p*. 2. Método utilizado na teoria das decisões para minimizar a máxima perda possível.

crivo (Ang.) / *screen, sand screen*. O mesmo que *tela*. ▶ Ver *tela*.

crivo de contenção (Port.) / *sand control screen*. O mesmo que *tela de contenção de areia*. ▶ Ver *tela de contenção de areia*.

crivo de controlo de areias (Port.) / *sand control screen*. O mesmo que *tela*. ▶ Ver *tela de contenção de areia*.

crivo expansível (Port.) / *expandable screen*. O mesmo que *tela expansível*. ▶ Ver *tela expansível*.

crivo-controlo de areias (Ang.) (Port.) / *sand control screen*. O mesmo que *tela*. ▶ Ver *tela de contenção de areia*.

cromatografia / *chromatography*. Técnica para separação física dos componentes de uma mistura fluida, que se baseia na adsorção ou partição seletiva de cada um desses componentes por duas fases imiscíveis, uma das quais é estacionária e a outra, móvel. ↠ Dependendo do tipo de sistema, as fases podem ser substratos gasosos, líquidos, sólidos ou gel. À medida que ocorre a separação, os componentes geralmente apresentam diferentes colorações nos substratos, cuja observação fornece uma indicação de quais componentes estão presentes na mistura. Tanto a cromatografia líquida como a cromatografia gasosa são rotineiramente empregadas para separar os componentes de petróleo com base em seus fracionamentos entre a fase estacionária e a móvel numa coluna cromatográfica. O método mais comum é o da cromatografia de adsorção: a fase estacionária é sólida e a fase móvel pode ser líquida ou gasosa. ▶ Ver *cromatografia gasosa*.

cromatografia gasosa / *gas chromatography*. Método de análise quantitativa da composição de uma amostra complexa de gás ou componente volátil. ↠ Tal análise é obtida pela passagem forçada do gás ou componente volátil em análise por um leito fixo adsorvente existente no equipamento. ▶ Ver *cromatografia*.

cromatografia líquida de alta performance / *high-performance liquid chromatography (HPLC)*. Método de cromatografia utilizado para separar petróleo nas frações saturada, aromática e polar. Este método é comumente automatizado. Grandes quantidades de matérias podem ser separadas por coluna cromatográfica. ▶ Ver *cromatografia*.

cromatógrafo / *chromatograph*. Aparelho para análise cromatográfica de hidrocarbonetos, cujo funcionamento baseia-se na velocidade com que cada componente atravessa uma coluna padrão feita com material poroso. ▶ Ver *cromatografia gasosa*.

cromatograma / *chromatograph*. Gráfico gerado pelo cromatógrafo, no qual diferentes picos ou padrões correspondem aos diferentes componentes da mistura separada. ↠ Em geral, tem-se na abscissa deste gráfico o tempo de retenção da mistura no cromatógrafo, e na ordenada alguma variável identificadora do componente.

cromitito / *chromitite*. Rocha ígnea composta dominantemente por cromita. ↠ A origem dos cromititos em geral é vinculada a processos de acumulação de minerais pesados. Olivina, magnetita e hematita são minerais comuns em cromititos. É um importante minério de cromo. Quando o conteúdo de cromita exceder 90%, a rocha passa a ser denominada *cromitítito*.

cronoestratigrafia / *chronostratigraphy* 1. Determinação da idade das unidades estratigráficas. 2. Ramo da estratigrafia dedicado ao estudo da idade dos estratos e das relações de tempo entre os mesmos.

cronograma financeiro / *financial schedule*. Apresentação gráfica representativa do ciclo de vida financeiro de um projeto, com indicação de desembolsos previstos correlacionados com as atividades constantes no cronograma físico. ↝ Utiliza valores, barras, marcos e escala de tempo.

cronograma físico / *project schedule*. Apresentação gráfica representativa do ciclo de vida de um projeto com indicação de datas de início e término para as respectivas atividades. Utilização de barras, marcos, escala de tempo e interdependência entre eventos e atividades críticas.

cronologia absoluta / *absolute chronology*. Cronologia definida por datação absoluta.

cronotaxia / *chronotaxis*. Equivalência temporal entre estratos.

cronozona / *chronozone*. Corpo rochoso formado em um período de tempo determinado, independentemente de sua distribuição geográfica. O mesmo que *zona cronoestratigráfica*.

crosta calcária / *calcareous crust*. Crosta endurecida que se forma num horizonte de solo pela cimentação por carbonato de cálcio. O mesmo que *caliche*. ▶ Ver *caliche*.

crosta de coral / *coral crust*. Camada fina de material derivado de corais, recobrindo um depósito cuja origem não é coralina.

crosta de solo / *hardground*. Camada de sedimentos litificada por diagênese precoce, causada pela parada na sedimentação. Pode se formar tanto em ambientes subaquosos como nos ambientes subaéreos.

crosta laterítica / *lateritic crust*. Camada endurecida que se forma em cima de um solo ou rocha e cuja superfície apresenta elevada concentração de óxidos de ferro e alumínio.

crosta oceânica / *oceanic crust*. Crosta subjacente às bacias oceânicas, cuja composição é fundamentalmente basáltica; tem em sua composição a predominância de silício e o magnésio. A crosta oceânica apresenta de 5 km a 10 km de espessura e a sua densidade é de aproximadamente 3,0 g/cm^3.

cru / *crude*. Termo referente a depósito mineral no estado natural, sem refinamento; por exemplo, o petróleo cru.

cruzeta / *flow tree*. 1. Dispositivo usado durante as intervenções de completação e restauração para permitir o acesso de ferramentas da unidade de arame, cabo ou flexitubo à coluna. 2. Tubo curto com saída lateral, com três válvulas de bloqueio, duas colocadas na vertical e uma na lateral, permitindo o acesso de todos os equipamentos de arame, cabo ou flexitubo na vertical e bombeio ou retorno de fluido pela lateral. ▶ Ver *cabeça de produção*; *tê de fluxo*.

cúbico de corpo centrado / *body-centered cubic*. Termo referente à estrutura cristalina cúbica de corpo centrado, na qual os átomos estão localizados no vértice do cubo e um no centro do cubo.

cubo de coerência / *coherence cube*. Cubo sísmico gerado a partir da semelhança (ou diferença, sendo então chamado de *variância*) entre traços adjacentes dentro de janelas de tempo definidas pelo usuário (intérprete). Auxilia principalmente na interpretação de feições estruturais e, secundariamente, estratigráficas, em fatias de tempo (*time-slices*). Pode também ser feito a partir de um horizonte (superfície) interpretado.

cuesta. Forma de relevo assimétrico, muito comum em sequências de camadas sedimentares, com mergulho fraco, intercalando níveis mais resistentes à erosão. Controla, assim, o desenvolvimento geomorfológico com uma topografia plana e de gradiente suave segundo o sentido do mergulho das camadas, contrapostas por escarpas no sentido contrário. O relevo de *cuesta* representa um meio-termo entre os relevos de mesa e de *hogback*.

cumulatividade / *cumulative taxation*. Propriedade correspondente ao conceito de tributo cumulativo. ▶ Ver *tributo cumulativo*.

cunha / *slips, rotary slips*. Peça metálica no formato de cunha com elementos fixantes (mordentes). ↝ Obturadores (*packers*) e outros equipamentos de fundo de poço são mantidos na posição pelos mordentes das cunhas. Da mesma maneira, as colunas de tubos são mantidas presas na mesa rotativa pelos mordentes das cunhas de tubos.

cunha clástica / *clastic wedge*. 1. Depósito de sedimentos grosseiros em forma de cunha, ou seja, que se afunilam nas bordas. 2. Depósito composto por sedimentos de granulometria grossa comumente associado a falhamentos, sendo frequente nas falhas de borda de sistemas *riftes*.

cunha de desvio (Ang.) / *whipstock*. O mesmo que *cunha para iniciar desvio*. ▶ Ver *cunha para iniciar desvio*; *whipstock*.

cunha de mar baixo / *lowstand wedge*. Feição gerada no talude pela progradação de um delta de nível de mar baixo. Apresenta terminação de refletores do tipo *onlap* em direção ao continente enquanto sua outra extremidade apresenta terminação de refletores do tipo *downlap* em direção à bacia.

cunha de tubagem (Port.) / *rotary slips*. O mesmo que *cunha de tubos*. ▶ Ver *cunha de tubos*.

cunha de tubos / *rotary slips*. Peça utilizada para suspender as colunas na mesa rotativa. A cunha tem formato cônico, liso por fora e elementos fixantes (mordentes) na parte interna, para se ajustar à mesa rotativa e segurar o tubo pela compressão causada pelo próprio peso da coluna.

cunha hidráulica / *hydraulic wedging*. Pressão produzida pela rebentação das ondas em uma cavidade localizada dentro de recifes ou qualquer tipo de rocha.

cunha para iniciar desvio / *whipstock*. Equipamento composto de cunha de fixação no revestimento, elemento de vedação e calha de desvio, utilizado para fazer um desvio no poço. Calha para desvio de poço.

cunha para revestimento / *casing slips*. Acessório usado com a mesa rotativa ou mesa auxiliar para agarrar longitudinalmente o tubo de revestimento durante sua operação de descida.

cunha para suspensão da tubagem na mesa rotativa (Port.) / *slips, rotary slips*. O mesmo que *cunha*. ▶ Ver *cunha*.

cupão de corrosão (Port.) / *corrosion coupon*. O mesmo que *cupom de corrosão*. ▶ Ver *cupom de corrosão*.

cupão de teste (Port.) / *test coupon*. O mesmo que *cupom de teste*. ▶ Ver *cupom de teste*.

cupom de corrosão / *corrosion coupon*. Pedaços retangulares de metal representativo colocados no mesmo ambiente (ácido, calor, pressão) a que tubos ou outro material de poço estão sujeitos, com o objetivo de verificar os efeitos de corrosão. Depois de um período de teste, os cupons são removidos e inspecionados para detectar sinais de corrosão ou outras mudanças físicas ou químicas e, por inferência, a condição dos tubos ou materiais do poço.

cupom de teste / *test coupon*. Amostra de metal ou liga pesada ao décimo de miligrama que é introduzida em uma planta de processo e após um período de tempo é removida. O cupom é então limpo para remover todo produto de corrosão e pesado novamente. Com a perda de massa de metal e o tempo de exposição calcula-se a taxa de corrosão.

cura / *curing*. Processo de manter uma pasta de cimento sob uma condição específica de temperatura e pressão até que a hidratação do cimento esteja completa. ⚬⚬ Em laboratório, a cura geralmente ocorre em banhos termostáticos à pressão ambiente ou em câmaras de cura, sob pressão e temperatura controladas. ▶ Ver *pega*; *endurecimento*; *hidratação*.

curso / *stroke length*. No método de produção por bombeio mecânico, representa o deslocamento transmitido à haste polida pela unidade de bombeio, durante o ciclo de bombeio. ⚬⚬ As unidades de bombeio dispõem de três a cinco opções de comprimento de curso para facilitar o ajuste às necessidades de cada poço.

curso ascendente / *upstroke*. No método de produção por bombeio mecânico, representa o deslocamento caracterizado pelo movimento de elevação da coluna de hastes, durante o ciclo de bombeamento.

curso descendente / *downstroke*. No método de produção por bombeio mecânico, representa o deslocamento caracterizado pelo movimento de abaixamento da coluna de hastes, durante o ciclo de bombeamento.

curva 'S' / *S curve*. O mesmo que *curva de progresso*. ▶ Ver *curva de progresso*.

curva batimétrica / *bathymetric contour*. Linhas, mapas ou cartas mostrando linhas de contorno que conectam pontos de mesma profundidade do fundo do corpo aquoso e, consequentemente, contornam as isoprofundidades da lâmina d'água. ▶ Ver *mapa batimétrico*.

curva da pressão disponível / *available pressure curve*. O mesmo que *curva de IPR*. ▶ Ver *curva de IPR*.

curva de avaliação / *appraisal curve*. Gráfico utilizado para predizer a recuperação final de poços de um mesmo reservatório com produções iniciais distintas.

curva de calibração / *calibration curve*. Curva ou gráfico que expressa a relação entre os valores verdadeiros de uma grandeza medida (valores de referência) e os valores correspondentes indicados pelo medidor.

curva de convexidade máxima / *maximum convexity curve*. Curva que representa o lugar geométrico dos pontos correspondentes a uma difração em levantamentos sísmicos.

curva de crescimento de pressão / *pressure-buildup curve or plot*. Gráfico usado em análise de testes de poços e que expressa o crescimento de pressão de fundo de poço durante a fase do teste na qual o poço permanece fechado. ▶ Ver *crescimento de pressão*.

curva de diagrafia (Port.) / *log curve*. O mesmo que *curva de perfilagem de poço*. ▶ Ver *curva de perfilagem de poço*.

curva de fluxo fracionário / *fractional flow curve*. Curva que descreve o fluxo fracionário de um fluido no meio poroso com a saturação do mesmo fluido.

curva de frequência / *frequency curve*. Curva que, graficamente, representa uma distribuição de frequências, isto é, uma linha constante desenhada num histograma, se o intervalo entre as classes e os espaços entre as barras do histograma diminuir.

curva de influxo / *influx curve*. O mesmo que *curva de IPR*. ▶ Ver *curva de IPR*.

curva de IPR / *IPR curve*. Relação que expressa a vazão possível de produção do poço (influxo) em função da pressão de fundo do mesmo (frente dos canhoneados). ⚬⚬ Tal relação pode ser utilizada para poços produtores de gás ou óleo e igualmente traduz a produtividade de fluido do reservatório, ou seja, a facilidade de o fluido escoar do reservatório até o poço, dado um diferencial de pressão entre o reservatório e a zona dos canhoneados. Esta relação é também conhecida como *IPR* (*inflow performance relationship*), *curva de influxo*, *curva de pressão disponível* ou *curva do índice de produtividade*. Combinada a técnicas de análise, a curva de IPR auxilia na determinação do esquema de produção ótima ou econômica no projeto dos equipamentos do poço e permite realizar simulações numéricas com o objetivo de analisar o desempenho da produção frente à implementação de sistemas de elevação artificial.

curva de partida / *departure curve*. Gráfico que permite corrigir a influência de efeitos ambientais na resposta ideal de uma medição. •• Os principais efeitos ambientais são: temperatura, diâmetro do poço, resistividade da lama, espessura da camada, resistividade da camada adjacente e inavasão. O termo provém da partida de uma resposta real para uma ideal. O mesmo que *curva de correção*.

curva de perfilagem de poço / *well-log curve*. Traço representando um registro contínuo de alguma propriedade ou ocorrência no poço *versus* profundidade. Uma ou mais curvas podem constituir um perfil. ▶ Ver *traço*; *faixa*.

curva de ponto de bolha / *bubble-point curve*. Curva representativa do lugar geométrico dos pontos de bolha (vaporização) no diagrama de fases de uma mistura. •• O diagrama de fases apresenta a variação da pressão com a temperatura de uma substância pura ou composta. As curvas de ponto de bolha e de ponto de orvalho encontram-se no ponto crítico e delimitam uma região denominada *envelope* ou *envoltória*, em cujo interior coexistem a fase líquida e a fase vapor. ▶ Ver *ponto de bolha*; *ponto de orvalho*; *curva de ponto de orvalho*.

curva de ponto de orvalho / *dew-point curve*. Curva representativa do lugar geométrico dos pontos de orvalho (condensação) no diagrama de fases de uma mistura. ▶ Ver *ponto de bolha*; *ponto de orvalho*; *curva de ponto de bolha*.

curva de pressão de débito (Ang.) / *inflow performance relationship curve*. O mesmo que *curva de IPR*. ▶ Ver *curva de IPR*.

curva de pressão disponível / *inflow performance relationship*. O mesmo que *curva de IPR*. ▶ Ver *curva de IPR*.

curva de pressão requerida / *tubing performance relationship*. O mesmo que *curva de TPR*. ▶ Ver *curva de TPR*.

curva de produção / *production curve*. Elemento gráfico ou na forma de tabela que mostra a variação temporal (geralmente anual) das vazões produzidas de óleo, gás e água. •• Estas curvas de produção são utilizadas para avaliar o desempenho dos equipamentos de processamento primário de petróleo, usualmente dimensionados para as condições de máxima carga, mas que devem ser avaliados para as demais condições operacionais ao longo da vida útil da instalação.

curva de progresso / *progress curve*. Representação gráfica do desempenho (previsto ou realizado) acumulado na escala de tempo correlacionada ao respectivo índice de previsão ou execução física ou financeira de determinado projeto.

curva de TPR / *TPR curve*. Relação que expressa a vazão de produção do poço em função da pressão requerida de fundo de poço (frente dos canhoneados) para uma dada configuração do sistema de produção. •• Tal relação pode ser utilizada para poços produtores de gás ou óleo. Quando a curva de pressão disponível (curva de IPR) intercepta a curva de pressão requerida (curva de TPR, *tubing performance relationship*) sem o uso de um sistema de elevação artificial, o poço é denominado *surgente* e é estabelecido um escoamento da vazão do ponto referente ao cruzamento das duas curvas (curva de pressão disponível e curva de pressão requerida). ▶ Ver *poço surgente*; *elevação artificial*.

curva do índice de produtividade / *productivity index curve*. O mesmo que *curva de IPR*. ▶ Ver *curva de IPR*.

curva do IP / *IP curve*. O mesmo que *curva de IPR*. ▶ Ver *curva de IPR*; *curva do índice de produtividade*.

curva FxN / *F/N curve*. Curva utilizada para representar o risco social, onde F é a frequência de ocorrência de N ou mais fatalidades. •• As curvas *FxN* fornecem a frequência esperada de acidentes que acarretam um número de vítimas maior ou igual a qualquer valor desejado, mostrando graficamente todo o espectro dos riscos da instalação e indicando explicitamente qual seria a frequência de ocorrência de acidentes de grande magnitude.

curva longo-normal / *long-normal curve*. Curva que mede a resistividade de poços com um afastamento entre eletrodos A e M da ordem de 160 cm.

curva tempo-profundidade / *time-depth curve*. Gráfico que mostra o tempo de reflexão *versus* a profundidade.

curva tempo-distância composta / *composite time-distance curve*. Curva tempo *versus* distância com tiros isolados feitos a distâncias maiores do receptor.

curva tensão-deformação / *stress-strain curve*. Curva onde se registra a carga aplicada e a deformação apresentada por amostra de um material. •• A natureza dessa curva varia de material para material. É comum se destacarem os seguintes pontos notáveis da curva tensão-deformação: tensão de escoamento, limite de proporcionalidade, tensão de ruptura e deformação residual. ▶ Ver *tensão*; *deformação*.

curva t-x / *t-x curve*. Gráfico que mostra os tempos de chegada das ondas sísmicas como uma função do afastamento tiro-geofone.

curvatura de raio curto / *short-radius curvature*. Taxa de variação do ângulo da trajetória do poço, maior do que 30 graus por 30 m.

curvatura de raio longo / *long-radius curvature*. Taxa de variação de ângulo da trajetória do poço, menor ou igual a 8 graus por 30 m.

curvatura de talude / *slope curvature*. Taxa de variação com a distância do ângulo de declive de um talude.

curvatura do poço / *dogleg, hole curvature.* Trecho do poço com variação na inclinação e/ou no azimute. A curvatura é normalmente planejada, porém podem ocorrer desvios por 'vontade própria' do poço.

cúspide / *cusp.* Série de projeções constituídas por areias de praia que apontam para o mar, construídas pela ação das ondas e separada de outras cúspides por praias curvas e suaves, formando reentrâncias na costa. As cúspides são espaçadas a intervalos mais ou menos regulares, com variação de alguns metros a alguns quilômetros, normalmente perpendiculares à costa.

custo ambiental / *environmental cost.* Valor monetário dos danos ambientais produzidos por um empreendimento econômico e não contabilizado pelo empreendedor. O mesmo que *custo de externalidade ambiental*.

custo da perfuração / *drilling cost.* Soma de todos os custos envolvidos na perfuração, incluindo taxa diária da sonda, serviços diversos e consumíveis.

custo das operações (Port.) / *operating costs.* O mesmo que *custos operacionais (OPEX)*. ▶ Ver *custos operacionais (OPEX)*.

custo de abandono / *abandonment costs.* Custo associado às intervenções necessárias para abandonar um poço, incluindo os custos para vedar o poço com tampões de cimento, remover equipamentos e recuperar as áreas impactadas. ▶ Ver *pressão de abandono*.

custo de aquisição / *acquisition costs.* Custo associado à aquisição de dados, geralmente relativos à sísmica.

custo de carregamento / *shipment costs.* Custo realizado durante a fase de exploração e desenvolvimento, na qual as companhias estatais de petróleo são 'carregadas' pela companhia privada.

custo de descoberta / *discovery cost.* Custo geral realizado para a descoberta de um novo campo de petróleo ou gás, tal como os referentes a: aerofotogrametria, mineralogia, sísmica, perfuração de poço pioneiro etc.

custo de transferência / *transfer cost.* Custo de transporte do petróleo ou gás do local de produção até a estação coletora.

custo fixo irrecuperável / *irretrievable fixed cost.* Custo de investimento que pode produzir um fluxo de benefícios (receitas) ao longo de um amplo horizonte de tempo, mas que não pode ser jamais inteiramente recuperado. ▶ Ver *sunk cost*.

custo irrecuperável (Port.) / *stranded costs.* Custo não amortizável por razões de mercado e que pode surgir devido a modificações no quadro regulatório. ↝ Tais modificações podem alterar as condições iniciais do cálculo econômico que suporta as decisões de investimento.

custo médio ponderado de capital / *weighted average cost of capital.* Custo de cada fonte de capital, cuja ponderação toma como referência a sua própria participação na estrutura de financiamento da empresa.

custo, seguro e frete / *cost, insurance and freight (CIF).* Custo da mercadoria importada já contemplados o seguro e o frete, com o pagamento dos mesmos na origem.

custos de desenvolvimento / *development costs.* Custos diretos e indiretos para o desenvolvimento de um campo de petróleo ou gás, tais como: análise de reservatório, perfuração dos poços de desenvolvimento, linhas de produção, projetos, suprimento de materiais e equipamentos e construção e montagem das respectivas unidades industriais.

custos de investimento / *Capital Expenditure (CAPEX).* **1.** Capital empregado por uma companhia para adquirir ou atualizar ativos físicos como equipamentos, propriedades ou edifícios industriais. **2.** Em contabilidade, um gasto de capital é acrescido a uma conta de recurso ("capitalizado"), aumentando a base do ativo (o custo ou valor de um ativo é ajustado para propósitos de imposto). ↝ A *definição* apresentada é extensível a qualquer segmento industrial

custos operacionais / *Operating Expenditure (OPEX).* Custos diretos e indiretos para a operação de um campo de petróleo ou gás, tais como: logística, estudos de reservatório, mão de obra e manutenção dos poços e das instalações de produção. ↝ A *definição* apresentada é extensível a qualquer segmento industrial.

dd

dado de três componentes / *three-component data*. Dado espacial que descreve a variação do campo segundo um triedro de referência.

dado sísmico / *seismic data*. Qualquer registro de ondas elásticas que se propagam no interior da Terra.

dado sísmico 2-D / *two-dimensional seismic data*. Dado sísmico que não tem variação na direção perpendicular ao plano que inclui a linha das medidas.

dano ambiental / *environmental damage*. Impacto ambiental negativo de uma atividade ou empreendimento efetivamente verificado.

dano da formação / *formation damage*. Redução da produtividade da formação devido à redução de permeabilidade na zona ao redor do poço. Este fenômeno é causado pela invasão da fase líquida do fluido de perfuração ou da pasta de cimento na zona produtora. Problema causado, também, pela redução da permeabilidade da rocha adjacente ao poço. ⇢ Entre outros, o dano da formação pode ser causado pela invasão da rocha-reservatório por fluidos de perfuração ou completação, pelo inchamento ou dispersão de minerais argilosos, pelo transporte de finos existentes na formação, pela formação de incrustações salinas, ou pela deposição de graxa ou asfalto durante a produção de óleo. Uma formação que sofreu dano deve ser estimulada por acidificação ou fraturamento hidráulico.

dano mecânico / *mechanical damage*. Redução da permeabilidade da rocha na região próxima à interface poço-formação, resultante de fatores mecânicos, como o deslocamento de fragmentos que obstruem os pontos canhoneados ou os poros da rocha. ⇢ Este dano causado nas proximidades da interface poço-formação pode resultar em redução significativa da produtividade de um poço. O dano mecânico pode também ser referido como a redução de permeabilidade da rocha causada pelo colapso de seus poros, resultante da depleção da formação produtora durante a vida útil de um poço.

dano no poço / *wellbore damage*. Qualquer redução do fluxo de fluidos nas proximidades do poço causada pela diminuição da permeabilidade relativa da formação ao fluido nessa região. A redução da permeabilidade pode ser causada pelo acúmulo de debris de aço provenientes do canhoneio para a produção, pelos sólidos provenientes da própria formação que restringem os poros ou pela invasão de filtrado do fluido de perfuração. ▶ Ver *permeabilidade relativa*; *canhoneio*; *filtrado da lama*.

dano pelo hidrogênio / *hydrogen damage*. Termo geral utilizado para designar o dano provocado pelo hidrogênio ao penetrar na estrutura de alguns metais. ⇢ Os danos típicos e resultantes da penetração do hidrogênio na estrutura do metal são: fragilização, trincamento, empolamento (*blistering*) e formação de hidreto.

dano por efeito película / *skin damage*. Dano causado na interface poço-formação pelo recobrimento ou obturação da rocha produtora, como resultado das explosões geradas na operação de canhoneio. ⇢ O dano pode ser minimizado ou completamente superado através da aplicação de um diferencial de pressão adequado. A pressão de produção forçada de óleo ou gás promove a limpeza da área danificada.

dano por fadiga / *fatigue damage*. Dano causado a um material pela aplicação de um esforço cíclico durante certo período de tempo. ⇢ Este dano é normalmente acumulativo e irremediável. As colunas de perfuração são submetidas a estes esforços cíclicos ao passar girando por seções curvas do poço. A depender do grau de severidade da curvatura e do nível de tração, a coluna de perfuração pode sofrer desgaste de vida por fadiga. Nos tubos de perfuração (*drill pipes*) este dano ocorre normalmente na zona de transição entre a conexão e o corpo do tubo (*upset zone*). Nos comandos de perfuração, este dano acontece normalmente na rosca da conexão.

darcy. Unidade de permeabilidade que corresponde à vazão de um mililitro (ou centímetro cúbico) por segundo de um fluido, com viscosidade de um centipoise, através de área de um centímetro quadrado, sob um gradiente de pressão de uma atmosfera por centímetro. ⇢ A unidade comumente usada na prática é o *milidarcy* (md). No plural são usados *darcys* ou *darcies*.

dardo / *dart*. Ferramenta utilizada para a liberação do tampão, ou *plug*, através da coluna de perfuração, durante a operação de cimentação em poços submarinos.

data book. 1. Conjunto ordenado de toda a documentação técnica final de um projeto, apresentado em meio físico ou eletrônico. Este conjunto é emitido em cada fase do projeto, seja conceitual, básico ou executivo. 2. Publicação, conhecida como "Livro Técnico de Projeto" ou "Livro de Projeto", que ordena toda a documentação técnica final de um projeto, e apresentada em meio físico e/ou eletrônico. ▶ Ver *projeto conceitual*; *projeto básico*; *projeto executivo*.

data de início da produção / *production start date*. Data em que ocorre a primeira medição, em cada campo, de volumes de petróleo ou gás natural em um dos respectivos pontos de medição da produção, e a partir da qual o concessionário assumirá a propriedade do volume de produção fiscalizada, sujeitando-se ao pagamento dos tributos incidentes e das participações legais e contratuais correspondentes.

datação / *dating*. Determinação da ocorrência no tempo de um evento ou objeto.

datação absoluta / *absolute dating*. Determinação da ocorrência temporal através de métodos químicos ou radiométricos, o que fornece uma grandeza numérica (em anos) de um evento.

datação radiométrica / *radiometric dating*. Determinação radiométrica da idade através da medida da desintegração de um isótopo ou elemento radioativo.

datação relativa / *relative dating*. Determinação relativa da ocorrência temporal de um evento, como no caso da estratigrafia.

***datum*.** 1. Superfície horizontal utilizada como referência para medir as elevações topográficas. 2. Em levantamentos sísmicos, corresponde a uma superfície planar arbitrária, na qual são feitas correções para minimizar efeitos, tais como os causados por variações topográficas e camadas de baixas velocidades de propagação da onda sísmica próximas à superfície. 3. Referência zero para estabelecer as profundidades relativas em todos os poços de um campo, tal como a profundidade de pressão estática da zona produtora. ↪ Como referência é utilizado, geralmente, o nível médio do mar. Por convenção, as profundidades referentes a *datum* são descritas em número negativo. ▶ Ver *correção estática*.

datum estrutural / *structural datum*. Camada litológica de referência utilizada nos estudos geológicos e levantamentos sísmicos para interpretações estruturais, visando a uma caracterização adequada da geometria da estrutura da área investigada.

datum sísmico / *seismic datum*. Nível de referência utilizado nos levantamentos sísmicos de refração ou reflexão.

débito crítico (Port.) / *critical rate*. O mesmo que *vazão crítica*. ▶ Ver *vazão crítica*.

débito de circulação (Ang.) / *circulation rate*. O mesmo que *taxa de circulação*. ▶ Ver *taxa de circulação*.

decaimento aeróbico / *aerobic decay*. Decomposição de substâncias orgânicas, em primeira instância por microrganismo, em presença de oxigênio livre; o último produto de decaimento é o dióxido de carbono e água. ▶ Ver *anaeróbico*.

decaimento alfa / *alpha decay*. Decaimento radioativo de um núcleo atômico por emissão de partícula alfa. ▶ Ver *decaimento beta*.

decaimento anaeróbico / *anaerobic decay*. Decomposição de substâncias orgânicas na ausência ou quase ausência de oxigênio; último produto do decaimento é enriquecido em carbono.

decaimento beta / *beta decay*. Decaimento radioativo de um núcleo atômico, que envolve a emissão de uma partícula beta ou captura de elétron. ▶ Ver *decaimento alfa*.

decantação / *elutriation*. 1. Fenômeno em que as partículas de um sólido suspenso em um líquido deslocam-se para o fundo do líquido. 2. Seleção mecânica de partículas sedimentares produzidas pela ação de fluidos que se movem no sentido ascendente. 3. Método de análise mecânica de sedimentos, nos quais as partículas finas e menos pesadas são separadas das grosseiras e pesadas por uma lenta corrente ascendente de ar ou água, com uma velocidade controlada e conhecida, removendo as partículas mais leves para cima e deixando gradativamente as mais pesadas no fundo. 4. Purificação ou remoção de material de uma mistura ou em suspensão aquosa, por lavagem e decantação, deixando só a fração pesada. ↪ A velocidade de decantação, no regime laminar (número de Reynolds < 1), em suspensões diluídas, pode ser calculada pela lei de Stokes, a qual correlaciona a velocidade de decantação das partículas as variáveis viscosidades do meio (fluidos newtonianos), diâmetro e densidade das partículas. A lei de Stokes é dada por:

$$\omega = 2(\rho_p - \rho_f)gr^2/9\mu$$

onde:

ω é a velocidade de decantação, ρ_p e ρ_f são as densidades da partícula e do fluido respectivamente, g é a aceleração da gravidade, r é o raio da partícula e μ é a viscosidade dinâmica do fluido.

***deck cable*.** Cabo usado para conectar as unidades de controle e registro de sistemas de batimetria, o sonar de varredura e sísmica de alta resolução, aos transdutores fixados no casco ou na borda das embarcações. Em sistemas de sonar de varredura lateral, este cabo conecta os sistemas de controle e registro ao guincho de reboque por intermédio de um sistema de conectores denominado *slip ring*. Esse cabo não necessita de reforços especiais.

declaração de comercialidade / *declaration of commerciality*. Notificação feita pelo concessionário, a seu exclusivo critério, à Agência Nacional do Petróleo, Gás Natural e Biocombustíveis (ANP) (Brasil) declarando comerciais uma ou mais jazidas descobertas na área de concessão, e em consequência confirmando a intenção de desenvolvê-la. ↪ Marca o fim da fase de exploração e o início da fase de desenvolvimento da produção.

declinação magnética / *magnetic declination*. Uso de bússola para indicar o norte geográfico, ou norte verdadeiro da Terra, em local sem interferência magnética. A direção indicada tem um deslocamento angular. Essa direção indicada pela bússola é normalmente referida como direção magnética nesse ponto. A diferença angular entre essas duas medidas, norte verdadeiro x norte magnético, é chamada *declinação magnética*. Esse valor varia com a longitude, latitude, altitude e com o tempo. Existem modelos matemáticos complexos que permitem calcular com relativa exatidão a declinação magnética em um determinado ponto da Terra e em determinado momento. Saber esse valor é importante quando se interpreta uma foto ou registro direcional tomados com equipamento de referência magnética.

declínio aeróbico (Port.) / *aerobic decay*. O mesmo que *decaimento* ou *decomposição aeróbica*. ▶ Ver *decaimento aeróbico*.

declínio alfa (Port.) / *alpha decay*. O mesmo que *decaimento* ou *decomposição alfa*. ▶ Ver *decaimento alfa*.

declínio anaeróbico (Port.) / *anaerobic decay*. O mesmo que *decaimento* ou *decomposição anaeróbica*. ▶ Ver *decaimento anaeróbico*.

declínio beta (Port.) / *beta decay*. O mesmo que *decaimento* ou *decomposição beta*. ▶ Ver *decaimento beta*.

declínio em percentual constante / *constant-percentage decline*. Forma em que ocorre a depleção natural de um reservatório, quando óleo ou gás é produzido em uma fase única, e a pressão de fundo de poço é constante. Esta depleção será exponencial durante todo o tempo de produção do poço.

declínio exponencial / *exponential decline*. Queda de produção de um poço, reservatório ou campo que apresente uma taxa de declínio constante. ↝ A representação gráfica da vazão de produção em declínio exponencial em relação à produção acumulada forma uma reta. A equação para o declínio exponencial é indicada a seguir:
$$q_t = Q_i \cdot e^{-Dt}$$
onde:
D é a taxa de declínio, q_t é a vazão de produção em um dado instante, Q_i é a vazão de produção inicial, e é a base do logaritmo natural e t é o tempo.

declínio harmônico / *harmonic decline*. Caso particular do declínio hiperbólico, quando o expoente do declínio (*b*) é a unidade. ↝ A equação do declínio harmônico é dada por:
$$q = q_i / (1 + D_i \cdot t)$$
onde:
D é a taxa de declínio, q é a vazão e o índice i refere-se às condições iniciais. ▶ Ver *declínio hiperbólico*.

declínio hiperbólico / *hyperbolic decline*. Queda de produção de um poço, reservatório ou campo, que apresente uma taxa de declínio variável com o tempo. ↝ No *declínio hiperbólico* a taxa de declínio decresce com a vazão de acordo com a seguinte equação:
$$D = D_i (q/q_i)^b$$
onde:
D é a taxa de declínio, q é a vazão, b o expoente do declínio e o índice i refere-se às condições iniciais. O declínio temporal da vazão é descrito pela relação:
$$q = qi [1 + bD_i t]^{-1/b}$$
onde t é o tempo de produção.

declínio transiente / *transient decline*. Declínio natural da produção causado pela expansão de gás, óleo e água na região de um poço que tenha um raio a se expandir continuamente.

declínio volumétrico / *volumetric decline*. Decaimento do corte de óleo, em função da fração recuperada ou da produção acumulada de óleo, em poços ou campos em produção sob injeção ou influxo de água. ↝ O declínio volumétrico é dado pela seguinte expressão:
$$f_o = [1 + \alpha\beta (R - R_i)]^{-1/\beta}$$
onde:
f_o é o corte de óleo, α é a taxa de declínio, β o inverso do expoente do declínio, R é a fração recuperada de óleo e R_i, a fração recuperada inicial.

decomposição / *decomposition*. Em gravimetria, a separação do campo gravimétrico em *regional* e *residual*.

deconvolução adaptativa / *adaptive deconvolution*. Etapa no processamento do sinal sísmico para recuperar altas frequências, atenuar múltiplos, igualar amplitudes; produzindo uma forma de onda (*pulso*) de fase zero. ↝ A deconvolução, ou filtro inverso, pode melhorar os dados sísmicos que foram afetados adversamente pela filtragem, ou pela convolução, que ocorre naturalmente enquanto a energia sísmica é filtrada pela terra. A deconvolução pode também ser executada em outros tipos dos dados, tais como os dados gravimétricos, os magnéticos ou os dados de poço. O operador de deconvolução varia com o tempo.

deconvolução branqueadora / *whitening deconvolution*. Tipo particular de deconvolução preditiva feita com distância de predição unitária e porcentagem de luz branca próxima de zero. Sua função é tornar o espectro de amplitude dos dados aproximadamente plano. ▶ Ver *deconvolução preditiva*; *luz branca*.

deconvolução cega / *blind deconvolution*. Também denominada *filtro de Wiener*, exibe o ponto ótimo entre a aplicação de um filtro inverso e a criação de uma função que mostra a tendência mais importante dos dados, filtrando o ruído.

deconvolução complexa / *complex deconvolution*. Método de atenuação de ruídos em que se utiliza uma versão complexa do filtro de Wiener no domínio da frequência.

deconvolução de segundo zero / *second-zero deconvolution*. 1. Método de filtragem para processamento de dados sísmicos marítimos. 2. O mesmo que *deconvolução preditiva*. ↝ Considerada como o tempo necessário para que exista correlação de traço-corte. O nível zero caracteriza-se pela distância de predição utilizada.

deconvolução de variação mínima / *minimum-variance deconvolution*. Deconvolução recursiva, na qual se conhece a forma de onda do efeito indesejado.

deconvolução determinística / *deterministic deconvolution*. Tipo mais simples de deconvolução, ou filtragem inversa, na qual os efeitos do filtro são conhecidos.

deconvolução fonte-receptor / *source-receiver deconvolution*. Deconvolução para corrigir os efeitos da forma de pulso gerado pela fonte e da resposta impulsiva dos receptores.

deconvolução iterativa / *iterative deconvolution*. A deconvolução em que, a partir de uma solução aproximada inicial e por iterações sucessivas, chega-se ao resultado final.

deconvolução passa-tudo / *all-pass deconvolution*. Etapa do processamento do sinal sísmico para recuperar altas frequências, atenuar múltiplos, igualar amplitudes; produz uma forma da onda na zero-fase ou para outras finalidades que afetam geralmente a forma da onda. ↔ A deconvolução, ou filtro inverso, pode melhorar os dados sísmicos que foram afetados adversamente pela filtragem ou pela convolução que ocorre naturalmente com a energia sísmica que é filtrada pela Terra. A deconvolução pode também ter um bom desempenho em outros tipos de dados, tais como a gravidade, dados magnéticos ou registros de poço.

deconvolução pós-empilhamento / *after-stack deconvolution*. Etapa do processamento do sinal sísmico visando à recuperação de altas frequências. ↔ A deconvolução é aplicada aos dados sísmicos após o empilhamento horizontal dos traços.

deconvolução preditiva / *predictive deconvolution*. Uso da informação da parte inicial do traço sísmico para predizer e deconvolver a parte final de tal traço.

deconvolução pré-empilhamento / *pre-stack deconvolution*. Deconvolução que ocorre antes do empilhamento horizontal dos dados na reflexão sísmica.

decorrelação / *decorrelation*. Qualquer processo utilizado para reduzir a autocorrelação dentro de um sinal, ou a correlação cruzada dentro de um conjunto de sinais, enquanto se preservam outros aspectos do sinal.

dedo frio / *cold finger*. Equipamento de laboratório utilizado para gerar uma superfície fria no interior de um fluido em escoamento ou em equipamento de processo. ↔ Trata-se de um equipamento de pequenas dimensões para oferecer uma superfície localizada de resfriamento. Tem forma semelhante a um dedo. Tipicamente, tal dispositivo é utilizado para determinar o potencial de precipitação de componentes de um petróleo.

defantasmização / *deghosting*. Convolução com a finalidade de eliminar a reflexão fantasma nas medidas com DGPS.

defletor / *paravane*. Dispositivo com aletas, utilizado em sondagem sísmica marítima, que, ao ser puxado pela água e, dependendo do seu tipo, pode afundar, manter certa orientação, ou mover-se de lado a lado, conforme o desejo do operador.

deflexão / *deflection*. 1. Desvio relativamente espontâneo de uma corrente de água devido a alguma deformação, sistema aluvionar, glaciação, erosão lateral, ação de vulcões ou mudanças na linha de costa. Processo erosivo em que a ação do vento remove e carrega as partículas inconsolidadas dos materiais erodidos de granulometria fina (tamanho argila e silte). Também chamada *erosão eólica*. 2. Mudança abrupta de direção de uma determinada feição geológica, em geral obedecendo a um condicionamento tectônico.

deflexão pelos jatos de broca / *jet-bit deflection*. Método utilizado para alterar a inclinação ou direção de um poço que está sendo perfurado. Quando jatos de diferentes diâmetros são instalados em uma broca, eles permitem que o poço seja intencionalmente desviado ao perfurar, sem girar a coluna. O desvio ocorre pelo fato de os diferentes jatos erodirem mais de um lado do poço que o outro. Esta técnica era mais usada no passado, em formações de arenitos inconsolidados. ▶ Ver *jato de broca*.

defloculação / *deflocculation*. Reversão do estado floculado de uma suspensão — por meio da adição de um agente defloculante — manifestada pela redução de sua viscosidade.

defoamer. Denominação menos comum para o agente fluido antiespumante. ▶ Ver *antiespumante*.

deformação a frio / *cold working*. Deformação plástica de um metal, numa determinada temperatura e a alta velocidade, onde a criação de discordâncias é mais rápida que a eliminação das mesmas. ↔ Praticamente não há perda de material quando uma peça é deformada a frio. Peças deformadas a frio podem ser produzidas dez vezes mais rapidamente em comparação, por exemplo, com peças usinadas.

deformação plástica / *plastic deformation*. 1. Deformação que ocorre quando a tensão não é mais proporcional a deformação, ocorrendo então uma deformação não recuperável e permanente. 2. A partir de uma perspectiva atômica, a deformação plástica corresponde à quebra de ligações com os átomos vizinhos originais e, em seguida, à formação de novas ligações com novos átomos vizinhos, uma vez que um grande número de átomos ou moléculas se move em relação uns aos outros; com a remoção da tensão, eles não retornam a suas posições originais, diferentemente do que acontece na deformação elástica.

deformação por cisalhamento / *shear strain*. Processo de deslizamento relativo entre as partículas ou camadas de fluido, cuja velocidade varia com a distância entre essas camadas. O cisalhamento é um importante método utilizado no escoamento ou reologia do fluido. Pode também ser definido em termos de taxa de deformação, que é uma mudança na velocidade de fluxo em relação à direção de fluxo.

degradação ambiental / *environmental degradation*. Alteração das características de um ecossistema por ação externa. ⇒ As alterações do ecossistema que caracterizam sua degradação são a perda de matéria ou energia, a alteração de funções e a mudança de composição.

degradação bacteriana / *bacterial degradation*. 1. Degradação causada pela ação metabólica de microrganismos. 2. Em relação a hidrocarbonetos, a degradação de compostos mais pesados ou complexos em moléculas menores ou mais simples é provocada pela ação de enzimas e outros processos metabólicos das bactérias. 3. Processo de remediação de áreas contaminadas com compostos poluentes, através de sua transformação pela ação microbiana.

degradação de altura manométrica / *head degradation*. Redução de altura manométrica ou de pressão causada pela variação de propriedades do fluido bombeado, à semelhança do que ocorre em bombeamento centrífugo submerso (BCS) quando se opera com presença de gás livre e/ou maiores viscosidades do fluido. ▶ Ver *bombeio centrífugo submerso (BCS)*; *bomba centrífuga submersa*; *altura manométrica*; *surge*.

degradação mecânica / *mechanical degradation*. Fenômeno que ocorre em materiais quando submetidos a algum tipo de processo mecânico (agitação, estiramento), perdendo assim parte de sua identidade e/ou energia. ⇒ Por exemplo, a quebra de cadeias poliméricas após longo tempo de exposição ao cisalhamento; ou a fadiga acumulada em uma coluna de perfuração quando esta gira em uma seção curva, de maneira que a tensão cíclica corrigida pela tensão média ultrapasse o limite de resistência à fadiga do material.

delta / *delta*. Região terrestre, plana, constituída por depósito sedimentar complexo, composto por sedimentos trazidos por um rio e depositado na sua desembocadura e em sua planície aluvionar e deltaica. ⇒ Os deltas são recortados por muitos canais distributários, junto à desembocadura de um rio principal; como resultado, apresentam uma forma geométrica triangular, motivo pelo qual foi dado esse nome, à semelhança do formato da letra grega *delta*. Essa feição geológica ocorre em desembocaduras de rios, tanto no mar quanto num lago ou lagoa. Os deltas são formados basicamente por três tipos principais de camadas: as de fundo, na parte mais distal da frente deltaica, normalmente horizontais ou com baixo mergulho no sentido do mar; as inclinadas, que compõem a frente deltaica, e que se formam pela progradação da superfície deposicional da frente do delta; e, por último, as camadas de topo deltaico, originadas pela agradação de sedimentos durante as inundações na planície deltaica. As planícies deltaicas podem ter grande extensão, como, p.ex., o delta da foz do rio Nilo. Os deltas podem ser classificados em função da energia do corpo aquoso no qual estão sendo formados: dominados por rios, dominados por ondas, dominados por marés, e toda a gama de combinações desses três principais controles.

delta cúspite / *cuspate delta*. Forma pontiaguda em direção ao mar, como resultado do avanço de um rio em um ambiente dominado por ondas. Neste caso, as ondas redistribuem uniformemente os sedimentos trazidos pelo rio em ambos os lados, formando duas praias curvas com a forma côncava voltada para o mar. Como exemplo desse tipo de delta pode ser citado o rio São Francisco, no Brasil.

delta de estuário / *estuarine delta*. 1. Delta formado quando um rio desemboca no mar e sua descarga é inferior ao retrabalhamento causado pela ação das marés. 2. Delta dominado por marés.

delta de inundação / *flood delta*. Delta formado na planície de inundação, em períodos de cheia, quando o canal fluvial rompe os diques marginais.

delta de margem de plataforma / *shelf-margin delta*. Delta desenvolvido na região da margem da plataforma.

delta digitiforme / *digitate delta*. Delta formado por muitos distributários cujos diques marginais se estendem mar adentro e, quando visto em planta, tem geometria digitiforme, semelhante a dedos de pássaros. Como exemplo desse tipo de delta pode ser citado o delta do rio Mississippi, nos Estados Unidos.

delta dominado por rio / *river-dominated delta*. Delta clássico, em formato de triângulo, formado na desembocadura dos rios. Ocorre quando a descarga fluvial é maior que o retrabalhamento causado pelo corpo d'água onde se insere.

delta levee lake. Lago formado entre barras arenosas ou depósitos de diques marginais (*levees*) em um delta, durante o seu avanço. Como exemplo desse tipo de delta pode ser citado o lago Pontchartrain, no delta do rio Mississippi, Estados Unidos.

delta seco / *dry delta*. O mesmo que *leque aluvial* e *cone aluvial*. ▶ Ver *leque aluvial*; *cone aluvial*.

demanda biológica de oxigênio (DBO) / *biological oxygen demand (BOD)*. Quantidade de oxigênio utilizada por microrganismos quando da degradação bioquímica da matéria orgânica. É o parâmetro mais utilizado para medir a poluição. O mesmo que *biochemical oxygen demand (BOD)*. ▶ Ver *biomarcador*.

demanda bioquímica de oxigênio (DBO) / *biochemical oxygen demand (BOD)*. Dosagem de oxigênio para oxidar a matéria orgânica contida em água, excetuada a matéria orgânica estável. ⇒ É um indicador de poluição por efluentes orgânicos ou esgoto ou de excesso de matéria de origem vegetal resultante de enriquecimento do corpo d'água por nutrientes minerais.

demanda química de oxigênio (DQO) / *chemical oxygen demand (COD)*. Quantidade de oxigênio requerida para a oxidação de todos os compostos oxidáveis em um corpo d'água. É um parâmetro que mede a quantidade de matéria orgânica suscetível de ser oxidada por meios químicos que existam em uma amostra líquida. Conhecida pela sigla *DQO*. ↔ O teste de DQO consiste em se oxidar toda a amostra por meio do dicromato de potássio em meio ácido, medindo-se, em seguida, o consumo do reagente utilizado. Esse teste dura aproximadamente três horas e mede a carga orgânica biodegradável eventualmente presente, medindo também a matéria orgânica não biodegradável, que pode ser causadora de tipos específicos de poluição.

demister. Denominação menos comum para o dispositivo de remoção de névoa. ▶ Ver *removedor de névoa*.

demodulação / *demodulation*. Recuperação do sinal modulado.

demonstrativo da apuração da participação especial / *special participation calculation statement*. Demonstrativo a ser apresentado trimestralmente pelos concessionários das atividades de exploração e produção, contendo o cálculo da participação especial devida, de acordo com o modelo padronizado pela Agência Nacional do Petróleo, Gás Natural e Biocombustíveis (ANP) (Brasil).

demora (Port.) / *time lag*. O mesmo que *retardo*. ▶ Ver *retardo*.

demultiplexação / *demultiplexing*. 1. Separação das diversas fontes de informação combinadas com o objetivo de facilitar a sua organização, conversão e transporte. Inverso da *multiplexação*. 2. No caso da aquisição sísmica, ato de transpor a matriz das amostras registradas pelos receptores durante o período de amostragem após um tiro (*shot*), de forma que, ao final, cada traço de um mesmo tiro contenha as amostras registradas por um mesmo receptor ou grupo de receptores. Assim, em vez do primeiro traço conter todas as primeiras amostras de todos os receptores, ele conterá todas as amostras do primeiro receptor.

densidade / *density*. Razão entre as massas específicas de sólidos ou líquidos na condição padrão de temperatura e pressão e a massa específica da água pura sob as mesmas condições. A densidade de um gás é a razão entre a sua massa específica na condição padrão de temperatura e pressão e a densidade do ar seco também na condição padrão. A massa específica é a massa por unidade de volume, geralmente expressa em g/cm^3.

densidade aparente / *bulk density*. Propriedade física que corresponde à massa por unidade do volume total de um agregado em particular. O volume total do agregado inclui o somatório do volume individual das partículas sólidas constituintes e do volume de vazios entre essas partículas. Os vazios correspondem ao espaço entre as partículas que não é ocupado pelo material sólido. Normalmente é expressa em lb/ft^3 ou kg/m^3. ▶ Ver *densidade*; *volume aparente*.

densidade aparente de grãos / *apparent grain density*. Densidade dos grãos de uma amostra de rocha, obtida ao se dividir o peso medido pelo volume de sólidos calculado (excluindo o volume referente à porosidade). Todo o material sólido da amostra é considerado como sendo grãos da amostra.

densidade aparente de líquido / *apparent liquid density*. Densidade do líquido de uma amostra, que contém mais de uma fase em equilíbrio instável.

densidade API / *API gravity*. Medida da densidade de petróleo líquido estabelecida pelo API para melhor identificação comercial dos diferentes tipos de petróleo. ↔ Se a densidade API ou °API for superior a dez, ele flutua na água, do contrário, ele é mais pesado. Óleos pesados possuem °API baixo e óleos leves possuem °API elevado. A seguir, a classificação do petróleo, segundo o Regulamento Técnico de Reservas de Petróleo e Gás Natural da Agência Nacional do Petróleo, Gás Natural e Biocombustíveis, (ANP) (Brasil) Petróleo leve: $\gamma \leq 0{,}87$ (°API $\geq 31°$). Petróleo mediano: $0{,}87 \leq \gamma \leq 0{,}92$ ($22° \leq$ °API $\leq 31°$). Petróleo pesado: $0{,}92 < \gamma < 1{,}00$ ($10° <$ °API $< 22°$). Petróleo extrapesado: $\gamma \geq 1{,}00$ (°API $\leq 10°$). onde γ é a densidade do petróleo. ▶ Ver *grau API*.

densidade azimutal / *azimuthal density*. Perfil de densidade registrado durante a perfuração em que a densidade é medida em diferentes azimutes em torno do comando. A medida de densidade é focalizada, de modo que quando o comando gira, a medição vê diferentes azimutes em volta do poço. ↔ Uma densidade média pode ser calculada computando todos os dados azimutais. De outra forma, os dados podem ser computados em diferentes segmentos, por exemplo, em quatro quadrantes, para obter uma densidade azimutal em quatro direções. Quando o poço está alongado, alguns quadrantes são pressionados firmemente contra a parede do poço, enquanto outros podem ter um afastamento significativo e uma correção de densidade (*delta rho*) muito alta. Os quadrantes 'bons' podem então ser selecionados para avaliação de formação. ▶ Ver *resolução azimutal*.

densidade Baumé / *Baumé density*. Escala largamente utilizada para determinação do peso específico de líquidos. Abreviada como *Bé*. ↔ Para líquidos mais pesados que a água a 20 °C, temos: Peso específico = 145 ÷ (145 — densidade Baumé). Para líquidos mais leves que a água a 20 °C, temos: Peso específico = 140 ÷ (densidade Baumé + 130).

densidade bruta / *bulk density*. Densidade de uma rocha na forma em que ocorre numa formação. O cálculo inclui o volume dos poros e o fluido contido nos mesmos.

densidade da calda de cimento (Ang.) / *slurry density*. O mesmo que *densidade da pasta de cimento*. ▶ Ver *densidade da pasta de cimento*.

densidade da lama (Port.) (Ang.) / *mud weight*. O mesmo que *peso da lama*. ▶ Ver *peso da lama*; *massa específica do fluido de perfuração*.

densidade da lama de perfuração (Port.) / drilling fluid weight or mud weight. O mesmo que *densidade do fluido de perfuração*. ▶ Ver *densidade do fluido de perfuração*.

densidade da pasta de cimento / slurry density. Relação entre a massa da pasta, incluindo cimento, água e outros aditivos sólidos e líquidos presentes na formulação, e o respectivo volume. ⚭ Este parâmetro é expresso em libras (lb) por galão (gal) em unidade de campo, ou por kg por m^3. A densidade de uma pasta de cimento deve ter valor suficiente para manter o poço sob controle, sem resultar em nenhum desequilíbrio hidrostático e sem permitir a entrada de fluidos na pasta. Para isso, a densidade ideal de uma pasta de cimento deve ser superior à pressão de poros e inferior à pressão de fratura da formação.

densidade de aberturas da tela da peneira / screen mesh. Número de orifícios existentes na tela da peneira vibratória. ⚭ Quando é dado com apenas um número, como, por exemplo, 120 mesh, significa que o número de aberturas por polegada no comprimento é igual na largura. Quando é dado com dois números, como, por exemplo, 120 x 60 mesh, significa que o número de orifícios por polegada na tela é diferente na largura e no comprimento.

densidade de cargas de um canhão / shot density. Número de cargas explosivas por unidade de comprimento, alojadas no canhão.

densidade de fratura / fracture density. Número de fraturas existentes por unidade de área de uma rocha ou testemunho, medida perpendicularmente ao plano de orientação da fratura.

densidade de gravação / bit density. Medida do número de bits que podem ser gravados em uma polegada linear de uma trilha em um disco ou fita, expressa como bpi (*bits per inch*).

densidade de tiro / shot density. O mesmo que *densidade de cargas de um canhão*, ou seja, é o número de cargas explosivas por unidade de comprimento, alojadas no canhão. ▶ Ver *densidade de cargas de um canhão*; *alojador*; *alojador de alta pressão*.

densidade do cimento (Ang.) / cement density. O mesmo que *massa específica do cimento*. ▶ Ver *massa específica do cimento*.

densidade do fluido de perfuração / drilling fluid weight or mud weight. Propriedade do fluido de perfuração correspondente à relação entre sua massa e o seu volume. Também denominada *massa específica* ou *peso específico do fluido de perfuração*. ⚭ As unidades de densidade normalmente usadas são: lb/gal, g/cm^3, kg/m^3.

densidade equivalente de fluido de perfuração / equivalent circulating density. Densidade efetiva do fluido de perfuração, exercida em uma formação a uma profundidade específica de um poço quando um fluido de perfuração está circulando. ⚭ Também chamada *ECD*, é calculada levando-se em conta a densidade do fluido de perfuração e a perda de carga no anular acima do ponto considerado. É expressa por: ECP = d P/ (0,17*D), onde: *d* é a densidade do fluido de perfuração em PPG; *P* é a perda de carga no anular acima do ponto considerado em psi; *D* é a profundidade vertical do ponto em metros. A densidade de fluido equivalente é um importante parâmetro para evitar influxos da formação (*kick*) e perdas de circulação, principalmente em poços com estreita janela operacional, diferença entre o gradiente de pressão de poros e o gradiente de fratura. É controlada pelas propriedades do fluido de perfuração, vazão de circulação e geometria do poço.

densidade intervalar / interval density. Densidade de um intervalo determinada por um medidor de gravidade em um poço.

densidade relativa / specific gravity. Razão entre a massa específica (ou densidade absoluta) de determinado material e a massa específica de material adotado como padrão, em que tal razão é aplicada em igual padrão de condição de pressão e temperatura. ⚭ Para os líquidos, a massa específica da água, determinada a pressão absoluta de 1 atm e sob 4 °C, representa o padrão largamente adotado como referência de comparação. Para gases, o ar atmosférico, sob condições-padrão (por exemplo, Standard, 1atm e sob 60 °F) é o referencial mais largamente adotado. ▶ Ver *densidade*; *massa específica*.

densidade variável / variable density. Modo de apresentação de dados sísmicos, no qual o traço é plotado como uma faixa de largura constante, cujo nível de cinza varia, gradualmente, entre branco e preto, de acordo com a amplitude do sinal.

densímetro / densimeter or densitometer. Instrumento utilizado para medir a massa específica de um líquido, gás ou sólido. ⚭ Uma das formas mais comuns desse instrumento é aquela utilizada para medir a massa específica de líquidos. Normalmente é fabricado em vidro e consiste numa haste cilíndrica dotada de um bulbo preenchido com mercúrio. A posição da haste, depois de imersa no líquido em análise, indicará a massa específica (massa por unidade de volume) desse líquido. ▶ Ver *densidade relativa*; *densidade variável*; *massa específica*.

densímetro da pasta de cimento / slurry densimeter. Instrumento utilizado para medida da densidade ou massa específica da pasta de cimento durante a sua produção na unidade de cimentação. ⚭ Consiste em uma fonte de raios gama (césio 137) e uma célula de detecção (contador Geiger) instalados na tubulação de descarga (alta pressão) da pasta de cimento, e um amplificador de sinal. O instrumento é geralmente calibrado com água e a amplitude pode ser ajustada por uma fonte conhecida. A calibração também pode ser feita com uma pasta de densidade medida em uma balança pressurizada. ▶ Ver *massa específica*; *densidade*.

densitômetro (Port.) / ***densitometer***. O mesmo que *densímetro*. ▶ Ver *densímetro*.

denudação / ***denudation***. 1. Soma de processos que resulta no rebaixamento topográfico progressivo de uma região montanhosa através de agentes naturais, incluindo intemperismo, erosão, perda de massa e transporte, finalmente expondo as raízes de seu embasamento cristalino em uma topografia progressivamente mais baixa, com carreamento de material sedimentar desta erosão para as bacias geológicas sedimentares. O termo é mais amplo do que *erosão*, embora seja comumente usado como sinônimo. Também usado como sinônimo de *degradação*, embora certos autores prefiram este para designar o resultado da denudação. 2. Exposição de uma rocha ou camada de rocha, em consequência da erosão excessiva das rochas sobrejacentes. ▶ Ver *erosão*.

denudação fluvial / ***fluvial denudation***. Arrasamento das formas de relevo pela ação de um sistema fluvial.

depleção / ***depletion***. 1. Queda de pressão do reservatório ou das reservas de hidrocarbonetos em consequência da produção de fluidos do reservatório. Às vezes, um forte influxo de água (empuxo hidráulico) manterá a pressão do reservatório até um grau substancial, de modo que as reservas diminuem sem um correspondente declínio de pressão. Um reservatório de gás e/ou óleo está depletado quando a maior parte ou todos os hidrocarbonetos recuperáveis foram produzidos. 2. Termo usado em contabilidade para designar uma provisão extraída dos ganhos anuais de uma companhia, que representa a reposição de um recurso natural que está sendo utilizado.

deposição / ***deposition***. 1. Decantação de sedimento. 2. Um sedimento ou um precipitado. 3. Processo construtivo de acumulação de sedimentos em camadas, veios ou massas irregulares, tais como deposição mecânica de partículas de material em suspensão em água, gelo ou vento; precipitação química de material dissolvido na água, por evaporação; ou acumulação de material orgânico proveniente da morte de animais ou plantas.

deposição de parafina / ***paraffin deposition***. Processo que propicia a precipitação e ulterior adesão de cristais de parafina às paredes de tubulação. ⁕ As parafinas são hidrocarbonetos saturados e de cadeia acíclica, normal ou ramificada. A depender de condições de escoamento, particularmente temperatura (TIAC), tais parafinas podem vir a formar cristais sólidos que precipitam no seio de uma corrente de hidrocarbonetos. Em tubulações, se tal precipitação estiver associada a igual ocorrência de um gradiente de temperatura entre o escoamento e o meio externo (mais baixa temperatura), pode-se ainda observar uma migração desses cristais para a parede dessa tubulação (lei de Fick da difusão). Nessa parede passa então a ocorrer um mecanismo de deposição com aglutinação, o qual pode, em princípio, vir a tamponar completamente a seção para escoamento. O nível de rigidez e endurecimento desses depósitos pode também aumentar em relação aos cristais de parafina quando ainda dispersos no seio do fluido.

deposição de silte (Port.) / ***silting***. O mesmo que silting. ▶ Ver *silting*.

deposicional / ***depositional***. Pertinente ao processo sedimentar no qual domina a deposição. Por exemplo, *bacia deposicional*, *superfície deposicional*.

depósito / ***deposit***. Resultado de uma acumulação de sedimentos em uma bacia sedimentar.

depósito abissal / ***abyssal deposit***. Depósito de sedimentos acumulados em águas ultraprofundas. ⁕ Tais depósitos são em sua maioria compostos de vasas orgânicas, lamas e argilas avermelhadas na planície abissal. ▶ Ver *planície abissal*.

Depósito Alfandegado Certificado (DAC) / ***Certified Bonded Deposit***. Depósito que permite considerar exportada, para todos os efeitos fiscais, creditícios e cambiais, a mercadoria nacional depositada em recinto alfandegado, vendida a pessoa sediada no exterior, mediante contrato de entrega no território nacional e à ordem do adquirente.

depósito aluvial / ***alluvial deposit***. O mesmo que *aluvião*, *leque aluvial* ou *cone aluvial*. ▶ Ver *aluvião*; *leque aluvial*; *cone aluvial*.

depósito amontoado / ***dumped deposit***. Depósito de sedimentos não selecionados formado abaixo da zona de ação de ondas e/ou correntes ou depositado numa taxa de sedimentação muito alta, de modo que as correntes ou ondas não foram capazes de completar a sua redistribuição.

depósito continental / ***continental deposit***. 1. Depósito que ocorre sobre as massas continentais ou ilhas e que não está relacionado a processos sedimentares marinhos. Por exemplo, os depósitos glaciais, fluviais, lacustrinos ou eólicos formados em um ambiente deposicional não marinho. 2. Sedimentos depositados em áreas continentais.

depósito de eluvião / ***eluvial deposit***. Depósito que resiste aos processos naturais de remoção e se concentra *in situ*, como alguns depósitos minerais, tais como o tungstênio, a cassiterita e a columbita-tantalita.

depósito de estuário / ***estuarine deposit***. Depósito formado por sedimentos relativamente finos transportados por plumas do sistema fluvial e colocado em um ambiente de água salobra, com influência marinha, formando depósitos de origem mista entre aqueles de origem fluvial e os de origem marinha. O ambiente estuarino propicia altas taxas de concentração de matéria orgânica de origem continental em seus depósitos. ▶ Ver *sistema deposicional*.

depósito de frente de talude / *slope-front fill*. Depósito formado por processos gravitacionais na região frontal de um talude, sendo esse depósito comumente associado a sistemas deltaicos de mar baixo.

depósito de mar profundo / *deep-sea deposit*. 1. Depósito em águas profundas de material de granulometria fina proveniente do continente, trazido por suspensão e colocado em ambiente de baixa energia. 2. Depósito sedimentar encontrado no assoalho marinho em águas profundas.

depósito de parafina (Ang.) / *paraffin scale*. O mesmo que *incrustação de parafina*. ▶ Ver *incrustação de parafina*; *parafina*.

depósito de praia / *beach deposits*. Depósito sedimentar formado por processos de transporte e deposição atuantes ao longo da linha de costa.

depósito de tempos normais / *fair-weather deposit*. Sedimentos depositados em condições de tempo normais e por processos não episódicos. ▶ Ver *sedimentação*.

depósito deltaico / *deltaic deposit*. Depósito sedimentar formado em um delta, caracterizado por estratificações cruzadas bem definidas e por uma mistura de areia, silte e argila com restos de organismos de águas salobras e matéria orgânica.

depósito eólico / *eolian deposit*. Depósito sedimentar formado por processos de transporte e deposição originados pela ação do vento, ocorrendo mais comumente em ambientes desérticos e litorâneos. Exemplo: dunas. ▶ Ver *sistema deposicional*.

depósito epitermal / *epithermal deposit*. Depósito hidrotermal de baixa temperatura (50 °C a 200 °C), formado por soluções ascendentes que deixam minerais em fissuras ou outras cavidades, em uma rocha a baixa profundidade (até 1 km).

depósito fluvial / *fluvial deposit*. Sedimento resultante do preenchimento dos canais fluviais.

depósito glacial / *glacial deposit*. Depósito de sedimentos acumulados sob influência glacial, seja diretamente pela ação das geleiras, pelo acúmulo de sedimentos nos lagos formados pelo degelo, pelo retrabalhamento dos sedimentos pelos rios de degelo ou mesmo pela deposição de sedimento.

depósito marinho / *marine deposit*. Depósito sedimentar que é sedimentado no mar, normalmente além do cinturão litorâneo.

depósito mineral secundário / *secondary mineral deposit*. Depósito mineral formado quando o depósito mineral primário está sujeito a alterações através de intemperismo físico ou químico. ↔ Os depósitos secundários são divididos em três grupos: rochas sedimentares, depósitos minerais de enriquecimento secundário e depósitos minerais residuais ou detríticos.

depósito não tabular / *nontabular deposit*. Depósito sedimentar com forma irregular, lenticular, caótica etc.

depósito orgânico / *organic deposit*. Material orgânico, originado de organismos vivos, depositado no fundo do mar devido à sua maior densidade. ↔ Dos depósitos orgânicos sapropélicos originam-se os hidrocarbonetos.

depósito pelágico / *pelagic deposit*. Material formado em águas profundas nos oceanos e depositado ali mesmo, como as vazas.

depósito salino / *saline deposit*. O mesmo que *evaporito*. ▶ Ver *evaporito*.

depósito superficial / *superficial deposit*. Acumulação mineral que se forma pela lixiviação das rochas sobrejacentes, concentrando os elementos não solúveis em uma capa de alteração.

depreciação / *depreciation*. Procedimento que ocorre quando os recursos aplicados em gastos tangíveis (por exemplo, equipamentos, dutos, plataformas) relacionados às atividades de uma empresa contribuem para a formação do resultado de um período-base; tais gastos são capitalizados no seu ativo e estão sujeitos a uma redução de valor ao longo do tempo, segundo os critérios contábeis e legais.

depreciação acelerada / *accelerated depreciation*. Desgaste acelerado de bens móveis levado em conta na depreciação, em função do turno ou do número de horas diárias de sua operação. ↔ O cálculo é obtido multiplicando-se as taxas de depreciação desses bens pelos coeficientes provenientes de um padrão para uma determinada condição, como, por exemplo, 1,5 para dois turnos de oito horas diárias de operação e 2,0 para três turnos de oito horas diárias de operação.

depressão / *sag*. Depressão rasa e ampla em uma superfície plana ou levemente mergulhante, produzida pelo arqueamento das camadas no bloco baixo de falha, fazendo com que as camadas mergulhem no sentido do plano de falha.

depressão adjacente a um delta / *delta-flank depression*. Depressão em cada lado de um grande delta, originada pelo peso do depósito deltaico sobre o solo subjacente; em certos casos os sedimentos transportados pelos rios irão preencher tais depressões.

depressão de velocidade / *velocity sag*. Aumento localizado do tempo de reflexão causado por uma camada de alta velocidade sobrejacente. ↔ Esta depressão ocorre comumente em dados sísmicos com a presença de camadas de carbonatos de alta velocidade, sobrejacentes a camadas de arenitos, ficando os arenitos abaixo da camada de carbonato com velocidades anômalas. ▶ Ver *pseudodepressão*.

depressão estrutural / *structural depression*. Área de relevo mais baixo do que o das porções adjacentes, originada do afundamento de blocos pela atuação de falhas normais. Sinônimos: *gráben*; *vale tectônico*. ▶ Ver *rifte*.

depressão suave (Port.) / *soft depression*. O mesmo que *sag*. ▶ Ver *sag*.

depressor / *deadweight depressor*. Peso inerte utilizado para aumentar a profundidade de reboque de um sistema de sonar de varredura lateral. •• Geralmente é utilizado para reduzir a quantidade de cabo na água durante operações em áreas muito profundas, em função das forças de arrasto que atuam sobre o cabo e que tendem a impedir a descida do equipamento.

depressor hidrodinâmico / *hydrodynamic depressor*. Equipamento conectado ao cabo de reboque de um sistema de sonar de varredura lateral a fim de facilitar a descida do equipamento rebocado. •• A redução da velocidade da embarcação também ajuda na descida do equipamento, mas isso pode aumentar a instabilidade do equipamento rebocado. Diferente dos depressores comuns, este tipo de depressor ajuda a estabilizar os movimentos do equipamento durante a operação.

depurador da lama (Port.) / *mud cleaner*. O mesmo que *mud cleaner*. ▶ Ver *mud cleaner*.

depurador de gás / *gas scrubber*. Separador bifásico que visa a remover a névoa de líquido carreada por corrente de gás. •• Constitui-se, geralmente, num vaso separador gravitacional vertical bifásico, alimentado com uma corrente de gás que carreia um pequeno teor de líquido sob a forma de finas gotículas (névoa). A remoção das gotículas de líquido pode ocorrer somente por ação da gravidade, por essa ação combinada com algum efeito centrífugo ou ainda pela presença de um dispositivo interno do tipo removedor de névoa.

deriva / *drift*. 1. Material detrital transportado e depositado por ondas e correntes. 2. Material jogado pelas ondas na praia.

deriva de cabos / *feathering*. Desvio, normalmente provocado por correntes marítimas, dos cabos sismográficos em relação à direção de deslocamento do navio.

deriva fluvial / *river drift*. Material grosseiro acumulado por um rio no seu estágio máximo de energia. Evento torrencial.

deriva litorânea / *littoral drift*. Termo aplicado ao movimento ao longo da costa de seixos, areias e outros materiais que compõem as barras e praias; este movimento é sustentado na zona litorânea pela ação de ondas e correntes.

derivados de petróleo / *petroleum products*. Produtos decorrentes da transformação do petróleo.

derramamento de petróleo / *oil spill*. Liberação não intencional de petróleo no ambiente, em geral associado a acidentes no transporte ou nos oleodutos; um derramamento de petróleo pode causar enormes danos à flora, à fauna e ao ambiente de modo geral, e é de difícil recuperação.

derreverberação / *dereverberation, deringing*. Método para eliminar a reverberação da reflexão sísmica.

desancoragem, movimentação e ancoragem (DMA) / *unanchoring, movement and anchoring*. Movimentação de sondas ancoradas entre as locações marítimas.

desareador / *desander*. 1. Equipamento ou dispositivo interno de separadores gravitacionais, utilizado para remoção de sólidos presentes na corrente de produção (areia, siltes, argilas, produtos de corrosão e até mesmo sólidos orgânicos, desde que de densidade elevada). 2. Hidrociclone que faz parte do sistema de remoção de sólidos da sonda. É capaz de remover grande parte das areias maiores que 74 microns (API sand) do fluido de perfuração.

desarenador / *desander*. Equipamento ou dispositivo interno de separadores gravitacionais, utilizado para remoção de sólidos presentes na corrente de produção (areia, siltes, argilas, produtos de corrosão e até mesmo sólidos orgânicos, desde que de densidade elevada).

desarenisador (Port.) / *desander*. O mesmo que *desareador*. ▶ Ver *desareador*; *removedor de areia*.

desativação da plataforma de produção / *decommissioning*. Processo que acontece no término da vida de uma plataforma de produção, que deve ser totalmente desativada, começando pelo abandono permanente dos poços a ela interligados.

desativação de instalações / *decommissioning*. Conjunto de atividades que compreende a retirada definitiva de operação e a remoção de instalações, dando-lhes destinação final adequada, e a recuperação ambiental das áreas em que estas instalações se situam.

descarga / *discharge*. Derramamento, escapamento, vazamento, esvaziamento, lançamento ou bombeamento de substâncias nocivas ou perigosas, em qualquer quantidade, a partir de um navio, porto organizado, instalação portuária, duto, plataforma ou de suas instalações de apoio.

descarga fluvial / *fluvial discharge*. Quantidade de água que passa por uma seção transversal de um curso d'água, calculada em metros cúbicos, no intervalo de um segundo.

descarte / *dump*. Ato de liberar, no meio ambiente, um efluente sólido ou líquido.

descarte de água salgada / *saltwater disposal*. Ato de liberar no meio ambiente (oceano, solo ou cursos d´água) água salgada, geralmente produzida em associação com hidrocarbonetos, após tratamento. •• Em uma planta *offshore* de processamento primário de petróleo, frequentemente a água produzida é descartada no oceano após tratamento para a redução do óleo residual a teores inferiores aos valores prescritos pela legislação ambiental.

descentralização / *decentralization*. Procedimento de forçar propositalmente uma ferramenta contra a parede do poço ou do revestimento por meio de um braço ou uma mola em arco.

descida da coluna / *running string into hole*. Procedimento de realizar a descida da coluna de

perfuração, coluna de produção, revestimento ou haste de bombeio para dentro do poço.
descida no poço (Ang.) / *running in hole.* Manobra de descida de uma ferramenta para dentro do poço.
descoberta / *discovery.* Qualquer ocorrência de petróleo, gás natural, outros hidrocarbonetos, minerais e, em geral, quaisquer outros recursos naturais na área da concessão, independentemente de quantidade, qualidade ou comercialidade, verificada por, pelo menos, dois métodos de detecção ou avaliação.
descoberta ao acaso (Port.) / *discovered by chance.* O mesmo que *serendipidade.* ▶ Ver *serendipidade.*
descoberta comercial / *commercial discovery.* Descoberta de petróleo ou gás natural em condições que, a preços de mercado, tornem possível o retorno dos investimentos no desenvolvimento e na produção.
descolamento catódico / *cathodic disbonding.* Diminuição ou destruição da adesão entre o revestimento e o substrato pela ação dos produtos da reação catódica.
descolapsador de revestimento / *casing roller.* Ferramenta de pescaria composta de três cones excêntricos, para retificar e eliminar colapsos de tubos de revestimento.
descomissionamento / *decommissioning.* Retirada de operação de um equipamento ou uma instalação. ▶ Ver *comissionamento.*
desconexão de linhas da UEP / *pull-out from FPS.* Operação de desconexão dos *risers* que interligam um poço à unidade estacionária de produção (UEP) para permitir operações com as linhas, a exemplo de reterminações e recolhimento das mesmas.
desconexão por explosão / *string shot.* Operação destinada a desenroscar uma coluna de tubos, em um ponto predeterminado, com a utilização de explosivos.
desconexão rápida / *quick disconnect.* Equipamento de desengate rápido, localizado na base do carretel da linha flexível que se encontra na popa da embarcação pelo lado de bombordo, com acionamento hidráulico remoto para a liberação imediata dessa linha flexível em caso de emergência.
desconformidade / *disconformity.* O mesmo que *não conformidade.* ▶ Ver *não conformidade.*
descontaminante da lama / *mud decontaminant.* Aditivo de fluido de perfuração utilizado no tratamento de combate a uma contaminação específica sofrida por este fluido.
descontinuidade / *discontinuity.* O mesmo que *não conformidade.* ▶ Ver *não conformidade.*
descontinuidade de Wiechert-Gutenberg / *Wiechert-Gutenberg discontinuity.* 1. Descontinuidade sísmica que se encontra a uma profundidade de 2.900 km, onde a velocidade das ondas longitudinais diminui bruscamente de 14k m/s para 8 km/s, enquanto as ondas transversais tornam-se fraquíssimas, não conseguindo atravessar a camada que ali se inicia. 2. Representa o limite entre o manto inferior e o núcleo externo.
descontinuidade elástica / *elastic discontinuity.* Interface entre meios de diferentes constantes elásticas, ou densidades, na qual as ondas sísmicas são refletidas e refratadas.
descontinuidade sísmica / *seismic discontinuity.* 1. Descontinuidade nas propriedades elásticas e/ou densidade, na qual a velocidade sísmica e/ou a impedância acústica mudam abruptamente. 2. Especialmente na descontinuidade de Moho entre a crosta terrestre e o manto, a descontinuidade de Gutenberg entre o manto e o núcleo, e a mudança gradativa entre a camada de fora do núcleo e a de dentro.
desconvolução adaptativa (Port.) / *adaptive deconvolution.* O mesmo que *deconvolução adaptativa.* ▶ Ver *deconvolução adaptativa.*
desconvolução branqueadora (Port.) / *whitening deconvolution.* O mesmo que *deconvolução branqueadora.* ▶ Ver *deconvolução branqueadora.*
desconvolução determinística (Port.) / *deterministic deconvolution.* O mesmo que *deconvolução determinística.* ▶ Ver *deconvolução determinística.*
desconvolução passa-tudo (Port.) / *all-pass deconvolution.* O mesmo que *deconvolução passa-tudo.* ▶ Ver *deconvolução passa-tudo.*
desconvolução pós-empilhamento (Port.) / *after-stack deconvolution.* O mesmo que *deconvolução pós-empilhamento.* ▶ Ver *deconvolução pós-empilhamento.*
desembaciador / *mist extractor.* O mesmo que *eliminador de névoa* e demister. ▶ Ver *eliminador de névoa*; demister.
desempenho ambiental / *environmental performance.* Avaliação da importância técnica e gerencial dada por uma organização em relação às questões ambientais. São considerados, para efeito de avaliação de desempenho, os aspectos minimizadores do impacto ambiental global.
desemulsificação / *demulsification.* Processo de quebra ou impedimento de emulsão de um corpo líquido.
desemulsificador / *demulsifier.* 1. Vaso ou tanque de processo onde se realiza a quebra da emulsão. 2. Em Portugal, o termo *desemulsificador* é o mesmo que *desemulsificante.* ↠ A quebra da emulsão se dá com a adição de calor e o emprego de aditivos químicos (desemulsificantes), em tanques ou vasos separadores gravitacionais; ou ainda com tratadores de emulsão, que empregam, adicionalmente ao tratamento termoquímico, recheios coalescedores ou campo elétrico (este último empregado para promover a coalescência de gotículas em emulsões do tipo água em óleo).
desemulsificante / *demulsifier.* Produto químico utilizado para quebrar uma emulsão já forma-

da. É um tensoativo. Em Portugal, é chamado de *desemulsificador*. ↪ Pode ser desemulsificante de óleo em água ou de água em óleo.

desenvolvimento da produção / *production development*. Conjunto de operações e investimentos destinados a viabilizar as atividades de produção de um campo de petróleo ou gás natural.

desenvolvimento predatório / *predatory development*. Termo que se aplica a programa de desenvolvimento de um campo concebido e/ou executado sem levar em conta as melhores práticas da indústria do petróleo, normalmente tendo como consequência um fator de recuperação de óleo menor do que o que se poderia obter.

desenvolvimento produtivo / *discovery development*. O mesmo que *explotação*. ▶ Ver *explotação*.

desertificação / *desertification*. Processo de degradação de um ambiente não desértico, muitas vezes provocado pelo homem através de desmatamentos, principalmente, e que leva à perda da cobertura vegetal. ↪ Quando uma região começa a sofrer desertificação, ocorre diminuição significativa na quantidade de água superficial, aumento da salinidade das águas no solo, destruição progressiva da vegetação e aceleração da taxa de erosão.

deserto / *desert*. Região árida com baixa precipitação pluviométrica (< 25cm/ano), temperaturas frequentemente muito variáveis da noite para o dia e/ou de estação para estação, vegetação ausente ou muito esparsa e característica, fauna também limitada e adaptada ao meio adverso. ↪ O solo é principalmente composto de areia, com presença de dunas. Há quatro tipos de deserto: o polar ou de altas latitudes, caracterizado por neve perene e frio intenso; o de latitudes médias, no interior dos continentes, como o de Gobi, caracterizado por precipitação escassa e altas temperaturas no verão; o de ventos alísios, como o Saara, com precipitação muito baixa e grandes variações de temperatura ao longo do dia; e os desertos costeiros, como no Peru.

deserto costeiro / *coastal desert*. Região desértica próxima à linha de costa, bordejando um oceano.

desfalseamento / *dealias*. Remoção da variabilidade de frequência, ou seja, do *alias*.

desfloculação (Port.) / *defloculation*. O mesmo que *defloculação*. ▶ Ver *defloculação*.

desgaseificador / *degasser, mud/gas separator*. Equipamento que tem a função remover o gás que se incorporou ao fluido de perfuração, com o objetivo de restaurar o seu peso específico original. ↪ Os mais utilizados são o *atmosférico* e o *a vácuo*. ▶ Ver *desgaseificador atmosférico; desgaseificador a vácuo*.

desgaseificador a vácuo / *vacuum degasser*. Equipamento (desgaseificador) que funciona pelo princípio do tubo venturi. ↪ Consiste de um tanque gerador de vácuo que puxa o gás para fora devido à segregação gravitacional. Compõe-se de um motor elétrico, ligado a uma bomba centrífuga submersa no tanque de lama, que descarrega o fluido de perfuração diretamente sobre uma placa de desgaste. Esse impacto forma um leque circular de *spray* do fluido de perfuração, desprendendo o gás. O fluido desliza pela parede interna e segue por gravidade até a calha de descarga, retornando para o tanque. ▶ Ver *desgaseificador*.

desgaseificador atmosférico / *poor boy degasser*. Equipamento (desgaseificador) que funciona pelo princípio da segregação gravitacional, depois que a lama e o gás penetram na parte superior do desgaseificador. ↪ A unidade é bastante usada devido à facilidade de operação, manutenção, construção e sua capacidade de remoção de grandes volumes de gás. ▶ Ver *desgaseificador*.

desgaste corrosivo / *fretting corrosion*. Dano superficial quando duas superfícies, normalmente metálicas, estão em contato sob carga, e sujeitas a leve movimento relativo.

desgaste da broca por perfuração (Port.) / *bit wear or abrasion*. O mesmo que *desgaste por perfuração*. ▶ Ver *desgaste por perfuração*.

desgaste por perfuração / *abrasion drilling*. Processo de desgaste da broca ocorrido durante a perfuração de um poço de petróleo.

desidratação / *dehydration*. Processo de remoção de água de uma corrente constituída por outros fluidos. ↪ O termo é normalmente empregado para descrever o processo de remoção do vapor de água de correntes de gás produzido. Pode também ser empregado para descrever o processo de remoção de água do óleo produzido, ou ainda o processo de remoção da umidade de uma corrente de ar comprimido, para utilização como ar de instrumentos de processo.

desidratação do gás / *gas dehydration*. 1. Processo de remoção de vapor-d'água de uma corrente de hidrocarbonetos gasosos (gás produzido). **2.** Quando considerado como um sistema de desidratação de gás, pode ser definido como um conjunto de operações unitárias que promovem o processo de remoção de vapor-d'água de uma corrente de gás. ↪ O processo de desidratação do gás é geralmente efetuado com o emprego de um absorvente líquido. Os mais empregados são os glicóis (mono, di e trietileno-glicol) e os alcoóis (metanol e etanol). A vantagem do emprego dos glicóis reside no fato de que podem ser regenerados, possibilitando o projeto de um sistema fechado, ou seja, com inventário relativamente fixo do absorvente.

desidratador / *dehydrator*. Vaso de pressão onde é feita a remoção da água de uma corrente de outro fluido. ↪ No caso da desidratação de óleo, o equipamento empregado é também denominado *tratador de emulsão*, *tratador eletrostático* ou ainda *dessalgadora* (neste caso, a denominação se deve ao fato de que sal e água são removidos). No caso do processo de desidratação de gás, são empregados vasos de pressão na forma de torres de contato, com absorventes líquidos ou sólidos posteriormente regenerados. No caso de ar comprimido, são empregadas torres de contato com absorventes sólidos (sílica-gel, alumina etc.).

desidratador de gás / *gas dehydrator*. Vaso de pressão, na forma de torre absorvedora, onde é feita a remoção do vapor de água de uma corrente de gás. •• No processo de desidratação de gás, são empregados vasos de pressão na forma de torres de contato, com absorventes líquidos ou sólidos posteriormente regenerados.

deslizamento / *landslide*. 1. Movimento relativamente rápido de massa sedimentar, solo ou rochas que se movem inclinação abaixo. 2. Termo geral que abrange uma larga variedade de processos que envolvem o transporte talude abaixo, sob a influência da gravidade e com a perda de resistência ao atrito. •• É muito comum ocorrer o transporte de uma carga sedimentar heterogênea talude abaixo até a depressão subsequente. Também é comum a ocorrência desses deslizamentos nas regiões de talude marinho, indo formar os depósitos de leques submarinos muitas vezes chamados de *turbiditos*.

deslizamento de terra / *landslide*. Movimento em declive capaz de induzir o escorregamento de grandes massas de solo ou sedimento, sem produzir significantes deformações estruturais nos volumes movimentados durante o processo. ▶ Ver *escorregamento de terra*.

deslizamento ou escorregamento de massa / *slump*. 1. Escorregamento de um bloco de terra ou de rocha caracterizado por um movimento de cisalhamento e rotação ao longo de um plano curvo com concavidade voltada para cima, e com um eixo paralelo ao da direção do mergulho do talude ao longo do qual se desloca. 2. Escorregamento de uma massa de sedimento recentemente depositada em um talude, em condições subaquosas, ocorrendo frequentemente em regiões de canhões submarinos. 3. Sedimentos escorregados produzidos por um deslizamento de massa.

deslocamento da pasta / *slurry displacement*. Trajeto da pasta de cimento desde o equipamento de superfície, onde está sendo continuamente misturada, até a posição programada no anular. Enquanto a pasta estiver sendo bombeada, poderá passar por geometrias de poço variadas e por restrições ao escoamento impostas principalmente pelos acessórios de revestimento.

deslocamento de fluido (Port.) / *fluid displacement*. O mesmo que *substituição de fluido*. ▶ Ver *substituição de fluido*.

deslocamento imiscível / *immiscible displacement*. Deslocamento de um fluido em um reservatório provocado pelo avanço de outro fluido imiscível ao primeiro. No deslocamento imiscível, os fluidos não reagem entre si, formando uma interface entre as fases. •• Em reservatórios de petróleo, há um deslocamento imiscível do óleo provocado pelo avanço de gás ou de água.

deslocamento miscível / *miscible flooding, miscible displacement*. Método de recuperação avançada pelo qual hidrocarbonetos gasosos ou leves, miscíveis no óleo, são injetados no reservatório, reduzindo sua viscosidade e facilitando seu escoamento. Também se aplica à injeção de gases, como nitrogênio ou dióxido de carbono, também miscíveis no óleo.

deslocamento por capa de gás / *gas-cap drive*. O mesmo que *deslocamento por capa de gás livre*. ▶ Ver *deslocamento por capa de gás livre*.

deslocamento por capa de gás livre / *free gas-cap drive*. Mecanismo de produção natural de um campo de petróleo no qual a pressão do gás da capa produz a energia necessária para deslocar o óleo na direção do poço produtor. •• Esse mecanismo é responsável por uma alta eficiência na produção, levando a recuperações de até 50% do óleo *in place*.

deslocamento por gás rico / *LPG or LP-GAS drive*. Método de recuperação avançada que utiliza o processo miscível de injeção de gás enriquecido ou gás liquefeito de petróleo em um reservatório depletado, com o objetivo de otimizar a produção.

deslocamento por vapor / *steam flood or flooding*. O mesmo que *injeção de vapor*. ▶ Ver *injeção de vapor*.

deslocamento volumétrico / *volumetric displacement*. Volume de um fluido deslocado em um ciclo completo de bombeamento. •• No método de produção por bombeio mecânico, significa o ato de movimentar um determinado volume de fluido da bomba de fundo para a superfície.

desmagnetização / *demagnetization, degaussing*. 1. Redução da intensidade do campo magnético dentro de um corpo, motivada por uma magnetização aplicada. 2. Redução progressiva da magnetização remanescente de um corpo.

desmagnetização por campo alternado / *alternating-field demagnetization*. Desmagnetização pelo método de um campo alternado. Consiste em eliminar o magnetismo secundário da rocha por meio da aplicação de um campo magnético alternado, cuja intensidade diminui gradualmente até zero.

desmagnetização por corrente alternada / *ac demagnetization*. O mesmo que *desmagnetização por campo alternado*. O mesmo que *desmagnetização AC*. ▶ Ver *desmagnetização por campo alternado*.

desmontagem, movimentação e montagem (DMM) / *dismounting, movement and mounting*. Movimentação de sondas entre as locações, terrestres ou marítimas.

desmontagem, transporte e montagem (DTM) / *dismounting, transport and mounting*. Movimentação de sondas entre as locações terrestres.

desmontagem da sonda / rig down. Operação de desmontagem do conjunto de equipamentos que compõem a sonda de perfuração ao término das atividades de perfuração de um poço.

desmonte de tubos (Ang.) / laying down of pipe, rods or tubing. O mesmo que *estaleiro de tubos*. ▶ Ver *estaleiro de tubos*.

desmultiplexagem (Port.) / demultiplexing. O mesmo que *demultiplexação*. ▶ Ver *demultiplexação*.

desnudação (Port.) / denudation. O mesmo que *denudação*. ▶ Ver *denudação*.

desnudação fluvial (Port.) / fluvial denudation. O mesmo que *denudação fluvial*. ▶ Ver *denudação fluvial*.

desobstrução de condutas (Port.) / run a rabbit. O mesmo que *correr gabarito*. ▶ Ver *correr gabarito*.

desobstruir condutas (Port.) / drifting. O mesmo que *gabaritar*. ▶ Ver *gabaritar*; *pig*.

desparafinar / remove paraffin. Ato de realizar a desparafinação (remoção de parafina) de uma tubulação, equipamento, ou coluna de produção. ➻ Remoção mecânica e/ou termoquímica de depósitos de parafina situados no interior de equipamentos e linhas de produção.

despesas de investimento (Ang.) / capital expenditure. O mesmo que *custos de investimento*. ▶ Ver *custos de investimento*.

despressurização / depressurization. Ato de promover a redução controlada de pressão dos equipamentos de uma planta de processo. ➻ O procedimento de despressurização é realizado, normalmente, por intermédio de válvulas de segurança e discos de ruptura acionados automaticamente em determinado nível de pressão, e de válvulas de despressurização acionadas manual ou automaticamente, como parte das ações deflagradas nas paradas de emergência (por exemplo, em casos de incêndio nas instalações de processamento de hidrocarbonetos).

desregulamentação / deregulation. Processo de redução progressiva de barreiras institucionais à entrada de novos operadores numa indústria, acentuando a introdução de pressões competitivas, impondo a revisão da regulamentação existente e estabelecendo uma agenda complexa de tarefas de regulação.

dessalgadora / desalter. Termo frequentemente utilizado como sinônimo de *tratador eletrostático*, mas que pode envolver o processo em que a água doce (ou pouco salina) é injetada a montante do tratador eletrostático, fazendo com que a remoção da água pelo tratador eletrostático seja ainda mais efetiva na redução do teor de sal presente na emulsão. ➻ Como os sais são compostos iônicos e, portanto, se dissolvem preferencialmente mais na água do que no óleo, a remoção de água acarreta a redução do teor salino da corrente de óleo tratada. Assim, o processo de remoção de água é também um processo de dessalgação. A dessalgadora é, portanto, um precipitador eletrostático utilizado para remover água e outras substâncias que podem causar a contaminação do petróleo.

dessalinização / desalinization. 1. Processo de redução do teor de sal de alguma corrente de fluidos produzidos, ou mesmo de água do mar (no caso de produção de petróleo *offshore*). 2. Processo de remoção de sais de água do mar, visando a torná-la potável. ➻ No caso de processamento de óleo, o termo normalmente empregado é *dessalgação*. O termo *dessalinização* é mais empregado para descrever o processo de transformação da água do mar em água potável, em equipamentos denominados dessalinizadores, utilizados nas instalações de produção *offshore*. Vários processos de dessalinização podem ser empregados. Os mais comuns são o processo de destilação a vácuo parcial e o de dessalinização por osmose reversa.

dessalinizadora / desalinization unit. 1. Equipamento destinado à redução do teor de sal de alguma corrente de fluidos produzidos, ou mesmo de água do mar (no caso de produção de petróleo *offshore*). 2. Equipamento destinado à remoção de sais de água do mar, visando a torná-la potável. ➻ No caso de processamento de óleo, o termo normalmente empregado é *dessalgadora*. O termo *dessalinizadora* é mais empregado para descrever o equipamento que transforma a água do mar em água potável e que é empregado nas instalações de produção *offshore* (processo de dessalinização). Vários tipos de dessalinizadores podem ser empregados (destilação a vácuo parcial, osmose reversa, termocompressão, entre outros).

dessignatação / designature. Deconvolução para apagar a assinatura da fonte em reflexão sísmica.

dessorção / desorption. 1. Liberação de um estado de adsorção ou de absorção. 2. Mudança de um estado adsorvido numa superfície para um estado gasoso ou líquido. 3. Transferência de átomos, moléculas ou agregados de um sólido para a fase gasosa.

desviador / kickover tool. Ferramenta de fundo nas operações de arame para instalar ou retirar a válvula de *gas lift* no/do mandril de bolsa lateral.

desvio / sidetrack. 1. Operação programada ou involuntária que tem como consequência a alteração da trajetória do poço. 2. Técnica utilizada para que se possa desviar de obstruções em um poço, como qualquer tipo de 'peixe', ou seja, ferramentas, tubos partidos, refugos ou outros materiais que não puderam ser recuperados em uma operação de pescaria. O colapso de uma determinada seção do poço, que esteja impedindo o prosseguimento da perfuração, também pode gerar a necessidade de um desvio. ▶ Ver *poço desviado*; *poço direcional*.

desvio do cabo / *cable feathering, streamer feathering.* Desvio lateral do cabo flutuador pela ação de correntes marítimas superficiais.

desvio do feixe / *ray bending.* Mudança na direção de propagação de um feixe sonoro em função de mudanças na velocidade do som na coluna de água. ↔ O desvio do feixe é a principal causa de distorções nos dados e ocorre devido à presença de termoclinas. Esse efeito é mais crítico em levantamentos batimétricos nos quais o sinal atravessa diversas massas de água em seu caminho até o fundo marinho. Sinais de sistemas de sonar de varredura lateral são pouco afetados por esse efeito devido ao fato de serem rebocados essencialmente dentro de uma mesma massa d'água.

detectabilidade / *detectability.* Tamanho e forma de uma anomalia do fundo mar que define sua capacidade de ser detectada por sistemas de batimetria e sonar de varredura lateral. A detecção ocorre quando um excesso de energia retorna ao transdutor em função das características do alvo.

detector / *detector.* O mesmo que *sensor*. ▶ Ver *sensor*.

detector de chama / *flame detector.* Dispositivo empregado para detectar a presença de chama espúria ao processo, na região onde se encontram os equipamentos de processamento primário. ↔ Trata-se de elemento sensor, geralmente detector de radiação ultravioleta, *plug* fusível (*sprinkler*) etc., capaz de atuar em caso de fogo na área externa da instalação. Esses sensores constituem os elementos primários do sistema de segurança, parada de emergência e intertravamento da instalação de produção. É usual, também, que sua atuação promova o acionamento automático do sistema de combate a incêndio e dilúvio sobre equipamentos na região monitorada pelo dispositivo.

detector de chama plugue fusível / *sprinkler fusible plug.* Dispositivo sensor do sistema de intertravamento e parada de emergência e de acionamento do sistema de combate a incêndio, constituído de bicos dispersores de água de combate a incêndio, que se rompem por fusão devido ao efeito da temperatura elevada, decorrente das proximidades da chama. ↔ A abertura desse dispositivo propicia o início imediato do combate ao incêndio, com acionamento das bombas de combate a incêndio, bem como a atuação do sistema de parada e intertravamento de emergência, conforme previsto na matriz de causa e efeito da instalação.

detector de chama tipo UV / *UV flame detector.* Dispositivo sensor do sistema de intertravamento e parada de emergência e de acionamento do sistema de combate a incêndio, constituído de dispositivos sensíveis à radiação ultravioleta. ↔ O acionamento desse dispositivo propicia o início imediato do combate ao incêndio, com acionamento das bombas de combate a incêndio, bem como a atuação do sistema de parada e intertravamento de emergência, conforme previsto na matriz de causa e efeito da instalação.

detector de gás / *gas detector.* 1. Dispositivo sensor primário que tem por finalidade detectar a presença de gás na atmosfera ao redor dos equipamentos de processo, ou a serem reparados por soldagem. 2. Dispositivo sensor do sistema de intertravamento e parada de emergência, e de acionamento do sistema de combate a incêndio, constituído de dispositivos sensíveis à presença de vapores de hidrocarboneto. 3. Dispositivo empregado para detectar a presença de chama espúria ao processo, na região onde se encontram os equipamentos de processamento primário. ↔ Trata-se de elemento primário do sistema de segurança, intertravamento e parada de emergência da instalação de produção, com elemento sensor, geralmente detector de radiação ultravioleta, *plug* fusível (*sprinkler*) etc., capaz de atuar em caso de fogo também na área externa da instalação. Para que seja efetiva sua utilização, a instalação deve ser feita em zonas onde, em caso de anomalia operacional, pode haver acúmulo de gás. O acionamento desse dispositivo propicia o início imediato do combate ao incêndio, com acionamento das bombas de combate a incêndio e dilúvio na região monitorada pelo dispositivo, bem como a atuação do sistema de parada e intertravamento de emergência, conforme previsto na matriz de causa e efeito da instalação.

detector de ionização de chama / *flame ionization detector.* 1. Detector de cromatografia gasosa ou pirólise *rock-eval* que mede os íons gerados por combustão dos compostos eluídos. O FID responde por todos os compostos que são combustíveis (isto é, hidrocarbonetos e não dióxidos de carbono). 2. Detector de gás que utiliza uma chama de H_2 para gerar íons produzidos pela combustão de compostos orgânicos ↔ A corrente elétrica produzida pelos íons formados é proporcional ao componente orgânico presente, facilitando, portanto, quantificar este componente. ▶ Ver *cromatografia*.

detector de quebra d'água / *waterbreak detector.* Aparelho utilizado na aquisição sísmica marítima para detectar o registro das ondas que viajam diretamente através da água.

detector múltiplo / *multiple detector.* Vários geofones ou hidrofones de um arranjo interligados e alimentando um mesmo canal, para estudo da propagação de ondas elásticas em meios anisotrópicos, para maior resolução dos dados sísmicos voltados para a exploração do petróleo.

detector sísmico / *seismic detector.* Instrumento transdutor de oscilações mecânicas do meio em sinal elétrico, podendo ser geofone ou hidrofone.

detector termorresistência / *resistance thermometer detector.* Sensor que relaciona a resistência elétrica de seu material com a temperatura que o circunda. ↔ Tais sensores são identificados pelo material que os constitui e pela resistência que apresentam a 0 °C. Exemplo: um Pt-100 será uma termorresistência de platina que a 0 °C apresenta uma resistência de 100 , ao passo que um Ni-500 será uma termorresistência de níquel que a 0 °C apresenta uma resistência de 500. São fabricados segundo normas específicas.

detergência / *detergency*. Capacidade, no caso de óleos lubrificantes, de manter em suspensão partículas de sujeira precursoras de formação de borras, promovendo, assim, a limpeza do equipamento. ↪ Tal característica está normalmente presente no óleo de motor (de combustão interna). Esta propriedade é obtida pela adição de alguns aditivos detergentes. Posteriormente, as partículas em suspensão são retiradas do sistema através da filtração ou da troca de carga por um óleo lubrificante novo.

detergente / *detergent*. Produto químico utilizado para remoção de impurezas de superfícies sólidas. Conhecido como *surfactante*, é constituído por moléculas orgânicas de alto peso molecular, geralmente sais de ácidos graxos. Essas moléculas apresentam uma parte polar, solúvel em água (grupo hidrofílico), e uma parte apolar, solúvel em óleo (grupo lipofílico). O detergente mais comum é o sal dodecil-alquil-benzil-sulfonato de sódio, que se origina através da reação da soda com o ácido sulfônico. ↪ Os detergentes são substâncias tensoativas que se adsorvem nas interfaces sólido-água removendo as impurezas antes aderidas à superfície. Os detergentes mais comuns são os sabões, que são constituídos normalmente de sais de sódio ou potássio, de diversos ácidos carboxílicos de cadeia longa, e são obtidos por processo de saponificação de glicerídeos (óleos ou gorduras) ▶ Ver *tensoativo*; *colchão lavador*; *completação*.

determinação da idade absoluta / *absolute age determination*. Cálculo da idade absoluta em processos geológicos, feito por vezes através de isótopos radioativos.

detonação aérea / *air shooting*. Procedimento, em levantamento sísmico, que utiliza a detonação de cargas de explosivos na superfície, ou amarrados em estacas.

detonação confinada / *cage shooting*. Detonação de explosivos, usados com fonte, dentro de uma gaiola ou esfera de aço perfurada.

detonação em linha / *line shooting*. Detonação sísmica em que os tiros e fonte ocorrem em linha.

detonação periférica / *undershooting*. Técnica específica de levantamento de reflexão sísmica em que fonte e receptor são posicionados na periferia da área a ser mapeada. É usada com frequência para levantamentos em áreas inacessíveis. ↪ Nos levantamentos sísmicos marítimos, a técnica de levantamento *undershooting* consiste na operação conjunta de dois navios visando transpor obstáculos dentro do prospecto que prejudicam a obtenção da cobertura pretendida. Na maioria das vezes são plataformas e/ou boias que, quando situadas dentro da área do programa, não permitem a passagem do navio com os cabos sismográficos. Durante essa operação uma embarcação (SLAVE) atua como fonte sísmica, enquanto outro navio (MASTER) efetua os registros. Toda a interação entre os barcos é feita através de um sistema de rádio que visa a monitorar o rastreamento do cabo junto com o desempenho da fonte e do instrumento de registro.

detonador / *blasting cap, firing device*. 1. Equipamento que inicia a detonação de uma carga explosiva ao ser submetido à percussão gerada por onda de choque. **2.** Pequeno explosivo eletricamente ativado, que explode uma carga maior, usada para aquisição sísmica com explosivos.

detonador de câmara aberta / *open-chamber detonator*. Detonador que é colocado dentro de uma câmara sem fundo.

detrital / *detrital*. Termo utilizado para descrever as partículas de rochas derivadas de rochas preexistentes através de processos de intemperismo e erosão. ↪ Partículas detritais podem ser constituídas de fragmentos líticos, onde se reconhece a rocha original, ou fragmentos monominerálicos. Essas partículas são normalmente transportadas por processos sedimentares para ambientes deposicionais, tais como leitos de rios, lagos e oceanos, formando sucessões sedimentares. A palavra *detrital* provém do latim *detritus*, que significa 'desgastado'.

detrito / *detritu, debri*. 1. Termo genérico para designar material composto por fragmentos de rocha, ou minerais que foram desagregados ou erodidos de rochas. **2.** Material fragmentado de rochas antigas, tais como areia, silte e argila, e transportado de sua região de origem para seu local de deposição por processos sedimentares (*detritus*). **3.** Item deixado no poço. ↪ Podem ser ferramentas, pedaços de arame, ou quaisquer objetos relativamente pequenos que impeçam as atividades de tal forma que devam ser removidos do poço. Podem ser também carepas ou ferrugens que se soltaram do interior dos tubos.

detritos de ablação / *ablation debris*. Depósito de fragmentos de rocha liberados pelo desbaste de gelo e neve da geleira, por liquefação (degelo) e/ou sublimação, que se acumulam ou concentram em faixas marginais, centrais ou frontais da geleira. ▶ Ver *ablação*.

diabásio / *diabase*. Rocha de granulação média e composição basáltica constituída dominantemente por plagioclásio (labradorita) e piroxênio; termo frequentemente utilizado como sinônimo de *dolerito* e de *microgabro*. ↪ A definição original foi dada para rocha com textura intermediária entre basalto e gabro. ▶ Ver *dolerito*.

diacrônica / *diachronous*. 1. Camada da superfície estratigráfica, deposicional ou erosional, que é transgressiva no tempo, ou seja, tem idades diferentes. Como exemplo pode-se citar uma superfície de ravinamento que é paralela à migração das fácies de praia em direção aos depósitos costeiros previamente depositados, durante uma transgressão. O mesmo fenômeno acontece durante uma fase progradante das fácies costeiras, como a progradação de um delta cujas fácies vão ficando mais novas em direção ao mar, caracterizando um trato diácrono de fácies. 2. Unidade de rocha que varia de idade em vários locais, ou que corta os planos ou linhas de tempo ou biozonas, como acontece com as areias marinhas formadas durante o avanço ou recuo das fácies de praia, tornando-se mais novas no sentido de migração da linha de costa.

diacrônico / *diachronic*. Evento ou mudança que se desenvolve ao longo da existência da Terra.

diacronismo / *diachronism*. 1. Designação da existência, numa única unidade ou formação rochosa, de áreas depositadas em tempos diferentes, ou seja, de diferentes idades. **2.** Unidade geológica (litológica, bioestratigráfica etc.) na qual, em decorrência de um fenômeno transgressivo ou regressivo, as condições de sedimentação 'deslocam-se' progressivamente no espaço, do que resultam idades diferentes para os sedimentos da unidade litológica. Ao conjunto de sedimentos formados nessas condições dá-se a designação de *diacrônica*.

diagênese / *diagenesis*. 1. Todo e qualquer processo de modificação química ou física imposto a um sedimento após sua deposição inicial, exceto aqueles vinculados a intemperismo e metamorfismo. **2.** Conjunto de processos que transformam um sedimento inconsolidado em rocha sedimentar. ↝ A diagênese ocorre sob temperatura e pressão relativamente baixas e pode resultar em modificações texturais e/ou minerais do sedimento. A porosidade de um sedimento ou rocha sedimentar é fortemente afetada pelos processos diagenéticos.

diagênese precoce / *early diagenesis*. Diagênese que ocorre imediatamente após a deposição ou o soterramento de um sedimento. ▶ Ver *diagênese*.

diagênese química / *chemical diagenesis*. Alteração de matéria orgânica por ataque com produtos químicos reativos; p.ex., o enxofre, ou sulfeto de hidrogênio, pode reagir com hidrocarbonetos saturados para formar insaturados ou betumes que contêm enxofre.

diagenético / *diagenetic*. Condição relativa à diagênese. ▶ Ver *diagênese*.

diagnóstico ambiental / *environmental assessment*. Verificação da integridade de ecossistemas incluindo, para áreas impactadas, a verificação da possibilidade de recuperação.

diagrafia (Port.) / *log*. O mesmo que *perfil*. ▶ Ver *perfil*.

diagrafia a cabo (Port.) / *wireline log*. O mesmo que *perfil a cabo*. ▶ Ver *perfil a cabo*.

diagrafia acústica (Port.) / *acoustic log*. O mesmo que *perfil acústico*. ▶ Ver *perfil acústico*.

diagrafia acústica de receptores múltiplos (Port.) / *array-sonic log*. O mesmo que *sônico em arranjo*. ▶ Ver *sônico em arranjo*.

diagrafia acústica de velocidade (Port.) / *acoustic velocity log*. O mesmo que *perfil acústico de velocidade*. ▶ Ver *perfil acústico de velocidade*.

diagrafia ativada (Port.) / *activation log*. O mesmo que *perfil ativado*. ▶ Ver *perfil ativado*.

diagrafia batimétrica (Port.) / *bathymetric profile*. O mesmo que *perfil batimétrico*. ▶ Ver *perfil batimétrico*.

diagrafia carbono-oxigênio (Port.) / *carbon-oxygen log*. O mesmo que *perfil carbono-oxigênio*. ▶ Ver *perfil carbono-oxigênio*.

diagrafia composta (Port.) / *composite log*. O mesmo que *perfil composto*. ▶ Ver *perfil composto*.

diagrafia de acompanhamento da trajetória do poço (Port.) / *directional plot*. O mesmo que *perfil de acompanhamento da trajetória do poço*. ▶ Ver *perfil de acompanhamento da trajetória do poço*.

diagrafia de acústica (Port.) / *sonic log*. O mesmo que *perfil sônico*. ▶ Ver *perfil sônico*.

diagrafia de aderência da pasta de cimento (Port.) / *cement bond log*. O mesmo que *perfil de aderência da pasta de cimento*. ▶ Ver *perfil de aderência da pasta de cimento*.

diagrafia de aderência do cimento (Port.) / *cement bond log*. O mesmo que *perfil de aderência do cimento*. ▶ Ver *perfil de aderência do cimento*.

diagrafia de afastamento zero (Port.) / *zero-offset profile*. O mesmo que *perfil de afastamento zero*. ▶ Ver *perfil de afastamento zero*.

diagrafia de amostra de calha (Port.) / *sample log*. O mesmo que *perfil de amostra de calha*. ▶ Ver *perfil de amostra de calha*.

diagrafia de amplitude (Port.) / *amplitude log*. O mesmo que *perfil de amplitude*. ▶ Ver *perfil de amplitude*.

diagrafia de análise da tubagem (Port.) / *pipe analysis log*. O mesmo que *perfil de análise do tubo*. ▶ Ver *perfil de análise do tubo*.

diagrafia de aquisição (Port.) / *acquisition log*. O mesmo que *perfil de aquisição*. ▶ Ver *perfil de aquisição*.

diagrafia de ativação (Port.) / *activation log*. O mesmo que *perfil de ativação*. ▶ Ver *perfil de ativação*.

diagrafia de ativação de alumínio (Port.) / *aluminum activation log*. O mesmo que *perfil de ativação de alumínio*. ▶ Ver *perfil de ativação de alumínio*.

diagrafia de avaliação do cimento (Port.) / *cement evaluation log*. O mesmo que *perfil de avaliação do cimento*. ▶ Ver *perfil de avaliação do cimento*.

diagrafia de calibre (Port.) / *caliper log.* O mesmo que *perfil de calibre.* ▶ Ver *perfil de calibre.*

diagrafia de caliper (Port.) / *caliper log.* O mesmo que *perfil de caliper.* ▶ Ver *perfil de caliper.*

diagrafia de canhoneio (Port.) / *perforation log.* O mesmo que *perfil de canhoneio.* ▶ Ver *perfil de canhoneio.*

diagrafia de capacitância (Port.) / *capacitance log.* O mesmo que *perfil de capacitância.* ▶ Ver *perfil de capacitância.*

diagrafia de aderência ao cimento / *cement bond log.* O mesmo que *perfil de aderência da pasta de cimento.* ▶ Ver *perfil de aderência da pasta de cimento.*

diagrafia de controle de profundidade das perfurações (Port.) / *perforating-depth-control log.* O mesmo que *perfil de controle de profundidade do canhoneio.* ▶ Ver *perfil de controle de profundidade do canhoneio.*

diagrafia de correlação (Port.) / *correlation log.* O mesmo que *perfil de correlação.* ▶ Ver *perfil de correlação.*

diagrafia de decaimento térmico (Port.) / *thermal decay time log.* O mesmo que *perfil de decaimento térmico.* ▶ Ver *perfil de decaimento térmico.*

diagrafia de densidade (Port.) / *density log.* O mesmo que *perfil de densidade.* ▶ Ver *perfil de densidade.*

diagrafia de densidade acústica (Port.) / *acoustic density log.* O mesmo que *perfil de densidade acústica.* ▶ Ver *perfil de densidade acústica.*

diagrafia de densidade compensada (Port.) / *compensated density log.* O mesmo que *perfil de densidade compensado.* ▶ Ver *perfil de densidade compensado.*

diagrafia de densidade variável (Port.) / *variable-density log.* O mesmo que *perfil de densidade variável.* ▶ Ver *perfil de densidade variável.*

diagrafia de densidades (Port.) / *variable-density log.* O mesmo que *perfil de densidade variável.* ▶ Ver *perfil de densidade variável.*

diagrafia de detalhe (Port.) / *detail log.* O mesmo que *perfil de detalhe.* ▶ Ver *perfil de detalhe.*

diagrafia de equilíbrio (Port.) / *equilibrium profile, profile of equilibrium.* O mesmo que *perfil de equilíbrio.* ▶ Ver *perfil de equilíbrio.*

diagrafia de *gravel pack* (Port.) / *gravel-pack log.* O mesmo que *perfil de gravel pack.* ▶ Ver *perfil de gravel pack.*

diagrafia de impedância acústica (Port.) / *acoustic impedance log.* O mesmo que *perfil de impedância acústica.* ▶ Ver *perfil de impedância acústica.*

diagrafia de indução (Port.) / *induction log.* O mesmo que *perfil de indução.* ▶ Ver *perfil de indução.*

diagrafia de inspeção de revestimento (Port.) / *casing inspection log.* O mesmo que *perfil de inspeção de revestimento.* ▶ Ver *perfil de inspeção de revestimento.*

diagrafia de intemperismo (Port.) / *weathering profile.* O mesmo que *perfil de intemperismo.* ▶ Ver *perfil de intemperismo.*

diagrafia de lamas (Port.) / *mud logging.* O mesmo que *registro através do fluido.* ▶ Ver *registro através do fluido*; mud logging.

diagrafia de litodensidade (Port.) / *lithodensity log.* O mesmo que *perfil de litodensidade.* ▶ Ver *perfil de litodensidade.*

diagrafia de localização dos colares (Port.) / *casing collar locator log.* O mesmo que *perfil localizador de luva.* ▶ Ver *perfil localizador de luva.*

diagrafia de localização dos colares ou manilhas do revestimento (Port.) / *casing collar locator log.* Perfil contador de luvas de revestimento, utilizado para correlacionar a profundidade do poço à posição dessas luvas.

diagrafia de microrresistividade (Port.) / *microresistivity log.* O mesmo que *perfil de microrresistividade.* ▶ Ver *perfil de microrresistividade.*

diagrafia de neutrões compensada (Port.) / *compensated neutron log.* O mesmo que *perfil neutrônico compensado.* ▶ Ver *perfil neutrônico compensado.*

diagrafia de perfurações (Port.) / *perforation log.* O mesmo que *perfil de canhoneio.* ▶ Ver *perfil de canhoneio.*

diagrafia de poço aberto (Port.) / *open-hole or openhole log.* O mesmo que *perfil de poço aberto.* ▶ Ver *perfil de poço aberto.*

diagrafia de potencial do revestimento (Port.) / *casing potential profile.* O mesmo que *perfil de potencial do revestimento.* ▶ Ver *perfil de potencial do revestimento.*

diagrafia de pressão e temperatura (Port.) / *pressure and temperature profile.* O mesmo que *perfil P/T.* ▶ Ver *perfil P/T.*

diagrafia de produção (Port.) / *production log.* O mesmo que *perfil de produção.* ▶ Ver *perfil de produção.*

diagrafia de propagação dielétrica (Port.) / *dielectric propagation log.* O mesmo que *perfil de propagação dielétrica.* ▶ Ver *perfil de propagação dielétrica.*

diagrafia de propagação eletromagnética (Port.) / *electromagnetic propagation log.* O mesmo que *perfil de propagação eletromagnética.* ▶ Ver *perfil de propagação eletromagnética.*

diagrafia de propagação profunda (Port.) / *deep propagation log.* O mesmo que *perfil de propagação profunda.* ▶ Ver *perfil de propagação profunda.*

diagrafia de raios gama (Port.) / *gamma-ray log.* O mesmo que *perfil de raios gama.* ▶ Ver *perfil de raios gama.*

diagrafia de resistividade (Port.) / *resistivity profile*. O mesmo que *perfil de resistividade*. ▶ Ver *perfil de resistividade*.

diagrafia de ressonância magnética (Port.) / *nuclear magnetic resonance log*. O mesmo que *perfil de ressonância magnética*. ▶ Ver *perfil de ressonância magnética*.

diagrafia de revestimento (Port.) / *casing collar locator log*. O mesmo que *perfil localizador de luva*. ▶ Ver *perfil localizador de luva*.

diagrafia de salinidade (Port.) / *salinity log*. O mesmo que *perfil de salinidade*. ▶ Ver *perfil de salinidade*.

diagrafia de som (Port.) / *sonic log*. O mesmo que *perfil sônico*. ▶ Ver *perfil sônico*.

diagrafia de temperatura (Port.) / *temperature profile*. O mesmo que *perfil de temperatura*. ▶ Ver *perfil de temperatura*.

diagrafia de tensões (Port.) / *stress profile*. O mesmo que *perfil de tensões*. ▶ Ver *perfil de tensões*.

diagrafia de velocidade (Port.) / *velocity profile*. O mesmo que *perfil de velocidade, log de velocidade*. ▶ Ver *perfil de velocidade*.

diagrafia diferencial (Port.) / *differential log*. O mesmo que *perfil diferencial*. ▶ Ver *perfil diferencial*.

diagrafia diferencial de temperatura (Port.) / *differential temperature log*. O mesmo que *perfil diferencial de temperatura*. ▶ Ver *perfil diferencial de temperatura*.

diagrafia direcional (Port.) / *directional log*. O mesmo que *perfil direcional*. ▶ Ver *perfil direcional*.

diagrafia do estado ou do enrijamento do cimento (Port.) / *cement bond log*. Perfil de aderência de cimento utilizado para verificar a qualidade da cimentação de revestimentos.

diagrafia do som (Port.) / *acoustic log*. O mesmo que *perfil acústico*. ▶ Ver *perfil acústico*.

diagrafia elétrica de espaço ultralongo (Port.) / *ultra long-spaced electric log (ULSEL)*. O mesmo que *perfil elétrico ultralongo*. ▶ Ver *perfil elétrico ultralongo*.

diagrafia elétrica ultralonga (Port.) / *ultra long-spaced electric log (ULSEL)*. O mesmo que *perfil elétrico ultralongo*. ▶ Ver *perfil elétrico ultralongo*.

diagrafia gama de testemunho (Port.) / *core gamma log*. O mesmo que *perfil gama de testemunho*. ▶ Ver *perfil gama de testemunho*.

diagrafia gama-gama (Port.) / *gamma-gamma log*. O mesmo que *perfil gama-gama*. ▶ Ver *perfil gama-gama*.

diagrafia laterolog (Port.) / *laterolog*. O mesmo que *perfil lateral*. ▶ Ver *perfil lateral*.

diagrafia neutrônica compensada (Port.) / *compensated neutron log*. O mesmo que *perfil neutrônico compensado*. ▶ Ver *perfil neutrônico compensado*.

diagrafia P/T (Port.) / *P/T profile*. O mesmo que *perfil P/T*. ▶ Ver *perfil P/T*.

diagrafia raios gama de testemunho (Port.) / *core gamma log*. O mesmo que *perfil gama de testemunho*. ▶ Ver *perfil gama de testemunho*.

diagrafia sísmica vertical (Port.) / *vertical seismic profile*. O mesmo que *perfil sísmico vertical*. ▶ Ver *perfil sísmico vertical*.

diagrafia sônica (Port.) / *sonic log*. O mesmo que *perfil sônico*. ▶ Ver *perfil sônico*.

diagrafia vertical de sísmica (Port.) / *vertical seismic profile*. O mesmo que *perfil vertical de sísmica*. ▶ Ver *perfil vertical de sísmica*.

diagrama da variação relativa do nível do mar / *relative sea-level chart*. Gráfico que representa as variações do nível médio do mar ao longo do tempo geológico.

diagrama de bloco / *block diagram*. Representação gráfica através de formas geométricas (retângulos, círculos, linhas etc.) de um processo ou sistema complexo. Geralmente usado para simplificar sistemas complexos e mostrar blocos de funcionalidade. Muito utilizado em projetos de *software* e em diagramas de fluxo de processos.

diagrama de composição / *composition map*. O mesmo que *mapa de composição*. ▶ Ver *mapa de composição*.

diagrama de fases / *phase diagram*. Diagrama em que estão representadas duas ou mais variáveis, como, por exemplo, temperatura, pressão e concentração, indicando as áreas representativas de cada uma das fases (gás, líquido e sólido) de uma dada substância, em função das variáveis analisadas.

diagrama de frente de onda / *wavefront chart*. Representação gráfica da distribuição das frentes de onda em função da profundidade percorrida pela onda.

diagrama de Goodman / *Goodman diagram*. Diagrama que fornece os limites de durabilidade das hastes de bombeio. ↔ Este diagrama é descrito por uma função que estabelece uma relação matemática entre a tensão admissível e a tensão mínima, associadas à carga imposta à coluna de haste. ▶ Ver *tensão*.

diagrama de Moody / *Moody diagram*. Diagrama que permite determinar graficamente o valor de fator de atrito, dito *fator de atrito de Moody*, em função do ocorrente número de Reynolds do escoamento e da rugosidade relativa do conduto. ↔ O fator de atrito é um parâmetro adimensional que correlaciona perda de carga ocorrente num escoamento e características desse escoamento e do fluido que escoa.

diagrama de polarização / *polarization diagram*. Representação gráfica do movimento de uma partícula num meio por onde passa uma onda.

diagrama de processo / *process diagram*. Denominação menos comum para o documento típico de engenharia chamado *fluxograma de processo*. ▶ Ver *fluxograma de processo*.

diagrama de restrição / ***restriction diagram***. Diagrama com área de restrição ao redor da sonda de posicionamento dinâmico, utilizado para análise de convivência dessa sonda em locação muito próxima a obstáculos na superfície ou no fundo do mar. ⇢ É representado pela envoltória criada a partir de dados estatísticos de condições de tempo e do histórico de deriva de embarcações de posicionamento dinâmico (duração de *blackout* e distância percorrida à deriva durante esse tempo). O formato e o tamanho da bolha assassina variam em função da área em estudo. O tamanho dessa bolha é proporcional ao tempo de duração do *blackout* e da confiabilidade da sonda. ▶ Ver *bolha assassina*.

diagrama de tubulação e instrumentação / ***piping and instrumentation diagram***. 1. Denominação menos comum para o típico documento de engenharia dito *fluxograma de engenharia*. 2. Também identificado pela sigla P&I (*piping & instrumentation*). ▶ Ver *fluxograma de engenharia*.

diagrama de van Krevelen / ***van Krevelen diagram***. Razão atômica de H/C *versus* O/C originalmente empregada para caracterizar a composição de carvões, mas também utilizada para descrever os diferentes tipos de querogênios (tipos I, II, III e IV) nas rochas. ▶ Ver *querogênio*.

diagrama de zona / ***zone chart***. Gabarito utilizado para o cálculo das correções topográficas do terreno, comumente utilizado nos levantamentos gravimétricos.

diagrama tipo cerca / ***fence diagram***. Diagrama que apresenta, em perspectiva, diferentes seções relacionadas entre si, permitindo visualizar variações em espessuras de camadas geológicas. O mesmo que *diagrama em cerca*.

diagrama tipo guarda-chuva / ***umbrella chart***. Diagrama por meio do qual a profundidade de uma reflexão é determinada a partir do sobretempo normal (NMO). Gráfico já em desuso. ▶ Ver *sobretempo normal*.

diamagnético / ***diamagnetic***. Todo material que não demonstra paramagnetismo, ou uma ordem magnética permanente, é diamagnético, como o quartzo e o feldspato.

diâmetro de corte / ***separable diameter***. Termo que quantifica o menor diâmetro de partícula (gotícula) de fase dispersa que pode ser removida por um determinado equipamento de separação. ⇢ Em linhas gerais, as partículas dispersas com diâmetro maior ou igual ao diâmetro de corte serão separadas pelo equipamento em questão. As gotículas de diâmetro menor que o diâmetro de corte não são separadas, sendo carreadas pela fase contínua.

diâmetro de gotícula / ***droplet size***. Caracterização dimensional da fase dispersa, por meio da quantificação da frequência (ou fração) volumétrica (ou mássica) de cada diâmetro das gotículas dispersas presentes na corrente de fluidos. ⇢ A curva de distribuição do diâmetro de gotículas pode ser exibida em valores absolutos ou acumulada. Parâmetros estatísticos, tais como diâmetro médio, desvio padrão e outros momentos estatísticos podem ser calculados a partir da distribuição medida. A distribuição de tamanho de gotículas é um dado importante para o dimensionamento de equipamentos de separação.

diâmetro de invasão / ***diameter of invasion***. Diâmetro da área circular que envolve o poço e a zona invadida, assumindo que o processo de invasão pelo filtrado da lama ocorra radialmente com a mesma magnitude. ⇢ O termo está intimamente relacionado à profundidade de invasão, sendo duas vezes a profundidade de invasão mais o diâmetro do poço. Este diâmetro é medido comumente em polegadas e afeta os perfis que medem na zona invadida, na zona virgem, ou em ambas. ▶ Ver *profundidade de invasão*.

diâmetro de investigação / ***diameter of investigation***. Distância radial que indica até que ponto dentro da formação uma dada ferramenta de perfilagem é capaz de realizar uma investigação válida. ⇢ Varia para cada tipo de ferramenta, levando em conta projeto e técnica de compensação e focalização. Pode também variar de formação para formação em função das mudanças de suas propriedades litológicas.

diâmetro de partícula / ***particle diameter***. Comprimento de uma linha que passa pelo centro de uma partícula sedimentar considerada como esférica, e também chamado *tamanho de partícula*. ▶ Ver *tamanho de partícula*.

diâmetro de passagem / ***drift diameter***. Diâmetro interno que o fabricante da tubulação garante por especificação, sendo menor que o diâmetro nominal. É empregado no planejamento do poço para determinar qual máximo diâmetro de ferramenta pode ser descido pelo interior daquele tubo ou revestimento. ▶ Ver *diâmetro interno*; *diâmetro nominal*; *tubo*; *revestimento*.

diâmetro externo / ***outside diameter (OD)***. Diâmetro externo de uma tubulação, a qual pode ser um tubo de perfuração, de produção, de revestimento ou de qualquer ferramenta. ⇢ É simbolizado pela abreviação OD, sendo um dos elementos que caracterizam um tubo.

diâmetro interno / ***inside diameter (ID)***. Diâmetro interno de uma tubulação, a qual pode ser um tubo de perfuração, de produção, de revestimento ou de qualquer ferramenta. ⇢ É simbolizado pela abreviação ID, sendo um dos elementos que caracterizam um tubo. ▶ Ver *diâmetro nominal*.

diâmetro modal / ***modal diameter***. Expressão do tamanho médio da partícula de um sedimento de rocha, obtido graficamente pela localização do ponto mais alto da curva de frequências, ou pelo ponto de inflexão da curva cumulativa.

diâmetro nominal / *nominal diameter*. Diâmetro de referência comercial para identificar tubos, conexões, flanges etc.

diamictito / *diamictite*. 1. Rocha siliciclástica não ou pobremente selecionada que contém uma grande variedade de tamanhos de partículas, como, por exemplo, uma rocha que contenha areia ou partículas maiores imersas em matriz lamosa. **2.** Sinônimo de *paraconglomerado*, sem implicação genética, aplicando-se a rochas de várias origens, tais como tilitos (glaciais), paraconglomerados periglaciais, olistostromas (associados a deslizamentos e correntes de turbidez, por exemplo), lamito conglomerático de deslizamentos gravitacionais em áreas vulcânicas (*lahar*). **3.** Rocha conglomerática, com fragmentos grandes imersos e dispersos em abundante matriz lamítica, síltico-argilosa, lembrando um tilito (tiloide), não ou mal classificada, não ou mal estratificada, geralmente siliciclástica.

diápiro / *diapir*. 1. Intrusão causada por diferença de densidade ou de pressão. **2.** Massa relativamente móvel, de menor densidade e mais plástica do que as rochas sobrejacentes preexistentes nas quais intrude. Em Portugal é usual a variante *diapiro*. ↝ Diápiros podem incluir estruturas ígneas, mas o termo é mais aplicado a rochas não ígneas, mais comumente às rochas evaporíticas. Um diápiro é criado por uma camada de rocha relativamente móvel que se introduz em estratos superiores. Os diápiros são comumente formados por sal, folhelhos e magma quente.

diastema / *diastem*. Interrupção relativamente curta na sedimentação, envolvendo somente um breve intervalo de tempo, com pouca ou nenhuma erosão antes de reiniciada a deposição.

diatomito / *diatomite*. Rocha sedimentar silicosa de origem biogênica, muito fina, constituída essencialmente de restos microscópicos de carapaças de algas unicelulares, de hábito planctônico e cobertas por carapaça de sílica hidratada e opalina (diatomáceas). ↝ A maioria dos depósitos é de origem marinha, mas também podem ocorrer em bacias sedimentares límnicas (lagoas de água doce). O diatomito pode formar uma excelente rocha-reservatório. Graças a sua grande área, alta capacidade de absorção de líquidos e relativa estabilidade química, o diatomito favorece o seu uso como acelerador de determinadas reações químicas. Também tem utilidade como filtro, componente de tintas, borrachas e plásticos. O termo é geralmente reservado para depósitos de alto potencial de valor econômico.

dicroísmo / *dichroism*. Propriedade de um cristal uniaxial de absorver luz polarizada que, ao atravessá-lo, vibra em diferentes direções, exibindo diferentes cores. ↝ Em cristal biaxial, esta propriedade é denominada *pleocroísmo*.

***die collar*.** Ferramenta de pescaria utilizada em uma atividade de perfuração, com agarramento externo por meio de uma rosca cônica interna. É tratada com aço temperado e seu maior diâmetro está na extremidade.

diferenciação diagenética / *diagenetic differentiation*. Processo diagenético de redistribuição de materiais em um sedimento promovido por solução e difusão, gerando precipitação concentrada em algumas porções do sedimento. ↝ O processo gera segregação de alguns constituintes sob diversas formas e estruturas, formando feições como nódulos de *chert* em calcários ou concreções em folhelhos.

diferencial de pressão de reservatório / *reservoir pressure drawdown*. Diferença entre a pressão do reservatório (pressão estática) e a pressão dos canhoneados (pressão de fluxo no fundo do poço). ↝ Quanto maior for a diferença de pressão em referência, maior será a vazão do poço. Entretanto, igualmente maior será a possibilidade de carregamento de partículas e a produção de areia. A vazão a ser estabelecida será determinada por tal diferença de pressão, P_{res} para o reservatório e P_{wf} nos canhoneados, multiplicada pelo índice de produtividade do reservatório (IP), ou seja:

$$q = IP\,(P_{res} - P_{wf})$$

▶ Ver *canhoneado*; *reservatório*; *pressão estática*.

diferencial de pressão entre reservatório e poço / *drawdown*. 1. Diferença entre a pressão estática do reservatório e a pressão de fluxo, no caso de poços produtores. **2.** Para poços injetores, define-se o *drawdown* como sendo a diferença entre a pressão de injeção no fundo e a pressão estática da formação. ▶ Ver *pressão estática*; *pressão de fluxo*; *índice de produtividade*; *índice de injetividade*.

difração / *diffraction*. Evento produzido pelo espalhamento radial de uma onda em novas frentes de ondas, provocado por uma descontinuidade, como, por exemplo, uma superfície da falha ou uma mudança abrupta no tipo da rocha. Difrações aparecem como eventos hiperbólicos em um perfil sísmico. A da migração dos dados sísmicos utiliza a energia difratada para posicionar corretamente as reflexões.

difração de luz / *light diffraction*. Fenômeno de interação luz-matéria. Ocorre quando um feixe de luz, ao atingir partículas de pequeno tamanho, se espalha em todas as direções, ou seja, quando essas partículas funcionam como irradiadoras de luz. ↝ O tipo de difração depende do tamanho das partículas e do comprimento de onda da luz incidente. O espalhamento estático para partículas pequenas, na faixa de tamanho do comprimento de onda da luz incidente ou menor, denominado *Rayleigh*, permite a obtenção de parâmetros moleculares, tais como massa molar e raio de giração. O espalhamento para partículas grandes (em relação ao comprimento de onda), denominado *Mie*, não apresenta uma dependência apreciável ao comprimento de onda e permite a obtenção de informações relativas à distribuição de tamanho da partícula.

difusão / *diffusion*. 1. Migração espontânea de íons ou moléculas de uma solução mais concentrada para outra de baixa concentração. 2. Condução de calor pelo movimento de moléculas. 3. Processo pelo qual partículas se movem ao longo do tempo dentro de um material, em virtude do movimento cinético delas. O termo é geralmente usado em perfilagem de captura de nêutrons pulsados e em perfilagem de ressonância magnética nuclear. Em um perfil de captura de nêutrons, o termo se refere à dispersão de nêutrons além do gerador. Em ressonância magnética nuclear (NMR), a difusão refere-se ao movimento de moléculas de gás, óleo ou água dentro do espaço poroso. ▶ Ver *ressonância nuclear magnética*.

difusão termocapilar / *thermocapillary diffusion*. Movimento de uma suspensão de gotas ou bolhas quando submetida a um gradiente térmico, que resulta em um gradiente de tensão interfacial/superficial.

difusor da bomba / *pump diffuser*. Parte de um estágio de uma bomba de bombeio centrífugo submerso. Transforma parte da energia cinética, proporcionada pelo impulsor, em energia potencial do fluido bombeado. ▶ Ver *bombeio centrífugo submerso (BCS)*; *bomba centrífuga submersa*; *estágio de bomba*; *impulsor de bomba*.

digitação / *fingering*. 1. Operação em um reservatório de óleo, quando da intrusão de água ou gás, na forma de dedos, durante a produção. 2. Formação de irregularidades, na forma de dedos, na frente de um fluido injetado no reservatório durante o método de recuperação avançada.

digitação capilar / *capillary fingering*. Descontinuidade, observada em um meio poroso, da frente de avanço de um fluido invasor injetado com o objetivo de deslocar um fluido defensor com maior viscosidade.

digitalizador / *digitizer*. 1. Equipamento para a conversão de sinais analógicos em sinais digitais. 2. Equipamento que permite a transferência de dados desenhados em papel (mapas, gráficos, fotografias etc.) para arquivos digitais, por meio da determinação manual ou automática de sua posição em um sistema de coordenadas. ▶ Ver *sinal digital*; *analógico*.

dilatância / *dilatancy*. Materiais granulares compactados, quando submetidos a cisalhamento, experimentam uma variação de volume. Essa expansão é denominada *dilatância*. Como o material se encontra compactado, seus grãos não têm liberdade para deslocar-se uns em relação aos outros. •• Propriedade de fluidos cuja viscosidade aumenta com o aumento da tensão de cisalhamento

diminuição do tamanho do grão para cima / *fining upward*. Arranjo sedimentar atribuído a um empilhamento composto de um conjunto de camadas, ou a uma sequência deposicional em que o tamanho de grão (textura) de cada corpo de sedimentos ou rochas sedimentares diminui na direção do topo da seção. •• Por exemplo, um empilhamento sedimentar constituído na base por conglomerados sobrepostos por arenitos e no topo por siltitos e folhelhos. Quando essa diminuição no tamanho do grão ocorre no nível de uma camada, denomina-se *gradação normal*. ▶ Ver *estrutura sedimentar*.

dinamômetro / *dynamometer*. No método de produção por bombeio mecânico, corresponde ao instrumento que, instalado na haste polida, tem a função de medir as cargas que ocorrem durante o ciclo de bombeamento e, assim, gerar a dita *carta dinamométrica*. •• Os tipos mais comuns de dinamômetro são: os tipos mecânicos, constituídos dos sistemas de carregamento hidráulico, de indicação de peso e do registro das cartas; e os tipos eletrônicos, em que o elemento sensor é um *strain-gauge*, que mede e envia os dados para um microprocessador para armazenar e gerar as cartas.

dióxido de carbono / *carbon dioxide*. Composto químico constituído por um átomo de carbono e dois átomos de oxigênio, cuja fórmula química é CO_2. •• Este composto está presente na atmosfera em concentração baixa. Em concentrações altas atua como gás de efeito estufa. No estado sólido é denominado *gelo seco*. O dióxido de carbono pode ser gerado através de inúmeros processos naturais ou industriais, como, por exemplo, pelos processos de respiração dos seres vivos aeróbicos; pelos processos de fermentação realizados por vários microrganismos; como emissão gerada na fabricação do cimento; em refinarias, em termelétricas; pela queima de combustíveis fósseis, como contaminante do gás natural etc.

dióxido de enxofre, SO_2 / *sulfur dioxide*, SO_2. Gás incolor, pesado, de odor pungente e tóxico. •• No processo de produção de petróleo, é resultante da combustão de gás sulfídrico existente no fluido do poço, durante a operação de indução de surgência.

***dip moveout (DMO)*.** Diferença nos tempos de chegada ou nos tempos de trânsito de uma onda refletida medidos por receptores em duas posições diferentes, produzida quando os refletores mergulham. ▶ Ver *sobretempo normal*.

dipolo / *dipole*. Conjunto de duas cargas pontuais opostas, situadas a uma distância infinitesimal uma da outra.

dipolo cruzado / *cross dipole*. Descrição de uma forma de onda ou perfil que tenha sido registrada por um conjunto de receptores dipolares orientados ortogonalmente (a 90°, não em linha) com um transmissor dipolar. Em perfilagem sônica, os modos flexurais de dipolo cruzado são usados para determinar anisotropia de cisalhamento juntamente com modos flexurais em linha. Os dados são processados pela rotação de Alford. ▶ Ver *sônico em arranjo*.

dipolo de meia-onda / *half-wave dipole*. Dipolo elétrico formado por dois condutores diametralmente opostos, cujo comprimento é metade do comprimento de onda do radar. É o tipo clássico de antena eletromagnética.

dique / *dike*. 1. Corpo de rocha intrusiva de forma tabular com atitude discordante de suas encaixantes. **2.** Denominação inglesa para um corpo tabular de rocha intrusiva que corta uma rocha maciça ou atravessa uma estrutura em uma rocha adjacente.

dique anelar / *ring dyke*. Dique que apresenta, em planta, formas de arco. Gerado por um astroblema ou associado a intrusões de *plugs* vulcânicos.

dique clástico / *clastic dike*. Dique sedimentar composto por materiais clásticos derivados de camadas sobrepostas ou sotopostas.

dique de areia / *sand dike*. Estrutura sedimentar composta por arenito, formada pela injeção ou intrusão de areia através de uma fratura, geralmente no sentido ascendente.

dique de arenito / *sandstone dike*. 1. Estrutura sedimentar composta por arenito, formada pela injeção ou intrusão de areia através de uma fratura, geralmente no sentido ascendente. **2.** Intrusão de arenito.

dique de injeção / *injection dike*. Material sedimentar que penetrou na rocha vizinha através de um plano de fraqueza ou fratura preexistente. ↠ A injeção do material ocorre por causa da fluidização do sedimento, em geral ocasionada por pressão litostática.

direção de fratura / *fracture direction*. Direção em que uma fratura hidráulica se propaga. No caso de um poço vertical, em uma formação submetida a um regime normal de tensões, a direção de fratura coincide com a direção da tensão horizontal principal máxima.

direção longitudinal / *along-track*. Dimensão do fundo marinho ou do registro de sonar de varredura lateral paralela ao sentido de navegação. Seu oposto é a *direção transversal* (*across-track*). Esses dois termos são utilizados para descrever fenômenos de sonar e correções geométricas.

direção transversal / *across-track*. Dimensão do fundo marinho ou do registro de sonar de varredura lateral no sentido transversal (90°) ao sentido de navegação. Seu oposto é a *direção longitudinal* (*along-track*).

direito de preferência / *right of first refusal*. Mecanismo no qual o cedente deve inicialmente dar oportunidade às demais consorciadas de formular propostas de aquisição dos direitos, para, em seguida, buscar no mercado ofertas superiores.

direito de substituição de parceiros (Port.) / *step-in right*. O mesmo que step-in right. ▶ Ver step-in right.

diretividade / *directivity*. Variação da resposta de uma fonte ou receptor — seja isoladamente, seja na forma de arranjos — em função de diferentes direções; geralmente, os arranjos são desenhados com o objetivo de realçar algumas direções de propagação de frequências e atenuar outras.

disco retentor de plugue de cimentação / *baffle plate*. Acessório para cimentação. Trata-se de um disco utilizado para propiciar a batida dos plugues de cimentação, sendo instalado na parte central de uma conexão da coluna de revestimento. ↠ Geralmente, esses discos são de alumínio ou de material plástico.

disco retentor de tampão de cimentação (Port.) / *baffle plate*. O mesmo que *disco retentor de plugue de cimentação*. ▶ Ver *disco retentor de plugue de cimentação*.

discordância / *discordance*. 1. Descontinuidade geométrica, estratigráfica ou litológica entre formações geológicas contíguas. Falta de paralelismo entre estratos adjacentes. **2.** Superfície entre estratos sucessivos que representa a falta do registro físico de um intervalo de tempo geológico significativo e que pode ter sido causado pela não deposição ou erosão de um estrato contínuo e que posteriormente deu seguimento à sedimentação.

discordância angular / *angular unconformity*. Sequência superior de sucessões de estratos de rocha que formam um determinado ângulo com as camadas inferiores. ↠ A discordância é provocada pela perturbação tectônica de rochas mais antigas, anteriores à deposição de camadas superiores.

discordância basal / *base discordance*. Superfície que marca uma discordância, situada na base de uma sucessão sedimentar. ▶ Ver *discordância*.

discordância definida quimicamente (Port.) / *chemical unconformity*. O mesmo que *não conformidade química*. ▶ Ver *não conformidade química*.

discordância erosional / *erosional unconformity*. Superfície que separa duas camadas de rochas de idades diferentes e que configura que a parte superior da camada mais velha foi exposta à erosão antes ou durante a deposição da camada mais nova. ↠ Em geral a erosão que ocorre durante a deposição da camada mais nova — e tem como origem os próprios processos que atuam no transporte e na deposição dessa camada mais jovem — é de cunho local e o hiato temporal é localizado; neste caso ocorre uma discordância local. ▶ Ver *erosão*.

discordância ou não concordância (Port.) / *discordance or nonconformity*. O mesmo que *desconformidade* ou *não conformidade*. ▶ Ver *desconformidade*; *não conformidade*.

discordância regional / *regional unconformity*. Superfície de descontinuidade nas rochas sedimentares que se estende regionalmente. Pode registrar uma significativa interrupção na deposição tectônica ou na erosão de estratos mais antigos.

discordante / *discordant*. Relação entre estratos que não possuem paralelismo ou concordância em relação ao acamamento ou à estrutura. Antônimo: *concordante*. ▶ Ver *concordante*.

dismicrita / *dismicrite*. Calcário de textura fina constituído dominantemente por argila carbonática (micrita). ↪ Frequentemente apresenta nódulos de calcita.

dismicrite (Port.) / *dismicrite*. O mesmo que *dismicrita*. ▶ Ver *dismicrita*.

dispêndio de capital (Port.) / *capital expenditure*. O mesmo que *despesa de investimento* e *dispêndio de investimento*. O mesmo que *CAPEX*. ▶ Ver *custos de investimento*.

dispêndio de investimento (Port.) / *capital expenditure*. O mesmo que *despesa de investimento* e *dispêndio de capital*. O mesmo que *CAPEX*. ▶ Ver *custos de investimento*.

dispersante / *dispersant*. Substância com propriedades tensoativas usada para dispersar uma fase imiscível em outra. Comumente se refere à dispersão de manchas de óleo derramado em água. ↪ O uso de dispersantes de óleo está submetido a restrições e é regulamentado pela Resolução CONAMA n° 269/2000.

dispersão / *dispersion*. 1. Sistema heterogêneo, termodinamicamente instável, que abrange desde coloides e suspensões até emulsões. 2. Em um transdutor acústico, é a recepção do pulso de saída no momento da transmissão. Em sistemas de sonar ativo, o transdutor emissor é ao mesmo tempo receptor, de forma que o sinal emitido é sentido imediatamente após sua transmissão. No caso de alvos sobre o fundo marinho, é a recepção de diferentes ecos oriundos do mesmo alvo devido a suas características acústicas e à física do pulso emitido. ↪ As dispersões são constituídas de uma fase dispersa e uma fase dispersante, não miscíveis. A diferença entre os tipos de dispersão é baseada no estado de agregação (sólido, líquido ou gasoso) de cada uma das fases e no tamanho das partículas da fase dispersa.

dispersão ácida / *acid dispersion*. Técnica de limpeza química através da adição de ácidos, geralmente para transformar resíduos oleosos solidificados em soluções que possam ser removidas, especialmente quando causam problemas operacionais no escoamento ou na produção.

dispersão de frequência / *frequency dispersion*. O resultado de diferentes frequências de uma onda que se propaga com velocidades diferentes.

dispersão de superfície / *sea clutter*. Falsa imagem criada em um registro sonográfico por ecos acústicos originados a partir da superfície, quando em condições de mar ruins. Originada pelo mesmo fenômeno associado à geração do retorno de superfície, neste caso as ondas na superfície do mar geralmente têm um retorno disperso, gerando manchas nos registros que podem se assemelhar a um alvo no fundo marinho.

dispersão do ponto de reflexão / *reflection-point dispersal*. Espalhamento do ponto comum de reflexão de uma família de traços CMP, causado pelo mergulho dos refletores ou pelas variações laterais de velocidade.

dispersão inversa / *inverse dispersion*. Dispersão na qual a velocidade da propagação de uma onda eletromagnética diminui com a frequência.

dispersão normal / *normal dispersion*. Decréscimo da frequência com o tempo, para uma sucessão de ondas superficiais da mesma fonte.

dispersão secundária / *secondary dispersion*. Dispersão geoquímica de elementos por processos gerados na superfície da Terra, em oposição à dispersão primária. ↪ Os modelos secundários são aqueles formados na superfície da Terra por intemperismo, erosão ou transporte superficial. Os modelos secundários têm sido classificados mais detalhadamente como halos, leques e *trendes*, a depender das características da forma do padrão e de suas relações geométricas com o minério e outras fontes.

disponibilidade / *availability*. Capacidade de um componente de estar em condições de executar certa função em um dado instante ou durante um intervalo de tempo determinado, levando-se em conta os aspectos combinados de sua confiabilidade, exequibilidade de sua manutenção e o suporte dessa manutenção, supondo que os recursos externos requeridos estejam assegurados.

disposição final adequada / *suitable final disposal*. Descarte, lançamento, descarga, liberação de efluentes ou resíduos de forma adequada e segundo as normas. ↪ A disposição final poderá ser feita levando os efluentes e resíduos, antes de sua liberação no ambiente, a teores de poluição aceitáveis, ou desenvolvendo formas de reuso, inativação ou contenção que assegurem proteção da qualidade ambiental e à saúde humana.

dispositivo de quebra de espuma / *foam-breaker device*. Dispositivo posicionado internamente em vasos separadores, na região de escoamento do gás separado, que propicia a drenagem do filme líquido da espuma presente, permitindo a coalescência dos glóbulos de gás, ou seja, ocasionando a chamada 'quebra' da espuma. ↪ Em vasos separadores horizontais, este dispositivo é normalmente constituído por um conjunto de placas paralelas, planas ou corrugadas, denominadas *dixon plates*, que são posicionadas inclinadamente em relação à horizontal e paralelamente à geratriz do vaso; parte do seu comprimento cobre toda a parte superior da seção transversal, onde escoa o gás. A grande superfície específica proporcionada pelo dispositivo atua mecanicamente quando do deslocamento da espuma, promovendo a drenagem do filme e seu escoamento pelas paredes das placas. Outros tipos de dispositivos — tais como telas de arame, pacotes de recheio estruturado — podem também ser utilizados para a quebra da espuma.

dispositivo de segurança de subsuperfície / *subsurface safety device*. Dispositivo utilizado para impedir o fluxo descontrolado de hidrocarbonetos para o meio ambiente através da coluna de produção, em caso de perda de integridade da árvore de natal. ▶ Ver *válvula de segurança de subsuperfície*.

dispositivo de separação primária / *primary separation device*. Dispositivo interno de vaso separador destinado a reduzir a quantidade de movimento da corrente multifásica que alimenta o vaso separador. •◦ Esta classe de dispositivo promove uma separação grosseira das fases afluentes ao vaso e evita que a energia da corrente afluente ao separador perturbe a separação na câmara de decantação, situada imediatamente a jusante. Há vários tipos, com base em diversos princípios físicos, como colisão (*impingement*), mudança forçada de direção, efeito centrífugo etc.

dispositivo interno / *internal device*. Denominação dada aos diversos dispositivos utilizados em vasos separadores e outros equipamentos de processamento primário de petróleo. •◦ Entre os diversos dispositivos internos (muitas vezes referidos, de forma mais breve, apenas como 'internos') temos os seguintes: dispositivos removedores de névoa, placas coalescedoras, dispositivos quebra-vórtice, dispositivos quebra-onda, vertedouros, dispositivos de jateamento e remoção de sólidos etc.

dispositivo normal / *normal device*. Ferramenta para realizar perfis de resistividade em que os eletrodos A e M deslocam-se dentro do poço, enquanto os eletrodos B e N permanecem aterrados fora do poço.

dissecação / *dissection*. Termo utilizado em geomorfologia para designar relevo entrecortado por vales. O grau de dissecação exprime-se pela relação entre a área da superfície topográfica e a da projeção horizontal da mesma.

dissolução / *dissolution*. Processo físico pelo qual um fluido remove e incorpora íons de um material sólido. •◦ Em geologia é referido como processo químico que opera em inúmeros ambientes geológicos, como, por exemplo, reações de dissolução no intemperismo químico. Em petrologia pode ser utilizado como sinônimo de fusão, em trabalhos de origem inglesa.

distal / *distal*. 1. Ambiente sedimentar mais distante da área-fonte. 2. Depósito sedimentar constituído de materiais clásticos finos e depositados o mais distante possível da área-fonte. 3. Termo aplicado principalmente a sistemas deposicionais com ocorrência de mineralizações, com alterações metassomáticas/hidrotermais, sistemas vulcanossedimentares exalativos etc.

distância crítica / *critical distance, crossover distance*. Distância da fonte para o receptor em uma interface horizontal quando o tempo de refração é igual ao tempo de reflexão, durante um processo de aquisição de dados sísmicos.

distância fonte-antena / *source-antenna distance*. Em sísmica marítima, é a distância entre a fonte e as antenas de posicionamento.

distância horizontal / *layback*. Distância horizontal entre a embarcação — ou a antena de posicionamento da embarcação — e o equipamento rebocado. •◦ Para levantamentos em águas rasas, na prática, essa distância é considerada igual à quantidade de cabo na água somada à distância entre a antena e o guincho do cabo-reboque. Entretanto, à medida que se vai em direção a regiões mais profundas, essa distância é fortemente afetada pela profundidade do equipamento rebocado e pela catenária formada pelo cabo de reboque. Nestes casos, em geral, recomenda-se a utilização de equipamento de posicionamento acústico submarino.

distância mínima de predição / *minimum prediction distance*. 1. Método para suprimir a energia reverberatória de um determinado traço sísmico, diminuído de um outro traço e sintetizado por intermédio da filtragem em seu domínio do tempo. 2. O mesmo que a distância de predição na deconvolução preditiva.

distância tiro-geofone / *shot-to-geophone distance*. Distância entre a fonte e o geofone. ▶ Ver *geofone*.

distância tiro-receptor / *shot-to-receiver distance*. Distância entre a fonte e uma das estações ou o centro das estações receptoras.

distância zenital / *zenith distance*. Ângulo entre o zênite e um ponto qualquer da esfera celeste.

distancímetro / *distance meter*. Aparelho que usa um pulso de luz infravermelha para medir a distância entre duas estações.

distensão do fundo oceânico / *sea-floor spreading*. 1. Fenômeno de criação de crosta oceânica através de correntes de convecção ascendentes do manto superior, ao longo de dorsais no meio do oceano. 2. Fenômeno responsável pela formação das dorsais oceânicas.

distorção de amplitude / *amplitude distortion*. Distorção que se manifesta como uma alteração no espectro de amplitude do sinal, sem afetar o espectro de fase.

distorção de fase / *phase distortion*. Alteração na forma da onda devido a não ser a mudança de fase proporcional à frequência.

distorção harmônica / *harmonic distortion*. Distorção caracterizada pela geração de harmônicos da frequência de entrada.

distribuição binomial / *binomial distribution*. Distribuição que determina a probabilidade de um número de sucessos de um evento ocorrer, em uma sequência de eventos, em que cada tentativa possui duas possibilidades (sucesso ou fracasso).

distribuição de frequência / *frequency distribution*. Arranjo sistemático de dados estatísticos, no qual a variável é dividida em categorias ou classes discretas e mutuamente exclusivas que indicam a frequência, ou as frequências relativas, que corresponde(m) a cada uma das categorias ou classes.

distribuição de frequência de tamanho / *size-frequency distribution*. O mesmo que *distribuição granulométrica*. ▶ Ver *distribuição granulométrica*.

distribuição de tamanho de partícula / *particle-size distribution*. 1. Fração de partículas sólidas de uma amostra, classificadas em diferentes faixas de tamanho. 2. Porcentagem que usualmente considera peso, número ou contagem dos tamanhos das partículas dentro de uma quantidade de amostra de sedimento, solo ou rocha sedimentar, e as classifica em curvas de porcentagem de distribuição baseadas na quantidade de partículas retidas em cada peneira de um determinado intervalo de tamanhos. Resultado de uma análise da distribuição do tamanho das partículas numa amostra específica. ↛ O tamanho da partícula pode ser determinado por análise de peneiras, difração de luz, microscopia e outros métodos. Este parâmetro é utilizado, por exemplo, para avaliar a qualidade de fluidos de perfuração e a eficiência de equipamentos de controle de sólidos.

distribuição de velocidade / *velocity distribution*. Relação existente entre velocidade sísmica e profundidade, de onde se obtém a distribuição da velocidade em determinada região de interesse. ▶ Ver *conversão tempo-profundidade*.

distribuição gaussiana / *gaussian distribution*. Distribuição de frequência, contínua, de intervalo infinito, simétrica (com ambos os extremos estendendo-se infinitamente), média aritmética, moda e mediana idênticas, e de forma completamente determinada pela média e pelo desvio padrão.

distribuição granulométrica / *size distribution, size-frequency distribution*. 1. Distribuição que corresponde à fração em número, volume ou superfície de cada tamanho de partícula em relação ao total de partículas presentes em determinado sistema. 2. Resultado de uma análise granulométrica. Os resultados são expressos por porcentagens, geralmente em peso, de partículas para cada fração granulométrica. ↛ O tipo de distribuição granulométrica obtida depende do método usado para a medida do tamanho de partícula presente no sistema. Métodos de medida baseados na contagem do número de partículas (por exemplo, microscopia), na área (bloqueio de luz) ou no volume (difração de luz) fornecerão distribuições de tamanho de partícula numéricas, em área e volumétricas, respectivamente.

distribuição por celas / *binning*. Recolocação de traços sísmicos nas celas (*bins*) correspondentes durante aquisição e/ou processamento sísmico.

distributário / *distributary*. 1. Canal divergente que flui a partir de um canal principal, como num delta ou planície aluvial, sendo formado possivelmente por assoreamento do canal principal devido a deposição de sedimentos. 2. Aplica-se também a canais que formam as ramificações de um canal principal, num regime deposicional de um leque submarino.

diterpano / *diterpane*. Hidrocarboneto formado de duas unidades de terpanos (quatro isoprenos). Muitos têm três anéis de seis membros. São frequentemente derivados de resinita.

diterpeno (Port.) / *diterpane*. O mesmo que *diterpano*. ▶ Ver *diterpano*.

divergência / *diversion, divergence*. 1. Técnica utilizada em tratamentos com injeção de fluido na formação (acidificação de matriz, por exemplo), de forma a garantir uma distribuição uniforme de fluido ao longo de todo o intervalo a ser tratado. 2. Uniformização ou espalhamento de fluxo ao longo de um determinado intervalo ou extensão. 3. Separação das correntes oceânicas por um fluxo horizontal de água em diferentes direções, a partir de uma única fonte, comumente associada a uma ressurgência. ▶ Ver *acidificação*.

divergência esférica / *spherical divergence*. Atenuação da amplitude do sinal relacionada à expansão da frente de uma onda sísmica

divisão de faixa / *split range*. Artifício utilizado para mensurar grandes faixas de valores de determinada variável. ↛ Utilizam-se dois ou mais medidores que têm diferentes fundos de escala, sendo uma escala maior que a imediatamente anterior, e assim sucessivamente.

DL/50 / *LD/50*. Dose letal a 50% dos organismos-teste em ensaios para aferir toxicidade de substâncias ↛ Os ensaios referidos são objeto de exigência da legislação ambiental; no Brasil aceitam-se os padrões da USEPA (órgão ambiental federal norte-americano).

dobra de escorregamento / *slump fold*. Dobra intraformacional composta por escorregamento de sedimentos pouco consolidados e com comportamento plástico.

dobra deitada (Port.) / *recumbent fold*. O mesmo que *dobra recumbente*. ▶ Ver *dobra recumbente*.

dobra recumbente / *recumbent fold*. Dobra contendo plano axial horizontalizado. O mesmo que *dobra deitada*.

dobra sigmoide / *sigmoidal fold*. Dobra na qual a camada dobrada assume a forma da letra S. Comumente desenvolvida como dobra de arrasto relacionada a zonas de cisalhamento.

dobra simples (Port.) / *simple fold*. O mesmo que *dobra tipo plana*. ▶ Ver *dobra tipo plana*.

dobra sindeposicional / *syndepositional fold.* Dobra não tectônica resultante da deformação do sedimento durante ou logo após a sua deposição, podendo estar associada à passagem de geleiras, a escorregamentos, escapes de água.

dobra sinsedimentar (Port.) / *syndepositional fold.* O mesmo que *dobra sindeposicional.* ▶ Ver *dobra sindeposicional.*

dobra tipo plana / *plain-type fold.* Estrutura semelhante a um domo ou a anticlinais sutis, formada nas camadas sedimentares que recobrem o embasamento cristalino das regiões cratônicas. Também chamada *dobra de cobertura (drape-folds).* ↔ Tal estrutura está associada, principalmente, à compactação diferencial dos sedimentos sobre blocos rígidos e falhados do embasamento.

doce / *sweet.* Diz-se de óleo ou de gás que contenham uma quantidade relativamente pequena de enxofre.

documento PAT/OAT / *PAT/OAT document.* Documento encaminhado pelo concessionário à Agência Nacional do Petróleo, Gás Natural e Biocombustíveis (ANP) (Brasil), por exigência do contrato de concessão, que contém o planejamento das atividades (PAT) e o orçamento (OAT) durante a fase de exploração. ↔ Abreviação de Programa Anual de Trabalho e Orçamento Anual de Trabalho.

documento PAT/PAP / *PAT/PAP document.* Documento encaminhado pelo concessionário à Agência Nacional do Petróleo, Gás Natural e Biocombustíveis (ANP) (Brasil), por exigência do contrato de concessão, que contém o planejamento das atividades e do orçamento (PAT) e o planejamento da produção (PAP) durante a fase de produção. ↔ Abreviação de Programa Anual de Trabalho (PAT) e Programa Anual de Produção (PAP).

dolarenito / *dolarenite.* Dolomito constituído dominantemente por grãos clásticos de dolomita tamanho areia. ▶ Ver *dolomito.*

dolerito / *dolerite.* 1. Rocha plutônica de granulação média, com textura intermediária entre basalto e gabro, constituída essencialmente por plagioclásio, piroxênio e minerais opacos. 2. Termo inglês para rochas basálticas não alteradas com textura ofítica, com o mesmo sentido do termo *diabásio* para os americanos. ↔ Frequentemente se observa textura ofítica. Termo muito utilizado como sinônimo de *diabásio* e de *microgabro.*

dolina / *doline.* Depressão circular do terreno, com formato de funil, que ocorre de maneira natural em terrenos carbonáticos pelo abatimento de solo ou rochas do teto de uma caverna, devido à dissolução das rochas carbonáticas, esta em consequência da drenagem subterrânea ou superficial.

dololititio / *dololithite.* Dolomito constituído por mais de 50% de fragmentos líticos de dolomito. ▶ Ver *dolomito.*

dololutito / *dololutite.* Dolomito constituído essencialmente por grãos detríticos de dolomita tamanho silte e/ou argila. ↔ Rocha frequentemente associada a sequências evaporíticas dolomíticas.

dolomicrita / *dolomicrite.* Dolomito constituído essencialmente por grãos de dolomita tamanho argila. ▶ Ver *dolomito.*

dolomicrito (Port.) / *dolomicrite.* O mesmo que *dolomicrita.* ▶ Ver *dolomicrita.*

dolomita / *dolomite.* Mineral composto por carbonato de cálcio e magnésio, $CaMg(CO_3)_2$, muito abundante na natureza na forma de rochas dolomíticas e, por suas propriedades como isolante térmico, usado na fabricação de materiais refratários, sendo também elemento principal da constituição do calcário dolomítico.

dolomita cálcica / *calcian dolomite.* Dolomita que contém no mínimo 8% de cálcio na sua composição ideal. ↔ (Ca:Mg = 1:1 molar). ▶ Ver *dolomita.*

dolomite cálcica (Port.) / *calcian dolomite.* O mesmo que *dolomita cálcica.* ▶ Ver *dolomita cálcica.*

dolomito / *dolomite.* Rocha sedimentar carbonatada cujo constituinte principal é a dolomita. ↔ Sua origem está relacionada a processos metassomáticos, diagenéticos e pós-diagenéticos de substituição de alguns íons de cálcio dos calcários por íons de magnésio, em um processo denominado *dolomitização.* ▶ Ver *dolomita.*

dolomito calcário / *calcareous dolomite.* Rocha que contém de 50% a 90% de dolomita e complemento de carbonato de cálcio.

dolomito calcítico / *calcitic dolomite.* Rocha dolomítica onde a porcentagem de calcita é apreciável, porém a dolomita (mineral) é mais abundante.

dolomito lamoso / *dolomite mudstone.* Rocha sedimentar caracterizada pela presença de cristais de dolomita de tamanho argila. O mesmo que *dolomicrita.* ▶ Ver *dolomicrita.*

domínio / *domain.* Extensão areal de um ambiente deposicional ou uma litologia; área específica na qual determinado conjunto de controles físicos e químicos se combinam para produzir fácies sedimentares distintas.

domínio da frequência / *frequency domain.* Representação de sinais físicos por funções matemáticas $F(\omega)$, nos quais o domínio dos valores indicados é composto pelas frequências dos sinais. A função $F(\omega)$ é obtida pelo mapeamento das funções matemáticas representativas dos sinais físicos no domínio do tempo ($f(t)$) por um operador linear denominado *transformada de Fourier* $F(\omega)$, onde:

$$F(\omega)=F\{f(t)\}=1/\sqrt{2\pi} \int f(t)e^{-j\omega t}dt$$

↔ A representação dos sinais físicos em funções matemáticas $Y(\omega)$, no domínio da frequência, refere-se às componentes do sinal nas várias frequências diferentes. A representação em amplitude de cada componente *versus* frequência denomina-se *espectro de amplitude* e a correlação temporal entre as componentes é caracterizada pelo *espectro de fase.*

domínio f-k / *f-k domain*. Domínio no qual as variáveis independentes são a frequência e o número da onda.

domínio k-k / *k-k domain*. Domínio em que as duas variáveis são números de ondas.

domínio t-x / *t-x domain*. Domínio em que as duas variáveis são tempo e distância. Domínio tempo-distância.

domínio τ-π / *τ-π domain*. Domínio do tempo de interseção τ e da vagarosidade π. ▶ Ver *domínio de frequência*.

domo / *dome*. 1. Estrutura anticlinal, de contorno circular a elíptico, cujas camadas mergulham suavemente em todas as direções. São comuns nos diápiros de sal. 2. Massa de lava com viscosidade relativamente alta e geometria antiforme, desenvolvida sobre e no entorno de um conduto vulcânico.

domo de areia / *sand dome*. Montículos de areia em uma praia, com 2,5 cm de altura e 5 cm a 30 cm de diâmetro, de forma circular ou elíptica, com um pequeno buraco no centro. Essa estrutura é formada pelo espraiamento das ondas sobre a parte seca da areia da praia, causando a infiltração da água no substrato arenoso e a expulsão do ar, que ao sair dos poros da areia gera bolhas, formando os domos de areia.

domo de sal / *salt dome*. Domo salino formado quando uma espessa camada de rocha evaporítica penetra verticalmente em estratos superiores, formando os diápiros.

domo estrutural / *structural dome*. Área estruturalmente elevada por dobramentos ou falhamentos, na qual as camadas mergulham radialmente para fora do domo. Na sua porção central são expostas as camadas mais inferiores, por causa da erosão.

downstream. O mesmo que *jusante*. ▶ Ver *jusante*.

drapeamento / *draping*. Relação estrutural geral concordante de uma camada deformada que recobre uma feição topográfica relativamente elevada, a qual pode ser composta de carbonato recifal ou outro núcleo rígido.

draubaque (Port.) / *drawback*. O mesmo que drawback e *regime de* drawback. ▶ Ver *regime de* drawback.

drawback. O mesmo que *regime de* drawback. ▶ Ver *regime de* drawback.

drawdown. 1. Diferença entre a pressão no poço e a pressão no reservatório. 2. Perda de carga no reservatório.

drenagem / *bleeding*. 1. Escape ou exsudação de um fluido. 2. Ato de extrair lentamente líquido ou gás de modo a reduzir a pressão num poço ou equipamento pressurizado.

drenagem dendrítica / *dendritic drainage*. Sistema de drenagem que se ramifica irregularmente e assemelha-se a galhos de uma árvore vista num plano.

drenagem gravitacional / *gravity drainage*. Fluxo de óleo no reservatório em direção ao poço produtor, provocado pela ação da gravidade. ↝ A drenagem gravitacional está normalmente associada à segregação gravitacional gás-óleo e ocorre quando a pressão no reservatório é muito baixa. O óleo escorre para o poço, formando um cone de depressão.

drenando o poço / *bleeding a well*. Drenagem lenta de líquido ou gás de modo a reduzir a pressão no poço pressurizado. ▶ Ver bleed off; *drenagem*.

dreno / *bleeder valve*. Válvula por meio da qual se efetua a drenagem (*bleed*).

dreno de areia / *sand drain*. Conexão situada na parte inferior de vasos de processo, destinada à descarga de sólidos sedimentados no interior do vaso. ↝ Existem diversas concepções do sistema de remoção de sólidos, desde simples drenos de coleta, que enviam todo o inventário do vaso (líquidos e sólidos) para um tanque de coleta, até sistemas bem mais elaborados, que consistem de bicos de jateamento com água, para fluidificação dos sedimentos, e de bocais de drenagem, que podem ser dotados de dispositivos ciclônicos de remoção dos sólidos.

drill collar de fundo (Port.) / *drill collar*. O mesmo que *comando de perfuração*. ▶ Ver *comando de perfuração*.

drill lock assembly (DLA). Parte superior da composição de fundo da coluna de perfuração, que se conecta na parte inferior do revestimento, chamada *CPN (casing profile nipple)*. ↝ Este conjunto de equipamentos é utilizado na técnica de 'revestir enquanto perfura' (*casing while drilling*).

dubai / *dubai*. Termo de referência usado no Oriente Médio para indicar a qualidade de óleo cru do golfo Pérsico. Usado tanto para o mercado físico quanto para o mercado *spot* (aprox. 36° API, 2% S).

dúctil / *ductile*. Termo usado para descrever materiais que são capazes de absorver energia durante seu processo de deformação plástica, em vez de, fragilmente, se fraturarem, quebrando-se em pedaços quando submetidos a carregamento externo.

duna / *dune*. Acúmulo de areia de granulação média a fina e bem classificada, transportada e depositada pelo vento. Pode migrar ou apresentar-se coberta por vegetação, sendo comum em regiões costeiras ou desérticas, onde formam complexos móveis ou fixos, entremeados por planícies, lagos e pântanos formados do bloqueio de canais pela areia.

duna barcana / *barchan dune*. Duna em forma de crescente lunar que progride sobre uma superfície não arenosa, com as pontas voltadas para a direção de onde vem o vento.

duna cavalgante / *climbing dune*. Duna formada por transporte eólico e empilhamento de areia contra uma escarpa ou encosta.

duna complexa / *complex dune*. Duna formada por ventos multidirecionais. Como resultado tem-se a interação entre dunas com diferentes sentidos de migração, criando formas e estruturas sedimentares não usuais.

duna costeira / *coastal dune.* Duna formada na faixa litorânea, próximo à linha de costa. ↦ Durante os períodos mais secos, as areias depositadas nas praias pela ação das ondas sofrem retrabalhamento e transporte pelo vento e se acumulam sob a forma de dunas na região litorânea. É comum que este tipo de duna apresente formas chamadas *barcana*. ▶ Ver *duna barcana*.

duna de areia / *sand dune.* Acumulação de areia desagregada transportada pelo vento. Ocorre em vários ambientes desérticos, assim como em regiões litorâneas na zona acima da maré alta e, mais raramente, em bordas de lagos e rios de climas semiáridos.

duna de argila / *clay dune.* Duna composta por fragmentos de argila transportados pela ação do vento.

duna em chevron / *chevron dune.* Duna em forma de V depositada em uma área de vegetação, onde os ventos fortes sopram constantemente numa mesma direção.

duna em espinha de peixe (Port.) / *chevron dune.* O mesmo que *duna em chevron*. ▶ Ver *duna em chevron*.

duna frontal / *front or frontal dune.* 1. Composição de cristas de areia, sendo também conhecida como *berma* ou *cordão de praia*. 2. Termo usado comumente para descrever cristas de areias de praia ou litorâneas. 3. Acúmulo de areia além dos tapetes de gramíneas e outros obstáculos comuns na região da antepraia. 4. Formação por deposição eólica de areia na vegetação de pós-praia. ↦ As dunas frontais são definidas como depósitos integralmente formados por ondas, na maioria das vezes durante condições de alta energia de ondas e/ou níveis de água elevados (elevação do nível de água durante tempestades).

duna litoral (Port.) / *shore dune.* O mesmo que *duna litorânea*. ▶ Ver *duna litorânea*.

duna litorânea / *shore dune.* Duna de areia formada pela ação dos ventos em regiões litorâneas.

duna longitudinal (Port.) / *seif dune.* O mesmo que *duna seife*. ▶ Ver *duna seife*.

duna parabólica / *parabolic dune.* Duna longa que, quando perfeitamente desenvolvida, exibe a forma parabólica ou de meia-lua, com o formato de U e com as pontas na direção do vento, ao contrário daquela com forma de barcana, em que os braços ou pontas do U apontam contra a direção do vento. É comum a duna tipo parabólica estar coberta por esparsa vegetação, e ocorre mais comumente na região do cinturão costeiro.

duna seife / *seif dune.* Duna, ou encadeamento de dunas de grandes dimensões, atingindo 200 m de altura e comprimento de mais de 100 km, com cristas abruptas e uma sucessão de faces de barlavento curvas, produzida por fortes ventos cruzados, mas não constantes. É frequentemente encontrada no deserto do Saara, onde pode atingir até 300 km de comprimento, como no Egito. ↦ Termo do árabe *saif*, que significa 'espada', e originado no norte da África.

duna sigmoidal / *sigmoidal dune.* Duna em forma de S, composta por formas de crescente opostas, resultado da alternância de ventos com velocidades semelhantes e sentidos opostos, que atuam alternadamente. Representa um estágio evolutivo entre dunas em forma de crescente, ou seja, barcanas, e complexo de dunas, atingindo 50m de altura, 2 km de comprimento e de 50 m a 200 m de largura.

dureza / *hardness.* 1. Dureza de um metal, normalmente expressa em unidade *rockwell*, *brinell* ou *vickers*, dependendo do tipo de ensaio feito para medir essa grandeza. 2. Dureza de uma formação rochosa, normalmente expressa em resistência compressiva simples. Também é representada como resistência compressiva sem confinamento, expressa em inglês pela sigla *UCS* (*unconfined compressive strength*). 3. Dureza da água, medida pela quantidade de cálcio e magnésio nela encontrada. ▶ Ver *dureza Brinell*; *dureza Rockwell*; *dureza Vickers*; *escala de dureza*; *escala de dureza Mohs*.

dureza Brinell / *Brinell hardness.* Ensaio de penetração para verificar a dureza de um metal. A dureza Brinell é representada pelas letras HB. Esta representação vem do inglês *Brinell hardness*, que quer dizer 'dureza Brinell'. ↦ O ensaio de dureza Brinell consiste em comprimir lentamente uma esfera de aço temperado, de diâmetro D, sobre uma superfície plana, polida e limpa de um metal, por meio de uma carga F, durante um tempo t, produzindo uma calota esférica de diâmetro d. A dureza Brinell (HB) é a relação entre a carga aplicada (F) e a área da calota esférica impressa no material ensaiado (Ac). ▶ Ver *dureza*; *escala de dureza*; *escala de dureza Mohs*.

dureza Rockwell / *Rockwell hardness.* Medida de dureza de um metal determinada pela compressão de um penetrador de diamante em uma superfície lisa em condições-padrão. ↦ O resultado é expresso em termos de número de *Rockwell* (HRB ou HRC). O valor do número de *Rockwell* correlaciona-se diretamente com a resistência do material. ▶ Ver *dureza*; *escala de dureza*; *escala de dureza Mohs*.

dureza Vickers / *Vickers hardness.* Método de classificação da dureza dos materiais baseada num ensaio laboratorial. ↦ É usada uma pirâmide de diamante com ângulo de diedro de 136°, que é comprimida com uma força arbitrária F, contra a superfície do material. Calcula-se a área S da superfície impressa pela medição das suas diagonais (d). A *dureza de Vickers* HV é dada por: HV = 1,854 F/d^2. A conversão das escalas de dureza nem sempre é precisa e recomendada, tendo em vista a sua não linearidade. ▶ Ver *dureza*; *escala de dureza*; *escala de dureza Mohs*.

dutilidade da calda (Ang.) / *ductility of cement slurry*. O mesmo que *dutilidade da pasta*.
▶ Ver *dutilidade da pasta*.

dutilidade da pasta / *ductility of cement paste*. Propriedade mecânica que representa a medida do grau de deformação plástica que uma pasta de cimento endurecida é capaz de suportar até sua fratura. ⤖ A dutilidade pode ser expressa quantitativamente, tanto como alongamento percentual, quanto como redução de área percentual. O alongamento percentual AL% é a porcentagem de deformação plástica no momento da fratura, expressa pela seguinte expressão:

$$AL\% = (L_f - L_0 / L_0) \times 100$$

onde:
L_f = comprimento no momento da fratura e L_0 = comprimento útil original. Já em termos de redução de área percentual, RA% define-se como sendo:

$$RA\% = (A_0 - A_f / A_0) \times 100$$

onde:
A_0 = área original da seção reta e A_f = área da seção reta no ponto de fratura.

duto / *duct*. Designação genérica de instalação constituída de tubos ligados entre si, destinada à movimentação de petróleo, seus derivados ou gás natural. Movimenta produtos líquidos (oleoduto) ou gasosos (gasoduto). Pode ser classificado como duto de transferência ou de transporte.

dutovia / *pipe-rack*. Conjunto de tubulações dispostas de forma sistemática e orientada e apoiadas sobre uma estrutura de suporte. ⤖ Tipicamente, tais dutovias são encontradas em instalações de processo, a exemplo de plataformas, e sua disposição, além de facultar total compatibilidade com o comportamento das tubulações (a exemplo de dilatação, raios de curvatura, manutenção de níveis requeridos), permite um fácil acesso para manutenção. Tipicamente faz-se igual uso de código de cores e/ou identificações pintadas/afixadas na própria área lateral das mesmas, que permitem facilmente identificar o fluido em escoamento, a origem, o destino etc.

ee

E&P / *E&P*. Conjunto de operações destinadas à exploração e produção de petróleo e/ou gás natural.

E&P offshore / *offshore E&P*. Conjunto de operações destinadas à exploração e produção de petróleo e/ou gás cujas atividades são desenvolvidas em ambiente marinho.

E&P onshore / *onshore E&P*. Conjunto de operações destinadas à exploração e produção de petróleo e/ou gás em jazidas localizadas em terra, na subsuperfície.

ebuliometria / *boiling-point elevation*. 1. Estudo da elevação do ponto de ebulição de uma solução devido à inserção de um soluto não volátil em meio a um solvente. 2. Propriedade que estuda os pontos de ebulição das soluções, fazendo uma análise da interação entre as substâncias constituintes de uma solução e suas contribuições para a alteração do ponto de ebulição da mesma em relação aos pontos de ebulição das substâncias puras.

ecobatímetro / *echosounder*. Equipamento utilizado para determinar a espessura da coluna de água, baseado no tempo decorrido entre os momentos da emissão e da recepção de um sinal acústico emitido a partir de um transdutor instalado em uma embarcação. ↝ Para determinar a profundidade é necessário conhecer o perfil de velocidade do som ao longo da coluna de água. ▶ Ver *coluna d'água*.

ecobatímetro multifeixe / *multibeam echosounder*. Equipamento para determinar a espessura da coluna de água, composto por vários transdutores dispostos lateralmente que permitem a determinação da profundidade do fundo marinho, ao longo de uma faixa. ↝ A largura da faixa depende do número de transdutores existentes no equipamento e da profundidade. Esses sistemas permitem a determinação da morfologia do fundo marinho com alta precisão. ▶ Ver *coluna d'água*.

ecograma / *echogram*. Registro gráfico de ecobatímetro que mostra um perfil do fundo oceânico.

ecologia / *ecology*. Ciência da dinâmica dos ecossistemas, isto é, da interação entre os seres vivos e destes com o ambiente, incluindo os aspectos relacionados com as ações humanas.

ecossistema / *ecosystem*. Sistema aberto cujos componentes são elementos bióticos e abióticos de uma determinada área, identificado por diversidade biológica e estrutura trófica definidas. ↝ No Brasil deve-se considerar também a seguinte definição legal: 'complexo dinâmico de comunidades vegetais, animais e de microrganismos e o seu meio inorgânico que interagem como uma unidade funcional' (D.-L. n° 2/1994).

ecossonar / *echo-sounding sonar*. Equipamento acoplado à base de um navio, que emite ondas sonoras as quais, ao atingir o fundo marinho, retornam ao navio de pesquisa dando informações da topografia do fundo oceânico, de acordo com o tempo de retorno das ondas sonoras.

ecossonda / *sound navigation ranging*. Instrumento que determina a profundidade da água por meio do tempo necessário (e efetivamente medido) para que um sinal sonoro por ele emitido viaje até o fundo e retorne.

ecótono / *ecotone*. Zona de tensão ecológica que constitui a interface entre dois ecossistemas distintos.

ecozona / *ecozone*. Unidade estratigráfica definida por seu conteúdo fossilífero e suas características sedimentológicas.

edital de licitação / *invitation to bid*. Documento que formaliza a convocação às empresas interessadas, para que participem de um determinado certame licitatório visando ao fornecimento de materiais, equipamentos, sistemas ou execução de serviços. Contém uma série de orientações informativas e condições necessárias para que seja apresentada a documentação para a habilitação e as propostas, tanto técnicas como comerciais. Largamente utilizado em empresas estatais, mas sem nenhum impedimento de aplicação em empresas privadas, com as adaptações concernentes às suas necessidades.

efeito ácido / *acid effect*. Alteração na captura de nêutrons pulsados, decorrente da acidificação de uma rocha carbonática. ↝ A acidificação tende a aumentar a porosidade e deixar cloretos na rocha, aumentando consequentemente a seção transversal de captura. Tais resultados afetam o tempo de decaimento térmico e devem ser levados em conta na interpretação. ▶ Ver *difusão*.

efeito albedo / *albedo effect*. 1. Razão entre a quantidade de luz refletida por um objeto e a quantidade de luz incidente; é uma medida da refletividade ou da luminosidade intrínseca de um objeto (uma superfície branca ou perfeitamente refletora teria um albedo de 1,0; uma superfície preta perfeitamente absorvente teria um albedo de 0,0). 2. Efeito pelo qual o maior derretimento do gelo no verão afina a camada de gelo que se formará no inverno. Quanto mais água o degelo produz, mais calor haverá, porque a água reflete muito menos os raios solares do que o gelo (é o efeito albedo), ou seja, cada vez menos gelo se formará e ele será ainda mais vulnerável ao degelo a cada ciclo verão-inverno.

efeito ambiental / *environmental effect*. Alteração nas características e na qualidade do meio ambiente produzida por ação humana.

efeito bolha / *bubble effect*. Liberação de energia sob a forma de uma bolha de ar comprimido, por intermédio de um canhão de ar. •• Exerce forte ação no ambiente aquoso. A força reativa da água causa uma contração dessa bolha, que gera, por sua vez, uma reação do ar comprimido do interior da bolha, criando novamente componentes de tensão na água. Esses esforços ação/reação geram um trem indesejável de pulsos secundários, causando o denominado *efeito bolha*. Considerando-se a propriedade de que o tempo de ocorrência da bolha é proporcional ao volume do canhão, esse efeito é atenuado pela criação de subarranjos de canhões, em que as bolhas geradas pelos diversos elementos do conjunto tendem a se anular. Uma das medidas da eficiência de uma fonte é a razão entre as amplitudes do evento primário e da primeira bolha.

efeito da frequência / *frequency effect*. Diferença entre as resistividades (ou voltagens) observadas em duas frequências, dividida pela resistividade (ou voltagem) de uma das frequências.

efeito da malha / *grid effect*. O resultado de erros sistemáticos de interpolação de dados em pontos da malha onde não existem dados observados.

efeito de afinação / *tuning effect*. Fenômeno de interferência construtiva ou destrutiva de ondas em eventos ou reflexões. •• Em um espaçamento menor que um quarto do comprimento de onda, as reflexões sofrem uma interferência construtiva e produzem um evento único de alta amplitude. Com espaçamentos maiores, o evento acaba sendo resolvido como dois eventos separados. A espessura da camada em que os dois eventos tornam-se indistinguíveis no tempo é chamada de *espessura de afinamento*.

efeito de caverna / *cave effect*. Efeito que ocorre nos perfis em consequência de uma mudança brusca do diâmetro do poço, de caverna ou de rugosidade. •• Nos perfis de indução, esse efeito pode induzir sinais apenas em uma bobina do arranjo. Como esse sinal anômalo não é tratado pela correção normal, o efeito pode resultar em um pico no perfil. Este pico só é significativo quando a resistividade for alta e o contraste entre a resistividade do poço e a da formação for muito grande. O pico também depende do dispositivo do arranjo e do posicionamento. Em outros perfis, o efeito é compensado pela própria construção do equipamento.

efeito de chaminé de gás / *gas chimney effect*. Tendência do ar ou gás aquecido de se elevar em um duto ou outra passagem vertical, tal como numa chaminé, graças à menor densidade do gás resultante de maior temperatura. •• O escoamento por convecção natural, que ocasiona o fenômeno acima definido, provoca um efeito de sucção na base do duto, que dirige o ar ou gás, nessa região, para o interior do duto.

efeito de contrabalanceio / *counterbalance effect*. Força requerida na haste polida para que a unidade de bombeio esteja perfeitamente balanceada. Essa força é exercida indiretamente pelos contrapesos colocados nos braços da manivela. Nas unidades mais antigas, os contrapesos eram colocados no balancim. •• A unidade de bombeio está perfeitamente balanceada quando o torque submetido ao redutor durante o curso ascendente tem comportamento idêntico ao torque submetido ao redutor durante o curso descendente. ▶ Ver *contrapeso*; *braço da manivela*; *haste polida*.

efeito de costa / *coastline effect*. Diferença de condutividade entre a água salgada e a terra, que distorce o campo magnético.

efeito de extremidade / *end effect*. 1. Redução na imantação próxima às extremidades de um tubo imantado, causada pelo efeito desmagnetizante dos polos nas extremidades dos tubos. 2. Efeito causado pelas extremidades de uma tubulação ou viga. Em testes de laboratório, esse efeito deve sempre ser mitigado pela realização dos ensaios em trechos dos corpos de prova suficientemente afastados das extremidades.

efeito de flutuação / *buoyancy effect*. Efeito gerado pela força de empuxo causada pelo deslocamento de um determinado volume de líquido com densidade D1 por um elemento com densidade D2. •• Normalmente, o cálculo do efeito de flutuação é feito para colunas de perfuração, de revestimento e de produção, imersas no fluido dentro do poço. ▶ Ver *fluido de perfuração*; *densidade*.

efeito de Gibbs / *Gibbs effect*. 1. Comportamento oscilatório observado quando uma onda quadrada é reconstruída a partir de um número finito de harmônicos. 2. Oscilações do espectro de amplitude de um filtro de frequência nas proximidades das frequências de corte.

efeito de leito adjacente / *adjacent bed effect*. Interferência nos resultados da perfilagem de um poço, devido aos efeitos das camadas superiores ou inferiores às quais está sendo perfilado. •• Ocorre especialmente no caso da perfilagem da resistividade, na qual camadas de baixa resistividade mascaram mais facilmente as medidas da resistividade mais elevada de uma camada intermediária. Para compensar esse efeito é realizado um processamento, ou deconvolução, dos dados dos perfis através de técnicas numéricas, ou da obtenção de dados adicionais.

efeito de Munroe / *Munroe effect*. Efeito que ocorre ao se colocar uma cápsula vazia na base de um explosivo, focalizando o resultado da explosão.

efeito de poço / *borehole effect*. Efeito do próprio poço e suas variáveis — tais como dimensões, tipo de fluido e revestimento — sobre a sua perfilagem.

efeito de sombra / *shadow effect*. Redução, em sísmica, da magnitude das reflexões resultante das perdas por transmissão no topo e na base dos reservatórios de gás.

efeito de surto / ***surge effect***. 1. Fenômeno ao qual estão sujeitos compressores centrífugos e axiais, caracterizado por uma restrição ao fluxo a jusante do compressor, o que provoca um aumento da pressão de descarga e eventual reversão de fluxo no interior do compressor. 2. Termo também utilizado para referir um súbito aumento de vazão decorrente de um escoamento em golfadas. ↝ Trata-se de fenômenos cíclicos. No primeiro caso, a reversão de fluxo no corpo do compressor provoca redução na pressão de descarga e aumento na pressão de sucção, restabelecendo o sentido normal de fluxo, até que a pressão suba na descarga (pela restrição mencionada), produzindo novamente o fenômeno. ▶ Ver *escoamento em golfadas*.

efeito de Weissenberg / ***Weissenberg effect***. Efeito que contempla a relação entre forças inerciais e forças viscoelásticas relativas ao fluido, e que tem papel significante na caracterização da correspondente magnitude das forças capilares.

efeito Doppler / ***Doppler effect***. Variação aparente da frequência acústica ou óptica causada pelo efeito das vibrações sonoras ou luminosas do sistema emissor ou pelo observador (sistema receptor). Característica observada nas ondas quando emitidas ou refletidas por um objeto que está em movimento com relação ao observador. ↝ Foi-lhe atribuído esse nome em homenagem a Johann Christian Andreas Doppler, que o descreveu teoricamente pela primeira vez em 1842. A primeira comprovação foi obtida pelo cientista alemão Christoph B. Ballot, em 1845, em um experimento com ondas sonoras. Em ondas eletromagnéticas, esse mesmo fenômeno foi descoberto de maneira independente, em 1848, pelo francês Hippolyte Fizeau. Por esse motivo, o efeito Doppler também é chamado *efeito Doppler-Fizeau*. No efeito Doppler acústico são observados dois casos: fonte parada e observador em movimento, ou o caso contrário, observador em repouso e fonte em movimento. Já no efeito Doppler óptico não ocorre essa distinção, pois uma vez que a transmissão da luz não está ligada a nenhum meio material, o estado de movimento do meio no qual ocorre a propagação das ondas eletromagnéticas não tem influência sobre as ondas.

efeito elástico / ***spring effect***. Efeito relacionado à viscoelasticidade de alguns fluidos poliméricos em condições de escoamento em um tubo capilar. ↝ Uma forma ilustrativa de caracterizar esse efeito seria uma mola com uma das extremidades presa ao menisco de um fluido que escoa em um tubo capilar e a outra extremidade presa ao final do tubo, sendo essa mola comprimida à medida que o fluido escoa, forçando, dessa forma, o menisco para o sentido contrário ao do escoamento.

efeito eletrodo / ***electrode effect***. Perturbação relacionada às características do solo nas proximidades do ponto de implantação dos eletrodos.

efeito estufa / ***greenhouse effect***. Aumento da temperatura média da atmosfera por reabsorção da radiação reemitida pela superfície, causada pelo aumento da concentração de monóxido e dióxido de carbono, metano, óxido nitroso e vapor-d'água no ar. ↝ Os gases nomeados são denominados "gases de efeito estufa" e o aumento de sua concentração está ligado a ações antrópicas, em particular a queima de combustíveis fósseis.

efeito fotelétrico / ***photoelectric effect***. Fenômeno de eletrônica quântica no qual elétrons são emitidos da matéria após a absorção de energia de uma radiação eletromagnética, tais como os raios-X ou a luz no espectro visível.

efeito Jamin / ***Jamin effect***. Fenômeno que impede ou dificulta, em certos casos, o fluxo em um canal quando neste existe mais de uma interface. Por exemplo, um canal contendo duas fases, ou seja, óleo e água. ▶ Ver *permeabilidade*.

efeito Joule-Thompson / ***Joule-Thompson effect***. Diminuição de temperatura sofrida por um gás inerte submetido à expansão adiabática sem trabalho externo. ↝ O efeito descrito acima se verifica para todos os gases inertes, à exceção do hidrogênio e do hélio. Esse efeito tem grande aplicação na indústria do petróleo, quando se tem como objetivo a produção de gases liquefeitos.

efeito Klinkenberg / ***Klinkenberg effect***. Fenômeno que se manifesta durante o escoamento de gás em um meio poroso, o qual resulta numa maior vazão e maior permeabilidade calculada, devido ao escorregamento do gás nas paredes do meio poroso. Diferença entre o fluxo de gás e de líquido em um meio poroso. ↝ À medida que a pressão média do gás aumenta, este tende a ter um comportamento semelhante ao de um líquido, e a permeabilidade calculada diminui até um limite em que, para uma pressão média hipoteticamente infinita, o gás se transformaria em líquido e a permeabilidade assim medida seria igual à absoluta. Próximo à superfície do grão, o gás possui uma velocidade de fluxo maior que a do líquido. ▶ Ver *permeabilidade*.

efeito pêndulo / ***pendulum effect***. 1. Efeito relacionado à ação da gravidade sobre o corpo. 2. Tendência que tem um corpo, quando inclinado, de voltar para a posição vertical, atuando como um pêndulo. ↝ No setor petróleo, normalmente, esse efeito é utilizado ao se montar um *BHA* (composição de fundo de poço) para perfuração direcional com tendência de perda de inclinação.

efeito ponte de gelo / ***ice-bridge effect***. Em áreas muito frias, um tampo de gelo pode formar-se no topo de um buraco onde será detonada a carga explosiva, confinando assim os gases da explosão e produzindo choques secundários semelhantes aos pulsos de bolhas, ou *bubble pulses*.

efeito sismoelétrico / *seismoelectric effect.* Variação da resistividade pela deformação elástica das rochas.

efeito Zeeman / *Zeeman effect.* Duplicação das linhas espectrais da radiação emitida por átomos ou moléculas, dentro de um campo magnético. O nome é uma homenagem ao físico holandês Pieter Zeeman (1865-1943).

eficiência da bomba de lama / *mud pump fluid efficiency.* Relação, expressa em porcentagem, entre o deslocamento real de uma bomba e o deslocamento teórico. ▶ Ver *eficiência volumétrica*.

eficiência da lama de fraturação (Port.) / *frac fluid efficiency.* O mesmo que *eficiência do fluido de fraturamento*. ▶ Ver *eficiência do fluido de fraturamento*.

eficiência da recuperação secundária de óleo com uso de aditivos (Port.) / *sweep efficiency.* O mesmo que *eficiência de varrido*. ▶ Ver *eficiência de varrido*.

eficiência de deslocamento / *displacement efficiency.* Medida relacionada à recuperação de óleo pela introdução de agentes de superfície no fluido de recuperação, com a finalidade de diminuir a tensão interfacial e melhorar o deslocamento do óleo por intermédio da formação de emulsões.

eficiência de fluxo / *flow efficiency.* 1. Relação entre a produção real de um poço e a quantidade que este poderia produzir sem estimulação ou dano. A eficiência do fluxo é expressa em porcentagem ou fração decimal, onde uma eficiência de fluxo de 200% a 300% pode ser obtida pela estimulação do poço. 2. Relação entre o fluido produzido e o fluido deslocante, injetado no reservatório em um método de recuperação avançada do tipo imiscível.

eficiência de fluxo em testemunho / *core flow efficiency.* Medida da eficiência do fluxo que utiliza a razão entre o índice de produtividade medido e aquele indicado pela lei de Darcy. É uma indicação da condição do poço, pois se houver danos (fator Skin > 1), essa medida será inferior a um, e se for efetuada alguma operação de estimulação (fator Skin < 1), ela será superior a um.

eficiência de fraturamento hidráulico / *hydraulic fracturing efficiency.* 1. Relação entre o volume da fratura estabelecida na formação e o volume total de fluido de fraturamento bombeado durante o tratamento. 2. Parâmetro que expressa a perda de fluido de fraturamento por filtração pelas faces da fratura. ▶ Ver *fraturamento hidráulico*; *geometria de fratura*.

eficiência de separação / *separation efficiency.* Numeral (fração ou percentual) que expressa uma relação entre a quantidade da fase dispersa presente numa corrente de fluido efluente de um equipamento de separação e a quantidade dessa mesma fase presente na corrente que alimenta esse equipamento. ↦ Por exemplo, quando se diz que a eficiência de um separador de água livre é de 60%, significa dizer que a corrente de óleo que deixa esse separador tem apenas 40% da água livre presente na corrente que alimenta o separador. Diversas relações quantitativas são possíveis para descrever a eficiência de separação e, portanto, não se pode atribuir um significado absoluto ao valor obtido. Esse quantitativo presta-se apenas a uma análise comparativa de desempenho.

eficiência de varrido / *sweep efficiency.* 1. Medida da efetividade do processo de recuperação avançada de petróleo, representada pelo percentual da área da seção vertical do reservatório que foi invadida pelo fluido injetado. A eficiência de varrido vertical depende da variação vertical da permeabilidade, da razão de mobilidades, do volume de fluido injetado, da presença de fraturas no reservatório, da posição do contato gás/óleo e óleo/água, da diferença de densidade entre o fluido injetado e o fluido da formação, e da vazão de fluido injetado. 2. Razão entre o volume poroso da rocha-reservatório, que mantém contato com o fluido injetado durante a aplicação dos métodos de recuperação avançada, e o volume total dos espaços porosos da rocha. ↦ A eficiência de varrido pode ser fragmentada em *eficiência areal* ou *vertical*. ▶ Ver *fator de recuperação*; *permeabilidade vertical*.

eficiência de varrido areal / *areal sweep efficiency.* 1. Medida da eficácia do processo de deslocamento do óleo por um fluido injetado, em termos da área do reservatório que foi escoada. Considerada na recuperação de óleo de um reservatório de petróleo. 2. Razão da área do reservatório contatada pelo fluido deslocante em relação a sua área total. ↦ Depende de diversos parâmetros, como o arranjo dos poços injetores e produtores, a geometria do reservatório e das camadas de fluidos, a permeabilidade e heterogeneidade areal do reservatório, a razão de mobilidade entre os fluidos deslocado e deslocante, a vazão injetada. ▶ Ver *eficiência de varrido vertical*.

eficiência de varrido vertical / *vertical sweep efficiency.* Medida da eficácia do deslocamento vertical do óleo por força de um fluido injetado no reservatório, e que está relacionada à recuperação de óleo de um reservatório. ↦ Depende de diversos parâmetros, como o arranjo dos poços injetores e produtores, a geometria do reservatório e das camadas de fluidos, a permeabilidade e heterogeneidade vertical do reservatório, a razão de mobilidade entre os fluidos deslocado e deslocante, a vazão injetada.

eficiência de varrimento (Ang.) / *sweep efficiency.* O mesmo que *eficiência de varrido*. ▶ Ver *eficiência de varrido*.

eficiência de varrimento areal (Ang.) / *areal sweep efficiency.* O mesmo que *eficiência de varrido areal*. ▶ Ver *eficiência de varrido*; *eficiência de varrido areal*; *eficiência de varrido vertical*.

eficiência de varrimento vertical (Ang.) / vertical sweep efficiency. O mesmo que *eficiência de varrido vertical*. ▶ Ver *eficiência de varrido vertical*; *eficiência de varrido areal*.

eficiência do fluido de fraturação (Port.) / frac fluid efficiency. O mesmo que *eficiência do fluido de fraturamento*. ▶ Ver *eficiência do fluido de fraturamento*.

eficiência do fluido de fraturação hidráulica (Port.) / hydraulic fracturing efficiency. O mesmo que *eficiência de fraturamento hidráulico*. ▶ Ver *eficiência de fraturamento hidráulico*.

eficiência do fluido de fraturamento / frac fluid efficiency. Relação entre o volume dinâmico da fratura induzida e o volume do fluido de perfuração injetado durante uma operação de fraturamento hidráulico ou ácido. Essa eficiência diminui à medida que o tempo de bombeio aumenta. ▶ Ver *fraturamento hidráulico*; *fraturamento ácido*.

eficiência produtiva / productive efficiency. Quociente da divisão da produção real pela produção nominal de um poço, multiplicado por 100%.

eficiência volumétrica / volumetric efficiency. 1. Relação entre o volume de fluido que uma bomba admite e sua capacidade volumétrica nominal. 2. No método de produção por bombeio mecânico, é a porcentagem efetivamente aproveitada da capacidade de bombeio instalada. Caracteriza o volume real bombeado pela bomba, dividido pelo volume deslocado pelo pistão durante o ciclo de bombeio expresso em percentual. Pode-se obter facilmente pela carta dinamométrica, medindo-se a distância horizontal do início da carta (extrema esquerda) até o ponto de carga mínima (*MPRL*) e dividindo pelo comprimento total da carta.

efluente / effluent. Qualquer corrente de fluido que flui para o exterior de uma instalação, quase sempre tomada a palavra na acepção de corrente líquida, a qual, saindo de uma instalação, é lançada num corpo d'água.

efluente zero / zero effluent. Instalação onde não ocorre qualquer tipo de descarte ao meio ambiente. ↔ Os requisitos cada vez mais restritivos impostos às instalações industriais pela legislação ambiental, cuja severidade aumenta em decorrência de pressões sociais e de organizações não governamentais, indicam que há uma inexorável tendência a que toda a atividade industrial venha, cedo ou tarde, a ser obrigada a atender ao requisito de efluente zero.

efusiva / effusive. 1. Termo aplicado a rocha ígnea derivada de magma extravasado na forma de lava na superfície da Terra. 2. Termo aplicado a erupção que forma lava.

eixo cristalográfico / crystal axis. 1. Eixo de referência utilizado para a descrição das propriedades vetoriais de um cristal e de operações de simetria. 2. Um dos três eixos que definem a célula unitária de um cristal. ↔ Os eixos são tomados paralelamente às arestas de interseção das faces principais do cristal e passam pelo centro do mesmo.

eixo deposicional / depoaxis. Eixo de maior deposição de sedimentos em uma bacia durante determinado período geológico.

ejeção / entrainment. Um de três processos distintos que envolvem a erosão. Mais especificamente, representa a fase que levanta ou ejeta as partículas durante o processo de erosão. ▶ Ver *erosão*.

elasticidade / elasticity. Propriedade que tem um determinado material de alterar suas dimensões físicas quando uma força é aplicada sobre ele, e retornar ao seu tamanho e forma originais quando essa força é removida.

elasticidade-preço / price elasticity. Conceito econômico que propicia a medição da variação na demanda de um produto ou serviço em resposta a uma determinada variação de preço. ↔ Representa a relação entre a variação percentual da quantidade demandada e a variação percentual do preço desse produto ou serviço.

elastômero / elastomer. 1. Borracha que tem efeito-memória, usualmente por ligação cruzada ou pela incorporação de um segmento rígido, de modo que mesmo com alongamento até 600% o polímero se recupera completamente. 2. Qualquer classe de material, inclusive borrachas naturais e sintéticas, que retorna ao formato original após ter sido submetido a grandes deformações.

electrobomba submersível (Ang.) / electrical submersible pump. O mesmo que *bombeamento centrífugo submerso (BCS)*. ▶ Ver *bombeamento centrífugo submerso (BCS)*.

electrobomba submersível horizontal (Ang.) / horizontal subsea ESP. Conjunto de bombeio centrífugo submerso (BCS) disposto horizontalmente. ▶ Ver *bombeio centrífugo submerso (BCS)*.

electrobomba submersível submarina (Ang.) / skid-mounted subsea pumping. 1. O mesmo que *BCSS montado em skid*. 2. O mesmo que *sistema de bombeio centrífugo submerso submarino montado em estrutura metálica no leito marinho*. ▶ Ver *BCSS montado em skid*; *sistema BCSS em base metálica*; *bombeio centrífugo submerso (BCS)*; *bombeio centrífugo submerso submarino (BCSS)*; *BCSS em poço alojador*; *BCSS em poço falso*.

electrobomba submersível submarina em base metálica (sistema) (Ang.) / subsea ESP on a skid (system). O mesmo que *sistema BCSS em base metálica*. ▶ Ver *sistema BCSS em base metálica*.

elemento / element. Substância que não pode ser decomposta em substâncias simples por meios químicos. Qualquer das mais de 110 substâncias conhecidas que não podem ser atacadas com mudança em suas propriedades químicas. ↔ Exemplos: hidrogênio, nitrogênio, ouro, chumbo e urânio.

elemento acessório / accessory element. O mesmo que *elemento-traço*, ou seja, o que aparece nos minerais em concentrações inferiores a 1% (frequentemente > 0,001%). ▶ Ver *elemento-traço*.

elemento de filtro / *filter element*. Termo que serve para designar o recheio que constitui o meio poroso filtrante, empregado em filtros usados nas plantas de processo e utilidades. ↝ A denominação *cartuchos* é frequentemente empregada para designar elementos fabricados em material polimérico, colocados dentro dos vasos que constituem os filtros de processo, e que devem ser periodicamente substituídos, quando saturados de material granular (filtrado). Quando o elemento filtrante é constituído por telas com malhas metálicas que podem ser lavadas para remoção do filtrado, e que, portanto, não necessitam de substituição frequente, esse elemento filtrante é denominado, usualmente, *cesta*.

elemento de segurança a pressão / *pressure safety element*. Denominado *PSE* (*pressure aafety element*), é um disco de ruptura de 0,5 usado para prevenir uma condição de sobrepressão nas linhas de suprimento. ↝ Os PSEs são colocados nas linhas de suprimento, entre as válvulas reguladoras de pressão nas garrafas de suprimento e as válvulas redutoras de pressão, para drenagem do excesso de pressão.

elemento de segurança a temperatura / *temperature safety element*. Fusível feito de um material que derrete a uma determinada temperatura. Esta ação abre um circuito elétrico e interrompe a passagem de corrente.

elemento estrutural / *structural element*. Constituinte das estruturas geológicas cujos componentes podem ser físicos, como dobras e falhas, ou imaginários, como eixos e planos axiais, ambos com geometria e orientação definida.

elemento filho / *daughter element*. Qualquer membro da série de nuclídeos formado por desintegração radiativa de um elemento instável, como, por exemplo, o urânio, que é chamado de *pai*. ↝ Os nuclídeos-filhos, um após outro, emitem energia em forma de partícula alfa ou beta, de modo que a sequência resultante termine em um núcleo estável. Por exemplo, rádio e radônio são filhos do urânio.

elemento primário de medição / *primary element (primary detector)*. Parte do sensor (ou detector) responsável pela magnitude da grandeza medida.

elemento sensor / *sensing element*. O mesmo que *elemento primário de medição*. ▶ Ver *elemento primário de medição*.

elemento-traço / *trace element*. Elemento que aparece nos minerais em concentrações menores que 1% (frequentemente menor que 0,001%). ▶ Ver *elemento acessório*.

elemento-traço em óleo e betume / *trace element in oil and bitumen*. Elemento como o Fe, Ni, V e Ga, que ocorre nas porfirinas, em virtude da perda de seus íons centrais após o processo de sedimentação. Elemento como os organometálicos (ou compostos argilo-organometálicos) encontrados nos asfaltenos. Como essas moléculas são grandes, costumam acumular-se nos óleos pesados e asfaltos (os óleos leves são pobres em metais).

elemento-traço em sedimentos biogênicos / *trace element in biogenic sediments*. Elemento cujos sedimentos são formados por partes ou derivados de partes de corpos, ou por ação de organismos, ou ainda por interação de matéria orgânica ou inorgânica. ↝ Alguns elementos são seletivamente acumulados por organismos como, por exemplo, algas marinhas enriquecidas em ouro em relação à água do mar (acima de 104 vezes), ou enriquecidas em chumbo e molibdênio (acima de 105 vezes). Outros organismos formam esqueletos compostos de elementos menores, como a xenophyophora, constituída de sulfato de bário.

elemento vestigial (Port.) / *trace element*. O mesmo que *elemento-traço*. ▶ Ver *elemento-traço*.

elemento vestigial em óleo e betume (Port.) / *trace element in oil and bitumen*. O mesmo que *elemento-traço em óleo e betume*. ▶ Ver *elemento-traço em óleo e betume*.

elemento vestigial em sedimentos biogênicos (Port.) / *trace element in biogenic sediments*. O mesmo que *elemento-traço em sedimentos biogênicos*. ▶ Ver *elemento-traço em sedimentos biogênicos*.

eletrodo / *electrode*. Terminal constituído de material condutor utilizado para conectar um circuito elétrico a uma parte não metálica. Em geofísica, utiliza-se para injetar corrente elétrica no solo ou medir a diferença de potencial.

eletrodo A-B / *A-B electrode*. Eletrodo de injeção da corrente elétrica no solo. ↝ Também conhecido como *eletrodo de corrente*. Em levantamentos de eletrorresistividade, é utilizado para a injeção da corrente elétrica no solo. Por intermédio desse eletrodo são feitas as medidas das intensidades de corrente (I) em miliampères.

eletrodo de cabo / *cable electrode*. Eletrodo montado em estojo flexível isolante, com o fim de proporcionar contato de corrente ou voltagem remota com o fluido do poço. Essa extensão é finalizada entre o cabo de perfilagem e a ferramenta rígida com conectores apropriados em cada extremidade.

eletrodo de corrente / *current electrode*. Eletrodo usado para injetar corrente no solo, também chamado *eletrodo A-B*.

eletrodo de potencial / *potential electrode*. Contato de uma indução polarizada, e/ou circuito receptor da resistividade, com o solo.

eletrodo de referência / *reference electrode*. Eletrodo não polarizável com potencial conhecido e altamente reprodutível.

eletrodo focalizador / *guard electrode*. Eletrodo profundo que contribui para que a corrente elétrica na perfilagem de poços seja perpendicular às paredes do poço.

eletrodo M / *M-electrode*. 1. Um dos eletrodos de tensão em resistividade (par M-N). 2. Na perfilagem de poços, é o eletrodo mais próximo ao eletrodo A de corrente (par A-B).

eletrodo-N / *N-electrode*. Eletrodo potencial mais distante do eletrodo de corrente.

eletrodo não polarizável / *nonpolarizable electrode*. Eletrodo feito de plástico especial, no qual a tubulação de cobre faz contato com uma solução saturada de sulfato de cobre.

eletrodo volante / *walking stick*. 1. Eletrodo não polarizável usado nos levantamentos de potencial espontâneo. 2. Disco de grande massa que, devido a sua inércia, tem ao girar a tendência de manter constante sua velocidade de rotação. Por essa característica é muito empregado em gravadores e toca-discos, onde a constância da rotação é importantíssima.

eletrofácies / *electrofacies*. 1. Fácies obtidas de atributos indiretos, extraídos de perfis elétricos que em geral caracterizam intervalos de uma rocha sedimentar e normalmente estão relacionados às propriedades elétricas de um determinado litotipo (litofácies). Pode-se também extrair características do padrão deposicional e conseguir um grau de caracterização no nível de tipo de fácies sedimentares, ou associação de fácies. 2. Característica estratigráfica associada às propriedades elétricas da rocha quando da realização da perfilagem elétrica. ▶ Ver *fácies*; *litofácies*.

eletrólito / *electrolyte*. Substância que, em solução ou fundida, é capaz de conduzir corrente elétrica mediante transporte de carga realizado por íons. ↝ Os eletrólitos naturais mais abundantes são a água do mar, a água dos rios e o solo.

eletronegatividade / *electronegativity*. Medida da tendência relativa de um átomo de atrair para si elétrons quando quimicamente combinados com outros átomos.

elevação artificial / *artificial lift*. Aplicação de energia de fonte externa para elevar o fluido do reservatório de petróleo, através do poço produtor, até a unidade de tratamento na superfície. ↝ Qualquer método usado para elevar óleo até a superfície, depois que a energia de reservatório passa a não ser mais suficiente para produzir os fluidos até a superfície na vazão desejada, por fluxo natural. Os métodos mais comuns de elevação artificial são bombeio mecânico, bombeio hidráulico, bombeio centrífugo submerso (BCS) e *gas lift*.

elevação artificial por pistoneio / *swabbing for artificial lift*. Método de elevação que utiliza um pistão, descido a cabo dentro da coluna de produção, que eleva o líquido (óleo e água) num processo intermitente e ventila o gás. ↝ O pistoneio é um método de elevação aplicado em poços de baixa vazão, sendo realizado com unidades de pistoneio fixas ou móveis. Esse método consiste em introduzir, por gravidade, um conjunto de pistoneio por dentro da coluna ou do revestimento de produção, através de cabo de aço (*wireline*) ou fita especial, fazendo a elevação do líquido por bateladas. Os principais componentes do conjunto de pistoneio são o tubo coletor, a válvula de retenção e a barra de peso. O líquido pistoneado é armazenado num tanque, que pode ser instalado na locação do poço ou sobre as unidades móveis de pistoneio, de onde é transferido para uma estação de separação e tratamento.

elevação com gás / *gas lift*. Método de elevação artificial que utiliza a energia contida no gás comprimido para elevar os fluidos produzidos pelo poço (óleo e água) até a superfície. ↝ Baseia-se na injeção de gás a alta pressão na coluna de produção com o objetivo de gaseificar o fluido produzido, provocando aumento da vazão. Pode ser de tipo contínuo ou intermitente. ▶ Ver *gas lift contínuo*; *gas lift intermitente*.

elevação continental / *continental rise*. Parte da margem continental, de inclinações muito baixas e topografia suave, entre o talude e a planície abissal.

elevação contínua a gás / *continuous-flow gas lift*. Método de elevação artificial conhecido como *gas lift*, ou elevação do tipo pneumático. ▶ Ver *gas lift*.

elevação do tiro / *shot elevation*. Posição vertical da carga explosiva em relação ao *datum*. ▶ Ver *datum*.

elevação intermitente a gás / *intermittent-flow gas lift*. Método cíclico de produção que utiliza a injeção de gás a alta pressão na coluna de produção. ↝ A expansão do gás eleva uma golfada de fluido até a superfície. Esse método é utilizado para a produção de pequenos volumes. O líquido produzido pelo reservatório acumula-se na coluna de produção, e somente após a coluna atingir o nível de interesse o gás é injetado, diretamente abaixo da golfada a ser produzida. ▶ Ver *gas lift*.

elevação natural / *natural lift*. O mesmo que *surgência*. ▶ Ver *surgência*; *escoamento natural*.

elevador / *elevator*. Dispositivo mecânico bipartido preso à catarina, usado para suspender a tubulação durante a retirada ou a descida de tubos. Esse dispositivo se prende ao tubo (*no tool joint*) quando se fecha a peça bipartida. ▶ Ver *catarina*.

eliminador de névoa / *mist extractor*. Dispositivo interno de vasos separadores, situado imediatamente a montante da linha de saída de gás, que visa à remoção das gotículas de líquido carreadas pela corrente de gás. ▶ Ver *removedor de névoa*.

elipsoide de referência / *reference ellipsoid*. Elipsoide de dimensões especificadas e associado a um sistema geodético de referência, ou a um *datum* geodésico.

elipsoide internacional / *international ellipsoid*. O elipsoide de referência oficial usado para representar o geoide.

eluato / *eluate*. Solução de uma fração eluída (dessorvida) de uma coluna cromatográfica por meio de um solvente específico, isto é, penteno eluato e tolueno eluato, que contêm, respectivamente, hidrocarbonetos aromáticos saturados e não saturados.

eluente / *eluant or eluent.* Solvente usado no processo de eluição, como na cromatografia líquida.

eluviação / *eluviation.* Movimento de húmus, substâncias químicas e partículas minerais das camadas superiores do solo, levadas para as camadas inferiores pelo movimento descendente de água do perfil do solo. ▶ Ver *elúvio*.

eluvial / *eluvial.* Que se refere a eluvião, ou elúvio.

elúvio / *eluvium.* 1. Depósito residual causado pela decomposição e desintegração da rocha, formando um solo residual. 2. Resultado da desintegração da rocha matriz que não sofre transporte, permanecendo no mesmo lugar. ▶ Ver *solo*.

embarcação de apoio a mergulho / *diving support vessel.* O mesmo que *embarcação de mergulho*. ▶ Ver *embarcação de mergulho*.

embarcação de apoio a ROV / *ROV support vessel.* Embarcação que concentra toda a infraestrutura de alimentação e controle das operações de ROV (remotely-operated vehicle /veículo operado remotamente). ↔ É uma embarcação que dispõe de facilidades para suporte da operação com ROV. Tais facilidades compreendem plataforma de armazenagem e lançamento, guinchos, equipamentos de comunicação e filmagem e contêineres de apoio. ▶ Ver *veículo de controle remoto*; *veículo de operação remota*.

embarcação de manuseio de âncoras / *anchor handling, towing, and supply (AHTS) vessel.* O mesmo que *barco de manuseio de âncora*. ▶ Ver *barco de manuseio de âncora*.

embarcação de mergulho / *diving support vessel.* Embarcação usada para serviços de inspeção, manutenção e intervenção submarina, equipada basicamente para operações de mergulho, com sistema de câmaras hiperbáricas.

embarcação de passageiros / *crew boat and utility vessel.* Embarcação usada para transporte de passageiros e cargas leves. ↔ Essa embarcação tem de 25 ft a 120 ft de comprimento e atinge aproximadamente o dobro da velocidade de embarcações maiores de suprimento.

embarcação de ROV / *ROV support vessel.* O mesmo que embarcação de apoio a ROV. ▶ Ver embarcação de apoio a ROV.

embarcação de suporte ao mergulho / *diving support vessel.* Embarcação utilizada para dar apoio a operações de mergulho, saturado ou não. ↔ Esta embarcação, com o porte de uma lancha oceânica, dispõe normalmente de guindaste para auxiliar a descida do sino de mergulho, bem como de plataforma e escada para a descida de mergulhadores. Também pode atender a outras finalidades, como embarcação para suporte ao mergulho juntamente com suporte ao lançamento de *ROV* (*remotely operated vehicle*), ou veículo submarino de operação remota.

embarcação de suporte tipo balsa / *tender support vessel.* Embarcação que fornece fluido de perfuração, facilidades para cimentação, acomodação para equipe de perfuração e depósitos de cascalhos coletados. Com o uso de embarcação de suporte tipo balsa, o tamanho da plataforma de perfuração pode ser reduzido.

embarcação de suprimento / *supply vessel.* 1. Embarcação usada para transporte de cargas e suprimentos a unidades marítimas. Executa várias funções de suporte vital, tais como transporte de óleo combustível, água potável, água industrial, alimentos etc. 2. Embarcação que presta serviços de apoio marítimo a plataformas de exploração e produção de petróleo e gás, e que tem normalmente de 65 ft a 120 ft de comprimento.

embarcação multiuso / *multi-service vessel, multipurpose support vessel.* Embarcação capaz de assentamento de árvore de natal molhada (ANM), instalação de *templates* ou módulos submarinos, lançamento de umbilicais e linhas de acesso, intervenção em poços, lançamento de linhas rígidas, suporte à vida do campo, manutenção, reparo e descomissionamento (abandono de poços).

embarcação para lançamento de linhas / *pipe laying support vessel.* 1. Embarcação para lançamento de linhas flexíveis e dutos rígidos de escoamento. 2. Embarcação especialmente projetada para manusear a linha de escoamento, que é enrolada num grande carretel. Para lançar a linha de escoamento, a embarcação libera o tubo do carretel numa velocidade constante para o fundo do mar.

embasamento / *basement rock.* Termo aplicado a uma espessa camada de rocha, rochas ígneas ou metamórficas, que formam a base dos continentes. ↔ O embasamento pode estar sob camadas de rochas sedimentares ou aflorar à superfície. Na indústria do petróleo, o termo *embasamento* é aplicado às rochas localizadas abaixo das camadas de rochas sedimentares. Normalmente não oferecem atrativo comercial por não apresentarem porosidade e permeabilidade relevantes, e não funcionam como reservatório de hidrocarbonetos. Uma exceção ocorre se estiverem intensamente fissuradas, pois esse conjunto de fissuras acaba funcionando como reservatório.

embasamento acústico / *acoustic basement.* Condição limite de penetração do sinal acústico que pode ser obtida através do método de *perfilagem sísmica*. ↔ Em algumas regiões esse limite coincide com o embasamento econômico e o embasamento geológico, ou com a porção da Terra que não compreende rochas sedimentares.

embasamento econômico / *economic basement.* Rochas que apresentam densidade, velocidade acústica e propriedades magnéticas dife-

rentes daquelas das rochas sobrejacentes, e que abaixo das quais a possibilidade de ocorrência de hidrocarbonetos em quantidades econômicas é praticamente nula.
embasamento elétrico / *electrical basement.* Embasamento geológico inferido a partir das respostas do levantamento geofísico das características elétricas das rochas.
embasamento magnético / *magnetic basement.* Superfície de rochas com suscetibilidade magnética relativamente grande, quando comparada à dos sedimentos.
embasamento sísmico / *seismic basement.* Embasamento cuja estrutura é inferida a partir de dados de reflexão ou de refração sísmicas.
embebição / *imbibition.* 1. Fenômeno caracterizado pela substituição de um fluido não molhante, presente na rocha-reservatório, por um fluido molhante utilizado na composição do fluido de perfuração. Geralmente é medida através da relação entre as propriedades físico-químicas dos fluidos e da rocha, como função da taxa de invasão do fluido no meio poroso. 2. Absorção de um fluido pelos poros de uma rocha, devido à força de atração capilar dos poros. Na embebição o fluido de maior molhabilidade desloca o de menor molhabilidade. ↔ Esse fenômeno ocorre quando um fluido que não molha preferencialmente uma superfície sólida é deslocado e substituído por outro fluido que molha preferencialmente a mesma superfície. O fenômeno inverso, ou seja, quando o fluido que não molha preferencialmente a superfície sólida desloca e substitui o fluido que molha preferencialmente a mesma superfície, é denominado *drenagem*.
embolamento da broca (Port.) / *bit balling.* O mesmo que *enceramento da broca*. ▶ Ver *enceramento da broca*.
êmbolo de sucção (Port.) / *swab.* O mesmo que *elevação artificial por pistoneio*. ▶ Ver *elevação artificial por pistoneio*.
embraiagem mestra (Port.) / *master clutch.* O mesmo que *embreagem mestra*. ▶ Ver *embreagem mestra*.
embreagem mestra / *master clutch.* A embreagem mestra, ou principal, é o componente de um guindaste que realiza o acoplamento entre o motor e as unidades que comandam os movimentos do guindaste, tais como o giro e o içamento da lança.
embuchamento / *screenout, tip screenout.* 1. Condição que ocorre quando o propante (agente de sustentação) carreado pelo fluido de fraturamento causa um plugueamento no interior da fratura, resultando em severa restrição ao fluxo de propagação e em um súbito aumento na pressão de bombeio. Isso normalmente ocorre por causa da baixa eficiência do fluido de fraturamento (alta filtração através das faces da fratura). 2. Formação de bancos ou plugues de propante durante operação de *gravel packing*, causando aumento repentino na pressão de bombeio. Quando ocorre ao final do bombeio, indica um perfeito empacotamento de todo o intervalo tratado. Quando ocorre prematuramente, indica restrição ao fluxo ao longo do trecho a ser empacotado. ▶ Ver *fraturamento hidráulico*; gravel pack; *propante*.
emenda de cabo / *wireline splicing.* União das extremidades de dois cabos de modo que possam funcionar como uma unidade. ↔ Essa emenda pode ser necessária quando o cabo se parte. Mas também quando se deseja unir dois cabos distintos de modo, por exemplo, a passar informações de um para o outro. ▶ Ver *arame*.
emenda de cabo elétrico / *electrical cable splice.* Junção especial entre duas seções de cabo redondo ou chato de bombeio centrífugo submerso.
emergência / *emergency.* Toda ocorrência anormal que foge ao controle de um processo, sistema ou atividade, dos quais possam resultar danos a pessoas, ao meio ambiente, a equipamentos ou ao patrimônio próprio ou de terceiros, envolvendo atividades ou instalações industriais.
emissão / *emission.* Fluxo de poluente emitido por uma fonte. ↔ Quase sempre se refere a um fluxo gasoso.
emissão acústica / *acoustic emission.* Onda elástica produzida pela deformação ou pela fragilidade do material e caracterizada por alta frequência, típica das regiões árticas, gerada pelo fraturamento natural do gelo.
emissão de raios gama induzida por partículas / *particle-induced gamma-ray emission.* Técnica analítica baseada na utilização de um raio de prótons para causar mudanças na estrutura nuclear de átomos de uma amostra, gerando emissões de raios gama.
emissão fugitiva / *fugitive emission.* Emissão não controlada ou medida. Como exemplo, pode-se citar a emissão evaporativa de unidades de armazenamento de líquidos ou a emissão de vapores ou gases em operações de transferência.
emissividade / *emissivity.* Razão entre a energia radiada por um material e a energia radiada por um corpo negro, na mesma temperatura.
empacotamento / *gravel packing.* 1. Operação de bombeio do fluido com propante, com a finalidade de preencher o anular poço-tela, de forma a estabelecer um *gravel pack*. 2. Colocação do propante de modo a empacotar o tubo telado ou ranhurado. 3. Arranjo ou a disposição das partículas em uma rocha (*packing*). ▶ Ver *propante*; gravel pack; *controle de produção de areia*.
empacotamento cúbico / *cubic packing.* Arranjo uniforme de grãos esféricos em um sedimento clástico, ou arranjos cristalinos caracterizados por uma cela unitária cúbica, cujos oito vértices são o centro das esferas envolvidas. ↔ Um agregado com empacotamento cúbico é o que possui os maiores valores de porosidade, chegando a 47,64% do volume. Esse empacotamento é dito *do tipo frouxo* ou *não compactado*.

empacotamento de areia / *gravel packing*. 1. Sistema de exclusão de areia no qual um conjunto de tubos telados ou ranhurados é empacotado com material granular (propante), de forma a impedir que haja migração da areia de formação para dentro do poço. 2. Técnica de controle de produção de areia que consiste na instalação de um conjunto de telas ou tubos ranhurados no interior do poço, empacotado com material granular (propante), formando um filtro para impedir a passagem de areia da formação para o interior da coluna de produção. ↔ O material granular é bombeado para o poço após a instalação das telas ou tubos ranhurados, de forma a preencher o espaço anular entre telas/tubos e revestimento. É também utilizado a poço aberto, sendo que neste caso o material granular preenche o espaço entre telas/tubos e parede de poço. ▶ Ver *controle de produção de areia*; *tela*; *tubo ranhurado*; *propante*; *gravel pack*.

empilhamento / *stacking*. Soma de todos os traços sísmicos tendo como objetivo a diminuição dos ruídos ambientais aleatórios, tendo em vista a necessidade de que o sinal gerado nas estruturas em subsuperfície deva repetir-se de forma coerente.

empilhamento automático / *automatic stacking*. Empilhamento horizontal automático na reflexão sísmica.

empilhamento CDP / *CDP stacking*. O mesmo que *empilhamento*. ▶ Ver *empilhamento*.

empilhamento CMP / *CMP stack*. O mesmo que *empilhamento CDP*. ▶ Ver *empilhamento*.

empilhamento cotado / *trimmed mean stack*. Empilhamento no qual, para um dado tempo, eliminam-se amostras com desvio maior que o desvio padrão. ↔ Ocorre porque os dados sísmicos contêm um ruído transiente que pode ser considerado sem importância, até tornar o trabalho impossível, quando alguns navios sísmicos estão simultaneamente tentando colher dados em determinada área. Esse tipo de empilhamento serve para reduzir os efeitos detrimentais do ruído de outras equipes sísmicas.

empilhamento de coerência / *coherence stack*. Empilhamento horizontal em que se avalia o grau de coerência dos dados e a amplitude do traço empilhado.

empilhamento de pontos comuns em profundidade / *common-depth point stack*. O mesmo que *empilhamento CDP*. ▶ Ver *empilhamento*.

empilhamento de pontos médios comuns / *common-midpoint stack*. O mesmo que *empilhamento CDP*. ▶ Ver *empilhamento*.

empilhamento de teste / *raw stack, brute stack*. Empilhamento horizontal feito com uma função de velocidade aproximada, para teste.

empilhamento de tubagem (Ang.) / *laying down of pipe, rods or tubing*. O mesmo que *estaleiro de tubos*. ▶ Ver *estaleiro de tubos*.

empilhamento de tubos (Port.) / *laying down of pipe, rods or tubing*. O mesmo que *estaleiro de tubos*. ▶ Ver *estaleiro de tubos*.

empilhamento diversificado / *diversity stack*. Empilhamento horizontal em que se cortam eventos com magnitude maior do que um valor predeterminado.

empilhamento estatístico / *statistical stacking*. Empilhamento horizontal em que são excluídas amostras cujas amplitudes têm desvio maior que o desvio padrão.

empilhamento furo-acima / *uphole stack*. Técnica utilizada em reflexão sísmica, na qual as cargas são detonadas a diferentes profundidades dentro do mesmo poço, e seus registros empilhados após terem sido corrigidos estaticamente. Também chamado de *empilhamento poço-acima*. ▶ Ver *empilhamento*.

empilhamento otimizado / *optimum stack*. Traços sísmicos ponderados e empilhados para produzir um traço estimado de saída, melhorando a razão sinal-ruído.

empilhamento ponderado / *weighted stack*. Técnica de empilhamento utilizada em reflexão sísmica, mais precisamente na etapa de processamento sísmico, na qual cada traço CMP é multiplicado por um fator. ▶ Ver *empilhamento*.

empilhamento vertical / *vertical stack*. Soma ou superposição de todos os traços sísmicos de uma família de ponto comum em profundidade (CDP). ↔ O empilhamento também é comum por grupo de afastamentos próximos, médios e afastados, em relação ao processo de sísmica, principalmente para os estudos de AVO. ▶ Ver *família CDP*; *AVO de ângulo de afastamento*; *ponto comum em profundidade*.

empreitada / *contract work, job work*. Contrato em virtude do qual um dos contratantes executa determinado serviço mediante certa retribuição proporcional ao serviço executado, ou ao que for ajustado.

empresa independente / *independent company*. Empresa não integrada no segmento de E&P, sem operações de *downstream*, cujos rendimentos são obtidos basicamente da produção de boca de poço, podendo apresentar atuação global.

empresa integradora / *integration company*. Organização que compõe determinado produto por processo de integração da maioria de seus componentes, os quais são fabricados por outras empresas.

empresa operadora / *operating company*. Empresa que recebe a concessão para explorar ou produzir petróleo e gás e que efetivamente opera no campo, sendo responsável por compra, venda, aluguel de bens, bem como pela contratação de serviços e demais recursos necessários para tal empreitada.

empresa pública / *public company*. Entidade dotada de personalidade jurídica de direito privado, com patrimônio próprio e capital exclusivo da União, criada por lei para uma exploração de atividade econômica que o governo seja levado a exercer por força de contingência ou de conveniência administrativa, podendo revestir-se de qualquer das formas admitidas no Direito.

empresa transnacional / *transnational company*. Empresa que não tem seu capital originário de determinado país e que exerce atividades em diversos países. •• Em uma economia globalizada, as corporações buscam a redução de seus custos (de mão de obra, impostos, acesso a financiamentos mesmo em países mais pobres do que aquele da qual ela se originou etc.) com o objetivo de se tornarem mais competitivas e de dominarem amplo percentual do mercado a que se destinam seus produtos e/ou serviços.

empuxo / *buoyancy*. Força hidrostática resultante exercida por um fluido, de sentido oposto ao da aceleração da gravidade, porém de mesma direção, com módulo igual ao peso do volume do fluido deslocado por intermédio de um corpo que nele esteja imerso e cujo ponto de aplicação é o centro de gravidade do volume deslocado.

empuxo para baixo / *down thrust*. O mesmo que *operação em* down thrust. ▶ Ver *operação em* down thrust.

empuxo para cima / *up thrust*. O mesmo que *operação em* up thrust. ▶ Ver *operação em* up thrust.

emulsão / *emulsion*. 1. Mistura de dois ou mais líquidos imiscíveis em que um é denominado *fase dispersante* e o outro, *fase dispersa* (que se encontra na forma de pequenas gotas). 2. Sistema particulado, constituído por um sistema bifásico óleo-água, em que uma das duas fases líquidas se apresenta como meio contínuo, no seio da qual a outra fase líquida se apresenta dispersa sob a forma de gotículas. •• Existe uma variedade enorme de emulsões. Uma emulsão clássica é aquela na qual uma das fases é a água e a outra é um líquido oleoso. Se o óleo for a fase dispersa, a emulsão é denominada *óleo-água*. Se for o contrário, é denominada *água-óleo* (emulsão inversa). O termo *emulsão* empregado sem adjetivação refere-se, usualmente, a uma emulsão em que a fase contínua é o óleo e a dispersa é a água. ▶ Ver *emulsionante*; *emulsão inversa*; *microemulsão*.

emulsão água-óleo / *water-oil emulsion*. 1. Mistura de dois líquidos imiscíveis, dispersos um no outro, sendo óleo a fase externa e água a fase interna. 2. Mistura estável de água e óleo, onde o óleo corresponde à fase contínua, enquanto a água mantém-se dispersa na forma de gotículas, imersa no óleo. •• Emulsões são sistemas contendo duas fases líquidas imiscíveis, uma das quais denominada *fase interna* ou descontínua, finamente dispersa sob a forma de gotículas na outra, chamada *fase externa* ou contínua. Emulsão água-óleo refere-se a um sistema em que a fase interna consiste em água e a fase externa em óleo. A estabilidade desse sistema é normalmente conferida pela presença de substâncias tensoativas na interface.

emulsão complexa / *complex emulsion*. Sistema bifásico óleo-água em que as gotas da fase dispersa apresentam, em seu interior, gotículas da fase contínua.

emulsão de óleo em água / *oil-in-water emulsion*. Gotículas de óleo em suspensão, dispersas em água. •• O inverso é mais comum na produção de óleo, onde há a emulsão de água em óleo, conhecida como emulsão inversa. ▶ Ver *emulsão inversa*.

emulsão direta / *direct emulsion*. 1. Termo empregado como sinônimo de *emulsão de água em óleo*. 2. Termo que se opõe ao termo *emulsão inversa*, onde a fase contínua é a água e a fase dispersa o óleo.

emulsão estável / *stable emulsion*. Emulsão na qual a presença de tensoativos (produtos químicos que têm afinidade com a interface óleo/água) impede ou retarda significativamente a coalescência e decantação das gotículas. •• O sistema emulsionado estável permanece inalterado por longo tempo, mesmo quando em repouso sob ação da gravidade, sem que se consiga observar a formação de uma interface óleo/água. Não há definição quantitativa geral do que se entende por 'longo tempo', mas esse tempo deve ser maior que o tempo de residência usual em separadores gravitacionais (alguns minutos).

emulsão instável / *unstable emulsion*. Emulsão que é rapidamente 'quebrada', sob o efeito da gravidade, resultando em duas fases segregadas (óleo e água). •• Não há definição quantitativa geral do que se entende por 'rapidamente', mas esse tempo deve ser inferior ao tempo de residência usual em separadores gravitacionais (alguns minutos).

emulsão inversa / *invert emulsion*. Termo utilizado na indústria de petróleo, referente a um sistema formado por um óleo disperso em uma fase aquosa. ▶ Ver *emulsão*.

emulsificante / *emulsifier*. Produto químico estabilizador da emulsão. •• Trata-se de um agente surfactante, em geral naturalmente presente no óleo produzido, e constituído por substâncias com estrutura molecular anfifílica (molécula parcialmente polar e parcialmente apolar), que atua na estabilização da emulsão. O mecanismo de estabilidade é obtido pela formação de um filme interfacial (na interface óleo/água) pelo surfactante, que promove um efeito estérico e/ou elétrico que impede a coalescência das gotículas da fase dispersa. Dessa forma, um sistema disperso instável é transformado em estável, já que a tensão interfacial óleo/água é bastante reduzida pela presença do filme formado pelo agente surfactante.

emulsionabilidade / *emulsionability*. Propriedade que caracteriza o grau de facilidade com que o sistema óleo/água forma emulsão estável.

•• Trata-se de uma propriedade qualitativa, que expressa a maior ou menor tendência à formação de emulsões estáveis dos óleos crus. Sabe-se que a emulsionabilidade é maior quando o óleo apresenta agentes surfactantes naturais em grande quantidade (asfaltenos, finos da formação, índice de acidez elevado etc.); além disso, densidade e viscosidade também podem afetar a emulsionabilidade. Não existe um critério definido para quantificar a emulsionabilidade, e por isso as avaliações usualmente feitas são comparativas, do tipo: "o óleo A apresenta maior emulsionabilidade que o óleo B".

emulsionador (Ang.) / *emulsifier*. O mesmo que *emulsionante*. ▶ Ver *emulsionante*.

emulsionante / *emulsifier*. Substância tensoativa capaz de reduzir a tensão interfacial, promovendo a formação e a estabilização de uma emulsão. •• Suas moléculas têm uma extremidade polar que é atraída pela água, e outra extremidade, apolar, que é atraída pelo óleo.

encarregado da sonda / *pusher, tool pusher*. Técnico responsável por todas as operações de uma sonda de perfuração.

enceramento da broca / *bit balling*. Condição que se verifica quando a face da broca é coberta por sedimentos moles e plásticos (pegajosos). •• Esse efeito normalmente ocorre quando são utilizadas brocas para formações duras, com dentes pequenos, em formações moles. Isso pode ocorrer também quando a perfuração é feita em formações moles e plásticas (pegajosas), com circulação inadequada de fluido de perfuração ou quando é utilizado um peso excessivo sobre a broca. Quando a broca sofre enceramento, isso geralmente também acontece nos estabilizadores. Normalmente ocorre em argilas plásticas (pegajosas).

enchimento com cascalho (Port.) / *gravel packing*. O mesmo que *empacotamento de areia*. ▶ Ver *empacotamento de areia*.

enchimento por silte (Port.) / *silting up*. O mesmo que silting up. ▶ Ver silting up.

encolhimento / *shrinkage*. Encolhimento do sistema cimento-água após a hidratação do cimento, considerado normal em termos de variações de volume. •• Geralmente o mecanismo de encolhimento está associado a produtos resultantes da hidratação do cimento, da perda e absorção de água, ou seja, mecanismos naturais nos quais esses fenômenos são observados. Durante a hidratação do cimento, seus diversos constituintes reagem com a água, formando produtos de hidratação. Esse processo está associado à perda de plasticidade (pega) e ao endurecimento do sistema. O volume correspondente aos produtos resultantes da hidratação geralmente é menor que a soma dos volumes individuais do cimento anidro e da água consumida pela reação de hidratação:

$$V_{cimento} + V_{água} > V_{hidratos}.$$

Esse encolhimento irreversível do sistema cimento-água ocorre em uma proporção de 0,05 ml a 0,08 ml por ml em relação ao sistema original. À medida que a pasta de cimento permanece plástica, o encolhimento resultante corresponde a um decréscimo no volume externo da pasta.

encravamento da broca (Port.) / *bit balling*. O mesmo que *enceramento da broca*. ▶ Ver *enceramento da broca*.

encruamento / *strain hardening*. Endurecimento por deformação plástica de um metal, de modo que se tenha a geração de discordâncias, que modifica sua estrutura.

endógeno / *endogenous*. Termo relativo aos processos geológicos que ocorrem no interior de um planeta, ou de uma lua.

endotérmico / *endothermic*. Processo endotérmico é aquele que ocorre com absorção de calor. •• Se um bloco de gelo for deixado sobre a mesa à temperatura ambiente, ele receberá calor do ambiente e isso provocará a fusão do gelo. A transição da água no estado sólido para o estado líquido é um processo que absorve calor, ou seja, endotérmico. ▶ Ver *entalpia*.

endurecedor de cimento (Port.) / *accelerator, set accelerator*. O mesmo que *acelerador de pega*. ▶ Ver *acelerador de pega*.

endurecimento / *hardening*. Aumento da resistência mecânica da pasta do cimento durante o processo de hidratação deste. ▶ Ver *pega*; *hidratação*; *cura*; *pasta de cimento*.

endurecimento por precipitação / *precipitation hardening*. Endurecimento ou aumento de resistência de uma liga pela presença de precipitados fina e uniformemente dispersos.

energia de ativação / *activation energy*. Barreira de energia que deve ser superada no encontro de dois reagentes químicos durante uma reação. Na perfilagem de poços através do bombardeamento das formações com nêutrons, é a energia de excitação, ou ativação, que os átomos dos elementos absorvem da radiação transmitida pelos nêutrons.

energia de deposição / *depositional energy*. Energia cinética relativa de um ambiente, ou a capacidade do meio de transportar sedimentos (podem-se considerar como meio, por exemplo, água, ar ou gelo).

energia livre de superfície / *surface free energy*. Energia associada à variação de área interfacial ou superficial entre duas fases condensadas (sólido ou líquido). •• Denominada *energia livre de Gibbs* (G), expressa o trabalho necessário para criar uma nova superfície de interface específica.

$$\Delta G = \gamma A$$

onde:
γ = tensão interfacial e A = variação de áreas de interface.

energia renovável / *renewable energy*. Energia alternativa ao modelo energético tradicional, tanto pela sua disponibilidade (presente e futura) garantida (diferentemente dos combustíveis fósseis, que precisam de milhares de anos para a sua formação) como pelo seu menor impacto ambiental.

engate rápido / *quick union*. União com roscas grossas, que empregam um selo tipo *O-ring*, usado para realizar uma conexão rápida.

engenharia consultiva / *engineering*. O mesmo que *projeto executivo*. ▶ Ver *projeto executivo*.

engenharia de custos / *cost engineering*. Ramo da engenharia que estuda e analisa os custos de materiais, equipamentos, sistemas e serviços, avaliando o montante de recursos financeiros necessários à concepção de investimentos, como, por exemplo, empreendimentos para o setor de exploração e produção de petróleo. ⇝ Para os empreendimentos mencionados, contribui inclusive com os estudos de viabilidade técnico-econômica e de acompanhamento da realização dos respectivos serviços (projetos, construção e montagem etc.). ▶ Ver *projeto conceitual*; *projeto básico*; *projeto executivo*; *construção e montagem*.

engenharia de detalhes (Ang.) / *detailed design*. O mesmo que *projeto executivo*. ▶ Ver *projeto executivo*.

engenheiro de lamas (Port.) / *mud engineer*. O mesmo que *químico de fluidos*, *especialista de fluido de perfuração*. ▶ Ver *químico de fluidos*; *especialista de fluido de perfuração*.

engenheiro de lastro / *ballast engineer*. Técnico da equipe encarregada de manter a estabilidade de uma plataforma semissubmersível. ⇝ Essa equipe é responsável pelo lastro dessa plataforma e deve receber informação a respeito de qualquer movimentação de carga, tanto no convés como nos tanques, a fim de acionar a devida movimentação de fluidos nos tanques de lastro para manter a estabilidade da plataforma.

engenheiro de petróleo / *petroleum engineer*. Profissional habilitado a atuar em diversos setores da indústria de petróleo, realizando atividades tais como: procura e análise de novos reservatórios; desenvolvimento de técnicas de recuperação de petróleo; desenvolvimento, monitoramento e otimização de métodos de perfuração de poços e de produção de óleo e gás; projeto de equipamentos; desenvolvimento de modelos computacionais para simulação de processos. ⇝ Os engenheiros de petróleo devem estar preparados para desenvolver e aprimorar tecnologias para melhorar a recuperação de petróleo e reduzir custos relacionados aos processos de perfuração, produção, refino e transporte. O engenheiro de petróleo deverá desempenhar todas as 18 atividades estabelecidas para o exercício profissional da engenharia, "referentes a dimensionamento, avaliação e exploração de jazidas petrolíferas; transportes e industrialização do petróleo; serviços afins e correlatos". No Brasil, a profissão do engenheiro de petróleo é reconhecida pelo Conselho Regional de Engenharia, Arquitetura e Agronomia (CREA) e pelo Conselho Federal de Engenharia e Arquitetura (CONFEA).

engenheiro de reservatório / *reservoir engineer*. Profissional responsável pela simulação e coordenação da produção, procurando manter a pressão do reservatório, supervisionando a injeção de água e a aplicação de métodos de recuperação avançada.

engraxadeira / *lubricator*. Dispositivo que permite a lubrificação de superfícies mecânicas de equipamentos, sistemas etc., conforme recomendações específicas de fabricantes. ▶ Ver *lubrificação*.

engrenagem hipoide / *hypoid gear*. Engrenagem com dentes espiralados conectados de forma não paralela, sem interseção dos eixos, usualmente em ângulo reto. ⇝ Possuem aparência similar às engrenagens cônico-helicoidais, mas têm o pinhão situado abaixo do eixo acionado (coroa), tendo ampla utilização em diferenciais mecânicos para efeito de transmissão de força.

engrossar com cisalhamento / *shear thickening*. Processo que ocorre com os fluidos não newtonianos do tipo 'dilatantes'. São fluidos que apresentam um aumento de viscosidade aparente com o aumento da tensão de cisalhamento. ⇝ Esses fluidos podem ser representados pelo modelo de Ostwald-de-Waele ou modelo de Potência (*Power Law*), quando o expoente considerado nesse modelo adota um valor maior do que a unidade.

enriquecimento supergênico / *supergene enrichment*. Processo de deposição mineral no qual a oxidação próxima à superfície produz soluções ácidas que lixiviam os metais, carreando-os para baixo e reprecipitando-os, fazendo assim com que se enriqueçam em minerais de sulfetos.

ensaio brasileiro / *Brazilian test*. Ensaio indireto de tração em que se estima a resistência de uma rocha à tração. ⇝ Nesse teste é aplicada uma carga pontual compressiva segundo um diâmetro de uma amostra em forma de disco. ▶ Ver *resistência de ruptura*.

ensaio de relaxação / *relaxation test*. Ensaio realizado em amostras de rocha, logo após a testemunhagem, com o objetivo de medir deformações causadas pela propriedade de relaxação. ⇝ Quando as tensões atuantes sobre o corpo de prova são removidas, este apresenta expansões em suas dimensões geométricas, proporcionais às magnitudes das tensões removidas. Dessa forma, tanto maiores serão as deformações quanto maiores forem as tensões removidas. Esse tipo de ensaio é normalmente utilizado para determinar as direções horizontais máxima e mínima atuantes em uma determinada rocha. ▶ Ver *tensão*; *testemunhagem*.

ensaio não destrutivo (END) / *non-destructive testing*. Teste padronizado para medir propriedades do material sem que haja inutilização da peça ou amostra. Os ensaios mais comuns são o visual, o de líquidos penetrantes, o por partículas magnéticas, o com raios X e o de ultrassom.

entalpia / *enthalpy*. Grandeza física relacionada ao total de energia interna de um sistema por determinada quantidade de substância. ↦ A unidade para a entalpia, no Sistema Internacional de Unidades, é o joule por mol. É impossível determinar a entalpia de um sistema, mas é possível determinar a sua variação.

enterolítica / *enterolithic*. Termo atribuído a uma estrutura sedimentar constituída por dobras originadas em consequência de aumento ou diminuição do volume de uma rocha ou mineral, provocado por modificações químicas.

entorno de unidade de conservação / *around the conservation unit*. Faixa circundante de unidade de conservação definida em seu plano de manejo, zoneamento ou plano diretor, que tem restrições de uso específicas.

entrada no poço (Port.) / *running in hole*. Manobra de entrada de uma ferramenta em um poço.

entranhamento de ar / *air entrainment*. Inclusão de bolhas de ar em uma substância, através de agitação ou do borbulhamento.

entre rios / *interfluve*. Área entre dois rios que fluem em geral na mesma direção.

entrega/recebimento firme / *firm delivery*. Obrigação absoluta de entregar e receber o gás contratado.

entropia / *entropy*. Grandeza termodinâmica geralmente associada ao grau de desordem, medindo a parte da energia que não pode ser transformada em trabalho. ↦ Permite definir a segunda lei da termodinâmica, segundo a qual um processo tende a se dar de forma espontânea em um único sentido. Por esse motivo, a entropia também é chamada de 'flecha do tempo'.

entropia absoluta de uma substância / *absolute entropy of a substance*. Aumento na entropia de uma substância, que vai desde a forma cristalina perfeitamente ordenada a 0° K (onde a entropia é zero) até a temperatura em questão. ▶ Ver *entropia*.

entupimento das fraturas (Port.) / *screenout, tip screenout*. O mesmo que *embuchamento*. ▶ Ver *embuchamento*.

envelhecimento / *aging*. Condição ou propriedade de muitos sistemas coloidais, que podem mudar com seu tempo de armazenamento. O envelhecimento desses sistemas pode ser conferido por mudanças na sua composição relativas à ação bacteriana, a processos oxidativos, precipitação de componentes ou evaporação de componentes voláteis. ↦ O envelhecimento de emulsões pode ser relativo a processos de agregação dos componentes dispersos, coalescência ou mudanças químicas. Geralmente, os ensaios para avaliar o efeito de envelhecimento em sistemas fluidos são realizados submetendo o sistema a uma certa temperatura, geralmente à temperatura de fundo de poço, sob uma determinada rotação, simulando o número de dias nos quais o fluido fica parado em tanques ou armazenado na sonda.

envelope de fases / *phase envelope*. Diagrama que indica as condições de pressão e temperatura em que as diferentes fases de uma substância pura, ou mistura multicomponente, estão presentes. ▶ Ver *diagrama de fases*.

envelope de formação de hidratos / *hydrate envelope*. Curvas que definem as condições de temperatura e pressão que favorecem a formação de hidratos em determinado fluxo multifásico que contém água e gás. Esse fenômeno acontece quando moléculas de água cristalizam ao redor de moléculas de gás, formando verdadeiros 'blocos de gelo'.

envelope de medição / *measuring envelope*. Área dentro da qual se espera que os erros de medição de um instrumento ocorram de acordo com as suas especificações.

envelope de ruptura / *failure envelope*. Superfície que separa os estados de tensão admissíveis daqueles que levam o material à ruptura. Uma rocha pode falhar à tração, ao cisalhamento ou por colapso. ↦ O critério mais utilizado para definir a ruptura de uma rocha é o de Mohr-Coulomb. ▶ Ver *tensão*.

envoltória / *envelope*. Curva de baixa frequência que cerca deflexões de alta frequência. As envoltórias são geralmente desenhadas unindo-se os pontos adjacentes das amplitudes de pico.

envoltório de formação de hidratos (Port.) / *hydrate envelope*. O mesmo que *envelope de formação de hidratos*. ▶ Ver *envelope de formação de hidratos*.

envoltório de medição (Port.) / *measuring envelope*. O mesmo que *envelope de medição*. ▶ Ver *envelope de medição*.

envoltório de ruptura (Port.) / *failure envelope*. O mesmo que *envelope de ruptura*. ▶ Ver *envelope de ruptura*.

envoltório instantâneo (Port.) / *instantaneous envelope*. O mesmo que *envelope instantâneo*.

enxame de diques / *dike set, dike swarm*. Grupo de diques geneticamente relacionados, próximos uns aos outros e de acordo com um padrão de distribuição característico. ↦ O padrão de distribuição dos diques pode ser paralelo, radial, anelar ou em echelon.

eolianito / *eolianite*. Rocha sedimentar constituída por material clástico depositado pelo vento e cimentada abaixo do nível do lençol freático, normalmente por cimento carbonático. ▶ Ver *sistema deposicional*.

eólico / *eolic*. Designação dada aos sedimentos formados pela ação dos ventos.

éon / *eon or aeon*. Unidade geocronológica de primeira ordem.

eonotema / *eonothem*. Unidade cronoestratigráfica que representa um éon.

epicentro / *epicenter*. Ponto na superfície da Terra localizado diretamente acima do hipocentro, ou seja, do ponto em que se origina um terremoto. ↦ Depois da ocorrência de um terremoto, seu epicentro pode ser determinado cruzando-se as informações de diversas estações sismográficas. ▶ Ver *terremoto*; *hipocentro*; *escala Richter*.

epigênese / *epigenesis*. Alteração dos caracteres minerais de uma rocha, como resultado de influências externas, que ocorre próximo à superfície terrestre.

epigenético / *epigenetic*. Termo aplicado a minerais, depósitos minerais ou rochas formados próximo à superfície da Terra.

epizona / *epizone*. Zona mais rasa de metamorfismo onde prevalecem pressões e temperaturas baixas a moderadas (abaixo de 300 °C). ↦ A formação de zonas de cisalhamento é característica da epizona de cinturões metamórficos.

época / *epoch*. Unidade geocronológica de quarta ordem.

época magnética / *magnetic epoch*. Período de tempo magnético passado, em que o campo magnético terrestre possuía uma determinada polaridade.

equação da continuidade / *continuity equation*. Equação de conservação da massa de um fluido.

equação da difusão / *diffusion equation*. Equação diferencial parcial que descreve a variação no espaço e no tempo de uma quantidade física governada pela difusão. ↦ A equação fornece um modelo matemático para a variação da temperatura com a condução do calor e a propagação de ondas eletromagnéticas em um meio altamente condutivo. É uma equação diferencial parcial parabólica cuja característica é relacionar a primeira derivada parcial a um campo em relação ao tempo, e a segunda derivada parcial em relação às suas coordenadas espaciais,

$$\nabla^2 E = j\omega\mu\sigma E$$

onde:
E corresponde ao campo elétrico, ω à frequência angular, μ à permeabilidade magnética, σ à condutividade elétrica.

equação de balanço de materiais / *material balance equation*. 1. Equação complexa composta pelas seguintes variáveis: volumes de água, óleo e gás, pressão e temperatura do reservatório, compressibilidade, fator volume de formação, entre outros. Essa equação é utilizada para estimar o volume de fluidos do reservatório e prever mudanças nas variáveis ao longo da produção. 2. Balanço de massas dos fluidos existentes no interior dos poros da rocha-reservatório. A massa de fluido atual é a diferença entre a massa original e a massa produzida. Como as quantidades de fluido produzidas são normalmente medidas em termos de volume numa determinada condição padrão de temperatura e pressão (como, por exemplo, pressão de uma atmosfera absoluta e temperatura de 60 °F), a equação é escrita de tal forma que o volume existente no reservatório em um determinado instante seja a diferença entre o volume original e o produzido, todos medidos numa mesma condição padrão. Entre as principais utilizações práticas da equação podemos citar a determinação dos volumes originais de gás e óleo, do influxo de água proveniente de aquíferos, a previsão de comportamento de reservatórios. ↦ Partindo do princípio de que o volume de um reservatório é invariável, a soma algébrica da variação de volume dos fluidos existentes no reservatório (água, óleo e gás livre) deve ser zero; assim, por exemplo, a equação de balanço de materiais para um reservatório de gás é:

$$p/Z = 1/V(p_i V_i/Z_i - Tp_0 T_0 G_p)$$

onde:
p = pressão de referência; Z = fator de compressibilidade do gás; V = volume ocupado pelo gás nas condições de reservatório; p_i = pressão inicial do reservatório; V_i = volume de gás inicial no reservatório; Z_i = fator de compressibilidade do gás nas condições iniciais do reservatório; T = temperatura de referência; p_0 = pressão nas condições padrão; T_0 = temperatura nas condições padrão e G_p = volume de gás produzido acumulado.

equação de Bernoulli / *Bernoulli's equation*. Equação utilizada para calcular o fluxo de um fluido ideal, conforme uma das duas formas a seguir:

$$v^2/2 + gh + p/\rho = \text{constante } ou$$
$$\rho v^2/2 + \rho gh + p = \text{constante}$$

onde:
v = velocidade do fluido ao longo do duto; g = aceleração da gravidade; h = altura com relação a um referencial; p = pressão ao longo do duto; e ρ = densidade do fluido.

equação de contrapressão / *backpressure equation*. Equação empírica que descreve a relação entre a vazão e a pressão de fundo encontradas em poços de gás. ▶ Ver *pressão de fundo*; *pressão de fluxo*.

equação de Darcy / *Darcy's equation*. Relação para a vazão q de um fluido através de um meio poroso. ↦ A equação é expressa por

$$q = kA/\mu \times \Delta p/\Delta h$$

onde:
q = vazão de um fluido através de um meio poroso; k = permeabilidade; A = área da seção transversal; μ = viscosidade; e Δp = diferença de pressão através da distância ou altura (Δh). Muitas vezes é chamada de *lei de Darcy*.

equação de Dupré / *Dupré equation*. Equação que rege o trabalho de adesão entre dois líquidos imiscíveis. ↦ Representa o trabalho necessário para separar uma unidade de área da interface líquido-líquido, com formação de duas interfaces separadas líquido-ar.

$$W_\alpha = \gamma A + \gamma B - \gamma A/B$$

onde:
γA = tensão superficial da fase A; γB tensão superficial da fase B; $\gamma A/B$ = tensão interfacial entre as fases A e B.

equação de estado / *state equation*. Relação matemática entre a pressão (P), o volume (V) e a temperatura (T) de um gás e que objetiva traduzir o comportamento do gás frente à variação desses parâmetros. ↝ É equação de estado para gases reais, que expressa os desvios em relação ao gás perfeito, utilizando o parâmetro Z, fator de compressibilidade:

$Z = P.V / n. R. T$ (no caso de gás ideal, $Z = 1$)

▶ Ver *gás*; *gás ideal*; *fator de compressibilidade do gás*.

equação de estado de gás (Port.) / *gas state equation*. O mesmo que *equação de estado*. ▶ Ver *equação de estado*.

equação de estado do virial / *Virial Equation of State*. Série polinomial inversa em volume, que é explícita na pressão e que pode ser derivada da mecânica estatística. ↝ É uma maneira de quantificar a não idealidade dos gases reais. A altas temperaturas, os gases se comportam em geral como perfeitos, porém em alguns casos o valor da relação PV/T varia com a pressão e os gases obedecem a uma lei como:

$PV = RT + BP$ (*para 1 mole*)

onde:
B é chamado *segundo coeficiente do virial*. Para aproximar ainda mais o cálculo da realidade, escreve-se a equação do virial da seguinte forma:

$PV = (RT + BP + CP^2 + DP^3 + ...)$

onde:
B, C, D são os segundo, terceiro, quarto... coeficientes do virial do gás estudado.

▶ Ver *equação de estado*; *gás ideal*; *fator de compressibilidade do gás*.

equação de Kozeny / *Kozeny's equation*. Equação que relaciona a permeabilidade à porosidade,

$(k = \phi^3 / KS^2)$

onde:
k é o coeficiente de permeabilidade; ϕ é a porosidade; S a área por unidade de volume da rocha; e K é a constante de Kozeny.

equação de Young / *Young equation*. Relação entre as forças superficiais presentes na interface sólido-líquido, representadas pelas componentes das tensões superficiais na direção das superfícies:

$(\gamma s/ar = \gamma S/L + \gamma L/ar \cos \theta)$

onde:
($\gamma s/ar$) é tensão superficial sólido-ar; ($\gamma S/L$) é a tensão interfacial sólido-líquido; ($\gamma L/ar$) é a tensão superficial do líquido; e θ é o ângulo de equilíbrio de contato.

equação iconal / *eikonal equation*. Equação que descreve o tempo de propagação em um meio isotrópico, e é dado por:

$\sum_{i=1}^{z} \{\gamma t / \delta x_i\}^2 = u^2(x)$

onde:
$t(x)$ corresponde ao tempo de trânsito entre uma fonte e um ponto de coordenadas (x, y, z) e u representa a vagarosidade (inverso da velocidade de propagação) no ponto.

equações de Archie / *Archie equations*. Relações matemáticas, propostas por Archie, entre o fator de resistividade de formação (F), a resistividade de formação rocha 100% saturada com água da formação (R_o), a resistividade da água da formação (R_w), a porosidade da formação (θ), a resistividade verdadeira da formação (R_t) e a saturação de água (S_w). ↝ São três as equações propostas por Archie:

$F = R_o / R_w$, $F = 1/\theta^m$ e $S_w^n = R_o / R_t$

onde o expoente *m* é chamado *expoente de porosidade* e o expoente *n* é chamado *expoente de saturação*. Ambos correspondem às inclinações das retas em gráficos log-log entre F e θ e R_t/R_o e S_w, respectivamente.

equações de Biot-Gassmann / *Biot-Gassmann equations*. Equações que fornecem *VP* e *VS* em função de densidade, módulos de incompressibilidade da rocha seca, grãos e fluidos, razão de Poisson e porosidade. ↝ Usadas para análises de possíveis efeitos de *AVO*, por substituição de fluidos, e em estudos de sísmica ao longo do tempo (*time-lapse seismic*, ou *4D*), por substituição de fluidos e/ou pressão de poros da rocha (que afeta a incompressibilidade), em que a magnitude de possíveis variações de impedâncias acústica e cisalhante em reservatórios, variações estas geradas por produção e/ou injeção de fluidos, é obtida, para verificação se tais variações são mensuráveis por algum método sísmico. Geralmente, variações de impedância superiores a 5% são mensuráveis, mas as equações de Biot-Gassmann têm-se mostrado, por observações em dados reais, pessimistas na previsão dessas variações. Usadas também em modelagem viscoelástica, em que a absorção (inelasticidade) das rochas é analisada. Também chamadas *equações de Biot-Gassmann-Geerstma*.

equalização cruzada / *cross equalization*. Método que equaliza os dados sísmicos, de aquisição ou de processamento, tomados em tempos diferentes.

equalização de amplitude / *amplitude equalization*. Procedimento de normalizar amplitudes de diferentes sinais em um processamento sísmico. ▶ Ver *normalização de amplitude*.

equalização de traço / *trace equalization*. Processo de ajuste de um canal sísmico, de tal forma que as amplitudes dos traços adjacentes sejam comparáveis, por meio de uma amplitude média, em um intervalo predeterminado.

equalização do pulso / *wavelet equalization*. Processo, em reflexão sísmica, em que se equaliza o pulso na etapa de processamento sísmico, procurando-se eliminar as diferenças relacionadas com as fontes e instrumentos de registro utilizados em dois levantamentos distintos.

equilíbrio de fases / *phase equilibrium*. Estado termodinâmico de um hidrocarboneto de composição definida, caracterizado pelo equilíbrio termodinâmico entre o líquido e o vapor desse hidrocarboneto, em contato mútuo, em determinada condição de temperatura e pressão.

equilíbrio hidrofílico-lipofílico / *hydrophilic-lipophilic balance*. Classificação empírica em que um índice baixo indica materiais menos hidrofílicos, ao passo que um incremento nesse parâmetro corresponde a um aumento no caráter hidrofílico do produto. ↔ Pelo fato de os dois grupos, hidrofílico e lipofílico, coexistirem na molécula, a solubilidade e outras propriedades dos tensoativos dependerão do balanço das contribuições de ambos os grupos. Em termos gerais, este índice é muito utilizado na caracterização de tensoativos.

equilíbrio químico / *chemical equilibrium*. Estado de balanço entre duas reações químicas opostas. A quantidade de qualquer substância que aumenta é contrabalançada pela quantidade usada na outra reação, de modo que as concentrações de todas as substâncias participantes permanecem constantes.

equilíbrio vapor-líquido / *vapor-liquid equilibrium*. Condição em que as fases líquido e vapor de uma substância ou mistura estão em equilíbrio, sendo função de temperatura, pressão e composição. ▶ Ver *constante de equilíbrio*.

equilibrium gas drive. Método de deslocamento de óleo por gás dentro de um reservatório, com pouca ou nenhuma troca de massa entre óleo e gás, em contraste com o deslocamento miscível.

equipa de perfuração (Port.) / *drilling crew*. O mesmo que *equipe de perfuração*. ▶ Ver *equipe de perfuração*.

equipamento de amostras de pistão / *piston sampler*. Equipamento de amostragem com ambos os tipos de pistão (livre ou recuperável) que opera dentro do barrilete de amostra. O solo, quando utilizado em seu topo como amostrador, é pressionado em sua formação, servindo assim como amostragem.

equipamento de análise ultrassônica de cimento (UCA) / *ultrasonic cement analyzer equipment (UCA)*. Equipamento de laboratório utilizado para determinar a propriedade de resistência à compressão de pastas de cimento. ↔ A medida da resistência é correlacionada, por meio de um algoritmo interno, com o período de tempo que a onda ultrassônica leva para percorrer certa distância (tempo de trânsito) através de uma amostra sob cura em determinada condição de temperatura e pressão. O método, além de ser não destrutivo, permite um acompanhamento contínuo do desenvolvimento da resistência à compressão. O equipamento é formado por quatro unidades: de pressurização, autoclave, microprocessador e gerador de gráfico (*plotter*).

equipamento de controle de poço / *well control equipment*. Equipamento constituído de dois componentes básicos: um componente ativo, que consiste num sistema de monitoração de pressão de fluido de perfuração, e um componente passivo, que consiste em preventores de erupção *BOP* (*blowout preventers*). A primeira barreira de segurança no controle de poço é ter pressão de fluido de perfuração suficiente no poço. ↔ Durante a perfuração, fluidos de subsuperfície tais como gás, água ou óleo sob pressão da formação contrapõem a pressão de fluido de perfuração. Se a pressão de formação é maior que a pressão do fluido de perfuração, existe a possibilidade de uma erupção. Os principais equipamentos de controle de poço são os preventores, os anulares, a junta flexível (*ball joint* ou *flex joint*), os preventores de gaveta, o sistema de *kill* e *choke*, o sistema de controle de perfuração e/ou produção, conectores, o sistema diversor (*diverter*), o compensador de movimento, o sistema de *riser*, a cabeça de poço e árvore de natal.

equipamento de laboratório de cimentação / *cementing laboratory equipment*. Equipamento empregado na indústria do petróleo para determinação das propriedades físicas, ou avaliação do desempenho das pastas de cimento, tais como peso específico, filtrado, tempo de espessamento, migração de gás, água livre, parâmetros reológicos, resistência ao ataque ácido, estabilidade, permeabilidade e resistência à compressão. ↔ Os principais equipamentos de laboratório são o misturador de paletas, o consistômetro pressurizado, a câmara de cura, a balança pressurizada, o filtro-prensa e o viscosímetro rotacional de cilindros coaxiais.

equipamento de medição da velocidade do som da coluna d'água (CTD) / *conductivity, temperature and depth (CTD) measurement equipment*. Equipamento oceanográfico utilizado para determinar o perfil de velocidade do som da coluna d'água em áreas oceânicas. ↔ O equipamento possui sensores que medem a pressão, temperatura e a condutividade elétrica da água. Desta última medida deriva o valor de salinidade. Para determinar a velocidade do som utilizam-se equações matemáticas que levam em consideração a temperatura e a salinidade da água e sua posição na coluna d'água através de medidas de pressão. A determinação do perfil de velocidade do som da água é crítica em levantamentos batimétricos.

equipamento de segurança de poço / *well control system equipment*. O mesmo que *equipamento de controle de poço*. ▶ Ver *equipamento de controle de poço*.

equipamento para cimentação / *cementing equipment*. Equipamento com larga variedade de utilização em armazenamento e transporte do cimento e de aditivos de mistura e bombeio da pasta no poço. ↔ Os principais equipamentos para cimentação são: o silo de estocagem (por gravidade ou pressurizável), o barco graneleiro, o graneleiro pressurizável montado sobre caminhão, o misturador de sólidos e a unidade de cimentação, que é um conjunto de diversos equipamentos combinados. ▶ Ver *unidade de cimentação*; *silo de estocagem por gravidade*; *silo de estocagem pressurizável*; *misturador de batelada*; *misturador de palhetas*.

equipamento para tamponamento e correção da cimentação / *plug cementing and remedial cementing equipment*. Equipamento mecânico ou hidráulico usado no fundo do poço para auxiliar no deslocamento da pasta durante operações de cimentação de tampão ou compressão de cimento. Pode ser recuperável ou perfurável. ↝ Geralmente é utilizado para isolar trechos do poço das pressões de operações ou cimento. Os mais importantes são o obturador para compressão de cimento e o tampão mecânico. ▶ Ver *tampão mecânico*.

equipamento recuperável / *retrievable equipment*. Equipamento que pode ser recuperado de um poço após a sua instalação. Por exemplo, obturadores recuperáveis, válvulas de fundo e de *gas lift*. ▶ Ver *obturador*; *válvula de pé*; *válvula de gas lift*.

equipe de perfuração / *drilling crew*. 1. Equipe que opera uma sonda de perfuração, realizando as atividades inerentes à perfuração de um poço. **2.** Equipe que perfura os *shot holes* em uma operação de sísmica, usando explosivos. ↝ Normalmente constituída por homens de área (*roustabout*), plataformistas (*roughneck*), que também cuidam das chaves flutuantes ou hidráulicas de conexões, torristas (*derrickman*), mecânicos (*motorman*) assistente de sondador (*assistant driller*), sondador (*driller*) e liderada por um encarregado (*toolpusher*). Como o trabalho é ininterrupto durante a perfuração de um poço, há pelo menos duas equipes que trabalham em turnos de oito ou doze horas em sistema de revezamento, situação esta comum em operações *offshore*.

equipe sísmica / *seismic crew*. Equipe que realiza levantamentos sísmicos. O número ideal de participantes varia para cada trabalho, mas geralmente compõe-se de um chefe de equipe, observador, espalhadores de cabo, topógrafos, porta-miras, encarregado dos explosivos, sondadores, abridores de picada, mecânico/chefe de transportes, ajudantes, enfermeiro, chefe de cozinha e seus ajudantes etc. Em Portugal, usa-se o termo *equipa sísmica*.

***equity investors*.** Empresas que entram com capital próprio para investir em um *project finance*. ▶ Ver project finance.

***equity joint venture*.** Condição segundo a qual o capital investido diretamente está sujeito aos riscos do empreendimento. ▶ Ver joint venture corporation.

eratema / *erathem*. Unidade cronoestratigráfica que representa uma era, ou seja, uma unidade geocronológica de segunda ordem ou intervalo do tempo geológico; por exemplo, a era glacial.

erosão / *erosion*. 1. Desgaste de algum equipamento devido ao atrito com fluidos e sólidos carreados por esse fluido. **2.** Desgaste das paredes do poço devido ao escoamento de um fluido no anular entre a coluna de perfuração e a formação rochosa. Esse desgaste gera um alargamento do poço. **3.** Remoção da parte do fundo marinho devido às correntes de fundo. **4.** Termo genérico aplicado aos processos naturais de desagregação e transporte dos materiais da crosta terrestre. ↝ Os principais agentes de erosão são: chuva, vento, águas correntes, geleiras e mar, cuja ação acarreta um processo natural de denudação que ocorre na superfície da terra e promove a remoção de sedimento, rochas ou fragmentos de rochas, pela ação das forças físicas, químicas e biológicas.

erosão contemporânea / *contemporaneous erosion*. Erosão local que ocorre simultaneamente com uma deposição generalizada e contínua de sedimentos.

erosão de canal / *channel erosion*. Erosão causada por fluxo de água em canais, ocorrendo basicamente pelos processos de incisão do substrato e por migração lateral.

erosão diferencial / *differential erosion*. Erosão que ocorre de modo irregular, a taxas variadas, em função da diferença de resistência do material. As rochas mais moles e frágeis são rapidamente erodidas, ao contrário das mais resistentes à erosão, que continuam formando cristas e colinas.

erosão glacial / *glacial erosion*. Abrasão causada nas rochas pelo arraste das geleiras em movimento.

erosão marinha / *marine erosion*. Erosão originada pelo movimento da massa de água marinha. Existe um grande número de tipos de erosão marinha, dos quais os principais são os produzidos pelas ondas e pelas correntes densas.

erosão química / *chemical erosion*. 1. Processo químico de desintegração e/ou degradação e decomposição de rochas, causado por agentes geológicos diversos na superfície da crosta terrestre. Como exemplo, destaca-se a ação da água da chuva. **2.** Intemperismo químico.

erro absoluto / *absolute error*. Diferença entre o resultado de uma medição e o valor verdadeiro da grandeza, este último obtido por meio de um padrão secundário adequado.

erro aleatório / *random error*. Resultado de uma medição menos a média que resultaria de um número infinito de medições do mesmo mensurando, efetuadas sob condições de repetitividade.

erro de fechamento / *misclosure*. Erro de fechamento de uma linha ou traço poligonal.

erro de medição / *measurement error*. Resultado de uma medição menos o valor verdadeiro do mensurando. Na falta deste, utiliza-se o valor verdadeiro convencional.

erro máximo admissível / *maximum allowable error*. Valores extremos de um erro admissível por regulamento, especificação etc., para um dado instrumento de medição.

erro máximo permissível / *maximum allowable error.* O mesmo que *erro máximo admissível.* ▶ Ver *erro máximo admissível.*

erro no zero de um instrumento de medição / *zero error of a measuring instrument.* Erro de um instrumento de medição para o valor zero do mensurando.

erro randômico / *random error.* O mesmo que *erro aleatório.* ▶ Ver *erro aleatório.*

erro relativo / *relative error.* Erro da medição dividido pelo valor verdadeiro do mensurando. Na falta deste, utiliza-se o valor verdadeiro convencional.

erro sistemático / *systematic error.* Média que resultaria de um número infinito de medições do mesmo mensurando, efetuadas sob condições de repetitividade, menos o valor verdadeiro do mensurando. Na falta deste, utiliza-se o valor verdadeiro convencional.

erupção / *blowout.* 1. Escoamento descontrolado de gás, óleo ou qualquer outro fluido originalmente contido numa formação rochosa, o reservatório, para a atmosfera, para o fundo do mar ou para uma outra formação rochosa que não é o reservatório portador do fluido produzido. A erupção pode ocorrer quando a pressão hidrostática exercida pelo fluido no interior do poço sobre a rocha-reservatório é inferior a sua pressão de poros. 2. Escoamento descontrolado dos fluidos contidos na rocha-reservatório para dentro do poço, eventualmente atingindo a superfície de forma catastrófica. 3. Em termos geológicos, trata-se de extravasamento de lava ou ejeção de qualquer material, consolidado ou não, a partir de um conduto vulcânico. Uma erupção pode ser efusiva, quando origina lavas, ou piroclástica, quando origina depósitos piroclásticos; neste caso, o termo em inglês é *eruption.* •• Uma erupção pode resultar da produção de água salobra, óleo, gás, ou da mistura de todos esses componentes. Uma erupção pode ocorrer a partir de qualquer tipo de operação exploratória ou explotatória em um poço, incluindo operações de intervenção em poços com baixa produtividade. Se os fluidos são produzidos descontroladamente do reservatório para outra formação rochosa, trata-se de um *underground blowout.* Acidente no qual, repentinamente e sem controle, há uma contínua expulsão dos fluidos de um poço de petróleo. Esta contínua expulsão de fluidos se deve a uma superação da pressão da formação em relação às pressões aplicadas pela coluna de fluidos de perfuração ou intervenção no poço. Para trabalhar de forma segura e evitar esse descontrole, afora as salvaguardas providas pelos fluidos de trabalho utilizados quando da perfuração ou intervenção no poço, dota-se o mesmo de um equipamento capaz, quando acionado, de interromper o escoamento de fluidos, o preventor de erupção (*blowout preventer,* BOP).

erupção central / *central eruption.* Erupção vulcânica originada a partir de um conduto pontual, geralmente de forma cilíndrica e relacionado a vulcões estratificados.

erupção explosiva / *explosive eruption.* 1. Erupção vulcânica originada pela conversão instantânea de energia térmica em energia cinética, gerando uma explosão. 2. Sinônimo de *erupção piroclástica.*

escada / *ladder.* Acessório da unidade de bombeio associado à segurança. •• Equipamento que facilita e assegura o acesso às partes superiores da unidade de bombeio.

escala compatível / *compatible scale.* Escala para diferentes perfis, selecionados de modo que os perfis se superponham em determinadas condições. •• Por exemplo, uma escala compatível para arenito pode ter o perfil neutrônico escalado de 0,45 a –0,15 vol/vol e o perfil de densidade de 1,9 a 2,9g/cm³. Então, em um arenito de quartzo puro com água doce, os dois perfis se superpõem quando a porosidade varia.

escala de dureza / *hardness scale.* Escala que mede quanto um material é mais duro que outro, sendo *dureza* a propriedade que indica a resistência de um corpo a uma deformação imposta. ▶ Ver *dureza; dureza Brinell; dureza Rockwell; dureza Vickers; escala de dureza Mohs.*

escala de dureza Mohs / *Mohs hardness scale.* Escala que mede o quanto um material é mais duro que outro, sendo capaz de riscá-lo. •• Usada para medir a dureza de partículas (carbonetos) presentes no interior do metal de solda. A sua medição é feita com auxílio de um microscópio, e não pode ser comparada com as escalas Rockwell ou Brinell. É constituída de dez minerais de dureza crescente e, portanto, tais que um deles seja capaz de riscar o anterior, mas não o sucessivo. ▶ Ver *dureza; dureza Rockwell; escala de dureza.*

escala de tempo geológico / *geologic time scale.* Representação, em geral em tabela, das unidades geocronológicas.

escala de Udden-Wentworth / *Udden-Wentworth scale.* Escala logarítmica para classificar partículas siliciclásticas, que varia de 4096 mm a 0,00006 mm. •• Essa escala é quase que universalmente aceita pela moderna sedimentologia. Foi inicialmente proposta por Udden em 1898, e modificada em 1922 por Wentworth. Segue abaixo exemplo dessa escala: argila (< 4 μm), silte (> 4 μm e < 64 μm), areia (> 64 μm e < 2 mm), grânulo (> 2 mm e < 4 mm), seixo (> 4 mm e < 64 mm), bloco ou calhau (> 64 mm e < 256 mm), matacão (> 256 mm). ▶ Ver *argila; silte; areia; granulometria; seixo; bloco; matacão.*

escala Klinkenberg / *Klinkenberg scale.* Gráfico da permeabilidade de uma rocha, medida com ar através da aplicação de diferentes medidas de pressão. Ao extrapolar a pressão para o infinito, é possível atingir valores da permeabilidade da rocha para um líquido.

escala Rankine / *Rankine scale*. Escala de temperatura termodinâmica que apresenta o mesmo incremento por grau que a escala de Fahrenheit, apresentando como pontos de congelamento e ebulição, respectivamente, as temperaturas 491,69 e 671,69 graus.

escala Richter / *Richter scale*. Escala sísmica para se avaliar a severidade de um terremoto. Escala logarítmica de base 10. Foi desenvolvida em 1935 por Charles F. Richter.

escape de ar (Port.) / *vent*. O mesmo que *ventar*. ▶ Ver *ventar*.

escareador / *reamer*. Ferramenta usada na coluna de perfuração, formada por um mandril e roletes no seu corpo, com a finalidade de manter igualmente o diâmetro do poço e o diâmetro da broca.

escareamento / *reaming*. Técnica que utiliza a ferramenta escareador (*reamer*) para manter o poço com o mesmo diâmetro da broca. ↔ Ação de repassar o poço com *reamer*.

escarpa de erosão / *erosion scarp*. Escarpa ou falésia produzida pela erosão, muito comum na porção marinha profunda onde fortes correntes de fundo erodem a base do talude formando essa escarpa, muitas vezes com centenas de metros. ▶ Ver *corrente de contorno*.

escavação / *scouring*. Processo de abertura de canais pela ação do fluxo de água, gelo ou ar.

escoamento / *flow*. 1. Termo genérico aplicado a qualquer movimento de um fluido, seja em estado líquido, pastoso ou gasoso, que se desloca numa determinada distância produzindo uma certa vazão, ou deslocamento. 2. Movimento relativamente rápido de uma mistura entre partículas sólidas — como fragmentos de rocha, solo, lama, vegetação etc. — e água, e que varia na sua forma e na velocidade de movimento em função da viscosidade da mistura e da energia que alimenta esse movimento. Essa definição é aplicada à atividade de sedimentologia. O termo *escoamento* é referido muitas vezes como *fluxo*, termo usado nas mais diversas áreas da ciência, e é de amplo espectro de aplicações, na economia, matemática, geodésia, medicina, filosofia etc. ↔ Em português, a versão do termo em inglês *flow* muitas vezes é dada como *fluxo*, e não *escoamento*. Do ponto de vista físico, a correspondência de termos nas duas línguas deve ser: escoamento para *flow* e fluxo para *flux*. ▶ Ver *fluxo*.

escoamento aberto / *open flow*. Produção sem restrições no interior do poço ou na superfície. ▶ Ver *escoamento*.

escoamento anular / *annular flow*. 1. Escoamento de um fluido entre as paredes de dois elementos tubulares. Normalmente, na perfuração de poços esse tipo de escoamento ocorre entre a coluna de perfuração e os seguintes elementos externos: poço aberto, revestimento e *riser* de perfuração. 2. Regime de fluxo multifásico no qual o fluido mais leve flui em alta velocidade no centro da tubulação e o fluido mais pesado forma uma película na parede da tubulação. O fluido mais leve pode ser uma emulsão. O fluxo anular pode ocorrer tanto em um poço vertical como em um horizontal. Em altas velocidades, a película pode até desaparecer, fluindo apenas a emulsão. Quando a interface entre os fluidos é irregular, o termo *fluxo anular ondulado* pode ser usado. 3. O mesmo que *padrão de escoamento anular*. ▶ Ver *escoamento*.

escoamento bifásico / *two-phase flow*. Escoamento no qual, de maneira macroscópica, podem-se distinguir dois fluidos em movimento, ou ainda um fluido e um sólido, com uma interface bem definida entre ambos. ↔ Os fluidos podem estar na mesma fase termodinâmica, como o escoamento de óleo e água livre, ou podem estar em fases distintas, como o escoamento de água líquida e vapor de água, ou água líquida e areia. A indústria de petróleo não diferencia de forma criteriosa o escoamento bifásico do escoamento multifásico. As fases constituintes do escoamento adquirem distribuições espaciais, ditas *arranjos de fases* (*flow pattern*), que igualmente determinam características comportamentais de tal escoamento (por exemplo, intermitência, transmissibilidade térmica etc.).

escoamento bolhas dispersas / *dispersed bubble flow*. O mesmo que *padrão de escoamento em bolhas dispersas*. ▶ Ver *padrão de escoamento em bolhas dispersas*.

escoamento crítico / *critical flow*. Condição em que a velocidade média de um escoamento se iguala à velocidade de propagação do som nesse escoamento. ↔ Um fluido em escoamento crítico, também denominado *escoamento estrangulado*, possui número de Mach igual a um. Deve-se observar que uma variação de pressão a jusante de uma região em escoamento crítico, notadamente uma válvula, não interfere na condição a montante dessa região, pois a onda de pressão que carrega tal informação viaja na velocidade do som.

escoamento de calor / *heat flow*. Quantidade de energia térmica que passa, por unidade de tempo e por unidade de área, através de um elemento de superfície perpendicular à direção do fluxo. ↔ O fluxo de calor é função da área de troca térmica (A), do coeficiente de transferência de calor (K), específico para cada material, do diferencial de temperatura (ΔT) e da espessura do L material, conforme a seguir:

$$q = K.A.\Delta T / L$$

▶ Ver *escoamento*.

escoamento de canal / *channel flow*. Movimento de água e sedimentos dentro de um canal limitado lateralmente por bancos ou diques marginais. ▶ Ver *escoamento*.

escoamento de cinzas / *ash flow*. 1. Avalanche ou fluxo de piroclastos < 2 mm, gerados por uma erupção explosiva, que se desenvolve nos flancos de um vulcão ou ao longo de uma superfície atingida por uma erupção. 2. Depósito piroclástico constituído dominantemente por cinzas vulcânicas depositadas por fluxo piroclástico. ▶ Ver *cinza*.

escoamento de detritos arenosos / *sandy debris flow*. Processo de transporte e deposição sedimentar de alta concentração de partículas de tamanho areia, no qual os sedimentos são transportados através de um fluxo subaquoso pelo choque entre grãos. Com a perda de energia do fluxo os sedimentos são depositados bruscamente, formando arenitos sem estruturas sedimentares e com um aspecto maciço. ▶ Ver *escoamento*.

escoamento de terra / *earthflow*. Movimento de massa muito rápido que desce talude abaixo e envolve terra e outros sedimentos soltos. Normalmente é ativado pela saturação de água de chuva. ▶ Ver *escoamento de detritos arenosos*.

escoamento em golfadas / *slug flow*. Escoamento intermitente, horizontal ou vertical, caracterizado pela alternância de seções de escoamento dominadas pela fase líquida, com a fase gasosa dispersa, e pela fase gasosa, com a fase líquida dispersa. ↔ Esse tipo de escoamento é um dos mais comuns nos processos de produção de petróleo e seu conhecimento e predição são fundamentais para o sucesso das operações de produção e processamento primário de petróleo. ▶ Ver *padrão de escoamento em golfadas*.

escoamento estabilizado / *stabilized flow*. Estado do fluxo de um poço de óleo quando a pressão de fundo de poço atinge o equilíbrio e se mantém constante para uma dada vazão, refletindo uma situação estabilizada na superfície. ▶ Ver *escoamento*.

escoamento fracionário / *fractional flow*. Razão entre a vazão de uma fase fluida e a vazão total dos fluidos que escoam em um meio poroso, medida em condições de reservatório. ↔ O fluxo fracionário de óleo, gás ou água depende da saturação do respectivo fluido.

escoamento hiperpicnal / *hyperpycnal flow*. Denominação dada ao fluxo cuja densidade é superior à do meio em que se insere.

escoamento hipopicnal / *hypopycnal flow*. Denominação dada ao fluxo cuja densidade é menor do que a do meio em que se insere.

escoamento homopicnal / *homopycnal flow*. Denominação dada ao fluxo cuja densidade é igual à do meio em que se insere.

escoamento horizontal / *horizontal flow*. Escoamento de fluido que ocorre numa linha imaginária paralela ao horizonte. Com a horizontalidade do escoamento, a força decorrente da aceleração da gravidade, dita força de corpo, não propiciará nenhum ganho ou perda de energia potencial ao referido escoamento.

escoamento induzido / *induced flow*. Fluxo de óleo em um poço, iniciado a partir da aplicação de métodos como o da injeção de gás.

escoamento intermitente / *intermittent flow*. Escoamento caracterizado pela alternância no tempo e no espaço das fases gás e líquido. O exemplo típico de intermitência é representado pelo escoamento no padrão golfadas. ▶ Ver *escoamento em golfadas*.

escoamento invíscido / *inviscid flow*. Escoamento em que as forças de atrito provocadas pela viscosidade do fluido são desprezadas para simplificar a modelagem do escoamento. ↔ Apesar de todos os fluidos reais possuírem viscosidade, em muitos casos é uma aproximação razoável desprezar os seus efeitos. As equações de conservação da quantidade de movimento dos fluidos para um escoamento sem atrito são chamadas *equações de Euler*.

escoamento laminar / *laminar flow*. 1. Escoamento uniforme (no sentido axial) de um fluido no qual não existem partículas se movendo entre linhas de corrente adjacentes (no sentido radial). 2. Mecanismo pelo qual um fluido, geralmente a água, se move lentamente ao longo de um fluxo canalizado e as partículas acompanham o fluido formando depósitos em linha, paralelos ao fluxo do canal ou às paredes do mesmo. 3. Fluxo aquoso no qual as linhas canalizadas permanecem distintas e a direção do fluxo em cada ponto se torna imutável durante todo o tempo. Isso é uma característica no movimento de água subterrânea. 4. Regime de escoamento monofásico no qual o fluido escoa em camadas ou lâminas, com as camadas a se deslocar suavemente, umas sobre as outras, gerando tensões de cisalhamento proporcionais à viscosidade do fluido. O fluxo laminar ocorre, normalmente, em tubulações lineares a baixas vazões, para um número de Reynolds abaixo de um valor crítico. Acima desse valor, o fluxo passa para o regime turbulento. ↔ As diferentes secções do fluido se deslocam em planos paralelos, ou em círculos concêntricos coaxiais (tubo cilíndrico), sem se misturar. Um escoamento laminar é definido como um escoamento em que o vetor velocidade é aproximadamente constante em cada ponto do fluido. Nesse caso, as linhas de corrente não se cruzam. A transição de um fluxo laminar para um turbulento geralmente ocorre quando o número de Reynolds aumenta de 2.300 para 4.000 ou mais.

escoamento monofásico / *single-phase flow*. Escoamento no qual, de maneira macroscópica, não se podem distinguir dois fluidos em cuja interface há uma variação brusca de propriedades físicas. ↔ O escoamento monofásico pode apresentar variações de propriedades físicas. É importante ressaltar que um escoamento multicomponente, onde há uma mistura em escala molecular de diferentes espécies químicas, normalmente é tratado como monofásico. Emulsões estáveis, como a de água em óleo, por exemplo, também podem ser tratadas como um único fluido.

escoamento multifásico / *multiphase flow*. 1. Aquele no qual duas ou mais fases (gás, líquido, sólido) escoam simultaneamente numa região. Ou seja, é o escoamento de uma mistura de fases, como gás (bolhas) em líquido, líquido (gotas) em gás ou sólido (poeira) em gás etc. **2.** Escoamento no qual, de maneira macroscópica, podem-se distinguir mais de dois fluidos em movimento, ou ainda dois ou mais fluidos e sólidos em movimento. Similarmente, tais fases apresentam configurações espaciais definidas para suas distribuições no escoamento. **3.** Fluxo simultâneo de mais de uma fase de fluido. A maioria dos poços produtores de óleo produz óleo e gás, e algumas vezes também água. Assim sendo, o fluxo multifásico é comum em poços produtores de óleo. ↝ No segmento de exploração e produção de petróleo, os escoamentos multifásicos de interesse são aqueles que ocorrem quando da presença de petróleo, gás, água e eventualmente sólidos. Os cortes dessas fases são naturalmente específicos e variam com a natureza da acumulação e grau de explotação da mesma, e o interesse reside em valores de fração volumétrica de gás (FVG) de 0% a 100% e, similarmente, num corte de água no líquido igualmente de 0% a 100%.

escoamento multifásico homogêneo / *homogeneous multiphase flow*. Escoamento no qual todas as fases estão igualmente distribuídas na seção de escoamento, a composição do fluido é a mesma em todos os pontos da seção transversal de escoamento e as velocidades axiais do líquido e do gás são as mesmas (sem escorregamento).

escoamento não uniforme / *nonuniform flow*. Fluxo no qual a velocidade sofre quantitativamente variações positivas ou negativas. ▶ Ver *escoamento*.

escoamento natural / *natural flow*. Fluxo de fluidos da formação ao longo de um poço, sem que haja necessidade de bombeamento. No fluxo natural, a pressão do reservatório é suficiente para elevar o fluido à superfície.

escoamento óleo-contínuo / *oil-continuous flow*. Escoamento bifásico de óleo e água caracterizado na forma de gotas de água (discretas) envolvidas pelo óleo (contínuo). Eletricamente, a mistura se comporta como um isolante.

escoamento para limpeza do poço / *wellbore cleanup, cleanout treatment*. Fluxo através do qual o fluido e os cascalhos de perfuração provenientes da formação e dos canhoneios são transportados para a peneira. ↝ Durante o tempo de escoamento, o efeito película é alterado, e qualquer teste realizado no poço refletirá uma obstrução temporária ao fluxo, que não estará presente em testes posteriores.

escoamento permanente / *steady state flow*. Regime de fluxo em rochas-reservatórios onde existe manutenção de pressão ao longo do tempo. Dessa forma, o perfil de distribuição de pressões na direção de fluxo (reservatório-poço), bem como a vazão, permanecem constantes no tempo. ▶ Ver *escoamento*; *escoamento transiente*; *escoamento pseudopermanente*.

escoamento pistonado / *plug flow*. Uma das diversas distribuições espaciais das fases líquida e gasosa (arranjos de fases) que são encontradas no escoamento bifásico (líquido-gás) horizontal. ↝ Esse arranjo de fases ou padrão de escoamento é caracterizado por pistões de líquido que se movem na região ocupada pelo gás, seguidos de alongadas bolhas de gás, e ainda escoando sobre um segregado filme de líquido. Esse padrão ocorre em uma grande faixa de vazões de líquido e gás manifestando instabilidades e grandes variações de fluxo de massa, de pressão e de velocidade das fases ao longo do escoamento, e também na seção transversal do conduto.

escoamento potencial / *potential flow*. Escoamento no qual o campo de velocidade pode ser definido por uma função potencial, denominada *potencial de velocidade*. Tal potencial existe apenas para o escoamento irrotacional.

escoamento pseudopermanente / *pseudo-steady-state flow*. Regime de fluxo observado em reservatórios onde não há manutenção de pressão. ↝ Neste caso, para se produzir com vazão constante, é necessário que se mantenha constante o diferencial de pressão poço-formação. A pressão da formação decresce linearmente com o tempo, indicando depleção do reservatório. Dessa forma, para que se mantenha a vazão de produção, a pressão de fluxo também deve ser reduzida ao longo do tempo. Caso a produção ocorra mantendo-se a pressão de fluxo constante, a vazão decresce continuamente no tempo. ▶ Ver *escoamento*; *escoamento transiente*; *escoamento permanente*.

escoamento radial / *radial flow*. 1. Escoamento que se dá na direção do raio de um referido sistema de coordenadas. **2.** Fluxo de fluidos de uma direção horizontal a partir de um ponto ou para um ponto. O fluxo de fluidos através da rocha-reservatório para um poço produtor ou de um poço injetor para uma rocha-reservatório são denominados *fluxos radiais*. ↝ Na produção de petróleo, este tipo de escoamento é descrito, tipicamente, pelos fluidos que escoam no interior de reservatórios de petróleo na direção do raio do poço.

escoamento segregado / *separated flow*. Escoamento caracterizado por uma distribuição não contínua das fases na direção radial e uma distribuição contínua das fases na direção axial. Os exemplos de tais escoamentos são os do tipo estratificado e anular (com baixa fração de líquido em suspensão no gás).

escoamento-tampão / *plug flow*. Caso particular do escoamento laminar no qual não existe deslizamento relativo entre as camadas de fluido numa certa região (região tampão). ↝ Nesse tipo de escoamento existe deslocamento relativo próximo às paredes do conduto, mas a região central do fluido se move como um corpo sólido, sem apresentar deslocamento relativo no centro. Em princípio, só deve acontecer em fluidos não ideais que possuam tensão limite de escoamento (fluidos viscoplásticos). O gradiente de velocidade é alto nas vizinhanças da parede do conduto e nulo na região tampão. Nessa região, a tensão resistiva é superior à tensão gerada pelo sistema de forças aplicado ao fluido. Ocorre em situações de velocidade extremamente baixas ou quando o fluido é altamente resistente ao escoamento.

escoamento transiente / *transient flow*. Regime de fluxo observado em poços com grandes áreas de drenagem ou em tempos iniciais de produção. Nesse regime de fluxo, a perturbação na distribuição de pressões do meio poroso, causada pela abertura do poço, ainda não atingiu a fronteira externa do reservatório. Neste caso, o comportamento é dito *de reservatório infinito*. ▶ Ver *escoamento permanente*; *escoamento pseudopermanente*.

escoamento tubular / *pipe flow*. Escoamento de um fluido no interior de um elemento tubular.

escoamento turbulento / *turbulent flow*. 1. Escoamento onde existem partes ou regiões do escoamento principal nas quais ocorrem redemoinhos aleatórios, mas que se deslocam numa mesma direção. **2.** Regime de fluxo observado em tubulações ou dutos, caracterizado por movimentação desordenada ou caótica das partículas de fluido, causando grandes variações de pressão e vazão no espaço e no tempo. ↝ A transição de um fluxo laminar para um escoamento turbulento geralmente ocorre quando o número de Reynolds aumenta de 2.300 para 4.000 ou mais. Ao contrário do regime laminar, o fluxo turbulento apresenta um perfil de vazão aproximadamente constante com o raio do tubo. Dessa forma, o fluxo turbulento apresenta vantagens no carreamento de partículas sólidas, embora apresente maior potencial de erosão. ▶ Ver *escoamento laminar*; *número de Reynolds*.

escoamento vertical / *vertical flow*. Escoamento de fluido que forma uma linha imaginária perpendicular ao horizonte.

escoamento viscoso / *viscous flow*. Escoamento no qual as forças de atrito que atuam no fluido têm influência significativa. ↝ O fluido em contato com uma superfície assume a condição de não escorregamento, adotando a mesma velocidade daquela superfície no ponto de contato. Assim, a viscosidade do fluido, através das forças de atrito, passa a moldar o perfil de velocidade do escoamento.

escória / *slag*. Produto não metálico que consiste essencialmente de silicatos e aluminossilicatos de cálcio e outras bases. Produzido no estado fundido simultaneamente com ferro em um alto-forno. Usado com o cimento para melhorar a resistência e a durabilidade da pasta. ↝ Subproduto da fabricação de ferro-gusa, a escória resulta da combinação de minerais da ganga do minério de ferro, das cinzas do coque e da cal utilizada como fundente.

Como a sua densidade é menor do que a do ferro, ela é descarregada no estado fundido como sobrenadante, a temperaturas usualmente entre 2.250 °C a 2.900 °C.

escoriáceo / *scoriaceous*. Termo utilizado para descrever uma superfície cheia de pequenas perfurações irregulares, à semelhança de uma escória vulcânica.

escorregamento /*slippage, slumping*. 1. Termo usado para descrever as condições de escoamento que existem quando as fases têm velocidades diferentes em uma seção reta de um tubo ou conduto **2.** Movimento gravitacional no sentido do declive de uma superfície. Ocorre frequentemente em regiões de alto declive e com alta saturação de água, ou em ambiente subaquoso. **3.** Movimento de massas rochosas ou de solo num declive, causado por gravidade. ↝ O nível de escorregamento traduz igualmente o nível de não homogeneidade do escoamento, que influi fortemente nos processos físicos e químicos que recaem sobre tal escoamento. O escorregamento pode ser expresso quantitativamente pela diferença de velocidades de fase entre as fases.

escorregamento de terra / *slump*. Escorregamento de terra declive abaixo, instantâneo, semelhante ao deslizamento, mas com deformação do volume movimentado, durante o processo. ↝ Diferente do deslizamento, neste caso o material está em estado plástico por causa da saturação por água. ▶ Ver *deslizamento de terra*.

escorregamento em um motor elétrico / *electric motor slip*. 1. Diferença entre as velocidades síncrona e de operação. **2.** Também chamado *velocidade de escorregamento*.

escorregamento fluido / *slurry slump*. Escorregamento no qual uma massa de sedimento inconsolidado apresenta-se misturada à água, desintegrando-se talude abaixo em uma massa quase líquida (*slurry*).

escorregão / *slide*. Falha desenvolvida durante o processo de dobramento e a ele associada geneticamente.

escorva / *priming*. Ação prévia praticada em bombas, particularmente as rotodinâmicas centrífugas, com o objetivo de garantir que a bomba esteja integralmente preenchida pelo líquido a ser bombeado antes que seja acionada. ↝ A menos que a bomba seja do tipo autoescorvante, ou seja, de baixa altura manométrica, faz-se necessário retirar o fluido compressível, normalmente ar, que possa estar em seu interior. Se tal retirada, ou escorva, não for efetiva, a bomba tem seu funcionamento comprometido no que tange ao desempenho. O campo de forças centrífugas presente em tais tipos de bombas provocará uma separação entre os fluidos líquido e gasoso, em que este tenderá a residir na parte central (olho) do impulsor.

escotilha / *hatch*. Abertura no topo de um tanque através da qual são feitas inspeções ou coletadas amostras do fluido ali armazenado.

escovilhão (Ang.) / *pig*. O mesmo que pig. ▶ Ver pig.

escovilhão de multi-tamanho (Ang.) / *multisize pig*. O mesmo que pig de multitamanho. ▶ Ver pig de multitamanho.

escudo / *cratogene*. 1. Bloco continental (com rochas mais antigas que as adjacentes) constituinte do embasamento cristalino e que se manteve estável durante um longo período de tempo. 2. Área de exposição das rochas do embasamento cristalino e que possui uma forma ligeiramente convexa. 3. Invólucro metálico destinado a isolar a propagação de campos eletromagnéticos.

escuma / *froth*. Termo geralmente empregado para caracterizar uma espuma instável e que se desfaz rapidamente.

esfera / *ball*. Componente superior das válvulas de pé e passeio, utilizado no método de produção por bombeio mecânico, que tem a função de estancar o escoamento ao se assentar na sede da válvula. Para tanto, sua forma tem de ser perfeitamente esférica, além de ser resistente a choques e desgastes mecânicos (por exemplo, abrasão) e à corrosão química.

esfericidade / *sphericity*. Medida que informa quão esférica é determinada partícula. ↝ A definição matemática de esfericidade foi dada por Wadell, em 1932, como a razão entre a área superficial de uma esfera de mesmo volume da partícula e a área superficial da própria partícula. Academicamente, a esfericidade é simbolizada pela letra grega fi (ϕ).

esferoide / *spheroid*. Elipsoide de revolução utilizado para representar a forma da Terra como se ela fosse constituída por um fluido ideal com densidade constante. ↝ É caracterizado pelo raio equatorial e pelo achatamento.

esfoliação / *exfoliation*. Processo de fragmentação de um mineral ou rocha segundo superfícies concêntricas, como resultado de processos físicos e/ou químicos. ↝ A esfoliação ocorre frequentemente associada à alteração intempérica de rochas ígneas. Também se observa a esfoliação em minerais micáceos.

esgotamento (Port.) / *depletion*. O mesmo que *depleção*, *exaustão*, *gasto*. ▶ Ver *depleção*.

esker. Cristas alongadas de areia ou cascalhos encontradas na superfície da Terra, formadas a partir de processos glaciais canalizados em subsuperfície e que são depositados logo após o derretimento do gelo.

eslinga / *sling*. Cabo de manuseio de cargas com laços nas extremidades. Normalmente são cabos de aço com uma argola em cada ponta.

esmaltita / *smaltite*. 1. Mineral cinza-claro isométrico, é uma variedade de escuderita deficiente em arsênico. Usualmente, a esmaltita contém um pouco de ferro e frequentemente ocorre junto com a cobaltita, sendo considerado um minério de cobalto e níquel. 2. Termo genérico aplicado a minerais isométricos, não definidos, de arsênio e cobalto ou a uma mistura de minerais de cobalto.

esmaltite (Port.) / *smaltite*. O mesmo que *esmaltita*. ▶ Ver *esmaltita*.

esmectita / *smectite*. Mineral do grupo dos argilominerais do tipo montmorilonita. O termo é normalmente utilizado para designar argilominerais dioctaédricos (montmorilonita) e trioctaédricos (saponita) e suas variedades, que têm propriedade de inchamento com água e alta capacidade de troca de cátions.

esmectite (Port.) / *smectite*. O mesmo que *esmectita*. ▶ Ver *esmectita*.

espaçador / *spacer*. Fluido viscoso e de massa específica programável, usado para formar uma barreira mecânica entre a pasta de cimento e o fluido de perfuração, além de auxiliar na remoção do reboco, melhorando a aderência cimento-formação e cimento-revestimento. ↝ A composição geral de um espaçador é a de um fluido com base de água ou óleo, adensado com agentes sólidos insolúveis. Os aditivos comumente encontrados nas formulações dos espaçadores, além dos adensantes, são: surfactante, viscosificante, antiespumante e outros, a depender da necessidade da aplicação.

espaçamento AM / *AM spacing*. Notação usada para se referir à distância entre o eletrodo de corrente (A) e o eletrodo de medida potencial (M) no dispositivo normal.

espaçamento de traços / *trace spacing*. Distância entre dois traços sucessivos.

espaçamento entre linhas / *line spacing*. Distância entre sucessivas linhas de sondagem. ↝ A determinação do espaçamento entre linhas em um levantamento deve ser planejada de acordo com a finalidade do trabalho. No caso de levantamentos sonográficos, o espaçamento deve ser tal que permita a cobertura total da área investigada, considerando um recobrimento de pelo menos 25% entre linhas laterais. Para levantamentos batimétricos, o espaçamento entre linhas deverá ser da ordem de tamanho das estruturas presentes no fundo do mar e que se deseja mapear.

espaçamento MN / *MN spacing*. Distância entre eletrodos de tensão nas medidas de resistividade elétrica.

espaço anular / *annular space*. 1. Espaço que se forma dentro do poço, entre a parede interna do revestimento e a parede externa da coluna de produção. 2. Espaço entre dois círculos concêntricos. ↝ Na indústria do petróleo é geralmente o espaço ao redor de uma tubulação dentro de um poço, ou, mais especificamente, o espaço entre a coluna de produção/perfuração e o revestimento ou o espaço entre a coluna de perfuração/produção e o poço aberto, ou ainda o espaço entre dois revestimentos. É também denominado simplesmente *anular*.

espaço f-k / *f-k space*. Domínio no qual as variáveis independentes são a frequência e o número da onda.

espaço morto / *dead space*. No método de produção por bombeio mecânico, significa, dentro da bomba de fundo, a distância deixada entre o topo da gaiola da válvula de pé e a base da gaiola fechada do pistão para prevenir choques mecânicos entre essas duas peças durante o bombeio do poço. ↝ É conveniente que essa distância seja a menor possível para que não ocorra bloqueio de gás na bomba, reduzindo assim a eficiência de bombeamento.

espalhamento / *scattering*. Distribuição irregular e difusa de energia (geralmente reflexões) causada por irregularidades de pequenas dimensões (quando comparadas ao comprimento de onda) no meio.

espalhamento Compton / *Compton scattering*. Espalhamento ou dispersão inelástica de fótons (raios gama) por colisão com elétrons orbitais. ↝ Quando um fóton de raio gama, com uma energia de 2keV a 2MeV, colide com um átomo, ele pode transferir alguma energia para um dos elétrons orbitais, o qual, como resultado, é expulso do átomo. O fóton, por sua vez, perde alguma energia e muda de direção de acordo com a energia perdida. A força do espalhamento Compton de um material é proporcional ao número de elétrons no material.

espalhamento da onda / *wave spreading*. 1. Espalhamento geométrico (divergência esférica). 2. Perda de energia por unidade de volume. ↝ Pelo princípio de conservação, a energia emitida pela fonte sísmica (que pode ser considerada pontual) é distribuída, à medida que a onda se propaga, por toda a frente de onda (que, em meios homogêneos e isotrópicos, é uma esfera). Esta distribuição causa um decréscimo de energia proporcional ao inverso do quadrado da distância (considerando-se a frente de onda esférica). Observa-se que a perda mencionada é função direta da velocidade de propagação e do tempo de trânsito, e pode ser corrigida por intermédio de uma equação matemática específica.

espalhamento do feixe / *beam spreading*. Divergência de um feixe de sonar em função da distância da fonte e do ângulo do feixe. ↝ O espalhamento do feixe resulta em uma perda de resolução na parte externa de imagens sonográficas.

espalhamento troposférico / *tropospheric scattering*. O mesmo que *tropodifusão*. ▶ Ver *tropodifusão*.

especialista de fluido de perfuração / *drilling fluid specialist, mud engineer*. Profissional capacitado em tecnologia de fluidos de perfuração, responsável pelo projeto do fluido e/ou por sua formulação, acompanhamento, análises e tratamento durante a operação de perfuração.

especialista de pesca (Port.) / *fishing specialist*. O mesmo que *especialista de pescaria*. ▶ Ver *especialista de pescaria*.

especialista de pescaria / *fishing specialist*. Técnico com experiência e conhecimento das técnicas e ferramentas de pescaria de poços.

espécie / *species*. Unidade taxonômica fundamental de classificação que se define pela similaridade característica e pela afinidade de parentesco entre os indivíduos que formam populações.

especificação da qualidade de produtos / *product quality specifications*. Limite a ser observado durante o transporte de produtos petrolíferos. ↝ No caso de produtos regulamentados pela Agência Nacional do Petróleo, Gás Natural e Biocombustíveis, ANP, no Brasil, para efeito das condições gerais de serviço, refere-se à 'especificação legal'. Para os demais produtos não regulamentados, refere-se à 'especificação contratual'.

especificação SAE J 300 / *SAE J 300*. Especificação baseada na viscosidade cinemática a 100 °C, muito utilizada para óleos de motor definida pela SAE.

especificação técnica / *technical specification*. Tipo de norma destinada a fixar características, condições ou requisitos exigíveis para matérias-primas, produtos semifabricados, elementos de construção, materiais ou produtos industriais semiacabados, bem como para a execução de serviços de qualquer natureza.

espectro colorido / *colored spectrum*. Gráfico de amplitude ou potência *versus* frequência.

espectro de absorção / *absorption spectrum*. Espectro associado à absorção da radiação eletromagnética resultante das transições do estado de energia de mais baixo para mais alto.

espectro de amplitude / *amplitude spectrum*. 1. Gráfico que mostra o valor da amplitude para cada componente de frequência de um sinal, obtido juntamente com o espectro de fase pela transformada de Fourier. 2. Relação amplitude *versus* frequência, como, por exemplo, na análise de Fourier.

espectro de emissão / *emission spectrum*. Gráfico da intensidade relativa da radiação eletromagnética de cada frequência emitida quando o material é aquecido ou, mais comumente, excitado.

espectro de fase / *phase spectrum*. Valor da fase de cada frequência avaliada individualmente na transformada de Fourier. ▶ Ver *fase*.

espectro de linhas / *line spectrum*. Matriz de valores da intensidade da radiação eletromagnética, que ocorre em pequenos intervalos de tal maneira que o espectro parece ser um número de linhas discretas separadas por espaços.

espectro diferencial / *differential spectrum*. Técnica em perfilagem de ressonância magnética nuclear (NMR), baseada na diferença das distribuições de T2, ou espectros, adquiridas em diferentes períodos de polarização. É usada para detectar gás ou óleo leve. ↝ Uma medida feita com um longo período de polarização atrairá a maior parte desses fluidos e dará sinal significativo em T2. Uma medida feita com um tempo curto polarizará pouco desses fluidos e dará um sinal muito menor. Outros fluidos com T2 mais curto polarizarão em ambos os casos, de modo que uma diferença no sinal de T2 identifica gás ou óleo leve. ▶ Ver *ressonância nuclear magnética*.

espectro, espectros / *spectrum, spectra*. 1. As características da amplitude e da fase, como uma função da frequência, para os componentes de um trem de onda ou um pulso. 2. Característica de resposta de filtros. 3. Outras condições mostradas de maneira que evidenciem o conteúdo relativo de vários componentes.

espectro gama / *gamma spectrum*. Imagem resultante da emissão natural de raios gama por uma formação litológica. •• Perfis de raios gama são particularmente úteis porque folhelhos e arenitos geralmente têm assinaturas diferentes, que podem ser rapidamente correlacionadas entre poços.

espectro normal de NMO / *normal-moveout spectrum*. Método de análise da velocidade de ondas sísmicas. ▶ Ver *sobretempo normal*.

espectro sísmico / *seismic spectrum*. Curva que mostra a amplitude do movimento do solo como uma função da frequência ou do período, obtidos por uma análise de Fourier do movimento do solo.

espectrofluorescência / *spectrofluorescence*. Método que envolve um instrumento analítico no qual certos compostos orgânicos (particularmente hidrocarbonetos aromáticos e NSOs) são determinados por suas respostas sob exposição a uma luz monocromática (cor simples ou comprimento de onda); são importantes na determinação da cor da fluorescência, de sua intensidade, bem como do comprimento de onda da luz que causa a fluorescência.

espectrofotômetro / *spectrophotometer*. Instrumento empregado para detectar diferenças muito suaves em cores de soluções de diferentes substâncias químicas e assim medir a quantidade das substâncias presentes. Consiste de uma fonte de luz; um prisma óptico para prover luz monocromática, isto é, luz de um comprimento de onda simples, e um equipamento para medir a intensidade do feixe de luz após ele ter passado através da solução. Os traços de alumínio em aço podem ser determinados dessa maneira.

espectrofotômetro de absorção atômica / *atomic absorption spectrophotometer*. Instrumento utilizado para gerar e analisar um espectro de absorção atômica.

espectrometria de absorção atômica / *atomic absorption spectrometry*. Análise química efetuada pela vaporização em chama de uma amostra, usualmente na forma líquida, e medida por absorvância, por átomos não excitados no vapor, de vários comprimentos de onda de luz que caracterizam elementos específicos. A quantidade de um elemento presente é proporcional à quantidade de absorção pelo vapor.

espectrometria de massa / *mass spectrometry*. Método utilizado para dar informações a respeito da estrutura molecular dos compostos identificando seus átomos. •• As moléculas em estado gasoso, inseridas diretamente no espectrômetro de massa, são ionizadas, normalmente por elétrons de alta energia.

espectrômetro / *spectrometer*. Dispositivo similar a um instrumento óptico, porém mais versátil que um simples espectroscópio. •• É utilizado para medir os comprimentos de onda em uma determinada faixa do espectro eletromagnético. As escalas são apropriadas para ler ângulos. Um espectrômetro de comprimento de onda é definido ou equipado de modo a medir os comprimentos de onda nos quais as bandas de absorção ocorrem num espectro de absorção.

espectrômetro de raios gama / *gamma-ray spectrometer*. Instrumento que usa a parte do espectro dos raios gama para identificar a presença de 20 elementos da tabela periódica.

espectroscopia / *specstroscopy*. Conjunto de técnicas para análise de amostras mediante a observação das respectivas faixas de energia, em comprimentos de onda, dadas ou absorvidas, ou através de observação da faixa de íons produzida em um espectrômetro de massa.

espectroscopia de absorção atômica / *atomic absorption spectroscopy*. Método que utiliza absorção da energia radiante pelas espécies neutras, utilizado para a detecção da presença de metais em uma dada amostra.

espeleologia / *speleology*. Ramo da geologia que estuda a formação e constituição de grutas e cavernas naturais.

espelho de falha / *slickenside*. Superfície polida resultante do efeito abrasivo do movimento relativo entre os dois blocos da falha, paralelo ao plano de falha.

espessura aparente / *apparent thickness*. A espessura de um corpo geológico, medida segundo uma linha não perpendicular às superfícies que delimitam esse corpo naquele ponto. Por exemplo, um furo de sondagem vertical em uma camada com mergulho de 45 graus mostrará uma espessura aparente ao longo do furo maior que a real.

espessura aparente de camada / *apparent bed thickness*. Espessura de uma camada, medida diretamente a partir dos dados de perfilagem de um poço.

espessura do reboco / *cake thickness*. Dimensão do reboco ou torta de filtração correspondente à distância entre a superfície em que o mesmo é depositado e sua superfície de contato com o fluido.

espessura efetiva de areia / *sand count*. Termo utilizado na área de petróleo para representar a somatória das espessuras das camadas de arenito poroso.

espiral de Ekman / *Ekman spiral*. Mudança na direção do fluxo da água com a profundidade, causada pelo efeito de Coriolis. ▶ Ver *força de Coriolis*.

espoleta de retardo / *delay cap*. Espoleta que funciona depois de um intervalo de tempo definido.

esporão / *stinger*. Adaptação em aeronaves, em geral na parte traseira, para instalação de magnetômetro. O dispositivo também contém compensadores eletrônicos para minimizar os ruídos magnéticos provocados pela aeronave. ▶ Ver *pássaro*.

espuma / *foam*. 1. Sistema bifásico, encontrado no interior de equipamentos de separação, caracterizado por glóbulos de gás (ou vapor de hidrocarboneto) que permanecem cercados por filmes muito delgados de líquido (geralmente óleo). 2. Camada de bolhas, compostas de um gás (normalmente ar) e revestidas por um filme de líquido, reinantes normalmente na superfície do líquido e que são estabilizadas pela presença de contaminantes.

estabelecimento prestador de serviço / *place for the rendering of services*. Local onde o contribuinte desenvolve a atividade de prestar serviços, de modo permanente ou temporário, e que configura unidade econômica ou profissional.

estabilidade de instrumento / *instrument stability*. Aptidão de um instrumento de medição para conservar constantes suas características metrológicas ao longo do tempo.

estabilidade do ponto de fluidez / *pour-point stability*. Capacidade dos lubrificantes, quando aditivados com abaixador de ponto de fluidez, de manter seu ponto de fluidez ASTM original mesmo quando submetidos a baixas temperaturas. ▶ Ver *ponto de fluidez*; *abaixador de ponto de fluidez*.

estabilidade elétrica / *electric stability*. 1. Propriedade física que faculta a medição da estabilidade de uma emulsão a partir da aplicação de um campo eletromagnético. Essa propriedade fornece informações a respeito do grau de emulsão. Caso a estabilidade elétrica seja baixa, haverá a quebra da emulsão. 2. Voltagem necessária para estabelecer um fluxo de corrente elétrica no fluido.

estabilização do condensado / *condensate stabilization*. Processo, geralmente realizado na superfície, pelo qual se removem hidrocarbonetos leves, tais como propano e butano, reduzindo as perdas por evaporação através da redução da pressão de vapor do condensado. ↔ A estabilização do condensado também pode envolver a remoção de gás sulfídrico e carbônico.

estabilização eletrostática / *electrostatic stabilization*. Processo de estabilização que impede que as gotas da fase dispersa numa dispersão se aproximem a uma distância em que as forças atrativas possam atuar e promover a coalescência. ↔ Essa condição é obtida pela presença de grupos polares na interface, e a repulsão é gerada por forças eletrostáticas ou por compostos de alto peso molecular; a repulsão decorre de forças entrópicas. Esses processos determinam a estabilidade de emulsões.

estabilizador / *stabilizer*. Ferramenta/equipamento utilizada na coluna de perfuração, composta de mandril e camisa com diâmetro igual ou menor que o da broca, com a finalidade de manter a estabilização da coluna. Durante a perfuração direcional, serve para definir a tendência no controle da trajetória. Uma coluna pode ser montada com estabilizadores de maneira a formar uma tendência de perda, de ganho ou de manutenção de ângulo do poço.

estabilizador com lâminas soldadas / *welded-blade stabilizer*. Ferramenta/equipamento composta de mandril e camisa de aço soldada no corpo, utilizada para estabilizar a coluna de perfuração.

estabilizador de camisa / *sleeve stabilizer*. Elemento soldado ou rosqueado ao estabilizador com o diâmetro igual ou próximo ao da broca, com o objetivo de aumentar ou diminuir a rigidez da coluna de perfuração ou de completação.

estabilizador de roletes / *roller stabilizer*, *roller reamer*. Usado para manter a coluna centralizada no poço, utilizando roletes no lugar de lâminas no meio da ferramenta.

estabilizador próximo à broca / *near-bit stabilizer*. Ferramenta/equipamento composta de mandril e camisa, com conexões tipo caixa-caixa, para ser usada logo acima da broca, com a finalidade de estabilizar a coluna com um ponto de contato mais próximo da broca.

estaca de sucção / *suction pile*. Estaca, usualmente de forma cilíndrica, com extremidade superior tamponada, que se apoia sob o leito marinho e que usa a pressão hidrostática como força de cravação, bombeando água do seu interior para o mar. ↔ Esse tipo de estaca é largamente utilizado como elemento de fundação de jaquetas e como âncora para linhas de ancoragem. Neste último caso, é particularmente eficiente em lâminas d'água moderadas, profundas e ultraprofundas em função da pressão hidrostática disponível para executar a cravação.

estaca-torpedo / *torpedo pile*. Estaca de forma predominantemente cilíndrica, alongada, com a extremidade inferior em forma de cone e que é cravada usando a energia obtida por sua queda livre a partir de uma altura predeterminada do leito marinho. ↔ Esse tipo de estaca é largamente utilizado como âncora para linhas de ancoragem e dutos flexíveis submarinos. Neste último caso, emprega-se para evitar que as solicitações dinâmicas do trecho *riser* sejam transmitidas para um grande trecho de duto que se encontra no leito marinho (trecho *flowline*).

estação / *station*. Posição na superfície na qual um instrumento geofísico é montado para possibilitar uma observação.

estação-base / *base station*. Ponto de observação utilizado em levantamentos geofísicos como referência, possibilitando a comparação de medidas de outros lugares.

estação coletora / *collecting station*. Conjunto de instalações que tem como objetivo efetuar o processamento primário do petróleo e do gás natural, compreendendo as funções de receber as linhas de surgência dos poços produtores de hidrocarbonetos, realizar testes, separar, purificar, medir, tratar, armazenar, bombear e comprimir os fluidos produzidos, bem como descartar os efluentes. ⇒ Ainda que localizada em terra, uma estação coletora pode atender a uma dada área de produção marítima, e pode operar com petróleo, gás natural ou ambos.

estação de armazenamento de gás natural / *natural gas tank farm*. Conjunto de instalações terrestres, contendo recipientes apropriados para recebimento, armazenamento e transferência de gás natural. ▶ Ver *estocagem de gás natural*.

estação de armazenamento de petróleo / *crude oil tank farm*. Conjunto de instalações terrestres, contendo tanques de armazenamento de petróleo com a finalidade de receber, armazenar e transferir o petróleo. ▶ Ver *tanque de armazenamento atmosférico*.

estação de arranjos / *array station*. Local, em sísmica terrestre, em que são colocados os tiros ou receptores de um arranjo.

estação de bombagem intermediária (Port.) / *booster*. O mesmo que booster. ▶ Ver booster.

estação de carga (Ang.) / *booster*. O mesmo que booster. ▶ Ver booster.

estação de compressores / *compressor station*. Facilidade de compressão de gás natural para movimentação.

estação de entrega e recebimento de gás natural / *city gate*. 1. Conjunto de instalações que contém manifoldes e sistema de medição, destinado a receber e entregar o gás natural oriundo de uma concessão, de uma unidade de processamento de gás natural, de um sistema de transporte ou de um sistema de transferência. 2. O mesmo que city gate e *estação de transferência de custódia*. ▶ Ver city gate; *estação de transferência de custódia*.

estação de geofones / *geophone station*. Posição em que foram colocados os geofones de um grupo de geofones.▶ Ver *geofone*.

estação de medição / *battery or bank of meters*. Instalação de medidores dispostos em tramos paralelos. Arranjo de equipamentos projetados para medição fiscal ou transferência de custódia de hidrocarbonetos ou outros produtos entre produtores e transportadores ou distribuidores.

estação de transferência de custódia / *custody transfer station*. O mesmo que *estação de entrega e recebimento de gás natural* e city gate. ▶ Ver *estação de entrega e recebimento de gás natural*.

estação de tratamento de despejos industriais (ETDI) / *wastewater treatment plant*. Unidade de tratamento de efluentes líquidos de uma instalação industrial que visa a fazê-los atingir ou manter os limites permitidos de concentração de poluentes antes de seu lançamento em corpos d'água.

estação ecológica / *ecological station*. Unidade de conservação de proteção integral que é amostra representativa de um ecossistema, criada pelo Poder Executivo brasileiro. ⇒ Em parte da área de estações ecológicas, definida por zoneamento específico, somente podem ser realizados estudos e pesquisas.

estação mestra / *master station*. 1. Estação transmissora de rádio num sistema de posicionamento. 2. Estação de controle de uma rede.

estado crítico / *critical state*. Temperatura, pressão e composição nas quais as propriedades dos líquidos e do vapor tornam-se idênticas.

estado transiente / *transient state*. Regime de fluxo em que as propriedades variam com o tempo. ⇒ Em análise de teste de poços, regime de fluxo em um poço produtor no qual este ainda não sentiu o efeito de todas as fronteiras físicas. O estado transiente engloba o estado de ação infinita e ocorre antes do estado pseudopermanente.

estado transitório (Port.) / *transient state*. O mesmo que *estado transiente*. ▶ Ver *estado transiente*.

estágio de bomba / *pump stage*. Parte de uma bomba de bombeio centrífugo submerso (BCS), composta por um impulsor e um difusor, responsável pela vazão requerida de fluidos e parte da altura manométrica total igualmente requerida em tal aplicação. ▶ Ver *bombeio centrífugo submerso (BCS)*; *bomba centrífuga submersa*.

estalactite / *stalactite*. Estrutura em forma de cone pendente do teto das cavernas ou subterrâneos, resultante da precipitação de sais de cálcio trazido em dissolução na água, ao redor de fraturas preexistentes.

estalagmite / *stalagmite*. Estrutura em forma de coluna que se eleva do chão a partir de pingos d'água carregados de bicarbonato de cálcio, que caem do teto de uma cavidade ou caverna.

estaleiro de tubos / *lay-down rack for pipe, rods or tubing*. Local de uma sonda terrestre ou marítima onde são armazenados horizontalmente os tubos de perfuração ou de produção. A ação de posicionar os tubos é conhecida como 'estaleirar tubos'. ⇒ Área em uma sonda de terra, ou no convés de uma unidade marítima, equipada com fileiras de berços sobrepostos, de madeira ou aço, onde são posicionados horizontalmente os tubos de perfuração ou produção a serem utilizados na sonda.

estampador / *impression block*. Ferramenta de pescaria que verifica o estado do topo do peixe. ⇒ Bloco que tem no fundo chumbo, ou qualquer outro material relativamente macio.

estampador de chumbo / *lead impression block*. Ferramenta descida com coluna ou arame (*slick line*) com o objetivo de estampar ou obter uma impressão do topo do peixe. ⇒ O estampador, ou bloco de impressão, é constituído de um material mole, normalmente chumbo, para ser marcado pelo topo do peixe ao ter seu peso arriado sobre si mesmo. A depender da marca obtida, pode-se definir a próxima ferramenta a ser descida em uma operação de pescaria. ▶ Ver *estampador*; *peixe*.

estanqueidade / *tightness*. Propriedade de ser estanque, ou seja, de impedir a passagem de fluido. •• Termo geralmente empregado para definir a capacidade de uma válvula, quando totalmente fechada, de impedir a passagem de fluido. As válvulas do tipo denominado *de bloqueio* (esfera, gaveta) são de elevada estanqueidade, já as válvulas denominadas *de controle de fluxo* (por exemplo, globo) têm uma estanqueidade inferior à das anteriores.

estática / *static*. 1. Ruído randômico que interfere com as ondas de rádio e ondas sísmicas. **2.** Correção de tempo aplicada em traços sísmicos para eliminar atrasos causados por variações em elevação, espessura da camada de intemperismo e/ou velocidade perto da superfície.

estática automática / *automated statics*. Qualquer método para determinar os deslocamentos estáticos.

estática de campo / *field stati*. Correção aplicada no campo, em diferentes levantamentos sísmicos.

estática de refração / *refraction statics*. Correções estáticas feitas em reflexão sísmica, por exemplo, para corrigir os dados obtidos em região montanhosa para o *datum*. Isso possibilita a utilização de técnicas de processamento padrão nos dados obtidos. Erros estáticos levam a uma perda de resolução e a uma interpretação incorreta dos dados sísmicos.

estatística / *statistics*. Coleção, tabulação, estudo de fatos numéricos e de dados. Na indústria, a estatística indica tendências quase impossíveis de determinar por outros meios. O método estatístico é usado para estimar o valor real do trabalho a ser feito, dos custos, ou das máquinas, em termos de serviço útil e manutenção. •• Em geoquímica, a estatística é comumente empregada para determinar o *background* de determinado elemento ou substância orgânica numa determinada área a ser avaliada. Outros dados como desvio padrão, variância, coeficientes de variação e de correlação costumam ser importantes para estimar o comportamento geoquímico de uma área investigada.

estator de bomba / *pump stator*. Componente de uma bomba hidráulica de deslocamento positivo do tipo cavidade progressiva, que consiste numa cavidade onde gira um único fuso metálico de geometria especial, do tipo helicoidal, fazendo a progressão das cavidades entre os passos helicoides do fuso, e com isso provocando o escoamento forçado do fluido bombeado. •• A geometria do estator lembra uma oval retorcida ao longo do eixo de um helicoide. É fabricado com um revestimento interno de material resiliente, similar à borracha, que provê uma boa vedação entre a cavidade do estator e o rotor. Por isso, a compatibilidade química entre o fluido e o resiliente do estator é importante para manter a longevidade da bomba. Deve-se manter o estator sempre lubrificado pelo fluido, para que o atrito entre rotor e estator seja reduzido, evitando-se a destruição prematura do estator. Maiores diferenciais de pressão são obtidos com rotores e fusos mais longos, com várias cavidades.

estator de motor elétrico / *electric-motor stator*. Componente estático de motor elétrico, responsável pela geração do campo magnético aplicado ao rotor, que é a parte móvel, girante, do motor. •• Se o motor for de indução e corrente alternada, o campo magnético gerado pelo estator é girante. A velocidade angular do motor elétrico de indução é diretamente proporcional à frequência da rede elétrica e inversamente proporcional ao número de polos magnéticos do estator.

estendedor / *extender*. Aditivo empregado na pasta de cimento com o objetivo de reduzir a densidade da pasta. •• Uma pasta de baixa densidade é utilizada quando é preciso reduzir a pressão hidrostática durante a cimentação, e assim evitar a ocorrência de perda de circulação no poço, ou quando se deseja reduzir o custo da pasta, aumentando-se o seu rendimento. A redução da densidade pode ser obtida pela adição de sólidos que requeiram água, ou por adição de sólidos leves, ou por adição de sólidos leves que requeiram água. Os principais estendedores são: bentonita, bentonita pré-hidratada, terra diatomácea, microesferas, gilsonita, perlita expandida e nitrogênio. ▶ Ver *aditivo*; *cimento*; *cimentação*; *bentonita*; *densidade*; *pasta de cimento*.

esterano / *sterane*. Classe de tetraciclos, de biomarcadores saturados constituídos por seis subunidades isoprênicas. •• Os esteranos são derivados dos esteróis, que são membranas e hormônios importantes de organismos eucarióticos. A maior parte dos esteranos utilizados está entre as faixas (C26) e (C30) e é detectada pelo uso de cromatogramas de massa m/z 217.

estereoquímica / *stereochemistry*. Arranjo especial de átomos em uma molécula.

esteroide / *steroid*. Produto cíclico condensado originado de plantas e de animais, no qual um anel de cinco átomos de carbono e três anéis de seis átomos de carbono formam uma estrutura. ▶ Ver *esteróis*.

esteróis / *sterols*. Esteroide que contém um grupo de alcoóis (-OH). ▶ Ver *esteroide*.

estilolito / *stylolite*. Plano com superfície irregular que se forma pela dissolução dos minerais mais solúveis, principalmente em rochas carbonáticas, como resposta à atuação de tensões compressivas. •• Sua orientação é ortogonal à direção principal de compressão máxima ($\sigma 1$). Mais raramente pode desenvolver-se em fraturas preexistentes, oblíquas à direção de ($\sigma 1$).

estimulação ácida / acid stimulation. O mesmo que *tratamento ácido*. ▶ Ver *tratamento ácido*.

estimulação do poço / well stimulation. Operação executada com o objetivo de aumentar a produtividade de poços produtores de óleo e/ou gás, ou aumentar a injetividade dos poços injetores de água para descarte ou recuperação secundária, alterando as características de permeabilidade original da rocha-reservatório. ↬ Existem três modalidades básicas de estimulação: fraturamento hidráulico, acidificação de matriz e fraturamento ácido. ▶ Ver *fraturamento hidráulico*; *fraturamento ácido*; *acidificação*.

estiramento do NMO / NMO stretching. Mudança para frequências mais baixas em atividades de processamento sísmico de reflexão, como resultado da aplicação da correção do sobretempo normal, com o objetivo de deslocar traços sísmicos. ▶ Ver *sobretempo normal*.

estiramento do pulso / pulse stretching. Distorção de traços CMP que aparece, passiva ou ativamente, pelo aumento do comprimento do pulso sísmico. ▶ Ver *família CMP*; *família CDP*; *ponto comum em profundidade*.

estocagem de gás natural / natural gas storage. Armazenamento de gás natural em reservatórios próprios, formações naturais ou artificiais.

estocagem de poço / wellbore storage. Fenômeno de acumulação ou diminuição do volume de fluidos na câmara de teste do poço, devido ao processo transitório de pressão provocado pela abertura ou fechamento da válvula de teste.

estrangulador / choke. Dispositivo que restringe o escoamento de retorno do poço para controle da pressão nas operações de controle de poço.

estratégia de controle / control strategy. Expressão matemática, booliana ou nebulosa capaz de realizar o controle de um processo. Cada processo tem uma estratégia de controle que também é conhecida como *algoritmo de controle*.

estratículo (Port.) / straticule. O mesmo que straticule. ▶ Ver *straticule*.

estratificação / stratification, bedding. 1. Formação de estratos ou camadas pela deposição de material clástico ou pela precipitação química e decantação de coloides floculados. Os estratos ou camadas são definidos por descontinuidades físicas e/ou por passagens bruscas ou transicionais de mudanças de textura, estrutura ou quimismo. 2. O termo também é aplicável a rochas plutônicas, vulcânicas e de deposição progressiva em veios, paralelamente às paredes das rochas encaixantes, como ocorre em pegmatito. 3. O mesmo que *acamamento*. ↬ A estratificação é uma estrutura típica de rochas sedimentares, ocorrendo na forma de camadas, lâminas, lentes ou cunhas. Origina-se de variações nos processos atuantes durante a deposição do sedimento. ▶ Ver *acamamento*.

estratificação concordante / concordant stratification. Formação de camadas que apresentam planos de acamamento paralelos, resultantes da sedimentação em superfícies que são planas e paralelas entre si. Em Portugal é o mesmo que *acamamento concordante*. ▶ Ver *acamamento concordante*; *estratificação*.

estratificação convoluta (Port.) / convolute bedding, curly bedding. O mesmo que *acamamento convoluto*. ▶ Ver *acamamento convoluto*.

estratificação corrugada (Port.) / crinkled bedding. O mesmo que *acamamento corrugado*. ▶ Ver *acamamento corrugado*.

estratificação cruzada / cross-stratification, cross-bedding. Padrão geométrico resultante da sedimentação, que forma uma sucessão de lâminas com pequenas diferenças na granulometria, nos seus mergulhos e direções, e que se interceptam. ↬ Resulta da migração de formas de leito nas quais os grãos de diferentes tamanhos são movimentados por processos trativos ou oscilatórios. Quando as formas de leito com cristas sinuosas migram no sentido da corrente ocorre a erosão parcial da forma anterior, resultando em truncamento das lâminas componentes das formas de leito subjacentes. Como resultado dessa migração e consequente erosão e deposição formam-se as estratificações cruzadas. As dimensões das estratificações são relacionadas ao tamanho das formas de leito.

estratificação cruzada acanalada / crescent-type cross-bedding. Estratificação cruzada que apresenta lâminas frontais bastante recurvadas, desenvolvendo-se em camadas com contatos basais curvos.

estratificação cruzada composta / compound cross-stratification. Tipo de estratificação cruzada complexa que combina formas que diferem significativamente em escala e orientação.

estratificação cruzada côncava / concave cross-bedding. 1. Estratificação cruzada complexa, que combina formas que diferem significativamente em escala e orientação. 2. Estratificação cruzada, geralmente tangencial na base, cuja parte côncava esteja virada para cima. Constitui a principal componente do tipo 'estratificação cruzada festonada'.

estratificação cruzada convexa / convex cross-bedding. Estrutura sedimentar representada por uma estratificação cruzada na qual a convexidade das lâminas está voltada para cima.

estratificação cruzada de baixo ângulo / low-angle cross-bedding. Estrutura formada na antepraia (*foreshore*) pela sucessão de laminações paralelas ligeiramente inclinadas em direção ao mar, sendo que cada conjunto tende a apresentar uma ligeira discordância com o conjunto anterior.

estratificação cruzada em *chevron* / *chevron* cross-bedding. Estratificação cruzada em forma de V invertido, onde os planos de estratificação se alternam, mergulhando em direções opostas.

estratificação cruzada epsilon / *epsilon cross-bedding*. Estratificação diagonal causada pela acreção lateral ou transversal ao fluxo principal.

estratificação cruzada hummocky / *hummocky cross-stratification*. Estrutura sedimentar ondulada truncada, formada por uma combinação de um fluxo unidirecional com um outro oscilatório. ↣ Sua gênese foi proposta como sendo resultante da ação de ondas de tempestade; atualmente admite-se que essa estrutura também pode ser gerada por fluxos gravitacionais associados a inundações catastróficas.

estratificação cruzada planar / *planar cross-bedding*. 1. Estratificação cruzada na qual o contato da superfície basal ocorre em superfícies de erosão. 2. Estratificação cruzada caracterizada por camadas com um conjunto de lâminas frontais planares e inclinadas na direção do fluxo. ▶ Ver *estratificação cruzada*.

estratificação cruzada tabular composta / *compound foreset bedding*. Estratificação cruzada caracterizada por conjuntos de camadas tabulares mergulhantes em mais de uma direção. ↣ Essas camadas normalmente tangenciam-se na base e podem ter suas porções superiores erodidas e logo sobrepostas por novas camadas, de mesmas características, com mergulhos na mesma direção ou em direções diferentes das anteriores.

estratificação de águas em lagos / *lake stratification*. Camadas de água, mais ou menos horizontais, com diferentes propriedades, que diferem pela densidade, em função de propriedades químicas ou físicas.

estratificação de velocidade / *velocity layering*. Termo utilizado em uma seção de reflexão sísmica, quando são descritas as camadas de subsuperfície como um conjunto de camadas com velocidades constantes. ↣ Um dos métodos de conversão tempo-profundidade utiliza o modelo de estratificação de velocidades, principalmente em bacias sedimentares onde a geologia é muito diversificada e complicada para se obter um modelo de velocidades intervalares.

estratificação deltáica (Port.) / *delta bedding*. O mesmo que *acamamento deltaico*. ▶ Ver *acamamento deltaico*.

estratificação direta / *direct stratification*. Estratificação formada quando o sedimento foi originalmente depositado, ou seja, uma estrutura sedimentar formada durante a deposição dos grãos.

estratificação discordante (Port.) / *discordant bedding*. O mesmo que *acamamento discordante*. ▶ Ver *acamamento discordante*.

estratificação do conjunto de lâminas frontais (Port.) / *foreset bedding*. O mesmo que *acamamento do conjunto de lâminas frontais*. ▶ Ver *acamamento do conjunto de lâminas frontais*.

estratificação entrecruzada (Port.) / *cross-stratification, cross-bedding*. O mesmo que *estratificação cruzada*. ▶ Ver *estratificação cruzada*.

estratificação entrecruzada acanalada (Port.) / *crescent-type cross-bedding*. O mesmo que *estratificação cruzada acanalada*. ▶ Ver *estratificação cruzada acanalada*.

estratificação entrecruzada composta (Port.) / *compound cross-stratification*. O mesmo que *estratificação cruzada composta*. ▶ Ver *estratificação cruzada composta*.

estratificação entrecruzada côncava (Port.) / *concave cross-bedding*. O mesmo que *estratificação cruzada côncava*. ▶ Ver *estratificação cruzada côncava*.

estratificação entrecruzada convexa (Port.) / *convex cross-bedding*. O mesmo que *estratificação cruzada convexa*. ▶ Ver *estratificação cruzada convexa*.

estratificação entrecruzada de baixo ângulo (Port.) / *low-angle cross-bedding*. O mesmo que *estratificação cruzada de baixo ângulo*. ▶ Ver *estratificação cruzada de baixo ângulo*.

estratificação entrecruzada em chevron (Port.) / *chevron cross-bedding*. O mesmo que *estratificação cruzada em* chevron. ▶ Ver *estratificação cruzada em* chevron.

estratificação entrecruzada hummocky (Port.) / *hummocky cross-stratification*. O mesmo que *estratificação cruzada* hummocky. ▶ Ver *estratificação cruzada* hummocky.

estratificação entrecruzada planar / *planar cross-bedding*. O mesmo que *estratificação cruzada planar*. ▶ Ver *estratificação cruzada planar*.

estratificação entrecruzada tabular composta (Port.) / *compound foreset bedding*. O mesmo que *estratificação cruzada tabular composta*. ▶ Ver *estratificação cruzada tabular composta*.

estratificação indistinta (Port.) / *slurried bed, slurry bedding*. O mesmo que *acamamento indistinto*. ▶ Ver *acamamento indistinto*.

estratificação por densidade / *density stratification*. Estratificação causada por diferença de densidade de águas, sendo comum em lagos. A camada de água com menor densidade ocorre mais no topo e a mais densa na base da coluna d'água. Frequentemente causada por diferença de material em suspensão ou dissolvido, como, por exemplo, a água doce (mais leve) no topo e a mais salgada no fundo.

estratificação simétrica (Port.) / *symmetrical bedding*. O mesmo que *acamamento simétrico*. ▶ Ver *acamamento simétrico*.

estratificado / *bedded*. 1. Rocha sedimentar interpretada geologicamente, com informações sobre sua identificação, descrição, sequência, verticalidade ou horizontalidade, e sua correlação com ambientes geológicos associados. 2. Termo aplicado às rochas cujos componentes encontram-se dispostos de forma paralela ou subparalela. ▶ Ver *estratificação*.

estratigrafia / *stratigraphy*. Ramo da geologia que estuda a sucessão das camadas ou estratos que aparecem num corte geológico e a sua correlação com as outras rochas. Compreende a litoestratigrafia, a bioestratigrafia e a cronoestratigrafia. ▶ Ver *bioestratigrafia*; *cronoestratigrafia*.

estratigrafia de sequências / *sequence stratigraphy*. Ramo da estratigrafia que estuda as relações das rochas sedimentares dentro de um arcabouço cronoestratigráfico de estratos geneticamente relacionados, sendo limitada por superfícies de erosão ou não deposição ou por suas concordâncias relativas.

estratigrafia química / *chemostratigraphy*. Conceito que se baseia nas variações ou na abundância de elementos químicos maiores ou menores, ou nas razões isotópicas em rochas sedimentares, como uma ferramenta de refinamento e correlação estratigráfica. •• Pode ser aplicada em um campo específico ou em estudos de escala regional. Tem grande utilidade quando as técnicas convencionais de correlação estratigráfica, tais como bioestratigrafia e sísmica, não podem ser aplicadas em função de problemas de resolução. Em rochas sedimentares, registra importantes mudanças de proveniência dos sedimentos, dos ambientes deposicionais e das alterações diagenéticas. Essas variações permitem que espessas sequências, relativamente uniformes, possam ser subdivididas geoquimicamente em unidades quimioestratigráficas e correlacionadas dentro de uma mesma bacia ou entre bacias.

estratigrafia sísmica / *seismic stratigraphy*, *seismostratigraphy*. Estudo da estratigrafia e de fácies deposicionais, como interpretadas pelas reflexões em uma linha sísmica.

estrato / *stratum*. 1. Unidade individual de rocha estratificada, diferenciada litologicamente das unidades (outros estratos) imediatamente superior e inferior. 2. O mesmo que *camada*.

estrato crisscross / *crisscross bedding*. Estratificação cruzada típica de depósitos eólicos onde conjuntos de laminações mergulham em direções opostas.

estratosfera / *stratosphere*. Região da atmosfera superior entre a troposfera e a mesosfera, composta principalmente de nitrogênio, caracterizada por apresentar pequena ou nenhuma mudança de temperatura com a altitude. •• Ocorre entre 10 km e 50 km de altitude e mantém uma temperatura constante nos primeiros quilômetros. Separada da atmosfera superior pela tropopausa, não apresenta correntes de convecção ou nuvens.

estrato-tipo composto / *composite stratotype*. Estrato-tipo formado pela combinação de vários intervalos específicos de estratos, conhecidos como componentes de estrato-tipo.

estria glacial / *glacially striated rock*. Conjunto de sulcos deixados nas rochas preexistentes pela passagem das geleiras sobre estas. •• Diferenciam-se das caneluras glaciais por terem larguras e profundidades em escala de milimétrica a centimétrica. ▶ Ver *canelura glacial*.

estripagem por gás / *gas stripping*. Operação de uso de uma corrente de gás, normalmente em contraposição à corrente principal, com o objetivo de remover componentes gasosos existentes nessa corrente principal. ▶ Ver *sistema de tocha*.

estromatólito / *stromatolite*. Estrutura sedimentar marinha, formada pela intercalação de filmes algálicos e pela precipitação de carbonato de cálcio por microrganismos. Apresenta-se sob várias formas, sendo a mais comum a de um cogumelo.

estromatólito algáceo (Port.) / *algal stromatolite*. O mesmo que *estromatólito algálico*. ▶ Ver *estromatólito algálico*.

estromatólito algálico / *algal stromatolite*. Estrutura biogênica algálica formada pelo crescimento de algas azuis e verdes; em geral apresenta o formato de uma cabeça, com trapeamento ou precipitação de sedimentos. •• Existe uma grande variação de formas de crescimento, desde aquelas planas e horizontais até aquelas colunares, dômicas ou subesféricas. ▶ Ver *estromatólito*.

estrutura analítica de projeto (EAP) / *Project Breakdown Structure, Work Breakdown Structure*. Detalhamento do escopo dos serviços que visa à elaboração da curva de execução física ou financeira, o que permite estabelecer a sistemática para medição do avanço físico de determinado serviço em termos percentuais (níveis x subníveis). •• Utilizada em atividades de planejamento e controle de empreendimentos de engenharia

estrutura cone em cone / *cone-in-cone structure*. 1. Estrutura sedimentar centimétrica a decimétrica, feita de cones sucessivamente encaixados uns nos outros, de base circular e com o ápice apontando perpendicularmente para as camadas superiores. A origem da estrutura é secundária e provavelmente relacionada a efeitos de dissolução e redeposição de carbonatos, principalmente durante os efeitos de compactação de camadas ou de concreções carbonáticas, associando-se feições de dissolução como estilolitos. Os ângulos apicais variam de 30 a 60 graus. 2. Estrutura semelhante forma-se em depósitos de carvão e consiste em um conjunto de cones que se interpenetram, densamente empacotados. E ainda outra estrutura semelhante pode-se formar como resultado do impacto de um meteorito (*shatter cones* / cones de estilhaçamento).

estrutura de capital / *capital structure*. Decisão estratégica de formação do *funding* para determinado projeto ou investimento, que considera a parcela financiada junto a terceiros (endividamento) e a parcela de recursos próprios oriunda dos acionistas (*equity* ou patrimônio líquido).

estrutura de detalhamento de projeto (Port.) / *project breakdown structure*. O mesmo que *estrutura analítica de projeto (EAP)*. ▶ Ver *estrutura analítica de projeto (EAP)*.

estrutura de escorregamento / *slump structure*. Termo genérico para designar qualquer estrutura sedimentar produzida por escorregamento subaquoso.

estrutura de perfuração (Port.) / *template*. O mesmo que *estrutura múltipla*. ▶ Ver *estrutura múltipla*; template.

estrutura deltaica / *delta structure*. Estrutura sedimentar produzida pelos três conjuntos de camadas formadoras de um delta: *bottomset*, *foreset* e *topset*.

estrutura direcional / *directional structure*. 1. Estrutura sedimentar que indica a direção da corrente que a formou. 2. Também conhecida como *estrutura vetorial*. ↝ Estratificações cruzadas e marcas onduladas são alguns exemplos de estruturas direcionais indicativas de paleocorrentes.

estrutura em chama / *flame structure*. Estrutura sedimentar produzida por pontos de injeção pelítica em forma de uma chama, que ocorre na base de uma camada sedimentar mais pesada, em geral mais grosseira, que se deposita sobre outra mais fina e pouco compactada. Esse tipo de estrutura tem então sua origem associada à carga e ao escape de fluidos. ▶ Ver *estrutura sedimentar*.

estrutura em prato / *dish structure*. 1. Estrutura em forma côncava, formada lateralmente a uma zona de escape de água. 2. Estrutura sedimentar primária em forma de prato ou lente, com as extremidades voltadas para cima, de dimensões que variam de menos de um centímetro até 50 cm, orientada paralelamente aos planos das camadas. ↝ Essa estrutura é comumente encontrada em arenitos depositados por fluxos gravitacionais de alta densidade e interpreta-se que a sua formação seja o produto da elutriação da fração argilosa contida nos arenitos, causada pelo escape na vertical da água aprisionada no espaço poroso, devido a uma sedimentação muito rápida.

estrutura *flaser* / *flaser bedding*. Fina e côncava lâmina de argila que forma lentes dentro de um estrato arenoso. A gênese da formação da estrutura *flaser* esteve por muito tempo relacionada à ação de refluxos de maré. ▶ Ver *estrutura sedimentar*.

estrutura fluidal / *fluidal structure*. 1. Estrutura característica de algumas rochas vulcânicas nas quais o arranjo dos cristais mostra as linhas de fluxos resultantes da mobilização das lavas antes da sua solidificação. 2. Termo usado genericamente para caracterizar as estruturas sedimentares causadas durante o transporte e deposição sedimentar, e que deixam linhas de deformação causadas pela mobilização de fluidos nos sedimentos.

estrutura geológica / *geological structure*. Qualquer configuração geológica estrutural. ↝ Pode estar associada à formação de uma trapa (armadilha) de acumulação de óleo ou gás. Dobras, tais como anticlinais e domos, e blocos altos de falhas são as feições mais comumente associadas a acumulações de hidrocarbonetos. ▶ Ver *trapa*.

estrutura-guia de ANM / *WCT guide frame, utility guide frame*. Componente que promove o alinhamento da árvore de natal molhada (ANM ou WCT) na base-guia permanente, servindo também como proteção.

estrutura imbricada / *imbricate structure*. Estrutura sedimentar caracterizada pela imbricação de seixos inclinados para a mesma direção, com o lado plano comumente mergulhado no sentido contrário ao sentido da corrente.

estrutura interna da Terra / *Earth layering*. Estrutura que se considera ser formada por um conjunto de camadas concêntricas, denominadas *geosferas*, *núcleo interno*, *núcleo externo*, *manto inferior*, *manto superior* e *crosta*. ↝ Algumas dessas camadas são separadas por limites detectáveis por métodos geofísicos, principalmente sísmicos, como a descontinuidade de Mohorovicic, que separa a crosta do manto, e a de Gutenberg, que separa o manto inferior do núcleo externo.

estrutura múltipla / *template*. Estrutura instalada no fundo do mar, a partir da qual se perfuram vários poços para desenvolver um campo petrolífero. ▶ Ver template.

estrutura secundária / *secondary structure*. Estrutura formada após a deposição da rocha na qual ela ocorre. Por exemplo, falhas, dobras ou juntas produzidas por movimentos tectônicos, concreções e nódulos formados por processos químicos ou diques de areia formados por preenchimento.

estrutura sedimentar / *sedimentary structure*. Característica física de organização de grãos de sedimentos, refletindo homogeneidades ou heterogeneidades texturais ou composicionais e descontinuidades físicas, normalmente observadas em escala macroscópica e mesoscópica (afloramentos e amostras de mão), que refletem as condições sob as quais os sedimentos foram depositados. ↝ As estruturas sedimentares podem ser classificadas em primárias e secundárias. As primárias são aquelas formadas no momento da deposição dos grãos, enquanto que as secundárias são resultado de deformações pós-deposicionais.

estrutura *tepee* / *tepee structure*. Estrutura diagenética produzida por processos químicos durante a dessecação de sedimentos carbonáticos e evaporíticos, quando a borda dos fragmentos da crosta dessecada assume a forma de pratos e se recurva para cima.

estrutura-guia permanente (Port.) / *permanent guide structure*. O mesmo que *base-guia permanente*. ▶ Ver *base-guia permanente*.

estuarino / *estuarine*. Sedimentos ou processos deposicionais encontrados em um estuário.

estuário / *estuary*. Área litorânea na desembocadura de um rio onde a água doce rica em nutrientes se encontra com a água salgada dos oceanos. ▶ Ver *ambiente de deposição*.

estudo ambiental / *environmental assessment*. Avaliação das possíveis implicações ambientais da localização, instalação, operação e ampliação de um empreendimento ou atividade. ↝ O estudo ambiental é sempre realizado às expensas do empreendedor para subsidiar o licenciamento ambiental. Um estudo ambiental tem, de forma geral uma descrição do empreendimento ou atividade, uma caracterização da área que será afetada por ele, a identificação e avaliação dos impactos e riscos esperados e os programas ambientais estruturados para a mitigação dos impactos negativos, a redução do risco e a potencialização dos impactos positivos.

Estudo Ambiental de Sísmica (EAS), Brasil / *environmental seismic assessment, Brazil*. Estudo ambiental que subsidia a concessão da Licença de Operação (LO) para realização de atividade de aquisição de dados sísmicos marítimos (Resolução CONAMA n° 350/04).

estudo de fluidos do reservatório / *reservoir fluid study*. Procedimentos laboratoriais com o objetivo de identificar as propriedades físicas dos fluidos extraídos do reservatório, para cálculo do balanço de materiais do reservatório. ↝ Esses estudos incluem: composição química, vaporização *flash*, vaporização diferencial, teste de separação e medida de viscosidade do óleo. As propriedades determinadas são: pressão de ponto de bolha, fator volume de formação do óleo, razão de solução gás/óleo, fator volume total de formação do gás, coeficiente isotermal de compressibilidade do óleo, viscosidade do óleo, fator Z, fator volume de formação do gás, viscosidade do gás e quantidades e propriedades de gás estocado, tanque de estocagem de gás e de óleo.

estudo de identificação de perigos / *hazard identification study*. Avaliação sistemática de alto nível sobre uma planta, um sistema ou uma operação com o objetivo de identificar potenciais perigos. É uma técnica de análise de risco e segurança. ↝ Esse método é usado frequentemente como base para a avaliação de risco. É uma ferramenta que se usa nos estágios iniciais de um projeto, tão logo se tenha diagrama de fluxo do processo, dados básicos relativos ao balanço de massa e calor e leiautes. Dados da locação existentes, tais como infraestrutura, condições ambientais e geotécnicas também são levados em consideração nessa análise, como fonte de perigos externos.

Estudo de Impacto Ambiental, Brasil (EIA) / *environmental impact study, Brazil*. Estudo ambiental que subsidia a concessão da Licença Prévia, na fase de planejamento de empreendimentos ou, no caso específico da indústria do petróleo, para o desenvolvimento de campos de produção de óleo e gás natural (Resolução CONAMA n° 23/94).

estudo de perigos e operabilidade / *hazard and operability (HAZOP) study*. Técnica sistemática para identificar perigos e problemas operacionais. ↝ O HAZOP visa a identificar problemas de operabilidade de uma instalação de processo, revisando metodicamente o projeto da unidade ou de toda a fábrica. O principal objetivo de um estudo de perigos e operabilidade (HAZOP) é investigar de forma detalhada cada segmento de um processo para detetar os possíveis desvios das condições normais de operação, identificando as causas e suas respectivas consequências.

Estudo de Viabilidade Ambiental (EVA), Brasil / *environmental feasibility study, Brazil*. Estudo ambiental que subsidia a concessão da Licença Prévia de Produção para Pesquisa para realização de projetos pilotos de produção (Resolução CONAMA n° 23/94).

estudo de viabilidade de projeto (Port.) / *project feasibility study*. O mesmo que *pré-empreendimento*. ▶ Ver *pré-empreendimento*.

estudo de viabilidade técnica e econômica (EVTE) / *economic and technical feasibilty study*. Análise dos recursos necessários à implantação de empreendimentos ou projetos tomando por base seus custos para investimentos propriamente ditos (CAPEX) e os respectivos custos operacionais (OPEX), assim como a possibilidade de sucesso destes. ↝ São analisadas condições relativas a aspectos tecnológicos, linhas de financiamento, alocação de recursos próprios, sejam de natureza financeira ou material de maneira geral, aspectos de custo e prazos, condições e restrições ambientais e demais condicionantes envolvidas. Determinante para a decisão de se implantar um empreendimento ou projeto.

etano / *ethane*. 1. Hidrocarboneto encontrado na atmosfera cujo destino primário é reagir com os radicais livres, como o cloro e o óxido nitroso. Essa reação pode impedir esses radicais de reagirem com o ozônio, que é necessário na estratosfera para impedir a luz ultravioleta de alcançar a superfície da Terra. 2. Hidrocarboneto alifático da família dos alcanos. Produzido a partir do gás natural e do refinamento do petróleo, é composto por dois átomos de carbono e seis de hidrogênio (C_2H_6), tem um peso molecular de 30,07, temperatura crítica de 549 °R e pressão crítica de 712 psi.

ethernet / *ethernet*. Tecnologia de interconexão para redes locais (*LAN, Local Area Networks*) baseada no envio de pacotes de dados. Caracteriza o cabeamento e sinais elétricos para a camada física, bem como o formato de pacotes e protocolos para a camada de controle de acesso ao meio (MAC, *Media Access Control*) do modelo OSI. A ethernet foi padronizada pelo IEEE como 802.3. ▶ Ver *protocolo de comunicação*.

etileno / *ethylene*. Composto químico de fórmula C_2H_4, com ligação dupla entre os dois carbonos. Na nomenclatura IUPAC, recebe o nome de *eteno*. ↝ Hidrocarboneto insaturado da família dos alcenos também denominado *olefina*. É obtido a partir do craqueamento do petróleo.

euédrico / *euhedral*. Termo aplicado a minerais que têm todas as suas faces cristalinas bem formadas. Sinônimo de *idiomórfico*.

euribor / *Euro Interbank Offered Rate*. Taxa interbancária composta da média das taxas da oferta de fundos praticada entre bancos de países da União Europeia e terceiros países. ↠ A euribor é calculada diariamente para os diversos prazos padrão do mercado financeiro.

eurobônus / *eurobonds*. Títulos de médio e longo prazos, emitidos para captação de recursos no mercado internacional, a taxa de juros prefixada. Isso não significa que o depósito deverá ser mantido num banco europeu, independentemente de ser o euromercado centralizado na praça de Londres, com as de Paris e Zurique em posições intermediárias.

eurodólar / *eurodollar*. Depósito feito em dólares norte-americanos em bancos comerciais situados fora dos EUA, o que não significa que o depósito deva ser mantido num banco europeu, independentemente de ser o euromercado centralizado na praça de Londres, com as de Paris e Zurique em posições intermediárias.

euro-obrigação (Port.) / *eurobond*. O mesmo que *eurobônus*. ▶ Ver *eurobônus*.

eustasia / *eustasy*. Variação no nível do mar provocada pelas mudanças no volume de água marinha nos oceanos.

euxínico / *euxinic*. Condição ambiental restrita, com sulfeto de hidrogênio livre. ↠ Os exemplos atuais incluem as águas e os sedimentos do fundo do lago Tanganica, o mar Vermelho, a costa do Peru, a região nordeste do Pacífico. Os sedimentos anóxicos com matéria orgânica e sulfatos tornam-se euxínicos através da atividade da bactéria redutora de sulfato. ▶Ver *anóxico*.

evacuação / *evacuation*. 1. Queda do nível de fluido da coluna de revestimento, ocasionando seu esvaziamento, geralmente causado pelo problema de perda de circulação durante a perfuração do poço. 2. Operação de abandono da plataforma pelo pessoal embarcado no caso de algum acidente com perda de controle total do poço, como, por exemplo, um *blow out*.

evacuação de área / *area evacuation*. Ato de retirar de forma ordenada todas as pessoas de uma área afetada por uma emergência em uma instalação petrolífera.

evaporito / *evaporite*. 1. Sedimento mineral solúvel em água que resulta da evaporação de corpos de água limitados. 2. Rocha sedimentar que é formada pela evaporação em corpos aquosos com alta concentração de sais dissolvidos. O processo de transferência da água para a atmosfera é resultado da combinação dos fenômenos de evaporação e transpiração. ↠ Evaporitos são formados pela evaporação em corpos restritos de água salgada. Embora esses corpos de água apresentem sais em solução, por meio da evaporação estes sais se concentram, saturam a água, e precipitam. Os mais comuns minerais evaporíticos são a halita, a gipsita (sulfato de cálcio) e a anidrita, que se formam da evaporação da água do mar, e as rochas carbonáticas e dolomíticas. Certos minerais evaporíticos, particularmente a halita, podem formar excelentes rochas capeadoras ou selos para hidrocarbonetos. Essas rochas apresentam porosidades não relevantes e se deformam de forma viscosa e plástica, fato que dificulta a ruptura por fratura e evita a fuga do hidrocarboneto acumulado.

evento / *event*. Marca ou fenômeno inseridos em registros de batimetria e sonar de varredura lateral, representando uma ocorrência crítica durante o levantamento. ↠ Eventos normalmente indicam a coordenada e o instante (data e hora) em que um determinado dado foi adquirido. Outras informações podem ser gravadas em um evento, dependendo do sistema de aquisição utilizado no levantamento.

evento acidental / *accidental event*. Circunstância ou evento inesperado ou não planejado que pode levar a perda de vida ou dano ao meio ambiente.

evento de topo / *top critical event*. Evento crítico indesejado usado na análise por árvore de falhas (*Fault Tree Analysis, FTA*). ▶ Ver *análise por árvore de falhas*.

evento episódico / *episodic event*. 1. Evento esporádico; em sedimentologia pode ser muitas vezes usado como sinônimo de *catastrófico*. 2. Evento ocasional que ocorre a intervalos relativamente pequenos de tempo geológico. ▶ Ver *catastrofismo*.

evento geológico / *event*. 1. Intervalo de tempo em que ocorre um registro sedimentar, ou ausência deste, representado ou por um tipo específico de depósito sedimentar que guarda impresso em seu interior estruturas deixadas pela ação dos processos que o formaram, ou por um hiato deposicional quando o evento for de não deposição. Esse hiato pode ser erosivo, quando houver remoção de registros anteriores. 2. Nos dados sísmicos, um evento pode ser representado por difração, reflexão, refração ou outra característica semelhante produzida por uma chegada de energia sísmica. Um evento em uma seção sísmica pode representar uma interface geológica, como uma falha, uma discordância ou uma mudança litológica. ▶ Ver *estratigrafia*.

evento principal de alto grau de incidência (Port.) / *major incident event*. O mesmo que *evento principal de incidente*. ▶ Ver *evento principal de incidente*.

evento principal de incidente / *major incident event*. Evento conectado (imediatamente ou com certo atraso) às atividades de trabalho, que pode colocar determinado ambiente em risco significativo ou causar fatalidades múltiplas.

evento secundário / *secondary arrivals, later arrivals.* Pulso de energia, especialmente um evento de refração que não é o primeiro.

evento sísmico / *seismic event.* Qualquer alteração observada num registro sísmico.

evento topo / *top event.* Evento principal indesejado de uma árvore de falhas, obtido por meio de combinações lógicas de outros eventos e para o qual se determina a probabilidade de ocorrência.

ex works (EXW). Espécie de venda no mercado interno, equiparada à exportação, em que o exportador entrega a carga para exportação nas suas instalações de produção, fabricação ou extração. Neste caso, o importador assume todas as despesas para levar a carga até o ponto de origem do transporte internacional, seja aéreo ou marítimo.

exatidão / *accuracy.* Aptidão de um instrumento de medição para dar respostas próximas a um valor verdadeiro. Exatidão é um conceito qualitativo. •• A incerteza de medição é um dos parâmetros utilizados para sua quantificação.

excentricidade / *eccentricity.* 1. Número que quantifica a diferença de posição entre o centro de um tubo interno e o de outro tubo ou poço aberto, em porcentagem. 2. Número que quantifica a diferença de posição entre os centros dos perímetros interno e externo de um tubo, em porcentagem. 3. Parâmetro que avalia a centralização do revestimento ou coluna no poço. •• Para a condição de centralização do revestimento ou coluna no poço, a situação ideal é ter-se uma área de anular uniforme, perpendicular à direção de fluxo, de modo a propiciar a passagem de fluidos, evitando-se a formação de canais preferenciais ao longo do fluxo na parte larga do anular, enquanto o fluido tende a se tornar imóvel na parte mais estreita.

excêntrico / *eccentric.* Descentralização do revestimento em relação ao poço aberto. Este fator determina a uniformidade da bainha de cimento ao redor do revestimento. •• O sucesso da cimentação primária está associado ao preenchimento de todo o espaço anular pela pasta cimentante e ao desenvolvimento de uma aderência satisfatória dessa pasta ao revestimento e à formação. Um revestimento excêntrico ou não centralizado cria um caminho preferencial ao fluxo da pasta, ou de colchões, prejudicando a remoção do fluido de perfuração do anular. Por exemplo, um revestimento com um *standoff* de 17% permite uma eficiência de deslocamento em torno de 45%, enquanto num outro, com um *standoff* de 72%, a eficiência de remoção sobe para 97%. Este parâmetro influenciará no número e no posicionamento dos centralizadores no poço. ▶ Ver *excentricidade*

excesso de massa / *excess mass.* Em gravimetria, estimativa do aumento de massa relacionado a uma anomalia positiva.

exclusão de areia / *sand exclusion.* 1. Técnica para impedir a produção de areia associada ao óleo e/ou gás, no caso de arenitos de baixo grau de consolidação. 2. O mesmo que *controle de produção de areia.* ▶ Ver *controle de produção de areia.*

exotérmico / *exothermic.* Qualificação de processo que ocorre com liberação de calor. •• Quando um sistema formado por água líquida é colocado em um congelador ele perde calor para esse ambiente e, em decorrência disso, ocorre a solidificação da água. Assim, a transição da água no estado líquido para o estado sólido é um processo que libera calor, ou seja, é exotérmico. ▶ Ver *entalpia.*

expansão a composição constante / *constant composition expansion.* 1. Expressão que caracteriza um teste laboratorial típico em fluido de reservatório de petróleo. 2. Teste realizado em amostras de gás condensado e frações voláteis de óleo, no qual o comportamento do fluido é estudado em pressões abaixo de sua pressão de saturação, quando uma segunda fase aparece. A redução gradativa da pressão em uma célula PVT a temperatura constante, gerando um aumento gradativo do volume ocupado pelo fluido, fornece informações úteis sobre o comportamento do reservatório. •• Nesse teste, a amostra é acondicionada em uma célula PVT sob condições de temperatura e pressão reinantes no reservatório de origem da amostra. A pressão é então reduzida paulatinamente, pelo aumento do volume da célula. Os pares de valores pressão-volume são registrados num gráfico P x V. O ponto em que ocorre uma mudança brusca na inclinação da curva gerada corresponde ao volume e pressão do ponto de bolha do fluido a temperatura de reservatório.

expansão de tubagem (Port.) / *swaging.* O mesmo que *expansão de tubo.* ▶ Ver *expansão de tubo.*

expansão de tubo / *swaging.* Operação de expansão de um tubo de revestimento ou *liner.* •• Pode ser usada para expandir uma seção completa de *liner* rasgado, que, por sua vez, pode ser usado como método de completação de poços horizontais em reservatórios com arenitos inconsolidados. Também utilizada para expandir um trecho de revestimento no interior de outro, com a finalidade de reparar um defeito do primeiro. Essa operação é denominada *cladding.*

expansão instantânea / *instantaneous expansion.* Situação, em instalações de produção, em que uma corrente de fluido tem a pressão reduzida subitamente, provocando uma violenta vaporização de parte do líquido e um grande aumento no volume específico do vapor.

expansão térmica / *thermal expansion.* Tendência da matéria de aumentar o volume ou pressão quando aquecida ou reduzir volume ou pressão quando resfriada (física). ▶ Ver *fator de expansão térmica.*

expansível / *expansible.* Equipamento utilizado em poços de petróleo que, após a sua descida, tem seu diâmetro externo e interno aumentado por meio de uma técnica específica. Podem ser chamados de *sólidos expansíveis* quando os equipamentos expandidos após a descida no poço ou telas expansíveis são tubos e suspensores, utilizados para controle de produção de areia. ▶ Ver *tubo*; *controle de produção de areia*; *suspensor de revestimento*.

exploração / *exploration*. 1. Ato de procurar ou fazer incursão com a finalidade de extrair, em regiões pouco ou não conhecidas, recursos minerais etc. A exploração é um dos três propósitos de uma pesquisa científica; os outros dois são *descrever* e *explicar*. 2. Conjunto de operações ou atividades, pesquisa e sondagem, destinadas a avaliar áreas territoriais (blocos) objetivando a descoberta e a identificação de jazidas de petróleo ou gás natural. ↝ A exploração tem existido desde o início da vida humana, mas diz-se que o auge da exploração foi durante o período chamado 'idade da exploração', quando os navegadores europeus viajaram ao redor do mundo em busca de novas áreas ou continentes.

exploração em três dimensões / *3D exploration*. Obtenção de dados para a sua visualização em três dimensões.

exploração ou pesquisa / *exploration or research*. Operações ou atividades que analisam áreas, em busca de descobertas ou identificação de jazidas de petróleo e gás natural.

exploração sísmica / *seismic exploration*. Método de exploração geofísica pelo estudo e análise das propagações de ondas sísmicas.

explotação / *exploitation*. Etapa de serviços que contempla as técnicas de desenvolvimento e produção da reserva comprovada de hidrocarbonetos de determinado campo petrolífero.

expoente de cimentação / *cementation exponent*. Expoente de porosidade *m*, na relação do fator de formação, F, para a porosidade, phi:

$$F = a/phi^m$$

↝ Na equação de Archie, *m* é o expoente de *cimentação*, tendo em vista que foram observados altos valores de *m* em rochas cimentadas. O termo mais geral é *expoente de porosidade*.

export downcomer. O mesmo que riser *de exportação*. ▶ Ver riser *flexível*; riser *rígido em catenária*; riser *híbrido*; riser *de exportação*.

exportação ficta / *wash transaction*. Processo de exportação no Brasil, com saída ficta do território nacional e posterior aplicação do Regime de Admissão Temporária, de plataforma de produção de petróleo de fabricação nacional vendida a organismo sediado no exterior. Considera-se exportado, para todos os efeitos fiscais e cambiais, ainda que sem a saída física do território brasileiro, o produto nacional vendido, mediante pagamento em moeda estrangeira de livre conversibilidade, a empresa sediada no exterior, para ser utilizado exclusivamente nas atividades de pesquisa ou lavra de jazidas de petróleo e de gás natural. ▶ Ver *admissão temporária*.

exsudação / *seep*. Termo utilizado para designar um local onde fluidos, usualmente água e óleo, afloram em superfície, oriundos de regiões mais profundas da crosta terrestre. Em Portugal, o termo representativo é *sangria*. ↝ As exsudações são frequentes em regiões onde o petróleo ascende por meio de fraturas e fissuras através das rochas até atingir a superfície terrestre ou o fundo do mar. Neste caso, a exsudação ocorrerá na superfície da água do mar, podendo ser imageada por radares.

exsudação de petróleo / *oil seep*. Surgência natural de petróleo na superfície ou no fundo marinho proveniente de uma acumulação na subsuperfície, resultante de fraturas ocasionadas por falhas na acumulação original.

extensão (Port.) / *rangeability or turndown ratio*. O mesmo que *rangeabilidade*. ▶ Ver *rangeabilidade*.

extensão da cobertura reservatorial (Port.) / *seal extension*. O mesmo que *extensão selante*. ▶ Ver *extensão selante*.

extensão de fratura / *fracture extension*. O mesmo que *comprimento de fratura*. ▶ Ver *fraturamento hidráulico*; *comprimento de fratura*.

extensão selante / *seal extension*. Mandril metálico com série de gaxetas para vedação na área polida do interior de um *packer* de produção. Normalmente as gaxetas são enroscadas em série a um *locator* ou a uma âncora selante, ou ainda a um *snap latch*. ↝ A eficiência do engaxetamento das unidades selantes garante que não haverá vazamento do fluido produzido para o espaço anular entre a coluna de produção e a tubulação de revestimento do poço. A seleção do material empregado nos selos considera a agressividade de todos os fluidos produzidos ou injetados no poço em questão. ▶ Ver *âncora*; *âncora selante*; *conjunto selante*; *trava*.

external casing packer (ECP). Acessório que funciona como um obturador (*packer*), com a finalidade de isolar zonas de produção, principalmente em poços horizontais. ↝ Pode ser inflado com qualquer fluido. Normalmente usa-se fluido de perfuração, água ou pasta de cimento. A borracha de vedação é reforçada por uma nervura metálica. O modelo e diâmetro devem ser escolhidos em função do diâmetro do poço ou do revestimento. ▶ Ver *ferramenta de bloqueio de fluxo*.

extinção ondulatória / *wave extinction*. Extinção variável da luz, como se fosse em ondas, em um mesmo grão ou subgrão mineral, quando visto em lâmina delgada sob nicóis cruzados de microscópio petrográfico; deve-se às deformações plásticas do retículo cristalino do mineral, propiciadas por tensão ou tensões aplicadas à rocha. É muito comum em quartzo tensionado.

extração da forma de onda / *wavelet extraction*. Método pelo qual se procura extrair do traço de reflexão sísmica uma função $h(t)$, que representa um efeito indesejável da natureza convolutiva incidindo sobre a função refletividade. ↔ Existem casos em que, havendo vários efeitos de natureza indesejáveis, $h(t)$ pode ser vista como uma função equivalente da associação desses efeitos.

extração do pulso / *wavelet extraction*. Pulsos podem ser extraídos usando-se um modelo para as reflexões num traço sísmico, como num sismograma sintético. ↔ Um pulso é gerado pela deconvolução do traço com o conjunto de coeficientes de reflexão do sismograma sintético, um processo também conhecido como *extração determinística do pulso*.

extração pelo *dean-stark* / *dean-stark extraction*. Método utilizado para medir a saturação de um fluido em uma amostra de testemunho por meio de destilação. ↔ A água da amostra é vaporizada por solvente em ebulição, em seguida condensada e coletada em um coletor graduado. O solvente é também condensado e retorna à amostra para extrair o óleo. A extração continua por pelo menos dois dias, até que o solvente extraído esteja limpo ou a amostra não mostre nenhuma fluorescência. O peso da amostra é medido antes e depois da extração. Determina-se, então, o volume de óleo pela perda de peso da amostra menos o peso da água dela removida. As saturações são calculadas a partir dos volumes. ▶ Ver *análise de testemunho*.

extração por explosão / *blasting*. Emprego de explosivos para desmontar a formação geológica de modo a auxiliar na extração ou remoção de rochas ou outros materiais consolidados.

extração solvente / *solvent extraction*. Método utilizado para separar uma ou mais substâncias de uma mistura, pelo manejo de uma solução de misturas com um solvente que irá dissolver as substâncias requeridas, deixando outras.

extraclasto / *extraclast*. Fragmentos não comuns ao sedimento ou rocha sedimentar analisada e que são incorporados nesses sedimentos, provenientes da erosão de uma rocha sedimentar ou de um sedimento subjacente, durante a sua fase de transporte ou deposição sedimentar. ▶ Ver *sedimentação*.

extrapolação de campo de onda / *wavefield extrapolation*. Situação que ocorre quando um campo de onda é extrapolado de um *datum* para outro. ▶ Ver *campo de onda*.

extremidade inferior da coluna de perfuração / *bottom-hole assembly (BHA)*. Extremidade ou trecho da coluna de perfuração mais afastada da mesa rotativa. Consiste, geralmente, da broca, sub-broca, motor de perfuração (em certos casos), estabilizadores, comandos de perfuração, tubos pesados de perfuração, *jar* e *subs* de cruzamento que permitem a conexão entre elementos tubulares com roscas diferentes. O *BHA* deve propiciar peso à broca de modo a permitir que ela possa penetrar nas camadas rochosas e facultar o controle direcional na construção do poço. É usual dispor de motor de perfuração, ferramentas de perfuração e controle direcional, ferramentas de MWD, LWD e outras ferramentas especializadas.

fabricação / *manufacturing*. Processos e ações executados por um fornecedor, necessários para prover componentes acabados ou montagens e documentações relacionadas que preencham os pedidos do comprador e satisfaçam os padrões do fornecedor.

fabricante / *manufacturer*. Agente principal no projeto, fabricação e fornecimento de um equipamento ou material. ↝ Termo para denominar indivíduos ou companhias que fazem ou processam material e/ou equipamento que atendam a padrões especificados pelo comprador.

faca para retirada de parafina / *paraffin knife*. Ferramenta descida com arame para remover as incrustações de parafina que se encontram no interior de uma coluna de produção. ▶ Ver *incrustação de parafina*; *raspador de parafina*; *remoção de parafina*.

face cristalográfica / *crystal face*. Superfície planar que limita a superfície de um cristal, gerada pelo seu crescimento de acordo com o arranjo interno dos átomos.

face da ferramenta / *tool face*. Ponto, linha ou outra referência para ferramentas que podem ser orientadas dentro do poço. ↝ Nas ferramentas defletoras, essa referência indica a orientação relativa à direção do poço para onde a trajetória estará sendo alterada durante a sua operação. Em poços de baixa inclinação, a referência é feita com relação ao azimute ou norte verdadeiro, e em poços de maior inclinação, a referência é o lado alto do poço. ▶ Ver *poço direcional*; *ferramenta defletora*; *inclinação*.

face de praia / *shoreface*. Região estreita, com mergulhos relativamente altos em direção ao mar ou lago, separando a zona subaérea da zona subaquosa.

face do estrato / *facing of strata*. Face de um estrato sedimentar, superfície do estrato, também denominada *topo do estrato*. ↝ É particularmente importante em áreas geológicas deformadas para o entendimento da evolução da área em termos de preenchimento sedimentar, idade relativa e deformação. O topo, ou face, de um estrato ou de uma camada é em geral determinado por estruturas sedimentares, como gradações, gretas de contração, etc. ▶ Ver *estratigrafia*.

fácies / *facies*. 1. Termo geral para indicar o aspecto (a 'face') da rocha e, assim, caracterizar um tipo ou grupo de rochas em estudo. 2. Cor, litologia, espessura, textura, estrutura sedimentar, conteúdo fossilífero e geometria externa que caracterizam um depósito, camada ou conjunto de camadas sedimentares. 3. O termo mais genérico é usado para distinguir um conjunto próprio de atributos que caracterizam uma rocha, seja ela sedimentar, ígnea ou metamórfica; por exemplo, *fácies* granulito. 4. Unidade básica na construção do estudo de ambientes sedimentares, de sistemas deposicionais e da estratigrafia moderna, em particular da estratigrafia de sequências. ↝ O termo *fácies* se refere a todas as características visíveis na macroescala e que caracterizam uma unidade particular de uma rocha. São as características de um corpo de rocha que refletem seu ambiente deposicional de origem, e quando preservadas no corpo de rocha podem ser usadas para reconhecer os processos de transporte e deposição e prever as suas relações laterais. ▶ Ver *sistema deposicional*.

fácies biológica / *biologic facies*. O mesmo que *biofácies*, isto é, subdivisão de unidade estratigráfica diferenciada das subdivisões adjacentes com base nos fósseis que contém. ▶ Ver *biofácies*.

fácies coquinoide / *shelly facies*. Depósito rico em conchas de composição calcária, arenitos quartzosos e poucos folhelhos. Também conhecido como *shelf facies*, em razão da presumível estabilidade estrutural do sítio deposicional.

fácies de plataforma / *shelf facies*. 1. Depósitos sedimentares formados na plataforma, sob a influência marinha, em ambiente nerítico. 2. Também são conhecidas como *shelly facies* pela grande importância dos componentes bioclásticos (conchas e carapaças) formados em calcários de plataforma. ↝ As fácies carbonáticas extensas e variadas são características, podendo atingir centenas de metros de espessura. Os depósitos em lençol, tanto carbonáticos quanto clásticos, são indicadores dos processos de deposição da plataforma. ▶ Ver *estratificação cruzada*, *fácies*.

fácies sedimentar / *sedimentary facies*. Termo utilizado para descrever os atributos de corpos de rochas sedimentares, sendo em alguns casos também usado de modo interpretativo. O termo também é empregado com uma conotação genética interpretativa, quando são identificadas características de processos comuns à sua formação ou a determinados ambientes deposicionais, como por exemplo, fácies turbidítica, fácies deltaica, fácies de plataforma, fácies fluvial ou eólica. ↝ Uma fácies sedimentar se caracteriza por litologia, composição mineralógica, tamanho de grão e seleção, estruturas sedimentares (litofácies), por seu conteúdo fossilífero (biofácies) e eventuais propriedades químicas, ou um conjunto destas. Litofácies e biofácies podem ser representados por desde lâminas de poucos milímetros até intervalos de rocha com dezenas a centenas de metros. Geralmente grupos que têm ocorrências relacionadas são classificados como *associações* ou *assembleias* de fácies. Esta classificação ou agrupamento de fácies, com propriedades similares, fornece indicações para interpretações paleogeográficas, visando à reconstituição de ambientes sedimentares antigos.

fácies sísmica / *seismic facies*. Tipo do aspecto de sedimentação inferido a partir de dados de reflexão sísmica. ↠ A análise de fácies sísmicas tem como objetivo reconhecer os padrões das reflexões sísmicas bem como suas inter-relações com as unidades sísmicas, promovendo a interpretação de seus respectivos significados geológicos.

facilidades portuárias / *port advantages*. Condição fornecida à comunidade portuária, tal como canal de acesso, águas profundas, condições comerciais e aduaneiras, serviços de movimentação de cargas, acessos terrestres, tratamento adequado do ecossistema e demais facilidades particulares a cada região e situação em que estas facilidades são empregadas. ▶ Ver *descarga*.

facilidades de produção / *production facilities*. Conjunto de equipamentos usados numa plataforma ou num campo, necessários para produzir hidrocarbonetos, tais como bombas, compressores, linhas, separadores, medidores, equipamento de segurança etc.

fadiga / *fatigue*. Dano progressivo (acumulativo), localizado e permanente que ocorre no material quando a estrutura está submetida a tensões cíclicas. ↠ Os valores de tensão que causam esse dano são consideravelmente menores do que os da tensão de escoamento do material em condições estáticas ou quase estáticas, porém maiores que o limite de resistência à fadiga (limite de *endurance*). ▶ Ver *resistência de ruptura*.

fadiga por corrosão / *corrosion fatigue*. Tipo de corrosão na qual um componente metálico de uma estrutura falha devido à tensão cíclica aplicada em um ambiente corrosivo, como por exemplo, a água do mar. ↠ O tempo de vida útil (número de ciclos sob determinado carregamento cíclico) do material será menor que o tempo de vida do material sujeito à fadiga em ambientes não corrosivos.

fadiga térmica / *thermal fatigue*. Mecanismo de formação de trincas e suas propagações, causado por tensões cíclicas induzidas por flutuações em temperatura.

faiscador / *sparker*. Fonte sísmica marítima na qual uma descarga elétrica na água é a fonte de energia. Também chamado *centelhador*.

faixa de marcação / *marker band*. Camada fina e identificável que tem a mesma posição estratigráfica em toda uma área considerável.

faixa de medição / *measuring range*. Conjunto de valores de um mensurando, limitado por seus valores inferior e superior, para o qual admite-se que o erro de um instrumento de medição mantém-se dentro de limites especificados.

faixa de passagem / *band-pass, passband*. 1. Faixa de frequência dentro do limite aceitável de um filtro. 2. Banda de frequência que pode passar através de um filtro de passagem sem alteração significativa.

faixa de recobrimento / *range overlap*. Área ou faixa do fundo marinho medida em metros, paralela à direção da linha de sondagem, onde por mais uma vez são utilizados os sistemas de batimetria multifeixe ou sonar de varredura lateral, durante um levantamento. ▶ Ver *recobrimento*.

faixa de trabalho / *flow range*. O mesmo que *faixa de medição*. ▶ Ver *faixa de medição*.

faixa de valores / *range*. Faixa de uma grandeza física em condições específicas, que mantém a correspondência entre os valores indicados por um instrumento de medir ou por um sistema de medição. ↠ O resultado da correspondente aferição permite determinar a diferença entre a indicação e o verdadeiro valor da grandeza medida.

faixa dinâmica / *dynamic range*. Em sísmica, significa a razão entre as amplitudes máxima e mínima do sinal, que pode ser gravado pelo sistema de registro, sendo normalmente especificada numa faixa de frequências e medida em decibéis.

faixa ótima de operação / *optimum operation range*. Condição de operação na qual a bomba de bombeio centrífugo submerso opera na faixa recomendada pelo fabricante. É a faixa de operação na qual normalmente os impulsores da bomba se encontram em sua faixa de equilíbrio hidráulico. ↠ O conjunto de *BCS* é dimensionado para operar numa faixa de vazão e pressão. Os esforços oriundos de operação em tal faixa, como, por exemplo, os esforços axiais (empuxo) são contrabalançados pelo projeto e uso adequados de dispositivos (por exemplo, mancais de escora) que se contrapõem a tais esforços. No caso de operação na faixa recomendada, os impulsores, quando do tipo flutuante, adquirirão uma posição de equilíbrio dinâmico na qual não tocam as respectivas sedes e, portanto, não sofrem qualquer processo de desgaste acentuado típico da operação fora da faixa recomendada. ▶ Ver *bombeio centrífugo submerso*; *bomba centrífuga submersa*; *impulsor de bomba*; *difusor da bomba*.

faixa ou amplitude do fluxo (Port.) / *flow range*. O mesmo que *faixa de medição*. ▶ Ver *faixa de medição*.

faixa x / *x band*. Uma das sete faixas de frequência do espectro de frequências de um radar (*Radio Detection And Ranging*). ↠ Varia de 5,20 a 11,0 GHz.

falda / *apron*. O mesmo que *depósito de piemonte*. ↠ É caracterizada pela acumulação de material muito heterogêneo, formado de blocos, seixos, areias, argilas, limo, e que, litificado, constitui um fanglomerado, tal como um depósito de piemonte litificado, no qual aparecem blocos de dimensões e formas variadas juntamente com material muito fino.

falha de baixo ângulo / *sole fault*. Falha de empurrão cujo plano é de baixo ângulo, formado na base de um empurrão do tipo *nape*.

falha de crescimento / *sedimentary fault, growth fault*. Falha sinsedimentar que se desenvolve contínua e concomitantemente à deposição, desenvolvendo expressivas espessuras de sedimentos no bloco baixo quando comparadas às camadas correlativas do bloco alto. ↝ Tipicamente, a espessura dos sedimentos do bloco baixo é maior junto à borda da falha e diminui à medida que se afasta.

falha de detonação / *misfire*. O mesmo que *erro do tiro*, ou seja, da fonte.

falha de entrega/recebimento / *delivery failure/receiving failure*. Não cumprimento de cláusula de entrega ou recebimento nos contratos de gás natural (vendedor não consegue entregar ou o comprador não consegue receber a quantidade contratada do produto). A falha pode ser parcial ou total.

falha estacionária / *fail as-is*. O mesmo que *falha no estado* quando se refere a válvulas. ▶ Ver *falha no estado*.

falha na posição / *fail as-is*. O mesmo que *falha estacionária*. ▶ Ver *falha estacionária*; *falha no estado*.

falha no estado / *fail as-is*. Sistemática na qual, quando há ocorrência de falha interna no equipamento ou perda da fonte de suprimento de energia para o seu acionamento, esse equipamento mantém a condição na qual se encontrava imediatamente antes da falha. Para o caso de válvulas, a falha no estado também é conhecida como *falha na posição* ou *falha estacionária*. ▶ Ver *falha na posição*; *falha estacionária*.

falha sedimentar / *sedimentary fault*. Falha que se desenvolve concomitantemente à sedimentação. ▶ Ver *falha de crescimento*.

falha segura / *fail safe*. Falha sistemática na qual, quando há ocorrência de falha interna no equipamento ou perda da fonte de suprimento de energia para o seu acionamento, este equipamento reverte para a condição mais favorável à segurança do processo que está sendo controlado ou protegido, sendo menos favorável à continuidade operacional. ↝ Alguns equipamentos ou sistemas são construídos de tal forma que, no caso de falha, mau funcionamento ou avaria em qualquer componente, são automaticamente ativados dispositivos que estabilizam ou garantem a segurança das operações.

falha sinsedimentar (Port.) / *sedimentary fault, growth fault*. O mesmo que *falha sedimentar* e *falha de crescimento*. ▶ Ver *falha sedimentar*; *falha de crescimento*.

falha transpressiva / *transpressional fault*. Falha direcional com componente de empurrão resultante da atuação de tensões compressivas locais.

falloff test. Teste de transiente pressão utilizado em poços de injeção de água. ↝ O teste de *falloff* é realizado pelo fechamento do poço após um período de injeção com vazão de água constante, o que provoca a queda do nível de água no interior do poço. Da medida da pressão no fundo do poço durante o período de *falloff* obtêm-se parâmetros do reservatório, tais como permeabilidade e efeito de película.

falsa estratificação (Port.) / *false bedding*. O mesmo que *pseudoacamamento*. ▶ Ver *pseudoacamamento*.

falseamento / *alias, aliasing*. 1. Distorção da frequência introduzida do sinal discretizado, que resulta na ambiguidade entre o sinal e o ruído. **2.** Ambiguidade que ocorre na amostragem de eventos contínuos para discretos quando o intervalo de amostragem não respeita o teorema da amostragem e um evento não é amostrado pelo menos duas vezes por período. ↝ O *aliasing* (falseamento) pode ser evitado amostrando pelo menos duas vezes a frequência mais elevada do comprimento de onda ou filtrando frequências acima da frequência de Nyquist, que é a frequência mais elevada que pode ser definida exatamente por esse intervalo de amostragem. ▶ Ver *frequência de Nyquist*.

falseamento espacial / *spatial aliasing*. Efeito que faz com que sinais diferentes e contínuos fiquem indistinguíveis (ou aliases um do outro) quando amostrados. ↝ Indica amostragem insuficiente dos dados ao longo do eixo do espaço. Esta dificuldade é tão universal que todos os métodos de migração devem considerá-la. De contrário, a direção da chegada das ondas torna-se ambígua.

falta / *fault*. Estado de um elemento caracterizado pela incapacidade de desempenhar uma função requerida. ↝ Faltas podem ocorrer, por exemplo por falhas durante as atividades de manutenção preventiva, não concretização de ações planejadas, ou pela falta de recursos necessários ao atendimento de objetivos e metas.

família CDP / *CDP family*. O mesmo que *ponto comum em profundidade*. ▶ Ver *ponto comum em profundidade*.

família CMP / *CMP family*. O mesmo que *ponto comum em profundidade* ou *família CDP*. ▶ Ver *família CDP*; *ponto comum em profundidade*.

família de fonte comum / *common-source family*. O mesmo que *família de tiro comum*. ▶ Ver *família de tiro comum*.

família de offset comum / *common-offset family*. Conjunto no qual todos os traços apresentam o mesmo afastamento fonte-receptor (*offset*). Geralmente utilizado para controle de qualidade ou entrada de dados para migração.

família de ponto médio comum / *common midpoint family*. O mesmo que *ponto comum em* *profundidade.* ▶ Ver *ponto comum em profundidade*.

família de receptor comum / *common-receiver family*. Conjunto no qual todos os traços foram registrados pelo mesmo receptor, com diferentes pontos de tiro. Geralmente utilizado para controle de qualidade ou entrada de dados para migração.

família de reflexão comum / *common-reflection family*. Conjunto no qual todos os traços registram a reflexão de um mesmo ponto em subsuperfície, formado por diferentes pontos de tiro e receptores. Corresponde teoricamente a família com ponto comum em profundidade para um meio de camadas horizontais homogêneas.

família de tiro comum / *common-shot family*. Conjunto no qual todos os eventos presentes foram gerados por um mesmo tiro, sendo registrados por diferentes receptores. Geralmente utilizado para controle de qualidade ou entrada de dados para migração.

fantasma da correlação / *correlation ghost*. Designação, no vibroseis, dada aos fantasmas que aparecem pela correlação do sinal piloto com seus harmônicos. ▶ Ver *vibroseis*.

fantasma de superfície / *surface ghost*. Pulso refletido em água ou em terra.

***farm-in*.** Processo de aquisição parcial ou total dos direitos de concessão detidos por outra empresa. A empresa que adquire os direitos de concessão está em processo de *farm-in*, e a empresa que vende está em processo de *farm-out*. ▶ Ver farm-out.

***farm-out*.** Processo de venda parcial ou total dos direitos de concessão. A empresa que vende os direitos de concessão está em processo de *farm-out*, e a empresa que os adquire está em processo de *farm-in*. ▶ Ver farm-in.

fase / *phase*. Parte homogênea de um sistema material, distinta e fisicamente separada de outra parte por superfícies bem definidas. ↝ Os modelos empregados para representar o escoamento de fluidos, em engenharia de petróleo, adotam invariavelmente o conceito de equilíbrio termodinâmico instantâneo e consideram comumente três fases (oleosa, gasosa e aquosa) nas quais os componentes desses fluidos possam estar distribuídos. Assim, os componentes mais leves de uma mistura de hidrocarbonetos (gás natural) podem se encontrar dissolvidos nas fases oleosa e aquosa.

fase contínua / *continuous phase*. Fase definida por elementos em que a passagem de um ponto a outro pode ocorrer sempre através do mesmo contínuo. ↝ No conjunto de padrões de escoamento encontrados no escoamento bifásico de líquido e gás, pode ser observada uma migração contínua da fase líquida até atingir a fase gasosa como sendo aquela que exibe continuidade. ▶ Ver *fase*.

fase da exploração e produção de petróleo / *oil exploration and production phases*. Etapa caracterizada por um conjunto de operações definidas como de exploração de blocos ou áreas, avaliação de descobertas, desenvolvimento de campos e produção de petróleo ▶ Ver *E&P*; *E&P offshore*; *E&P onshore*; *exploração*; *produção*.

fase de Airy / *Airy phase*. Alinhamento de eventos associados à velocidade de grupos. ▶ Ver *onda de Airy*.

fase de bomba (Port.) / *pump phase*. O mesmo que *estágio de bomba*. ▶ Ver *estágio de bomba*.

fase dispersa / *dispersed phase*. Fase constituída por elementos discretos, tais como gotas em um gás, ou bolhas em um líquido. Os elementos discretos não são interconectados. ▶ Ver *fase*.

fase mínima / *minimum phase*. 1. Designação das funções causais que apresentam a energia concentrada na parte inicial. 2. Pulso de dois termos (a,b) representado pela fase mínima quando |a| > |b|. O mesmo que minimum delay.

fase molhante / *wetting phase*. O mesmo que *fluido molhante*. ▶ Ver *fluido molhante*.

fase não molhante / *nonwetting phase*. O mesmo que *fluido não molhante* ▶ Ver *fluido não molhante*.

fase t / *t-phase*. Fase correspondente a eclosões de sinais sísmicos marítimos, ocasionando ondas acústicas rápidas nos mares. ↝ O período correspondente a esta fase é menor que um segundo.

fator de abrangência / *coverage factor*. Fator que estabelece os tipos de incertezas envolvidas em determinados processos, utilizando-se de ensaios por intermédio de gráficos de controle, ensaios por intermédio de repetições, ensaios experimentais, informativos ou associados a subfatores ou outros fatores. ↝ Os procedimentos de determinação deste fator consideram o levantamento de dados para cálculo dessas incertezas e suas combinações, como por exemplo, a determinação de um fator numérico que pode ser usado como multiplicador de determinada incerteza padronizada, de modo a obter-se assim uma nova incerteza, sendo esta denominada *incerteza expandida*.

fator de acurácia do medidor / *meter accuracy factor*. Valor numérico que expressa a relação entre o valor registrado pelo medidor e o valor real de uma grandeza. ↝ Os medidores de vazão de óleo apresentam um erro mecânico, intrínseco ao equipamento. Além disso, o fluido que os atravessa ainda contém gás a pressão de separação. Deve-se então obter um fator de correção (FC) ou *fator de acurácia do medidor* através da comparação entre o volume efetivamente produzido para o tanque de aferição, medido após o encolhimento (ou seja, após segregado todo o gás a pressão atmosférica) e o volume medido pelo instrumento, em um intervalo de tempo arbitrado. FC = (volume aferido no tanque) / (volume aferido pelo medidor). Este FC englobará, portanto, o erro mecânico do medidor e o encolhimento do óleo, conhecido também como *shrinkage*. O processo de obtenção do fator de correção está sujeito a erros, tais como variações nas condições de fluxo e separação, não sincronismo durante as manobras de válvulas de alinhamento do queimador para o tanque, medida do nível do tanque imprecisa devido ao balanço causado pelo *heave*, tempo para aferição mal cronometrado e outros. ▶ Ver *tanque de aferição*.

fator de carga cíclica / *cyclic load factor*. Razão entre a raiz quadrada do valor médio quadrático da corrente instantânea do motor e seu valor médio. É uma medida da constância da corrente do motor. ⟿ É um fator que indica o aumento necessário na potência requerida pelo motor devido à natureza cíclica da carga solicitada por uma unidade de bombeio. ▶ Ver *balanceamento da unidade de bombeio*.

fator de carta / *chart factor*. Carta de sucessivos fatores de medidores (ou erros relativos de medidores) geralmente registrados como função do tempo. ⟿ Tais registros (e cartas associadas) são utilizados para avaliar a estabilidade de um medidor de interesse e determinar quando o mesmo se afasta, inaceitavelmente, de seu intervalo de uso normal.

fator de compressibilidade do gás / *gas compressibility factor*. Fator que descreve o afastamento do gás real do comportamento de gás ideal, sendo uma função da pressão, da temperatura e da composição do gás. ⟿ Neste caso, a relação pressão-volume-temperatura para o gás não ideal assume a forma:

$$PV = ZnRT$$

onde:
Z é o fator de compressibilidade, P a pressão, V o volume ocupado pelo gás, n a quantidade de matéria do gás e R a constante universal dos gases.

fator de correção / *correction factor*. Fator aplicado a um medidor para obter a vazão de fluido corrigida para a condição padrão de temperatura e pressão.

fator de correção da elevação / *elevation correction factor*. Qualquer fator de compensação que se emprega para trazer os dados para um *datum*, ou plano de referência. ⟿ Os dados sísmicos passam por uma correção estática para amenizar os efeitos da topografia e de zonas de baixa velocidade perto da superfície da Terra.

fator de custo de produção / *production cost factor*. Rentabilidade comercial do investimento feito para a produção em determinado poço de petróleo.

fator de dano / *damage factor*. Fator que estima a área danificada do reservatório ao redor do poço. ⟿ Considerando que a área de dano é aquela afetada ao redor do poço pela invasão de fluidos de perfuração ou completação, o dano pode reduzir a produtividade de forma significativa. Grandes áreas de dano podem requerer operações para restabelecimento das condições originais do reservatório, tais como a acidificação da matriz da rocha, que objetiva restaurar sua permeabilidade, e o fraturamento hidráulico, que visa à criação de canais de fluxo que interliguem o poço ao reservatório. ▶ Ver *dano da formação*.

fator de encolhimento / *shrinkage factor*. Razão entre as aferições de volume de óleo no tanque e *in situ*. Volume de óleo morto final na condição padrão de 20 °C / 101, 325 kPa (óleo morto após descompressão até 1 atm a 40 °C) dividido pelo volume de óleo vivo nas condições de pressão e temperatura do processo. Chamado também *fator de encolhimento total*, *fator de variação de volume* ou *fator de volume de formação do óleo*. ⟿ Nas medições para apropriação da produção de petróleo não estabilizado, deve ser considerado o fator de encolhimento devido à liberação de vapores após a medição, quando da estabilização do petróleo. No caso em que esses vapores forem recuperados na unidade de tratamento, deve ser computada a produção de gás, estimada com base no volume de óleo, e a razão gás-óleo do petróleo, nas condições de medição para apropriação. ▶ Ver *in situ*; *óleo morto*.

fator de encolhimento total / *total shrinkage factor*. O mesmo que *fator de encolhimento*. ▶ Ver *fator de encolhimento*.

fator de expansão / *expansion factor*. Fator de multiplicação utilizado para corrigir a vazão calculada pela redução da massa específica que um fluido experimenta quando escoa através de um orifício, como resultado do aumento da velocidade e redução da pressão estática do mesmo.

fator de expansão térmica / *thermal expansion factor*. 1. Fator de correção para a expansão ou contração de um orifício sob temperaturas diferentes da temperatura normal de funcionamento desse orifício. 2. Propriedade de um material que relaciona a expansão ou retração de um corpo feito desse material devido à variação de sua temperatura. ⟿ A expansão térmica é usualmente definida em duas situações: (*I*) fator linear de expansão térmica, utilizado para corpos sólidos, (*II*) fator volumétrico de expansão térmica, utilizado para corpos sólidos e líquidos. ▶ Ver *expansão térmica*.

fator de experiência / *vessel experience factor*. Compilação do histórico das medições dos volumes calculados totais (TCV) em tanques marítimos, com ajustes para a quantidade a bordo (OBQ) ou quantidade remanescente a bordo (ROB), com relação às medições dos volumes nos tanques em terra.

fator de fricção / *friction factor*. Constante adotada para considerar a fricção no escoamento e normalmente associada ao nível de tensões existentes nesse escoamento.

fator de impulso / *impulse factor*. Coeficiente de multiplicação para a estimativa de cálculo da carga total imposta. ⟿ Fator que converte o peso próprio da coluna de hastes no ar na carga total a ser registrada na haste polida.

fator de intensificação de tensão / *stress intensifier factor*. Parâmetro que caracteriza as tensões e deformações em uma determinada região à frente da ponta de uma trinca. ↪ Tal parâmetro é largamente aceito em situações nas quais a deformação plástica na frente da trinca inexiste ou é bastante pequena.

fator de obliquidade / *obliquity factor*. Função proporcional às amplitudes das ondas secundárias propagadas em várias direções, de acordo com o princípio de Huygens.

fator de permeabilidade Klinkenberg / *Klinkenberg permeability factor*. Fator que permite a compensação realizada em medidas de permeabilidade das rochas, devido à utilização de gases de baixa pressão ao invés de líquidos. ↪ É função do tipo de gás utilizado e da permeabilidade do meio poroso. Para um mesmo gás e amostras de meios porosos de diferentes permeabilidades, o fator b decresce com o aumento da permeabilidade. Representado pela letra b, é utilizado no cálculo de permeabilidade do gás no meio poroso para corrigir o efeito do escorregamento do gás nas paredes de um meio poroso, conforme expressão a seguir:

$$k = k_\infty (1+b/\bar{p})$$

onde:
k_∞ = permeabilidade absoluta, b = fator de Klinkenberg, $\bar{p}$ = pressão média durante a experiência.

fator de precisão do medidor (Port.) / *meter accuracy factor*. O mesmo que *fator de acurácia do medidor*. ▶ Ver *fator de acurácia do medidor*.

fator de produtividade / *productivity factor*. Medida do dano à formação de um poço calculada pela razão da taxa de produção de um poço a uma vazão fixa dividida por uma taxa de produção teórica sem o dano à formação.

fator de reconciliação / *reconciliation factor*. Fator utilizado para monitorar a qualidade dos dados gerados por medidores multifásicos. ↪ Considere-se que três campos satélites têm sua produção misturada num único duto de transporte para as facilidades de processamento. Cada campo satélite produz com um certo número de poços. Cada campo satélite dispõe de um medidor multifásico para continuamente medir sua produção total. A produção medida de cada campo satélite é então convertida em condições de referência. Nas facilidades de processamento central, a produção total é separada e medida com ótimas incertezas de medição. O fator de reconciliação é então aplicado por meio da razão: vazão da fase na plataforma central / soma das vazões das fases nos campos satélites. Idealmente, o fator de reconciliação deve ser igual a 1 e quanto mais próximo estiver de 1, mais forte será a indicação de que os medidores multifásicos estão operando de modo confiável. ▶ Ver *medição multifásica*.

fator de recuperação / *recovery factor*. 1. Razão entre o volume recuperável e o volume original, ou seja, o percentual do volume original que se espera produzir de um reservatório. **2.** Volume de óleo ou gás de um reservatório que irá ser produzido, no processo de produção primária, por injeção de água ou por algum método de recuperação avançada. O fator de recuperação é muito variável, dependendo da densidade e viscosidade do óleo, da permeabilidade e heterogeneidade do reservatório, entre outros fatores.

fator de resistência residual / *residual resistance factor*. Redução da permeabilidade relativa à água causada pela absorção de polímeros pelo reservatório durante a aplicação de métodos de recuperação avançada.

fator de resistividade da formação / *formation resistivity factor*. Fator que caracteriza a resistividade de uma rocha com poros preenchidos somente por água e a resistividade da água que satura essa rocha de resistividade. ↪ A resistividade é um dos fatores que caracteriza eletricamente uma rocha, isto é, mede a habilidade que tem a rocha de permitir a passagem da corrente elétrica. A presença de fluidos isolantes, tais como água doce, ar, óleo e/ou gás, altera a resistividade da rocha. Este fator, ao ser detectado, representa uma forma indireta de identificação dos fluidos impregnados na rocha.

fator de saturação / *saturation factor*. 1. Relação, expressa em decimais, representativa da fração de volume dos espaços porosos ocupados pelo óleo. **2.** Relação representativa da fração expedida de vapor, próxima à saturação, considerando as variações nas taxas de emissão dos diferentes métodos de carregamento e descarregamento utilizados pelo meio transportador do combustível.

fator de segurança / *safety factor*. Resultado da divisão da resistência mecânica pela carga atuante em um equipamento do poço. ↪ Um projeto é considerado seguro se o fator de segurança for maior que o valor mínimo preestabelecido, chamado *fator de segurança de projeto*.

fator de variação de volume / *volume variation factor*. O mesmo que *fator de encolhimento*. ▶ Ver *fator de encolhimento*.

fator de volume de bomba / *pump volume factor*. Eficiência volumétrica da bomba a pressão máxima e rotação predeterminada, expresso em porcentagem, nas condições de teste de recebimento.

fator de volume de formação / *formation volume factor*. Relação entre o volume de óleo no reservatório e o volume de óleo morto, obtido quando o óleo do reservatório é levado para as condições de superfície através do processo de produção. A liberação do gás em solução existente no reservatório provoca o encolhimento do óleo. Equivale à quantidade de barris de óleo do reservatório que resultam em um barril de óleo morto. ↪ Reservatórios de óleo leve têm maior fator volume de formação, uma vez que têm mais gás dissolvido em condições de reservatório, em contraste com o óleo pesado. Esse fator depende da razão gás-óleo em solução, e varia geralmente de 1,1 a

1,6. ▶ Ver *fator de volume de formação do óleo (Bo)*; *fator de encolhimento*.

fator de volume de formação de água / water formation volume factor. **1.** Fator que caracteriza a mudança de volume sofrida pelos fluidos do reservatório devido ao processo de produção de petróleo. **2.** Mudança de volume da mistura de óleo e água salina produzida em um reservatório, entre as condições de reservatório e as superficiais.

fator de volume de formação do gás (Bg) / gas formation volume factor. **1.** Razão entre o volume que o gás ocupa numa condição de pressão e temperatura qualquer e o volume que ele ocupa nas condições padrão (1 atm e 20 °C). **2.** Quociente entre o volume ocupado em condições padrão por uma massa de gás e o volume ocupado em condições de reservatório pela mesma massa. ↝ O fator volume de formação é expresso numa relação de volume por volume-padrão. ▶ Ver *fator de volume de formação do óleo*.

fator de volume de formação do óleo (Bo) / oil formation volume factor. **1.** Fator utilizado para determinar a variação de volume da fase óleo numa mistura bifásica, óleo e gás, através de um processo termodinâmico (por exemplo, das condições de reservatório para as condições de tanque). **2.** Razão entre o volume que a fase líquida ocupa em condições de pressão e temperatura quaisquer e o volume que ela ocupa nas condições de superfície. **3.** Quociente entre os volumes de óleo de um reservatório em condições padrão, e a mesma quantidade de óleo em condições de reservatório. **4.** Fator representativo do volume de formação de óleo e que, entre outros, determina o volume de óleo no fundo do reservatório (*bottom oil*). ↝ Muitas vezes as condições de pressão e temperatura referem-se à pressão e temperatura de reservatório. ▶ Ver *fator de volume de formação*; *fator de encolhimento*.

fator do medidor / meter factor. Número que, multiplicado pela leitura indicada no medidor, fornece o correto valor da grandeza lida. No caso de medidores de vazão de líquidos, esse fator é obtido pela calibração do medidor quando utilizado com fluidos incompressíveis.

fator K / K factor. Relação entre o número de pulsos gerado por um medidor de vazão e um determinado volume medido por um padrão secundário (usualmente provador de deslocamento mecânico, ou tanque de calibração, ou outro método gravimétrico) durante uma corrida de calibração. Expresso em pulsos ou pulsações, por unidade de volume.

fator-Q / Q-factor. Também conhecido como *Koenigsberger ratio*, representa a razão da magnetização remanescente para o produto suscetibilidade x intensidade do campo magnético da Terra. Símbolo: Q.

fator volume de formação no ponto de bolha / oil formation volume factor at bubble point (Bob). Fator determinado desde o ponto em que se encontra o óleo no reservatório, até sua pressão de bolha. ↝ A pressão de bolha é considerada uma importante propriedade de um determinado óleo, tendo em vista a necessidade de seu estudo em relação ao comportamento de fase, considerando suas diversas possibilidades de simulação em sua etapa inicial de cálculo. ▶ Ver *fase*.

fatura comercial visada / visaed commercial invoice. Fatura visada pelo consulado do país para o qual se destina a mercadoria.

fauna faciológica / facies fauna. Grupo de animais encontrado em determinada fácies estratigráfica.

fecho de emergência (Port.) / emergency shut down. O mesmo que *parada de emergência*. ▶ Ver *parada de emergência*; *sistema de intertravamento*.

feição estrutural / structural feature. Referência aos elementos estruturais físicos, como falhas, dobras e estrias. Sinônimo: *estrutura geológica*.

feixe de linhas / line bundle. Conjunto de dutos (linhas de produção, injeção, *gas lift* e umbilicais de controle) agrupados. Utilizado para interligar equipamentos submarinos entre si e entre as unidades de produção. ↝ A configuração de linhas em *bundle* minimiza a perda de calor, reduzindo o risco de deposição de parafina e formação de hidratos. São comumente aplicados em campos em águas profundas.

feixe de linhas de fluxo / flow line bundle. Feixe de linhas característico de esforços estáticos e composto tipicamente por três linhas: produção, serviço (anular, *gas lift*) e umbilical. ▶ Ver *feixe de linhas*.

feldspatização / feldspathization. Processo de substituição de minerais em uma rocha por feldspato. ↝ Fato que pode ocorrer nos mais variados ambientes geológicos.

ferramenta agarradora externa / overshot. Ferramenta tubular construída de sub de topo, corpo e sapata (opcional) com aço tratado termicamente, dotada de garras no seu interior para encamisar e agarrar o peixe externamente.

ferramenta corrida com arame / wireline tool. Ferramenta descida no poço com a utilização de arame (*wireline*). ↝ Este tipo de operação com arame é muito mais rápido do que quando a ferramenta é descida com a coluna de perfuração. No entanto, nem todas operações podem ser feitas com arame, tendo como fatores limitadores a inclinação do poço e o peso da ferramenta a ser descida.

ferramenta de assentamento da bucha de desgaste / wear bushing running tool (WBRT). Ferramenta usada para instalar ou desassentar a bucha de desgaste na cabeça do poço. ↝ Inserida no *slot* ou rasgo em J da WB (*wear bushing*), é girada e então manobrada junto com o resto do equipamento. Para assentar a WB, esta deve ser conectada à WBRT (*wear bushing running tool*), que é descida até a área da cabeça do poço, no fundo do mar. A WB é então presa à cabeça do poço por meio de giro a direita, quando os pinos na WB são alinhados aos rasgos (*slots*) no alojador (*housing*). A WB fica então presa. Para liberá-la e pescá-la, desce-se novamente a WBRT com um dispositivo de recuperação, com o objetivo de liberar os pinos.

ferramenta de bloqueio de fluxo / ***annular barrier tool (ABT)***. Acessório que funciona como um obturador (*packer*), com a finalidade de isolar zonas de produção, principalmente em poços horizontais. ❖ Pode ser inflado com qualquer fluido. Normalmente usa-se fluido de perfuração, água ou pasta de cimento. A borracha de vedação é reforçada por uma nervura metálica. O modelo e o diâmetro devem ser escolhidos em função do diâmetro do poço ou do revestimento. A diferença do ABT em relação ao *external casing packer* (ECP) é a sua maior resistência e durabilidade. A proposta dos ABTs é a extensão da vida útil desses obturadores (*packers*), aumentando o tempo entre intervenções em um poço. Alguns ABTs têm os elastômeros do obturador do tipo que expande quando em contato com hidrocarbonetos, simplificando assim o mecanismo de atuação. ▶ Ver *external casing packer* (ECP).

ferramenta de descida / ***running tool***. Ferramenta especializada utilizada para descer diversos equipamentos ao poço, tal como a ferramenta de descida com arame para a instalação de válvulas de *gas lift*. Várias outras ferramentas de descida com coluna também são usadas.

ferramenta de descida de árvore de natal molhada (ANM) (Ang.) / ***tree running tool***. O mesmo que *ferramenta de instalação da árvore de natal*. ▶ Ver *ferramenta de instalação da árvore de natal*.

ferramenta de desconexão de emergência (Ang.) / ***emergency disconnect package***. Ferramenta submarina que permite a desconexão e reconexão remota do *riser* em situações de emergência. ▶ Ver *sistema de desconexão de emergência*.

ferramenta de destruição / ***milling tool***. Ferramenta revestida com pastilha de carboneto de tungstênio ou diamante usada para destruir ferro dentro do poço.

ferramenta de desvio (Port.) / ***deviation device***. O mesmo que *ferramenta defletora*. ▶ Ver *ferramenta defletora*.

ferramenta de desvio rotativa (Port.) / ***rotary steerable tool***. O mesmo que *ferramenta defletora rotativa*. ▶ Ver *ferramenta defletora rotativa*.

ferramenta de diagrafias (Port.) / ***logging tool***. O mesmo que *ferramenta de perfilagem*. ▶ Ver *ferramenta de perfilagem*.

ferramenta de instalação da base adptadora de produção / ***adapter production base running tool***. Ferramenta especializada, utilizada para descer e instalar a BAP (base adaptadora de produção) no poço. É uma ferramenta descida com *drillpipe riser*.

ferramenta de instalação de árvore de natal molhada (ANM) / ***tree running tool***. Equipamento utilizado para conduzir a árvore de natal molhada (ANM), em completação submarina, desde a mesa rotativa da sonda de intervenção até a cabeça de poço, no fundo do mar. Em intervenções futuras no poço, a mesma ferramenta é utilizada para destravar a ANM da cabeça do poço, ou da base adptadora de produção (BAP), e retirá-la até a superfície para reparo. ❖ Esta ferramenta é conduzida até o fundo do mar através de uma coluna de *risers* de completação. O conjunto formado pela ferramenta de ANM, *risers* de completação e árvore de superfície permite realizar intervenções no poço, através da coluna de produção (*through-tubing*), com menor custo. Todas as funções dessa ferramenta são acionadas hidraulicamente. ▶ Ver *árvore de natal molhada*; *árvore de superfície*; *riser de completação*.

ferramenta de instalação do suspensor de coluna de produção / ***tubing hanger running tool***. Equipamento utilizado para conduzir a coluna de produção e seu suspensor, em completação submarina, desde a mesa rotativa da sonda de intervenção até a cabeça de poço, no fundo do mar. Serve também para destravar o suspensor e retirar toda a coluna de produção em intervenções futuras no poço. ❖ Todas as funções dessa ferramenta são acionadas hidraulicamente. A precisão requerida nas operações de completação submarina não admite acionamento mecânico, ou seja, por meio de giros ou movimentos da coluna de trabalho. ▶ Ver *suspensor de coluna de produção*.

ferramenta de jateamento / ***jetting tool***. Aparato para jatear hidraulicamente a cabeça de poço. A ferramenta de jateamento é projetada para limpar e preparar a cabeça de poço submarina antes da descida de coluna. Uma cabeça apropriadamente limpa reduz a incidência de tempo perdido na completação. ❖ A ferramenta de jateamento é projetada para limpar *risers*, BOPs, áreas de cabeça de poço e suspensores de coluna. A ferramenta é um corpo de peça única com jatos substituíveis. Essa ferramenta robusta está equipada com conexões de *drillpipe* padrão para fácil inserção numa coluna de limpeza.

ferramenta de manuseio / ***handling tool***. Equipamento utilizado para transportar a árvore de natal molhada (ANM) tanto na sonda como nas etapas de teste, reparo e montagem nos canteiros em terra. É travada no conector superior da ANM, protegendo os conectores das linhas hidráulicas de impactos durante o transporte e manuseio. ▶ Ver *árvore de natal molhada*.

ferramenta de percussão / ***jar***. 1. Ferramenta tipo percussor, acionada mecânica ou hidraulicamente, que acumula energia durante certo tempo e que, no momento de sua liberação, promove um golpe ascendente na parte inferior da coluna conectada no seu topo. 2. O mesmo que *percussor de impacto ascendente*.

ferramenta de perfilagem / *logging tool*. Ferramenta descida com coluna ou cabo elétrico por meio da qual se obtém o perfil de um poço. O perfil é a imagem visual, em relação à profundidade, de uma ou mais características ou propriedades das rochas perfuradas, tais como resistividade elétrica, radioatividade etc. ↔ As ferramentas descidas a cabo são corridas a poço aberto, a poço revestido, ou por dentro de uma coluna de produção. O diâmetro varia entre 1,5" e 5" e o comprimento entre 3 m e mais de 30 m. Podem utilizar ou não centralizadores e há articulações entre as seções montadas para facilitar a descida ao poço. As descidas a cabo podem chegar até cerca de 65 graus de inclinação. As inclinações maiores exigirão, em poço aberto, o uso de coluna de perfuração e, por dentro de tubulações, o uso de flexitubo com cabo elétrico em seu interior, ou o próprio cabo utilizando equipamentos denominados *tractors*, os quais podem empurrar as ferramentas até a profundidade desejada. Já o LWD (*logging-while-drilling*) constitui-se de comandos (*drill collars*) conectados na coluna de perfuração, os quais enviam pulsos até a superfície através do fluido de perfuração, que são captados na superfície e decodificados. ▶ Ver *perfil*.

ferramenta de pesca (Port.) / *fishing tool*. O mesmo que *ferramenta de pescaria*. ▶ Ver *ferramenta de pescaria*.

ferramenta de pesca com cunha interna (Port.) / *spear*. O mesmo que *ferramenta de pescaria com cunha interna*. ▶ Ver *ferramenta de pescaria com cunha interna*.

ferramenta de pescaria / *fishing tool*. Ferramenta, ou equipamento, principal ou auxiliar, descida com a finalidade de recuperar, limpar ou destruir qualquer ferro indesejável no poço.

ferramenta de pescaria com cunha interna / *spear*. Ferramenta provida com cunha interna expansível para pescar peixes tubulares em seu interior.

ferramenta de teste de prevenção de erupções (Port.) / *blowout-preventer test tool*. O mesmo que *ferramenta de teste do BOP*. ▶ Ver *ferramenta de teste do BOP*.

ferramenta de teste do BOP / *blowout preventer test tool*. Ferramenta utilizada para efetuar o teste de pressão do BOP sem sujeitar o restante do sistema de cabeça de poço e do revestimento à pressão adotada para teste. ↔ A ferramenta é instalada por meio da coluna de tubos de perfuração, sendo assentada com vedação na sede superior do alojador de alta pressão. ▶ Ver *alojador*; *cabeça de poço*.

ferramenta de trituração (Port.) / *milling tool*. O mesmo que *ferramenta de destruição*. ▶ Ver *ferramenta de destruição*.

ferramenta defletora / *deviation device*. Ferramenta descida ao poço com o objetivo de provocar alteração em sua trajetória. ↔ São exemplos de ferramentas defletoras os seguintes equipamentos: *whipstock*, *rebel tool*, motor de fundo com carcaça curva (*benthousing*), motor de fundo acoplado com sub torto (*bent sub*) e sistema de navegação rotativo (*rotary steerable system*).

ferramenta defletora rotativa / *rotary steerable tool*. Ferramenta de perfuração conectada logo acima da broca e que permite desviar a trajetória do poço de maneira controlada, sem que seja necessário que a coluna de perfuração pare de girar. ▶ Ver *ferramenta defletora*; *desvio*.

ferramenta destruidora de chavetas / *key seat wiper*. Ferramenta da coluna de perfuração utilizada para destruir chavetas e evitar prisões por chaveta. Normalmente conectada no topo da composição de fundo de poço (*BHA*), acima do último elemento, comando de perfuração (*DC*) ou tubo pesado de perfuração (*HWDP*) da coluna de perfuração. ▶ Ver *prisão por chaveta*; *comando de perfuração*.

ferramenta para diagrafias com tubagem de perfuração (Port.) / *tool pusher*. O mesmo que *ferramenta para perfilagem com tubo de perfuração*. ▶ Ver *ferramenta para perfilagem com tubo de perfuração*.

ferramenta para bucha de desgaste / *wear bushing running tool (WBRT)*. Ferramenta utilizada para instalar ou dessassentar a bucha de desgaste na cabeça do poço.

ferramenta para perfilagem com tubo de perfuração / *tool pusher*. Ferramenta de perfilagem descida com a coluna de perfuração. Antes do *Logging-While-Drilling* (LWD), era a que se usava no processo de perfilar um poço com alta inclinação, quando era difícil, sendo algumas vezes impossível, descer a ferramenta a cabo. ▶ Ver *ferramenta de perfilagem*.

ferramenta rebelde / *rebel tool*. Ferramenta de perfuração conectada acima da broca com a função de alterar o ritmo de variação natural da direção ou do giro natural do poço. Pode ser usada para incrementar ou reduzir a tendência natural. ▶ Ver *ferramenta defletora*; *giro natural de um poço*.

ferramenta ultrassônica de imageamento / *ultra sonic imager tool*. Ferramenta ultrassônica da companhia Schlumberger, usada para avaliar a qualidade da cimentação e o grau de corrosão do revestimento. ↔ A ferramenta é descida com arame, normalmente em conjunto com os registros do perfil sônico, CBL/VDL. Opera com frequências entre 200 kHz e 700 kHz. Ela escaneia o revestimento em toda a sua circunferência e tem uma resolução de cerca de 30 mm. Ao avaliar a cimentação, a ferramenta mede a impedância do material no anular, sendo capaz de diferenciar gás, líquido e cimento, detectando, deste modo, a possível presença de canalização. Ao avaliar o grau de corrosão do revestimento, mede o tempo de trânsito no fluido no interior do revestimento, sendo capaz de calcular o diâmetro interno e a espessura da parede do revestimento. ▶ Ver *gás*; *cimento*; *corrosão*; *revestimento*; *cimentação*; *frequência*; *ultrassônico*; *perfil*; *perfilagem*; *anular*; *tempo de trânsito*.

ferramenta usada com cabo de aço (Port.) / *wireline tool*. O mesmo que *ferramenta corrida com arame*. ▶ Ver *ferramenta corrida com arame*.

ferricrete / *ferricrete*. 1. Rocha sedimentar criada pela precipitação química de ferro. 2. Rocha arenito-conglomerática superficial, de cimento ferruginoso originado pela oxidação de soluções de sais ferrosos transportados nas águas de percolação.

ferricreto (Port.) / *ferricrete*. O mesmo que *ferricrete*. ▶ Ver *ferricrete*.

festão / *festoon*. Estrutura sedimentar denominada *estratificação cruzada de médio a grande porte*, que possui uma forma geométrica bem característica, cujo arranjo de lâminas forma uma grande estrutura côncava. Termo também usado como sinônimo de *estratificação acanalada*.

fiel de terra / *ground truth*. Em operações de aerolevantamento, monitor que fica em terra para registrar condições que possam causar anomalias durante o voo.

figuras de Widmanstatten / *Widmanstatten figures*. 1. Termo que designa estrutura de padrão triangular, observada nas faces dos meteoritos do tipo siderito, formada por faixas paralelas dos minerais kamacita e tenita. 2. Meteorito metálico, também conhecido como *siderito*. ↝ A superfície convenientemente polida e atacada com ácido revela faixas ou lamelas entrelaçadas segundo planos octaédricos. Esta é a estrutura de Widmanstatten, que pode identificar um meteorito, pois não se consegue reproduzir artificialmente no aço terrestre. A espessura e distribuição destas lamelas determinam a classificação do meteorito, que no caso é um octaedrito grosseiro, pois as lamelas apresentam uma espessura média de 1,8 mm.

fill-up. Enchimento de um reservatório com água em um processo de recuperação secundária pela expulsão ou dissolução do gás livre existente no mesmo. ▶ Ver fill-up period.

fill-up period. Período no início da injeção, durante o qual a água injetada força o gás de volta à solução no fluido da formação. A taxa de injeção é relativamente alta. ▶ Ver fill-up.

filme interfacial / *interfacial film*. Fina camada de material na fronteira entre dois fluidos. ↝ Tem uma composição diferente da composição de qualquer um dos dois fluidos.

filtração / *filtration*. Operação de separação de partículas sólidas que se encontram em suspensão em um fluido, pela passagem deste através de um meio poroso capaz de reter as partículas sólidas. No teste de laboratório, um papel de filtro é utilizado como meio poroso. No fluido que é pressionado contra este filtro, a fase líquida que passa denomina-se *filtrado*, e o conjunto das partículas sólidas que ficam presas no papel de filtro forma o *reboco*. ▶ Ver *perda de fluido*; *teste de filtração*.

filtração de zona com cascalho calibrado / *gravel pack*. 1. Sistema de exclusão de areia, na qual um conjunto de tubos telados ou ranhurados é empacotado com material granular (propante), de forma a impedir que haja migração da areia da formação para dentro do poço. 2. Técnica de controle de produção de areia que consiste na instalação de um conjunto de telas ou tubos ranhurados, sendo o espaço anular entre poço e tubos preenchido com material granular (propante). ▶ Ver *propante*; gravel pack; *controle de produção de areia*.

filtração dinâmica / *dynamic filtration*. Ocorrência durante a circulação de fluido no poço. A espessura do reboco é função do equilíbrio dinâmico entre as taxas de deposição das partículas e a taxa de erosão provocada pelo escoamento axial do fluido no poço. Sendo assim, quando esse equilíbrio é atingido, o reboco adquire uma espessura constante e, consequentemente, as taxas de filtração no poço serão também constantes.

filtração estática / *static filtration*. Fenômeno que acontece quando o processo de circulação do fluido de perfuração no poço é interrompido. ↝ O reboco de baixa permeabilidade formado cresce continuamente, sendo responsável por controlar as taxas de filtração no poço. Portanto, à medida que a espessura do reboco vai aumentando, as taxas de filtração vão diminuindo ao longo do tempo.

filtrado / *filtrate*. 1. Líquido final resultante de um processo físico de separação por filtração de uma mistura entre fases líquida ou gasosa e outra fase sólida distinta. 2. Volume de fluido perdido para a rocha, decorrente de um processo de filtração que ocorre pelo contato do fluido com uma formação permeável em uma operação sobrebalanceada. Simultaneamente, ocorre a formação de um reboco, ou torta de filtração. ↝ O valor do filtrado de um fluido é geralmente obtido por meio de um ensaio de filtração padronizado pelo API, no qual o meio filtrante é um papel de filtro e o tempo de filtração é estabelecido em 30 minutos.

filtrado da lama / *mud filtrate*. Propriedade do fluido de perfuração geralmente determinada por intermédio de um ensaio de filtração padronizado, em que são estabelecidas as condições de temperatura e pressão, o meio filtrante e o tempo de filtração.

filtragem corta-pulsos / *spike filtering*. Filtragem pela eliminação de eventos cuja magnitude excede um valor de corte.

filtragem de frequência / *frequency filtering*. Remoção de frequências indesejáveis na prospecção sísmica, retornando com o valor do sinal de origem.

filtragem direcional / *directional filtering*. Operação com utilização de *filtro f-k*. ▶ Ver *filtro f-k*.

filtro adaptativo / *adaptive filter*. Processo ou algoritmo que usa um conjunto dos limites para eliminar parcelas não desejadas de dados sísmicos, geralmente no domínio da frequência ou da amplitude, com o objetivo de realçar a relação sinal/ruído dos dados ou conseguir a deconvolução. ↝ Independentemente da eliminação das parcelas referentes ao domínio da frequência ou da amplitude, o filtro pode eliminar também outras interferências indesejáveis que possam influir negativamente na prospecção sísmica. ▶ Ver *deconvolução adaptativa*.

filtro álias / *alias filter*. Filtro, ou um conjunto de limites usados para eliminar parcelas não desejadas dos espectros dos dados sísmicos, para remover as frequências que puderam causar o *aliasing* durante o processo de amostragem de um sinal análogo durante a aquisição ou quando a taxa da amostragem de dados digitais está sendo decrescida durante processamento sísmico. ▶ Ver *álias*.

filtro antialias (Port.) / *antialias filter*. O mesmo que *filtro antifalseamento*. ▶ Ver *filtro antifalseamento*.

filtro anticausal / *anticausal filter*. 1. Um sistema anticausal é aquele cuja saída depende somente de sinais presentes e futuros. 2. Sistema anticausal linear e invariante com o tempo. ↝ Em contraste, um filtro que depende de sinais passados e presentes é denominado *filtro causal*.

filtro antifalseamento / *antialias filter*. Filtro utilizado durante a aquisição e/ou processamento para que não ocorra falseamento (*álias*); também chamado *filtro antialias*. ▶ Ver *álias*; *filtro álias*.

filtro antirressonante / *antisinging filter*. Filtro para eliminar a ressonância da lâmina de água em sísmica marítima.

filtro autorregressivo, filtro de retroalimentação / *autoregressive filter, feedback filter*. Filtro para o qual o sinal de saída depende do sinal de saídas prévias, do sinal da entrada e da resposta do filtro. Parte do sinal de saída é retardado e depois adicionado ao sinal de entrada.

filtro binomial / *binomial filter, doublet filter*. Filtro discreto formado por dois coeficientes.

filtro casado / *matched filter*. Usado para correlacionar um sinal conhecido a um desconhecido para determinar a sua presença. Também empregado para separar sinais de ruídos. No método vibroseis, as reflexões são correlacionadas ao sinal piloto.

filtro conformador de Wiener / *Wiener shaping filter*. Versão generalizada do filtro de Wiener-Hopf, a partir da recursão de Simpson, em um processo de tentativa e erro, no qual todas as possíveis soluções da equação de Wiener-Hopf são testadas.

filtro corta-torta / *pie-slice filter*. O mesmo que *filtro de velocidade*. Também chamado *filtro corta-torta f-k*. ▶ Ver *filtro de velocidade*.

filtro corta-torta f-k / *pie-slice filter*. O mesmo que *filtro corta-torta*. ▶ Ver *filtro corta-torta*; *filtro de velocidade*.

filtro corta-altas / *high-cut filter*. Filtro que transmite frequências abaixo de uma dada frequência de corte, atenuando substancialmente todas as outras frequências.

filtro corta-banda / *band-reject filter*. Filtro, quase sempre de frequência, que rejeita uma banda determinada.

filtro corta-faixa / *band-stop filter*. Filtro que não deixa passar um intervalo de frequências.

filtro cunha / *notch filter*. Filtro destinado a remover uma única faixa estreita de frequências. De modo particular, filtro feito para tentar eliminar a interferência de rede de transmissão de alta tensão com frequência conhecida.

filtro de altas frequências (Port.) / *high-pass filter*. O mesmo que *filtro passa-alta*. ▶ Ver *filtro passa-alta*.

filtro de Backus / *Backus filter*. Filtro matemático que elimina a sequência de reverberação da lâmina de água em sísmica marítima.

filtro de Bessel / *Bessel filter*. Variedade de filtro linear com resposta de fase a mais plana possível. ▶ Ver *filtro linear*.

filtro de campo / *field filter*. 1. Qualquer filtro utilizado durante um levantamento. 2. Em reflexão sísmica, filtro analógico aplicado em campo.

filtro de Chebyshev / *Chebyshev filter*. Filtro que utiliza polinômios de Chebyshev, gerando saída com a mesma amplitude das oscilações.

filtro de coerência / *coherence filter*. Filtro usado para separar ruídos e enfatizar eventos coerentes em canais múltiplos de dados sísmicos.

filtro de comprimento de onda / *wavelength filter*. Filtro que elimina ou preserva informações com base no comprimento de onda. ▶ Ver *comprimento de onda*.

filtro de correção de fase / *phase-correction filter*. Filtro para corrigir o deslocamento de fase do filtro pré-analógico.

filtro de energia de saída / *output-energy filter*. Filtro que maximiza a energia de um sinal enquanto minimiza a energia de um sinal filtrado.

filtro de fase / *phase filter*. Filtro que causa um deslocamento de fase sem alterar o espectro da amplitude dos dados.

filtro de fase linear / *linear phase filter*. Filtro que modifica a fase proporcionalmente à frequência, introduzindo, portanto, um atraso constante, sem mudança na forma da onda.

filtro de fase zero / *zero-phase filter*. Filtro utilizado para separar um intervalo relativo a uma função de fase zero. ▶ Ver *função de fase zero*.

filtro de frequência / *frequency filter*. Filtro utilizado para separar um intervalo do espectro de frequências dos dados.

filtro de Hanning / *Hanning filter*. Filtro utilizado para evitar os efeitos de truncamento.

filtro de Kalman / *Kalman filter.* Filtro recursivo, utilizado para estimar o estado de um sistema dinâmico com uma série de medidas incompletas e com alto nível de ruídos. ↔ Com frequência, é utilizado para combinar dados obtidos de diferentes sensores em uma estimativa com bases estatísticas.

filtro de linha / *strainer.* Dispositivo instalado na tubulação a montante de um medidor de vazão, ou outro equipamento de processo em linha, para remover da corrente de fluido qualquer material que possa causar danos ou interferir na operação. ↔ O elemento filtrante do tipo peneira é geralmente menos eficiente que um filtro projetado para remover contaminantes sólidos.

filtro de número de onda / *wavenumber filter.* Filtro que utiliza como base o comprimento de onda de uma função, com o objetivo de preservar ou eliminar informações. ▶ Ver *comprimento de onda*.

filtro de Ormsby / *Ormsby filter.* Filtro de fase zero. Sua faixa de passagem é usualmente definida por até quatro frequências.

filtro de polarização / *polarization filter.* Filtro que realça um modo de propagação de onda com relação a um outro modo, combinando as saídas das três componentes do registro.

filtro de quadratura / *quadrature filter.* Filtro que causa um avanço 90 graus em todas as frequências, ou seja, é um filtro de polarização.

filtro de rejeição / *reject filter.* Filtro que elimina uma parte escolhida das informações, no processamento dos dados de campo.

filtro de retardo / *delay filter.* Filtro que produz um atraso constante nos dados.

filtro de sobretempo / *moveout filter.* Filtro que elimina o sobretempo nos traços símicos.

filtro de suavização / *smoothing filter.* Filtro que aproxima a média entre valores adjacentes, para arredondar as bordas e reduzir a aspereza.

filtro de velocidade / *velocity filter.* Filtro multicanal que permite eliminar ou preservar os dados em função do gradiente. ▶ Ver *gradiente*.

filtro de Wiener complexo / *complex Wiener filter.* Filtro que usa vetores complexos de entrada e saída.

filtro digital / *digital filter.* Filtro que utiliza um processador digital para aplicar cálculos numéricos em valores amostrados do sinal de entrada. O processador pode ser um microcomputador de uso genérico ou um *digital signal processor* especializado. ↔ Em processamento de sinais, a função de um filtro é remover partes indesejáveis de um sinal, como o ruído, ou extrair partes úteis do sinal, como as componentes que estejam em uma certa faixa de frequências. Para se utilizar um filtro digital, o sinal precisa antes passar por um conversor analógico-digital, que amostrará e transformará em uma série de números binários o sinal analógico de entrada. Os números binários resultantes, representando os sucessivos valores amostrados do sinal de entrada, são transferidos para o processador, que operará sobre eles os cálculos numéricos definidos. Estes cálculos em geral envolvem a multiplicação dos valores de entrada por constantes e o acúmulo dos produtos resultantes. Se necessário, os resultados desses cálculos, que agora representam os valores amostrados do sinal filtrado, passam por um conversor digital-analógico, para recompor na forma analógica o sinal filtrado.

filtro eliminador de frequências (Port.) / *frequency-elimination filter.* O mesmo que *filtro passa-banda*. ▶ Ver *filtro passa-banda*.

filtro em cascata / *cascaded filter.* Filtro que corrige as perdas por absorção na reflexão.

filtro em entropia máxima / *maximum entropy filter.* Filtro feito para maximizar o valor de saída tão aleatoriamente quanto possível, mas que tem a mesma autocorrelação do valor de entrada.

filtro em leque / *fan filter.* 1. Filtro de velocidade normalmente utilizado na sísmica de reflexão para prospecção, com o intuito de separar reflexões primárias das ondas de superfície e de outras formas de ruídos. 2. Filtro bidimensional que lembra um leque. ↔ Quanto mais estreito o leque, mais seletivo é o filtro, causando efeitos indesejáveis na saída do filtro.

filtro equiondulado / *equal-ripple filter.* Filtro de frequência baseado nos polinômios de Chebyshev.

filtro espaço-tempo / *space-time filter.* Filtro de velocidades, ou de número de ondas. Filtro em que as coordenadas são o tempo e a distância.

filtro estacionário / *stationary filter.* Filtro cujas características não variam com o tempo.

filtro estável / *stable filter.* Filtro cuja resposta impulsiva inclui uma quantidade finita de energia.

filtro f-k / *f-k filter.* Qualquer filtro de duas dimensões no domínio f-k. ▶ Ver *domínio f-k*; *filtragem direcional*.

filtro ideal / *ideal filter.* Filtro que tem como função a sua sincronização estendida ao infinito. ↔ O filtro teria que prever condições sísmicas futuras e ter conhecimento total de situações passadas para realizar a convolução ▶ Ver *convolução*.

filtro instável / *unstable filter.* Filtro cuja resposta impulsiva envolve energia infinita.

filtro inverso / *inverse filter.* Filtro de resposta de impulso finito, colocado para transformar as usualmente irregulares funções de resposta vertical das medidas de campo numa função de resposta suave e bem-comportada, tal como a resposta gaussiana ou uma função de janela de Kaiser.

filtro linear / *linear filter.* 1. Filtro elétrico com componentes lineares. 2. Filtro que aplica um operador linear a um sinal de entrada que seja variável com o tempo.

filtro não linear / *nonlinear filter.* Filtro cuja saída é uma função não linear da entrada.

filtro não realizável / *nonrealizable filter.* Filtro que não pode operar no mundo real, como, por exemplo, sobre a impossível resposta a uma excitação que ainda não ocorreu. Ocasionalmente útil em simulações em computador, quando todos os dados são pré-gravados.

filtro ótimo / *optimum filter.* 1. Filtro destinado a maximizar ou minimizar uma medida de desempenho qualquer. 2. Em geofísica geralmente refere-se ao filtro de Wiener. ▶ Ver *filtro de Wiener complexo.*

filtro passa-alta / *high-pass filter.* Elemento, dispositivo ou circuito eletroeletrônico, seletivo em frequência, capaz de rejeitar a passagem de componentes de frequências baixas e médias existentes em um sinal elétrico e só permitir a passagem das componentes de frequências altas. •• Um filtro é utilizado para separar as componentes de frequências desejáveis existentes em um sinal elétrico, rejeitando as demais componentes de frequências indesejáveis pela atenuação da amplitude dessas. Filtros passivos são filtros construídos apenas com elementos passivos, elementos que não aumentam o nível de potência do circuito eletroeletrônico, mas apenas a consomem. Entre os elementos passíveis mais comumente empregados tem-se: capacitores; indutores; resistores; cristais piezelétricos e filtros cerâmicos. Quando afora o uso de um elemento passivo se tem igualmente a presença de um elemento ativo, a exemplo de amplificadores eletrônicos (que aumentam o nível de potência do circuito), esse filtro é dito *ativo.*

filtro passa-banda / *band-pass filter.* Filtro que não atenua uma determinada faixa (banda) de frequência. ▶ Ver *banda.*

filtro passa-tudo / *all-pass filter.* Filtro que não altera o espectro de amplitude dos dados. O termo 'passa-tudo'é usado geralmente como um adjetivo, o 'filtro passa-tudo' denota um filtro que passe frequências de uma escala inalterada.

filtro passivo / *passive filter.* Filtro que tem frequências abaixo da frequência de corte, enquanto, basicamente, atenua altas frequências. O mesmo que high cut filter.

filtro prensa / *filter press.* Equipamento utilizado em laboratório para determinar o valor do filtrado de um fluido.

filtro proativo / *feedforward filter.* 1. Filtro que não tem uma fonte de energia. 2. Sistema de posicionamento que não requer a emissão de sinais, mas só observação e medida.

filtro-Q inverso / *inverse-Q filter.* Filtro que demonstra que a filtragem em resposta impulsiva do filtro varia com o tempo.

filtro recursivo / *recursive filter.* Filtro no qual o sinal de entrada é dividido em dois ramos. Em um destes, o sinal não é modificado. No outro ramo, o sinal é atrasado e multiplicado por um fator. O sinal de saída resulta da soma dos dois ramos.

filtro trapezoidal / *trapezoidal filter.* Filtro para o qual a saída depende de saídas prévias, assim como da entrada e da resposta do filtro. Parte da saída é atrasada e adicionada à entrada. Também conhecido como *feedback filter.*

filtro variável com o tempo / *time-variant filter.* Filtro de frequência discreto, passa faixa de fase zero.

filtro vetorial / *vector filter.* Filtro multidimensional definido por dois ou três componentes perpendiculares entre si.

financiamento a empreendimentos / *financing for projects.* Financiamento para a realização de projetos de implantação, expansão e modernização industrial, inclusive a aquisição de máquinas e equipamentos novos e capital de giro associado. ▶ Ver *projeto financeiro; retorno de investimento;* project finance.

financiamento com recursos limitados (Port.) / *limited-recourse financing structure.* O mesmo que limited-recourse financing structure. ▶ Ver limited-recourse financing structure; project finance.

financiamento de projetos sem direitos aos ativos (Port.) / *project finance.* O mesmo que project finance. ▶ Ver project finance.

financiamento fora do balanço (Port.) / *off balance sheet financing.* Passivo criado porém não reconhecido. ▶ Ver off balance sheet financing.

financiamento próprio (Port.) / *off balance sheet financing.* O mesmo que off balance sheet financing. ▶ Ver off balance sheet financing.

fiorde / *fjord.* Vale profundo em forma de 'U' com paredes bastante íngremes, escavado pela erosão glacial e submerso mar adentro.

fire flood. O mesmo que *combustão* in situ. ▶ Ver c*ombustão* in situ.

firmware. Programação em *hardware,* ou seja, rotinas de *software* armazenadas na memória de leitura (ROM). •• Ao contrário da memória de acesso aleatório, a memória de leitura permanece intacta mesmo que não haja corrente elétrica. As rotinas de partida e as instruções de entrada e saída de baixo nível ficam armazenadas sob a forma de *firmware.* Em termos de facilidade de modificação, o *firmware* ocupa uma posição intermediária entre o *software* e o *hardware.*

first of refusal. O mesmo que *direito de preferência.* ▶ Ver *direito de preferência.*

fisga (Port.) / *sling.* Aparelho feito de tecido e borracha para içar ou baixar tubagem. ▶ Ver *eslinga.*

fóssil / *fissile.* Atributo de sedimentos ou rochas sedimentares finas laminadas que contêm inúmeros planos de partição. ▶ Ver *estrutura sedimentar.*

fissilidade / *fissility.* Propriedade que têm sedimentos ou rochas de se dividirem facilmente em finas lâminas paralelas.

fita de medição (Port.) / *measuring tape*. O mesmo que *trena medidora de nível*. ↪ Ver *trena medidora de nível*.

fita medidora de nível (Port.) / *measurement tape*. O mesmo que *trena medidora de nível*. ▶ Ver *trena medidora de nível*.

flambagem / *buckling*. 1. Fenômeno característico de estruturas quando sua área de secção transversal é pequena em relação ao seu comprimento e submetida a um determinado esforço de compressão axial. As peças assim consideradas são chamadas *peças esbeltas*. 2. Dobramento de hastes e coluna de tubo quando frente a cargas de compressão excessiva. ↪ Fenômeno que ocorre quando a coluna de hastes ou a coluna de tubos enfrentam tensões de compressão durante o ciclo de bombeio. ▶ Ver *curso ascendente*; *curso descendente*.

flambagem helicoidal / *helical buckling*. Flambagem na coluna de perfuração, de completação ou de revestimento, que apresenta formato helicoidal ou espiralado. ↪ Nesta situação, a coluna já passou pela flambagem senoidal (no plano) e, por causa de uma maior carga axial compressiva, atingiu o ponto crítico de flambagem helicoidal e teve uma deformação espacial.

flambagem mecânica / *buckling*. Fenômeno de instabilidade que ocorre em colunas que estão sob a ação de força axial de compressão. A flambagem ocorre quando esta força ultrapassa a força crítica de flambagem. ▶ Ver *tensão axial*; *compressão axial*.

flange / *flange*. Conexão, de baixa ou de alta pressão, dotada de anel metálico ou de elastômero (*o-ring*) para vedação. ↪ Um flange é composto de uma aba cilíndrica maior que o corpo da peça, na qual se tem um sulco para a colocação do anel de vedação e furos para colocação de parafusos de fixação.

flange cego / *blank flange, blind flange*. Disco sólido usado como terminal para fechar um flange de modo a não permitir o escoamento através dele. ▶ Ver *flange*.

flange de orifício / *orifice flange*. Flange de tubulação projetado especialmente para acondicionar uma placa de orifício e dotado de tomadas para medição de pressão, construídas segundo normas pertinentes. ▶ Ver *flange*.

***flared or vented*.** Gás queimado ou aliviado nas plataformas de produção ou plantas de processamento de gás.

flexitubo / *coiled tubing*. Mangueira de aço de 3.800 m a 5.400 m de comprimento, nos diâmetros usuais de 1.1/4", 1.1/2", 1.3/4" e 2" (polegadas), transportada em carretéis (o que deu origem ao nome *coiled*). ↪ Usada para realizar várias operações de completação e intervenção de poço e, mais recentemente, nas limpezas de *risers* de produção.

floculação / *flocculation*. 1. Fenômeno que ocorre numa corrente de fluido ou no interior de um equipamento de processo, e que é caracterizado pela formação de aglomerados do material particulado originalmente disperso nesse fluido. 2. Aglomeração de partículas de uma suspensão através da adição de um agente floculante, que promove o aumento das forças de atração entre as mesmas tornando-as predominantes. O estado floculado é geralmente manifestado pelo aumento da viscosidade ou da força gel da suspensão. ↪ Trata-se de um processo que ocorre com frequência nos equipamentos de tratamento de efluentes líquidos. A aglomeração das partículas dispersas é provocada pela adição de produtos químicos, denominados *polieletrólitos* ou *agentes floculantes* (ou apenas *floculantes*). Os aglomerados formados, também denominados *flocos* (daí a terminologia), são mais facilmente separados da corrente do fluido original, quer por decantação, caso a densidade do mesmo seja maior que a do fluido, quer por flotação, neste caso requerendo, frequentemente, a incorporação de ar ou gás ao floco, como agente facilitador da flotação.

floculante / *flocculant*. Produto químico utilizado no processo de floculação. ▶ Ver *floculação*.

***flood, flooding*.** Processo de deslocamento de óleo pela injeção de outro fluido no reservatório. Este processo inclui a injeção de água e outros métodos de recuperação avançada.

flotação a gás dissolvido / *dissolved gas flotation*. Processo de separação de particulados dispersos em uma corrente de líquido, caracterizado pela ascensão do material disperso à superfície livre dessa corrente com o auxílio de diminutas bolhas de gás, formadas pela saída de solução do gás originalmente dissolvido nesse mesmo líquido. ↪ Trata-se de um processo de alta eficiência para a separação de material disperso em correntes líquidas, uma vez que a saída do gás dissolvido (obtida geralmente por uma redução na pressão da corrente) provoca a formação de microbolhas que ascendem, varrem todo o seio do líquido e, com o emprego de polieletrólitos adequados ao sistema, arrastam até mesmo as menores partículas do material particulado presente no líquido.

flotação a gás induzido / *induced gas flotation*. Processo de separação de particulados dispersos em uma corrente de líquido, caracterizado pela ascensão do material disperso à superfície livre do líquido, com o auxílio de diminutas bolhas de gás, formadas pelo espargimento de uma corrente de gás. ↪ Trata-se de um processo de separação de material disperso em correntes líquidas, de eficiência geralmente menor que a flotação a gás dissolvido, uma vez que o espargimento do gás, mesmo quando realizado por espargidores adequadamente dimensionados, provoca a formação de bolhas maiores que obtidas quando o gás sai de solução.

flotação gasosa / *gaseous flotation*. Processo de separação de particulados dispersos em uma corrente de líquido, caracterizado pela ascensão do material disperso à superfície livre do líquido, com o auxílio de gás ou ar finamente disperso.

flotador / *flotator*. O mesmo que *unidade de flotação*. ▶ Ver *unidade de flotação*.

flotel / *flotel*. Hotel flutuante construído com o objetivo de fornecer serviços de apoio. Usualmente são posicionados junto a uma plataforma fixa. ▶ Ver *plataforma fixa*.

flow-after-flow test. Teste utilizado para determinar o potencial de fluxo de um poço de gás. •• Este teste também é conhecido como teste de três, quatro ou cinco pontos, dependendo do número de vazões utilizadas. É realizado pela imposição de uma sequência de vazões constantes, aumentando-se gradativamente a vazão de fluxo com intervalos de tempo fixo. As diferenças entre as pressões de fluxo — medidas em instantes predeterminados em cada sequência de vazão — e a pressão estática são colocadas em um gráfico log-log, obtendo-se uma reta, que pode ser utilizada para determinar a vazão de fluxo ótima do poço.

fluidização / *fluidization*. 1. Processo similar à liquefação, no qual um material granular é convertido de um estado sólido a uma fase de estado quase líquido. Este processo ocorre onde o fluido (líquido ou gás) passa entre os espaços intergranulares carreando parte do material sólido e formando estruturas de fluxo de fluidez. 2. Mistura de gás e partículas sólidas que criam uma fase pseudolíquida, sendo este processo muito comum nos fluxos piroclásticos. ▶ Ver *estrutura sedimentar*.

fluido à base de cal / *lime-based mud*. 1. Fluido de perfuração em cuja formulação usa-se cal hidratada. 2. Fluido disperso e de alta alcalinidade.

fluido binghamiano / *Bingham fluid*. Fluido não-newtoniano de comportamento reológico independente do tempo que necessita de uma tensão cisalhante mínima para iniciar o movimento e que, acima desse valor mínimo, apresenta uma relação linear entre a tensão e a taxa de deformação. •• Uma vez que o escoamento se inicie, o fluido binghamiano comporta-se como um fluido newtoniano. Matematicamente, seu comportamento reológico pode ser representado por:

$$\tau - \tau_1 = \mu_p \gamma$$

onde:

τ é a tensão cisalhante, τ_1 a tensão limite de escoamento, γ a taxa de deformação e μ_p é denominada *viscosidade plástica do fluido*. Alguns fluidos de perfuração se comportam tipicamente como fluidos binghamianos. ▶ Ver *fluido newtoniano*; *fluido não-newtoniano*; *viscosidade plástica*.

fluido carreador de propante / *carrier fluid*. Fluido utilizado para deslocar o propante na operação de *gravel packing*. ▶ Ver *gravel pack*.

fluido catiônico / *cationic polymer drilling fluid*. Fluido de perfuração constituído de polímero catiônico, utilizado na perfuração de folhelhos reativos. •• O polímero catiônico, de alto peso molecular, proporciona boa reologia, e a presença de cargas positivas ao longo da cadeia polimérica promove a estabilização da argila.

fluido compressível / *compressible fluid*. Fluido no qual as variações da massa específica não são desprezíveis quando ele passa por variação de pressão e de temperatura.

fluido de amortecimento / *kill fluid, kill mud, load fluid*. Fluido de perfuração ou de completação com densidade que proporcione uma pressão hidrostática superior à da formação na profundidade em que ocorre o influxo, cessando dessa forma o fluxo para o poço. ▶ Ver *amortecer um poço*.

fluido de arrasto / *fluid drag*. Redução na velocidade de fluxo de um fluido pelos efeitos de fricção com uma superfície.

fluido de completação / *completion fluid, workover fluid*. 1. Fluido composto de água do mar, sequestrador de O_2 (*POLISOL*: $NaHSO_3$) e bactericida (*POLIBAC*: $C_5H_8O_2$). 2. Fluido usado em operação de completação e restauração de poços. 3. Também designado *CAMAI*. ▶ Ver *CAMAI*.

fluido de fraturamento / *fracturing fluid*. Fluido utilizado em operações de fraturamento hidráulico, para a propagação e o preenchimento da fratura com agente de sustentação (propante). •• Deve apresentar viscosidade e coeficiente de filtração compatíveis com as propriedades da rocha a ser fraturada, como temperatura e permeabilidade, de forma a garantir boa eficiência volumétrica no fraturamento. Normalmente, é um fluido a base de polímero. ▶ Ver *fraturamento hidráulico*; *eficiência de fraturamento hidráulico*.

fluido de fundo (Port.) / *bottom fluid*. O mesmo que *fundo*. ▶ Ver *fundo*.

fluido de gravel pack / *gravel-pack fluid*. Fluido utilizado para o carreamento do material granular (propante) durante a operação de *gravel-packing*. Dependendo do tipo de deslocamento, pode ser uma solução salina à base de água de baixa viscosidade (*water pack*) ou um fluido viscosificado à base de polímero (*slurry pack*). ▶ Ver *gravel pack*; *propante*.

fluido de injeção / *injection fluid*. Fluido constituído de água pura, água associada a polímeros ou tensoativos ou ar.

fluido de perfuração / *drilling mud, mud, drilling fluid*. Mistura complexa de líquidos, sólidos e, em alguns casos, gases, que podem assumir aspectos de suspensão, dispersão coloidal ou emulsão, a depender da composição química e do estado físico de seus componentes. •• Sua função principal é transportar os sólidos gerados durante a perfuração de um poço até a superfície e promover a separação dos mesmos nos equipamentos do sistema de extração de sólidos. Entre suas outras funções destacam-se: manter sólidos em suspensão, exercer pressão hidrostática suficiente contra as zonas permeáveis para evitar influxo de fluidos da formação para o poço, manter a estabilidade de poço, inibir reatividade de formações argilosas, resfriar e lubrificar a broca, reduzir o atrito entre a coluna e as paredes do poço e propiciar a coleta de informações do poço através de cascalhos, testemunhos e perfis.

fluido de perfuração à base de água do mar / *seawater drilling mud*. Fluido de perfuração no qual a água do mar é a fase líquida determinante, ou seja, a fase dispersante. ▶ Ver *fluido de perfuração*.

fluido de perfuração à base de água salgada / *saltwater-base drilling mud*. Fluido de perfuração inibido em que a fase dispersante é composta de água salgada, normalmente contendo cloreto de sódio (NaCl) ou cloreto de potássio (KCl). •• Por definição, água salgada é aquela com salinidade superior a 500 ppm de NaCl equivalente. ▶ Ver *fluido de perfuração*; *fluido de perfuração à base de água do mar*.

fluido de perfuração à base sintética / *synthetic-based drilling fluid*. Fluido de perfuração não aquoso de emulsão inversa, ou seja, com água encapsulada, onde a fase contínua é um fluido sintético em vez de óleo. •• A substituição de óleo por fluido sintético tornou o fluido mais aceitável para o uso marítimo em termos ambientais. Fluidos de perfuração sintéticos são populares na maioria das perfurações marítimas, independentemente do alto custo inicial, graças à aprovação e aceitação ambiental para descarte de cascalhos na água. A denominação *fluido à base de óleo* não deve ser utilizada para descrever estes fluidos de perfuração. Um fluido sintético pode, por exemplo, ser preparado usando éster, parafinas ou uma mistura destes.

fluido de perfuração disperso / *dispersed drilling fluid*. Fluido de perfuração à base de água, tratado com aditivos dispersantes para a manutenção de suas propriedades reológicas. Os fluidos dispersos apresentam relação entre viscosidade plástica e limite de escoamento maior que a unidade. Como exemplos de aditivos dispersantes, podem-se citar os lignosulfonatos e os lignitos.

fluido de perfuração inibido / *inhibited drilling fluid*. Fluido de perfuração à base de água, tratado com aditivos que têm a propriedade de retardar ou diminuir os efeitos de interação físico-química entre as formações argilosas reativas e o fluido de perfuração. Como exemplos de aditivos inibidores, podem-se citar os eletrólitos e alguns polímeros.

fluido de perfuração STA / *STA drilling fluid*. 1. Fluido salgado e tratado com amido. 2. Fluido utilizado em perfuração sem retorno.

fluido de reservatório / *reservoir fluid*. Hidrocarboneto, sob forma fluida, passível de ser encontrado em um reservatório. •• As principais propriedades dos fluidos são a densidade (*density*, *API degree*) e a viscosidade (*viscosity*). Não se deve confundir com 'fluido de perfuração ou lama' (*drilling fluid or mud*), usado na perfuração de poços. ▶ Ver *razão gás-óleo*.

fluido defensor / *defender fluid*. Fluido que habita o meio poroso enquanto outro fluido é injetado com a finalidade de deslocá-lo.

fluido dilatante / *dilatant fluid*. Fluido não newtoniano de comportamento reológico independente do tempo cuja viscosidade aparente aumenta com o aumento da taxa de cisalhamento. •• Fluidos dilatantes são menos comumente encontrados que os fluidos pseudoplásticos. Suspensões particuladas como látex e borras se comportam como um fluido dilatante, assim como algumas soluções. ▶ Ver *fluido não newtoniano*; *fluido pseudoplástico*.

fluido do controlo da pressão (Port.) / *kill fluid, kill mud, load fluid*. O mesmo que *fluido de amortecimento*. ▶ Ver *fluido de amortecimento*.

fluido do obturador (Port.) / *packer fluid*. O mesmo que *fluido obturador*. ▶ Ver *fluido obturador*.

fluido do reservatório / *reservoir fluid*. Fluido existente no reservatório, e que pode ser água, gás ou óleo.

fluido hidráulico / *hydraulic fluid*. Líquido de baixa viscosidade e alta estabilidade, utilizado como agente de operações (pressão e vazão) em sistemas hidráulicos.

fluido incompressível / *incompressible fluid*. Fluido no qual as variações da massa específica são desprezíveis frente às variações de pressão e temperatura nesse fluido.

fluido inicial de perfuração / *spud mud*. Fluido de perfuração utilizado na fase inicial, normalmente preparado com alta concentração de bentonita.

fluido invasor / *invader fluid*. Fluido injetado em um meio poroso com a finalidade de deslocar um fluido defensor. •• Nos casos em que a viscosidade do fluido defensor é superior à do invasor, sendo necessário aplicar maior energia ao deslocamento do fluido defensor, ocorre o que se chama de *fingers*. ▶ Ver *fluido defensor*.

fluido micelar (Port.) / *micellar fluid*. Água misturada com produtos químicos e injetada em um reservatório de óleo depletado. ▶ Ver *inundação micelar*.

fluido molhante / *wetting fluid*. 1. Fluido que molhará preferencialmente a superfície de um poro ou rocha. 2. Fluido capaz de permear através da rocha, movido por afinidade química ou por sucção capilar, substituindo o fluido preexistente na rocha (fluido não molhante). Geralmente a água é o fluido molhante. ▶ Ver *molhabilidade*.

fluido não molhante / *nonwetting fluid*. Fluido preexistente na rocha, capaz de ser substituído por um fluido molhante por diferença de afinidade química com esta mesma rocha e a correspondente molhabilidade. ▶ Ver *molhabilidade*.

fluido não newtoniano / *non-Newtonian fluid*. Fluido no qual a relação entre a tensão cisalhante e a taxa de cisalhamento não é constante no escoamento em regime laminar, sob as mesmas condições de pressão e temperatura. ↝ Soluções poliméricas, soluções coloidais, emulsões, soluções micelares e espumas, em geral, exibem comportamento de fluidos não newtonianos. Esses fluidos são classificados em três categorias: *(I)* fluidos independentes do tempo, nos quais o comportamento reológico depende somente da magnitude da tensão de cisalhamento e não da duração da tensão, atingindo imediatamente uma condição de equilíbrio; *(II)* fluidos dependentes do tempo, em que a tensão cisalhante para uma mesma taxa de cisalhamento varia com o tempo até que uma condição de equilíbrio é alcançada; e *(III)* fluidos viscoelásticos, que exibem um efeito de recuperação elástica parcial. É comum usar-se um modelo de potência para expressar a relação entre a tensão cisalhante (τ) e a taxa de cisalhamento (γ) de um fluido não newtoniano, representada pela seguinte expressão:

$$\tau = K \gamma^n$$

onde:
K = constante que define a consistência do fluido e n denominado índice de comportamento. O coeficiente de proporcionalidade entre a tensão cisalhante (τ) e a taxa de cisalhamento (γ) define a viscosidade aparente de um fluido não newtoniano que, por sua vez, é dependente da taxa de deformação (γ). Utilizando-se o modelo de potência, a viscosidade aparente (μap) pode ser expressa por:

$$\mu ap = \tau / \gamma = K \gamma^{n-1}$$

▶ Ver *fluido newtoniano*; *viscosidade aparente*, *consistência*; *modelo de potência*; *viscoelasticidade*.

fluido newtoniano / *Newtonian fluid*. Fluido cujo escoamento em regime laminar obedece à lei de Newton da viscosidade, que estabelece ser a tensão cisalhante proporcional à taxa de cisalhamento. ↝ A tensão de cisalhamento (τ) se refere à força por unidade de área aplicada tangencialmente às camadas de fluido, sendo responsável pelo escoamento, enquanto a taxa de cisalhamento (γ) expressa a taxa de deformação relativa do fluido, medida pela variação da velocidade (du/dy) na direção normal ao fluxo, como representada pela lei de Newton da viscosidade:

$$\tau = \mu du/dy = \mu\gamma$$

A constante de proporcionalidade (μ) na equação acima define a viscosidade de um fluido newtoniano e somente é influenciada por pressão e temperatura. Água, ar, gás natural, glicerina, e a maioria dos petróleos existentes exibem comportamento de fluido newtoniano. ▶ Ver *viscosidade*.

fluido obturador / *packer fluid*. Fluido de completação inibido contra corrosão e bactérias, deixado no espaço anular do poço após o final da completação.

fluido plástico binghamiano / *Binghamian plastic fluid*. Fluido que se comporta de acordo com o modelo reológico de Bingham. ▶ Ver *fluido binghamiano*.

fluido pseudoplástico / *pseudoplastic fluid*. Fluido não newtoniano de comportamento reológico independente do tempo, cuja viscosidade aparente diminui com o aumento da taxa de cisalhamento. ↝ Soluções de polímeros e outras com grandes moléculas alongadas se comportam como um fluido pseudoplástico, assim como soluções comuns ou coloidais. ▶ Ver *fluido não newtoniano*; *fluido dilatante*.

fluido que 'dá pega' / *slag fluid*. Escória de alto forno utilizada para cimentação. Ao ser misturada à água e a outros aditivos, forma uma mistura que com o tempo desenvolve consistência.

fluido reopético / *rheopectic fluid*. Fluido não newtoniano de comportamento reológico dependente do tempo, cuja viscosidade aparente aumenta com o tempo de aplicação de uma determinada taxa de cisalhamento (tempo de deformação). ↝ Fluidos de fraturamento são exemplos característicos de comportamento reopético. ▶ Ver *fluido não newtoniano*.

fluido tixotrópico / *thixotropic fluid*. Fluido não newtoniano de comportamento reológico dependente do tempo, cuja viscosidade aparente diminui com o tempo de aplicação de uma determinada taxa de cisalhamento (tempo de deformação). ↝ Fluidos de perfuração, pastas de cimento e tintas são exemplos característicos de comportamento tixotrópico. ▶ Ver *fluido não newtoniano*.

fluido viscoso / *viscous fluid*. **1.** Fluido no qual o estresse é proporcional à taxa de cisalhamento, como, por exemplo, água e óleo, em contraste com os fluidos não newtonianos, como o fluido de perfuração. **2.** Fluido capaz de transmitir tensões cisalhantes às demais partes do próprio fluido e a corpos nele imersos. ↝ Conceitualmente, fluido é um material que quando submetido às tensões cisalhantes se deforma continuamente (fluidos reais são viscosos). Considera-se também, em oposição a um fluido viscoso, um fluido ideal, ou seja, um material hipotético com as características de fluido, mas que não é capaz de transmitir tensões cisalhantes. Embora não exista um fluido ideal, trata-se de uma abstração útil para alguns estudos de fluidodinâmica, nos quais esse conceito permite a análise de alguns problemas envolvendo fluidos de baixa viscosidade.

fluorescência / *fluorescence*. Emissão de radiação eletromagnética causada pelo fluxo de uma forma de energia no corpo emitente, que decai quando a fonte de excitação cessa. É dependente da temperatura.

flutuabilidade / *buoyancy*. Medida da tendência de flutuar apresentada por um objeto dentro de um fluido. Igual ao peso do fluido deslocado pelo objeto.

flutuação a gás dissolvido (Port.) / *dissolved gas flotation*. O mesmo que *flotação a gás dissolvido*. ▶ Ver *flotação a gás dissolvido*.

flutuação a gás induzido (Port.) / *induced gas flotation*. O mesmo que *flotação a gás induzido*. ▶ Ver *flotação a gás induzido*.

flutuação gasosa (Port.) / *gaseous flotation*. O mesmo que *flotação gasosa*. ▶ Ver *flotação gasosa*.

flutuação positiva / *positive buoyancy*. Ocorrência física quando o empuxo de um corpo submerso excede o seu peso, gerando uma força vertical que tenta levá-lo para a superfície. Observa-se que não existem boias com flutuação negativa, pois neste caso seriam consideradas como poitas. ∞ As boias mencionadas podem ser de aço ou material sintético, ou mesmo compostas por peças de cerâmica ou vidro, quando utilizadas em águas muito profundas. A finalidade de seu uso depende de cada aplicação, mas o fator comum é sempre conferir uma carga vertical a algum sistema submarino.

flutuador (Port.) / *flotator*. O mesmo que *unidade de flotação*, *flotador*. ▶ Ver *unidade de flotação*; *flotador*.

fluxo / *flux*. 1. Movimento contínuo ou repetitivo ao longo do tempo. 2. Massa de fluido que atravessa uma determinada área, por onde se esvai, em uma unidade de tempo. ∞ Termo usado nas mais diversas áreas da ciência e de amplo espectro de aplicações, desde economia, matemática, geodésia, medicina até filosofia etc. Em português, a tradução do termo em inglês *flow* muitas vezes se faz para 'fluxo' e não 'escoamento'. Do ponto de vista físico, as correspondências de termos nas duas línguas devem ser 'escoamento' para *flow* e 'fluxo' para *flux*. ▶ Ver *escoamento*.

fluxo aberto (Port.) / *open flux*. O mesmo que *escoamento aberto*. ▶ Ver *escoamento aberto*; *fluxo*.

fluxo anular (Port.) / *annular flux*. O mesmo que *escoamento anular*. ▶ Ver *escoamento anular*; *fluxo*.

fluxo crítico / *critical flow*. O mesmo que *escoamento crítico*, *vazão crítica* ▶ Ver *escoamento crítico*; *fluxo*; *vazão crítica*.

fluxo de areia / *sand flow*. Movimento de massa num cânion submarino que ocorre quando um fluxo de areia se move ao longo do eixo numa série de escorregamentos descontínuos. ▶ Ver *fluxo*.

fluxo de calor (Port.) / *heat flux*. O mesmo que *escoamento de calor*. ▶ Ver *escoamento de calor*; *fluxo*.

fluxo de canal (Port.) / *channel flux*. O mesmo que *escoamento de canal*. ▶ Ver *escoamento de canal*; *fluxo*.

fluxo de cinzas (Port.) / *ash flux*. O mesmo que *escoamento de cinzas*. ▶ Ver *escoamento de cinzas*; *fluxo*.

fluxo de detritos (Port.) / *debris flux or debris stream*. O mesmo que *fluxo*, *escoamento de detritos*. ▶ Ver *fluxo*.

fluxo de detritos arenoso (Port.) / *sandy debris flow*. O mesmo que *escoamento de detritos arenosos*. ▶ Ver *escoamento de detritos arenosos*; *fluxo*.

fluxo de terra (Port.) / *earth flow*. O mesmo que *escoamento de terra*. ▶ Ver *escoamento de terra*; *fluxo*.

fluxo estabilizado (Port.) / *stabilized flow*. O mesmo que *escoamento estabilizado*. ▶ Ver *escoamento estabilizado*; *fluxo*.

fluxo fracionário (Port.) / *fractional flow*. O mesmo que *escoamento fracionário*. ▶ Ver *escoamento fracionário*; *fluxo*.

fluxo hiperpicnal (Port.) / *hyperpycnal flow*. O mesmo que *escoamento hiperpicnal*. ▶ Ver *escoamento hiperpicnal*; *fluxo*.

fluxo hipopicnal (Port.) / *hypopycnal flow*. O mesmo que *escoamento hipopicnal*. ▶ Ver *escoamento hipopicnal*; *fluxo*.

fluxo homopicnal (Port.) / *homopycnal flow*. O mesmo que *escoamento homopicnal*. ▶ Ver *escoamento homopicnal*; *fluxo*.

fluxo induzido (Port.) / *induced flow*. O mesmo que *escoamento induzido*. ▶ Ver *escoamento induzido*; *fluxo*.

fluxo inverso / *backflow*. O mesmo que backflow. ▶ Ver backflow.

fluxo laminar (Port.) / *laminar flow*. O mesmo que *escoamento laminar*. ▶ Ver *escoamento laminar*; *fluxo*.

fluxo multifásico (Port.) / *multiphase flow*. O mesmo que *escoamento multifásico*. ▶ Ver *escoamento multifásico*; *fluxo*.

fluxo não uniforme (Port.) / *non-uniform flow*. O mesmo que *escoamento não uniforme*. ▶ Ver *escoamento não uniforme*; *fluxo*.

fluxo natural (Port.) / *natural flow*. O mesmo que *surgência* ▶ Ver *surgência*; *escoamento natural*; *fluxo*.

fluxo para limpeza do poço (Port.) / *flow for wellbore cleanup, flow for cleanout treatment*. O mesmo que *escoamento para limpeza do poço*. ▶ Ver *escoamento para limpeza do poço*; *fluxo*.

fluxo permanente (Port.) / *steady-state flow*. O mesmo que *escoamento permanente*. ▶ Ver *escoamento permanente*; *fluxo*.

fluxo pseudopermanente (Port.) / *pseudo-steady-state flow*. O mesmo que *escoamento pseudopermanente*. ▶ Ver *escoamento pseudopermanente*; *fluxo*.

fluxo radial (Port.) / *radial flow*. O mesmo que *escoamento radial*. ▶ Ver *escoamento radial*; *fluxo*.

fluxo transitório (Port.) / *transient flow*. O mesmo que *escoamento transiente*. ▶ Ver *escoamento transiente*; *fluxo*.

fluxo turbulento (Port.) / *turbulent flow*. O mesmo que *escoamento turbulento*. ▶ Ver *escoamento turbulento*; *fluxo*.

fluxo viscoso / *viscous flow*. Fluxo de fluido no qual a direção do fluxo é invariável com o tempo em cada ponto do fluxo, inverso do *escoamento turbulento*.

fluxograma de engenharia / *piping and instrumentation diagram*. Documento de projeto de instalação de processamento primário de petróleo que aponta todos os equipamentos, linhas e instrumentos da instalação, e que contém um resumo das especificações mecânicas desses diversos itens.

fluxograma de processo / *process flow diagram*. Documento de projeto de instalações de processamento primário de petróleo que aponta a concepção adotada para o sistema de processamento primário (equipamentos e correntes dos fluidos óleo, gás e água), e contém o balanço de material e energia para as diversas condições operacionais do sistema. Normalmente representa também, esquematicamente, as principais malhas de controle.

focalização de velocidade / *velocity focusing*. Distorção dos dados de reflexão sísmica relacionada com o efeito de lente das camadas sobrejacentes. ↦ Essa focalização é muito comum em dados sísmicos, principalmente onde rochas de baixa velocidade são invadidas por soleiras de diabásio ou por rochas de menor velocidade, gerando focalização da velocidade.

foco / *focus*. Em sismologia, hipocentro ou ponto da primeira ruptura de um terremoto.

fole da válvula / *valve bellows*. Local em uma válvula de *gas lift*, do tipo de pressão, e na qual se insere um gás inerte para calibrar a válvula, de forma a manter a válvula fechada quando a pressão no anular cair abaixo de um valor determinado.

folga / *clearance*. Espaço entre o diâmetro externo de uma ferramenta em questão e a parede do poço perfurado.

folhelho / *shale*. Rocha sedimentar clástica terrígena de textura fina, com estrutura laminada plano-paralelas. ↦ Este tipo de rocha é depositado em ambientes subaquáticos calmos, onde sedimentos de textura fina caem verticalmente para o fundo da bacia sedimentar. ▶ Ver *rocha sedimentar*.

folhelho betuminoso / *bituminous shale*. Folhelho que contém certa quantidade de material betuminoso. ↦ Origina-se da litificação dos sapropéis. Por destilação, produz uma forma de petróleo ▶ Ver *folhelho*.

folhelho calcífero / *calcareous shale*. Folhelho que contém na sua composição pelo menos 20% de carbonato de cálcio. ▶ Ver *folhelho*.

folhelho carbonoso / *carbonaceous shale*. Folhelho preto-acinzentado ou preto, com significativos percentuais de carbono na forma de pequenas partículas ou flocos disseminados; é comum encontrá-lo associado a camadas de carvão. ▶ Ver *folhelho*.

folhelho clorítico / *chloritic shale*. Folhelho pobremente laminado, que contém grãos de feldspato e quartzo, de angulares a subarredondados, tamanho silte, e uma matriz argilosa rica em clorita. ↦ Ocorre comumente associado a grauvacas e representa a deposição rápida, em áreas de alta subsidência, de detritos erodidos de áreas orogênicas. ▶ Ver *folhelho*.

folhelho combustível / *combustible shale*. 1. Carvão impuro, transição entre carvão betuminoso e folhelho betuminoso. 2. Resina fóssil encontrada na Tasmânia. ▶ Ver *folhelho*; *coque*.

folhelho rico em diatomáceas / *diatomaceous shale*. Diatomito impuro por conter muita argila em sua composição. ▶ Ver *folhelho*.

foliação / *foliation*. 1. Estrutura planar desenvolvida em rochas metamórficas como resultado da segregação de diferentes minerais em camadas paralelas. 2. Estrutura planar desenvolvida em rochas ígneas e caracterizada pela orientação de minerais como resultado de fluxo magmático. 3. Estrutura planar desenvolvida nas porções basais de uma geleira como resultado da alta pressão hidrostática.

fonte de baixa potência / *light-weight source*. Fonte de baixa potência utilizada em sísmica rasa (até os 1.000 m).

fonte de descarga elétrica / *electrical discharge source*. Descarga elétrica de uma fonte em filamento, ou de um jato fluido, combinado a um par de eletrodos coaxiais, constituindo um sistema de descarga elétrica.

fonte de energia / *energy source*. Qualquer objeto que emite uma corrente elétrica, um pulso de som ou pulso sísmico, ou que realiza geração de energia.

fonte hidrotermal / *hydrothermal source*. Rachaduras no leito oceânico onde a água penetra em grande profundidade, sendo assim aquecida a cerca de 360 °C, devido à proximidade do centro do globo terrestre. A água retorna na forma de vapor negro, rico em minerais e substâncias químicas, criando uma rica condição alimentar. É onde há vida sem a presença da luz do sol.

fonte implosiva / *implosive source*. Geração do pulso de uma fonte pela cavitação, ou pelo colapso numa região de pressão bem mais baixa.

fonte impulsiva / *impulsive source*. Dispositivo que atira quando sente uma zona de choque, ou seja, dispara uma segunda vez quando a onda da explosão inicial o alcança, de tal maneira que o efeito das cargas soma-se em fase.

fonte intrafuro / *downhole source*. Fonte localizada dentro de um poço, em oposição a fonte na superfície.

fonte linear / *line source, linear source*. Fonte de energia que pode ser tratada matematicamente como se estivesse condensada numa linha infinita em 3-D ou em um ponto em 2-D.

fonte mecânica / *mechanical source*. Em sísmica, dispositivo que deixa cair um peso, ou a vibração de um aparelho como o vibroseis.

fonte múltipla / *multiple source*. Fonte capaz de dar tiros múltiplos durante uma prospecção sísmica, e que tem arranjo geométrico com conformação de um X ou de uma cruz.

fonte química de neutrões (Port.) / *chemical neutron source*. O mesmo que *fonte química de nêutrons*. ▶ Ver *fonte química de nêutrons*.

fonte química de nêutrons / *chemical neutron source*. Material radioativo encapsulado que emite nêutrons, utilizado em medidas de porosidade. ↔ A fonte mais comum depende de reações alfa-berílio em uma mistura de Am-Be. O berílio libera um nêutron de cerca de 4 MeV quando atingido por uma partícula alfa. O amerício é a fonte de partículas alfa. A fissão de califórnio é uma fonte intensa de nêutrons de 2,3 MeV, mas é usada somente em explorações especiais, em virtude de sua curta meia-vida de 2,65 anos e requisitos especiais de licenciamento. ▶ Ver *gerador de nêutrons*.

fonte sísmica / *seismic source*. 1. Dispositivo para gerar ondas sísmicas. 2. Ponto no qual as ondas sísmicas são geradas. 3. Ponto de origem de um terremoto.

fonte sísmica marítima / *marine seismic source*. Fonte para uso da sísmica de reflexão no mar.

fonte subaquática / *underwater source*. Fonte sísmica específica para funcionar debaixo d'água.

força adesiva / *adhesive force*. Força de atração entre um líquido e outra superfície.

força ascensional (Port.) / *buoyancy*. O mesmo que *empuxo*. ▶ Ver *empuxo*.

força ascensional para baixo (Port.) / *down thrust*. O mesmo que *operação em* down thrust. ▶ Ver *operação em* down thrust.

força ascensional para cima (Port.) / *up thrust*. O mesmo que *operação em* up thrust. ▶ Ver *operação em* up thrust.

força capilar / *capillary force*. 1. Força resultante da diferença de pressão causada pela curvatura da interface em tubo capilar. 2. Força interfacial que atua entre água, óleo e sólido em um capilar ou em um meio poroso. Determina a diferença de pressão através de uma interface óleo-água em um capilar ou em um poro. ↔ A força capilar induz fenômeno de ascensão ou depressão capilar nos quais a altura de um líquido no interior de um capilar ou tubo de diâmetro reduzido é diferente da altura no exterior. Essa força determina o movimento de líquidos em meio porosos.

força cisalhante / *shear force*. Componente da força atuante em um ponto que age paralelamente ao plano onde esta força atua. Tal força tende a alterar a forma do corpo sem promover alterações significativas de seu volume. O mesmo que *força de cisalhamento*. ▶ Ver *tensão cisalhante*; *força de cisalhamento*.

força crítica de flambagem / *critical buckling force*. Força mínima de compressão necessária para que um trecho de uma coluna de perfuração, revestimento ou de produção experimente o fenômeno de flambagem mecânica. ▶ Ver *flambagem mecânica*; *tubo flambado*.

força de cisalhamento / *shear force*. Força tangencial e paralela à superfície de um fluido que desloca as lâminas do mesmo. O mesmo que *força cisalhante*. ▶ Ver *força cisalhante*; *tensão cisalhante*.

força de Coriolis / *Coriolis force*. Componente defletivo da força centrífuga produzida pela rotação da Terra. ↔ sendo a Terra um sistema em rotação, existe uma força que afeta o seu movimento, de maneira tal, que esta tem um sentido no hemisfério sul e sentido oposto no hemisfério norte, sendo sua intensidade nula no equador. São várias as consequências práticas para a força de Coriolis: *(I)* como exemplo, pode-se citar as águas que correm nos rios onde, a erosão é normalmente de maior intensidade em uma de suas margens, sendo no hemisfério norte, na margem direita, e no hemisfério sul, na margem esquerda; *(II)* os ciclones que giram no sentido horário no hemisfério sul e no sentido anti-horário no hemisfério norte, também são exemplos para a aplicabilidade da força de Coriolis.

força final do gel (Port.) / *final gel strength*. O mesmo que *gel final*. ▶ Ver *gel final*.

força gel / *gel strength*. Resistência que a pasta de cimento adquire quando inicia o processo de hidratação, isto é, quando ela passa por um estado de transição fluido-sólido. ↔ No estado de transição, a pasta já desenvolveu força gel suficiente para suportar parcialmente a coluna hidrostática, restringindo a transmissão de pressão. Este parâmetro é muito utilizado na indústria do petróleo na teoria de migração de gás. Considera-se como padrão que pastas de cimento com um valor de força gel de $500lbf/100ft^2$ são capazes de evitar a percolação do gás. A força gel de uma pasta de cimento em geral é medida imediatamente após a determinação das propriedades reológicas da pasta utilizando o viscosímetro rotativo. O rotor (cilindro externo), que causa o movimento da pasta em diversas taxas de deformação, é desligado, sendo a pasta mantida estacionária no copo do viscosímetro. Após um período de 10 segundos, o rotor é ligado novamente com uma taxa de deformação de 3 rpm, e é medido o torque exercido pela pasta em movimento através da leitura direta da deflexão da mola. Dessa forma, tira-se o parâmetro de força gel em 10 segundos. Após essa leitura, repete-se o procedimento considerando um período de 10 minutos. Ao parâmetro assim determinado chama-se *força gel em 10 minutos*. ▶ Ver *viscosímetro rotativo*.

força inicial do gel (Port.) / *initial gel strength*. O mesmo que *gel inicial*. ▶ Ver *gel inicial*.

força intermolecular / *intermolecular force*. Força que age entre moléculas de uma substância de forma a mantê-las unidas. ↔ Tem menor intensidade que as ligações químicas intramoleculares. Determina as propriedades físicas das substâncias. De acordo com as substâncias, pode ser do tipo: iônica, dipolo-dipolo, van der Waals ou ponte de hidrogênio.

força magnetomotiva / *magnetomotive force*. Qualquer causa física que produz um fluxo magnético. É análoga, em eletricidade, à força eletromotiva, ou voltagem.

força maior / *force majeure*. Termo que designa acontecimentos inesperados, provocados pela ação humana, porém sem controle ou possibilidade de interveniência das partes contratuais, considerados eventos de força maior.

forma cristalina / *crystal form*. Forma geométrica desenvolvida por um mineral como resultado do arranjo atômico do cristal.

forma de onda / *waveform, waveshape, wavelet*. 1. Gráfico que representa um pulso associado a uma propagação de onda. 2. Determinado pulso, de forma característica, associado a um processo de propagação de onda.

forma de superfície erosional / *erosional landform*. Marca formada pela remoção de materiais da superfície, por erosão causada pela ação física, química ou biológica. ↔ Os agentes mais comuns são vento, água, geleiras e gravidade, inclusive formas como vales de rio, vales glaciais e falésias. ▶ Ver *erosão*.

forma eólica terrestre / *eolian landform*. Forma terrestre moldada pela erosão, ou acúmulo de materiais na superfície da terra removido, fixado ou transportado pela ação do vento. ↔ Isso inclui algumas formas como dunas de areia, buracos de deflação e pavimento de deserto. ▶ Ver *deserto*.

forma lenticular / *lentiform*. O mesmo que *lenticular*. ▶ Ver *lenticular*.

formação / *formation*. Unidade básica da litoestratigrafia, significa uma unidade de rocha reconhecida em geologia de campo, com composição litológica própria e distinta das demais, com extensão e espessura mapeáveis na escala regional ou de campo. ↔ Uma formação pode ser caracterizada pelo mesmo atributo litológico simples que dá o nome a um estrato, como calcário, folhelho, arenito etc., ou pela combinação de dois ou mais tipos deles. A formação possui uma formalização nominal em geral associada ao local, ou uma referência geográfica ao local onde foi inicialmente reconhecida.

formação anisotrópica / *anisotropic formation*. Formação com propriedades direcionalmente dependentes, tais como a permeabilidade e a tensão. ↔ A maioria das formações tem anisotropia de permeabilidade, sendo a permeabilidade vertical bem menor que a horizontal. A anisotropia de permeabilidade em planos de estratificação é comum em presença de fraturas naturais. A anisotropia de tensão ocorre frequentemente por ser a tensão de sobrecarga (vertical) maior que a tensão horizontal nos plano de estratificação. Contrastes de tensão neste plano são comuns em regiões tectonicamente ativas. A anisotropia de permeabilidade pode as vezes estar relacionada à anisotropia de tensão. Antônimo: *formação isotrópica*. ▶ Ver *permeabilidade*.

formação contaminante / *contaminating formation*. Formação que, ao ser perfurada, libera material contaminante para a lama de perfuração, alterando suas características.

formação de rochas duras (Port.) / *shelly formation*. O mesmo que shelly formation. ▶Ver shelly formation.

formação do feixe / *beam forming*. Processo de modelagem de um feixe acústico por meio do controle da geometria de um arranjo de transdutores. ↔ A forma do feixe acústico é crítica na formação de imagens sonográficas e é definida pelo tamanho, forma e arranjo dos elementos dentro de um transdutor. Se o transdutor é danificado ou se torna eletricamente aberto, a forma do feixe muda radicalmente. Esse tipo de problema pode ser identificado nos registros por um intérprete experiente.

formação geológica / *geologic formation*. Unidade básica da litoestratigrafia, definida por apresentar topo e base bem definidos, por ser mapeável em qualquer escala e por se diferenciar das formações sub e suprajacentes pelo seu conteúdo litológico, fossilífero, ambiental e cronológico.

formação não produtiva / *nonproductive formation*. 1. Unidade estratigráfica de uma determinada bacia sedimentar que, pela sua posição, pressupõe-se não contenha um bem mineral economicamente importante. 2. Unidade de rocha na qual nenhum mineral de interesse pode ser explorado.

formação respirando / *breathing formation*. Processo ocorrente nas formações depois que estas absorvem uma determinada quantidade de fluido. Em um determinado momento, estes fluidos são expelidos da formação, muitas vezes confundindo o sondador, aparentando um influxo (*kick*).

formação rochosa / *rock formation*. O mesmo que *formação*. ▶ Ver *formação*.

fórmula de Darcy-Weisbach / *Darcy-Weisbach formula*. Expressão mais precisa e aceita universalmente para o cálculo da perda de carga e para a análise do escoamento em dutos. ↔ Um escoamento pode ser classificado como turbulento ou laminar. No escoamento laminar há um caminhamento disciplinado das partículas fluidas, seguindo trajetórias regulares, sendo que as trajetórias de duas partículas vizinhas não se cruzam. Já no escoamento turbulento a velocidade num dado ponto varia constantemente em módulo e direção, com trajetórias irregulares, e podendo uma mesma partícula ora localizar-se próximo do eixo do tubo, ora próximo da parede do tubo. Em geral, o regime de escoamento na condução de líquidos no interior de tubulações é turbulento, exceto em raras situações especiais. Quando um líquido escoa de um ponto para outro no interior de um duto, haverá sempre uma perda de energia, denominada *perda de pressão* ou *perda de carga*. Essa perda de energia é devida ao atrito do líquido com uma camada estacionária aderida à parede interna do tubo. Portanto, quanto maior for a rugosidade da parede da tubulação e mais viscoso for o líquido, mais espessa será a camada estacionária e, consequentemente, maior será a perda de carga. A seguir a expressão da fórmula mencionada:

$$h_f = f \times L/D \times v^2/2g_N$$

onde:

h_f é a perda de carga ao longo do comprimento do tubo, em mca; f é o fator de atrito que depende do material e do acabamento superficial do interior do duto, e é uma grandeza adimensional; L é o comprimento do duto em que ocorre a perda de carga, em metros; D é o diâmetro interno do duto, em metros; v é a velocidade média do fluido ao escoar pelo duto, em (m/s, g_N) e g é a aceleração da gravidade local, em m/s². ▶ Ver *lei de Darcy*.

fórmula de Richards-Frasier / *Richards-Frasier formula*. Fórmula que permite calcular o valor aproximado do coeficiente de reflexão da onda *P* em função do ângulo de incidência.

forno / *furnace*. Equipamento de processo e/ou utilidade destinado ao aquecimento de uma corrente de fluidos, por meio da queima de combustível. O equipamento é dotado de uma câmara onde se processa a combustão e de uma câmara de convecção, por onde escoam os gases quentes. Ambas as câmaras são percorridas por serpentinas da tubulação que contêm o fluido a ser aquecido. Na primeira dessas câmaras o calor é trocado principalmente por radiação, enquanto que na segunda a maior troca térmica é por convecção. •◦ Em instalações industriais de processamento secundário (refinarias), os fornos são equipamentos de processo, onde o óleo é diretamente aquecido pela passagem em tubulação no interior de uma câmara na qual se localizam os queimadores de gás. Geralmente o aquecimento se complementa na câmara de convecção dos gases quentes, que é também percorrida pela tubulação dos fluidos em aquecimento. Nas instalações de produção, particularmente *offshore*, por razões de segurança tem-se evitado o aquecimento direto das correntes com hidrocarbonetos. Nessas instalações, os fornos são utilizados para aquecer água (ou outro fluido térmico) que, por sua vez, vai aquecer (por meio de permutadores de calor) os fluidos produzidos.

fosforescência / *phosphorescence*. Fenômeno de luminescência apresentado por alguns materiais, que persiste por um intervalo de tempo após a remoção da fonte de excitação.

fóssil / *fossil*. Vestígio remanescente de plantas ou animais que habitaram a Terra no passado.

fóssil introduzido / *introduced fossil*. Fóssil encontrado em rochas mais antigas, originário de rochas mais novas.

fóssil molecular / *molecular fossil*. O mesmo que *biomarcador; marcador biológico*. ▶ Ver *biomarcador*; *marcador biológico*.

fóssil-guia (Port.) / *guide fossil*. O mesmo que *fóssil-índice*. ▶ Ver *fóssil-índice*.

fossilífero / *fossiliferous*. Camada ou rocha que contém fósseis.

fóssil-índice / *index fossil*. Fóssil que permite a datação de um estrato.

fossilização / *fossilization*. Processo de soterramento dos restos de uma planta ou animal e sua preservação em um sedimento.

fóssil-traço / *trace fossil*. Estrutura sedimentar fossilizada resultante das atividades de um animal, ou a marca de um invertebrado.

foto / *survey*. Técnica usada na atividade de construção de poços para definir um registro da inclinação e da direção de um poço a uma certa profundidade.

foto abrangendo vários pontos (Port.) / *multishot*. O mesmo que *foto múltipla*. ▶ Ver *foto múltipla*; *foto*; *registro direcional do poço*.

foto giroscópica / *gyroscopic single shot*. Registro de inclinação e direção de um poço a uma determinada profundidade, usando um giroscópio para referência geográfica. É normalmente utilizado quando há interferência magnética no ponto em que o registro será feito, como, por exemplo, em poço revestido. ▶ Ver *foto*; *poço revestido*.

foto múltipla / *multishot*. Nome genérico de ferramenta de registro múltiplo de inclinação e direção do poço. Caracteriza-se por fazer os registros em tempos regulares. •◦ Durante a operação, a ferramenta é movimentada ascendente ou descendentemente no poço e parada a determinadas profundidades em que haja interesse de se fazer o registro. A hora da tomada do registro é anotada. Para o cálculo da trajetória, faz-se a correlação do tempo *versus* a profundidade do registro, o qual pode ser magnético ou giroscópico. ▶ Ver *foto*; *registro direcional do poço*.

foto simples / *single shot*. Condição genérica dada a um equipamento de controle de trajetória de um poço que só permite fazer um registro de inclinação e direção em cada corrida. O registro pode ser magnético (foto simples magnética ou *magnetic single shot*) ou giroscópico (foto simples giroscópica ou *gyroscopic single shot*). ▶ Ver *registro direcional do poço*.

fotoclinômetro / *photoclinometer*. Instrumento que mede simultaneamente o grau e a direção do desvio de um poço. •◦ A ferramenta (sonda) é projetada para ser exatamente paralela à direção do eixo do poço e tem uma pequena câmera no eixo de uma superfície côncava de vidro — na qual uma esfera de aço pode rolar livremente — e uma bússola, montada com suporte articulado. A câmera é eletricamente operada da superfície e tira fotografias da superfície de vidro, onde a esfera de aço fornece o grau de desviação, e sua posição em relação à imagem da agulha da bússola fornece a direção da desviação.

fotografia vertical / *vertical photograph*. Fotografia aérea na qual o eixo da câmera é orientado verticalmente para baixo.

fotomultiplicador / *photo-multiplier*. Eletrodos em cascata que, mantidos sobre um potencial positivo com relação ao eletrodo anterior, aumentam uma pequena cintilação luminosa em milhões de vezes. É o princípio do *night vision*.

fração / *fraction*. Fração de óleo ou betume constituída de compostos eluídos após o n-alcano numa coluna de cromatografia gasosa com ponto de ebulição aproximado de 271°C. ↝ Essa fração não é significativamente alterada por evaporação ou pela preparação da amostra, sendo a mais adequada para correlação envolvendo óleos e betumes.

fração de área da fase / *phase area fraction*. Área parcial da seção transversal de um duto, ocupada por uma das fases de um escoamento multifásico, relativa à área total da mesma seção transversal no mesmo ponto do duto.

fração de área de gás / *gas area fraction*. Razão entre a área da seção transversal de um duto ocupada pela fase gasosa e a área total da mesma seção transversal, expressa como um percentual.

fração de área de líquido / *liquid area fraction*. Razão entre a área da seção transversal de um duto ocupada pela fase líquida e a área total da mesma seção transversal no mesmo ponto do duto, expressa como um percentual.

fração de vazios / *void fraction*. Razão entre o volume de gás e o volume total de fluidos; usualmente expresso em valores percentuais. ↝ Parâmetro de larga utilização na caracterização e previsão do comportamento para os escoamentos ditos multifásicos.

fração mássica da fase / *phase mass fraction*. Vazão mássica de uma das fases em um escoamento multifásico, relativa à vazão mássica multifásica total. ▶ Ver *fração volumétrica da fase*.

fração volumétrica da fase / *phase volume fraction*. Vazão volumétrica de uma das fases em um escoamento multifásico, relativa à vazão volumétrica multifásica total. ▶ Ver *fração mássica da fase*.

fração volumétrica de água / *water volume fraction*. Razão entre a vazão volumétrica de água e a vazão volumétrica multifásica total, sendo que ambas as vazões devem estar corrigidas para as mesmas condições de pressão e de temperatura (geralmente nas condições de referência). Expressa como um percentual.

fração volumétrica de gás / *gas volume fraction*. 1. Razão entre a vazão volumétrica de gás e a vazão volumétrica multifásica total, sendo que ambas as vazões devem estar corrigidas para as mesmas condições de pressão e de temperatura (geralmente nas condições de referência). 2. Razão entre o volume de gás e o volume total de fluidos, determinada para qualquer condição termodinâmica *in situ* de interesse. Usualmente expresso em valores percentuais. Também denominada *fração de vazios*. Expressa como um percentual. ↝ Quando se trata de bombas multifásicas, a fração volumétrica traduz a razão entre a vazão de gás aspirada e a vazão total, referidas às condições termodinâmicas na sucção da bomba.

fração volumétrica de líquido / *liquid volume fraction*. Razão entre a vazão volumétrica de líquido e a vazão volumétrica total (óleo, água e gás), ambas medidas nas mesmas condições de pressão e de temperatura (normalmente nas condições de referência). Expressa como fração ou percentual.

fração volumétrica de óleo / *oil volume fraction*. Razão entre a vazão volumétrica de óleo e a vazão volumétrica multifásica total, sendo que ambas as vazões devem estar corrigidas para as mesmas condições de pressão e de temperatura (geralmente nas condições de referência). Expressa como um percentual.

fracionamento dos isótopos do carbono / *carbon isotope fractionation*. Fracionamento, considerando que o carbono é composto de três isótopos. Desse modo o carbono natural é composto aproximadamente de 98,9% de C^{12} e 1,1% de C^{13}. Pelo fato de um isótopo ser mais estável que o outro, a razão varia para os materiais naturais em termos de equilíbrio, a depender dos processos cinéticos envolvidos nos eventos geoquímicos, e assim, acarretando leves alterações na razão C^{12}/C^{13}. ↝ Os processos cinéticos nos quais o C^{13} reage de forma levemente mais rápida ou mais lenta que o C^{12} provocam fracionamento.

fracionamento isotópico / *isotope fractionation*. Fracionamento desigual dos isótopos de um elemento entre duas ou mais fases durante os processos químicos, físicos e biológicos. ↝ Os isótopos de um elemento leve podem ser fracionados durante as reações de equilíbrio — que, por sua vez, são governadas pela lei de ação de massas — devido a pequenas diferenças entre suas propriedades químicas. As diferenças, as afinidades e as energias de ligações relacionam-se às distintas propriedades termodinâmicas, tais como entalpia, entropia e energia livre.

frack pack. Técnica de controle de produção de areia que consiste na combinação da técnica de *gravel pack* com uma estimulação por fraturamento hidráulico. ↝ O estabelecimento de uma fratura sustentada confere maior compactação da rocha nas proximidades do poço, além de compensar eventuais perdas de carga adicionais oriundas da instalação do *gravel*. A configuração final do poço consistirá num empacotamento conjunto da fratura e do anular tela-poço. ▶ Ver *gravel pack*;

fraturamento hidráulico; *controle de produção de areia*.

frágil / *brittle*. 1. Característica que a pasta de cimento endurecida apresenta mediante uma deformação plástica. 2. Termo usado para descrever materiais que não são capazes de absorver energia por flexão em vez de se fraturarem de forma frágil (quebra em pedaços) quando submetidos a carregamento externo. ↳ Apesar de o cimento endurecido apresentar uma resistência mecânica alta, ele é um material frágil quando submetido a uma série de esforços durante a vida útil de um poço, quais sejam, variações de pressão por mudança de fluido, variações de temperatura durante os processos de injeção de água e injeção de vapor, fraturamento hidráulico etc. ▶ Ver *dutilidade da pasta*.

fragilização por hidrogênio / *hydrogen embrittlement*. 1. Fenômeno no qual um equipamento de aço tem sua resistência a ruptura comprometida. Existem várias causas para essa ocorrência. 2. Mecanismo de degradação normalmente relacionado à alta difusividade do hidrogênio, H+, geralmente em metais cúbicos de corpo centrado, e que resulta em decréscimo de ductilidade e tenacidade. ↳ Na indústria do petróleo ocorre quando o aço está exposto ao sulfeto de hidrogênio, também chamado *ácido sulfídrico*. O fenômeno ocorre quando dois átomos de hidrogênio livre, que migram para o interior da estrutura cristalina do aço, provenientes do sulfeto de hidrogênio, combinam-se formando uma molécula de hidrogênio, passando esta nova molécula a ocupar maior espaço. Forças intramoleculares são induzidas na estrutura cristalina, fragilizando as ligações entre as moléculas. Como consequência, o aço pode romper quando sujeito a uma tensão menor do que a resistência de ruptura esperada. ▶ Ver *resistência de ruptura*.

fragmento calcário / *calcigravel*. 1. Seixo de composição calcária. 2. Material inconsolidado cujo correspondente litificado equivale à rocha denominada *calcirrudito* (ou *calcirudite*). ▶ Ver *calcirrudito*.

fragmento grande / *coarse fragment*. Partícula de rocha ou mineral com diâmetro superior a 2 mm.

fragmentograma / *fragmentogram*. Sinal obtido em um instrumento GC-MS (cromatografia gasosa-espectrometria de massas) no qual são gravados todos os compostos produzidos por um íon fragmentado de uma razão especificada m/z, e ignorados todos os compostos não fragmentados com um valor particular de m/z. A resposta do detector é diretamente proporcional ao número dos íons fragmentados com correção da razão m/s. O número de íons fragmentados, por outro lado, depende sobretudo da concentração da molécula precursora e da frequência com as quais os precursores são decompostos para produzir um fragmento particular de íon.

franja capilar / *capillary fringe*. Pequena zona diretamente acima do nível de um aquífero, 100% saturada pela ação das forças capilares nos poros da rocha.

fratura / *fracture*. Separação física de partes ou de todo um componente, sendo em muitos casos sinônimo de falha.

fratura de condutividade finita / *finite-conductivity fracture*. Fratura que apresenta perda de carga não nula em seu leito de agente de sustentação. Tal fratura corresponde a uma entidade teórica utilizada em alguns modelos para predição do desempenho de produção de uma fratura hidráulica sustentada.

fratura de condutividade infinita / *infinite-conductivity fracture*. Fratura presente em um reservatório, sem apresentar queda de pressão em sua extensão durante a produção.

fratura induzida / *induced fracture*. Descontinuidade introduzida na rocha em função de excesso de pressão dentro do poço. ↳ Essas fraturas podem ser geradas durante as operações de perfuração, injeção de água e nas operações de fraturamento hidráulico ou ácido. Nas operações de fraturamento hidráulico a fratura induzida é preenchida por um elemento granular para garantir um caminho de alta permeabilidade. ▶ Ver *fraturamento hidráulico*; *fraturamento ácido*; *perda de circulação*; *injeção de água*.

fratura natural / *natural fracture*. 1. Termo utilizado para designar qualquer descontinuidade ou falha presente em uma rocha sedimentar, causada por diferentes tipos de esforços tectônicos. 2. Fissura existente em rocha sedimentar, originada por mecanismos naturais de tensões e deformações que ocorrem na crosta terrestre. ▶ Ver *fratura*.

fratura térmica / *thermal fracture*. Injeção de água com temperatura inferior à do reservatório, que reduz o gradiente de fratura da formação. Dessa forma, ao longo da injeção de água, pode ocorrer a fratura da formação com pressões de injeção menores do que aquelas previstas pela teoria da elasticidade. ↳ Fraturas criadas pela injeção de água em pressão inferior à do reservatório são denominadas *fraturas térmicas*.

fraturamento ácido / *acid frac*. 1. Fraturamento hidráulico executado com fluido ácido, à base de ácido clorídrico, em formação carbonática. 2. Técnica de fraturamento da rocha através da injeção de solução ácida, em pressão superior à pressão de fraturamento da rocha. O objetivo é melhorar a produção, e o efeito perdura mesmo após a injeção ser descontinuada e as fraturas se fecharem, devido à formação de canais de escoamento pela dissolução da rocha. ↳ Em função das heterogeneidades da formação ocorre um desgaste diferencial nas faces da fratura. Quando a fratura fecha, o desgaste diferencial de suas faces cria um caminho de alta permeabilidade, melhorando as condições de fluxo e aumentando substancialmente sua produção. ▶ Ver *fraturamento hidráulico*.

fraturamento hidráulico / *hydraulic fracturing*. Técnica de estimulação na qual, por meio de um fluido (fluido de fraturamento), aplica-se uma pressão contra a rocha-reservatório até causar sua ruptura por tração. ↝ A fratura, que é iniciada na parede do poço, propaga-se pelo bombeio do fluido de fraturamento. Incorporado a tal fluido, bombeia-se também um material granular (agente de sustentação), que é alojado no interior da fratura. Ao final do bombeio, quando se atinge o comprimento projetado para a fratura, ela se fecha sobre o agente de sustentação, estabelecendo um canal de alta permeabilidade para o fluxo de fluidos da formação para o poço. ▶ Ver *estimulação do poço*; *agente de sustentação*; *fluido de fraturamento*.

fraturamento por ácido (Port.) / *acid frac*. O mesmo que *fraturamento ácido*. ▶ Ver *fraturamento ácido*.

freio de bombeio mecânico / *brake*. Dispositivo mecânico, utilizado no método de produção por bombeio mecânico, que tem a função de diminuir a velocidade, parar e imobilizar as partes móveis da unidade de bombeio na posição desejada. Seu acionamento é feito geralmente por meio de uma alavanca manual posicionada nos fundos da unidade.

freio magnético / *magnetic brake*. Freio auxiliar do guincho que ajuda o freio principal na frenagem do tambor do guincho de perfuração. ↝ O princípio básico utilizado nesse tipo de freio é a atração existente entre os polos magnéticos norte e sul. Consiste em um tambor de aço que gira com o eixo do tambor principal do guincho, e de bobinas que permanecem estacionárias. Quando o sondador aciona o freio, a corrente elétrica passa através das bobinas, tornando-as polos magnéticos. O campo magnético criado induz a corrente elétrica no tambor do freio, onde são gerados campos magnéticos de polaridade contrária aos polos estacionários. Assim, a atração resultante entre as bobinas e o tambor causa o torque de frenagem no eixo. Por intermédio da variação do fluxo de corrente nas bobinas, o sondador pode controlar a intensidade da frenagem no tambor do guincho e, consequentemente, a velocidade de descida da tubulação no poço. ▶ Ver *freio mecânico*.

freio mecânico / *mechanical brake*. Sistema principal de frenagem do tambor do guincho de perfuração. Consiste de duas cintas ajustadas às jantes do tambor, com cerca de 270° de contato. As cintas são compostas de sapatas de amianto responsáveis pela frenagem. ↝ As cintas são conectadas a uma barra equalizadora por meio de parafusos instalados em suas extremidades frontais, assegurando dessa forma a mesma tensão de contato com as duas jantes do tambor. Os parafusos permitem a regulagem do aperto das cintas nas jantes. As extremidades posteriores das cintas estão ligadas à alavanca do sondador. Quando o sondador empurra a alavanca para baixo, traciona-se a cinta do freio, iniciando a frenagem. Para dissipar o calor produzido, as jantes são refrigeradas com circulação de água. ▶ Ver *freio magnético*.

frente de onda / *wavefront*. Região do espaço em que uma determinada propagação tem a mesma fase, ocorrendo interferência construtiva; ou seja, o lugar geométrico dos pontos que apresentam o mesmo tempo de percurso de onda.

frente deltaica / *delta front*. Porção frontal de um delta. ↝ À medida que os sedimentos trazidos pelo rio são lançados no mar, a superfície deposicional da porção frontal do delta forma camadas inclinadas que recobrem as camadas horizontais de fundo. Com o contínuo avanço do delta, essas camadas frontais são cobertas por camadas horizontais, denominadas *camadas de topo*, que são formadas pelos sedimentos da planície deltaica. As camadas de frente, em termos volumétricos, são predominantes em um delta. ▶ Ver *planície deltaica*.

frequência / *frequency*. 1. Número de ciclos percorridos por unidade de tempo. 2. Taxa de repetição de uma forma de onda periódica, medida em 'por segundo', ou hertz. 3. Também chamada *frequência de vibração livre* ou *frequência natural*. 4. Número de vezes que um valor ou um subconjunto de valores do domínio de uma variável aleatória aparece numa experiência ou numa observação de caráter estatístico. 5. Recíproco de *período*.

frequência absoluta / *absolute frequency*. 1. O mesmo que *frequência*. 2. Resultado da contagem direta de uma série de eventos da mesma natureza. ▶ Ver *frequência*; *frequência relativa*.

frequência de amostragem / *sampling frequency*. Número de ciclos ou períodos nos quais uma amostra de fluido é coletada de modo sistemático.

frequência de aquisição / *acquisition frequency*. Número de ciclos ou períodos nos quais um sinal contínuo no tempo é amostrado de modo sistemático (por exemplo, em um sistema de aquisição de dados). ↝ Tal sinal pode originar-se de um transdutor de qualquer variável de processo (pressão, temperatura etc.).

frequência de azimute / *azimuth frequency*. Diagrama polar que apresenta uma contagem do número de medidas de azimute do mergulho originária de cada setor de 10 graus, dentro de um conjunto verde de mergulho. A magnitude do mergulho é ignorada.

frequência de corte / *cut-off frequency*, *roll-off frequency*. Um dos limites da faixa de passagem de um filtro de frequência.

frequência de Larmor / *Larmor frequency*. Frequência na qual momentos giromagnéticos precessam num campo magnético constante.

frequência de Nyquist / *Nyquist frequency*, *folding frequency*. A metade da frequência de amostragem de um sistema de processamento de sinal discreto. Também denominada *folding frequency* ou *cut-off frequency* de um sistema de amostragem.

frequência de ressonância / *resonant frequency*. Frequência transmitida a um determinado sistema cujo valor iguala-se ao da frequência natural deste mesmo sistema. ↦ Neste caso, a tendência é a ruptura do sistema, em função do aumento da respectiva amplitude de vibração até o limite de sua suportabilidade física. ▶ Ver *frequência natural*.

frequência dominante / *dominant frequency*. Frequência igual ao inverso do intervalo de tempo entre dois picos ou dois vales de uma onda.

frequência espacial / *spatial frequency*. Sinônimo de *número de onda*, simbolizada por –, que representa o número de ciclos de ondas por unidade de distância numa dada direção.

frequência fundamental / *fundamental frequency*. Frequência mais baixa de uma função periódica.

frequência harmônica / *harmonic frequency*. Frequência que é múltipla da frequência fundamental.

frequência instantânea / *instantaneous frequency*. Frequência variável no tempo. O mesmo que *traço complexo*.

frequência natural / *natural frequency*. O mesmo que *frequência*. ▶ Ver *frequência*.

frequência relativa / *relative frequency*. Quociente da frequência absoluta pela frequência padrão, frequência de referência ou frequência fundamental. ▶ Ver *frequência*; *frequência absoluta*.

frequência temporal / *temporal frequency*. Frequência usual. O oposto de *frequência espacial* (ou número de onda).

frequência zero / *zero frequency*. 1. Fenômeno da corrente alternada entendido para a frequência zero, que pode ser definida como a frequência possível se o período fosse infinito. 2. Frequência correspondente a um período infinito.

friabilidade / *friability*. Medição qualitativa do grau em que um sólido é friável. ▶ Ver *produção de areia*; *consolidação de areia*.

friável / *friable*. Propriedade dos minerais e de rochas passíveis de sofrer esfacelamento, ou que se fragmentam facilmente.

fricção / *friction*. Força que se opõe ao movimento relativo ou à tendência a este movimento quando duas superfícies estão em contato.

fuga de corrente / *leakage corrosion*. Corrosão resultante da circulação direta de um fluxo indesejável de corrente contínua de um metal para um eletrólito. ↦ Tal mecanismo de corrosão é também conhecido como *corrosão eletrolítica*.

fugacidade / *fugacity*. Propriedade termodinâmica relacionada com a variação da energia livre de um gás real submetido a um processo isotérmico. ↦ As condições de equilíbrio de fases numa mistura líquido-vapor estabelecem que a fugacidade de um componente na fase líquida seja igual à fugacidade do mesmo componente na fase gasosa. Assim, essa relação de igualdade tem aplicação na determinação das constantes de equilíbrio dos componentes de uma mistura líquido-vapor, empregadas no cálculo *flash*. ▶ Ver *constante de equilíbrio*; *cálculo* flash.

full-diameter core. Máximo diâmetro do testemunho no poço.

full-gage bit. Diâmetro máximo de broca no poço.

full-gage hole. Diâmetro máximo do poço.

full-opening safety valve. Válvula de segurança de abertura plena.

fumarola / *fumarole*. 1. Emissão de vapor e gases em ambiente vulcânico. 2. Abertura ou conduto por onde são expelidos vapor e gases em um ambiente vulcânico.

função amostradora / *sampling function*. Sequência infinita de impulsos que ocorrem em intervalos iguais de tempo.

função de apodização / *apodization function*. O mesmo que *função de janelamento*. ▶ Ver *função de janelamento*.

função de banda limitada / *band-limited function*. Função cuja transformada de Fourier é nula (ou muito pequena) fora de uma determinada faixa (banda) de frequências.

função de fase mínima / *minimum-phase function*. Função que, entre todas, apresenta a mesma autocorrelação, com a máxima concentração de energia na parte inicial.

função de fase zero / *zero-phase function*. Função real de tempo cujo espectro de fase é nulo para todos os valores de frequência. ↦ Uma função de fase zero é sempre simétrica à origem.

função de janelamento / *window function*. Função, no processamento de sinais, que apresenta valor zero fora de algum intervalo escolhido. Também designada *função de apodização*.

função de silenciamento / *muting function*. Função que limita o tempo de silenciamento dos traços pela distância fonte-receptor nos levantamentos de reflexão.

função de velocidade / *velocity function*. Velocidade sísmica expressa como uma função matemática da profundidade ou do tempo. As formas mais comuns de funções de velocidade são (I) linear com a profundidade e (II) linear com o tempo de chegada. ↦ A utilização de qualquer forma funcional é uma aproximação, porque a litologia e os outros fatores envolvidos na velocidade não variam sistematicamente e de maneira branda. ▶ Ver *conversão tempo-profundidade*.

função delta / *delta function*. Limite de um pulso de área unitária quando a sua duração tende para zero.

função replicadora / *replicating function*. Sequência infinita de impulsos que ocorrem em intervalos de tempo unitários. Conhecida como *comb function*.

fundo / *bottoms*. Líquido coletado no fundo de uma torre de destilação ou no fundo de um vaso ou tanque, seja num processo de fracionamento ou simplesmente durante a estocagem.

fundo consórtil / *accord fund*. Existência de um patrimônio comum dos consorciados, afetando a realização do empreendimento comum.

fundo de consórcio (Port.) / *accord fund*. O mesmo que *fundo consórtil*. ▶ Ver *fundo consórtil*.

fundo do poço / *bottom-hole* (BH). 1. Porção mais profunda do poço ou mais afastada da superfície. 2. Extremidade do poço mais afastada da mesa rotativa. ▶ Ver *mesa rotativa*.

Fundo Nacional do Meio Ambiente (FNMA), Brasil / *National Environment Fund, Brazil*. Fundo destinado a apoiar projetos de diferentes modalidades que visem ao uso racional e sustentável de recursos naturais, de acordo com as prioridades da política nacional do meio ambiente, inclusive a manutenção e a recuperação da qualidade ambiental no Brasil.

Fundo Setorial do Petróleo e Gás Natural (CTPETRO), Brasil / *Oil and Natural Gas Sectorial Fund, Brazil*. Fundo setorial que se beneficia da Lei do Petróleo, que em seu artigo 49 prevê uma parceria total dos *royalties* provenientes da produção do petróleo e do gás natural, onde um quarto do que exceder a 5% será destinado ao Ministério de Ciência e Tecnologia para o financiamento de programas de desenvolvimento científico e tecnológico aplicados à indústria do petróleo.

funil Marsh / *Marsh funnel*. Funil de formato cônico constituído de um tubo com pequeno orifício por onde escoa o fluido de perfuração. ↔ Mede o tempo para escoar por gravidade cerca de 946 ml de fluido, fornecendo um indicativo da viscosidade do fluido. É utilizado frequentemente pelos plataformistas a fim de verificar de forma rápida se há alguma alteração nas propriedades do fluido durante a perfuração. A calibração é feita com água, a qual, a 70 °F, leva 26 segundos para escoar. ▶ Ver *fluido de perfuração*.

furação diversiva / *mechanical diversion perforation*. Técnica de divergência mecânica utilizada em poços horizontais, que consiste na perfuração da tubulação de produção ou injeção de tal forma que as maiores áreas abertas ao fluxo estejam concentradas nas regiões do poço de menores diferenciais de pressão poço-formação. Desse modo, procura-se obter uma distribuição uniforme de vazão ao longo da extensão horizontal do poço. ▶ Ver *divergência*; *poço horizontal*.

furano / *furan*. Composto orgânico conhecido como *aromático heterocíclico*. ↔ A estrutura básica dos furanos consiste de cinco anéis formados por quatro átomos de carbono e um de oxigênio. São encontrados em pequenas quantidades no ar, na água e nos solos. Podem ser subprodutos de processos tanto naturais como industriais, sendo considerados poluentes ambientais. São persistentes no ambiente, onde podem permanecer por longo tempo, sendo ainda acumulativos na cadeia alimentar. Nas células, os furanos ligam-se aos receptores hidrocarbonetos aromáticos causando efeitos deletérios, inclusive o desenvolvimento de defeitos em fetos e crianças, podendo ainda afetar os sistemas imunológico e reprodutor. É ainda um potencial agente cancerígeno.

furo da detonação / *shot hole*. Furo ou poço onde se detona a carga. Varia com o meio onde é feito.

furo direcional / *directional drilling*. Técnica de perfuração do solo (terrestre ou marítmo), guiada por instrumentos, que permite a passagem de dutos em locais de difícil acesso, como leitos marinhos, cruzamento de estradas, travessias de rios etc., sem interromper ou afetar a natureza e as operações ou instalações de superfície.

gabaritar / *drifting*. Operação que consiste em se passar um gabarito por uma tubulação a ser descida no poço. ↦ O gabarito mencionado deve ter diâmetro ligeiramente maior que o maior diâmetro da ferramenta a ser utilizada dentro da tubulação.

gabarito / *rabbit*. Cilindro ou tubo com diâmetro externo específico padronizado, empregado para verificar qualquer restrição à passagem no interior de uma seção de tubos e/ou o diâmetro de passagem dos mesmos. ↦ Para isso, faz-se passar o gabarito pelo interior desses tubos (ou seção de tubos). ▶ Ver *seção de tubos*; *diâmetro de passagem*.

gaiola / *cage*. Peça metálica oca, utilizada no método de produção por bombeio mecânico e alojada numa das válvulas da bomba de fundo, com a função de proporcionar estanqueidade e manutenção da esfera em uma pequena câmara, para limitar seu movimento.

gaiola aberta superior / *top open cage*. Gaiola, utilizada no método de produção por bombeio mecânico, enroscada na parte superior do pistão, que, além de permitir o alojamento de uma das válvulas de passeio, tem a função de permitir a ligação do pistão com a coluna de hastes através do pino de rosca existente em sua extremidade superior. ↦ Ultimamente, a válvula de passeio na parte superior do pistão não tem sido utilizada. A gaiola é chamada *aberta* porque, diferentemente das outras que têm a forma cilíndrica, esta é cônica na parte superior, com aberturas (geralmente três).

gaiola da válvula de pé / *standing valve cage*. Gaiola, utilizada no método de produção por bombeio mecânico, instalada na parte inferior da camisa da bomba de fundo, onde se aloja a válvula de pé. Essa gaiola normalmente é do tipo aberta. ↦ Nas bombas tubulares, essa gaiola e a válvula fazem parte de um conjunto que apresenta mecanismo de assentamento e vedação por copos de elastômeros ou de tipo mecânico, com garras e um sistema de vedação cônico de metal-metal.

gaiola de transbordo (Port.) (Ang.) / *bird cage*. Transporte de trabalhadores dos barcos para a sonda.

gaiola de válvula e retenção (Ang.) / *standing valve cage (SRP)*. O mesmo que *gaiola da válvula de pé*. ▶ Ver *gaiola da válvula de pé*.

gaiola fechada / *closed plunger cage*. Gaiola, utilizada no método de produção por bombeio mecânico, enroscada na parte inferior do pistão, onde se aloja a válvula de passeio. ↦ Abaixo desta peça acopla-se o pescador da válvula de pé.

galvanômetro / *galvanometer*. 1. Instrumento para detectar e medir a corrente elétrica. 2. Transdutor eletromecânico analógico que produz uma deflexão rotativa em resposta a uma corrente elétrica que atravessa a sua bobina.

gamacerano / *gammacerane*. 1. Pentacíclico triterpano C30, no qual cada anel contém seis átomos de carbono. As rochas-fonte depositadas em colunas de águas anóxicas (comumente hipersalinas) são relacionadas a óleos crus e comumente têm elevados índices gamaceranos (gamacerano/hopano). 2. É um biomarcador altamente específico para condições hipersalinas de deposição de matéria orgânica.

gancho / *hook*. Equipamento que faz a ligação da carga suspensa (coluna de perfuração ou de produção, coluna de *risers* de perfuração ou de *risers* de completação) ao sistema de polias. Pode ser conectado à catarina por meio de uma alça na extremidade inferior desta, ou pode ser integrado à catarina formando com ela um equipamento unitário. ↦ Os principais elementos do gancho são: *(I)* comando, responsável pela transmissão da carga ao corpo do gancho; *(II)* mola e amortecedor hidráulico, que evitam choques elevados do batente do comando no corpo do gancho. Ao suspender a carga, a mola se comprime, suavizando o choque e forçando o óleo para cima do elemento retentor da mola. Para liberar a carga, a mola força o comando para sua posição original com velocidade atenuada pela passagem restringida do óleo; *(III)* trava, dispositivo que permite ou não a rotação do comando. O gancho é ligado ao elevador de tubos por meio de duas hastes com olhais nas extremidades (os braços do elevador), ou ao *swivel* pela alça deste. ▶ Ver *carga no gancho*; *capacidade de carga no gancho*; *catarina*.

ganho / *gain*. Relação de amplitude entre um sinal de entrada e um sinal de saída. Expresso em decibéis. ↦ Medida de incremento da amplitude de um sinal por um amplificador. De uma maneira geral, todos os sistemas de batimetria, sonar de varredura lateral e perfilagem de subfundo têm esse recurso a fim de compensar perdas na intensidade do sinal original. ▶ Ver *ganho de tensão*; *ganho de corrente*; *ganho de potência*.

ganho de corrente / *current gain*. Razão entre a corrente de saída e a corrente de entrada de um circuito elétrico ou eletrônico. ↦ O ganho de corrente é adimensional, e pode ser utilizado em escala linear ou logarítmica. Caso seja utilizada a escala logarítmica para o ganho de corrente, a mesma terá como pseudounidade o decibel (dB).

ganho de potência / *power gain*. 1. Razão entre a potência de saída e a potência de entrada de um circuito elétrico ou eletrônico. 2. Amplificador de tensão. ↝ O ganho de potência é adimensional, e pode ser utilizado em escala linear ou logarítmica. Caso seja utilizada a escala logarítmica para o ganho de potência, a mesma terá como pseudounidade o decibel (dB).

ganho de tempo variado / *time-varied-gain* (TVG). Curva de ganho aplicada em dados sonográficos e de perfiladores de subfundo na qual o ganho aplicado aumenta com o tempo. ↝ Este recurso é aplicado para compensar a perda de energia nos retornos mais tardios e, assim, equalizar a intensidade da imagem sonográfica ou do perfil sísmico ao longo de toda a varredura.

ganho de tensão / *voltage gain*. Razão entre a tensão de saída e a tensão de entrada de um circuito elétrico ou eletrônico. ↝ O ganho de tensão é adimensional, e pode ser utilizado em escala linear ou logarítmica. Caso seja utilizada a escala logarítmica para o ganho de tensão, a mesma terá como pseudounidade o decibel (dB).

ganho final / *final gain*. Ganho mínimo do amplificador durante a gravação dos dados no campo.

ganho inicial / *initial gain, early gain*. Ganho definido como a parte inicial do registro de campo.

garantia bancária do empreiteiro (Port.) / *advanced payment bond*. O mesmo que advanced payment bond. ▶ Ver advanced payment bond.

garantia comercial / *commercial bond*. Garantia oferecida por fabricantes ou prestadores de serviço, por um período determinado, assegurando que o produto ou serviço fornecido não tem defeitos resultantes de materiais de qualidade inferior nem de uma fabricação imprópria. ↝ Quanto aos serviços, seu prestador deve garantir que os mesmos foram executados conforme especificações e são condizentes com as melhores técnicas disponíveis. A garantia comercial pode contemplar um prazo superior aos prazos de execução do contrato. Divide-se, principalmente, em quatro tipos: *Bid Bond, Performance Bond, Advanced Payment Bond* e *Maintenance Bond*. ▶ Ver bid bond; performance bond; advanced payment bond; maintenance bond.

garantia de boa execução (Port.) / *performance bond*. O mesmo que performance bond. ▶ Ver performance bond.

garantia de desempenho / *performance bond*. O mesmo que performance bond. ▶ Ver performance bond.

garantia de escoamento / *flow assurance*. Termo utilizado na produção de petróleo, que engloba as atividades de manuseio dos fluidos produzidos, com o objetivo de assegurar o escoamento de tais fluidos em dutos sem a ocorrência de fenômenos que venham a impedir tal escoamento. ↝ As formas de evitar problemas, tais como bloqueios por formação de hidratos ou por deposição de parafinas, ocorrência de regimes de escoamento inadequados às instalações de recebimento dos fluidos etc. são objeto dos estudos de garantia de escoamento nos projetos de produção de petróleo. ▶ Ver *parafina*.

garantia de fornecimento (Port.) / *supply bond*. O mesmo que supply bond. ▶ Ver supply bond.

garantia de manutenção (Port.) / *maintenance bond*. O mesmo que maintenance bond. ▶ Ver maintenance bond; performance bond.

garantia de suprimento / *supply bond*. O mesmo que supply bond. ▶ Ver supply bond.

garganta / *throat*. Passagem estreita, ladeada por duas montanhas, que normalmente corresponde a um vale fluvial encaixado entre vertentes abruptas; desfiladeiro.

gargarejo / *throttling*. 1. Procedimento praticado quando da partida de poços e que consiste, inicialmente, na pressurização simultânea do revestimento e da coluna de produção com gás, com o objetivo de recalcar os fluidos do poço para a formação. **2.** Diz-se de um dos modos típicos de operação de partida, no qual se injeta nitrogênio no interior da coluna de produção, utilizando-se *core tubing* ou tubulações flexíveis de pequeno diâmetro. ↝ Procedimento utilizado algumas vezes quando o poço morre após alguma parada não prevista. Após a pressurização referida, e quando da partida do poço, costuma-se alinhar o mesmo para uma condição de produção sob baixa contrapressão na plataforma. A repetição desse processo usualmente ocasiona um suficiente abaixamento do nível de fluidos no anular, permitindo, assim, a continuidade da produção através da injeção de gás pela válvula operadora de *gas lift*. ▶ Ver *válvula de* gas lift.

garra / *grapple*. Acessório utilizado para agarrar as tubulações por atrito. ↝ Existem as garras dos mordentes das chaves de manuseio das tubulações (flutuantes ou hidráulicas) e as garras dos mordentes das cunhas que seguram as tubulações na mesa rotativa (ou mesas auxiliares tipo *spider*) durante as manobras.

garrafa de ácido (Port.) / *acid bottle*. O mesmo que *bulbo de ácido*. ▶ Ver *bulbo de ácido*.

Garrafa de BOP / *BOP bottle*. Garrafa utilizada para armazenar o fluido hidráulico pressurizado que aciona o BOP. Esse armazenamento permite que o fechamento ou a abertura das válvulas do BOP ocorra o mais rápido possível, conforme preconizado pelas normas internacionais.

gás / *gas*. Um dos estados da matéria. Os gases, juntamente com os líquidos, podem escoar. Contudo, diferentemente dos líquidos, não ocupam um volume fixo, podendo se expandir para preencher completamente o espaço em que estão confinados. Especificamente na indústria do petróleo, define-se como hidrocarboneto ou mistura de hidrocarbonetos que permaneça em estado gasoso ou dissolvido no óleo nas condições originais do reservatório, e que se mantenha no estado gasoso nas condições atmosféricas normais, extraído diretamente a partir de reservatórios petrolíferos ou gaseíferos, incluindo gases úmidos, secos, residuais e gases raros. Ao se processar o gás natural úmido nas UPGNs se obtêm: *(I)* o gás seco, que contém principalmente metano e etano; *(II)* o líquido de gás natural (LGN), que contém propano e butano, que formam o gás liquefeito de petróleo (GLP); e *(III)* a gasolina natural. ↝ O termo é frequentemente utilizado como adjetivo. Em geral, é o estado que todas as substâncias podem assumir quando são levadas a temperaturas suficientemente elevadas, ou seja, superiores à temperatura crítica de cada substância. Mais comumente são chamadas *gases* as substâncias que se encontram completamente no estado gasoso, para uma temperatura de 20 °C à pressão de uma atmosfera (1 atm). Tem-se assim, gás associado (gás produzido junto com óleo), gás de elevação (já desidratado e em pressão adequada para a utilização na elevação artificial da produção), gás combustível (já tratado e condicionado para queima na própria unidade de produção) etc.

gás ácido / *sour gas.* Gás natural contendo impurezas químicas, notadamente sulfeto de hidrogênio (H_2S), dióxido de carbono (CO_2) ou outros compostos de enxofre que o tornam tóxico. ↝ Gás perigoso para a saúde mesmo em concentrações pequenas e que exige aparelhagem sofisticada de detecção nas sondas e plataformas de produção.

gas balancing agreement. Acordo para a retirada ordenada da produção de gás natural, em que um dos proprietários do gás produzido o retira e um outro o retira mais tarde.

gás biogênico / *biogenic gas.* Gás que contém pelo menos 98% de metano no total de hidrocarbonetos. Origina-se por ação de bactérias metanogênicas durante a diagênese (gás microbiano). ▶ Ver *gás seco.*

gás combinado / *combined gas.* Corrente gasosa combinada. ↝ Em instalações de processamento primário, podem-se combinar correntes de gás efluentes de equipamentos distintos, de forma a se ter uma única corrente combinada de gás.

gás combustível / *fuel gas.* **1.** Fluido que constitui a corrente de gás condicionada ao objetivo de queima em motores, geralmente em turbinas, nas unidades de produção. **2.** Corrente efluente da unidade de tratamento de gás combustível. ↝ As unidades de produção utilizam uma corrente tratada de gás, isento de água e de frações pesadas de hidrocarbonetos, denominado *gás combustível,* para promover o aquecimento da produção por meio da queima em fornos e caldeiras, sendo também utilizado como combustível das turbinas que acionam geradores de energia elétrica e compressores centrífugos de gás. Em menor escala, o gás combustível é também utilizado, em instalações de produção, em motores de combustão interna ciclo Otto.

gás comerciável / *pipeline gas.* Gás de onde foram removidos os hidrocarbonetos líquidos de forma a que não ocorra condensação nas linhas de transmissão de gás (gasodutos).

gás condensado / *condensed gas.* **1.** Corrente de hidrocarboneto líquido, proveniente da condensação, geralmente após compressão e resfriamento (novas condições de temperatura e pressão) das frações pesadas de uma corrente originalmente constituída de vapor de hidrocarboneto. **2.** Mistura de hidrocarbonetos que, nas condições de pressão e temperatura do reservatório, apresenta-se na forma de gás, e que condensa no reservatório quando este tem sua pressão reduzida devido à produção. **3.** O mesmo que *gás retrógrado.* ↝ O fenômeno da condensação isotérmica no reservatório devido à redução da pressão é denominado *condensação retrógrada.*

gás condensado retrógrado / *retrograde gas condensate.* O mesmo que *gás retrógrado, gás condensado.* ▶ Ver *gás retrógrado; gás condensado.*

gás contaminante / *contaminating gas.* Hidrocarbonetos presentes na lama de perfuração que não derivam de formações penetradas, podendo ter sua origem nos componentes da lama, ou terem sido adicionados como aditivos. Tais hidrocarbonetos interferem na interpretação dos dados das formações penetradas.

gás convencional / *conventional gas.* Gás natural de reservatórios convencionais, excluindo aquele de fontes como aquíferos saturados, hidratos, xisto e outras fontes atualmente consideradas fora do alcance das técnicas convencionais de exploração e produção de gás. Reservas de gás não convencional passam a ser consideradas como de gás convencional à medida que novas técnicas aplicáveis a estas reservas são viabilizadas. **2.** Gás contido nos poros das formações produtoras dos reservatórios, em contraposição àquele adsorvido na matriz da rocha, ou no carvão, por exemplo.

gás corrosivo / *corrosive gas.* Corrente de gás não tratado que contém componentes corrosivos. Gás ácido. ▶ Ver *gás ácido.*

gás cru / *raw gas.* Gás não tratado que contém água, inertes, sulfetos e hidrocarbonetos, que podem ser liquefeitos.

gás de carvão / *coal gas.* Combustível gasoso originado da destilação destrutiva do carvão. A composição média por volume é de 50% de hidrogênio, 30% de metano, 8% de monóxido de carbono, 4% de outros hidrocarbonetos e 8% de dióxido de carbono, nitrogênio e oxigênio.

gás de cidade / *combination gas.* Gás combustível fornecido comercialmente, cuja composição possui mais de um tipo de hidrocarboneto gasoso.

gás de cobertura (Port.) / *gas cap.* O mesmo que *capa de gás.* ▶ Ver *capa de gás.*

gás de elevação / *lift gas.* Gás circulado sob pressão no interior do poço, normalmente do espaço anular para a tubulação de produção, com o objetivo de tornar menos densa a coluna de fluidos produzidos. ↝ Diz-se do gás natural comprimido em determinada pressão, suficiente para fazê-lo circular em um ponto da coluna de produção ou do *riser*, com o objetivo de reduzir a densidade média dos fluidos produzidos, consequentemente tornando menor a pressão requerida no fundo do poço e permitindo, assim, que o reservatório produza líquidos em maior vazão.

gás de hidrato / *gas hydrate*. Combinação de gás natural e água sob pressão, gerando cristais sólidos em temperaturas acima de 0 °C, sob pressão. Estes cristais têm um aspecto de gelo 'sujo' e contêm moléculas de gás trapeadas em seu interior. ▶ Ver *hidrato*.

gás de linha / *line gas, pipeline gas*. Gás que está de acordo com a especificação do comprador da linha de gás.

gás de manobra / *trip gas*. Gás observado nas peneiras durante a circulação de fluido de perfuração após a realização de uma manobra da coluna de perfuração.

gás de queima / *fuel gas or waste gas*. 1. Gás combustível. 2. Corrente de gás residual, geralmente de pressão muito próxima da atmosférica, que é dirigido a tocha. ↔ No caso da corrente de gás residual, tal gás deve ser queimado, pois geralmente a sua baixa pressão não justifica sua recuperação. Eventualmente, se sua fonte for contínua e confiável, pode ser utilizado como combustível da chama-piloto da tocha de baixa pressão.

gás de reservatório saturado / *gas from gas well*. Gás produzido por um reservatório de gás natural ou por um reservatório de petróleo saturado de gás, no qual se criou uma capa de gás. ▶ Ver *gás não associado*.

gás de sótão / *attic gas*. Gás natural existente no topo de um reservatório, acima da zona de completação de um poço. Caso o poço não seja completado novamente para atingir essa zona, este gás não poderá ser recuperado. ▶ Ver *óleo de sótão*.

gás dissolvido / *dissolved gas*. O mesmo que *gás em solução*. ▶ Ver *gás em solução*; *gás em solução associado*.

gás doce / *sweet gas*. Gás natural que contém quantidades negligenciáveis de sulfeto de hidrogênio e mercaptanos. ▶ Ver *mercaptano*.

gás em escoamento / *flowing gas*. Gás que se encontra em condições dinâmicas, isto é, em movimentação no interior de uma tubulação.

gás em solução / *solution gas*. Gás que representa, para um volume a determinados valores de pressão e de temperatura, o volume de gás que permanece dissolvido no óleo. ▶ Ver *gás em solução associado*; *gás livre*; *gás livre associado*; *gás não associado*.

gás em solução associado / *associated gas in solution*. Gás natural que se encontra em solução no óleo, nas condições de pressão e temperatura originais do reservatório portador de óleo. ▶ Ver *gás em solução*; *gás livre*; *gás livre associado*; *gás não associado*.

gás entrado no poço durante uma mudança de broca (Port.) / *trip gas*. O mesmo que *gás de manobra*. ▶ Ver *gás de manobra*.

gás ideal / *ideal gas*. Gás que obedece à lei dos gases perfeitos (*lei de Boyle*), conforme a seguir:

$$PV = nRT$$

onde:
P é a pressão à qual o gás está submetido; V o volume do gás; T a temperatura do gás; n o número de moles e R uma constante que depende da natureza do gás e de sua massa. ↔ Consideram-se as seguintes hipóteses para os gases perfeitos: são formados por moléculas que ocupam um espaço desprezível e que possuem forças também desprezíveis entre elas, fenômeno este que ocorre somente após colidirem umas com as outras e a pressão ocorrendo somente entre o choque das moléculas livres e as paredes do recipiente. As colisões entre as moléculas são completamente elásticas, estando sempre em movimento retilíneo uniforme e obedecendo às leis da mecânica newtoniana ▶ Ver *lei de Boyle*.

gás inerte / *inert gas*. Gás que não reage com outra substância. ↔ Na tabela periódica, os gases nobres inertes são: hélio (He), neônio (Ne), argônio (Ar), kKriptônio (Kr), xenônio (Xe) e radônio (Rn). O nitrogênio é relativamente inerte, pois somente reage com hidrogênio a altas temperaturas e com oxigênio durante descargas elétricas, além de formar nitretos com certos metais.

gas lift. 1. Método de produção baseado numa controlada injeção de gás no poço produtor. 2. Técnica de elevação artificial que utiliza um processo de injeção de gás na coluna de produção, de forma a diminuir a pressão hidrostática exercida pelo fluido produzido. Dessa forma, a pressão de fluxo passa a ser suficiente para elevar o fluido produzido até a superfície. A injeção de gás para o interior da coluna de produção é feita por meio de válvulas (válvulas de *gas lift*) alojadas no interior de mandris conectados à coluna de tubos. 3. Método de elevação artificial que utiliza a energia contida em gás comprimido para elevar os fluidos produzidos pelo poço (óleo e água) até a superfície. Baseia-se na injeção de gás a alta pressão na coluna de produção com o objetivo de gaseificar o fluido produzido, provocando aumento da vazão. Pode ser do tipo contínuo ou intermitente. ↔ Divide-se em duas classificações distintas: *gas lift* contínuo ou *gas lift* intermitente. A escolha entre um ou outro método depende da vazão desejada, do índice de produtividade do poço, da profundidade de elevação, da pressão estática do reservatório e da pressão de injeção disponível na superfície. O *gas lift* é o método de elevação artificial mais indicado para poços com razão gás-óleo alta, nos quais o emprego dos métodos de bombeio implicaria baixa eficiência volumétrica e problemas operacionais. No entanto, tem limitações, como a de não poder ser usado onde não há gás natural em quantidade suficiente, ou em poços com revestimento em mau estado e nos quais a restauração seja antieconômica. ▶ Ver *elevação artificial*; *coluna de produção*.

gas lift contínuo / *continuous gas lift*. 1. Sistema de elevação artificial que utiliza a energia do gás comprimido e continuamente injetado para elevar os fluidos até as facilidades de produção. 2. Método onde o gás é injetado de forma controlada e contínua através de válvulas instaladas na coluna de produção, para gaseificar a coluna líquida acima do ponto de injeção. ↝ O *gas lift* contínuo consta de injeção contínua de gás a alta pressão na coluna de produção com o objetivo de gaseificar o fluido a partir do ponto de injeção até a superfície. Aumentando-se a RGL (razão gás-líquido) no escoamento vertical, até certo limite, diminui-se o gradiente médio do fluido. Dessa forma diminui-se a pressão de fluxo no fundo e obtém-se a vazão desejada de produção. ▶ Ver gas lift; gas lift *intermitente*.

gas lift intermitente / *intermittent gas lift*. Método em que o gás é injetado em intervalos e tempos definidos e em volume e pressão suficientes para lançar balisticamente à superfície a golfada de fluido que se acumula no fundo do poço, acima do ponto de injeção. ↝ O *gas lift* intermitente requer uma elevada vazão periódica de gás a ser injetado na coluna de produção abaixo da golfada de fluido. Dessa forma, requer uma válvula de *gas lift* de abertura rápida e grande área de porta. ▶ Ver gas lift; gas lift *contínuo*; *válvula de* gas lift.

gás liquefeito de petróleo (GLP) / *liquefied petroleum gas (LPG)*. mistura de hidrocarbonetos leves, basicamente propano e butano, mantida na fase líquida em condições especiais de pressão e temperatura, obtidas por meio de unidades de processo. ↝ Comercializado como combustível na forma líquida, o GLP (gás liquefeito de petróleo) é normalmente distribuído em botijões (conhecido como *gás de botijão*, ou *gás engarrafado*) e sua maior aplicação é no processo para a cocção de alimentos. Também é utilizado em empilhadeiras, soldagem, esterilização industrial, teste de fogões, maçaricos e outras aplicações industriais e agrícolas.

gás livre / *free gas*. Gás que representa, para um volume a determinados valores de pressão e de temperatura, o volume de gás que não se encontra dissolvido no óleo. ▶ Ver *gás em solução*; *gás em solução associado*; *gás livre associado*; *gás não associado*.

gás livre associado / *associated free gas*. Gás natural livre (capa de gás) na fase gasosa, nas condições de pressão e temperatura originais do reservatório portador de óleo. ↝ Os reservatórios de gás em solução se comportam de modo característico durante suas vidas produtivas. Este comportamento padrão diz respeito a mudanças na vazão de óleo, na pressão e na razão gás-óleo que ocorrem durante a vida produtiva do reservatório.

▶ Ver *gás em solução*; *gás em solução associado*; *gás livre*; *gás não associado*.

gás na saída do poço / *raw gas*. Gás bruto, na forma com que sai do poço, antes da remoção de impurezas e líquidos.

gás não associado / *non-associated gas*. Gás natural, geralmente gás seco, proveniente de reservatórios considerados economicamente produtores de gás. Gás produzido independentemente de óleo cru, ou seja, de reservatórios de gás natural (aqueles que, basicamente, só contêm gás natural) ou de reservatórios de gás e condensado.

gás nativo / *native gas*. Gás originário de um reservatório.

gás natural / *natural gas*. Mistura de hidrocarbonetos (metano, etano, propano e butano), em geral contendo dióxido de carbono, nitrogênio, enxofre, sedimentos e água, e que nas condições atmosféricas se apresenta no estado gasoso. ↝ O gás natural pode se apresentar como *gás natural associado* ou simplesmente *gás associado*, quando sua produção se dá juntamente com o hidrocarboneto líquido. O gás natural também pode se apresentar como *gás livre*, ou somente *gás*, quando é produzido de um reservatório que somente possui hidrocarboneto em fase gasosa. ▶ Ver *gás*; *gás livre associado*; *gás não associado*.

gás natural cru / *raw natural gas*. O mesmo que *gás cru*. ▶ Ver *gás cru*.

gás natural liquefeito / *liquefied natural gas*. 1. Gás natural resfriado a temperaturas de cerca de menos 160 °C para fins de transferência e estocagem como líquido. 2. Fluido no estado líquido em condições criogênicas, composto predominantemente de metano, e que pode conter quantidades mínimas de etano, propano, nitrogênio ou outros componentes normalmente encontrados no gás natural.

gás natural não associado / *non-associated natural gas*. Gás natural produzido por jazida de gás seco ou de jazida de gás e condensado.

gás no anular / *annular gas*. Gás da formação que invade o anular durante a operação de perfuração. ↝ A invasão de gás no anular ocorre quando a pressão do gás invasor é maior que a pressão hidrostática existente no anular. Na cimentação, a etapa mais crítica é aquela em que a pasta encontra-se no estado de transição de líquido para sólido, ou seja, quando deixa de transmitir pressão hidrostática no anular. Os poços de gás são sujeitos a variações de pressão e temperatura de acordo com a demanda de produção durante o seu ciclo produtivo. Quando ocorre a perda de isolamento hidráulico no poço, observa-se um aumento de pressão no anular devido à presença de gás. Neste caso, o gás geralmente migra até a superfície e eventualmente é necessário corrigir a cimentação (cimentação secundária) no trecho onde houve a perda de isolamento, uma vez que o cimento no anular é o responsável pelo selo hidráulico. ▶ Ver *cimentação secundária*.

gás pobre / *lean gas*. Denominação atribuída a uma corrente de gás na qual está ausente ou foi removida, por algum processo de tratamento, a maior parte das frações pesadas de hidrocarbonetos. É constituída basicamente de metano.

gás processado / *processed gas*. Gás tratado em uma unidade de processamento, onde se promove a separação das frações leves (metano e etano), que constituem o chamado *gás residual*, das frações pesadas, que apresentam maior valor comercial. ↝ O gás natural antes de ser processado é denominado *gás úmido*, por conter líquido de gás natural (LGN), enquanto o gás residual é chamado *gás seco*, pois não tem hidrocarbonetos condensáveis. Diversos processos são utilizados para diminuir a temperatura e/ou aumentar a pressão no intuito de tratar o gás, como, por exemplo, a refrigeração simples, a absorção refrigerada e a turboexpansão. ▶ Ver *gás natural*; *líquido de gás natural*.

gás produzido / *produced gas*. Resultado da composição de três partes: *(I)* uma parte é proveniente dos hidrocarbonetos que, nas condições de temperatura e pressão do reservatório, já se encontram no estado gasoso e têm o nome de *gás livre*; *(II)* a segunda parte é o gás que se encontrava dissolvido no óleo nas condições de reservatório e que se vaporiza quando a mistura é levada para as condições de superfície; *(III)* a terceira parte é o gás que se encontrava dissolvido na água nas condições de reservatório, e que é liberado durante a produção de água. Normalmente esta parcela é desprezível, não sendo computada nos cálculos das produções de gás.

gás regenerado / *regenerated gas*. Gás resultante do processo em que um gás úmido é aquecido e posteriormente levado a uma torre de absorção para remover a umidade.

gás residual / *residue gas*. 1. Gás remanescente após a retirada de gás natural liquefeito do gás natural. 2. Gás natural deixado na rocha-reservatório após o fim da produção convencional de gás.

gás retrógrado / *retrograde gas*. Aquele formado por hidrocarbonetos líquidos compostos por óleos muito leves que ocorrem na forma de gases nas condições de pressão e temperatura do reservatório e condensam nas condições de pressão e temperatura atmosférica ao serem produzidos. ↝ Em tal fluido gasoso, por conta da redução de pressão abaixo do ponto de orvalho na temperatura de reservatório, é produzida uma fase líquida. Entretanto, essa fase se revaporiza quando a pressão ultrapassa um determinado valor.

gás rico / *rich gas*. Denominação atribuída a uma corrente de gás que contém frações pesadas de hidrocarboneto gasoso, que podem ser removidas e comercialmente aproveitadas, utilizando-se de algum processo de tratamento. ↝ A utilização de uma corrente de gás rico como combustível deve ser evitada, pois possui poder calorífico inferior (alto C/H) ao gás pobre e a queima das frações mais pesadas do gás, além de comercialmente indesejável pelo alto valor de tais frações, pode ser danosa aos equipamentos envolvidos na queima (por exemplo, motor, bicos queimadores etc.).

gás seco / *dry gas*. 1. Fluido gasoso em qualquer condição de temperatura e pressão. 2. Denominação de uma corrente de gás que foi desidratada, ou seja, encontra-se virtualmente isenta de vapor d'água. 3. Gás natural de petróleo que contém um teor muito baixo ou nulo de hidrocarbonetos no estado líquido (condensado). Composto no mínimo de 98% de metano em relação ao total de hidrocarbonetos. Origina-se durante a diagênese (gás microbiano, algumas vezes chamado de *gás biogênico*) pela ação das bactérias metanogênicas, ou durante a metanogênese. 4. Gás natural composto de metano e etano, sem concentrações significativas de quaisquer frações de hidrocarbonetos mais pesados. Bastante utilizado em laboratório para as determinações experimentais da permeabilidade, em que se procura diminuir ao máximo as reações entre fluido e rocha. Pode significar gás natural com baixo teor de vapor d'água ou gás sem condensado. Pela legislação brasileira, gás no reservatório e na superfície. ↝ Esse tipo de gás é extremamente rico em metano e não produz líquido condensado mesmo em condições de superfície. Sua relação gás-óleo (RGO) supera os 18.000 m³std/m³std. O processo de desidratação não consegue remover todo o conteúdo de vapor d'água presente na corrente gasosa. Assim, a corrente é normalmente desidratada para atender a determinada especificação. Desse modo, o ponto de orvalho do gás denominado *seco*, em determinada pressão, é condicionado no sistema de desidratação de gás para ser inferior a uma temperatura especificada. ▶ Ver *gás úmido*; *gás biogênico*.

gás sulfuroso (Port.) / *sour gas*. O mesmo que *gás ácido*. ▶ Ver *gás ácido*.

gás úmido / *wet gas*. Gás rico em metano, que contém vapor d'água, etano, propano e hidrocarbonetos mais pesados.

gás ventilado / *flash gas*. Gás de alto poder calorífico que escapa pelo sistema de ventilação de um separador de baixa pressão.

gasoduto / *gas pipeline*. Duto, similar ao oleoduto, para transporte de gás natural. ▶ Ver *duto*.

gasolina natural / *natural gasoline*. 1. Líquido do gás natural, cuja pressão de vapor tem valor intermediário quando comparado com aqueles associados ao condensado e ao gás liquefeito de petróleo. 2. Mistura de hidrocarbonetos que se encontra na fase líquida, em determinadas condições de pressão e temperatura, composta de pentano e outros hidrocarbonetos pesados. Obtida em separadores especiais ou unidades de processamento de gás natural (UPGN). Pode ser misturada à gasolina para especificação, reprocessada ou adicionada à corrente do petróleo. Também conhecida como *C5+* ou *corrente C5+*. ↪ É obtida por processos de compressão, destilação e absorção envolvendo o LGN, e composta basicamente por pentano e hidrocarbonetos superiores.

gasolina *premium* / *premium gasoline*. Combustível de alta octanagem, com aditivos de geração superior, formulado especialmente para motores de alto desempenho.

gaveta cega / *blank ram, blind ram*. Dispositivo de vedação do preventor de erupção *(blowout preventer, BOP)* utilizado para fechamento do poço quando a coluna de perfuração não se encontra em frente ao *BOP*. ↪ Um dos mais importantes componentes de vedação do preventor de erupção, quando não existe nenhuma coluna no interior do poço, essa gaveta é responsável por fechar o poço de forma estanque, isolando-o do meio exterior e constituindo barreira de segurança.

gaveta cisalhante / *shear ram*. Elemento de fechamento localizado no *BOP stack*. ↪ Utilizado para o corte do tubo de perfuração dentro do preventor de erupção *(blowout preventer, BOP)*. Essa gaveta é a última opção de utilização, pois uma vez cortado o tubo de perfuração pela gaveta cisalhante, ocorre o ancoramento da coluna dentro do BOP, sem comunicação com a superfície, dificultando as operações de controle de poço. Tal gaveta é normalmente utilizada na operação de desconexão de emergência, que ocorre quando as condições de mar impedem que o *riser* fique conectado à cabeça do poço. ▶ Ver BOP stack; *gaveta de tubo*; *gaveta variável de tubos*.

gaveta de tubo / *pipe ram*. Gaveta bipartida existente no preventor de erupções, de forma achatada, com um furo em meio círculo, capaz de fechar e vedar ao redor de um tubo de perfuração. ↪ A maior parte das gavetas de tubo só pode fechar ao redor de tubos de perfuração com um determinado diâmetro, fato que não ocorre em torno das conexões desses tubos ou comandos. ▶ Ver *preventor de erupção*; *gaveta cisalhante*; *gaveta variável de tubos*.

gaveta de tubo variável / *variable pipe ram*. O mesmo que *gaveta variável de tubos*. ▶ Ver *gaveta variável de tubos*; *gaveta de tubo*.

gaveta superior de tubo / *upper pipe ram*. Gaveta de tubos situada na posição superior do preventor de erupção *(blowout preventer, BOP)*. ↪ Preventor de gaveta de tubo componente do BOP. Tipo de válvula de gaveta de grande porte, dotada de dois elementos tipo gaveta que, quando fechados, permitem o isolamento da cabeça do poço com uma tubulação de diâmetro definido no interior da mesma. A gaveta de tubo pode ser fixa, fechando e vedando ao redor de apenas um diâmetro de tubo, ou variável, fechando e vedando ao redor de tubos com diâmetro dentro de um *range* definido.

gaveta variável de tubos / *variable ram*. Gaveta composta de material flexível, existente no preventor de erupção, capaz de fechar e vedar ao redor de tubos de vários diâmetros com o mesmo mecanismo. ↪ O elemento selante é moldado a partir de um material elástico resiliente e inclui uma seção geralmente semicircular, que fecha e veda os tubos. Vários elementos metálicos de suporte estão embutidos no selo para suportar a deformação do material resiliente apenas no sentido radial, para que possa se adequar ao tamanho da coluna no poço. ▶ Ver *gaveta de tubo*.

gêiser / *geyser*. Fonte termal que periodicamente ejeta no ar uma coluna de água quente e vapor. ↪ Ocorre em áreas de grande gradiente geotermal e sua água é de origem meteórica.

gel final (Gf) / *final gel strength*. Parâmetro reológico de um fluido ou pasta de cimento, o qual é obtido através do ensaio de determinação das propriedades reológicas com a utilização do viscosímetro rotativo ↪ O gel final é um indicativo da resistência que ou o fluido ou a pasta apresentam para reiniciar o movimento após a parada do motor do viscosímetro por dez minutos. Observa-se que diferença entre o *gel final* e o *gel inicial* é a força gel aplicada e seu tempo de obtenção. ▶ Ver *força gel*; *gel inicial (Gi)*; *pasta do cimento*; *viscosímetro rotativo*.

gel inicial (Gi) / *initial gel strength*. Parâmetro reológico de um fluido ou pasta de cimento, o qual é obtido através do ensaio de determinação das propriedades reológicas utilizando o viscosímetro rotativo. ↪ O gel inicial é um indicativo da resistência que ou o fluido ou a pasta apresenta para reiniciar o movimento após a parada do motor do viscosímetro por dez segundos. Observa-se que diferença entre o *gel inicial* e o *gel final* é a força gel aplicada e seu tempo de obtenção. ▶ Ver *força gel*; *gel final (Gf)*; *pasta do cimento*; *viscosímetro rotativo*.

gelatina de sísmógrafo / *seismograph gelatin*. Explosivo que é uma mistura de nitroglicerina e nitrocelulose.

geleira / *glacier*. Massa de gelo formada nas regiões onde a queda de neve suplanta o degelo. Pode ocorrer nas montanhas e descer para os vales e encostas ou recobrir grandes áreas territoriais, como ocorre nos polos.

geleira alpina / *alpine glacier*. 1. Massa de gelo formada nas regiões em que a queda de neve suplanta o degelo e desce das montanhas para as encostas e vales. **2.** Geleira de altitude.

geleira continental / *continental glacier*. Geleira que cobre vastas áreas, como as que ocorrem na Antártida e na Groenlândia. Não sofre influência da topografia nem degelo no verão, sendo também chamada *capa de gelo*.

gelificação / *gelification*. 1. Fenômeno que ocorre em fluidos que apresentam potencial de orientação das partículas, bem como geração de uma estrutura tridimensional, suportada por ligações iônicas e pontes de hidrogênio. **2.** Processo para gerar *gel*, ou aumento de viscosidade de um meio aquoso que contém material polimérico propenso a esste processo. ↬ Este fluido, quando em repouso ou exposto a baixa taxa de cisalhamento, tem sua viscosidade aumentada, passando a apresentar comportamento reológico semelhante ao apresentado por um gel.

geocronologia / *geochronology*. Determinação temporal dos eventos na história da Terra, baseada no registro geológico (por exemplo, cristalização e recristalização de rochas e minerais, deposição de sedimentos, etc).

geofísica aplicada / *applied geophysics*. Aplicação de métodos geofísicos na indústria do petróleo para, por exemplo, identificar objetivos exploratórios e a otimização da produção.

geofísica da exploração / *exploration geophysics*. Parte da geofísica que se destina à busca de recursos naturais, como petróleo, minerais e até mesmo água. ▶ Ver *geofísica aplicada*.

geofísica integrada / *integrated geophysics*. Utilização de vários métodos geofísicos para uma dada interpretação.

geofone / *geophone*. Dispositivo utilizado na aquisição de dados sísmicos, tanto em terra como no mar, que detecta a velocidade da onda sísmica e transforma o movimento em impulsos elétricos. ↬ Os geofones detectam movimento numa só direção. Os hidrofones medem pressão e não movimento.

geofone ativo / *active geophone*. Geofone dotado de sistema de amplificação. Dispositivo usado na aquisição sísmica de superfície, *onshore* e *offshore*, que detecta a velocidade das ondas sísmicas e transforma o movimento em impulsos elétricos. ↬ Geofones detectam o movimento em somente um sentido. Levantamentos convencionais terrestres de sísmica usam um geofone por posição do receptor, para detectar o movimento no sentido vertical. Três geofones mutuamente ortogonais são combinados e usados tipicamente para coletar dados em 3C (três componentes) em sísmica. Os hidrofones, ao contrário dos geofones, detectam melhor as mudanças na pressão do sinal. ▶ Ver *geofone*.

geofone autoamortecido / *self-damped geophone*. Geofone em que parte do amortecimento é provocado pelas correntes parasitas. ▶ Ver *geofone*.

geofone corta-zumbido / *humbucking geophone*. Geofone que contém dispositivos para eliminar a indução proveniente de redes de alta tensão. Também chamado reverse-wound geophone. ▶ Ver *geofone*.

geofone de aceleração / *acceleration geophone*. Geofone no qual a resposta às oscilações tem a velocidade acelerada acima da sua frequência natural. Para que isso ocorra, utilizam-se artifícios eletrônicos com o objetivo de melhorar as respostas ao sinal sísmico tanto para as baixas frequências como para as altas frequências ▶ Ver *geofone*.

geofone de boca de poço / *shot point seismometer*. Geofone colocado de 60 cm a 90 cm de distância de um ponto de tiro com o objetivo de detectar o *uphole time*, que é o tempo que leva a primeira onda de uma explosão para alcançar a superfície no, ou perto do, ponto de tiro. Também denominado *uphole geophone*. ▶ Ver *geofone*.

geofone de multicomponentes / *multicomponent geophone*. Geofone que inclui uma medida vetorial das ondas que detecta. ▶ Ver *geofone*.

geofone de poço / *well geophone, uphole geophone, bug*. Geofone específico para aplicação dentro do poço. Essencial para o levantamento de velocidade da onda sísmica em cada intervalo sedimentar. ▶ Ver *geofone*.

geofone de três componentes / *three-component geophone*. Geofone com três sensores ortogonais, usado em levantamentos 3-D. ▶ Ver *geofone*.

geofone dinâmico / *dynamic geophone*. Geofone no qual a bobina pode se mover. ▶ Ver *geofone*.

geofone do ponto de tiro / *shotpoint geophone, jug*. Geofone mais perto do ponto de tiro. ▶ Ver *geofone*.

geofones múltiplos / *multiple geophones*. Grupo de geofones que se alimenta de dados de um mesmo canal. ▶ Ver *geofone*.

geoide / *geoid*. 1. Superfície equipotencial ao nível do mar na qual a direção da gravidade é perpendicular em qualquer lugar. 2. Forma do globo terrestre fornecida pelo nível médio dos mares.

geologia aplicada / *applied geology*. Conceitos e métodos geológicos para pesquisa de problemas de mineração, água e petróleo e na verificação de obras de engenharia relativas ao setor petróleo, entre outras.

geologia de subsuperfície / *subsurface geology*. Conhecimento geológico obtido a partir de sondagens e meios indiretos.

geologia econômica / *economic geology*. 1. Campo da geologia voltado para o estudo dos materiais da Terra com propósito econômico. Entre esses materiais estão os minerais e metais preciosos, metálicos e não metálicos, petróleo e gás, carvão, água e materiais de construção. 2. Termo que em geral se refere aos depósitos de minerais metálicos e recursos minerais.

geologia física / *physical geology*. Parte da geologia que trata da natureza e das propriedades dos materiais que compõem a Terra, sua distribuição através do globo e os respectivos processos geodinâmicos.

geologia isotópica / *isotope geology*. Aplicação à geologia do estudo de isótopos radioativos e estáveis, especialmente de suas abundâncias. Engloba o cálculo do tempo geológico e a determinação de origem, mecanismos e condições dos processos geológicos através do significado isotópico.

Sinônimos: *geoquímica isotópica, geologia nuclear, geoquímica nuclear, radiogeologia*.

geologia marinha / *marine geology*. Ciência que trata do estudo do fundo marinho e sua topografia, os tipos de processos atuantes e a sedimentação.

geologia nuclear / *nuclear geology*. Aplicação à geologia do estudo dos isótopos radioativos e estáveis, especialmente no que diz respeito à quantidade existente, incluindo o cálculo do tempo geológico e a determinação da origem por meio de isótopos. ▶ Ver *geologia isotópica*.

geomagnetismo / *geomagnetism*. Ciência que estuda o campo magnético da Terra.

geomecânica / *geomechanics*. Ramo da geologia que trata dos fundamentos da geologia estrutural e da resposta dos materiais naturais à deformação.

geometria de canal / *channel geometry*. Forma da seção transversal de um canal, principalmente fluvial ou submarino, inferida por levantamentos sísmicos ou através de interpretação geológica. ▶ Ver *morfologia de canal*.

geometria de fracturação (Port.) / *fracture geometry*. O mesmo que *geometria de fratura*. ▶ Ver *geometria de fratura*.

geometria de fratura / *fracture geometry*. Conjunto de parâmetros que define as dimensões de uma fratura induzida hidraulicamente (comprimento, abertura e altura). ▶ Ver *fraturamento hidráulico*.

geometria de sonar / *sonar geometry*. Relação espacial entre os transdutores do sonar e o ambiente à sua volta, incluindo o fundo marinho, alvos diversos e a superfície do mar. ↪ Uma precisa interpretação de dados acústicos muitas vezes requer o conhecimento da geometria do sonar. Um bom exemplo disso ocorre quando existem no registro diversos sinais de retorno resultantes de caminhos distintos do sinal acústico.

geometria do lanço / *spread geometry*. Descrição da disposição do ponto de tiro e dos receptores utilizados no registro sísmico.

geomorfologia / *geomorphology*. Ciência que estuda as formas de relevo, tendo em vista a origem, estrutura, natureza das rochas, condições climáticas da região e a atuação dos diferentes agentes endógenos e exógenos que moldam o relevo terrestre.

geopolímero / *geopolymer*. Termo comumente usado para descrever ácidos fúlvicos, ácidos úmicos e querogênio encontrados em rochas e sedimentos.

geoprocessamento / *geoprocessing*. Manipulação e análise de dados geograficamente referenciados.

geotecnologia / *geotechnology*. Denominação dada às tecnologias empregadas para obtenção de dados na área de geociências.

gerador de neutrões (Port.) / *neutron generator*. O mesmo que *gerador de nêutrons*. ▶ Ver *gerador de nêutrons*.

gerador de nêutrons / *neutron generator*. Fonte de nêutrons que contém aceleradores lineares compactos e que produzem nêutrons pela fusão de isótopos do hidrogênio para a perfilagem de poços.

gerador de pulsos / *pulse generator*. Acessório ou dispositivo de um medidor de vazão, acoplado ao elemento primário de medição, cuja função é produzir uma série de pulsos elétricos em número proporcional ao volume medido e cuja frequência é proporcional à vazão medida.

gerador elétrico / *electrical generator*. Dispositivo utilizado para conversão de energia mecânica, química ou outra forma de energia em energia elétrica.

gerador ligado a motor (Port.) / *magnet*. O mesmo que *magneto*. ▶ Ver *magneto*.

gerência de empreendimento / *project management*. Processo administrativo de integração plena de recursos humanos, materiais, financeiros e tecnológicos relativos às atividades de projeto (conceitual, básico e executivo), suprimento de equipamentos / materiais / sistemas e de construção civil e montagem eletromecânica, necessárias à sua total concepção, mediante diretrizes de o planejamento e controle efetivos. ↪ Todas as fases de execução do empreendimento são realizadas de modo a que o mesmo alcance seus objetivos quanto à qualidade, funcionalidade e segurança, respeito ao meio ambiente, segurança industrial e responsabilidade social, dentro dos custos e prazos requeridos.

gerência de projecto (Port.) / *project management*. O mesmo que *gerência de empreendimento*. ▶ Ver *gerência de empreendimento*; *contrato EPC*.

gerenciamento da cadeia de suprimentos / *supply chain management*. Processo integrado que combina as funções clássicas da logística de distribuição física e gerenciamento de equipamentos / materiais / sistemas com as de compra de matérias-primas e/ou as atividades de armazenamento e estocagem, vendas, *marketing* e tecnologia da informação.

gerenciamento de segurança e ambiente / *safety and environmental management*. Programa em que a companhia operadora desenvolve um plano que descreve a política e os procedimentos de segurança e prevenção de poluição de toda a empresa. O propósito desse programa é reduzir o risco e a ocorrência de acidentes e poluições, associados a operações de perfuração e produção de óleo e gás, através de gerenciamento ativo de risco.

gesso (Port.) (Ang.) / *gypsum*. O mesmo que *gipsita*. ▶ Ver *gipsita*.

gestão ambiental / *environmental management*. Ramo da administração que define a maneira de conduzir as atividades de uma organização considerando suas implicações ambientais.

gipsita / *gypsum*. Mineral da classe dos sulfatos, com fórmula $CaSO_4 2H_2O$, pertencente ao sistema cristalino monoclínico. Sulfato de cálcio hidratado, também denominado *gesso natural* ou *fosfogesso*. O clínquer Portland recebe, por ocasião da moagem final, certa quantidade de gesso com o objetivo de regular o tempo de início de pega. O gesso, entretanto, influencia fortemente outras propriedades do cimento tais como a retração, a resistência à compressão etc. Portanto, a operação de dosagem do gesso é bastante delicada. •• Mineral comum em evaporitos, calcários, margas e xistos argilosos.

gipsite (Port.) / *gypsum*. O mesmo que *gipsita*. ▶ Ver *gipsita*.

giro natural de um poço / *bit walk*. Ocorrência durante a perfuração de um poço direcional na qual, devido aos esforços decorrentes da rotação da broca e fatores de origem petrofísicas, pode haver uma tendência de variação natural da direção do poço. Essa tendência pode ser de giro para a direita, mais comum, ou para a esquerda. ▶ Ver *poço direcional*.

giroscópio / *gyroscope, gyro*. Instrumento de orientação inercial usado para medir a direção do poço a cada profundidade de medição. •• O giroscópio é um dispositivo que consiste de um rotor (disco com uma massa suficientemente pesada em alta rotação) suspenso por um suporte formado por dois anéis articulados em eixos perpendiculares de modo que o rotor tenha oscilação livre dentro desses anéis. Seu funcionamento baseia-se no princípio da conservação do momento angular: ele se opõe a qualquer tentativa de mudar a direção original do seu eixo de rotação. O eixo de rotação guarda a direção fixa em relação ao espaço. Dessa maneira, o giroscópio serve como referência de direção, mas não de posição. Ou seja, é possível movimentar um giroscópio normalmente no espaço sem qualquer trabalho além do necessário para transportar sua massa. Assim, um giroscópio com sensores apropriados pode medir com precisão qualquer mudança em sua orientação, exceto rotações que ocorram no plano de giro dos discos do giroscópio. Por essa razão, normalmente são utilizados dois giroscópios perpendiculares, de modo a integralizar a possibilidade de detecção de variações na orientação.

giroscópio de orientação automática / *north-seeking gyro (NSG)*. Giroscópio com três graus de liberdade e com redução da amplitude de precessão, de tal modo que se autoalinhe com o eixo de rotação da Terra. •• O processo de convergência ao alinhamento final é feito usando os anéis articulados móveis com uma redução de amplitude que resulta em uma precessão helicoidal que converge com o tempo. Com este arranjo, este giroscópio atua como um pêndulo, e seu eixo de rotação descreve uma elipse em torno de um eixo norte-sul. Consequentemente, a direção média do eixo de rotação do giroscópio livre é o eixo norte-sul. A força de orientação que é resultante da rotação da Terra é tanto maior quanto mais próxima do equador, e por conta dessa característica esses equipamentos têm sua aplicação limitada à área da Terra entre as latitudes de 75° norte e sul. ▶ Ver *giroscópio*.

giz / *chalk*. Rocha sedimentar porosa, constituída de carbonato de cálcio de granulometria muito fina. Forma-se em condições de águas relativamente profundas a partir da acumulação gradual de minúsculas placas de calcite.

glaciação / *glaciation*. Época geológica em que ocorre um grande desenvolvimento das geleiras, que passam a cobrir vastas regiões da Terra. •• São causadas por variações orbitais da Terra que diminuem a energia recebida do Sol, associadas ao posicionamento de continentes sobre os polos. Considera-se o início de uma glaciação a ocorrência na qual a última neve caída no inverno de um ano perdura até o início do inverno seguinte.

glacioeustasia / *glacio-eustasy*. Variação relativa do nível médio dos mares que tem como causa os eventos glaciais.

glaciologia / *glacial geology*. Ciência que estuda as geleiras e as glaciações e seus efeitos na topografia terrestre. ▶ Ver *glaciação*.

glauconita / *glauconite*. Aluminossilicato básico de ferro e potássio com alguma quantidade de sódio e magnésio, usado como fertilizante. Sua ocorrência restringe-se às rochas de origem marinha e indica uma sedimentação muito lenta.

glauconite (Port.) / *glauconite*. O mesmo que *glauconita*. ▶ Ver *glauconita*.

glicerina / *glycerin*. Líquido incolor, inodoro, higroscópico e viscoso. •• Trata-se do propano-1, 2, 3-triol ou propanotriol, 1, 2, 3, o qual possui três grupos hidroxila responsáveis por sua solubilidade em água.

glicerol / *glycerol*. O mesmo que *glicerina*. ▶ Ver *glicerina*.

glicol monoetileno / *monoethylene glycol*. Um dos principais produtos básicos na produção de poliéster. Em poços, é usado para dissolver o hidrato. Em plantas de processamento primário é utilizado para desidratar o gás úmido.

golfada / *slug*. Porção de líquido que escoa entre duas bolhas de gás cujos diâmetros são da mesma ordem de grandeza do diâmetro do duto que as contém. Quando presente, a fase gasosa no corpo da golfada se apresenta na forma de bolhas dispersas. •• Termo também utilizado em referência a um padrão de escoamento multifásico intermitente, caracterizado pela alternância quase periódica de bolhas de gás e porções de líquido. Em dutos verticais, bolhas de gás alongadas, denominadas *bolhas de Taylor*, são axissimétricas, circundadas por um filme de líquido descendente. Cada golfada perde líquido para o filme descendente que alimenta a golfada subsequente na forma de um jato circular. Este jato promove uma região de mistura na esteira da bolha de gás, que se restabelece gradualmente no corpo da golfada.

goma xantana / *xanthan gum*. Biopolímero que consiste num polissacarídeo produzido pela bactéria *Xanthomonas campestris*. Também conhecido como *polímero XC* (*XC polymer*). ↦ É um aditivo viscosificante de fluido à base de água, conferindo ao mesmo um comportamento reológico não newtoniano e perfil de velocidade tipo tampão no escoamento anular, o que favorece a suspensão de cascalhos e a limpeza do poço. O polímero XC é um polímero aniônico, com elevada tolerância à salinidade e boa tolerância a íons C2+ e Mg2+ (dureza). A temperatura de degradação do polímero está em torno de 200 – 250°F (93 –121°C).

Gondwana. Ao que tudo indica foi um grande continente, que existiu desde 600 milhões de anos atrás até a sua ruptura, há cerca de 100 milhões de anos. Era parte de um supercontinente denominado *Panótia*. Gondwana englobava a América do Sul, a África, a Austrália, a Antártida e a Índia. ↦ Hipóteses recentes admitem que as jazidas de petróleo do pré-sal tenham se formado a partir da fase *rift* , dando lugar a grandes lagos, onde se depositaram matéria orgânica e, posteriormente, ao grande depósito de sal sobrejacente.

***government take*.** Participações governamentais, que incluem *royalties,* participações especiais, taxas indiretas e diretas, recebidas pelos governos por intermédio de pagamentos realizados por operadoras do setor petróleo. ▶ Ver *operadora*.

GP *packer* com âncora / *GP packer with anchor*. Conjunto formado pela âncora selante e o obturador superior de um conjunto de equipamentos de *gravel pack*. ↦ Alguns fornecedores denominam tal âncora *ratch latch*. A âncora é solidária à cauda intermediária de produção. ▶ Ver *sump packer*.

grade API / *API log grid*. Formato padrão utilizado pelas companhias de perfilagem para registrar, sob a forma de curva, as diferentes medidas dos perfis de poço. ↦ Esta grade ou quadriculado tem uma faixa à esquerda da coluna de profundidade e duas à direita. As faixas têm 2,5" (polegadas) de largura e a coluna ou faixa de profundidade tem uma largura de 0,75" (ou ¾) (polegada). As faixas podem ser divididas em uma escala linear (10 ou 100 divisões) ou logarítmica (2 ou 4 ciclos).

gradiente / *slope*. Medida da inclinação de um terreno, expressa pelo ângulo que ele forma com a horizontal.

gradiente de fracturação (Port.) / *fracture gradient*. O mesmo que *gradiente de fratura*. ▶ Ver *gradiente de fratura*.

gradiente de fratura / *fracture gradient*. Pressão necessária para induzir fratura em uma formação a uma determinada profundidade. ↦ Normalmente expressa em psi/ft, kPa/m, kgf/cm² e lbf/gal. Um gradiente de 0.7 psi/ft equivale a 15.8 kPa/m ou 13.5 lbf/gal. ▶ Ver *fraturamento hidráulico*; *fraturamento ácido*; *perda de circulação*; *injeção de água*; *teste de absorção*.

gradiente de pressão / *pressure gradient*. Variação de pressão ao longo do escoamento, em função da distância percorrida.

gradiente de pressão normal / *normal-pressure gradient*. A pressão dos poros de uma rocha é considerada normal nas áreas em que a mudança de pressão por unidade de profundidade equivale à pressão hidrostática da água salgada. ↦ O gradiente de pressão hidrostática é considerado normal quando seu valor está entre 8,33 lb/gal e 8,9 lb/gal.

gradiente de sobrecarga / *overburden gradient*. Variação de pressão na formação por profundidade devido ao peso do material da Terra (camadas sobrepostas e seus fluidos) acima dessa formação. ↦ Resultado do somatório dos pesos das camadas da superfície até a profundidade desejada, considerando os fluidos contidos nos poros e a lâmina d'água no local.

gradiente de temperatura / *temperature gradient*. Variação de temperatura ao longo do escoamento, em função da distância percorrida.

gradiente de velocidade / *velocity gradient*. Variação da velocidade por unidade de distância. ↦ O gradiente de velocidade é uma ferramenta muita empregada na avaliação e interpretação de dados sísmicos na exploração petrolífera, na qual os mapas de gradiente são analisados conjuntamente com mapas de isópaca, buscando-se regiões de comportamento semelhantes, que podem vir a ser importantes acumulações de hidrocarbonetos. ▶ Ver *gradiente*.

gradiente Delaware / *Delaware gradient*. Efeito anômalo nas curvas dos perfis de guarda ou lateroperfis, observado inicialmente na bacia Delaware. ↦ Pode ser reconhecido por um gradiente de alta resistividade em camadas condutivas quando estas camadas estão sobrepostas por formações espessas de alta resistividade (anidrita ou halita). Também conhecido como *efeito Delaware*.

gradiente do filtro / *filter slope*. Seletividade de um filtro, ou seja, sua capacidade de filtrar o que se quer deixar passar do resto do espectro de frequência, expressa em decibéis por oitava.

gradiente geotérmico / *geothermal gradient*. Razão pela qual a temperatura de um poço aumenta à medida que aumenta sua profundidade. ↦ Este gradiente varia de local para local, dependendo do fluxo térmico da crosta terrestre e da condutividade térmica dos sedimentos. Na maioria dos testes de pasta realizados em laboratório são simuladas as condições reais às quais a pasta de cimento estará submetida no poço (pressão e temperatura). A temperatura estática de fundo de poço, denominada *BHST*, é determinada por diversos métodos, sendo que alguns levam em conta o conhecimento do gradiente geotérmico médio de um campo, normalmente disponível para campos de petróleo em fase exploratória. Outra forma também é o conhecimento de mapas de *gradiente térmico* que contêm o mapa de contorno de gradiente geotérmico de uma área, com base na descida de registradores de fundo de poço para medidas de pressão e temperatura. As medidas de temperatura máxima são registradas após período de tempo suficiente para ser alcançado o equilíbrio térmico. A exatidão da estimativa da *BHST* para um dado poço por este método depende das características dos perfis térmicos obtidos na área, ocorrência de mudanças litológicas, proximidade de zonas sujeitas a anomalias térmicas (zonas de sal ou zonas sujeitas a tectonismo) e da confiabilidade dos dados utilizados para gerar o mapa. De posse da temperatura estática extrapolada ou do gradiente geotérmico da área, assumindo uma temperatura ambiente de 80°F, vem:

$$GG = 30{,}48X(BHST - 80)/H_{vert}$$

onde:
$BHST$ = Temperatura estática da formação, em °F;
GG = gradiente geotérmico da área, em °F / 100 pés; H_{vert} = profundidade vertical, em m. ▶ Ver *cimentação*; *cimento*; *pasta de cimento*; *perfil*.

gradiente hidráulico / *hydraulic gradient*. Razão entre as variações de carga hidráulica e o comprimento percorrido na direção do fluxo. No caso de um aquífero, é a taxa de variação da carga de pressão por unidade de distância do fluxo em um dado ponto e numa dada direção. Se a direção não for especificada entende-se que seja aquela em que ocorra a maior taxa de decréscimo na carga hidráulica. Declividade de uma linha que representa a soma da energia potencial e cinética ao longo do comprimento do canal. No caso de um curso de água superficial, é igual à declividade da superfície da água em um fluxo uniforme e permanente.

gradiente hidrostático / *hydrostatic gradient*. Pressão crescente com a profundidade de um líquido em contato com a superfície. ⇢ Por exemplo, o gradiente da água doce é 9,8 kPa/m (0,433psi/ft).

gradiente térmico / *thermal gradient*. Taxa de aumento de temperatura por unidade de profundidade na crosta da Terra. ⇢ Esta taxa não é constante em todas as regiões da Terra, mas na falta de um valor mais confiável pode-se considerar o valor médio de 25° C a 30 °C/km (15 °F/1.000 ft).

gradiômetro / *gradiometer*. Dispositivo para medir o gradiente de um campo potencial. ⇢ Consiste em um arranjo de dois magnetômetros, um acima do outro, de tal maneira que a diferença de suas leituras seja proporcional ao gradiente vertical do campo magnético.

gradualismo / *gradualism*. Modelo evolutivo no qual as mudanças resultam de pequenas e graduais transformações cumulativas.

gráfico de controle / *control chart*. Gráfico em que são registrados os fatores sucessivos do medidor (ou os erros relativos do medidor), geralmente no domínio do tempo. Utilizado para avaliar a estabilidade do medidor e para determinar quando o desempenho do medidor se desviou do seu *range* normal.

gráfico de corrente / *current chart*. Gráfico gerado por um amperímetro instalado em um quadro de comando de conjuntos de bombeio centrífugo submerso (BCS) para monitorar a corrente demandada e circulante no seu motor elétrico. ⇢ Tradicionalmente, tal gráfico de corrente constitui a ferramenta mais largamente utilizada para monitoramento das condições de funcionalidade de um sistema BCS. ▶ Ver *bombeio centrífugo submerso*; *quadro de comando elétrico*; *carta amperimétrica*.

gráfico de isovelocidade / *isovelocity plot*. Gráfico que mostra as variações de velocidade de empilhamento ao longo de uma linha obtida em levantamento sísmico de reflexão.

gráfico de polaridade dupla / *dual-polarity display*. Gráfico em que se empregam cores diferentes para polaridades diferentes do sinal.

gráfico tipo vetor / *vector graphics*. Gráfico que consiste em um método de plotagem no qual os movimentos da pena são definidos por pequenos segmentos. ⇢ Ao contrário do método de varredura, este gráfico é gerado qualquer que seja a direção dos movimentos da pena no papel.

grampo / *clamp*. Presilha metálica utilizada para prender a haste polida de um poço na posição desejada em uma unidade de bombeio mecânico. ⇢ É uma ferramenta bipartida com um pino unindo as duas partes por uma das extremidades; possui um rebaixo cilíndrico no centro, onde se encaixa à haste, e um parafuso na outra extremidade, que permite o aperto das duas partes contra a peça a ser presa. O rebaixo deve ser adequado para cada diâmetro da haste e sua parede interna deve ter uma rugosidade suficiente para permitir uma fixação segura sem causar dano à haste polida. A presilha pode ser simples ou dupla (com dois parafusos de aperto), de acordo com a carga que terá de suportar.

grandeza mensurável / *measurable quantity*. Atributo de um fenômeno, corpo ou substância que pode ser qualitativamente distinguido e quantitativamente determinado.

granito / *granite*. Rocha plutônica constituída essencialmente de quartzo, feldspato alcalino e plagioclásio, com quantidades variáveis de hornblenda e/ou biotita. ⇢ Os granitos podem ser divididos petrograficamente em sienogranitos e monzogranitos, de acordo com a proporção relativa entre feldspato alcalino e plagioclásio.

granulação / *granulation*. Processo de formação de grãos, grânulos ou outras partículas de pequena dimensão.

granulometria / *granulometry*. Classificação de tamanhos de grãos ou de fragmentos clásticos (detríticos) que constituem os sedimentos os quais, após litificados, constituirão as rochas sedimentares denominadas *clásticas* (ou *detríticas*).
•• No Brasil a classificação granulométrica mais usual é a escala logarítma de Udden-Wentworth, a qual abrange desde os grãos mais finos (da ordem de micra-μm) aos mais grosseiros (em milímetros), na seguinte ordem:
argila < 4 μm – após a litificação dá origem ao argilito, quando maciço, e, ao folhelho, quando estratificado.
silte: 4 μm < grão < 64 μm, dando origem ao siltito;
areia: 64 μm < grão < 2 mm, dando origem a arenitos (muito finos, finos, médios e grosseiros);
grânulo: 2 mm < grão < 4 mm, dando origem a arenito muito grosseiro a conglomerático;
seixo: 4 mm < grão < 16 mm, dando origem a arenito muito grosseiro e a conglomerado;
cascalho fino/ seixo: 16 mm < grão < 32 mm, dando origem a conglomerado;
cascalho médio / seixo: 32 mm < grão < 64 mm, dando origem a conglomerado;
cascalho grosso: 64 mm < grão < 128 mm, dando origem a conglomerado;
bloco / calhau: 64 mm < grão < 256 mm, dando origem a conglomerado heterogêneo;
matação: 256 mm < grão, dando origem a conglomerado muito heterogêneo.
▶ Ver *escala de Udden-Wentworth*.

granulometria de amostra / *granulometry particle-size distribution*. 1. Distribuição do tamanho de grãos de determinada amostra de material granular. 2. Curva de distribuição granulométrica de uma amostra de grãos. 3. Diagrama ou tabela representativa da distribuição de diâmetros de grãos de uma amostra de material granular a ser analisada. ▶ Ver *análise granulométrica*.

granulometria grossa / *coarse-grained*. Ocorrência em uma rocha cristalina, e em sua textura, quando os seus minerais são relativamente grandes. No caso de rochas ígneas, estas partículas possuem diâmetros médios maiores do que 5 mm.

graptolite / *graptolite*. Colônia de organismos marinhos pertencentes à classe *Graptolithina*, já extinta, ordenada ao filo *Coelenterata* ou ao *Hemichordata*, caracterizados por terem formato de tubo ou xícara, exoesqueleto de composição orgânica e altamente resistente, e por se organizarem com outros indivíduos ao longo de um ou mais ramos para formar uma colônia. Graptolitos normalmente ocorrem em argilitos pretos. Intervalo de ocorrência: Cambriano Médio até o Carbonífero.

grau API / *degree API*. O mesmo que *densidade API*. ▶ Ver *densidade API*.

grau API das hastes / *API rod grade*. Nomenclatura para diferenciar o tipo de material das hastes de bombeio. •• Codificação associada à composição metalográfica das hastes de bombeio, que ajuda no direcionamento de seu uso. ▶ Ver *haste de bombeio*.

grau de inclinação / *degree of slope*. Medida angular, expressa em graus, da inclinação de um plano em relação ao plano horizontal.

grau de integridade de segurança / *safety integrity level*. Representação estatística da confiabilidade de um dispositivo de segurança quando este é solicitado a atuar, correlacionada com a probabilidade de falha na solicitação. ▶ Ver *integridade*.

grau de investimento / *investment grade*. Classificação de risco que avalia quais empresas são consideradas de baixo risco, e, por consequência, possuem valores mobiliários recomendados para aquisição pelo mercado financeiro de forma ampla, principalmente por aqueles investidores que usam critérios mais conservadores para suas aplicações.

grau de liberdade / *degree of freedom*. 1. Referência à quantidade mínima de variáveis reais necessárias à determinação do estado físico de determinado sistema. 2. Capacidade de variação de um sistema químico. •• O número de grau de liberdade num sistema pode ser definido como o número de variáveis independentes (temperatura, pressão e concentração em várias fases) necessárias para definir todo o sistema, ou como o número de variáveis que pode ser mudado independentemente sem causar uma mudança na fase.

grau de pseudoplasticidade / *degree of pseudoplasticity*. Medida de quão pseudoplástico é um fluido não newtoniano. Representa a diferença entre a viscosidade a baixa taxa de deformação e a viscosidade a alta taxa de deformação. ▶ Ver *fluido pseudoplástico*; *fluido não-newtoniano*.

grau de seleção / *degree of sorting*. Medida da dispersão ou grau de variação na distribuição do tamanho das partículas em um sedimento. •• Estatisticamente, define-se como a magnitude da dispersão do tamanho das partículas em relação a cada lado da média. Quanto mais ampla for a dispersão, mais pobre será a classificação, ou mais mal selecionada será a população de grãos. Pode ser expresso em sigma phi.

grau Engler / *Engler degree*. Medida de viscosidade feita por meio de um teste empírico de escoamento pelo método ASTM D 1665. ▶ Ver *viscosidade*.

gravação monitor / *monitor record*. Gravação realizada no campo, em paralelo ao registro de dados do levantamento sísmico, visando ao controle de qualidade.

gravel pack. Sistema para controlar produção de areia, composto por um conjunto de tubos telados ou ranhurados, empacotado com material granular (propante), de forma a impedir que haja migração da areia da formação para dentro do poço. ▶ Ver *propante*; *controle de produção de areia*.

gravidade absoluta / *absolute gravity*. 1. Medida obtida através de condições laboratoriais e do uso de experiências físicas que utilizam corpo em queda livre e pêndulo. Usada para fornecer valores absolutos para a força da gravidade (*g*) como padrões nacionais. 2. Valor que denota a densidade (gravidade específica) em condições padrão (para gases essas condições são de pressão atmosférica a 0 °C). ↝ A força da gravidade absoluta (*g*) difere da força da gravidade relativa que mede a diferença da força de gravidade entre dois pontos. A gravidade absoluta é medida em equipamentos de muita precisão, nos quais utilizam-se técnicas de medição como o pêndulo ou o peso em queda livre.

gravidade bruta / *raw gravity*. As medidas da gravimetria, sem correções de interferências decorrentes da esfericidade da Terra, topografia vizinha, altitude, atração lunar, entre outras. Aplicadas todas as correções chega-se aos mapas Bouguer, que possibilitam investigar as anomalias de densidade em uma bacia sedimentar.

gravidade especifica absoluta / *absolute specific gravity*. Razão entre o peso de dado volume de uma substância no vácuo, a uma dada temperatura, e o peso de igual volume de água igualmente no vácuo e sob a mesma temperatura.

gravidade específica do gás / *real gas specific gravity*. Razão entre a massa específica de um gás sob as condições de pressão e de temperatura observadas e a massa específica do ar seco nas mesmas condições (de pressão e de temperatura). ↝ A gravidade específica do gás ideal é a razão entre o peso molecular da mistura gasosa e o peso molecular do ar.

gravimetria / *gravimetry, gravity method*. Estudo do campo gravitacional da Terra.

gravímetro / *gravimeter*. Instrumento para medir variações na atração gravitacional; é um medidor da aceleração da gravidade.

gravímetro de bordo / *shipboard gravimeter*. Gravímetro feito para funcionar em embarcações, ou seja, para medir a aceleração da gravidade a partir de um navio em movimento. ▶ Ver *gravímetro*.

gravímetro de LaCoste-Romberg / *LaCoste-Romberg gravimeter*. Gravímetro de mola calibrada, portátil, que pode medir o campo gravitacional da Terra num espaço de tempo correspondente a 0.1nm/s². ▶ Ver *gravímetro*; *mola de comprimento zero*.

gravímetro de Lindblad-Malmquist / *Lindblad-Malmquist gravimeter*. 1. Gravímetro estável de um sistema móvel suspenso por um par de molas em forma de arco. ↝ O sistema móvel é equipado com placas de condensador elétrico em cada lado, uma para medir a posição do sistema móvel e a outra para aplicar uma força para que o sistema retorne à posição inicial. É igual ao gravímetro de Boliden. ▶ Ver *gravímetro*.

gravímetro de mola de comprimento zero / *zero-length spring gravimeter*. Gravímetro que utiliza mola de comprimento zero com elemento básico. ▶ Ver *gravímetro*; *mola de comprimento zero*.

gravímetro de Mott Smith / *Mott Smith gravimeter*. Gravímetro no qual a parte móvel é feita inteiramente de quartzo fundido. As fibras que restauram o movimento são de quartzo. ▶ Ver *gravímetro*.

gravímetro de poço / *borehole gravimeter*. Gravímetro de perfilagem, capaz de fazer medidas da gravidade relativa dentro do poço com sensitividade e repetição dos resultados, na faixa dos microGal. ▶ Ver *gravímetro*.

gravímetro de vibração / *vibration gravimeter*. Gravímetro que mede o valor da gravidade em função do período de vibração de uma corda tensionada por um peso de massa conhecida. ▶ Ver *gravímetro*.

gravímetro estável / *stable gravimeter*. Gravímetro que utiliza uma ordem alta de magnificação óptica ou mecânica de tal forma que uma pequena mudança na posição de um peso ou em propriedade associada poderá ser facilmente medida. ▶ Ver *gravímetro*.

gravímetro instável / *unstable gravimeter*. Gravímetro (ou magnetômetro) no qual a sensibilidade é aumentada à custa da estabilidade. ▶ Ver *gravímetro*.

gravímetro subaquático / *underwater gravimeter*. Gravímetro construído exclusivamente para realizar medidas no fundo do mar, em lagos etc. ▶ Ver *gravímetro*.

gravímetro Worden / *Worden gravimeter*. Gravímetro que dispõe de um arranjo para o cálculo da aceleração da gravidade. ↝ Utiliza uma massa *M* fixada na extremidade de uma haste horizontal pivotante, contrabalanceada pela ação de uma mola vertical que se apoia em uma haste auxiliar solidária à primeira, fazendo com ela uma ângulo ▶ Ver *gravímetro*.

gravity-stable displacement. Deslocamento de óleo em um reservatório, causado pela injeção de fluidos de diferentes densidades durante o processo de recuperação avançada.

greda / *chalk*. Calcário branco, de textura muito fina, homogênea e macia ao tato, composto essencialmente por carbonato de cálcio sob forma de calcita (calcite). Vestígios de sua origem sedimentar biogênica são observados na forma de finos fragmentos de carapaças de foraminíferos imersos numa matriz micrítica. Nódulos carbonáticos maciços, duros são observados, algumas vezes também imersos na matriz, contrastando com a textura homogênea dominante. ↝ A greda origina-se pela sedimentação no fundo marinho de carapaças de milhões de organismos chamados *microforaminíferos*, cuja concha é formada por calcita. Após sua morte as conchas acumulam-se no fundo marinho formando leitos espessos de sedimentos, os quais, no decorrer do tempo geológico, transformam-se em greda. A mais famosa ocorrência de greda situa-se em Dover, na Inglaterra *(while cliffs of Dover)*.

greenfield. Implementação de projetos novos que, em consequência, não são considerados como expansão ou *revamp*.

grés (Port.) / *sand.* O mesmo que *areia*. ▶ Ver *areia*.

grés argiloso (Port.) / *clayey sand.* O mesmo que *areia argilosa*. ▶ Ver *areia argilosa*.

grés asfáltico (Port.) / *asphaltic sand, tar sand.* O mesmo que *areia asfáltica*. ▶ Ver *areia asfáltica*.

grés betuminoso (Port.) / *bituminous sand.* O mesmo que *areia betuminosa*. ▶ Ver *areia betuminosa*.

grés com gás (Port.) / *sand with gas.* O mesmo que *areia com gás*. ▶ Ver *areia com gás*.

grés de canal (Port.) / *channel sand.* O mesmo que *areia de canal*. ▶ Ver *areia de canal*.

grés de duna (Port.) / *dune sand.* O mesmo que *areia de duna*. ▶ Ver *areia de duna*.

grés em lençol (Port.) / *sheet sand.* O mesmo que *areia em lençol*. ▶ Ver *areia em lençol*.

grés fluvial (Port.) / *river sand.* O mesmo que *areia fluvial*. ▶ Ver *areia fluvial*.

grés sujo (Port.) / *dirty sand.* O mesmo que *areia suja*. ▶ Ver *areia suja*.

greta de contração / *mud crack.* Estrutura sedimentar que se desenvolve nos sedimentos argilosos quando sofrem um processo de ressecamento em função do calor solar, contraindo-se e quebrando-se num padrão grosseiramente poligonal.

greta de contração radial / *radiated mud crack.* Estrutura sedimentar formada quando da exposição de sedimentos siltoargilosos a temperaturas abaixo do ponto de congelamento. ▶ Ver *greta de contração*.

greta de dessecação / *desiccation crack.* O mesmo que *greta de contração*. ▶ Ver *greta de contração*.

grupo de empreendimento de poço (GEP) / *well project group.* Grupo multidisciplinar responsável pela programação, execução, acompanhamento e análise de cada intervenção em poço. ↦ A intervenção em poço pode ser de perfuração, avaliação exploratória, completação, restauração ou abandono.

guia de licenciamento ambiental / *environmental licensing guide.* Documento que indica os níveis de exigência do licenciamento ambiental de cada atividade de exploração de petróleo e gás, nas bacias sedimentares costeiras e marítimas do Brasil.

guide ring. O mesmo que *anel de calibração*. ▶ Ver *anel de calibração*; *diâmetro de passagem*.

guinada / *yaw.* 1. Termo utilizado em navegação para descrição do desvio involuntário do rumo de navio ou aeronave. 2. Quando o desvio é proposital, como por exemplo, para compensar a deriva, o termo utilizado é *crab*, em inglês.

guincho / *drawwork.* É o equipamento responsável pelo acionamento do cabo de perfuração sendo, por isso, responsável pela movimentação vertical das tubulações dentro do poço. ↦ O cabo do guincho passa pelo bloco de coroamento (polias fixas) e pela catarina (polias móveis), sendo que a outra extremidade do cabo (linha morta) é ancorada na estrutura da torre.

guindaste / *crane.* Equipamento em forma de torre ou mastro, equipado com cabos e polias e utilizado para movimentação de cargas da plataforma para outras embarcações ou vice-versa, ou dentro da própria plataforma.

Hh

habitat. Lugar com características ecológicas específicas que é ocupado por uma espécie ou população.

hábito / habit. Configuração externa das faces de um cristal. ↝ O termo *hábito* é utilizado para designar o aspecto geral dos cristais, como, por exemplo, cúbico, octaédrico, prismático, fibroso, acicular.

halita / halite. Mineral da classe dos halogenetos, com fórmula NaCl, pertencente ao sistema cristalino isométrico. O mesmo que *sal*. ↝ Mineral comum em evaporitos e importante constituinte de domos salinos, que podem formar estruturas acumuladoras de óleo e gás. ▶ Ver *evaporito*; *rocha salina*.

halite (Port.) / halite. O mesmo que *halita*. ▶ Ver *halita*; *evaporito*; *rocha salina*.

halogênico / allogenic. Diz-se de ou elemento estranho presente em uma rocha, em contraposição aos elementos autígenos.

harmônico / harmonic. Múltiplo inteiro da frequência fundamental. ▶ Ver *frequência*; *frequência fundamental*; *frequência harmônica*.

haste contínua / corod. Coluna de hastes integral, utilizada no método de produção por bombeio mecânico, sem conexões, sem luvas. ↝ Haste contínua feita do mesmo material que as hastes convencionais. Sua seção transversal é elíptica. ▶ Ver *bombeio mecânico*.

haste curta / pony rod. Haste de bombeio de comprimento menor, utilizada no método de produção por bombeio mecânico, que varia de 600 mm a 3.600 mm, utilizada na coluna de hastes para atingir o comprimento desejado com maior precisão. ▶ Ver *bombeio mecânico*; *pancada de fluido*; *curso*.

haste de bombeio / sucker rod. Peça geralmente metálica, longa, de seção circular, utilizada no método de produção por bombeio mecânico, com roscas nas extremidades que, ao serem conectadas entre si através de luvas, formam a coluna de hastes. ↝ Seu comprimento normal é de 7,65 m e o diâmetro varia de 5/8" (polegadas) a quase 2" (polegadas). Sua extremidade é reforçada e tem uma seção quadrada para encaixe de chave de aperto. ▶ Ver *bombeio mecânico*.

haste do pistão / piston rod. Haste, utilizada no método de produção por bombeio mecânico, que se conecta diretamente com a gaiola superior do pistão das bombas insertáveis. ↝ Estas hastes não têm reforços nas extremidades e seu comprimento é suficiente, em qualquer posição do pistão, para que a extremidade superior não penetre na camisa, permitindo, assim, a conexão com a coluna de hastes. ▶ Ver *bombeio mecânico*.

haste pesada / sinker bar. Haste utilizada no método de produção por bombeio mecânico, de grande diâmetro, instalada na extremidade inferior da coluna de hastes. ↝ Tem a função de agregar maior peso à coluna e assim evitar o fenômeno de flambagem da mesma. ▶ Ver *bombeio mecânico*.

haste polida / polished rod. Haste especial de superfície bastante polida, utilizada no método de produção por bombeio mecânico, instalada sempre na extremidade superior da coluna, e que tem por função propiciar estanqueidade na sua passagem pela caixa de engaxetamento. É sustentada por grampos (*clamps*) situados abaixo da mesa, onde está fixado o cabresto, que permite os movimentos verticais proporcionados pela cabeça do cavalo de pau (unidade de bombeio) ↝ Tais hastes podem ser fabricadas em diversos materiais, como, por exemplo, aço-carbono, aço-liga ou aço inoxidável. Da mesma forma, podem receber revestimento superficial para se tornarem resistentes à corrosão química e/ou abrasão. ▶ Ver *bombeio mecânico*; *cavalo de pau*.

haste quadrada / kelly. Elemento que transmite a rotação originada na mesa rotativa para a coluna de perfuração, cuja seção é quadrada quando utilizado em sondas de terra. Quando utilizado em sondas marítimas, a seção tem forma hexagonal, porém mantendo, tradicionalmente, a designação de *quadrada*. ↝ Normalmente este elemento é enroscado na parte superior da coluna de perfuração sustentada pela cabeça de injeção (*swivel*), suspenso pelo gancho principal da catarina. ▶ Ver *mesa rotativa*; *swivel*; *bucha do kelly*; *catarina*; *coluna de perfuração*.

HAZOP / hazard and operability (HAZOP). Procedimento técnico de identificação dos perigos derivados de problemas ou disfunções operacionais de instalações. ↝ O acrônimo passou diretamente ao meio técnico brasileiro sem tradução da forma extensa. É uma metodologia qualitativa, mas permite a análise de um processo industrial e a identificação de suas disfunções. Baseia-se na consideração minuciosa de todas as partes do processo industrial para determinar as causas e conseqüências de desvios da normalidade operacional.

head. O mesmo que *altura manométrica* de bombas de bombeio centrífugo submerso ou de bombas centrífugas, de um modo geral. ▶ Ver *bombeio centrífugo submerso*; *bomba centrífuga submersa*; *altura manométrica*; *bomba centrífuga*.

headspace. **1.** Amostragem empregada em geoquímica de superfície para a coleta de hidrocarbonetos leves, tanto sob a forma gasosa (faixa de metano a butano) como de vapor (pentano). **2.** Espaço ocupado pelos componentes de um gás acima de uma fase líquida ou sólida e encapsulada em frascos selados. Os componentes deste gás podem ser analisados por cromatografia gasosa, para fins de identificação e quantificação dos mesmos. Essa técnica é comumente empregada para análise de compostos orgânicos voláteis e semivoláteis em amostras sólidas, líquidas ou gasosas. •» A sequência de amostragem consiste nas seguintes ações: inicialmente uma amostra de volume conhecido de solo é introduzida num recipiente, geralmente metálico, ocupando aproximadamente 1/3 de seu volume. A seguir, acrescenta-se água destilada ou deionizada com um bactericida para evitar a proliferação de microrganismos. Opcionalmente o bactericida pode ser substituído por uma solução contendo entre 25% a 33% de cloreto de sódio, considerado um agente atenuador da proliferação de bactérias. A solução deve ultrapassar o nível de solos de modo a completar outro terço do recipiente. O terço final, situado na parte mais alta do recipiente, deve ser reservado à retenção de gases e vapores de hidrocarbonetos. Em laboratório, o recipiente é submetido a aquecimento e vibração, para facilitar a subida dos hidrocarbonetos livres contidos no solo para a porção vazia do *headspace*. Após um tempo preestabelecido, com o auxílio de um septo de cromatógrafo existente na parte superior do recipiente, retira-se com uma seringa uma parte do material contido no *headspace* e a seguir se introduz essa amostra no cromatógrafo gasoso para análise de hidrocarbonetos, geralmente na faixa de metano a pentano.

heave. O mesmo que *balanço*. ▶ Ver *balanço*.

hedge. 1. Procedimento aplicado como uma forma de proteção contra movimentações financeiras adversas do mercado. 2. Transferência de risco pelas mudanças futuras no mercado (taxas, preços).

heliponto / *helideck, helipad.* 1. Local da plataforma ou de sonda terrestre destinado a pouso e decolagem de helicópteros. 2. Qualquer local destinado a pouso e decolagem de helicópteros.

heliporto (Port.) / *helideck, helipad.* O mesmo que *heliponto*. ▶ Ver *heliponto*.

hematita / *hematite.* Óxido de ferro, com massa específica de 4,95 g/cm³, com aspecto de pó avermelhado. •» Este material é considerado um dos mais eficientes adensantes para pasta de cimento e é utilizado rotineiramente em pastas de cimento com densidades de até 19 lb/gal (2,28 g/cm³), podendo ainda atingir 22 lb/gal (2,64 g/cm³). ▶ Ver *adensante*.

hematite (Port.) / *hematite.* O mesmo que *hematita*. ▶ Ver *hematita*.

hemicristalino / *hemicrystalline.* Termo atribuído à cristalinidade de uma rocha constituída por minerais e material vítreo.

heptano / *heptane.* Hidrocarboneto composto por 7 (sete) átomos de carbono e 16 (dezesseis) de hidrogênio (C_7H_{16}). O propano tem um peso molecular de 100,20, temperatura crítica de 972°R e pressão crítica de 397 psi.

hesitação / *hesitation, squeeze.* 1. Técnica de compressão geralmente utilizada em operações a baixa pressão, na qual a pasta de cimento é comprimida em intervalos regulares com diversos níveis de pressão. 2. Técnica para compressão da pasta em operações de *squeeze*, na qual, por meio da pressurização de fluido a partir da superfície por meio da coluna de tubos, comprime-se a pasta de cimento contra o intervalo canhoneado ou o furo de revestimento que se deseja isolar. Essa pressurização é feita em intervalos cíclicos, até que se obtenha estabilização de pressão, indicando que todos os furos do intervalo foram preenchidos com a pasta de cimento. Desta forma, após a reação de pega do cimento, obtém-se na zona cimentada um isolamento hidráulico de alta resistência à compressão. •» A pressão inicial deve ser aproximadamente de 20% a 30% da pressão de fratura. Após a pressurização, aguarda-se a queda de pressão monitorando-a pelo registro na superfície. Entre os diversos ciclos de pressão, se houver aumento no raio de curvatura da queda, é sinal de que há formação de reboco, enquanto raios de curvatura constantes indicam a injeção da pasta por trás do revestimento, ou a existência de vazamentos. Após a conclusão da compressão, libera-se a pressão e observa-se o volume de fluido retornado no tanque de deslocamento para detectar se há retorno de cimento para dentro do poço. ▶ Ver *compressão de cimento*; *pasta de cimento*.

heteroátomo / *heteroatom.* Átomo, diferente do carbono e do hidrogênio, que na cadeia carbônica localiza-se entre dois átomos de carbono. •» Como exemplo, pode-se citar o átomo de oxigênio (O) encontrado nos éteres, localizado entre átomos de carbono (C), conforme indicado na fórmula ($CH_3 - O - CH_3$). Outros exemplos são identificados no querogênio, petróleo, betume e gás natural. Os heteroátomos mais comuns são nitrogênio, enxofre e oxigênio. ▶ Ver *querogênio*; *petróleo*; *betume*; *gás natural*.

heterocomposto / *heterocompound.* Composto orgânico que contém, além de carbono e hidrogênio, elementos tais como nitrogênio, enxofre e/ou oxigênio.

hexano / *hexane.* Hidrocarboneto composto por seis átomos de carbono e quatorze de hidrogênio (C_6H_{14}). •» São normalmente utilizados como solvente inerte em reações orgânicas. São também componentes comuns encontrados na gasolina. ▶ Ver *hidocarboneto*; *propano*.

hialoclastito / *hyaloclastite, aquagene tuff.* Depósito ou rocha constituídos por fragmentos angulosos de vidro vulcânico, formados por fluxo ou intrusão de magma ou lava em uma rocha ou depósito saturado em água.

hiato erosional / *erosional hiatus.* 1. Período de tempo que falta no registro deposicional e que foi produto da remobilização pela erosão. 2. Intervalo de tempo que falta no registro sedimentar, entre o topo da camada mais velha erodida e a base da camada mais jovem. ▶ Ver *discordância erosional*.

hidratação / *hydration*. Reação química dos compostos anidros do cimento Portland com a água, por hidrólise, dando origem a numerosos compostos hidratados. Esses compostos são classificados em duas categorias: compostos cristalinos hidratados e gel de silicato de cálcio hidratado. ↠ Em síntese, um grão de cimento que entra em contato com a água começa no fim de algum tempo a apresentar em sua superfície sinais de atividade química, pelo aparecimento de cristais que crescem lentamente e pela formação de uma substância gelatinosa, ou seja, o gel instável, que inicialmente tem grande quantidade de água. Com o desenvolvimento da reação, os cristais retiram a água do gel, e à medida que este gel vai perdendo água transformam-se em gel estável, responsável em grande parte pelas propriedades mecânicas da pasta de cimento. ▶ Ver *cimento*; *anidro*.

hidrato / *hydrate*. 1. Formação composta por uma estrutura cristalina (reticular) de moléculas de água, e que hospeda em seu interior moléculas de hidrocarboneto. 2. Mistura de sólidos derivados do gás natural e da água, formando cristais de gelo com gás encapsulado. Podem ser formados em temperaturas acima de 0 °C (32 °F) na presença de pressão suficiente, ou em ambientes confinados. O cenário dos poços de lâmina d'água profunda, onde as pressões são altas e as temperaturas baixas, propicia a formação de hidratos durante a perfuração. Eles podem ser encontrados nas tubulações, no *riser*, no BOP (*blowout preventers*) e em outros equipamentos submersos. Estes cristais formam blocos de gelo que podem bloquear o escoamento em uma tubulação ou válvula do sistema. ↠ Estruturas com tendência a se formar em tubulações e equipamentos que manuseiam água e hidrocarbonetos, em condições de alta pressão e baixa temperatura.

hidrato de gás / *gas hydrate*. 1. Fase cristalina de água que contém gás, principalmente metano, em ambientes de águas profundas. 2. Tipo de hidrato no qual uma molécula de um gás é encerrada, sem ligação química, numa "gaiola" multifacetada de moléculas de água, resultando em um clatrato cristalino e insolúvel ou numa inclusão composta na qual a razão de combinação das moléculas de gás para água varia de 1 a 18 em relação ao propano e de 1 para 6 em relação a outro gás. ↠ Os hidratos de gás dificultam as operações ao se formarem no interior de gasodutos. Estão presentes em muitas águas do planeta e formam grandes depósitos no talude continental. Podem ser de origem termogênica, ou seja, a partir de hidrocarbonetos leves oriundos de petróleo e gás existentes em zonas abaixo do fundo oceânico, ou de origem biogênica, formados a partir da decomposição bacteriana da matéria orgânica. A formação de tais cristais é favorecida por níveis altos de pressão e níveis baixos de temperatura. Depois de formados, quando do escoamento em tubulações, tais cristais têm o potencial de vir a bloquear a seção de escoamento. Essas ocorrências são tentativamente evitadas através do controle de fluxo de calor, limite de pressão e/ou uso de inibidores da formação de hidratos, sendo que tais inibidores, em função do mecanismo de atuação, são ditos *termodinâmicos* ou *cinéticos*. Registre-se que no momento se investiga a controlada formação de hidratos como forma de transporte de gás (em adição às formas existentes e baseadas na compressão ou resfriamento). ▶ Ver *hidrocarboneto*.

hidrocarboneto / *hydrocarbon*. 1. Mistura de compostos orgânicos que constituem a porção com interesse econômico do material que sai do poço produtor. 2. Composto constituído apenas por carbono e hidrogênio. 3. Principais componentes dos combustíveis fósseis, que incluem petróleo, carvão e gás natural. ↠ Os hidrocarbonetos podem conter ainda cloro, oxigênio, nitrogênio e outros átomos. Ocorrem na forma de gases, líquidos e sólidos. São amplamente distribuídos na litosfera, hidrosfera e biosfera. São classificados de acordo com o arranjo dos átomos de carbono e tipos de ligações químicas. As classes mais importantes são: *(I)* aromáticos, ou compostos com anéis de carbono; *(II)* alcanos, também chamados *alifáticos* ou *parafinas*, compostos com cadeias retas ou ramificadas e ligações simples; e *(III)* alcenos e *(IV)* alcinos, ambos com ligações duplas e triplas respectivamente. Os hidrocarbonetos constituem importante fonte energética. A maioria dos combustíveis de hidrocarbonetos é formada pela mistura de muitos compostos. A gasolina, por exemplo, inclui várias centenas de hidrocarbonetos compostos, e consequentemente torna-se causa potencial de possíveis efeitos ambientais. O termo é frequentemente empregado nas instalações de processamento primário para representar indistintamente o óleo e o gás produzidos. ▶ Ver *petróleo gás natural*.

hidrocarboneto aromático / *aromatic hydrocarbon*. Hidrocarboneto cíclico derivado do benzeno, que possui uma ou mais cadeias de hidrocarbonetos anexas ao anel central, com uma fórmula geral (C_nH2_{n-6}) em que os nomes dos hidrocarbonetos indicam a posição das cadeias anexas e sua composição, como, por exemplo, 1,4-dimetilbenzeno, que tem dois grupos de metil anexos de lados opostos da cadeia de benzeno. ▶ Ver *benzeno*; *hidrocarboneto*.

hidrocarboneto leve / *light hydrocarbon*. Óleo e/ou gás de peso molecular inferior ao do heptano. ↠ Hidrocarbonetos leves são geralmente gasosos nas condições ambientes. ▶ Ver *heptano*; *hidrocarboneto*.

hidrocarboneto naftênico / *naphthene hydrocarbon*. 1. Hidrocarboneto saturado, cuja cadeia carbônica forma anéis fechados, e que tem como fórmula geral C_nH_{2n}, sendo n um número inteiro, geralmente de 1 a 20. São nomeados inserindo o elemento *ciclo* aos nomes dos hidrocarbonetos parafínicos, por exemplo: *ciclopropano* (C_3H_6). **2.** Também chamados *cicloparafinas* ou *cicloparafínicos*. ▶ Ver *hidrocarboneto*; *hidrocarboneto saturado*.

hidrocarboneto pesado / *heavy hydrocarbon* (HHC). Termo aplicado ao total de hidrocarbonetos saturados e aromáticos que fervem acima da temperatura de 325 °C (617 °F), separados por cromatografia líquida através de matéria orgânica extraível. ▶ Ver *hidrocarboneto*; *hidrocarboneto saturado*; *hidrocarboneto aromático*.

hidrocarboneto saturado / *saturated hydrocarbon*. Hidrocarboneto que não contém ligações duplas. O hidrocarboneto saturado não permite a inclusão de mais átomos de hidrogênio entre ele as moléculas de hidrocarbonetos do tipo parafina, alcanos, naftenos ou cicloparafinas. ▶ Ver *hidrocarboneto*.

hidrocarbonetos líquidos do gás / *liquid constituents*. Hidrocarbonetos que ocorrem como gás no gás natural, nas condições de pressão e temperatura do reservatório, e que condensam nas condições de superfície. ▶ Ver *hidrocarboneto*.

hidrocarbonetos na faixa da gasolina / *hydrocarbons in the gasoline range*. Hidrocarbonetos líquidos com faixa de peso molecular entre o C4 e o C7, obtidos na destilação atmosférica com temperaturas entre 30 °C e 220 °C, dependendo da composição do petróleo. ▶ Ver *hidrocarboneto*.

hidrociclone / *hydrocyclone*. 1. Dispositivo para separação de partículas sólidas do fluido de perfuração, usado normalmente como desareador e dessiltador. **2.** Ciclone, no qual a fase contínua é um líquido, podendo a fase dispersa ser constituída por um sólido ou outro líquido. ↠ O fluido é bombeado tangencialmente para dentro de um cone, e a rotação do fluido fornece a força centrífuga necessária para separar as partículas pela sua massa. Esse tipo de separador é o mais utilizado atualmente, constituindo-se no hidrociclone do sistema de tratamento de águas oleosas.

hidrodessulfurização / *hydrodesulfurization*. Processo responsável pela remoção de enxofre dos combustíveis na indústria de refino de petróleo.

hidrofilia / *hydrophilic*. Propriedade de uma substância de atrair a água ou ser molhada por ela.

hidrofílico / *hydrophilic*. Diz-se de substância ou grupo de moléculas que têm a característica — que faz parte de sua estrutura química — de possuir afinidade com a água, sendo solúvel nesse meio. Geralmente são enquadradas nesta categoria substâncias polares, solúveis em óleo, como, por exemplo, os carboxilatos, os sulfonatos, os sulfatos, as aminas e os condensados de óxido de etileno e/ou propileno.

hidrofobia / *hydrophobic*. Propriedade de uma substância que é repelente à água ou não é molhada por ela.

hidrofóbica / *hydrophobe*. Substância que repele a água. ▶ Ver *hidrofóbico*; *hidrófobo*.

hidrofóbico / *hydrophobic*. Característica que uma susbtância ou grupo de moléculas possui de não ter afinidade com a água, sendo insolúveis nesse meio. ▶ Ver *hidrófobo*.

hidrófobo / *hydrophobe*. 1. Corpo que não se cristaliza ou que tem grande dificuldade para se cristalizar. **2.** Corpo que em processos de dissolução em outro meio se liquefaz com grande morosidade. **3.** Diz-se de substância ou grupo de moléculas que têm a característica — componente de sua estrutura química — de não ter afinidade com a água ou com outros solventes polares. ↠ Geralmente são enquadradas nessa categoria substâncias apolares, solúveis em óleo, como, por exemplo, os hidrocarbonetos alifáticos lineares ou ramificados, contendo ou não grupos aromáticos ▶ Ver *hidrofobia*; *hidrofóbico*.

hidrofone / *hydrophone*. Detector sensível a variações de pressão. Difere do geofone, que é sensível ao movimento. ▶ Ver *geofone*.

hidrofone de disco / *disc hydrophone*. Hidrofone de conversão de um sinal hidroacústico em elétrico feita através de um polímero piezoelétrico. ↠ Por exemplo, o sistema pode ser um par de discos de acrílico, separados por um espaçador de alumínio. Os pedaços do polímero piezoelétrico são colocados dentro dos discos, com suas conexões ligadas. A deformação mecânica do polímero causada pela flexão dos discos gera uma voltagem correspondente, que é transmitida às conexões elétricas. ▶ Ver *hidrofone*.

hidrofone monitor / *monitor hydrophone*. Hidrofone que registra a assinatura da fonte nos levantamentos sísmicos marítimos. ▶ Ver *hidrofone*.

hidrogenação / *hydrogenation*. 1. Processo de adição química de hidrogênio a um material. **2.** Adição de hidrogênio a um composto químico, geralmente por relação com elétrons em ligação dupla. ↠ Usualmente é realizada através de reação catalítica de hidrogênio com outros compostos, normalmente insaturados. Ela pode ser realizada em condições que resultam na ruptura de cadeias de hidrocarbonetos, nas quais o hidrogênio é adicionado após a quebra da cadeia.

hidrogênio / *hydrogen*. O mais leve dos gases. Quando combinado com o oxigênio forma a água, e quando combinado com o carbono forma os hidrocarbonetos (óleo e gás). ▶ Ver *hidrocarboneto*.

hidropirólise / *hydrous pyrolysis*. Técnica laboratorial na qual a rocha-fonte potencial é aquecida sem ar, sob pressão, e com água para aumentar artificialmente o nível de maturidade termal. ↠ Os óleos gerados durante a hidropirólise podem ser usados para correlação de óleo-fonte quando os extratos naturais da rocha-fonte de maturidade apropriada não estão disponíveis.

hidrostática / *hydrostatics*. Estudo dos fluidos em repouso e de suas forças.

hidrótopo / *hydrotrope*. Composto químico que tem a propriedade de aumentar a solubilidade em água de várias substâncias orgânicas pouco solúveis nesse meio.

hidróxido de cálcio / *gypsum*. Uma das matérias-primas utilizada na fabricação do cimento. Também conhecido como *gesso* ($CaSO_4 \cdot 2H_2O$). •• Este produto é adicionado no final do processo de fabricação do cimento, com a finalidade de regular o tempo de pega. O gesso encontra-se em estado natural, cujas principais jazidas economicamente exploradas no Brasil situam-se na região Nordeste (serra de Araripina e região de Mossoró, Rio Grande do Norte, Brasil). O sulfato de cálcio ($CaSO_4 \cdot 1/2H_2O$), denominado *anidrita*, não possui as propriedades necessárias para a fabricação do cimento. ▶ Ver *anidrita*; *cimento*.

higroscópico / *hygroscopic*. Diz-se de composto capaz de atrair moléculas de água do ambiente por intermédio de mecanismos de absorção e de adsorção.

hipersalino / *hypersaline*. Água com teor de sais dissolvidos mais elevado que o da água marinha normal.

hipocentro / *hypocenter*. Ponto ou região no interior da Terra que é foco de um abalo sísmico ou terremoto. Literalmente significa "abaixo do centro". ▶ Ver *terremoto*; *epicentro*; *escala Richter*.

hipótese de Pratt / *Pratt's hypothesis*. Hipótese que considera que a crosta terrestre tem uma espessura uniforme abaixo do nível do mar. É um modelo de compensação para a isostasia, na qual áreas topograficamente altas são compensadas por material crostal de baixa densidade.

histerese / *hysteresis*. 1. Incapacidade que tem um material de retornar a seu estado ou formato original após a remoção de uma força aplicada. Caso a força seja magnética, ao ser retirada o material ainda exibirá magnetismo remanescente. Fenômeno associado a diferentes trajetórias da curva de pressão capilar nos processos de embebição e drenagem. 2. Diferença entre as indicações de um instrumento de medição quando um mesmo valor da grandeza medida é obtido num aumento ou num decréscimo da grandeza no tempo.

***hogback*.** 1. Termo em inglês empregado para definir uma estrutura inclinada semelhante a uma *cuesta*, mas na qual o mergulho das camadas é superior a 20 °C. 2. Crista pronunciada, extensa e estreita formada pelo afloramento de rochas com mergulho elevado, resistentes à erosão. •• Forma-se por erosão diferencial em áreas de rochas sedimentares e rochas metassedimentares.

holdup de óleo / *oil holdup*. Fração volumétrica de óleo em um poço em um dado instante

holocristalino / *holocrystalline*. Termo referente à cristalinidade de uma rocha ígnea constituída por minerais completamente cristalizados. ▶ Ver *hemicristalino*.

homeostase / *homeostasis*. Propriedade dos sistemas biológicos, em particular dos ecossistemas, que têm capacidade de autorregulação, mantendo o equilíbrio ou estabilidade das condições necessárias para o seu funcionamento ótimo, contrapondo-se a variações externas.

homólogo / *homolog*. Em relação a um composto, composto que é membro da mesma classe daquele, mas que difere no número de átomos de carbono que contém. Por exemplo, n-pentano e n-hexano são homólogos, assim como o pristano e o fitano. ▶ Ver *série homóloga*.

homotaxia / *homotaxy*. Similaridade estratigráfica ou fossilífera entre estratos sem correlação geográfica ou de idade. ▶ Ver *cronotaxia*.

hoop-up de plataforma / *hoop-up platform*. 1. Integração de todas as partes de uma plataforma, conectando-se as diversas tubulações e cabos, objetivando a obtenção de um conjunto único. 2. Instalação dos módulos da plataforma e integração ao mar. ▶ Ver *plataforma de petróleo*; *módulos de plataforma*.

hopano / *hopane*. Triterpano pentacíclico cujo precursor ocorre em alguns vegetais terrestres e em muitos microrganismos. •• São normalmente indicadores de ambientes deposicionais e de maturidade termal.

horizonte / *horizon*. 1. Superfície que separa duas camadas de rochas diferentes. 2. Linha que indica a direção horizontal. 3. Interface indicativa de uma posição particular numa sequência estratigráfica.

horizonte A de solo / *A horizon of soil*. Zona superior no perfil de um solo do qual são lixiviados os sais solúveis e os coloides, e no qual a matéria orgânica se acumula. Geralmente é a camada de solo mais fértil. Junto com o horizonte B, essa camada constitui o elúvio ou zona de eluvial. ▶ Ver *horizonte de solo*, *horizonte B de solo*, *horizonte C de solo*.

horizonte acústico / *acoustic horizon*. Horizonte geológico ou interface geológica que pode funcionar como refletor das ondas sísmicas. ▶ Ver *onda sísmica*.

horizonte B de solo / *B horizon of soil*. Camada intermediária do solo situada abaixo do horizonte A, constituída principalmente por óxidos e argilas. •• Contém argila e depósitos de mineral (como ferro, óxidos de alumínio e carbonato de cálcio), os quais recebe dissolvidos de camadas superiores onde estes estão acumulados. ▶ Ver *horizonte de solo*; *horizonte A de solo*; *horizonte C de solo*.

horizonte bioestratigráfico / *biostratigraphic horizon*. Superfície ou interface marcada pela existência de um fóssil-guia (fóssil-índice) entre unidades bioestratigráficas superpostas e distintas. ▶ Ver *fóssil-índice*.

horizonte C de solo / *C horizon of soil*. Camada mais baixa do solo, consistindo normalmente de fragmentos de rochas e de seus produtos intemperizados. ▶ Ver *horizonte de solo*; *horizonte A de solo*; *horizonte B de solo*.

horizonte cronoestratigráfico / *chronostratigraphic horizon.* Superfície estratigráfica que pode ter grande extensão. ↝ Embora teoricamente sem espessura, é geralmente um fino e distinto intervalo essencialmente isócrono em sua inteira extensão geográfica, constituindo, assim, um excelente tempo de referência ou tempo de correlação horizontal.

horizonte de óleo / *oil horizon.* Camada de rocha sedimentar portadora de óleo.

horizonte de produção / *production horizon.* Tempo de duração de produção comercial de óleo e gás natural em um determinado reservatório.

horizonte de solo / *soil horizon.* Camada de solo distinta das demais camadas por suas propriedades físicas, tais como estrutura, cor ou textura, por composição química, incluindo o teor de matéria orgânica, acidez ou alcalinidade. Os horizontes de um solo são normalmente designados por letras maiúsculas: horizonte A, B, C.

horizonte fantasma / *phantom horizon.* **1.** Linha desenhada nas seções sísmicas de tal modo que seja paralela a segmentos próximos de eventos, para indicar atitude estrutural. **2.** Um horizonte fictício.

horizonte guia / *marker horizon.* O mesmo que *camada guia.* ▶ Ver *camada guia*.

horizonte sísmico / *seismic horizon.* Reflexão sísmica com boa continuidade lateral, propiciando, por consequência, condições de interpretação compatíveis com as expectativas esperadas.

horizonte soterrado / *buried horizon.* **1.** Camada sedimentar localizada na parte inferior de uma série de camadas distintas, ou soterrada em uma seção de um solo bem desenvolvido ou de uma sequência estratigráfica. **2.** O termo *buried horizon* é comumente usado para descrever um solo bem desenvolvido, ou estrato que tenha sido posteriormente soterrado por sedimentos mais recentes. ▶ Ver *solo*.

hotel flutuante (Port.) / *floating hotel.* O mesmo que *flotel.* ▶ Ver *flotel*.

húmus marinho / *marine humus.* Matéria orgânica depositada no fundo do mar.

hydro trip. Equipamento conectado a extremidade inferior da coluna de produção, que permite o tamponamento temporário da coluna, facilitando a instalação ou o assentamento de equipamentos que exigem pressurização da coluna. ▶ Ver *coluna de produção*.

hydropressure. Pressão hidrostática normal em um reservatório, dependente da densidade da água subterrânea.

içamento sob a quilha / *keel hauling*. Método de instalação *offshore* em que um equipamento (ou linha) é transferido por baixo dos flutuadores de uma plataforma semissubmersível ou de um navio. ↠ Procedimento de instalação de típica aplicação quando o equipamento a instalar supera em dimensões o permitido pelo tanque central aberto para o mar da embarcação. ▶ Ver *tanque central aberto para o mar*.

icnofácies / *ichnofacies*. Fácies sedimentar caracterizada por fósseis-traço ou por evidências das suas atividades.

icnofóssil / *ichnofossil*. Marca ou pista ou rastro deixado nos sedimentos ainda moles por animais contemporâneos desses sedimentos. ↠ Por exemplo, as pistas e rastros encontrados em sedimentos do tipo *flysch*. O ramo da geologia que estuda os icnofósseis é chamado *icnologia*. ▶ Ver *fóssil-traço*.

idade / *age*. 1. Unidade geocronológica de quinta ordem. 2. Termo utilizado informalmente para um intervalo do tempo geológico definido por uma característica física ou biológica, como, por exemplo, 'idade dos peixes', 'idade do gelo'.

idade absoluta / *absolute age*. Tempo decorrido até o presente desde um evento geológico, obtido por datação absoluta.

idade do gelo / *ice age*. Período durante o qual a Terra passou por um clima global mais frio do que o normal e grande parte de sua superfície foi coberta pela glaciação.

idade relativa / *relative age*. Estimativa do tempo decorrido desde um evento geológico até o presente, por correlação estratigráfica.

identificação / *tag*. Expressão utilizada para identificar os instrumentos dentro de um processo. ↠ Há normas que regulamentam essa identificação, basicamente constituída de três divisões: (I) a primeira indica que tipo de variável o instrumento está mensurando; (II) a segunda, qual o número desse equipamento em relação à variável mensurada dentro do processo; (III) a terceira trata da identificação do processo. ▶ Ver *variável de processo*.

identificador de tiro / *field shot identifier*. Método para identificar um determinado tiro. Normalmente é uma sequência alfanumérica.

ilha em barreira / *barrier island*. 1. Crista estreita e alongada de areia que se estende paralela à linha da costa, mas é separada desta por uma baía ou laguna. 2. Ilha arenosa que se forma por acumulação continuada de material numa barra que fica emersa, por vezes até com fixação de vegetação. ↠ As ilhas em barreira podem variar de 10 km a 100 km de comprimento e de 2 km a 5 km de largura. Em geral tais as ilhas estão acima do nível do mar, podendo alcançar alturas de até 6 m acima deste nível. ▶ Ver *recife costeiro; recife de coral; barra*.

iluminação artificial / *artificial illumination*. Método virtual que aplica luz em uma superfície ou corpo a partir de diferentes posições, geralmente com o objetivo de mostrar estruturas e lineamentos.

iluviação / *illuviation*. 1. Acumulação de material solúvel ou em suspensão em um horizonte mais baixo do solo a partir de um horizonte superior. 2. Processo geralmente responsável pela formação de solos com alterações que têm alta concentração de hidróxidos de ferro e alumínio (lateritas). ↠ Os materiais iluviados geralmente são carbonatos, argilas e hidróxidos. ▶ Ver *horizonte*; *solo*.

imageamento por radar / *radar imagery*. Fotografias obtidas pela reflexão de ondas de radar na Terra. ↠ Um feixe estreito de radar é transmitido perpendicularmente à direção do voo da aeronave e suas reflexões são detectadas por um receptor a bordo. Os dados mostrados numa tela de osciloscópio são fotografados e dão a impressão de uma fotografia aérea.

imageamento sísmico / *seismic imaging*. Técnica aplicada através da propagação de ondas, sendo uma das mais utilizadas para a aquisição de informações sobre a formação geológica em subsuperfícies.

imagem de testemunho / *core image*. Imagem das características externas e internas de um testemunho. ↠ Imagens externas são fotos tomadas em luz natural ou ultravioleta; a luz natural realça a litologia e as estruturas sedimentares, enquanto a luz ultravioleta provoca a fluorescência de zonas com hidrocarbonetos. Imagens internas são obtidas com raios X ou ressonância magnética nuclear (NMR). ▶ Ver *ressonância nuclear magnética*.

imagem estereoscópica / *stereoscopic image*. Simulação de visão 3-D por meio de duas fotos do mesmo objeto em paralaxe, para que cada olho veja uma das fotos. Usada em certo tipo de telescópio.

imagem virtual / *virtual image*. Imagem formada pelo prolongamento dos raios luminosos que divergem, depois de atravessar uma lente ou de se refletir em um espelho.

imbricação (Port.) / *imbrication, shingling*. O mesmo que *imbricamento*. ▶ Ver *imbricamento*.

imbricamento / *imbrication, shingling*. Estrutura que apresenta uma fábrica sedimentar onde um fragmento discoide ou alongado é recoberto parcialmente pelo anterior e, por sua vez, recobre o próximo, mergulhando numa direção preferencial a um certo ângulo do acamamento. Comum em leitos de rios, quando a corrente inclina os seixos transportados de tal forma que sua superfície plana mergulha no sentido da montante.

imiscível / *imiscible*. Fluido não solúvel em relação a outro elemento, coexistindo com este em fases distintas. ⇢ Um exemplo de imiscibilidade é a mistura óleo-água.

impactito / *impactite*. Material vesicular de vítreo a finamente cristalino, produzido pelo impacto de um meteorito.

impacto ambiental / *environmental impact*. Alteração ambiental causada por ação humana. ⇢ Impactos podem ser positivos, quando regeneram condições ambientais antes afetadas negativamente, ou negativos. Impactos potenciais são aqueles de possível ocorrência por causa do funcionamento normal do empreendimento ou atividade, ou por acidente associado. Note-se ainda a definição da legislação brasileira: "qualquer alteração das propriedades físicas, químicas ou biológicas do meio ambiente, causada por qualquer forma de matéria ou energia resultante das atividades humanas que, direta ou indiretamente, afetam: a saúde, a segurança ou o bem-estar da população, as atividades sociais e econômicas, a biota, as condições estéticas e sanitárias do meio ambiente e a qualidade dos recursos naturais." (Resolução CONAMA 001/1986).

impacto ambiental regional, Brasil / *regional environmental impact, Brazil*. Impacto ambiental que afeta diretamente (área de influência direta do projeto petrolífero), no todo ou em parte, o território de dois ou mais estados federativos do Brasil.

impedância acústica / *acoustic impedance*. Produto da densidade pela velocidade do meio, e que varia em diferentes camadas; comumente simbolizada por Z. ⇢ Matematicamente definida pelo produto entre a velocidade de propagação da onda compressional e a densidade. Fisicamente representa a "facilidade" que um meio oferece à propagação de uma onda compressional.

impedância da onda / *wave impedance*. 1. Relação entre as intensidades dos campos elétrico e magnético. 2. Relação entre a velocidade da partícula e o deslocamento de uma onda em função da frequência.

impedância de Cagniard / *Cagniard impedance*. Razão entre os campos elétrico horizontal e magnético vertical.

impedância de Warburg / *Warburg impedance*. Impedância resultante da difusão iônica no contato de um condutor sólido com um condutor eletrolítico. ⇢ Pode ser utilizada como modelo de uma difusão linear semi-infinita, isto é, uma difusão sem restrições para um eletrodo planar.

impedância elástica / *elastic impedance*. O mesmo que *impedância acústica*. ▶ Ver *impedância acústica*.

impermeável / *impermeable*. Rocha que tem a qualidade física de não permitir a passagem de fluidos. ⇢ As rochas impermeáveis ou de baixa permeabilidade são excelentes rochas selantes ou capas, como folhelhos, calcários e rochas evaporíticas. Essas rochas são fundamentais para reter os hidrocarbonetos nas rochas-reservatórios.

impingidela / *impingement*. Termo empregado em escoamento de fluidos, em tubulações ou vasos, e que caracteriza a ação de colisão ou choque imposta a uma ou mais fases da corrente de fluidos. ⇢ No processamento primário de petróleo, a impingidela objetiva promover a separação das fases, pela variação brusca da quantidade de movimento causada por ela. ▶ Ver *escoamento*.

impulso (Port.) / *impulse*. O mesmo que *impulso unitário*. ▶ Ver *impulso unitário*; *pulso unitário*.

impulso unitário / *spike*. Ruído de elevadíssima amplitude, geralmente retirado por filtro de mediana. ▶ Ver *pulso unitário*.

impulsor / *impeller*. Componente girante de uma bomba centrífuga, que transfere ao fluido a potência mecânica do eixo em forma de energia cinética. ⇢ Tem o aspecto de um disco com palhetas radiais. O fluido entra pela parte central, é empurrado pelas palhetas para fora do impulsor, adquirindo grande velocidade na saída.

impulsor de bomba / *pump impeller*. Parte de um estágio de uma bomba de bombeio centrífugo submerso, que adiciona energia cinética ao fluido bombeado. ⇢ Os impulsores têm características construtivas em função das propriedades dos fluidos bombeados — particularmente viscosidade e dimensões — atreladas às vazões desejadas. Num conjunto de BCS, os impulsores são empilhados intercalando os chamados *difusores*, uma vez que nesses conjuntos a altura manométrica total é obtida através de uma sucessão discreta de conversão de energia mecânica (pela rotação dos impulsores) em energia cinética e, posteriormente, pela transformação de parte dela, por meio dos difusores, em energia potencial (de pressão). O empilhamento desses pares de impulsores e difusores, ou estágios, pode atingir a casa de algumas centenas de pares. ▶ Ver *bombeio centrífugo submerso*; *bomba centrífuga submersa*; *estágio de bomba*; *difusor da bomba*.

incentivo ao desempenho / *yardstick competition*. Forma de regulação através de incentivos, também conhecida como *regulação de desempenho*, adotada nos casos de monopólio natural. ⇢ Este instrumento procura introduzir estímulo à redução de custos entre as empresas, reduzir as assimetrias de informação existentes e estimular maior eficiência econômica.

incerteza / *uncertainty*. Grau de imprecisão representado pelo ponto onde a curva cumulativa dos erros atinge 50%.

incerteza de medição / *uncertainty of measurement*. Parâmetro associado ao resultado de uma medição, que caracteriza a dispersão dos valores que poderiam ser razoavelmente atribuídos ao mensurando.

incerteza expandida / *expanded uncertainty*. Grandeza que define um intervalo em torno do resultado de uma medição com o qual se espera abranger uma grande fração da distribuição dos valores que possam ser atribuídos razoavelmente ao mensurando. A incerteza de medição expandida é obtida pela multiplicação da incerteza padrão combinada por um fator de abrangência k. •• Nos casos em que uma distribuição normal (gaussiana) possa ser atribuída ao mensurando e nos quais a incerteza padrão associada à estimativa tenha suficiente confiabilidade, o fator de abrangência padronizado k = 2 pode ser adotado, correspondendo a uma probabilidade de abrangência de aproximadamente 95%.

incerteza geológica / *geological uncertainty*. Incerteza relacionada ao ambiente geológico, por exemplo, reservas de óleo e gás.

incerteza padronizada / *standard uncertainty*. Incerteza quanto ao resultado de uma medição expressa como um desvio padrão.

incerteza padronizada combinada / *combined standard uncertainty*. Incerteza padronizada quanto a um resultado de medição, quando este resultado é obtido por meio dos valores de outras grandezas, e igual à raiz quadrada positiva de uma soma de termos, sendo estes as variâncias ou covariâncias dessas outras grandezas, ponderadas de acordo com o quanto o resultado da medição varia em função de mudanças nessas grandezas.

inchamento / *swelling*. Fenômeno de entrada de água e de outras substâncias polares na estrutura cristalina de argilominerais quando a ligação intercristalina é relativamente fraca, e, em consequência, ocorre o acréscimo da distância interplanar ou basal •• Um exemplo desse fenômeno ocorre com a esmectita, que é constituída por duas folhas tetraédricas de silicato e uma folha octaédrica de alumina hidratada, intercalada. Nas folhas tetraédricas pode haver alguma substituição isomórfica parcial de silício por alumínio, enquanto nas folhas octaédricas ocorre a substituição do alumínio por magnésio ou outros cátions de menor valência. Na presença de água, os cátions neutralizantes da esmectita podem ser permutados por outros disponíveis na solução.

***incident angle*.** O mesmo que *ângulo de incidência*. ▶ Ver *ângulo de incidência*.

incisão / *cutout*. Preenchimento da abertura provocada por erosão em um canal pertencente a uma camada de carvão. •• O material de preenchimento pode ser uma massa de folhelho, siltito ou mesmo arenito. ▶ Ver *folhelho; arenito*.

inclinação / *inclination*. Ângulo pelo qual um poço é desviado da vertical, e que pode atingir até 90° nos projetos de poços horizontais. •• Atualmente, a inclinação de um poço é obtida por uma ferramenta conhecida como *MWD*, que faz parte da composição de fundo (BHA) de uma coluna de perfuração. ▶ Ver *poço horizontal; coluna de perfuração*.

inclinação crítica / *critical dip*. Caimento mínimo em direção oposta ao caimento regional, necessário para formar o fechamento em uma trapa.

inclinação da onda / *wave tilt*. Expressão utilizada nos levantamentos elétricos, que estabelece relação entre os campos elétricos horizontal e vertical.

inclinação de camadas geológicas (Port.) / *dip*. O mesmo que *mergulho de camadas geológicas*. ▶ Ver *mergulho de camadas geológicas*.

inclinação deposicional (Port.) / *depositional inclination*. O mesmo que *mergulho deposicional*. ▶ Ver *mergulho deposicional*.

inclinação profunda (Port.) / *deep dip*. O mesmo que *mergulho profundo*. ▶ Ver *mergulho profundo*.

inclusão fluida / *fluid inclusion*. Procedimento que considera a existência de líquidos ou gases cuja natureza é diferente da do corpo sólido (cristalizado ou vítreo) no qual ele está inserido.

inconsolidado / *unconsolidated*. Termo utilizado para designar as formações rochosas não consolidadas, derivadas de outras rochas pré-existentes. Os sedimentos apresentam baixo grau de compactação e não sofreram processo de cementação durante o período de formação da bacia sedimentar. •• A transformação dos sedimentos inconsolidados (por exemplo, areia) em rochas sedimentares (por exemplo, arenito) é denominada *diagênese*, causada por compactação e cristalização de materiais que cimentam os grãos. ▶ Ver *sedimento; rocha sedimentar*.

incorporação / *incorporation*. Operação na qual uma ou mais empresas são absorvidas por uma terceira (incorporadora), que lhes sucede em todos os seus direitos, deveres e obrigações. As empresas absorvidas deixam de apresentar personalidade jurídica.

incremento de profundidade / *depth step*. Valor do acréscimo do tempo entre duas etapas sucessivas de qualquer processo em migração por diferenças finitas.

incrustação de parafina / *paraffin scale*. Solidificação e deposição de frações parafínicas do petróleo nas paredes de colunas de produção, em telas de *gravel pack*, nos canhoneados, na árvore de natal molhada, oleodutos ou até mesmo na formação. •• A causa desse fenômeno é a solidificação das frações de parafinas pesadas do petróleo, em decorrência da queda de temperatura e perda das frações leves que atuam como solventes da parafina presente no óleo. A deposição da parafina pode ocorrer após o fluido ter alcançado uma temperatura denominada *TIAC* (Temperatura Inicial de Aparecimento de Cristais), que depende do tipo de petróleo. ▶ Ver *parafina; gravel pack*.

incrustação em bomba / *pump scaling*. Depósito químico de sais e hidrocarbonetos em estágios de bomba de petróleo. ↝ A incrustação de sais, tipicamente sulfato de bário e sulfato de estrôncio, ocorre por uma troca de cátions entre a água de injeção e a água conata. Uma das formas de mitigar tal ocorrência é a dessulfatação da água injetada. O uso de conjuntos de BCS ante a presença de incrustações força a instalação de equipamentos especiais para prevenir que tais incrustações venham a ocorrer em componente do sistema, particularmente no impulsor da bomba e no condutor do difusor. Busca-se tal prevenção com a adição de componentes químicos por meio de um capilar de injeção associado ao mandril de injeção de química. ▶ Ver *bombeio centrífugo submerso*; *capilar de injeção de química*; *mandril de injeção química*; *água conata*.

indicador / *indicator*. Instrumento utilizado para apresentar o valor instantâneo da variável medida. ↝ Os indicadores podem ser montados no campo ou na sala de controle, podem ser analógicos, digitais ou mesmo virtuais, quando pertencem a um sistema supervisório.

indicador de nível / *level indicator*. Processo de medição da altura de líquido em um tanque ou vaso, sendo esta medição localmente realizada. ↝ Os indicadores são tipos de instrumento que permitem também uma ligação remota, possibilitando assim um monitoramento à distância sobre a variável a ser controlada. Um visor de nível ou um sistema de boia e régua externa são exemplos de indicadores de nível.

indicador de sucesso de empreendimento / *project definition rating index, project success rate*. Fator cuja concepção toma por base a análise de cumprimento de metas de custos, prazos e qualidade para determinado empreendimento ou projeto. Seus resultados devem indicar as necessidades de ações corretivas. ▶ Ver *gerência de empreendimento*; *programa de investimento*.

indicador direto de hidrocarboneto / *direct hydrocarbon indicator (DHI)*. Evidência sísmica que sugere fortemente a presença de hidrocarboneto — como *bright* ou *flat spot* —, fortes anomalias de amplitudes e efeitos AVO etc. Nome incorreto, pois é uma evidência indireta. Quando não funciona, é algumas vezes chamado ironicamente de *dry hole indicator* (indicador de poço seco).

indicador universal de pH / *universal pH indicator*. Mistura de várias tinturas indicadoras, que permite a obtenção de leituras de pH através da leitura de cores que indicam o valor de pH.

índice de acidez total / *total acid number*. Quantidade total de hidróxido de potássio, expressa em miligramas, necessária para neutralizar os compostos ácidos presentes em 1 grama de derivados de petróleo ou de lubrificante. ↝ Tal determinação é padronizada pelos métodos ASTM D 974 e ASTM D 664.

índice de aderência da pasta de cimento / *bond index*. Parâmetro utilizado na tentativa de se quantificar a fração do anular que está preenchida com cimento. ↝ Experimentos demonstraram que a taxa de atenuação acústica está linearmente relacionada ao percentual da circunferência externa do revestimento cimentado, independentemente do fluido presente na área não cimentada. ▶ Ver *perfil acústico*.

índice de água livre / *free fluid index*. Percentual de volume da fase sobrenadante, sem característica cimentante, obtido a partir de volume ou massa fixos de pasta de cimento, após manter o recipiente que contém a pasta (proveta ou erlenmeyer) em repouso por duas horas. ↝ Este teste pode ser conduzido em temperatura ambiente ou acima dela até o máximo de 180 °F (82 °C). Tal informação possibilita estimar a susceptibilidade de uma pasta a ter o seu volume total efetivo reduzido. ▶ Ver *água livre*.

índice de alteração termal / *thermal alteration index (TAI)*. Índice de maturação de cores para uma matéria orgânica particular de rochas sedimentares. O índice indica o grau de alteração termal à qual a matéria orgânica foi submetida. Os números de 1 a 5 incluem cores que variam de amarelo a marrom e preto, representando imaturidade, maturidade e fácies metamórficas da matéria orgânica.

índice de basicidade total / *total base number*. Quantidade de ácido, expressa em miligramas equivalentes de hidróxido de potássio, necessária para neutralizar os compostos alcalinos presentes em 1 grama de derivados de petróleo cru ou lubrificante. ↝ Tal determinação é padronizada pelos métodos ASTM D 4739 e ASTM D 2896.

índice de cobertura do serviço da dívida / *debt service coverage ratio (DSCR)*. Método quantitativo de se calcular se um empreendimento ou determinado projeto terão condição de honrar o seu financiamento por meio dos fluxos de caixa que serão gerados no momento em que ele estiver pronto. ▶ Ver *project finance*; *retorno de investimento*.

índice de comportamento / *behavior index*. Parâmetro reológico do modelo de potência que fisicamente significa o afastamento do comportamento de um fluido newtoniano. ↝ É uma grandeza adimensional representada pela letra n. Para fluidos pseudoplásticos, n tem valores entre 0 e 1 (um); para fluidos dilatantes, n é maior do que 1 (um) e para fluidos newtonianos, n é igual a 1 (um). Também conhecido como *índice de fluxo*.

índice de consistência / *consistency index*. 1. Parâmetro reológico do modelo de potência que indica o grau de resistência do fluido ao escoamento. 2. O termo *consistência* está relacionado ao grau de resistência e plasticidade do solo, que depende das ligações internas entre as partículas que o constituem. ↦ É representado pela letra k, e sua dimensão física é igual a $[ML^{-1} T^{n-2}]$.

índice de discordância / *discordance index*. Índice que expressa o grau de desvio de determinada sequência sedimentar do ciclotema ideal. Valor mínimo do número de unidades litológicas ausentes.

índice de hidrogênio / *hydrogen index (HI)*. Indicação da capacidade remanescente de geração de hidrocarbonetos de um querogênio, como medido pela pirólise Rock-Eval. O índice de hidrogênio é expresso em mg HC/g TOC. ▶ Ver *hidrogênio*; *hidrocarboneto*; *querogênio*.

índice de injetividade (II) / *injectivity index (II)*. Parâmetro que mede a capacidade de injeção de fluido em um poço. ↦ Matematicamente, é expresso pela relação entre vazão e diferencial de pressão poço-formação, conforme a seguir:
$$II = Q/\Delta P$$
onde:
II é índice de injetividade, Q a vazão e ΔP o diferencial de pressão. ▶ Ver *índice de produtividade*; *diferencial de pressão entre reservatório e poço*.

índice de isoprenoide / *isoprenoid index*. Índice de maturidade baseado na seguinte razão de concentração de diferentes isoprenoides: $(C_{19} + C_{20}) / (C_{15} + C_{16})$. ↦ A razão decresce muito com o aumento da maturidade do sedimento.

índice de maturidade / *maturity index*. Parâmetro químico indicativo de maturidade de uma rocha fonte de óleo, como, por exemplo, os índices de isoprenoides, de nafteno e o de n-parafinas.

índice de metilfenantreno (IMF) / *methylphenanthrene index (MPI)*. Índice utilizado como um parâmetro de maturação, sendo pouco influenciado pelas mudanças de fácies, consequentemente tornando-se importante para estabelecer uma relação entre petróleos de origem desconhecida e a sua provável origem. ↦ O índice é relacionado a refletâncias de vitrinita. ▶ Ver *fácies*; *vitrinita*.

índice de molhabilidade / *wettability number*. 1. Medida da molhabilidade preferencial a uma rocha-reservatório pela água ou pelo óleo, baseada nas curvas de pressão capilar. 2. Teste realizado em um testemunho, baseado na observação de que um fluido com alta taxa de molhabilidade irá embeber a amostra espontaneamente, até o momento em que a saturação residual do fluido de menor molhabilidade seja obtida. ↦ Todo o processo para adquirir o índice de molhabilidade de óleo ou da água é realizado em quatro etapas: *(I)* a amostra é lavada com água, retirando todo o óleo e gás existente (A); *(II)* após esta etapa, a amostra é lavada com óleo e o volume de água deslocado é medido (B); *(III)* a amostra é posta em um tubo de embebição com água, medindo-se o volume de óleo deslocado pela embebição espontânea da água (C); e, por último, *(IV)* lava-se a amostra com água, novamente, medindo-se o volume de óleo deslocado (D). A partir do cumprimento das quatro etapas mencionadas determina-se o índice de molhabilidade da água (IMA) e do óleo (IMO), conforme a seguir:
$$IMA = C/(C+D); IMO = A/(A+B)$$
▶ Ver *molhabilidade*.

índice de molhabilidade de óleo / *oil wettability index*. Medida da molhabilidade preferencial a uma rocha-reservatório pelo óleo, baseada nas curvas de pressão capilar. ▶ Ver *índice de molhabilidade*; *molhabilidade*.

índice de molhabilidade da água / *water wettability index*. Medida da molhabilidade preferencial a uma rocha-reservatório pela água, baseada nas curvas de pressão capilar. ▶ Ver *índice de molhabilidade*; *molhabilidade*.

índice de nacionalização, Brasil / *nationalization index, Brazil*. Resultado do cálculo do percentual de valor agregado na fabricação de um determinado bem ou na prestação de um serviço, por um determinado fornecedor. ▶ Ver *conteúdo local*.

índice de nafteno / *naphthene index*. Índice de maturidade. Soma das percentagens de naftenos com um ou dois anéis, de concentrado isoparafina-nafteno de petróleo ou de extrato de rocha, na temperatura entre 420 °C a 470 °C (788 °F a 878 °F).

índice de n-parafina / *n-paraffin index*. 1. Índice de maturidade. 2. Razão da concentração de $(n - C_{29})$ para uma média de concentrações de $(n - C_{28})$ e $(n - C_{30})$ num extrato de rocha ou em um óleo.

índice de oxigênio / *oxygen index*. Quantidade de gás carbônico produzido por querogênio durante a pirólise de Rock-Eval. ↦ O índice de oxigênio é medido em mg CO_2 / g *TOC* e supõe-se ter relação com o conteúdo de oxigênio do querogênio. Observa-se que *TOC* expressa *Total Organic Carbon* (%), carbono orgânico total (%).

índice de polidispersão / *polydispersion index*. Fator da distribuição de massa molecular de uma dada amostra de polímero ou macromolécula. ↦ Este índice apresenta valores sempre acima de 1,0, porém quanto mais uniforme for o comprimento das cadeias poliméricas da amostra analisada, mais o índice se aproxima do valor unitário. ▶ Ver *polímero*.

índice de precipitação precedente / *antecedent precipitation index (API)*. Quantidade de mistura numa bacia de drenagem antes de uma tempestade.

índice de preços para gás / *index pricing approach*. Preços fornecidos por publicações especializadas, para certos pontos de entrega de gás.

índice de preferência de carbono (IPC) / *carbon preference index (CPI)*. Razão dos picos das alturas, ou áreas dos picos, de n-parafinas numeradas de ímpares contra as pares, na faixa de nC_{24} a nC_{34}, caracterizando assim um parâmetro de diagnóstico representativo de uma relação proporcional entre os compostos com número par e ímpar de carbonos. •• Quando outras faixas de n-parafinas são empregadas, os resultados referem-se igualmente à predominância ímpar-par.

índice de produtividade / *productivity index*. Parâmetro que mede a capacidade de determinado poço de produzir fluido da formação, o que equivale a medir sua capacidade produtiva. •• Expresso pela relação entre a vazão de produção e o diferencial de pressão formação-poço. Depende não só da geometria do poço, como também da viscosidade do fluido produzido e da permeabilidade da formação. É calculado pela razão da vazão produzida pela diferença entre pressão do reservatório e a do fundo do poço, em bbl/dia-psi ou m³/dia-kPa, sendo:
$$J = q/P_s - P_{wf}$$
onde:
J = índice de produtividade, q = vazão produzida, P_s = pressão de fundo de poço com poço fechado e P_{wf} = pressão de fundo de poço produzindo.
▶ Ver *índice de injetividade (II)*; *pressão de reservatório*.

índice de produtividade da fonte / *source productivity index*. Quantidade de petróleo que pode ser gerada a partir de uma coluna em toda a extensão da rocha geradora, com superfície de 1 m², geralmente expressa em toneladas por metro quadrado.

índice de resistividade / *resistivity index*. Razão entre a resistividade de uma formação que contém hidrocarbonetos e a resistividade que teria esta formação se fosse saturada com água.

índice de seleção / *sorting index*. Medida de seleção ou de uniformidade do tamanho das partículas em um sedimento.

índice de sucesso exploratório / *exploratory success index*. Número de poços exploratórios com presença de óleo ou gás comerciais em relação ao número total de poços exploratórios perfurados e avaliados, levando em consideração determinado período.

índice de viscosidade / *viscosity index (VI)*. Série de números que variam entre 0 e 100 e que indicam a razão da mudança da viscosidade com a temperatura. Um índice de 100 indica pequena mudança na viscosidade entre as temperaturas de 39 °C e 99 °C.

índices de Miller / *Miller indexes*. Conjunto de três a quatro símbolos alfanuméricos usados para definir a orientação da face de um cristal ou um plano interno de um cristal.

indícios de gás (Port.) / *gas show*. O mesmo que *aparecimento de gás*. ▶ Ver *aparecimento de gás*.

indução de surgência / *jet lifting*. Conjunto de operações que visam a reduzir a pressão de fundo de poço a um valor inferior ao da pressão estática da formação, de modo que os fluidos dessa formação possam fluir até a superfície. •• Pode ser dividida em quatro grupos: *(I)* indução através das válvulas de *gas lift*; *(II)* indução através de flexitubo; *(III)* indução pela substituição do fluido da coluna por outro fluido mais leve; *(IV)* pistoneio. Os dois primeiros grupos (métodos) trabalham com a gaseificação do fluido do interior da coluna como forma de diminuir sua hidrostática. No primeiro, o gás é injetado inicialmente no anular do poço, passando posteriormente para o interior da coluna de forma controlada, através de equipamentos especiais chamados *válvulas de gas lift*. No segundo método, o gás é injetado por uma tubulação metálica flexível que é descida pelo interior da coluna de produção. O terceiro método é muito usado em testes de formação, e consiste em preencher uma coluna de teste com um fluido mais leve, como, por exemplo, o diesel. Já o quarto método, pistoneio, consiste na descida a cabo pela coluna de produção de ferramentas dotadas de selos que se expandem contra as paredes da coluna ao se retirar a ferramenta. ▶ Ver *gas lift*; *jet lifting*; *pistoneio*; *surgência*.

indução em arranjo / *array induction*. Ferramenta ou perfil de indução que consiste em arranjos balanceados mutuamente, cujos sinais são registrados separadamente e combinados por *software* para fornecer a resposta desejada. •• Tipicamente, há um transmissor e de 5 a 10 pares de receptores e bobinas bloqueadoras ajustadas para remover acoplamento direto. Os sinais são combinados de vários modos para produzir as respostas desejadas, como, por exemplo, leitura profunda e alta resolução vertical ou alguma combinação de ambas. Há restrições para qualquer resposta. Por exemplo, um perfil de leitura profunda não terá alta resolução vertical. Se isso ocorrer, estará mais sensível à condição de invasão e efeito de caverna. ▶ Ver *correção de poço*; *efeito de caverna*; *perfil de resistividade*.

indução profunda / *deep induction*. Tipo particular de perfil de indução projetado para ler profundamente na formação, mantendo razoável resolução vertical. •• O perfil de indução profunda (ID) se baseia na medida de um arranjo 6FF40 e era combinado com um arranjo de indução média para formar o perfil de dupla indução (DIL). As novas versões, após 1998, tinham uma pequena bobina transmissora para reduzir o efeito de poço na indução média enquanto mudava ligeiramente a resposta profunda. O ponto médio do fator geométrico radial integrado do ID está em um raio de 1,67 m (62") para altas resistividades, reduzindo-se para 1,14 m (45") em 1 ohm.m. A resolução vertical é da ordem de 2,4 m (8 ft), mas varia com as condições locais. ▶ Ver *profundidade de investigação*; *resolução vertical*.

indústria de petróleo e gás natural / *oil and natural gas industry*. Conjunto de atividades econômicas relacionadas com exploração, desenvolvimento, produção, refino, processamento, transporte, importação e exportação de petróleo, gás natural, outros hidrocarbonetos fluidos aromáticos e seus derivados.

indústria do gás natural / *natural gas industry*. Parte da indústria do petróleo que trata do gás natural, e que pode ter vinculação com a parte de óleo cru, como no caso de produção de gás associado, onde gás natural e óleo cru são produzidos simultaneamente.

indústria do petróleo / *petroleum industry*. O mesmo que *indústria de petróleo e gás natural*. ▶ Ver *indústria de petróleo e gás natural*.

indústria parapetrolífera / *parapetroleum industry*. Indústria supridora de serviços e equipamentos para as atividades de exploração e produção (E&P). ↦ A definição é válidada para outras atividades do setor petróleo, como refino, transporte etc. ▶ Ver *indústria de petróleo e gás natural*.

indutância na medição multifásica / *conductance in multiphase metering*. Propriedade elétrica dos fluidos que, ao ser determinada, permite igualmente determinar o percentual de presença de um dos fluidos num escoamento multifásico (óleo, gás e água). ↦ Os métodos de impedância elétrica são utilizados para a medição de frações dos componentes em misturas multifásicas. O fluido no escoamento é considerado como um condutor elétrico, daí poderem suas propriedades — como condutância (ou indutância) e capacitância — ser medidas. Tais medições dependem da condutividade e da permissividade do óleo, da água e do gás. A permissividade (ou constante dielétrica) é uma propriedade elétrica que tem valores distintos para cada uma das fases de uma mistura multifásica (óleo, água e gás). Assim, ao se determinar a permissividade da mistura torna-se possível determinar o percentual de presença de cada uma das fases na mistura. Sensores capacitivos permitem determinar a permissividade de um fluido ou mistura. ▶ Ver *capacitância*.

inelasticidade / *anelasticity*. Fenômeno não completamente entendido. A hipótese mais aceita é que esteja relacionado à conversão de energia mecânica em calor, causada pelas propriedades inelásticas das rochas, sendo o calor gerado por fricção entre grãos e/ou partículas; de acordo com essa teoria, a causa principal da inelasticidade seria o movimento relativo nas fronteiras dos grãos, e a atenuação seria função das condições das superfícies dos grãos, como saturação e conteúdo de argila. O fato de rochas secas apresentarem baixa inelasticidade favorece esta tese, pois considera-se que rochas secas têm alto coeficiente de fricção, o que dificulta bastante movimentos de deslizamento. ▶ Ver *absorção*.

infiltração / *infiltration*. Fluxo de um fluido em uma substância porosa e permeável.

inflow performance relationship. Relação em um poço entre a pressão de fluxo no fundo do poço e a vazão bruta de produção de fluidos.

influxo indesejado de fluido / *kick*. Invasão de fluidos da formação para o poço, que ocorre quando a pressão hidrostática da coluna de fluido de perfuração ou de completação não é suficiente para conter o fluido na formação.

influxo miscível / *miscible drive*. Material que desloca um outro fluido, injetado num poço de petróleo, para executar a recuperação secundária ou terciária, reduzindo a tensão entre petróleo e água.

informação assimétrica / *asymmetric information*. Situação na qual uma das partes da transação econômica não tem condições de avaliar diferentes aspectos do bem ou serviço que está sendo transacionado, porque não possui informações suficientes.

infrassalífero (Port.) / *pre-salt*. O mesmo que *pré-sal*. ▶ Ver *pré-sal*.

inibidor / *inhibitor*. Substância capaz de retardar ou impedir uma reação química indesejável. ↦ Normalmente, tais aditivos têm preços altos e assim demandam efetividade em baixas concentrações. Usualmente se usa para prevenir reações de oxidação e corrosão. ▶ Ver *aditivo*.

inibidor cinético / *kinetic inhibitor*. Substância que adicionada à água promove um retardamento na formação de hidratos e/ou reduz sua taxa de formação. ↦ Diferentemente dos inibidores termodinâmicos, que impedem a formação de hidratos, os inibidores cinéticos não alteram os valores de equilíbrio de pressão e temperatura, necessários para a formação de hidratos. Seu tempo de efetividade é finito e fortemente dependente das condições de escoamento. Entretanto, diferentemente dos inibidores termodinâmicos, as concentrações são pequenas e tipicamente da ordem de partes por milhão (ppm). ▶ Ver *hidrato*; *inibidor*.

inibidor de ácido / *acid inhibitor*. 1. Aditivo químico usado para proteger equipamentos da ação corrosiva de ácidos, geralmente adicionado aos fluidos injetados. 2. Tratamento de superfície em equipamentos metálicos sujeitos a corrosão ácida. ▶ Ver *aditivo*; *inibidor*.

inibidor de corrosão / *corrosion inhibitor*. 1. Produto químico para prevenir a ação corrosiva do meio. Adicionado em pequenas quantidades, protege o metal contra a corrosão ou inibe o processo corrosivo. 2. Combinação de substâncias químicas que, quando adicionada a um meio corrosivo na concentração adequada, previne ou reduz a corrosão. ▶ Ver *inibidor*.

inibidor de desgaste / *wear inhibitor*. O mesmo que *antidesgaste*. ▶ Ver *antidesgaste*; *inibidor*.

inibidor de espuma / *foam inhibitor*. O mesmo que *antiespumante*. ▶ Ver *antiespumante*; *inibidor*.

inibidor de hidrato / *hydrate inhibitor*. 1. Alcoóis, como o metanol ou etilenoglicol, atuam como inibidores quando injetados em uma camada de hidrato gasoso, causando a mudança do material do hidrato. Eles alteram as condições de pressão-temperatura necessárias para a estabilidade do hidrato, permitindo sua dissociação e a liberação do metano. 2. Agente químico adicionado ao sistema de fluido para retardar ou impedir a formação de hidrato no interior de uma tubulação. ↝ É dividido em três classes: *(I)* os inibidores termodinâmicos, que são os mais empregados, necessitam de um maior volume e agem reduzindo a temperatura de formação do hidrato. Seus principais representantes são o metanol, o etanol, o monoetilenoglicol (MEG) e o dietilenoglicol (DEG). O metanol é o mais utilizado, porém seu emprego vem sendo substituído pelo do MEG, em virtude de sua toxicidade. No Brasil, o etanol é o inibidor termodinâmico mais utilizado devido ao baixo custo no país. As outras classes são compostas pelos *(II)* inibidores cinéticos, que agem reduzindo a cinética de formação dos hidratos, e pelos *(III)* antiaglomerantes, que não impedem a formação dos hidratos, mas não permitem que eles se aglomerem e tamponem a tubulação. ▶ Ver *hidrato*; *inibidor*.

inibidor de ponto de fluidez / *pour-point inhibitor*. Aditivo que reduz o ponto de fluidez de um fluido. ↝ Ao aplicar inibidores do ponto de fluidez em lubrificante parafínico a base de petróleo, busca-se a redução da tendência de solidificação das parafinas e ulterior precipitação das mesmas para fora do seio do líquido. ▶ Ver *ponto de fluidez*; *inibidor*.

inibidor termodinâmico / *thermodynamic inhibitor*. Substância solúvel em água que, quando a ela adicionada, altera as condições termodinâmicas de equilíbrio do hidrato, eliminando o risco de sua formação para determinada faixa de pressão e temperatura. ↝ Os alcoóis, glicóis e sais são tipicamente inibidores termodinâmicos. No Brasil, o mais largamente utilizado é o etanol. O grau de inibição é proporcional à concentração de inibidor utilizada. Por vezes, em função da alta presença de água torna-se impraticável inibir tal potencial de formação, uma vez que os volumes requeridos de inibidores (alcoóis ou glicóis) inviabilizam sua utilização. Pode-se dizer, de forma simplista, que o valor requerido de inibidor é igual ao valor de presença da água na corrente multifásica. ▶ Ver *inibidor*.

iniciar o poço / *spud a well*. Operação de início de poço, em que o tubo condutor pode ser cravado ou jateado, ou ainda, na fase de perfuração, quando este tubo é descido e cimentado.

injeção alcalina / *alkaline flooding*. Método de recuperação avançada pelo qual uma solução de produtos alcalinos é injetada, de forma que possa reagir com os hidrocarbonetos do reservatório. ↝ Em reservatórios de carbonatos o método não é aconselhável, pois os compostos alcalinos tendem a reagir com o cálcio e formar precipitações de hidróxidos, que podem danificar a formação. ▶ Ver *recuperação avançada de petróleo*; *método de recuperação avançada*.

injeção cáustica / *caustic flooding*. O mesmo que *injeção alcalina*. ▶ Ver *injeção alcalina*.

injeção cíclica de água / *cyclic water injection*. Sistema de produção em que a água, em forma de vapor e/ou em conjunto com algum produto químico, é injetada e produzida em um único poço. ↝ A motivação típica dessa prática é a produção conjunta de óleo ou a determinação de alguma característica do poço ou da rocha. A injeção cíclica de vapor é bastante utilizada em campos de terra e costuma prover boas recuperações em reservatórios que possuem óleos pesados. A injeção de água com produtos químicos (por exemplo, traçadores) pode auxiliar na determinação de perfis de produtividade e injetividade, bem como na determinação da saturação residual de óleo do reservatório. ▶ Ver *produtividade de poço*; *injetividade*; *saturação residual de óleo*.

injeção de água / *waterflooding*. O mecanismo de injeção de água é utilizado como um método de recuperação convencional. Geralmente a injeção ocorre em poços vicinais e tem o objetivo de deslocar o óleo aprisionado no reservatório para o poço produtor. Antes do processo de injeção, a água deve ser tratada de forma a torná-la mais adequada ao tipo de reservatório e aos fluidos nele existentes.

injeção de água com CO_2 / *CO_2 augmented waterflooding*. O mesmo que *injeção de CO_2*. ▶ Ver *injeção de CO_2*.

injeção de CO_2 / *CO_2 flooding, CO_2 injection, CO_2 miscible flooding*. Método de recuperação avançada de petróleo, através da injeção de água com elevados teores de CO_2 dissolvido, reunindo os efeitos da injeção de água (aumento de pressão) e os da injeção de CO_2 (redução da viscosidade).

injeção de gás / *gas injection*. Sistema de produção no qual o gás é comprimido e injetado no reservatório com o objetivo de manter a pressão e deslocar o óleo para os poços produtores. ↝ A injeção de gás é normalmente realizada no topo da jazida, geralmente em reservatórios que têm capa de gás (primária ou secundária). Como em todo processo de recuperação secundária, o objetivo é o aumento do fator de recuperação. Por possuir viscosidade muito inferior à do óleo, a razão de mobilidade do processo é bastante desfavorável e existe a tendência de formação de *fingers*, caminhos preferenciais, no seio do óleo, para o escoamento do gás em injeção. Por outro lado, a saturação residual do óleo ao gás é, em geral, bem mais baixa que a saturação residual do óleo à água, de modo que o processo pode ser bastante atrativo a depender das condições de aplicação. A injeção de gases pode também ser utilizada para recuperação suplementar do petróleo. Exemplo de gases utilizados: dióxido de carbono ou nitrogênio. ▶ Ver *viscosidade*; *capa de gás*; *recuperação secundária*.

injeção de gás enriquecido / *enriched-gas injection*. Sistema de produção no qual o gás enriquecido é comprimido e injetado no reservatório com o objetivo de manter a pressão e deslocar o óleo para os poços produtores. ➥ A injeção de gás enriquecido é um caso especial da injeção de gás, em que o gás utilizado possui maiores proporções de gases de melhor qualidade, e tem mais facilidade de deslocamento do óleo no reservatório (melhor razão de mobilidade), e até mesmo a possibilidade de miscibilidade com o óleo, reduzindo neste caso a viscosidade do óleo e facilitando a sua produção. ▶ Ver *razão de mobilidade*; *miscibilidade*; *viscosidade*; *injeção de gás*.

injeção de gás inerte / *inert-gas injection*. O mesmo que *mecanismo de recuperação avançada* e *método miscível*. ▶ Ver *método de recuperação avançada*; *método miscível*.

injeção de marcador químico / *chemical marker injection*. Técnica por meio da qual um grande volume de material é introduzido em um poço em produção para determinar a vazão de um ou mais fluidos. ➥ O marcador tem propriedades específicas, como a alta seção transversal de captura de nêutrons, permitindo a detenção pelos sensores de uma ferramenta de perfilagem de produção. Alguns marcadores são especificamente projetados para serem solúveis somente em uma das fases do fluido, de modo que ele pode ser utilizado para produzir um perfil da velocidade da fase. O termo se refere aos marcadores radioativos mais tradicionais, ou traçadores. ▶ Ver *perfil de produção*.

injeção de vapor / *steam injection*. Método de recuperação avançada, geralmente utilizado em depósitos de óleos pesados rasos, onde se faz a injeção cíclica ou contínua de vapor num poço. ➥ Na injeção cíclica, o vapor é injetado por dias ou semanas e esperam-se alguns dias para que o calor do vapor se dissipe pelo reservatório, diminuindo assim a viscosidade do óleo, e a produção é realizada no próprio poço. Na injeção contínua, o vapor é injetado em um poço e o óleo aquecido é produzido em outro poço.

injeção em linha direta / *line drive or flood*. Processo de recuperação por injeção de água no qual poços injetores e produtores são dispostos em fileiras paralelas, repetindo esse padrão em uma série de linhas.

injeção sedimentar / *sedimentary injection*. Processo sedimentar ou tectônico no qual parte de uma camada é injetada na camada adjacente, normalmente no sentido ascendente. Exemplo: injeção de folhelho formando estrutura em chama (*flame strucuture*), um diápiro, ou na forma de diques de areia.

injecção de cimento (Port.) / *squeeze*. O mesmo que *compressão de cimento*. ▶ Ver *compressão de cimento*.

injecção de cimento a alta pressão (Port.) / *high-pressure squeeze*. O mesmo que *compressão de cimento a alta pressão*. ▶ Ver *compressão de cimento a alta pressão*.

injecção de cimento a baixa pressão (Port.) / *low-pressure squeeze*. O mesmo que *compressão de cimento a baixa pressão*. ▶ Ver *compressão de cimento a baixa pressão*.

injetividade / *injectivity*. Relação entre a vazão de injeção do fluido no poço injetor (medida nas condições-padrão) e a correspondente diferença de pressão entre os poços de injeção e produtor. É também conhecida como *índice de injetividade*, ou, ainda, *condutividade*. ▶ Ver *índice de injetividade (II)*; *condutividade*; *poço injetor*; *poço produtor*; *condições-padrão*.

inside BOP. Válvula de retenção que impede o fluxo pelo interior da coluna no sentido do poço para a superfície, utilizada em manobras com poço pressurizado. É utilizada para possibilitar a realização da operação de *stripping*.

in situ. Expressão do latim que expressa "existência (de algo) no local em que foi originalmente formado". ➥ O termo *in situ* é utilizado em conjunto com outros termos para demonstrar processos aplicados sem que seja feita a remoção do material, ao invés de, por exemplo, estudos de um material qualquer realizados em laboratório, tendo sido feita, portanto, a remoção do material do seu local de origem. Na engenharia de produção de petróleo e gás, quando se diz condições *in situ* está-se referindo às condições do ambiente onde os fluidos se formaram no reservatório.

insolúvel em benzeno / *benzene insoluble*. Característica de lubrificantes usados para se determinar a quantidade de produtos insolúveis em benzeno e separáveis pelo processo de centrifugação. ➥ Este valor é uma indicação do grau de contaminação do produto. É determinado pelo método ASTM D 893. O solvente benzeno tem sido substituído por tolueno, por razões de segurança.

insolúvel em pentano / *pentane insoluble*. Método de determinação do grau de contaminação existente em lubrificantes. ➥ Este é o método ASTM D 893 (insolúveis em pentano e tolueno), que indica o grau de contaminação existente num lubrificante por componentes provenientes da oxidação e degradação do lubrificante com o uso. Conforme previsto no método ASTM, essa avaliação é executada juntamente com outro solvente, o tolueno. ▶ Ver *insolúvel em tolueno*.

insolúvel em tolueno / *toluene insoluble*. Método de determinação do grau de contaminação existente em lubrificantes. ➥ Este é o método ASTM D 893 (insolúveis em pentano e tolueno), que indica o grau de contaminação existente num lubrificante por contaminação externa (poeira, combustível etc.). Conforme previsto no método ASTM, essa avaliação é executada juntamente com outro solvente, o pentano. ▶ Ver *insolúvel em pentano*.

instabilidade / *instability*. Comportamento instável de um equipamento rebocado devido a movimentos de arfagem, cabeceio, balanço e caturro;

movimento errático de qualquer conjunto rebocado como resultado de forças de arrasto. A instabilidade dos equipamentos é uma das principais causas da degradação da qualidade dos dados de sonar, batimetria e sísmica de alta resolução com fonte Boomer.

instalação criogênica (Port.) / *cryogenic plant*. O mesmo que *planta criogênica*. ▶ Ver *planta criogênica*.

instalação de absorção (Port.) / *absorption plant*. O mesmo que *planta de absorção*. ▶ Ver *planta de absorção*.

instalação de adsorção (Port.) / *adsorption plant*. O mesmo que *planta de adsorção*. ▶ Ver *planta de adsorção*.

instalação de desidratação (Port.) / *dehydration plant*. O mesmo que *planta de desidratação*. ▶ Ver *planta de desidratação*.

instalação de dessalinização (Port.) / *desalting plant*. O mesmo que *planta de dessalinização*. ▶ Ver *planta de dessalinização*.

instalação de extração de líquidos do gás (Port.) / *liquefied-petroleum-gas recovery plant*. O mesmo que *planta de extração de líquidos do gás*. ▶ Ver *planta de extração de líquidos do gás*.

instalação de gás (Port.) / *gas plant*. O mesmo que *planta de gás*. ▶ Ver *planta de gás*.

instalação de gás natural (Port.) / *natural gas processing plant*. O mesmo que *planta de gasolina natural*. ▶ Ver *planta de gasolina natural*.

instalação de mistura / *blending plant*. O mesmo que *planta de mistura de sólidos*. ▶ Ver *planta de mistura de sólidos*.

instalação de mistura de sólidos (Port.) / *blending plant*. O mesmo que *planta de mistura de sólidos*. ▶ Ver *planta de mistura de sólidos*.

instalação de processamento de gás (Port.) / *gas processing plant*. O mesmo que *planta de processamento de gás*. ▶ Ver *planta de processamento de gás*.

instalação de separação gás-óleo (Port.) / *gas and oil separation plant*. O mesmo que *planta de separação gás-óleo*. ▶ Ver *planta de separação gás-óleo*.

instalação de tampão para limpeza (Port.) / *run a rabbit*. O mesmo que *correr gabarito*. ▶ Ver *correr gabarito*.

instalação em cápsula / *tubing mounted installation*. Instalação em configuração de cápsula, ou *tubing mounted*, para conjuntos de bombeio centrífugo submerso (BCS) que consiste em instalar o conjunto de BCS dentro de um tubulão (*liner*), o qual é descido em um poço de petróleo. ↠ Na parte inferior desse tubulão é instalada uma camisa de vedação e na parte superior é instalada uma espécie de obturador (*packer*) com penetrador para a transmissão da energia elétrica, o qual permite a conexão da cápsula com a coluna de produção e a fixação do conjunto de BCS. ▶ Ver *bombeio centrífugo submerso*; packer; *poço satélite*; gas lift.

instalações portuárias (Port.) / *port advantages*. O mesmo que *facilidades portuárias*. ▶ Ver *facilidades portuárias*.

instalações de embarque e desembarque de petróleo e gás natural, Brasil / *oil and natural gas loading and unloading facilities*. Conjunto de dispositivos, composto de monoboia, quadro de boias, quadro de âncoras, píer de atracação, cais acostável, estação ou parque de armazenamento e estação coletora e ponto de coleta. Essas facilidades são consideradas para efeito da distribuição dos *royalties*.

instalações de produção / *production facilities*. 1. Conjunto de sistemas compostos pela planta de processamento primário, sistemas de utilidades e auxiliares, que totalizam os equipamentos e sistemas de uma instalação de produção. 2. O mesmo que *facilidades de produção*. Compreende: *(I)* os sistemas da planta de processamento primário, como, por exemplo, sistema de separação primária, sistema de compressão de gás, sistema de tratamento de óleo, sistema de desidratação de gás, sistema de tratamento de águas oleosas; *(II)* sistemas de utilidades, tais como: sistema de aquecimento da produção, sistema de recuperação de calor, sistema de água de resfriamento, sistema de separação e regeneração de glicol, sistema de ar comprimido de instrumentos, sistema de tratamento de armazenagem e tratamento de óleo diesel, etc.; e *(III)* os sistemas auxiliares: sistema de combate a incêndio, sistema de salvatagem e abandono, sistema de acomodações, sistema de telecomunicações, etc. ▶ Ver *facilidades de produção*.

Instituto Americano do Petróleo / *American Petroleum Institute (API)*. Associação comercial fundada em 1919, patrocinada pela indústria de petróleo e reconhecida mundialmente. Sua missão é estabelecer a padronização de equipamentos e materiais relacionados a perfuração e produção de petróleo, seja através de especificações (*Specs*), seja através de práticas recomendadas (RPs). ↠ O API trabalha em conjunto com a Organização Internacional de Padrões (ISO). Os padrões e as práticas recomendadas, entre outras diretrizes emanadas deste instituto, são largamente utilizados na indústria em geral e, especificamente, na do petróleo.

Instituto Brasileiro de Petróleo, Gás e Biocombustíveis (IBP) / *Brazilian Institute of Oil, Gas and Biofuels*. Instituição privada, com fins não econômicos, tem seu foco na promoção do desenvolvimento do setor nacional de petróleo e gás, visando a uma indústria competitiva, sustentável, ética e socialmente responsável. ↠ Seus principais objetivos são a melhora do ambiente regulatório, a disseminação de informações da indústria, a representação da indústria, a promoção do desenvolvimento técnico, a defesa do meio ambiente, segurança e responsabilidade social.

Instituto Brasileiro do Meio Ambiente e dos Recursos Naturais Renováveis (IBAMA) / *Brazilian Institute for Environment and Renewable Natural Resources*. Órgão executivo da Política Nacional do Meio Ambiente do Brasil (PNMA), vinculado ao Ministério do Meio Ambiente (MMA) do Brasil, que é responsável pela execução dessa política e desenvolve diversas atividades para a preservação e conservação do patrimônio natural, exercendo o controle e a fiscalização sobre o uso dos recursos naturais (água, flora, fauna, solo, etc.). É responsável pelos estudos ambientais e pela liberação das licenças ambientais de empreendimentos em âmbito nacional, e também por guias de licenciamento ambiental para as rodadas de licitação de blocos exploratórios, que estabelecem os níveis de exigência para as atividades de exploração e produção de acordo com a sensibilidade ambiental das áreas. O objetivo dessas ações é contribuir para maior proteção ambiental e o desenvolvimento sustentável da indústria de petróleo e gás, além de reduzir incertezas para os interessados em investir no Brasil.

Instituto de Petróleo (IP) / *Institute of Petroleum (IP)*. Organização britânica dedicada aos segmentos da indústria de petróleo. ↪ Seu objetivo é promover o uso de energia proveniente de petróleo e gás de forma segura, responsável e amigável ao meio ambiente.

Instituto Nacional da Propriedade Industrial (INPI), Brasil / *National Institute for Industrial Property, Brazil*. Órgão oficial ou autarquia do Governo Federal que procede ao registro de todos os atos administrativos dos processos de concessão das marcas e patentes no Brasil.

Instituto Nacional de Graxas Lubrificantes / *National Lubricating Grease Institute (NLGI)*. Associação comercial internacional que atende à indústria de graxas e lubrificantes. ↪ Associação que tem por objetivo promover pesquisa e testes para o desenvolvimento de graxas lubrificantes e explorar melhores metodologias e técnicas de engenharia voltadas à área de lubrificação.

Instituto Nacional de Metrologia, Padronização e Qualidade Industrial (INMETRO), Brasil / *National Institute of Metrology, Standardization and Industrial Quality, Brazil*. Autarquia federal brasileira, vinculada ao Ministério do Desenvolvimento, Indústria e Comércio Exterior. Atua como Secretaria Executiva do Conselho Nacional de Metrologia, Normalização e Qualidade Industrial (CONMETRO), colegiado interministerial que é o órgão normativo do Sistema Nacional de Metrologia, Normalização e Qualidade Industrial (SINMETRO). Organismo responsável pela regulamentação e fiscalização dos assuntos de metrologia legal e científica/industrial e a qualidade da indústria e do varejo brasileiro. ▶ Ver *metrologia legal*; *metrologia científica e industrial*.

instrumentação inteligente / *smart instrumentation*. Equipamento que possui um microcontrolador interno. ↪ Todos os equipamentos utilizados na instrumentação, como indicadores, registradores, transmissores, controladores, entre outros, que dispõem de microcontroladores em seu circuito de medição são instrumentos inteligentes.

instrumento de avaliação de rochas (Port.) / *rock evaluation instrument*. O mesmo que rock-eval. ▶ Ver *rock-eval*.

instrumento de indicação analógica / *analog indicating instrument*. Instrumento de medição no qual o sinal de saída ou a indicação é uma função contínua do mensurando ou do sinal de entrada.

instrumento de medição da gravidade absoluta / *absolute-gravity instrument*. 1. Instrumento de medição da gravidade absoluta que utiliza como base de medição o pêndulo ou a queda livre de pesos. 2. Instrumento desenvolvido pela JILA (*Joint Institute for Laboratory Astrophysics*) para medição da gravidade absoluta utilizando a aceleração da gravidade em queda livre. ↪ Esses instrumentos utilizam o sistema de pêndulo ou da aceleração da gravidade em queda livre de pesos. Os gravímetros absolutos são utilizados em base regular nas campanhas e em comparações internacionais a fim de manter os padrões elevados de exatidão requeridos nesses instrumentos. Por causa de sua alta precisão — de algumas partes por bilhão —, são usados para a padronização dos valores de gravidade. ▶ Ver *gravidade absoluta*.

instrumento de medição digital / *digital measuring instrument*. 1. Instrumento de medição que fornece um sinal de saída ou uma indicação em forma digital. 2. Também chamado *instrumento de indicação digital*.

instrumento de pesca (Port.) / *overshot*. O mesmo que *ferramenta agarradora externa*. ▶ Ver *ferramenta agarradora externa*.

instrumento de teste de prevenção de erupções / *blowout-preventer test tool*. Instrumento utilizado para efetuar teste de pressão do preventor de erupção (*blowout preventer*, BOP) sem sujeitar o restante do sistema de cabeça de poço e revestimento à pressão adotada para o teste. ↪ A ferramenta é instalada por meio da coluna de tubos de perfuração, sendo assentada com vedação na sede superior do alojador de alta pressão. ▶ Ver *alojador*; *cabeça de poço*; *preventor de erupção*.

insumo / *raw material*. 1. Elemento que compõe um processo de produção de bens ou execução de serviços, incluindo recursos humanos, materiais, equipamentos, tecnologia e instalações utilizadas. 2. Elemento básico necessário para a fabricação de um dado equipamento ou para prestação de um serviço.

integração de módulos / *modules integration*. Atividade de associação dos módulos de uma determinada plataforma tomando como referência a tecnologia de construção adotada, sua metodologia de planejamento, supervisão e controle. •• Ocorre nas diversas fases do trabalho, de tal forma que seja assegurado o total gerenciamento do mesmo em termos de custos, prazos e qualidade. ► Ver *módulos de plataforma*; *plataforma de petróleo*; *construção e montagem*; *gerência de empreendimento*.

integridade / *integrity*. Probabilidade de um sistema executar satisfatoriamente a função exigida sob todas as condições definidas dentro de um período de tempo definido.

intemperismo / *weathering*. Alteração físico-química sofrida pelas rochas na superfície da Terra ou próximo a ela, como resultado da atuação dos agentes atmosféricos.

intemperismo químico / *chemical weathering*. 1. Processo responsável pela alteração química de minerais e rochas próximas à superfície, produzido por agentes atmosféricos. As novas combinações químicas dos minerais e das rochas possibilitam a estabilidade nas novas condições da superfície terrestre. Os principais agentes atmosféricos responsáveis pelo intemperismo químico são: oxidação, hidratação, dissolução, troca de íons, hidrólise e carbonatação. 2. Alteração química das rochas próximas à superfície, produzida pela ação dos agentes intempéricos. •• O conceito abrange a totalidade de reações químicas que atuam numa rocha exposta à ação da água e que são responsáveis pela transformação dos minerais preexistentes em formas mais estáveis. Seus resíduos constituem os depósitos de precipitados de óxidos, hidróxidos, carbonatos, fosfatos e sulfatos encontrados em solos e sedimentos. Um dos produtos mais conhecidos do intemperismo químico é o caulim formado a partir da transformação química dos feldspatos. Os produtos lixiviados formam os sais solúveis e as águas dos oceanos, lagos, rios e águas subterrâneas. ► Ver *intemperismo*.

intensidade da variação da trajetória / *dog leg severity (DLS)*. Medida do grau em que a trajetória de um poço varia em sua direção. •• Normalmente mede-se em graus por cem pés (graus /100') ou em graus por trinta metros (graus /30m). Quanto maior o *dog leg severity*, maior a intensidade da variação da trajetória do poço. Contribuem para essa medida tanto a variação da inclinação quanto a variação da direção do poço. O controle desse parâmetro é importante, pois pode limitar a descida de determinados equipamentos dentro de um poço. Essa medida é conhecida também simplesmente como *dog leg*.
A seguir, a equação do *Dog Leg Severity* (*D.L.S*):

$$D.L.S. = \sqrt{I_1^2 + I_2^2 - 2*I_1*I_2*COS(D_1 - D_2)}*30/Pm$$

Onde
D.L.S. = Dog Leg Severity
I_1 = Inclinação do 1º registro em graus
I_2 = Inclinação do 2º registro em graus
D_1 = Azimute do 1º registro em graus
D_2 = Azimute do 2º registro em graus
Pm = Intervalo entre os dois registros em metros
► Ver *desvio*; *ferramenta defletora*; *poço direcional*; *trajetória do poço*.

intensidade de erosão / *erosion intensity*. 1. Medida da magnitude do registro erosivo. 2. Caracterização da ação de agentes físicos como a água, o vento e a gravidade que, através da energia, promove o deslocamento e a remobilização de materiais na superfície da terra ou nos mares. ► Ver *erosão*.

intensidade de magnetização / *intensity of magnetization*. Momento magnético por unidade de volume ou de massa.

intensificador de carga (Port.) / *booster*. O mesmo que booster. ► Ver booster.

intensificador de força axial / *drilling jar*. Ferramenta descida na coluna de perfuração para que, em caso de prisão da coluna, possa ser ativada para aplicar golpes ascendentes ou descendentes na coluna presa. •• A ativação pode ser hidráulica ou mecânica. Esse tipo de ferramenta armazena uma certa energia, que é subitamente liberada e propagada através do corpo da ferramenta até atingir a parte presa da coluna, auxiliando em sua liberação.

intensificador de força axial hidráulico / *hydraulic drilling jar*. Ferramenta descida na coluna de perfuração para que, em caso de prisão da coluna, possa ser ativado para aplicar golpes ascendentes ou descendentes na coluna presa. •• A ativação desta ferramenta é hidráulica (notar que o termo *intensificador de força axial*, sem menção de sua condição hidráulica, indica que a ativação neste caso pode ser mecânica). Um pistão desliza por dentro de um cilindro com uma pequena folga entre os diâmetros externo do pistão e interno do cilindro, por onde passa um fluido, até atingir uma seção de cilindro com diâmetro interno bem maior que o diâmetro externo do cilindro, facilitando o deslocamento do pistão. Neste momento toda a energia é liberada e propagada através do corpo da ferramenta até atingir a parte presa da coluna, auxiliando em sua liberação. ► Ver *intensificador de força axial*.

intensificador de jar / *booster jar*. Acessório de ferramenta de pescaria que é usado para intensificar o efeito de um *jar* mecânico ou hidráulico utilizado para liberar uma ferramenta (peixe) em um poço. •• O intensificador de *jar* é descido na coluna de pescaria acima do *jar*. Um fluido, como, por exemplo, o nitrogênio, é comprimido no interior do *jar* quando a coluna de pescaria é elevada. Quando o mecanismo é liberado, a expansão do fluido no intensificador do *jar* amplifica a força de choque.

intercalação de folhelho / *shale break*. Camada delgada de folhelho entre camadas de arenito ou calcário, ou internamente a elas. ► Ver *folhelho*.

intercalação de xisto betuminoso (Port.) / shale break. O mesmo que *intercalação de folhelho*. ▶ Ver *intercalação de folhelho*.

interferência / interference. 1. Superposição entre duas ou mais ondas, sendo construtiva quando as ondas estiverem em fase e destrutivas quando estiverem fora de fase. 2. Sinal de fontes indesejadas que tende a atrapalhar na aquisição de dados geofísicos. 3. Recebimento de sinais espúrios oriundos de fontes acústicas ou elétricas que interferem no sinal primário de sistemas de batimetria, sonar de varredura lateral e sísmica. Apesar de sua origem ser quase sempre externa ao sistema, pode ocorrer em casos nos quais a fonte de interferência tem origem interna ao sistema. Casos de interferência externa incluem ruído do gerador, radiação eletromagnética de outros equipamentos eletrônicos, motor da embarcação, ruído ambiental e fontes biológicas. 4. Perfuração de um poço muito próximo de outro preexistente.

interferência construtiva / constructive interference. O mesmo que *interferência*. ▶ Ver *interferência*.

interferência ionosférica / sky-wave interference. Interferência entre as ondas diretas (ou de superfície) de rádio e as ondas refletidas das camadas ionizadas da atmosfera. Varia com o decorrer do dia, já que a ionização da radiação solar varia no amanhecer e no entardecer.

interferência magnética / magnetic interference. Fenômeno que ocorre quando um corpo magnetizável altera as características físicas (intensidade, sentido e direção) do campo magnético terrestre em um determinado ponto. Na perfuração de poços, esse fenômeno é indesejado quando se pretende fazer registros magnéticos da direção de um poço.

interligação / tie-in. Operação de conexão submarina entre dutos (rígidos ou flexíveis) ou entre equipamentos submarinos e dutos. ▶ Ver tie-in.

intermediate wettability. Sistema óleo/água/sólido, em que não há um fluido molhante preferencial, com um ângulo de contato próximo de 90°.

internal-gas drive pool. Campo de petróleo cuja produção é governada pelo mecanismo de produção de gás em solução.

interpolação bilinear / bilinear interpolation. Extensão da interpolação linear para funções de duas variáveis. O método prevê uma interpolação linear em uma direção e depois na outra.

interpolação de pulsações (Port.) / pulse interpolation. O mesmo que *interpolação de pulsos*. ▶ Ver *interpolação de pulsos*.

interpolação de pulsos / pulse interpolation. Técnica na qual o número inteiro de pulsos gerados por um medidor de vazão é contado entre dois eventos (tal como entre os detectores de posição num provador) e qualquer fração remanescente de um pulso entre esses dois eventos é calculada.

interpolação de spline / spline interpolation. 1. Forma de interpolação na qual o interpolante é um tipo de polinômio chamado *spline*, e na qual se assegura a continuidade de um certo número de derivadas sucessivas da função interpolada. 2. Polinômios de ordem k que interpolam os dados e têm k-1 derivadas contínuas em todo o intervalo.

interpolação de traço / trace interpolation. Interpolação de um traço entre dois outros adjacentes, antes do processamento.

interpolação espacial / spatial interpolation. Procedimento de estimativa do valor de propriedades em locais ainda não amostrados, dentro da área coberta por observações existentes.

interpretação interativa / interactive interpretation. Interpretação feita em tempo real com os dados em exibição numa tela de uma estação gráfica.

interpretação sísmica / seismic interpretation. Análise e interpretação de dados sísmicos para delinear as estruturas geológicas de uma dada área.

intersticial / intersticial. Material que preenche os poros da rocha.

intertravamento / interlocking. O mesmo que *sistema de intertravamento*. ▶ Ver *sistema de intertravamento*.

intertravamento e parada de emergência / interlock and emergency shutdown. O mesmo que *sistema de intertravamento e parada de emergência*. ▶ Ver *sistema de intertravamento e parada de emergência*.

intervalo de confiança / confidence interval. Intervalo centrado na estimava pontual, cuja probabilidade de conter o verdadeiro valor do parâmetro medido é igual ao nível de confiança. ▶ Ver *nível de confiança*.

intervalo de contorno / contour interval. Valor de separação entre contornos adjacentes, num mapa de contorno.

intervalo de grupo / group interval. Distância horizontal entre os centros de grupos adjacentes de geofones.

intervalo de reservatório / reservoir interval, pay zone. 1. Intervalo no qual se encontram as zonas de interesse de uma determinada formação. 2. Espessura da região medida em um poço produtor.

intervalo do geofone / geophone interval. Distância entre geofones adjacentes num grupo. Também usado como separação entre centros de grupos adjacentes de geofones. ▶ Ver *geofone*.

intervalo entre curvas de nível (Port.) / contour interval. O mesmo que *intervalo de contorno*. ▶ Ver *intervalo de contorno*.

intervalo geocronológico / geochronological interval. Intervalo de tempo entre dois eventos geológicos.

intervalo S-P / S-P interval. Intervalo entre tiros, durante uma atividade sísmica. ▶ Ver *sismograma de reflexão*.

intervenção / workover job. Qualquer operação de intervenção em poço já completado, com o intuito de reparar ou estimular o poço a fim de prolongar, restaurar ou aumentar a produção de hidrocarbonetos. ▶ Ver *estimulação do poço*; *fluido de completação*.

intervenção em poço / well workover, well intervention. Conjunto de operações realizadas no poço com utilização de sonda, visando à manutenção da produção/injeção ou o restabelecimento das condições mecânicas do poço. ▶ Ver *completação*; *restauração*.

intrinsecamente seguro / intrinsically safe. O termo se refere à proteção eletrônica desenvolvida nos equipamentos que operam em áreas classificadas e áreas potencialmente explosivas, para evitar acidentes. ↔ Essa proteção consiste em regular a corrente consumida pelo equipamento de forma a não possibilitar a criação de centelhas. ▶ Ver *área classificada*.

intrusão / intrusion. 1. Processo de posicionamento do magma. 2. Corpo de rocha ígnea que invadiu uma rocha mais antiga. ▶ Ver *rocha intrusiva*.

intrusão sedimentar / sedimentary intrusion. O mesmo que *injeção sedimentar*. ▶ Ver *injeção sedimentar*.

intrusivo / intrusive. Relativo a intrusão. ▶ Ver *intrusão*.

inundação / flooding. 1. Fenômeno também chamado *alagamento*; pode ocorrer quando um escoamento ascendente de gás em um conduto interage com um filme de líquido que escoa pela parede em contracorrente. Sob determinadas condições, parte do líquido passa a ser arrastado pelo gás, estabelecendo um escoamento simultâneo de líquido ascendente e descendente, caracterizando assim o fenômeno de *flooding*. 2. Inundação de uma área terrestre ocupada, causada pela elevação e transbordamento de um corpo de água. Essas inundações ocorrem durante períodos de chuvas intensas, derretimento repentino das geleiras ou quando a combinação desses processos excede a capacidade do sistema de drenagem fluvial, de lagos e até mesmo dos oceanos, causando transbordamentos e/ou transgressões. ↔ Esse fenômeno é um fator limitante para operação de diversos equipamentos, como condensadores de refluxo, tubos de calor e reatores nucleares.

inundação com água carbonada / carbonated waterflooding. Injeção de água carbonada a fim de melhorar a eficiência da injeção de água. ↔ O efeito desejado é a varredura da zona de óleo pela água injetada, e a redução da viscosidade do óleo por meio da transferência do dióxido de carbono dissolvido na água para o óleo.

inundação com dióxido de carbono / carbon dioxide flooding. Injeção de dióxido de carbono, geralmente liquefeito, a fim de melhorar a recuperação do óleo de um reservatório, especialmente quando o óleo é viscoso. ↔ O efeito desejado é a formação de uma frente de dióxido de carbono misturado com hidrocarbonetos leves retirados do óleo, a qual apresenta uma solubilidade elevada no restante do óleo, reduzindo sua viscosidade e facilitando seu escoamento. O processo é geralmente precedido da injeção de água ou outros produtos, e intercalado com essas outras formas de injeção.

inundação de detritos / debris flood. Inundação catastrófica cuja intensidade situa-se entre uma inundação turbulenta de um sistema fluvial de montanhas e um verdadeiro fluxo de lama. ▶ Ver *inundação*.

inundação de maré / flood tide. Inundação produzida durante o período relativo à maré, quando esta sobe e ocupa as superfícies antes emersas deixadas pela maré vazante. ▶ Ver *inundação*.

inundação instantânea / flash flood. Fluxo sedimentar de curta duração e quase instantâneo que teve um expressivo acréscimo no volume de água, em geral causado pelo degelo, e que, por sua magnitude e rapidez, resulta em uma rápida inundação. ▶ Ver *inundação*.

inundação micelar / micellar flood. Método de recuperação avançada realizado a partir da injeção de água misturada com produtos químicos em um reservatório de óleo depletado. ↔ Esse processo é efetuado em três etapas: primeiro injetam-se tensoativos juntamente com óleo, para reduzir a tensão superficial do óleo remanescente no reservatório; depois, injeta-se água misturada com polímero para empurrar o óleo; e, por último, introduz-se água doce.

inundação por rompimento glacial / glacier outburst flood. 1. Inundação catastrófica resultante do rompimento da barragem natural que represava a água proveniente do degelo das geleiras. 2. O mesmo que jöhkullhaupt. ▶ Ver *inundação*.

inundação química / chemical flood. Injeção de produtos químicos a fim de melhorar a recuperação do óleo de um reservatório. O efeito desejado é geralmente a acidificação, desemulsificação, remoção de compostos parafínicos, ou outro processo que facilite o fluxo do óleo.

invasão condutiva / conductive invasion. Situação em que a resistividade da zona lavada é menor que a resistividade da zona não contaminada, ou virgem. ↔ Este cenário favorece o uso de dispositivos de resistividade com eletrodos (*lateroperfis*), que respondem melhor à resistividade do que os dispositivos de resistividade por indução ou propagação, que respondem à condutividade. Antônimo: *invasão resistiva*.

invasão da capa de gás / wetting the gas cap. Processo que ocorre quando a pressão da capa de gás diminui a uma taxa superior à da pressão do óleo abaixo. Neste caso, o óleo tenderá a invadir a região do reservatório anteriormente ocupada pelo gás. Os fluidos que ocuparem essa região são mais difíceis de serem produzidos, permanecendo no reservatório.

inversão / inversion. Tentativa de se obter um modelo geológico que, quando modelado, forneça os dados reais adquiridos, ou tentativa de se obterem propriedades de superfície pela retirada de efeitos de propagação (pulso etc.) dos dados registrados.

inversão conjugada / joint inversion. Inversão dos dados quando dois ou mais métodos estão sendo utilizados.

inversão da emulsão / emulsion inversion. Fenômeno que consiste na intercambialidade entre os constituintes das fases contínua e dispersa em uma emulsão. ↝ Trata-se de um fenômeno importante no processamento primário de petróleo, no qual para determinada emulsão de água em óleo, em certas condições de temperatura e pressão, com aumento do teor de água por adição ou pela maior contribuição do aquífero aos poços, chega-se a um determinado teor crítico de água, a partir do qual a emulsão direta (água em óleo) torna-se instável e ocorre a sua inversão, ou seja, sua transformação numa emulsão inversa (do tipo óleo em água).

inversão de velocidade / velocity inversion. Termo empregado em reflexão sísmica para situação na qual uma camada apresenta velocidade de propagação menor que a da camada sobrejacente. ↝ A inversão de velocidade é uma ferramenta de extrema importância na indústria petrolífera, como no caso, por exemplo, em que arenitos com hidrocarboneto têm velocidades sísmicas menores que arenitos compactados e não porosos (camada sobrejacente).

investidores de capital próprio (Port.) / equity investors. O mesmo que equity investors. ▶ Ver equity investors.

investigação profunda / deep investigation. Medida de propriedades da formação, efetuada numa região bem distante a partir da parede do poço, de modo que os efeitos da zona invadida sejam mínimos.

investimento petrolífero / investment in the oil and natural gas sectors. Investimento nos setores de petróleo e gás natural. ▶ Ver programa de investimento.

irrupção de água / water breakthrough. Condição em que a água, proveniente do aquífero ou dos poços injetores, aparece em um dos poços produtores. ↝ No início da injeção de água forma-se um banco de óleo seguido de um banco de água, que carrega à sua frente uma saturação de água formando uma correspondente frente. Ao atingir o poço produtor, essa frente começa a ser produzida e rapidamente provoca o surgimento de grandes valores para a razão água-óleo. ▶ Ver aquífero; poço injetor; poço produtor; razão água-óleo.

irrupção de gás (Port.) / gas kick. O mesmo que pulso de gás. ▶ Ver pulso de gás.

irrupção de produção / blowout production. Condição de produção descontrolada e indesejada do poço. ↝ Tal condição de produção descontrolada caracteriza-se por seus altíssimos riscos de incêndio, explosões, danos às pessoas, ao ambiente e às instalações.

isoanomalia / isoanomaly. Linha que conecta pontos de igual anomalia geofísica.

isóbara / isobar. Linha de contorno que percorre pontos sujeitos à mesma pressão. Nas cartas hidrográficas, linha imaginária que une todos os pontos de igual profundidade no relevo submarino.

isobutano / isobutane. Isômero do butano normal que apresenta a mesma fórmula molecular do butano, com um arranjo estrutural diferente; consequentemente, têm propriedades físicas e químicas distintas. ↝ O isobutano ocorre naturalmente no óleo e no gás natural com alta razão de isobutano para butano, em sedimentos imaturos, diminuindo para sedimentos maduros. Este composto da série de hidrocarbonetos parafínicos evapora a $-11,72\ °C$, enquanto o butano evapora a $0,55\ °C$ à pressão de 14,65 psi.

isochronal or isochronic. O mesmo que isócrona. ▶ Ver isócrona.

isócora / isochore. Linha de contorno que apresenta o mesmo espaçamento ou intervalo, por exemplo, entre duas unidades estratigráficas.

isócrona / isochrone, isochron. Linha em um mapa ou gráfico que conecta todos os pontos no qual um evento ou fenômeno ocorreu simultaneamente, ou que representem o mesmo valor temporal ou diferença temporal.

isócrono / isochronous. Que ocorre ao mesmo tempo ou com a mesma mesma duração.

isogal / isogal. Linha de contorno de valores iguais da gravidade.

isógona / isogon. Linha isomagnética que conecta pontos de igual declinação magnética.

isógrada / isograd. 1. Linha imaginária que representa condições físicas similares nas quais as reações de formação de minerais metamórficos ocorrem em equilíbrio. 2. Linha imaginária que marca o limite entre duas fácies metamórficas. 3. Linha traçada em um mapa geológico, definida de acordo com minerais-índices, visando a distinguir zonas metamórficas. ↝ Tiley (1924) definiu isógrada como uma linha que une pontos com similares valores de pressão e temperatura de formação de rochas metamórficas. Essa definição é inapropriada, pois, na prática, constitui apenas uma inferência e não define valores específicos de temperatura e pressão. ▶ Ver mineral-índice.

isólita / isolith. Linha imaginária, em cartas geológicas, que une todos os pontos de igual litologia.

isomerização / isomerization. Conversão de um composto em outro que contém o mesmo número de átomos na molécula, porém com um arranjo diferente. Por exemplo, o n-butano pode ser convertido em isobutano por isomerização. ▶ Ver *isômero*.

isômero / *isomer*. Em relação a uma molécula, molécula que tem o mesmo número e tipo de átomos da primeira, mas cada uma constituindo uma substância diferente. ↝ Os isômeros estruturais diferem na maneira pela qual os átomos são ligados; por exemplo, o n-butano e o isobutano. ▶ Ver *isomerização*.

isomorfismo / *isomorphism*. 1. Propriedade que têm determinados cristais de realizar uma substituição iônica completa mantendo a mesma estrutura cristalina. 2. Sinônimo de *isoestruturalismo*. ↝ Termo originalmente definido por E. A. Mitscherlich, em 1819, como "que possui forma cristalina similar".

isópaca / *isopach*. Nas cartas geológicas, linha imaginária que une todos os pontos de igual espessura de um corpo geológico.

isoterma / *isotherm*. Linha de contorno de pontos com a mesma temperatura.

isoterma de adsorção / *adsorption isotherm*. Relação matemática ou experimental que quantifica o equilíbrio entre a quantidade de material que pode ser adsorvido e a capacidade de adsorção a uma temperatura constante. A adsorção isobárica acontece a pressão constante e a isovolumétrica a volume constante.

isotérmica de adsorção (Port.) / *adsorption isotherm*. O mesmo que *isoterma de adsorção*. ▶ Ver *isoterma de adsorção*.

isotérmico / *isothermal*. Diz-se de ou processo que ocorre a temperatura constante.

isótopo / *isotope*. Em relação a um elemento, elemento que possui número de prótons em seu núcleo idêntico ao do primeiro, mas diferente número de nêutrons. ↝ Os isótopos têm o mesmo número atômico e as mesmas propriedades químicas, porém diferem em peso atômico.

isótopo estável / *stable isotope*. Isótopo cuja abundância absoluta não varia com o tempo em consequência do decaimento radioativo. ↝ Os isótopos estáveis de elementos leves, entretanto, podem exibir variações mensuráveis em abundância de um ambiente geológico para outro. As abundâncias isotópicas são determinadas pelas análises das razões das amostras em relação a um padrão. A razão se dá entre o isótopo mais pesado e menos abundante para aquele mais leve e mais abundante como, por exemplo, C^{13}/C^{12}. As diferenças na medida das razões entre uma amostra e um padrão são função das diferenças de abundâncias isotópicas expressas como desvios delta em valores de partes por mil. Os valores positivos ou negativos de valores delta por mil indicam enriquecimento ou depleção de um isótopo pesado na amostra em relação ao padrão específico. ▶ Ver *isótopo*.

isotrópico / *isotropic*. Diz-se de ou condição que apresenta as mesmas propriedades físicas em todas as direções. Opõe-se a *anisotrópico*.

istmo / *isthmus*. Estreita faixa de terra que liga duas áreas maiores, como, por exemplo, uma península a um continente, ou que separa dois mares.

jack up. O mesmo que *plataforma autoelevatória*. ▶ Ver *plataforma autoelevatória*; *plataforma de petróleo*.

janela / *window*. Abertura feita propositalmente em um tubo de revestimento para gerar uma saída lateral de um novo poço, ou feita involuntariamente durante a perfuração, por atrito de algum elemento da coluna de perfuração contra a parede do revestimento.

jaqueta / *jacket*. Estrutura de suporte de uma plataforma fixa que vai desde a fundação até pouco acima do nível do mar, sobre a qual são instalados módulos e/ou o convés. ▶ Ver *plataforma fixa*.

jaqueta de plataforma / *platform jacket*. Unidade estacionária de produção do tipo fixa, não flutuante, e baseada no conceito de módulos, compostos por estruturas de aço na forma de treliças, empilhados e estaqueados no leito submarino. ↝ O tipo de unidade estacionária de produção é muito utilizado em águas rasas e permite que a completação dos poços seja do tipo *seca* (árvore de natal assentada no convés da plataforma). Permite ainda que os poços sejam originalmente perfurados do mesmo convés e posteriormente recebam as intervenções de manutenção (*workover*) também do convés da plataforma. ▶ Ver *árvore de natal*; *completação seca*; *plataforma de petróleo*.

jateamento / *jetting*. Operação usada para iniciar a perfuração de um poço em solo com sedimentos não consolidados, como os encontrados normalmente no fundo do mar. ↝ Desce-se o revestimento condutor com um *BHA* (*composição de fundo*) no seu interior, composto por broca e motor de fundo. A água do mar é bombeada no interior da coluna, o que faz com que a broca gire sem a rotação da coluna de perfuração, executando o jateamento da formação.

jateamento de areia / *sand blasting*. Processo de acabamento e limpeza superficial de materiais metálicos por meio do choque de partículas abrasivas em alta velocidade contra a superfície desses materiais. ↝ Prática proibida no Brasil pela Portaria Nº 99, de 19 de outubro de 2004, da Secretaria de Inspeção do Trabalho e do Departamento de Segurança e Saúde no Trabalho do MTE (publicada no DOU de 21.10.2004). Em substituição a esta técnica, em alguns casos podem-se utilizar granalhas de aço. Existem igualmente padrões (por exemplo, padrão de limpeza de superfícies de aço com jato abrasivo) que determinam os graus requeridos e atestam, por comparação, a qualidade dos serviços executados.

jateamento e lavagem de fundo / *sand washing*. O mesmo que *sistema de jateamento e lavagem de fundo*. ▶ Ver *sistema de jateamento e lavagem de fundo*.

jato / *jet*. O mesmo que *jato de broca*. ▶ Ver *jato de broca*.

jato de areia / *sand blasting*. O mesmo que *abrasão por efeito de pressão*. ↝ O governo brasileiro proíbe o processo de trabalho de jateamento que utilize areia seca ou úmida como abrasivo. ▶ Ver *abrasão por efeito de pressão*; *jateamento de areia*.

jato de broca / *bit nozzle jet*. Fluxo em alta velocidade do fluido de perfuração obtido pela presença de ogiva de pequeno diâmetro instalada nas brocas. ↝ A perda de carga localizada, gerada pelos jatos, é transformada em potência hidráulica e em força de impacto, que são responsáveis pela limpeza do fundo do poço logo abaixo da broca. O diâmetro dos jatos é normalmente dimensionado por meio da otimização da potência hidráulica ou da força de impacto.

jato de canhão / *jet perforating*. Processo em que se utiliza carga explosiva para perfurar o revestimento de produção em frente à zona de interesse. ↝ As cargas, quando detonadas, criam jatos de altíssima velocidade (6.000 m/s), que exercem, na parede do revestimento, pressões em torno de 4.000.000 psi. ▶ Ver *canhoneio*; *canhão*.

jato de mistura / *jet mixer*. Sistema de mistura do cimento ou da mistura seca (cimento e outros aditivos minerais sólidos) com o fluido carreador (água de mistura), de forma a injetar a pasta de cimento programada no poço. É considerado o sistema de mistura mais simples. ↝ O misturador é composto de um funil, que recebe os materiais em pó e é posicionado sobre um recipiente dotado de jatos, através do qual o líquido é bombeado. O efeito Venturi criado pelos jatos arrasta os sólidos de forma turbulenta, proporcionando assim uma mistura rápida e eficiente.

jazida / *deposit*. Acúmulo de petróleo, ou depósito mineral, já identificado por métodos de pesquisas diretas ou indiretas, mas ainda não dimensionado ou avaliado economicamente.

jet lifting. Indução de surgência através do flexitubo. ↝ A redução da pressão hidrostática do fluido do poço a valores inferiores ao da pressão da formação ocorre devido à gaseificação do fluido pelo nitrogênio que está sendo bombeado pelo interior do flexitubo. ▶ Ver *indução de surgência*.

joint development agreement. O mesmo que *acordo de desenvolvimento compartilhado*. ▶ Ver *acordo de desenvolvimento compartilhado*.

joint venture corporation. Resultado da união de duas ou mais empresas com interesses comuns —

como por exemplo a realização de um projeto —, em que se cria outra empresa com personalidade jurídica e patrimônio próprios, compartilhando os riscos, as receitas e as despesas. ▶ Ver equity joint venture.

junção de Josephson / *Josephson junction.* Junção de dois supercondutores por meio de uma barreira não condutiva muito fina, mas que se torna condutiva em temperaturas criogênicas. A corrente que a atravessa chama-se *corrente de Josephson*.

junção rápida / *quick union.* O mesmo que *engate rápido*. ▶ Ver *engate rápido*.

junk sub, junk basket. Elemento tubular usado na composição de fundo de uma coluna de perfuração, conectado logo acima da broca, que possibilita que pequenos pedaços de metal (dentes de broca, por exemplo) sejam recolhidos somente com a circulação do fluido e levados para a superfície. Também conhecido como *junk basket*.

junta de *riser* **/** *riser joint.* Componente unitário da coluna de *riser* utilizado comumente em atividades de perfuração e de descida de equipamentos ao leito marinho. ⇢ A junta de *riser* é composta por tubulações destinadas a diferentes tarefas. A tubulação central, e de maior diâmetro, é responsável por conduzir os tubos da coluna de perfuração e proporcionar o retorno do fluido de perfuração. Tubulações menores são adjacentes à tubulação central. Tipicamente é configurada como linha de estrangulamento (*choke*), de matar o poço (*kill*) e de bombeamento (*boosting*). ▶ Ver *linha de estrangulamento*; *linha de choke*; *linha de matar*.

junta defletora / *knuckle joint.* Parte de determinadas ferramentas que precisam ser descidas no poço em trechos onde é necessário construir uma curvatura com grande mudança de trajetória. ⇢ Trata-se de uma junta flexível que normalmente só permite a flexão em um plano e limitada a alguns graus. É construída de forma a não reduzir a resistência máxima à pressão interna da ferramenta da qual faz parte, e pode, em alguns casos, permitir a passagem de sinais elétricos por fios.

junta do *kelly* **/** *kelly joint.* Elemento que transmite a rotação proveniente da mesa rotativa para a coluna de perfuração. ⇢ A junta do *kelly* pode ter dois tipos de seção. Em sondas de terra, a mais comum é a seção quadrada, e em sondas marítimas, a mais comum é a seção hexagonal, pela sua maior resistência à tração, torção e flexão. Seu centro é vazado, permitindo a passagem do fluido de perfuração. ▶ Ver *bucha do* kelly; *haste quadrada*; kelly spinner; *mesa rotativa*.

junta flexível / *flexible joint.* Peça que reage a esforços de tração e a deflexões angulares que ocorrem na terminação do *riser*, fornecendo, assim, complacência rotacional.

junta rotativa / *swivel.* União rotativa, aplicada onde há necessidade de transferência de fluidos entre um componente estacionário e um componente girante, sem vazamentos (por exemplo, entre a torre de ancoragem, o *turret* e a embarcação, em módulos de conexão vertical). ▶ Ver *torre de ancoragem*; *módulo de conexão vertical*.

junta soldada / *welded joint.* Produto da operação de soldagem. Normalmente se refere à região de união de dois objetos de material metálico ou termoplástico, ligados por um processo de fusão ou amolecimento, com ou sem adição de material ou presença de pressão entre os objetos. ⇢ Juntas soldadas são tipicamente produzidas por um processo em que se forma uma poça de material fundido envolvendo dois objetos e que posteriormente se solidifica, unindo-os. A soldagem por eletrodo revestido é um exemplo desse processo, sendo largamente utilizada na fabricação de diversos equipamentos e estruturas de aço-carbono. Alternativamente, a união dos objetos poderá ser considerada como o resultado de um processo de atrito e calor aplicado entre eles, como no processo de soldagem por fricção.

jusante / *downstream.* 1. Termo aplicado às atividades de refino do petróleo bruto, processamento do gás natural em plantas de gasolina, transporte e comercialização/distribuição de derivados. 2. Posição da linha de fluxo em relação a um elemento da linha (por exemplo, uma válvula). Diz-se que o trecho da linha está a jusante se este trecho estiver após o elemento de referência, no sentido do fluxo. ⇢ Por vezes se faz uso do termo *downstream* com a mesma conotação aqui definida para o termo *jusante*.

K-bentonita / *K-bentonite*. Variedade de bentonita rica em potássio. ↝ Sinônimo de bentonita potássica. O potássio substitui o sódio na estrutura da bentonita. ▶ Ver *bentonita*.

Kelly. O mesmo que *haste quadrada*. ▶ Ver *haste quadrada*.

kelly spinner. Equipamento que tem como finalidade permitir o enroscamento ou desenroscamento da haste quadrada (*kelly*) no tubo de perfuração. É acionado pelo sondador quando um tubo de perfuração da coluna é adicionado ou retirado durante a perfuração do poço ↝ Fica situado entre o *swivel* (cabeça de injeção) e o *kelly* (haste quadrada). Pode ser de atuação hidráulica ou pneumática. ▶ Ver *cabeça de injeção*; *haste quadrada*; *junta do* kelly.

***kick* de gás / *gas kick*.** Descontrole na fase de perfuração de poços, caracterizado pela repentina ocorrência de um valor da pressão da formação superior ao da pressão exercida pelos fluidos alimentados no poço. ↝ Caso essa situação não seja corrigida a tempo, esse *kick* de gás pode evoluir e se transformar em um *blowout*.

kill line. O mesmo que *linha de matar*. ▶ Ver *linha de matar*.

krigagem / *kriging*. Método geoestatístico utilizado para estimar um valor ou parâmetro em uma região não amostrada, utilizando-se relações espaciais com regiões amostradas conhecidas. O termo *krigagem* é uma homenagem ao engenheiro de minas sul-africano Daniel Krig.

laboratório das lamas de perfuração (Port.) / mud laboratory. O mesmo que *laboratório de fluido de perfuração*. ▶ Ver *laboratório de fluido de perfuração*.

laboratório de fluido de perfuração / mud laboratory. Laboratório para análise e quantificação das propriedades mais importantes de fluidos de perfuração durante a perfuração de um poço, como a reologia (viscosidade), o volume de filtrado, a densidade, entre outras. ▶ Ver *reologia*.

lacólito / laccolith. Corpo de rocha intrusiva concordante com as encaixantes acamadas, com limite superior côncavo (o que eleva as rochas sobrejacentes) e limite inferior horizontal ou convexo.

lacólito sedimentar / sedimentary laccolith. Intrusão de um corpo sedimentar plástico, tal como um sal com argila, que é pressionado no sentido ascendente por meio de altas pressões, sendo intrudido em camadas sedimentares de forma a desenvolver geometria paralela ou quase paralela ao plano das camadas, apresentando variações de espessura a curtas distâncias. ▶ Ver *lacólito*.

lacuna sismológica / seismic gap. Segmento de uma zona de falha ativa, que ainda não experimentou uma atividade sísmica relevante, enquanto a maioria dos demais segmentos desta zona já estiveram sismologicamente ativos.

lacustre (Port.) / lacustrine. O mesmo que *lacustrino*. ▶ Ver *lacustrino*.

lacustrino / lacustrine. Ambiente sedimentar continental onde se acumulam normalmente sedimentos de textura fina.

lago costeiro / coastal lake. Lago formado nas proximidades da praia por processos litorâneos.

lago de abandono de canal / cutoff lake. Lago formado numa porção de um canal fluvial devido à ruptura do canal principal.

lago de duna / dune lake. 1. Lago formado entre os campos de dunas. 2. Lago formado pelo bloqueio da desembocadura de córregos por dunas arenosas migrantes no litoral.

lago de recepção de delta (Port.) / delta levee lake. O mesmo que delta levee lake. ▶ Ver delta levee lake.

lago de represa aluvial / alluvial dam lake. Bacia sedimentar formada em regiões áridas por barreiras aluviais, especialmente pela coalescência de leques de detritos carreados por fluxos de lados opostos dos vales. ↪ Em regiões glaciais, águas do degelo foram represadas por vários tipos de barreiras, formando grandes lagos, que se romperam liberando fluxos sedimentares volumosos e resultaram em grandes vales erodidos e planícies de inundações durante o Pleistoceno. ▶ Ver *inundação*.

lago deltaico / delta lake. Lago formado em um delta, normalmente pelo isolamento de um corpo de água ou do mar durante a formação do delta.

lago em crescente / crescentic lake. Lago formado em uma depressão em forma de crescente, semelhante ao observado em meandros abandonados.

lago fechado / closed lake. Lago que não tem afluente superficial e que perde água somente pela evaporação. Comum em ambientes áridos ou semiáridos, onde são frequentemente salinos ou salobros.

lago formado por dique marginal em crescente / crescentic levee lake. Lago confinado entre diques marginais dentro de um meandro, formado pelo isolamento de um meandro durante a migração lateral de um rio meandrante.

lago glacial / glacial lake. Corpo de água de dimensões variadas, formado pelo represamento das águas provenientes do degelo das geleiras, principalmente as do tipo alpino.

laguna / lagoon. 1. Braço de mar de pouca profundidade que se situa entre bancos de areia ou ilhas na embocadura de certos rios. 2. Depressão ocupada por água salobra ou salgada, localizada na borda litorânea, comunicando-se com o mar através de um canal. 3. Lagoa de água salgada cercada por recife de corais.

lama / mud. O mesmo que *fluido de perfuração*. ▶ Ver *fluido de perfuração*.

lama à base de água / water-base drilling mud. Fluido de perfuração em que a fase dispersante (contínua) é água doce ou salgada.

lama à base de água do mar / sea-water drilling mud. O mesmo que *fluido de perfuração à base de água do mar*. ▶ Ver *fluido de perfuração à base de água do mar*.

lama à base de água salgada / saltwater-base drilling mud. O mesmo que *fluido de perfuração à base de água salgada*. ▶ Ver *fluido de perfuração à base de água salgada*.

lama à base de cal (Port.) / lime-based mud. O mesmo que *fluido à base de cal*. ▶ Ver *fluido à base de cal*.

lama à base de gipsite ou gesso (Port.) / gypsum mud. O mesmo que *lama de gipsita*. ▶ Ver *lama de gipsita*.

lama à base de óleo / oil-base drilling mud. Fluido de perfuração cuja fase contínua é composta principalmente de óleo, geralmente hidrocarbonetos líquidos. ↪ Os fluidos à base de óleo podem ser classificados como emulsões inversas de água em óleo, com teor de água variando normalmente entre 10% e 45% v/v.

lama ácida / *mud acid*. 1. Mistura de ácido fluorídrico (HF) e ácido clorídrico (HCl) empregada como fluido de tratamento ácido de formações arenosas. Este tratamento é chamado de *acidificação de matriz* e se caracteriza pelo uso de uma pressão atuante menor que a pressão de fratura da formação. Se necessário, o ácido clorídrico pode ser substituído por um ácido orgânico na mistura. O ácido clorídrico é misturado com o ácido fluorídrico para manter baixo o pH da mistura, após o ácido fluorídrico ter sido gasto na reação química com a sílica no final do tratamento, prevenindo assim a ocorrência de precipitados indesejáveis. ↔ A denominação *mud acid* foi utilizada originalmente para designar o fluido de tratamento usado para remover o dano de formação causado por fluidos de perfuração à base de silicatos

lama catiônica (Port.) / *cationic polymer drilling fluid*. O mesmo que *fluido catiônico.* ▶ Ver *fluido catiônico.*

lama com indícios de gás (Port.) / *gas-cut mud*. O mesmo que *lama cortada por gás.* ▶ Ver *lama cortada por gás.*

lama com indícios de óleo (Port.) / *oil-cut mud*. O mesmo que *lama cortada com óleo.* ▶ Ver *lama cortada com óleo.*

lama com sal / *saline mud*. Fluido de perfuração inibido pela adição de sal, geralmente cloreto de sódio (NaCl) ou cloreto de potássio (KCl).

lama cortada com óleo / *oil-cut mud*. Fluido de perfuração contaminado com óleo, provavelmente proveniente da formação perfurada.

lama cortada por gás (Port.) / *gas-cut mud*. Fluido de perfuração contaminado com gás natural ou ar. O fluido cortado por gás apresenta densidade reduzida, já que parte de seu volume foi deslocada pelo gás ou pelo ar que entrou no sistema. ↔ Uma indicação da ocorrência do fenômeno consiste em o fluido apresentar, em seu retorno do poço, densidade significativamente inferior à esperada.

lama de alta alcalinidade / *high-alkalinity drilling mud*. Fluido de perfuração à base de água com elevado pH.

lama de cálcio / *calcium mud*. Fluido de perfuração inibido pelo tratamento com íons de cálcio, geralmente provenientes de hidróxido de cálcio (cal hidratada).

lama de completação (Port.) / *completion fluid, workover fluid*. O mesmo que *fluido de completação.* ▶ Ver *fluido de completação.*

lama de emulsão de óleo / *oil-emulsion drilling mud*. 1. Fluido de perfuração à base de óleo. 2. Emulsão de água em óleo, estabilizada por aditivos emulsificantes. (A fase contínua do fluido é composta principalmente de óleo, geralmente hidrocarbonetos líquidos). ↔ Os fluidos à base de óleo podem ser classificados como emulsões inversas de água em óleo com teor de água variando normalmente entre 10% e 45% v/v.

lama de fraturamento (Port.) / *fracturing fluid*. O mesmo que *fluido de fraturamento.* ▶ Ver *fluido de fraturamento.*

lama de gesso (Port.) / *gypsum mud*. O mesmo que *lama de gipsita.* ▶ Ver *lama de gipsita.*

lama de gipsita / *gypsum mud*. Fluido de perfuração à base de água e gesso ($CaSO_4.2H_2O$). ↔ Este tipo de fluido é particularmente adequado à perfuração de folhelhos e formações que contenham extensas camadas de anidrita.

lama de *gravel pack* (Port.) / *gravel pack fluid*. O mesmo que *fluido de* gravel pack. ▶ Ver *fluido de* gravel pack; gravel pack.

lama de lignosulfonato / *lignosulfonate mud*. Fluido de perfuração à base de água tratado com lignosulfonato para permitir a dispersão de concentrações mais elevadas de bentonita ou argila ativada.

lama de perfuração / *drilling mud*. 1. Mistura de água, argila e outras substâncias utilizada na perfuração de um poço com o objetivo de manter a pressão superior à das formações atravessadas e evitar que as paredes do poço desmoronem, resfriar a broca e levar os fragmentos de rocha para a superfície. 2. O mesmo que *fluido de perfuração.* ▶ Ver *fluido de perfuração.*

lama de perfuração à base de água salgada (Port.) / *saltwater-base drilling mud*. O mesmo que *fluido de perfuração à base de água salgada.* ▶ Ver *fluido de perfuração à base de água salgada.*

lama de perfuração à base de água do mar (Port.) / *seawater drilling mud*. O mesmo que *fluido de perfuração à base de água do mar.* ▶ Ver *fluido de perfuração à base de água do mar.*

lama de perfuração de base sintética (Port.) / *synthetic-based drilling fluid*. O mesmo que *fluido de perfuração à base sintética.* ▶ Ver *fluido de perfuração à base sintética.*

lama de perfuração dispersa (Port.) / *dispersed drilling fluid*. O mesmo que *fluido de perfuração disperso.* ▶ Ver *fluido de perfuração disperso.*

lama de perfuração inibida (Port.) / *inhibited drilling fluid*. O mesmo que *fluido de perfuração inibido.* ▶ Ver *fluido de perfuração inibido.*

lama do controlo da pressão (Port.) / *kill fluid, kill mud, load fluid*. O mesmo que *fluido de amortecimento.* ▶ Ver *fluido de amortecimento.*

lama inicial de perfuração (Port.) / *spud mud*. O mesmo que *fluido inicial de perfuração.* ▶ Ver *fluido inicial de perfuração.*

lama invasora (Port.) / *invader fluid*. O mesmo que *fluido invasor.* ▶ Ver *fluido invasor.*

lama molhante (Port.) / *wetting fluid*. O mesmo que *fluido molhante.* ▶ Ver *fluido molhante.*

lama não condutiva / *nonconductive mud*. Fluido de perfuração de base não aquosa cuja formulação e características físico-químicas impedem ou dificultam a condução de corrente elétrica através de seu meio. Dessa forma, perfis de resistividade não podem ser obtidos em operações com esse tipo de fluido. Fluidos à base de óleo e fluidos sintéticos se enquadram nessa categoria.

lama não dispersa com baixa quantidade de sólidos / *low-solids nondispersed mud*. Fluido de perfuração à base de água tratado com polímeros, que contém baixa concentração de sólidos ativos, como argila ativada ou bentonita.

lama não molhante (Port.) / *non-wetting fluid*. O mesmo que *fluido não molhante*. ▶ Ver *fluido não molhante*.

lama ou fase molhante (Port.) / *wetting fluid or phase*. O mesmo que *fluido molhante* ou *fase molhante*. ▶ Ver *fluido molhante*.

lama ou fase não molhante / *non-wetting fluid or phase*. O mesmo que *fluido não molhante*. ▶ Ver *fluido não molhante*.

lama saturada de sal / *salt-saturated drilling mud*. Fluido de perfuração à base de água saturado com cloreto de sódio. Este tipo de fluido é adequado para a perfuração de formações salinas que contêm predominantemente halita em sua composição.

lâmina / *laminae*. Camada mais fina reconhecida em uma rocha sedimentar.

lâmina d'água / *water depth*. Distância entre a superfície da água e o fundo do mar. Expressão consagrada pelo uso, significando *coluna d'água*.

lâmina delgada / *thin section*. Lâmina de vidro usada em análises petrográficas, sobre a qual é colada uma fatia de rocha desbastada até atingir a espessura de 0,03 mm.

laminação / *lamination*. Estrutura sedimentar produzida pela superposição de finas lâminas com menos de 1 mm de espessura. ⇝ Este tipo de estrutura é comum em sedimentos como folhelhos, siltitos e arenitos muito finos.

laminação convoluta / *convolute lamination*. Termo utilizado para as laminações deformadas, dobradas e retorcidas, restritas ao interior de uma camada cujos limites superior, inferior e lateral não apresentam deformações. Ocorre geralmente associada a camadas com granulometria de areia muito fina a silte.

laminação corrugada / *corrugated lamination*. Estrutura sedimentar produzida pelo acamamento convoluto intrincado, diferindo da laminação convoluta por não apresentar deformação regular subparalela às cristas e calhas de anticlinais e sinclinais.

laminação cruzada / *cross-lamination, diagonal lamination*. Estratificação cruzada em que os estratos apresentam menos de 1 cm de espessura.

laminação drapejante / *drape lamination*. Laminação que recobre outra laminação ou forma de leito.

lamito conglomerático / *conglomeratic mudstone*. Lamito que apresenta grãos e seixos dispersos, contendo de 5% a 30% de cascalho, com razão areia/lama menor do que 1:1. Termo que pode ser considerado sinônimo de *paraconglomerado*.

lança de guindaste / *crane boom*. Estrutura metálica que suporta a(s) polia(s) superior(es) de um guindaste. ⇝ Normalmente a lança é rotacionada em sua extremidade inferior e basculada para regular o alcance que se deseja no manuseio da carga. Esta é içada por um guincho, cabos e roldanas, situadas ao longo da lança ou na sua extremidade superior.

lança de recuperação / *rope spear*. Ferramenta de pescaria que tem rebarbas salientes. Pode ser utilizada para recuperar um cabo de aço partido dentro do poço.

lança do queimador / *flare boom*. Estrutura metálica, horizontal ou inclinada, que é fixada a plataforma ou unidade de produção por uma das extremidades, e suporta, em sua extremidade oposta, o queimador ou tocha. ⇝ A função da lança do queimador é afastar das facilidades de produção a fonte de calor proveniente da queima (para descarte) de hidrocarbonetos. O termo é sinônimo de *braço do queimador*, embora este último termo seja reservado para queimadores de menor porte (teste de poço), enquanto o termo *lança* é geralmente empregado para queimadores de produção (tocha).

lançador de escovilhão (Port.) / *pig launcher*. O mesmo que *lançador de* pig. ▶ Ver *lançador de* pig.

lançador de esfera / *sphere launcher*. Equipamento destinado ao lançamento de raspador para limpeza de oleodutos e linhas de produção. ⇝ Trata-se de equipamento constituído de uma câmera construída em tubo de aço, seguindo a especificação compatível com o duto a jusante, com diâmetro nominal comercial imediatamente acima daquele usado nesse duto, dotado de um tampo com junta de vedação, válvulas de dreno e de despressurização, ambas de acionamento manual, além de válvulas de alinhamento de fluxo. Esse equipamento permite a abertura para o posicionamento do raspador em seu interior, e, depois do fechamento, possibilita, por manobra de válvulas, o envio do fluxo de líquido a montante da posição onde se encontra o raspador, fazendo com que este seja deslocado, pelo movimento do fluido, para dentro da tubulação a ser limpa. ▶ Ver *lançador de* pig; *lançador de porco*.

lançador de *pig* / *pig launcher*. Equipamento destinado ao lançamento de raspador para a limpeza de oleodutos e de linhas de produção. ▶ Ver *lançador de esfera*; pig; *porco*.

lançador de porco / *pig launcher*. O mesmo que *lançador de* pig e *lançador de esfera*. ▶ Ver *lançador de* pig; *lançador de esfera*.

lanço / *spread*. Arranjo de um grupo de geofones, no qual os dados de um único tiro são gravados simultaneamente. ▶ Ver *geofone*.

lanço de geofones / *geophone spread*. Colocação dos geofones num arranjo ou matriz. ▶ Ver *geofone*.

lanço expandido / *expanded spread*. Método empregado na reflexão sísmica quando os pontos de tiro são fixos e o que se move são os receptores, para simular um registro com um grande número de estações receptoras.

largura de banda / *bandwidth*. 1. Medida da capacidade de transmissão de um determinado meio, conexão ou rede, determinando a velocidade com que os dados passam através dessa rede específica. 2. Intervalo de faixas de uma determinada grandeza (frequência, geralmente), presente em um dado ou sinal. 3. Diferença entre pontos em que a energia se torna metade (3 dB) da energia máxima. ↪ A medida de largura de banda é basicamente feita em bits por segundo (por exemplo, Kbits/seg ou Mbits/seg), e em alguns casos também se relaciona com a faixa de frequências, como no caso da medida de largura de banda para sinais analógicos. A largura de banda depende estritamente do meio de transmissão.

largura de canal / *channel width*. Distância entre as cristas dos bancos marginais de um canal, medida na transversal a seu eixo. Correspondência entre a distância das margens de um canal em uma seção transversal, medida na parte mais elevada dos bancos marginais ao canal, correlatos aos períodos de nível de água alto.

largura de fratura / *fracture width*. 1. Distância entre as duas faces da fratura. 2. Abertura da fratura. ↪ A largura de fratura depende de alguns parâmetros do projeto de fraturamento, tais como vazão de bombeio, pressão de propagação e concentração de agente de sustentação. Normalmente, formações de alta permeabilidade exigem fraturas de maior abertura para apresentar ganho considerável de produtividade. ▶ Ver *agente de sustentação*; *pressão de propagação*.

largura de pulso / *pulse width*. Intervalo de tempo da duração do pulso.

largura do feixe / *beam width*. Ângulo entre duas direções opostas em relação ao eixo central do feixe do sinal acústico, a uma determinada distância da fonte. A largura do feixe aumenta com a distância do transdutor. A largura horizontal do feixe gerado por sistemas de sonar de varredura lateral determina a resolução da imagem na direção transversal (*across-track*) da imagem.

largura horizontal do feixe / *horizontal beam width*. Ângulo do feixe de sonar medido na direção longitudinal (*along-track*) à direção de navegação. ↪ Em sistemas de sonar de varredura lateral, esses ângulos têm normalmente valores entre 0,1° e 2,5°. A largura do feixe diminui inversamente à frequência, e quanto mais estreito o ângulo do feixe, maior a resolução.

largura vertical do feixe / *vertical beam width*. Ângulo vertical do feixe transmitido por um sistema de sonar de varredura lateral, normalmente entre 40° e 70°. Quanto maior a largura do feixe, maior a faixa do fundo marinho que poderá ser efetivamente ensonificada pelo sinal. ↪ Uma área ensonificada representa uma área de varredura de sinal.

laterização / *laterization*. Condição de meteorização em que a sílica e os cátions são lixiviados, resultando em um solo ou uma rocha (o laterito) com elevada concentração de óxidos de ferro e alumínio.

laterolog (Port.) / *laterolog*. O mesmo que *perfil lateral*. ▶ Ver *perfil lateral*.

lateroperfil azimutal / *azimuthal laterolog*. Dispositivo de eletrodos capaz de medir a resistividade, em diferentes direções, das formações atravessadas pelo poço. ↪ Na maioria dos lateroperfis, os eletrodos fazem uma média da resistividade azimutalmente medida.

lateroperfil em arranjo / *array laterolog*. Dispositivo com múltiplos eletrodos de corrente, que podem ser configurados de diferentes modos. ↪ Consiste de um eletrodo central emissor de corrente e múltiplos eletrodos-guardas, acima e abaixo dele. A corrente é enviada entre diferentes pares de eletrodos para que se obtenha maior ou menor focalização. Esta focalização permite maior profundidade de investigação e pode ser melhorada por meio de *software*, em que os sinais são superpostos para garantir a adequada focalização em uma ampla faixa de condições.

Laudo Técnico das Condições Ambientais do Trabalho (LTCAT) / *Technical Report on Workplace Environmental Conditions*. Parecer circunstanciado e conclusivo das condições ambientais expostas, devendo, contudo, refletir a realidade no momento da consecução da vistoria.

lava / *lava*. 1. Designação do magma quando atinge a superfície da terra por uma erupção efusiva. 2. Termo atribuído à rocha formada por uma erupção efusiva. ↪ O termo é comumente utilizado de forma abrangente, designando também as rochas formadas a partir da solidificação da lava. ▶ Ver *erupção*.

lavagem / *washing*. Processo de remoção do fluido de perfuração contido no espaço anular formação-revestimento, realizado antes do deslocamento da pasta de cimento. Processo também conhecido como *washer*. ↪ Para a lavagem são utilizados colchões lavadores à base de água ou à base de óleo, contendo surfactantes e dispersantes projetados para afinar e dispersar o fluido de perfuração. ▶ Ver *colchão lavador*.

lavra do petróleo / *petroleum production*. 1. Conjunto de operações coordenadas de extração de petróleo ou gás natural de uma jazida e de preparo de sua movimentação. 2. O mesmo que *produção do petróleo*. ▶ Ver *produção*.

lay-away. Método de conexão e instalação conjunta de árvore de natal molhada (ANM), linhas flexíveis de produção e linhas de controle hidráulico.

legenda / *coding*. Característica do traço (curva) usado para visualizar um perfil. As legendas mais comuns são: traço cheio (linha cheia), traço longo ou curto (linha tracejada), e traço pontilhado (linha pontilhada). ❖ O traço ainda pode ter espessura ou peso diferente, variando de claro a escuro.

legislação do setor petróleo, Brasil / *oil sector legislation, Brazil.* Conjunto de documentos legais que afeta direta ou indiretamente a condução de operações da indústria do petróleo no Brasil. ❖ Nesse conjunto incluem-se a legislação reguladora — dispositivos originados pela Agência Nacional do Petróleo, Gás Natural e Biocombustíveis (ANP) —, a legislação fiscal — abrangendo impostos, taxas, tarifas, isenções, incentivos e financiamentos, receita, lucro e remessa de lucros —, a legislação relativa ao meio ambiente, à segurança industrial e à saúde ocupacional — administrada por autoridades federais, estaduais e municipais —, a legislação societária, a legislação previdenciária e a legislação trabalhista.

lei blue sky / *blue sky law.* Lei estadual nos Estados Unidos da América que regula a emissão e a venda de títulos de crédito, ações e obrigações, inclusive papéis relacionados ao óleo e ao gás.

lei da assembleia faunística / *law of faunal assemblages.* Lei geral da cronoestratigrafia que determina que, quando diferentes áreas sedimentares apresentam assembleias de organismos fósseis similares (fauna e/ou flora), estas áreas apresentam também idades geológicas similares.

lei da sobreposição (Port.) / *law of overposition.* O mesmo que *lei da superposição.* ▶ Ver *lei da superposição.*

lei da sucessão faunística / *law of faunal succession.* Lei geral da geologia, que afirma que organismos fósseis (fauna e flora) se sucedem em uma ordem definida e reconhecível, o que implica que a idade relativa das rochas pode ser determinada por seu conteúdo fossilífero.

lei da superposição / *law of superposition.* Lei geral das superposições das camadas, sobre a qual toda a cronologia geológica é baseada. Em qualquer sequência sedimentar estratificada, ou em rochas ígneas extrusivas em que não existe inversão das camadas, o estrato mais novo fica no topo e o mais velho fica na base da unidade. Cada camada é mais jovem do que a que foi sobreposta, e esta, mais jovem do que a seguinte, e assim sucessivamente, ou seja, cada camada é mais nova do que a sotoposta e mais velha do que a imediatamente sobreposta a ela. Esta lei foi definida pela primeira vez por Steno, em 1669, como lei da superposição das camadas.

lei de Boyle / *Boyle's law.* Lei que define que o volume de um gás é inversamente proporcional à sua pressão. ❖ Em 1662, Robert Boyle publicou um trabalho chamado *The Spring and Weight of the Air*, algo como *A mola e o peso do ar*. Nesse trabalho, Boyle apresenta uma série de experimentos nos quais media o volume de gases em função da pressão exercida sobre eles, em diferentes temperaturas. Boyle observou que o volume do gás era inversamente proporcional à pressão aplicada sobre ele. Observou ainda que, em uma mesma temperatura, o produto pressão x volume (P.V) é constante. Isso significa que, em uma temperatura qualquer e constante, uma alteração na pressão provoca alteração similar e contrária no volume, de maneira que o produto P.V continue constante.

lei de Boyle-Charles / *Boyle-Charles's law.* Lei que define que o volume de um gás é diretamente proporcional à temperatura, desde que a pressão do gás seja constante. ❖ Da equação geral que representa o comportamento dos gases, observa-se que, em uma pressão (P) constante, o volume do gás (V) varia linearmente com a temperatura (T). O quociente V/T é constante (se P for constante). Logo, qualquer variação na temperatura acarreta uma mudança no volume, de maneira que o quociente V/T continue o mesmo, ou seja, em uma mudança de T_1 até T_2, o volume varia de forma que $(V_1/T_1) = (V_2/T_2)$. ▶ Ver *lei de Boyle.*

lei de Dalton / *Dalton's law.* Lei que define que a pressão total de uma mistura gasosa é a soma das pressões parciais de cada um dos gases constituintes dessa mistura. ❖ Do enunciado da lei de Dalton tem-se que P(total) = p(A) + p(B) + ... + p(N).

lei de Darcy / *Darcy's law.* **1.** Expressão precisa obtida empiricamente e utilizada universalmente para o cálculo de vazão, perda de carga, e para a análise do escoamento de fluidos em meios porosos. **2.** Expressão aplicada na solução de problemas envolvendo escoamento de fluidos em terrenos aquíferos e em reservatórios de petróleo. ❖ A seguir, a expressão mencionada:

$$Q = kA/\mu \times (P_b - P_a)/L$$

onde:

Q é o fluxo de fluido pelo meio poroso, em m^3/s; k é a permeabilidade do meio poroso, em m^2; A é a área da seção transversal do meio poroso, em m^2; μ é a viscosidade do fluido que escoa pelo meio poroso, em Pa.s; L é o comprimento do meio poroso por onde escoa o fluido, em m; P_a é a pressão a jusante do meio poroso, em Pa; P_b é a pressão a montante do meio poroso, em Pa.

lei de Henry / *Henry's law.* Relação que descreve a quantidade de gás dissolvido em um líquido em função da pressão do gás em contato com o mesmo. ❖ Segundo a lei de Henry, a solubilidade do gás em um líquido, ou seja, a capacidade de um líquido de reter gases, é proporcional à pressão do gás acima do líquido. ▶ Ver *vazão*; *perda de carga.*

lei de Hooke / *Hooke's law.* Princípio que estabelece que, dentro do limite elástico, a força aplicada a um sólido é proporcional à sua deformação. ❖ A representação da lei de Hooke é expressa da seguinte forma:

$$F = k.\Delta x$$

onde:
F é a força aplicada, em newtons; k é a constante elástica, em newtons/metro; Δx é a deformação incorrida, em metros.

lei de Stokes / *Stokes' law*. Expressão que avalia a velocidade terminal de queda de uma partícula de dimensões reduzidas, que se desloca sob o efeito de uma força de campo (gravitacional, eletrostática ou centrífuga), no seio de um fluido. •» Esta lei, ou suas extensões para partículas de maiores dimensões, tem grande importância no dimensionamento de equipamentos de separação, pois permite a estimativa do denominado *diâmetro de corte* que pode ser atribuído ao equipamento. ▶ Ver *lançador de porco*; *lançador de esfera*; pig; *porco*.

lei do petróleo, Brasil / *petroleum law, Brazil*. Lei que dispõe sobre a política energética brasileira, as atividades relativas ao setor do petróleo no Brasil, e institui o Conselho Nacional de Política Energética (CNPE) e a Agência Nacional do Petróleo, Gás Natural e Biocombustíveis (ANP). ▶ Ver *Agência Nacional do Petróleo, Gás Natural e Biocombustíveis (ANP)*.

lei dos gases ideais / *ideal gas law*. 1. Fórmula que estabelece uma relação linear entre o volume ocupado por mol de gás e a razão entre a temperatura e a pressão atuantes. 2. Lei que relaciona as variáveis de estado, temperatura, pressão e densidade. Por definição, um gás ideal segue de modo exato a teoria cinética dos gases. Embora a lei dos gases tenha sido deduzida para gases ideais, ela dá uma descrição razoavelmente precisa do comportamento da atmosfera, que é uma mistura de vários gases. A lei dos gases perfeitos, ou ideais, afirma que a pressão exercida por um gás é proporcional à sua densidade e temperatura absoluta. Assim, um acréscimo na temperatura ou na densidade causa um aumento na pressão, se a outra variável (densidade ou temperatura) permanece constante. Por outro lado, se a pressão permanece constante, um decréscimo na temperatura resulta em aumento na densidade e vice-versa. •» A equação que descreve o comportamento de um gás ideal, segundo os experimentos de Boyle, Gay-Lussac e seus sucessores, é:

$$PV = nRT$$

onde:
T é a temperatura, P é a pressão, V é o volume, n é o número de moles do gás e R é a constante universal dos gases. A lei dos gases ideais deve ser utilizada para gases em baixa pressão. No caso de altas pressões, deve-se utilizar o fator de compressibilidade (Z) para compensar volumes moleculares e atrações eletrostáticas; portanto: $PV = ZnRT$.
▶ Ver *gás ideal*.

leilão (Port.) / *bidding round*. O mesmo que *certame licitatório*. ▶ Ver *certame licitatório*.

leito / *seam*. 1. Camada ou estrato, particularmente em uma série de camadas de rochas. 2. Camada ou leito mineralizado. Termo utilizado para designar uma camada de carvão (*coal seam*) ou de mineralizações metálicas. Designa também uma camada fina entre duas camadas de composições diferentes. 3. No sentido estrito, refere-se à linha de separação de dois estratos diferentes.

leme-propulsor / *azimuthal thruster, rudder propeller*. 1. Hélice de passo controlável dentro de um tubulão (tubo Kort) com capacidade para girar 360°. 2. Sistema comum para propulsão de plataformas e de grupos de posicionamento dinâmico. Também conhecido como *hélice azimutal*.

lençol freático / *water table*. 1. Superfície suavemente curva, situada no nível do terreno entre a zona vadosa e a zona freática. 2. Nível no qual um poço é preenchido por água. Nível abaixo do qual o solo encontra-se permanentemente saturado de água.

lente / *lens*. Corpo de rocha limitado por superfícies curvas e convergentes, com um formato análogo ao de uma lente, mais espesso no centro e que vai afinando em direção às extremidades. Usando a analogia com uma lente, estes corpos podem ser plano-convexos, plano-côncavos ou côncavo-convexos.

lenticular / *lenticular*. Termo que pode ser aplicado a um corpo de rocha sedimentar, uma estrutura sedimentar ou um hábito mineral. Apresenta uma geometria em forma de lente biconvexa em uma seção.

leque / *fan*. Corpo ou depósito sedimentar com o formato de cunha em uma vista em corte ou em duas dimensões, e com o formato de leque em uma vista em mapa ou em três dimensões. Normalmente formado de areias e seixos, com um padrão em mapa aproximadamente semicircular e uma superfície superior suave e convexa que se inclina a partir da cabeça ou ápice do corpo terminando em um acunhamento na sua porção distal. ▶ Ver *sistema deposicional*.

leque aluvial / *alluvial fan*. 1. Massa de detritos depositados por uma corrente de montanha na parte em que a corrente encontra uma região mais plana, como um vale. Apresenta forma semelhante a um leque, com o ápice apontando para montante e encostas suaves e convexas, cujo gradiente diminui gradativamente. Sinônimo de *leque de detritos*. 2. Depósitos de sedimentos oriundos de elevação topográfica, com formato de um leque, produzidos por fluxos sedimentares durante os períodos de grande pluviosidade (cheias). Esses depósitos são compostos, na sua porção proximal, por sedimentos caóticos e malselecionados, produzidos por fluxos gravitacionais. Tais fluxos se modificam ao longo da deposição, formando fluxos mais diluídos, em que os sedimentos são transportados por processos canalizados nas porções medianas e distais do depósito. •» A carga sedimentar de fundo desses canais é transportada por tração, influenciada pela velocidade da corrente da água e depositada ao longo do eixo desses canais quando a velocidade das correntes desses fluxos canalizados diminui. ▶ Ver *leque*.

leque aluvial composto / *compound alluvial fan*. 1. Conjunto de leques aluviais que formam uma bajada. 2. Área plana extensa e larga, capeada por uma superfície de erosão plana, levemente inclinada, entalhada no embasamento, geralmente coberta por cascalhos fluviais. ↝ Ocorre entre frontes de montanhas ou vales ou fundo de bacias. ▶ Ver *leque aluvial*; *leque*.

leque coalescente / *coalescing fan*. Conjunto de corpos normalmente arenosos, em forma de leque, que se sobrepõe parcialmente a uma planície ou região de baixo gradiente, podendo ser de origem aluvial, deltaica ou turbidítica. ▶ Ver *leque*.

leque conglomerático / *fanglomerate*. Rocha sedimentar conglomerática imatura, composta de fragmentos heterogêneos de tamanhos malselecionados, normalmente relacionada geneticamente com depósitos de leques aluviais ou leques deltaicos. ↝ É caracterizada por manter uma espessura relativamente constante, perpendicular ao eixo deposicional e um rápido afinamento no sentido do eixo de deposição. ▶ Ver *leque aluvial*.

leque continental / *continental apron*. Parte da margem continental entre o talude e a planície abissal, exceto em áreas onde ocorrem fossas oceânicas. As inclinações são muito baixas, variando de 1:40 até 1:2000, e a topografia é suave, embora possam ocorrer cânions.

leque de talude / *slope fan*. Depósito em forma de leque formado na base de taludes por processos gravitacionais. ▶ Ver *leque*.

leque deltaico / *fan delta*. Depósito aluvial de inclinação suave, produzido quando um rio flui para um corpo de água não corrente. ▶ Ver *leque aluvial*; *leque*.

levantamento (Port.) / *survey*. O mesmo que *foto*. ▶ Ver *foto*.

levantamento 3D / *3Dsurvey*. Aquisição sísmica em que se colhem dados numa área com o objetivo de determinar as relações espaciais de formações geológicas em três dimensões. ↝ Tais levantamentos permitem uma maior precisão na definição de prospectos, contribuindo para um melhor posicionamento de poços exploratórios.

levantamento aerogravimétrico / *airborne gravity survey*. Medição do campo gravimétrico terrestre obtida com a utilização de aeronaves. ▶ Ver *gravimetria*.

levantamento aeromagnético / *aeromagnetic survey*. Medição do campo magnético de uma área geológica de interesse por meio de uma aeronave. ↝ Os magnetômetros rebocados por uma aeronave podem medir a intensidade do campo magnético da área investigada. As diferenças entre medidas reais e valores teóricos indicam anomalias, que representam, por sua vez, mudanças litológicas ou nas feições geológicas.

levantamento aeromagnetométrico / *aeromagnetometric survey, airborne magnetic survey*. O mesmo que *levantamento aeromagnético*. ▶ Ver *levantamento aeromagnético*.

levantamento azimutal / *azimuthal survey*. Pesquisa de resistividade, na qual se atravessa uma área com um par de eletrodos, caminhando ao longo de azimutes, afastando-se do eletrodo de corrente fixa, estacionário.

levantamento de desvio / *deviation survey*. Operação que determina o ângulo em que um poço perfurado se desviou da vertical durante a perfuração. Há dois levantamentos básicos: um mostra somente o ângulo de desvio, o outro indica o ângulo e a direção do desvio.

levantamento de petróleo (Port.) / *lifting*. O mesmo que *lifting*. ▶ Ver *lifting*.

levantamento de poço / *well survey, check shot, hole probe*. O mesmo que *levantamento de velocidade de poço*. ▶ Ver *levantamento de velocidade de poço*.

levantamento de profundidade / *depth probe*. Método de pesquisa geofísica no qual se aumenta alguma variável, sob controle do operador na superfície, para alcançar maiores profundidades de investigação.

levantamento de reboque fundo / *deep-tow survey*. Método de aquisição sísmica marítima, no qual um barco reboca um receptor bem abaixo da superfície da água, para chegar mais perto de feições de interesse ou para reduzir o ruído devido às condições do mar. É usado em sonar de varredura lateral, gravimetria e levantamentos magnéticos.

levantamento de reflexão / *reflection survey, reflection method*. Atividade que emprega o método de reflexão sísmica para pesquisar as formações e feições geológicas da área investigada.

levantamento de velocidade de poço / *well-velocity survey*. Método pelo qual se determinam as velocidades das formações rochosas atravessadas pelo poço, por meio de uma sucessão de tiros dados na superfície, cujas ondas sísmicas são registradas em diferentes profundidades no interior do poço.

levantamento direcional do poço (Port.) / *well directional survey, well directional log*. O mesmo que *registro direcional do poço*. ▶ Ver *registro direcional do poço*.

levantamento em intervalos de tempo / *time-lapse survey*. Acompanhamento das alterações observadas numa determinada variável, por meio de levantamentos feitos na mesma área em épocas diferentes.

levantamento em leque / *fan shooting*. Levantamento sísmico em que os detectores são colocados ao longo de um arco de maneira que cada detector fique numa direção diferente, mas aproximadamente à mesma distância de uma fonte central única.

levantamento geofísico / *geophysical survey*. Investigação geológica de uma determinada área,

em que se utilizam principalmente métodos sísmicos, gravimétricos e magnetométricos.
levantamento gravimétrico / *gravity survey*. Medidas do campo gravitacional em diferentes localidades, dentro de uma área de interesse, com o objetivo de associar variações com diferentes distribuições de densidade e, portanto, de tipos de rocha.
levantamento infravermelho / *infrared survey*. Levantamento aéreo para medir as radiações infravermelhas da Terra, ou seja, a parte do espectro eletromagnético. Este levantamento é realizado por intermédio de aviões ou satélites.
levantamento interpoços / *crosshole survey*. Técnica de levantamento sísmico para investigar a região entre dois ou mais poços, colocando-se as fontes num poço e os receptores em outro.
levantamento lateral / *offset shooting*. Levantamento sísmico realizado quando a fonte é colocada lateralmente à linha dos receptores.
levantamento magnético / *magnetic survey*. Tomada de medidas do campo magnético, ou de suas componentes, numa série de localidades diferentes, dentro de uma área de interesse, normalmente com o objetivo de localizar concentrações de materiais magnéticos ou de determinar a profundidade do embasamento.
levantamento mínimo de gás (Port.) / *minimum take*. O mesmo que minimum take. ▶ Ver minimum take.
levantamento poço-acima / *uphole survey*. Levantamento utilizado para a determinação das velocidades das ondas sísmicas dentro da zona de intemperismo, possibilitando considerá-las no mapeamento sísmico. ↭ O levantamento consiste na perfuração de um poço que ultrapasse a base da zona de baixa velocidade (ZBV), onde são detonadas cargas em diferentes profundidades. Na superfície, geofones captam as ondas sísmicas geradas, produzindo registros que permitem a interpretação das velocidades da ZBV. ▶ Ver *zona de baixa velocidade (ZBV)*.
levantamento revezado / *tandem survey*. Método de pesquisa eletromagnética no qual as duas bobinas, a transmissora e a receptora, são movidas simultaneamente, mantendo uma separação constante entre si.
levantamento sísmico 4C / *4C seismic survey*. Aquisição de dados sísmicos utilizada para o monitoramento de reservatórios. Consiste no levantamento de dados sísmicos 3D em épocas distintas, o que permite um conhecimento maior do processo de migração de hidrocarbonetos no reservatório. ↭ Técnica que utiliza cabos sismográficos posicionados próximos ao fundo do oceano (OBC, *ocean bottom cable*), os quais contêm sensores que registram dados das ondas primárias (ondas P) e das ondas de cisalhamento (ondas S). Após o posicionamento são rebocados por uma embarcação. Outra embarcação reboca a fonte de energia. Esse método busca um melhor detalhamento da geologia da subsuperfície de uma determinada área. ▶ Ver *onda P*; *onda S*; *levantamento 3D*.
levantamento sísmico tipo lanço lateral / *end-on spread*. Levantamento em que o ponto de tiro está colocado lateralmente às estações receptoras.
levantamento superficial / *surface shooting*. Levantamento sísmico com fonte de superfície.
levantamento tabuleiro / *patch shooting*. Levantamento 3D terrestre com fonte móvel por linhas paralelas de tiro e com os geofones arranjados bidimensionalmente. ▶ Ver *levantamento 3D*.
liberação flash / *flash release*. Processo de vaporização repentina de um líquido devido à redução da pressão ou ao aumento da temperatura. ↭ Processo utilizado para análise PVT em laboratório.
licença ambiental / *environmental permit (or license)*. Ato administrativo expedido pela autoridade competente que contém condições, restrições e medidas de controle ambiental a serem observadas por seu titular para localização, instalação, ampliação ou operação de atividades ou empreendimentos que utilizem recursos ambientais que sejam efetiva ou potencialmente poluidores ou que possam causar degradação ambiental (Resolução CONAMA n° 237/97). ▶ Ver *gerência de empreendimento*.
licença de instalação (LI) / *environmental installation license*. Licença ambiental obtida para a implantação dos empreendimentos, de acordo com o projeto antes aprovado pela licença prévia e obedecendo a medidas de controle ambiental e condicionantes específicos (Resolução CONAMA n° 237/97). ▶ Ver *construção e montagem*.
licença de operação (LO) / *environmental operating license*. Licença ambiental para o início da atividade ou para a operação de instalações de acordo com as licenças anteriores e submetida a condicionantes específicos (Resolução CONAMA n° 237/97). ▶ Ver *operação assistida*; *pré-operação*.
licença de perfuração (Port.) / *drilling permit*. O mesmo que *permissão para perfuração*. ▶ Ver *permissão para perfuração*.
licença prévia (LP) / *environmental permit (or license)*. Licença ambiental obtida pelo empreendedor na fase de planejamento dos empreendimentos para garantia de obediência a requisitos básicos de localização, instalação, operação e observação dos planos governamentais de uso do solo (Decreto n° 99.274/90). ↭ Segundo os requisitos da Resolução CONAMA n° 237/97, a Licença Prévia é subsidiada pelo *Estudo de Impacto Ambiental (EIA)* e pelo respectivo *Relatório de Impacto Ambiental (RIMA)*, podendo ser exigida a realização de *audiência pública*. ▶ Ver *projeto conceitual*; *projeto básico*; *projeto executivo*.
licença prévia de importação / *preliminary import license or permit*. Documento, emitido

por órgão competente, que permite o ingresso de mercadoria estrangeira em território nacional.

licença prévia de produção para pesquisa (LPpro) / *preliminary research production license*. Licença ambiental obtida para a realização de projetos pilotos de produção antecipada, expedida com base no estudo ambiental denominado Estudo de Viabilidade Ambiental, ou EVA (Resolução CONAMA nº 23/94).

licença prévia para perfuração (LPper) / *preliminary drilling permit*. Licença ambiental obtida para a atividade de perfuração de poços, expedida com base no estudo ambiental denominado Relatório de Controle Ambiental, ou RCA (Resolução CONAMA nº 23/94).

licenciamento ambiental (EVA) / *environmental permitting*. Procedimento administrativo conduzido pelo órgão ambiental para a análise da viabilidade ambiental e a concessão da licença para localização, instalação, ampliação e operação de atividades e empreendimentos que a exigem, considerando os requisitos legais e as normas técnicas aplicáveis (Resolução CONAMA n° 23/94).
► Ver *projeto conceitual*; *projeto básico*; *projeto executivo*; *construção e montagem*; *gerência de empreendimento*.

licitação / *bidding*. Procedimento administrativo para contratação de serviços ou aquisição de produtos. •➤ No Brasil, a administração pública convoca, mediante condições estabelecidas em ato próprio (edital ou convite), empresas interessadas na apresentação de propostas para o oferecimento de bens e serviços, bem como em concessões de exploração, desenvolvimento e produção de petróleo e gás natural, por intermédio da Agência Nacional do Petróleo, Gás Natural e Biocombustíveis (ANP). ► Ver *Agência Nacional do Petróleo, Gás Natural e Biocombustíveis (ANP)*.

licitação de blocos exploratórios / *bidding for exploratory blocks*. Procedimento administrativo, de natureza formal, no qual a Agência Nacional do Petróleo, Gás Natural e Biocombustíveis (ANP) do Brasil estabelece os mínimos requisitos técnicos, econômicos e jurídicos que deverão ser obrigatoriamente atendidos pelas empresas que se propõem a exercer atividades de exploração e produção de petróleo e gás natural, mediante contratos de concessão. ► Ver *Agência Nacional do Petróleo, Gás Natural e Biocombustíveis (ANP)*.

lifting. Acordo para a retirada ordenada da produção de petróleo. O mesmo que offtake agreement.
► Ver *acordo de participação*; *acordo de retirada ordenada de produção*.

lifting de módulos / *module lifting*. Operação de içamento de módulos de uma plataforma com auxílio de guindastes e balsas. ► Ver *módulos de plataforma*; *topside de plataforma*.

liga resistente à corrosão / *corrosion-resistant alloy*. Liga metálica especialmente formulada para ser usada nos componentes de completação de poços que apresentam problemas de corrosão.
•➤ Ligas resistentes à corrosão podem ser formuladas para grande variedade de condições agressivas do poço; no entanto, o custo geralmente determina a sua viabilidade. Ligas com grande quantidade de cromo são comuns para colunas de produção ou injeção.

ligação metálica / *metallic bonding*. Ligação química entre os átomos de um metal, com participação de elétrons e ocorrendo quando vários átomos de um determinado metal perdem elétrons em um mesmo instante e os cátions assim formados se estabilizam por intermédio de uma *nuvem de elétrons* que fica ao redor. •➤ Nenhum átomo simples retém as valências dos elétrons rigidamente para si; todos os átomos adjacentes têm um grupo de valência eletrônica comum. Em consequência, os elétrons são fracamente presos, constituindo o que se chama *nuvens de elétrons*. Os átomos que participam aproximam-se uns dos outros mais estreitamente do que nas ligações covalente e iônica. Cada átomo ligado metalicamente pode ser rodeado por um grande número de outros átomos.

ligação subsaturada / *unsaturated bond*. Ligação dupla ou tripla entre átomos de carbono em uma molécula de hidrocarboneto, por exemplo, benzeno.

lignina / *lignin*. Constituinte químico de árvores e vegetais lenhosos. São substâncias de peso molecular elevado, construídas por elementos estruturais que contêm núcleo de benzeno e grupos de metoxil ($-O-CH_3$).

lignite (Port.) / *lignite*. O mesmo que *lignito*. ► Ver *lignito*.

lignito / *lignite*. Carvão com elevado teor de carbono na sua constituição química (60% a 70%). A sua cor é acastanhada e encontra-se geralmente mais próximo à superfície, por ter sofrido menor pressão. A sua extração é relativamente fácil e pouco dispendiosa. Quando queimado, origina muita cinza. Em termos geológicos, é um carvão recente. Trata-se do único tipo de carvão estritamente biológico e fóssil, formado por matéria orgânica vegetal. Tem função dispersante quando introduzido na formulação de fluidos de perfuração. O mesmo que *linhito*.

lignossulfonato / *lignosulfonate*. Polímero de alto peso molecular com caráter aniônico solúvel.
•➤ Este material é solúvel em água, sendo utilizado nas formulações que contêm argilominerais como defloculante. A característica aniônica é importante na estabilização da suspensão das partículas, porque promove um aumento do grau de repulsão entre as partículas que constituem o fluido, evitando a floculação e a precipitação dos materiais em suspensão.

limiar / *threshold*. 1. Limite do valor anômalo, em prospecção geoquímica, abaixo do qual as variações representam apenas efeitos de valores de *background* normais e acima do qual ocorre significância em termos de depósitos minerais. 2. Em química analítica, limite de sensibilidade de um método analítico, o limite de detecção. O mesmo que threshold. ▶ Ver threshold.

limite de elasticidade / *elastic limit*. Esforço máximo que pode ser aplicado a um corpo, de modo que este não retorne a sua forma original depois da interrupção de tal esforço.

limite de inflamabilidade / *flammability limit*. Porcentagem de gás por volume, numa mistura gás-ar, que forma uma mistura inflamável.

limite de pressão interna do revestimento / *casing burst pressure*. Máximo valor de pressão, analítico ou empírico, que pode ser aplicado à face interna de uma junta de revestimento sem que ocorra deformação excessiva ou seu rompimento. ↔ Normalmente este valor é estabelecido em várias normas, podendo a mesma junta ter valores diferentes de limite de resistência à pressão interna para cada norma.

limite de resistência à fadiga / *fatigue endurance limit*. Nível de tensão cíclica abaixo do qual o material, o componente, a junta soldada etc. não mais apresentam falha por fadiga sob carregamento monotônico, por maior que seja o número de ciclos. ↔ Alguns materiais, quando submetidos a esforços cíclicos monotônicos, podem apresentar falha após um determinado número de ciclos, em função do nível do esforço cíclico. No caso de aços ao carbono, material largamente usado na indústria do petróleo, o comportamento à fadiga caracteriza-se por uma curva bilinear que utiliza escalas logarítmicas para tensão cíclica *versus* número de ciclos. Para falha em até 106 ciclos, tensões cíclicas decrescentes correspondem a uma resistência crescente em termos de número de ciclos. Para tensões cíclicas correspondentes a uma vida de 106 ciclos e qualquer tensão cíclica inferior, não se observa mais falha por fadiga, independentemente do número de ciclos. É importante observar que algumas ligas metálicas não apresentam limite de resistência à fadiga. Deve-se notar também que, em várias condições específicas, como, por exemplo, para carregamentos cíclicos não monotônicos em componentes de aço carbono soldados, não existe um limite de resistência à fadiga. O ensaio de fadiga consiste na aplicação de carga cíclica em um corpo de prova (CP), obtendo dados quantitativos de resistência e analisando a formação de trincas.

limite de resistência à pressão interna / *burst pressure*. Máximo valor de pressão, analítico ou empírico, que pode ser aplicado à face interna da parede de uma tubulação sem que ocorra deformação excessiva ou seu rompimento. Normalmente este valor é estabelecido em várias normas, podendo apresentar valores diferentes em função da norma adotada.

limite de resistência à tração / *ultimate strength*. Valor máximo de tensão de engenharia obtido num ensaio de tração. ↔ O ensaio de tração consiste, basicamente, em se tracionar um corpo de prova (CP) de seção reta retangular (CP prismático) ou circular (CP cilíndrico) até a sua ruptura, o que possibilita a medição de diversos parâmetros.

limite de resistência ao colapso / *collapse resistance or pressure*. Máximo valor de pressão, analítico ou empírico, que pode ser aplicado à face externa da parede de uma tubulação (tubo de revestimento, tubo de produção, tubo de perfuração etc.) sem que ocorra deformação excessiva. Normalmente este valor é estabelecido em várias normas, podendo diferir de uma para outra.

limite transformante / *transform boundary*. Limite entre placas tectônicas em que o movimento relativo entre elas é deslizante, porém não existindo, normalmente, destruição e geração de crostas ▶ Ver *placa tectônica*.

***limited-recourse financing structure*.** Forma de *project finance* em que os credores consideram o fluxo de caixa que o projeto poderá gerar, com o objetivo de verificar a capacidade de pagamento do serviço da dívida. ▶ Ver project finance.

limpeza de linhas / *flushing of lines*. Procedimento para remoção de materiais estranhos e depósitos presentes no interior da tubulação, após o término da montagem, e que deve ser executado perto da fase de pré-operação. ↔ A limpeza é feita por deslocamento, por meio de fluxo de água no sentido descendente, durante tempo suficiente para garantir a limpeza do trecho de linha submetido à lavagem.

limpeza de tubagem (Port.) / *flushing of lines*. O mesmo que *limpeza de linhas*. ▶ Ver *limpeza de linhas*.

liner de produção / *production liner*. Coluna de revestimento cujo topo se situa um pouco acima da sapata do revestimento anterior. ↔ Essa coluna fica ancorada no revestimento por meio do suspensor do *liner* (*line hanger*). ▶ Ver *coluna de revestimento*.

liner perfurado / *perforated liner*. Tubulação descida no poço, instalada em frente à zona de interesse, na qual são confeccionados furos antes da sua montagem e descida, a fim de garantir um canal para escoamento de fluidos entre a formação e o poço. ▶ Ver liner *rasgado*.

liner rasgado / *slotted liner*. Tubulação (*coluna de revestimento*) descida no poço, instalada em frente à zona produtora, na qual são pré-confeccionados rasgos (*slots*), a fim de criar um canal para escoamento de fluidos entre a formação e o poço, e, ao mesmo tempo, controlar a produção de areia. ↔ Estes tubos, cujos rasgos (*slots*) são projetados em função da granulometria da formação produtora, podem fazer parte do sistema de controle de produção de areia. ▶ Ver liner *perfurado*.

linha agônica / *agonic line*. Linha correspondente a uma declinação magnética nula. ↔ As linhas agônicas são as linhas imaginárias na superfície da Terra ao longo dos pontos da agulha de uma bússola, com relação ao norte e ao sul geográfico, com declinação magnética igual a zero, sendo a declinação magnética definida pela não coincidência entre o norte real e aquele apontado por essa bússola. ▶ Ver *declinação magnética*.

linha-base de folhelho / *shale baseline*. Linha traçada na vertical em um perfil de potencial espontâneo de um poço, correspondente aos intervalos de folhelhos ou seus eletroquímicos equivalentes.

linha-base de xisto argiloso (Port.) / *shale baseline*. O mesmo que *linha-base de folhelho*. ▶ Ver *linha-base de folhelho*.

linha cáustica / *caustic line*. Linha formada por pontos cáusticos.

linha de afloramentos / *line of outcrop*. Linha de interseção entre as camadas de rocha expostas e a superfície do solo.

linha de alto ruído / *high-line noise*. Conjunto de pequenas voltagens induzidas em cabos sísmicos ou em instrumentos de medida, por linhas das redes de transmissão de alta tensão que passam por perto dos cabos ou dos instrumentos.

linha de amarração / *tie-line*. Linha que une dois prospectos adjacentes em reflexão.

linha de ancoragem em catenária / *catenary anchor leg mooring*. Componente básico do sistema de manutenção da posição (amarração) de unidades flutuantes de perfuração e produção. ↠ Os sistemas de ancoragem restringem o deslocamento horizontal total a valores compatíveis com a função da unidade. Entretanto, esses sistemas não limitam o deslocamento associado à passagem das ondas, devendo ser complacentes ao esforço provocado por elas.

linha de areia / *sand line*. Termo utilizado para balizar uma linha-base de coordenadas em perfis de potencial espontâneo, correspondendo a camadas que contêm arenitos sem argila, geralmente chamados *arenitos limpos*.

linha de base / *baseline*. 1. Conjunto de dados de um levantamento ou de uma perfilagem, obtido em uma determinada área, que servirá de base para pesquisa em outras áreas semelhantes. 2. Na perfilagem, linha de referência que representa o valor típico de um determinado parâmetro, como a argilosidade.

linha de *choke* / *choke line*. Tubulação de alta pressão ligada ao *BOP stack*, que conduz os fluidos do anular do poço até o *choke* e o *choke manifold*. ↠ Em operações de controle do poço, quando o *BOP* está fechado e um *kick* está sendo circulado para fora do poço, o fluido sob pressão escoa pela *chokeline* até o *choke*, reduzindo sua pressão até a pressão atmosférica. Em plataformas submarinas, as linhas de *choke* (e as de *kill*) saem do *BOP stack* submarino e são posicionadas ao longo da parte exterior do *riser* até à superfície. Os efeitos volumétricos e friccionais desta linha de *choke* longa devem ser considerados para controlar o poço corretamente. ▶ Ver *linha de estrangulamento*.

linha de contato / *contact line*. Linha formada pelos pontos onde há contato fluido-fluido-sólido, ou seja, quando dois fluidos estão depositados em uma superfície sólida. A linha de contato se desloca quando há movimento dos fluidos sobre o sólido, como no caso do deslocamento do óleo pela água, dentro de um reservatório.

linha de controlo (Port.) / *control line*. O mesmo que *linha de matar*. ▶ Ver *linha de matar*.

linha de corte / *cutoff*. 1. Linha, orientada perpendicularmente ao plano de acamamento, que marca o limite areal de uma unidade estratigráfica específica. Linhas de corte são aplicáveis a mapas, seções e vistas em três dimensões e são de fato limites especializados de fácies. 2. Atalho produzido por um rio meandrante durante um período de cheia, quando a vazão do rio é maior do que a capacidade de vazão do canal meandrante.

linha de costa / *coastline*. 1. Linha limitante dos ambientes sedimentares continental e marinho, ou continental e lacustre, e de seus respectivos depósitos. 2. Termo geral para descrever a configuração da terra ao longo de uma costa.

linha de costa com subsidência (Port.) / *shoreline of depression*. O mesmo que *praia depressionada*. ▶ Ver *praia depressionada*.

linha de costa de delta / *delta shoreline*. Linha de costa progradante resultante do avanço do delta em direção ao mar ou a um lago. Costa progradante pode ser compreendida como um sistema regressivo de águas rasas em transição para um sistema fluviodeltaico.

linha de declividade nula / *aclinic line*. Linha imaginária próxima ao equador da Terra em que a agulha magnética balança horizontalmente e sem mergulho. A linha de declividade nula é também denominada *linha do equador magnético*.

linha de descarga em perfuração a ar / *blooey, blooie line*. Tubo de descarga empregado quando se utiliza ar ou gás como fluido de perfuração. ↠ Esta tubulação é instalada na superfície e conduz o ar ou o gás, e retorna do fundo do poço à superfície, a uma distância segura da sonda, possibilitando a deposição dos cascalhos carreados e reduzindo o risco de ocorrência de incêndio no caso de haver produção de hidrocarboneto.

linha de equilíbrio / *equilibrium line*. 1. Ponto de uma geleira no qual o ganho global em volume iguala-se à perda, de forma que o volume que sobra fica estável. 2. Linha que marca a borda entre a zona de acumulação e a zona de ablação.

linha de estrangulamento / *choke line*. 1. Linha de controle de vazão de alívio do preventor de erupção (*blowout preventer, BOP*), para manter uma certa contrapressão dentro do poço durante a circulação para o controle de *kick* (controle do poço). 2. Linha de alta pressão que interliga o BOP (na cabeça do poço) ao manifolde de *choke* (na superfície). Durante operações de controle do poço, o fluido escoa a partir do poço para o tanque de lama, através dessa linha. O *choke*, localizado na extremidade de saída dessa linha, controla a pressão de chegada do fluido.

linha de fogo / *firing line*. O mesmo que ligação de carga ao detonador, em uma atividade sísmica.

linha de folhelho / *shale line*. Linha-base utilizada na interpretação de perfis de potencial espontâneo. ▶ Ver *linha-base de folhelho*.

linha de gás (Port.) / *gas line, gas pipeline*. O mesmo que *gasoduto* e *conduta de gás*. ▶ Ver *gasoduto*.

linha de matar / *kill line*. 1. Linha de alta pressão que interliga o *BOP* (*blowout preventers*), na cabeça do poço, aos equipamentos de bombeamento. 2. Tubulação usada para injetar fluido de perfuração na cabeça do poço durante o controle de *kick*. 3. Linha de ataque durante o controle do poço. ↔ Utilizada para controlar o poço, bombeando-se fluido de perfuração de peso adequado para amortecê-lo ou 'matá-lo', se necessário.

linha de praia / *shoreline*. 1. Linha formada pela interseção do plano da água com o plano da praia. Esta linha varia de posição em função da variação do nível da maré ou do nível da água. O termo é mais frequentemente empregado para a linha correspondente ao nível mais elevado da maré, sendo utilizado para separar a área de intermaré e supramaré. 2. Os termos *shoreline* e *coastline* são frequentemente utilizados como sinônimos, mas existe uma tendência a utilizar o termo *shoreline* para designar genericamente a região de praia que se move constantemente em função das variações do nível da água, enquanto *coastline* seria mais apropriado para designar um limite de praia fixo para um período de tempo relativamente mais longo.

linha de preenchimento / *in-fill line*. Linha adicional nos levantamentos sísmicos 3D, geralmente para cobrir áreas secundárias.

linha de produção / *flow line*. Trecho estático de linha de produção rígida ou flexível, apoiado no leito marinho ou no solo, que interliga a árvore de natal de um poço, ou um manifolde, até a unidade estacionária de produção ou estação de produção, permitindo, assim, a condução dos fluidos produzidos.

linha de qualidade / *quality line*. Linha, num envelope de fases, que une os pontos de pressão e temperatura que apresentam valores idênticos para a razão entre o volume da fase líquida e o volume da mistura, ou para a fração molar da fase líquida. ▶ Ver *envelope de fases*.

linha de sondagem / *survey line, lane*. Linha imaginária, com comprimento e direção definidos, sobre a qual a embarcação navega durante o levantamento. ↔ Em levantamentos batimétricos sonográficos e sísmicos de alta resolução, as linhas são planejadas de acordo com a área de interesse e o nível de detalhe do levantamento, com o maior número de linhas projetadas no sentido principal do levantamento e algumas linhas de controle projetadas na direção perpendicular às primeiras. Em levantamentos sísmicos 3D, as linhas recebem a denominação de *in-lines* e *cross-lines*.

linha de surgência / *surge line*. Tubulação rígida de aço ou linha flexível através da qual os hidrocarbonetos fluem do poço até o ponto de coleta.

linha de terra / *ground line*. Condutor aterrado na superfície, que serve como referência para medir o potencial em perfilagem de poços.

linha de xisto argiloso (Port.) / *shale line*. O mesmo que *linha de folhelho*. ▶ Ver *linha de folhelho*.

linha definida pelo usuário / *user-defined line*. Linha definida pelo usuário em um levantamento sísmico 3D, constituindo-se de um corte arbitrário no volume sísmico de dados, segundo uma direção qualquer. ↔ Muito comum nas técnicas de interpretação de dados sísmicos, nas quais o intérprete define linhas em que as acumulações/trapas geológicas se mostram mais evidentes, contribuindo no estudo detalhado da feição geológica. ▶ Ver *levantamento 3D*.

linha isomolar / *iso-molar line*. O mesmo que *linha de qualidade*. ▶ Ver *linha de qualidade*; *envelope de fases*.

linha isovolumétrica / *isovolumetric line*. O mesmo que *linha de qualidade*. ▶ Ver *linha de qualidade*; *envelope de fases*.

linha-limite de hidrocarbonetos / *hydrocarbon deadline*. Máxima profundidade ou temperatura na qual o óleo ou o gás pode estar presente em quantidades econômicas numa área particular.

linha sísmica / *seismic line*. Perfil onde são colocados os pontos de tiro ou de geração de um sinal sísmico e os receptores ou estações de receptores das ondas geradas por estas fontes.

linhas de *choke* e *kill* / *choke and kill lines*. O mesmo que *linhas de estrangulamento e de ataque*. ▶ Ver *linhas de estrangulamento e de ataque*; *linha de choke*; *linha de estrangulamento*; *linha de matar*.

linhas de estrangulamento e de ataque / *choke and kill lines*. Linhas de alta pressão que se estendem do *BOP* até o manifolde de estrangulador (*choke manifold*) e o manifolde de bombeamento (*standpipe manifold*) nas sondas de perfuração. ↔ Estas linhas são normalmente usadas durante o controle do poço (controle de *kick*). Essas linhas são também usadas para testes de pressão, mas a principal razão da sua existência é a possibilidade do fluido de perfuração circular com uma contrapressão no anular do poço, mantendo assim a pressão no fundo maior do que a a da formação, impedindo novos influxos. ▶ Ver *linha de choke*; *linha de estrangulamento*; *linha de matar*.

linhito / *lignite*. Carvão, em geral castanho ou negro, pertencente a formações mesozoicas ou cenozoicas, resultante da transformação (incarbonização) de restos vegetais acumulados com os sedimentos encaixantes. •• São, em regra, rochas compactas com um teor de carbono entre 65% e 75%, uma densidade que oscila entre 1,1 e 1,3, e um teor de água entre 10% e 30%.

liofílico / *lyophilic*. Substância coloidal que tem uma forte afinidade e é estabilizada pelo meio líquido no qual está dispersa.

liofóbico / *lyophobic*. Substância coloidal que tem uma fraca afinidade com o meio líquido no qual está dispersa.

lipídio / *lipid*. Produto vegetal e animal caracterizado por ésteres de ácidos graxos fortes, e que inclui outras substâncias solúveis em óleo e insolúveis em água. •• O termo *graxo* (ou óleo vegetal ou animal, em se tratando de líquido) é normalmente ligado a éster ou ácidos graxos com glicerol, e o termo *cera* é relacionado a éster com outros alcoóis. O termo *lipídio* inclui os ácidos graxos, alcoóis, esteroides, terpanos e carotenoides. É geralmente caracterizado pela solubilidade em éter, benzeno e clorofórmio, e tem pouca ou nenhuma solubilidade em água.

liptinito / *liptinite*. Grupo de macerais de carvão que é o constituinte orgânico dominante em carvões de pântanos. Os macerais de liptinito incluem a esporinita, cutinita, resinita e alginita, que são derivadas, respectivamente, de esporos e polens, cutículas, resinas e algas. A betuminita é um maceral amorfo de liptinito. O liptinito é muito disseminado em sedimentos e uma fonte importante de petróleo. O querogênio de folhelhos betuminosos é, em sua maioria, de origem liptinítica. O mesmo que *exinito*, porém extensivo a macerais de carvão marrom. ▶ Ver *maceral*.

líquido altamente volátil / *highly volatile liquid*. Líquido em que a pressão de vapor excede 40 psia. •• Refere-se a um líquido perigoso que forma nuvem de vapor quando liberado na atmosfera e que tem pressão de vapor acima de 276 kPa (40 psia) a 37,8 °C (100 °F).

líquido condensado / *condensate liquid*. Hidrocarboneto que está na fase gasosa nas condições de reservatório, mas condensa-se na fase líquida ao se elevar poço acima e atingir as condições do separador. •• Líquidos condensados são, em algumas situações, chamados de *destilados*.

líquido de gás natural (LGN) / *natural gas liquid (NGL)*. 1. Frações mais pesadas do gás natural, mais valiosas por terem maior poder calorífico. 2. Mistura de hidrocarbonetos que se comporta como gás no reservatório, mas que permite a recuperação de líquidos na superfície por condensação e absorção. 3. Parte do gás natural que se encontra na fase líquida em determinada condição de pressão e temperatura, obtida nos processos de separação de campo, em unidades de processamento de gás natural ou em operações de transferência em gasodutos. •• É obtido através do processamento primário do gás em uma unidade de processamento de gás natural (UPGN). ▶ Ver *gás natural*; *processamento de gás natural*; *hidrocarboneto*.

líquido retrógrado / *retrograde liquid*. Hidrocarboneto líquido que se condensa a partir de gás retrógrado (que se apresenta totalmente no estado de vapor dentro do reservatório), devido à queda da pressão do reservatório com o início da produção. •• O líquido que é condensado dentro do reservatório não pode ser recuperado, exceto uma pequena fração que revaporiza devido ao aumento da pressão. A deposição da fase líquida acarreta problemas para a produção, diminuindo a permeabilidade relativa ao gás.

lista de fornecedores (Port.) / *vendor list*. O mesmo que vendor list. ▶ Ver vendor list.

litificação / *lithification*. 1. Processo através do qual os sedimentos são compactados por pressão, expelindo fluidos conatos e formando gradualmente as rochas sedimentares sólidas. 2. Processo de destruição de porosidade primária através da compactação e cimentação. ▶ Ver *porosidade primária*; *rocha sedimentar*.

litocronozona / *lithochronozone*. Cronozona baseada em uma unidade litoestratigráfica.

litofácies / *lithofacies*. 1. Corpo de rocha caracterizado pela composição litológica e por propriedades físico-químicas peculiares. 2. Unidade estratigráfica mapeável, distinta das demais unidades adjacentes, com base, principalmente, nos caracteres litológicos. ▶ Ver *estratigrafia*.

litologia / *lithology*. 1. Descrição de um corpo de rocha em termos de textura, cor e composição mineralógica. 2. Conjunto de todas as feições visíveis na rocha, de caráter geral ou individualizado, que permite interpretar a sua extensão lateral. 3. Estudo das rochas baseado na observação macroscópica de amostras de mão.

litológico / *lithologic*. Referente a *litologia*. ▶ Ver *litologia*.

litotipo / *lithotype*. Unidade petrográfica definida por determinadas características físicas e mineralógicas. ▶ Ver *petrografia sedimentar*.

livre acesso à rede de terceiros / *open access to gas pipelines belonging to third parties*. Conjunto de diretrizes que visam ao aumento da concorrência no segmento de transporte e de distribuição, mediante o aumento do acesso de terceiros à rede de transmissão e de distribuição de gasodutos. Pode ser classificado como acesso regulado ou negociado. ▶ Ver *acesso livre*.

livre de avaria particular (LAP) / *free of particular average*. Garantia básica do ramo de transportes, aplicável aos seguros de transportes marítimos, fluviais e lacustres, que compreende a perda total e a avaria grossa, mas exclui, de forma total e absoluta, a cobertura de avaria particular.

livro técnico de projeto (Port.) / *data book*. O mesmo que data book. ▶ Ver data book; *projeto conceitual*; *projeto básico*; *projeto executivo*.

lixiviação / *leaching*. 1. Separação, remoção seletiva ou dissolução de constituintes solúveis de uma rocha ou de uma sequência sedimentar, pela ação natural de percolação da água. 2. Dissolução de minérios ou concentrados depois de expostos a processos de ataques químicos ou pela água. Se o aumento de pressão é usado para intensificar ou aumentar a velocidade do processo, ele é chamado de *lixiviação de pressão*. 3. Remoção, em solução de constituintes como sal e matéria orgânica, de um horizonte superior para um inferior do solo, feita através da ação de percolação de água da chuva.

load-in de plataforma / *platform load-in*. Cais em estaleiro para atividades de transferência da estrutura para terra. ↝ O inverso da operação de load-out *de plataforma*. ▶ Ver load-out *de plataforma*.

load-out de plataforma / *platform load-out*. 1. Processo pelo qual os módulos de uma plataforma são arrastados, por intermédio de trilhos e por meio da ação de guinchos ou *strand jacks*, e embarcados em um cais para uma balsa, envolvendo um procedimento técnico que considera todos os aspectos desta transferência desde terra firme até a balsa em questão. 2. Transferência de uma estrutura construída em estaleiro, sem carreira de lançamento ou dique seco, para uma embarcação de transporte cuja função é levar a estrutura até um local adequado à sua colocação em flutuação.

***loan agreement*.** Modalidade de contrato de serviço em que a companhia de petróleo faz o papel do banco, emprestando dinheiro ao Estado.

lobo de crevassa / *crevasse splay*. Depósito predominantemente arenoso formado, durante cheias, pelo rompimento do dique marginal de um rio e depositado na planície de inundação. Apresenta normalmente uma forma de lóbulo, quando visto em planta, e uma forma de cunha, quando visto em corte longitudinal ou transversal. Encontrado em deltas e leques submarinos.

lobo deltaico / *delta lobe*. Depósito em forma de leque, componente de um delta, formado na desembocadura de um canal.

locação de poço / *well location*. Localidade, normalmente expressa por coordenadas geográficas, onde será perfurado um poço para exploração ou produção de petróleo ou gás.

locação do alvo (Port.) / *target location*. Delimitação de área ou volume no reservatório onde se pretende entrar com um poço. ↝ Em poços verticais e direcionais, é definida como a área delimitada pelas coordenadas geográficas e a cota de um ponto no reservatório, chamado de *objetivo*, representado pelo centro de um círculo, podendo porém, em vez do círculo, se utilizarem outras formas geométricas planas. Nos poços de alta inclinação ou horizontais, esta locação pode ser representada por intermédio de um volume cilíndrico formado a partir de um eixo definido pelas coordenadas geométricas, a cota de dois pontos e as tolerâncias lateral e vertical definindo-se assim a área e o formato do cilindro. Geralmente a tolerância vertical é menor que a tolerância.

localização de poço (Port.) / *well location*. O mesmo que *locação de poço*. ▶ Ver *locação de poço*.

localização do alvo (Port.) / *target location*. O mesmo que *locação do alvo*. ▶ Ver *locação do alvo*.

localizador de juntas / *casing collar locator log (CCL)*. Perfil contador de luvas de revestimento, usado para correlacionar a profundidade do poço à posição dessas luvas.

loess / *loess*. Depósitos extensos e pouco espessos que formam um tapete, não estratificados, inconsolidados, normalmente com altos teores de carbonatos, onde predominam os grãos de tamanho silte e, em menor quantidade, areia fina e argila. Apresentam cores que variam de laranja a amarelo, com alguns tons mais marrons, e contêm fragmentos fósseis de conchas e mamíferos. ↝ É encontrado em extensas áreas que cobrem desde a área centro-norte da Europa ao sudeste da China, como do vale do Mississipi ao noroeste dos Estados Unidos, próximo ao Pacífico. Considera-se que estes depósitos foram produzidos pelo transporte eólico durante o Pleistoceno.

***log* (Port.) (Ang.) / *log*.** O mesmo que *perfil*. ▶ Ver *perfil*.

***log a cabo* (Port.) (Ang.) / *wireline log*.** O mesmo que *perfil a cabo*. ▶ Ver *perfil a cabo*.

***log acústico* (Port.) (Ang.) / *acoustic log*.** O mesmo que *perfil acústico*. ▶ Ver *perfil acústico*.

***log acústico de velocidade* (Port.) (Ang.) / *acoustic velocity log*.** O mesmo que *perfil acústico de velocidade*. ▶ Ver *perfil acústico de velocidade*.

***log ativado* (Port.) (Ang.) / *activation log*.** O mesmo que *perfil ativado*. ▶ Ver *perfil ativado*.

***log batimétrico* (Port.) (Ang.) / *bathymetric profile*.** O mesmo que *perfil batimétrico*. ▶ Ver *perfil batimétrico*.

***log carbono-oxigênio* (Port.) (Ang.) / *carbon-oxygen log*.** O mesmo que *perfil carbono-oxigênio*. ▶ Ver *perfil carbono-oxigênio*.

***log composto* (Port.) (Ang.) / *composite log*.** O mesmo que *perfil composto*. ▶ Ver *perfil composto*.

***log de acompanhamento da trajetória do poço* (Port.) (Ang.) / *directional plot*.** O mesmo que *perfil de acompanhamento da trajetória do poço*. ▶ Ver *perfil de acompanhamento da trajetória do poço*.

***log de aderência do cimento* (Port.) (Ang.) / *cement bond log*.** O mesmo que *perfil de aderência do cimento*. ▶ Ver *perfil de aderência do cimento*.

***log de afastamento zero* (Port.) (Ang.) / *zero-offset profile*.** O mesmo que *perfil de afastamento zero*. ▶ Ver *perfil de afastamento zero*.

***log de amostra de calha* (Port.) (Ang.) / *sample log*.** O mesmo que *perfil de amostra de calha*. ▶ Ver *perfil de amostra de calha*.

log de amplitude (Port.) (Ang.) / *amplitude log.* O mesmo que *perfil de amplitude.* ▶ Ver *perfil de amplitude.*

log de análise do tubo (Port.) (Ang.) / *pipe analysis log.* O mesmo que *perfil de análise do tubo.* ▶ Ver *perfil de análise do tubo.*

log de aquisição (Port.) (Ang.) / *acquisition log.* O mesmo que *perfil de aquisição.* ▶ Ver *perfil de aquisição.*

log de ativação (Port.) (Ang.) / *activation log.* O mesmo que *perfil de ativação.* ▶ Ver *perfil de ativação.*

log de ativação de alumínio (Port.) (Ang.) / *aluminum activation log.* O mesmo que *perfil de ativação de alumínio.* ▶ Ver *perfil de ativação de alumínio.*

log de avaliação do cimento (Port.) (Ang.) / *cement evaluation log.* O mesmo que *perfil de avaliação do cimento.* ▶ Ver *perfil de avaliação do cimento.*

log de calibra (Port.) (Ang.) / *caliper log.* O mesmo que *perfil de calibre.* ▶ Ver *perfil de calibre.*

log de calibre (Port.) (Ang.) / *caliper log.* O mesmo que *perfil de calibre.* ▶ Ver *perfil de calibre.*

log de caliper / *caliper log.* O mesmo que *perfil de caliper.* ▶ Ver *perfil de caliper.*

log de capacitância (Port.) (Ang.) / *capacitance log.* O mesmo que *perfil de capacitância.* ▶ Ver *perfil de capacitância.*

log de cimento (Port.) (Ang.) / *cement bond log.* O mesmo que *perfil de aderência da pasta de cimento.* ▶ Ver *perfil de aderência da pasta de cimento.*

log de controle de profundidade (Port.) (Ang.) / *depth control log.* O mesmo que *perfil de controle de profundidade.* ▶ Ver *perfil de controle de profundidade.*

log de controle de profundidade das perfurações (Port.) (Ang.) / *perforating-depth-control log.* O mesmo que *perfil de controle de profundidade do canhoneio.* ▶ Ver *perfil de controle de profundidade do canhoneio.*

log de correlação (Port.) (Ang.) / *correlation log.* O mesmo que *perfil de correlação.* ▶ Ver *perfil de correlação.*

log de decaimento térmico (Port.) (Ang.) / *thermal decay time log.* O mesmo que *perfil de decaimento térmico.* ▶ Ver *perfil de decaimento térmico.*

log de densidade (Port.) (Ang.) / *density log.* O mesmo que *perfil de densidade.* ▶ Ver *perfil de densidade.*

log de densidade acústica (Port.) (Ang.) / *acoustic density log.* O mesmo que *perfil de densidade acústica.* ▶ Ver *perfil de densidade acústica.*

log de densidade compensada (Port.) (Ang.) / *compensated density log.* O mesmo que *perfil de densidade compensada.* ▶ Ver *perfil de densidade compensada.*

log de densidade variável (Port.) (Ang.) / *variable-density log (VDL).* O mesmo que *perfil de densidade variável.* ▶ Ver *perfil de densidade variável.*

log de detalhe (Port.) (Ang.) / *detail log.* O mesmo que *perfil de detalhe.* ▶ Ver *perfil de detalhe.*

log de equilíbrio (Port.) (Ang.) / *equilibrium profile, profile of equilibrium.* O mesmo que *perfil de equilíbrio.* ▶ Ver *perfil de equilíbrio.*

log de gravel pack (Port.) (Ang.) / *gravel-pack log.* O mesmo que *perfil de* gravel pack. ▶ Ver *perfil de* gravel pack.

log de impedância acústica (Port.) (Ang.) / *acoustic impedance log.* O mesmo que *perfil de impedância acústica.* ▶ Ver *perfil de impedância acústica.*

log de indução (Port.) (Ang.) / *induction log.* O mesmo que *perfil de indução.* ▶ Ver *perfil de indução.*

log de inspeção de revestimento (Port.) (Ang.) / *casing inspection log.* O mesmo que *perfil de inspeção de revestimento.* ▶ Ver *perfil de inspeção de revestimento.*

log de litodensidade (Port.) (Ang.) / *lithodensity log.* O mesmo que *perfil de litodensidade.* ▶ Ver *perfil de litodensidade.*

log de microrresistividade (Port.) (Ang.) / *microresistivity log.* O mesmo que *perfil de microrresistividade.* ▶ Ver *perfil de microrresistividade.*

log de neutrões compensado (Port.) (Ang.) / *compensated neutron log.* O mesmo que *perfil neutrônico compensado.* ▶ Ver *perfil neutrônico compensado.*

log de perfurações (Port.) (Ang.) / *perforation log.* O mesmo que *perfil de canhoneio.* ▶ Ver *perfil de canhoneio.*

log de poço aberto (Port.) (Ang.) / *openhole or openhole log.* O mesmo que *perfil de poço aberto.* ▶ Ver *perfil de poço aberto.*

log de potencial do revestimento (Port.) (Ang.) / *casing potential profile.* O mesmo que *perfil de potencial do revestimento.* ▶ Ver *perfil de potencial do revestimento.*

log de produção (Port.) (Ang.) / *production log.* O mesmo que *perfil de produção.* ▶ Ver *perfil de produção.*

log de propagação dielétrica (Port.) (Ang.) / *dielectric propagation log.* O mesmo que *perfil de propagação dielétrica.* ▶ Ver *perfil de propagação dielétrica.*

log de propagação eletromagnética (Port.) (Ang.) / *electromagnetic propagation log.* O mesmo que *perfil de propagação eletromagnética.* ▶ Ver *perfil de propagação eletromagnética.*

log de propagação profunda (Port.) (Ang.) / *deep propagation log.* O mesmo que *perfil de* *propagação profunda.* ▶ Ver *perfil de propagação profunda.*

log de raios gama (Port.) (Ang.) / *gamma-ray log.* O mesmo que *perfil de raios gama.* ▶ Ver *perfil de raios gama.*

log de resistividade (Port.) (Ang.) / *resistivity profile.* O mesmo que *perfil de resistividade.* ▶ Ver *perfil de resistividade.*

log de revestimento (Port.) (Ang.) / *casing-collar locator log.* O mesmo que *perfil localizador de luva.* ▶ Ver *perfil localizador de luva.*

log de salinidade (Port.) (Ang.) / *salinity log.* O mesmo que *perfil de salinidade.* ▶ Ver *perfil de salinidade.*

log de temperatura (Port.) (Ang.) / *temperature profile.* O mesmo que *perfil de temperatura.* ▶ Ver *perfil de temperatura.*

log de tensões (Port.) (Ang.) / *stress profile.* O mesmo que *perfil de tensões.* ▶ Ver *perfil de tensões.*

log de velocidade / *velocity log.* Perfil de velocidade extraído a partir do perfil do poço, no qual se mede o tempo que a onda acústica leva para percorrer um certo intervalo vertical da formação. O mesmo que *perfil de velocidade.* •◦ A partir dos dados do log de velocidade, em que vários intervalos do poço têm seus tempos duplos determinados, obtêm-se conversões tempo-profundidade mais eficazes.

log diferencial (Port.) (Ang.) / *differential log.* O mesmo que *perfil diferencial.* ▶ Ver *perfil diferencial.*

log diferencial de temperatura (Port.) (Ang.) / *differential temperature log.* O mesmo que *perfil diferencial de temperatura.* ▶ Ver *perfil diferencial de temperatura.*

log direcional (Port.) (Ang.) / *directional log.* O mesmo que *perfil direcional.* ▶ Ver *perfil direcional.*

log do som (Port.) (Ang.) / *acoustic log.* O mesmo que *perfil acústico.* ▶ Ver *perfil acústico.*

log elétrico do espaço ultralongo (Port.) (Ang.) / *ultra long-spaced electric log.* O mesmo que *perfil elétrico ultralongo.* ▶ Ver *perfil elétrico ultralongo.*

log gama-gama (Port.) (Ang.) / *gamma-gamma log.* O mesmo que *perfil gama-gama.* ▶ Ver *perfil gama-gama.*

log P/T (Port.) (Ang.) / *P/T profile.* O mesmo que *perfil P/T.* ▶ Ver *perfil P/T.*

log raios gama de testemunho (Port.) (Ang.) / *core gamma log.* O mesmo que *perfil gama de testemunho.* ▶ Ver *perfil gama de testemunho.*

log sísmico vertical (Port.) (Ang.) / *vertical seismic profile.* O mesmo que *perfil sísmico vertical.* ▶ Ver *perfil sísmico vertical.*

log sônico (Port.) (Ang.) / *sonic log.* O mesmo que *perfil sônico.* ▶ Ver *perfil sônico.*

log vertical de sísmica (Port.) (Ang.) / *vertical seismic profile.* O mesmo que *perfil vertical de sísmica.* ▶ Ver *perfil vertical de sísmica.*

lógica de relés / *ladder logic.* Diagrama binário, de baixa complexidade, baseado na lógica dos circuitos elétricos, de acionamento por relés e utilizado na programação de diversos controladores lógicos programáveis (CLPs). •◦ Esse diagrama é facilmente entendido por muitas pessoas não instrumentistas. O problema que permanece é que a lógica de relés é orientada para equipamentos e requer um conhecimento de circuitos elétricos.

lógica nebulosa / *fuzzy logic.* Generalização da lógica booleana que admite valores lógicos intermediários entre o verdadeiro e o falso. A lógica nebulosa é muito utilizada quando se está trabalhando com informações que têm um alto grau de incerteza.

logística integrada / *integrated logistics.* Processo integrado de gestão da cadeia de suprimentos, desde o fornecimento de matérias-primas até a distribuição de derivados ou produtos finais. Exige a gestão de todas as funções de forma que considere a cadeia de suprimentos uma entidade uniforme e integrada, e não a gestão de funções de forma isolada.

logística reversa / *reverse logistics.* Atividade que considera as ações clássicas da logística contemplando também as atividades de conservação, reciclagem e descarte, tendo em vista a preservação do meio ambiente e a necessidade de conservação de matérias-primas. •◦ O conceito de logística reversa pode ser aplicado em empreendimentos do setor do petróleo quando do descarte (bota-fora) proveniente de obras.

lopólito / *lopolith.* Intrusão magmática de grande dimensão, que do ponto de vista regional é concordante com as encaixantes e cuja forma se assemelha à de uma bacia. •◦ Em planta, os lopólitos são geralmente circulares ou elípticos, seu diâmetro maior varia de dezenas a centenas de quilômetros, e a espessura média medida no centro do corpo atinge centenas de metros.

lubricidade / *lubricity.* Propriedade do fluido de perfuração que corresponde à medida do grau de lubrificação conferido por este fluido.

lubrificação / *lubrication.* Processo que tem por finalidade que duas superfícies, normalmente em movimento relativo, estejam sempre separadas por um filme lubrificante, o que evita o contato físico entre elas.

lubrificação elasto-hidrodinâmica / *elasto-hydrodynamic lubrication.* 1. Modelo de lubrificação que considera as propriedades elásticas das superfícies e o aumento de viscosidade do lubrificante quando submetido a alta carga. 2. Modelo de lubrificação em que as superfícies se mantêm separadas, mas os corpos sólidos sofrem deformação pela alta carga. ▶ Ver *lubrificação.*

lubrificação hidrodinâmica / *hydrodynamic lubrication.* Modelo de lubrificação baseado na criação de um fino filme lubrificante, na escala de micrômetros, que cria uma pressão normal às superfícies de contato e assim as mantém separadas. ↦ Nesse modelo de lubrificação hidrodinâmica, o lubrificante pode ser líquido ou gasoso. ▶ Ver *lubrificação*.

lubrificação limítrofe / *boundary lubrication*. Modelo de lubrificação em que há combinação entre o contato sólido-sólido, entre as superfícies, e o filme líquido, uma vez que tais superfícies nem sempre estão totalmente separadas. ↦ Quando existe um movimento entre superfícies *sólido-sólido (metal-metal)* e estas entram em contato, seja ocasionado por cargas excessivas impostas às mesmas ou por qualquer impedimento no acesso do filme lubrificante entre elas, é caracterizado um regime de lubrificação conhecido como *limítrofe*. ▶ Ver *lubrificação*.

lubrificador (Port.) / *lubricator*. O mesmo que *engraxadeira*. ▶ Ver *engraxadeira*.

lubrificante / *lubricant*. 1. Substância utilizada para reduzir a fricção entre duas superfícies em movimento relativo, através da formação de um filme protetor entre elas que, em princípio, as mantém separadas. 2. Aditivo adicionado ao fluido de perfuração para reduzir o coeficiente de atrito do sistema. A consequência é a redução do torque e do arraste no poço. ↦ Os lubrificantes podem ser sólidos, como esferas de plástico, esferas de vidro e grafite, ou líquidos, como óleos, fluidos sintéticos, glicóis, óleos vegetais modificados e surfactantes. ▶ Ver *lubrificação*.

lubrificante EP / *EP lubricant*. Lubrificante que tem agente de extrema pressão (EP) em sua composição. ▶ Ver *agente de extrema pressão*; *lubrificação*.

lubrificante para engrenagem hipoide / *hypoid gear lubricant*. Lubrificante formulado para ser utilizado em engrenagens hipoides. ↦ O nível de deslizamento que ocorre na operação desse tipo de engrenagem torna necessária a presença de agentes de extrema pressão na formulação deste tipo de lubrificante. ▶ Ver *engrenagem hipoide*; *agente de extrema pressão*; *lubrificação*.

lubrificante seco / *dry lubricant*. Lubrificante sólido que evita o contato metal-metal entre superfícies em movimento relativo. ↦ Tais lubrificantes são largamente utilizados em ocasiões em que há lubrificação limítrofe. Alguns exemplos são a grafite, o bissulfeto de molibdênio, o nitrito de boro e alguns polímeros como o tetrafluoretileno. ▶ Ver *lubrificação limítrofe*; *lubrificação*.

lump sum. Expressão que representa uma modalidade de contratação por preço global ou empreitada total.

lutito / *lutite*. Nome geral usado para designar rochas compostas de silte, argila e materiais associados, os quais, quando misturados com água, formam lama como folhelhos, argilitos e calcilutitos. O termo é equivalente a *pelitos* (grego = *pelite*).

luva / *coupling*. Peça cilíndrica oca, ou tubo de pequeno comprimento, com rosca interna nas duas extremidades, com o qual se efetua a conexão, por enroscamento, de dois tubos com roscas externas. No método de produção por bombeio mecânico é também utilizada para conectar hastes. ↦ Quando as roscas são de diferentes diâmetros, chamam-se *luvas de redução* e permitem conectar peças de bitolas diferentes. Quando as roscas são de diferentes tipos, chamam-se *luvas adaptadoras*. ▶ Ver *colar*.

luva da camisa / *barrel coupling*. Luva, utilizada no método de produção por bombeio mecânico, que é enroscada nas duas extremidades da camisa da bomba de fundo, tem suas roscas paralelas, e aperto e vedação de face. ↦ Somente a bomba tipo insertável de parede fina não utiliza esta luva de camisa, pois tem a camisa com roscas internas (tipo caixa). ▶ Ver *luva*.

luva da coluna de produção / *tubing coupling*. Luva que tem a função de unir dois tubos de produção, permitindo montar uma coluna de produção. ▶ Ver *luva*.

luva de fluxo / *flow coupling*. Tubo curto de 1 m a 3 m, com parede reforçada (ou seja, com uma espessura de parede cerca de duas vezes maior que a de coluna de *tubing*) para resistir à erosão que pode resultar da turbulência induzida pela restrição ao fluxo na coluna. ↦ Projetada para ser colocada na parte superior de toda restrição na coluna, como, por exemplo, válvula de segurança, niples, entre outros. As luvas de fluxo são usadas para postergar a falha por erosão nos pontos de uma coluna definitiva, onde espera-se a ocorrência do escoamento turbulento. ▶ Ver *luva*.

luva de hastes / *sucker rod coupling*. Peça cilíndrica oca, com roscas internas nas extremidades, usada para conectar hastes da coluna de hastes, utilizada no método de produção por bombeio mecânico. ↦ Quando as roscas são de diferentes diâmetros, chama-se *luva de redução*, que permite conectar peças de bitolas diferentes. Quando as roscas são de diferentes tipos, chama-se *luva adaptadora*. ▶ Ver *luva*.

luva de redução / *sub coupling*. Luva com roscas internas de diâmetros diferentes, utilizada no método de produção por bombeio mecânico, que tem a função de permitir a conexão de peças de bitolas diferentes. ▶ Ver *luva*.

luz visível / *visible light*. Intervalo do espectro eletromagnético cujo comprimento de onda varia entre 0,789 mícrons a 0,378 mícrons.

mm

maçarico a arco-plasma / *arc-plasma torch*. Maçarico usado em soldagem submersa.

macarroni / *macaroni tubing*. Tubo de pequeno diâmetro, geralmente de ¾" (polegadas) ou 1" (polegada), usado para intervenção em poços. ▶ Ver *coluna* macaroni.

maceral / *maceral*. Unidade elementar orgânica de carvão que pode ser distinguida por meio do microscópio. ▶ Ver *liptinito*.

maciço / *massive*. 1. Termo aplicado à rocha ou ao minério com textura homogênea caracterizados pela ausência de estruturas. 2. Termo atribuído a um depósito mineral caracterizado por concentração extremamente alta de minerais de minério. ↪ Algumas vezes o termo é atribuído a minerais isotrópicos ou amorfos.

macrobentos / *macrobenthos*. Componentes dos bentos com dimensões maiores que 1 mm.

macroexsudação / *macro-seep*. Surgência de hidrocarbonetos gasosos ou líquidos que pode ser vista a olho nu ou mesmo através de imagens de satélite, ao contrário das microexsudações nas quais os hidrocarbonetos costumam ser identificados através de técnicas mais sofisticadas, normalmente ligadas à geoquímica de superfície. Em água, as macroexsudações de óleo são facilmente distinguidas através de uma película iridescente que se forma na superfície do líquido, enquanto as exsudações gasosas costumam ser identificadas pela presença de bolhas. Em solos ou rochas, as exsudações de óleo deixam manchas negras e brilhantes quando frescas, e à medida que vão sendo atacadas por agentes intempéricos e bactérias tornam-se cada vez mais densas, viscosas e opacas. Já as exsudações de gases costumam ser invisíveis e inodoras e, a depender do volume exsudado, podem causar sérios acidentes quando inflamadas por agentes naturais, a exemplo do que ocorre nos vulcões de lama do Azerbaijão. Como o metano forma a grande maioria dos gases desse tipo de exsudação, sendo inodoro e de chama quase invisível, é comum haver queimaduras de animais de criação por esse tipo de acidente. ↪ As macroexsudações já eram conhecidas desde os tempos bíblicos quando os depósitos de alcatrão eram explorados visando à vedação de madeiras empregadas em embarcações. Os chineses faziam poços em zonas de macroexsudações, sustentados por paredes de bambu, e comercializavam o petróleo ali encontrado há milênios. As macroexsudações até meados do século XX costumavam ser consideradas um fator primordial para a descoberta de petróleo em uma dada região. Alguns autores postulavam que sem elas uma região provavelmente teria pouquíssimas chances de conter campos de hidrocarbonetos. A maior parte dos autores tinha essa conceituação a partir do conhecimento de áreas como o Golfo do México e os campos do Azerbaijão, onde as macroexsudações são abundantes. Atualmente, sabe-se que a existência dessas exsudações relaciona-se mais à fragilidade ou rompimento de selos geológicos do que à existência de grandes campos petrolíferos. ▶ Ver *microexsudação*.

macrofauna / *macrofauna*. Componentes da fauna com dimensões maiores que 500 mm.

máfico / *mafic*. 1. Termo aplicado a minerais de cor escura, como piroxênio, olivina, biotita e alguns anfibólios. 2. Referente a rochas ígneas e metamórficas constituídas dominantemente por minerais de cor escura. 3. Antônimo de *félsico*.

magnetismo isotermal remanente / *isothermal remanent magnetism*. Magnetismo que fica nas rochas e indica a direção do campo magnético existente na ocasião em que foram magnetizadas.

magnetização deposicional / *depositional magnetization*. Magnetismo resultante da tendência de partículas magnéticas (grãos de minerais ferromagnéticos, tais como a hematita) de se orientarem, quando depositadas, conforme o campo magnético da Terra. ↪ Durante a deposição mecânica de grãos de minerais ferromagnéticos ocorre uma preferência na orientação dos grãos em função da orientação do campo magnético da Terra. Assim, a orientação do campo magnético da época de deposição dos grãos fica preservada, mesmo depois da litificação dos sedimentos.

magnetização específica / *specific magnetization*. Momento magnético por unidade de massa, ou a magnetização dividida pela densidade.

magnetização estável / *stable magnetization*. Magnetização remanente que não muda de maneira apreciável com o tempo geológico.

magnetização induzida / *induced magnetization*. Campo magnético espontaneamente induzido num volume de rocha pela ação uniforme de um campo que lhe seja aplicado.

magnetização remanente deposicional / *depositional remanent magnetization*. Magnetização deposicional preservada.

magnetização viscorremanente / *viscous-remanent magnetization*. Magnetização remanescente produzida por um fraco campo magnético durante um longo período de tempo.

magnetização viscosa / *viscous magnetization*. Magnetização que tem sua origem a partir de uma energia termal que é forte o bastante para realinhar a direção de magnetização, mas que decresce de uma maneira tão lenta que pode ser considerada como invariante em função do tempo.

magneto / *magnet*. Ferramenta de pescaria imantada usada para pescar pequenos pedaços de ferro ou cones de broca.

magnetoestratigrafia/*magnetostratigraphy*. Magnetização das rochas que visa à determinar o registro dos eventos que causaram mudanças no campo magnético da Terra no passado geológico.

magnetômetro / *magnetometer*. Equipamento que mede a intensidade e direção de um campo magnético. ↠ Algumas das suas diversas aplicações estão na prospecção de minérios e na detecção de variações no campo magnético terrestre causado por jazidas de ferro. Utilizando esse mesmo princípio, o magnetômetro auxilia na localização de ruínas e embarcações naufragadas em pesquisas arqueológicas e, na área militar, localiza submarinos a partir de navios de guerra. Na engenharia de petróleo, os magnetômetros são usados principalmente em ferramentas de registro direcional para obtenção da direção do poço em equipamentos de MWD. ▶ Ver *registro direcional do poço*.

magnetômetro aéreo / *aerial magnetometer*. Magnetômetro no qual as medidas do campo magnético da Terra são recolhidas em avião. ↠ Os magnetômetros são rebocados por um avião ou por um helicóptero, podendo medir a intensidade do campo magnético da Terra. As diferenças entre medidas reais e valores teóricos indicam anomalias no campo magnético, que representam por sua vez mudanças no tipo da rocha ou na espessura de unidades da rocha. As anomalias magnéticas na crosta de terra podem também ser associadas a acumulações de hidrocarboneto.

magnetômetro aerotransportado / *airborne magnetometer*. Magnetômetro utilizado a bordo de aeronaves. ↠ Em levantamentos aeromagnéticos os equipamentos de registro utilizados são magnetômetros colocados a bordo das aeronaves (aviões, helicópteros, entre outros).

magnetômetro de césio / *cesium magnetometer*. Magnetômetro que utiliza um ressonador de césio como padrão de frequência, num circuito que detecta variações muito pequenas no campo magnético.

magnetômetro de precessão de prótons / *proton-precession magnetometer (PPM)*. Magnetômetro no qual a intensidade do campo magnético é dada pela frequência de ressonância.

magnetômetro de torção / *torsion-head magnetometer*. Equipamento que utiliza um pequeno ímã unido a um fio, cuja torção é proporcional ao campo magnético aplicado. ↠ Utilizado em estudos de películas finas, tem grande sensibilidade e é capaz de detectar uma pequena parte de uma monocamada. Provido de um acionador que quando pressionado libera o ímã, e este, ao ser restaurado à posição horizontal promove a torção do fio, que é acoplado a uma escala.

magnetômetro de vibração / *vibration magnetometer*. Magnetômetro usado para medir o grau de magnetização de amostras avulsas, processo no qual a amostra é posta a vibrar próximo a uma bobina. ↠ A tensão elétrica induzida na bobina é considerada proporcional ao grau de magnetização.

magnetômetro squid / *squid magnetometer*. Magnetômetro de altíssima sensibilidade e precisão baseado no uso de uma junção de Josephson.

magnitude da erupção / *eruption magnitude*. Grandeza vinculada à quantidade de lava produzida por uma erupção vulcânica. ↠ A magnitude da erupção pode ser medida em volume ou em massa de lava.

magnitude de reflexão / *reflection strength*. Amplitude da onda de reflexão em levantamento sísmico.

magnitude unificada / *unified magnitude*. Escala de magnitude sísmica na qual as medidas são derivadas das ondas sísmicas de corpo P e S, diferentemente da escala Richter, que registra as ondas superficiais. ▶ Ver *onda P*; *onda S*.

maintenance bond. Extensão do *performance bond*, já que ele garante que os bens ou serviços entregues durante certo prazo não apresentarão defeitos. ▶ Ver performance bond.

major oil company. Empresa de petróleo integrada que opera nos quatro níveis funcionais da indústria de petróleo: produção, transporte, refino e comercialização. Termo usado para definir uma grande empresa de petróleo com operações extensivas a todos os setores da indústria, tanto no *upstream* quanto no *downstream*, e cuja marca seja amplamente reconhecida.

malha / *loop*. Processo ou parte do processo que dispõe de um controlador dedicado a realizar uma determinada tarefa.

malha API (Port.) (Ang.) / *API log grid*. O mesmo que *grade API*. ▶ Ver *grade API*.

malha de cinco pontos / *five spot*. Padrão de produção de um campo que utiliza cinco poços verticais, sendo quatro deles de injeção de água, formando um quadrado, e um produtor no centro do quadrado.

malha de injeção / *injection pattern*. Padrão de distribuição de poços injetores e produtores visto em planta. ↠ Esse padrões de injeção podem ser de quatro pontos, cinco pontos, sete pontos, periféricos, entre outros.

malha do crivo (Ang.) / *screen mesh*. O mesmo que *densidade de aberturas da tela da peneira*. ▶ Ver *densidade de aberturas da tela da peneira*.

malha lenta / *long-term or slow loop*. Conjunto de processos referentes à produção, o qual ocorre nos reservatórios num sistema de produção (reservatório-poço-dutos). ↠ Basicamente, podem-se definir todos os processos referentes à produção associados à dinâmica do reservatório como constituintes da malha lenta do processo de produção, ao contrário daqueles que ocorrem em poços, suas proximidades (*near wellbore*) e dutos de transporte. ▶ Ver *malha rápida*.

malha rápida / *short-term or fast loop*. Termo utilizado no gerenciamento integrado de campos de petróleo, definindo os processos que possuem um tempo de resposta em segundos, minutos e, no máximo, poucos dias. Normalmente, é característica dos processos monitorados pela sala de controle. •• Basicamente podem-se definir quase todos os fenômenos referentes à produção associados ao escoamento vertical e horizontal nos poços, às proximidades do poço (área de drenagem) e aos dutos de transporte como constituintes da malha rápida do processo de produção, ao comparar-se com aqueles da malha lenta que se associam ao reservatório. ▶ Ver *malha lenta*; *tempo real*; *sala de controle*.

malhas / *loops*. Conjunto de linhas e componentes, interligados (elétricos, instrumentação, comunicação ou tubulação), de determinado sistema ou subsistema operacional, com a finalidade de exercer funções específicas.

mancal de escora / *thrust bearing*. Componente mecânico que suporta cargas axiais compressivas em um eixo rotativo. •• Embora um mancal radial geralmente possa suportar alguma carga axial, às vezes as cargas axiais são mais elevadas e devem ser suportadas por mancais de escora. Os mancais podem ser do tipo hidrodinâmico, de rolamento, ou de deslizamento, e de simples ou de duplo efeito (atuam em ambos os sentidos da mesma direção axial).

mancal radial / *radial bearing*. Componente mecânico que suporta cargas predominantemente radiais em um eixo rotativo, embora alguns mancais radiais também suportem alguma carga axial compressiva. •• Os mancais podem ser do tipo hidrodinâmico, de rolamento, ou até de deslizamento, estes últimos também conhecidos como *bronzinas*.

mancal selado / *sealed bearing*. Termo geralmente aplicado a mancais de rolamento que possuem um sistema de vedação para conter o lubrificante tipo graxa em seu interior. •• Tal tipo de mancal propicia o aumento do intervalo de relubrificação e diminui a possibilidade de contaminação por particulados sólidos ou mesmo respingos de líquido. A manutenção de um mancal selado geralmente exige sua substituição.

mancha brilhante / *bright spot*. Forte anomalia de amplitude em dados sísmicos, causada por interfaces com elevadíssimo contraste de impedância acústica (como, por exemplo, topos de arenitos com gás) muitas vezes (mas nem sempre) associada à presença de hidrocarbonetos. Manchas brilhantes horizontais (quase sempre associadas a contatos gás-óleo ou gás-água) são denominadas *manchas horizontais*.

mancha horizontal / *flat spot*. O mesmo que *ponto brilhante*. ▶ Ver *ponto brilhante*.

mandril *backup* de *gas lift* / *gas-lift backup mandrel*. Equipamento capaz de permitir a injeção de gás de elevação num poço equipado com um conjunto de bombeio (ou de bombeamento) centrífugo submerso, quando ocorre falha desse conjunto. •• Utilizado em poços satélites submarinos de campos de petróleo localizados a grandes profundidades, em plataformas continentais oceânicas. Equipamento muito utilizado para servir como sistema reserva em caso de falha do conjunto de bombeio centrífugo submerso. ▶ Ver *bombeio centrífugo submerso*.

mandril com bolsa lateral / *side-pocket mandrel*, *side-door mandrel*. Mandril de elevação pneumática (*gas lift*) que possibilita a troca de válvula de *gas lift* sem retirar a coluna do poço, usando-se a unidade de arame (*wire line*). •• A válvula de *gas lift* fica posicionada na bolsa lateral (daí o nome), permitindo o acesso pleno à parte inferior da coluna abaixo do mandril.

mandril das linhas de fluxo / *flowline hub*. Equipamento instalado na extremidade das linhas de fluxo (linha de produção, linha de anular, linhas de controle), apoiado na base adaptadora de produção (BAP) e que promove a interligação das linhas com a árvore de natal molhada (ANM).

mandril de alargamento do poço (Port.) (Ang.) / *reamer*. O mesmo que *escareador*. ▶ Ver *escareador*.

mandril de conexão vertical / *vertical connection mandrel*. Conexão usada na interligação entre a árvore de natal molhada (*ANM*) ou menifolde submarino e as linhas de produção e anular (*flowlines*). O termo genérico para essas conexões é *mandril de linhas de fluxo (MLF)* ou, em inglês, *flowline hub (FLH)*.

mandril de *gas lift* / *gas lift mandrel*. Componente da coluna de produção, em poços equipados com *gas lift*, que funciona como um alojamento para a válvula de *gas lift*. Como a profundidade da válvula é um parâmetro crítico para o perfeito funcionamento do sistema de *gas lift*, os mandris devem ser colocados na posição adequada à instalação da válvula. •• Esses componentes são como bolsas que irão permitir o ulterior assentamento ou retirada de válvulas de *gas lift* por meio de operações a cabo (*wireline*). Tais válvulas são aquelas que permitem a injeção controlada do *gas lift*, da região anular (coluna de produção — revestimento do poço) para o interior da coluna de produção do poço. ▶ Ver *gas lift*.

mandril de injeção química / *chemical injection mandrel*. Mandril conectado a um capilar, localizado abaixo da bomba de bombeio centrífugo submerso, para injeção de produtos químicos. •• Utilizado para reduzir incrustações em bombas de bombeio centrífugo submerso. ▶ Ver *bombeio centrífugo submerso*; *capilar de injeção de química*.

mandril de linhas de fluxo / *flow line connector*. Módulo que realiza o interfaceamento das linhas de fluxo e umbilical com a árvore de natal molhada (*ANM*). Apresenta furações e receptáculos de conexão. ↝ A geração de ANM's posteriores às que utilizavam o método *lay-away* apresentam o mandril das linhas de fluxo (*MLF*) integrado à própria base adaptadora de produção (*BAP*). ▶ Ver *mandril de conexão vertical*.

mandril eletrosub / *electrosub mandrel*. Equipamento que permite a conexão entre o cabo elétrico de superfície e o cabo redondo de um conjunto de bombeio centrífugo submerso, através da cabeça de produção de um poço de petróleo. ↝ Tal mandril possui uma seção especial bipartida de cabo, dita *pigtail*, para a conexão entre o cabo elétrico de alimentação e o cabo redondo de bombeio centrífugo submerso (este oriundo do conjunto motor-bomba instalado no poço). ▶ Ver *bombeio centrífugo submerso*; *motor elétrico*; *cabeça de produção*; *cabo elétrico para bombeamento centrífugo submerso*; *cabo redondo*; pigtail.

mandril G (gás) / *G (gas) mandrel*. Componente instalado na coluna de produção de um poço equipado para produção pelo método de *gas lift*, para o alojamento de válvula utilizada na indução de surgência do poço quando sob condições esperadas para fases posteriores de sua produção. ↝ Na indução de surgência do poço, faz-se uso da válvula de *gas lift* instalada nesse mandril e que está calibrada para abrir com a pressão máxima capaz de ser fornecida pelos compressores instalados na plataforma de produção interligada a tal poço. ▶ Ver *mandril de* gas lift.

mandril H (Hoje) / *H (Hoje) mandrel*. Componente instalado na coluna de produção de um poço equipado para produção pelo método de *gas lift*, para o alojamento de válvula utilizada na injeção contínua de gás no poço, quando sob as condições esperadas do reservatório de produção. O mesmo que *mandril de* gas lift. ▶ Ver *mandril de* gas lift.

mandril N / *N mandrel*. Componente instalado na coluna de produção de um poço equipado para produção pelo método de *gas lift*, para o alojamento de válvula calibrada para abrir, tão somente, sob altos valores de pressão de injeção, típicos das unidades móveis de indução de surgência por injeção de nitrogênio. ↝ Tal válvula, em princípio, permanece fechada em condições normais de produção, uma vez que a máxima pressão de injeção de gás oriunda da plataforma de produção há de ser menor que o valor requerido para a abertura da mesma. Assim, a abertura da válvula somente se torna possível com o uso de unidades móveis de injeção de nitrogênio, ou pela ação combinada dos normalmente alocados compressores de plataforma com compressor dito *de partida* (*kick off*). ▶ Ver *mandril de* gas lift.

manga (Port.) (Ang.) / *sleeve stabilizer*. O mesmo que *estabilizador de camisa*. ▶ Ver *estabilizador de camisa*.

mangote / *floating hose*. Tubo flexível dotado de capacidade própria de flutuação ou de anéis de flutuação, normalmente usado na transferência de fluidos entre monoboias, ou da unidade flutuante de produção, estocagem e transferência de óleo (FPSO) para os navios aliviadores. ▶ Ver *unidade flutuante de produção*; *estocagem e transferência*; *navio aliviador DP*; *monoboia*.

mangrove costeiro / *coastal mangrove*. Ambiente costeiro tropical a subtropical, de baixa energia, com a zona costeira coberta por vegetação de mangue denominada *de mangrove*. Este tipo de costa é comum na Indonésia, Nova Guiné e em outras regiões tropicais, como o sudeste da costa americana, na Flórida.

mangue / *slough*. 1. Região pantanosa, de pequenas ou grandes dimensões, formada em áreas terrestres costeiras ou interioranas alagadas, sujeita à variação do nível das águas, seja esta ocorrência ocasionada por efeitos climáticos ou por maré, apresentando normalmente solo lamacento e escuro. 2. Termo utilizado no vale do rio Mississippi, EUA, para descrever um córrego ou um corpo de água numa planície de maré ou num pântano costeiro. 3. Braço abandonado de rio em uma planície deltaica. ↝ Como exemplos podem ser citadas as formações encontradas no Pantanal mato-grossense brasileiro e nos Everglades, na Flórida nos Estados Unidos. ▶ Ver *manguezal*.

mangueira do kelly / *kelly hose*. Mangueira flexível através da qual o fluido de perfuração é bombeado. Faz a conexão entre o *swivel* (cabeça de injeção) e o *standpipe* (tubo bengala). ↝ A mangueira permite que a coluna de perfuração seja descida ou elevada simultaneamente com o bombeio durante a perfuração. Tem diâmetro interno de 3" a 5". Uma de suas extremidades se conecta ao pescoço de ganso da cabeça injetora, enquanto a outra se conecta ao tubo bengala. ▶ Ver *cabeça de injeção*; swivel; *tubo bengala*.

manguezal / *mangrove*. Região que compreende materiais gleizados e sem diferenciação de horizontes, com alto conteúdo em sais e compostos de enxofre, provenientes da água do mar. ↝ Distribuem-se em áreas sedimentares pantanosas e alagadas, sujeitas à influência permanente das marés. Esses terrenos são constituídos por vazões de depósitos recentes.

manifolde / *manifold*. Conjunto constituído de válvulas e acessórios, que permite a manobra e interconexão entre vários fluxos de entrada e diversos canais de saída. ↝ Como exemplo, um manifolde submarino permite a conexão entre árvores de natal molhadas, outros sistemas de produção, tubulações e *risers*, servindo assim para o direcionamento da produção de vários poços.

manifolde de atuação compartilhada / *shared actuator manifold*. Manifolde no qual o acionamento de suas válvulas e *chokes* é realizado por uma ferramenta robótica. ↝ Nesse manifolde todas as operações são executadas automaticamente e sem intervenção da plataforma, a qual está conectada a ele através de um umbilical de controle eletro-hidráulico. ▶ Ver sistema de atuação compartilhada (SAC); *manifolde*.

manifolde de distribuição / *distribution manifold*. Equipamento que tem como principal função distribuir os fluidos de injeção, usualmente água, em um conjunto de poços de injeção. Tal equipamento é usualmente encontrado nos sistemas de produção terrestres, marítimos (plataformas e embarcações) e nos sistemas submarinos, nos quais fica instalado no leito oceânico. ▶ Ver *manifolde*.

manifolde de gás de elevação / *gas-lift manifold*. O mesmo que *manifolde de* gas lift. ▶ Ver *manifolde de* gas lift.

manifolde de *gas lift* / *gas lift manifold*. Agrupamento, conjunto ou arranjo compacto de válvulas, linhas e conexões que possibilita a injeção controlada de vazões de gás, de utilização nos métodos de *gas lift* contínuo (GLC) e *gas lift* intermitente (GLI), para os poços de produção interligados ao manifolde. ↔ Na produção de poços submarinos do tipo completação molhada e que ficam a grande distância da unidade estacionária de produção (UEP) para a qual produzem, é comum a adoção de um manifolde submarino de injeção de *gas lift*, sendo este conjunto acoplado a um manifolde de produção, o que resulta em um manifolde de produção e injeção de *gas lift*. ▶ Ver *manifolde*.

manifolde de injeção / *injection manifold*. Equipamento que tem como principal função distribuir os fluidos de injeção (usualmente água, gás ou produtos químicos) em um conjunto de poços. Também chamado *manifolde de distribuição*. ▶ Ver *manifolde*.

manifolde de injeção de água / *water-injection manifold*. Agrupamento, conjunto ou arranjo compacto de válvulas, linhas e conexões que possibilita a distribuição do fluxo da água de injeção (recuperação secundária) para cada um dos diversos poços de injeção de água. ▶ Ver *manifolde*; *manifolde de injeção*.

manifolde de injeção de gás / *gas-injection manifold*. Agrupamento, conjunto ou arranjo compacto de válvulas, linhas e conexões que possibilita a distribuição do fluxo do gás de injeção (recuperação secundária) para cada um dos diversos poços de injeção de gás. ▶ Ver *manifolde*; *manifolde de injeção*.

manifolde de produção / *production manifold*. Equipamento que reúne, de forma equilibrada e controlada, a produção de vários poços em uma única tubulação de produção. É usualmente encontrado nos sistemas de produção terrestres, marítimos (plataformas e embarcações) e nos sistemas submarinos, nos quais fica instalado no leito oceânico. ▶ Ver *manifolde*.

manifolde submarino de produção / *subsea production manifold*. Agrupamento, conjunto ou arranjo compacto de válvulas, linhas e conexões que possibilitam o alinhamento da produção oriunda de um conjunto de poços para um único componente, o manifolde, a partir do qual toda a produção é direcionada através de linha-tronco para a plataforma de produção. ↔ O equipamento tem o mesmo conceito construtivo daquele utilizado para uma caixa coletora no que tange à produção dos poços, podendo também ser considerado um distribuidor, quando, por exemplo, seja também responsável pela distribuição de *gas lift* para os poços interligados a ele, quando recebido através de linha-tronco oriunda da plataforma de produção. O uso desse manifolde pode trazer dificuldades para o contínuo monitoramento do comportamento de poços, sendo normalmente utilizado quando ocorrem condições de impedimento econômico e/ou técnico para a instauração da produção dos poços via linhas dedicadas. ▶ Ver *manifolde*; *manifolde de produção*.

manifolde submarino de produção e injeção / *subsea production and injection manifold*. Estrutura submarina para a qual convergem as linhas flexíveis de poços satélites produtores, e de onde saem apenas uma linha de produção, uma linha de serviço (injeção) e uma linha de teste para a *UEP*. É composto de um conjunto de válvulas e linhas para direcionar cada um dos poços a uma das linhas existentes. ▶ Ver *manifolde*; *manifolde de produção*; *manifolde de injeção*.

manifolde submarino na extremidade de dutos / *pipeline end manifold (PLEM)*. Estrutura apoiada no fundo do mar usada para conectar *risers* da unidade estacionária de produção à linha de escoamento. O *PLEM* também faz a conexão entre as linhas de entrada e saída, e fornece opções para limpeza com *pig* (*pigging*), para fechamento, emergências, etc. ▶ Ver *manifolde*

manilha (Port.) (Ang.) / *flange*. O mesmo que *flange*. ▶ Ver *flange*.

manivela / *crank*. Peça metálica alongada, utilizada no método de bombeio mecânico, fixada nas duas extremidades do eixo de saída do redutor, e que, juntamente com os braços (bielas), tem a função de transformar o movimento rotativo do motor no movimento alternativo da unidade de bombeio. Outra função da manivela é servir de suporte para os contrapesos onde estes podem ser fixos, a qualquer distância do eixo, auxiliando o balanceamento da unidade de bombeio. ↔ A manivela é provida de três a cinco furos nos quais são acoplados os braços do equalizador. A distância desses furos ao centro do eixo de saída do redutor é calculada para que o movimento resulte em comprimentos de curso padronizados para cada porte de unidade de bombeamento.

manobra / *trip*. Operação de descida ou retirada de qualquer ferramenta no poço.

manobra completa / *round trip*. Operação na qual se retira totalmente a coluna de perfuração ou de completação do poço e se a recoloca após a troca de algum equipamento, normalmente do BHA. Essa operação é típica na troca de broca ou de equipamentos de controle direcional e de estabilização da coluna.

manobra curta / *short trip*. Manobra em que a broca é trazida até a sapata do revestimento. Normalmente usada para aguardar a solução de algum problema na sonda que esteja impedindo a continuação da perfuração do poço. Este procedimento é utilizado para evitar uma prisão da coluna de perfuração. ▶ Ver *manobra*.

manobra de descida / *running-in hole (RIH)*. Manobra de descida de uma ferramenta para dentro do poço.

manobra de limpeza / *back reaming*. Operação que consiste na retirada da coluna com rotação e circulação no poço aberto, com o objetivo principal de remover o leito de cascalhos e limpar o poço. ↝ Esta operação só é possível em sondas com *top drive*, não podendo ser executada em sondas com haste quadrada (*kelly*). É usada principalmente em poços direcionais e horizontais, mas pode ser usada também no trecho vertical, para facilitar o transporte dos cascalhos por meio da indução de escoamento helicoidal no anular. A sequência operacional pode ser a seguinte: *(I)* perfurar até o final da fase; *(II)* circular no fundo 1 a 2 vezes o volume do anular; *(III)* retirar coluna com circulação e rotação até a sapata do revestimento anterior (*back reaming*); *(IV)* circular 1 a 1,5 vezes o volume de anular; *(V)* descer a coluna até o fundo, sem girar e sem circular, observando pontos de retenção; *(VI)* circular no fundo; *(VII)* retirar a coluna até a superfície ▶ Ver *manobra curta*; top drive; *haste quadrada*; *poço aberto*.

manobra de retirada da coluna / *pull out of hole (POOH)*. Operação de retirada de qualquer tipo de coluna (perfuração, produção, revestimento) ou ferramenta (pescaria, perfilagem, intervenção) de dentro do poço. ↝ Faz-se a retirada da coluna de dentro do poço desconectando as partes integrantes da coluna na superfície.

manômetro / *pressure gauge*. 1. Sensor de pressão. Instrumento de medição, ou de uma cadeia de medição, que é diretamente afetado pelo mensurado. 2. Instrumento sensor e indicador de pressão para medição de pressão em processos. ↝ O manômetro utiliza como elemento sensor o *bourdon*, que consiste em um tubo de instrumentação chato e curvo em forma de 'C', o qual é fechado em uma das extremidades e que se deforma ao se pressurizar a sua outra extremidade, tendendo a reduzir a curvatura inicial e indicando pela sua deflexão a pressão do processo a ele conectado. O mostrador consiste em uma escala redonda localizada à frente do sensor *bourdon* e em sua extremidade fechada, que por meio de um sistema de engrenagens move o ponteiro indicador de pressão do manômetro. ▶ Ver *transdutor de pressão*; *transdutor de monitoramento de pressão*.

manômetro de fundo / *bottom-hole pressure gage or gauge*. Sensor colocado no fundo do poço para medir pressão. ↝ Há diferentes tipos de dispositivos que foram desenvolvidos com a finalidade de propiciar a realização de testes. Alguns dos tipos mais conhecidos de sensores são: *helical bourdon tube gauges, strain gauges* e *quartz crystal gauges*. Cada um desses sensores tem papel específico, e todos ainda estão em uso. Sensores com memória digital são atualmente os mais populares, uma vez que os dados podem ser lidos diretamente por um computador. ▶ Ver *manômetro*.

mantenabilidade / *maintainability*. Condição de probabilidade de que um determinado item (produto, equipamento ou sistema, por exemplo) venha receber manutenção em um período de tempo determinado e a um custo preestabelecido.

manuseio de gás / *gas handler*. Equipamento acessório utilizado para mitigar os impactos negativos da presença de gás livre no desempenho de uma bomba de bombeio centrífugo submerso. ↝ Diferentemente de um separador de gás, esse equipamento tem por objetivo homogeneizar a corrente fluida dessa mistura gás-líquido. Caso isso não fosse realizado, os níveis típicos de centrifugação obtidos nas impulsões poderiam provocar segregação das fases dessa corrente gás-líquido e finalmente provocar um assim chamado *travamento por gás* (*gas lock*) da bomba. Dois são os principais conceitos embarcados e oferecidos para uso: *(I)* manuseio de gás por redução do tamanho das bolhas de gás e homogeneização das fases líquida e gasosa de um fluido (*gas-handler*); *(II)* manuseio de gás através de um estágio de bomba especial que permita a passagem de determinadas quantidades de gás acumuladas em seu interior (*multi-vane pump*). Qualquer aumento de pressão capaz de transferir as bolhas de gás provocará a consequente redução do volume das bolhas e, assim, a redução de sua correspondente fração volumétrica na corrente gás-líquido, bem como o aumento da sua massa específica, o que melhora o desempenho da bomba. ▶ Ver *bombeio centrífugo submerso*; *separador de gás de bombeio centrífugo submerso*; *bomba multifásica*.

manutenção centrada em confiabilidade / *reliability-centered maintenance*. Metodologia que busca determinar o que deve ser realizado para assegurar que um equipamento continue a cumprir suas funções no contexto operacional, sem que seja necessário assegurar o estado de equipamento novo. ↝ No enfoque tradicional da manutenção, todas as falhas são ruins e, portanto, todas deveriam ser prevenidas. No entanto, esta filosofia não é realista, uma vez que tecnicamente é impossível evitar todas as falhas, e ainda que isso fosse possível, não haveria recursos financeiros suficientes. Assim, através da *manutenção centrada em confiabilidade (MCC)*, busca-se determinar o que deve ser feito para assegurar que um equipamento continue a cumprir suas funções no seu contexto operacional. A ênfase está em determinar a manutenção preventiva necessária e suficiente para que se mantenha o sistema em funcionamento, em vez de tentar restaurar o equipamento quando ocorrer falha.

manutenção corretiva / *corretive maintenance.* Conjunto de ações necessárias para devolver um equipamento ou sistema ao estado operacional ou disponível, após a ocorrência de uma falha. ↪ Manutenções corretivas não podem ser planejadas, e geralmente se tornam necessárias em momentos indesejados.

manutenção de poço / *workover.* Manutenção em um poço de petróleo com o objetivo de substituir algum equipamento danificado ou estimular a sua produção. ↪ A manutenção pode ocorrer de forma corretiva, preventiva ou preditiva.

manutenção de pressão / *pressure maintenance.* Injeção de água ou gás no reservatório, durante a produção, para manter a pressão do reservatório e aumentar a recuperação de óleo.

manutenção de pressão de água / *water pressure maintenance.* Método de recuperação avançada no qual a água produzida em um poço é reinjetada no reservatório com o objetivo de manter a pressão do reservatório e otimizar a recuperação de hidrocarbonetos.

manutenção preditiva / *predictive maintenance.* 1. Manutenção que objetiva manter um equipamento ou sistema no estado operacional ou disponível através da prevenção da ocorrência de falhas. 2. Ações realizadas antes da falha do equipamento ou sistema, mas apenas quando suas condições (por exemplo: de temperatura, vibração etc.), monitoradas continuamente, indiquem que a falha é iminente.

manutenção preventiva / *preventive maintenance.* Manutenção que objetiva manter um equipamento ou sistema no estado operacional ou disponível através da prevenção da ocorrência de falhas. ↪ Isso pode ser conseguido por meio de inspeções, controles e serviços tais como limpeza, calibração, lubrificação, detecção de defeitos (falhas incipientes) etc. É um tipo de manutenção planejada, podendo ser executada no momento em que for mais conveniente.

mapa batimétrico / *bathymetric map.* Mapa que revela a topografia do fundo do mar, lago, rio etc., através da indicação das curvas de nível ou linhas de contorno. ▶ Ver *batimetria*.

mapa da zona de intemperismo / *weathering map.* Mapa sísmico que representa a elevação da base da camada de intemperismo em uma área.

mapa das derivadas segundas / *second-derivative map.* Mapa de contorno da segunda derivada vertical de um campo potencial, como o campo magnético ou o campo da gravidade da Terra.

mapa de atributos / *attribute map.* Conjunto de informações obtidas sobre atributos, plotado em um mapa, para obter a caracterização de algum parâmetro de interesse sobre um reservatório, para descrever algum de seus aspectos, ou mesmo para gerar um modelo do reservatório, se as informações forem completas.

mapa de composição / *composition map.* Gráfico com a fração volumétrica de gás (GVF) e o teor de água (WC) ou o teor de água no líquido (WLR) nos eixos X e Y respectivamente, todos indicados nas condições reais de operação.

mapa de contorno / *contour map.* Mapa que mostra linhas compostas de pontos com o mesmo valor de determinados parâmetros, como elevação, profundidade, espessura, ou mesmo propriedades das rochas ou fluidos.

mapa de curvas de nível (Port.) (Ang.) / *contour map.* O mesmo que *mapa de contorno*. ▶ Ver *mapa de contorno*.

mapa de empilhamento / *stacking chart, layout chart.* Diagrama do terreno com os pontos de tiro e os receptores.

mapa de fácies / *facies map.* Mapa que mostra a distribuição dos diferentes tipos de atributos das fácies, ou atributos das rochas sedimentares, ou a ocorrência de uma determinada fácies, dentro de uma determinada unidade geológica.

mapa de isocapacidade / *isocapacity map.* Mapa que apresenta valores iguais do produto da permeabilidade pela espessura do reservatório, sendo utilizado para identificar a capacidade produtiva de uma região do reservatório.

mapa de isócoras / *isochore map.* Mapa de contorno que mostra as espessuras perfuradas de uma camada de rocha, entre unidades estratigráficas ou horizontes.

mapa de isólitas / *isolith map.* Mapa geológico no qual são representadas áreas imaginadas de igual litologia.

mapa de isópacas / *isopach map.* Mapa geológico no qual são representadas áreas imaginárias de igual espessura.

mapa de isosalinidade / *isosalinity map.* Mapa que mostra a salinidade da água de formação, geralmente apresentada em partes por milhão (ppm).

mapa de isossaturação / *isosaturation map.* Mapa de contorno mostrando superfície com valores iguais de saturação de um fluido em uma formação.

mapa de memória / *memory map.* Relação das variáveis que compõem uma aplicação (entradas, saídas, etc.), com os espaços da memória em que essas variáveis ocupam no *hardware* em que estão implementadas. ↪ Um exemplo de aplicação são os algoritmos de controle implementados nos controladores lógicos programáveis (*PLC*). Nesses algoritmos, tem-se um conjunto de variáveis de entrada (sinais lidos dos sensores de campo), um conjunto de variáveis de saída (sinais de controle enviados para os atuadores) e, em alguns casos, um conjunto de variáveis auxiliares utilizadas internamente no algoritmo de controle. Todas essas variáveis estão associadas a um espaço da memória do PLC. O mapa de memória é uma tabela na qual se encontram os nomes das variáveis e as respectivas posições de memória que estão ocupando.

mapa de mergulhos / *dip map.* Mapa no qual são distribuídos e registrados espacialmente os mergulhos de camadas, estruturas sedimentares ou tectônicas.

mapa de reflexão / *reflection map.* Mapa da subsuperfície obtido a partir dos dados da reflexão das ondas sísmicas, amplamente utilizado no processo exploratório.

mapa de refração / *refraction map.* Mapa da subsuperfície obtido pelo método de refração das ondas sísmicas, normalmente utilizado para identificar a interface dos sedimentos com o embasamento.

mapa de restrições da locação / *location restriction map.* Mapa que identifica obstáculos de superfície e de subsuperfície em um raio mínimo de 5 km ao redor da locação. É utilizado para subsidiar a análise das condições de segurança para o posicionamento dinâmico da unidade e traçar a rota de fuga a ser utilizada em casos de desconexão.

mapa de sensibilidade ambiental a derramamento de óleo / *oil spill sensitivity map.* Mapeamento que sumariza as condições ambientais, a ocupação humana, a localização dos recursos ambientais, a indicação de sensibilidade da linha de costa ao contato com óleo e os demais aspectos importantes para planejamento de resposta a emergências de derramamento. •• Os mapas de sensibilidade são elaborados em três escalas. A escala dita *estratégica* serve ao planejamento de resposta a eventos de grandes derramamentos que exigem atuação de esquemas nacionais de resposta. A escala *de detalhe* ou *local* se destina a planejamento de ações de resposta, incluindo as atividades de limpeza posteriores ao espalhamento do óleo e áreas com grande concentração de feições sensíveis.

mapa diferença / *difference map.* Mapa resultante da diferença entre outros dois mapas.

mapa digitalizado / *digitized map.* Mapa que passou por um processo de digitalização, encontrando-se agora na forma digital. O mapa digital pode estar representado na forma *raster*, em que a superfície original é dividida em uma matriz de células (*grid*), cada uma com um valor associado, ou na forma vetorial, em que as feições contidas no mapa são representadas por pontos ou vetores de pontos.

mapa gravimétrico residual / *residual gravity map.* Mapa que contém a correspondência ao mapa gravimétrico obtido após a retirada do campo regional.

mapa isopotenciométrico / *isopotential map.* Mapa que mostra os potenciais produtivos dos poços, sendo utilizado para comparar o desempenho dos poços.

mapa não migrado / *unmigrated map.* Mapa da subsuperfície, de reflexão sísmica, feito a partir de dados antes dos ajustes realizados pela técnica do processamento de migração. ▶ Ver *seção não migrada*.

mapa paleolitológico / *paleolithologic map.* Mapa paleogeológico que mostra as variações de determinados horizontes ou entre determinadas regiões durante um período de tempo específico no passado geológico.

mapa tempo-profundidade / *time-depth chart.* Gráfico ou tabela de tempo de reflexão *versus* a profundidade do refletor, variáveis estas consideradas para a energia que viaja verticalmente.

mar baixo / *lowstand.* Intervalo do ciclo eustático, no qual o nível médio dos mares encontra-se no seu mínimo.

mar continental / *continental sea.* Mar que se desenvolve sobre a plataforma continental ou no interior do continente; referido usualmente como *mar epicontinental*.

mar marginal / *marginal sea.* Mar adjacente e amplamente aberto para um oceano. •• Como exemplo, pode-se citar o mar do Japão, que é considerado um pequeno mar marginal, localizado a oeste do oceano Pacífico (e da península coreana), tendo a leste as ilhas japonesas de Hokkaido, Honshu e Kyushu e ao norte a Rússia (e sua ilha de Ascalina).

mar territorial / *territorial waters.* Faixa de mar com doze milhas náuticas de largura a partir da linha de baixa-mar do litoral continental e insular, registrado nas cartas náuticas de grande escala (Lei n° 8.617/93).

mar tipo plataforma / *shelf sea, shallow sea.* Mar raso que ocorre bordejando continentes, e como mares interiores em áreas continentais. •• Tem como principais características uma profundidade de menos de 200 m, gradientes suaves, salinidade marinha normal e a existência de uma enorme gama de processos físicos.

marca de carga direcional / *directional load cast.* Termo utilizado para descrever uma estrutura de carga indicativa do sentido da corrente.

marca de corrente / *current mark.* Estrutura formada pela ação de água corrente, direta ou indiretamente, sobre uma superfície sedimentar, como, por exemplo, pelo arraste de objetos sobre uma superfície sedimentar.

marca de dessecação / *desiccation mark.* O mesmo que *greta de dessecação* e *greta de contração*. ▶ Ver *greta de contração*.

marca de escala / *scale mark.* Marca regular e equidistante, presente em um registro batimétrico, sonográfico ou sísmico. ↠ Utilizada para auxiliar o operador de um sistema de batimetria, sonar de varredura lateral ou perfilador de subfundo na determinação da posição relativa do fundo marinho, de estrutura superficial ou sub-superficial, respectivamente. A maioria dos sistemas permite escolher o intervalo das marcas de escala. Os valores mais usados são 10, 20, 25, 50, 75 e 100 metros.

marca de escavação diagonal / *diagonal scour mark*. Série de marcas de escavação organizada diagonalmente em relação à principal direção de fluxo, formada pela concentração de marcas de escavação menores, alternando-se com áreas sem marcas ou com marcas menos abundantes.

marca de escavação transversa / *transverse scour mark*. Marca de escavação cujo eixo maior é transversal à direção principal da corrente.

marca de escorregamento / *slide mark*. Sulco ou arranhão deixado em uma superfície sedimentar por um escorregamento subaquoso. Tende a ser mais larga e rasa do que uma marca típica de arraste, e pode ser formada por escorregamento de objetos, tal como o movimento de massa ou de fragmentos de plantas.

marca de espuma / *foam mark*. Estrutura delicada, como um enrugamento, que ocorre comumente nas superfícies de areias litorâneas; similar às marcas de correntes na superfície das lâminas dos turbiditos. ▶ Ver *estrutura sedimentar*.

marca de flauta / *flute cast*. O mesmo que *molde de flauta*. ▶ Ver *molde de flauta*.

marca de fluxo espiralada / *corkscrew flute cast*. Marca de fluxo em forma de saca-rolhas, cuja extremidade aponta no sentido oposto ao da corrente.

marca de ondulação (Port.) (Ang.) / *ripple mark*. O mesmo que *marca ondulada*. ▶ Ver *marca ondulada*.

marca de ondulação catenária (Port.) (Ang.) / *catenary ripple mark*. O mesmo que *marca ondulada catenária*. ▶ Ver *marca ondulada catenária*.

marca de ondulação contracorrente (Port.) (Ang.) / *backwash ripple mark*. O mesmo que *marca ondulada contracorrente*. ▶ Ver *marca ondulada contracorrente*.

marca de ondulações com topo plano (Port.) / *flat-topped ripple mark*. O mesmo que *marca ondulada com topo plano*. ▶ Ver *marca ondulada com topo plano*.

marca de ondulações de corrente / *current ripple mark*. Marca de ondulação assimétrica formada pela ondulação provocada pelo arrasto da água de correntes (fluviais, marinhas, de maré etc.) sobre um fundo arenoso. ↠ As marcas de corrente são um bom indicador estratigráfico e paleogeográfico, pois elas indicam tanto a posição de topo e base de camadas (*geopetal*) quanto a direção da corrente. De acordo com a intensidade, do tamanho dos grãos da direção das correntes (uni ou bidirecionais) e da profundidade da água, a forma das marcas onduladas sofre variações significativas.

marca de profundidade / *depth mark*. Marca magnética localizada no cabo de perfilagem como referência para medidas de profundidade. ↠ As marcas são localizadas no cabo em intervalos regulares, geralmente 30 m (100 ft) ou 50 m (164 ft), sob certa tensão e efetuadas na oficina de trabalho. Os intervalos podem mudar ligeiramente em função da tensão, mas essa mudança pode ser corrigida. Durante a operação de perfilagem, as marcas são detectadas pelo detector de marca magnética e usadas para verificar e corrigir a leitura de profundidade pelo mecanismo (roda) de profundidade.

marca de referência (Port.) / *witness mark*. O mesmo que *testemunho topográfico*. ▶ Ver *testemunho topográfico*.

marca de saltação / *saltation mark*. Marca produzida em uma superfície pelo impacto dos grãos durante o processo de transporte por saltação.

marca de sola / *sole mark*. Termo genérico usado para descrever uma estrutura formada singeneticamente na base de uma camada pelo preenchimento de uma depressão na superfície de uma camada argilosa plástica subjacente.

marca em chevron / *chevron mark*. Marca em forma de V, devido ao arraste de um objeto sobre uma superfície normalmente argilosa, ainda não litificada. O objeto pode ser um grão ou um pedaço de madeira. Este tipo de marca é normalmente classificado como *marca de objeto* (*tool mark*) e ocorre frequentemente em rochas turbidíticas.

marca em crescente / *crescentic mark*. Estrutura sedimentar com formato de um crescente, semicircular ou em forma de U, resultante da ação de correntes sobre um substrato lamoso.

marca em espinha (Port.) (Ang.) / *spine mark*. O mesmo que *marca em* chevron. ▶ Ver *marca em* chevron.

marca ondulada / *ripple mark*. 1. Pequena ondulação produzida em material inconsolidado pelo transporte aquoso ou eólico. 2. Superfície ondulada ou esculpida que consiste de alternâncias entre cristas subparalelas de pequena escala e depressões côncavas formadas na interface entre um fluido e o material sedimentar inconsolidado. 3. Pequena crista, mais ou menos regular, que mostra várias formas em seções, produzidas em uma superfície de marcas onduladas que são preservadas nas rochas consolidadas e usadas para determinar os processos de transporte e deposição, ambientes e direção de correntes. O termo foi formalizado exclusivamente para formas simétricas ou aquelas produzidas pela ação de ondas, mas hoje inclui também as assimétricas. No singular pode ser usado para caracterizar de maneira genérica uma estrutura ondulada, e no plural para descrever um exemplo específico de marca ondulada. ↪ Essas marcas são produzidas na porção subaérea dos continentes por ação do transporte eólico, e na porção subaquosa por correntes ou pela agitação da água sob a ação de ondas ou turbulência, e geralmente formam um conjunto de lâminas oblíquas que indicam a direção do fluxo do fluido que transporta o sedimento. Até pouco tempo atrás era considerada uma evidência de ambiente de águas rasas.

marca ondulada catenária / *catenary ripple mark*. Uma marca ondulada é classificada como catenária se o traço de sua linha de crista tiver um padrão de uma cadeia de ondas catenárias, de modo que a face com maior inclinação esteja orientada no sentido da corrente. ↪ Ela difere de marcas onduladas em cúspide (barcanas), ou seja, com formato semelhante ao C da fase de lua crescente, por apresentarem menor curvatura na linha de crista da ondulação.

marca ondulada com topo plano / *flat-topped ripple mark*. Marca com cristas truncadas e planas. ▶ Ver *estrutura sedimentar*.

marca ondulada contracorrente / *backwash ripple mark*. Marca de ondas formadas pelo retorno dos fluxos das ondas na praia.

marca ondulada oscilatória / *oscillation ripple mark*. Marca formada pelo movimento de oscilação da água, como aquelas encontradas ao longo da costa marinha fora da zona de surfe. ↪ São marcas simétricas com cristas angulosas ou suavemente arredondadas, separadas por calhas de formas côncavas mais arredondadas.

marcação de um horizonte sísmico (Port.) (Ang.) / *automatic picking*. O mesmo que *picagem automática*. ▶ Ver *picagem automática*.

marcação do fundo / *bottom track*. Etapa de processamento de dados sonográficos na qual o sonar detecta o fundo marinho de forma contínua a fim de determinar a altura do equipamento de sonar. A determinação da altitude é importante durante o processo de correção da varredura (*slant range correction*). A marcação do fundo pode ser perdida em casos de sedimentos muito moles ou se o equipamento de sonar de varredura for rebocado em áreas onde haja muitas descontinuidades na coluna de água.

marcador (Port.) (Ang.) / *marker*. O mesmo que *marco*. ▶ Ver *marco*.

marcador biológico / *biologic marker*. 1. Composto orgânico complexo constituído por carbono, hidrogênio e outros elementos que são encontrados em óleo, betume, rocha e sedimentos e que mostram pouca ou nenhuma mudança de estrutura em relação às respectivas moléculas orgânicas existentes em organismos vivos. **2.** O mesmo que *fóssil molecular*. ↪ A maioria dos biomarcadores são isopentenoides, compostos de subunidades de isopreno, e incluem pristano, fitano, esteranos, triterpanos, porfirinas e outros compostos. ▶ Ver *biomarcador*.

marcas de onda simétricas / *symmetric ripple marks*. Estruturas formadas por uma corrente bidirecional, cujos sentidos são opostos, normalmente encontradas em ambientes de maré.

marcas de ondulações oscilatórias (Port.) / *oscillation ripple mark*. O mesmo que *marca ondulada oscilatória*. ▶ Ver *marca ondulada oscilatória*.

marcas na superfície da camada / *bed surface markings*. Feições ou pistas — como marcas onduladas, gretas de ressecamento ou traços fósseis — que aparecem na superfície de uma camada ou estrato como resultado de eventos que aconteceram durante ou logo após a deposição, porém antes da litificação.

marco / *marker*. Feição bem característica e suficientemente reconhecível para ser distinta das demais e bem posicionada estratigraficamente; por isso serve como referência ou *datum* para traçar uma correlação física a longa distância, nos dados de poços de petróleo ou em trabalho em mina, na mineração. Na sísmica, é representada por um refletor forte mais ou menos contínuo ao longo de uma área extensa ou regional; na sísmica de refração é caracterizada como uma camada que tem característica de um segmento tempo-distância e pode ser seguida como anomalia numa área extensa.

marco regulatório / *regulatory framework*. Conjunto de regras relevantes para a decisão sobre investimentos produtivos, especialmente os de longo prazo de duração em segmentos de infraestrutura.

maré baixa / *low tide*. Estado das águas do mar quando este atinge o mínimo em altura.

maré de sizígia / *syzygy tide*. Variação do nível do mar que ocorre quando o Sol e a Lua estão em conjunção ou oposição. ↪ Não considerando outras causas da variação da maré, tais como a conformação da costa e as corentezas, a variação do nível do mar nestas ocasiões atinje seus valores máximos, pois é quando ocorrem as mais baixas baixa-mares (marés baixas) e as mais altas preamares (marés altas).

maré negra / *black tide*. Grandes manchas de óleo originadas em acidentes com terminais de óleo, navios petroleiros ou oleodutos submarinos, que poluem extensões marítimas significativas, podendo causar impacto na fauna, flora e regiões costeiras.

maré terrestre / *earth tide*. Deformação do sólido da Terra causada pelos efeitos gravitacionais das órbitas do Sol e da Lua, de forma parecida com aquilo que ocorre nas marés oceânicas. O fato de a Terra ter uma certa elasticidade é que permite o fenômeno das marés terrestres.

maré vazante / *ebb tide*. Abaixamento constante do nível do mar que ocorre no perído entre a preamar (maré alta) e a baixa-mar (maré baixa), ocasião em que a massa de água passa a fluir no sentido do mar. ↝ É um agente de transporte sedimentar importante, notadamente nos regimes de macromarés.

mareógrafo / *mareograph*. Instrumento que registra o nível médio da água nas costas marinhas ao longo do dia.

marga / *marl*. Termo genérico para diversos sedimentos, consistindo basicamente em uma mistura de argila e carbonato de cálcio ($CaCO_3$).

marga argilosa / *clay marl*. Marga na qual predomina a argila. ▶ Ver *marga*.

marga com nanofósseis / *chalky marl*. Marga que tem até 30% de argila em sua composição, rica em nanofósseis calcários. ▶ Ver *marga*.

marga coquinoide / *shell marl*. 1. Depósito inconsolidado composto de uma mistura de lama carbonática, areia, argila e abundante quantidade de conchas de moluscos. 2. Depósito calcário de coloração clara, formado no fundo de depósitos lacustres de água doce, predominantemente composto por conchas de moluscos não cimentadas e precipitados de carbonato em associação com carapaças minúsculas. ▶ Ver *marga*

margem continental / *continental margin*. Unidade fundamental da fisiografia dos oceanos (as demais são a bacia oceânica e a cordilheira meso-oceânica). Da terra para o mar, são três as suas principais províncias, que se caracterizam por relevos e faixas de profundidades distintas: plataforma continental, talude continental e elevação ou sopé continental.

margem de manobra / *trip margin*. Valor adicional de densidade do fluido de perfuração para equilibrar a pressão da formação e compensar os efeitos de redução de pressão causados pelo pistoneio (*swabbing*), quando a coluna de perfuração é manobrada para fora do poço.

margem de segurança de *riser* / *riser safety margin*. Acréscimo que se dá à massa específica equivalente da pressão de poros, no dimensionamento da massa específica do fluido, para manter o poço em equilíbrio hidrostático no caso de uma desconexão de emergência que o preventor de erupção (*blowout preventer* — BOP) não vede.

margem de tração / *margin of overpull*. Excesso da capacidade de tração de um tubo acima da carga normal de trabalho. Usado como margem de segurança em situações especiais como alto arraste (*drag*) ou prisão de coluna (*stuck pipe*).

margem transformante / *transform margin*. Margem continental que coincide com limites de placas transformantes, como no caso do limite entre a placa do Pacífico e a norte-americana (Califórnia), e margens continentais que tiveram movimentação tectônica direcional na fase rifte, como no caso da margem da Costa do Marfim. ↝ Termo usado, por vezes, para referir-se aos segmentos de margens continentais paralelos às direções de falhas transformantes/zonas de fraturas adjacentes. ▶ Ver *limite transformante*.

marinização / *marinization*. Processo de adaptação para operação submarina de equipamentos ou componentes normalmente utilizados em operações terrestres. ↝ Como exemplos de equipamentos marinizados podem-se citar: árvores de natal molhadas, veículos submarinos de controle remoto, equipamentos para soldagem.

mármore dolomítico / *dolomitic marble*. Variedade de mármore composta predominantemente por dolomita e formada por metamorfismo de carbonatos magnesianos ou dolomíticos.

mármore sedimentar / *sedimentary marble*. Mármore formado quando, pela ação de metamorfismo, ocorre a recristalização do calcário.

martelo / *hammer*. Equipamento usado para adicionar percussão no processo de perfuração rotativa. Os martelos podem ser pneumáticos ou hidráulicos, dependendo de se a força motriz é gerada pelo ar ou pelo fluido de perfuração base água ou sintética, respectivamente. As brocas para trabalhar com estes martelos são especiais, sendo montadas com insertos esféricos de carbureto de tungstênio. A rotação da broca neste tipo de perfuração roto-percussiva é pequena (menor que 10 RPM), e deve ser suficiente apenas para alterar o ponto de contato dos insertos a cada revolução da broca.

martelo alternado / *alternating hammer*. Ferramenta utilizada em levantamentos de sísmicos terrestres; funciona por meio de um martelo suspenso que é acionado como um pêndulo e que colide com uma placa fixa no solo. Tem como fonte principal a geração da onda cisalhante (S). Também conhecido como *martelo horizontal*. ▶ Ver *martelo horizontal*.

martelo horizontal / *horizontal hammer*. Fonte terrestre que gera ondas S com uma massa pendular suspensa.

martelo pneumático (Port.) (Ang.) / *air hammer*. O mesmo que *soquete pneumático*. ▶ Ver *soquete pneumático*.

massa / *mass*. Medida absoluta de uma quantidade determinada de matéria. A massa é definida em termos do padrão de massa e, assim, a massa de um objeto é simplesmente um múltiplo do padrão de massa. A unidade no sistema SI para massa é o quilograma (kg).

massa específica / *density*. A massa específica de uma substância homogênea é a razão entre a sua massa e o seu volume. Variações na temperatura alteram a massa específica e ela é, assim, expressa como a massa por unidade de volume a uma pressão e temperatura especificadas.

massa específica da rocha / *rock density*. Relação entre a massa e o volume de uma rocha. ↝ A massa específica de um arenito é da ordem de 2,65 g/cm³. Já para folhelhos e carbonatos os valores típicos são, respectivamente, 2,49 e 2,89 g/cm³.

massa específica do cimento / *cement density*. Massa por unidade de volume do material em pó, medida a 20 °C, empregando o frasco volumétrico Le Chatelier, segundo a norma NM-23. Esse frasco tem uma capacidade de 250 cm^3 e uma escala com precisão de 0,05 cm^3. •» Nesse teste é utilizado um líquido que seja inerte e com densidade inferior à do cimento. O frasco é completado com o líquido até um determinado nível e estabilizado a 20 °C. ▶ Ver *cimento*; *hidratação*; *anidro*.

massa específica do fluido de perfuração / *mud weight*. Massa por unidade de volume do fluido de perfuração. Na engenharia de poços utiliza-se normalmente a unidade lb/gal (ppg, *pounds per gallon*). Normalmente também se utiliza, de forma incorreta, os termos *peso do fluido* e *densidade do fluido* para se referir a essa grandeza. •» A massa específica do fluido dentro do poço deve inicialmente ser tal que garanta que não haja influxo de fluidos indesejáveis no poço e também deve garantir a estabilidade da formação. Se a pressão exercida pelo fluido de perfuração for excessiva, ocorrerá o fraturamento da formação com a consequente perda de fluido. No caso de essa pressão ser muito baixa, poderá ocorrer o colapso da formação. ▶ Ver *fraturamento*.

massa molecular / *molecular mass*. Massa de cada molécula de uma substância em relação à unidade de massa atômica *uma* (ou µ) (igual a 1/12 da massa de um átomo de carbono-12).

matacão / *boulder*. Fragmento de rocha com um diâmetro maior ou igual a 256 mm.

matéria orgânica amorfa / *amorphous organic matter*. Querogênio ou partículas sem morfologia distinta. Alguns tipos de materiais orgânicos amorfos têm origem em algas, outros representam materiais altamente degradados de origem incerta ou provavelmente heterogênea.

matéria orgânica húmica / *humic organic matter*. Matéria orgânica derivada primariamente da decomposição de vegetais terrestres com baixo conteúdo de hidrogênio (< 6%).

matéria orgânica sapropélica / *sapropelic organic matter*. Produto de decomposição e polimerização de matérias orgânicas ricas em lipídios, tais como esporos e algas planctônicas depositadas em lamas subaquáticas (marinhas ou lacustrinas) sob condições predominantemente anaeróbicas.

material a granel (Port. e Ang.) / *bulk material*. O mesmo que *bulk material*. ▶ Ver *bulk material*; *material produzido pela indústria primária*.

material betumástico / *bitumastic material*. O mesmo que *material betuminoso*. ▶ Ver *material betuminoso*.

material betuminoso / *bituminous material*. Material, rocha ou minério que contém betume. Seu teor de betume, determinado por meio de sua dissolução em solventes orgânicos, é uma indicação da qualidade da rocha do reservatório.

material compósito / *composite material*. Material formado pela combinação de dois materiais-base, na qual um material, chamado *fase de reforço*, encontra-se na forma de fibras, placas ou partículas embebidas no outro material, chamado *matriz*.

material de adensamento / *weighting material*. Aditivo de fluido de perfuração utilizado para aumentar sua densidade ou massa específica.

material de aumento de densidade (Port.) (Ang.) / *weighting agent*. O mesmo que *adensante*. ▶ Ver *adensante*.

material de controle de perda de circulação / *loss control material (LCM)*. 1. Material usado no combate à perda de fluido de perfuração para a formação. 2. Também é denominado *material de controle da perda de lama* ou *material de perda de circulação de fluido de perfuração*.

material de controlo de perda de circulação (Port. e Ang.) / *lost-circulation material*. O mesmo que *material de tamponamento*. ▶ Ver *material de tamponamento*.

material de controlo de perda de lama (Port.) (Ang.) / *fluid-loss control material*. Material usado no combate à perda de fluido de perfuração para a formação.

material de perda de circulação / *lost-circulation material*. 1. Substância adicionada à pasta de cimento ou fluido de perfuração para prevenir a perda de cimento ou de fluido de perfuração para a formação. 2. Material fibroso, escamoso ou granular acrescentado a uma pasta de cimento ou fluido de perfuração para ajudar na vedação da formação onde ocorreu a perda de circulação.

material de tamponamento / *bridging agent or plugging material*. Aditivo adicionado à pasta de cimento para combater a perda de circulação. •» A primeira etapa no combate à perda de circulação é a redução do peso da pasta de cimento, e a segunda etapa é a colocação de aditivos especiais que atuam como material de tamponamento. Os aditivos comumente utilizados são a bentonita, os silicatos, as fibras sintéticas de náilon, a gilsonita e outros agentes tixotrópicos.

material isotrópico / *isotropic material*. Material que apresenta propriedades independentes de direções. •» Do ponto de vista mecânico, tais materiais necessitam de duas propriedades elásticas para descrever sua matriz de rigidez. As duas constantes elásticas mais comumente utilizadas para descrever o comportamento tensão-deformação são o módulo de elasticidade e o coeficiente de Poisson. ▶ Ver *módulo de elasticidade*; *tensão-deformação*.

material MRO / *maintenance, repair and operating (MRO) material*. Material para manutenção ou operação que geralmente consiste de material de consumo, partes ou componentes que não venham a ser lançados individualmente no ativo permanente da companhia. •» São itens que não dependem de projeto específico e normalmente são adquiridos como produtos de prateleira, constando, na maioria dos casos, de listas de preços de fabricantes, fornecedores ou representantes.

material para aumentar a densidade (Port.) (Ang.) / *weighting material*. O mesmo que *material de adensamento*. ▶ Ver *material de adensamento*.

material para combater a perda de circulação / *lost-circulation material*. O mesmo que *material de tamponamento*. ▶ Ver *material de tamponamento*.

material produzido pela indústria primária / *bulk material*. 1. Material de aplicação rotineira nas instalações do setor petróleo, tal como: chapas; tubos, acessórios; perfis estruturais; material de distribuição de força e controle; cabos, multicabos e acessórios elétricos; bandejas, eletrodutos e acessórios; materiais de iluminação, aterramento e proteção; anodos; materiais de aplicação na construção civil etc. 2. O mesmo que *bulk material*.

material radioativo de ocorrência natural tecnologicamente concentrado / *technologically-enhanced naturally occurring radioactive material (TENORM)*. 1. Material concentrado pertencente a material radioativo naturalmente distribuído (NORM) e a radionuclídeos que são produzidos em reatores nucleares, explosões nucleares e aceleradores de partículas (referidos como feitos por ser humano, antropogênicos ou artificiais). 2. Qualquer material radioativo de ocorrência natural não sujeito a regulamentação sob o Ato de Energia Atômica, no qual a concentração de radionuclídeos ou potencial para exposição humana é aumentado acima dos níveis encontrados no estado natural por atividades humanas. ↝ O *TENORM* associado à industria de óleo e gás não é um material radioativo artificial (no sentido de ser produto de um processo), e sim uma ocorrência natural de material radioativo que é transportado para ambiente humano, onde os radionuclídeos de ocorrência natural são concentrados.

material silicificado / *silicified material*. O mesmo que *silicificado*. ▶ Ver *silicificado*; *silicificação*.

material transportado a granel (Port.) (Ang.) / *bulk material*. O mesmo que bulk material. ▶ Ver bulk material; *material produzido pela indústria primária*.

material transversalmente isotrópico / *transversely isotropic material*. Caso especial dos materiais ortotrópicos que apresentam as mesmas propriedades em um plano e essas propriedades variam em uma direção normal a este plano. Sua matriz constitutiva é descrita por cinco constantes elásticas, ao contrário das nove necessárias para descrever um material ortotrópico. ▶ Ver *material isotrópico*.

material volumoso (Port.) (Ang.) / *bulk material*. O mesmo que bulk material. ▶ Ver bulk material; *material produzido pela indústria primária*.

matéria-prima / *raw material*. O mesmo que *insumo*. ▶ Ver *insumo*.

matriz / *matrix*. Conjunto de partículas finas que compõem a estrutura de rochas sedimentares como arenitos e conglomerados. 2. Partículas intersticiais alojadas na estrutura de grãos da rocha. ▶ Ver *rocha sedimentar*; *arenito*.

matriz aparente / *apparent matrix*. Cálculo das propriedades da fração sólida de uma rocha a partir da combinação de dois perfis. Por exemplo: pela combinação dos perfis de densidade e de porosidade neutrônica é possível determinar uma densidade de matriz aparente (RHOMA), ou pela combinação da porosidade neutrônica com o perfil sônico obtém-se um tempo de propagação de matriz aparente (DTMA). Os cálculos admitem um fluido particular, geralmente água doce, e equações específicas. O termo *matriz* é aqui empregado sob o ponto de vista de avaliação de formação e não no sentido geológico. ▶ Ver *porosidade de gráfico cruzado*.

matriz de causa e efeito / *cause-and-effect matrix*. Documento de projeto básico que descreve as causas e consequências associadas ao sistema de parada e intertravamento de emergência (ESD). Também conhecida como *matriz espinha de peixe*.

matriz de eletrodos / *electrode array*. Padrão de disposição dos eletrodos no qual M-N (tensão) e A-B (corrente) estão na mesma reta.

matriz de instrumentos geofísicos / *array*. Arranjo ordenado de instrumentos geofísicos, como eletrodos, geofones, fones, magnetrômetros, cujos dados são alimentados para um ponto central ou receptor.

matriz diamante / *diamond array*. Matriz ou arranjo de tiro ou de geofones em que uma das suas diagonais tem a direção da linha de trabalho.

matriz polo-dipolo / *pole-dipole array*. Arranjo de eletrodos utilizado em levantamentos de polarização induzida (IP). ↝ O arranjo polo-dipolo, também denominado *tripolo*, consiste de três eletrodos móveis ao longo do perfil de caminhamento elétrico, sendo um de corrente e dois de potencial, cujo espaçamento permanece constante.

matriz polo-polo / *pole-pole array*. Arranjo de eletrodos utilizado em levantamentos de polarização induzida (IP). ↝ No arranjo polo-polo é calculada a resistividade elétrica aparente para cada ponto da malha retangular onde o potencial foi medido, considerando a distância entre o eletrodo de corrente e o de potencial.

matriz sísmica / *seismic array*. Conjunto de sismógrafos distribuídos sobre uma superfície de terra, em espaçamentos pequenos o suficiente para que o sinal da forma de onda possa ser correlacionado entre sismômetros adjacentes.

maturidade / *maturity*. Extensão das reações dirigidas de aquecimento que convertem matéria orgânica de sedimentos e finalizam em gás e grafita. ↝ As diferentes escalas geoquímicas incluem reflectância de vitrinita, pirólise e várias razões de maturidade de biomarcadores, que são utilizadas para indicar o nível de maturidade termal da matéria orgânica.

maturidade composicional / *compositional maturity*. Maturidade sedimentar na qual o sedimento clástico aproxima-se da composição do produto final para o qual é direcionado pelo processo formativo que opera nele. Pode ser expresso como uma razão entre os compostos químicos (por exemplo, alumina/soda) ou entre os componentes minerais (por exemplo, quartzo/feldspato).

maturo / *mature*. Matéria orgânica numa janela de óleo, em maturidade termal equivalente à reflectância de vitrinita numa faixa aproximada de 0,6% a 1,4%.

máxima capacidade de poço / *maximum well capacity*. Característica de poço que produz no máximo de sua capacidade de bombeamento.

máxima pressão de bombeamento (Port.) (Ang.) / *maximum pump pressure*. O mesmo que *máxima pressão de bombeio*. ▶ Ver *máxima pressão de bombeio*.

máxima pressão de bombeio / *maximum pump pressure*. Máxima pressão do sistema de circulação de fluidos da sonda, equivalente à soma de todas as perdas de carga do sistema. ↠ Normalmente, este valor é limitado pelos equipamentos de superfície.

máxima pressão permitida / *maximum allowable pressure*. Maior pressão operacional segura à qual pode ser submetido um equipamento sujeito à ação de pressão interna e/ou externa, sem causar dano às pessoas ao redor ou ao equipamento.

máxima produção de água / *maximum water cut*. 1. Máximo valor do corte (fração) de água para uma determinada planta de processamento primário de petróleo, durante a vida útil da instalação de produção. 2. Frequentemente empregado como sinônimo de BS&W.

máxima recuperação econômica / *maximum economic recovery*. Máxima taxa de produção de um campo de gás ou de óleo que não reduza o fator de recuperação final do campo.

máxima taxa de eficiência / *maximum efficient rate*. O mesmo que *máxima recuperação econômica*. ▶ Ver *máxima recuperação econômica*.

maximum capacity well. O mesmo que *máxima capacidade de poço*. ▶ Ver *máxima capacidade de poço*.

meandro abandonado / *abandoned meander*. 1. Canal meandrante abandonado. 2. Pequeno lago que é formado ao longo da planície fluvial com canais em meandros. ↠ Isso ocorre quando o canal muda a sua trajetória devido a um aumento na energia da corrente, o que erode o flanco que servia de obstáculo e que o tornava curvo. O canal retoma a forma reta, o que leva ao abandono do seu segmento curvo, deixando-o isolado do resto do canal atuante.

mecanismo de capa de gás / *gas-cap drive*. Mecanismo de produção do reservatório no qual a queda de pressão, acarretada pela produção da zona de óleo, provoca a expansão do gás. O gás passa a ocupar os espaços que anteriormente eram ocupados pelo óleo. Como o gás tem uma compressibilidade muito alta, sua expansão ocorre sem que haja queda substancial de pressão. ↠ Para que haja produção, é necessário que outro material preencha o espaço poroso ocupado pelos fluidos produzidos. A produção ocorre devido a dois fenômenos principais: *(I)* a descompressão, que causa a expansão dos fluidos contidos no reservatório e a contração do volume poroso; e *(II)* o deslocamento de um fluido por outro. Ao conjunto de fatores que desencadeiam esses efeitos dá-se o nome de *mecanismo de produção do reservatório*. ▶ Ver *capa de gás*; *reservatório com mecanismo de capa de gás*.

mecanismo de controlo no obturador de segurança (Port.) (Ang.) / *shear ram*. O mesmo que *gaveta cisalhante*. ▶ Ver *gaveta cisalhante*.

mecanismo de deslocamento em um reservatório / *reservoir drive*. Mecanismo formado de forças naturais existentes no reservatório, que empurram os hidrocarbonetos para o poço produtor. ↠ Todo reservatório possui ao menos um mecanismo de deslocamento: gás em solução, capa de gás, água, gravitacional e expansão de fluidos. Esses mecanismos são fundamentais para a recuperação de hidrocarbonetos do reservatório.

mecanismo de drenagem gravitacional / *gravity drive*. Mecanismo de produção de óleo associado à segregação gravitacional, no qual o gás sai de solução e forma uma capa de gás secundária, empurrando o óleo em direção à base do reservatório onde ele é produzido. ↠ Este mecanismo de produção tem um alto fator de recuperação do óleo, podendo atingir valores de até 50%. O mecanismo de drenagem gravitacional geralmente ocorre em campos maduros, que produzem com baixas vazões de óleo.

mecanismo de expansão de fluido / *fluid-expansion drive*. Mecanismo de produção existente quando a pressão do reservatório encontra-se acima do ponto de bolha do óleo. ↠ Este fenômeno ocorre devido à expansão do óleo subsaturado pelo alívio de pressão do reservatório causado pela produção, e resulta num declínio de produção muito rápido e num fator de recuperação extremamente baixo.

mecanismo de expansão de gás em solução / *solution-gas expansion pool*. Mecanismo de um campo de óleo cuja energia utilizada na produção é proveniente da expansão dos gases em solução. ▶ Ver *mecanismo de produção por expansão de gás em solução*.

mecanismo de gás em solução / *internal-gas drive*. Mecanismo de produção no qual as bolhas de gás dissolvidas no óleo se expandem, deslocando o óleo para o poço produtor. ↠ Este tipo de mecanismo de produção de óleo é causado pela diminuição da pressão do reservatório, atingindo valores abaixo do ponto de bolha.

mecanismo de produção através da expansão do gás de cobertura (Port.) (Ang.) / *gas-cap drive*. O mesmo que *mecanismo de capa de gás*. ▶ Ver *mecanismo de capa de gás*; *reservatório com mecanismo de capa de gás*.

mecanismo de produção através do gás de cobertura (Port.) / *gas-cap drive*. O mesmo que *mecanismo de capa de gás*. ▶ Ver *mecanismo de capa de gás*; *reservatório com mecanismo de capa de gás*.

mecanismo de produção pela vaporização de gás / *vaporizing-gas drive*. Método de recuperação avançada utilizado para reduzir a saturação de óleo residual, no qual as frações mais leves e intermediárias do óleo são extraídas por um fluido parcialmente miscível.

mecanismo de produção por despressurização / *pressure-depletion drive*. Produção de gás natural ou petróleo pela expansão dos fluidos e redução do espaço poroso devido à despressurização do reservatório.

mecanismo de produção por expansão de gás em solução / *solution-gas expansion drive*. Mecanismo de produção no qual as bolhas de gás formadas pelo gás em solução no óleo se expandem, forçando o óleo a fluir pelo reservatório em direção ao poço produtor.

mecanismo de produção por segregação / *segregation drive*. O mesmo que *drenagem gravitacional*. ▶ Ver *drenagem gravitacional*.

mecanismo de produção primária / *primary drive*. Mecanismo de produção em que forças naturais do reservatório são responsáveis pelo deslocamento e produção do óleo e gás. ↠ Os principais mecanismos de produção primária são mecanismos de produção por gás em solução, gás livre, água e gravitacional.

média móvel / *moving average, running average*. Procedimento de suavização, aplicado a uma série temporal, no qual se substitui cada observação pela média das observações no seu entorno. Um procedimento análogo ao de suavizar um mapa de dados.

medição / *measurement*. Conjunto de operações que tem por objetivo determinar o valor de uma grandeza.

medição de apropriação / *allocation measurement*. Medição usada para determinar os volumes de produção de cada campo num conjunto de campos (de petróleo ou de gás natural) ou de cada poço num campo específico.

medição de corte de água / *water cut measurement*. 1. Procedimento que objetiva determinar a proporção volumétrica entre óleo e água livre num tanque ou numa corrente. 2. Também é conhecido como *corte de água* e *corte d'água*.

medição de gás / *gas measurement*. Processo de determinação da vazão volumétrica ou do volume de gás, por instrumentos próprios, com o objetivo de conhecer o volume produzido ou transferido numa operação.

medição de isolamento elétrico / *electrical megger*. Medição realizada em componentes elétricos e/ou no completo conjunto elétrico de um sistema de bombeio centrífugo submerso (*BCS*), a fim de verificar a integridade de seu sistema elétrico no que tange à resistência de isolamento elétrico. ↠ Medição de isolamento entre as fases e entre cada fase e terra feita nos terminais de cabos do motor elétrico de um conjunto de bombeio centrífugo submerso. Tipicamente, os valores requeridos são da ordem de megaohms, daí a terminologia corrente para *Megger* ou megagem. ▶ Ver *bombeio centrífugo submerso*; *motor elétrico*; *cabo elétrico para bombeamento centrífugo submerso*.

medição durante a perfuração / *measurement while drilling*. Medição realizada por intermédio de ferramentas usadas na perfuração, para transmitir para a superfície, em tempo real, informação dos sensores localizados perto da broca. As ferramentas usam acelerômetros e magnetômetros para medir a inclinação e o azimute do poço em cada posição. Esse tipo de ferramenta permite o controle de trajetória direcional em tempo real, se usada com uma ferramenta defletora do tipo "motor de fundo com alojador curvo" (*bent housing*), formando um sistema de navegação (*steerable system*). ↠ Equipamentos de perfuração usados para controle direcional.

medição fiscal / *fiscal metering*. Medição do volume de produção fiscalizada, efetuada num ponto de medição de produção de um determinado campo de petróleo ou gás natural, com o objetivo de calcular as taxas governamentais (*royalties* etc.).

medição fiscal compartilhada / *shared fiscal metering*. Medição fiscal dos volumes de produção de dois ou mais campos, cuja produção se mistura antes do ponto de medição fiscal (compartilhada).

medição multifásica / *multiphase metering*. Processo de determinação da vazão volumétrica ou mássica de um escoamento com a presença de mais de uma fase, que possibilita a determinação das frações de cada fase. ↠ Tais determinações são realizadas sem que seja necessário separar as fases do escoamento.

medição multifásica de impedância elétrica / *multiphase impedance metering*. Medição de frações de componentes em misturas multifásicas. ↠ As medições dependem da condutividade e da permissividade do óleo, da água e do gás. Nessa medição, o princípio do método da impedância elétrica é aplicado na determinação da fração presente em cada fase do escoamento multifásico, com base no fato de que o fluido é caracterizado como um condutor elétrico. Ao se medir a impedância elétrica através da seção transversal do duto sob escoamento (usando, por exemplo, eletrodos de contato ou de não contato), as propriedades desse fluido, tais como condutância e capacitância, podem ser medidas. A permissividade é uma propriedade intrínseca de cada fase, sendo a da mistura o resultado da medida das frações dos seus diferentes componentes, podendo também ser caracterizada como o produto de sua constante dielétrica pela permissividade do vácuo. Tal propriedade pode ser determinada, por exemplo, pelo uso de sensor capacitivo. ▶ Ver *capacitância*.

medição virtual / ***virtual metering***. Processo de obtenção do valor estimado de uma variável de interesse que não propicia medição direta, o que é feito através da utilização de um algoritmo que tem como entrada um conjunto de variáveis medidas diretamente e que estão fisicamente acopladas à variável de interesse. ↔ Um exemplo de medição virtual aplicada à indústria de óleo e gás é a estimativa da vazão multifásica a partir de medições de pressão e temperatura existentes no poço e na linha de produção (dados do PDG, TPT e medidores de superfície). Neste exemplo, não existe um instrumento dedicado à medição de vazão (medidor multifásico), utilizando-se assim os valores medidos das variáveis que reconhecidamente estão relacionadas à vazão e um algoritmo onde está representada de alguma forma esta relação (rede neural, modelo físico etc.). O algoritmo fornece como saída uma estimativa da vazão de óleo, gás e água no instante em que foram obtidos os dados de entrada.

medida de propagação eletromagnética / ***electromagnetic propagation measurement***. Medida das propriedades dielétricas de alta frequência (cerca de 1 GHz) de uma formação.

medida padrão / ***standard measurement***. Medida materializada, instrumento de medição, material de referência ou sistema de medição destinados a definir, realizar, conservar ou reproduzir uma unidade ou um ou mais valores de uma grandeza para servir como referência.

medidor (Port.) / ***recording unit***. O mesmo que *registrador*. ▶ Ver *registrador*.

medidor automático de nível de tanque / ***automatic tank level gauge***. Instrumento que mede automaticamente e indica os níveis de líquido ou a capacidade em um ou mais tanques terrestres ou marítimos continuamente, periodicamente ou quando solicitado.

medidor de consistência do cimento (Port.) / ***cement consistometer***. O mesmo que *consistômetro*. ▶ Ver *consistômetro*.

medidor de corrente acústico Doppler / ***acoustic Doppler current profiler***. Instrumento de medição que informa as correntes da água com som, usando um princípio acústico chamado *efeito Doppler*. ↔ Um som da onda tem uma frequência mais elevada quando se move para o ponto de observação. Pode-se observar o *efeito Doppler* na prática quando um carro passa velozmente, e percebe-se a característica do som produzido pelo motor, cuja frequência cresce ao se aproximar e baixa quando o carro se afasta. O instrumento mede quão rapidamente a água se move através de uma coluna inteira de água. ▶ Ver *efeito Doppler*.

medidor de deformação / ***strain gage, strain gauge***. Equipamento utilizado para medir a deformação de um objeto sujeito a carregamentos externos. ▶ Ver *deformação plástica*; *deformação por cisalhamento*.

medidor de desgaste / ***wear gauge***. Equipamento, dispositivo ou recurso que permite inferir o grau de desgaste de um determinado componente, como mancais, pastilhas de freio, correntes de engrenamento ou espessura da parede de tubulações. ↔ Certos tipos de medidores podem medir tanto o desgaste de origem mecânica (erosão, abrasão etc.), como o oriundo de processos corrosivos.

medidor de deslocamento positivo / ***positive-displacement meter***. Método altamente acurado de medição de volume de líquido em fluxo, usado nas bombas de gasolina e medidores de carros-tanques. ↔ O produto líquido, sem vapor (no limite possível), entra no medidor. O produto líquido que flui através de espaço confinado, a câmara de medição, é momentaneamente separado em segmentos de volumes conhecidos. Os segmentos são então reagrupados e fluem do medidor para a linha de descarga. Os ciclos no medidor contam a quantidade de líquido que passou por este medidor de vazão volumétrica.

medidor de fluxo por correlação cruzada / ***cross-correlation flowmeter***. Dispositivo para medir a velocidade de um fluido em um poço de produção. ↔ O dispositivo mede o tempo de trânsito de uma perturbação entre dois sensores separados por uma distância fixa. A tecnologia é aplicada a um fluxo multifásico no qual a perturbação é causada, por exemplo, pela presença de uma bolha de gás sobre cada um dos sensores. Na prática, haverá muitas bolhas de gás, de modo que é necessário registrar ambos os sinais dos sensores em uma janela de tempo e compará-los ou correlacioná-los. Os dois sinais se correlacionarão melhor após o deslocamento de um deles por um tempo correspondente ao tempo de trânsito médio das bolhas. Sensores diferentes podem ser usados, por exemplo, numa medida da capacitância elétrica em um medidor de retardo. O medidor de vazão por correlação cruzada dá a velocidade da perturbação. Quando ela é causada por uma só das fases, ela produz um tipo de perfil de velocidade da fase.

medidor de fração de água / ***water-cut meter***. Instrumento destinado a medir o teor de água presente numa corrente cuja fase contínua é o óleo.

medidor de fração multifásica / ***multiphase fraction meter***. Dispositivo para medir as frações volumétricas de óleo, de água e de gás em um escoamento multifásico através de uma seção reta de um duto. Os resultados são expressos em percentuais.

medidor de fundo de poço / *permanent downhole gauge*. Medidor de pressão e temperatura de fundo de poço. •» O medidor de fundo de poço (*PDG, Permanent Downhole Gauge*) oferece uma medição contínua de pressão e temperatura de fundo de poço, o que permite um melhor gerenciamento do reservatório, bem como a otimização da produção. Apesar de o medidor elétrico ainda ser o mais comum, o medidor de fibra óptica é cada vez mais utilizado.

medidor de gás / *gas meter*. Medidor de vazão de gás, geralmente do tipo *placa de orifício*. •» A vazão volumétrica é determinada em função da queda de pressão sofrida pela corrente de gás ao fluir através do orifício. O sistema de medição requer calibração e ajuste, em função das condições de P e T e das características do gás.

medidor de gravidade ar e mar / *air-sea gravity meter*. Instrumento de medição da gravidade (gravímetro) colocado a aborde de aeronaves (aviões ou helicópteros) ou em navios de prospecção gravimétrica.

medidor de megaohms / *megger meter*. Instrumento de medição de isolamento (*megger*) do motor elétrico de um conjunto de bombeio centrífugo submerso, com o objetivo de verificar a integridade de seu sistema elétrico. •» Tal medição verifica a resistência de isolamento entre as fases e entre cada fase e a de terra, e é feita nos terminais de cabos do motor elétrico num conjunto de isolamento elétrico de sistema de bombeio centrífugo submerso. Para efeito da medição mencionada, utiliza-se também a expressão "megagem de conjunto (BCS)"; "megagem" é um neologismo usado na linguagem de rotina. *Megger* provém de *megaohm meter*, um medidor que verifica, durante a manutenção, o isolamento de um motor elétrico submersível, indicando se entrou água ou não. ▶ Ver *medição de isolamento elétrico*.

medidor de mergulho / *dipmeter*. Ferramenta usada na perfilagem de poços para determinar o ângulo de mergulho (ângulo em relação ao plano horizontal) de um estrato geológico.

medidor de nível (Port.) (Ang.) / *level meter*. O mesmo que *trena medidora de nível*. ▶ Ver *trena medidora de nível*.

medidor de orifício / *orifice meter*. Medidor que faz uso de uma placa de orifício padronizada para provocar uma perda de carga local e assim determinar a vazão de um escoamento. •» Tais placas são padronizadas na sua forma e dimensões. Tomadas (*portas*) de pressão, a montante e a jusante do orifício, fornecem os valores que permitem determinar a vazão do escoamento. Correções quanto a forma, variação das propriedades dos fluidos etc. podem ser igualmente aplicadas, existindo, inclusive, procedimentos padronizados para tais correções. ▶ Ver *perda de carga, vazão*.

medidor de pressão ao perfurar / *pressure while drilling (PWD) tool*. Ferramenta de medição de pressão no fundo (anular) durante a perfuração.

medidor de pressão de fundo (Port.) / *permanent downhole gauge*. O mesmo que *registrador de pressão de fundo*. ▶ Ver *registrador de pressão de fundo*.

medidor de registro aerotransportado / *airborne profile recorder*. Instrumento eletrônico que emite um sinal de radar tipo pulsação a partir de um avião, para medir a distância entre o avião e a superfície da Terra. •» Equipamento utilizado em levantamentos geofísicos aéreos (gravimetria, magnetometria, gamaespectrometria etc.).

medidor de TOG / *oil and grease meter*. Instrumento destinado a medir o teor de óleo e graxa presente numa corrente cuja fase contínua é a água.

medidor de vazão / *flowmeter*. Dispositivo utilizado para medir volumes ou vazões de fluidos (líquidos ou gases). ▶ Ver *fator do medidor*.

medidor de vazão de gás tipo turbina / *turbine gas meter*. Dispositivo de medição de vazão de gás. Da medida dessa vazão depreende-se a velocidade média do gás em escoamento na tubulação. •» O dispositivo tem uma pequena turbina interna, cuja velocidade de rotação é calibrada para reproduzir, por transmissão mecânica ou eletrônica, a velocidade do gás que a aciona.

medidor de vazão de gás úmido / *wet gas flow meter*. Dispositivo ou medidor em linha para medir simultaneamente as vazões e volumes de hidrocarbonetos na fase gasosa, de hidrocarbonetos na fase líquida e da água. •» Um medidor de gás úmido pode combinar várias técnicas de medição. Alguns medidores podem discriminar entre o que é água produzida/condensada e o que é água de formação, por meio da medição da salinidade. A massa específica do gás pode ser medida por meio dos dados de análises PVT (composição do gás), pressão e temperatura de operação. O teor de água pode ser calculado assumindo-se que o gás está saturado no reservatório.

medidor de vazão do tipo Coriolis / *Coriolis flow meter*. Medidor de vazão de líquidos ou de gases cujo funcionamento se baseia na aceleração de Coriolis. •» Em um sistema de referência (referencial) em rotação uniforme, os corpos em movimento, vistos por um observador, aparecem sujeitos a uma força perpendicular à direção do seu movimento. Esta força é chamada *força de Coriolis*. O desempenho desse tipo de medidor é melhor quando configurado para medir vazões mássicas (por exemplo, kg/h). Pode ser configurado para medir vazões volumétricas se for dotado de medidor interno de massa específica, ou se este valor for considerado constante (ou medido por outro meio externo). ▶ Ver *força de Coriolis*.

medidor de vazão do tipo deslocamento positivo / *positive-displacement flow meter.* Medidor de vazão ou volume de líquidos ou de gases cujo elemento primário de medição detecta quantidades (volumes) fixas, mecanicamente separadas em câmaras idênticas que se deslocam no interior do medidor. Tais quantidades são contadas em unidades de volume. É normalmente dotado de rotor do tipo palhetas, ou lóbulos, ou engrenagens ovais.

medidor de vazão do tipo magnético / *magnetic flow meter.* Medidor de vazão de líquidos baseado na medição da condutividade do fluido (frequentemente água). É normalmente dotado de eletrodos para medição de diferença de potencial elétrico diretamente no fluido. É mais utilizado em água produzida.

medidor de vazão do tipo termal / *thermal flow meter.* Instrumento de medição de vazão de gases baseado na medição de temperatura de um elemento aquecido (normalmente um bulbo resistivo).

medidor de vazão do tipo turbina / *turbine flow meter.* Medidor de vazão de líquidos ou de gases baseado na medição da velocidade axial do fluido, por meio de um rotor dotado de pás ou palhetas, que gira livremente em um mancal interno.

medidor de vazão do tipo ultrassônico / *ultrasonic flow meter.* Medidor de vazão de líquidos ou de gases baseado na medição da velocidade axial do fluido, utilizando um ou mais pares de transdutores que emitem e recebem sinais de ultrassom que percorrem o próprio fluido. ▪▸ Os transdutores são instalados diametralmente opostos ou funcionando com reflexão na parede interna do duto. Normalmente, pode ser do tipo de medição por tempo de trânsito ou por efeito Doppler.

medidor de vazão do tipo V-Cone / *V-Cone meter.* Elemento primário de medição de vazão com formato de cone, instalado internamente na tubulação de modo que o fluido atravesse a coroa circular formada entre o cone e a parede interna do tubo (o sentido do escoamento é do topo para a base do cone). O princípio de medição é por pressão diferencial.

medidor de vazão do tipo vórtex / *vortex meter.* Medidor de vazão de líquidos ou de gases baseado na medição da frequência de vórtices formados pela interposição de um elemento (em forma de barra vertical) que obstrui o escoamento. A velocidade do fluido é correlacionada com a frequência dos vórtices segundo um número S (de Strouhal) obtido por calibração.

medidor de vazão multifásico / *multiphase flowmeter.* Instrumento usado para medir acuradamente as vazões de óleo, gás e água de poços de óleo sem separação, mistura ou partes móveis.

medidor de vazão tipo tubo Pitot / *Pitot-tube meter.* Elemento primário de medição de vazão com formato de um tubo fino ou sonda, normalmente de inserção radial, instalado internamente na tubulação, e que possui dois orifícios na própria sonda para medição de pressão diferencial, sendo um orifício a montante e o outro a jusante da sonda. Uma variante é o medidor do tipo *annubar*.

medidor do isolamento de motores / *motor insulation meter.* O mesmo que *medidor de megaohms*. ▶ Ver *medidor de megaohms*.

medidor do tipo separação multifásico / *multiphase separation meter.* Caracterizado por realizar um processo de separação completa ou parcial das fases da corrente multifásica, seguido de uma medição monofásica, em linha, das três fases. ▪▸ O separador de teste (de poços), que é encontrado em quase toda instalação de produção, é basicamente um medidor do tipo separação bi ou trifásico. O medidor do tipo separação parcial possui um vaso de entrada (normalmente vertical), ou um diversor, que separa a maior parte do gás que é medido de modo monofásico na sua saída superior, enquanto que na sua saída inferior é instalado um medidor multifásico em linha.

medidor em linha multifásico / *in-line multiphase meter.* Medidor em linha caracterizado pelo fato de que todas medições das frações e das vazões das fases são realizadas diretamente na tubulação onde está o escoamento multifásico, sem os recursos de separação e/ou amostragem dos fluidos. ▪▸ Nesse medidor, a vazão volumétrica de cada fase (óleo, água e gás) é representada pela fração de área que a fase ocupa multiplicada pela velocidade de cada fase.

medidor mássico / *mass flow meter.* Medidor que determina a(s) vazão(es) mássica(s) de um escoamento. ▪▸ Um medidor de vazão volumétrica que igualmente meça a massa específica de um fluido pode revelar a vazão mássica do escoamento. Este é o princípio utilizado em vários medidores, a exemplo do medidor do tipo Coriolis.

medidor mestre / *master meter.* O mesmo que *medidor padrão*. ▶ Ver *medidor padrão; provador.*

medidor multifásico por separação parcial / *partial separation multiphase metering.* Medidor caracterizado pela separação de apenas uma das fases em escoamento, normalmente o gás, o qual passa a ser medido de forma monofásica, enquanto o restante da mistura é medido num medidor multifásico em linha. ▪▸ Uma vez que a separação é parcial, o gás separado será do tipo gás úmido. A corrente remanescente terá uma fração de gás (GVF) baixa e desse modo operará dentro do envelope esperado do medidor multifásico em linha.

medidor padrão / *master meter.* Medidor utilizado como padrão de comparação na calibração de outros medidores. ▶ Ver *provador*.

medidor padrão de referência / *standard master meter.* Medidor padrão que tem geralmente a mais alta qualidade metrológica disponível em um dado local ou em uma dada organização, a partir do qual as medições são executadas.

medidor padrão de trabalho / *working master meter*. Medidor padrão utilizado rotineiramente para calibrar medidores em operação nos sistemas de medição.

medidor permanente de fundo (Port.) / *permanent downhole gauge*. O mesmo que *registrador permanente de fundo*. ▶ Ver *registrador permanente de fundo*.

medidor volumétrico / *volumetric flow meter*. Medidor que determina a(s) vazão(ões) volumétrica(s) de um escoamento.

meia distância / *half width*. Medida de distância em perfis magnéticos e de gravidade, realizada no processo da estimativa do centro de massa.

meio ambiente / *environment*. Conjunto de condições, leis, influências e interações de ordem física, química e biológica que permite, abriga e rege a vida em todas as suas formas (Lei n° 6.938/81).

meio de Goupillaud / *Goupillaud medium*. Meio de camadas paralelas de espessura tal que o tempo de percurso das ondas sísmicas que as atravessam perpendicularmente é igual.

meio físico de comunicação / *physical communication medium*. Meio de conexão através do qual irão trafegar os dados, tais como interfaces seriais, *hubs*, cabos etc.

melange tectônica / *tectonic mélange*. Brecha de origem tectônica, onde blocos de sedimentos marinhos e de crosta oceânica são cataclasados. Constitui o material típico dos prismas acrecionários, formados nas zonas de subducção. ▶ Ver *zona de subducção*.

melhor tempo composto / *best composite time* (BCT). 1. Referência de tempo usada para comparar a duração de intervenção. 2. Composição de melhores tempos de operação para gerar o menor tempo de intervenção possível.

melhorador da taxa de viscosidade (Port.) (Ang.) / *viscosity rate improver*. O mesmo que *melhorador do índice de viscosidade*. ▶ Ver *melhorador do índice de viscosidade*.

melhorador do índice de viscosidade / *viscosity index improver*. Aditivo, usualmente à base de polímeros especiais, que aumenta o índice de viscosidade de um lubrificante. ↠ O índice de viscosidade traduz a estabilidade dessa propriedade (viscosidade) do lubrificante em relação à variação de temperatura. O lubrificante com alto índice de viscosidade tem baixo decaimento da mesma ante o aumento da temperatura. ▶ Ver *índice de viscosidade*.

membrana seletivamente permeável / *semipermeable membrane*. O mesmo que *membrana semipermeável*. ▶ Ver *membrana semipermeável*.

membrana semipermeável / *semi-permeable membrane*. Membrana que permite a passagem seletiva de determinadas moléculas ou íons. ↠ A taxa de passagem depende das condições de pressão, temperatura e concentração do soluto considerado, em ambos os lados da membrana. Um dos usos típicos dessas membranas é na remoção de sulfatos encontrados na água mar antes da sua injeção em reservatórios; tal remoção objetiva impedir a formação de incrustação inorgânica, tendo o sulfato por íon do sal (por exemplo, sulfato de bário, sulfato de estrôncio). Essas membranas são também referidas como *membranas seletivamente permeáveis*.

memória apenas de leitura e apagamento elétrico programável / *electrically erasable programmable read-only memory* (EEPROM). *Chip* de armazenamento não volátil, tipo especial de memória PROM que pode ser apagada caso seja exposta a uma tensão elétrica. Utilizada em computadores e outros dispositivos eletrônicos programáveis. ↠ Uma EPROM (*erasable programmable read-only memory*) precisa ser apagada por meio de luz ultravioleta; já uma EEPROM pode ser programada e apagada várias vezes, eletricamente. Esta pode ser lida um número ilimitado de vezes, mas só pode ser apagada e programada um número limitado de vezes, que varia entre 100 mil e 1 milhão.

memória de acesso randômico / *random access memory*. Circuito, dispositivo ou sistema eletrônico composto por transistores de estado sólido, fabricado pelos processos convencionais de fabricação de circuito integrado de larga escala de integração, com tecnologia bipolar, CMOS ou BICMOS, construído em uma pastilha de silício e capaz de armazenar informação codificada no formato binário. Essas memórias RAM têm acesso aleatório a qualquer um de seus dados armazenados internamente a qualquer instante, tanto para escrita do valor em binário como para leitura deste. Conhecida como *memória RAM*. ↠ A informação armazena, no formato binário, números binários, que podem representar tanto dados para processamento, como programas para execução.

memória flash / *flash memory*. Memória do tipo EEPROM (*electrically erasable programmable read-only memory*) que permite que múltiplos endereços sejam apagados ou escritos numa só operação. ↠ Ao contrário da memória RAM (*random access memory*), a memória *flash* preserva o seu conteúdo sem a necessidade de fonte de alimentação. ▶ Ver *mapa de memória*; *memória não volátil*.

memória não volátil / *non-volatile memory*. Memória que guarda todas as informações mesmo quando não estiver ligada a uma fonte de alimentação. ↠ Exemplos desse tipo de memória são a ROM (*read only memory*) e a *flash*. ▶ Ver *mapa de memória*, *memória* flash.

memória não volátil de acesso randômico / *non-volatile random access memory*. Memória de acesso randômico (RAM), dotada de uma fonte de energia própria para manter as informações armazenadas, independentemente de alimentação externa, por longo período de tempo (cerca de 10 anos). Conhecida como *memória NVRAM*.

memória PROM / *programmable read-only memory*. Chip de armazenamento de dados e/ou instruções, não volátil; um tipo de ROM que permite ser programada uma única vez. ↝ Uma PROM (*programmable read-only memory*) é disponibilizada vazia para ser programada, sendo este processo irreversível. Utiliza-se o termo 'queimar uma PROM' devido a essa característica.

memória RAM / *random access memory*. O mesmo que *memória de acesso randômico*. ▶ Ver *memória de acesso randômico*.

memória ROM / *read-only memory*. Chip de armazenamento de dados e/ou instruções, não volátil, ou seja, permanente, que permite somente a leitura de seu conteúdo. ↝ Uma ROM (*read-only memory*) não pode ser programada múltiplas vezes como as EPROMs e EEPROMs. A gravação do conteúdo dessa memória é feita previamente pelo fabricante. Por exemplo, a ROM é utilizada para gravação da BIOS (*basic input-output system*), que se localiza na placa-mãe do computador. A BIOS é responsável pela contagem das memórias, o carregamento do sistema operacional e a checagem inicial do computador quando este é ligado.

menisco líquido / *liquid meniscus*. Curvatura adotada pela superfície de um líquido devido a ação capilar. ↝ Em interfaces curvas de capilares existe uma diferença de pressão entre a parte côncava e a convexa que provoca a formação de menisco. Essa diferença de pressão é consequência da tensão superficial do fluido e da diferença de área de interface entre os lados.

mensurando / *measurand*. Objeto da medição. Grandeza física, propriedade ou condição submetida a medição.

MER / *maximum efficiency rate (MER)*. Perfil de produção ótimo na retirada dos hidrocarbonetos do reservatório. Essa retirada se faz segundo condições que maximizem o resultado econômico final. Combinação de níveis de produção (vazão dos poços) com valor presente indicado pelo *cash-flow* (VP), ou seja, um nível de produção que leve ao lucro máximo. Sendo um parâmetro teórico, de difícil determinação, faz-se o melhor possível. Tem como finalidade o máximo resultado que não implique predação. Em geral, aplicável a um campo de petróleo.

mercado à vista (Port.) (Ang.) / *spot market*. O mesmo que *mercado spot*. ▶ Ver *mercado spot*.

mercado de pagamento a pronto e entrega imediata (Port.) (Ang.) / *spot market*. O mesmo que *mercado spot*. ▶ Ver *mercado spot*.

mercado NWE/basis ARA / *NWE/basis ARA, market*. Mercado localizado no noroeste da Europa, tendo como base a região de Antuérpia, Roterdã e Amsterdã; considerado como referência na Platt's European Marketscan para o levantamento de preços de derivados do petróleo.

mercado spot / *spot market*. 1. Mercado de transações de curto prazo, nunca mais de três meses. 2. Mercado no qual são negociadas quantidades marginais do produto, não cobertas por contratos. O mercado *spot* considera a oferta e a demanda do produto no momento da negociação de compra e venda, para entrega imediata.

mercaptano / *mercaptan*. Composto que contém grupos sulfídricos (-SH). ↝ São enxofres análogos aos alcoóis, ou seja, nos quais o oxigênio do grupo dos alcoóis é substituído pelo enxofre.

mergulho abaixo / *downdip*. Direção para baixo e paralela ao mergulho de uma estrutura, de uma superfície ou uma veia; localizada abaixo da inclinação de um plano ou de uma superfície mergulhada.

mergulho acima / *updip*. Rumo contrário ao do mergulho, também chamado de *aclive*. ↝ Termo utilizado também para designar a provável rota migratória do petróleo, em sistemas petrolíferos controlados por falhas de elevado mergulho, onde o óleo migraria mergulho acima.

mergulho de camadas geológicas / *dip*. Ângulo em que a camada, o estrato, ou o veio está inclinado em relação ao plano horizontal, medido entre as perpendiculares ao plano da camada e ao plano horizontal. Na maioria das localidades, o movimento da Terra subsequente à deposição da camada é a causa da inclinação dessa camada.

mergulho deposicional / *depositional dip*. Mergulho de uma superfície ou de uma camada, resultante do processo deposicional.

mergulho em posição inferior no plano inclinado (Port.) (Ang.) / *downdip*. O mesmo que *mergulho abaixo*. ▶ Ver *mergulho abaixo*.

mergulho em posição superior no plano inclinado (Port.) (Ang.) / *updip*. O mesmo que *mergulho acima*. ▶ Ver *mergulho acima*.

mergulho profundo / *deep dip*. Mergulho aquático a profundidade superior a 100 m, onde é necessário usar, para respiração, uma mistura especial à base de hélio. Também conhecido como *mergulho saturado*.

mesa auxiliar / *spider*. Acessório utilizado para a descida de determinados revestimentos. Normalmente, esse tipo de mesa é usado quando a mesa rotativa não tem diâmetro de passagem suficiente para esses revestimentos e as buchas têm de ser removidas.

mesa de sal / *salt table*. Capa plana de anidrita residual, localizada no topo de um diápiro de sal, formada pela lixiviação de sais solúveis por águas subterrâneas.

mesa do cabresto / *carrier bar*. Base metálica presa às duas extremidades do cabresto, no método de produção por bombeio mecânico; tem um furo central por onde passa a haste polida, tendo a função de receber todas as cargas do poço e transmiti-las à unidade de bombeio. ↠ Existem vários modelos e formatos de mesas. O essencial é que a mesa trabalhe nivelada para evitar atritos ou até esforços laterais que possam causar, por fadiga, o rompimento da haste polida.

mesa do torrista / *monkey board*. Plataforma usada pelo torrista, também chamada *plataforma de empilhamento*, localizada aproximadamente 27 m acima da mesa rotativa, usada para manipular os tubos quando estes estão retirando ou descendo uma coluna de perfuração.

mesa rotativa / *rotary table*. Equipamento responsável pela transmissão de rotação à coluna de perfuração através da bucha do *kelly* e do *kelly* (haste quadrada), que é deslizado livremente pelo seu interior. A mesa rotativa foi substituída, nas sondas mais modernas, pelo *top drive,* que permite a manobra da coluna de perfuração com rotação e circulação de fluidos. ▶ Ver *haste quadrada; bucha do kelly; top drive.*

mesorregião / *mesoregion*. Unidade territorial homogênea, em nível maior que a microrregião, porém menor que o estado ou território, e resultante do grupamento de microrregiões.

mestre-escravo / *master-slave*. Mecanismo de controle de acesso no qual um dispositivo mestre envia requisições de leitura ou escrita de dados para outro dispositivo de campo, que é chamado de *escravo*. ▶ Ver modbus.

metagênese / *metagenesis*. Último estágio de uma maturação termal, no qual a geração de gás e o craqueamento predominam.

metal ativo / *active metal*. Metal com baixa energia de ionização, que perde elétrons rapidamente para formar cátions.

metamorfismo de contato / *contact metamorphism*. Processo de transformação de uma rocha causado pelo aumento de temperatura ligado à intrusão ou extrusão de magma, gerando principalmente recristalização de minerais nas suas partes próximas ou no contato com o corpo ígneo. ▶ Ver *auréola de contato.*

metamorfismo de fundo oceânico / *ocean-floor metamorphism*. Metamorfismo que ocorre associado às cordilheiras mesoceânicas. ↠ Os fatores controladores são a pressão de fluido e a alta temperatura.

metamorfismo retrógrado / *retrograde metamorphism*. Processo metamórfico no qual uma rocha metamórfica de grau mais elevado sofre um novo metamorfismo em um nível mais baixo.

metamorfismo retrogressivo / *diaphthoresis, retrograde metamorphism*. Metamorfismo pelo qual os minerais de rochas de alto grau metamórfico são reequilibrados por processos térmicos de menor temperatura. O mesmo que *retrometamorfismo.*

metano / *methane*. **1.** Hidrocarboneto da série de parafinas que se apresenta na fase gasosa nas condições de pressão e temperatura de superfície, podendo ser formado a partir da decomposição da matéria orgânica durante a formação de óleo e/ou gás, ou pela atividade bacteriana. **2.** Hidrocarboneto composto por 1 (um) átomo de carbono e 4 (quatro) de hidrogênio ↠ O metano possui um peso molecular de 16,043 g/mol, temperatura de vaporização de $-161{,}7\ °C$ a 14,7 psia, temperatura crítica de $-82{,}8\ °C$ e pressão crítica de 668 psi.

metanol / *methanol*. Composto químico denominado *álcool metílico*. ↠ Pode ser produzido a partir de coque de carvão, da nafta e do gás natural (metano). É a forma mais simples do álcool; é incolor, volátil e inflamável. Usado como anticongelante, solvente e combustível.

método AFMAG / *AFMAG method*. Método que utiliza ruídos eletromagnéticos naturais na faixa de audiofrequência. O mesmo que *audiofrequência magnética*. ↠ Método de audiofrequência magnética e eletromagnética que utiliza campos eletromagnéticos naturais (esféricos) na faixa de audiofrequência (1-1.000 Hz.) gerada por tormentas elétricas, para investigar trocas laterais da resistividade da superfície da Terra.

método ativo / *active method*. Método de prospecção geofísica que utiliza uma fonte para gerar impulsos artificiais no meio e obter medidas. São métodos ativos: o da sísmica de reflexão, o método de eletrorresistividade e o método eletromagnético.

método da bisseção / *bisection method*. Método numérico para achar a raiz de uma equação. Consiste na repetição de um ciclo composto pela divisão por dois do intervalo que contém a solução, selecionando-se então o subintervalo que contém a raiz. O número de repetições vai depender da precisão desejada. ↠ Se f é uma função contínua no intervalo [a,b] e $f(a).f(b) < 0$, o método da bisseção converge para a raiz de f. O erro é dividido por dois para cada repetição, então o método converge linearmente, o que é um pouco lento. Por outro lado, o método tem sua convergência garantida desde que f(a) e f(b) tenham sinais diferentes.

método da curvatura constante / *constant-curvature method*. Método numérico que considera uma simplificação teórica aplicada aos cálculos matemáticos para análise de esforços na coluna de perfuração em um trecho curvo do poço. Vários estudos foram efetuados nessa área, visando a entender os desgastes na coluna de perfuração em trechos curvos e o efeito do arraste entre a coluna e o poço na aplicação de peso sobre a broca, em poços direcionais e de alta inclinação. ▶ Ver *poço direcional; coluna de perfuração.*

método de determinação de idade com silício-32 / *silicon-32 age method*. Método de determinação de idade absoluta baseado na medida da atividade do silício-32 (meia-vida de aproximadamente 350 anos), um nuclídeo formado na atmosfera superior. ↠ Esse método tem sido aplicado na determinação de idade de depósitos de vazas silicosas.

método de *gas lift* intermitente / ***intermittent gas-lift cycle***. Método composto de um ciclo com cinco etapas: injeção, elevação, produção, descompressão e alimentação. Ao término destas etapas o ciclo se reinicia. ↪ Este tipo de método é utilizado quando a pressão estática ou quando o índice de produtividade (IP) do poço são baixos, ou seja, ocorre um baixo nível de influxo de fluidos do reservatório para o poço. Em poços em terra (*onshore*) este método é utilizado quando a razão gás-óleo é suficientemente alta (desaconselhado o uso de métodos de bombeamento) e o influxo de fluidos é baixo (igualmente desaconselhando o uso do método de *gas lift* contínuo). A produtividade de poços equipados com *gas lift* intermitente é normalmente baixa, portanto não típica de aplicação na produção no mar (*offshore*). ▶ Ver gas lift; razão gás-óleo (RGO).

método de Hale / ***Hale's method***. Método gráfico de interpretação da refração sísmica, utilizado quando o refrator muda consideravelmente de profundidade.

método de indução / ***induction method***. Método de levantamento eletromagnético no qual a indução provocada por um campo variável é medida por um receptor nas suas proximidades.

método de Monte Carlo / ***Monte Carlo method***. 1. Classe de algoritmos computacionais para simulação do comportamento de diversos sistemas físicos e matemáticos. Distingue-se de outros métodos de simulação por ser estocástico, ou seja: não determinístico, normalmente usando números aleatórios, ao contrário dos métodos determinísticos. 2. Método probabilístico utilizado na avaliação de risco da perfuração de poços durante a etapa de prospecção. Envolve a combinação de diversos fatores que atuam em uma perfuração, juntamente com suas probabilidades de sucesso. A partir da combinação desses fatores, estima-se a possibilidade de sucesso na perfuração de um poço. Muito útil na modelagem de fenômenos que apresentam um grau de incerteza significativo nos dados de entrada, tal como nos cálculos de riscos. Geralmente, são usados em matemática para resolver diversos problemas através da geração de números aleatórios apropriados, observando-se a fração dos números que obedecem a determinadas propriedades. Útil para obter soluções numéricas de problemas cuja solução analítica seja muito complicada.

método de Naudy / ***Naudy's method***. Método automatizado de estimativa da profundidade de perfis, pelo qual o tipo e a localização de uma anomalia são identificados pela correlação cruzada entre o perfil magnético observado e anomalias teóricas.

método de recuperação avançada / ***advanced recovery method, enhanced oil recovery (EOR) method***. 1. Método de recuperação terciária, utilizado como suplemento dos métodos convencionais de recuperação de petróleo ou quando esses não são eficazes. Os principais métodos de recuperação avançada são: miscível, térmico e químico. 2. Método de recuperação que representa ganhos de desempenho em relação aos processos de recuperação primária ou secundária, e que envolve a alteração das propriedades do óleo ou da rocha. O objetivo é melhorar a recuperação dos hidrocarbonetos através do favorecimento da vazão do óleo ou do deslocamento dos fluidos no reservatório. ↪ Os principais meios de atuação desses métodos são a injeção de produtos químicos (compostos alcalinos ou polímeros), a injeção de produtos para estimular o deslocamento miscível (CO_2 ou hidrocarbonetos), e a aplicação de processos térmicos (injeção de calor ou combustão *in situ*). Também são contempladas as tecnologias biológicas BEOR e MEOR.

método de ressaturação / ***resaturation method***. Método utilizado para medir a porosidade de um testemunho, no qual o peso do testemunho limpo é comparado com o peso do mesmo testemunho saturado por um fluido de densidade conhecida.

método de Tagg / ***Tagg's method***. Método analítico de interpretação e levantamentos de dados de resistividade para a primeira camada de um solo estratificado em duas camadas horizontais. ↪ Este médodo utiliza, em sua estrutura de cálculo, uma matriz Wenner.

método de Tarrant / ***Tarrant's method***. Interpretação gráfica da refração, aplicável onde varia a forma do refrator.

método de Wyrobek / ***Wyrobek's method***. Método de interpretação de refração sísmica baseado na aplicação do tempo de atraso (*delay time*) e do tempo de interceptação (*intercept time*).

método do domínio do tempo / ***time-domain method***. Método de polarização induzida (IP) de baixas frequências.

método do ponto médio comum / ***common-midpoint method***. O mesmo que *ponto comum em profundidade*; *família CMP*; *família CDP*. ▶ Ver ponto comum em profundidade.

método do potencial espontâneo / ***self-potential method***. Método que mede os potenciais elétricos naturais que ocorrem normalmente na Terra, sem que fontes artificiais sejam necessárias e que, em outros métodos, são considerados 'ruídos'.

método do tensiômetro de anel / ***ring tensiometer method***. Método utilizado para medir a tensão interfacial entre dois fluidos. ↪ Assim que o anel é puxado através da interface, a área desta aumenta, até que ocorre a quebra das interfaces. A tensão interfacial, portanto, é a força aplicada na hora dessa quebra, dividida pela circunferência do anel.

método do tiro alternado / ***flip-flop method***. Método de aquisição de dados sísmicos no qual dois navios navegam próximos um do outro e em direções paralelas, e atiram alternadamente. ⇢ As informações sísmicas são registradas por ambos os navios.

método elétrico / *electrical method*. Classe de métodos de prospecção geofísica baseados na avaliação das propriedades elétricas ou eletroquímicas das rochas.

método eletromagnético / *electromagnetic method (EM)*. Grupo de técnicas que utilizam campos elétricos ou magnéticos naturais ou artificialmente gerados que são medidos na superfície da Terra ou em poços, com o objetivo de mapear as variações das propriedades elétricas das camadas. ⇢ É amplamente utilizado na prospecção mineral, em exploração de águas subterrâneas e em estudos de meio ambiente. É também largamente utilizado na prospecção de petróleo, quer seja em perfilagem (para obter a quantidade de hidrocarbonetos presentes nos poros das rochas), quer seja em levantamentos de superfície, por meio de métodos de fontes naturais, magneto-telúrico (*MT*), ou métodos de fontes artificiais (*CSEM, controled source eletromagnetic*), que em levantamentos marítimos são também conhecidos como *sea bed logging* (*SBL*). Além disso, é utilizado em levantamentos para estudos das camadas próximas à superfície, principalmente para detecção de dutos ou estudos ambientais

método *gas lift* / *gas-lift method*. Método de produção baseado numa controlada injeção de gás no poço produtor. ⇢ Este processo consiste na elevação dos fluidos, oriundos do reservatório para o poço, pela ação de injeção controlada (profundidade, vazão, intervalo de injeção, duração etc.) de gás (*lift gas*) através de uma coluna (*tubing*) ou através da área anular formada pela coluna de produção e o revestimento do poço. O gás injetado reduz a massa específica dos fluidos produzidos e, assim, faz com que os mesmos venham a exercer uma pressão menor do que aquela exercida pela própria formação produtora, o que acaba resultando na expulsão (produção) dos fluidos para fora do poço. O *lift gas* pode ser injetado continuamente ou de forma intermitente, dependendo das características produtivas do conjunto poço-reservatório e do arranjo e características dos equipamentos utilizados no método, entre estes, aquele de maior importância, a válvula de *gas lift*. ▶ Ver gas lift; *válvula de* gas lift.

método IMPES / *IMPES method*. Método de simulação de reservatórios no qual as equações de escoamento em meio poroso são resolvidas de forma implícita na pressão e explícita na saturação.

método magnetotelúrico / *magnetotelluric method*. Método de pesquisa geofísica no qual as componentes ortogonais do campo elétrico horizontal e do campo magnético, induzidas por fontes naturais primárias, são medidas simultaneamente em função da frequência.

método mais-menos / *plus-minus method*. Método de interpretação da refração, que usa perfis refratados reversos com tiros em locais opostos. Também conhecido como *método de Hagedoorn*.

método miscível / *miscible displacement mechanism*. O mesmo que *recuperação secundária por miscibilidade de CO_2 ou gás natural*. ▶ Ver *recuperação secundária por miscibilidade de CO_2 ou gás natural*.

método particional de Lee / *Lee partitioning method*. Colocação de mais um eletrodo entre os dois eletrodos de tensão, em levantamentos de resistividade.

método químico / *secondary recovery by chemical injection*. O mesmo que *recuperação secundária por injeção de produtos químicos*. ▶ Ver *recuperação secundária por injeção de produtos químicos*.

método retorno a zero / *return-to-zero method*. Método de registro digital no qual a representação dos dígitos 0 e 1 se dá pela magnetização do meio em sentidos opostos.

método sísmico / *seismic method*. Método de prospecção geofísica baseado na análise das ondas elásticas geradas por uma fonte sonora ou sísmica, usado para mapear as subsuperfícies.

método sísmico passivo / *passive seismic method*. Método de investigações sísmicas nas quais se utiliza apenas a capacidade de escuta do observador, que não adiciona qualquer energia.

método sísmico ultrassônico (Port.) (Ang.) / *ultrasonic seismic method*. O mesmo que *método ultrassônico*. ▶ Ver *método ultrassônico*; *método X^2-T^2*.

método térmico / *thermal method*. Método de recuperação avançada por injeção de vapor ou combustão *in situ*, que resulta principalmente na redução da viscosidade do óleo, facilitando seu escoamento através da rocha-reservatório.

método ultrassônico / *ultrasonic method*. Método não destrutivo baseado no fato de que ondas ultrassônicas são refletidas e refratadas nos limites de um sólido, sendo possível obter ecos da onda transmitida a partir da superfície de uma amostra de teste. O mesmo que *ensaio ultrassônico* (*ensaio não destrutivo / END*) ▶ Ver *ultrassônico*.

método X^2-T^2 / *X^2-T^2 method*. Método de análise de velocidade sísmica que utiliza um gráfico de T^2 versus X^2, onde T representa o tempo de reflexão e X a distância fonte-receptor.

metrologia / *metrology*. Ciência da medição. ⇢ A metrologia abrange todos os aspectos teóricos e práticos relativos às medições, em quaisquer campos da ciência (ou da tecnologia) e de aspectos legais correlatos. ▶ Ver *Instituto Nacional de Metrologia, Padronização e Qualidade Industrial (INMETRO)*; *metrologia científica e industrial*; *metrologia legal*.

metrologia científica e industrial / *scientific and industrial metrology*. Parte da metrologia relaocionada às atividades resultantes de atividades ou experimentos científicos ou tecnológicos, referentes a medições, unidades de medida, instrumentos de medição e métodos de medição, e que são desenvolvidas por instituições de pesquisa e ensino, e pela indústria em geral. ▶ Ver *Instituto Nacional de Metrologia, Padronização e Qualidade Industrial (INMETRO)*; *metrologia*.

metrologia legal / *legal metrology*. Parte da metrologia relacionada às atividades resultantes de exigências obrigatórias, referentes a medições, unidades de medida, instrumentos de medição e métodos de medição, e que são desenvolvidas por organismos competentes. ▶ Ver *Instituto Nacional de Metrologia, Padronização e Qualidade Industrial (INMETRO)*; *metrologia*.

micela / *micelle*. Pequeno grupo de moléculas em solução coloidal, organizado de substâncias tensoativas em meio aquoso. •• Substâncias tensoativas, em soluções aquosas a partir de concentração definida, tendem a formar agregados denominados *micelas* e têm as cadeias HC lipofílicas orientadas para o interior da micela, deixando grupos hidrofílicos polares em contato com meio aquoso. Tal mecanismo, que diminui a energia interfacial de soluções de tensoativos, é acompanhado de mudanças bruscas de propriedades físicas, pressão osmótica, condutância, turbidez e, tensão superficial. A concentração acima da qual ocorre a formação de micela é denominada *concentração micelar crítica*. ▶ Ver *concentração micelar crítica*; *surfactante*.

microanular / *micro-annulus, micro-annuli*. Pequeno espaço (< 0,1 mm) anular entre a parede externa do revestimento e o anel de cimento no anular, que não causa perda de isolamento hidráulico. O microanular é geralmente causado por deformações ocorridas no sistema poço-revestimento-cimento após a cura da pasta de cimento, devido às variações de pressão e temperatura no interior do poço. O microanular também afeta a interpretação do perfil acústico. ▶ Ver *cimentação*; *pasta de cimento*; *perfil acústico*.

microânulo (Port.) (Ang.) / *micro-annulus, micro-annuli*. O mesmo que *microanular*. ▶ Ver *microanular*.

microbar / *microbar*. Unidade de medida de pressão igual a um milionésimo do bar. É comumente usada para indicar a intensidade de sinais acústicos de sistemas de sonar de varredura lateral.

microcontrolador / *microcontroller*. Dispositivo eletrônico capaz de realizar operações matemáticas complexas e interagir com o processo. •• Trata-se de um processador eletrônico com uma memória reservada para a programação das suas funções e com conversores de sinais analógico-digitais e digital-analógicos que proporcionam uma interface com equipamentos externos (entradas/saídas).

microemulsão / *microemulsion*. Tipo especial de emulsão na qual as fases dispersas são extremamente pequenas. Essas emulsões são translúcidas e podem ser formadas espontaneamente.

microexsudação / *microseep*. Surgência ou exsudação microscópica de hidrocarbonetos gasosos ou líquidos. •• Ao contrário das macroexsudações, nas quais os hidrocarbonetos podem ser vistos a olho nu ou mesmo através de imagens de satélite, as microexsudações costumam ser identificadas através de técnicas mais sofisticadas, normalmente ligadas à geoquímica de superfície, nas quais se realizam amostragens específicas do tipo *headspace* e *probe*, utilizadas em bacias terrestres (*on shore*), ou *piston core*, empregadas em bacias marinhas (*offshore*). ▶ Ver *testemunhagem a pistão*.

microfraturamento / *microfrac*. Fraturamento hidráulico de pequeno volume realizado na rocha durante a perfuração e/ou completação do poço, com o objetivo de obter dados mecânicos da rocha, tais como magnitude de tensões, resistência a tração, direção de tensões principais. Para a determinação da direção de tensões, o microfraturamento deve ser acompanhado de uma operação auxiliar, tal como perfil de imagem ou testemunhagem orientada. ▶ Ver *fraturamento hidráulico*.

microlanço / *microspread*. Disposição em que intervalos de grupos de geofones são bem pequenos (30 cm – 4,5 metros).

micro-ondas / *microwave*. Radiações eletromagnéticas que têm comprimentos de onda de 300 mm a 10 mm (1 GHz a 30 GHz). •• Medições por micro-ondas são também medições em dielétricos, mas são significativamente diferentes das medições por técnicas de capacitância, pois as frequências são mais altas e os dispositivos sensores operam de outro modo.

microrganismo indígena / *indigenous microorganism*. Microrganismo presente naturalmente em reservatórios de petróleo. •• Os estudos dos microrganismos indígenas ainda não são conclusivos quanto a suas origens, ou seja, não concluem se as bactérias encontradas nos reservatórios são microrganismos que viveram nos sedimentos marinhos no período em que estes foram depositados, ou se são provenientes do fluxo de água subterrânea. A presença de bactérias em campos petrolíferos pode causar biodegradação do óleo e geração de compostos químicos corrosivos, como H_2S. Mundialmente, foram identificados três grupos de bactérias habitantes dos reservatórios de petróleo: redutoras de sulfato, hipertermofílicas metagênicas e fermentativas redutoras de ferro. As bactérias redutoras de sulfato são anaeróbicas, e utilizam sulfato como um receptor de elétrons e componentes orgânicos ou hidrogênio como doadores de elétrons (AH), gerando reações químicas.

microprocessador / *microprocessor*. Componente eletrônico digital, programável, que incorpora todas as funções de uma unidade de pro-

cessamento central (CPU) em um único circuito integrado.
microscopia eletrônica / *electron microscopy*. Técnica de análise, feita em rocha ou mineral, que utiliza um microscópio de altíssima resolução, com a qual é possível identificar partículas no tamanho de mícrons. Esse instrumento de análise microscópica é chamado *microscópio eletrônico*.
▶ Ver *petrografia sedimentar*.
microssismo / *microseism*. Termo utilizado para descrever pequenos movimentos na Terra que não são relacionados com terremotos e que ocorrem em um período de 1.0 - 9.0 segundos. Tais movimentos são causados por uma variedade de agentes naturais (eventos atmosféricos) e/ou artificiais.
microssistema eletromecânico / *micro-electromechanical system* (MEMS). Resultado da integração de elementos mecânicos, tais como sensores e atuadores, com a eletrônica. ↝ Em sua tecnologia de fabricação os microssistemas elétrico e mecânico estão integrados em um único pedaço de pastilha de silício, chamado *substrato*.
***midstream*.** Termo aplicado às atividades de transferência, transporte e armazenamento de petróleo ou gás natural. ▶ Ver *atividades da indústria do petróleo*.
migração 3D generalizada de dois passos / *generalized two-pass 3D migration*. Método sísmico de migração iterativa 3D, que utiliza pequenas migrações 2D alternadas segundo direções perpendiculares. ▶Ver *sísmica 2D*; *sísmica 3D*.
migração automática / *automatic migration*. Nome genérico dado aos algoritmos destinados a resolver problemas de imageamento sísmico.
migração de Fraunhofer / *Fraunhofer's migration*. Método aproximado de migração dos dados de reflexão sísmica.
migração de gás / *gas migration*. Fluxo ou entrada de gás pelo anular, podendo ocorrer durante a perfuração, após a cimentação ou durante os procedimentos de completação. Este fato é reconhecido como um dos maiores problemas na indústria petrolífera. Consiste na invasão de fluidos, no caso gás, provenientes da formação pelo anular, devido a um desequilíbrio de pressão entre duas zonas, uma com baixa e outra com alta pressão. No caso específico da cimentação, uma perda de volume de filtrado da pasta frente ao intervalo portador de gás causa um prejuízo na pressão hidrostática da pasta. Com isso, caso esta pressão fique menor do que a pressão da formação, ocorre a invasão do gás pelo poço com sua migração através da coluna de cimento.
migração de Kirchhoff / *Kirchhoff migration*. Método geofísico de migração baseado na solução integral da equação da onda.
migração de Stolt / *Stolt's migration*. Método 2D de migração que usa as transformadas de Fourier. ↝ Transformada de Fourier, assim intitulada em homenagem a Jean-Baptiste Joseph Fourier, é uma transformada integral que expressa uma função em termos de funções de base sinusoidal.
migração de tempo / *time migration*. Migração na qual é feita alguma aproximação da equação da onda, ou o manuseio das velocidades (horizontal e/ou verticalmente).
migração do *datum* / *datum migration, redatuming*. Extrapolação do campo de onda ou potencial para outro plano de referência.
migração em cascata / *cascaded migration*. Migração na qual o quadrado da velocidade utilizada é igual à soma dos quadrados das velocidades de pequenas migrações.
migração f-k / *f-k migration*. Técnica de processamento de dados de reflexão sísmica para representação no domínio f-k a partir de dados no domínio t-x.
migração f-x / *f-x migration*. Representação da migração dos dados no domínio frequência-espaço.
migração híbrida / *hybrid migration*. Representação da migração sísmica que utiliza dois ou mais métodos sequenciais.
migração iterativa / *iterative migration*. Método em que a saída de uma etapa da migração é utilizada como a entrada para a próxima etapa.
migração por equação da onda / *wave-equation migration*. Termo genérico que inclui, praticamente, todos os métodos utilizados no processamento sísmico. ↝ Na década de 1970, a expressão foi utilizada como sinônimo de *migração por diferenças finitas*.
migração por frentes de onda / *wavefront migration*. O mesmo que *migração de Kirchhoff*.
▶ Ver *migração de Kirchhoff*.
migração pós-empilhamento / *after-stack migration*. Etapa no processamento sísmico utilizada após o empilhamento dos traços da família CMP. ↝ A migração pós-empilhamento é uma etapa do processamento em que as reflexões em dados sísmicos são movidas para suas posições corretas no espaço (x) e tempo (y) de dados sísmicos, incluindo os PT's relativos ao caminho de ida e volta do tempo e da posição. A migração melhora a interpretação sísmica, porque as posições das estruturas geológicas, especialmente as falhas, são mais definidas em dados sísmicos migrados.
migração pré-empilhamento / *prestack migration, before-stack migration*. Migração feita antes do empilhamento horizontal no processamento da reflexão sísmica.
migração reversa / *reverse migration*. Operação na qual uma seção de reflexão sísmica é sintetizada, de forma a corresponder a um modelo geológico.
migração secundária / *secondary migration*. Movimento de fluidos no interior de uma rocha

permeável, o qual eventualmente conduz à segregação de óleo e gás em acumulações em certas partes desta rocha.

migração sísmica / *seismic migration*. Técnica que objetiva colocar os refletores e colapsar as difrações, possibilitando, assim, uma melhor interpretação dos dados sísmicos migrados. Fornece imagens de subsuperfície que melhoram a identificação dos reservatórios de hidrocarbonetos, diminuindo consequentemente os riscos de exploração.

migração terciária / *tertiary migration*. Movimento de óleo ou de uma acumulação gasosa para diferentes partes de uma rocha-reservatório.

migração tipo refletor explosivo / *exploding-reflector migration*. Migração geofísica baseada no modelo de refletor explosivo.

migração x-ômega / *x-omega migration*. Método de migração de reflexão sísmica que utiliza uma solução alternativa ao método de diferenças finitas, no domínio espaço-frequência. ↬ Este método de migração admite mais variações no modelo de velocidades, tanto na direção vertical quanto na horizontal.

milling. Operação de pescaria em um poço, com o objetivo de destruir todo o peixe que está obstruindo o poço (ou parte dele), reduzindo-o a fragmentos de tamanho tão pequeno que não impeçam as operações normais.

milonito / *mylonite*. Rocha metamórfica produzida por redução mecânica dos grãos como resultado de deformação dúctil em zonas de cisalhamento ou de falha. ↬ Milonitos têm foliação penetrativa de pequena escala frequentemente associada a lineação de estiramento mineral.

mineral acessório / *accessory mineral*. Mineral constituinte de uma rocha em quantidade muito pequena, que pode ser desconsiderado na definição e classificação da rocha. O oposto de *mineral essencial*. ↬ Mineral acessório comum em rochas cristalinas, como zircão, rutilo, ilmenita e apatita, resistente ao intemperismo, e que faz parte de rochas sedimentares, nas quais pode ser utilizado em estudos de proveniência.

mineral de diagnóstico / *diagnostic mineral*. O mesmo que *mineral diagnóstico*. ▶ Ver *mineral diagnóstico*.

mineral detrítico / *detrital mineral*. Mineral clástico, alogênico, presente em rochas sedimentares e derivado da desintegração de rochas ígneas, metamórficas ou sedimentares preexistentes. ▶ Ver *alogênico*.

mineral diagnóstico / *diagnostic mineral*. Mineral cuja ocorrência em uma rocha ou sedimento permita interpretações sobre a origem ou processo específico formador do material geológico.

mineral pesado / *heavy mineral*. Mineral de alta densidade que ocorre como mineral detrítico acessório de uma rocha sedimentar. ↬ Em laboratório esses minerais são facilmente separados de outros de menor densidade com a utilização de líquidos densos.

mineral secundário / *secondary mineral*. Mineral formado tardiamente em relação à rocha na qual está inserido, cujo processo de formação ocorre usualmente à custa dos minerais primários, por processos de intemperismo, metamorfismo ou por dissolução.

mineral-índice / *index mineral*. 1. Mineral que caracteriza um grau específico de metamorfismo. 2. Mineral que marca o limite entre duas zonas de diferentes graus metamórficos no metamorfismo progressivo.

mineralização / *mineralization*. 1. Processo de formação de concentrações econômicas ou subeconômicas de minerais. 2. Processo de enriquecimento da água subterrânea com elementos químicos diversos, causando a diminuição de sua qualidade para a utilização pelo homem. ↬ Com frequência, o termo é empregado equivocadamente referindo-se ao depósito ou à ocorrência mineral.

minifraturamento / *minifrac*. Tratamento de calibração executado antes da operação de fraturamento hidráulico, com o objetivo de obter dados da formação a ser fraturada, a fim de subsidiar o projeto do tratamento principal. ↬ A análise de pressões de propagação e declínio de pressão durante o fechamento da fratura, com base no minifraturamento, possibilita um melhor conhecimento das pressões que deverão ocorrer no tratamento principal, bem como da eficiência volumétrica do tratamento (coeficiente de filtração mais realista), possibilitando que se faça um ajuste mais fino no programa de fraturamento hidráulico. ▶ Ver *fraturamento hidráulico*.

minimum take. 1. Obrigação do comprador de receber uma quantidade mínima de gás. 2. Podem ocorrer situações em que a demanda de gás seja superior àquela prevista contratualmente e, nessa situação, o excedente (em relação às quantidades previstas em instrumentos contratuais) é comprada ao preço *spot*. ▶ Ver *mercado* spot.

miscibilidade / *miscibility*. 1. Propriedade química que se refere à capacidade que têm certos líquidos de formarem misturas homogêneas (soluções). 2. Dissolução completa entre dois ou mais fluidos, sem que haja a formação de interfaces. ↬ Diz-se que água e etanol são miscíveis em todas as proporções. Por outro lado, dizemos que duas substâncias são imiscíveis quando não formam fases homogêneas, independentemente da proporção da mistura.

miscível / *miscible*. Termo químico referente a substâncias, particularmente os líquidos, que têm a propriedade de serem misturáveis entre si, formando uma única fase homogênea. A água e o etanol, por exemplo, são miscíveis em todas as proporções.

mistura complexa não resolvida (MCNR) / *unresolved complex mixture (UCM)*. Mistura que evidencia a contaminação do ambiente por derivados de petróleo, mostrada pela elevação da linha base de um cromatograma. ↪ Normalmente, o cromatograma é obtido a partir do sinal de um detector por ionização em chama de hidrogênio onde há uma elevação pronunciada da linha de base, caracterizando assim a presença de uma espécie de 'morro'. Este 'morro', na verdade, é constituído por compostos orgânicos (especialmente alcanos de cadeia ramificada, cicloalcanos e compostos aromáticos) que eluem ao mesmo tempo da coluna cromatográfica, já que não são separados pela mesma de forma eficiente. A UCM é mais pronunciada em óleos biodegradados. ▶ Ver *cromatograma*.

mistura de água e cimento (Port.) (Ang.) / *slurry*. O mesmo que *pasta de cimento*. ▶ Ver *pasta de cimento*.

mistura de água no óleo ou gás (Port.) / *water cut*. O mesmo que *corte de água*. ▶ Ver *corte de água*.

mistura de cimento (Ang.) / *batch cementing*. O mesmo que *batelada de cimento*. ▶ Ver *batelada de cimento*.

misturador / *blender*. Equipamento usado para processar a mistura de pastas ou fluidos com alto gel, e que pode, em muitos casos, ser móvel.

misturador a jacto (Port.) (Ang.) / *jet mixer*. O mesmo que *jato de mistura*. ▶ Ver *jato de mistura*.

misturador de batelada / *batch mixer*. Equipamento utilizado para a mistura de uma pasta de cimento na superfície, antes de ela ser bombeada para o poço. ↪ Este equipamento não faz parte da unidade de cimentação, sendo apenas um acessório. É mais utilizado nos casos em que se requer um volume pequeno de pasta, que é preparado em uma única batelada. O tanque misturador é completado com água suficiente para uma quantidade específica de cimento e a seguir o cimento anidro é enviado através de um sistema de ar comprimido, misturando-se com a água. A mistura final, ou pasta, é então recirculada e homogeneizada por meio de palhetas acionadas elétrica ou hidraulicamente. ▶ Ver *cimento*.

misturador de cimento (Port.) (Ang.) / *cement-mixing device*. O mesmo que *misturador de palhetas*. ▶ Ver *misturador de palhetas*.

misturador de palhetas / *cement-mixing device*. Equipamento de laboratório de perfuração, utilizado na preparação de pastas de cimento, composto por um copo de vidro ou inox, com hélice para cisalhamento da mistura, acoplado a um motor com controlador de velocidade, acionado por teclas. As rotações-padrão do motor são de 4.000 e 12.000 RPM. As pastas de cimento preparadas no campo e no laboratório podem não ter as mesmas propriedades por motivos variados, contudo adota-se o padrão API para mistura das pastas de cimento no laboratório como sendo 15 segundos a 4.000 RPM, seguida de mais 35 segundos a 12.000 RPM.

mixagem alternada / *skip mixing*. Mixagem de dados de canais não adjacentes.

mixagem de grupo / *cable rollover*. Traços de grupos de geofones misturados em sísmica terrestre.

mixagem superficial / *ground mix*. Uso de um padrão de tiros ou de um padrão de geofones distribuídos numa área considerável. O termo é usado algumas vezes para situações em que a disposição dos geofones ou fontes de fato se superpõem.

mobilidade / *mobility*. 1. Razão entre permeabilidade efetiva e viscosidade aparente do fluido. 2. Medida da facilidade que um fluido tem para fluir através da rocha. ↪ A razão entre a mobilidade da água e de óleo em um poço injetor pode dar um indicativo de como será o escoamento, ou seja, se haverá *fingers* de um fluido no outro ou se o escoamento será pistoneado. A mobilidade do óleo é representada pela equação: $\lambda_0 = k_0/\mu_0$. Quanto maior a mobilidade de um fluido, maior é a sua facilidade em se deslocar pelo reservatório.

mobilidade eletroforética / *electrophoretic mobility*. Movimento de partículas, com superfícies carregadas junto com a parte não móvel da dupla camada elétrica, em relação a um líquido estacionário por efeito de campo elétrico estacionário. ↪ Trata-se de um fenômeno eletrocinético que apresenta grande aplicação prática; também é definida como a velocidade das partículas por unidade de campo elétrico, ou seja,

$$\mu = V_e / E$$

onde:
E é o campo elétrico e V_e a velocidade da partícula. A mobilidade pode ser medida experimentalmente por técnicas de eletroforese, as quais se relacionam com potencial zeta pela seguinte equação;

$$\mu_e = \zeta\varepsilon / 4\eta\pi \text{ (Equação de Smoluchowski)}$$

onde:
μ é mobilidade eletroforética, ζ é o potencial zeta (também chamado Dzeta), ε é a constante dielétrica e η a viscosidade absoluta do meio. ▶ Ver *potencial zeta*; *repulsão eletrostática*; *adsorção*; *coloide*.

modalidade de contrato 'pagamento de uma só vez, chave na mão' (Port.) (Ang.) / *lump sum*. O mesmo que *lump sum*. ▶ Ver *lump sum*.

modalidade de licitação / *type of bidding*. Forma adotada para promover o processo licitatório e correspondente escolha da empresa contratada, podendo ser por concorrência, tomada de preços, convite, negociação direta, pregão, concurso ou dispensa de licitação.

modbus. Protocolo aberto de comunicação de dados utilizado em sistemas de automação. industrial. ↪ O *modbus* utiliza como meio físico o RS-232/ RS-485 (*Modbus*-RTU) ou ethernet (*Modbus*-TCP). O mecanismo de controle de acesso do modbus-RTU é do tipo mestre-escravo. Quando o modbus-TCP é utilizado, o mecanismo de controle de acesso é o CSMA-CD (próprio da rede ethernet) e as estações utilizam o modelo cliente-servidor. ▶ Ver *mestre-escravo*.

modelagem acústica / *acoustic modeling*. 1. Técnica de modelagem sísmica que utiliza apenas as ondas compressionais *P*. 2. Geração de dados sísmicos sintéticos através da propagação de ondas acústicas, ignorando-se ondas cisalhantes ou considerando-se incidência normal a interfaces. ▶ Ver *modelagem sísmica*; *onda P*.

modelagem de afastamento zero / *zero-offset modeling*. Modelagem de reflexão sísmica na qual se supõe que fonte e receptor estejam na mesma posição.

modelagem de reservatório / *reservoir modeling*. Processo de representação dos fenômenos físicos que ocorrem no reservatório de petróleo por modelos físicos análogos ou matemáticos. ▶ Ver *simulação de reservatório*.

modelagem elástica / *elastic modeling*. 1. Técnica de modelagem sísmica em meios elásticos, sendo consideradas ondas *P* e ondas *S*. 2. Técnica de modelagem numérica de dados sísmicos em que a propagação de ondas cisalhantes é considerada, mas efeitos inelásticos são ignorados. ▶ Ver *absorção*.

modelagem inversa / *inverse modeling*. Construção de um modelo geofísico a partir de um conjunto de medidas.

modelagem iterativa / *iterative modeling*. Método em que a saída de uma etapa da modelagem é utilizada como entrada para a próxima etapa.

modelagem mecanicista / *mechanistic modeling*. Análise fenomenológica das observações feitas nos experimentos, baseando a modelagem matemática em princípios físicos mais sólidos e consistentes do que uma pura e simples regressão linear ou múltipla sobre os dados experimentais coletados. ↦ Constitui-se no enfoque mais atual aplicado à predição e à descrição dos escoamentos multifásicos, particularmente aqueles ocorrentes na indústria de petróleo.

modelagem por equação da onda / *wave-equation modeling*. Método de modelagem sísmica que se baseia na solução integral ou diferencial da equação da onda. ↦ É uma técnica de modelagem numérica que utiliza, por exemplo, diferenças finitas; é uma modelagem muito precisa, mas também muito demorada. ▶ Ver *modelagem sísmica*.

modelagem sísmica / *seismic modeling*. Comparação, simulação ou representação dos dados sísmicos com o objetivo de definir os limites da resolução sísmica, avaliar a ambiguidade da interpretação, ou fazer previsões.

modelo *black-oil* / *black-oil model*. Modelo utilizado para o cálculo das propriedades dos fluidos ao longo do escoamento, no qual as fases líquida e gasosa são tratadas por meio de variáveis que permitem reproduzir o comportamento de uma mistura de hidrocarbonetos sem a necessidade de conhecer a sua composição molar. ↦ Para simular o comportamento de uma mistura, deve-se conhecer em cada trecho do escoamento a massa específica, a viscosidade e a fração volumétrica de cada fase. Observou-se que essas propriedades dependem unicamente da natureza dos fluidos e da sua pressão e temperatura. Assim, os modelos *black-oil* utilizam tabelas com essas propriedades em diferentes condições de pressão e temperatura, determinadas empiricamente ou através de correlações.

modelo composicional / *compositional model*. Modelo para representar escoamento de fluidos, utilizado especialmente em escoamentos de gás condensado ou óleo leve. Esse modelo é caracterizado pela solução de equações de conservação da massa para cada componente de cada fase, levando em conta, portanto, variações na composição dos fluidos com o tempo e com o espaço. ↦ A utilização do modelo composicional resulta em uma representação mais precisa das características dos fluidos em escoamento, suprindo deficiências do modelo *black-oil* no escoamento de gás condensado ou óleo leve. Entretanto, é um modelo de solução mais complexa, muitas vezes apresentando dificuldades para convergência e sendo indicado apenas para sistemas com óleo de maior grau API. O modelo composicional é mais adequado para reservatórios de óleos leves e gás, pois nestes o somatório das propriedades de cada elemento é ponderada com a fração molar originada das propriedades da mistura.

modelo de Carreau / *Carreau's model*. Modelo usado para representar, de forma bastante satisfatória, fluidos que apresentam dois patamares newtonianos de viscosidade, um a baixas taxas de deformação e outro a altas taxas. Entre esses patamares, a viscosidade decresce com a taxa de cisalhamento, segundo uma lei de potência.

$$\eta = \eta_\infty + (\eta_0 - \eta_\infty)[1 + (\lambda\gamma)^2]^{n-1/2}$$

onde:

η_∞ é a viscosidade a altas taxas de deformação; η_0 é a viscosidade a baixas taxas de deformação; λ é uma constante com dimensão de tempo que fisicamente indica a faixa de transição a partir da qual a viscosidade deixa o patamar constante e começa a diminuir; e *n* é o índice de comportamento. Este modelo possui similaridade com o modelo de Cross. ▶ Ver *modelo de Cross*.

modelo de Casson / *Casson's model*. Modelo com grande capacidade de prever simultaneamente a pseudoplasticidade e a viscoplasticidade de um fluido recorrendo exclusivamente a dois parâmetros. A equação apresentada define o modelo, em que τ_0 é a tensão-limite de escoamento, μ_p é a viscosidade plástica. ↦ O modelo é representado pela seguinte expressão:

$$\tau^{1/2} = [\tau_0^{1/2} + (\mu_p \cdot \gamma)^{1/2}]$$

modelo de Cross / Cross model. Modelo que considera a cooperação entre regiões micropolares através de interações aleatórias. Modelo de captura de dois patamares newtonianos de viscosidade, um a baixas taxas de deformação e outro a altas taxas de deformação. Entre esse dois patamares a viscosidade decresce com aumento da taxa de cisalhamento, seguindo um comportamento similar ao descrito pelo modelo de potência. Por isso mesmo este modelo tem como parâmetros também o índice de consistência K e o índice de comportamento n. Tem similaridade com o *modelo de Carreau*. ▶ Ver *modelo de Carreau*.

modelo de Ellis / Ellis model. Modelo reológico desenvolvido para representar adequadamente o comportamento de um fluido não newtoniano a baixas taxas de deformação, no qual a viscosidade aparente se aproxima de um valor limite, bem como na região em que o comportamento reológico possa ser adequadamente representado pelo modelo de potência. ↦ A representação matemática do Modelo de Ellis utiliza uma equação empírica que correlaciona a viscosidade aparente μ_{ap} de um fluido não newtoniano com a tensão cisalhante τ, como:

$$\mu_0/\mu_{ap} = 1+(\tau/\tau_{1/2})^{n-1}$$

onde:
μ_0 é o limite de viscosidade do fluido, $\tau_{1/2}$ a tensão cisalhante para a qual a viscosidade é a metade do limite μ_0, e n é o índice de comportamento definido pelo modelo de potência. Observa-se que, a baixas taxas de deformação, a tensão cisalhante é muito pequena e, consequentemente, a viscosidade aparente aproxima-se do limite de viscosidade μ_0, caracterizando uma região de comportamento aproximadamente newtoniano. Para taxas de deformação mais elevadas, o modelo reproduz a resposta de um modelo de potência, caracterizando a região de comportamento não newtoniano. ▶ Ver *fluido newtoniano; fluido não newtoniano; modelo de potência*.

modelo de Herschell-Buckley / Herschell-Buckley model. Modelo empírico que representa o comportamento reológico de um fluido não newtoniano através da introdução de uma tensão-limite de escoamento no modelo de potência. ↦ Nesse modelo a tensão cisalhante τ correlaciona-se com a taxa de deformação γ através da seguinte equação:

$$\tau = \tau_0 + K\gamma^n$$

onde:
τ_0 é a tensão limite de escoamento, K o índice de consistência e n o índice de comportamento do fluído. Os dois últimos parâmetros são obtidos através da correlação linear entre $(\tau - \tau_0)$ e γ, em coordenadas logarítmicas. ▶ Ver *fluido newtoniano; fluido não newtoniano; modelo de potência*.

modelo de Lucas-Washburn / Lucas-Washburn model. Modelo baseado na *equação de Lucas-Washburn*, que surgiu da simplificação da equação do movimento para o escoamento em um tubo capilar cilíndrico. ↦ Nesta equação são contemplados os efeitos de capilaridade e ação da força viscosa com implicação na velocidade de ascensão capilar de um fluido em um capilar. Esta equação tem aplicações limitadas. Atualmente existem séries de modelos que abrangem outros fatores importantes para a descrição da velocidade de ascensão capilar.

modelo de matriz de rocha condutiva / conductive rock matrix model. Modelo ou conjunto de equações para a resposta de resistividade da formação com materiais condutivos, como, por exemplo, arenitos argilosos. O modelo é usado para analisar dados de testemunho e calcular a saturação de água a partir da resistividade e outros perfis. O modelo trata a rocha como dois componentes em paralelo: uma rede de poros condutivos com fluido móvel e o restante da rocha que pode ter minerais condutivos ou imóveis, mas água condutiva. ↦ O modelo não trata da origem dessa condutividade, tratando-a como uma resistividade (Rm). Os dois componentes estão em paralelo, como segue: $1/Rt = 1/Rp = 1/Rm$, onde Rp é a resistividade da rede de poros com fluido livre e pode ser expressa, em função da porosidade e da resistividade da água da formação, pela equação de Archie.

modelo de n camadas / n-layered model. Modelo no qual existem n camadas colocadas em cima da camada considerada.

modelo de Newton / Newton's model. Modelo reológico aplicado a fluidos newtonianos, ou seja, fluidos nos quais a viscosidade não varia com a taxa de deformação, seguindo então uma razão constante entre tensão de cisalhamento e taxa de deformação. A representação gráfica para fluidos que seguem o modelo newtoniano apresenta uma relação de proporcionalidade entre tensão de cisalhamento e taxa de deformação, sendo sua inclinação igual à viscosidade do fluido (μ) ↦ $\tau = \mu.\gamma$

modelo de Ostwald de Waale / Ostwald de Waale model. O mesmo que *modelo de potência*. ▶ Ver *modelo de potência*.

modelo de potência / yield-power-law model. 1. Modelo reológico proposto por Ostwald de Walle para descrever fluidos não newtonianos. 2. Relação matemática que representa o comportamento entre a tensão cisalhante e a taxa de deformação em um fluido. ↦ A grande maioria dos fluidos utilizados na perfuração de poços pode ser representada por este modelo. O modelo de potência ajusta relações de tensão e taxa de deformação através de dois parâmetros reológicos: o índice de consistência K (quanto maior for o valor de K mais consistente o fluido será) e o índice de fluxo n. Este modelo é capaz de descrever fenômenos de pseudoplasticidade (*shear thinning*) e dilatância (*shear thickening*). O modelo mencionado tem a seguinte equação:

$$\tau = K.(\gamma)^{n-1}$$

Observa-se ainda tratar-se de uma generalização do conceito de fluido newtoniano, para o qual o expoente não adota então o valor unitário. Permite caracterizar o fluido através de dois parâmetros reológicos: coeficiente de consistência, K, e o coeficiente de comportamento $n.\tau = K.(\gamma)^n$ Descreve os fluidos que afinam com o cisalhamento (n < 1) e os fluidos que engrossam com o cisalhamento (n > 0). Para n = 0, o modelo de potência iguala-se ao modelo de Newton, onde K representa o parâmetro viscosidade. O modelo de potência descreve satisfatoriamente o comportamento reológico de muitos petróleos crus e suas emulsões. A equação mencionada não se aplica a qualquer fluido ou intervalo de taxa de cisalhamento. Porém existem fluidos não newtonianos que manifestam esse tipo de comportamento para potência. ▶ Ver *modelo de Newton*.

modelo de potência modificado / *modified power-law model*. O mesmo que *modelo de Herschell-Buckley*. ▶ Ver *modelo de Herschell-Buckley*.

modelo de registrador de pressão e temperatura / *pressure and temperature recorder model*. Modelo de registrador de pressão e temperatura descido ao poço por intermédio de cabo.

modelo de Robertson-Stiff / *Robertson-Stiff model*. Modelo bastante semelhante ao modelo de potência, com a introdução de um termo corretivo para as taxas de cisalhamento. ↔ O modelo de Robertson-Stiff tem a vantagem de produzir equações diferenciais de soluções possíveis e fáceis para emprego no cálculo do escoamento de fluidos. Modelo bastante semelhante ao modelo de potência, com a introdução de um termo corretivo para as taxas de cisalhamento. O modelo de Robertson-Stiff, quando comparado ao modelo empírico de Herschell-Buckley, apresenta a vantagem de produzir equações diferenciais, facilitando assim as soluções mencionadas. ▶Ver *modelo de potência*; *modelo de Herschell-Buckley*.

modelo OSI / *open systems interconnection (OSI) model*. Modelo de referência para interconexão de sistemas abertos, desenvolvido pela ISO (International Standard Organization), baseado no modelo de pilha e protocolos independentes. Organiza-se em sete camadas hierárquicas: física, ligação de dados, rede, transporte, sessão, apresentação e aplicação. ↔ O modelo OSI faz uma explícita distinção entre os conceitos de serviço, interface e protocolos. As camadas inferiores fornecem alguns serviços para as superiores. Na definição de serviço, especifica-se o que cada camada faz, porém não se define como estas camadas interagem com o processo e como elas trabalham. Há uma interface de camada que diz aos processos como acessá-la, especificando os parâmetros e os retornos esperados, mas não menciona o funcionamento interno da camada. Os protocolos pares usados na camada são assunto próprio da camada. Ela pode usar quaisquer protocolos que preferir, desde que forneça o serviço requerido. Também pode mudá-los sem afetar o *software* nas camadas mais altas.

modelo reológico / *rheological model*. Representação, a partir de uma função matemática, do comportamento reológico de um material quando submetido a uma deformação.

modem / *modem*. Dispositivo eletrônico que tem como função modular um sinal digital em um sinal analógico com uma determinada frequência — tal que permita a transmissão pelo canal de comunicação — e modular um sinal analógico recebido em um sinal digital que contenha a informação desejada.

modo acústico / *acoustic mode*. Situação em que a energia de onda acústica que se propaga em uma direção é reduzida nas outras duas direções, como, por exemplo, um modo reduzido a uma interface entre dois diferentes materiais ou dentro do poço. A onda de *Stoneley*, a onda *tubo* e o modo *flexural* têm importantes aplicações em avaliação de formação, enquanto a maioria das outras ondas, como a onda de *Rayleigh* e os vários modos guiados pelo poço (modo normal, de fuga e híbrido), são condições consideradas como de interferência e, por consequência, devem ser filtradas. Em formações de baixa velocidade, modos de fuga podem ajudar a determinar a vagarosidade compressional da formação. ▶ Ver *modo normal*; *onda de Rayleigh*

modo de falha / *failure mode*. Efeito pelo qual uma falha é observada em um equipamento ou componente de um sistema. ↔ Um modo de falha pode ser identificado como: *(I)* perda de função; *(II)* função prematura (função sem demanda); *(III)* condição fora de especificação; ou *(IV)* uma característica física, tal como um vazamento (modo incipiente de falha) observado durante uma inspeção.

modo elétrico transversal / *transverse electric mode*. Modo de propagação no qual o vetor de campo elétrico é perpendicular à direção de propagação.

modo elétrico transverso / *transverse electric mode*. O mesmo que *modo elétrico transversal*. ▶ Ver *modo elétrico transversal*.

modo hiperbólico / *hyperbolic mode*. Modalidade de posicionamento marítimo muito usada até a invenção do GPS.

modo normal / *normal mode*. Forma de propagação de ondas dentro de uma camada-guia. Propagação de uma onda canal.

modo superimposto / *superimposed mode*. Forma de representação dos dados em que dois modos de apresentação são sobrepostos. Geralmente, traço galvanométrico superimposto em densidade ou área variável.

modulação / *modulation*. Processo pelo qual uma característica do sinal varia de acordo com outro sinal. Pode haver modulação de frequência

(FM), de amplitude (AM), de fase e de largura do pulso.

modulação em amplitude / *amplitude modulation (AM)*. Modulação utilizada amplamente em radiodifusão, e que usa a variação de amplitude da onda portadora como delineadora do sinal. Também conhecida como *AM*.

módulo de acomodação / *accommodation module*. Módulo de uma plataforma de petróleo que contém facilidades habitacionais para as pessoas, tais como cozinha, refeitórios, dormitórios, banheiros, lavanderias, salão de jogos, sala de cinema, biblioteca, enfermaria, câmaras frias, etc. ↦ Este módulo pode estar localizado junto ao topo do módulo de utilidades. ▶ Ver topside *de plataforma*; *módulos de plataforma*; *módulo de utilidades*.

módulo de compressão / *compression module*. Recipiente (contêiner) onde se localizam os sistemas de compressão fundamentais para a operação de plataformas marítimas. ▶ Ver topside *de plataforma*; *módulos de plataforma*.

módulo de conexão vertical / *vertical connection module*. Dispositivo para conexão entre dutos flexíveis (linhas ou umbilicais) e equipamentos submarinos, sem auxílio de mergulhador. Através do método de conexão vertical direta, o *hub* do duto é assentado diretamente sobre esse dispositivo, localizado no equipamento submarino.

módulo de distribuição eletro-hidráulica / *electro-hydraulic distribution module*. Equipamento utilizado em sistemas de controle multiplexado submarino, que tem como função a distribuição dos sinais de comunicação e energia elétrica, bem como linhas de suprimento de pressão hidráulica provenientes da superfície, para unidades remotas submarinas de supervisão e controle.

módulo de elasticidade / *elasticity modulus*. O mesmo que *módulo de Young*. ▶ Ver *módulo de Young*.

módulo de geração / *generation module*. Recipiente (contêiner) onde se localizam vários sistemas geradores de energia fundamentais para operação de plataformas marítimas. ▶ Ver topside *de plataforma*; *módulos de plataforma*.

módulo de utilidades / *utilities module*. Módulo onde são geradas as diversas utilidades da plataforma, tais como energia, água, ar comprimido, ambientação, calor e frio, etc. ↦ Nesse módulo localizam-se os geradores, o sistema de combate a incêndio, as salas de painéis elétricos, o tratamento de água e esgoto, entre outros. ▶ Ver topside *de plataforma*; *módulos de plataforma*.

módulo de Young / *Young's modulus*. 1. Relação entre a tensão normal e a variação no comprimento relativo resultante, definindo assim a resistência do sólido contra a deformação. 2. Constante elástica relacionada com a mudança de comportamento de um corpo, quando submetido a uma força de tensão ou compressão. O mesmo que *módulo de elasticidade*. ↦ Esta grandeza (ou característica) de um corpo sólido está correlacionada, principalmente, com a sua natureza físico-química, ou mais especificamente, com a magnitude das ligações interatômicas ou intermoleculares.

módulo eletrônico submarino / *subsea electronic module*. Dispositivo que é usado para controle e monitoramento da árvore de natal molhada (ANM) ou do manifolde submarino. Este módulo deve ser sempre redundante. Cada metade de um sistema redundante deve ser capaz de desempenhar, independentemente, todas as funções de controle e de monitoramento. Este equipamento deve ser padronizado para permitir intercambiabilidade. Os parâmetros normalmente monitorados são: pressão de produção, pressão de anular, temperatura de produção, detecção de vazamento de hidrocarbonetos, posição das válvulas de ANM, detecção de areia, monitoramento de fundo do poço e fluxo multifásico. Também conhecido como *SEM*.

módulos de plataforma / *platform modules*. Contêineres nos quais se localizam vários sistemas fundamentais para a operação de plataformas de petróleo. ↦ Podem-se citar como exemplo os módulos geradores de energia, de compressão de gás, de equipamentos de controle, de utilidades, de unidades de reciclagem de despejo, de separação de óleo, de processo, de acomodação etc. ▶ Ver topside *de plataforma*.

mola de comprimento zero / *zero-length spring*. Mola que, quando distendida, tem seu comprimento (L) proporcional à força (F) de distensão, ou seja $L = kF$. ↦ Tipo de mola inventado por Lucie LaCoste, em 1932, que constitui o elemento básico dos gravímetros LaCoste & Romberg.

molde / *cast*. 1. Estrutura sedimentar formada pelo preenchimento de uma marca original ou depressão na superfície de uma camada mais plástica, e preservada numa forma sólida na camada sobreposta, normalmente mais resistente. 2. Impressão fóssil interna ou externa deixada nos sedimentos por um organismo.

molde achatado em forma de flauta / *depressed flute cast*. Marca de carga em forma de flauta achatada ou levemente ondulada. ▶ Ver *molde de flauta*.

molde de dolomita / *dolocast*. Molde ou impressão deixados por um cristal de dolomita, preservado em um resíduo insolúvel.

molde de dolomite (Port.) (Ang.) / *dolocast*. O mesmo que *molde de dolomita*. ▶ Ver *molde de dolomita*.

molde de escorregamento / *slide cast*. Molde de uma marca de escorregamento, geralmente suave e curvo, que tem menos de um metro de comprimento.

molde de flauta / *flute cast*. Estrutura sedimentar com forma de flauta (*flute marks*), produzida pela erosão ou escavação de sedimentos lamosos, formando depressões. ↝ Comumente preservado como saliências naturais na base das camadas de arenitos. Pela sua geometria típica, o molde de flauta (também chamado *marcas de flauta*) pode ser usado para determinar a direção das paleocorrentes

molde de impacto / *impact cast*. Molde de uma marca produzida por objeto saliente no fundo argiloso. A porção alta e mais inclinada do final do molde de impacto está sempre orientada no sentido da corrente, assim indicando-o.

molde de marca de sola / *sole cast*. Marca de sola preservada como uma protuberância na base de uma camada sobrejacente a uma camada de granulometria fina, como um folhelho.

molde em *chevron* / *chevron cast*. Molde de uma marca em *chevron*, ou seja, semelhante à forma de um V invertido.

molde em espinha (Port.) (Ang.) / *chevron cast*. O mesmo que molde em chevron. ▶ Ver *molde em* chevron.

molhabilidade / *wettability*. Propriedade que reflete a capacidade que tem um fluido de molhar uma rocha. Esta propriedade pode ser avaliada pelo ângulo de contato observado entre o fluído e um substrato da rocha. ↝ Na presença de dois fluidos imiscíveis em contato com uma superfície sólida, a tensão interfacial entre o sólido e cada um dos fluidos será diferente; sendo assim, considera-se que o fluido que apresentar uma maior tensão na interface sólido-líquido será o fluido que molha preferencialmente o sólido. Este tende a se espalhar na superfície, formando um ângulo de contato inferior a 90°; caso esse mesmo fluido apresente um ângulo de contato com a superfície sólida superior a 90°, ele não será caracterizado como o fluido molhante. A molhabilidade varia, dependendo dos fluidos e da superfície envolvidos no sistema. A molhabilidade, como definida por um ângulo T, dá a medida de qual fluido adere preferencialmente a uma rocha.

molhante / *wetting*. Refere-se a um fluido que tem a propriedade de encobrir a superfície dos poros de uma rocha e aderir a ela. O fluido molhante irá ocupar preferencialmente os poros menores e os cantos de contato entre grãos, e será muito mais difícil de ser produzido do que o fluido não molhante. ▶ Ver *molhabilidade*.

molinete / *cathead*. Carretel localizado no guincho da sonda e que tem como objetivo acionar as chaves flutuantes. Os molinetes que atuam essas chaves são o *makeup cathead*, usado para enroscar um tubo ao outro, e o *breakout cathead*, utilizado para 'quebrar a conexão' (desenroscar). ↝ O guincho de uma sonda tem um eixo secundário em que estão instalados dois tipos de molinetes: um que aciona as chaves flutuantes e outro que movimenta pequenas cargas na plataforma, chamado *molinete de fricção*. Ao acionar o molinete, um cabo de aço é enrolado, puxando a extremidade da chave flutuante, que por sua vez transmite torque à conexão.

monazita / *monazite*. 1. Mineral da classe dos fosfatos, pertencente ao sistema cristalino monoclínico. **2.** Principal mineral de minério de elementos terras raras e tório. ↝ Ocorre algumas vezes como mineral acessório em rochas graníticas e pegmatitos. É resistente ao intemperismo e encontra-se frequentemente como mineral detrítico em areias fluviais e praias, onde pode ser explorado como mineral de minério de elementos terras raras e tório.

monazite (Port.) (Ang.) / *monazite*. O mesmo que *monazita*. ▶ Ver *monazita*.

monel / *monel*. Nome comercial de ligas inoxidáveis à base de níquel (até 67%) e cobre, com adições de ferro e outros elementos residuais (por exemplo, manganês e silício). ↝ É uma liga que pode ser completamente não magnética, muito utilizada na indústria petrolífera, por exemplo, na fabricação de colares de perfuração, como tubulação para transportar água do mar — principalmente no sistema de combate a incêndio de plataformas marítimas de petróleo (tubulações, impulsor de bombas etc.) —, como revestimento (*liner*) metálico na zona de variação de maré, na forma de barreira anticorrosiva, de *risers* rígidos e jaquetas de plataformas *offshore* ou terminais marítimos. A adição de cobre torna essa liga bastante resistente à adesão de fauna marinha (*antifoulling*) pela ação bactericida do cobre.

monitor de empilhamento / *stacking monitor*. Seção auxiliar, criada durante o empilhamento horizontal, constituída de uma série de famílias *common midpoint (CMP)*, com os traços já corrigidos, para controle de qualidade. ▶ Ver *ponto comum em profundidade*; *família CDP*; *família CMP*.

monitor de vibração / *vibration monitor*. Sismógrafo utilizado para monitorar microterremotos em obras de engenharia.

monitoramento ambiental / *environmental monitoring*. Processo de coleta de dados, análise e acompanhamento ordenado das variáveis ambientais, buscando com isso a identificação e avaliação qualitativa e quantitativa das condições dos recursos naturais em um determinado momento. Da mesma forma propicia a análise das tendências ao longo do tempo dessas variáveis. As variáveis sociais, econômicas e institucionais também são incluídas, por exercerem influência sobre o meio ambiente, fornecendo informações sobre os fatores que influenciam no estado de conservação, preservação, degradação e recuperação ambiental.

monoboia / *monobuoy*. Flutuador (boia) fundeado ou amarrado, localizado numa dada área, utilizado para a atracação de navios, geralmente para fins de embarque e desembarque de petróleo ou gás natural, comprimido ou liquefeito. ▶ Ver *quadro de boias*.

monocoluna de produção, estocagem e transferência / *monocolumn hull, production, storage and offloading*. Sistema flutuante de produção do tipo monocoluna, dotado de capacidade de processamento da produção, armazenamento de líquidos e transferência para navios aliviadores. ↝ Tem excelente resposta em ondas, a ponto de poder servir de suporte para SCRs (*steel catenary risers*), mesmo em mares muito severos, como no golfo do México.

monograu / *monograde*. Termo que classifica o lubrificante de acordo com a viscosidade cinemática a 100 °C. Sinônimo: *grau simples*.

monóxido de carbono / *carbon monoxide*. Gás tóxico, inodoro e incolor cuja molécula consiste de um átomo de carbono e um de oxigênio. ↝ Uma das fontes de monóxido de carbono é a queima incompleta de combustíveis fósseis ou de biomassa.

montagem da sonda / *rig up*. Operação de montagem da sonda de perfuração ou de alguma ferramenta para operar no poço.

montagem em base / *skid mounted*. Configuração do equipamento em estrutura de acomodação que contém, além do equipamento em questão, as tubulações de alimentação e saídas, os instrumentos associados, as malhas locais de controle associadas e os painéis locais de comando, e todas as interfaces para conexão no restante da planta. ↝ Nesse tipo de configuração, o equipamento é fornecido em uma unidade autônoma, que deve ser conectada ao restante do sistema. A montagem da instalação de produção torna-se uma etapa muito mais rápida se os equipamentos forem recebidos previamente e montados em *skid*.

montante / *upstream*. 1. Posição da linha de fluxo em relação a um elemento da linha (por exemplo, uma válvula). Diz-se que o trecho da linha está a montante se este trecho estiver antes do elemento de referência, no sentido do fluxo. 2. Atividades de exploração, explotação e produção de petróleo. ↝ Por vezes faz-se uso do termo *upstream*, com a mesma conotação aqui definida para *montante*.

montmorilonita / *montmorillonite*. Argilomineral do grupo da esmectita, constituído por silicato de alumínio hidratado, representado aproximadamente pela fórmula estrutural $4SiO_2Al_2O_3H_2O$, sendo parte dos íons Al^{3+} substituídos por Mg^{2+}. Dessa forma, a estrutura da montmorilonita apresenta excesso de carga negativa superficial, que é neutralizada, em ligações fracas, pelos cátions presentes na água associada. O termo *montmorilonita sódica* refere-se ao argilomineral em que o cátion que neutraliza a carga negativa superficial é o íon sódio Na^+. ↝ Termo originalmente aplicado para denominar um mineral encontrado perto de Montmorillon, França.

montmorilonite (Port.) (Ang.) / *montmorillonite*. O mesmo que *montmorilonita*. ▶ Ver *montmorilonita*.

monumento / *monument*. Ponto identificável na superfície terrestre que sirva como referência para as pesquisas geológicas. Ponto de referência.

moonpool. Abertura no casco de um navio-sonda, ou o espaço abaixo do *drill floor* (onde se situa a mesa rotativa) nas semissubmersíveis, através do qual são montados os equipamentos que serão descidos no poço.

mordente / *jaw*. Acessório usado nas cunhas e nas chaves flutuantes e hidráulicas para agarrar o tubo. No caso das cunhas, os mordentes são responsáveis por prender os tubos no sentido longitudinal, para não deixar que eles caiam no poço. No caso das chaves, os mordentes agarram os tubos no sentido de sua circunferência, para permitir que lhes seja aplicado torque.

morena / *moraine*. Depósito de fragmentos de rochas transportado pelas geleiras e depositado à frente destas, quando recebe o nome de *morena frontal*, ou lateralmente, sendo então denominada *morena lateral*.

morfoestrutura / *morphostructure*. Configuração topográfica principal que coincide com, ou que é, uma expressão de uma estrutura geológica. Exemplo: crista no fundo do oceano.

morfologia de canal / *channel morphology*. Descrição das relações geomórficas associadas ao canal.

morfossequente / *morphosequent*. Termo aplicado a uma feição geomorfológica na superfície que não reflete a estrutura geológica subjacente. ▶ Ver *feição estrutural*.

mosaico / *mosaic*. Montagem de diferentes imagens sonográficas de forma a mostrar uma representação acurada e contínua, bidimensional, na escala 1:1, de um trecho do fundo marinho. O mosaico permite uma compreensão mais ampla das feições presentes no fundo marinho. Mosaicos sonográficos são montados a partir de diferentes imagens sonográficas que representem linhas de sondagem individuais.

mosaico não controlado / *uncontrolled mosaic*. Termo utilizado em aerofotogravimetria para a situação na qual, num conjunto ordenado de fotografias aéreas, as fotos não estão corrigidas quanto à inclinação da aeronave e a variação da altitude.

moscovite (Port.) / *muscovite*. O mesmo que *muscovita*. ▶ Ver *muscovita*.

mostra sinuosa / *wiggle display*. Gráfico de amplitude contra o tempo em que a curva é sinuosa e contínua, também chamado *squiggle record*.

motor composto / *compound engine*. Motor no qual o vapor é expandido em baixas pressões, progressivamente, de um cilindro a outro e que, por isso, mitiga a perda de vapor por condensação.

motor de deslocamento positivo / *positive-displacement motor*. Motor hidráulico conectado logo acima da broca e movimentado pelo fluxo de fluido de perfuração que circula em seu interior. ↝ Sua função principal é transmitir rotação e torque à broca, independentemente da rotação da coluna. A potência do motor de fundo é fornecida pelo conjunto rotor e estator descrito por *Moineau* (1932). Tanto o rotor quanto o estator possuem lóbulos helicoidais que se misturam, formando uma cavidade helicoidal selada. O fluxo do fluido de perfuração através dessa cavidade força o giro do rotor. O estator tem sempre um lóbulo a mais que o rotor, e é moldado por borrachas dentro do alojador (*stator housing*). ▶ Ver *broca*; *fluido de perfuração*.

motor de fundo / *mud motor, downhole motor, dyna-drill, turbo-drill.* Equipamento que funciona como uma fonte de potência para a rotação da broca, e localizado logo acima desta. •» Motor para rotação da broca acionado pela energia hidráulica fornecida pela vazão e pressão do fluido de perfuração. É normalmente usado em perfuração direcional, pois permite a rotação da broca sem giro da coluna de perfuração. Dessa maneira, a coluna de perfuração pode ser orientada por uma ferramenta defletora e executar a construção de um desvio ou de uma curvatura no poço.

motor de fundo com carcaça curva / *downhole motor with bent housing.* Motor de deslocamento positivo, em geral com capacidade de torque mais elevada se comparado aos motores convencionais, e que tem uma deflexão em seu corpo num ponto próximo à conexão com a broca. •» Evolução dos motores de fundo, introduzida em fins da década de 1970, que se tornou possível depois da criação das ferramentas de medição durante a perfuração (*measure while drilling — MWD*). É também comum que esses motores tenham um estabilizador conectado ao seu corpo. Devido a seu desenho esses motores permitem, sempre que for necessário, fazer uma correção na trajetória do poço usando o modo orientado, no qual a coluna de perfuração não gira. Com a ajuda do *MWD*, a broca é orientada na direção desejada e realiza-se a alteração para a trajetória desejada. Terminada a correção, retorna-se à perfuração rotativa, com toda a coluna de perfuração girando. Conhecido também como *steerable motor* e *motor de fundo para navegação*. ▶ Ver *motor de fundo*; *motor de fundo para navegação*; *sistema de navegação*.

motor de fundo de alto torque / *high-torque down hole motor, low-speed positive-displacement motor.* Motor de deslocamento positivo utilizado para perfurar um poço cuja configuração rotor/estator adequada, sob condições normais de operação, considera uma rotação reduzida da broca e um maior torque. É adequado para perfuração vertical ou direcional com brocas PDC ou cortadores fixos. •» Quanto maior é o número de lóbulos deste motor, maior é o torque que ele suporta e menor é a velocidade de trabalho. ▶ Ver *motor de deslocamento positivo*; *motor de fundo*; *perfuração direcional*; *perfuração vertical*; *broca PDC*.

motor de fundo de binário elevado (Port.) / *high-torque down hole motor, low-speed positive-displacement motor.* O mesmo que *motor de fundo de alto torque*. ▶ Ver *motor de fundo de alto torque*.

motor de fundo para navegação / *steerable motor.* O mesmo que *motor de fundo com carcaça curva*. ▶ Ver *motor de fundo com carcaça curva*.

motor de indução / *induction motor.* Motor elétrico de corrente alternada no qual a potência é transmitida ao rotor por indução magnética.
•» Um motor de indução é composto basicamente de um estator e um rotor, sendo suportado por mancais localizados nas extremidades do eixo desse rotor. O enrolamento do estator (parte estática do motor) — sendo o mais usual o monofásico ou trifásico — comporta-se como um enrolamento primário de um transformador, induzindo um campo magnético no rotor. O rotor comporta-se como o secundário do transformador. A corrente elétrica induzida no rotor gera um campo magnético que reage com o campo do estator, produzindo o torque do motor, que acelera o rotor até próximo da velocidade de giro do campo. Para que o motor continue funcionando, o rotor precisa girar numa velocidade angular menor que a do campo do estator, de forma a sempre existir uma variação de campo magnético no rotor e a indução do 'transformador'. Este comportamento resulta num escorregamento ou numa velocidade de giro levemente menor que a frequência do campo girante.
▶ Ver *motor elétrico*; *corrente alternada*.

motor elétrico / *electric motor.* Motor trifásico e projetado para suportar condições muito severas, como altas pressões e altas temperaturas, bastante comuns no fundo de um poço de petróleo.
•» É totalmente preenchido com um óleo mineral dielétrico, o qual tem a função de garantir seu isolamento elétrico, a lubrificação de seus mancais e seu resfriamento. A fim de contrabalançar a natural expansão volumétrica desse fluido frente ao aumento da temperatura de trabalho no motor, o mesmo é igualmente dotado de uma superfície expansível dita *diafragma*. O motor é ainda resfriado pela transferência de calor (convecção) ao fluido bombeado que molha externamente sua carcaça. ▶ Ver *bombeio centrífugo submerso*.

motor elétrico para bombeio centrífugo submerso horizontal / *ESP horizontal electric motor.* Motor elétrico industrial utilizado em estações de bombeamento, para transferência de fluido bombeado com alta pressão a grandes distâncias. ▶ Ver *bombeio centrífugo submerso*.

motor hermético / *canned motor.* Motor elétrico de indução no qual o estator e rotor ficam hermeticamente selados, dispensando a adoção de mecanismo de segregação dos fluidos que eventualmente possam molhar seu interior. Próprio para aplicações submersas, provendo a energia necessária para a movimentação de máquinas de escoamento, particularmente bombas. ⇝ Tal concepção de motor nasceu de demandas de natureza militar, e um de seus grandes nichos de aplicação é o acionamento de bombas pertencentes ao circuito primário de reatores nucleares do tipo água pressurizada, particularmente no sistema de geração de energia em embarcações de guerra, a exemplo de submarinos, e/ou de centrais nucleares em terra. Tal caráter hermético permite que o próprio fluido bombeado seja escoado através do interior do motor, removendo assim o calor gerado por efeito Joule. O primeiro conceito de sistema de bombeamento multifásico submarino foi desenvolvido no mundo por meio de cooperações tecnológicas internacionais.

movimento de duna / *dune movement.* Deslocamento sofrido pela duna como resultado da movimentação dos grãos pela ação do vento. Dependendo da intensidade e da direção dos ventos, a duna pode se movimentar em diferentes sentidos, gerando diferentes formas geométricas.

movimento de inclinação da embarcação / *yaw.* Movimento oscilatório que uma embarcação, plataforma ou sonda de perfuração realizam no plano horizontal em relação à direção de projeto da proa. Também conhecido como *balanço*. ▶ Ver *plataforma de petróleo*; *sonda de perfuração*.

movimento de inclinação do barco (Port.) (Ang.) / *yaw.* O mesmo que *movimento de inclinação da embarcação*. ▶ Ver *movimento de inclinação da embarcação*.

movimento eletrônico de documentos e dados / *electronic data interchange (EDI).* Comunicação entre computadores que ocorre entre duas ou mais empresas e que é utilizada para gerar documentos, como ordens de compras e faturas. O EDI também possibilita que firmas acessem os sistemas de informação de seus fornecedores, clientes e transportadoras, para que saibam em tempo real o status de embarques e estoques.

mud cleaner. Equipamento do sistema de circulação de fluido de uma sonda, constituído por uma combinação de hidrociclones instalados sobre uma peneira vibratória de malha fina. ▶ Ver *hidrociclone*.

mud logging. 1. Registro de informação derivado de exame e análise dos cascalhos da formação gerados pela broca, e do fluido de perfuração circulado no poço. 2. Instrumento no sistema de fluido de perfuração que continuamente mede o peso do fluido de perfuração. Uma parte do fluido de perfuração é desviada através do dispositivo de detecção de gás. 3. Método para determinar a presença ou ausência de óleo ou gás em várias formações penetradas pela broca. O fluido de perfuração e os cascalhos são continuamente testados no seu retorno para superfície, e o resultado desse teste é correlacionado com a profundidade ou origem. Um geólogo de campo (*mud logger*) trabalha na descrição de cascalhos, monitora o gás de formação e parâmetros gerais de perfuração durante a perfuração. O *mud logger* analisa as amostras de rocha (cascalhos) que vêm junto com o retorno de fluido de perfuração circulado no poço. O equipamento de *mud logging* é frequentemente levado num laboratório portátil e montado na sonda. ⇝ Um *mud log* coleta, processa e apresenta as seguintes informações: gás de formação (unidade de gás ou ppm); taxa de penetração (min/ft); peso sobre a broca; rotação; torque; descrição de amostra litológica; peso de fluido; trajetória do poço e topo de formação.

mudança brusca de direção do poço (Port.) (Ang.) / *dogleg, hole curvature.* O mesmo que *curvatura do poço*. ▶ Ver *curvatura do poço*.

mudança de fácies / *facies change.* Mudança lateral ou vertical na litologia, espessura, textura, estruturas sedimentares e conteúdo de fósseis de um depósito sedimentar que é causado por ou reflete uma mudança de processos sedimentares ou no ambiente deposicional. ▶ Ver *fácies*.

mudança eustática / *eustatic change.* Variação global do nível médio dos mares.

mudança relativa do nível do mar / *relative sea-level change.* Variação no nível médio dos mares, que pode ser positiva — quando o nível relativo parece aumentar —, causada pelo aumento da eustasia ou pelo aumento da taxa de acomodação, ou negativa — quando o nível parece baixar.

multifásico / *multiphase.* Mistura constituída por vários fluidos em diferentes fases (sólido, líquido, gás). ⇝ Na produção de petróleo, é referente a uma mistura de óleo (líquido), água (líquido) e gás (e, eventualmente, sólidos). Em termos rigorosos, uma mistura óleo, água e gás deveria ser classificada como bifásica (líquido e gás) de multicomponentes (petróleo, água e gás).

multigrau / *multigrade.* Termo utilizado para descrever um lubrificante cuja curva de viscosidade cinemática *versus* temperatura é tal que ele atende aos limites de dois graus de viscosidade SAE. ⇝ Os dois graus de viscosidade, de acordo com a Norma SAE J300, são: um grau para baixas temperaturas (SAE W) e outro para altas temperaturas (dito apenas *SAE*).

multimalha / *multi-loop.* Conjunto de partes de um determinado processo, o qual utiliza controladores independentes, ou seja, processos menores (subprocessos) pertencentes a um grande malha. ⇝ Quando se diz *controlador multimalha*, se está referindo a equipamentos eletrônicos com capacidade de controlar diversas malhas de controle ao mesmo tempo.

múltipla / *multiple.* O mesmo que *reflexão múltipla*. ▶ Ver *reflexão múltipla*.

múltipla assimétrica / *peg-leg multiple.* Reflexão sísmica envolvendo diferentes interfaces, de tal maneira que a sua trajetória seja assimétrica.

múltipla da lâmina d'água / *water-bottom multiple.* Múltipla resultante da reflexão do pulso sísmico dentro da lâmina d'água. Ocorre nos levantamentos sísmicos marítimos. ▶ Ver *reflexão múltipla*.

múltipla de fundo / *water-bottom multiple*. O mesmo que *múltipla da lâmina d'água*. ▶ Ver *múltipla da lâmina d'água*.

múltipla de superfície / *near-surface multiple*. Múltipla que aparece nas camadas superiores na reflexão sísmica.

múltipla simples / *simple multiple*. Múltipla de longa trajetória, que somente sofreu três reflexões, isto é, duas vezes refletida de uma interface profunda e uma vez de uma interface rasa na base da superfície.

multiplicidade / *multiplicity*. Número de trajetórias dos raios independentes, que se somam para prover um único traço de saída.

múltiplo / *multiple*. Energia sísmica que foi refletida mais de uma vez.

muralha de sal / *salt wall*. Estrutura halocinética de forma alongada e sinuosa.

muscovita / *muscovite*. Mineral da classe dos silicatos, grupo da mica, pertencente ao sistema cristalino monoclínico. ◆ *Sericita* é um termo usado para designar a mica branca de grão fino (muscovita ou paragonita). Tal mica não é necessariamente diferente, do ponto de vista químico, da muscovita, embora tenha teores elevados de SiO_2, MgO e H_2O, e baixo teor de K_2O. O termo *fengita* é usado para designar a muscovita na qual a relação Si:Al é maior que 3:1, e na qual o aumento de Si é acompanhado pela substituição de Al por Mg ou Fe_2 no sítio octaédrico. A *hidromuscovita* tem um teor elevado de H_2O e baixo de K_2O. A muscovita, *stricto sensu*, ocorre numa extensa gama de fácies metamórficas, desde xistos verdes até anfibolito, sendo encontrada principalmente em metapelitos. Em graus metamórficos mais baixos, forma-se pela recristalização de ilita. Ocorre também em rochas ígneas intermediárias a ácidas. A muscovita é pouco frequente em rochas sedimentares, a maior parte do material 'micáceo' de grão fino encontrado nessas rochas é constituído por filossilicatos interestratificados, muscovita-esmectita e misturas de pirofilita e caulim.

Nn

nafta / ***naphtha***. O mesmo que *condensado*. ▶ Ver *condensado*.

naftênico / ***naphthenic***. Petróleo cuja composição é em grande parte de hidrocarbonetos naftênicos. ▶ Ver *hidrocarboneto naftênico*.

nafteno / ***naphthene***. **1.** Anel de hidrocarboneto com a fórmula molecular C_nH_{2n}. **2.** Termo frequentemente empregado pelos químicos de petróleo para indicar os cicloalcanos que ocorrem no petróleo. Sinônimo de *cicloalcano* e *cicloparafina*. ↠ As estruturas em anéis dos ciclopentano C_5 e do ciclohexano C_6 são as mais comuns no petróleo. Os condensados, ou naftenos policíclicos, contêm anéis nos quais dois ou mais átomos de carbonos são partilhados. Os naftenos tetracíclicos e pentacíclicos contêm, respectivamente, quatro e cinco anéis, fundidos juntos.

não conformidade / ***nonconformity***. **1.** Não atendimento a um requisito. **2.** Superfície, em geologia estrutural, que separa dois grupos de rochas não relativas. **3.** Em estratigrafia, ocorre quando os planos de acamamento acima e abaixo de um intervalo de não deposição ou erosão são essencialmente paralelos. **4.** Em geofísica, limite ou relação subsuperficial em que uma quantidade física, como as velocidades da transmissão de ondas sísmicas, muda abruptamente. A velocidade da onda *P* aumenta dramaticamente (de aproximadamente 6.5 km/s a 8.0 km/s) na descontinuidade de Mohorovicic entre a crosta de Terra e o manto. ↠ Também chamada *desconformidade*, a não conformidade é devida a uma interrupção na sedimentação e/ou um período de erosão, e é observada como uma superfície de erosão irregular.

não conformidade química / ***chemical unconformity***. Não conformidade ou limite estratigráfico definido por análises químicas.

não consolidado (Port.) / ***unconsolidated***. O mesmo que *inconsolidado*. ▶ Ver *inconsolidado*.

não estratificado / ***unstratified***. Termo utilizado para rochas maciças ou que não apresentam planos de deposição aparentes. ▶ Ver *plano de estratificação*.

não sequencial / ***nonsequential***. Diastema ou outra interrupção sedimentar ou estratigráfica pouco significativa. ▶ Ver *diastema*.

navegação Doppler / ***Doppler navigation***. Navegação pela reflexão do sinal de radar nas superfícies. ▶ Ver *efeito Doppler*.

navio aliviador DP / ***DP ship***. Navio que faz o transporte de petróleo entre plataformas de produção de petróleo e um terminal marítimo e é controlado por sistemas computacionais de última geração, com posicionamento dinâmico. ▶ Ver *plataforma de petróleo*.

navio de estimulação de poços / ***well stimulation vessel***. Embarcação de apoio marítimo a manobras de rebocadores de alto-mar, provida de equipamentos capazes de executar serviços nos poços de petróleo, tais como limpeza de coluna e fraturamento, entre outros.

navio de lançamento de linhas / ***lay barge***. Embarcação especializada no lançamento e recolhimento de tubulações, linhas flexíveis e umbilicais no mar ou outro ambiente aquático. Também conhecida como *balsa de lançamento*. ↠ Embarcação normalmente equipada com cestas e carretéis para armazenagem de linhas *(reel ship)*, guindastes, alta capacidade de propulsão e provida de posicionamento dinâmico, a fim de garantir o correto posicionamento durante toda a operação de lançamento de linhas no leito submarino. Tais embarcações podem, eventualmente, lançar duas ou mais linhas simultaneamente, acelerando a interconexão de equipamentos e sistemas submarinos. O sistema de estocagem da tubulação/linhas usual é por carretéis. Lagartas, que agarram/suportam as linhas, permitem manter sob controle as tensões resultantes e atuantes no corpo da linha em lançamento submarino. Existe também outro tipo de embarcação para lançamento de dutos rígidos (de aço), chamado *convencional*, que durante a operação de lançamento do duto se desloca quando puxada por seus cabos de âncoras, movimentando-se por intermédio de outras embarcações de apoio *(AHTS)*. Os tramos da tubulação são conectados por processo de soldagem executado em cabines sucessivas localizadas no convés. Para evitar que uma curva acentuada provoque o rompimento do duto assim que ele deixa a embarcação, esta é dotada de uma estrutura *(stinger)* que fornece apoio adicional e, conjugada com a tensão aplicada pelas lagartas, não deixa que uma curvatura acentuada leve as tensões na tubulação até acima do limite permitido. Frequentemente o abastecimento dos tramos de tubulação é feito por uma balsa de estaleiragem e armazenamento que fica posicionada ao lado da embarcação principal durante a operação.

navio de manuseio de âncoras / ***anchoring handling tug supply vessel***. O mesmo que *barco de apoio para manuseio de âncoras*. ▶ Ver *barco de apoio para manuseio de âncoras*.

navio de suprimento / ***supply vessel***. Embarcação de transporte de equipamentos e insumos de uso em plataformas e/ou UEPs. ↠ Embarcação que dispõe tipicamente de grande área de convés, o que permite o transporte de equipamentos e contentores (contêineres) de granéis (sólidos e líquidos). O carregamento e/ou descarregamento dessas embarcações no mar é normalmente realizado pelos equipamentos de içamento (guindastes) da própria plataforma ou unidade estacionária de produção (UEP) em atendimento. ▶ Ver *unidade estacionária de produção*.

navio DP / *dynamic positioning ship*. Navio dotado de sitema de posicionamento dinâmico (*dynamic positioning - DP*). ▶ Ver *posicionamento dinâmico*; *navio aliviador DP*.

navio-sonda / *drillship*. Embarcação equipada com sonda de perfuração e demais equipamentos necessários para realização de perfuração rotativa. ↠ O sistema de cabeça de poço é posicionado no solo marinho e a completação é molhada, sendo a operação do navio dependente das condições marítimas, principalmente dos movimentos de *heave*, em que o navio sobe e desce de acordo com o movimento da onda. Navios-sonda são, geralmente, menos estáveis que as sondas semissubmersíveis que possuem sistema de compensação de *heave* e são autopropulsantes. Os navios-sonda são capazes de operar em águas ultraprofundas sendo que, ancorados, alcançam um limite de lâmina d'água de 1.800 m. Têm também grande capacidade de armazenagem de suprimentos para perfuração. ▶ Ver *posicionamento dinâmico*; *plataforma semissubmersível*; *plataforma de petróleo*.

navio-tanque de gás / *very large gas carrier* (VLGC). Navio-tanque para transporte de gases, com capacidade superior a 70.000 m³.

navio-tanque de petróleo / *very large crude carrier* (VLCC). Navio-tanque para transporte de petróleo, com capacidade superior a 180.000 Tbp.

nécton / *nekton*. Conjunto dos animais aquáticos que se movem por seus próprios meios.

negro de fumo / *carbon black*. Carbono ativo de estrutura amorfa, com grande área superficial e que tem 97% de carbono elementar em sua composição. É um dos mais importantes constituintes dos derivados industriais do carbono. O negro de fumo é também conhecido como *negro de carbono*. ↠ Há diversas aplicações relacionadas à sua composição química, tais como obtenção de pigmentos e adsorção de impurezas. O termo *negro de fumo* refere-se a uma grande variedade de produtos fabricados por processos como o de combustão parcial ou de decomposição térmica de hidrocarbonetos na fase vapor.

nerítico / *neritic*. Ambiente marinho entre o nível da maré baixa e a profundidade de 200 metros, que corresponde, grosseiramente, à plataforma continental. Pode ser definido como a zona entre o nível da maré baixa e o limite da plataforma continental.

New York Mercantile Exchange (NYMEX). Bolsa de valores que inclui, entre suas *commodities*, contratos de futuro do tipo WTI (West Texas Intermediate) de óleo cru, propano, gás natural etc.

nicho ecológico / *ecological niche*. Espaço multidimensional que representa o papel ecológico de uma espécie numa comunidade.

ninho de geofones / *nest of geophones*. Matriz de geofones, especialmente aquela que contém muitos geofones juntos e interligados. ▶ Ver *geofone*.

niple / *nipple*. 1. Componente de coluna, cuja função é ser área de assentamento de plugue (tampão mecânico) ou STV (*standing valve*). 2. Peça cilíndrica tubular com uma área polida interna para promover a vedação com o plugue ou *standing valve*, e uma reentrância para permitir o acionamento de mecanismo de trava do plugue. ▶ Ver *niple de assentamento*; *niple de extensão inferior*; *niple de extensão superior*; *niple R*.

niple de assentamento / *seating cup nipple*. Tubo curto de parede interna polida, utilizado no método de produção por bombeio mecânico, enroscado na coluna de produção na profundidade desejada dentro do poço, permitindo o assentamento da bomba de fundo insertável e promovendo a estanqueidade necessária. ↠ O seu diâmetro interno, menor que o dos tubos, é projetado para que o ressalto da bomba insertável, ao topar no niple, faça com que os copos de vedação da bomba fiquem posicionados dentro dele, ocorrendo assim a requerida estanqueidade. ▶ Ver *niple*.

niple de extensão inferior / *lower extension coupling*. Tubo curto com extremidades em rosca (pino-pino), utilizado no método de produção por bombeio mecânico, enroscado na luva da camisa na parte inferior da bomba de fundo, permitindo que o pistão se movimente em toda a extensão da camisa, com isso evitando o acúmulo de incrustação ou corrosão na parede interna. ↠ O uso desse niple tem a desvantagem de aumentar a câmara de acúmulo de fluido no espaço morto, prejudicando, assim, a eficiência de bombeio. Por outro lado, permite o uso de um curso maior do pistão, aumentando a capacidade de bombeio do poço. ▶ Ver *niple*.

niple de extensão superior / *upper extension coupling*. Tubo curto com extremidades em rosca (pino-pino), utilizado no método de produção por bombeio mecânico, enroscado na luva da camisa na parte superior da bomba de fundo, permitindo que o pistão movimente-se em toda extensão da camisa, com isso evitando o acúmulo de incrustação ou corrosão parede interna. ↠ O uso desse niple possibilita que a sonda use a cunha sobre o corpo do niple e não sobre a camisa, evitando, assim, danos à bomba. ▶ Ver *niple*.

niple R / *R nipple*. Componente de coluna, cuja função é formar uma área de assentamento de plugue (tampão mecânico) ou *STV* (*standing valve*). ▶ Ver *niple*.

niple sino / *bell nipple*. Niple conectado ao topo do revestimento, do BOP ou da coluna de *riser*. Possui geralmente diâmetro maior que o da coluna à qual está conectado e serve como um funil, guiando as ferramentas de perfuração na entrada do poço. ↝ Usualmente é dotado de uma saída lateral que permite o retorno do fluido de perfuração ao sistema de tratamento e armazenamento na superfície. A conexão entre o niple sino (*bell nipple*) e o sistema de tratamento na superfície é propiciada pelo duto denominado *flowline*. ▶ Ver *niple*.

nitrato de amônia / *ammonium nitrate*. Explosivo utilizado em prospecção sísmica terrestre de baixa potência. ↝ Para ser acionado precisa de uma pequena carga de dinamite. Misturado com óleo diesel em uma proporção de 95% para 5% de diesel também pode ser utilizado como explosivo, e sua detonação exige uma pequena carga de dinamite.

nitrogênio / *nitrogen*. 1. Gás inerte, não metal, incolor, inodoro e insípido, que constitui cerca de 78% do ar atmosférico, que não participa da combustão e nem da respiração; utilizado para operações de indução de surgência de poços de petróleo. 2. Elemento químico com símbolo N, número atômico 7 e número de massa 14 (7 prótons e 7 nêutrons).

nível de aditivação / *additive level*. Quantidade total de aditivos em um óleo lubrificante, expressa em frações percentuais de massa por massa, ou volume por volume.

nível de água livre / *free-water level*. Profundidade a partir da qual o meio poroso é ocupado apenas por água. ↝ O nível de água livre define o início do aquífero associado ao reservatório de óleo ou de gás. No primeiro caso, é mais conhecido como *contato óleo-água* e, no segundo, como *contato gás-água*. ▶ Ver *aquífero*; *reservatório*.

nível de base / *base level*. Nível mais baixo em que os processos de erosão atingem a superfície do continente. ↝ Em geral, relaciona-se a uma linha de máxima profundidade, alcançada pela erosão de um sistema canalizado, produzida através da passagem de seus fluxos. Normalmente este nível é igual ou correspondente ao nível global do mar. ▶ Ver *erosão*.

nível de compensação / *compensation level*. Profundidade do oceano na qual o consumo e a produção de oxigênio são iguais. É o nível mais profundo em que os fitoplânctons, que produzem o oxigênio, podem existir. Final da zona eufótica.

nível de confiança / *confidence level*. 1. Probabilidade de que uma variável se comportará normalmente, como esperado, no desempenho de uma função específica, considerando esta em um intervalo de abrangência estatístico. 2. Probabilidade de que a concretização de um evento possa não causar perdas significativas ou danos a um determinado processo. ▶ Ver *intervalo de confiança*.

nível de datum / *datum level*. 1. Base ou topo da escala de fósseis que pode ser correlacionada em seções sobre uma vasta área. 2. Primeiro aparecimento de espécie fóssil evoluída imediatamente acima de um antepassado conhecido.

nível de fluido estático / *static fluid level*. Altura atingida por um fluido em um poço após seu fechamento, tal que a pressão do reservatório tenha atingido o equilíbrio.

nível de peneplanização / *concordant summit level*. 1. Nível de aplainamento de topografia por erosão. 2. Nível ou horizonte hipotético, ou superfície suavemente inclinada, que intercepta, regionalmente, os topos das colinas ou os cumes das montanhas.

nível de referência de profundidade / *depth datum*. 1. Referência de profundidade zero para perfilagem de poço. 2. Localização na ou acima da superfície em que uma elevação pode ser determinada para servir de referência de profundidade. A elevação deste nível será a referência para todas as medidas de profundidade feitas no poço. ↝ Comumente, a mesa rotativa (MR) é usada como nível de referência de profundidade de poços em perfuração, mas outras referências, como a bucha do *kelly* (KB), o assoalho da perfuração (DF) ou a elevação do terreno (GL), podem ser usadas.

nível de segurança / *safety level*. Dispositivo de segurança usado para controlar remotamente o nível de líquido nos tanques e vasos. Mantém o nível apropriado de líquidos nos equipamentos de planta de processo nos tanques e vasos. Pode ser usado para disparar alarme ao atingir o nível superior (nível alto, *LSH*) ou ao atingir o nível inferior (nível baixo, *LSL*).

nível dinâmico de fluido / *working fluid level*. Profundidade medida a partir da superfície até atingir o nível do fluido, no método de produção por bombeio mecânico e dentro de um poço em produção. ↝ A medição de tal nível no espaço anular-revestimento-coluna de produção é normalmente realizada com o uso de instrumento denominado *sondador acústico*. Para maximizar a produção de um poço, busca-se operar com o nível dinâmico o mais baixo (profundo) possível, com o objetivo de reduzir a contrapressão na formação (aumento do influxo de fluidos). A indesejada produção de areia e de gás (na bomba) pode dificultar essa ação de minimização do nível dinâmico (também dito *submergência da bomba*).

nível freático / *ground water table*. Superfície superior de um corpo de água subterrânea não confinado. O mesmo que *superfície freática*. ↝ Nesta superfície, a pressão da água é igual à pressão atmosférica.

nível médio do mar / *mean sea level (MSL)*. Altura média do mar que serve como superfície de referência. ↝ O estabelecimento do nível médio do mar envolve medições complexas, portanto sua determinação acurada envolve dificuldades.

nó / *knot*. Velocidade de uma milha náutica por hora, o que equivale a 1,852 quilômetros por hora. É a unidade de velocidade empregada principalmente na indústria naval.

nódulo de cherte / *chert nodule.* Material denso, irregular e criptocristalino. ↦ Varia em forma, desde a de discos regulares, acima de 5 cm de diâmetro (parte maior), até uma altamente irregular, como formas tubulares com até 30 cm de comprimento, que frequentemente ocorrem distribuídas em estratos carbonáticos. Essas formas tubulares são resultantes da silicificação de bioturbações. Os maiores nódulos, de contorno arredondado, são marcados por verrugas ou extensões de calombos.

non-consent operation. Ação aprovada pelo comitê de operações, mas que, por não contar com a adesão das partes que foram voto vencido, é suportada somente pelas partes que a aprovaram. ▶ Ver *Comitê de Supervisão Conjunta (CSC)*.

nónio (Port.) (Ang.) / *vernier.* O mesmo que *verniê.* ▶ Ver *verniê*.

normalização de amplitude / *amplitude normalization.* Etapa do processamento ou de interpretação sísmica em que valores de amplitude (por exemplo, de um traço) são normalizados (pela máxima ou média das amplitudes), geralmente para comparação com outros valores (por exemplo, de outro(s) traço(s)). Corresponde ao procedimento pelo qual os traços sísmicos são escalonados de maneira que possam ficar com a mesma amplitude ou com a mesma amplitude média ou com a mesma amplitude rms (*root means square*).

normalmente consolidado / *normally consolidated.* Solo que nunca foi efetivamente sujeito a pressões maiores do que a pressão interna de seus poros e, por isso, é completamente inconsolidado.

notificação de descoberta / *discovery notification.* Documento a ser emitido, conforme orientações da Agência Nacional do Petróleo, Gás Natural e Biocombustíveis, ANP (Brasil), tão logo ocorram as circunstâncias que identificam uma descoberta. ▶ Ver *Agência Nacional do Petróleo, Gás Natural e Biocombustíveis (ANP)*.

novas fronteiras / *new frontiers.* Áreas de bacias sedimentares ainda não exploradas ou com insuficiente delimitação total de seu potencial de exploração e produção. ▶ Ver *bacia sedimentar*.

nudge. Operação que, durante a perfuração, visa a afastar o poço alguns metros em uma determinada direção para evitar que este interfira com outro poço já perfurado ou cuja perfuração esteja planejada. ↦ Técnica comum utilizada durante a perfuração em *templates* ou estruturas múltiplas para orientar o poço, no início da perfuração, em uma direção tal que não crie dificuldades para a perfuração dos outros poços vizinhos ainda por perfurar. Nas guias externas do *template*, por exemplo, usa-se fazer um *nudge* nos poços para que se orientem para fora, abrindo espaço para a perfuração dos poços internos. O termo *nudge*, em tradução livre para o português, significa 'cotovelada'. ▶ Ver *desvio*; *template*; *estrutura múltipla*.

número atômico (Z) / *atomic number (Z).* **1.** Identidade de um elemento químico, sendo o termo utilizado na física e na química para designar o número de prótons no núcleo do átomo de um elemento natural com carga elétrica neutra. **2.** Número inteiro que expressa as cargas positivas existentes no núcleo de um átomo. **3.** Número de prótons, ou de unidades de massa positivamente carregada no núcleo de um átomo, do qual depende sua estrutura e propriedade. ↦ Quando o átomo é neutro, a quantidade de cargas positivas (prótons) é igual à quantidade de cargas negativas (elétrons); assim, neste caso o número atômico indica também o número de elétrons. O conceito é aplicado em inúmeras fórmulas químicas inerentes à industria do petróleo. Identificado pela letra Z. ▶ Ver *átomo*; *peso atômico*.

número capilar / *capillary number.* Razão entre o valor da força viscosa e o da força capilar que age sobre um fluido. ↦ Geralmente é medido através da relação entre as propriedades físico-químicas dos fluidos e da rocha como função da taxa de invasão do fluido no meio rochoso.

número de Avogadro (N) / *Avogadro number (N).* Número de átomos em 12 gramas (um mole) de carbono 12. Utilizado na determinação dos pesos moleculares e das relações estequiométricas. É convencionalmente representado nos cálculos químicos pela letra N, em negrito. Medida de quantidade equivalente a aproximadamente $6,022 \times 10^{23}$ unidades. ↦ Este número é uma constante, que se aplica não apenas aos gases, mas a todas as formas de matéria e todos os tipos de unidades químicas, ou seja: átomos, íons, moléculas etc.

número de demulsibilidade Herschel / *Herschel demulsibility number.* Número que indica a capacidade de separação de um óleo da água, sob as condições especificadas, no teste de demulsibilidade Herschel. ↦ A propriedade demulsibilidade é medida atualmente por meio do método ASTM D 1401, no qual se misturam água e óleo lubrificante em quantidades determinadas e mede-se, ao longo do tempo, a separação das fases através dos volumes de óleo, água e emulsão.

número de Froude (Fr) / *Froude number (Fr).* **1.** Número adimensional que expressa a razão entre a força inercial e a força gravitacional para uma fase particular (gás ou líquido). **2.** Razão entre a energia cinética e a energia potencial do gás ou do líquido. Identificado pelo símbolo *Fr*.

número de onda / *wave number.* Unidade de grandeza que representa o número de comprimentos de onda por unidade de distância, definida como o inverso do comprimento de onda. ▶ Ver *comprimento de onda*.

número de onda aparente / *apparent wave number.* Inverso do *comprimento de onda aparente*.

número de onda de Nyquist / *Nyquist wave number.* Inverso da frequência de Nyquist. ↦ O número de onda de Nyquist fornece um determinado número de oscilações e, consequentemente, é relacionado com o conceito de frequência, no caso a frequência de Nyquist. O Teorema de Nyquist é de grande importância no desenvolvimento de codificadores de sinais analógico-digitais porque estabelece o critério adequado para a amostragem dos sinais. Nyquist provou que se um sinal arbitrário é transmitido através de um canal de largura de banda B Hz, o sinal resultante da filtragem poderá ser totalmente reconstruído pelo receptor por intermédio da amostragem do sinal transmitido, a uma frequência igual a, no mínimo 2B vezes por segundo. Esta frequência, denominada *frequência de Nyquist*, é aquela de amostragem requerida para a reconstrução adequada do sinal. ▶ Ver *frequência de Nyquist*.

número de Reynolds / *Reynolds number.*
1. Número adimensional que expressa a razão entre a força inercial e a força viscosa no escoamento de um fluido. 2. Medida da turbulência que ocorre no escoamento do fluido. 3. Quantidade numérica usada como índex para caracterizar o tipo de escoamento numa estrutura de origem hidráulica, na qual o movimento depende da viscosidade do líquido em conjunto com a resistência da força de inércia. ↝ O número de Reynolds é principalmente aplicável em sistemas de escoamentos fechados, como tubos ou condutos, nos quais existe uma superfície de água livre ou para corpos completamente imersos num fluido. O número de Reynolds é adimensional, e aplicado em regimes de escoamento de fluidos, conforme

$$Re = \rho.V.L / \mu,$$

onde:
ρ = massa específica do fluido, V = velocidade média do fluido, L = dimensão característica da seção de escoamento (seria a dimensão diâmetro interno no caso do escoamento em um duto) e μ = viscosidade dinâmica do fluido, todas em unidades pertencentes ao Sistema Internacional de Unidades (SI). ▶ Ver *regime de escoamento, regime de transição*.

número de série / *serial number.* Número único de uma série usada para identificação, que varia do seu sucessor ou predecessor por um número fixo e discreto de valor inteiro. ↝ O uso comum do termo foi expandido para se referir a qualquer identificador único composto de um sistema alfanumérico. O número serial é importante no controle de qualidade, pois uma vez encontrado um defeito na produção de uma batelada do produto, com o número serial é possível identificar rapidamente quais unidades foram afetadas.

objeto a medir (Port.) (Ang.) / *object to be measured*. O mesmo que *mensurando*. ▶ Ver *mensurando*.

obliquidade média / *mean obliquity*. Ângulo entre os planos do equador e a eclíptica, fixado no ano de 1900 em 23 graus, 27 minutos e 8,26 segundos. Este ângulo sofre variações em períodos que variam entre 45 mil e 54 mil anos. ⇸ Como um pião, a Terra gira ao redor do seu eixo imaginário, de oeste para leste (convenção com o norte para cima). Essa inclinação recebe o nome de *obliquidade da eclíptica*. O valor definido corresponde à média dessa obliquidade. ▶ Ver *ciclos de Milankovitch*.

obrigação de reembolso (Port.) / *refundment bond*. O mesmo que *bônus de reembolso*. ▶ Ver *bônus de reembolso*.

obturador / *packer*. Equipamento componente da coluna de produção que tem como função básica promover a vedação do espaço anular entre a coluna e o revestimento de produção. ⇸ O obturador, ou *packer*, é composto basicamente de um sistema de ancoragem, que transfere parte do peso da coluna para o revestimento, e de um elemento de vedação, normalmente constituído de anéis de borracha. Dependendo do tipo de *packer*, essa configuração pode ser um pouco alterada, mantendo-se, entretanto, sua função básica de vedação. ▶ Ver *anular*; tubing; *revestimento*; *coluna de produção*.

obturador de cimento / *cement packer*. Acessório cuja função é promover a obstrução do espaço anular em pontos críticos, tais como zonas fracas, sensíveis ou de interesse, ou ainda áreas onde as formações apresentam uma pressão hidrostática excessiva. ⇸ Os diversos tipos deste acessório podem ser acoplados a sapatas, a colares ou ao próprio revestimento, como é o caso do obturador externo de revestimento ou ECP (*external casing packer*). De uma forma geral, têm uma câmara inflável formada por lâminas de aço recobertas externamente por borracha. O mecanismo de atuação é hidráulico, e a câmara de borracha é inflada após o término da cimentação pela aplicação de pressão na superfície.

obturador de fundo de poço / *production packer*. Dispositivo, instalado na coluna de produção, que visa a eventual vedação da região anular (coluna de produção-revestimento) do poço na profundidade em que é instalado. ⇸ O uso desse dispositivo objetiva: criar uma barreira de segurança contra o vazamento de fluido produzido para o anular (coluna de produção-revestimento); proteger o revestimento (na região acima da instalação) contra pressões elevadas e/ou fluidos corrosivos; possibilitar a injeção de gás no espaço anular, acima da profundidade de vedação, no caso de elevação artificial por *gas lift*; e permitir a produção seletiva de várias zonas de produção através de uma única coluna. Tal dispositivo é muito conhecido pela denominação simplista *packer*. ▶ Ver packer.

obturador de segurança (Port.) / *blowout preventer (BOP)*. O mesmo que *preventor de erupção*. ▶ Ver *preventor de erupção*.

obturador de segurança de produção de fundo de poço (Port.) / *production packer*. O mesmo que *obturador de fundo de poço*. ▶ Ver *obturador de fundo de poço*.

obturador de segurança para trabalhos de restauro do poço (Port.) / *WBOP, workover BOP*. Equipamento de segurança usado nas intervenções (*workover*) de reentrada, para permitir o acesso ao poço através da árvore de natal. Também conhecido como *preventor de erupção do poço*. ▶ Ver *preventor de erupção*.

obturador externo de anular / *external casing packer*. Plugue de expansão, geralmente feito de borracha, colocado em um trecho de poço aberto, para obstruir a passagem do fluido pelo espaço anular formado entre a parede do poço e um equipamento de controle de areia.

obturador para *gravel packer* **/** *GP packer*. Obturador superior de um conjunto de equipamentos de *gravel pack*. ⇸ A principal função deste obturador é isolar a formação produtora do espaço anular formado pela coluna de produção e o revestimento do poço. Na fase de completação, o *packer* é submetido a um diferencial de pressão ascendente durante o deslocamento do *gravel* para o empacotamento da zona de interesse. Durante a vida produtiva do poço, o *packer* isola o anular do contato com o fluido produzido ou injetado na zona de interesse. ▶ Ver *obturador para* gravel packer *com âncora*; sump packer; gravel pack.

obturador para *gravel packer* **com âncora /** *GP packer with anchor*. Conjunto formado pela âncora selante e pelo obturador superior de um conjunto de equipamentos de *gravel pack*. ⇸ Alguns fornecedores chamam essa âncora de *ratch latch*. A âncora é solidária à cauda intermediária de produção. ▶ Ver *obturador para* gravel packer; sump packer; gravel pack.

oceanografia física / *physical oceanography*. Parte das ciências marinhas que trata a massa de água da terra como um fluido e estuda suas propriedades físicas de movimento, densidade e temperatura.

off balance sheet financing. Forma de financiamento que pode estruturar um *project finance*. Por essa forma, o financiamento não precisa ser apresentado como dívida no balanço dos acionistas da empresa patrocinadora do empreendimento ou do projeto. ▶ Ver project finance.

offshore. Operado ou que se localiza no mar. Por vezes se usa o termo *costa afora*. ▶ Ver *costa afora*.

olefina / olefin. 1. Hidrocarboneto alifático. 2. O mesmo que *alceno*. ▶ Ver *alceno*.

óleo / oil. 1. Petróleo cru ou outros hidrocarbonetos produzidos na cabeça de poço em estado líquido. Incluem destilados ou condensados recuperados ou extraídos de gás natural. 2. Porção do petróleo existente na fase líquida nas condições originais do reservatório e que permanece líquida nas condições de pressão e temperatura da superfície. 3. Hidrocarboneto que, nas condições de manuseio, encontra-se líquido, ainda que contenha impurezas. ▶ Ver *óleo cru*; *petróleo*; *hidrocarboneto*.

óleo à base de nafta / naphthene-base crude oil. Óleo que tem pouca ou nenhuma parafina, mas que apresenta um resíduo asfáltico quando destilado. •» O óleo à base de nafta é um óleo escuro de baixo grau API, composto por hidrocarbonetos naftênicos, que, quando queimado, deixa um resíduo de alcatrão.

óleo ácido / sour oil. Óleo contaminado com enxofre ou componentes sulfurosos, especialmente ácido sulfídrico (H_2S). •» Este tipo de óleo apresenta mau cheiro em baixas concentrações e é mortal em altas concentrações.

óleo asfáltico (Port.) (Ang.) / black oil. O mesmo que black oil. ▶ Ver black oil.

óleo base / base oil. Mistura de óleos básicos sem os aditivos que compõem o óleo lubrificante final.

óleo básico / base stock. Hidrocarboneto mineral ou componente básico sintético do lubrificante produzido por um produtor, atendendo às especificações definidas pelo mesmo e identificado por uma única composição e/ou fórmula. •» A mistura de óleos básicos forma o óleo base, ao qual serão incorporados os aditivos para a produção do óleo lubrificante acabado.

óleo bruto / crude oil. O mesmo que *óleo cru*. ▶ Ver *óleo cru*.

óleo comum / common oil. Mistura de várias moléculas de hidrocarbonetos, que se encontra em estado líquido nas condições de pressão e temperatura do reservatório, sendo o tipo de fluido mais frequente em termos de ocorrência. •» O óleo comum pode ser ainda subdividido em óleo leve, pesado ou ultrapesado, de acordo com a sua viscosidade. Este óleo apresenta densidade na faixa de 15-40 API e exibe cor que varia de marrom a verde-escuro. A razão gás-óleo, em geral, situa-se na faixa de 35 a 125 m³std/m³td. ▶ Ver *razão gás-óleo (RGO)*.

óleo contaminante / contaminating oil. O mesmo que *gás contaminante*. ▶ Ver *gás contaminante*.

óleo cru / crude oil. 1. Óleo natural que consiste em uma mistura de hidrocarbonetos e outros compostos não refinados. Normalmente contém gás em solução e assemelha-se ao óleo original da rocha-reservatório. Os hidrocarbonetos são os compostos mais abundantes nos óleos crus; entretanto, os óleos crus contêm compostos NOS (formados por elementos como nitrogênio, oxigênio e enxofre) e concentrações variáveis de elementos-traços, como vanádio, níquel e ferro. 2. Petróleo em seu estado natural, como emerge dos poços ou após ter passado através do separador gás-óleo, mas antes de qualquer processo de refinamento ou de destilação. 3. Mineral combustível formado por uma mistura complexa de hidrocarbonetos, produzido não tratado ou passado por um separador, contendo água, sedimentos e gás em solução. 4. Porção do petróleo existente na fase líquida nas condições originais do reservatório e que permanece líquida nas condições de pressão e temperatura da superfície. 5. Óleo ou petróleo bruto. •» Esses hidrocarbonetos são compostos de carbono e hidrogênio e heteroátomos (oxigênio, enxofre e nitrogênio), além de pequenas quantidades de metais (V, Ni, Fe, Mg, Cr, Ti etc.). O petróleo pode ser considerado um sistema disperso, onde coexistem estruturas de vários pesos moleculares e graus de polaridade. O sistema é mantido em equilíbrio porque as frações mais leves e menos polares mantêm em suspensão as frações mais pesadas e polares, por meio do mecanismo de peptização. ▶ Ver *heteroátomo*; *sistema disperso bifásico*; *polaridade*; *peptização*.

óleo cru aromático / aromatic crude oil. Petróleo que apresenta alta concentração de componentes da família dos aromáticos. ▶ Ver *asfalteno*; *asfalto*; *óleo cru asfáltico*; *óleo cru naftênico*; *óleo parafínico*.

óleo cru asfáltico / alphaltic crude oil. Petróleo com alto teor de compostos naftênicos. O óleo cru asfáltico é também conhecido como *óleo cru de base naftênica*, quando o teor de parafina é baixo. ▶ Ver *asfalteno*; *asfalto*; *óleo cru aromático*.

óleo cru extrapesado / extra-heavy oil. O mesmo que *óleo extrapesado*. ▶ Ver *óleo extrapesado*; *óleo pesado*; *óleo médio*; *óleo leve*; *densidade API*; *grau API*.

óleo cru leve / light crude oil. O mesmo que *óleo leve*. ▶ Ver *óleo leve*; *óleo médio*; *óleo pesado*; *óleo extrapesado*; *densidade API*; *grau API*.

óleo cru médio / medium crude oil. O mesmo que *óleo médio*. ▶ Ver *óleo médio*; *óleo leve*; *óleo pesado*; *óleo extrapesado*; *densidade API*; *grau API*.

óleo cru naftênico / naphthenic crude oil. Petróleo que apresenta alta concentração de componentes da família dos naftenos (alcanos de cadeia fechada, ou cicloalcanos). ▶ Ver *óleo cru asfáltico*; *óleo cru aromático*; *nafteno*.

óleo cru pesado / *heavy crude oil*. O mesmo que *óleo pesado*. ▶ Ver *óleo pesado*; *óleo extrapesado*; *óleo médio*; *óleo leve*; *densidade API*; *grau API*.

óleo de alta contração / *high-shrinkage oil*. Fluido de reservatório, rico em componentes hidrocarbonetos intermediários. ↝ Este tipo de óleo, pela sua riqueza de componentes intermediários, tem componentes volatilizados por despressurização, o que acarreta um encolhimento considerável no volume da amostra original. São óleos muito leves ou quase críticos, que apresentam coloração que varia do esverdeado ao alaranjado. A razão gás-óleo fica na faixa de 350 a 650 m^3std/m^3std. ▶ Ver *óleo quase crítico*.

óleo de baixa contração / *low-shrinkage oil*. Fluido de reservatório, rico em hidrocarbonetos pesados. ↝ Para este tipo de óleo, a razão gás-óleo é normalmente inferior a 35 m^3std/m^3std, de modo que a volatilização de frações leves por despressurização não ocasiona um encolhimento acentuado no volume da amostra. Sua densidade fica abaixo de 15 API e sua cor varia do preto ao quase preto. ▶ Ver *razão gás-óleo (RGO)*.

óleo de linha / *line oil, pipeline oil*. Óleo limpo. Óleo cru em que o *BSW* é baixo o suficiente para tornar o óleo aceitável para transporte ou bombeio através da linha. ↝ O *BSW* (*Basic Sediment and Water*) mede a quantidade de água no petróleo.

óleo de segunda safra / *second-crop oil*. Óleo produzido por injeção de água ou por métodos de recuperação avançada.

óleo de sótão / *attic oil*. Óleo existente no topo de um reservatório, acima da zona de completação de um poço. Este óleo é geralmente recuperado se o poço for recompletado para atingir essa zona ou através do método de Huff and Puff. ▶ Ver *gás de sótão*.

óleo dielétrico / *dielectric oil*. Óleo com características elétricas isolantes, utilizado em motores de bombeio centrífugo submerso. Visa garantir o isolamento elétrico, a lubrificação de mancais e o resfriamento do motor elétrico. ▶ Ver *bombeio centrífugo submerso*; *motor elétrico*.

óleo doce / *sweet crude oil*. Óleo que contém relativamente pouca quantidade de enxofre. Em geral, os óleos leves têm pouco enxofre. ↝ O valor de mercado dos óleos doces é mais alto, já que não exigem aplicação de procedimentos para a extração do enxofre durante o refino. Como não há uma regulamentação brasileira para determinar o teor de enxofre que caracterize o óleo doce, devem-se usar os padrões internacionais.

óleo doce bruto / *sweet crude*. Óleo bruto que contém quantidades negligenciáveis de sulfetos de hidrogênio e mercaptano. ▶ Ver *mercaptano*.

óleo e gás in place / *oil and gas in place*. Volume total de óleo e gás em um reservatório, medido na condição padrão de pressão e temperatura. Esse volume é maior do que o da reserva de óleo e gás, já que compreende tanto o óleo recuperável quanto o não recuperável.

óleo equivalente / *oil equivalent*. Volume de uma substância que, ao ser queimada, libera a mesma quantidade de calor que um barril de óleo, ou seja, corresponde a um barril de óleo equivalente. ↝ O volume de gás natural necessário para gerar a mesma quantidade de calor que um barril de óleo é de aproximadamente 171 m^3. ▶ Ver *barril de óleo equivalente (boe)*.

óleo escumado (Port.) (Ang.) / *skim oil*. O mesmo que skim oil. ▶ Ver skim oil.

óleo estável / *stabilized crude oil*. Óleo após a separação, sem a presença de gás dissolvido. ▶ Ver *óleo morto*.

óleo existente na formação (Port.) (Ang.) / *oil in place*. O mesmo que *óleo* in place. ▶ Ver *óleo* in place.

óleo extrapesado / *extra-heavy oil*. Classificação de natureza relativa, não padronizada e associada ao grau API. Óleos com densidade menor do que 10 °API são considerados extrapesados. ↝ Petróleo que tem viscosidade maior que 10.000 cP (centipoise) em condições de reservatório, exigindo tecnologias voltadas para a separação de água e gás produzidos, tendo seu processamento em temperaturas muito altas. Observa-se que, tanto para petróleo leve, médio, pesado e extrapesado em termos de grau API, deve-se usar os padrões (*standards*) da API e, no Brasil, seguir a regulamentação da ANP. ▶ Ver *óleo leve*; *óleo médio*; *óleo pesado*; *densidade API*; *grau API*.

óleo in place / *oil in place*. Volume total de óleo em um reservatório. Esse volume é maior do que o da reserva de óleo, já que compreende tanto o óleo recuperável quanto o não recuperável.

óleo in place recuperável / *recoverable oil-in-place*. Volume de óleo no reservatório que pode ser recuperado por meio de métodos de produção economicamente viáveis. ▶ Ver *óleo* in place.

óleo leve / *light oil*. Classificação de natureza relativa, não padronizada e associada ao grau API. Em geral, são denominados óleos leves aqueles com densidade maior do que 30 °API. ▶ Ver *densidade API*; *grau API*.

óleo maduro / *mature oil*. Óleo gerado em uma janela a partir de uma temperatura relativamente alta, sendo constituído por frações mais leves, de peso molecular menor e com maior grau API. ▶ Ver *densidade API*; *grau API*.

óleo médio / *medium oil*. Classificação de natureza relativa, não padronizada e associada ao grau API. Em geral, são denominados óleos médios aqueles com densidade entre 20 e 30 °API. ▶ Ver *densidade API*; *grau API*.

óleo mineral / *mineral oil*. 1. Óleo derivado do processamento de fontes minerais como petróleo, carvão etc. 2. Mistura líquida de hidrocarbonetos, obtida a partir do petróleo, de uso medicinal como laxante, lubrificante, base de unguentos e emoliente.

óleo morto / *dead oil*. Resíduo asfáltico de petróleo, resultante da perda das frações mais leves.

óleo não produzido (Port.) (Ang.) / oil in place. O mesmo que óleo in place. ▶ Ver óleo in place; óleo no reservatório.

óleo no reservatório / oil in place. Volume de óleo cru estimado em um reservatório ou em um campo de petróleo ainda não produzido. ▶ Ver óleo in place.

óleo original in place / original oil in place. Volume de óleo do reservatório expresso em condições-padrão, existente antes do início da produção. ▶ Ver óleo in place.

óleo ou gás legal / legal oil or gas. Produção de óleo ou gás que não excede a produção permitida por uma agência reguladora governamental.

óleo parafínico / paraffin-base crude oil. Óleo que tem pouco ou nenhum asfalteno, mas que apresenta um resíduo parafínico quando destilado. ⇝ O óleo à base de parafina é um óleo verde de alto grau API, composto por hidrocarbonetos parafínicos, que, quando refinado, deixa um alto volume de gasolina e óleo lubrificante.

óleo pesado / heavy oil. Classificação de natureza relativa, não padronizada e associada ao grau API. Em geral, são denominados óleos pesados aqueles com densidade entre 10 e 20 °API. ▶ Ver densidade API; grau API.

óleo quase crítico / near-critical oil. Óleo muito próximo ao ponto crítico, mas ainda líquido em condição de reservatório. ⇝ A temperatura de reservatório se situa à esquerda da temperatura crítica deste tipo de óleo. As linhas de qualidade estão muito próximas nessa região do envelope de fases, o que faz com que ocorra intensa liberação de gás abaixo da sua pressão de saturação (ponto de bolha), com alta contração ou encolhimento. A razão gás-óleo (gas-oil ratio, RGO), portanto, ultrapassa o limite de 300 m^{3}std/m^{3}std. ▶ Ver linha de qualidade.

óleo recuperável / recoverable oil-in-place. Volume estimado de óleo de um reservatório ou de um campo descoberto e provado, que pode ser produzido de maneira econômica e tecnicamente viável.

óleo residual / residual oil. 1. Óleo que não se move quando fluidos são produzidos do reservatório em condições normais de produção, ficando no reservatório, sem possibilidade de produção. 2. Óleo deixado no reservatório após o fim da produção primária ou do influxo de água. 3. Fluido remanescente após a aplicação de um teste de vaporização fracionada.

óleo residual lubrificante (Port.) (Ang.) / black oil. O mesmo que black oil. ▶ Ver black oil.

óleo saturado / saturated oil. Óleo que tenha dissolvido todo o gás natural possível nas condições de pressão e temperatura em que se encontra.

óleo sintético / synthetic oil. Óleo cujos componentes são compostos químicos que não são originários do petróleo. ⇝ Esses componentes são sintetizados artificialmente a partir de outros compostos. Muitas vezes esses óleos oferecem vantagens em relação ao óleo mineral, como a maior estabilidade em altas temperaturas e melhor escoamento em baixas temperaturas. ▶ Ver óleo mineral.

óleo ultrapesado / ultra-heavy oil. O mesmo que óleo extrapesado. ▶ Ver óleo extrapesado; densidade API; grau API.

óleo úmido / wet oil. Óleo que não passou pelo processo de separação da água.

óleo vivo / live oil. Óleo que contém algum gás em solução. Todo óleo proveniente do poço é óleo vivo, por sempre conter alguma fração de gás dissolvido nele. Ao chegar à superfície, esse gás deve ser separado do óleo. O óleo vivo deve ser tratado e bombeado em condições bem controladas para evitar o risco de explosão e incêndio. ▶ Ver gás em solução.

óleo volátil / volatile oil. 1. Óleo com uma razão gás-óleo inicial de 2.000 a 3.300 SCF/STB. 2. O mesmo que óleo de alta contração. ⇝ Os óleos voláteis geralmente têm pequenas quantidades de moléculas grandes de hidrocarbonetos.

oleoduto / oil pipeline. Duto para transporte de petróleo. ⇝ O termo é geralmente empregado para transporte a longas distâncias, mas pode também se referir a dutos que transportam derivados líquidos de petróleo. ▶ Ver duto.

oleoduto submarino / submarine pipeline. Oleoduto lançado no fundo do mar. ⇝ O duto rígido de aço normalmente recebe revestimento para proteção contra a corrosão, além de um revestimento externo de cimento armado que lhe confere peso suficiente para, mesmo vazio, não flutuar. Em geral, o duto se enterra naturalmente no leito marinho, o que lhe proporciona ancoragem e proteção contra eventuais acidentes com âncoras, por exemplo. Emprega-se o termo também para oleodutos submersos em outros meios aquáticos que não o mar. ▶ Ver oleoduto.

olhal / pad eye. Elemento estrutural que permite a ligação de dois componentes com um certo grau de liberdade rotacional, agindo muitas vezes como terminal ou ponto de ancoragem. ⇝ Frequentemente utilizado para fixação de manilhas e outros acessórios de içamento ou amarração.

olistolito carbonático / calcolistolith. Bloco de calcário encontrado em regiões de águas profundas. ⇝ Resulta do escorregamento de um bloco ou massa de rocha calcária transportada pela ação da gravidade, normalmente de modo súbito, talude abaixo. A composição dos grãos do olistolito reflete um ambiente deposicional de águas rasas, contrastando com os componentes da rocha circundante, que normalmente são de ambiente de talude ou de base de talude. ▶ Ver rocha calcária; talude.

ombreira / levee. Banco composto de sedimentos como areia, silte e argila, que extravasa de um rio durante as cheias, quando a carga de suspensão é depositada nos lados da canalização. •» Os processos que formam as ombreiras elevam seus níveis acima dos níveis das planícies de inundação em torno desses rios. Os pequenos extravasamentos laterais são chamados de *crevasse*.

onda acústica / *acoustic wave*. Onda mecânica ou elástica representativa do conjunto de todas as diferentes posições assumidas por uma partícula de um meio elástico quando realiza uma oscilação completa. •» Existem dois tipos de ondas mecânicas, a *onda longitudinal*, também denominada *onda compressional* ou *onda P*, e a *onda transversal*, denominada *onda de cisalhamento* ou *onda S*. Na onda longitudinal, o movimento das partículas do meio se dá na mesma direção da propagação da onda. Já na onda transversal, esse movimento é perpendicular à direção de propagação da onda. As deformações longitudinais provocadas pela onda P se propagam em sólidos e fluidos. No entanto, as ondas transversais somente são transmitidas em sólidos, onde há a coesão de partículas. Neste caso, a transmissão da onda S está condicionada a esforços elásticos de cisalhamento.

onda aérea / *air wave*. 1. Onda compressional que se propaga no ar, com velocidade em torno de 340 m/s. 2. Onda acústica que ocorre em levantamentos sísmicos e se propaga no ar.

onda alfa / *alpha wave*. Etapa do bombeio de um *gravel pack* em poço horizontal, por meio de fluido de baixa viscosidade, quando a parte inferior do espaço anular entre telas e parede de poço é preenchida. Esse preenchimento do espaço anular, quando se utiliza a técnica de *water-pack* (deslocamento com fluido de baixa viscosidade), é caracterizado pela formação de dunas, que preenchem primeiramente a parte inferior do espaço anular tela-poço. À formação dessas dunas dá-se o nome de *onda alfa*. ▶ Ver *tela de contenção de areia*; *controle de produção de areia*; gravel pack.

onda ascendente / *upgoing wave*. Designação das ondas sísmicas que se propagam para cima. ▶ Ver *onda sísmica*.

onda beta / *beta wave*. Etapa do bombeio de um *gravel pack* em um poço horizontal, por meio de fluido de baixa viscosidade, quando a parte superior do espaço anular entre telas e parede de poço é preenchida. •» Esse preenchimento do espaço anular, quando se utiliza a técnica de *water pack* (deslocamento com fluido de baixa viscosidade), é caracterizado pela formação de dunas, que preenchem primeiramente a parte inferior do espaço anular tela-poço (onda alfa). Após preenchida toda a parte inferior ao longo da extensão horizontal do poço, a continuação do bombeio promove o preenchimento da parte superior (onda beta), obtendo-se, assim, o empacotamento total do espaço anular entre telas e parede de poço. ▶ Ver *tela de contenção de areia*; *controle de produção de areia*; gravel pack.

onda canalizada / *channel wave*. Onda elástica que se propaga numa camada em que a maior parte da energia fica aprisionada, geralmente devido a um contraste de impedância muito grande com as camadas adjacentes. Também é causada por comportamentos particulares de velocidades, como, por exemplo, no canal de som SOFAR (*sound fixing and ranging channel*), em que uma frequência específica é bastante realçada pelo fenômeno de interferência construtiva. ▶ Ver *onda guiada*.

onda cisalhante / *shear wave*. Onda em que o deslocamento das partículas é perpendicular à direção de propagação da onda, também chamada *onda transversal* e *secundária*. A onda cisalhante é também denominada *onda S*. •» Em meio isotrópico, o deslocamento das partículas ocorre em duas direções ortogonais, geralmente referidas como *SV* (plano vertical) e *SH* (plano horizontal). Em meios anisotrópicos, pode ocorrer o fenômeno de birrefrigência (*splitting*), no qual as ondas com deslocamento de partícula em direções distintas apresentam diferentes velocidades (S1, mais rápida, e S2, mais lenta). ▶ Ver *onda S*.

onda compressional / *compressional wave*. 1. Onda em que o deslocamento das partículas é paralelo à direção de propagação da onda. 2. Também chamada *onda P*, *longitudinal* e *primária*. ▶ Ver *onda P*.

onda cônica / *conical wave*. O mesmo que *onda frontal*. ▶ Ver *onda frontal*.

onda convertida / *converted wave*. Onda gerada a partir da incidência anormal de uma onda em uma interface. Usada geralmente para designar ondas S convertidas a partir da reflexão de ondas P; neste caso, é denominada *onda PS*. ▶ Ver *onda P*; *onda S*.

onda de Airy / *Airy's wave*. 1. Onda superficial, conservativa, que transfere energia propagando-se sem distorção da forma e a uma velocidade constante. 2. Onda produzida na superfície, que apresenta um valor máximo ou mínimo de velocidade de grupo.

onda de areia / *sand wave*. 1. Forma de fundo em substrato arenoso que é similar a uma onda. 2. Forma de leito com grande assimetria, constituída por areia e semelhante a uma ondulação, mas na qual falta a parte erosional associada com as dunas. •» Grandes ondulações de areia têm um alto índice de simetria (*ripple index*), com os ângulos de talude apresentando valores inferiores ao de repouso da areia.

onda de Biot / *Biot wave* Onda de velocidade muito baixa (em torno de 10 m/s) e que, como previsto pela teoria de Biot, desaparece rapidamente, pelo acoplamento entre o movimento de ondas elásticas e a difusão de fluidos. •» Só é observável em experimentos específicos, não tendo muita importância prática.

onda de choque / *shock wave*. Onda que, ao contrário de uma onda elástica, se propaga com velocidade maior que a de uma onda sísmica. Na realidade, é uma onda capaz de vaporizar, fundir, transformar mineralogicamente ou deformar fortemente materiais rochosos. ▶ Ver *onda elástica*.

onda de Lamb / *Lamb's wave*. Onda cujo comprimento de onda é maior que a espessura da camada na qual se propaga. ▶ Ver *comprimento de onda*.

onda de Love / *Love's wave*. Onda sísmica superficial pelo movimento horizontal perpendicular à direção de propagação, sem movimento vertical.

onda de Mintrop / *Mintrop's wave*. Onda de refração caracterizada por entrar e sair do meio de alta velocidade no ângulo crítico.

onda de Rayleigh / *Rayleigh's wave*. Tipo de onda acústica que se propaga nos sólidos, caracterizada pelo movimento elíptico das partículas num plano que contém a direção de propagação dessa onda.

onda de Stoneley / *Stoneley's wave*. 1. Onda entubada em poços de petróleo. 2. Onda superficial propagada ao longo de interfaces, principalmente nas de sólidos-líquidos.

onda de Voigt / *Voigt wave*. Onda P gerada em um sólido de Voigt. ▶ Ver *sólido de Voigt*; *onda P*.

onda elástica / *elastic wave*. Onda sísmica que inclui a onda compressional (*onda P*) e a onda cisalhante (*onda S*). ▶ Ver *onda P*; *onda S*.

onda esférica / *spherical wave*. Onda sísmica propagada de uma fonte pontual. Se o meio for de velocidade constante, a frente da onda será uma esfera.

onda frontal / *head wave*. Onda gerada quando o ângulo de incidência em uma interface é igual ou acima do crítico (e o seno do ângulo de transmissão se torna complexo). Propaga-se na própria interface com a velocidade do meio inferior, sendo transmitida continuamente para o meio de menor velocidade. Seu estudo teórico não é trivial, tendo sido demonstrado que é criada por reflexão e transmissão de frentes de ondas curvas, já que a teoria do raio não explica a existência dessa onda a partir de ondas planas, sendo necessário o uso de uma teoria mais acurada, baseada em frentes de ondas curvas. Também é chamada *onda refratada* (*refracted*) e *cônica* (*conical*). •» Deve ser registrado que alguns autores usam o termo *refratadas* para as ondas transmitidas, já que na óptica geométrica o fenômeno da mudança de direção de propagação de uma onda é denominado *refração*, mas na literatura da sísmica de exploração isso raramente acontece.

onda gravitacional / *gravitational wave*. Onda hipotética que viaja na velocidade da luz, pela qual se propaga a atração gravitacional.

onda guiada / *guided wave*. Onda que se propaga numa camada de velocidade menor que a das circundantes.

onda ionosférica / *sky wave*. Onda eletromagnética (de rádio) que se reflete nas camadas ionizadas da ionosfera.

onda limite / *boundary wave*. Onda sísmica que se propaga numa superfície livre ou numa interface entre camadas.

onda P / *P wave*. 1. Onda compressional. 2. Onda sísmica de grande velocidade, com deslocamento de partículas que se comprimem e se expandem no sentido da propagação sísmica no interior da Terra. ▶ Ver *onda S*.

onda Rg / *Rg wave*. O mesmo que *onda de Rayleigh*. ▶ Ver *onda de Rayleigh*.

onda S / *S wave*. 1. Onda transversal e onda cisalhante. 2. As ondas S também são chamadas de *ondas secundárias* e apresentam amplitudes maiores que as das ondas P. •» As ondas S só podem viajar através de sólidos, uma vez que líquidos e gases não apresentam resistência ao cisalhamento compatível com a propagação dessas ondas. A passagem desse tipo de onda por um meio faz com que ele se movimente perpendicularmente à direção de sua propagação, sendo sua velocidade de propagação aproximadamente 50% da velocidade das ondas P. A velocidade de propagação de uma onda S em um meio isotrópico pode ser descrita por meio do módulo de cisalhamento (G) e da massa específica do meio. ▶ Ver *onda P*.

onda sísmica / *seismic wave*. 1. Termo geral para todas as ondas elásticas produzidas por terremoto ou geradas artificialmente. 2. Onda que viaja pelo interior e pela superfície da terra, muito frequentemente gerada por terremotos ou explosões. É registrada por sismógrafos, geofones etc. As ondas sísmicas são divididas em ondas de corpo (onda P e onda S) e ondas superficiais (onda de Rayleigh e onda de Love). ▶ Ver *onda P*; *onda S*; *onda de Rayleigh*; *onda de Love*.

onda sonora / *acoustic wave*. O mesmo que *onda acústica*. ▶ Ver *onda acústica*.

onda terrestre / *ground wave*. Onda sísmica de propagação perto da superfície da Terra.

onda transmitida / *transmitted wave*. Onda que passa por uma interface de dois meios quaisquer.

onda vetor / *vector wave*. Termo utilizado na aquisição sísmica terrestre, na qual os registros de reflexão sísmica são feitos com geofones de três componentes. •» O método de aquisição com geofone de três componentes também é conhecido como *levantamento 3C*. ▶ Ver *geofone*.

ondulação arenosa / *sand ripple*. Ondulação formada por areia.

ondulação cavalgante / *climbing ripple*. Série de laminações cruzadas produzidas pela superposição de ondulações migratórias, cujas cristas sucessivas deslocam-se relativamente às subjacentes, no sentido da corrente.

ondulação capilar / *capillary ripple*. Ondulação na superfície ou na interface que pode causar algum tipo de perturbação no sistema. •» Essas perturbações são causadas por barreiras mecânicas ou ondulações transversais, conhecidas como *rugosidades capilares* ou *ondulações de Laplace*. Já as ondulações longitudinais são conhecidas como *ondulações de Marangoni*. As características dessas ondulações dependem da tensão superficial e da elasticidade da superfície.

ondulação de areia / *sand wave*. 1. Termo genérico utilizado para descrever uma forma de leito arenoso com formato ondulado. 2. Forma de leito com grande assimetria, constituído de areia com formato semelhante ao de uma ondulação, mas ao qual falta a parte erosional associada com as dunas. Grandes ondulações de areia têm um alto índice de ondulação (*ripple index*) com os ângulos de talude, apresentando valores inferiores aos de repouso da areia. 3. O mesmo que *onda de areia*.

ondulação de corrente / *current ripple*. O mesmo que *marca de ondulações de corrente*. ▶ Ver *marca de ondulações de corrente*.

onlape costeiro / *coastal onlap*. Feição sismoestratigráfica de relação angular entre refletores que representa a linha de costa. O avanço em direção ao continente do *onlape* costeiro representa uma subida no nível do mar. ↔ Caracteriza-se por uma cunha transgressiva de sedimentos continentais e transicionais, normalmente assentados sobre uma superfície transgressiva ou uma discordância. Resulta da retrogradação da deposição continental e do avanço da sedimentação costeira sobre depósitos de origem continental, como resultado de um aumento do nível relativo do mar.

onshore. O mesmo que *terrestre*. ▶ Ver *terrestre*.

open access. O mesmo que *livre acesso à rede de terceiros*, *acesso aberto* e *acesso livre*. ▶ Ver *livre acesso à rede de terceiros*; *acesso livre*.

operação assistida / *assisted operation*. 1. Fase da operação compreendida entre a aceitação operacional e a aceitação definitiva de uma unidade industrial, em que empresas contratadas para a respectiva construção e montagem deverão prestar assistência à empresa contratante, para a solução de quaisquer problemas decorrentes de falhas no funcionamento de equipamentos ou sistemas operacionais. 2. Prolongamento de permanência dos assistentes de operação da empresa contratada para a construção e a montagem das instalações após a realização dos testes de aceitação, por período acordado com a contratante, de maneira a proporcionar melhor treinamento aos operadores e corrigir eventuais desvios. ▶ Ver *construção e montagem*; *condicionamento*; *comissionamento*.

operação com arame / *slickline operation*. Operação que utiliza um cabo como coluna. ↔ O cabo usado nessa operação é fino e não condutor de eletricidade, sendo empregado para assentar e retirar equipamentos do poço, tais como plugues, válvulas e luvas. Além disso, é empregado para descer e retirar ferramentas e equipamentos de controle de vazão em poços de óleo e gás. O cabo é passado pelo *stuffing box* e pelo equipamento de controle de pressão localizados na cabeça de poço, para que a operação seja conduzida de forma segura em poços em produção. ▶ Ver *arame*; *perfilagem*.

operação com arame de fundo de poço com cabo de aço (Port.) (Ang.) / *slickline operation*. O mesmo que *operação com arame*. ▶ Ver *operação com arame*.

operação com cabo de aço (Ang.) / *slickline operation*. O mesmo que *operação com arame*. ▶ Ver *operação com arame*.

operação de fundo de poço com cabo de aço (Port.) (Ang.) / *slickline operation*. O mesmo que *operação com arame*. ▶ Ver *operação com arame*.

operação de pesca / *fishing operation*. O mesmo que *operação de pescaria*. ▶ Ver *operação de pescaria*.

operação de pescaria / *fishing operation*. Qualquer operação realizada com o objetivo de liberar, retirar, destruir ou retificar uma coluna, ferro ou revestimento do poço.

operação diagráfica (Port.) (Ang.) / *profile operation*. O mesmo que *perfilagem*. ▶ Ver *perfilagem*.

operação em down thrust / *down thrust operation*. Condição de operação em que a bomba de bombeio centrífugo submerso opera com uma pressão de descarga maior do que a recomendada. ↔ O conjunto de bombeio centrífugo submerso (BCS) é dimensionado para operar numa faixa de vazão e pressão. Os esforços oriundos de operação em tal faixa — os esforços axiais (empuxo), por exemplo — são contrabalançados por meio de diretrizes de projeto e uso de dispositivos — mancais de escora, por exemplo —, que se contrapõem a tais esforços. Assim, no caso de o conjunto operar com uma pressão de descarga acima da dimensionada, haverá um esforço axial não compensado (no sentido descarga-sucção), o que poderá provocar danos em componentes do sistema (por exemplo, o impulsor, em situação de flutuação, sofre abrasão em sua face inferior). ▶ Ver *bombeio centrífugo submerso*.

operação em rotação inversa / *inverted rotation range*. Condição de operação em que o conjunto de bombeio centrífugo submerso opera girando em sentido contrário ao recomendado pelo fabricante. ↔ Tal situação pode ocorrer no caso de uma inversão de polaridade na ligação elétrica do conjunto. Caso o conjunto opere no sentido inverso do recomendado, fora outros danos, a altura manométrica do sistema fica normalmente reduzida a 60% daquela passível de obtenção no sentido correto de operação. ▶ Ver *bombeio centrífugo submerso*.

operação em up thrust / *upthrust operation*. Condição de operação em que a bomba de bombeio centrífugo submerso opera com uma vazão maior do que a recomendada. ↔ O conjunto de bombeio centrífugo submerso (BCS) é dimensionado para operar numa faixa de vazão e pressão. Os esforços oriundos de operação em tal faixa — os esforços axiais (empuxo), por exemplo — são contrabalançados por meio de adequado projeto e uso de dispositivos — mancais de escora, por exemplo —, que se contrapõem a tais esforços. Assim, no caso de o conjunto operar com uma vazão de descarga acima da dimensionada, haverá um esforço axial não compensado (no sentido sucção-descarga), o que poderá provocar danos em componentes do sistema (por exemplo, o impulsor, em situação de flutuação, sofre abrasão em sua face superior). ▶ Ver *bombeio centrífugo submerso*.

operação fictícia / *wash transaction*. Processo em que o próprio vendedor adquire o bem ou o serviço que vende. ▶ Ver *regime de* drawback; *Regime Aduaneiro Especial de Exportação e de Importação de Bens*; *Regime Aduaneiro Especial de Exportação e Importação de Bens destinados às Atividades de Pesquisa e de Lavra das Jazidas de Petróleo e de Gás Natural (REPETRO)*.

operação inicial / *initial operation*. Período compreendido entre o início da operação (energização e introdução de matérias-primas e insumos nos sistemas) e a aceitação operacional da respectiva unidade industrial.

operação no interior da tubagem de revestimento (Port.) (Ang.) / *through casing*. O mesmo que through casing. ▶ Ver through casing.

operações de perfuração / *drilling operations*. Operações desenvolvidas durante as fases de perfuração dos poços, que podem ser classificadas como rotineiras ou especiais. As rotineiras são operações que sempre ocorrem nos poços, como perfurar, revestir, cimentar e manobrar. As especiais são operações que ocorrem apenas em algumas ocasiões, como a pescaria, a testemunhagem, o teste de formação, o controle de poço etc.

operações de risco único (Port.) (Ang.) / *sole risk operations*. O mesmo que sole risk operation. ▶ Ver sole risk operation.

operações não aprovadas por todos os parceiros (Port.) (Ang.) / *non-consent operations*. O mesmo que non-consent operations. ▶ Ver non-consent operations.

operador / *operator*. O mesmo que *operadora*. ▶ Ver *operadora*.

operador de diagrafia de lamas (Port.) (Ang.) / *mud logger*. O mesmo que *operador de* mudlogging. ▶ Ver *operador de* mudlogging.

operador de ferramenta de pesca (Port.) (Ang.) / *fishing-tool operator*. O mesmo que *operador de ferramenta de pescaria*. ▶ Ver *operador de ferramenta de pescaria*.

operador de ferramenta de pescaria / *fishing-tool operator*. Engenheiro ou técnico com conhecimentos de técnicas e ferramentas de pescaria. Normalmente é um técnico com bastante experiência de campo.

operador de *mudlogging* / *mud logger*. Técnico encarregado de operar a cabine de *mudlogging*. Ele tem a responsabilidade de garantir a qualidade dos dados adquiridos, calibrar sensores, emitir relatórios etc.

operador de predição unitária / *unit-prediction operator*. Filtro preditivo de Wiener-Hopf com distância de predição igual a 1.

operador explícito / *explicit operator*. Operador usado na migração de dados de reflexão sísmica por diferenças finitas.

operador lacunar / *gapped operator*. Método para deconvolução de reverberações na parte mais profunda das águas, em sísmica marítima.

operadora / *operator*. 1. Empresa constituída sob as leis de determinado país, com a qual se celebram contratos de concessão ou partilha de produção para exploração e produção de petróleo ou gás natural. 2. Companhia detentora dos direitos de propriedade ou arrendadora que gerencia as operações, como exploração, perfuração, produção de óleo ou gás. ↔ Em caso de consórcios formados por várias empresas, uma delas é escolhida para ser a operadora-líder, e as demais empresas componentes atuam como solidárias àquela escolhida para a liderança do consórcio. ▶ Ver *contrato de concessão*; *contrato de partilha de produção (CPP)*.

Operating Committee (OPCOM). Comitê de operações responsável pela supervisão e pela direção geral das operações conjuntas, representando, assim, a instância de decisões mais elevada do consórcio.

operational leasing. O mesmo que *arrendamento operacional*. ▶ Ver *arrendamento operacional*.

ordenamento ambiental / *environmental management*. Ações e regras destinadas a organizar, em determinada região, o uso de recursos ambientais e atividades econômicas, de forma que venha a atender a objetivos políticos (ambientais, de desenvolvimento urbano e econômico etc.), estando relacionado ao planejamento ambiental.

orgânico / *organic*. Composto químico que contém um ou mais átomos de carbono. Entretanto, carbonatos e carbonetos não são considerados orgânicos.

Organização dos Países Exportadores de Petróleo (OPEP) / *Organization of Petroleum Exporting Countries (OPEC)*. Organização internacional que tem como objetivo centralizar a administração da atividade petrolífera, inclusive o controle do volume de produção e dos respectivos preços. ↔ Fundada em 1960 por Arábia Saudita, Irã, Iraque, Kuwait e Venezuela, a OPEP surgiu com o objetivo de influenciar os preços do petróleo, até então definidos somente pelas grandes petroleiras existentes na época (*Exxon*, *Chevron*, *Mobil*, *Gulf*, *Texaco*, *Rd/Shell* e *British Petroleum/BP*, as "sete irmãs"). ▶ Ver *países da OPEP*.

Organização Internacional de Metrologia Legal (OIML) / *International Organization of Legal Metrology*. Organização intergovernamental estabelecida em 1955 com o objetivo de promover a harmonização global dos procedimentos de metrologia legal. ↝ A OIML fornece diretrizes metrológicas (recomendações) que facilitam aos seus membros elaborar regulamentos nacionais e regionais referentes à fabricação e ao uso de instrumentos de medir no âmbito da metrologia legal. A OIML é composta de estados membros (que participam das atividades técnicas) e estados não membros, que participam como observadores. O Brasil, por intermédio do INMETRO, participa da OIML como estado membro desde 1985. ▶ Ver *Instituto Nacional de Metrologia, Padronização e Qualidade Industrial (INMETRO)*.

Organização Internacional de Padronização (ISO) / *International Organization for Standardization*. 1. Organização internacional composta por representantes de vários países que produz padrões comerciais e industriais adotados e reconhecidos mundialmente. 2. Organização da qual participam organismos de normalização nacionais de mais de 140 países, um de cada país, de modo a promover o desenvolvimento mundial da normalização e atividades afins, bem como facilitar as trocas comerciais de bens e serviços. ↝ Alguns padrões utilizados para especificação de lubrificantes são produzidos pela ISO.

Organização Nacional da Indústria do Petróleo (ONIP) / *National Organization of the Petroleum Industry*. Organização brasileira que tem por finalidade principal atuar como fórum de articulação e cooperação entre as companhias de exploração, produção, refino, processamento, transporte e distribuição de petróleo e derivados, empresas fornecedoras de bens e serviços do setor petrolífero, organismos governamentais e agências de fomento, a fim de contribuir para o aumento da competitividade global do setor. ↝ Tem como missão maximizar o conteúdo local no fornecimento de bens e serviços, com base em uma cooperação competitiva, garantindo ampla igualdade de oportunidades para o fornecedor nacional, ampliando a geração de renda e emprego no país. Atua como entidade orientadora para a redução de custos em toda a cadeia produtiva e para o aumento da competitividade dos fornecedores nacionais de bens e serviços. Contribui ainda para a definição de políticas industriais orientadas para o setor de óleo e gás no Brasil.

órgão regulador / *regulatory agency*. Instituição governamental incumbida por lei de executar atividades de regulação e fiscalização de um determinado segmento econômico, com autonomia e imparcialidade. ↝ Para o setor do petróleo no Brasil, o órgão regulador é a *Agência Nacional do Petróleo, Gás Natural e Biocombustíveis (ANP)*. ▶ Ver *Agência Nacional do Petróleo, Gás Natural e Biocombustíveis (ANP)*.

orifício (Port.) (Ang.) / *jet*. O mesmo que *jato*. ▶ Ver *jato*.

orifício medidor de vazão / *bean, flow bean*. 1. Orifício calibrado, usado para medição de vazão. O orifício (ou orifício de restrição é projetado para causar uma queda de pressão. 2. Tipo de estrangulador (*choke*) usado para regular o fluxo do fluido oriundo do poço. 3. O mesmo que *bean*. ↝ O orifício ocasiona uma queda de pressão a jusante de forma compatível com as instalações de produção. Vários tamanhos de *bean* são usados para diferentes vazões de produção. Também significa um *estrangulador cônico*. ▶ Ver *medição*.

o-ring. Elemento de selo, com forma circular, usado para garantir a estanqueidade entre dois elementos conectados. Normalmente esses selos são confeccionados com elastômero.

ortocronologia / *orthochronology*. Geocronologia definida por registros bioestratigráficos padronizados.

oscilação livre / *free oscillation*. Oscilação que existe independentemente de qualquer estímulo além do estímulo inicial, ou, em sismologia, as oscilações depois de um terremoto. ▶ Ver *terremoto*.

oscilador biestável / *flip-flop*. Dispositivo que tem dois estados estáveis. Usado para guardar um *bit* de informação.

osciloscópio de raios catódicos / *cathode-ray oscilloscope*. Instrumento eletrônico para análise das variações com o tempo de intensidade de tensão. ↝ É composto de tubos de raios, um amplificador vertical, uma base de tempo, um amplificador horizontal e uma fonte de alimentação, permitindo a visualização da forma dos sinais elétricos a partir do tubo de raios.

osmose / *osmosis*. Processo em que existe uma tendência natural de que determinado solvente, presente no fluido com menor concentração de soluto, migre para a solução que contém maior concentração. ▶ Ver *propriedade coligativa*.

otimização da produção / *production optimization*. Conjunto de ações que tem como objetivo maximizar a produção de óleo ou gás de um campo, respeitando o conjunto de restrições operacionais existentes (disponibilidade de gás, capacidade de processamento da unidade etc.).

ouro negro / *black gold*. Termo, mais utilizado no passado, para designar o petróleo, como metáfora de seu alto valor. ▶ Ver *petróleo*.

ovalização do poço / *breakout*. Ruptura por cisalhamento das paredes do poço pode gerar o deslocamento da formação, provocando o alargamento do poço e fazendo com que a sua seção deixe de ser circular e passe a ser elíptica. ↝ A ruptura por cisalhamento da parede do poço pode se dar por falta ou excesso de peso do fluido. No caso de um poço vertical, o eixo maior da elipse tende a se alinhar com a direção da tensão horizontal menor. A identificação de feições de *breakouts* em poços de petróleo é uma técnica para determinar a direção das tensões horizontais. Essas seções alargadas podem ser detectadas pelos perfis de calibre do poço (*caliper*).

oxidação / *oxidation*. Fenômeno no qual um átomo perde um ou mais elétrons. ↝ É a reação que ocorre no anodo das células eletroquímicas.

packer. 1. Ferramenta de fundo descida em coluna de produção, de trabalho ou de revestimento, com selos resilientes que podem ser fixados mecânica ou hidraulicamente para isolar o anular entre a coluna descida e o revestimento ou poço aberto. Denominação simplificada de *obturador de fundo de poço*. 2. Dispositivo expansível, parecido a um *plug*, para vedar o espaço anular entre a coluna de produção e revestimento. 3. Dispositivo mecânico ou de arame colocado no poço como um dispositivo temporário para vedar um revestimento de outro, ou da coluna de produção. 4. Equipamento de fundo que consiste essencialmente de um dispositivo de vedação, um dispositivo de fixação e uma passagem interna para fluidos. ▶ Ver *obturador*.

***packer* de operação / *retrievable test packer, treat-squeeze packer*.** Dispositivo usado em aplicações variadas como cimentação, estimulação e teste de poço. ↔ Pode ser usado em todos os tipos de cimentação por compressão (*squeeze*), fraturamento, acidificação, e com subsequente teste de formação. É projetado para suportar grande pressão diferencial, tanto de cima para baixo, quanto de baixo para cima. A cunha de *hold down* atuada hidraulicamente e a cunha inferior mecânica são reforçadas com carbureto de tungstênio para serviços longos e confiáveis. O sistema de elementos de vedação é do tipo três seções.

***packer* de produção / *production packer*.** Equipamento da coluna de produção que tem como funções básicas: *(I)* a vedação do espaço anular entre o revestimento e a coluna de produção, visando a proteger o revestimento (acima da profundidade de assentamento do *packer*) contra pressões da formação e fluidos corrosivos; *(II)* a injeção controlada de gás no anular nos casos de elevação artificial por *gas lift*; e *(III)* a produção seletiva de várias zonas por uma única coluna de produção (quando são utilizados mais de um *packer*). ↔ Os *packers* são constituídos de borrachas de vedação, cunhas, pinos de cisalhamento para assentamento e pinos (ou anel) de cisalhamento para desassentamento. Podem ser do tipo recuperável ou permanente. ▶ Ver *completação dupla*, *completação múltipla*.

***packer* duplo / *dual packer*.** *Packer* com acesso (*bore*) duplo. ↔ Diferente do *packer* comum, que tem apenas um acesso para a coluna, este *packer* possui dois acessos (*bore*). ▶ Ver packer.

***packoff*.** O mesmo que *tamponamento de zona de poço por enchimento* ▶ Ver *tamponamento de zona de poço por enchimento*.

pacote de instrumentação de perfuração / *drilling instrumentation package (DIP)*. Pacote de instrumentação e monitoração de perfuração que usa sensores e PLCs (*programmable logic controllers*) para aquisição, análise e processamento de dados de uma grande variedade de parâmetros, incluindo torque de perfuração, posição da catarina e carga no gancho, nível de fluido nos tanques, e outros. Essas funções são executadas em tempo real, e os resultados mostrados nas telas de computador.

pacote de propante / *proppant pack*. 1. Pacote formado pelo material de sustentação (propante) em operações de *gravel pack*. 2. Denominação dada ao espaço anular entre telas e parede de poço, preenchido com propante, na completação com *gravel pack*. ▶ Ver *propante*; gravel pack.

padrão / *standard*. Medida materializada, instrumento de medição, material de referência ou sistema de medição destinado a definir, realizar, conservar ou reproduzir uma unidade ou um ou mais valores de uma grandeza para servir como referência.

padrão API / *API standard*. 1. Conjunto de regras e normas voluntárias, condições ou requisitos relacionados às definições de termos, classificação de componentes, procedimentos operacionais, especificações dimensionais, critérios de construção, materiais, desempenho, projeto ou operações estabelecidos pelo Instituto Americano de Petróleo (*American Petroleum Institute*, API). 2. Medição de qualidade e quantidade por meio de materiais, produtos, sistemas, serviços ou práticas. Ajustes e medições de grandezas dimensionais apresentados pelo Instituto Americano de Petróleo. ↔ Tais padrões, função da típica qualidade dos mesmos e, igualmente, da forma participativa com que os mesmos são produzidos, norteiam um largo volume de processos praticados na indústria de petróleo. ▶ Ver *padrão*.

padrão da fonte / *source pattern*. Configuração geométrica dos tiros de uma estação.

padrão de canal / *channel pattern*. Arranjo visto em planta de um canal fluvial em determinada área. Os padrões mais comumente reconhecidos são meandrante, anastomosado, sinuoso e relativamente retilíneo.

padrão de desempenho / *performance standard*. Critérios gerais estabelecidos para definir um resultado desejado sem especificar as técnicas para se obterem esses resultados.

padrão de drenagem entrelaçado / *braided drainage pattern*. Feição de drenagem formada pelos sistemas fluviais de alta energia, criando um padrão de canais entrelaçados.

padrão de escoamento / *flow pattern*. Distribuição espacial das fases líquido e gás em um escoamento, que acabam apresentando configurações características; os comportamentos desse escoamento em função dessa distribuição. ↝ Uma das dificuldades no tratamento do escoamento multifásico está associada ao fato de que a transferência de massa, quantidade de movimento e energia, pode ser especialmente sensível à distribuição dos componentes do escoamento. Uma distribuição particular da geometria das fases é denominada *regime de escoamento*, *padrão geométrico de escoamento* ou, simplesmente, *padrão de escoamento*. Para escoamento horizontal, podem-se classificar os seguintes arranjos: estratificado, intermitente, anular e bolha dispersa. Para o escoamento vertical ascendente, os seguintes padrões podem ser observados: bolha, golfada, caótico, anular, bolha dispersa. ▶ Ver *escoamento*.

padrão de escoamento anular / *annular flow pattern*. Padrão de escoamento que se caracteriza por um núcleo gasoso, que carreia gotículas de líquido e se desloca a velocidade elevada, e um filme líquido que escoa junto à parede do duto, conforme a seguir:

Padrão de escoamento anular

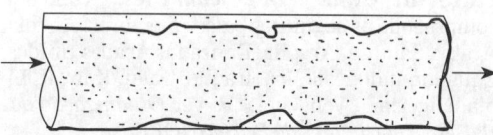

▶ Ver *padrão de escoamento*.

padrão de escoamento em bolhas dispersas / *dispersed bubble flow pattern*. Padrão de escoamento que ocorre quando há uma velocidade elevada da fase líquida — de forma que ela se caracteriza como contínua — contendo bolhas de gás dispersas ou simplesmente bolhas discretas. O mesmo que *padrão de escoamento tipo bolhas dispersas* ou *padrão de escoamento bolhas dispersas*, conforme a seguir:

Padrão de escoamento bolhas dispersas

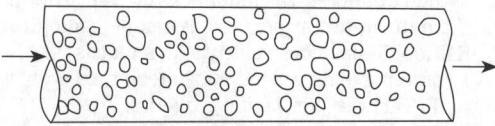

▶ Ver *padrão de escoamento*.

padrão de escoamento em golfadas / *slug flow pattern*. Padrão de escoamento que se caracteriza pelo escoamento alternado de líquido e gás. ↝ No caso de escoamento horizontal, pistões ou golfadas de líquido que preenchem a seção do duto são separados por bolsas de gás contendo uma camada estratificada de líquido, que escoa na parte inferior do duto. No caso de escoamento vertical, há ocorrência da aglutinação do gás, igualmente em grandes bolhas, ditas *bolhas de Taylor*, conforme a seguir. Também conhecido por *padrão de escoamento tipo golfadas* ou *padrão de escoamento golfadas*. ▶ Ver *padrão de escoamento*.

Padrão de escoamento em golfadas

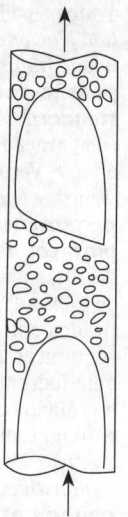

padrão de execução / *operational procedure*. Referência destinada a detalhar um procedimento operacional visando à execução de determinada atividade ou tarefa. ↝ É composto do contexto de aplicação do padrão, da lista de verificação de recursos necessários, do passo a passo das tarefas a serem executadas e da análise de segurança de trabalho (riscos envolvidos em cada tarefa).

padrão de nove pontos / *nine-spot pattern*. Padrão de injeção de água através de oito poços injetores, formando um quadrado ao redor de um poço produtor. O padrão inverso também é utilizado: oito poços produtores, formando um quadrado, rodeiam um poço injetor.

padrão de referência / *reference standard*. Padrão, geralmente com a mais alta qualidade metrológica disponível em um dado local ou em uma dada organização, a partir do qual as medições lá executadas são derivadas. ▶ Ver *Instituto Nacional de Metrologia, Padronização e Qualidade Industrial (INMETRO)*.

padrão de sete pontos / *seven-spot pattern or seven spot*. Padrão de injeção de água com um poço produtor e seis poços injetores ao redor, formando um hexágono.

padrão de trabalho / *working standard*. Padrão utilizado rotineiramente para calibrar ou controlar medidas materializadas, instrumentos de medição ou materiais de referência. Um padrão de trabalho é geralmente calibrado por comparação com um padrão de referência.

padrão de três pontos / *three-spot pattern*. Padrão de injeção de água utilizado em estudos-piloto, com a distribuição de um poço produtor localizado no centro de um círculo delimitado por dois poços injetores em extremidades opostas do círculo.

padrão internacional / *international standard*. Padrão reconhecido por um acordo internacional para servir como base ao estabelecimento de valores de outros padrões da grandeza a que se refere. ▶ Ver *Instituto Nacional de Metrologia, Padronização e Qualidade Industrial (INMETRO)*.

padrão nacional / *national standard*. Padrão reconhecido por uma decisão nacional para servir, em um país, como base da atribuição de valores a outros padrões da grandeza a que se refere. ▶ Ver *Instituto Nacional de Metrologia, Padronização e Qualidade Industrial (INMETRO)*.

padrão primário de medição / *primary standard*. Padrão que é designado ou amplamente reconhecido como tendo as mais altas qualidades metrológicas, e cujo valor é aceito sem referência a outros padrões da mesma grandeza. ▶ Ver *Instituto Nacional de Metrologia, Padronização e Qualidade Industrial (INMETRO)*.

padrão secundário de medição / *secondary standard*. Padrão cujo valor é estabelecido por comparação a um padrão primário da mesma grandeza. ▶ Ver *Instituto Nacional de Metrologia, Padronização e Qualidade Industrial (INMETRO)*.

pagamento aos proprietários de terra / *payment for landowners*. Participação mensal destinada aos proprietários de terra, que varia de 0,5% a 1% do valor da produção dos poços localizados em sua propriedade. O proprietário pode ser uma pessoa física ou jurídica, inclusive ser um ente federativo (União, estados e municípios) ou o próprio concessionário, sendo que neste último caso não será devido o referido pagamento. ▶ Ver *Agência Nacional do Petróleo, Gás Natural e Biocombustíveis (ANP)*.

pagamento pela ocupação ou retenção de área / *land occupancy or retention payment*. Compensação financeira, sendo dois os fatos geradores que ensejam o pagamento de tal exação: *(I)* ocupação da área, que está associada à realização, pelo concessionário, das atividades necessárias à implementação do objeto contratual; e *(II)* retenção da área, que está associada ao simples fato de o concessionário manter, através de um contrato de concessão com a Agência Nacional do Petróleo, Gás Natural e Biocombustíveis, ANP (Brasil), os direitos exclusivos para a realização de atividades em determinada área de concessão, impossibilitando que esta, em todo ou em parte, seja destinada a outro concessionário. ▶ Ver *Agência Nacional do Petróleo, Gás Natural e Biocombustíveis (ANP)*.

painel de controle do BOP / *blowout-preventer control panel*. Conjunto de controles, normalmente posicionados próximo ao sondador, manipulados para fechar ou abrir as válvulas do preventor de erupção (*blowout-preventer, BOP*). ▶ Ver *preventor de erupção*; *painel de controle do sondador*.

painel de controle do sondador / *driller's control panel*. Painel de controle, usado pelo sondador, que deve conter no mínimo os seguintes equipamentos: *(I)* indicador das velocidades das bombas de lama para medição da vazão; *(II)* indicador (auditivo e visual) e registrador de nível de tanques de lama (com totalizador de volume) para determinar ganho ou perda de volume nos tanques; *(III)* dispositivo de medição de volume de fluido para determinar os volumes de fluido necessários para preencher o poço nas manobras; *(IV)* indicador de retorno de fluido para determinar quando o retorno começou a ocorrer; *(V)* detectores de gás para monitorar a presença do gás no fluido retornado; *(VI)* indicador de peso no gancho de rotação, de torque e sondador automático (que mantém o peso constante sobre a broca); *(VII)* indicador de torque na mesa rotativa ou *top drive*; *(VIII)* indicador de torque nas conexões das tubulações; *(IX)* controle remoto das válvulas de ventilação do diverter; *(X)* controle remoto principal de manifoldes de *choke*, das funções do preventor de erupção (*blowout-preventer, BOP*); e *(XI)* alimentação independente. ▶ Ver *preventor de erupção*.

painel de controlo de prevenção de erupções (Port.) / *blowout-preventer control panel*. O mesmo que *painel de controle do BOP*. ▶ Ver *painel de controle do BOP*.

painel de controlo do sondador (Port.) / *driller's control panel*. O mesmo que *painel de controle do sondador*. ▶ Ver *painel de controle do sondador*.

painel de velocidade / *velocity panel*. Método de análise de velocidades no qual os dados do ponto médio comum (*common midpoint/CMP*) pertencentes a um trecho representativo da linha são repetidamente empilhados, utilizando-se uma série de velocidades constantes para a correção de sobretempo normal (*normal moveout/NMO*). O resultado corresponde ao painel que contém os espectros de velocidade, ou VELAN, que é interpretado com base no conhecimento geológico da área. ▶ Ver *sobretempo normal*.

países da OPEP / *OPEC countries*. Grupo que compreende os seguintes países-membros: Angola, Arábia Saudita, Argélia, Emirados Árabes Unidos, Equador, Indonésia, Irã, Iraque, Katar, Kuwait, Líbia, Nigéria, e Venezuela. ▶ Ver *Organização dos Países Exportadores de Petróleo (OPEP)*.

paleocorrente / *paleocurrent*. 1. Corrente, geralmente aquosa, que influenciou os processos de sedimentação ou condições de transporte e deposição sedimentar no passado geológico. 2. Fluxo que deu origem aos depósitos que constituem uma rocha sedimentar antiga.

paleogeografia / *paleogeography*. 1. Estudo e descrição da geografia física do passado geológico, tais como a reconstrução histórica de feições da superfície da Terra em uma dada área durante um particular período de tempo geológico no passado. 2. Estudo de sucessivas mudanças do relevo de superfície durante um período de tempo geológico. 3. Estudo de posições relativas das placas terrestres como parte da reconstrução tectônica da história da Terra. ▶ Ver *tempo geológico*.

paleontologia / *paleontology*. Estudo da evolução da vida no tempo geológico, baseado na análise de fósseis de plantas e animais e sua relação com a estratigrafia. ▶ Ver *tempo geológico*.

paleossolo / *paleosoil*. Solo soterrado e preservado, que foi formado em ambientes deposicionais do passado geológico.

palimpsesto / *palimpsest*. 1. Termo usado para deignar os sedimentos que restam como remanescentes após a erosão na plataforma e a redeposição dos sedimentos novos dentro da bacia, durante um período de mar baixo. 2. Em geologia assim é chamada uma estrutura ou textura em rochas metamórficas que permaneceram como remanescente de uma rocha preexistente e foram preservadas. ↔ O termo *palimpsesto* denomina uma página manuscrita em papiro ou um livro que continham textos e foram raspados ou apagados e usados para de novo serem escritos. A palavra origina-se de duas palavras gregas (*palin* + *psen*), o que significa 'raspar de novo'. Os romanos escreveram em placas com cera derretida, cuja reutilização era mais fácil, e passaram a usar o termo *palimpsest* de Cícero (Marcus Tullius Cicero), que se referia a sua praticidade.

palinoestratigrafia / *palynostratigraphy*. Aplicação estratigráfica dos métodos palinológicos.

palinologia / *palynology*. Estudo dos polens, esporos e demais microfósseis.

palinomorfos / *palynomorphs*. Partículas microscópicas de material orgânico, tais como grãos de pólen e esporos. Abrange polens e esporos (esporomorfos) e também inclui dinoflagelados e acritarcos. Observa-se que a luz translúcida é usada em palinologia como um indicador grosseiro de coalificação.

PANAMAX. Navio petroleiro de óleo cru ou de produtos, com dimensões que permitem sua passagem pelo canal de Panamá. ↔ A capacidade de carga do navio varia entre 70 mil e 80 mil TPB ou cerca de 500 mil barris.

pancada de fluido / *fluid pound*. Choque mecânico, no método de produção por bombeio mecânico, que ocorre entre o pistão e o fluido dentro da bomba durante o curso descendente, quando há um preenchimento incompleto da camisa. ↔ A intensidade desse choque se agrava à medida que o preenchimento de fluido se aproxima de 50% do curso do pistão. Esse choque provoca: desgaste prematuro da sede e esfera da válvula de passeio; aceleração do processo de fadiga das hastes; aumento de torque no redutor e, eventualmente, o desenroscar de gaiolas ou pistão. Por isso, procura-se sempre reduzir a ocorrência desse fenômeno, fazendo com que a bomba opere com o máximo de enchimento possível. O método mais utilizado para isso é o de controle de pancada de fluido (*pump off control*), utilizado em poços automatizados, que permite programar a parada do poço quando o enchimento da bomba atinge um valor predefinido, e o religamento após certo intervalo de tempo. ▶ Ver *bombeio mecânico*.

Pangeia / *Pangea, Pangaea*. Supercontinente que teria existido cerca de 300 a 200 milhões de anos atrás, e que incluiu a maior parte da crosta terrestre continental. Acredita-se que ele originou os continentes atuais através de fragmentação e deriva continental. Durante um estádio intermediário entre a Pangeia e os continentes atuais, formaram-se dois grandes fragmentos: Laurasia ao norte e Gondwana ao sul. ▶ Ver *poço de injeção*.

pantalassa / *panthalassa*. Oceano que teria circundado a Pangeia. ▶ Ver *Pangeia*.

pantanal / *marsh paludal*. Local inundado por águas normalmente estagnadas, constituindo-se de terras baixas e encharcadiças. Composto de argilas muito orgânicas ou outros materiais que fazem parte de um ambiente de pântanos.

pantanoso / *paludal*. Relativo a pântanos ou a ambiente argiloso e muito orgânico situado no continente.

paraconformidade / *paraconformity*. Discordância na qual os estratos são paralelos e o contato entre as unidades é um plano das camadas ou a elas paralelo. ▶ Ver *discordância*.

paraconglomerado / *paraconglomerate*. 1. Conglomerado que não é produzido por um fluxo aquoso normal, mas depositado por agentes gravitacionais, como escorregamentos associados a depósitos de turbiditos em taludes marinhos, ou no continente, associado a geleiras. O depósito contém muita matriz e o arcabouço de partículas ou grãos atingem o tamanho de matacões, os seixos ocorrem em percentagens superiores a 10% da rocha total e dos quais os exemplos mais comuns são *tilitos*, lamitos seixosos. 2. Corpos formados de material predominantemente argiloso, ou folhelhos (sixto argiloso) nos quais os seixos e cascalhos são randomicamente distribuídos. ▶ Ver *conglomerado*.

parada de emergência / *emergency shutdown*. Operação na qual um sistema automatizado da plataforma é usado para fechar as válvulas de segurança de subsuperfície ou as válvulas de segurança de superfície com controle hidráulico ou pneumático. ▶ Ver *válvula de segurança*.

parada de produção / *production shutdown*. Desligamento completo da produção de um ou mais poços, por meio de parada geral da planta de processo e de produção.

parafina / *paraffin, wax*. Fração do petróleo que frequentemente precipita sobre equipamentos de produção devido a mudanças de temperatura e pressão dentro do sistema de produção. ↔ Na indústria do petróleo esse termo é utilizado de forma mais genérica, representando o depósito formado por parafinas, asfaltenos, resinas, água, areia, sais e sulfetos. Na caracterização de um petróleo, o teor de parafinas está relacionado com a presença de frações mais pesadas (C18+) que precipitam a uma determinada temperatura. Essas frações podem ser constituídas de cadeias acíclicas (parafinas) ou cíclicas (naftênicas e aromáticas). A parafina, ao resfriar, forma um composto sólido que dependendo da quantidade, pode vir a entupir a tubulação, restringindo o fluxo de óleo. Parafinas de alto peso molecular (pesadas) apresentam-se na fase sólida sob condições padrão de temperatura e pressão, mas em reservatórios petrolíferos as parafinas estão inicialmente solubilizadas na fase líquida do óleo em estado de equilíbrio; porém, quando a temperatura do óleo diminui, a solubilidade das parafinas no óleo decresce, ocorrendo sua precipitação. Podem se formar nos canhoneados, ou até dentro da formação, especialmente em reservatórios depletados. Também denominada *série parafínica*, corresponde a hidrocarbonetos cujos átomos de carbono perfazem ligações simples e têm um arranjo em cadeia aberta. Os hidrocarbonetos desta série possuem uma fórmula molecular geral e podem ser vistos nas condições padrão de pressão e temperatura na fase gasosa. ▶ Ver *incrustação de parafina*.

paragem de emergência (Port.) (Ang.) / ***emergency shutdown.*** O mesmo que *parada de emergência*. ▶ Ver *parada de emergência*.

paragem de produção (Port.) (Ang.) / ***production shutdown.*** O mesmo que *parada de produção*. ▶ Ver *parada de produção*.

paralaxe / ***parallax.*** Mudança na posição aparente de um objeto em relação a uma referência que está colocada num plano diferente. ↝ O erro de paralaxe acontece quando o observador não está colocado na posição apropriada para ver uma medida num mostrador, indicador ou medidor. Neste caso, a paralaxe é de instrumento.

parálico / ***paralic.*** 1. Sedimentação realizada na zona costeira nos ambientes de transição ou mistos, consistindo nos ambientes de praia, lagunar, de planícies de maré, deltaico-marinho e estuarino. Ao longo das costas de continentes ou ilhas, sofrem a ação do processo marinho. 2. Ambiente formado por sedimentos laminados e intercalados, depositados sob regime de baixa energia em regiões continentais ou costeiras, dominado por água doce e sujeito a invasões por ingressões marinhas. Os exemplos mais comuns são as camadas de carvão depositadas em ambiente parálico não marinho intercalado por finas lâminas ou bandas de sedimentos finos marinhos. 3. Região rasa, alagada, compreendida entre o continente e o mar, frequentemente colonizada por plantas higrófitas. 4. Carvões formados na região compreendida entre o continente e o mar, em uma região rasa, alagada, normalmente separados do mar por uma ilha barreira. ▶ Ver *sedimentação*.

parâmetro de Lockhart-Martinelli (LM ou X) / ***Lockhart-Martinelli parameter (LM or X).*** Razão entre o número de Froude do líquido e o número de Froude do gás. ↝ Tais parâmetros, em outras palavras, expressam a razão entre o gradiente de pressão para o líquido e o gradiente de pressão para o gás numa tubulação em condições de equilíbrio de escoamento (um aumento no parâmetro LM significa um aumento no teor de líquido ou na umidade do escoamento). ▶ Ver *número de Froude (Fr)*.

parâmetros de operação / ***operation parameters.*** Grandezas físicas que definem propriedades ou características relativas a sistemas ou operações. São exemplos de parâmetros operacionais o peso sobre a broca, o torque na coluna, a rotação da coluna e os parâmetros reológicos do fluido de perfuração. Esses parâmetros normalmente são mantidos constantes por um determinado intervalo de tempo e de comprimento do poço.

parâmetros de perfuração / ***drilling parameters.*** Grandezas físicas utilizadas no monitoramento da perfuração de um poço de petróleo, a partir das quais se podem detectar problemas e pode-se dar suporte ao controle da operação, de modo a se conseguir uma perfuração econômica e segura. São exemplos de parâmetros de perfuração: a taxa de penetração, o peso sobre a broca, a rotação da coluna, a pressão de bombeio, entre outros.

parassequência / ***parasequence.*** Sucessão progradante de camadas sedimentares concordantes e geneticamente relacionadas, limitadas na base e no topo por superfícies de inundação.

parcela acima de 5% / ***royalty rate above 5% (five per cent).*** Parcela dos *royalties* excedente a 5% do valor da produção. ▶ Ver *royalties*; *Agência Nacional do Petróleo, Gás Natural e Biocombustíveis (ANP)*.

parceria por ações de capital (Port.) (Ang.) / ***equity joint venture.*** O mesmo que equity joint venture. ▶ Ver *equity joint venture*; *joint venture corporation*.

parede do poço / ***wellbore.*** Parede do poço propriamente dita, ou seja, região revestida do poço, aberto ou não. Refere-se ao diâmetro interno da parede do poço, a interface da formação rochosa com o poço perfurado. ▶ Ver *poço aberto*.

parede fina / ***thin wall.*** Camisa de bomba de fundo insertável, utilizada no método de produção por bombeio mecânico, na qual, para poder aumentar a capacidade de bombeio sem aumentar o diâmetro da coluna de produção, utilizam-se tubos com diâmetro interno maior, reduzindo a espessura da parede. ▶ Ver *bombeio mecânico*.

parede grossa / ***heavy wall.*** Camisa de bomba de fundo de espessura não fina (normal), utilizada no método de produção por bombeio mecânico, que pode ser usada em bombas tubulares ou insertáveis. ▶ Ver *bombeio mecânico*.

paridade vertical / ***vertical parity.*** Paridade medida transversalmente à fita magnética. ↝ Termo usado principalmente nos procedimentos de informática.

parque de armazenamento de petróleo / ***tank farm.*** O mesmo que *estação de armazenamento de petróleo*. ▶ Ver *estação de armazenamento de petróleo*; *tanque de armazenamento atmosférico*.

parque de tanques de armazenamento (Port.) (Ang.) / ***tank farm.*** O mesmo que *estação de armazenamento de petróleo*. ▶ Ver *estação de armazenamento de petróleo*.

parque nacional (PARNA) / ***national park.*** Unidade de conservação de proteção integral, com o objetivo de conciliar a proteção dos recursos ambientais com fins recreativos, educacionais e científicos.

parte por milhão por peso / *parts per million by weight (PPMW)*. Parcela utilizada normalmente como termo de concentração para definir a quantidade da substância em razão de massa. ⇝ É numericamente expresso em miligramas por quilograma (mg/kg).

parte por milhão por volume / *parts per million by volume (PPMV)*. Parcela utilizada normalmente como termo de concentração de gás para definir a quantidade de substância em razão do volume molar de um gás específico dentro de uma fase gasosa. ⇝ É numericamente expresso em centímetros cúbicos por metro cúbico (cm^3/m^3).

partição da onda / *wave partition*. Fenômeno do desdobramento da onda incidente nas ondas refletidas e transmitidas.

participação de terceiros / *third-party participation*. O mesmo que *pagamento aos proprietários de terra*. ▶ Ver *pagamento aos proprietários de terra*; *Agência Nacional do Petróleo, Gás Natural e Biocombustíveis (ANP)*

participação do superficiário / *landowner participation*. 1. Pagamento feito pelos concessionários aos proprietários de terra, como resultado de dispositivo legal específico, normalmente calculado em percentual da receita bruta auferida pela venda do petróleo ou gás produzido pelo poço, cuja cabeça se encontra em terras de propriedade privada. 2. Também chamado *royalties do proprietário de terra*, não deve ser confundido com os pagamentos ou indenizações por acesso ou uso de servidão. ▶ Ver *Agência Nacional do Petróleo, Gás Natural e Biocombustíveis (ANP)*.

participação especial / *special participation*. Compensação financeira extraordinária devida pelos concessionários de exploração e produção de petróleo ou gás natural, normalmente aplicável aos casos de grande volume de produção ou de grande rentabilidade. ▶ Ver *Agência Nacional do Petróleo, Gás Natural e Biocombustíveis (ANP)*.

participação governamental / *government participation*. Conjunto de tributos cobrados das empresas concessionárias de exploração e produção de petróleo ou gás natural, como bônus de assinaturas, *royalties*, participações especiais e pagamentos pela ocupação ou retenção de área. ▶ Ver *Agência Nacional do Petróleo, Gás Natural e Biocombustíveis (ANP)*.

partícula / *particle*. Termo geral usado amplamente para a forma, composição ou estrutura interna de objeto sólido separável ou distinto, que faz parte de unidade de rocha. Exemplo: grão, fragmentos normalmente constituídos de um mineral.

partícula alfa / *alpha particle*. 1. Íon de hélio com carga 2^+. 2. Reunião de dois prótons e dois nêutrons. 3. Carga positiva ejetada espontaneamente de um núcleo de algum elemento radioativo. ⇝ É idêntico a um núcleo de hélio que tem um número de massa igual a 4 e uma carga eletrostática de 2^+, possuindo baixo poder de penetração e uma faixa curta (poucos centímetros no ar). A partícula alfa mais energética irá geralmente falhar ao penetrar em camadas mortas de células que recobrem a pele e pode ser facilmente impedida por uma folha de papel. As partículas alfa são perigosas quando o seu isótopo está no interior do corpo.

partícula beta / *beta particle*. Partícula emitida por um núcleo atômico durante um tipo de decaimento radioativo, que é fisicamente idêntica tanto ao elétron quanto ao pósitron.

partículas de aerossol / *aerosol particles*. Componentes de uma parcela da atmosfera formada por diminutas partículas sólidas, as quais, na maioria, são constituídas de água. ▶ Ver *aerossol*.

partilha de produção / *allotment of production*. O mesmo que *contrato de partilha de produção*. ▶ Ver *contrato de partilha de produção (CPP)*.

passada / *pass*. Evento único de um levantamento sonográfico para aquisição de informações do fundo marinho. ⇝ Em alguns casos específicos, mais de uma passada pode ser necessária para que se identifique corretamente um alvo no fundo marinho ou reflexões espúrias presentes no registro. Por exemplo, reflexões associadas a cardumes que possam parecer alvos no fundo marinho podem ser verificadas fazendo-se mais de uma passada no mesmo ponto.

passagem (Port.) (Ang.) / *pass*. O mesmo que *passada*. ▶ Ver *passada*.

passagem a folhelho / *shale-out*. Variação lateral de fácies de uma rocha porosa, como um arenito ou calcário, na qual ocorre um incremento no conteúdo de argila até que a rocha fique impermeável, passando para folhelho, podendo gerar um trapeamento estratigráfico. O mesmo que *pinch-out*. ▶ Ver *pinch-out*.

passagem de pedimento / *pediment pass*. Porção estreita e plana, como uma língua de superfície rochosa, que se estende talude acima do principal pedimento e penetra na montanha até encontrar outro talude de pedimento do outro lado da montanha.

pássaro / *bird*. Equipamento que contém o magnetômetro e opcionalmente outros instrumentos, rebocados por meio de cabos, por aeronaves ou navios que fazem o levantamento magnético (aéreo ou marítimo). ⇝ A principal razão de usar-se este equipamento é a diminuição da influência dos campos magnéticos gerados artificialmente pelos veículos que o transportam. Em aquisição sísmica marítima, este equipamento é acoplado ao cabo (*streamer*) dentro do qual os receptores (hidrofones) são colocados, com o objetivo de controlar a profundidade do mesmo. Em cabos muito rasos (acima de 5 m ou 6m) os hidrofones são bastante afetados pelo ruído ambiental (ondas etc.) e nos muito profundos (10 m a 20 m) o fantasma (*ghost*) do receptor ocorrerá dentro da faixa de frequência de interesse (37,5 Hz a 75 Hz. ▶ Ver *esporão*; *hidrofone*.

passivo ambiental / *environmental liability*. Valor monetário de não conformidades ambientais. ↠ O passivo ambiental é formado por três tipos de itens: *(I)* multas, dívidas e ações jurídicas por não conformidades legais; *(II)* custos das tecnologias para atingir padrões; e *(III)* custos de correção de áreas contaminadas ou degradadas.

passo / *pitch*. Distância entre os filetes de um parafuso. ↠ Em bombas do tipo parafuso, contribui para a determinação do volume das câmaras formadas entre a carcaça interna da bomba e o corpo do parafuso, sendo, por consequência, definidor da capacidade volumétrica teórica da bomba.

pasta de cimento / *cement slurry*. Suspensão composta por água, cimento e aditivos, que é usada em operações de cimentação primária ou secundária em poços de petróleo. ↠ As pastas de cimento são formuladas de modo a adequar suas propriedades às condições da operação no poço. As pastas de cimentos são, em geral, fluidos tixotrópicos. ▶ Ver *cimentação*; *aditivo de cimento*; *bainha de cimento*; *fluido tixotrópico*.

pasta de cimento adensada / *weighted cement slurry*. Pasta de cimento adensada com materiais sólidos, com massa específica que varia entre $4{,}0\,g/cm^3$ a $5{,}0\,g/cm^3$. ↠ Este sistema é utilizado em condições nas quais a formação apresenta um valor alto de pressão de poros, é instável ou plástica. Nessas condições, a densidade da pasta requerida é igual ou superior a $18{,}0\,lb/gal$. Os materiais normalmente utilizados são a baritina ($BaSO_4$), a hematita (Fe_2O_3) e o óxido de manganês (MnO). ▶ Ver *pasta de cimento*.

pasta de cimento bentonítico / *bentonite cement slurry*. Pasta de cimento que tem em sua formulação um estendedor à base de argila, que é a bentonita. ↠ A bentonita contém um teor mínimo de 85% de um mineral denominado *montmorilonita*. A faixa de densidade de pastas com bentonita varia de $11{,}5\,lb/gal$ a $15{,}0\,lb/gal$. A propriedade da bentonita, além da redução do peso da pasta, é a de se expandir muitas vezes em relação ao volume original, quando em contato com a água. Com isso, resulta em uma pasta mais viscosa, com força gel suficiente para a sustentação de sólidos, controlando ainda a perda de fluido da pasta. Geralmente a bentonita é hidratada em água doce por um período mínimo de 2 horas, antes da mistura com o cimento. ▶ Ver *pasta de cimento*; *estendedor*.

pasta de cimento de sacrifício / *tail cement slurry*. Pasta de cimento, utilizada no início do processo de cimentação, que antecede a pasta de cimento principal. ↠ É composta por cimento, bentonita e água. ▶ Ver *pasta de cimento*.

pasta de cimento espumada / *foamed cement slurry*. Pasta de cimento que contém gás (ar ou nitrogênio) disperso em sua matriz. ↠ A preparação da pasta de cimento espumada consiste na injeção de gás em uma pasta base de cimento que contém aditivos especiais, como, por exemplo, agente espumante e estabilizadores. Dessa forma, o gás é mantido em uma dispersão estável. A faixa de densidade das pastas espumadas varia de $6\,lb/gal$ a $12\,lb/gal$ ($720\,kg/m^3$ a $1330\,kg/m^3$). Uma característica importante desse sistema é a sua alta compressibilidade. As operações de cimentação com pastas espumadas podem ser realizadas utilizando técnicas diferentes, como a de manter a densidade da pasta constante ou a taxa de injeção de gás constante. ▶ Ver *pasta de cimento*.

pasta de cimento expandida / *expanding cement slurry*. Pasta de cimento especial que tem a propriedade de se expandir contra formação e revestimento após a sua pega, melhorando com isso a aderência do correspondente conjunto revestimento-formação. ↠ As reações químicas que causam este fenômeno são as mesmas envolvidas na formação da etringita ($3CaO.Al_2O_3.3CaSO_4.32H_2O$), reação essa que ocorre na presença de sulfatos e do aluminato tricálcico presentes no cimento Portland. Os cimentos expansivos comerciais são os cimentos Portland, que recebem a adição de sulfoaluminato de cálcio anidro $4CaO.3Al_2O_3.SO_3$, sulfato de cálcio $CaSO_4$ e cal (CaO). O método mais comumente empregado é a adição de gesso ao cimento API, classes A, G ou H em percentuais de 3% a 6% em relação à massa de cimento. No momento não existe nenhum procedimento de especificação API que avalie as forças de expansão da pasta de cimento nas condições operacionais. ▶ Ver *pasta de cimento*; *cimento*; *anidro*.

pasta de cimento tixotrópica / *thixotropic cement slurry*. Pasta de cimento que apresenta a característica de se manter fluida em escoamento de fluxo e desenvolver a força gel quando o movimento cessa, permanecendo autossustentável. ↠ Este sistema é útil no caso de formações fraturadas, com permeabilidades altas ou com a presença de fissuras, ou mesmo cavernas. Neste caso é comum a ocorrência de perda de circulação nessas zonas. Devido à perda de circulação durante uma operação de cimentação, o anular revestimento-formação fica parcialmente preenchido ou mesmo sem cimento e, quando isso ocorre, a altura da coluna de cimento ficará abaixo do planejado, ocasionando uma vedação hidráulica inadequada. O sistema de pasta tixotrópica é classificado de acordo com o aditivo utilizado em sua composição. ▶ Ver *pasta de cimento*; *perda de circulação*.

pata de mula / *mule shoe*. 1. Dispositivo tubular colocado na extremidade da coluna, com perfil inclinado para facilitar a reentrada pela rotação. **2.** Parte inferior de uma ferramenta descida no poço, geralmente a cabo ou arame, por dentro da coluna de perfuração, completação ou revestimento, e que precisa se encaixar de maneira orientada dentro de uma outra ferramenta descida anteriormente. Esta última tem interiormente uma camisa com uma chaveta que obriga a pata de mula a girar e a parar orientada em uma determinada direção. ↔ O nome *pata da mula* vem da similaridade da extremidade do dispositivo com o perfil de uma pata de mula.

patrocinador financeiro (Port.) (Ang.) / ***sponsor.*** O mesmo que sponsor. ▶ Ver sponsor.

pé cúbico padrão de gás (SCF) / ***standard cubic foot.*** Medida de volume de gás em condições padrões, isto é, em condições ambientais de T = 60 °F e P = 14,7 psi.

pedido de capital (Port.) / ***cash call.*** O mesmo que *chamada de capital*. ▶ Ver *chamada de capital*.

pedidos de fundos (Port.) (Ang.) / ***cash calls.*** O mesmo que cash calls. ▶ Ver cash calls.

pedimentação / ***pedimentation.*** Processo de formação de pedimento. ▶ Ver *pedimento*.

pedimento / ***pediment.*** 1. Extensa superfície na base de uma escarpa de montanha. Desenvolve-se quando o fluxo de água erode as rochas da montanha e deposita os sedimentos na sua base. 2. Largo e levemente inclinado talude que forma uma superfície erosiva de solo rochoso ou um plano de baixo relevo, tipicamente desenvolvido pelo transporte de fluxos aquosos nas regiões áridas ou semiáridas, depositado na base de uma abrupta escarpa da frente de uma montanha ou numa escarpa de um platô.

pedimento coalescente / ***coalescing pediment.*** 1. Superfície de erosão que se forma na base de uma montanha e se agrupa em um conjunto que se estende em uma vasta superfície ao longo da base de uma serrania. 2. Capeamento de espessura variável — geralmente pouco espesso, de material clástico de colúvio, elúvio ou aluvionar residual — sobre região aplainada em clima árido ou semiárido. ▶ Ver *pedimento*.

pediplano / ***pediplane.*** Região aplainada, de rochas cortadas finamente por superfícies aluvionares e formadas pela coalescência de pedimentos adjacentes e domos do deserto.

pedogênese / ***pedogenesis.*** Processo de formação de solos.

pedologia / ***pedology.*** Ciência que estuda a origem e o desenvolvimento dos solos. A abrangência desse estudo estende-se, em profundidade, desde a superfície do terreno até o limite inferior da rocha decomposta.

pedra da china / ***china stone [sed].*** Rocha sedimentar compacta, de granulometria fina, que pode ser um folhelho ou calcário, de idade carbonífera, encontrada na Inglaterra e no País de Gales.

pega / ***setting.*** Solidificação da pasta de cimento. A pega ocorre durante o período chamado *período de aceleração* ou *pega*, em que a hidratação do cimento é acelerada com o tempo, e a taxa de liberação de calor atinge o seu máximo. É nesse período que a pasta de cimento começa a adquirir resistência à compressão, e a porosidade do sistema diminui. A temperatura ambiente, esse período se inicia por volta de 3 horas após a mistura do cimento com a água, podendo durar vários dias. ↔ Durante o período de pega, a taxa de hidratação do C_3S é acelerada, formando um segundo estágio da fase C-S-H. A precipitação deste e de outros produtos da hidratação forma reticulações que levam ao aumento da resistência à compressão do cimento hidratado. Ocorre também a hidratação da maior parte do C_2S. O $Ca(OH)_2$ cristalino (portlandita) formado precipita nos espaços vazios, levando a uma redução da porosidade. O gesso moído com o cimento é completamente dissolvido, e a concentração dos íons SO_4^{-2} na fase líquida diminui progressivamente à medida que se forma a fase aluminato, e também devido à adsorção deste íon sobre a superfície da fase C-S-H. ▶ Ver *pasta de cimento*.

pega inicial / ***initial set.*** 1. Em poços de petróleo, valor correspondente à consistência da pasta de cimento quando esta atinge uma resistência à compressão de 50 psi, obtida pelo método de determinação da resistência à compressão pelo analisador ultrassônico (UCA). 2. Valor correspondente, na construção civil, à consistência da pasta de cimento quando ela atende aos requisitos do teste de determinação da temperatura de amolecimento VICAT, segundo a especificação ASTM Spec C 191–82. Nesse teste, a temperatura de amolecimento é aquela na qual a agulha do equipamento é capaz de penetrar a uma profundidade de 1mm no corpo de prova, sob carga específica. ▶ Ver *pasta de cimento*; *consistômetro pressurizado*.

pegada / ***footprint.*** Área do fundo marinho efetivamente atingida pelo sinal acústico de um sistema de batimetria. O tamanho da pegada vai depender do ângulo do feixe e da profundidade. Quanto maiores forem os dois, maior será a área afetada pelo sinal e vice-versa. Pegadas pequenas implicam medidas mais precisas do valor de profundidade.

pegmatito / ***pegmatite.*** Rocha ígnea caracterizada pela presença predominante de cristais com mais de 1cm de diâmetro. ↔ Pegmatitos formam-se nos estágios finais de cristalização do magma, sendo associados ao enriquecimento relativo da fase fluida em elementos e compostos voláteis que conferem uma maior fluidez ao líquido residual. Em geral, são associados a corpos graníticos e ocorrem principalmente nas margens de batólitos, na forma de diques irregulares, lentes ou veios.

peixe / ***fish.*** Qualquer peça metálica perdida dentro de um poço de petróleo que constitua impedimento ao prosseguimento normal das operações de perfuração. Um peixe pode ser desde um simples parafuso até um pedaço da coluna de perfuração ou de equipamentos de perfilagem. ↔ Um caso típico acontece quando uma broca perde um cone. O cone se torna então um peixe, e deve ser recuperado antes do prosseguimento da perfuração. Uma vez que um peixe tenha caído ou ficado preso dentro do poço, técnicas e ferramentas de pescaria apropriadas devem ser usadas para pescá-lo, destruí-lo ou empurrá-lo. Muitas vezes, um desvio e mesmo o abandono se torna mandatório, no caso de ser impossível realizar com sucesso uma pescaria dentro das limitações impostas e dos recursos disponíveis. Em outros, é possível conviver com o peixe, como, por exemplo, quando se perde um cone no final da perfuração. Neste caso, o revestimento é descido, ficando o peixe na parte do poço abaixo da sapata do revestimento (*rat hole*).

pelágico / *pelagic*. 1. Referente a região que compreende toda a massa de água dos oceanos, e que se divide em duas províncias, a nerítica e a oceânica. **2.** Diz-se de condição relativa aos ambientes oceânicos abertos e não profundos.

pelágico abissal / *abyssal pelagic*. Condição de oceano aberto ou do ambiente pelágico das planícies abissais.

pelítico / *pelitic*. 1. Que tem características similares às dos pelitos, ou que pertence aos pelitos. **2.** Termo usado para designar uma rocha sedimentar composta de argila; algumas, como os tufos pelíticos, contêm material produzido por cinzas vulcânicas consolidadas. ↔ É comum usar o termo na nomenclatura de uma rocha metamórfica derivada de um pelito, como por exemplo, *xisto pelítico*, para enfatizar sua origem a partir do metamorfismo de um sedimento argiloso ou alumino silicato de textura fina.

pelito / *pelite*. 1. Sedimento ou rocha sedimentar composta de detritos finos, tamanhos silte e argila. **2.** Termo equivalente ao *lutito*, usado para os carbonatos. **3.** Rocha sedimentar composta de mais ou menos alumino-silicatos hidratados com os quais estão misturadas pequenas partículas de vários outros minerais, sendo então originada de sedimentos de composição mineral de alumino-silicatos.

pendant drop. Método utilizado para medir a tensão superficial de um líquido. Por esse método, uma gota é colocada na ponta de um pêndulo, formando um sistema imerso em um outro fluido. O cálculo para obter a tensão superficial é baseado na geometria da gota formada.

peneira vibratória / *shale shaker*. Termo adotado nas sondagens rotativas, em especial as sondagens para petróleo, para designar a peneira que separa da lama ascendente os fragmentos de rocha cortados pela broca. É equipamento das sondas de perfuração, pertencente ao sistema de circulação de fluidos, e é usado para separar os sólidos retirados do poço (cascalhos) do fluido de perfuração que está retornando ao tanque. Pode ter movimentos vibratórios lineares, circulares ou elípticos.

peneiras moleculares / *molecular sieves*. Materiais sólidos, geralmente na forma granular, formados por cristais cuja porosidade uniforme aprisiona seletivamente moléculas de determinados compostos de correntes de fluidos. As moléculas de determinados tamanho e características ficam adsorvidas no interior dos poros, enquanto as demais fluem livremente pelo sistema. Trata-se de um processo similar a uma filtragem, porém em nível molecular. ↔ Diversos materiais são utilizados como peneiras moleculares, cada um deles com características e seletividade próprias para determinada aplicação.

penetração / *penetration*. Medida da consistência de uma graxa lubrificante. ↔ O método empregado é o ASTM D 217, no qual um cone padronizado, função de parâmetros igualmente controlados e determinado (por exemplo: temperatura, carga), penetra numa amostra de graxa. A penetração, expressa em décimos de milímetros, determina a característica e classifica a graxa.

penetração de gás / *gas penetration*. Fenômeno do gás que caracteriza a injeção deste e sua penetração em parte da golfada durante a sua elevação. Este fenômeno ocorre na abertura da válvula, até a golfada atingir a velocidade de subida.

penetração total do alvo / *total target penetration*. Comprimento do furo feito na rocha pelo canhoneio. A penetração total no alvo é medida a partir da face do revestimento do poço, incluindo sua espessura. ▶ Ver *canhoneio*.

penetração trabalhada / *worked penetration*. Medida da penetração em uma graxa após ela ter estado em trabalho. ↔ O método empregado é o ASTM D 217, no qual a penetração de uma amostra de graxa lubrificante é determinada após esta ser colocada numa temperatura definida e receber 60 golpes de carga num trabalhador de graxa, igualmente padronizado, que força a passagem da graxa através de furos calibrados. ▶ Ver *penetração*.

penetrador / *penetrator*. 1. Equipamento que permite a transmissão da energia elétrica através de uma cápsula metálica que contém um conjunto de bombeio centrífugo submerso. **2.** Adaptador que possui internamente alguns anéis de borracha (*o-rings*) e é rosqueado na parte superior de uma cápsula metálica de um conjunto de bombeio centrífugo submerso. ↔ Promove a vedação da passagem de um cabo elétrico pela cápsula. Seu corpo é constituído por uma carcaça metálica, que envolve um trecho de cabo elétrico, e tem dois rabichos de cabo elétrico conectados em suas extremidades. ▶ Ver *bombeio centrífugo submerso*; *cabo redondo*.

penetrômetro de cone (Port.) (Ang.) / *cone penetrometer*. O mesmo que *penetrômetro de cone*. ▶ Ver *penetrômetro de cone*.

penetrômetro padrão (Port.) (Ang.) / *standard intruder*. O mesmo que *penetrômetro padrão*. ▶ Ver *penetrômetro padrão*.

penetrômetro de cone / *cone penetrometer*. 1. Instrumento de forma cilíndrica com uma ponta cônica projetada para penetrar no solo e em rocha friável, com a finalidade de medir a resistência de sólidos à penetração de ponta e ao atrito lateral. **2.** Medidor de penetração. **3.** Instrumento destinado a determinar o poder de penetração do raio X.

penetrômetro padrão / *standard intruder*. O mesmo que *penetrômetro de cone*. ▶ Ver *penetrômetro de cone*.

penhasco costeiro / *shore cliff*. Penhasco formado nas margens ou praias de um corpo aquoso.

pentolite / *pentolite*. Explosivo que é resultante de uma mistura de TNT e PETN a 50% cada um.

peptização / *peptization*. Ato de dispersar um precipitado em um meio líquido (solvente) formando um sistema coloidal. ↔ Acredita-se que produtos químicos dispersantes, utilizados para remoção de borras e depósitos, promovam a peptização dos agregados asfaltênicos, formando um sistema homogêneo de fácil tratamento. ▶ Ver *dispersante*.

pequeno seixo / *small cobble*. Seixo com diâmetro entre 64 mm e 128 mm (2,5 a 5 polegadas ou –6 a –7 unidades de phi).

percentual (%) de gás na lama (Ang.) / *percentage (%) gas-cut mud*. O mesmo que *lama cortada por gás*. ▶ Ver *lama cortada por gás*.

percentual (%) de óleo na lama (Ang.) / *percentage (%) oil-cut mud*. O mesmo que *lama cortada com óleo*. ▶ Ver *lama cortada com óleo*.

percentual de sedimentos versus água (Ang.) / *basic sediment and water*. Medida de quantidade de água e sedimentos na amostra de óleo, em porcentagem. ↔ O *BSW* (*basic sediment and water*) mede a quantidade de água no petróleo.

percolação / *percolation*. Passagem de um fluido através de um leito poroso.

percussor / *jar*. O mesmo que *ferramenta de percussão*. ▶ Ver *ferramenta de percussão*.

percussor para pescaria / *fishing jar*. Ferramenta de acionamento hidráulico ou mecânico, utilizada na coluna de pescaria com o objetivo de aplicar golpes ascendentes em uma coluna presa. ▶ Ver *pescaria*.

perda / *dropout*. Perda de informações na leitura de uma gravação feita com qualquer instrumento. O mesmo que *abandono*.

perda de carga / *pressure drop*. 1. Pressão diferencial no escoamento de um fluido entre a entrada e a saída de um medidor, retificador de fluxo, filtro etc. 2. Medida da dissipação de energia na forma de calor devido ao atrito durante escoamento de um material. 3. Medida da queda de pressão durante escoamento de um fluido pelo deslocamento sofrido. 4. Representa a energia por unidade de peso perdida num trecho em estudo. ↔ A pressão diferencial varia conforme a vazão do fluido.

perda de carga localizada / *local pressure drop*. Perda de carga devida aos distúrbios locais de fluxo ao passar este por acessórios (válvulas, joelhos, reduções, expansões etc.). ↔ Pode ser determinada através de dois métodos: *(I)* indireto, a partir de um coeficiente experimental tabelado (K) para cada tipo de acidente ou cada variação de um mesmo tipo de acidente. Este valor é obtido do fabricante do acessório. É um valor representativo de influência do coeficiente de atrito, do comprimento e do diâmetro; *(II)* método do comprimento equivalente, que consiste em fixar o valor do comprimento reto de tubulação que reproduziria, nas mesmas condições, a mesma perda de carga que o acessório em questão. O valor de comprimento equivalente é fornecido pelo fabricante do acessório. ▶ Ver *perda de carga*.

perda de carga na broca / *bit pressure drop, bit nozzle pressure drop*. Queda de pressão devida ao escoamento do fluido de perfuração causada pela redução do diâmetro útil do jato, podendo inclusive, ocasionar o bloqueio da passagem do fluido de perfuração. A energia do fluido de perfuração, sob forma de pressão, é transformada em energia mecânica, representando entre 50% e 70% da pressão total de circulação, em condição típica de perfuração. A perda de carga na broca pode ser estimada pela equação.

$$\Delta P = 0,5 \cdot \rho \cdot Q^2 / C_D \cdot A.$$

onde:
ΔP é a perda de carga na broca; C_D é o coeficiente de descarga que normalmente assume o valor de 0,95; ρ é a massa específica do fluido de perfuração; Q é a vazão de fluido de perfuração; e A é a área disponível para o escoamento de fluido pelos jatos da broca. ▶ Ver *perda de carga*.

perda de carga parasita / *parasite pressure drop*. Soma das perdas de carga em todo o sistema de circulação, exceto na broca, ou seja, nos equipamentos de superfície, no interior da coluna e no espaço anular. ▶ Ver *perda de carga*.

perda de carga útil / *useful pressure drop*. Perda de pressão nos jatos da broca, pois, ao ser convertida em potência hidráulica ou força de impacto, essas grandezas são usadas na limpeza do fundo do poço, logo abaixo da broca. Portanto, ao se dimensionar os jatos da broca, tenta-se sempre otimizar a perda de carga útil em relação à pressão total de bombeio. ▶ Ver *perda de carga*.

perda de circulação / *lost or loss circulation*. Perda total ou parcial de fluidos ou pasta de cimento para formações com permeabilidades altas, com a presença de cavernas ou com fraturas que foram induzidas naturalmente durante as operações de perfuração ou de cimentação. ↔ As classificações adotadas na indústria de petróleo são: *(I)* vazamento, quando as perdas são inferiores a 10 bbl/h; *(II)* perda parcial, quando os valores são superiores a 10 bbl/h, mas com algum retorno para a superfície; e *(III)* perda total, quando os valores são superiores a 10 bbl/h, mas sem retorno à superfície. Nos casos mais severos de perda total, o poço não consegue reter a coluna de fluido mesmo quando cessa o bombeamento.

perda de filtrado / *filtrate loss*. Volume de fluido perdido para a rocha, decorrente de um processo de filtração que ocorre pelo contato deste fluido com uma formação permeável. Simultaneamente, ocorre formação de um reboco ou torta de filtração. ↝ O valor do filtrado de um fluido é geralmente obtido através de um ensaio de filtração padronizado pelo API, em que o meio filtrante é um papel de filtro e o tempo de filtração é estabelecido em 30 minutos.

perda de fluido / *fluid loss*. Quantidade de fluido (pasta de cimento, fluido de perfuração ou de completação) perdido ou filtrado para as zonas permeáveis adjacentes. ↝ Uma forma de controlar esse parâmetro é a utilização de aditivos controladores de filtrado na formulação desse fluido. Na indústria, as pastas de cimento podem ser classificadas de acordo com o filtrado, segundo o volume obtido no teste de filtração. Por exemplo, uma pasta com baixa perda de filtrado apresenta valores situados na faixa de 50 cm^3 a 100 cm^3 em 30 minutos, enquanto pastas sem controle da perda de fluido apresentam valores acima de 300 cm^3 em 30 minutos. ▶ Ver *teste de filtração*.

perda de pressão (Port.) (Ang.) / *head loss*. O mesmo que *perda de carga*. ▶ Ver *perda de carga*.

perda de pressão localizada (Port.) (Ang.) / *local pressure drop*. O mesmo que *perda de carga localizada*. ▶ Ver *perda de carga localizada*; *perda de carga*.

perda de pressão na broca (Port.) (Ang.) / *bit pressure drop, bit nozzle pressure drop*. O mesmo que *perda de carga na broca*. ▶ Ver *perda de carga na broca*.

perda de pressão parasita (Port.) (Ang.) / *parasite pressure drop*. O mesmo que *perda de carga parasita*. ▶ Ver *perda de carga parasita*.

perda de pressão útil (Port.) (Ang.) / *useful pressure drop*. O mesmo que *perda de carga útil*. ▶ Ver *perda de carga útil*.

perda de retorno de lama (Port.) (Ang.) / *lost mud return, lost circulation (partial or total)*. O mesmo que *perda de retorno do fluido*. ▶ Ver *perda de retorno do fluido*.

perda de retorno do fluido / *lost mud return, lost circulation*. Não retorno de fluido do poço, ou retorno em quantidade menor à que está sendo injetada. Portanto, esta perda pode ser parcial, quando apenas parte do fluido injetado retorna, ou total, quando não há retorno do fluido bombeado. Chamada também *perda de circulação*.

perda por absorção / *absorption loss*. 1. Perda de amplitude nas maiores frequências do sinal sísmico, causada por absorção. 2. Perda que um sinal sofre ao longo de sua trajetória. ↝ As perdas por absorção em sísmica de reflexão são corrigidas com a utilização de vários artifícios, e um dos mais simples consiste em decompor o traço sísmico em faixas estreitas de frequência, sendo os traços da faixa multiplicados pela função g(t) = exp(kbft), na qual f é frequência central da faixa. O traço corrigido é obtido empilhando os resultados das multiplicações. ▶ Ver *absorção*.

perda por fricção / *friction loss*. Redução na pressão do fluido em escoamento causada pelo atrito com uma superfície, como uma tubulação, por exemplo, ou com a interface de contato com outro fluido. ↝ Também chamada *perda de carga*, a perda por fricção é irreversível e gera calor, a chamada *dissipação viscosa*. O calor gerado normalmente é desprezível, mas com o aumento da viscosidade do fluido e/ou dos gradientes de velocidade pode tornar-se significativo.

perda por transmissão / *transmission loss*. Atenuação da amplitude do sinal pelas reflexões nas camadas superiores ao refletor.

perder um poço / *lose a hole*. Situação em que, devido a algum evento indesejável, nenhuma operação pode mais ser conduzida naquele poço. Tal evento pode ser, por exemplo, bloqueio por prisão de coluna (por não ter sido possível pescá-la), ou por influxo descontrolado com perda de circulação. ▶ Ver *pescaria*; *perda de circulação*; *poço perdido*.

perfil / *log*. Registro de medidas contínuas no poço que tem diversas aplicações, de acordo com sua característica. Por exemplo, o perfil de temperatura verifica variações de temperatura ao longo de um trecho do poço. ↝ Como exemplos, são citados os perfis de temperatura (para a verificação das variações de temperatura ao longo de um trecho do poço), o perfil de raios gama (GR) (para a medição da radioatividade natural da formação, podendo ser corrido a poço aberto ou revestido) e os perfis acústicos (sônicos), utilizados para a avaliação da qualidade de uma cimentação.

perfil a cabo / *wireline log*. Operação em que uma ferramenta é descida no poço, para medição de dados, com um cabo que permite a comunicação elétrica e transmissão dos dados adquiridos entre a ferramenta dentro do poço e a superfície. ▶ Ver *cabo de perfilagem*; *perfilagem*.

perfil acústico / *acoustic log*. 1. Fornecimento e medição, em poços, da velocidade de propagação da onda compressional (*compressional* ou *acoustic wave*); algumas vezes usado em diferenciação a *dipole log*, que obtém as velocidades das ondas compressionais e cisalhantes. 2. Representação gráfica dos tempos de trânsito de ondas sonoras ou ultrassônicas, utilizada para mapear formações de interesse a partir de aparelhos inseridos dentro do poço. 3. Perfil de poço no qual se mede o tempo de trânsito das ondas sísmicas através da formação. Também chamado *perfil acústico de velocidade*. ↝ O princípio de funcionamento está baseado na emissão de ondas e na medição do tempo necessário para a recepção de seus reflexos. Os valores são geralmente plotados contra a profundidade do poço. ▶ Ver *onda acústica*.

perfil acústico de velocidade / *acoustic velocity log*. Perfil de poço no qual se mede o tempo de propagação da onda em um meio e suas correspondentes velocidades sísmicas. ▶ Ver *perfil acústico*.

perfil ativado / *activation log*. Perfil efetuado em poço para medir a radioatividade em uma formação, após a estimulação por intermédio de bombardeamento com nêutrons de alta energia.

perfil azimutal VSP / *azimuthal VSP*. Perfil sísmico vertical no qual as fontes estão compensadas em direções diferentes.

perfil batimétrico / *bathymetric profile*. Perfil que registra a variação da lâmina d'água ao longo de uma direção usando informações de um ecobatímetro ou ecograma. ▶ Ver *ecograma*.

perfil carbono-oxigênio / *carbon-oxygen log*. Perfil que apresenta uma medida da abundância relativa de carbono para oxigênio, a partir de raios gama produzidos por ambos os elementos por dispersão inelástica de nêutrons de alta energia (14MeV). ↠ Os raios gama são medidos dentro de janelas de espectro de energia que representam os picos provenientes do carbono e do oxigênio. A relação das contagens provê um meio de predizer as quantidades relativas de hidrocarbonetos e água e de hidrocarbonetos em formações revestidas e, consequentemente, não sujeitas a invasão por fluidos do poço. A relação C/O é relativamente independente da salinidade da água de formação. Para diferenciar o carbono em moléculas de hidrocarbonetos daquele no arcabouço da rocha (matéria sólida de carbonatos) é também determinada a relação Si/Ca.

perfil composto / *composite log*. Perfil único criado com o objetivo de unir dois ou mais perfis do mesmo tipo, ocorridos em ocasiões diferentes no poço, ou de dois tipos diferentes de perfis ocorridos no mesmo tempo. Por exemplo, é prática comum emendar todos os perfis básicos ocorridos em diferentes intervalos em um poço, para se obter um registro composto único. ▶ Ver *perfil de correlação*; *perfil de detalhe*.

perfil controle de profundidade / *depth-control log*. Perfil ocorrido em poços revestidos, com o propósito de correlacioná-lo com perfis de poço aberto para estabelecer controle de profundidade nas operações de completação. ↠ Normalmente o perfil controle de profundidade é feito com uma ferramenta de perfilagem radioativa em conjunto com um localizador de juntas de revestimento. O perfil de correlação pode ser um perfil de raio gama (GR) e/ou perfil neutrônico, ou ainda um perfil de captura de nêutrons.

perfil curto-normal / *short-normal log*. Perfil que ocorre na perfilagem de poços, quando o espaçamento entre os eletrodos A-M é de cerca de 16 polegadas.

perfil de absorção fotoelétrica / *photoelectric-absorption log*. Perfil que mede a radiação gama induzida por uma fonte.

perfil de acompanhamento / *strip log*. Registro da litologia realizado em um poço, indicando testes feitos para água, petróleo, gases etc.

perfil de acompanhamento da trajetória do poço / *directional plot*. Registro das projeções verticais e horizontais à trajetória do poço em relação à sonda, que permite uma série de análises por parte dos especialistas envolvidos nas operações ↠ Durante a perfuração de um poço, se faz necessário um acompanhamento da sua trajetória e esse acompanhamento é feito através de registros de inclinação e direção medidos a certas profundidades. O cálculo consecutivo da profundidade vertical, do afastamento e das coordenadas relativas a cada profundidade permite que se acompanhe essas projeções. ▶ Ver *foto*.

perfil de aderência da pasta de cimento / *cement bond log*. Registro contínuo da amplitude do primeiro sinal que chega ao receptor, distante 3 ft do transmissor que compõe a ferramenta de perfilagem. ↠ Esse sinal, geralmente, é aquele que 'viaja' pelo revestimento. Os valores altos de amplitude correspondem à ausência de cimento ou de aderência na interface cimento-revestimento. Em contrapartida, valores baixos de amplitude significam presença de cimento no anular, ou boa aderência ao revestimento. Dessa forma, este perfil é útil na avaliação da qualidade de uma cimentação.

perfil de aderência do cimento / *cement bond log (CBL)*. 1. Registro contínuo das amplitudes de pulsos acústicos após se propagarem por um determinado comprimento de revestimento. 2. Perfil usado para verificar a qualidade da cimentação de revestimentos. ↠ A amplitude de um pulso é forte após a propagação ao longo de um tubo sem suporte (não aderido), porque não há nada para restringir a vibração do revestimento. Por outro lado, a vibração é amortecida pelo envoltório de cimento em um tubo bem cimentado, e a amplitude é fraca. Se a aderência à formação é pobre, a energia acústica que se propaga pela formação é fraca. Se tanto o revestimento como a formação estão bem aderidos, somente o sinal da formação é forte. ▶ Ver *perfil de densidade variável*; *perfil de avaliação do cimento*.

perfil de afastamento zero / *zero-offset profile*. O mesmo que *seção de afastamento zero*. ▶ Ver *seção de afastamento zero*.

perfil de amostra de calha / *sample log*. Perfil elaborado através da descrição das amostras de calha obtidas durante a perfuração de um poço, no qual são registradas as percentagens relativas das litologias atravessadas pelo poço, totalizando 100% para cada intervalo de amostragem, que comumente é de 3 em 3 m.

perfil de amplitude / *amplitude log*. Registro da amplitude de onda compressional ou de cisalhamento que se propaga no ambiente do poço em uma perfilagem acústica. ▶ Ver *perfil de aderência do cimento*; *perfil de fratura*.

perfil de análise do tubo / *pipe analysis log*. Perfil corrido para detectar imperfeições nas paredes internas ou externas do revestimento. Tem como aplicações a identificação de danos por corrosão, a avaliação do progresso da corrosão através de corridas periódicas, e a predição da vida útil do revestimento. ▶ Ver *conexão do tubo de perfuração*.

perfil de aquisição / *acquisition log*. Perfil registrado durante a aquisição, ou seja, em tempo real. Distinto de um perfil reproduzido (*playback*), que é feito mais tarde a partir dos dados digitais. ▶ Ver *perfil de correlação*.

perfil de ativação / *activation log*. Perfil de concentração de elementos (radioisótopos), obtido a partir de níveis característicos de energia de raios gama emitidos por um núcleo ativado por bombardeio de nêutrons. Embora existam vários tipos de perfis de ativação, o termo é mais comumente usado para referir-se aos perfis de ativação de alumínio (*AACT*) e de oxigênio.

perfil de ativação de alumínio / *aluminum-activation log*. Perfil da concentração (por peso) de alumínio na formação, baseado no princípio de ativação neutrônica. O alumínio (^{27}Al) pode ser ativado por captura de nêutrons de energia relativamente baixa a partir de uma fonte química para produzir o isótopo (^{28}Al), que se desintegra com uma meia-vida de 2,3 minutos e emite um raio gama de 1,78 MeV facilmente detectado. ↝ O alumínio é indicador do volume de argila, uma vez que os minerais de argila são silicatos de alumínio. ▶ Ver *perfil de ativação*.

perfil de avaliação do cimento / *cement-evaluation log*. Perfil de avaliação do cimento em poço revestido, que mostra dados processados a partir de transdutores ultrassônicos, de modo que canais no envoltório de cimento podem ser detectados. ↝ A qualidade do cimento é dada em oito segmentos radiais, e a orientação de um canal pode ser determinada a partir de um registro do desvio do poço e do rumo relativo do primeiro transdutor. Um perfil de calibre também é fornecido a partir das oito medidas radiais. ▶ Ver *perfil de aderência do cimento*; *perfil de densidade variável*.

perfil de calibre / *caliper log*. Registro do diâmetro de um poço medido ao longo de sua profundidade. Os perfis de calibre geralmente são medidos mecanicamente, exceto alguns que usam dispositivos acústicos. ↝ Como os poços comumente são irregulares (rugosos), é importante que se disponha de uma ferramenta que meça o diâmetro simultaneamente em diferentes posições, perpendicularmente ao eixo da ferramenta ou do poço. Essas ferramentas são chamadas *calibradores de multibraços* e podem ter 2, 3, 4, 6 ou mais braços. Os dados de calibre podem ser integrados para obtenção do volume do poço aberto e subsequente planejamento de cimentação de revestimento ou de colocação de tampões. O perfil de calibre também é usado como indicador qualitativo tanto das condições mecânicas do poço como do grau em que o sistema de lama manteve a estabilidade do poço. Com o perfil de calibre pode-se estimar o volume do poço e projetar operações como cimentação e *gravel pack*. ▶ Ver *cimentação*; *gravel pack*.

perfil de *caliper* / *caliper log*. O mesmo que *perfil de calibre*. ▶ Ver *perfil de calibre*.

perfil de canhoneio / *perforation log*. O mesmo que *perfil de controle de profundidade de canhoneio*. ▶ Ver *perfil de controle de profundidade do canhoneio*; *canhoneio*.

perfil de capacitância / *capacitance log*. Registro *in situ* da capacidade que tem o fluido de passar através de um sensor para armazenar carga elétrica ↝ Como a água tem alta constante dielétrica (e = 56-80), ela se distingue do óleo (e = 2-2,4) e do gás (e = 1). O perfil de capacitância permite, portanto, identificar a água como elemento de referência em sua escala de dados, em função da fração de água em produção. A relação entre a capacitância e a fração depende fortemente de ser ou não a água uma fase contínua, dificultando, consequentemente, a sua avaliação quantitativa. O mesmo que *perfil de capacitância de fluido*.

perfil de controle de profundidade do canhoneio / *perforating-depth-control log*. Perfil que permite posicionar corretamente o canhão em frente à zona que será canhoneada. ↝ Os intervalos a serem perfurados e completados são escolhidos a partir dos perfis corridos a poço aberto, sendo que, para efetuar o canhoneio, se faz necessário ter um perfil para correlação que funcione a poço aberto e revestido. Geralmente usa-se um perfil de raios gama (GR) que apresenta a medida da radioatividade natural das formações e, em rochas sedimentares, dá uma ideia do teor de folhelhos. Juntamente com o GR corre-se um perfil localizador de luvas, conhecido como CCL (*casing colar locator*), que tem a profundidade amarrada ao GR e, portanto, relacionada com o perfil básico. O conjunto GR/CCL é conhecido como *perfil de controle de canhoneio*, ou PDCL (*perforating depth control log*), e a vantagem de se dispor deste perfil é a consequente dispensabilidade de se correr um GR nos canhoneios futuros, bastando acoplar um CCL aos canhões e efetuar a correlação pelas luvas.

perfil de correlação / *correlation log*. 1. Perfil corrido com o propósito de correlação entre poços. Com esta finalidade, os perfis mais comumente usados são os perfis de raio gama (RG), os de resistividade e os acústicos. As escalas de profundidade (vertical) mais comuns são 1/500 e 1/1.000 ou 1 cm / 5 m ou 1 cm / 10 m. **2.** Termo genérico aplicado a qualquer curva de perfil de poço utilizada para identificação e caracterização de seções equivalentes em subsuperfície ou para individualização de unidades litológicas em poços. ▶ Ver *perfil composto*; *perfil de detalhe*.

perfil de decaimento térmico / *thermal decay time log*. Registro da vazão da captura de nêutrons termais em rochas bombardeadas por uma fonte de nêutrons. ↝ Os nêutrons capturados pelos elementos presentes nas rochas, particularmente o cloro, emitem raios gama que são registrados pelos detetores da ferramenta. É um registro que permite identificar os fluidos que saturam a rocha.

perfil de densidade / *density log*. Perfil de poço que registra a densidade total da formação. ↝ A ferramenta consiste em uma fonte de raio gama (comumente Césio 137) e um ou mais detetores blindados que registram os raios gama de retorno a partir da formação. Estes raios gama dependem da densidade eletrônica da formação, que é razoavelmente proporcional à densidade total. A fonte e o(s) detetor(es) é (são) montado(s) sobre um patim deslizante que é pressionado contra a parede do poço. As ferramentas com dois ou três detetores compensam os efeitos de reboco e rugosidades do poço. Sinônimo: *perfil gama-gama*.

perfil de densidade acústica / *acoustic density log*. Perfil utilizado para medir a variação da densidade das rochas através da propagação da onda acústica de uma formação em um poço.

perfil de densidade compensado / *compensated-density log*. Perfil de densidade corrigido pelos efeitos da lama e do reboco, usando dois ou mais detetores em diferentes espaçamentos a partir da fonte. ↝ Quanto menor o espaçamento, mais rasa a profundidade de investigação e maior o efeito do reboco. Portanto, um detetor de pequeno espaçamento, que é muito sensível ao reboco, pode ser usado para corrigir um detetor de longo espaçamento, que é muito pouco sensível a ele. Em um esquema típico de compensação de dois detetores, a densidade medida pelo detetor de maior espaçamento é corrigida por uma quantidade, *delta rho*, que é função da diferença entre as densidades do longo e do curto espaçamento. A correção depende da diferença entre as densidades da formação e do reboco multiplicada pela espessura do reboco. Embora haja três incógnitas, funções simples são confiáveis para correções moderadas. Resultados experimentais são muitas vezes apresentados em forma de um gráfico de espinha e costelas. Há outros esquemas que usam, por exemplo, mais detetores.

perfil de densidade variável / *variable density log (VDL)*. Ferramenta de perfilagem para avaliação da qualidade da cimentação. Este perfil mostra as amplitudes de ondas refletidas pela formação. Quando a cimentação está boa, as primeiras ondas vêm atenuadas.

perfil de detalhe / *detail log*. Perfil com uma escala de profundidade selecionada para mostrar detalhes suficientes da formação. As escalas mais comuns são 1/200 ou 1 cm/2 m.

perfil de dupla localização / *dual-guard log*. Perfil com duas curvas de resistividade para diferentes profundidades de investigação.

perfil de equilíbrio / *equilibrium profile, profile of equilibrium*. 1. Perfil topográfico ou batimétrico no qual os processos de erosão e sedimentação encontram-se aproximadamente em equilíbrio. 2. Curva de traçado parabólico na qual o mergulho diminui continuamente em função do afastamento da fonte dos sedimentos.

perfil de fótons / *photon log*. Perfil de poço que usa radiação gama. Difere de um *density log* porque a sonda não é pressionada contra as paredes do poço e, consequentemente, o perfil é sensível a mudanças no diâmetro do poço e à densidade do fluído que lá está.

perfil de fratura / *fracture log*. Perfil da amplitude cumulativa das ondas chegadas de uma ferramenta sônica de perfilagem, durante uma certa janela de tempo num poço.

perfil de *gravel pack* / *gravel pack log*. Perfil corrido para avaliar a qualidade do *gravel packing*. ↝ A ferramenta consiste em uma fonte e um detetor de raios gama. O número de raios gama que atinge o detetor depende da densidade do material investigado. Uma vez que a densidade de fluido é diferente da do *gravel*, consegue-se saber onde há ou não *gravel*, e qual a sua percentagem. A presença de gás no *gravel* afeta a leitura da ferramenta. ▶ Ver *empacotamento de areia*; gravel pack.

perfil de imageamento elétrico / *electrical imaging log*. Perfil de poço feito com um dos métodos de perfilagem elétrica.

perfil de impedância acústica / *acoustic impedance log*. 1. Perfil de poço no qual se mede o tempo que a onda acústica leva para percorrer um certo intervalo vertical da formação (tempo de trânsito). Na forma mais simples, consiste em um transmissor com dois receptores. 2. Perfil sintético (ou seja, não obtido realmente durante a perfilagem) obtido pelo produto dos perfis corrigidos de densidade pelo inverso do sônico. ▶ Ver *perfil acústico*.

perfil de indução / *induction log*. Registro da resistividade das rochas e dos fluidos nelas contidos, feito por uma ferramenta de indução eletromagnética.

perfil de indução dupla / *dual-induction log*. Perfil de indução com duas curvas de indução para diferentes profundidades de investigação.

perfil de inspeção de revestimento / *casing inspection log*. Registro *in situ* da espessura e integridade do revestimento, que objetiva verificar se tal revestimento está corroído, e a extensão da corrosão. ↝ É uma medida individual, ou combinação de medidas que usa técnicas acústicas, elétricas e mecânicas para avaliar a espessura do revestimento e outros parâmetros. O perfil geralmente apresenta as medidas básicas e uma estimativa da perda de metal. Este perfil foi introduzido no início da década de 1960 e hoje os termos *perfil de avaliação do revestimento* e *perfil de inspeção de revestimento* são usados como sinônimos. ▶ Ver *perfil de potencial do revestimento*.

perfil de intemperismo / *weathering profile*. 1. Perfil descritivo das alterações sofridas pelas

rochas existentes dentro da camada de intemperismo. **2.** Perfil de distribuição das velocidades dentro da zona de baixa velocidade (ZBV). ▶ Ver *zona de baixa velocidade (ZBV)*.
perfil de litodensidade / *lithodensity log*. Registro da densidade total e da seção de absorção fotoelétrica (Pe) das rochas que compõem as paredes do poço. É realizado por uma ferramenta composta de uma fonte de raios gama e dois receptores.
perfil de luvas de revestimento / *casing-collar log*. Perfil obtido por um localizador de luvas de revestimento, ao qual geralmente é incorporado um perfil de raio gama para correlacionar a posição relativa das feições do revestimento com o reservatório ou formação de interesse. O CCL geralmente é parte integrante de todos os perfis em poço revestido.
perfil de mergulho / *dip log, dipmeter log, stick plot*. Perfilagem de poços que mostra a direção do mergulho.
perfil de microrresistividade / *microresistivity log*. Registro da resistividade da zona invadida pela lama de perfuração nas paredes do poço, feito por uma ferramenta com eletrodos presos a um patim que é pressionado contra a parede do poço.
perfil de poço aberto / *open-hole or openhole log*. Perfilagem realizada, a cabo ou a coluna, em trecho de poço não revestido. ▶ Ver *perfilagem; unidade de perfilagem*.
perfil de potencial do revestimento / *casing-potential profile*. Perfil do potencial elétrico da parede interna de um revestimento. É usado para identificar intervalos suscetíveis à corrosão. Uma inclinação negativa no perfil indica uma zona em que a corrente deixa o revestimento e, portanto, age como um ânodo. Tais zonas são suscetíveis à corrosão. ↦ Os perfis são registrados com a ferramenta estacionária e medem a diferença de potencial e a resistência do revestimento entre vários pares de sensores aplicados à parede do revestimento, e entre os sensores e a superfície. O perfil é representado com a resistência do revestimento e sua a corrente axial. Aumentos bruscos da resistência podem indicar zonas corroídas ou até furos no revestimento. Decréscimo da corrente axial com a profundidade indica uma zona de corrosão. ▶ Ver *perfil de inspeção de revestimento*.
perfil de praia / *shore profile*. Perfil construído pela intersecção da superfície de uma praia com o plano vertical.
perfil de pressão e temperatura / *pressure and temperature profile*. O mesmo que *perfil P/T*. ↦ Combinação de registros de pressão e temperatura ao longo do poço. ▶ Ver *perfil P/T*.
perfil de produção / *production log*. Registro que objetiva determinar a efetividade de uma completação, as condições de produtividade ou injetividade das diferentes zonas de um poço, ou monitorar os resultados de uma estimulação. Os perfis de produção são de dois tipos: PLT (*production logging tool*) e o TDT (*thermal decay time log*). ↦ O PLT pode apresentar os seguintes perfis: contínuos *flowmeter*, que determina a velocidade dos fluidos em cada seção do poço; a densidade dos fluidos, medida por um sistema radioativo; o gradiomanômetro, que mostra a densidade da mistura do fluido no poço; o *hidrolog*, que indica a percentagem de água na mistura através da constante dielétrica do fluido; e o perfil de temperatura. Anomalias na temperatura podem indicar intervalos que estão produzindo ou recebendo fluidos, localização de vazamentos, topo do cimento, altura de fraturas etc. O TDT é utilizado para determinar os contatos gás-óleo e óleo-água, através do decaimento do nível termal dos nêutrons emitidos contra a formação pela ferramenta, *versus* a profundidade. Como o gás, o óleo e a água têm resposta diferente a esse estímulo, consegue-se distinguir as diferentes saturações da rocha.
perfil de propagação dielétrica / *dielectric propagation log*. Perfil das propriedades dielétricas de uma determinada formação. ↦ O perfil inclui duas curvas: (*I*) a permissividade dielétrica relativa (que é admissional) e (*II*) a resistividade em ohm.m. Na frequência usada (cerca de 25MHz), as moléculas de água têm forte efeito nas propriedades dielétricas, de modo que tanto a permissividade dielétrica relativa como a condutividade aumentam com o volume de água presente. A permissividade dielétrica relativa pode ser usada para distinguir hidrocarbonetos de água de qualquer salinidade. A vantagem deste perfil é que a frequência mais baixa permite uma maior profundidade de investigação e, portanto, uma análise da zona virgem. ▶ Ver *condutividade*.
perfil de propagação eletromagnética / *electromagnetic propagation log (EPL)*. Sensor para registro do tempo de propagação e atenuação de uma onda eletromagnética nas formações ao redor do poço. É realizado por uma ferramenta (*electromagnetic propagation tool, EPT*) composta de dois transmissores e dois receptores.
perfil de propagação profunda / *deep propagation log (DPL)*. Perfil de poço que fornece a resistividade e constante dielétrica da formação. A ferramenta de propagação profunda (*deep propagation tool, DPT*) emite radialmente energia eletromagnética para a formação em torno do poço. ↦ Medidas de atenuação e velocidade desta onda eletromagnética fornecem valores para determinar a resistividade e constante dielétrica da formação. A ferramenta opera em uma frequência de dezenas de megahertz e mede nível de sinal e fase relativa em quatro receptores. ▶ Ver *perfil de propagação eletromagnética*.
perfil de radioatividade / *radioactivity log*. Perfil de poço de radiação natural ou induzida. Usualmente refere-se a um perfil de raios gama. ▶ Ver *perfil de raios gama*.
perfil de raios gama / *gamma-ray log*. 1. Registro elétrico da radioatividade natural das cama-

das geológicas. 2. Forma corrente para obtenção de dados geofísicos, que consiste em determinar os conteúdos de potássio (K-40), urânio (U-238) e tório (Th-232), ou, em alguns casos, o conteúdo total desses radioelementos, fazendo baixar um detector de radiação gama em um poço que intercepta os horizontes a serem investigados e medindo a sua radioatividade natural. A partir de tais medições, são construídos registros dos valores aferidos, e estes registros recebem o nome de *perfis*.

perfil de raios gama induzidos / *induced gamma-ray log*. Perfil feito pelo bombardeio de um poço com uma fonte de nêutrons e pela medição dos raios reemitidos pela formação. ▶ Ver *perfil de raios gama*.

perfil de refração / *refraction profile*. Registro de refração sísmica.

perfil de resistividade / *resistivity profile*. Método geofísico fundamentado na resposta de resistividade elétrica dos diferentes terrenos. ↔ Os perfis de resistividade correspondem a uma técnica baseada na aplicação de uma corrente elétrica no solo, por meio de um par de eletrodos, verificando-se o potencial resultante por meio de outro par de eletrodos. Nessa técnica, verifica-se a variação lateral da resistividade elétrica, deslocando-se os eletrodos ao longo de um perfil. Através de perfis lineares convenientemente orientados é possível identificar zonas de percolação de água, associadas ou não a falhas e fraturas em rochas

perfil de ressonância magnética / *nuclear magnetic resonance log*. Registro dos fluidos móveis dentro da rocha, feito com uma ferramenta que produz um campo magnético nas rochas, provocando o movimento de precessão nos prótons, o qual gera uma frequência de rádio então captada.

perfil de ruído / *noise log*. Perfil sônico que mede a amplitude do ruído de fundo no ambiente de um poço, para frequências específicas, na faixa do audível e em estações selecionadas, geralmente realizado para identificar os ruídos que indicam a circulação de fluidos por fora do revestimento.

perfil de salinidade / *salinity log*. Perfil geofísico de poço, atualmente em desuso, baseado em propriedades radioativas, que estima a salinidade total da água de formação através da medição de seu conteúdo de cloretos.

perfil de solo / *soil profile*. Sequência das camadas constituintes do solo. ↔ Em áreas de solos espessos, podem ser reconhecidos três tipos de horizontes: o denominado A é o mais superficial, sendo caracterizado pelo alto grau de alteração dos minerais, podendo ser também rico em matéria orgânica. Abaixo do horizonte A situa-se o horizonte B, formado por fragmentos moderadamente alterados de rocha e óxidos resultantes do que foi lixiviado do horizonte A. Abaixo do horizonte B existe o horizonte C, constituído por rochas com baixo grau de alteração que costumam repousar sobre rocha fresca ou rocha de baixo grau de decomposição. ▶ Ver *solo*.

perfil de temperatura / *temperature profile*. Distribuição de temperatura ao longo do poço. Essa distribuição pode ser obtida através de perfilagem com ferramenta adequada.

perfil de tensões / *stress profile*. Distribuição de tensões ao longo da seção transversal de determinado material. ↔ Esta distribuição de tensão pode estar relacionada a um sólido contínuo (aço, por exemplo), a uma rocha ou a um fluido.

perfil de tv de poço / *borehole televiewer log*. Dispositivo ultrassônico para a perfilagem, com transdutor rotativo, montado radialmente, que é usado para escanear a parede do poço.

perfil de velocidade / *velocity profile*. 1. Gráfico que indica uma curva com os valores de velocidade axiais pontuais ao longo do diâmetro de um duto. 2. Distribuição de velocidade ao longo da seção transversal de um determinado trecho do escoamento em estudo. ↔ Num fluxo laminar a curva será parabólica e num fluxo turbulento será quase plana. As velocidades junto às paredes do duto são consideradas como zeradas (sem escorregamento).

perfil de velocidade contínua / *continuous-velocity log*. Perfil acústico de poço no qual se mostra o intervalo de trânsito da onda compressional nas rochas perto do poço. ↔ Primeiramente usado para a informação sobre a velocidade sísmica, é atualmente empregado para estimar a porosidade e a litologia pela equação empírica do tempo médio de Wyllie.

perfil de velocidades / *velocity profile*. Arranjo destinado a gravar reflexões sobre um grande conjunto de distâncias de afastamento, de tal maneira que a velocidade pode ser determinada com base nos dados de tempo-distância para eventos de reflexão. Também chamada de *X2-T2*.

perfil dielétrico / *dielectric log*. Método de perfilagem de poços que mede a permitividade elétrica. ▶ Ver *permitividade relativa*.

perfil diferencial / *differential log*. Perfil que registra pequenas variações do valor absoluto de um certo parâmetro. Um exemplo desse tipo de perfil é o perfil diferencial de temperatura.

perfil diferencial de temperatura / *differential-temperature log*. Registro contínuo do gradiente de temperatura no poço. ↔ Pode ser medido por dois sensores com idênticas características térmicas, separados por uma distância vertical fixa na ferramenta. Este perfil realça pequenas variações de temperatura no poço. Um levantamento diferencial de temperatura deve sempre incluir o registro das temperaturas no poço. ▶ Ver *perfil de produção*.

perfil direcional / *directional log*. Medida de rumo relativo, azimute e inclinação (desvio) de um poço em relação à vertical. Este levantamento direcional também é parte do perfil de mergulho.

perfil elétrico / *electric log*. Termo genérico para um perfil de poço que mostra medidas elétricas de um fluxo de corrente induzida.

perfil elétrico ultralongo / *ultra long-spaced electric log.* Perfil elétrico de poço cuja distância dos eletrodos ultrapassa 30 (trinta) metros. ▶ Ver *perfil elétrico.*

perfil esfericamente focalizado / *spherically-focused log.* Perfil de resistividade de poço que usa eletrodos focalizadores.

perfil espectral de raios gama / *spectral gamma-ray log.* Medida da intensidade natural da radiação gama da formação na qual está localizado um poço.

perfil gama de testemunho / *core gamma log.* Perfil obtido no laboratório, ao se mover o testemunho por um detetor de raio gama ↦ O perfil pode ser de raio gama total em unidades API, ou de resposta espectral em concentrações de tório, urânio e potássio. O objetivo principal é correlacionar a profundidade de cada seção do testemunho com a profundidade de um perfil, geralmente o perfil de raio gama obtido a cabo.

perfil gama-gama / *gamma-gamma log.* Medida comum e barata da emissão natural de raios gama por uma formação. ↦ Os registros gama do raio são particularmente úteis porque os xistos e os *sandstones* têm tipicamente as assinaturas gama diferentes do raio, que podem ser correlacionadas prontamente entre poços.

perfil geofísico / *geophysical log.* Perfilagem de poços que utiliza métodos geofísicos.

perfil lateral / *laterolog.* Registro da resistividade das rochas e dos fluidos nelas contidos obtido por uma ferramenta que utiliza correntes elétricas focalizadas.

perfil lateral duplo / *dual laterolog.* Perfil em que se usam dois instrumentos independentes, para medidas de resistividade, para diferentes profundidades de investigação.

perfil localizador de luva / *casing-collar locator log (CCL).* Perfil localizador de luvas de revestimento cuja função é detectá-las no revestimento. ↦ O sinal no perfil é uma deflexão na curva nos pontos de posicionamento das luvas. Este perfil é utilizado também como referência de profundidade para operações futuras no poço.

perfil neutrônico compensado / *compensated neutron log.* Perfil de porosidade neutrônica em que os efeitos ambientais de poço são minimizados com o uso de dois detetores. ↦ Na técnica mais comum, os espaçamentos fonte-detetor são escolhidos de modo que a razão entre as duas contagens seja relativamente independente do ambiente do poço. Esta relação é então calibrada em função das porosidades em uma formação conhecida e em ambiente de poço, com a ferramenta localizada contra o lado de um poço de 8 polegadas (~20 cm) em um bloco de calcário saturado com água doce e a temperatura e pressão de superfície. A resposta também é determinada em diferentes porosidades, litologias (arenitos/dolomitos) e ambientes de poço. Fatores de correção são desenvolvidos para converter a medida do perfil para as condições padrão.

perfil P/T / *P/T profile.* Perfil que fornece a combinação de pressão e temperatura e que tem como uma de suas funções a definição do limite de crescimento de microrganismos.

perfil pulsante de captura de nêutrons / *pulsed-neutron-capture log.* Perfilagem de poços que utiliza nêutrons de alta energia.

perfil sísmico vertical / *vertical seismic profile.* Levantamento sísmico no qual a geometria de aquisição é definida pela colocação de geofones a várias profundidades dentro do poço, registrando a energia de uma fonte situada próximo ao poço. ↦ É possível também a colocação de fontes no poço e os geofones na superfície (VSP reverso). Os trens de onda incluem não só as ondas diretas, mas também reflexões e múltiplas. Os campos de onda descendente e ascendente podem ser completamente separados. ▶ Ver *geofone.*

perfil sônico / *sonic log.* O mesmo que *perfil acústico.* ▶ Ver *perfil acústico.*

perfil sônico de espaçamento longo / *long-spaced sonic log.* Perfil feito com uma razoável distância fonte-receptor, para aumentar a análise das ondas transversais, o tempo de viagem da formação através do revestimento e para fornecer dados acústicos mais precisos, principalmente nas áreas nas quais as formações são alteradas pelo processo de perfuração.

perfil vertical de sísmica / *vertical seismic profile.* Perfil de medição sísmica de poço para correlacioná-la com dados de sísmica de superfície e daí obter imagens de maior resolução que as imagens de superfície, e para enxergar a frente da broca. Refere-se a medições feitas num poço vertical usando geofones dentro do poço e uma fonte na superfície perto do poço.

perfilador / *profiler.* Instrumento de aquisição de dados sísmicos de alta resolução que gera seções verticais imediatamente abaixo da posição do transdutor. ↦ Existem perfiladores em diferentes frequências, mas no que concerne a sistemas de perfiladores de subfundo, as frequências utilizadas variam entre 0,5 kHz e 10 kHz. A profundidade de investigação irá depender da geologia do fundo e da frequência utilizada.

perfilagem / *logging.* Operação de registro das características físicas das formações geológicas e dos fluidos presentes nas mesmas condições mecânicas do poço, através de sensores apropriados, cuja resposta é transmitida para a superfície através de cabos elétricos ou através do *LWD* (*logging while drilling*), que é a perfilagem feita durante a perfuração. No caso do *LWD* as informações são transmitidas para a superfície através de pulsos de pressão. ▶ Ver *perfilagem contínua.*

perfilagem compensada / *borehole-compensated sonic log.* Perfilagem de poços do tempo de trânsito intervalar, ou seja, do tempo necessário para que uma onda de compressão viaje determinada distância na formação. A sonda carrega dois tipos de transdutores, um com o transmissor acima do par de receptores e o outro com o transmissor abaixo desse par.

perfilagem contínua / *logging while drilling* (LWD). 1. Ferramenta que permite a perfilagem ao mesmo tempo em que se perfura o poço. 2. Levantamento contínuo de reflexão sísmica das rochas de subsuperfície. ▶ Ver *perfilando durante a perfuração*.

perfilagem elétrica / *electrical profiling, electrical trenching*. Nome genérico dado aos métodos que medem a resistividade, a polarização espontânea ou a polarização induzida ao longo de uma linha de medidas.

perfilagem geométrica / *geometric sounding*. Sondagem eletromagnética de profundidades, na qual a geometria varia e a frequência é mantida constante. O oposto de *sondagem de frequência*.

perfilagem paramétrica / *parametric sounding*. Forma de sondagem eletromagnética na qual a variável é a frequência.

perfilando durante a perfuração / *logging while drilling*. Medição das propriedades da formação durante a perfuração de poço, ou logo após, por meio de ferramentas integradas no conjunto de fundo. ↠ A perfilagem contínua (*LWD*) tem a vantagem de medir as propriedades da formação antes da invasão profunda de fluido de perfuração. Além disso, muitos poços se mostraram difíceis ou até impossíveis de serem medidos com ferramentas convencionais a cabo, especialmente os poços altamente desviados. Nessas situações, a medição por *LWD* garante que alguma medição de fundo é capturada no caso da operação a cabo se tornar inviável. ▶ Ver *perfilagem contínua*.

perfis de pilhas / *stacked profiles*. Mostra de perfis magnéticos, ou outros perfis, com um número de linhas que facilita a interpretação. De modo geral, na forma de um mapa, algumas vezes na forma de uma vista isométrica.

***performance bond*.** 1. Instrumento de cunho jurídico que assegura garantias, por intermédio do mercado segurador e/ou bancário, de que a empresa contratada principal executará os serviços de construção e montagem de uma determinada planta industrial, assim como tudo o mais que tiver sido contratado, de acordo com os projetos e especificações constantes do contrato assumido entre as partes. 2. Garantia de cumprimento de contrato de fornecimento de bens ou prestação de serviços. ↠ Nos contratos de venda de bens de consumo duráveis, que não fazem parte de um contrato de prestação de serviços, é utilizado um *supply bond*, com características análogas ao processo de *performance bond*.

perfuração / *drilling*. Atividade que envolve todas as operações necessárias para a construção de um poço até o momento de entregá-lo à equipe de completação.

perfuração a ar / *air drilling*. Técnica de perfuração que utiliza ar ou gás (tipicamente ar comprimido ou nitrogênio), como (totalidade ou parte do) fluido circulante na perfuração rotativa, para resfriar a broca e carrear os cascalhos para fora do poço. ↠ É usada quando há necessidade de perfurar zonas com perdas de circulação severas e formações produtoras com pressão muito baixa ou com grande suscetibilidade a danos, situação na qual é necessário o uso de fluidos de baixa densidade. As desvantagens de uso da perfuração a ar são a incapacidade de controlar algum influxo de fluido da formação para dentro do poço e a desestabilização da parede do poço devido à ausência de pressão hidrostática provida tipicamente por líquidos. ▶ Ver *perda de circulação*; *perfuração rotativa*.

perfuração a cabo / *cable drilling*. Operação de pulverizar a rocha dura com broca tipo formão para posterior remoção pelo *bailer*. A perfuração a cabo é um método muito lento, mais usado para poços artesianos. ↠ O *bailer* é um amostrador descartável para obtenção de amostragem de água subterrânea.

perfuração a jacto (Ang.) / *jet drilling*. O mesmo que *perfuração a jato*. ▶ Ver *perfuração a jato*.

perfuração a jato / *jet drilling*. O mesmo que *perfuração por jateamento*; *canhoneio*; *jato de canhão*. ↠ Normalmente essa técnica é aplicada para perfuração em terrenos inconsolidados. ▶ Ver *perfuração por jateamento*; *canhoneio*; *jato de canhão*.

perfuração a percussão / *percussion drilling*. O método de perfuração a percussão utiliza uma broca especial com insertos esféricos de carbureto de tungstênio que trabalham o tempo todo em contato com a rocha. Essa broca recebe, além da carga axial estática (peso sobre a broca), uma carga dinâmica gerada por um martelo, pneumático ou hidráulico. Neste método, a broca também é girada, porém a pequenas rotações, ou seja, aproximadamente de 5 RPM a 10 RPM. ↠ Era o método de perfuração utilizado antes do método rotativo. No método percussivo antigo, as rochas eram golpeadas por uma broca de aço com movimentos alternados, ocasionando fraturamento ou esmagamento. Periodicamente era preciso remover os cascalhos cortados pela broca. Era descida uma caçamba, tubo equipado com uma alça na sua extremidade superior e uma válvula na inferior. A válvula de fundo era alternadamente aberta e fechada por uma haste saliente que batia contra o fundo do poço quando a caçamba estava sendo movimentada. A caçamba era preenchida com os cascalhos e em seguida içada para retirada desses detritos do poço.

perfuração balanceada (Port.) (Ang.) / *underbalanced perforating*. O mesmo que *canhoneio sub-balanceado*. ▶ Ver *canhoneio sub-balanceado*.

perfuração com ar ou gás / *air or gas drilling*. Perfuração aplicada a formações que não produzem elevadas quantidades de água e que não contêm hidrocarbonetos. Utiliza-se apenas ar comprimido seco como fluido. •• Tal técnica pode ser aplicada a formações duras, estáveis ou fissuradas, com o objetivo de aumentar a taxa de penetração.

perfuração com circulação reversa / *reverse circulation drilling*. Método de perfuração rotativa no qual os fluidos de perfuração, que transportam os cascalhos gerados pela broca para a superfície, são injetados no poço através do espaço anular e retornam para a superfície pelo interior da coluna de perfuração. ▶ Ver *perfuração rotativa*; *circulação reversa*.

perfuração com colunas / *jointed pipe drilling*. Perfuração com colunas formada pela união de tubos de perfuração.

perfuração com desvio / *deviation drilling*. Desvio intencional durante a perfuração de um poço, em relação a sua trajetória natural. •• Isso só é possível devido ao uso de ferramentas defletoras na coluna de perfuração. A ferramenta defletora mais comum é o motor de fundo com carcaça curva (*bent housing*). Caso seja um desvio muito forte, deve-se usar uma cunha para iniciar desvio (*whipstock*). ▶ Ver *perfuração direcional*; *motor de fundo com carcaça curva*; *cunha para iniciar desvio*.

perfuração com diferencial de pressão positivo / *overbalanced drilling*. Perfuração realizada de modo que exista uma pressão de fundo de poço exercida pelo fluido de perfuração que exceda a pressão dos fluidos da formação (pressão de poro). •• O excesso de pressão é necessário para evitar que haja invasão dos fluidos da formação, como óleo, água e gás, para dentro do poço. Com excessiva sobrepressão, a perfuração pode se tornar lenta devido ao efeito chamado *chip hold down*, que tenta manter os cascalhos no fundo do poço. ▶ Ver *perfuração direcional*.

perfuração com espuma / *foam drilling*. Sistema de perfuração no qual se utiliza como fluido o gás disperso em meio a um líquido, ao contrário do sistema utilizado na perfuração em névoa. Neste caso é utilizado um sistema surfactante para manter a fase dispersa estável. •• Este sistema é aplicável quando há necessidade de um transporte de sólidos mais efetivo, uma vez que o fluido em questão apresenta alta viscosidade.

perfuração com flexitubo / *coiled tubing drilling*. Sistema de perfuração que utiliza flexitubo com motor de fundo para girar a broca e aprofundar o poço. As operações de perfuração com flexitubo são executadas com maior rapidez, se comparadas às que fazem uso de coluna de perfuração conectada na sonda, porque naquelas o tempo de conexão é eliminado durante a manobra. •• A perfuração com flexitubo é econômica em várias aplicações, tais como, em perfuração de poços delgados (onde uma pequena área para a sonda é essencial), em reentrada de poços e em perfuração sub-balanceada.

perfuração com gradiente duplo / *dual-gradient drilling*. Sistema de perfuração que tem como objetivo criar dois gradientes de fluido dentro do poço para evitar fratura da formação logo abaixo da sapata. Com isso, permite reduzir a pressão de fluido de perfuração no *riser* perto do fundo do mar, com o uso de bombas no fundo do mar, ou por outros meios. •• A perfuração marítima em águas profundas, como por exemplo na bacia de Campos-RJ (Brasil), é complexa porque a janela operacional (espaço entre as curvas de fratura e pressão de poros) é estreita, tornando a perfuração difícil e exigindo o uso de várias colunas de revestimento.

perfuração com inclinação constante / *slant drilling or slant-hole drilling*. Seção inclinada do poço em relação à vertical, onde a inclinação é mantida constante até atingir o objetivo ou até que haja uma outra seção de ganho ou perda de ângulo.

perfuração com névoa / *cloud drilling*. Perfuração que ocorre quando um fluido é quase totalmente formado por ar, com dispersão de gotículas de água. •• Tem aplicação em formações que produzem água ou gás em quantidade tal que possa comprometer a perfuração.

perfuração com objectivo a grande distância (Port.) (Ang.) / *extended-reach drilling*. O mesmo que *perfuração de grande afastamento*. ▶ Ver *perfuração de grande afastamento*.

perfuração com pressão controlada / *pressure-controlled drilling*. Poço perfurado em condição na qual a pressão de poros na formação é maior que a pressão (estática e efetiva de circulação) de fundo exercida pelo fluido de perfuração. Neste caso, deve-se perfurar com a pressão no anular sob controle.

perfuração com sobrepressão / *overbalanced drilling*. O mesmo que *perfuração com diferencial de pressão positivo*. ▶ Ver *perfuração com diferencial de pressão positivo*.

perfuração de grande afastamento / *extended-reach drilling*. Perfuração que ocorre quando a razão entre o afastamento horizontal e a profundidade vertical do poço, descontando-se a lâmina d'água para poços marítimos, apresenta um valor maior que 2.

perfuração de trecho inclinado / *slant drilling, slant hole drilling*. Perfuração de um trecho do poço cuja inclinação se quer manter constante. ▶ Ver *perfuração direcional*; *inclinação*.

perfuração direcional / *directional drilling*. Atividade especializada da engenharia de petróleo, mais especificamente da área de construção de poços de petróleo, responsável por controlar a trajetória do poço em construção. •• É parte da responsabilidade dos técnicos encarregados dessa área o planejamento, o acompanhamento, a execução e a análise da trajetória do poço, atendendo, principalmente, às especificações das áreas de reservatório, geologia e demais áreas especializadas da atividade de construção de poços. ▶ Ver *furo direcional*.

perfuração em andamento (Port.) (Ang.) / ***drilling ahead.*** O mesmo que *perfurar adiante*. ▶ Ver *perfurar adiante*.

perfuração horizontal / ***horizontal drilling.*** Fase da perfuração de um poço na qual se deseja mantê-lo paralelo, ou quase paralelo, às camadas litológicas que estão sendo perfuradas. O principal objetivo dessa forma de perfurar um poço é aumentar a exposição do reservatório à produção, aumentando, assim, também a sua produtividade. Essa técnica pode ser aplicada também em poços exploratórios para ampliar a área investigada a uma certa profundidade; em certos casos muito específicos permite a conexão de dois poços na horizontal. ▶ Ver *perfuração direcional*; *reservatório*; *produtividade de poço*; *poço exploratório*.

perfuração no modo orientado / ***sliding-mode drilling, slide-mode drilling.*** Processo que contempla a perfuração direcional de um poço, pois algumas vezes é necessário intervir na sua trajetória para garantir que ela permaneça dentro do planejado e o objetivo seja atingido. ↔ Uma das ferramentas mais utilizadas para esse fim é o motor de fundo associado a um sub curvo (*bent sub*) ou um motor de fundo com carcaça curva, também chamado motor *steerable*. Para se perfurar no modo orientado é necessário parar a rotação da coluna e, usando ferramentas defletoras que indicam a posição da face da ferramenta, apontar a broca na direção desejada e prosseguir a perfuração somente com a rotação da broca gerada pelo motor. Dessa forma se consegue intervir na trajetória do poço e deixá-la com a inclinação e direção apropriadas. ▶ Ver *motor de fundo*; *motor de fundo com carcaça curva*; *face da ferramenta*; *inclinação*.

perfuração no modo rotativo / ***rotating-mode drilling.*** Processo que considera a perfuração do poço quando a coluna de perfuração está sendo girada desde a superfície. Utiliza-se esse termo em contraposição a *perfuração no modo orientado* ou *sliding-mode drilling*. ↔ Normalmente, nos poços direcionais nos quais a curvatura é construída com um motor de fundo com carcaça curva, a curva é feita alternado-se o modo orientado e o modo rotativo para que se mantenham dentro dos limites da trajetória planejada. ▶ Ver *perfuração no modo orientado*.

perfuração orientada (Port.) (Ang.) / ***oriented perforating.*** O mesmo que *canhoneio orientado*. ▶ Ver *canhoneio orientado*.

perfuração por abrasão / ***abrasion drilling.*** 1. Método de perfuração de poços de petróleo no qual o uso de um material abrasivo sob pressão substitui o método convencional. 2. O mesmo que *desgaste por perfuração*. ▶ Ver *desgaste por perfuração*.

perfuração por cargas explosivas ou a jacto (Port.) / ***jet perforating.*** O mesmo que *jato de canhão*. ▶ Ver *jato de canhão*.

perfuração por descamação térmica / ***thermal spallation drilling.*** Técnica de perfuração apropriada para rochas duras, na qual um jato supersônico a altas pressão e temperatura, resultante de um processo de combustão, impacta e perfura blocos rochosos. ↔ O bocal de saída do queimador é mantido afastado da superfície da rocha, não havendo, portanto, desgaste da ferramenta. A alta taxa de transferência de calor é responsável pela dilatação da superfície de rocha exposta, levando a uma abertura e à coalescência das fraturas naturais que existem na rocha. Uma vez que uma fratura crítica é formada, uma escama é formada e separada da superfície da rocha, expondo uma nova superfície aos gases quentes. Este processo leva a uma penetração progressiva da rocha. A previsão das taxas de penetração requer um conhecimento do comportamento termomecânico da rocha e também dos processos físico-químicos envolvidos.

perfuração por jateamento / ***jet drilling.*** Operação de perfuração quando se utilizam os jatos da broca para aprofundar o poço. ↔ Em geral é usada para alterar a trajetória do poço e para tanto utilizam-se jatos com diâmetros diferentes, com o objetivo de se obter uma direção preferencial do fluxo de fluido de perfuração, que deverá ser a face da ferramenta do conjunto ▶ Ver *perfuração*; *broca*; *face da ferramenta*; *trajetória do poço*.

perfuração por percussão (Port.) (Ang.) / ***percussion drilling.*** O mesmo que *perfuração a percussão*. ▶ Ver *perfuração a percussão*.

perfuração rotativa / ***rotary drilling.*** Método de perfuração que se baseia na aplicação de peso e rotação sobre uma broca cortante, que fragmenta a rocha quando comprimida e girada sobre ela. ↔ Os cascalhos gerados são levados até a superfície pelo fluido de perfuração, que é bombeado por dentro da coluna de perfuração e retorna pelo espaço anular entre a coluna de perfuração e o poço, constituindo um sistema contínuo de circulação. O peso sobre a broca é aplicado por meio de tubos pesados chamados *comandos*, colocados acima da broca. Os meios de se impor rotação à broca podem ser vários: girando apenas a broca por meio de um motor de fundo, girando toda a coluna de perfuração por meio do *top drive*, ou ainda por meio da mesa rotativa. ▶ Ver *perfuração*; *cascalho*; *broca de perfuração*; *perfuração direcional*.

perfuração sub-balanceada / ***underbalanced drilling.*** 1. Perfuração na qual a pressão dentro do poço é sempre menor que a pressão da formação. 2. O mesmo que *canhoneio sub-balanceado*. ↔ As vantagens desse tipo de perfuração são as seguintes: *(I)* minimiza o dano à formação; *(II)* minimiza as perdas de circulação, *(III)* reduz a possibilidade de prisão por diferencial; *(IV)* aumenta a taxa de penetração; *(V)* aumenta a vida útil da broca; *(VI)* exige menos peso sobre a broca; *(VII)* dificulta ganho indesejado de inclinação; *(VIII)* permite a caracterização e avaliação do reservatório; *(IX)* nos poços horizontais é possível saber durante a perfuração o comprimento ótimo do trecho horizontal. As desvantagens são as seguintes: *(I)* maior custo de perfuração; *(II)* não é aplicável em todas as situações; *(III)* a coluna de perfuração fica mais suscetível a falha; *(IV)* precisa de equipamentos adicionais para manuseio da mistura de gás e líquido; *(V)* as conexões são demoradas; *(VI)* as operações mais corriqueiras durante a perfuração são mais complicadas; *(VII)* como o fluxo é trifásico, o comportamento da pressão de fundo é não linear; *(VIII)* exige simuladores computacionais mais confiáveis.

perfuração vertical / *vertical drilling*. Poço perfurado com inclinação menor que 5 graus com relação à vertical. ↝ Existem casos em que o controle da verticalidade é tão difícil que a perfuração de um poço vertical pode ter elevação em seu custo final. Neste caso, sugere-se o uso de procedimentos adequados e de equipamentos especiais para manter a verticalidade.

perfurar adiante / *drilling ahead*. Expressão que indica o prosseguimento da operação de perfuração. Por exemplo, nos programas dos poços é indicado: *"...operação planejada: perfurar adiante..."*.

perfurar no papel / *drill on paper*. Expressão que representa o planejamento, com registro escrito, de todas as operações previstas durante a perfuração de um poço. Utilizada para planejar, prever problemas e projetar contingências.

perfurar o poço / *drill a hole, make a hole*. Expressão que representa a operação de cortar as formações e avançar dentro de um poço.

período / *period*. 1. Unidade geocronológica de terceira ordem. 2. Termo usado informalmente para designar uma extensão de tempo geológico, por exemplo, o período glacial. 3. O inverso de *frequência*. ▶ Ver *unidade geocronológica*; *frequência*.

período de escuta / *listening period*. Período no qual o campo é medido, depois de ser excitado em indução polarizada (IP).

período de injecção de água para recuperação secundária (Port.) (Ang.) / *fill-up period*. O mesmo que fill-up period. ▶ Ver fill-up period.

período dominante / *dominant period*. Período que corresponde à distância entre dois picos ou dois vales de uma onda.

período-base de incidência / *base period of incidence*. Período de tempo a ser considerado na apuração de uma determinada participação governamental ou tributo. Por exemplo, para *royalties* o período é o mês, para a participação especial é o trimestre e para o pagamento pela ocupação ou retenção de área é o ano.

permeabilidade / *permeability*. 1. Medida do grau de interconexão entre os poros e as fissuras de uma rocha. Essa propriedade de rocha foi enunciada por Darcy durante estudos de filtração de água em leitos de areia, visando ao abastecimento de água. Pela lei de Darcy tem-se:

$$qx = (KdP/\mu dx) A$$

Por essa lei tem-se que, em regime permanente, a vazão (qx) é proporcional ao gradiente de pressão (dP/dx). Em que μ é a viscosidade do fluido e A é a área da seção analisada. O coeficiente de proporcionalidade K é denominado *permeabilidade*. Quando somente um fluido permeia o meio poroso tem-se a permeabilidade absoluta. Quando mais de um fluido flui pelo meio poroso tem-se a permeabilidade relativa, que é função da absoluta. 2. Medida da capacidade da rocha de permitir a passagem de fluidos através dos espaços porosos interconectados. A permeabilidade em rochas reservatório é medida em Darcys (D) e varia geralmente de 1 mD a 10 D. ↝ A condutividade de um fluido em uma rocha é medida através das relações da Lei de Darcy, na qual a vazão do fluido é diretamente proporcional *(I)* à permeabilidade; *(II)* à área de uma seção perpendicular ao fluxo; *(III)* ao gradiente de pressão e inversamente proporcional à viscosidade do fluido. ▶ Ver *lei de Darcy*.

permeabilidade absoluta / *absolute permeability*. Capacidade de uma rocha de conduzir um fluido através de seus poros interconectados, quando a saturação desse fluido é 100%. ↝ A permeabilidade é medida em unidades de Darcy ou miliDarcys, cuja análise dimensional é $[L]^2$. ▶ Ver *permeabilidade efetiva; permeabilidade relativa*.

permeabilidade corrigida pelo efeito Klinkenberg / *Klinkenberg-corrected permeability*. Medida de permeabilidade corrigida em função do efeito ocasionado pelo escorregamento do gás. A baixa pressão, a velocidade do gás na parede dos capilares não é nula, o que reduz o atrito do escoamento e aparenta uma maior permeabilidade quando comparada ao escoamento de líquidos. ↝ A correção é feita através da utilização de uma prancheta denominada *escala Klinkenberg*. A realização de correções é desnecessária para medidas de permeabilidade maiores que 1 Darcy, mas pode atingir valores de até 0,6 para permeabilidades da ordem do miliDarcy.

permeabilidade do reboco / *filter-cake permeability*. Propriedade de reboco diretamente relacionada a sua capacidade de permitir ou não a passagem, através dele, de qualquer fluido, seja água ou fluido de perfuração. ▶ Ver *reboco*.

permeabilidade efetiva / *effective permeability*. Capacidade de escoamento de um determinado fluido, em relação a outros fluidos contidos em uma determinada rocha, observando-se que esta característica corresponde à capacidade da rocha de permitir o fluxo de um fluido na presença de outros, já que cada um dos fluidos interfere ou impede o fluxo do outro. ↝ As permeabilidades efetivas ao óleo, ao gás e a água são representadas por K_o, K_g e K_w respectivamente, sendo, de forma geral, bastante utilizadas na engenharia de petróleo, já que esta se aplica a maioria dos reservatórios de petróleo, que são constituídos muitas vezes pelo conjunto óleo, gás e água.

permeabilidade relativa / *relative permeability*. Relação entre a permeabilidade de uma rocha parcialmente saturada com um fluido e sua permeabilidade quando saturada.

permeabilidade relativa na drenagem / *drainage relative permeability*. Permeabilidade relativa em um processo de fluxo em que ocorre incremento na saturação da fase de menor molhabilidade. •» No processo de embebição, inversamente ao que ocorre no de drenagem, o fluido residente molha preferencialmente a superfície sólida e tende a ficar retido nos poros, formando assim uma fina camada envolvente.

permeabilidade relativa na embebição / *imbibition relative permeability*. Permeabilidade relativa em um processo no qual ocorre o incremento da saturação da fase de maior molhabilidade. •» No processo de embebição, inversamente ao que ocorre no de drenagem, o fluido deslocante forma uma fina camada encobrindo a parede dos poros. ▶ Ver *permeabilidade relativa na drenagem*.

permeabilidade vertical / *vertical permeability*. Permeabilidade medida na direção vertical de um reservatório.

permeabilímetro / *permeameter*. Equipamento que consiste basicamente de manômetro com mercúrio, câmera de água e seis válvulas com funções distintas, como, por exemplo, válvulas de admissão e exaustão de ar, válvula de admissão de água para a câmera de água, de entrada de água contra o corpo de prova etc. O princípio de funcionamento é a passagem de água pressurizada em um período fixo de 15 minutos contra o corpo de prova. A permeabilidade é calculada de acordo com a fórmula:

$$K = 14700 \, (Q\mu \, L) \, / \, AP.$$

onde:

K é a permeabilidade (mD), Q a vazão (ml/s), μ a viscosidade da água (m^2/s), L a altura do corpo de prova (cm), A é área superficial da amostra (cm^2) e P o diferencial de pressão (psi). •» Equipamento utilizado para determinar a permeabilidade relativa a água de uma amostra de pasta de cimento curada em condições específicas de temperatura e pressão em um molde de bronze de pequenas dimensões, que é acoplado na base do mesmo.

permeâmetro / *permeameter*. Instrumento utilizado para determinar a permeabilidade de uma rocha. •» A permeabilidade é medida forçando a passagem de um gás a pressão conhecida em um sistema fechado com um testemunho ao centro. Calcula-se a vazão de gás que passa pelo sistema e aplica-se a correção de Klinkenburg para obter a permeabilidade do líquido.

permissão de trabalho (PT) / *work permit*. Registro escrito pelo qual a pessoa responsável pela unidade, equipamento ou área industrial autoriza o trabalhador ou a equipe de trabalho a fazer tarefa específica naquele local. •» Identifica quais precauções (práticas de trabalho seguro) devem ser tomadas para que as condições de trabalho sejam seguras na execução da tarefa específica, num local e durante um intervalo de tempo também específicos. Explicita os equipamentos de segurança requeridos e que devem ser usados na locação. Esta permissão é usada nas plataformas fixas para as operações executadas pela sonda, até a instalação do preventor de erupção *(blowout preventer, BOP)*. Serve principalmente para notificar a equipe de produção quanto à operação a ser executada pela equipe da sonda. O encarregado ou fiscal da sonda deve solicitar a PT para realizar as operações de: amortecimento; montagem de linhas na cabeça do poço; raqueteamento; montagem de linha para descarte; instalação de BPV; operações de *slickline*; retirada de árvore etc.

permissão de trabalho temporária / *temporary safe work permit*. Procedimento usado nas plataformas fixas para as operações na sonda, após a instalação do preventor de erupção *(blowout preventer, BOP)* até o final da intervenção.

permissão para perfuração / *drilling permit*. Licença concedida pelos órgãos reguladores, que permite ao operador iniciar as operações de perfuração.

permissividade / *permittivity*. O mesmo que *permissividade dielétrica*. ▶ Ver *permissividade dielétrica*.

permissividade dielétrica / *dielectric permittivity*. 1. Propriedade física que descreve o quanto um meio resiste ao fluxo da carga elétrica, definido como a relação entre o deslocamento elétrico e a intensidade do campo elétrico. 2. O mesmo que *capacidade elétrica indutiva*.

permitividade relativa / *relative permittivity*. Relação entre a permitividade medida e a permitividade do espaço livre. •» A permitividade elétrica de meios materiais é utilizada para o cálculo da constante eletrostática, também chamada *constante de Coulomb*. Observa-se que esta constante eletrostática, considerada no vácuo, pode ser definida em função de outra constante, denominada *constante elétrica* ou *permissividade elétrica do vácuo*. ▶ Ver *permissividade dielétrica*.

permutador de calor / *heat exchanger*. Equipamento de processo ou de utilidades destinado ao aquecimento ou resfriamento de uma corrente de fluidos, por meio da troca térmica com outra corrente de fluido. Também chamado *trocador de calor*. •» O processo para promover a troca térmica entre as correntes de fluido consiste em fornecer uma grande área de contato entre essas correntes, através de uma parede de material condutor (parede metálica). Dois tipos principais de permutadores de calor são utilizados nas instalações de processamento primário de petróleo e em instalações industriais (refinarias): *(I)* permutadores do tipo casco-tubo, nos quais um fluido é alimentado no interior de um vaso (denominado *casco*), que possui, em seu interior, um feixe de tubos que recebe o outro fluido, através de um cabeçote de alimentação/saída do feixe tubular; *(II)* permutadores do tipo placas, constituídos de um conjunto de placas paralelas de superfície corrugada, separadas por uma distância reduzida e dotadas de juntas estanques em sua periferia, sendo que as correntes dos dois fluidos são alimentadas, alternadamente, nos espaços entre as placas. ▶ Ver *transferência de calor*.

perna de cão (Port.) (Ang.) / dogleg, hole curvature. O mesmo que *curvatura do poço*. ▶ Ver *curvatura do poço*.

pesca (Port.) (Ang.) / fishing. O mesmo que *pescaria*. ▶ Ver *pescaria*.

pescador / fisherman. Engenheiro ou técnico com conhecimento das técnicas e ferramentas de pescaria. Normalmente é um técnico com bastante experiência de campo. ▶ Ver *pescaria*.

pescador permanente / permanent chaser. Equipamento utilizado para pescar uma amarra ou cabo de âncora. ↝ Pode ser do tipo permanente (fechado), se, pelo manuseio de uma embarcação, correr pelo comprimento do cabo ou da amarra até alcançar a âncora, ou do tipo aberto (uma ou mais patas do tipo garateia) que, conectado a um pendente e ao cabo de manuseio de um rebocador, pode encontrar o cabo ou a amarra da âncora da plataforma para recuperá-la. Esse sistema é empregado para ganhar tempo ou quando o pendente da boia de âncora (sistema convencional) se rompe.

pescaria / fishing. Termo que define o conjunto de operações realizadas com o objetivo de liberar uma coluna presa ou quebrada, ou recuperar ferramentas ou ferros caídos ou deixados em um poço de petróleo.

pescoço de pesca (Ang.) / fishing neck. O mesmo que *pescoço para pescaria*. ▶ Ver *pescoço para pescaria*.

pescoço para pescaria / fishing neck. Extremidade superior de qualquer ferramenta ou equipamento descidos em um poço, que tem comprimento e diâmetro próprios, menores que os do restante de seu corpo, o que permite que a ferramenta ou o equipamento sejam pescados em caso de necessidade. ▶ Ver *pescaria*.

peso atômico / atomic weight. Massa atômica relativa de um átomo medida numa escala que tem o isótopo do carbono C-12 como referência, sendo atribuído à massa atômica deste valor igual a 12. ▶ Ver *átomo*; *número atômico*

peso da lama / mud weight. Massa por unidade de volume do fluido de perfuração, sendo usualmente expressa em lb/gal (ou ppg, do inglês *pounds per galon*), kg/m³ ou g/cm³. ↝ O peso da lama (fluido de perfuração) exerce uma pressão hidrostática sobre as formações, de modo a evitar a entrada de fluidos indesejáveis e o desmoronamento das paredes do poço. Os limites de variação do peso são dados normalmente pela pressão de poros (mínimo) e pela pressão de fratura (máximo). ▶ Ver *densidade do fluido de perfuração*.

peso do fluido de perfuração / mud weight. Massa por unidade de volume do fluido de perfuração. Normalmente expressa em lb/gal (também chamado *ppg*, *pounds per gallon*) ↝ O dimensionamento adequado do peso do fluido de perfuração garante a não ocorrência de influxo indesejado de fluidos no poço, bem como a estabilidade de suas paredes. O peso excessivo do fluido de perfuração ocasiona o fraturamento da formação e, consequentemente, a perda de fluido e diminuição da coluna de fluido no poço. ▶ Ver *perda de fluido*.

peso específico da pasta de cimento / slurry weight. Referência à massa específica da pasta de cimento. ▶ Ver *pasta de cimento*.

peso específico da rocha / rock specific weight. Relação entre o peso e o volume de uma rocha. Dimensionalmente é expressa por $[M/LT]^2$. ↝ A massa específica de um arenito é da ordem de 2,65 gf/cm³. Já para folhelhos e carbonatos os valores típicos são, respectivamente, 2,49 gf/cm³ e 2,89 gf/cm³.

peso flutuado / submerged weight, buoyancy weight. Peso de uma junta ou de uma coluna de *riser*, perfuração, revestimento ou produção quando imersa em algum fluido, multiplicado por um fator de empuxo (FE), que é igual a:

$$FE = 1 - (D_{fluido} / D_{elem})$$

onde:

D_{fluido} é a densidade do fluido e D_{elem} a densidade do elemento de tubo imerso. ↝ De acordo com o princípio de Arquimedes, todo corpo mergulhado num fluido em repouso sofre, por parte do fluido, uma força vertical para cima, cuja intensidade é igual ao peso do fluido deslocado pelo corpo. Logo, o peso flutuado de uma junta ou de uma coluna de *riser*, perfuração, revestimento ou produção quando imersa em algum fluido é o peso deste elemento no ar, multiplicado por um fator de empuxo (*FE*). ▶ Ver *peso no ar*.

peso no ar / weight in air. Peso, medido em condição atmosférica, de uma junta ou de uma coluna, quer seja de *riser*, de perfuração, de revestimento ou de produção. ↝ O peso de uma junta está relacionado à espessura de sua parede. ▶ Ver *peso flutuado*.

peso nominal / nominal weight. Propriedade que define a espessura da parede de uma junta tubular, normalmente expressa em lb/pé ou kg/m, em função do diâmetro externo do tubo. ↝ O peso nominal pode não expressar a massa real do tubo por unidade de comprimento, devido às conexões nas extremidades, sendo por isso chamado de *nominal*. Por exemplo, um tubo de perfuração de diâmetro externo de 5" (polegadas), com peso nominal de 19,5 lb/ft, tem espessura de parede de 0,362" (polegada) No entanto, o peso aproximado do conjunto do tubo de 5" (polegadas) e conexões

de 6 5/8" (polegadas) de diâmetro externo e 3 ¾" (polegadas) de diâmetro interno, é de 22,57 lb/ft.
▶ Ver *peso no ar*; *peso flutuado*; *tubo*.

peso sobre a broca / *weight on bit (WOB)*. Peso aplicado sobre a broca. Normalmente este peso faz parte do peso próprio da coluna e é liberado de acordo com os parâmetros adequados para otimizar o desempenho de uma broca em uma determinada formação.

pesquisa com raios gama / *gamma-ray surveying*. Análise sobre medidas de raios gama que ocorrem naturalmente em materiais radioativos.

pesquisa de jazidas / *reservoir exploration*. O mesmo que *exploração de jazidas*. ↦ Jazida petrolífera é o depósito de petróleo em formação favorável a exploração.

pesquisa de refração / *refraction survey*. Levantamento geofísico baseado nos tempos de percurso das ondas frontais.

pesquisa em águas rasas / *shallow-water survey*. Levantamento em lâmina d'água de uns poucos metros, onde navios de levantamento sísmico não podem operar devido à baixa profundidade, à ocorrência de recifes ou a outras condições de impedimento.

petrodólares / *petrodollars*. Dólares resultantes da venda de petróleo pelos países da OPEP (excedente não aplicado nos gastos internos de cada país exportador), lançados no mercado financeiro internacional. ▶ Ver *países da OPEP*.

petrogênese / *petrogenesis*. Área da petrologia que trata da origem das rochas.

petrografia sedimentar / *sedimentary petrography*. Termo genérico para designar a ciência de preparação, descrição, identificação e classificação dos principais tipos de sedimentos e rochas sedimentares. ↦ A petrografia tem escopo mais restrito que o da petrologia, que inclui também a parte de interpretação. ▶ Ver *petrologia sedimentar*.

petróleo / *petroleum*. 1. Líquido natural viscoso, cuja coloração varia entre verde, marrom e preto, composto por uma mistura de moléculas de hidrocarbonetos (parafinas, hidrocarbonetos não saturados, naftenos e aromáticos) e pequenas porções de oxigênio, nitrogênio e enxofre. As principais etapas do processo de sua formação são: transformação dos sedimentos soterrados em rocha, soterramento, transformação do material orgânico em querogênio, transformação do querogênio em petróleo e, finalmente, migração do petróleo para a rocha-reservatório. Diferentemente do que ocorre no resto do mundo, a palavra *petróleo* na lei brasileira só se aplica a líquidos (óleo cru e condensado), e exclui o gás natural. Do latim, óleo (*oleum*) de pedra (*petra*). **2.** Resultado da transformação da matéria orgânica submetida a altas pressão e temperatura durante um longo período de tempo, em sedimentos soterrados a grandes profundidades na crosta terrestre. **3.** Mistura de hidrocarbonetos (*hydrocarbons*) encontrada no subsolo, em rochas sedimentares, geralmente acompanhada de impurezas, como dióxido de carbono (CO^2), gás sulfídrico (SO_2) gases raros, sólidos e água. Compreende óle cru (e seus derivados), condensado e gás natural (e seus derivados). **4.** Mistura de hidrocarbonetos de consistência oleosa, inflamável e menos densa que a água, que ocorre em algumas rochas sedimentares. De acordo com a teoria orgânica, resulta da transformação de seres viventes e depositados em ambiente sedimentar em condições estruturais apropriadas a seu trapeamento e preservação. ↦ O petróleo não tem descoberta registrada, tendo sido utilizado desde a Antiguidade por diversas razões, como, por exemplo, para calafetar embarcações e embalsamar os mortos. O petróleo utilizado na antiguidade era proveniente de exsudações naturais. A história recente da utilização do petróleo como recurso energético teve início devido à descoberta do querosene, obtido por sua destilação, um substituto barato para o óleo de baleia, largamente utilizado para iluminação no século XIX. A corrida do petróleo teve início na Pensilvânia (EUA) com a descoberta de óleo pelo Cel. Drake em 1859, em um poço de 21 metros de profundidade, perfurado com a tecnologia utilizada pelos chineses na procura de água subterrânea. Posteriormente foram descobertas novas utilizações para os outros derivados do petróleo obtidos através da destilação, que hoje são largamente utilizados na indústria petroquímica — por exemplo, para a fabricação de plásticos, tecidos sintéticos, elastômeros ou como fonte energética nos motores a explosão. ▶ Ver *óleo leve*; *óleo médio*; *óleo pesado*; *óleo extrapesado*; *gás natural*; *querogênio*; *grau API*.

petróleo Brent / *Brent crude oil*. Mistura de tipos de petróleo produzidos no mar do Norte, oriundos dos sistemas petrolíferos Brent e Ninian, com grau API de 39,4 e teor de enxofre de 0,34%. ▶ Ver *grau API*.

petróleo bruto / *crude oil*. Petróleo no estado em que se apresenta na natureza, sem ter passado por processamento. ▶ Ver *grau API*.

petróleo bruto asfáltico / *asphaltic crude oil*. Petróleo bruto com alto conteúdo de asfalteno, e frequentemente também de vanádio e enxofre, com grau API abaixo de 35. ↦ Podem ser classificados como petróleos asfáltico-parafínicos ou asfaltos naftênicos. Observa-se que tanto para petróleo leve, mediano, pesado e extrapesado, em termos de grau API, devem-se usar os *standards* da API e, para o Brasil, seguir a regulamentação da Agência Nacional do Petróleo, Gás Natural e Biocombustíveis (ANP). ▶ Ver *grau API*; *Agência Nacional do Petróleo, Gás Natural e Biocombustíveis (ANP)*.

petróleo cru / *crude oil*. 1. Denominação dada ao petróleo, ou óleo bruto, que ainda não passou por nenhum processo de tratamento. **2.** Petróleo bruto. ▶ Ver *petróleo bruto*; *grau API*.

petróleo cru asfáltico / *asphalt-base crude oil.* Petróleo cru contendo baixos teores de parafinas e elevados teores de resíduos asfálticos. ▶ Ver *grau API*.

petróleo de referência / *benchmark crude.* Petróleo cru cujo preço é referência para valoração para outros petróleos com base em suas características composicionais. ⁕ Nos Estados Unidos o padrão é o *West Texas* intermediário e na Inglaterra, o *North Sea Brent*. ▶ Ver *cesta de referência da OPEP*.

petróleo do tipo médio / *medium oil*. O mesmo que *óleo médio*. ▶ Ver *óleo médio*.

petróleo doce / *sweet crude petroleum*. O mesmo que *óleo doce*. ▶ Ver *óleo doce*; *grau API*.

petróleo leve / *light petroleum*. O mesmo que *óleo leve*. ▶ Ver *óleo leve*; *grau API*.

petróleo naftênico / *naphthenic oil, naphthenic crude oil*. O mesmo que *óleo cru naftênico*. ▶ Ver *óleo cru naftênico*.

petróleo pesado / *heavy crude oil*. Óleo cru com grau API baixo devido a uma grande proporção de hidrocarbonetos de cadeias longas. ▶ Ver *grau API*.

petróleo sulfuroso / *sour crude oil*. O mesmo que *óleo ácido*. ▶ Ver *óleo ácido*.

petróleo WTI / *WTI (West Texas Intermediate) crude oil*. Tipo de petróleo usado como referência comercial, originário da bacia permiana do oeste do Texas, EUA, com grau API entre 38 e 40 e teor de enxofre de 0,3%.

***Petroleum Revenue Tax (PRT)*.** Taxação estabelecida em 1975 no Reino Unido, após o primeiro choque do petróleo, e que incidia sobre o campo (que era a unidade fiscal). ⁕ Tal qual o Imposto de Renda aplicável às empresas petrolíferas, essa taxação era delimitada pela Plataforma Continental, de modo que as perdas nas atividades de *downstream* não podiam ser compensadas pelos lucros nas atividades de E&P (*upstream*). Em 16 de março de 1993, o governo inglês propôs modificações significativas na estrutura e no escopo da PRT, principalmente com o intuito de atrair novos investimentos na parte inglesa do mar do Norte. Eis as principais alterações: *(I)* abolição total da PRT para quaisquer campos petrolíferos cujo desenvolvimento começasse a partir de 16 de março de 1993; *(II)* redução da alíquota da PRT de 75% para 50%, em vigor a partir de 1º de julho de 1993; e *(III)* abolição de compensação da PRT para qualquer gasto com avaliação e exploração incorrido a partir de 16 de março de 1993.

petrologia sedimentar / *sedimentary petrology*. Termo genérico utilizado para designar o estudo — com auxílio de todos os métodos analíticos disponíveis — da composição e das características, bem como da origem, condições atuais e alterações dos sedimentos e da gênese das rochas sedimentares. A petrologia engloba a petrografia e a petrogênese das rochas. Nos estudos petrográficos e petrológicos são utilizados vários métodos e ferramentas, desde a observação de campo e a descrição macroscópica de amostras de mão até a descrição microscópica (óptica ou eletrônica, catodoluminescência e microssonda) das rochas e seus minerais, definindo as texturas e estruturas, a mineralogia e a classificação da rocha. ▶ Ver *petrografia sedimentar*; *petrogênese*.

piano de válvulas (Port.) / *manifold*. O mesmo que *manifolde*. ▶ Ver *manifolde*.

picagem automática / *automatic picking*. Mapeamento de dados sísmicos (rastreamento) de um evento (geralmente, uma reflexão) correspondente a um horizonte ou uma interface geológica em uma seção ou volume de dados, a partir da definição de alguns poucos pontos iniciais (sementes, ou *seed points*). ⁕ Entre os pontos, a interpretação é feita automaticamente na estação de trabalho ou no computador por meio de critérios variados (correlação em janelas de tempo, similaridade de eventos etc.) dentro de parâmetros (tamanho da janela de correlação, mergulho máximo dos horizontes, amplitude mínima ou máxima etc.) definidos pelo intérprete. Funciona melhor em dados com boa razão sinal/ruído e para interfaces com maior contraste de impedância (fundo do mar, anomalias de amplitude, discordâncias, base de sequências, limites de pacotes espessos de carbonatos em uma sequência siliciclástica etc.). É uma ferramenta que não substitui a análise geológica, mas auxilia na interpretação graças à rapidez na obtenção de mapas.

piche / *pitch*. Material betuminoso de cor marrom escura a preta, encontrado em rochas sedimentares superficiais. Também subproduto preto e pesado do refino de petróleo. Asfalto.

pico da onda / *wave peak*. Amplitude máxima de uma onda. ▶ Ver *amplitude*.

***pig*.** Dispositivo inserido no interior de uma tubulação, a qual percorre por meio da pressurização a montante do mesmo, com o objetivo de remover depósitos indesejados, inspecionar aspectos dimensionais e/ou separar bateladas de fluidos. ⁕ Acredita-se que a denominação deste dispositivo seja um anagrama resultante das palavras *pipeline inspection gauge*, que identificavam a função inicialmente projetada para tal dispositivo. No que tange a aspectos construtivos, ele pode reunir componentes em aço (indeformáveis), em elastômeros (deformáveis), ou ser integralmente feito de elastômeros, e até mesmo de espuma de polímeros. O nível admissível de deformação está associado ao tipo de serviço no qual se aplica o dispositivo. Quando do uso de *pigs* de inspeção (por exemplo, verificação de diâmetro remanescente frente a ataques de corrosão, detecção de amassamentos etc.), os registros são armazenados em memórias posteriormente acessadas com a chegada do dispositivo na locação de destino.

pig de multitamanho / *multisize pig*. Pig capaz de percorrer uma linha composta por tubulações com diâmetros distintos. ▶ Ver pig; *pigável*; *porco*.

pigável / *piggable*. Instalação cujos projeto e infraestrutura, no que tange a equipamentos e acessórios, são adequados para as operações de passagem de *pig*.

pigtail. Equipamento especial utilizado para conectar o cabo elétrico de superfície com o cabo redondo de bombeio centrífugo submerso instalado no interior de um poço de petróleo terrestre. •• Tipicamente, tal equipamento possui duas seções de cabo: *(I)* uma superior, para conectar o cabo elétrico de superfície ao mandril eletrosub, e *(II)* outra inferior, para conectar o mandril eletrosub ao cabo redondo de bombeio centrífugo submerso. ▶ Ver *bombeio centrífugo submerso*; *motor elétrico*; *cabeça de produção*; *cabo elétrico para bombeamento centrífugo submerso*; *cabo redondo*; *mandril eletrosub*.

pilha / *stack*. Registro composto, feito pela mixagem de traços de diferentes registros.

pilha galvânica / *galvanic cell*. O mesmo que *célula galvânica*. ▶ Ver *célula galvânica*.

pilha seca / *dry cell*. Célula eletroquímica galvânica, com um eletrólito pastoso de baixa umidade.

pilot mill. Ferramenta destruidora de ferro no poço, em cuja extremidade tem um guia de menor diâmetro, com o objetivo de entrar no topo do peixe e centralizá-lo para facilitar os trabalhos de corte.

pinch-out. 1. Conjunto de trapas comum em regiões com intensa halocinese, considerado para a região de águas profundas. **2.** Acunhamento (terminações laterais em cunha) de corpos arenosos contra a parede de domos e diápiros salinos. **3.** Trapeamento estratigráfico por acunhamento (terminações laterais em cunha) de corpos arenosos em sentido contrário ao mergulho da bacia. ▶ Ver *trapa*; *trapeamento estratigráfico*.

pino de cisalhamento / *shear pin*. Pino usado para conectar uma ferramenta a outra temporariamente. É projetado para ser cisalhado em um determinado momento da operação com uma determinada força cortante, para com isso separar as ferramentas quando ocorrem tais circunstâncias. A geração dessa força pode vir de uma carga axial ou de uma pressão transmitida desde a cabeça do poço. Ambos os mecanismos devem gerar uma força cortante suficiente para cisalhar o pino.

pipe. Antigo conduto vulcânico preenchido por brecha vulcânica.

pipe rack. Estrutura metálica que se estende do início ao fim da plataforma de petróleo, responsável pela conexão e sustentação de tubos e cabos. Interligação de linhas de tubulações e cabos existentes. Termo utilizado também paras outros setores da indústria do petróleo, além dos de exploração e produção. ▶ Ver topside *de plataforma*.

pirólise / *pyrolysis*. Decomposição de matéria orgânica por aquecimento ou ausência de oxigênio. Este processo é a base para vários métodos de análise da rocha fonte.

pirólise (FID) / *pyrolysis (FID)*. Técnica analítica de temperatura programada de pirólise, seguida de detecção de ionização de chama (FID) dos produtos de hidrocarbonetos. Temperatura da pirólise na qual a máxima geração de hidrocarboneto dá uma ideia da maturidade. ▶ Ver *pirólise*.

pirólise colorimétrica / *pyrolysis-colorimetry*. Técnica analítica de testes em tubos de pirólise de uma rocha, seguida de determinação da cor do composto produzido pela pirólise. Assim como a técnica de florescência de pirólise, este método permite a prospecção e identificação de matéria orgânica pirolisável (suscetível a pirólise) em uma rocha. ▶ Ver *pirólise*.

pirólise de cheiro / *pyrolysis-sniffing*. 1. Técnica analítica de pirólise rápida de alta temperatura aplicada em amostra de rocha, seguida de determinação semiquantitativa dos hidrocarbonetos totais produzidos. A detecção é acompanhada por meio do detetor de ionização de chama. **2.** Método de laboratório para classificar a rocha pela presença de matéria orgânica pirolisável. ▶ Ver *pirólise*.

pirólise GSC / *pyrolysis GSC*. Técnica analítica de pirólise seguida de cromatografia de gás sólido (GSC) como uma maneira de determinar a temperatura de pirólise na qual ocorre a máxima geração de etano. Isso dá uma indicação de maturidade para a matéria orgânica que alcançou um valor de maturidade de VR/E 1,32 ou mais. ▶ Ver *pirólise*.

pirólise MS / *pyrolysis MS*. Técnica analítica de temperatura programada de pirólise seguida da determinação de alguns produtos por espectrografia de massa. Isso dá uma indicação de ambos os tipos de maturidade da matéria orgânica. ▶ Ver *pirólise*.

pirólise por fluorescência / *pyrolysis-fluorescence*. Técnica analítica de teste para um tubo de pirólise de rocha, seguida pela determinação fluorimétrica dos compostos fluorescentes produzidos pela pirólise. •• Este método fornece uma indicação rápida da avaliação termal de um óleo em uma rocha. ▶ Ver *pirólise*.

piso da plataforma / *rig floor*. Local na plataforma onde são executados os trabalhos ligados diretamente à intervenção nos poço de petróleo e gás. É uma área plana, normalmente com piso feito de chapas de aço e pranchas de madeira, onde trabalham os plataformistas. ▶ Ver *plataforma de petróleo*.

piso da sonda / *drill floor*. O mesmo que *piso da plataforma*. ▶ Ver *piso da plataforma*.

pistão de controlo (Port.) / *blank ram, blind ram*. O mesmo que *gaveta cega*. ▶ Ver *gaveta cega*.

pistão de controlo de tubagem variável (Port.) / *variable pipe ram*. O mesmo que *gaveta variável de tubos*. ▶ Ver *gaveta variável de tubos*.

pistão de controlo superior de tubagem (Port.) / *upper pipe ram.* O mesmo que *gaveta superior de tubo.* ▶ Ver *gaveta superior de tubo.*

pistão de controlo variável de tubagem (Port.) / *variable ram.* O mesmo que *gaveta variável de tubos.* ▶ Ver *gaveta variável de tubos*

pistola de fundo / *mud gun.* Ferramenta de jatos instalada nas pontas de tubulações colocadas nos tanques de preparo de fluidos, com o intuito de propiciar cisalhamento do fluido e limpeza do fundo dos tanques.

pistoneio /*swabbing.* Redução da pressão do poço causada pelo movimento de subida da coluna de perfuração. Em operações de produção, o termo é usado para descrever como o escoamento de hidrocarbonetos se inicia em alguns poços completados. ↝ Se a pressão for suficientemente reduzida, os fluidos da formação tenderão a invadir o poço, escoando em direção à superfície. O *swabbing* é em geral considerado prejudicial à operação de perfuração, pois pode causar erupções (*kicks*) e problemas de instabilidade no poço.

pit de tampão (Ang.) / *slug pit.* O mesmo que *tanque de tampão.* ▶ Ver *tanque de tampão.*

piti / *jitter.* Variação indesejada de uma ou mais características do sinal, em eletrônica ou telecomunicações. Essas característica podem ser, por exemplo, o intervalo entre pulsos sucessivos, a amplitude, ou a frequência, ou uma fase de ciclos sucessivos.

placa coalescedora / *coalescing pack.* Dispositivo interno de vaso separador, constituído por um conjunto de placas planas, corrugadas ou com geometrias mais complexas, com ou sem orifícios, empregado submerso nas fases líquidas da câmara de decantação do vaso, e que promove a coalescência das gotículas da fase dispersa. Atua quer somente pela redução da trajetória percorrida pelas gotículas (distância entre duas placas), quer pela característica lipofílica ou hidrofílica (conforme o caso) da sua superfície.

placa de Bouguer / *Bouguer plate.* Camada imaginária, com comprimento infinito e uma espessura igual à altura do ponto de observação acima da superfície de referência, que normalmente é o nível do mar.

placa de orifício universal / *universal orifice plate.* Placa fina com um orifício circular, fabricada de acordo com normas pertinentes e instalada na tubulação de modo a determinar a vazão do fluido em escoamento. ↝ Há outros tipos de placa, como aquelas com orifício excêntrico, com orifício segmental etc.

placa defletora / *baffle.* Modalidade de dispositivo de separação primária, caracterizada por uma placa interposta na trajetória da corrente de fluidos que entra no separador. Destina-se a reduzir a quantidade de movimento da corrente multifásica que alimenta o vaso separador. ↝ Esse dispositivo promove uma separação grosseira das fases afluentes ao vaso e evita que a energia da corrente afluente ao separador perturbe a separação na câmera de decantação, situada imediatamente a jusante. O princípio físico do dispositivo é a colisão (*impingement*), que provoca variação diferenciada na quantidade de movimento das fases constituintes da corrente de alimentação, promovendo assim, a separação.

placa tectônica / *tectonic plate.* Pedaço de placa litosférica, constituída por crosta continental ou oceânica e manto litosférico, que tem movimento relativo em relação às placas tectônicas adjacentes. Sinônimo: *placa litosférica.*

placa triangular / *monkey face.* Placa de formato triangular para a união dos pendentes que formam a cabresteira de reboque de uma plataforma.

planalto (Port.) (Ang.) / *plateau.* O mesmo que *platô.* ▶ Ver *platô.*

planalto de *piedmont* **(Port.) (Ang.) /** *piedmont plateau.* O mesmo que *platô de* piedmont. ▶ Ver *platô de* piedmont.

planalto deltaico (Port.) (Ang.) / *delta plateau.* O mesmo que *platô deltaico.* ▶ Ver *platô deltaico.*

planeamento em ciclos progressivos (Port.) (Ang.) / *rolling wave planning.* O mesmo que *planejamento em ciclos progressivos.* ▶ Ver *planejamento em ciclos progressivos.*

planejamento em ciclos progressivos / *rolling wave planning.* Detalhamento crescente das ações de um determinado empreendimento ou projeto, à medida que estão mais próximas de sua execução.

planície abissal / *abyssal plain.* Área do assoalho oceânico praticamente plana ou com variação de inclinação menor do que 1 grau em 1.000 m, próximo às áreas ocupadas pelas regiões mais profundas de muitas bacias oceânicas. ▶ Ver *abissal.*

planície aluvial / *alluvial plain.* Região quase plana ao longo da canalização do sistema aluvial, onde os fluxos sedimentares aluviais são depositados durante os períodos de inundações. ▶ Ver *leque aluvial.*

planície costeira deltaica / *deltaic coastal plain.* Planície costeira composta por uma série de deltas coalescentes.

planície de denudação marinha / *plain of marine denudation.* Superfície plana (ou aproximadamente plana) desgastada por erosão devido à transgressão gradual das ondas oceânicas sobre a terra.

planície de desnudação (Port.) (Ang.) / *floodplain.* O mesmo que *planície de inundação.* ▶ Ver *planície de inundação.*

planície de erosão (Port.) (Ang.) / *floodplain.* O mesmo que *planície de inundação.* ▶ Ver *planície de inundação.*

planície de inundação / *floodplain.* **1.** Planície drenada por um sistema canalizado e que é propensa a ser inundada periodicamente durante as cheias desse sistema de canais, recebendo os produtos dos extravasamentos dos fluxos sedimentares que passam pelos canais e que resultam em depósitos, como as feições de ombreiras, depósitos de argilas, canais abandonados, pântanos e planícies deltaicas. 2. Área marginal ao canal fluvial, separada deste pelo dique marginal, que alaga durante os períodos de cheia. ▶ Ver *inundação*.

planície deltaica / *delta plain*. Porção horizontal de um delta composta por sedimentos da planície deltaica. Corresponde à região ou superfície terrestre de um delta, caracterizada por canais distributários, bacias interdistributárias e planície de inundação. ↝ À medida que o delta avança para o mar são depositadas em sua frente camadas inclinadas que depois são cobertas por camadas horizontais ou sub-horizontais de topo. A deposição dessas camadas ocorre na porção da planície deltaica principalmente por agradação, durante os períodos de inundação, quando sedimentos finos, síltico-argilosos, são depositados.

planície fluvial / *river plain*. O mesmo que *planície aluvial*. ▶ Ver *planície aluvial*.

planície interior / *interior plain*. Planície afastada do oceano ou separada dele por montanhas.

planilha de controle de *kick* / *kill sheet*. Folha de cálculo ou tabela de registro da operação de controle do poço. ↝ As operações de circulação do *kick* e amortecimento do poço são conduzidas de acordo com informações obtidas antes de e após a ocorrência do *kick* e dos cálculos pertinentes. ▶ Ver *amortecer um poço*.

plano aluvial / *alluvial flat*. O mesmo que *planície aluvial*. ▶ Ver *planície aluvial*.

Plano Anual de Estoques Estratégicos de Combustíveis, Brasil / *Annual Plan for Strategic Fuel Stocks*. Plano integrante do projeto de lei de diretrizes orçamentárias e que compreende as metas e prioridades do Sistema Nacional de Estoques de Combustíveis no Brasil, incluindo os recursos financeiros para a manutenção da reserva estratégica.

plano de acamamento / *bedding plane*. 1. Superfície que separa as camadas, em rochas sedimentares. Cada plano de acamamento marca a terminação de um depósito e o começo de outro com diferentes características, tais como a superfície de separação entre uma camada de areia e outra de argila. As camadas de rochas ou sedimentos são produtos de eventos e processos que tendem a se modificar ao longo do tempo e a ser separados, interrompidos, registrando-se esses eventos ao longo de planos ou superfícies. 2. Em rochas sedimentares ou outras rochas estratificadas, uma superfície que separa cada camada das sotopostas ou sobrepostas é chamada de *plano de acamamento*. Estes planos são caracterizados usualmente em circunstâncias deposicionais específicas por mudanças granulométricas abruptas, composição, cor, ou outras feições. 3. Superfície sobre a qual as rochas se depositam. ▶ Ver *estrato*.

plano de ancoragem / *anchor pattern*. Plano preestabelecido para ancoragem de uma unidade flutuante, de acordo com as restrições existentes no fundo da nova locação, tais como passagem de linhas, manifoldes e demais equipamentos instalados no leito submarino, bem como acidentes geográficos.

plano de área / *area emergency plan*. Plano de emergência em áreas onde se concentrem portos organizados, instalações portuárias ou plataformas.

plano de avaliação de descobertas de petróleo ou gás natural / *oil and/or natural gas discovery evaluation plan*. 1. Documento preparado pelo concessionário, que contém o programa de trabalho e respectivo investimento, necessário à avaliação de uma descoberta de petróleo ou gás natural. 2. Documento a ser emitido, conforme orientações da Agência Nacional do Petróleo, Gás Natural e Biocombustíveis, ANP, quando houver a decisão de avaliar uma descoberta.

plano de condicionamento / *commissioning plan*. Conjunto de definições e diretrizes organizacionais e técnicas, cujo objetivo é orientar o planejamento, a execução, a avaliação, o controle e o registro dos serviços de condicionamento em todas as etapas de construção e montagem de instalações industriais.

plano de contingência / *contigency plan*. Conjunto de procedimentos e ações que visam à integração dos diversos planos de emergência setoriais, bem como à definição dos recursos humanos, materiais e equipamentos complementares para a prevenção, controle e combate à emergência.

plano de contingência local / *local contingency plan*. Plano de contingência que conta com os recursos próprios da instalação, além dos recursos externos e disponíveis em instituições/empresas locais.

plano de *datum* / *datum plane*. O mesmo que *nível de* datum. ▶ Ver *nível de* datum.

plano de desenvolvimento / *development plan*. Documento preparado pelo concessionário e que contém o programa de trabalho e respectivo investimento necessários ao desenvolvimento de uma descoberta de petróleo ou gás natural na área da concessão, bem como indicações de relevância fiscal.

plano de emergência / *emergency plan*. Conjunto de medidas que determinam e estabelecem as responsabilidades setoriais e as ações a serem desencadeadas imediatamente após um incidente, bem como definem os recursos humanos, materiais e equipamentos adequados à prevenção, controle e combate à poluição das águas. (Lei nº 9.966/00.)

plano de emergência individual (PEI) / *individual emergency plan*. Plano de emergência de portos organizados, instalações portuárias e plataformas, e de suas instalações de apoio. ↝ Planos de emergência individuais são sempre exigidos pelo órgão ambiental para licenciamento de atividades e instalações que armazenem ou manuseiem óleo ou cuja análise de risco indique possibilidade de acidentes com consequências ambientais. É um dos planos e programas contidos no estudo ambiental que subsidia a concessão da licença.

plano de erosão / *erosion plane*. Plano que contém a superfície de erosão. ▶ Ver *erosão*.

plano de estratificação / *stratification plane*. 1. Plano correspondente à superfície plana na qual os sedimentos originalmente se depositam. 2. Disposição paralela ou subparalela que as camadas tomam ao se acumularem, formando uma rocha. ▶ Ver *acamamento*; *plano de acamamento*.

plano de gerenciamento de operações no poço / *well operations management plan (WOMP)*. Documento descritivo do poço e das atividades inerentes a ele, exigido pela autoridade australiana. Este plano deve incluir uma descrição do projeto, da construção e do gerenciamento das atividades no poço e planos para gerenciar os riscos identificados para as atividades, garantindo a sua integridade. Torna-se mandatório após aprovação da autoridade competente. ↝ Para poços produtores, um documento genérico tem sido aceito pelo governo da Austrália e permanece válido por cinco anos, após os quais uma revisão feita pelo operador deve ser novamente submetida a aprovação. Um WOMP deve ser apresentado como um documento único, a menos que a autoridade competente tenha permitido a divisão do plano em dois ou mais, cobrindo estágios particulares da atividade.

plano de manejo / *management plan*. Zoneamento de um parque nacional segundo suas características ecológicas e planejamento do seu desenvolvimento para atender às finalidades.

Plano Nacional de Contingência / *National Contingency Plan*. Consolidação nacional dos planos de emergência locais e regionais por exigência da Convenção Internacional sobre Preparo, Resposta e Cooperação para Derramamentos de Óleo de 1990 (OPRC 90), convenção da IMO já subscrita por 97 países.

plano de reflexão / *reflection plane*. Plano formado pelo raio incidente, o raio refletido e a normal.

plano sagital / *sagittal plane*. Em um levantamento sísmico, plano vertical, que contém a fonte e o receptor.

planta de adsorção / *adsorption plant*. Sistema de processamento de gás no qual ocorre a adsorção, ou seja, no qual moléculas de algum dos componentes da mistura gasosa são capturadas sobre a superfície de um sólido. ↝ Tradicionalmente, definem-se dois tipos de adsorção: (*I*) a física, na qual forças superficiais e de capilaridade são responsáveis pelo aprisionamento das moléculas do componente adsorvido, e (*II*) a química, na qual ocorre alguma ligação química entre o componente e a superfície do sólido adsorvente. Apenas a adsorção física é relevante nas plantas de produção e processamento de petróleo. A regeneração do leito do sólido adsorvente usualmente integra a planta. ▶ Ver *adsorção*; *adsorção específica*.

planta criogênica / *cryogenic plant*. Termo empregado para caracterizar uma planta de processamento de gás que envolva processos com temperaturas baixas (< 0 °C). ↝ O termo compreende não somente plantas com processos de refrigeração que utilizam fluidos refrigerantes, mas também processos envolvendo o efeito Joule-Thompson (resfriamento por expansão adiabática) aplicado a correntes de hidrocarbonetos gasosos.

planta de absorção / *absorption plant*. Sistema de processamento de gás no qual ocorre a absorção, ou seja, a transferência de um componente solúvel da mistura gasosa para um líquido absorvente. ↝ O processo de absorção é frequentemente utilizado para condicionar uma corrente de gás pela remoção de água, gás sulfídrico ou dióxido de carbono. O absorvente líquido, além de específico para a aplicação, deve ser pouco volátil nas condições em que se processa a absorção. O sistema de regeneração do absorvente usualmente integra a planta. ▶ Ver *absorção*.

planta de desidratação / *dehydration plant*. Sistema de processamento de gás no qual se realiza a remoção do vapor de água contido na corrente gasosa. Equipamento destinado a separar a água de outra substância; desumidificador; equipamento utilizado para remover hidrogênio e oxigênio de um composto para evitar a formação de água; equipamento empregado para remover a água quimicamente combinada ou água de hidratação; equipamento desumidificador de gases. ↝ O sistema mais empregado nas instalações de produção utiliza absorvente líquido, usualmente o trietilieno-glicol, ou TEG, não só por sua alta capacidade higroscópica mas também por sua estabilidade térmica, o que facilita a regeneração. O termo *planta de desidratação* compreende também os equipamentos de regeneração do glicol, que é assim utilizado em um circuito fechado, com reposição apenas para compor pequenas e eventuais perdas. ▶ Ver *desidratação*.

planta de dessalinização / *desalting plant*. Termo empregado para designar o conjunto de equipamentos, tubulações e acessórios que compõem o sistema de geração de água potável, a partir da água do mar. ↝ Na produção de petróleo em plataformas marítimas de produção, é usual, entre os diversos sistemas de utilidades, a instalação de uma planta de dessalinização para gerar água potável, a partir da água do mar. ▶ Ver *dessalinização*.

planta de extração de líquidos do gás / *gas liquid extraction plant*, *liquefied-petroleum-gas recovery plant*. Sistema de processamento de gás no qual é realizada a remoção das frações pesadas contidas na mistura gasosa rica proveniente do campo produtor. •• Trata-se, por sua complexidade, de uma instalação de processamento secundário, embora frequentemente seja encontrada em estações centrais de coleta e separação de fluidos, e não somente em refinarias. A planta é composta de sistema de compressão de gás e de diversas instalações para operações unitárias, sendo que as principais são as torres de remoção de pentano, butano, propano e etano.

planta de gás / *gas plant*. Termo genérico para qualquer instalação de processamento de gás. •• Esse termo é extremamente genérico. Na área de produção, pode se referir a uma planta de processamento primário num campo gás-condensado ou ainda, à parte que manuseia o gás associado em uma planta de processamento primário num campo de óleo. Na área industrial (abastecimento ou *downstream*), pode se referir a uma planta de extração de líquidos do gás, ou à parte que manuseia gás em uma refinaria. ▶ Ver *gás*.

planta de gás natural / *natural gas processing plant*. Facilidade que permite remover impurezas, assim como remover os líquidos do gás natural. ▶ Ver *gás natural*.

planta de gasolina natural / *natural gas plant*. Planta de processamento de gás natural para extração de gasolina natural, LPG e outros hidrocarbonetos líquidos. Recebe o gás natural produzido e até as frações mais leves (butano e mais leves) que resultam da produção de óleo cru. ▶ Ver *gasolina natural*.

planta de mistura de sólidos / *blending plant*. Instalação industrial na qual o cimento e aditivos sólidos são estocados e misturados antes de seguirem para a locação em que serão usados numa operação de cimentação de poço de petróleo. Uma planta de mistura típica consiste em silos pneumáticos, equipamento pneumático de carga, misturador de produtos secos e unidade de compressão de ar.

planta de processamento de gás / *gas processing plant*. Termo genérico para qualquer instalação de processamento de gás. Sinônimo de *planta de gás*. ▶ Ver *planta de gás*.

planta de processo / *process plant*. Todo conjunto de módulos e equipamentos localizados no *deck box* da plataforma, responsáveis pelo tratamento de óleo e gás, como por exemplo, vasos de pressão, bombas centrífugas, bombas de injeção, bombas de elevação de água, filtros e compressores de gás. ▶ Ver topside *de plataforma*.

planta de separação gás-óleo / *gas and oil separation plant*. Parte da planta de processamento primário de petróleo que é constituída pelos separadores bifásicos (gás/líquido) e trifásicos (gás/óleo/água).

plataforma autoelevatória / *jack-up, jack-up platform*. 1. Plataforma marítima com três ou mais pernas de tamanho variável, que pode ser posicionada em locais de diferentes profundidades, apoiando as pernas no fundo do mar e elevando-se acima da superfície marítima. 2. Plataforma constituída basicamente de uma balsa equipada com estruturas de apoio, ou pernas, que, acionadas através de um sistema elétrico ou hidráulico, movimentam-se mecanicamente, através de engrenagens, para baixo ou para cima. Para fixação em uma locação, as pernas são acionadas para baixo até atingirem o fundo do mar. Em seguida inicia-se a elevação da plataforma acima do nível da água, a uma altura segura e fora da ação das ondas. A perfuração através dessa plataforma é similar à perfuração em terra firme, pois o preventor de erupção *(blowout preventer, BOP)* é instalado na superfície e não há movimentos da plataforma devido às ondas, como existe em navios sondas ou sondas semissubmersíveis. •• Na década de 1980, essas plataformas estavam limitadas a operar em lâmina d'água de até 80 m. mas, atualmente, com a construção de plataformas de nova geração, o limite operacional passou a ser de até 170 m. Para a alteração da locação, suas pernas são movimentadas para cima, ficando a plataforma em flutuação, sendo então rebocada ou navegando com propulsão. ▶ Ver *plataforma de petróleo; preventor de erupção*.

plataforma autoelevável / *jack-up platform*. O mesmo que *plataforma autoelevatória*. ▶ Ver *plataforma de petróleo; plataforma autoelevatória*.

plataforma carbonática / *carbonate platform*. 1. Plataforma submarina em águas rasas, que forma um espesso estrato em consequência da deposição de microrganismos compostos por carapaças calcárias. Constitui-se de espessas sequências carbonáticas de águas rasas que formam extensos depósitos e apresentam o topo plano. 2. Termo genérico para o ambiente deposicional de calcários de águas rasas.

plataforma continental / *continental shelf*. 1. Região da margem continental situada entre a linha de praia e o talude, com uma inclinação muito suave de 0.1 graus e com lâmina d'água de até 200 m. 2. Área cratônica, tectonicamente estável, que sofreu inundações periódicas do mar, durante as quais foram depositados sedimentos marinhos com ampla distribuição geográfica, mas de reduzida espessura. 3. Província fisiográfica da margem continental que pode ser considerada como um prolongamento do continente, e que tem uma configuração razoavelmente plana, suavemente inclinada mar adentro (gradientes batimétricos inferiores a 1:1.000). Seu limite externo é a quebra da plataforma (em geral a aproximadamente 200 m de profundidade), a partir de onde começa o talude continental. Observação: Se usado com conotação jurídica, o termo *plataforma continental* pode englobar outras províncias da margem continental (ou parte destas). ⊷ No Brasil, compreende o leito e o subsolo das áreas submarinas que se estendem além do mar territorial, em toda a extensão do prolongamento natural de seu território terrestre, até o bordo exterior da margem continental, ou até a distância de duzentas milhas marítimas das linhas de base, a partir das quais se mede a largura do mar territorial, nos casos em que o bordo exterior da margem continental não atinja tal distância. Os recursos naturais nela localizados são bens da União (conforme a Constituição Federal brasileira).

plataforma continental externa / *outer continental shelf*. 1. Área marítima nos Estados Unidos que começa além da linha que demarca a jurisdição do Estado. 2. Parte da plataforma continental sob jurisdição federal norte-americana.

plataforma de frente deltaica / *delta-front platform*. Zona rasa de aproximadamente 5 km de largura, existente á frente dos distributários progradantes de um delta. ⊷ O processo deposicional na frente deltaica é realizado num fluxo de grande velocidade que entra em uma bacia rasa, sofrendo atrito com o fundo.

plataforma de gravidade / *gravity platform*. Unidade estacionária de produção, de utilização no mar e do tipo não flutuante, aplicável em águas rasas e cujo peso próprio responde pelo seu assentamento no leito marinho e por sua estabilidade funcional, particularmente frente às cargas laterais. ⊷ Plataformas normalmente fabricadas em concreto com grande área de assentamento no leito marinho. Sua larga capacidade de estocagem de lastro inicial e, posteriormente, dos fluidos produzidos após processamento primário na própria plataforma, contribui para sua estabilidade, particularmente frente às cargas laterais associadas às correntes e marés, na parte submersa, e frente aos ventos na estrutura acima da linha d'água dispensando assim a necessidade de estaqueamento da estrutura no leito marinho. No mar do Norte, setor norueguês, tal tipo de plataforma foi amplamente instalado no início da exploração naquela área, com plataformas construídas em concreto estrutural e que atingiam consideráveis profundidades (da ordem de 200 m). ▶ Ver *plataforma de petróleo*.

plataforma de perfuração tipo coluna estabilizada / *column-stabilized drilling unit*. Plataforma suportada por cascos submersos por meio de colunas ou flutuadores, e que pode ou não possuir sapatas. As perfurações podem ser executadas com a plataforma flutuando (semissubmersível) ou apoiada no leito do oceano (submersível). ▶ Ver *plataforma de petróleo*.

plataforma de pernas atirantadas / *tension-leg platform* (TLP). Unidade flutuante de produção cuja ancoragem é realizada por meio de tendões verticais. ⊷ Este tipo de ancoragem tem grande rigidez axial, o que resulta em movimentos verticais de amplitude muito pequena. Dessa forma, é possível conectar à plataforma tubulações rígidas verticais ligadas ao leito marinho e instalar as cabeças de poço no convés da unidade. Usualmente utilizam-se sistemas de compensação de movimento de pequeno curso, que restringem a variação de tração nessas tubulações. Esse tipo de plataforma reduz os custos de completação de poços, melhorando seu controle e facilitando intervenções (*workover*). ▶ Ver *plataforma de petróleo*.

plataforma de petróleo / *petroleum platform, offshore platform*. Unidade, habitada ou não, localizada normalmente em ambiente marítimo, usada para as atividades relacionadas à perfuração de poços e à produção de petróleo ou gás natural. ⊷ Com relação à estrutura de suporte (*bottom side*), as plataformas podem ser *(I)* fixas (*fixed*); *(II)* flutuantes (*floating*) ou *(III)* autoelevatórias (*jack-up*). As fixas dividem-se basicamente em: *(a)* tipo jaqueta (*jacket*), que são estruturas tubulares fixadas ao fundo do mar por estacas; *(b)* de gravidade (*gravity*), normalmente feitas de concreto e assentadas ao fundo do mar por seu próprio peso; *(c) caisson*, tubo de grande diâmetro cravado ao leito marinho. As flutuantes mais comuns são as semissubmersíveis e os navios. São flutuantes também as plataformas de pernas atirantadas (*tension leg platform, TLP*) e as *plataformas SPAR*. As autoelevatórias (cujas pernas são retráteis para permitir seu deslocamento) podem fazer a elevação por meio de macacos (*jack*) ou através de cremalheira. Com relação aos objetivos e às facilidades nelas instaladas (*top side*), as plataformas podem ser de *(I)* perfuração (*drilling*), *(II)* produção (*production*), *(III)* armazenamento (*storage*), *(IV)* descarga (*offloading*) ou *(V)* combinações destes. Podem ser, ainda, de compressão (*compression*), alojamento, lançamento de linhas ou mesmo para manusear grandes cargas (*derrick*), entre outros. Dessa forma, podemos ter combinações entre os vários tipos de estrutura e os diversos objetivos, configurando, por exemplo, os navios-sonda para perfuração, as autoelevatórias para o mesmo fim, plataformas fixas de produção, semissubmersíveis para alojamento (*flotéis*) e os vários sistemas flutuantes de produção, dentre os quais os principais são: *(a) FSOs* (*floating production and offloading* / unidades flutuantes de produção e descarga); *(b) FPSOs* (*floating production, storage and offloading* / unidades flutuantes de produção, estocagem e transferência); *(c) FSUs* (*floating storage unity* / unidades flutuantes de armazenamento). ▶ Ver *plataforma autoelevatória*; *plataforma de gravidade*; *plataforma de perfuração tipo coluna estabilizada*; *plataforma de pernas atirantadas*; *plataforma de produção offshore*; *plataforma fixa*; *plataforma semissubmersível*; *plataforma SPAR*; *sistema de perna atirantada lateral*; *sistema de produção flutuante*; *sistema flutuante de produção*; *unidade estacionária de produção*; *unidade flutuante de estocagem e transferência*; *uni-*

dade flutuante de alto calado; unidade flutuante de produção; estocagem e transferência; unidade móvel de produção marítima; navio-sonda.

Plataforma de petróleo

plataforma de produção *offshore* **/ offshore production platform.** Estrutura locada no mar, para a qual os poços submarinos escoam sua produção. •◦ Tem por função abrigar equipamentos e mão de obra necessários para o controle de poços, geração de energia e processamento primário dos fluidos produzidos (petróleo, gás, água e/ou sólidos) num campo de petróleo e/ou gás. ▶ Ver *plataforma de petróleo*.

plataforma fixa / fixed platform. Estrutura, instalada no local de operação, que recebe todos os equipamentos necessários às atividades que nela serão exercidas, tais como a perfuração, a estocagem, o alojamento e a produção dos poços. ▶ Ver *plataforma de petróleo*.

plataforma semissubmersível / semi-submersible platform. Plataforma flutuante composta de estrutura com um ou mais conveses, apoiados sobre colunas, as quais por sua vez se apoiam em flutuadores submersos (*pontoons*). Os modelos mais comuns possuem de quatro a seis colunas e de dois a quatro flutuadores submersos. •◦ Esse tipo de plataforma é bem transparente à ação das ondas do mar e da correnteza, conferindo maior estabilidade a sua operação. Por suas características pode ser usada tanto para produção quanto para perfuração. Plataformas desse tipo também já foram utilizadas como balsas-guindaste de grande capacidade de carga. ▶ Ver *plataforma de petróleo*.

plataforma SPAR / SPAR buoy. Plataforma que se caracteriza por ter o formato de um cilindro vertical que provê flutuação para suportar facilidades acima da superfície da água. •◦ Comporta-se analogamente a um *iceberg*, com sua grande massa submersa. Possui ancoragem lateral para manter a posição estacionária. Nesse tipo de plataforma, os movimentos lateral e vertical (*heave*) do *deck* são desprezíveis, permitindo utilizar o conceito de completação seca. ▶ Ver *plataforma de petróleo*.

plataforma tipo laguna / shelf lagoon. Região típica de plataformas carbonáticas formadas graças à proteção de barreiras de recifes coralinos ou bancos de areias carbonáticas, gerando uma área de baixa energia, protegida do mar aberto, em direção ao continente. Sua largura varia de umas poucas centenas de metros a algumas dezenas de quilômetros.

plataformista / roughneck, tong man. Pessoa que trabalha no piso da plataforma, na altura da mesa rotativa, manipulando as chaves flutuantes ou hidráulica usadas para conectar e desconectar os tubos da coluna de perfuração. ▶ Ver *piso da plataforma*.

platô / plateau. Superfície elevada e plana, ou com poucas ondulações, entalhada por vales encaixados, sobressaindo-se na topografia de uma região.

platô de piedmont / piedmont plateau. Região plana relativamente elevada, situada entre as montanhas e as planícies ou o oceano.

platô deltaico / delta plateau. Planície deltaica abandonada e soerguida.

Platt's crude oil marketwire. Publicação diária de cotações de tipos de petróleo, adotada no mercado internacional como padrão para a formação de preços de cargas de petróleo.

Platt's european marketscan. Publicação diária de cotações de produtos derivados de petróleo, adotada no mercado internacional como padrão para a formação de preços de cargas de derivados.

plote de flecha / arrow plot. Apresentação dos dados de perfil de mergulho ou de desvio após processamento, mostrando graficamente as atitudes das formações e permitindo interpretação estratigráfica e/ou estrutural.

plugue de coluna / hydro trip. Dispositivo utilizado no tamponamento temporário da coluna de produção, podendo ser instalado em qualquer ponto desta. ▶ Ver *coluna de produção*.

plugue de testemunho / core plug. Amostra cilíndrica, tirada de um testemunho convencional para análise, comumente medindo 2,5 a 3,8 cm (1 a 1,5 polegadas) de diâmetro por 2,5 a 5,0 cm (1 a 2 polegadas) de comprimento. Normalmente são cortados perpendicularmente ao eixo do testemunho (plugue horizontal) ou paralelamente a este mesmo eixo (plugue vertical), quando o testemunho for cortado em poço vertical.

plugue cego / *blank plug*. Ferramenta em forma de plugue, que pode ser descida a cabo e ser assentada num *landing niple* de modo a isolar as pressões reinantes entre seu topo e sua base numa coluna de produção (*tubing*). ▶ Ver *coluna de produção*; *tubing*.

poço aberto / *open hole*. Porção não revestida de um poço. ↝ Na fase de perfuração, cada uma das fases do poço permanecerá forçosamente sem revestimento. Ao final da perfuração, pode ser revestida com revestimento ou *liner*. Há intervalos de poços que, em função de a rocha apresentar alta resistência, podem produzir com completação a poço aberto. O *gravel pack* a poço aberto é considerado uma completação a poço aberto. Em literatura inglesa é comum encontrar-se o termo *barefoot completion* para descrever tais situações.

poço adjacente / *adjacent well*. Poço perfurado próximo a outro já existente. ↝ O poço adjacente pode ser utilizado para produção ou injeção, próximo a um produtor. Também pode ser utilizado para observação de pressão (poço observador) ou monitoramento de fluidos (traçadores etc.), neste caso denominado *poço de monitoramento*. Quando perfurado ao lado de outro já existente, denomina-se *poço gêmeo*.

poço ADR / *ADR well, reservoir data acquisition well*. Poço perfurado com o objetivo de aquisição de dados de reservatório.

poço artesiano / *artesian well*. 1. Escavação artificial com o objetivo de drenar água de algum aquífero subterrâneo. Essa drenagem se dá naturalmente, sem o emprego de qualquer técnica de elevação. 2. Poço perfurado através de formações impermeáveis, visando aquíferos subterrâneos cuja pressão hidrostática seja capaz de conduzir a água para a superfície. 3. Poço produtor de água no qual esta é puxada por uma bomba e conduzida por encanamentos. Normalmente são perfurados até profundidades em que a água se encontra mais pura e com mais sais minerais. ▶ Ver *aquífero*.

poço artesiano surgente / *flowing artesian well*. Poço artesiano cujo aquífero possui pressão suficiente para alcançar a superfície. ↝ O lençol artesiano tem sempre uma pressão que pode ou não ser suficiente para alcançar a superfície. Quando alcança, é denominado *surgente*. ▶ Ver *poço artesiano*.

poço ativo / *active well*. Poço em produção, que não está abandonado ou fora de serviço, ou cujo sistema de produção não foi interrompido. ↝ Em um teste de interferência com mais de um poço, representa o poço que produz ou injeta fluidos, em contraste com o poço de observação.

poço automatizado / *automated well*. Poço supervisionado que considera pelo menos uma variável de interesse e atua em um processo de malha fechada, considerando pelo menos um elemento de controle, de forma independente dos demais processos automatizados existentes. ▶ Ver *controle em malha fechada*; *automação*; *variável controlada*; *poço supervisionado*.

poço com o diâmetro máximo (Port.) (Ang.) / *full-gage hole*. O mesmo que full-gage hole. ▶ Ver full-gage hole.

poço comercial / *commercial well*. 1. Poço do qual se espera uma produção líquida suficiente para gerar um retorno do investimento em prazo razoável, e cuja operação gere lucro. 2. Poço rentável ou com produção economicamente viável.

poço conectado / *connected well*. Poço que está em comunicação com outro(s) poço(s) através de um manifolde ou alguma linha de produção, de forma que qualquer interferência no fluxo em um deles pode afetar diretamente o fluxo do outro. ▶ Ver *poço produtor*; *manifolde*; *linha de produção*.

poço de alívio / *relief well*. Poço perfurado com o objetivo de chegar o mais próximo possível da base de um poço em *blowout* e injetar um fluido (água, por exemplo) com alta vazão, de maneira a deslocar e eliminar a fonte de hidrocarbonetos, extinguindo assim o *blowout*. ▶ Ver *erupção*.

poço de amortecimento / *killer well*. Poço perfurado até a interseção com outro onde tenha ocorrido um *blowout*, para, através dele, injetar um fluido de perfuração pesado para conter a erupção. Também conhecido como *poço de alívio*. ▶ Ver *erupção*; *poço de alívio*.

poço de baixa profundidade (Port.) (Ang.) / *shallow well*. O mesmo que *poço raso*. ▶ Ver *poço raso*.

poço de condensado / *condensate well*. Poço que produz condensado proveniente do gás do reservatório.

poço de confirmação / *confirmation well*. Segundo poço perfurado em um novo campo em desenvolvimento a acusar presença de petróleo, ou seja, confirmando a existência de óleo no campo após a perfuração do poço pioneiro. ▶ Ver *campo de petróleo*; *poço pioneiro*.

poço de correlação / *offset well*. Poço existente próximo a um outro poço a ser perfurado, que provê informações para a perfuração deste último. ↝ No planejamento de poços de desenvolvimento há muitos poços de correlação e, dessa forma, obtém-se valiosas informações a respeito da geologia, tensões da formação, parâmetros de perfuração, fluidos, brocas e BHA's (*bottom-hole assembly / colunas de fundo*) usados. Constituem importante fonte de informação para otimização da perfuração de outros poços naquela região. ▶ Ver *poço de desenvolvimento*.

poço de delimitação de reservatório (Port.) (Ang.) / *offset well*. O mesmo que *poço de correlação*. ▶ Ver *poço de correlação*.

poço de delineamento de campo (Port.) (Ang.) / *field delineation well*. O mesmo que *poço de desenvolvimento*. ▶ Ver *poço de desenvolvimento*.

poço de descarte / *disposal well*. Poço, normalmente de um reservatório de óleo ou gás depletado, através do qual fluidos sem função podem ser injetados para descarte seguro. Estes poços estão sujeitos a certos requisitos ambientais para evitar contaminação de um aquífero próximo. ▶ Ver *reservatório*; *aquífero*.

poço de descarte de água salgada / *salt water disposal well*. Poço utilizado para a injeção de água produzida.

poço de desenvolvimento / *development well*. Poço perfurado em uma área de reserva provada de óleo ou gás. Quando esse poço é perfurado entre outros dois poços já existentes, é denominado *poço de refinamento de malha*; quando é perfurado além de outros poços, é chamado *poço de desenvolvimento*. Pode ser um poço produtor ou injetor. ▶ Ver *poço de refinamento de malha*.

poço de desenvolvimento de campo / *field development well*. O mesmo que *poço de desenvolvimento*. ▶ Ver *poço de desenvolvimento*.

poço de drenagem / *drain well*. Poço perfurado ou vários poços perfurados em um determinado campo de petróleo com o objetivo de drenar o fluido presente nos reservatórios daquele campo. ▶ Ver *campo de petróleo*; *reservatório*.

poço de explotação / *exploitation well*. Poço perfurado para explorar o potencial de um campo de petróleo. Um número determinado desses poços é perfurado após a descoberta do campo, para desenvolver o campo. O mesmo que *poço de desenvolvimento*. ▶ Ver *poço de desenvolvimento*.

poço de extensão / *extension well*. Poço perfurado para determinar a extensão das reservas e a produtividade esperada do campo.

poço de gás / *gas well*. Poço produtor do qual o gás é o principal produto extraído. Na maioria das vezes, além do gás há também a produção conjunta de condensado, com alguma água e areia. ▶ Ver *poço de petróleo*; *poço de óleo*.

poço de gás associado disponível / *available associated gas well*. Poço de produção de gás em reservatório de óleo com gás associado. ↠ O poço de gás associado disponível ocorre em reservatórios de óleo com gás associado, nos quais a capa de gás possui gás suficiente para manutenção da pressão do reservatório e também para produção independente.

poço de injeção / *fluid-injection well*. Poço no qual os fluidos são injetados ao invés de produzidos. O principal objetivo é a manutenção da pressão do reservatório, onde os dois principais fluidos injetados são gás e água. ▶ Ver *poço injetor*; *poço de óleo*; *poço de gás*; *poço de petróleo*.

poço de injeção de fluido / *fluid-injecton well*. O mesmo que *poço injetor*. ▶ Ver *poço injetor*.

poço de injeção de gás / *gas injection well*. Poço de injeção de gás em reservatórios de óleo. ↠ O poço de injeção de gás ocorre em reservatórios de óleo nos quais o gás é injetado normalmente na capa de gás.

poço de longo alcance / *extended-reach well (ERW)*. Poço em que a relação entre o afastamento horizontal e a profundidade vertical do objetivo (somente os sedimentos) deve ser igual ou maior que 2,5. Esta razão determina o nível de criticidade desses poços. ↠ São poços onde o início do desvio da vertical ocorre perto da superfície, e a inclinação é construída de modo a permitir um deslocamento horizontal suficiente para atingir a zona de objetivo, muito distante. Esta tecnologia permite ao operador alcançar porções do reservatório a uma distância muito maior do que seria possível com poços direcionais convencionalmente perfurados.

poço de monitoramento / *monitoring well*. Poço onde é realizado o acompanhamento dos efeitos no reservatório das operações de teste, produção ou injeção em um campo.

poço de observação / *observation well*. Poço usado para monitorar o desempenho de um reservatório de petróleo, aquífero e afins, principalmente por meio do registro de pressões. ▶ Ver *reservatório*, *aquífero*.

poço de óleo / *oil well*. Poço produtor onde o óleo é o principal produto extraído. Na maioria das vezes, além do óleo, há também a produção conjunta de gás, com alguma água e areia. Poço que apresenta uma razão gás/óleo inferior a 15.000. ▶ Ver *poço de petróleo*; *razão gás-óleo (RGO)*.

poço de pequeno diâmetro (Port.) (Ang.) / *slim hole*. O mesmo que *poço delgado*. ▶ Ver *poço delgado*.

poço de petróleo / *petroleum well, hole, wellbore, borehole*. 1. Poço direta ou indiretamente ligado à produção de petróleo. 2. Escavação artificial com o propósito de explorar e explotar hidrocarbonetos, podendo ser dos tipos estratigráfico, exploratório, explotatório ou especial. ↠ Quanto à finalidade, o poço pode ser produtor (de óleo ou gás natural) ou injetor (de água, de gás natural, de CO_2). Quanto ao objetivo, pode ser estratigráfico (obter informações), exploratório pioneiro ou *wildcat* (para procurar hidrocarbonetos), exploratório de avaliação, ou *step-out well*, para ver extensão (*de extensão*) ou delimitar (*de delimitação*) o campo. Quanto à trajetória, pode ser vertical, direcional ou horizontal.

poço de petrolífero (Port.) (Ang.) / *oil well*. O mesmo que *poço de óleo*. ▶ Ver *poço de óleo*.

poço de refinamento de malha / *in fill, infill or infilling well*. Poço perfurado entre outros dois poços já existentes no mesmo campo, que objetiva melhorar o detalhamento desse campo. Usado também para aumentar a vazão de produção ou injeção do campo. ▶ Ver *poço de desenvolvimento*.

poço delgado / *slim hole*. Poço que apresenta diâmetro menor que o convencional (normalmente menor que 6 polegadas). O conceito de poço delgado baseia-se na correlação entre o volume de sólidos extraído e o custo do poço, ou seja, quanto menor for o volume de sólidos extraído, menores são os custos do poço.

poço-descoberta (Port.) (Ang.) / *discovery well.* O mesmo que *poço descobridor.* ▶ Ver *poço descobridor.*

poço descobridor / *discovery well.* 1. Poço no qual um campo de óleo ou gás é descoberto durante a exploração. 2. Primeiro poço de gás ou óleo perfurado num novo campo. 3. Poço exploratório que encontra um novo depósito de petróleo anteriormente não revelado. 4. Poço exploratório de sucesso. ↬ O poço descobridor é perfurado para revelar a presença de reservatório contendo petróleo. Poços subsequentes são poços de desenvolvimento. ▶ Ver *poço pioneiro.*

poço descontrolado / *gusher.* Poço em um reservatório com elevadíssima pressão, cujo preventor de erupção *(blowout preventer, BOP)* não foi capaz de suportar a pressão, produzindo hidrocarbonetos de forma descontrolada. Além de óleo, os jatos provenientes do poço podem conter areia, fluido de perfuração, cascalhos, gás natural, água e outros componentes. ▶ Ver *preventor de erupção*; *reservatório.*

poço desviado / *deviated well.* Poço intencionalmente perfurado em um ângulo a partir da vertical por meio de ferramentas especiais, para dirigir a perfuração em uma direção previamente determinada. ↬ Poços desviados são perfurados para atingir uma parte de uma formação ou reservatório que não pode ser perfurada por um poço vertical por razões ambientais, políticas ou econômicas.

poço desviado naturalmente / *naturally deviated well.* Poço que sofre desvio de sua vertical devido a variações de características das formações perfuradas (dureza, inclinação etc.), a mudança brusca no peso sobre a broca, a ser o diâmetro de poço grande demais para os comandos utilizados, entre outros. Caso esse desvio ultrapasse 5 graus pode haver problemas no mapeamento de subsuperfície, ficando a profundidade final bastante afastada do objetivo desejado. ▶ Ver *dureza*; *inclinação*; *peso sobre a broca.*

poço direcional / *directional hole.* Poço desviado intencionalmente para atingir um objetivo localizado a uma determinada distância horizontal da mesa rotativa. Isso é possível com o uso de equipamentos próprios instalados na coluna de perfuração, denominados *ferramentas defletoras*, e também com a utilização de instrumentos para medição da trajetória percorrida pelo poço, tais como medidores de inclinação e direção. Este poço tem como característica o fato de ter o seu objetivo fora da linha vertical que passa pela sonda ou pela cabeça do poço. ▶ Ver *poço de petróleo*; *perfuração direcional.*

poço direcional tipo II / *type II directional hole.* O mesmo que *poço tipo 'S'.* ▶ Ver *poço tipo 'S'.*

poço direcional tipo slant / *slant-type directional well.* Poço direcional que possui um trecho cuja inclinação é mantida constante até atingir o objetivo. ▶ Ver *perfuração direcional*; *inclinação*; *perfuração de trecho inclinado.*

poço em águas profundas / *deepwater well.* Poço submarino perfurado em águas profundas, ou seja, em lâmina d'água maior que 300 metros. ▶ Ver *águas profundas.*

poço em escoamento / *well in production.* Poço produtor que se encontra ativo e em produção. ↬ Em um determinado momento, um poço ativo pode estar em produção ou em parada para intervenção ou por problemas técnicos. Quando em produção, o poço ativo é dito *em escoamento.*

poço espesso / *thick well.* Poço perfurado em uma porção relativamente espessa de uma zona produtora.

poço espiralado / *corkscrew hole.* Poço em forma de saca-rolhas ou espiralado, configuração imposta por certas condições de perfuração. ↬ A maioria das ferramentas de perfilagem é mais longa que o comprimento de onda do saca-rolhas e, portanto, o vê como se fosse uma mudança de afastador ou uma mudança do diâmetro do poço. Por essa razão, o poço espiralado é observado como uma onda no perfil de calibre. Um poço espiralado afeta medidas sensíveis ao afastador, como as medidas de indução e porosidade neutrônica, e pode afetar as ferramentas de patins, se elas não puderem seguir as mudanças de diâmetro. Tem forma helicoidal ou espiralada pelo fato de a broca se movimentar em torno do poço, fugindo do seu eixo central. Isso afeta diretamente a qualidade do poço e produz forte impacto nos tempos de construção e custos envolvidos na operação de perfuração de poços. ▶ Ver *perfil de calibre.*

poço estreito / *tight hole or tight well.* Seção de um poço, usualmente o poço aberto, na qual os componentes de maiores diâmetros da coluna de perfuração, tais como as conexões do tubo de perfuração *(tool joints)* dos *drillpipes*, os comandos, os estabilizadores e a broca, podem sofrer grande resistência devido ao atrito *(drag)* quando o sondador tentar movimentá-los através dessa seção. Esses poços têm anulares estreitos que podem ter sido gerados devido a alguma contingência que forçou a descida de mais uma coluna de revestimento, que não havia sido planejada. ▶ Ver *poço aberto*; *coluna de perfuração*; *conexão do tubo de perfuração*; *tubo de perfuração*; *estabilizador*; *broca.*

poço exploratório / *exploratory well.* Poço perfurado na fase de exploração, visando à descoberta ou avaliação de reserva de petróleo ou gás natural. ▶ Ver *poço de petróleo.*

poço fechado / *closed well.* Poço produtor ou injetor que se encontra fechado, porém não abandonado. ↬ Durante o desenvolvimento de um campo, é comum o fechamento e a abertura de poços produtores e injetores como estratégia de produção, em especial em fases mais adiantadas do campo (campo maduro), quando novas estratégias de recuperação são implantadas.

poço fino / *slender well*. Poço no qual o típico revestimento de superfície de 20" (polegadas) é abolido. ↪ Neste tipo de poço, a coluna de revestimento passa diretamente da bitola de 30" (polegadas) para a de 13 e 3/8" (polegadas), permitindo redução do volume de fluido de perfuração necessário, uso de *risers* de menores diâmetros e mais leves, e até mesmo uso de sondas de menor capacidade.

poço fraco / *light well*. Poço de baixa produção. ↪ Poço de baixo índice de produtividade ou que já esteja em fase de esgotamento, ou então que apresente elevado dano de formação de remoção difícil e antieconômica.

poço horizontal / *horizontal well*. Poço direcional no qual o reservatório é perfurado horizontalmente a fim de maximizar a área de extração de hidrocarbonetos. ↪ É utilizado preferencialmente em formações delgadas, formações naturalmente fraturadas, reservatórios com problema de cone de gás e de água, múltiplas formações com alto mergulho e como poços injetores. Seu projeto começa, normalmente, com um KOP (*kick off point* / profundidade do ponto de desvio) pouco profundo, seguido de um trecho de ganho de ângulo (*buil up*) com inclinação final entre 35° e 75°. Após o trecho de ganho de ângulo há um trecho inclinado (*slant*) e depois um segundo trecho de ganho de ângulo que segue até atingir 90°, e a partir daí se perfura a seção horizontal com o objetivo de obter-se comprimento projetado. ▶ Ver *poço direcional*.

poço horizontal de raio curto / *short-radius horizontal well*. Poço no qual o raio do arco de passagem do trecho vertical para o trecho horizontal varia entre 29 ft e 95 ft (aproximadamente entre 8 m e 30 m). ↪ Normalmente empregado quando se deseja reutilizar um trecho vertical para construir um novo trecho horizontal. Dessa maneira, com um arco de raio curto, pode mais rapidamente chegar ao trecho horizontal e, assim, alcançar e/ou navegar no reservatório. O menor deslocamento necessário para se atingir o trecho horizontal também é um fator que favorece a construção de arcos de raio curto. Além disso, o menor custo de capital e a redução da pressão na cabeça que é necessária para produzir também são fatores favoráveis à perfuração de poços horizontais de raio curto. ▶ Ver *poço horizontal*; *pressão na cabeça do poço*; *perfilagem*.

poço horizontal de raio longo / *long-radius horizontal well*. Poço em que o raio de curvatura da seção curva, antes de o poço aterrissar no trecho horizontal, varia entre 873 m e 218 m, que corresponde a taxas de ganho de ângulo de até 2 a 8 graus/30 m. ↪ Podem ser perfurados por métodos e ferramentas convencionais de perfuração ou pelos sistemas de navegação (*steerable systems*). ▶ Ver *poço horizontal*; *taxa de ganho de ângulo*; *sistema de navegação*.

poço HPHT / *HPHT well*. O mesmo que *poço HTHP*. ▶ Ver *poço HTHP*.

poço HTHP / *HTHP well*. Poço de alta temperatura e alta pressão. Poço cujo gradiente de pressão de poros é superior a 0.8 psi/ft ou no qual a pressão esperada na cabeça (pressão da formação descontada da pressão devido à coluna de gás) é superior a 10.000 psi e a temperatura estática no fundo do poço é superior a 300 °F (150 °C). ↪ *HTHP* significa *high temperature, high pressure*. Este poço também é denominado *HPHT* (*high pressure, high temperature*).

poço imagem / *image well*. Poço virtual utilizado para cálculo de pressões em um reservatório com descontinuidade.

poço inclinado / *slant well*. Poço direcional com o trecho final perfurado a uma inclinação constante em relação à vertical. ▶ Ver *poço direcional*; *poço de petróleo*; *poço de óleo*.

poço injetor / *injection well*. Poço de desenvolvimento perfurado para injeção de água, gás ou qualquer outro fluido utilizado para manutenção de pressão e/ou aumento de recuperação do reservatório. Poço utilizado para bombear algum fluido para dentro do reservatório, com o objetivo de otimizar a sua produção, ou para descarte de fluido. ↪ Utilizado em praticamente todos os mecanismos de recuperação secundária e terciária da indústria de petróleo, como injeção de água, injeção de gás, injeção de vapor, injeção de polímeros, injeção de CO_2 etc. Problemas associados à injetividade são os mais comumente analisados para este tipo de poço, e levam em consideração as características da formação e, principalmente, as características e a qualidade do fluido injetado.

poço instrumentado / *instrumented well*. Poço que possui sensores dedicados, mas cujo acesso a suas variáveis é local.

poço inteligente / *smart well, intelligent well*. Poço equipado com equipamentos de monitoramento e componentes de completação que podem ser ajustados para controlar e otimizar a produção do poço automaticamente ou através de alguma intervenção realizada por operador. ▶ Ver *completação inteligente*.

poço lateral / *lateral well*. Poço horizontal ou quase horizontal cuja profundidade do ponto de desvio (*kick off point, KOP*) encontra-se em um outro poço previamente perfurado, de tal forma que o ângulo entre os dois seja próximo de 90°. ↪ Utilizado para aumentar a produtividade e injetividade do reservatório, maximizando o contato com o poço. Atualmente, são perfurados vários poços horizontais com KOP no mesmo poço. Nestes casos, esses poços são chamados *multilaterais*. ▶ Ver *poço horizontal*; *produtividade de poço*; *injetividade*.

poço mãe / *mainhole*. Expressão usual para se referir ao poço original quando nele foi feito um desvio, acidental ou intencional. É muito comum usar essa referência em poços multilaterais quando se deseja indicar o poço a partir do qual os poços laterais foram perfurados. ▶ Ver *desvio*.

poço marginal / *marginal well.* Poço que está próximo do limite de produção economicamente viável devido a depleção do reservatório ou a baixa produtividade natural do poço. ▶ Ver *depleção*.

poço não instrumentado / *non-instrumented well.* Poço que não possui sensores dedicados.

poço novo / *new well.* Poço que está sendo perfurado pela primeira vez desde a superfície em um determinado campo. ▶ Ver *perfuração*; *campo de petróleo*; *poço de desenvolvimento*; *poço exploratório*.

poço observador / *observation well.* Poço utilizado com o objetivo de observar o comportamento de um processo de recuperação ou monitoramento utilizado em um determinado campo. •» Este poço é utilizado quando se realiza um piloto de campo, tendo como objetivo a obtenção de dados reais para um estudo de uma possível ampliação em escala do campo no futuro. A observação do comportamento do processo pode ser voltada para pressão, temperatura ou monitoramento de fluidos (traçadores etc), sendo o campo observador, neste caso, também denominado *poço de monitoramento*. ▶ Ver *poço de observação*.

poço para controlo de outro (Port.) (Ang.) / *killer well.* O mesmo que *poço de amortecimento*. ▶ Ver *poço de amortecimento*.

poço para descarte de água salgada / *saltwater disposal well.* Poço utilizado para reinjetar a água produzida de volta à subsuperfície. Muitas vezes essa reinjeção se faz no próprio reservatório como forma de recuperação secundária de petróleo. ▶ Ver *reinjeção*; *recuperação secundária*.

poço para descarte de salmoura / *brine disposal well.* Poço perfurado com o objetivo de reinjetar a salmoura produzida junto com o petróleo, seja apenas para descarte seja para ajudar a manter a pressão do reservatório, contribuindo para a manutenção da produção do poço considerado. Essa salmoura reinjetada é previamente tratada para a retirada de componentes que possam causar corrosão dos equipamentos de fundo de poço e proliferação de bactérias redutoras de sulfato. ▶ Ver *salmoura*; *poço de injeção*; *produção*; *corrosão*; *bactéria redutora de sulfato mesofílico*.

poço para recolha de testemunhos (Port.) (Ang.) / *core hole.* O mesmo que *poço testemunhado*. ▶ Ver *poço testemunhado*.

poço para testemunhagem / *core test well.* Poço perfurado para obter testemunhos. A perfuração tem como único objetivo a obtenção de informações geológicas.

poço perdido / *lost well.* Poço abandonado durante a sua perfuração devido a algum problema operacional, como *blow out* ou prisão de tubo. Muitas vezes a parte revestida desse poço é reaproveitada através de *sidetracks* (poços abandonados). ▶ Ver *prisão de tubo*.

poço petrolífero (Port.) (Ang.) / *petroleum well, hole, wellbore, borehole.* O mesmo que *poço de petróleo*. ▶ Ver *poço de petróleo*.

poço piloto / *pilot well.* Poço cujo objetivo é servir de suporte à perfuração de um poço direcional. Além disso, pode ser utilizado para a coleta de informações da região onde é perfurado. •» Antes de fazer um poço horizontal, é normal que se perfure um piloto, vertical ou inclinado, para identificar o topo do reservatório. Dessa maneira, o trecho de ganho do ângulo que aterrisa no trecho horizontal é feito com mais precisão, o que permite entrar no reservatório no ponto planejado. ▶ Ver *poço vertical*; *poço direcional*.

poço pioneiro / *wild cat well, blue sky exploratory well.* Poço perfurado em novas áreas exploratórias, locais ainda não explorados ou com poucos dados, ou poços de correlação.

poço produtor / *production well.* Poço produtor do qual o óleo ou o gás é o principal produto extraído. Na maioria das vezes, além do óleo ou do gás, há também a produção conjunta de água e areia. ▶ Ver *poço de petróleo*, *poço de gás*, *poço de óleo*.

poço raso / *shallow well.* Poço cuja profundidade vertical final não ultrapassa 1.500 metros a partir da mesa rotativa.

poço revestido / *cased hole.* Trecho de poço no qual o revestimento foi descido.

poço satélite / *satellite well.* 1. Poço de desenvolvimento perfurado fora do espaço da plataforma, geralmente utilizando completação molhada. 2. Poço cuja árvore de natal está distante da plataforma para onde a produção está direcionada (distância normalmente superior a 3 km). •» Faz parte da estratégia de produção em águas profundas, onde a completação seca tem um custo maior de implantação.

poço satélite submarino / *submarine satellite well.* O mesmo que *poço satélite*. ▶ Ver *poço satélite*.

poço seco / *dry well.* Poço no qual, após ser perfurado, não há indícios de hidrocarbonetos ou o volume de hidrocarbonetos encontrado não permite uma produção economicamente viável. Consequentemente, ele é abandonado com tampão de cimento e capa de abandono. ▶ Ver *poço exploratório*; *hidrocarboneto*; *tampão de cimento*; *capa de abandono*.

poço substituto / *substitute well.* Poço que vai ser perfurado em lugar de outro que fora perdido antes de atingir o seu objetivo contratual devido a algum problema mecânico que tornou inviável a continuação da atividade naquele poço. O objetivo do poço substituto deve ser o mais próximo possível do objetivo do poço perdido.

poço supervisionado / *supervision well.* Poço instrumentado, dotado de telemetria, sistema de supervisão e funções básicas de segurança operacional. ▶ Ver *telemetria*.

poço surgente / *natural-flow well*. Poço em que os fluidos existentes no reservatório chegam à superfície espontaneamente, devido unicamente às pressões existentes no reservatório, sem necessidade de qualquer método de elevação ou bombeamento.

poço tamponado e abandonado / *plugged and abandoned well*. Poço sem uso, por ser seco, improdutivo ou sem condições de operabilidade, em relação ao qual o operador intencionalmente declinou seu interesse. ↝ Um poço abandonado deve ser tamponado para prevenir vazamento de óleo, gás ou água de uma formação para outra ou para a superfície.

poço termométrico / *thermowell*. Invólucro de metal para proteção do elemento sensor de temperatura, que é inserido dentro da tubulação ou na parede de um tanque ou vaso de processo.

poço teste / *test well*. Poço perfurado com o objetivo de se determinar a presença de petróleo, sua produtividade e coletar dados para sua avaliação técnico-econômica. ↝ Os testes podem ser realizados a poço aberto ou depois de revestido. No primeiro caso, o teste é dirigido mais no sentido de se ter uma ideia dos fluidos presentes e de obter dados de pressão (é de pouca duração), para se evitar desmoronamentos.

poço testemunhado / *core hole*. Poço de onde é retirado o testemunho.

poço tipo 'S' / *S-type wellbore*. Poço direcional com um trecho de ganho de inclinação (maior inclinação) e, posteriormente, um trecho de perda de inclinação (menor inclinação). Também chamado *poço tipo II*. ▶ Ver *poço direcional*; *poço desviado*.

poço tortuoso / *crooked hole*. Poço que tem vários trechos com variações em sua trajetória, de causa natural ou causadas por intervenção. ↝ Costuma ser um poço problemático para movimentação de ferramentas e tubulações, tanto para dentro como para fora, por causa dos altos valores de arraste (*drag*). ▶ Ver *poço desviado*; *poço direcional*.

poço vertical / *vertical hole, vertical well*. Poço perfurado com inclinação menor que 5 graus em relação à vertical. ▶ Ver *poço direcional*.

poços gêmeos / *twin wells*. Dois poços iguais entre si que trabalham em conjunto, perfurados em um mesmo campo, porém com funções diferentes. Enquanto um é utilizado para injeção, o outro é empregado como produtor do óleo recuperado. ▶ Ver *poço produtor*.

poços-teste API / *API test pits*. Poços de calibração, localizados na Universidade de Houston-Texas, usados para calibração ou padronização de respostas de perfilagem de raios gama ou de nêutrons em unidades API.

poder calorífico / *heating value*. Quantidade de calor liberada pela combustão completa de uma unidade de volume ou de massa de um combustível, quando queimado completamente a uma determinada temperatura.

poder calorífico inferior / *lower heating value*. Calor gerado pela queima completa de unidade de massa do combustível, gerando gás carbônico e vapor d'água. ▶ Ver *poder calorífico*.

poder calorífico médio / *average heating value*. Valor médio entre os poderes caloríficos inferior e superior. ▶ Ver *poder calorífico*.

poder calorífico superior / *higher heating value*. Calor gerado pela queima completa de unidade de massa do combustível, gerando gás carbônico e água líquida. Ou seja, é igual ao poder calorífico inferior acrescido do calor latente de condensação da água produzida na combustão. ▶ Ver *poder calorífico*.

poder calorífico superior do gás natural / *higher heating value of natural gas*. Quantidade de energia, em forma de calor, liberada de 1kg de gás natural nas condições normais de temperatura e pressão (0,101325 MPa e 20 °C), quando da sua combustão completa, considerando o H_2O associado ao combustível. Sua unidade indicativa é kcal. ▶ Ver *poder calorífico*.

polaridade / *polarity*. Propriedade de substâncias que possuem grupos iônicos em sua estrutura química. ↝ Os grupos polares mais importantes, associados a estrutura química de moléculas anfifílicas (tensoativos) são: carboxilatos, sulfatos, sulfonatos-aminas e óxidos de etileno e/ou propileno.

polaridade de reflexão / *reflection polarity*. A polaridade da reflexão é positiva quando tem a mesma polaridade da onda incidente, e negativa em caso contrário.

polarização da onda / *wave polarization*. Em sísmica, designa a orientação espacial de vibração das ondas 'S'. ↝ A solução da equação da onda leva a certa função matemática que representa o comportamento de uma dada variável em função do tempo e da posição no espaço. A variável pode ser um escalar ou um vetor. No caso do vetor, tanto sua magnitude quanto sua direção são necessárias para uma definição completa. Quando algumas restrições são impostas à liberdade de variação de vibração vetorial, obtém-se uma onda polarizada. Por exemplo, partículas que descrevem caminhos elípticos nos planos perpendiculares à direção de propagação da onda definem a polarização elíptica.

polarização dos eletrodos / *electrode polarization*. Voltagem resultante de reações eletroquímicas do solo quando o eletrodo é colocado em seu local de atuação.

polarização por corrente alternada / *ac-bias*. Técnica para inibir o efeito da histerese em uma gravação magnética. O efeito de histerese é o atraso entre a densidade de fluxo e o campo magnético. ↝ A técnica de polarização por corrente alternada consiste em sobrepor o sinal útil a um sinal senoidal de alta frequência em uma gravação magnética.

poliacrilamida / *polyacrylamide*. Polímero composto por monômeros de acrilamida (CH_2 = $CHCONH_2$). A poliacrilamida parcialmente hidrolisada — PAPH *(partially hydrolyzed polyacrylamide — PHPA)* é um polímero aniônico utilizado como aditivo em fluidos de perfuração aquosos, para a estabilização de argilas ou como estendedor de rendimento de bentonita em fluidos de baixo teor de sólidos. Como aditivo estabilizador de argilas, o polímero reveste as superfícies das partículas com um filme que retarda sua dispersão e desintegração. Em fluidos de baixo teor de sólidos, o polímero interage com pequenas concentrações de bentonita, promovendo o aumento da viscosidade, sem aumentar o teor de sólidos coloidais do sistema.

policíclico / *polycyclic*. Molécula de hidrocarbonetos cíclicos com dois ou mais anéis, como, por exemplo, a do naftaleno. ➻ O naftaleno é um hidrocarboneto aromático que tem propriedades semelhantes às do benzeno.

polígono de dessecação / *desiccation polygon*. Polígono formado por crostas de lama, limitado por gretas de ressecamento. ➻ Esse polígono normalmente possui de três a cinco lados

polimerização / *polymerization*. Processo que objetiva produzir, a partir de moléculas de monômeros, moléculas maiores, mais complexas e com redes tridimensionais. ➻ Normalmente, as moléculas de monômeros possuem uma insaturação (dupla ligação), o que vem a propiciar novas interligações com outras moléculas monoméricas.

polímero / *polymer*. 1. Molécula resultante de uma reação de polimerização. Tem elevada massa molar, que pode variar de 10^3 a 10^6, e é constituída pela repetição de unidades de mesma estrutura química. 2. Macromolécula construída a partir de muitas unidades estruturais menores chamadas *monômeros*. ➻ Os polímeros podem ser de origem natural ou sintética. Como exemplo de polímeros naturais podem-se citar o amido, o látex e a proteína. Já os polímeros sintéticos são obtidos por reações químicas, a partir das quais moléculas de baixa massa molar reagem entre si formando moléculas de elevada massa molar, responsáveis por muitas das propriedades peculiares dos polímeros: resistência mecânica, resistência térmica, capacidade espessante de sistemas líquidos etc. Como exemplo de polímero sintético pode-se citar o polietileno, constituído da repetição de muitas unidades de etileno ligadas quimicamente entre si. ▶ Ver *pig*; *depósito orgânico*; *viscosificante*; *perfuração*; *completação*; *fraturamento hidráulico*; *divergência*; *desemulsificante*; *floculante*; *antiespumante*.

política de petróleo, Brasil / *oil policy, Brazil*. Parte da política pública setorial de energia brasileira, expressa na legislação de petróleo. Tem por objetivo: *(I)* regular as operações da indústria do petróleo; e *(II)* determinar a partilha das receitas e rendas entre o Estado e a companhia autorizada a empreender tais operações.

polo magnético virtual / *virtual geomagnetic pole*. Polo que apresenta compatibilidade com o campo magnético terrestre, tendo como referência apenas uma localidade. ➻ É uma referência da direção do campo magnético em um único ponto, ao contrário do polo magnético. A maioria das leituras de paleomagnetismo são feitas por intermédio de polo magnético virtual.

poluente / *pollutant*. Substância ou agente físico que produz, direta ou indiretamente, efeito adverso nos ecossistemas ou na saúde humana. ➻ Os poluentes podem ser primários, quando são emitidos pela fonte para o ambiente, ou secundários, quando se formam no ambiente por interação com outros agentes ou substâncias. Exemplo da segunda categoria é o ozono, que se forma pela interação de substâncias contidas nas emissões veiculares com a luz ultravioleta, bem como resulta da oxidação fotoquímica de poluentes como os óxidos de azoto gerados em processos industriais de combustão, de maneira geral. Chama-se *poluente prioritário* aquele que produz os maiores malefícios em dada região ou local.

poluição aérea / *air pollution*. Contaminação da atmosfera por algum gás tóxico ou radiativo, bem como por matéria particulada resultante da atividade humana. ▶ Ver *aerossol*.

ponta do escovilhão (Port.) (Ang.) / *pigtail*. O mesmo que pigtail. ▶ Ver pigtail.

ponte do queimador / *flare bridge*. Estrutura metálica horizontal, geralmente do tipo treliçada, fixada a uma das extremidades de uma plataforma fixa, e ainda apoiada em dois pontos: *(I)* um ponto intermediário localizado numa estrutura fixa no fundo do mar, e *(II)* outro na extremidade oposta à plataforma. ▶ Ver *plataforma fixa*.

ponto brilhante / *bright spot (BS)*. Anomalia da amplitude na sísmica de pouca extensão lateral, que pode indicar a presença de um hidrocarboneto mas também pode ser causada por uma mudança da litologia. O termo geralmente é utilizado como equivalente a uma indicação de hidrocarboneto.

ponto comum em profundidade / *common depth point (CDP)*. Técnica de processamento de dados obtidos por sísmica de reflexão aplicada às atividades de exploração e produção de petróleo. O mesmo que *CDP*, técnica *CDP*. ➻ Desde que foram estabelecidos no começo da década de 1950, os métodos *common depth point (CDP)*, e os diferentes tipos de métodos de migração, são considerados a principal referência para o processamento de dados sísmicos utilizados nos reservatórios de óleo e gás. O objetivo da utilização dessa técnica é agrupar os dados em famílias *CDP*, já que todo o processamento tem por base a técnica *CDP*. ▶ Ver *chave CDP*.

ponto crítico / *critical point*. 1. Temperatura e pressão nas quais as propriedades da fases líquida e gasosa de um fluido se tornam indistinguíveis. Caracteriza-se, termodinamicamente, como sendo o ponto de temperatura e pressão em que o ponto de bolha e o ponto de orvalho das respectivas curvas de saturação líquido-gás e gás-líquido se encontram num espaço de pressão *versus* temperatura. **2.** Temperatura e pressão nas quais as curvas de vaporização e de condensação se encontram. **3.** Ponto físico onde se dá a transferência de responsabilidade do vendedor para o comprador. ↳ As propriedades de líquido e de vapor são indistintas no ponto crítico.

ponto de anilina / *aniline point*. Temperatura na qual iguais volumes de uma amostra de hidrocarboneto e anilina são completamente miscíveis. ↳ Quanto maior o ponto de anilina, maior o teor de hidrocarbonetos parafínicos na amostra.

ponto de aproximação máxima / *point of closest approach*. Ponto no qual um satélite em órbita está mais perto do observador.

ponto de arranque (Ang.) / *kick off point*. O mesmo que *ponto de desvio*. ▶ Ver *ponto de desvio*.

ponto de assentamento / *setting point*. Profundidade na qual um determinado equipamento deve ser colocado. Muito usado para sapata dos revestimentos e para *packers*.

ponto de bolha / *bubble point*. **1.** Termo normalmente empregado para caracterizar as condições (temperatura e pressão) de uma corrente de hidrocarboneto líquido que está na iminência de sofrer vaporização parcial, caso ocorra uma variação (elevação de temperatura ou de redução de pressão), ainda que muito pequena, nessas condições. **2.** Ponto dado pela temperatura e pressão de um líquido com gás em solução, onde se inicia a formação de bolhas desse gás. **3.** Ponto de formação da primeira bolha do gás em solução num líquido, ao aumentar sua temperatura, ou, mais comumente, ao se reduzir sua pressão.

ponto de calibração / *calibration point*. Ponto específico no qual se calibra um equipamento ou sensor para medição, indicação ou controle de grandezas físicas. ↳ Ao se calibrar um registrador de pressão, devem-se utilizar no mínimo 11 pontos de pressão igualmente espaçados para cada valor de temperatura de operação do equipamento. O ponto de calibração é obtido pela medida da pressão e da temperatura na condição especificada, por exemplo, T = 20 °C e P = 1.000 kPa. ▶ Ver *calibração*; *transdutor de monitoramento de pressão*; *transdutor de pressão*; *manômetro*.

ponto de captação / *entry point*. Região ou ponto que serve de fonte ou passagem do fornecimento sedimentar, localizado ao longo da margem da bacia. Pode ser na linha de costa nos momentos de mar alto, ou na borda do talude em níveis de mar baixo.

ponto de coleta / *collect point*. Estação coletora de poços de pequeno porte; operam com petróleo, com gás natural ou com ambos.

ponto de combustão / *fire point*. O ponto de combustão de uma substância é a medida de temperatura na qual a substância, quando misturada com ar, se inflama e se mantém inflamada por pelo menos 5 segundos. ↳ Atentar que no chamado *ponto de fulgor*, em uma temperatura de menor valor, a substância se inflama, mas os vapores produzidos são insuficientes para manter a chama. ▶ Ver *ponto de fulgor*.

ponto de contato / *touch down point*. **1.** Ponto em um sistema de ancoragem convencional com cabo e/ou amarra no qual termina a parte da linha de ancoragem encostada no solo marinho e começa a catenária em direção à superfície. **2.** Ponto no qual a catenária formada pelo *riser* de produção toca o solo.

ponto de contato no solo marinho / *touch down point (TDP)*. Ponto no qual a catenária formada pelo cabo de ancoragem ou *riser* de produção toca o solo marinho.

ponto de corte / *cut point*. Temperatura de ebulição entre dois cortes de um dado petróleo.

ponto de desvio / *kick off point (KOP)*. Profundidade em que se inicia o ganho de ângulo durante a perfuração de um poço direcional. Ponto no qual o poço sai da verticalidade e inicia o desvio, aumentando a inclinação (*build-up*).

ponto de ebulição / *boiling point*. **1.** Temperatura em que a pressão de vapor do líquido iguala-se à pressão atmosférica e o líquido passa ao estado de vapor. **2.** Temperatura em que, sob pressão constante, um líquido está em equilíbrio com bolhas de vapor.

ponto de emulsão / *emulsion point*. O mesmo que *ponto de inversão*. ▶ Ver *ponto de inversão*.

ponto de entrega / *delivery point*. Local físico onde o gás é entregue pelo vendedor e recebido pelo comprador. Também chamado *ponto de transferência da titularidade*.

ponto de floculação / *floc point*. Temperatura na qual parafinas e/ou sólidos se separam do lubrificante ou de outro composto sob a forma de flocos.

ponto de fluidez / *pour point*. **1.** Temperatura mínima na qual ainda é possível fazer escoar um fluido em função da taxa de cisalhamento oriunda de seu próprio peso. **2.** Menor temperatura na qual o óleo combustível flui quando sujeito a um resfriamento sob condições determinadas de teste. O ponto de fluidez estabelece as condições de manuseio e estocagem do produto. Especificam-se limites variados para essa característica, dependendo das condições climáticas das regiões de modo a facilitar as condições de uso do produto.

ponto de fuga / *vanishing point*. Termo utilizado em perspectiva cônica para designar o ponto de convergência das linhas paralelas.

ponto de fulgor / *flash point*. Temperatura mínima na qual um produto desprende vapores suficientes para serem inflamados por uma fonte externa de calor, mas não em quantidade suficiente para manter a combustão com a retirada da fonte de calor. ↳ Esta propriedade em lubrificantes é medida pelo método ASTM D 92.

ponto de gota / *dropping point*. Propriedade qualitativa das graxas lubrificantes que indica a temperatura em que há mudança de estado físico, de um estado semissólido para o líquido, e na qual se gera uma gota. •• Indica a resistência da graxa à temperatura. É medido pelo método ASTM D 566 ou D 2265.

ponto de inflexão / *turning point*. Ponto na curva que delimita determinado ciclo econômico ou empresarial no qual poderá ocorrer uma mudança em sua tendência ascendente ou descendente.

ponto de início da queda da inclinação / *drop off point (DOP)*. Ponto ou profundidade de um poço em que se tem a primeira condição de desvio do mesmo em relação ao seu direcionamento original, caracterizando, por consequência, sua queda ou inclinação. ► Ver *queda da inclinação*; *redução da inclinação do poço*.

ponto de inversão / *inversion point*. Termo normalmente empregado para caracterizar o teor máximo de água que pode permanecer emulsionado em determinado óleo (sendo este a fase contínua) em determinadas condições de temperatura e pressão sem que ocorra a inversão da emulsão. •• A adição de água que resulta em teores acima do ponto de inversão provoca a chamada *inversão da emulsão*, quando a água passa a ser, essencialmente, a fase contínua e o óleo a fase dispersa.

ponto de medição / *measuring point*. Ponto físico de medição em que são gerados valores validados, podendo ser uma estação de medição (EMED), um tramo de medição etc.

ponto de névoa / *cloud point*. 1. Ponto no qual cristais de ceras começam a se formar no petróleo cru, e também conhecido como *wax appearance temperature (WAT)* ou *wax precipitation temperature (WPT)*. 2. Fenômeno que ocorre quando tensoativos (não iônicos ou anfóteros), em quantidades acima da concentração micelar crítica (CMC) e aquecidos a determinada temperatura, separam-se em duas fases isotrópicas (a solução começa subitamente a ficar turva, pelo decréscimo de solubilidade do tensoativo em água). Essa separação de fases parece estar associada à existência de micelas compostas por grandes agregados moleculares em solução. Uma outra possibilidade da ocorrência do fenômeno se relaciona com o emprego de tensoativos aniônicos quando a concentração ácida do meio é elevada. O ponto de névoa de um combustível é a temperatura em que aparece uma nuvem ou nevoeiro no combustível. Essa aparência é causada pela queda da temperatura abaixo do ponto de fusão de ceras e parafinas que existem nos produtos de petróleo.

ponto de orvalho / *dew point*. Termo normalmente empregado para caracterizar as condições (temperatura e pressão) de uma corrente de hidrocarboneto vapor que está na iminência de sofrer condensação parcial, caso ocorra uma variação (redução de temperatura ou de elevação de pressão), ainda que muito pequena, nessas condições. •• Em um diagrama de fases, condição de temperatura e pressão na qual um líquido começa a condensar-se (ou liquefazer-se) a partir de um gás. Por exemplo, se for mantida uma pressão constante em certo volume de gás, mas a temperatura for reduzida, será atingido um ponto em que gotículas de líquido condensam a partir do gás. Este ponto é o ponto de orvalho do gás naquela pressão. Analogamente, se a temperatura for mantida constante em um volume de gás, mas a pressão for aumentada, o ponto em que o líquido começa a condensar-se é o ponto de orvalho.

ponto de prisão da ferramenta / *stuck point*. Região da tubulação (perfuração, revestimento etc.) que ficou presa no poço e tornou-a incapaz de ser movimentada — tanto para cima como para baixo — e, frequentemente, também de ser girada ou de receber circulação de fluido.

ponto de queda / *drop point*. Ponto onde caiu o peso usado como fonte em levantamentos sísmicos.

ponto de reflexão comum / *common-reflection point*. Ponto em subsuperfície que teoricamente corresponde ao local de reflexão de trajetórias de diferentes afastamentos fonte-receptor. Corresponde ao CDP em um meio de camadas horizontais homogêneas. ► Ver *ponto comum em profundidade*.

ponto de reflexão em profundidade / *CDP point*. Ponto médio do percurso de uma onda que viaja de uma fonte para um refletor, e daí para um receptor. ► Ver *ponto comum em profundidade*.

ponto de toque / *touch down point*. Região da tubulação de *riser* (ou *downcomer*) ou umbilical, quando em catenária livre, que toca o leito marinho e se constitui na transição para a linha de produção de anular ou umbilical que está completamente assentada nesse leito. •• Quando um *riser* está atrelado à unidade de produção flutuante, ocorre uma natural transferência de movimentos da unidade para a linha, e essa região de ponto de contato no solo marinho (*TDP*) sofre as consequências dessa movimentação. Assim, a fim de evitar forte dano nesse conjunto linha-*riser* devido ao atrito no solo marinho, é comum existir nessa região uma zona de reforço estrutural da tubulação ou umbilical. Igualmente, é comum adotarem-se ações que mitiguem a propagação dos movimentos do *riser* para a respectiva linha de conexão no leito marinho. ► Ver riser; *ponto de contato no solo marinho*.

ponto econômico / *economic point*. Ponto da curva de produção em função do recurso consumido e cuja derivada é igual à razão do custo do recurso pelo lucro obtido com a produção. •• Nos poços que produzem por *gas lift* contínuo, o ponto econômico é o nome dado ao ponto da curva de vazão de líquido em função da vazão de gás injetado, cuja derivada é dada por:

$$dQ_l / dQ_{gi} = C_g / f_0 L$$

onde:

dQ_l = vazão de líquido; dQ_{gi} = vazão de gás líquido; C_g = custo para elevação pneumática em unidades monetárias por unidade de vazão de *gas lift*; f_0 = fração de óleo produzida; L = lucro em unidades monetárias por unidade de vazão de óleo.

ponto médio comum / ***common midpoint***. O mesmo que *ponto comum em profundidade*. ▶ Ver *ponto comum em profundidade*.

ponto ótimo / ***optimal point***. Ponto da curva de produção em função do recurso consumido, cuja derivada é igual a zero, ou seja, a partir desse ponto um aumento no consumo de recursos acarretará uma redução na produção, ao invés de um aumento como seria desejado. ⟿ Nos poços que produzem por *gas lift* contínuo, o ponto ótimo é o ponto da curva de vazão de líquido em função da vazão de gás injetado cuja derivada é zero ($dQ_l / dQ_{gi} = 0$).

ponto refletor / ***reflecting point***. Ponto no qual uma onda é refletida.

ponto-semente / ***seed point***. Ponto definido pelo intérprete sísmico automático a partir do qual um algoritmo define uma superfície.

ponto triplo / ***triple point***. Temperatura e pressão nas quais as três fases (vapor, líquido e sólido) de determinada substância podem coexistir em equilíbrio termodinâmico.

ponto vernal / ***vernal point***. Ponto da intersecção da eclíptica com o equador celeste, no qual o Sol passa do hemisfério sul para o hemisfério norte.

ponto vibrado / ***vibrated point***. Ponto ocupado pelo vibrador em um registro feito pelo vibroseis. ▶ Ver *vibroseis*.

pontos de medição da produção, Brasil / ***production measurement points***. Pontos a serem obrigatoriamente definidos no plano de desenvolvimento de cada campo, propostos pelo concessionário e aprovados pela Agência Nacional do Petróleo, Gás Natural e Biocombustíveis, ANP, nos termos do contrato de concessão; nesses pontos será realizada a medição volumétrica do petróleo ou do gás natural produzido no campo, expressa nas unidades métricas de volume adotadas pela Agência e referida à condição padrão de medição. O concessionário assumirá a propriedade do respectivo volume de produção fiscalizada, sujeitando-se ao pagamento dos tributos incidentes e das participações legais e contratuais correspondentes. ▶ Ver *Agência Nacional do Petróleo, Gás Natural e Biocombustíveis (ANP)*.

porco / ***pig***. O mesmo que pig. ▶ Ver *pig*.

porco de multitamanho / ***multisize pig***. O mesmo que pig *de multitamanho*. ▶ Ver *pig de multitamanho*.

porfirina / ***porphyrin***. Pigmento que constitui-se em quatro unidades ligadas por quatro pontes de metanos numa estrutura planar. ⟿ Estão presentes nos petróleos e são amplamente distribuídos no reino animal, principalmente como complexos metálicos. A síntese da porfirina parece ser um dos mais fundamentais atributos das células vivas. Os complexos de ferro formam uma regra vital no transporte de oxigênio nas hemoglobinas e em sistemas enzimáticos, tais como citocromas. Em rochas sedimentares as porfirinas são extremamente comuns na forma de complexos metálicos com níquel e vanádio, particularmente em rochas ricas em matéria orgânica, como os folhelhos betuminosos. As porfirinas nos sedimentos antigos, na maioria das vezes, estão diretamente relacionadas à pigmentação da clorofila; apenas uma pequena parte está ligada ao pigmento hemina.

poro / ***pore***. Espaço intersticial existente entre os grãos de uma rocha.

porosidade / ***porosity***. Relação entre o volume de poros e o volume total de uma rocha. ⟿ A porosidade pode ser fruto do processo de deposição e compactação da rocha, quando é dita *primária*, ou derivar de processos de alteração da rocha que levem a sua dissolução. Neste segundo caso, denomina-se *porosidade secundária*. A porosidade total de uma rocha contabiliza os poros interconectados e os isolados. Os poros interconectados, que permitem o fluxo de fluidos, são contabilizados isoladamente na porosidade efetiva.

porosidade absoluta / ***absolute porosity***. Relação entre volume total de vazios de uma rocha e o volume total da rocha. ⟿ A porosidade absoluta mede o volume total de vazios de uma rocha, e é igual a soma da porosidade efetiva (volume de poros interconectados) com a porosidade não efetiva (volume de poros isolados). ▶ Ver *porosidade*; *porosidade total*.

porosidade ao ar / ***air porosity***. Porosidade medida por meio da injeção de ar em uma amostra de rocha. ⟿ Para a medida de porosidade em laboratório, pode-se utilizar gás (ar) ou líquido (mercúrio), injetados em uma amostra de rocha a uma determinada pressão. Uma vez medido o volume do fluido injetado e conhecido o volume da rocha, a porosidade é calculada. ▶ Ver *porosidade*.

porosidade ao gás / ***gas porosity***. Porosidade medida por meio da injeção de gás em uma amostra de rocha. O gás mais indicado é o hélio. ⟿ Para a medida de porosidade em laboratório, pode-se utilizar gás e aplicar a Lei de Boyle para determinar o volume poroso de uma amostra. Uma vez medido o volume do poroso e conhecido o volume total da rocha, a porosidade é determinada por meio de cálculo. ▶ Ver *porosidade*.

porosidade ao líquido / ***liquid porosity***. Porosidade medida por meio de injeção de mercúrio em uma amostra de rocha. ⟿ Para a medida de porosidade em laboratório, pode-se utilizar injeção de mercúrio com o objetivo de determinar o volume poroso de uma amostra. Uma vez medido o volume poroso e conhecido o volume total da rocha, a porosidade é determinada por meio de cálculo. ▶ Ver *porosidade*.

porosidade da fratura / *fracture porosity*. Relação entre o volume das fraturas de um reservatório naturalmente fraturado e o volume total da rocha-reservatório. ↝ Em um reservatório naturalmente fraturado existem duas porosidades: a da matriz e a da fratura. A porosidade da fratura mede a porosidade 'efetiva' do reservatório, pois será pelas fraturas que o fluxo ocorrerá prioritariamente nesse tipo de reservatório. ▶ Ver *porosidade*.

porosidade de gráfico cruzado / *crossplot porosity*. Porosidade obtida plotando-se valores de dois perfis de porosidade um contra o outro, geralmente valores de densidade e porosidade neutrônica. ↝ Nos sistemas computacionais, são assumidos parâmetros relativos a um determinado fluido, comumente água doce, gerando consequentemente equações de resposta particular. O resultado é em grande parte independente da litologia e constitui muitas vezes uma estimativa mais confiável da porosidade do que a de um único perfil de porosidade. É muitas vezes apresentada como um perfil *quicklook*. ▶ Ver *porosidade*; *matriz aparente*.

porosidade diagenética / *diagenetic porosity*. Porosidade desenvolvida em um sedimento após sua deposição, como resultado de alterações químicas e biológicas. A porosidade de fraturas não é considerada porosidade diagenética. ▶ Ver *porosidade*.

porosidade efetiva / *effective porosity*. Relação entre o volume de poros interconectados de uma rocha e o volume total da dessa rocha. ↝ A porosidade efetiva mede o volume poroso que pode efetivamente ser computado para efeito de escoamento e de cálculo de reservas. ▶ Ver *porosidade*.

porosidade induzida / *induced porosity*. Espaços-poros na rocha formados após os processos de deposição e soterramento ocorridos nela. Esses poros podem ser formados a partir de reações químicas devido à passagem de soluções pela rocha ou por fraturas. ▶ Ver *porosidade*; *porosidade secundária*.

porosidade por injeção de mercúrio / *mercury-injection porosity*. Método laboratorial utilizado para medir a porosidade de uma rocha a partir da injeção de mercúrio sob pressão em uma amostra. O volume conhecido de mercúrio injetado na amostra é utilizado para estimar a porosidade. ▶ Ver *porosidade*.

porosidade primária / *primary porosity*. Corresponde à porosidade da rocha na época de deposição, preservada através de litificação. ▶ Ver *porosidade*.

porosidade secundária / *secondary porosity*. Porosidade gerada na rocha após sua deposição, através de processos de dissolução ou fraturamento. Conforme o tipo de material dissolvido (grãos, cimento ou matriz), a porosidade secundária recebe classificação específica. ↝ Quando grãos são totalmente dissolvidos, restando apenas o molde de sua forma, ela recebe o nome de *porosidade móldica*. Quando os grãos são parcialmente dissolvidos, a porosidade é chamada de *intragranular*. Quando a dissolução ocorre preferencialmente na região das bordas dos grãos, no cimento ou na matriz, é classificada como *intergranular alargada*, pois aumenta o espaço poroso original. Quando ocorre uma recristalização ou dissolução parcial do cimento, a porosidade secundária é denominada *intercristalina*. ▶ Ver *porosidade*.

porosidade total / *total porosity*. Razão, expressa em percentual, entre o volume de poros, ou espaços vazios que podem conter fluidos, e o volume total de uma rocha. A porosidade total pode ser primária (causada por fatores deposicionais) ou secundária (decorrente de alterações posteriores, como a dissolução de parte do volume sólido da rocha). ▶ Ver *porosidade*; *porosidade efetiva*.

porosidade vacuolar (Port.) (Ang.) / *vugular porosity*. O mesmo que *porosidade vugular*. ▶ Ver *porosidade vugular*.

porosidade vesicular / *vesicular porosity*. Porosidade existente nas rochas efusivas, gerada quando da expansão dos gases, por ocasião do derrame. ▶ Ver *porosidade*.

porosidade vugular / *vugular porosity*. Porosidade secundária resultante da dissolução, do alargamento de poros ou de fraturas preexistentes, comum em rochas calcárias. ▶ Ver *porosidade secundária*.

porosímetro / *porosimeter*. Aparelho utilizado para medir porosidade. ↝ O porosímetro calcula a porosidade a partir da medição do volume de um fluido injetado (gás ou líquido) em uma amostra de rocha. Tendo-se o volume de sólidos e o volume total da rocha, obtém-se a porosidade. Com isso, pode-se calcular tanto a porosidade efetiva quanto a porosidade absoluta da rocha. ▶ Ver *porosidade*.

porosímetro Kobe / *Kobe porosimeter*. Instrumento utilizado para medir a porosidade de uma rocha. ↝ Este instrumento consiste em uma bomba de mercúrio, uma câmara de vidro, ar, gás hélio comprimido, válvulas e um medidor de pressão. ▶ Ver *porosidade*.

porta AND / *AND gate*. Elemento básico de formação de circuitos integrados digitais, em que a saída tem sinal lógico 1 somente quando todas as entradas têm sinal lógico 1; nos outros casos a saída tem sempre sinal lógico 0 (zero).

porta de série (Port.) (Ang.) / *serial port*. O mesmo que *porta serial*. ▶ Ver *porta serial*.

porta serial / *serial port*. Porta de comunicação utilizada para transmitir informação entre equipamentos na forma de *bits* que são enviados em fila, ou seja, um *bit* de cada vez. Também conhecida como *interface serial*.

portaló / *banksman*. Profissional que auxilia o guindasteiro na movimentação de carga quando este tem dificuldade de visualizar os locais.

porta-placa de orifício / *orifice plate holder.* Elemento de tubulação que opera sob pressão tal como um flange de orifício, usado para condicionar e posicionar a placa de orifício. O porta-placa de orifício tem a característica de possibilitar a troca da placa de orifício com o processo pressurizado.

porta-tenaz / *back-up man.* Elemento da equipe de perfuração que segura as tenazes (sistema de fixação de tubos por garras) para evitar que uma seção de tubulação gire, enquanto outra seção está sendo nela aparafusada ou desparafusada.

pós-empilhamento / *post-stack.* Qualquer etapa do processamento sísmico realizada após o empilhamento. ▶ Ver *empilhamento*.

posicionamento acústico / *acoustic positioning.* Posicionamento de um poço ou locação no fundo do mar. A identificação da cabeça do poço no fundo do mar é feita por *transponders*, posicionados próximos à cabeça do poço, que emitem ondas acústicas (*doppler*, sonar).

posicionamento dinâmico / *dynamic positioning.* 1. Sistema de controle, em malha fechada, da posição e do aproamento de uma unidade flutuante, sendo este sistema o responsável pelo comando dos propulsores da unidade. 2. Conjunto de meios para manter automaticamente uma embarcação em posição constante, sem correntes nem cabos, utilizando apenas seu próprio sistema de propulsão 3. Método pelo qual uma sonda flutuante de perfuração é mantida em posição em cima de um poço submarino sem o uso de sistema de ancoragem. 4. Estacionamento de um navio, especialmente uma plataforma de perfuração ou plataforma semissubmersível, numa localização específica no mar. •◦ Geralmente, várias unidades de propulsão, denominadas *thrusters*, ficam situadas no casco da estrutura e agem por um sistema de sensoriamento. Um computador para o qual o sistema de sensoriamento alimenta os sinais, dirige os *thrusters* para manter a sonda na posição. Unidades flutuantes que precisam manter posição fazem uso de sistemas de ancoragem ou de sistemas de posicionamento dinâmico. Estes são compostos de propulsores que permitem movimentar as unidades em todas as direções e orientações e de sensores que permitem o posicionamento da unidade. Utilizam sensores instalados no leito marinho ou sensores remotos. Os sistemas de sensores mais empregados atualmente são: GPS diferencial, *transponders* acústicos, peso morto e cabo (*taut wire*), monitoração do ângulo do condutor (*riser*), sistemas baseados em radar e bússolas giroscópicas.

pós-processamento / *post-processing.* Processamento de dados batimétricos, sonográficos e sísmicos de alta resolução após aquisição e gravação dos dados brutos. •◦ O pós-processamento permite melhorar os dados originais de acordo com as necessidades do levantamento.

pós-resfriador / *after-cooler.* Dispositivo utilizado para resfriar um equipamento após um aquecimento excessivo.

poteclinômetro / *poteclinometer.* Dispositivo para fazer uma medida contínua do ângulo e da direção do desvio de um poço da vertical, durante um levantamento geofísico.

potência de atrito / *friction power.* Potência dissipada pelo atrito do fluido em escoamento com uma superfície ou de uma interface com outro fluido. •◦ A potência dissipada por atrito em um escoamento incompressível horizontal pode ser calculada pelo produto da perda de pressão no trecho em análise pela vazão volumétrica do fluido.

potência de rotação / *rotary horsepower.* 1. Potência utilizada pela mesa rotativa, ou *top drive*, na rotação da coluna de perfuração (incluindo a broca). 2. Potência utilizada pelo motor de fundo ou pela turbina para girar a broca de perfuração.

potência em cavalos (Port.) (Ang.) / *horsepower.* O mesmo que *cavalo de potência*. ▶ Ver *cavalo de potência*.

potência hidráulica da broca / *bit hydraulic horsepower (BHHP).* 1. Resultado do produto da vazão pela perda de carga nos jatos da broca. Responsável pela limpeza no fundo do poço. 2. Medida da energia por unidade de tempo que é consumida durante o escoamento do fluido de perfuração pelos jatos da broca. •◦ A potência hidráulica na broca pode ser estimada pela equação.

$$P_H = (\Delta P_b \times Q) / 1714.$$

Onde:
(P_H) é a potência hidráulica na broca, (ΔP_b) é a perda de carga nos jatos da broca, Q é a vazão de fluido de perfuração e 1714 é um fator de conversão. Os fabricantes das brocas de perfuração recomendam, frequentemente, que a energia hidráulica gasta pelo fluido de perfuração ao passar pelos jatos da broca esteja entre uma faixa de, por exemplo, 2 a 7 (P_H), de modo a garantir adequada limpeza do fundo do poço (P_H mínimo) e evitar erosão prematura da própria broca (P_H máximo).

potencial calculado de vazão (Port.) (Ang.) / *calculated absolute open flow.* O mesmo que *potencial de produção do poço calculado*. ▶ Ver *potencial de produção do poço calculado*.

potencial calculado do fluxo (Port.) (Ang.) / *calculated absolute open flow.* O mesmo que *potencial de produção do poço calculado* ▶ Ver *potencial de produção do poço calculado*.

potencial de corrosão / *corrosion potential.* Potencial medido, em condição de circuito aberto, entre uma superfície metálica imersa em um eletrólito e um eletrodo de referência. ▶ Ver *corrosão*.

potencial de eletropolarização / *electropolarization potential.* Potencial na superfície dos eletrodos.

potencial de fluxo máximo absoluto / *absolute open flow potential.* O mesmo que *potencial* *de produção do poço calculado.* ▶ Ver *potencial de produção do poço calculado.*

potencial de folhelho / shale potential. Potencial elétrico resultante do efeito denominado *membrana catiônica do folhelho*, formado na interface folhelho-água de formação. ▶ Ver *folhelho.*

potencial de junção líquida / liquid-junction potential. Potencial que é formado pelo contato entre superfícies de salinidades diferentes, como, por exemplo, entre o filtrado da lama, ou filtrado de invasão, e a água de formação, como resultado das diferenças nas taxas de difusão iônica das soluções mais concentradas para as soluções mais diluídas.

potencial de Mounce / Mounce potential. Potencial elétrico desenvolvido na interface do folhelho com a água de formação. Sinônimos: *potencial de membrana, potencial de Nernst.*

potencial de oxirredução (Eh) / oxidoreduction potential (Eh). O mesmo que *potencial de redução.* ▶ Ver *potencial de redução.*

potencial de produção de líquido de gás natural (LGN) / natural gas liquid (NGL) potential production. Volume de líquido, expresso nas condições básicas, que se estima poder extrair das reservas de gás natural através das unidades de processo, na época da avaliação. ▶ Ver *gás natural.*

potencial de produção do poço calculado / calculated absolute open flow. Valor da vazão máxima teórica de um poço na condição de pressão de fundo em fluxo igual a zero, calculado pela extensão da curva de pressão disponível no fundo do poço, desde a pressão estática do reservatório até a interseção com o eixo da vazão em que o valor da pressão corresponde a zero. ↠ Na prática, tal potencial nunca é alcançado, pois sempre há uma pressão positiva no fundo do poço, requerida para elevar o fluido até a superfície.

potencial de redução / redox potential. Capacidade característica de um ambiente de suprir elétrons para uma ação oxidante, ou de tomar elétrons, como um agente redutor. ↠ Na reação redox há uma transferência de elétrons de um elétron doador (agente redutor) para um elétron receptor (agente oxidante). Expresso como a tendência de um agente redutor em perder elétrons em relação ao potencial de redução padrão. Este último é uma força eletromotiva, medida em volts, dada por uma meia célula no qual está presente tanto o agente redutor quanto o oxidante, numa concentração 1,0 M, a 25 °C, num pH de 7,0 em equilíbrio com o eletrodo que pode, de forma reversível, aceitar os elétrons de espécies reduzidas.

potencial de xisto argiloso (Port.) (Ang.) / shale potential. O mesmo que *potencial de folhelho.* ▶ Ver *potencial de folhelho.*

potencial eletrolítico de contato / electrolytic contact potential. Diferença de potencial entre dois metais dentro de um eletrólito.

potencial em fluxo pleno / open-flow potential. Vazão de produção caso a pressão de fluxo no fundo do poço fosse igual à pressão atmosférica. ↠ Para determinar o potencial em fluxo pleno são feitos testes de produção em várias aberturas, registrando os diferentes valores de pressão no fundo do poço e respectivas vazões. Plota-se no eixo y de um gráfico *log-log* a diferença entre o quadrado da pressão estática e o quadrado da pressão de fluxo no fundo, e no eixo x as vazões. O valor do potencial é obtido a partir da extrapolação da melhor reta, e corresponde à vazão para a qual se tem no eixo y o valor da diferença entre o quadrado da pressão estática e o quadrado da pressão atmosférica. ▶ Ver *capacidade em fluxo pleno.*

potencial espontâneo / spontaneous potential (SP). Potencial medido entre dois eletrodos situados muito próximos um do outro, dentro do poço, em oposição ao SP normal que é medido com um eletrodo no poço e outro na superfície. A finalidade deste SP diferencial é eliminar efeitos indesejáveis induzidos no circuito de medida do SP. ▶ Ver *potencial normal*

potencial espontâneo estático / static self-potential. Valor máximo do potencial elétrico espontâneo registrado por uma sonda ao passar de uma camada de areia limpa para uma de folhelho.

potencial gravitacional / gravitational potential. Energia do campo gravitacional, chamada também *energia potencial gravitacional* ou *energia potencial devida à gravidade.*

potencial hidrogeniônico (pH) / hydrogen potential. Potencial calculado como o logaritmo na base decimal do inverso da concentração molar de íons hidrogênio no sistema. ↠ A escala de valores de pH varia de 0 a 14. A água pura apresenta pH neutro (igual a 7). Fluidos com pH inferior a 7 são ditos ácidos e aqueles com pH superior a 7 são classificados como básicos ou alcalinos. Em geral, os fluidos de perfuração apresentam pH alcalino. O pH dos fluidos de perfuração é medido por meio de potenciômetros ou por papéis indicadores.

potencial inicial / initial potential (IP). Volume que um poço é capaz de produzir durante as primeiras 24 horas de produção.

potencial normal / normal potential (NP). Aquele devido à influência da temperatura e da concentração no potencial do eletrodo, convencionando-se que a sua medida é realizada a uma temperatura de 25 °C, em solução um molar e a pressão de 1 atm. O mesmo que *potencial padrão* ou *potencial meia-célula* ou *potencial de oxirredução.* ↠ O símbolo desse potencial é E^0, sendo o potencial normal de oxidação simbolizado por E^{0oxd} e o potencial normal de redução, E^{0red}.

potencial zeta / zeta potential. 1. Queda de potencial que envolve uma interface sólido-líquido. 2. Potencial eletrocinético encontrado na superfície de cisalhamento entre uma superfície carregada e o meio (ou solução de eletrólito). •» Certas partículas, quando em contato com um meio líquido polar, adquirirem carga elétrica e acarretam uma orientação de contraíons no meio próximo a sua superfície. Em função disso, geram potenciais elétricos de superfície, sendo que a intensidade desses potenciais depende da concentração iônica superficial excessiva na região próxima à superfície. No modelo de dupla camada elétrica de Stern, o potencial varia de ($\psi0$) (o potencial superficial ou da parede) para (ζ) (o potencial de Stern na camada de Stern), que corresponde ao potencial zeta.

power purchase agreement. Contrato com prazo predefinido para compra e venda de energia.

praia depressionada / *shoreline of depression.* Praia ou região costeira que sofreu subsidência absoluta.

praia em crescente / *crescent beach.* Praia com a concavidade voltada para o mar, geralmente formada ao longo de costas montanhosas, associada a locais de chegada de córregos.

praia por emergência / *shoreline of emergence.* Costa ou praia formada em decorrência da emergência do fundo do mar ou lago. Normalmente, as praias formadas nesse processo são lineares e não possuem embaiamentos ou reentrâncias. O mesmo que *praia emergente*.

praia por submergência / *shoreline of submergence.* Praia formada pela submergência de áreas terrestres, a qual gera praias, baías e reentrâncias em função da topografia afogada pela transgressão, resultando em uma linha de costa mais sinuosa do que a das praias emergentes. ▶ Ver *praia por emergência*.

praia soerguida / *shoreline of elevation.* Região costeira que sofreu interrupção no seu desenvolvimento devido a soerguimento causado por um rebaixamento relativamente rápido do nível de água, sem que se caracterize como uma praia verdadeira por não estar mais sujeita à ação das ondas e correntes; tem como exemplo os terraços marinhos soerguidos. Implica um soerguimento absoluto da praia.

prancheta topográfica / *plain-table, drafting board.* Instrumento simples para levantamentos topográficos que permite desenhar as feições do levantamento diretamente a partir das observações de campo; consiste em uma pequena prancha para desenho (*drafting board*) montada sobre um tripé ajustado com uma bússola, uma alidade e um instrumento de visada (telescópio).

prática recomendada / *recommended practice (RP).* Padrão recomendado normativamente. •» Por exemplo, a API tem várias normas sob a forma de RP. Uma delas é a RP7G, que trata das práticas recomendadas para operação com coluna de perfuração. ▶ Ver *prática recomendada API*.

prática recomendada API / *API recommended practice.* Recomendação que segue determina-do padrão similar ao API, mas sem embasamento científico, sendo que em muitos processos, apesar de não estar sob a égide do rigor científico, fornece orientações e diretrizes práticas consagradas, largamente adotadas pela indústria. O mesmo que *recomendação prática API*. •» Como exemplo de recomendação prática pode-se citar a API RP 2X (*ultrasonic examination of offshore structural fabrications*), largamente utilizada na indústria do petróleo. Essa recomendação define dois parâmetros de avaliação, a saber: P (capacidade de localizar e dimensionar os defeitos existentes, ou de reprovar regiões com defeitos) e R (capacidade de aprovar regiões sãs). ▶ Ver *prática recomendada*.

precessão / *precession.* Movimento cíclico dos equinócios ao longo da eclíptica na direção oeste. A velocidade vernal em 1900,0 constitui uma constante primária igual a 5.025"62 por século trópico. Seu período atualmente varia entre 21.000 e 25.800 anos. ▶ Ver *ciclos de Milankovitch*.

precipitado bioquímico / *biochemical precipitate.* Sedimento constituído, principalmente, por calcário ou ferro originados a partir da água do mar e extraídos de organismos vivos.

precisão / *precision.* 1. Grau em que os resultados de um grupo de medições têm as mesmas características metrológicas. Com sentido qualitativo, quando um instrumento tem precisão, apresenta alta resolução e boa repetitividade. 2. O mesmo que *acurácia* (Port.) ▶ Ver *acurácia*.

preço corrente / *current price.* Preço fixado inicialmente na cabeça do poço (*wellhead*). Se existir consumo após esta fixação, implicando custos de processamento, transporte, armazenagem e distribuição, adiciona-se, teoricamente, tais custos ao preço do gás na cabeça do poço, tendo-se assim o preço do gás para o consumidor, e observando-se que sempre existem outros fatores impactantes, às vezes difíceis de quantificar.

preço de despacho de gás / *gas beach price.* Preço para gás no despacho, quando da remoção de água e de hidrocarbonetos líquidos.

preço de gás natural / *natural gas price.* Preço que considera o preço corrente no mercado (*cash price* ou *current market price*) e o preço futuro (*future price*) do gás natural. ▶ Ver *preço futuro*.

preço de referência / *reference price.* Preço por unidade de volume, expresso em moeda nacional, para o petróleo, o gás natural ou o condensado produzido em cada campo, a ser determinado pela Agência Nacional do Petróleo, Gás Natural e Biocombustíveis, ANP (Brasil). No caso do petróleo, é o maior valor entre o preço mínimo e o preço de venda. ▶ Ver *Agência Nacional do Petróleo, Gás Natural e Biocombustíveis (ANP)*.

preço futuro / *future price.* Preço do gás vendido para entrega num determinado momento (futuro) e em determinado local. •» Os mecanismos de fixação do preço futuro podem ser baseados em fórmulas preestabelecidas, como a previsão contratual de reajuste do preço, fixando as bases para o reajustamento (variação no custo, indicadores econômicos etc). Outro recurso é o *hedging* ou transferência do risco (*risk transfer*). Neste caso, vendedores e compradores de gás se dedicam ao negócio propriamente dito, deixando para terceiros o risco do preço e a tarefa de prever tais preços (*risk taker*).

preço-limite (Port.) (Ang.) / *price cap*. O mesmo que price cap. ▶ Ver price cap.

preço mínimo do petróleo / *minimum oil price*. Preço determinado de acordo com a portaria específica da Agência Nacional do Petróleo, Gás Natural e Biocombustíveis, ANP (Brasil), para efeitos de apuração de *royalties* e participação especial. ▶ Ver *Agência Nacional do Petróleo, Gás Natural e Biocombustíveis (ANP)*.

predominância de ímpares / *odd predominance*. Fenômeno em que os n-alcanos com número ímpar de átomos de carbono predominam sobre aqueles com número par de átomos de carbono. Também denominado *índice de preferência de carbono* (*CPI*). Em geral são levados em consideração os n-alcanos de peso molecular entre C_{25} e C_{35}. Os sedimentos que apresentam predominância de ímpares são considerados imaturos.

pré-empreendimento / *pre-project*. Processo adotado na implantação de empreendimentos petrolíferos, composto de estudo de viabilidade técnica, econômica e ambiental, definição de suas políticas de condução (contratação de serviços, fornecimento de bens, planejamento e controle, qualidade, segurança industrial, saúde ocupacional, meio ambiente, responsabilidade social, comunicação, projetos, suprimento de materiais e equipamentos, construção civil e montagem eletromecânica, recursos organizacionais, humanos, financeiros e materiais.)

preenchimento de argila / *clay fill*. Preenchimento com argila de uma fissura ou cavidade de um determinado depósito.

preenchimento de canal / *channel fill*. Preenchimento de um depósito de sedimentos arenosos e argilosos de origem aluvial em um canal como resultado da falta de capacidade de transporte de sedimentos pelas águas no canal ou pelo abandono do canal por avulsão. ▶ Ver *avulsão*.

preenchimento de canhão (Port.) (Ang.) / *canyon fill*. O mesmo que *preenchimento de cânion*. ▶ Ver *preenchimento de cânion*.

preenchimento de cânion / *canyon fill*. 1. Preenchimento de um vale profundo por intermédio de sedimentos de granulação variada, permanente ou temporariamente depositados. 2. Preenchimento por intermédio de um corpo arenoso, geralmente curto, composto por areia e cascalho estratificados, depositados em uma crevassa durante o degelo. ▶ Ver *canhão*.

preenchimento de crevassa / *crevasse filling*. O mesmo que *preenchimento de cânion*. ▶ Ver *preenchimento de cânion*.

preenchimento de crevasse (Port.) (Ang.) / *crevasse filling*. O mesmo que *preenchimento de crevassa* e *preenchimento de cânion*. ▶ Ver *preenchimento de cânion*.

prensa de compressão uniaxial / *compressive strength testing machine*. Equipamento de laboratório utilizado para determinação da resistência à compressão uniaxial de um corpo de prova de cimento curado sob condições de interesse de temperatura, pressão e tempo de cura. O equipamento consiste em um macaco hidráulico, acionado por uma unidade controladora, que comprime o corpo de prova entre duas superfícies paralelas até o rompimento do corpo. A resistência é calculada dividindo-se a força necessária para romper o corpo de prova pela área transversal do corpo.

pré-operação / *pre-operation*. Verificação e testes de cada sistema, a partir da conclusão dos serviços de construção e montagem de uma determinada unidade industrial. ↝ Os serviços são executados a partir da energização e/ou pressurização com fluido definitivo, nas condições de funcionamento ('a quente') e/ou pressurizados com fluido nas condições constantes em projeto. ▶ Ver *projeto básico*; *projeto executivo*; *construção e montagem*; *operação assistida*; *condicionamento*; *comissionamento*.

preparação para a operação de navios / *commissioning*. Preparo de navio para serviço ativo. O mesmo que *comissionamento*. ▶ Ver *comissionamento*.

pré-plote / *pre-plot*. 1. Programação das linhas de trabalhos sísmicos marítimos. 2. Mapa com a disposição das linhas de sondagem planejadas para um levantamento anterior à aquisição dos dados. ↝ O pré-plote representa a navegação teórica a ser realizada pela embarcação.

presa do cimento / *set accelerator, cement bond*. O mesmo que *acelerador de pega, aderência da pasta de cimento*. ▶ Ver *acelerador de pega*; *aderência da pasta de cimento*.

pré-sal / *pre-salt*. Reservas petrolíferas, que caracterizam novas fronteiras exploratórias e que se encontram em camada de sal abaixo do leito marinho (abaixo das camadas pós-sal e sal), em lâmina d'água de grande profundidade (por exem-

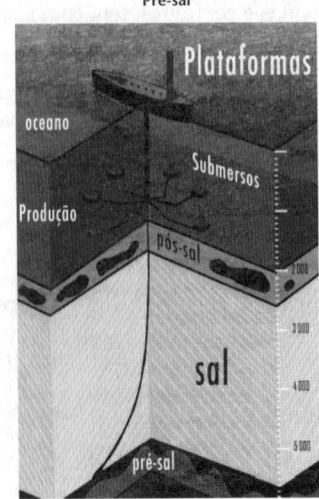

Pré-sal

plo, entre 1,5 mil e 3 mil metros e soterramento entre 3 mil e 4 mil metros). ⇨ As reservas de présal se formaram há aproximadamente 100 milhões de anos, a partir da decomposição de materiais orgânicos. A primeira camada abaixo do leito do oceano chama-se *pós-sal*, posteriormente tem-se a camada de *sal* e, após esta, a de *pré-sal*. ▶ Ver *novas fronteiras*.

preservação de amplitude / *amplitude preservation.* Aplicação de fluxo de processamento sísmico em que se procura restaurar (preservar) os valores reais de amplitudes (associados a coeficiente de reflexão), cuidando-se para que não ocorra sub ou supercorreção nas etapas de recuperação de amplitude (*amplitude recovery*).

pressão / *pressure.* Força por unidade de área, aplicada de forma perpendicular à área. ⇨ Medida do esforço realizado sobre uma superfície, normalizado pela sua área.

pressão absoluta / *absolute pressure.* Pressão total exercida em uma dada superfície, incluindo a pressão atmosférica, quando for o caso. A pressão absoluta será sempre positiva ou nula. ⇨ Pressão medida em relação ao vácuo total, expressa como *psia* ou *bara*. A pressão absoluta é equivalente à soma da pressão medida com um manômetro, mais a pressão atmosférica (14,696 psia ou 1 bar ao nível do mar). ▶ Ver *pressão atmosférica*; *pressão manométrica*.

pressão adimensional / *dimensionless pressure.* Valor obtido ao se dividir uma determinada pressão por uma pressão de referência. ⇨ Geralmente a pressão de referência representa uma determinada condição de interesse. No cálculo de pressões adimensionais devem-se adotar, necessariamente, pressões absolutas.

pressão admissível máxima de trabalho / *maximum allowable working pressure.* Pressão máxima permitida pelo código ASME (*American Society of Mechanical Engineers* / Sociedade Americana de Engenheiros Mecânicos), no topo do separador, na sua posição normal de operação para uma temperatura definida.

pressão anormal / *abnormal pressure.* A que ocorre quando a pressão de fluido contido nos poros de uma rocha excede aquela proporcionada por uma coluna de água salgada na mesma profundidade (pressão normal). Quando um reservatório encontra-se a uma pressão abaixo da normal diz-se que ele está subpressurizado. ▶ Ver *pressão normal*; *pressão anormalmente alta*; *pressão anormalmente baixa*.

pressão anormal baixa / *abnormal low pressure.* Pressão hidrostática menor que a equivalente ao peso de uma coluna d'água cuja altura corresponde ao nível estático. Submetido a essa pressão, o fluido é incapaz de atingir a superfície sem o auxílio de bombeamento. 2. Condição de subsuperfície na qual a pressão de poro de uma formação geológica a uma determinada profundidade está abaixo da pressão de formação normal, sugerida pelo gradiente de pressão da coluna equivalente de água salobra. Pode resultar de uma comunicação da água da formação com um afloramento em nível inferior ao do lençol freático.

pressão anormal de poro / *abnormal pore pressure.* Condição de subsuperfície na qual a pressão de poro de uma formação geológica a uma determinada profundidade está acima ou abaixo da pressão de formação normal, sugerida pelo gradiente de pressão da coluna equivalente de água salobra. ▶ Ver *pressão anormal baixa*; *pressão anormal elevada*.

pressão anormalmente alta / *abnormal high pressure.* Condição de subsuperfície onde a pressão de poros da formação é maior que a pressão hidrostática esperada. Para que ocorra zona de pressão anormalmente alta é necessário que esta esteja isolada da superfície. Algumas das causas para que isso aconteça são: processo de compactação das rochas, tectonismo, diagênese, repressurização, contraste de fluidos. ⇨ Quando as rochas impermeáveis, tais como folhelhos, são compactadas muito rapidamente, os fluidos presentes nos poros da formação ficam aprisionados nos mesmos e precisam suportar toda a coluna de rocha depositada sobre eles, levando a pressões anormalmente altas. Essas pressões elevadas podem causar influxo descontrolado durante a perfuração de um poço, ocasionando um *blowout*. Formações com gradientes de pressão superiores a 9,0lb/gal (que geram um gradiente de aproximadamente 0,108 kgf/cm^2/m) são consideradas de pressão anormalmente alta. ▶ Ver *pressão de poro normal*.

pressão anormal elevada / *abnormal high pressure; overpressure.* O mesmo que *pressão anormalmente alta*. ▶ Ver *pressão anormalmente alta*.

pressão anormalmente baixa / *abnormal low pressure.* Pressão de poros com peso equivalente inferior a 8,34 lb/gal (que gera um gradiente de aproximadamente 0,100 kgf/cm^2/m). ⇨ Para que ocorra uma zona de pressão anormal (baixa ou alta) é necessário que a zona esteja isolada da superfície. Também ocorre, geralmente, em zonas já depletadas, isto é, zonas nas quais houve produção de fluidos e a pressão do reservatório diminuiu. ▶ Ver *pressão de poro normal*; *depleção*.

pressão anular / *annular pressure.* Pressão de fluido no espaço anular entre a tubulação de produção e o revestimento, ou entre duas colunas de revestimento.

pressão atmosférica / *atmospheric pressure.* 1. Pressão exercida pelo peso do ar atmosférico sobre um ponto qualquer na superfície do planeta. 2. Pressão exercida pela atmosfera sobre qualquer superfície, em virtude de seu peso. Equivale ao peso de uma coluna de ar de corte transversal unitário que se estende desde um dado nível até o limite superior da atmosfera. É também conhecida como *pressão barométrica*. A pressão atmosférica varia de lugar para lugar. Essa variação é causada pela altitude e principalmente pela temperatura. Unidade no SI: pascal (Pa). ↝ O peso que a coluna de ar compreendida entre a superfície do planeta, ao nível do mar, e o topo da atmosfera exercem sobre uma superfície com uma polegada quadrada de área é de aproximadamente 14,7lbf. Analogamente, esta mesma coluna de ar exerce uma força de 101.325 kilonewtons sobre uma superfície de 1m^2. ▶ Ver *pressão barométrica*.

pressão barométrica / *barometric pressure*. Pressão exercida pela atmosfera sobre determinado ponto. Também conhecida como *pressão atmosférica*. Unidade no SI: pascal (Pa). O mesmo que *pressão atmosférica*. ▶ Ver *pressão atmosférica*.

pressão capilar / *capillary pressure*. 1. Diferencial de pressão entre dois fluidos quando em contato e contidos em uma estrutura porosa, gerando uma descontinuidade na pressão existente através da interface que separa estes mesmo fluidos. 2. Diferença entre a pressão na fase não molhante e a pressão na fase molhante em um ponto do reservatório. ↝ Depende da geometria dos poros, da tensão superficial do fluido e da molhabilidade do capilar ao fluido.

pressão capilar por mercúrio / *mercury-vacuum capillary pressure curve*. Gráfico do volume de mercúrio injetado em uma amostra pela pressão utilizada durante essa injeção. ↝ Este método é utilizado para medir o tamanho dos poros existentes na rocha, partindo do princípio de que quanto menor for o diâmetro da garganta do poro maior deverá ser a pressão necessária para injetar o volume nele. A equação utilizada para medir o raio do poro pela aplicação deste método é expressada por:

$$r = 7{,}6/p,$$

onde:
r = raio do poro e p = pressão de injeção.

pressão crítica / *critical pressure*. 1. Pressão requerida para condensar um gás na temperatura crítica, acima da qual, sem levar em conta a pressão, o gás não pode ser liquefeito. 2. Pressão de vapor no ponto crítico. ↝ A pressão crítica, juntamente com a temperatura crítica, é utilizada para determinar a fase na qual uma substância é encontrada e para calcular o fator de compressibilidade. ▶ Ver *ponto crítico*.

pressão da bomba / *pump pressure*. Pressão registrada no manômetro instalado na saída da bomba e que corresponde à perda de carga do sistema que deve ser vencida para fazer um fluido circular no poço a uma determinada vazão. Também chamada *pressão de bombeio*.

pressão da formação / *formation pressure*. Pressão hidrostática exercida pelo fluido contido no espaço poroso das rochas sedimentares. ↝ À medida que os sedimentos inconsolidados são transformados em rocha sedimentar, o fluido contido no espaço poroso entre os grãos é expelido continuamente até atingir o equilíbrio hidrostático, quando a rocha alcança o seu maior grau de compactação.

pressão de abandono / *abandonment pressure*. Pressão na qual se espera cessar a produção do reservatório e abandonar o poço. Quanto menor essa pressão, maior poderá ser a recuperação. ▶ Ver *custo de abandono*.

pressão de abertura / *opening pressure*. Pressão na linha de controle que indica o início da abertura da válvula de segurança.

pressão de absorção / *leakoff pressure*. Pressão a partir da qual a rocha passa a absorver fluido. Esta absorção pode ocorrer pelo fluxo no meio poroso ou por fraturas induzidas durante o próprio teste de absorção. ↝ O termo *pressão de absorção* está normalmente associado ao teste de absorção, realizado com o objetivo de definir a pressão de iniciação de fratura ou a pressão de trabalho que pode ser aplicada à formação sem perda de circulação. ▶ Ver *teste de absorção*; *microfraturamento*; *pressão de iniciação de fratura*; *perda de circulação*.

pressão de ar / *air pressure*. Pressão de ar nos compressores, que é utilizada nos canhões de ar para detonação nos levantamentos sísmicos. A unidade utilizada é o psi.

pressão de base / *base pressure*. 1. Pressão medida antes das alterações devidas a injeção ou produção de fluidos. 2. Pressão medida em um determinado ponto onde ela é conhecida, a partir do qual serão calculadas as demais pressões de acordo com o gradiente de pressão existente.

pressão de calibração da válvula / *valve calibration pressure*. Pressão correspondente à pressão de abertura da válvula de *gas lift* no testador. ↝ Na bancada de teste, as condições de pressão e temperatura são diferentes das condições de operação, por isso é necessário calcular a correção considerando a temperatura e, por vezes, o comportamento dos fluidos utilizados no teste e aquele a ocorrer no poço.

pressão de cedência da formação (Port.) (Ang.) / *leakoff pressure*. O mesmo que *pressão de absorção*. ▶ Ver *pressão de absorção*.

pressão de circulação / *circulating pressure*. Pressão imposta à pasta de cimento ou qualquer outro fluido durante o seu deslocamento para o poço. Uma boa prática de projeto é analisar, de posse de um gráfico de pressão de poros e de fratura dos poços de correlação, o comportamento da pressão nos simuladores computacionais nos intervalos mais críticos. A pressão dinâmica deve, durante toda a operação de cimentação, ser maior que a pressão de poros e menor que a de fratura.

pressão de colapso / *collapse pressure*. 1. Pressão no tubo que faz com que ele sofra deformação como um resultado do diferencial de pressões externa e interna ao tubo, quando a pressão externa é superior à interna. É um parâmetro importante para a determinação dos limites de operação de elementos tubulares. Pressões superiores à de colapso podem ocasionar a ovalização do elemento tubular bem como sua ruptura. 2. Pressão que causa o colapso do poço devido ao fato de a pressão dentro do poço ser inferior a um valor mínimo. A formação falhará por cisalhamento, gerando queda de fragmentos da rocha no poço, ou deformação com ovalização das paredes no caso de a formação ser plástica, causando um fechamento parcial do poço.

pressão de convergência / *convergence pressure*. Pressão na qual as diferentes constantes de equilíbrio líquido-vapor, para os diferentes componentes de um sistema líquido-vapor, convergem para o valor unitário. Geralmente é uma pressão elevada.

pressão de fechamento de poço / *closed pressure, close-in pressure*. Pressão no poço medida enquanto sua produção estiver suspensa (sem fluxo), devido ao fechamento da válvula-mestra. Se outro ponto de referência não for especificado, refere-se à pressão medida na cabeça do poço.

pressão de fechamento na cabeça / *shut-in wellhead pressure*. O mesmo que *pressão de fechamento na coluna*. ▶ Ver *pressão de fechamento na coluna*.

pressão de fechamento na coluna / *shut-in tubing head pressure*. Pressão observada na cabeça de poço quando este não estiver fluindo.

pressão de fluxo / *flowing pressure*. Pressão de fundo, em frente à zona produtora, estabelecida durante períodos de fluxo do poço, seja em testes de formação seja na produção do poço. ▶ Ver *fluxo*; drawdown.

pressão de fluxo aberto / *open-flow pressure*. Pressão do poço na face da formação produtora quando sob fluxo aberto.

pressão de fluxo na cabeça do poço / *wellhead flowing pressure*. Pressão dos fluidos que escoam pela coluna de produção de um poço, medida na cabeça do poço.

pressão de fluxo na coluna / *flowing tubing pressure*. Pressão da coluna, medida na árvore de natal, durante o teste de poço ou produção.

pressão de fractura ou rompimento da formação (Port.) (Ang.) / *leakoff pressure*. O mesmo que *pressão de absorção*. ▶ Ver *pressão de absorção*.

pressão de fratura / *fracturing pressure*. 1. Pressão de iniciação de fratura referida ao valor de pressão necessário para iniciar uma fratura hidráulica na rocha. 2. Pressão de quebra ou ruptura da formação. 3. Limite de pressão acima do qual ocorre a falha da rocha por tração. ▶ Ver *pressão de iniciação de fratura*.

pressão de fratura da formação / *formation fracture pressure*. O mesmo que *pressão de fratura*. ▶ Ver *pressão de fratura*.

pressão de fraturamento (Port.) (Ang.) / *fracturing pressure*. O mesmo que *pressão de fratura*. ▶ Ver *pressão de fratura*.

pressão de fraturamento da formação (Port.) / *formation fracture pressure*. O mesmo que *pressão de fratura*. ▶ Ver *pressão de fratura*.

pressão de fronteira / *boundary pressure*. Pressão média atuante no contato gás/óleo ou água/óleo.

pressão de fundo / *bottomhole pressure (BHP)*. Pressão de fluxo ou injeção de fluido no poço, medida ou calculada na profundidade da zona ativa (produtora ou injetora). Valor de pressão, medido ou calculado, a uma determinada profundidade no poço, geralmente na altura do topo do intervalo produtor ou injetor. ▶ Ver *pressão de fluxo*.

pressão de fundo com poço fechado / *closed bottom pressure*. Pressão no poço, na profundidade da formação em produção, medida enquanto a produção do poço estiver suspensa (sem fluxo), devido ao fechamento da válvula-mestra.

pressão de fundo de poço / *bottom-hole pressure*. O mesmo que *pressão de fundo*. ↬ Poços que apresentam alta temperatura e pressão de fundo são denominados, em inglês, *HPHT* (*high pressure and high temperature*). ▶ Ver *pressão de fundo*.

pressão de fundo em escoamento / *flowing bottomhole pressure*. Pressão reinante no fundo do poço quando ele está sob condições de escoamento (produção). ↬ Tal valor de pressão, quando subtraído do valor da pressão estática reinante no reservatório, determina a resultante pressão diferencial (reservatório-poço), igualmente dita *drawdown*, que determina, juntamente com o índice de produtividade (IP), o afluxo de fluidos do reservatório para o poço.

pressão de iniciação de fratura / *breakdown pressure*. 1. O mesmo que *pressão de fratura*. 2. Pressão de quebra ou ruptura de uma rocha. ▶ Ver *pressão de fratura*.

pressão de irrupção / *kick-off pressure*. Pressão exercida por um fluido na sua irrupção (*breakthrough*) no poço. ↬ A pressão de irrupção pode ocorrer durante a perfuração do poço, ao se encontrar um reservatório com fluido sob pressão, ou durante a produção, ao ocorrer *breakthrough* de água ou gás no poço produtor.

pressão de kick-off / *kick-off pressure (KOP)*. Pressão requerida para dar início à produção de um poço pelo método de elevação do tipo pneumática (*gas lift*). ↬ Tipicamente tal valor de pressão é superior àquele requerido para manter o poço em produção. Para dar início à produção poder-se-á fazer uso sequencial de um conjunto de válvulas, do topo para o fundo da coluna de produção, e se fazer uso de pressões de injeção de valores moderados e próximos daqueles utilizados durante a produção. Ou normalmente, pela adição de um compressor extra de *gas lift*, dar início à produção através de válvula única (válvula de *kick-off*) e com maior valor de pressão requerida. ▶ Ver *válvula de* kick-off; gas lift.

pressão de miscibilidade / *miscibility pressure.* Pressão na qual um gás injetado irá vaporizar hidrocarbonetos do óleo, formando uma zona de transição miscível entre o gás e o óleo.

pressão de miscibilidade mínima / *minimum miscibility pressure.* Pressão mínima na qual dois fluidos tornam-se miscíveis a uma dada temperatura.

pressão de ponto de bolha / *bubble-point pressure.* Pressão sob a qual se inicia a formação de bolhas de gás, em uma determinada temperatura, num líquido com gás em solução.

pressão de poro / *pore pressure.* Pressão exercida pelos fluidos na parede dos poros da formação. ↝ O fluido da formação pode estar submetido a uma pressão acima (pressão anormal alta) ou abaixo (pressão anormal baixa) da pressão hidrostática normal. Normalmente é medida por um teste de formação ou pela descida de amostradores. Pode também ser estimada com base em informações de tempo de trânsito.

pressão de poro normal / *normal pore pressure.* Pressão do fluido dentro dos poros da rocha correspondente à pressão que seria gerada se a água de formação estivesse em contato com a superfície, isto é, quando a pressão de poros seria igual à hidrostática do fluido. ▶ Ver *pressão hidrostática*.

pressão de propagação / *propagation pressure.* 1. Pressão necessária para propagar uma fratura previamente iniciada. 2. Pressão de fundo, durante a operação de fraturamento hidráulico, na qual a fratura se estende até o comprimento programado. ▶ Ver *pressão de fratura*.

pressão de reabertura de fratura / *fracture reopening pressure.* 1. Pressão necessária para reabrir uma fratura previamente induzida na rocha. 2. Pressão de reativação de uma fratura preexistente. ▶ Ver *pressão de fratura*.

pressão de reservatório / *reservoir pressure.* Pressão dos fluidos existentes no reservatório.

pressão de saturação / *saturation pressure.* Pressão na qual as fases líquida e gasosa coexistem em equilíbrio para uma dada temperatura.

pressão de superfície / *surface pressure.* Pressão estática no topo do revestimento do poço após o seu fechamento e depois que a maior pressão possível tenha sido atingida. ↝ A pressão de superfície é igual à pressão do reservatório menos a pressão exercida pela coluna de fluidos existentes em toda a extensão do poço.

pressão de trabalho / *working pressure.* Pressão máxima para a qual um equipamento foi projetado. A máxima pressão à qual uma peça de equipamento pode ser submetida durante uma operação normal ou teste de campo, numa determinada temperatura.

pressão de vapor / *vapor pressure.* 1. Pressão exercida por um vapor quando está em equilíbrio com o líquido que lhe deu origem. Propriedade física que depende do valor da temperatura. 2. Pressão na qual coexistem as fases líquida e vapor para uma dada temperatura abaixo da temperatura crítica. ↝ Quanto maior a temperatura, maior será a pressão de vapor correspondente. Se a pressão do sistema for menor que a pressão de vapor, a substância estará na fase vapor; se a pressão for maior que a pressão de vapor, a substância estará na fase líquida.

pressão de vapor de Reid / *Reid vapor pressure.* Pressão de vapor de um líquido a 37,8 °C (100 °F, 311 °K) determinada segundo o método da norma ASTM D 323 (*test method for vapor pressure of petroleum products, Reid method*).

pressão esperada máxima na superfície / *maximum anticipated surface pressure.* Maior pressão de superfície prevista para um poço.

pressão estabilizada / *stabilized pressure.* Pressão constante ou com baixo nível de variação.

pressão estática / *static pressure.* Pressão em um fluido ou sistema exercida perpendicularmente à superfície na qual ela atua. Em um fluido em movimento, a pressão estática é medida em ângulos retos em relação à direção do escoamento.

pressão estática do fluido de perfuração / *static mud pressure.* Pressão medida em qualquer ponto do poço, em condições estáticas (sem circulação), causada pelo peso da coluna de fluido de perfuração localizada acima desse ponto. O peso do fluido deve ser monitorado e ajustado para estar sempre dentro dos limites de pressão do poço, ou seja, a pressão de poros e a pressão de fratura. ↝ A pressão hidrostática do fluido de perfuração é matematicamente expressa por:

$$P \text{ (psi)} = 0{,}17 \times (\rho) \text{ (lb/gal)} \times L \text{ (m)}.$$

▶ Ver *circulação; peso do fluido de perfuração; pressão de fratura*.

pressão hidrostática / *hydrostatic pressure.* 1. Pressão exercida por uma coluna hidrostática de fluido. 2. Pressão exercida pela água em repouso em uma dada profundidade. Corresponde à pressão normal de fluidos encontrados em rochas de subsuperfície, causada pelo peso da coluna de água acima. 3. Pressão medida ou calculada a uma determinada profundidade, que expressa o peso da coluna de fluido atuante em um ponto nesta profundidade. O mesmo que *hydropressure* ↝ Pode ser calculada pela expressão $P = m.g.h$, onde P é o valor de pressão hidrostática, m é a massa específica do fluido, g é a aceleração da gravidade e h é profundidade considerada. ▶ Ver hydropressure.

pressão inicial de circulação / *initial circulating pressure.* Pressão com que se deve iniciar a circulação de um *kick*.

pressão inicial do reservatório / *initial reservoir pressure.* 1. Pressão original do reservatório, antes do início da produção. 2. Pressão em qualquer ponto de um reservatório considerando que este esteja inicialmente selado em seus limites externos; conhecida também como *pressão estática original*.

pressão litostática / *lithostatic pressure*. Pressão exercida pelo peso das rochas sobrepostas. ⇒ A pressão litostática aumenta com a profundidade a uma taxa aproximada de 1 psi/ft (0,23 bar/m).

pressão manométrica / *gauge pressure*. Pressão medida em relação à pressão atmosférica existente no local, podendo ser positiva ou negativa. Quando se fala em uma pressão negativa em relação à pressão atmosférica, ela denomina-se *pressão de vácuo*. ▶ Ver *pressão atmosférica*.

pressão manométrica estática / *static gauge pressure*. Pressão registrada no manômetro de superfície de um poço em condições estáticas (sem circulação). ⇒ Trata-se de uma pressão relativa, na qual a base é a pressão atmosférica da região, ou seja, qualquer pressão é registrada em relação à pressão atmosférica. ▶ Ver *manômetro*; *circulação*; *pressão atmosférica*.

pressão máxima admissível de operação / *maximum allowable operating pressure*. Maior pressão de operação permitida para qualquer ponto de um sistema de linha de escoamento durante o fluxo normal ou na condição estática.

pressão máxima de trabalho permitida (Ang.) / *maximum allowable working pressure*. O mesmo que *pressão admissível máxima de trabalho*. ▶ Ver *pressão admissível máxima de trabalho*.

pressão média do reservatório / *average reservoir pressure*. 1. Pressão que seria obtida se toda movimentação de fluido cessasse em um determinado volume do reservatório. É também a pressão que um poço atingiria se fechado por um período infinito. 2. Média volumétrica da pressão exercida pelos fluidos dentro do reservatório em um estágio de depleção específico. A pressão média do reservatório pode ser medida somente quando o poço é fechado por um período suficientemente longo. ▶ Ver *pressão estática*.

pressão na cabeça do poço / *wellhead pressure*. 1. Pressão exercida pelos fluidos em produção e medida na chegada à árvore de natal. 2. Máxima pressão de fechamento observada na superfície em um poço.

pressão na fronteira / *boundary pressure*. Pressão na fronteira, borda ou limite do reservatório. ⇒ A pressão de fronteira ou de borda é em geral considerada como uma pressão distante do poço, onde a sua variação é normalmente pequena. O raio do poço em que ela se encontra é denominado *raio de drenagem*.

pressão no fundo do poço / *bottomhole pressure*. Pressão exercida pelo fluido no fundo do poço. Este valor é composto por uma parte hidrostática (P_h), que é função da densidade e da altura do fluido dentro do poço, e de uma parte hidrodinâmica (ΔP_{anular}), que é função das perdas de carga no anular do poço. A soma dessas duas dividida pela profundidade vertical do poço (h) é denominada *densidade equivalente de circulação*, conhecida como *ECD* (*Equivalent Circulation Density*). ⇒ ECD é a densidade equivalente à pressão na face da formação no fundo do poço (BHP) considerando a circulação do fluido de perfuração (pressão de bombeamento) ECD = BHP / 0,1706 x h, onde BHP = $P_h + \Delta P_{anular}$.

pressão no revestimento / *casing pressure*. Pressão medida no interior de um revestimento. Muito utilizada em combate a *kicks*, com o nome de SICP (*shut in casing pressure*).

pressão normal / *normal pressure*. Condição nos poços em que a pressão dos fluidos no interior é a pressão hidrostática.

pressão original / *original pressure*. Pressão dos fluidos contidos nos poros da rocha-reservatório antes da perturbação provocada por um poço, ou devido ao início da produção. Geralmente, a pressão original corresponde à hidrostática.

pressão osmótica / *osmotic pressure*. Pressão em uma menbrana durante o processo de osmose. ▶ Ver *propriedade coligativa*; *osmose*.

pressão parcial / *partial pressure*. Pressão que é exercida por um único componente gasoso em uma mistura de gases.

pressão reduzida / *reduced pressure*. Quociente da pressão de um gás pela sua pressão crítica. ▶ Ver *temperatura reduzida*; *volume reduzido*.

pressão rochosa / *rock pressure*. Pressão exercida pelo entorno dos sólidos no suporte de abertura do sistema de subsolo. Inclui o peso litostático, estresses dos baixios residuais e pressões associadas com a ascensão do material argiloso.

pressostato / *pressure switch*. Chave de pressão, utilizada em sistemas de intertravamento, que comuta quando a pressão atinge um determinado valor pré-configurado.

presteza contratual / *despatch*. Prêmio determinado em contrato a que faz jus a empresa contratante de um navio quando este permanece menos tempo do que o acordado nos portos de embarque ou de descarga.

pré-traçado (Port.) / *pre-plot*. O mesmo que *pré-plote*. ▶ Ver *pré-plote*.

prevenção da poluição / *pollution prevention*. Conjunto de processos, práticas e materiais que evitam, reduzem ou controlam a poluição.

preventor anular de baixa pressão / *diverter*. Equipamento usado para fechar o anular de um poço e desviar o fluxo para um *choke manifold*. Composto por elementos de vedação de baixa pressão.

preventor de erupção / *blowout preventer* (BOP). Conjunto de válvulas de segurança instaladas na cabeça do poço para evitar a ocorrência de uma erupção (*blowout*) de superfície. O conjunto é composto de válvulas que possibilitam o fechamento tanto do espaço anular entre o revestimento e a coluna de trabalho no poço — geralmente de perfuração —, quanto do poço aberto, isto é, sem qualquer coluna. ⇒ Em sondas terrestres o *blowout preventer* é instalado logo abaixo da subestrutura, entre a mesa rotativa e a base de concreto sobre a qual a sonda fica assentada. Em sondas autoelevatórias ou plataformas fixas, o BOP fica pouco acima da superfície do mar. Em sondas flutuantes, ele é instalado no fundo do mar. ▶ Ver *erupção*.

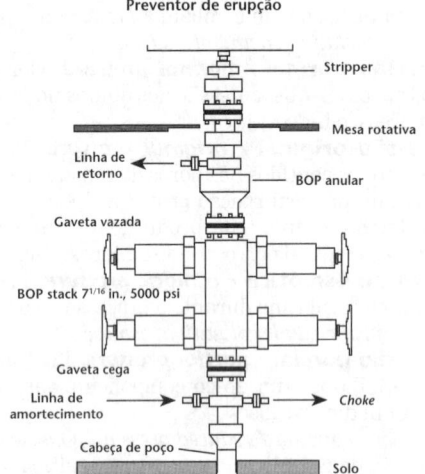

price cap. 1. Mecanismo de tarifação que consiste na definição de um preço-teto para os preços médios da firma, corrigido de acordo com a evolução de um índice de preços ao consumidor, o *retail price index* (*RPI*), menos um percentual equivalente a um fator X de produtividade, para um período prefixado de anos. Este mecanismo de tarifação busca estimular a eficiência produtiva, visto que, por causa do preço previamente especificado, as firmas tendem a minimizar os custos para se apropriarem de lucros excedentes. **2.** Mecanismo comum em contratos de partilha de produção (*PSA*). Em casos de subida ou descida substancial do preço de petróleo, poderá haver uma renegociação do preço-base.

primeira diferença de tensão normal / *first normal stress difference*. 1. Diferença entre a tensão normal na direção do escoamento e a tensão na direção perpendicular ao longo da qual se dá a variação de velocidade. **2.** Uma das três funções materiais que caracterizam o escoamento simples de cisalhamento. ↔ Fisicamente, os fluidos que têm esta função material apresentam também propriedades elásticas, que podem ser determinadas em ensaios de cisalhamento simples.

primeira parcela de óleo / *first oil production*. Parcela de 20% da produção, dividida entre o governo e o contratado, na base do rateio previsto em contrato de partilha de produção na Indonésia, antes de qualquer dedução para recuperação de custos.

primeiro estágio de separação / *first stage separation*. Processo de separação bi ou trifásica que é realizada na corrente efluente do poço, tão logo essa corrente atinja a instalação de produção, onde se realiza o processamento primário. ↔ O objetivo maior desse primeiro estágio é promover a remoção do gás em um nível de pressão adequado à compressão para o aproveitamento do mesmo.

primeiro retorno / *first bottom return*. Componente de um registro batimétrico ou sonográfico que representa o caminho acústico mais curto entre o equipamento rebocado e o fundo marinho imediatamente abaixo. ↔ Em sistemas de sonar de varredura o primeiro retorno é utilizado para determinar a altitude do equipamento rebocado, item importante nos algoritmos de correção de varredura.

principal tamanho de partícula / *mean particle size*. O mesmo que *tamanho de partícula*. ▶ Ver *tamanho de partícula*.

princípio da isonomia tributária / *principle of tax equality*. Princípio insculpido no inciso II do art. 150 da Constituição Federal Brasileira, segundo o qual veda-se aos entes políticos instituir tratamento desigual entre contribuintes que se encontrem em situação equivalente.

princípio de equação financeira do contrato / *financial contract equation principle*. Princípio que norteia empresas que entram com capital próprio para investir em um *project finance*, indicando a proporção entre seus encargos e sua correspondente remuneração. ▶ Ver *project finance*.

princípio de Fermat / *Fermat's principle*. Princípio que estabelece que a trajetória de um raio entre dois pontos é tal que a variação de primeira ordem do tempo de trânsito em relação às trajetórias vizinhas é igual a zero. Ou seja, a trajetória entre dois pontos corresponde à trajetória de menor tempo. ↔ Esta trajetória também é conhecida como *trajetória de tempo mínimo* ou *braquistócrona*.

princípio do poluidor-pagador / *polluter-payer principle*. Princípio que instrui o pagamento de taxa proporcional à poluição gerada ou à correção total dos danos da poluição pelo poluidor.

princípio do uniformitarismo / *principle of uniformitarianism*. Princípio que estabelece que os processos geológicos atuais são essencialmente semelhantes aos que atuaram em tempos pretéritos, podendo ser usados para explicar eventos geológicos passados.

prisão de tubagem (Port.) (Ang.) / *pipe sticking*. O mesmo que *prisão de tubo*. ▶ Ver *prisão de tubo*.

prisão de tubo / *pipe sticking*. O mesmo que *tubo preso*. ▶ Ver *tubo preso*; *peixe*; *pescaria*.

prisão por chaveta / *key seat pipe sticking*. Prisão da coluna de perfuração provocada por uma chaveta em um trecho do poço onde há uma curvatura (*dog leg*). ↔ Ocorre em consequência do atrito da coluna de perfuração contra um trecho curvo do poço, gerando uma seção de menor diâmetro que o da broca (chaveta). Ao se tentar tirar a coluna, a tubulação que cavou essa seção passa por ela, mas não os outros elementos da coluna que têm diâmetro maior, tais como conexões (*tool joints*), estabilizadores, comandos, escariadores, broca. ▶ Ver *prisão de tubo*; *desvio*.

prisão por diferencial de pressão / *differential sticking*. Condição na qual não se consegue girar ou transladar a coluna de perfuração, pois esta se encontra presa à parede do poço. ⇨ Essa prisão ocorre em função de se perfurar uma zona depletada com um alto peso de fluido de perfuração. A força que prende a coluna é calculada pelo produto da diferença de pressão entre o poço e formação (pressão hidrostática menos a pressão de poros) pela área da coluna que está encostada na formação. Os comandos espiralados são usados para diminuir a possibilidade desse tipo de prisão. ▶ Ver *pressão hidrostática*.

processador de vetores / *vector processor, vector facility*. Periférico utilizado nos computadores científicos cuja função é executar operações que envolvem vetores (séries discretas) em paralelo com a CPU.

processamento adaptativo / *adaptive processing*. Ajuste dos parâmetros de processamento sísmico para diferentes posições (em tempo e/ou espaço) do dado.

processamento alfa / *alpha processing*. Técnica de processamento para combinar uma medida de alta acurácia e baixa precisão com outra medida da mesma quantidade mas com alta precisão e baixa acurácia, para obter com essa combinação um resultado melhor que outro obtido isoladamente. ⇨ Esta técnica é usada para melhorar a resolução vertical da porosidade neutrônica e outros perfis nucleares com duplo detetor. O detetor próximo da fonte tem melhor precisão que o detetor afastado, no sentido de que ele responde com maior precisão às variações verticais. Por outro lado, o detetor mais próximo é o menos acurado por ser mais afetado pelo ambiente do poço. ▶ Ver *perfil neutrônico compensado*.

processamento de gás natural / *natural gas processing*. Tratamento do gás natural produzido para retirar impurezas, condicionar o gás e extrair e tratar os líquidos mais valiosos (etano, propano, butano e gasolina natural). ⇨ Em termos práticos, começa na boca do poço e se completa através de planta de processamento ou planta de gasolina natural. Mais especificamente, o processamento de gás natural se refere apenas à parte de planta de processo. Consideram-se as seguintes fases para o processamento do gás: *(I)* condicionamento (*conditioning*); *(II)* retirada de impurezas; *(III)* processamento (*processing*); *(IV)* recuperação de líquidos e *(V)* tratamento (*treatment*) e adição de *mercaptans* (aditivos odorizantes). ▶ Ver *gás natural*; *processamento do gás*.

processamento de pulso / *wavelet processing*. O mesmo que *conformação do pulso*. ▶ Ver *conformação do pulso*.

processamento do gás / *gas processing*. 1. Termo genérico na atividade de processamento primário, que designa todas as operações realizadas no manuseio superficial do gás produzido para seu condicionamento, até sua destinação final. **2.** Em instalações industriais (refinarias e plantas petroquímicas) designa também as operações nas quais o gás é utilizado como matéria-prima para obtenção de outros produtos. ▶ Ver *gás natural*; *processamento de gás natural*.

processamento em linha / *on-line processing*. Processamento em tempo real.

processamento em lotes / *batch processing*. Execução sequencial de uma série de programas não interativos em um computador. ⇨ Programas em lote (*batch jobs*) são preparados para serem executados sem interação humana; assim, todos os dados de entrada e saída são predefinidos através de comandos de controle ou parâmetros no comando de execução. Geralmente, a execução de programas em lote é agendada para horários em que o computador esteja com pouca carga. Esse tipo de processamento é bastante útil em operações que requeiram a utilização de periféricos por um longo período de tempo.

processamento em segundo plano / *background processing*. Processamento no qual o programa não interage visualmente com o usuário. ⇨ Sistemas operacionais antigos executavam tarefas em segundo plano somente quando as tarefas de primeiro plano, com maior prioridade, estavam em espera, como, por exemplo, aguardando o acionamento de uma tecla. Os atuais sistemas operacionais multitarefa compartilham o tempo entre os processos em primeiro plano e os em segundo plano. A capacidade de executar programas ou comandos em segundo plano é uma das principais características do sistema operacional UNIX.

processamento gravimétrico / *gravity processing*. Processamento dos dados de gravimetria que usa uma das correções da redução gravimétrica com o objetivo de descobrir as estruturas geológicas da subsuperfície.

processamento multicomponente / *multicomponent processing*. Processamento de dados obtidos com geofones de mais de uma componente.

processamento por pulsação (Port.) (Ang.) / *wavelet processing*. O mesmo que *conformação de pulso*. ▶ Ver *conformação do pulso*.

processamento sísmico / *seismic processing*. Conjunto de técnicas matemáticas e computacionais aplicadas aos dados de sísmica de reflexão, para gerar a imagem desejada das estruturas geológicas da subsuperfície.

processo de flotação / *flotation process*. Processo de separação de particulados dispersos em uma corrente de líquido, caracterizado pela ascensão do material disperso à superfície livre do líquido. ↔ Trata-se de um processo de separação muito utilizado nos equipamentos de tratamento de efluentes líquidos. Consiste em promover, por diferença de densidade no campo gravitacional, a ascensão do material granular disperso até a superfície livre do líquido. Esse processo é, usualmente, precedido de floculação. É também muitas vezes empregado um gás finamente disperso, que também compõe os flocos formados de forma a facilitar a ascensão dos mesmos.

processo de flutuação / *fluctuation process*. O mesmo que *processo de flotação*. ▶ Ver *processo de flotação*.

processo de injeção de álcool / *alcohol-slug process*. Técnica de recuperação avançada que utiliza a injeção de um banco de álcool no reservatório visando o deslocamento miscível do óleo.

processo determinístico / *deterministic Process*. Processo no qual os resultados podem ser previstos com precisão a partir do conhecimento das condições iniciais.

processo estacionário / *stationary process*. Processo cujas propriedades não variam com o tempo.

procura bioquímica de oxigênio / *biochemical oxygen demand (BOD)*. O mesmo que *demanda bioquímica de oxigênio (DBO)*. ▶ Ver *demanda bioquímica de oxigênio (DBO)*.

procura química de oxigênio / *chemical oxygen demand (COD)*. O mesmo que *demanda química de oxigênio (DQO)*. ▶ Ver *demanda química de oxigênio (DQO)*.

prodelta / *prodelta*. 1. Parte mais bacinal dos deltas, situada abaixo da ação das ondas. Apresenta uma suave inclinação para o interior da bacia. 2. Por extensão, corresponde aos sedimentos sílticoargilosos depositados na frente dos deltas.

produção / *production*. Conjunto de operações coordenadas de extração de petróleo ou gás natural de uma jazida e de preparo de sua movimentação, ou, ainda, volume de petróleo ou gás natural extraído durante a produção. ↔ A fase de produção de um contrato ou concessão exploratória se inicia com a declaração de comercialidade de uma descoberta e termina com o fechamento e abandono do campo.

produção acumulada / *cumulative production*. Volume total de hidrocarbonetos produzido até uma certa data. ↔ Ao final da vida do campo (final da produção econômica e abandono do campo), a produção acumulada revela a verdadeira reserva do campo (confirmando o grau de acerto das estimativas). ▶ Ver *produção*.

produção anular / *annular production*. Produção de fluido da formação através do espaço anular entre a tubulação de produção e o revestimento. ▶ Ver *produção*.

produção comercial / *commercial production*. Produção em que os retornos financeiros são maiores que os custos de investimentos e operacionais.

produção de areia / *sand production*. 1. Migração da areia da formação, após sua ruptura por cisalhamento, causada pelo escoamento de fluidos entre reservatório e poço. 2. Processo de desintegração de arenitos friáveis, cujos grãos se desprendem da matriz e invadem o poço devido à força de arraste exercida pelo fluxo de fluidos do reservatório para o poço. ↔ A produção de areia é indesejada, pois erode componentes de superfície e subsuperfície, levando a riscos operacionais. A disposição final da areia produzida, principalmente em ambiente *offshore*, apresenta grandes dificuldades operacionais, bem como eleva o custo de produção. ▶ Ver *controle de produção de areia*.

produção de campo / *field production*. Produção total de um campo, igual à soma das produções de todos os poços do campo. ▶ Ver *produção*.

produção de gás natural / *natural gas production*. Suprimento de gás natural no qual são aplicadas várias técnicas de processamento, objetivando seu fornecimento dentro de parâmetros previamente definidos pelos órgãos reguladores. ↔ Na etapa de produção, o gás natural é processado por intermédio da utilização de vasos separadores, projetados e equipados com o objetivo de eliminar hidrocarbonetos e água que estiverem em estado líquido e partículas sólidas (pó, produtos corrosivos, etc), normalmente detectadas nesse gás. O gás poderá sofrer um processamento de descontaminação, tendo em vista a possibilidade da presença de compostos de enxofre. Observa-se que parte desse gás é utilizada em seu próprio sistema de produção, em processos conhecidos como rejeição e *gas lift*, visando com isto ao aumento da recuperação de petróleo do reservatório. ▶ Ver *produção; órgão regulador*; *gas lift*.

produção de poço / *well production*. Produção de um poço, isoladamente. ↔ Num mesmo campo, a produção pode variar muito de um poço para outro, em função de certos fatores (localização do poço, grau de dano de formação etc). ▶ Ver *produção*.

produção em golfada / *slugging production*. Condição operacional na qual a planta de processamento primário é alimentada por uma corrente de fluidos em regime de escoamento em golfadas (regime intermitente, onde o fluxo se caracteriza por apresentar alternância entre a passagem de líquido e a passagem de gás). ↔ Trata-se de uma situação relativamente comum em diversas instalações de produção. Pode ser causada pela produção intermitente do poço (principalmente no caso de elevação artificial, com o emprego de gás de elevação), ou mesmo pela configuração geométrica das linhas de produção ou da tubulação que vem da instalação submarina para a planta no convés da plataforma.

produção inicial / *initial production*. Produção correspondente às primeiras 24 horas de produção de um poço. ▶ Ver *potencial inicial*.

produção primária / *primary production*. O mesmo que *recuperação primária* e *recuperação primária de óleo*. ▶ Ver *recuperação primária*; *recuperação primária de óleo*.

produção por injeção de gás (Port.) (Ang.) / *gas-lift method*. O mesmo que *método* gas lift. ▶ Ver *método* gas lift.

produção por poço / *well production*. O mesmo que *produção de poço*. ▶ Ver *produção de poço*; *índice de produtividade*.

produtividade de poço / *well productivity*. Medida do desempenho de um poço dentro de um campo. ▶ Ver *índice de produtividade*; *produção de poço*.

produto claro / *clean petroleum product*. Designação genérica de alguns derivados de petróleo que têm coloração clara. São líquidos e pouco viscosos, tais como gasolina, querosene e diesel.

produto corrosivo / *corrosive product*. Substância, líquido ou gás, que promove o processo de corrosão de uma superfície metálica. •• Qualquer substância que destrói ou danifica irreversivelmente outra substância, inclusive o tecido humano, é chamada de produto corrosivo. Ácidos e bases fortes são os produtos corrosivos mais comumente encontrados. ▶ Ver *corrosão*.

produto de instalação de gás (Port.) / *gas plant product*. O mesmo que *produto de planta de gás*. ▶ Ver *produto de planta de gás*.

produto de planta de gás / *gas plant product*. Hidrocarboneto efluente de uma planta de processamento de gás natural. •• As matérias-primas de interesse para a indústria petroquímica, tais como o eteno, ou ainda os combustíveis especificados como GLP, gasolina etc., compõem o conjunto de produtos de uma planta de gás. ▶ Ver *planta de gás*.

produto do gás natural liquefeito / *liquefied natural gas product*. Líquido produzido a partir do gás natural liquefeito (condensados, butano, propano e etano). ▶ Ver *gás natural liquefeito*; *planta de gás*; *planta de gás natural*.

produto fonte-receptor / *source-receiver product*. Número de trajetórias de raio, misturadas entre si para produzir a mostra final. Também chamada de *effort* (esforço), que é igual ao produto do número de furos por tiro (ou impulsos por registro), do número de geofones por grupo, e do número de registros empilhados.

produtor afiliado / *affiliated producer*. Empresa ou entidade produtora, associada a uma que é a produtora principal.

profundidade comum / *common depth*. O mesmo que *ponto comum em profundidade*. ▶ Ver *ponto comum em profundidade*.

profundidade crítica / *critical depth*. Profundidade mínima de uma rocha-reservatório, necessária para o fechamento de uma trapa particular.

profundidade de água (Ang.) / *water depth*. O mesmo que *coluna d'água* ou *lâmina d'água*. •• Medida da altura entre o nível do mar e o fundo do mar. ▶ Ver *coluna d'água*.

profundidade de compensação / *compensation depth*. Profundidade no oceano na qual o consumo e a produção de oxigênio são iguais. •• Este é o nível mais profundo no qual o fitoplâncton consegue produzir oxigênio e, por consequência, viver. Este nível representa a base da zona eufótica.

profundidade de compensação de carbonato / *carbonate compensation depth (CCD)*. Profundidade do mar abaixo da qual a solubilidade da solução de carbonato de cálcio é maior que sua deposição, por sofrer deterioração ao migrar para o fundo, devido ao aumento de pressão, diminuição da temperatura e aumento do teor de gás carbônico.

profundidade de início do desvio de poço / *kickoff, kick-off point, kick-off depth*. Profundidade em que se inicia o ganho de ângulo durante a perfuração de um poço direcional. Ponto onde o poço sai da verticalidade e inicia o desvio, aumentando a inclinação (*build-up*). ▶ Ver *perfuração direcional*; *poço direcional*.

profundidade de invasão / *depth of invasion*. Distância radial (a partir da parede do poço) que o filtrado da lama penetrou na formação. •• A profundidade de invasão considera medição realizada pelo correspondente perfil na *(I)* zona invadida, ou na *(II)* zona virgem ou em *(III)* parte de cada uma das zonas mencionadas. O termo está intimamente relacionado com o diâmetro de invasão, que corresponde a duas vezes a profundidade de invasão mais o diâmetro do poço. O termo é bem definido no caso de perfil de invasão em degrau. No caso de um ânulo ou uma zona de transição, duas profundidades devem ser definidas, correspondentes aos limites interno e externo do ânulo, sendo a área entre os quais chamada de *zona de transição*. Quando o modelo de invasão não for específico, o termo comumente se refere ao limite externo da invasão. ▶ Ver *ânulo*; *perfil*; *zona invadida*.

profundidade de investigação / *depth of investigation*. 1. Raio de investigação. 2. Profundidade abaixo da superfície onde ocorre uma real investigação. •• Distância radial a partir do ponto de medida na ferramenta até um ponto comumente dentro da formação, no qual a resposta predominante medida pela ferramenta pode ser considerada centrada. Varia de um tipo de dispositivo para outro em função do projeto e das técnicas de compensação e focalização. Pode também mudar de formação para formação devido a mudanças nas propriedades da formação.

profundidade de penetração / *depth of penetration*. Profundidade que um dado levantamento ou método geofísico pode atingir em sua penetração.

profundidade do sondador / *driller's depth*. Primeira medida de profundidade feita em um poço. •• A origem desta medida é a mesa rotativa. É obtida somando-se o comprimento dos elementos tubulares descidos no poço. Algumas medidas feitas posteriormente, por exemplo, na completação, com o uso de uma sonda com geometria distinta da de perfuração, devem ser corrigidas para as profundidades medidas registradas com a sonda que perfurou o poço. Em literatura inglesa usa-se a sigla MP (*measured depth* / *profundidade medida*) para apresentar esta grandeza.

profundidade final / ***total depth***. Profundidade medida do fundo do poço. Maior profundidade atingida pela broca. A referência na perfuração é sempre a mesa rotativa. ↬ Profundidade final planejada do poço, medida pelo comprimento de tubo requerido para se chegar ao fundo.

profundidade medida / ***measured depth***. 1. Comprimento real de poço, desde a superfície até um ponto considerado. 2. Comprimento medido na trajetória do poço. ▶ Ver *profundidade vertical*.

profundidade total / ***total depth***. Profundidade máxima atingida quando da perfuração de um poço.

profundidade vertical / ***true vertical depth (TVD)***. Medida da projeção vertical de um ponto em subsuperfície até a mesa rotativa. Juntamente com a profundidade medida formam o par de medidas básicas em um poço. ↬ A profundidade vertical deve ser considerada quando se quer calcular a pressão hidrostática dentro do poço ou avaliar a tensão litoestática atuante em uma determinada formação.

progradação / ***progradation***. Avanço da linha de costa em direção ao mar.

progradação sigmoide / ***sigmoidal progradation***. Progradação de formas geométricas deposicionais que se assemelham à geometria de uma sigmoide, ou seja, semelhante à forma da letra S deitada. As formas sigmoidais são tangenciais nas duas extremidades.

programa anual de trabalho / ***annual work program***. Conjunto de atividades a serem realizadas pelo concessionário no decorrer de um ano civil. ▶ Ver *concessionário*.

programa de investimento / ***investment program***. Conjunto de vários empreendimentos, e por consequência de seus respectivos projetos, que se interdependem por motivos técnicos, financeiros, organizacionais, regionais, logísticos ou até mesmo políticos. ↬ Um determinado programa de investimento busca, para seus empreendimentos e projetos correspondentes, um desenvolvimento uniforme e baseado em procedimentos e padrões administrativos em harmonia com diretrizes e orientações existentes na organização empresarial à qual pertence. ▶ Ver *gerência de empreendimento*.

programa de lama / ***mud program***. Planejamento formal para um poço específico, que determina as propriedades que o fluido de perfuração deve ter em cada fase do poço, concebido de acordo com as formações a serem perfuradas e o tempo em que elas deverão ficar expostas, objetivando evitar problemas de inchamento das argilas, desmoronamentos, alargamentos excessivos etc. ↬ As propriedades do fluido de perfuração que mais influenciam na taxa de penetração e, consequentemente, no custo, e que devem ser rigorosamente seguidas de acordo com o programa de lama são a densidade, o teor de sólidos, o filtrado e os parâmetros reológicos. ▶ Ver *densidade do fluido de perfuração*; *filtrado*.

programa de perfuração / ***drilling program***. Documento que define a forma como o poço deverá ser perfurado. Devem constar no programa de perfuração todas as informações necessárias aos profissionais que participarão dela, de forma a servir de referência para eventuais tomadas de decisão quanto à realização do projeto. ↬ Normalmente consta de um histórico com informações geológicas, um projeto gráfico representativo das diversas etapas da construção do poço e programações detalhadas das operações que deverão ser executadas, assim como das ferramentas a serem usadas e em qual ordem. ▶ Ver *poço de petróleo*.

programa de revestimento / ***casing program***. Conjunto de colunas de revestimento planejado para a construção do poço. Normalmente, neste programa de revestimento constam as profundidades das sapatas e as colunas de revestimento para cada fase, e ele informa se serão usadas uma ou mais seções por fase, especificando o diâmetro, peso, grau, conexão e algum outro detalhe específico. ▶ Ver *coluna de revestimento*.

programa de trabalho inicial / ***initial work program***. Planejamento de como se iniciará o trabalho de produção de petróleo ou gás, normalmente aplicável em licitações ou sucessão empresarial de campos marginais.

programa exploratório mínimo / ***minimum exploratory program***. 1. Obrigação prevista nos contratos de concessão das áreas de exploração, como inversão mínima a ser realizada. 2. Programa que tem suas diretrizes de definição no edital de cada rodada de licitações no Brasil. ▶ Ver *Agência Nacional do Petróleo, Gás Natural e Biocombustíveis (ANP)*; *contrato de concessão*.

projeção de produção (Port.) (Ang.) / ***production projection***. O mesmo que *horizonte de produção*. ▶ Ver *horizonte de produção*.

projeção UTM / ***UTM projection***. Sistema de projeção cartográfica em que a superfície terrestre é projetada sobre um cilindro tangente a sua superfície. ↬ Para compreender como a projeção UTM é desenvolvida, imagina-se a Terra como uma laranja, com polos, linha do equador, paralelos e meridianos desenhados sobre ela. Imagina-se agora cortá-la com uma faca para retirar dois pequenos círculos, um no polo norte e um no polo sul, e depois fazer um corte na casca da laranja na direção norte-sul, repetindo este corte norte-sul a intervalos iguais, para obter 60 zonas, ou fusos destacados. ▶ Ver *coordenadas UTM*.

project breakdown structure. O mesmo que *estrutura analítica de projeto*. ▶ Ver *estrutura analítica de projeto*.

project finance. 1. Estruturação financeira visando à viabilidade de um determinado projeto ou empreendimento. 2. Forma de engenharia e colaboração financeira apoiada contratualmente pelo fluxo de caixa de um investimento, tendo como base a garantia dos ativos a serem adquiridos e os valores recebíveis ao longo do projeto ou empreendimento. ⦁ Instrumento financeiro muito utilizado na implementação de projetos para o setor petróleo, como por exemplo, a construção de plataformas de produção. ▶ Ver *projeto financeiro*; *retorno de investimento*; *índice de cobertura do serviço da dívida*.

projecto sem construções anteriores (Port.) (Ang.) / *a project site with no constructions.* O mesmo que greenfield. ▶ Ver greenfield.

projeto básico / *basic design.* Desenvolvimento ordenado e metódico de concepções técnicas, desenhos, memoriais descritivos, requisições de principais equipamentos e sistemas, especificações técnicas, estimativas de custos e prazos e demais elementos que se fizerem necessários de acordo com a natureza, porte ou complexidade do empreendimento. ⦁ O conjunto dos documentos de um projeto básico deve permitir a plena execução do projeto executivo e o fornecimento de materiais, equipamentos e sistemas para as instalações a que se destinam. Deve estar organizado e disponível em um *data book* (meio físico e eletrônico). ▶ Ver *projeto conceitual*; *projeto executivo*; *construção e montagem*; *gerência de empreendimento*; data book.

projeto conceitual / *conceptual design.* Desenvolvimento ordenado e metódico de atividades técnicas contendo soluções alternativas, aspectos de racionalização de processos, definição de rotas tecnológicas, dimensionamento funcional e de suas partes, preparo de arranjo geral esquemático, relação de autorizações legais requeridas para implantação e estimativa preliminar de custos e prazos de um empreendimento petrolífero. ⦁ O conjunto dos documentos de um projeto conceitual deve permitir a plena execução do projeto básico e deve estar organizado e disponível em um *data book* (meio físico e eletrônico). ▶ Ver *projeto básico*; *projeto executivo*; *gerência de empreendimento*; data book.

projeto da coluna de perfuração / *drill string design.* Parte do programa de perfuração, o projeto da coluna de perfuração inclui a composição de fundo (*BHA*) e o tipo de tubos de perfuração que completarão o restante da coluna até a superfície. ⦁ O *BHA* varia de acordo com as informações que se deseja obter a partir das ferramentas de perfilagem durante a perfuração (*LWD*); o tipo de controle de direcional (estabilizadores, motor de fundo, *rotary steerable system*); o tipo de broca, que muitas vezes necessita de uma turbina; o máximo peso sobre a broca; a inclinação do poço e as características do fluido de perfuração, a temperatura e a pressão esperadas. ▶ Ver *composição de fundo de poço*; *programa de perfuração*.

projeto de controle ambiental (PCA) / *environmental control project.* Projeto elaborado pelo empreendedor, contendo os projetos executivos de minimização dos impactos ambientais avaliados nas fases da LPper (*perfuração*), LPpro (*produção*) e LI (*instalação*), com seus respectivos documentos.

projeto de detalhamento / *detailed design.* O mesmo que *projeto executivo*. ▶ Ver *projeto executivo*.

projeto de detalhamento de engenharia (Port.) (Ang.) / *detailed engineering design.* O mesmo que *projeto executivo*. ▶ Ver *projeto executivo*.

projeto executivo / *detailed design.* Desenvolvimento ordenado e metódico de atividades com o objetivo de integração entre materiais, equipamentos, atividades e sistemas associados, envolvendo uma série de disciplinas técnicas (civil, tubulação, elétrica, caldeiraria, automação etc.) gerenciadas e coordenadas para a concretização de determinado fim, dentro de parâmetros de custo, prazo e qualidade definidos. ⦁ O conjunto dos documentos de um projeto executivo deve permitir a elaboração de orçamentos e a plena execução das atividades de suprimento de materiais, equipamentos e sistemas, e construção e montagem das instalações a que se destinam. Devem estar organizados e disponíveis em um *data book* (meio físico e eletrônico). ▶ Ver *projeto básico*; *construção e montagem*; *gerência de empreendimento*; data book.

projeto financeiro / *project finance.* Sistema complexo de parceria, através de um projeto estruturado, com baixa ou nenhuma solidariedade dos patrocinadores, enfocando todas as partes envolvidas no atendimento das condições necessárias para se atingir um fluxo de caixa projetado, utilizado principalmente em análise de grandes projetos industriais ou de infraestrutura, baseado em obrigações contratuais e ligado a um contexto internacional. ▶ Ver project finance.

propagação de fratura / *fracture propagation.* 1. Crescimento da fratura, mediante bombeio de fluido. 2. Processo de desenvolvimento de uma fratura hidráulica, durante bombeio de fluido sob pressão e vazão de tratamento, até que a mesma alcance o comprimento programado. ▶ Ver *pressão de propagação*; *fratura*; *fraturamento hidráulico*.

propagação reversa / *backward propagation.* Reconstrução do percurso ('depropagação') do sinal através da equação de onda (ou alguma aproximação desta), geralmente com o objetivo de migração de dados sísmicos, usando um modelo geológico definido por espessuras e velocidades das camadas.

propane (Port.) (Ang.) / *propane*. O mesmo que *propano*. ▶ Ver *propano*.

propano / *propane*. Hidrocarboneto saturado com três átomos de carbono e oito de hidrogênio (C_3H_8), gasoso, incolor e de odor característico. ↝ Compõe o GLP. Empregado como combustível doméstico e como iluminante. Também utilizado como fonte de calor industrial em caldeiras, fornalhas e secadores. O propano tem peso molecular de 44,09, temperatura crítica de 666 °R e pressão crítica de 617 psi. ▶ Ver *hidrocarboneto*.

propante / *proppant*. 1. Material granular utilizado em operações de fraturamento hidráulico para sustentar a fratura, de modo a se obter um canal permanente de fluxo entre formação e poço, depois de concluído o bombeio de fluido e propagação da fratura. 2. Material granular utilizado para preenchimento do espaço anular entre telas e parede de poço, em operações de *gravel pack*. ▶ Ver *fratura*; *condutividade*; *sustentação de fratura*; gravel pack.

propante traçador / *proppant tracer*. Material granular radioativo colocado na fratura em pequenas concentrações, misturado ao propante, de forma que se possa, após o fraturamento, determinar a altura de fratura por meio de um perfil de raios gama. ▶ Ver *fraturamento hidráulico*; *altura de fratura*; *propante*; *perfil de raios gama*.

proporcional-integral-derivativo / *proportional integral and derivative*. Estratégia de controle simples e muito eficiente, empregada na maioria dos processos. ↝ Baseia-se em cálculos matemáticos de proporção, integração e derivação sobre a diferença do ponto de ajuste e o valor atual da variável de controle, ou seja, o erro do processo.

propriedade coligativa / *colligative properties*. Verificação da variação entre as interações intermoleculares de atração e repulsão existentes entre soluto e solvente como, por exemplo, o ponto de fusão, o ponto de ebulição e pressão de vapor. As propriedades coligativas das soluções dependem apenas do número de partículas de soluto dispersas em meio a um solvente, independentemente da natureza do soluto. ↝ Em geral, as propriedades coligativas são *tonometria* ou *tonoscopia*, *ebuliometria* ou *ebulioscopia*, *criometria* ou *crioscopia* e *osmometria* ou *osmoscopia*. Mais precisamente, as denominações utilizadas para o estudo das propriedades são *tonoscopia*, *ebulioscopia*, *crioscopia* e *osmoscopia*, enquanto que as utilizadas para o estudo direto das medidas são *tonometria* e *criometria*.

propriedade composicional / *compositional property*. Análise ou simulação de processo ou escoamento que é realizada levando-se em consideração a composição dos fluidos e não apenas suas propriedades médias. ↝ Nas análises denominadas *composicionais* tanto de separação de fases como de escoamento, são levadas em conta as interações termodinâmicas entre os diversos componentes das fases líquida e vapor de hidrocarboneto presentes no equipamento ou tubulação.

propriedade das fases / *phase properties*. Grandezas que caracterizam a composição, a densidade, a viscosidade, a quantidade relativa de óleo, a microemulsão, o solvente ou água formados em um fluido com micelas, ou quando um solvente miscível é misturado ao óleo em um processo de recuperação avançada.

propriedades físicas dos fluidos / *fluid physical properties*. Grandezas que caracterizam cada uma das fases presentes nas correntes do sistema de processamento primário de petróleo. ↝ Os fluidos são caracterizados por três propriedades fundamentais: massa específica, viscosidade e tensão superficial. As propriedades físicas variam com as condições de temperatura e pressão.

prospecção / *survey*. 1. Processo sistemático e exato para examinar e delinear as características químicas ou físicas da superfície, subsuperfície ou constituição interna da Terra, empregando topografia, geologia e medidas geofísicas ou geoquímicas. 2. Dados ou resultados associados obtidos em uma pesquisa. Mapa ou descrição de uma área obtida por avaliação.

prospecção de superfície / *surface prospecting*. Método de pesquisa de exploração em que se medem os fenômenos ocorridos em superfície ou próximos a esta. ↝ Esses fenômenos podem ser direta ou indiretamente atribuídos tanto a exsudações de gás como de óleo, oriundos de subsuperfície. Os métodos de prospecção de superfície ou de subsuperfície mais comuns são realizados através de amostras de solos ou de sedimentos, mediante análise de gases ou outros hidrocarbonetos leves, ou ainda outros produtos presumivelmente secundários (iodo, radioatividade etc.) relacionados a exsudações de petróleo. Alternativamente, os detectores de hidrocarbonetos, ou cintilômetros (por radioatividade), podem ser empregados tanto de forma aerotransportada como ao longo de estradas, ou em malhas de amostragem, na busca por áreas de 'anomalias'.

prospecção eletrossísmica / *electroseismic prospecting*. Método geofísico em que sinais eletromagnéticos são produzidos e registrados quando os sinais sísmicos perturbam a camada dielétrica que se forma ao longo da superfície das falhas em formações saturadas.

prospecção geofísica / *geophysical prospecting*. Pesquisa de jazidas minerais utilizando métodos geofísicos.

prospecção magnética / *magnetic prospecting*. Técnica de geofísica aplicada em que uma pesquisa é feita com um magnetômetro no solo ou no espaço (avião ou satélite) para detectar as anomalias, ou variações locais, na intensidade do campo magnético.

prospecção sísmica / *seismic prospecting*. Método de prospecção baseado nas gravações das ondas sísmicas provenientes de uma fonte artificial.

prospecto / *prospect*. Feição geológica mapeada como resultado de estudos geofísicos e de interpretação geológica que justificam a perfuração de poços exploratórios para a localização de petróleo ou gás natural.

protecção anódica (Port.) (Ang.) / *anodic protection*. O mesmo que *ânodo de sacrifício*. ▶ Ver *ânodo de sacrifício*.

proteção catódica / *cathodic protection*. Técnica que consiste na transformação da estrutura metálica que se deseja proteger no catodo de uma pilha eletroquímica, de modo a mitigar a corrosão possível. A estrutura deve estar em contato com um eletrólito. Prevenção da corrosão em estruturas de aço submersas, por meio da colocação de ânodos de zinco ou corrente impressa. •• As instalações nas quais se utiliza amplamente a proteção catódica são as tubulações enterradas e submersas, tanques de armazenamento enterrados ou com o fundo em contato com o solo e instalações marítimas.

proteção catódica por corrente impressa / *impressed current cathodic protection*. Proteção catódica na qual a fonte de elétrons é um retificador de corrente. •• Neste sistema, a corrente elétrica é promovida por uma força eletromotriz de uma fonte geradora de corrente contínua. Tal técnica se aplica a estruturas instaladas em eletrólitos de baixa, média e alta resistividade. ▶ Ver *proteção catódica*.

proteção contra perdas por flutuação de preços (Port.) (Ang.) / *hedge*. O mesmo que hedge. ▶ Ver hedge.

proteção contra sobrecorrente / *overcurrent protection*. Sistema de segurança para proteger eletricamente o motor elétrico de um conjunto de bombeio centrífugo submerso (BCS) contra sobrecargas, devidas, tipicamente, a situações de travamento do motor ou curtos-circuitos elétricos. ▶ Ver *bombeio centrífugo submerso*; *motor elétrico*; *proteção contra subcorrente*.

proteção contra subcorrente / *undercurrent protection*. Sistema de segurança para proteger eletricamente o motor elétrico de um conjunto de bombeio centrífugo submerso (BCS) contra operações em baixa corrente devido, tipicamente, a situações de eixo quebrado e/ou bombeamento de grandes quantidades de gás. •• No sistema motor-bomba de BCS a refrigeração do motor é obtida através do próprio fluido bombeado. Assim, quando do bombeamento de gás, ainda que a demanda de energia não seja alta (daí as baixas correntes), a capacidade calorífica é igualmente baixa para tal fluido e isso resultaria, normalmente, num sobreaquecimento do motor até sua falha. ▶ Ver *bombeio centrífugo submerso*; *motor elétrico*; *proteção contra sobrecorrente*.

protetor de correia / *belt cover*. Peça fabricada em chapas e telas, geralmente metálica, utilizada no método de produção por bombeio mecânico, que envolve as correias e o par de polias e tem a função de proteger as pessoas de possíveis acidentes quando da ruptura das correias. ▶ Ver *bombeio mecânico*.

protetor do motor elétrico / *electric motor protector*. Equipamento, integrante de um conjunto de bombeio centrífugo submerso (BCS), que tem por objetivo proteger o motor contra aspectos de agressividade relativos ao meio ambiente de fundo de um poço de petróleo. •• O protetor do motor tem por funções: *(I)* conectar as carcaças e os eixos da bomba com os do motor; *(II)* suportar esforços axiais da bomba; *(III)* evitar entrada de fluido do poço para o interior do motor; *(IV)* equalizar a pressão interna do motor com a pressão externa; e *(V)* prover ao motor a quantidade de fluido dielétrico necessária, em função da variação de volume causada por variações de temperatura. Tem dois tipos: com labirinto e com bolsa de dilatação. ▶ Ver *bombeio centrífugo submerso*; *motor elétrico*.

protetor nominal de *housing* / *nominal seat protector*. Bucha de desgaste que protege o alojador (*housing*) contra o desgaste ocasionado pelo contato com coluna de perfuração durante a perfuração da fase seguinte. ▶ Ver *alojador*; *bucha*.

protetor nominal do alojador / *nominal seat protector (NSP)*. Protetor nominal do alojador (*housing*) de alta pressão. Também conhecido como *bucha de desgaste*. ▶ Ver *bucha de desgaste*; *protetor nominal de* housing.

protocolo de comunicação / *communication protocol*. Padrão que especifica o formato de dados e o conjunto de regras a serem seguidas durante a troca de dados entre dois equipamentos. •• Entre as atividades executadas pelo protocolo de comunicação podemos citar: *(I)* detecção e correção de erros; *(II)* roteamento de mensagens; *(III)* criptografia e segurança e *(IV)* endereçamento de rede. ▶ Ver modbus.

protocolo de intercâmbio de dados / *wellsite information transfer specification (WITS)*. Protocolo para intercâmbio de dados do poço coletados por diferentes companhias de serviços.

provação de volume de líquido / *liquid volume proving*. Procedimento necessário para determinar a relação entre o volume de líquido que passa por um medidor e o volume indicado por um padrão secundário, onde ambos os volumes têm as mesmas condições de referência. Válido também para determinar a relação mencionada entre volumes de gás. ▶ Ver *calibração*.

provador / *prover*. Provador de deslocamento mecânico, constituindo-se de um vaso ou seção de tubo com volume conhecido, utilizado como padrão de referência volumétrico para a calibração ou provação de medidores, geralmente em serviços de petróleo líquido.

provador medidor padrão / *master meter prover*. O mesmo que *medidor padrão*. ▶ Ver *medidor padrão*; *medidor mestre*.

provador tipo compacto / *compact or small volume prover*. Provador de deslocamento mecânico que não possui um volume suficiente entre seus detetores de posição de tal forma que não permite uma medição mínima de 10.000 pulsos, em forma direta e inalterada. ↝ Provadores de pequeno volume requerem a contagem de pulsos por interpolação de pulsos, ou outras técnicas, para aumentar a resolução. ▶ Ver *calibração*; *medição*; *provador*; *pulso*.

provador tipo convencional / *conventional pipe prover*. Provador de deslocamento mecânico que possui um volume suficiente entre seus detetores de posição de tal forma que permite uma medição mínima de 10.000 pulsos, em forma direta e inalterada. ↝ Provadores convencionais podem ser do tipo unidirecional ou bidirecional. ▶ Ver *calibração*; *medição*; *provador*; *pulso*.

proveniência / *provenance*. Lugar de origem específica em uma área da qual os constituintes das rochas sedimentares e suas fácies derivam. Também chamada de *área fonte* ou *local de origem dos sedimentos*.

proveta graduada / *graduated glass cylinder*. Instrumento de laboratório usado para medida de volumes de líquidos, com baixa precisão. ↝ O instrumento consiste em um tubo transparente (geralmente de vidro ou polietileno) com uma escala de volumes. Nos laboratórios de cimentação, provetas de vidro de 250 ml são usadas para realização do ensaio de água livre. ▶ Ver *equipamento de laboratório de cimentação*; *água livre*.

psamito / *psammite*. 1. Termo em desuso para definir um arenito argiloso, de granulação fina e físsil. 2. O mesmo que *arenito*. ▶ Ver *arenito*.

pseudoacamamento / *false bedding*. Estrutura que pode ser confundida com outras produzidas por atributos da tectônica, como juntas, clivagens ou até mesmo xistosidades. Falsa estratificação ou acamamento. ▶ Ver *estrutura sedimentar*.

pseudobrecha / *pseudobreccia*. Calcário parcialmente dolomitizado, caracterizado por uma aparência na rocha muito semelhante à da textura de uma brecha ou de uma superfície de calcário fino fragmentado. ▶ Ver *brecha*; *calcário*.

pseudoconglomerado / *pseudoconglomerate*. Rocha tem a aparência de um conglomerado sedimentar normal, a ponto de poder ser facilmente confundida com ele.

pseudodepressão / *downbowing, pull-down, time sag*. Aumento do tempo de reflexão devido a um corpo sobrejacente de baixa velocidade.

pseudodistância / *pseudo-range*. Primeira aproximação da medida da distância entre um satélite e um receptor de satélite para navegação, como, por exemplo, um GPS. ▶ Ver *sistema de posicionamento global*.

pseudoiluminação / *pseudo illumination*. Simulação de iluminação usada em imageamento, como, por exemplo, para realçar anomalias.

pseudoiluminação do Sol / *pseudo-sun-illumination*. Simulação de sombra no processamento de imagens. ▶ Ver *pseudoiluminação*.

pseudosseção de profundidade / *pseudodepth section*. Seção vertical de resistividade ou efeito percentual de frequência no qual a profundidade é representada esquematicamente pelo afastamento entre os eletrodos de potencial e de corrente.

pulsação (Port.) (Ang.) / *ping*. O mesmo que *pulso*. ▶ Ver *pulso*.

pulsação causal (Port.) / *causal wavelet*. O mesmo que *pulso causal*. ▶ Ver *pulso causal*.

pulsação de disparo (Port.) (Ang.) / *trigger pulse*. O mesmo que *pulso de disparo*. ▶ Ver *pulso de disparo*.

pulsação de fase zero (Port.) (Ang.) / *zero-phase pulse, zero-phase wavelet*. O mesmo que *pulso de fase zero*. ▶ Ver *pulso de fase zero*.

pulsação de Gabor (Port.) (Ang.) / *Gabor's wavelet*. O mesmo que *pulso de Gabor*. ▶ Ver *pulso de Gabor*.

pulsação unitária (Port.) (Ang.) / *unit spike*. O mesmo que *pulso unitário*. ▶ Ver *pulso unitário*.

pulso / *ping*. 1. Sinal existente em determinado intervalo de tempo e que tem um determinado valor constante. 2. Sinal emitido por um ecobatímetro, sistema de sonar de varredura lateral ou de sísmica de alta resolução e medido em função do tempo. ↝ Para cada pulso emitido deverá haver um sinal de retorno que por sua vez formará um trecho do registro final. Em sísmica, a taxa de disparo desses pulsos é definida de acordo com a profundidade da área, no caso de batimetria, da varredura, no caso de sistemas de sonar e da profundidade de investigação, no caso de sistemas sísmicos de alta resolução.

pulso causal / *causal wavelet*. Onda ou pulso com amplitudes nulas para tempos negativos. ↝ Os pulsos gerados na aquisição são causais, pois naturalmente não ocorre liberação de energia antes da detonação, mas geralmente no processamento o pulso é transformado para fase zero (com objetivo de facilitar interpretação e aumentar resolução vertical) quando se torna não causal. ▶ Ver *pulso de fase zero*.

pulso de carga frontal / *front-loaded wavelet*. Pulso que tem sua maior concentração de energia na parte inicial, considerando-se todos os pulsos de mesmo espectro de amplitude.

pulso de Dirac / *Dirac's pulse*. Limite do pulso de área unitária quando a sua duração tende para zero.

pulso de disparo / *trigger pulse*. Sinal fornecido pelo circuito de disparo de sistemas de sonar de varredura lateral e perfiladores de subfundo para os transdutores, a fim de iniciar um pulso acústico.

pulso de fase zero / *zero-phase pulse, zero-phase wavelet*. Forma de onda equivalente a uma função de fase zero. •• Um pulso de fase zero é simétrico em relação à origem, sendo irrealizável fisicamente por pressupor a existência de energia antes de a fonte sísmica ter sido ativada. Apesar disso, é muito usado na interpretação e, ao final do processamento procura-se obter um pulso com a fase o mais próxima possível de zero, para que os máximos absolutos de amplitude sejam coincidentes com os coeficientes de reflexão.

pulso de Gabor / *Gabor's wavelet*. Pulso definido pela seguinte função:

$$x(t) = \cos(\omega t + \phi) \exp[-(\omega t b)^2]$$

onde:
(ω) = representa a frequência angular, (t) = tempo, (ϕ) = fase inicial e (b) = fator de amortecimento.

pulso de gás / *gas kick*. Influxo descontrolado de fluidos da formação para o interior do poço em perfuração. •• Tal pulso ocorre quando as pressões no interior do poço são inferiores às pressões da formação. Caso não se restaure o controle da operação, pode evoluir para um *blowout*.

pulso de Klauder / *Klauder wavelet*. Autocorrelação de uma passada (varrida) do vibroseis.

pulso equivalente / *equivalent wavelet*. Forma de onda representativa da assinatura da fonte sísmica. ▶ Ver *assinatura*.

pulso sísmico / *seismic pulse*. Sinal gerado por uma fonte impulsiva de energia sísmica (explosivo, canhão de ar etc.).

pulso unitário / *unit spike*. Pulso que corresponde ao operador conhecido como *delta de Kronecker* (considerado no domínio discreto), definido como uma sequência temporal que tem todos os coeficientes nulos, exceto o correspondente a t = 0, cujo valor é unitário. •• O pulso unitário é também conhecido como *pulso de Dirac* ou *função delta*. Caracteriza-se por um pulso retangular, de área unitária, quando sua base tende a zero. ▶ Ver *pulso de Dirac*.

pulverulento / *pulverulent*. Mineral facilmente fragmentável ou quebradiço.

q

quadro de boias / *spread mooring*. Conjunto de flutuadores (boias) de diversos formatos, localizados numa determinada área, sustentados em seus lugares por estarem fundeados ou amarrados, utilizados para a atracação de navios, geralmente para fins de embarque e desembarque de petróleo ou gás natural, comprimido ou liquefeito. ▶ Ver *monoboia*.

quadro de comando elétrico / *electrical command panel*. Quadro de comandos utilizado para controlar o conjunto de bombeio centrífugo submerso (*BCS*) e incorporar proteções de seu sistema elétrico. ↝ Num típico quadro de comando de uma instalação de BCS, estão instalados os dispositivos de segurança contra as ocorrências de baixa e alta corrente no sistema. Dentro do quadro de comando, um medidor de corrente faz um registro contínuo da corrente elétrica consumida (amperimétrica), que é muito utilizada em diagnósticos de problemas dos conjuntos de BCS. ▶ Ver *bombeio centrífugo submerso*; *motor elétrico*; *gráfico de corrente*; *proteção contra subcorrente*; *proteção contra sobrecorrente*.

qualidade ambiental / *environmental quality*. Estado e condição das variáveis ambientais importantes para todos os seres vivos.

qualidade do gás / *gas quality*. Conjunto de padrões físicos primários referentes à qualidade do gás a ser transportado ou a ser vendido, como, por exemplo, o poder calorífico e as impurezas.

qualidade, saúde, meio ambiente e segurança (QSMS) / *quality, health, safety and environment (QHSE)*. Referência à política de gestão de qualidade, segurança, meio ambiente, saúde e responsabilidade social declarada por várias companhias petrolíferas.

quarteador / *sample splitter*. Utensílio utilizado em sedimentologia para separar amostras de material seco e desagregado em proporções iguais para serem utilizadas em estudos de laboratório.

quartzito arcóseo / *arkose-quartzite, arkosite*. 1. Variedade de quartzito sedimentar com considerável quantidade de feldspato. **2.** O mesmo que *arcosito* e *arcóseo quartzítico*.

quartzito arcósico (Port.) / *arkose-quartzite, arkosite*. O mesmo que *quartzito arcóseo*. ▶ Ver *quartzito arcóseo*.

quartzito sedimentar / *sedimentary quartzite*. Rocha sedimentar detrítica madura, essencialmente formada por quartzo detrítico (mais de 90 %) agregado por cimento, em geral escasso e, em regra, silicioso. O mesmo que *ortoquartzito*. ▶ Ver *rocha sedimentar*.

quartzoso / *quartzose*. 1. Propriedade de rocha sedimentar na qual a maioria dos grãos é de quartzo. **2.** Rocha sedimentar ou sedimento que contém o quartzo como o principal constituinte. ▶ Ver *rocha sedimentar*.

quaternário / *quaternary*. Período geológico da era Cenozoica após o Terciário. Abrange o sistema de rochas depositadas neste período de tempo. Iniciou-se de dois a três milhões de anos atrás e se estende até o presente. Divide-se em Pleistoceno, que terminou há aproximadamente 10 mil anos, e Holoceno, que sucede ao Pleistoceno, estendendo-se até o presente.

quebra-d'água / *waterbreak*. Registro do pulso sísmico emitido pela fonte que se propaga próximo à superfície do mar. ↝ Nos levantamentos sísmicos marítimos, estes registros são realizados por intermédio de geofones especiais, localizados dentro do cabo flutuador. A quebra-d'água é utilizada como meio alternativo para se medir a distância fonte-receptor. ▶ Ver *geofone*.

quebra da plataforma continental (Port.) (Ang.) / *shelf break*. O mesmo que *quebra de plataforma*. ▶ Ver *quebra de plataforma*.

quebra de emulsão / *emulsion break*. Processo de aglomeração de várias gotículas das fases internas de uma emulsão, propiciando a formação de agregados e de gotas maiores, formando assim fases separadas.

quebra de bolhas / *droplet break-up*. O mesmo que *quebra de gotas*. ▶ Ver *quebra de gotas*.

quebra de gotas / *bubble break-up*. Fenômeno que ocorre num sistema disperso quando um glóbulo da fase dispersa é rompido, originando glóbulos menores prejudiciais à separação de fases e, portanto, ao processamento primário de fluidos.

quebra de plataforma / *shelf break*. Limite entre a plataforma continental e o talude, marcado pelo forte aumento do gradiente da morfologia do fundo oceânico. Ocorre a partir de cerca de 200 m de profundidade.

quebra de tempo / *time break*. Num registro sísmico, marca que indica o momento do tiro ou o tempo em que a onda sísmica foi gerada.

quebra-vórtice / *vortex breaker*. Dispositivo interno de vaso separador, empregado a montante dos bocais de saída de fluido, que visa a impedir a formação de vórtice, o que poderia promover a mistura das fases segregadas. ↝ A formação de vórtice em bocais de saída de fluido, pelo efeito da aceleração de Coriolis, pode provocar a mistura das fases já separadas pela decantação gravitacional. Há várias configurações possíveis de dispositivos que podem ser instalados junto aos bocais de saída de fluido e que impedem ou retardam a formação do vórtice.

quebradiça (Port.) (Ang.) / *brittle*. O mesmo que *frágil*. ▶ Ver *frágil*.

quebrador de momento / *momentum breaker*. O mesmo que *dispositivo de separação primária*. ▶ Ver *dispositivo de separação primária*.

quebra-ondas / *wave breaker*. Dispositivo interno de vaso separador destinado a evitar a formação de ondas (*sloshing*) na superfície de líquido do vaso, as quais poderiam dificultar a separação gravitacional das fases e até mesmo provocar a redispersão delas. ↪ Diversas formas e configurações são empregadas, como, por exemplo, as placas planas, perfuradas ou não, colocadas transversalmente à seção de decantação do vaso, em diversas posições ao longo do seu eixo longitudinal. A altura bloqueada pelas placas deve situar-se desde pouco acima da interface líquido/gás até pouco abaixo da interface óleo/água (quando houver).

queda da inclinação / *drop off*. Termo usado na perfuração de poços direcionais para uma redução programada ou involuntária da inclinação do poço. ▶ Ver *poço direcional*; *desvio*.

queda de detritos / *debris fall*. Queda relativamente livre de detritos grosseiros e blocos de rocha, predominantemente inconsolidados, de uma área com alta inclinação ou um penhasco. É comum em regiões onde ocorre erosão no sopé de encostas.

queda de líquido / *fall back*. 1. Parcela do líquido, em escoamento multifásico do tipo intermitente, particularmente o chamado *caótico* (*churn*), que fica em continuado ciclo de ascensão/carreamento e queda dentro de uma unidade de volume de controle do escoamento. 2. No método de produção por *gas lift*, é definida como a parcela de líquido que está acima da válvula operadora no instante de sua abertura e que não é produzida durante o ciclo. ↪ No método de produção por *gas lift*, os valores normais para tal queda de líquido, em relação ao volume existente no intervalo, situam-se entre 1,5 % e 2 % para cada 100 m de elevação. ▶ Ver *escoamento multifásico*.

queda de peso / *weight dropping*. Expressão utilizada em levantamentos sísmicos terrestres em que o pulso da fonte sísmica é gerado pelo impacto de um peso. ▶ Ver *fonte sísmica*.

queda de velocidade / *velocity fall*. Parâmetro necessário para a definição dos processos hidráulicos que transportam e controlam a deposição dos grãos sedimentares e, naturalmente, o seu tamanho, não podendo ser confundida a velocidade de transporte com a velocidade de sedimentação ou taxas de acumulação.

queda livre / *free fall*. 1. Situação em que a aceleração que um corpo experimenta em queda é causada somente pela força da gravidade. 2. Fenômeno causado pelo diferencial de pressão entre o interior da coluna que contém um fluido mais pesado e o anular com um fluido mais leve. 3. Fenômeno dinâmico que ocorre durante uma operação de cimentação em que há uma busca do equilíbrio das pressões. A queda livre causa efeitos de aceleração da pasta no início e de desaceleração no final. ↪ Ver *anular*.

queimado ou descarregado (Port.) / *flared or vented*. O mesmo que flared or vented. ▶ Ver flared or vented.

queimador de petróleo / *burner*. Equipamento para queima de petróleo produzido em condições de testes de formação e produção.

queimador múltiplo / *multi-flare*. Tocha constituída por um conjunto de diversos bicos queimadores (*burners*), projetados para operar em paralelo, queimando gás natural. Conhecido como multiqueimador, tem o objetivo de evitar a formação de chamas muito altas, reduzindo a radiação térmica sobre a plataforma de produção.

queimador tubular / *pipe flare*. Tocha constituída de um único queimador em forma de tubo cilíndrico, na extremidade do qual há ignitores para promover a queima atmosférica do gás efluente. Solução muito adotada na produção *onshore*.

quelação / *chelation*. Processo de ligação de compostos, frequentemente orgânicos (quelantes, queladores ou agentes sequestradores). Os quelantes são agentes químicos que formam moléculas complexas com íons metálicos, tornando-os inativos para que não possam reagir com outros elementos ou íons e produzam precipitados. ↪ A palavra *quelato* refere-se à ação de pinça, e na maioria das vezes ocorre entre um íon metálico e átomos de nitrogênio, oxigênio ou enxofre. A quelação é importante nos processos biológicos. Dois quelatos fundamentais para vida vegetal e animal são, respectivamente, a clorofila e a hemina.

querogênio / *kerogen*. Mistura de compostos químicos orgânicos de elevada densidade presentes em rochas sedimentares de textura fina. Folhelhos contendo grandes quantidades de querogênio constituem rochas geradoras de petróleo e gás. Sedimento sapropélico que gera quantidades apreciáveis de petróleo. ▶ Ver *querogênio amorfo*; *folhelho*; *rocha sedimentar*.

querogênio amorfo / *amorphous kerogen*. Termo aplicado a um querogênio sem forma distinta quando observado em microscópio. O querogênio amorfo fluorescente na presença de luz ultravioleta indica um potencial de geração de óleo. ▶ Ver *querogênio*.

químico de fluidos / *mud engineer*. Profissional responsável por informar os produtos químicos (e respectivas concentrações) necessários para o preparo do fluido de perfuração, bem como testar e tratar o fluido para que este mantenha suas propriedades físicas e químicas dentro dos limites recomendados. ▶ Ver *especialista de fluido de perfuração*.

rr

rabicho de calibração / *calibration tail*. Registro de calibração que comprova os procedimentos efetuados para determinado teste geofísico. ↝ Estes procedimentos são realizados antes e depois de um levantamento e são anexados junto à seção repetida do perfil sísmico no intervalo considerado.

rácio gás-água (Port.) / *gas-to-water ratio, gas-water ratio (GWR)*. O mesmo que *razão gás-água*. ▶ Ver *razão gás-água*.

rácio gás-líquido (Port.) / *gas-liquid ratio (GLR)*. O mesmo que *razão gás-líquido*. ▶ Ver *razão gás-líquido*.

rácio gás-óleo (Port.) / *gas-oil ratio (GOR)*. O mesmo que *razão gás-óleo (RGO)*. ▶ Ver *razão gás-óleo (RGO)*.

radar Doppler / *Doppler radar*. Radar com o qual se faz a navegação Doppler. ▶ Ver *navegação Doppler*.

radar medidor de nível / *radar level meter*. Medidor de nível de líquidos em tanques e vasos baseado no princípio da reflexão de uma onda eletromagnética na superfície do líquido. ↝ Geralmente mede o tempo que a onda leva para ser emitida, refletida e recebida numa antena, segundo a seguinte relação:

$$t = 2\,L c$$

onde:
L é a distância entre a superfície do líquido e a antena, e c é a velocidade da luz.

radiação de background / *background radiation*. Radiação estranha a um experimento. ↝ Normalmente baixos níveis de radiação originada dos raios cósmicos e traços de substâncias radiativas estão presentes nos ambientes. A cota média individual de exposição radioativa anual é de 360 milirems (mrem).

radiação de calor / *heat radiation*. Energia emitida pela matéria que estiver em temperatura finita e acima do zero absoluto. A emissão pode ocorrer tanto para gases quanto para líquidos ou sólidos. ↝ Independentemente do estado da matéria, a emissão pode ser atribuída às modificações das configurações eletrônicas das moléculas ou dos átomos que as constituem. A energia do campo de radiação é transportada pelas ondas eletromagnéticas. Enquanto a transferência de calor por condução ou por convecção exige a presença de um meio material, a radiação não precisa de qualquer meio. Na realidade, a transferência pela radiação ocorre com maior eficiência no vácuo.

radiação de fundo (Port.) (Ang.) / *background radiation*. O mesmo que *radiação de background*. ▶ Ver *radiação de background*.

radiação refletida / *back radiation (counter-radiation)*. Retorno do fluxo de radiação infravermelha reenviada pela atmosfera depois de ser absorvida pela superfície da Terra.

radiação ultravioleta / *ultraviolet radiation*. Radiação eletromagnética com comprimento de onda menor que a da luz visível e maior que a dos raios X, de 380 nm a 1 nm. O nome significa *mais alta que* (além de, do latim *ultra*) *violeta*, pelo fato de o violeta ser a cor visível que tem o comprimento de onda mais curto. ↝ A radiação UV pode ser subdividida em UV próximo (comprimento de onda de 380 nm até 200 nm, o mais próximo da luz visível), UV distante (de 200 nm a 10 nm) e UV extremo (de 1 nm a 31 nm). No que se refere aos efeitos à saúde humana e ao meio ambiente, classifica-se como UVA (400 nm a 320 nm, também chamada de *luz negra* ou *onda longa*), UVB (320 nm a 280 nm, também denominada *onda média*) e UVC (280 nm a 100 nm, também chamada de *UV curta* ou *germicida*). A maior parte da radiação UV emitida pelo sol é absorvida pela atmosfera terrestre. A quase totalidade (99%) dos raios ultravioletas que efetivamente chegam à superfície da Terra corresponde ao do tipo UVA.

radiação UV / *UV radiation*. Radiação eletromagnética do tipo ultravioleta. ▶ Ver *radiação ultravioleta*.

radioatividade / *radioactivity*. Desintegração espontânea de certos núcleos atômicos, com emissão de partículas — alfa ou beta — e radiação eletromagnética — raios gama. ↝ A partícula alfa é composta de dois prótons e dois nêutrons, equivalente ao núcleo de hélio. Os raios gama são radiações eletromagnéticas com frequências superiores a 300×10^{15} hertz. Ocorre, por exemplo, em perfis de poços.

raio / *ray*. Vetor normal a superfície da onda, que indica a direção e, algumas vezes, a velocidade da propagação. ↝ Ocorre, por exemplo, na perfilagem por raios gama.

raio Becquerel / *Becquerel ray*. Termo usado antes que os nomes dos raios alfa, beta e gama tivessem sido introduzidos, para designar partículas emitidas durante o decaimento radioativo.

raio de aceitação / *acceptance radius*. Afastamento máximo de uma estação com relação ao centro de cela, ou *bin center*, nos levantamentos sísmicos 3D. ▶ Ver *levantamento 3D*; *sísmica 3D*.

raio de drenagem / *radius of drainage*. Distância máxima de deslocamento de fluidos do reservatório em direção ao poço produtor.

raio de invasão / *radius of invasion*. Raio da zona invadida por um fluido não residente ao redor do poço. ↝ Quando a invasão se dá pelo filtrado do fluido de perfuração ou completação, pode haver uma redução da permeabilidade da zona invadida, ocasionando um dano de formação.

raio de investigação / *radius of investigation*. Termo genérico utilizado na área da engenharia de petróleo para definir o raio ao redor do poço investigado por uma ferramenta de perfilagem, seja ela a cabo ou durante a perfuração (*LWD*). ↝ Esse raio de investigação varia de acordo com o parâmetro medido (raios gama, resistividade, densidade, porosidade etc.), características da litologia perfurada, tipo e fabricante da ferramenta, diâmetros do poço e da ferramenta, tipo de fluido de perfuração e outras condições de contorno do poço avaliado. ▶ Ver *perfilagem*; *litologia*.

raio gama / *gamma.ray*. 1. Radiação eletromagnética com frequência superior a 300×10^{15} hertz. Resulta geralmente da desintegração de núcleos atômicos. 2. Onda eletromagnética de frequência muito alta, originalmente descoberta como emissão de substâncias radioativas e criada pela transição de um núcleo para níveis de energia mais baixos. ↝ Ocorre, por exemplo, em perfilagem de poços.

raio gama corrigido / *corrected gamma ray*. Perfil de raio gama do qual foi subtraída a contribuição do urânio. ↝ Em algumas rochas, principalmente em carbonatos, a contribuição de urânio pode ser significativa e errática, e pode fazer com que o carbonato seja confundido com folhelho. A curva de raio gama de carbonato é o melhor indicador de argilosidade. O mesmo que *raio gama de carbonato*.

raio transmitido / *transmitted ray*. Evento da separação da onda incidente em onda refletida e transmitida.

raio X / *X-ray*. Onda eletromagnética que apresenta comprimento de onda entre os raios gama (0,1 Å) e a radiação ultravioleta (100 Å). Radiações eletromagnéticas de natureza similar à luz, mas com comprimentos de onda extremamente curtos. ↝ Tais raios são gerados pelo bombardeio de um alvo metálico com elétrons rápidos no vácuo ou pela transição de átomos para níveis energéticos mais baixos. Suas propriedades incluem a ionização de um gás ao ser atravessado, a penetração de sólidos até certa espessura e a geração de fluorescência.

rampa carbonática / *carbonate ramp*. Superfície suavemente inclinada — ou seja, com inclinações menores que 1 grau — sobre a qual se depositam sedimentos carbonáticos de águas rasas.

range / *flow range*. O mesmo que *faixa de medição*. ▶ Ver *faixa de medição*.

rangeabilidade / *rangeability; turndown ratio*. Relação entre o maior e o menor valor da faixa de medição, mantendo-se o desempenho especificado pelo fabricante de um medidor. ▶ Ver *faixa de medição*.

ranhura / *slot*. Abertura fina e comprida, confeccionada longitudinalmente em tubo, com extrema precisão de dimensão, especialmente na largura, permitindo fluxo de fluido entre o interior e o exterior do tubo. Essa abertura pode ser realizada com o uso de *laser* ou por meio de corte a disco. ▶ Ver *tubo*.

raspadeira (Port.) / *casing scraper; scratcher*. O mesmo que *arranhador*. ▶ Ver *arranhador*.

raspador (Port.) / *pig*. O mesmo que *pig*. ▶ Ver *pig*.

raspador de oleodutos (Port.) / *pig*. O mesmo que *pig*. ▶ Ver *pig*.

raspador de parafina / *paraffin scraper; paraffin scratcher*. Ferramenta de serviço de *slick line*, utilizada para remoção de parafina da parede interna da coluna de produção em poços produtores. Também conhecido como *arranhador de parafina*. Constituído por uma haste com pescoço de pescaria e uma rosca-pino na sua parte superior. Apresenta a haste com furos transversais, perpendiculares entre si através do eixo longitudinal, nos quais são instalados pedaços de arame com comprimento de 0,092" (polegadas), formando uma espécie de escova, que arranha e libera a incrustação de parafina da coluna. O comprimento dos pedaços de arame pode ser facilmente modificado para se adequar às diversas dimensões da coluna. ▶ Ver *faca para retirada de parafina*; *remoção de parafina*.

raspador de tubos (Port.) / *pigtail*. O mesmo que pigtail. ▶ Ver pigtail.

raspador (Port.) / *casing scraper; scratcher*. O mesmo que *arranhador*; *raspadeira*. ▶ Ver *arranhador*.

raspável (Port.) / *piggable*. O mesmo que *pigável*. ▶ Ver *pigável*.

rastreabilidade / *traceability*. Propriedade do resultado de uma medição ou de um valor de referência previamente estabelecido como padrão. ↝ A rastreabilidade é caracterizada por uma sequência contínua de medidas, devidamente registradas e armazenadas, permitindo assim a verificação, direta ou indireta, a qualquer tempo, dessa sequência. Uma cadeia contínua de comparações é denominada *cadeia de rastreabilidade*.

razão água-cimento / *water-cement ratio*. Relação, em massa, entre a água doce e/ou do mar e o cimento em uma determinada composição de pasta de cimento, usada na cimentação de poços. ↝ A razão água-cimento também pode ser denominada *fator água-cimento*. No cálculo do sistema de pasta esta relação é expressa em percentual. ▶ Ver *consistômetro pressurizado*.

razão água-líquido / *water-in-liquid ratio*. Vazão volumétrica de água, em relação à vazão volumétrica total de líquido (óleo e água), ambos medidos nas mesmas condições de pressão e de temperatura (normalmente nas condições de referência). Expressa como um percentual.

razão água-óleo / *water-oil ratio*. Razão entre o número de barris de água e o número de barris de óleo produzidos por um poço.

razão arenito-folhelho / *sand-shale ratio*. 1. Representa a razão entre a espessura de arenito em relação à espessura de folhelho em um dado intervalo numa seção sedimentar. 2. O mesmo que arenito xisto-argiloso. ▶ Ver *arenito*; *folhelho*.

razão arenito xisto-argiloso (Port.) / *sand-shale ratio*. O mesmo que *razão arenito-folhelho*. ▶ Ver *razão arenito-folhelho*.

razão clástica / *clastic ratio*. Razão entre a percentagem de rochas sedimentares clásticas e não clásticas em uma seção geológica. ▶ Ver *seção geológica*.

razão de aspecto / *aspect ratio*. Parâmetro obtido pela relação entre o comprimento de tangentes e o diâmetro de vasos separadores. ↝ O dimensionamento de separadores gravitacionais geralmente permite que separadores com diferentes dimensões possam atender aos requisitos de projeto. Algumas práticas de projeto permitem definir razões de aspecto mais adequadas a uma aplicação específica, conduzindo, assim, a um dimensionamento mais adequado.

razão de compressão / *compression ratio*. 1. Razão entre a pressão de descarga e a pressão de sucção em um compressor, ambos em termos absolutos. 2. A razão entre o volume do fluido antes da compressão e seu volume após a compressão.

razão de condensado / *condensate ratio*. Razão entre o volume de condensado (líquido) produzido e o de gás.

razão de dano / *formation damage ratio*. Relação entre os índices de produtividade (*IP*) teórico e real do poço. ↝ O índice teórico de produtividade de um poço é dado pela expressão

$$IP = q / \Delta p$$

onde q representa a vazão de líquido em condições de superfície; e Δp o diferencial de pressão entre a pressão estática do reservatório (p_e) e a pressão no interior do poço em frente ao intervalo produtor, calculada em função dos parâmetros de permeabilidade da rocha, viscosidade do fluido produzido, espessura do intervalo produtor e raio de drenagem do reservatório. Quando o poço é amortecido com fluidos de perfuração ou de completação, é comum haver uma invasão desse fluido no interior do reservatório (ao redor do intervalo produtor), provocando assim uma alteração nas condições de fluxo nessa região. Dessa forma, torna-se menor a vazão de líquido que flui para o interior do poço para um mesmo valor de diferencial de pressão. ▶ Ver *índice de produtividade*.

razão de escorregamento / *slip ratio*. Razão entre as velocidades de duas fases (por exemplo, gás e líquido).

razão de gradiente de canal / *channel gradient ratio*. Razão do gradiente de um canal de uma dada ordem em relação à razão do próximo canal de ordem mais alta, em uma mesma bacia de drenagem.

razão de isótopos de carbono / *carbon isotope ratio*. Quantidade relativa de ^{13}C *versus* ^{12}C (isótopos não radioativos) na matéria orgânica. Geralmente usada para mostrar o relacionamento entre óleos ou óleos e rochas-fonte.

razão de mobilidade / *mobility ratio*. Razão entre a mobilidade do fluido injetado nos métodos de recuperação avançada e a mobilidade do óleo deslocado dentro do reservatório. A razão de mobilidade indica a eficiência de deslocamento do processo em uso.

razão de mobilidade adversa / *adverse mobility ratio*. Condição de deslocamento em meio poroso no qual a mobilidade do fluido deslocante é maior do que a mobilidade do fluido deslocado.

razão de penetração / *rate of penetration*. O mesmo que *taxa de penetração* ▶ Ver *taxa de penetração*.

razão de perda de carga / *pressure drop ratio*. Razão entre a perda de carga da alimentação ao bocal de saída de fluido leve e a perda de carga da alimentação ao bocal de saída de fluido pesado em separadores, particularmente do tipo ciclônico. ↝ No caso de hidrociclones, em plantas de processamento primário de petróleo, que utilizam a força centrífuga em lugar da gravidade como força motriz da separação, em geral não há interesse na posição interna da interface, ou mesmo da superfície livre (se existir). Assim, o monitoramento e o controle dessa operação deixam de ser feitos pela variável *nível* e passam a ser feitos pela variável *razão de perda de carga*. ▶ Ver *perda de carga*.

razão de permeabilidade / *permeability ratio*. Razão entre permeabilidades medidas em duas direções ortogonais. ↝ Normalmente, o termo refere-se à razão entre as permeabilidades vertical e horizontal, medidas em uma seção do poço ou do reservatório. ▶ Ver *permeabilidade*.

razão de produtividade / *condition ratio*. Medida da eficiência da vazão de um poço, calculada como a razão entre seu índice de produtividade real e o índice de produtividade ideal (sem dano). ↝ Em poços estimulados artificialmente, onde o fator *skin* é negativo, este valor é maior que um; em poços com dano de formação (em que o fator *skin* é positivo) este valor é menor que um. ▶ Ver *índice de produtividade*.

razão de solubilidade / *solubility ratio*. Razão de solubilidade gás-óleo, ou simplesmente razão de solubilidade, é a razão entre o volume de gás dissolvido no óleo e o volume de óleo, medidos em condições de superfície (*padrão*). ↝ A razão de solubilidade do gás é igual à *razão gás-óleo* (*RGO*) inicial do campo. Ela é constante enquanto o reservatório permanece acima da pressão de saturação e decresce para pressões menores, em função da liberação do gás dissolvido.

razão de uso / *turndown ratio*. 1. Capacidade que um instrumento de medição tem de operar no intervalo entre o valor mínimo e o valor máximo (da variável em medição no processo) dentro de uma aceitável tolerância. 2. O mesmo que *rangeabilidade*. ↝ No caso de medidores de vazão, tipicamente, a razão de uso é geralmente expressa pela razão entre o máximo e o mínimo valores de vazão capazes de serem medidos. ▶ Ver *rangeabilidade*.

razão de viscosidade / *viscosity ratio*. Razão entre as viscosidades apresentadas por dois fluidos. ↝ Tal conceito é utilizado, por exemplo, no escoamento em meios porosos. Importante para que se possa fazer a previsão de descontinuidade e aprisionamento da fase menos viscosa no meio poroso através da formação dos *fingers* e posteriores zonas de insularidade. ▶ Ver *viscosidade*.

razão gás-água / *gas-water ratio*. Porcentagem de gás dissolvido na água produzida.

razão gás dissolvido-óleo / *solution gas-oil ratio*. Quantidade de gás dissolvida no óleo nas condições de reservatório, dividida pela quantidade de óleo.

razão gás-líquido / *gas-liquid ratio*. 1. Razão entre a vazão de gás e a vazão total produzida de líquido (normalmente óleo e gás), ambas medidas nas condições de superfície. 2. Razão entre o volume de gás produzido, medido e expresso na condição tida como padrão (por exemplo, normal, *standard* etc.) e o volume de líquido (óleo + água) produzido, medido e expresso na mesma condição tida como padrão. ↝ A unidade típica de tal razão no sistema SI é Sm^3 / Sm^3, determinada da seguinte maneira: $(V_{\text{gás produzido}})_{\text{condição padrão}} / (V_{\text{óleo produzido}} + V_{\text{água produzido}})_{\text{condição padrão}}$

razão gás-líquido de injeção / *gas-liquid injection ratio*. Relação entre a vazão de gás injetado e a vazão de líquido produzido. ↝ Ocorrente na elevação artificial do petróleo pelo método de *gas lift*. ▶ Ver gas lift.

razão gás-líquido total / *total gas-liquid ratio*. Razão entre a vazão total de gás liberada e a vazão de óleo corrigida, ambas expressas em uma condição padrão de pressão e temperatura.

razão gás-óleo (RGO) / *gas-oil ratio*. 1. Razão entre a vazão de gás natural, medida nas condições-padrão de pressão e temperatura, e a vazão de óleo. Quantidade de gás livre e dissolvido como conteúdo de um reservatório em relação à quantidade de óleo. 2. Razão, em bases volumétricas, entre as quantidades de gás e de óleo, estando estas referidas a uma condição termodinâmica padrão. É uma razão, medida em m^3/m^3 (Brasil). 3. Quantidade de pés cúbicos de gás medido à pressão atmosférica, produzido com um barril de óleo (internacional). ↝ Esta razão pode variar ao longo da vida produtiva do reservatório. Em mecanismos de gás em solução ou capa de gás, a razão gás/óleo aumenta com o tempo graças à redução da pressão do reservatório e à alta mobilidade do gás em relação ao óleo. A razão entre a vazão de gás e a de óleo (ou *condensado*) nas condições de separação é expressa em m^3 de gás a 15,6 °C e 1 atm por m^3 de líquido nas condições de pressão e temperatura do separador. Tal conceito tem sido extrapolado e usado para uma condição termodinâmica qualquer e assim traduzindo a razão gás/óleo para uma condição de interesse dita *in situ*. ▶ Ver *condições-padrão*; *razão gás-óleo corrigida*.

razão gás-óleo corrigida / *corrected gas-oil ratio (STD GOR)*. Razão gás-óleo determinada a partir da condição ambiental padrão (T = 60 °F e P = 14,65 psia). O mesmo que *RGO corrigida*. ▶ Ver *razão gás-óleo (RGO)*.

razão gás-óleo de formação / *formation gas-oil ratio*. Quantidade relativa de gás dissolvido no óleo do reservatório que é liberada quando este é levado para uma condição padrão de pressão e temperatura. ↝ No padrão americano, a razão gás-óleo de formação é expressa em SCF/STB, onde os volumes são referidos à condição padrão de temperatura de 60 °F e pressão absoluta de 14,7 psia. No padrão brasileiro, a razão gás-óleo é expressa em m^3/m^3, sendo a condição padrão definida como 20 °C e 1 atm.

razão gás-óleo em condições de superfície / *gas-oil ratio under surface conditions*. O mesmo que stock tank. ▶ Ver stock tank.

razão gás-óleo inicial / *initial producing gas-oil ratio*. Razão entre os volumes produzidos de gás e de óleo, no período inicial da produção de um poço. ↝ Na ausência de uma capa de gás e/ou de sua produção, essa razão corresponde ao volume total de gás originalmente em solução no reservatório por volume unitário de óleo. Neste caso dita a razão de solubilidade inicial.

razão gás-óleo produzido / *producing gas-oil ratio*. O mesmo que *razão total instantânea de gás-óleo*.

razão inicial gás-óleo / *initial gas-oil ratio*. O mesmo que *razão de solubilidade*. ▶ Ver *razão de solubilidade*.

razão instantânea gás-óleo / *instantaneous gas-oil ratio*. Razão gás-óleo medida em um determinado instante. ▶ Ver *razão gás-óleo (RGO)*.

razão líquido-gás / *liquid-gas ratio*. Razão entre a vazão volumétrica de líquido e a vazão volumétrica do gás, ambas medidas nas mesmas condições de pressão e de temperatura (normalmente nas condições de referência). É expressa em volume por volume (por exemplo, m^3/m^3).

razão mobilidade de injeção de água / *waterflood mobility ratio*. Razão de mobilidade da água injetada pela mobilidade do óleo deslocado.

razão óleo-água / *oil-water ratio*. Razão entre as vazões de óleo e de água produzidas em um poço ou reservatório.

razão ótima gás-líquido de injeção / *optimum gas-liquid injection ratio*. Relação entre a vazão de gás injetado na coluna de produção de um poço, que utiliza o método *gas lift*, e a vazão de líquido produzida correspondente ao menor valor de pressão de fundo requerida. ↪ O valor da pressão requerida no fundo do poço se reduz à medida que aumenta a vazão de gás de injeção até um determinado valor, a partir do qual se observa um aumento no valor da pressão requerida. Em outras palavras, com tal razão de injeção se obtém a máxima vazão de líquido (entretanto, não necessariamente tal condição é considerada como a de maior economicidade ou, simplesmente, econômica). ▶ Ver gas lift.

razão primária-bolha / *primary-to-bubble ratio*. Razão entre amplitudes do pulso inicial de uma fonte acústica e da primeira bolha gerada, quando de operações de sísmica marinha.

razão reserva-produção / *reserves-production ratio*. Razão entre o volume de uma reserva de óleo e/ou gás e o volume da produção acumulada do mesmo fluido. ↪ Tal razão é utilizada para estimar o tempo necessário para se produzir a reserva referida mantendo-se o nível de produção.

razão sinal-ruído / *signal-noise ratio*. 1. Razão entre a amplitude relativa a um sinal esperado de energia sísmica e aquela obtida quando da execução de serviços sísmicos. 2. Razão entre a amplitude do sinal de energia sísmica elétrico desejado e a amplitude da energia indesejada. ↪ O sinal esperado e obtido é representado pelo efeito do ruído gerado.

razão total gás-óleo / *total gas-oil ratio*. Razão total entre o volume de gás separado de um óleo produzido através da liberação *flash* e o volume corrigido do óleo. ↪ Entende-se por *flash* a condição instantânea de separação entre as duas fases consideradas.

razão total instantânea gás-óleo / *total instantaneous gas-oil ratio*. Razão total do volume de gás produzido, medido na condição padrão, pelo volume de óleo produzido. ↪ O gás utilizado para calcular esta razão inclui gás livre e em solução.

razão pirolítica de gás / *pyrolytic gas ratio*. Razão gasosa, envolvendo o etano, eteno, propano, propeno, isobutano e n-buteno em relação ao metano obtido por pirólise da matéria orgânica. Permite a determinação do tipo de matéria orgânica. É aceitável o termo *pirolígica*. ▶ Ver *pirólise*.

reabilitação / *rehabilitation*. Restabelecimento das condições de uma área antes ocupada por uma atividade ou instalação de forma a permitir seu retorno ao uso original ou ao mesmo uso do entorno.

reação isostática / *isostatic rebound*. Ajuste posicional decorrente da adição ou remoção de carga sobre as camadas geológicas. ↪ O movimento vertical dos blocos da crosta terrestre tende a restabelecer o equilíbrio dos mesmos, o qual é perturbado por aumento da carga ou por erosão.

reamostragem / *resampling*. Ato de mudar a frequência de amostragem (ou o intervalo entre amostras adjacentes). Decrescer o número de amostras é *decimar*. Aumentar o número de amostras (por interpolação) é *reconstituir*.

rebocador / *tug; supply tug; tug vessel*. Embarcação utilizada para rebocar sondas de perfuração, para atracar navios-tanques, rebocar balsas (barcaças) e auxiliar nas operações de construções marítimas. ↪ Essa embarcação tem potência similar à embarcação de manuseio de âncoras (*AHTS*), mas dispõe de menos espaço de convés (*deck*) para função de suprimento. ▶ Ver *barco de manuseio de âncora*.

rebocador de manuseio de linhas / *line-handling tug*. Embarcação para manutenção de espias (cabos) em operações com navios aliviadores. ↪ Este rebocador tem sido usado para apoiar o trabalho de ancoragem em terminais marítimos de óleo, no transporte de pessoal e equipamentos para os navios aliviadores, no manuseio das mangueiras durante a operação de troca de navios aliviadores e na movimentação de balsas em torno de enseadas.

rebocador manuseador de âncoras / *anchor handling tug supply vessel*. Usado para rebocar as plataformas de petróleo e sondas semissubmersíveis até o local de posicionamento, lançar ou recolher as âncoras, suprir as plataformas de consumíveis e, em alguns casos, servir como um rebocador de salvamento e recuperação de emergência. ▶ Ver *rebocador*.

reboco / *mud cake; filter cake*. Partículas sólidas do fluido de perfuração que aderem às paredes do poço quando o fluido é forçado contra a formação pelo diferencial de pressão entre o interior do poço e a formação, originando o reboco, que também é chamado de *torta*. ↪ A parte fluida da lama de perfuração que penetra a formação é chamada de *filtrado*. O reboco tem a função de manter uma taxa constante e baixa de filtrado, com a menor espessura possível. ▶ Ver *fluido de perfuração*.

reboco de cimento / *cement filter cake*. Parte sólida da pasta de cimento resultante da perda de fluido através de uma zona permeável. No caso da operação de cimentação, a perda de fluido de uma pasta faz com ela fique mais viscosa e forme uma camada sólida que é rapidamente depositada na parede do poço, restringindo assim o fluxo de fluidos através dela. ↪ São fatores na perda de fluido: o tempo, a pressão, a temperatura e a permeabilidade da pasta. ▶ Ver *pasta de cimento*; *teste de filtração*.

reboco de lama (Port.) / *mud cake; filter cake*. O mesmo que *reboco*. ▶ Ver *reboco*.

reboco externo / *external filter cake*. Fenômeno que ocorre quando as partículas sólidas presentes no fluido de perfuração têm o diâmetro maior que o diâmetro de garganta de poros da rocha reservatória de petróleo. ↪ Tais partículas se acumulam na parede do poço, formando uma torta de filtração (reboco externo) de baixa permeabilidade, responsável pelo controle da invasão. ▶ Ver *reboco*.

reboco interno / ***internal filter cake***. Fenômeno que ocorre quando as partículas sólidas presentes na composição do fluido de perfuração têm o diâmetro menor que o da garganta de poros da rocha-reservatório. Tais partículas tendem a migrar para o interior do meio poroso. As partículas capturadas na superfície da parede dos caminhos porosos formam o reboco interno. O reboco interno, além de controlar a invasão, pode também representar um obstáculo para o escoamento do óleo durante a fase produtiva do poço. ▶ Ver *reboco*.

recebedor de escovilhão (Port.) / ***pig receiver***. O mesmo que *recebedor de* pig. ▶ Ver *recebedor de* pig.

recebedor de esfera / ***sphere receiver***. Equipamento destinado ao recebimento de raspador após limpeza de oleodutos e linhas de produção. •• Trata-se de equipamento constituído por uma câmera construída em tubo de aço, seguindo a especificação compatível com o duto a montante, com diâmetro nominal comercial imediatamente acima daquele usado nesse duto, dotado de um tampo com junta de vedação, válvulas de dreno e de despressurização, ambas de acionamento manual, além de válvulas de alinhamento de fluxo. Essas ultimas válvulas possibilitam o desvio do fluxo de líquido da câmera onde se encontra o raspador, de forma que a mesma possa ser isolada para despressurização e drenagem, antes de sua abertura para retirada do raspador. ▶ Ver *recebedor de porco*; pig.

recebedor de *pig* / ***pig receiver***. Equipamento destinado ao recebimento de raspador após limpeza de oleodutos e linhas de produção. ▶ Ver *recebedor de porco*; pig.

recebedor de porco / ***pig receiver***. O mesmo que *recebedor de esfera*. Outra denominação, menos comum, para o recebedor de *pig*. ▶ Ver *porco*.

Receita Bruta da Produção ou Valor da Produção, Brasil / ***Production Gross Revenue or Production Value, Brazil***. Receita relativa a cada campo de uma dada área de concessão, contemplando o valor comercial total do volume de produção fiscalizada, apurado com base nos preços de referência do petróleo e do gás natural produzidos.

Receita Líquida da Produção, Brasil / ***Net Production Revenue, Brazil***.
Receita relativa a cada campo de uma dada área de concessão, contemplando a receita bruta da produção, deduzidos os montantes correspondentes ao pagamento de *royalties*, investimentos na exploração, custos operacionais, depreciações e tributos diretamente relacionados às operações do campo, que tenham sido efetivamente desembolsados, na vigência do contrato de concessão, até o momento da sua apuração, e que sejam determinados segundo regras emanadas da Agência Nacional do Petróleo, Gás Natural e Biocombustíveis (ANP). ▶ Ver *Agência Nacional do Petróleo, Gás Natural e Biocombustíveis (ANP)*.

receptor e transmissor de resposta / ***receiving and transmission device***. Dispositivo de comunicação eletrônico, geralmente alimentado por bateria, que recebe, amplifica e retransmite um sinal em frequência característica conhecido pela sigla *transponder*. •• Nas atividades de produção de petróleo no mar, esse dispositivo é, particularmente, aplicado para o posicionamento local de plataformas e equipamentos submarinos. ▶ Ver transponder.

receptor intrafuro / ***downhole receiver***. Receptor localizado dentro de um poço, em oposição ao localizado na superfície.

recife conquífero (Port.) (Ang.) / ***shellstone***. O mesmo que shellstone. ▶ Ver shellstone.

recife costeiro / ***shore reef; barrier reef***. 1. Recife orgânico, de superfície tabular exposta durante a maré baixa, que se apresenta ligada a ou bordejando uma costa. 2. O mesmo que *recife de barreira*.

recife de algas / ***algal reef***. Sedimento ou rocha denominada *recife orgânico*, em que as algas são ou foram os principais organismos que produziram o carbonato de cálcio.

recife de areia / ***sand reef***. Barra arenosa bordejando uma praia ou as margens de um lago ou rio.

recife de borda / ***fringing reef***. Recife que se forma próximo de uma ilha ou da costa continental e cresce mar adentro, desenvolvendo um talude abrupto em direção ao fundo do mar. •• Este tipo de recife normalmente atinge de 0,5 km a 1,0 km de largura. ▶ Ver *sistema deposicional*.

recife de borda de plataforma / ***shelf-edge reef***. O mesmo que *recife de borda*. ▶ Ver *recife de borda*.

recife de coral / ***coral reef***. 1. Recife orgânico composto de corais e algas calcárias, ou predominantemente de corais. 2. Um banco ou crista formado por agregados de corais e algas, fragmentos de organismos com carapaça calcária, areia carbonática e calcários resultantes da segregação de carbonato de cálcio e litificação das colônias, fragmentos e areias. 3. Termo popular para designar um recife orgânico ou de qualquer natureza. •• Um recife de coral cresce sobre um substrato resistente à ação das ondas e correntes, normalmente formado por colônias de corais e algas; este arcabouço pode constituir menos da metade do volume do recife. Recifes de corais ocorrem hoje por todos os mares tropicais com salinidade normal, desde que a temperatura seja adequada, normalmente superior a 18 °C durante o inverno.

recife interno / ***back reef***. Parte do recife de barreira que está voltado para o continente.

recimentação / ***recementing***. Operação de cimentação secundária que é feita quando se detecta uma falha na cimentação primária de um poço.

Neste caso, uma pasta de cimento é circulada usando dois furos canhoneados no revestimento para preencher o espaço vazio deixado pela cimentação primária. ▶ Ver *pasta de cimento*.

recobrimento / *overlap*. Área do fundo marinho que é coberta duas ou mais vezes e que é representada em porcentagem da varredura. ↝ Um recobrimento de 100% indica que a mesma faixa do fundo marinho foi levantada duas vezes. O recobrimento em levantamentos sonográficos é importante devido a variações da posição da embarcação em relação à linha de sondagem navegada. O recobrimento deve ser no mínimo de 25%, a fim de evitar trechos do fundo marinho não sonificados.

recobrimento basal / *baselap*. Configuração sismoestratigráfica em que a declividade inicial do horizonte estratigráfico se torna praticamente horizontal, concordante com aquele sotoposto. Isso é comum na porção distal de corpos sedimentares com geometria sigmoidal. ▶ Ver *sigmoide*.

recombinação de óleo e gás / *oil and gas recombination*. Operação de transformação de óleo morto em óleo vivo, por meio da promoção de um alto grau de contato entre as fases óleo e gás, em condições adequadas de pressão e temperatura. ↝ Em plantas de teste de equipamentos de processamento primário, o óleo recebido para testes é geralmente óleo morto. Para que os testes possam ser realizados em condições similares às condições reais de campo, é necessário transformar o óleo em "óleo vivo", ou seja, óleo com gás em solução, no ponto de bolha, nas condições do teste. ▶ Ver *óleo morto*; *óleo vivo*.

recomposição da frente de onda / *wavefront healing*. Reconstituição das características de uma frente de onda após sua perturbação ao passar por um obstáculo de pequenas dimensões.

reconciliação de dados / *data reconciliation*. 1. Processo em que os valores obtidos na produção de óleo e gás que não foram medidos com exatidão são comparados aos valores relativos à correspondente medição fiscal. 2. Redundância de dados e ponderação da informação para a correção de leituras de variáveis de determinado processo.

reconhecimento sismográfico / *seismic recognition*. Capacidade do intérprete de identificar uma anomalia em um registro sonográfico. ↝ Alvos sísmicos com alta detectabilidade são facilmente reconhecidos, no entanto, alvos com baixa detectabilidade necessitam de intérpretes experientes para serem reconhecidos e diferenciados.

recozimento / *annealing*. Tratamento térmico aplicado em peças de aço ou outros materiais. ↝ Tal tratamento consiste em um aquecimento num forno a uma temperatura adequada, seguida de um resfriamento lento, visando a modificar as propriedades de resistência e dureza. O recozimento elimina tensões internas, diminui a dureza, aumenta a usinabilidade e a ductilidade, reduzindo, todavia, também, a resistência mecânica. No caso do cobre, do aço e do bronze, este processo é executado aquecendo-se o material (geralmente até incandescer) por um tempo e permitindo que este se resfrie lentamente. Dessa forma o metal é amaciado e preparado para um trabalho adicional, tal como dar-lhe forma, estampar ou estirar. ▶ Ver *dureza*.

recristalização dinâmica / *dynamic recrystallization*. Processo metamórfico de formação de novos grãos minerais concomitante com deformação no estado sólido. ↝ Processo frequentemente associado ao *metamorfismo dinâmico*.

recuo / *stepback*. Correção aplicada a uma localização; por exemplo, a localização de um navio sísmico dada por GPS para definir o ponto médio da cobertura da subsuperfície para um registro sísmico, levando em consideração a posição do cabo e do tiro com relação à antena de navegação. ▶ Ver *sistema de posicionamento global*.

recuperação ambiental / *environmental recovering*. Restabelecimento, por processo artificial, do estado natural original de áreas degradadas.

recuperação assistida / *assisted recovery*. Conjunto de técnicas voltadas ao aumento da produtividade de um campo de petróleo ou gás.

recuperação avançada de petróleo / *enhanced crude oil recovery*. Recuperação caracterizada pela injeção de materiais normalmente estranhos aos presentes no reservatório. Essa injeção modifica características do meio, alterando as permeabilidades relativas ou viscosidades das fases, e assim aumentando a recuperação de petróleo. ▶ Ver *método de recuperação avançada*.

recuperação convencional / *conventional recovery*. Método de recuperação de petróleo envolvendo a injeção de água e/ou gás.

recuperação de pulsação (Port.) (Ang.) / *wavelet recovery*. O mesmo que *recuperação do pulso*. ▶ Ver *recuperação do pulso*.

recuperação de testemunho / *core recovey*. Quantidade de rocha amostrada por meio de testemunhador e recuperada pela perfuração de um intervalo do poço, sendo normalmente representada pelo percentual da metragem recuperada em relação à perfurada. ▶ Ver *testemunho*.

recuperação de vapor / *vapor recovery*. Operação de compressão do gás proveniente do último estágio de separação (separadores atmosféricos). ↝ O termo *vapor* — referido a hidrocarbonetos no processamento primário de petróleo — representa o hidrocarboneto em estado gasoso, que se encontra em ponto de orvalho, ou seja, em equilíbrio com o hidrocarboneto líquido, nas condições reinantes de temperatura e pressão. O termo *gás* é apropriado para o hidrocarboneto em estado gasoso que se encontra em temperatura superior à do ponto de orvalho na pressão em questão. ▶ Ver *ponto de orvalho*.

recuperação do pulso / *pulse recovery*. Técnica de processamento de sísmica de reflexão utilizado para se determinar a assinatura da fonte a partir dos dados registrados.

recuperação dos custos; óleo-custo / *recovery of costs/cost oil*. Procedimento que permite ao contratado recuperar todos os custos operacionais, a partir da produção, se houver uma descoberta comercial. •◦ O óleo-custo (*cost oil*) é um parâmetro normalmente contemplado nos Contratos de Partilha de Produção. ▶ Ver *Contrato de Partilha de Produção* (*CPP*).

recuperação final incremental / *incremental ultimate recovery*. Diferença entre a quantidade de óleo que pode ser recuperada por intermédio de aplicações de métodos de recuperação avançada e a quantidade obtida por processos convencionais. •◦ Observa-se que essa recuperação final só deve ser considerada, quando economicamente viável. ▶ Ver *recuperação melhorada de óleo*.

recuperação melhorada de óleo / *enhanced oil recovery* (*EOR*). 1. Técnica de recuperação projetada para extrair mais hidrocarboneto de um reservatório por meios físico, químico ou térmico. O hidrocarboneto é recuperado por um processo diferente daquele utilizado pela pressão natural do reservatório. 2. Introdução de um mecanismo de produção artificial e mecanismo de deslocamento no reservatório para produzir hidrocarboneto que não seria recuperável através de método de recuperação primário (pela pressão natural do reservatório). ▶ Ver *recuperação final incremental*; *recuperação primária*; *recuperação secundária*; *recuperação terciária*.

recuperação microbiológica / *microbial flooding ou enhanced oil recovery*. Método de recuperação avançada que utiliza micro-organismos alimentados por substâncias injetadas ou pelo próprio óleo preexistente no reservatório, produzindo gases (como CO_2 e H_2), ácidos e tensoativos, que auxiliam no deslocamento do óleo.

recuperação por condensação de gás / *condensing-gas drive*. Processo de recuperação avançada de petróleo, onde um colchão de gás rico é injetado no reservatório, objetivando obter miscibilidade com o óleo residente, sendo posteriormente ambos deslocados por gás pobre.

recuperação por injecção de água (Port.) (Ang.) / *fill-up*. O mesmo que fill-up. ▶ Ver fill-up.

recuperação por vaporização de gás / *vaporizing-gas drive*. Processo de recuperação avançada de petróleo, por injeção de gás pobre a alta pressão, objetivando a obtenção de miscibilidade com o óleo residente.

recuperação primária / *primary recovery*. Processo que ocorre quando a pressão natural do reservatório é suficiente para elevar o óleo à superfície para sua produção. O mesmo que *produção primária*. ▶ Ver *recuperação secundária*; *recuperação terciária*.

recuperação primária de óleo / *primary oil recovery*. O mesmo que *recuperação primária*. •◦ ▶ Ver *recuperação primária*.

recuperação secundária / *secondary recovery*. Processo que ocorre quando campos de petróleo têm sua produção aumentada pela injeção de água ou gás no reservatório para além da recuperação por métodos normais, isto é, depois da recuperação primária. ▶ Ver *recuperação primária*; *recuperação terciária*.

recuperação secundária por injeção de produtos químicos / *chemical flood processes*. Método de recuperação avançada que utiliza a injeção de produtos químicos para alterar as propriedades dos fluidos no reservatório. •◦ A injeção de polímeros aumenta a viscosidade da água, melhorando a eficiência de varrido. A injeção de tensoativos diminui a tensão interfacial água-óleo, permitindo uma maior recuperação pela redução das forças capilares.

recuperação secundária por injecção de água (Port.) / *flood ou flooding*. O mesmo que *inundação micelar*. ▶ Ver *inundação micelar*; *recuperação primária*; *recuperação terciária*.

recuperação secundária por injecção de água com micelas (Port.) / *micellar flood*. O mesmo que *inundação micelar*. ▶ Ver *inundação micelar*; *recuperação primária*; *recuperação terciária*.

recuperação secundária por miscibilidade de CO_2 ou gás natural / *secondary recovery by CO_2 or natural gas miscibility*. Método de recuperação avançada baseado na injeção de CO_2 ou gás natural, no qual esses gases injetados no reservatório sob pressão são dissolvidos no fluido a ser produzido (geralmente óleo pesado), formando uma única fase, reduzindo as forças capilares e interfaciais existentes no reservatório. ▶ Ver *recuperação primária*; *recuperação terciária*.

recuperação terciária / *tertiary recovery*. Processo, normalmente físico-químico, utilizado para incrementar o fator de recuperação de um campo além da recuperação secundária, incluindo, mas não se limitando a: injeção alternada de gás e água (*WAG*); injeção de produtos miscíveis, como CO_2 ou propano; injeção de polímeros detergentes ou solventes e aquecimento (recuperação térmica). ▶ Ver *recuperação primária*; *recuperação secundária*.

recurso ambiental / *environmental resource*. Cada um dos seguintes itens: a atmosfera, as águas interiores, os estuários, o mar territorial, o solo, o subsolo, os elementos da biosfera, a fauna e a flora (Lei n° 6.938/81).

recurso biológico / *biological resource*. Recurso genético, organismos ou partes destes ou qualquer componente biótico de ecossistemas de real ou potencial utilidade ou valor para a humanidade (D.L. n° 2/94).

recursos minerais / *mineral resources*. Agrupamento de minerais na crosta terrestre, cujas características permitem que sua extração seja ou possa chegar a ser técnica e economicamente viável.

rede de Bragg / *fiber Bragg grating*. Segmento da fibra óptica modificada de modo a filtrar

comprimentos de onda predefinidos. ⇝ Esses segmentos modificados é que são capazes, após uma calibração adequada, de medirem as propriedades físicas e químicas de um poço (pressão, temperatura, vazão e acidez). A propriedade medida (P) é uma função do comprimento da onda filtrado λ, ou seja, P=Pλ. ▶ Ver *cabo óptico; sensor de fibra óptica; sensor óptico de pressão e temperatura.*
rede de canais / *channel net; channel network*. Padrão resultante de todos os canais que compõem uma bacia de drenagem.
redemoinho / *swirl*. O mesmo que *rotação de fluido*. ▶ Ver *rotação do fluido*.
redução da inclinação do poço / *drop off*. Inclinação que sofre uma redução intencional ou provocada pela formação. Os trechos em que se dá tal redução são chamados de *trechos de redução de inclinação* ou *drop off*. Esta redução ocorre, algumas vezes, durante a perfuração direcional de um poço. ▶ Ver *perfuração direcional; inclinação*.
redução de espaçamento / *in fill; infill; ou infilling well*. Redução que ocorre quando se perfura um poço entre outros poços produtores, aumentando a densidade de poços no campo e, consequentemente, aumentando a produção e a otimização da recuperação do reservatório.
redução química / *chemical reduction*. Processo de aceitação de um ou mais elétrons de um composto, ou de remoção do oxigênio de um composto, ou ainda da adição de hidrogênio (hidrogenação). A redução e a oxidação sempre ocorrem em pares de reações (*reações redox*). Por exemplo, os alcanos podem ser reduzidos para alcenos por hidrogenação.
redutor da densidade da lama (Port.) (Ang.) / *extender*. O mesmo que *estendedor*. ▶ Ver *estendedor*.
redutor da tensão superficial / *surface-tension reducer, surface tension additive*. Agente preventor e/ou quebrador de emulsão que apresenta alguma tendência de se adsorver na interface entre duas fases líquidas, reduzindo a tensão interfacial. ⇝ A propriedade mencionada decorre da estrutura química das substâncias consideradas, as quais se constituem de moléculas que apresentam uma parte polar, solúvel em água, e uma parte apolar, solúvel em óleo.
redutor de bombeio mecânico / *gear reducer*. Conjunto de engrenagens, utilizado no método de produção por bombeio mecânico, alojado numa caixa metálica, que tem a função de reduzir a rotação oriunda do motor de acionamento. ⇝ Posicionado entre o motor e o equipamento a ser acionado, dispõe de um eixo de entrada (ou *de alta*) por onde, através de um par de polias, recebe a rotação do motor; internamente, a rotação é transmitida por alguns pares de engrenagens (por meio das quais ocorre a redução da velocidade de rotação) e por um eixo de saída (ou *de baixa*) em que estão acopladas as manivelas da unidade de bombeamento. ▶ Ver *cavalo de pau; bombeio mecânico*.

redutor de filtrado / *filtrate reducer*. Aditivo utilizado em fluido de perfuração e pastas de cimento para minimizar a invasão do fluido na formação, evitando dano da mesma e, no caso de pastas de cimento, a desidratação da pasta. ⇝ Geralmente são utilizados polímeros derivados de celulose e sintéticos, bem como carbonato de cálcio. ▶ Ver *reboco; polímero*.
redutor de fricção / *friction reducer; friction-reducing agent*. Aditivo usado em fluido de perfuração e pasta de cimento com o objetivo de reduzir as perdas de carga por fricção durante o escoamento dos referidos fluidos pelo interior da coluna de perfuração e pela região anular. São usados frequentemente em poços horizontais, poços de grande afastamento e poços com alta inclinação. ⇝ Redutores de fricção encontram aplicação em diversas áreas, tais como nos sistemas de aquecimento e de resfriamento, extinção de incêndios, sistemas de irrigação etc. No entanto, uma das aplicações mais importantes está na indústria de petróleo. Estes aditivos são utilizados para melhorar as propriedades de fluxo no escoamento de óleo cru entre plataformas de produção (*offshore*) ou entre a plataforma e um terminal em terra. Os redutores de atrito promovem um aumento da capacidade do oleoduto, visto que uma maior vazão de fluido será alcançada dentro da pressão-limite da instalação. São conhecidas várias classes de substâncias que atuam como redutores de fricção, tais como polímeros sintéticos, biopolímeros, suspensão de fibras, partículas sólidas, surfactantes etc. ▶ Ver *perda de carga; poço horizontal*.
reembolso de direitos de importação (Port.) / *drawback*. O mesmo que *regime de* drawback. ⇝ Em Portugal, o termo é conhecido por *draubaque*. ▶ Ver *regime de* drawback.
reentrada / *reentry*. Termo utilizado sempre que se vai intervir em um poço que já havia sido dado como concluído. É empregado mais comumente quando se pretende perfurar um novo poço a partir de um poço já perfurado. ⇝ Existem várias razões para fazer uma reentrada. Uma delas é o aproveitamento de um trecho de um poço antigo, cuja produção declinou ou perdeu qualidade (produção excessiva de água ou gás), para então desviá-lo e posicioná-lo em um novo horizonte produtor. A reentrada pode ser feita em um poço já revestido ou sem revestimento, também chamado de *poço aberto*. No caso de poços revestidos, é necessário fazer a abertura de uma janela com ferramentas especiais. ▶ Ver *poço de petróleo; poço desviado; poço revestido; revestimento; produção*.
referência de profundidade / *depth reference*. 1. Ponto em que a profundidade é definida como zero. 2. Ponto no poço a partir do qual é medida a profundidade. ⇝ Geralmente o nível da mesa rotativa (*MR*), ou outro nível, é usado para perfurar o poço. A profundidade medida a partir deste ponto é a profundidade medida (*MD*) para o

poço. Mesmo quando a sonda de perfuração é removida, todas as medidas subsequentes e operações no poço serão ainda ajustadas à mesma referência de profundidade. Contudo, para estudos de vários poços, as profundidades são normalmente ajustadas ao nível permanente, geralmente o nível do mar (*NM*). A referência de profundidade e sua elevação acima do nível permanente são registradas no cabeçalho do perfil. ▶ Ver *roda de profundidade*.

Referência Norte-Americana de Qualidade de Óleo Cru / *West Texas Intermediate (WTI)*. Termo de referência norte-americano de qualidade de óleo cru. É usado tanto para o mercado físico quanto para o mercado *spot*. É o grau utilizado nos contratos futuros transacionados na NYMEX.

refletor especular / *specular reflector*. Objeto no qual feixes incidentes de sonar incidem principalmente na direção normal a sua superfície. Estão incluídos nesta categoria objetos cilíndricos e esféricos, como dutos e boias de flutuação. Esses objetos aparecem sempre como alvos de alta reflexão em registros sonográficos.

refletor explosivo / *exploding reflector*. Experimento matemático com o objetivo de explicar fisicamente uma seção de afastamento fonte-receptor (*offset*) nulo. Basicamente, consiste em considerar as interfaces como fontes, que são detonadas simultaneamente no instante zero, com intensidade proporcional aos coeficientes de reflexão, colocando-se os receptores na superfície, levando-se em conta as velocidades dos meios por onde as ondas se propagam iguais à metade das velocidades verdadeiras.

reflexão-chave / *key reflection*. Reflexão mais fácil de ser identificada em sísmica.

reflexão crítica / *critical reflection*. Reflexão sísmica cujo ângulo de incidência é igual a um ângulo de refração de 90 graus.

reflexão de grande ângulo / *wide-angle reflection*. Reflexão sísmica com ângulo de incidência que excede 30 graus.

reflexão de onda / *wave reflection*. Propriedade de uma onda de ser refletida ao incidir em uma interface.

reflexão difratada / *diffracted reflection*. Difração da energia refletida sobre um ponto refrator.

reflexão gás-água / *gas-water reflection*. Reflexão que é devida ao contato gás-água em um reservatório.

reflexão gás-óleo / *gas-oil reflection*. Reflexão que é devida ao contato gás-óleo dentro de um reservatório.

reflexão intraembasamento / *intrabasement reflection*. Reflexão local dentro do embasamento. ▶ Ver *embasamento*.

reflexão múltipla / *multiple reflection*. Energia sísmica refletida ou qualquer evento em dados sísmicos que haja incorrido em mais de uma reflexão na sua trajetória. ↔ Dependendo do seu atraso no tempo dos eventos primários, com os quais estão associadas, as reflexões múltiplas são caracterizadas como de (*I*) trajetória-curta, significando que interferem com sua reflexão primária, ou de (*II*) longa-trajetória, onde aparecem como eventos separados. Observa-se que as reflexões múltiplas do fundo da água (correspondentes à interface da base da água e a rocha ou sedimentos abaixo dela), assim como a interface ar-água, são fatores comuns em dados de sísmica marítima e são eliminados no respectivo processamento. ▶ Ver *reflexão primária*; *reflexão total*.

reflexão primária / *primary reflection*. Energia que sofreu somente uma reflexão, portanto não é um múltiplo. ▶ Ver *reflexão múltipla*; *reflexão total*.

reflexão total / *total reflection*. Reflexão sísmica na qual a totalidade da onda incidente é retornada. ▶ Ver *reflexão múltipla*; *reflexão primária*.

reflexão lateral / *side reflection; sideswipe reflection*. Reflexão sísmica fora do plano vertical da linha de reflexão. ▶ Ver *reflexão múltipla*; *reflexão primária*; *reflexão total*.

refluxo / *backflow*. 1. Fluxo na direção contrária à dos fluidos produzidos, isto é, em direção a uma zona produtora, geralmente devido ao aumento da pressão no fundo do poço. 2. Aplica-se, também, ao fluxo, geralmente indesejado, entre zonas produtoras, devido a um diferencial de pressão entre elas. ▶ Ver *backflow*.

reforma de unidades industriais (REVAMP) / *to patch up or restore, renovate revamp*. Adequação de uma unidade de processo às novas necessidades operacionais, assim como a avanços tecnológicos.

refração ionosférica / *ionospheric refraction*. Refração das ondas eletromagnéticas que ocorre na ionosfera, que é a parte superior da atmosfera, entre 80 km e 400 km de altitude.

refração rasa / *shallow refraction*. Levantamento de refração sísmica que tem por finalidade determinar a espessura da zona de baixa velocidade (*ZBV*). ▶ Ver *zona de baixa velocidade* (*ZBV*).

refrator / *refractor*. Camada de velocidade maior que a das camadas sobrejacentes, através da qual viaja uma onda frontal.

refundment bond. O mesmo que *bônus de reembolso*. ▶ Ver *bônus de reembolso*.

regeneração / *regeneration*. Restabelecimento da função de um componente de ecossistema por processos bióticos ou abióticos.

região de passagem / *pass region*. Banda de frequências que um sistema poderá passar com, praticamente, o mesmo ganho, enquanto atenua outras frequências.

região de rejeição / *rejection region*. Região onde atua um filtro de rejeição, ou intervalo onde o filtro exerce uma considerável atenuação.

região de Warburg (W) / *Warburg's region (W).* Parte íngreme do gráfico de eletrorresistividade, próxima do ponto de inflexão, onde a impedância elétrica da rocha é dominada pela condução farádica. ▶ Ver *impedância de Warburg.*

Regime Aduaneiro Especial de Exportação e de Importação de Bens, Brasil / *Special Customs System for Export and Import of Goods destined to Activities of Research and Mining of Natural Gas and Petroleum Oil Deposits, Brazil.* Regime de importação e exportação de bens com suspensão de tributos incidentes, conforme definidos pela legislação brasileira. São chamados de *especiais* por não se adequarem à regra geral do regime comum. ⇝ São exemplos de regimes especiais o Regime Especial de Admissão Temporária, o de *drawback* e o REPETRO. ▶ Ver *Regime Aduaneiro Especial de Exportação e Importação de Bens destinados às Atividades de Pesquisa e de Lavra das Jazidas de Petróleo e de Gás Natural (REPETRO); admissão temporária; regime de* drawback.

Regime Aduaneiro Especial de Exportação e Importação de Bens destinados às Atividades de Pesquisa e de Lavra das Jazidas de Petróleo e de Gás Natural (REPETRO), Brasil / *Special Customs System for Export and Import of Goods destined to Activities of Research and Mining of Natural Gas and Petroleum Deposits, Brazil.* Regime Aduaneiro Especial de Exportação e Importação de Bens no Brasil, que tem como finalidade principal desonerar de tributos federais o fornecimento de bens destinados às Atividades de Pesquisa e de Lavra das Jazidas de Petróleo e de Gás Natural. ⇝ Sob a égide do REPETRO, o bem produzido pelo fornecedor nacional fica desonerado do pagamento dos tributos mencionados, bem como no caso de importação de bens, caso em que também fica suspenso o pagamento dos mesmos. O REPETRO provém de dois regimes aduaneiros especiais: o *drawback* e a admissão temporária. ▶ Ver *Regime Aduaneiro Especial de Exportação e de Importação de Bens; regime de* drawback*; admissão temporária.*

regime de contratação / *contracting regime.* Procedimento que define a estrutura de pagamento dos serviços acordados no instrumento contratual firmado entre empresa contratada e empresa contratante. Os pagamentos poderão ser feitos por preço unitário, por preço global, por empreitada integral ou por administração. Em um mesmo instrumento contratual admite-se a combinação de mais de um regime contratual, desde que possuam critérios independentes para a medição dos serviços contratados.

regime de draubaque (Port.) / *drawback regime.* O mesmo que *regime de* drawback. ▶ Ver *regime de* drawback.

regime de drawback / *drawback regime.* 1. O mesmo que *drawback.* 2. Regime especial de incentivo à exportação. ⇝ São duas as modalidades para *drawback*, a saber: (*I*) *por suspensão*, na importação de produtos a serem utilizados em processo de industrialização de outro produto a ser exportado; e (*II*) *por isenção*, onde é isenta de tributos federais a importação de produtos em qualidade e quantidade equivalentes, destinados à reposição de produtos importados anteriormente ou utilizados na industrialização de produto exportado. Em Portugal, utiliza-se *Regime de Reembolso de Direitos de Importação.* ▶ Ver *Regime Aduaneiro Especial de Exportação e de Importação de Bens.*

regime de escoamento / *flow regime.* 1. Regime que caracteriza o escoamento de um material quanto à dinâmica. Tal escoamento pode ser classificado pelos seguintes tipos de regime de escoamento: (*I*) laminar; (*II*) transição e turbulento, caracterizado pelo número de Reynolds; e (*III*) permanente (estacionário) e transiente, caracterizado pela variação das propriedades num ponto com o tempo. 2. Geometria física exibida por um escoamento multifásico num duto. Por exemplo, em um escoamento bifásico óleo-água, a água livre ocupa a parte inferior do duto, e o óleo ou a emulsão, a parte superior do mesmo. ⇝ O regime de escoamento laminar tem uma estrutura caracterizada pelo movimento do fluido em lâminas ou camadas, sem uma mistura macroscópica de camadas adjacentes do fluido. No regime turbulento, o escoamento parece ter flutuações aleatórias sobre um movimento médio, caracterizando-se pela formação de estruturas tridimensionais e transientes. ▶ Ver *número de Reynolds; regime de transição.*

regime de fluxo / *flow regime.* Condição hidráulica definida pelo número de *Froude*, fundamentada aproximadamente na razão entre a velocidade e a espessura da corrente. ⇝ Pode ser dividido em regime de *fluxo inferior* (subcrítico com número de *Froude* < 1, crítico com número de *Froude* = 1) e *superior* (supercrítico com número de *Froude* > 1). Termo muito usado na definição do tipo de processo de transporte e deposição sedimentar e que é reconhecido nas estruturas sedimentares encontradas no registro sedimentar. Estes regimes podem surgir nos diferentes estágios do escoamento de fluidos no reservatório ao longo da vida útil de um poço em produção. Entre os diferentes regimes de fluxo estão o transiente, o permanente ou o pseudopermanente. ▶ Ver *número de Froude (Fr).*

regime de revezamento / *rotation regime.* Regime de trabalho realizado em escalas, especificados o tempo trabalhado e o tempo de descanso. ⇝ Trata-se de um regime muito usado na indústria do petróleo, por exemplo, nos trabalhos de sonda ou de plataformas de produção. ▶ Ver *regime de sobreaviso.*

regime de sobreaviso, Brasil / *look-out regime, Brazil.* Regime de trabalho em que o empregado permanece à disposição do empregador por um período de 24 horas, para prestar assistência aos trabalhos normais ou atender a necessidades ocasionais de operação. •» A Consolidação das Leis do Trabalho do Brasil considera de *sobreaviso* o empregado efetivo que permanecer em sua própria casa, aguardando a qualquer momento o chamado para o serviço. As horas de *sobreaviso*, para todos os efeitos, serão contadas à razão de um terço do salário normal. Também por dispositivo legal brasileiro, considera-se o *regime de sobreaviso* para o empregado com responsabilidade de supervisão das operações de exploração, perfuração, produção e refino de petróleo, bem como de industrialização do xisto, da indústria petroquímica e do transporte de petróleo e seus derivados por meio de dutos ou engajado em trabalhos de geologia de poço ou em trabalhos de apoio operacional às atividades de exploração, perfuração, produção e transferência de petróleo do mar e de áreas terrestres distantes ou de difícil acesso.

regime de transição / *transition regime.* Regime de escoamento dos fluidos produzidos em um poço ou campo observado conforme o aumento do número de Reynolds, antes de estabelecer o regime de escoamento turbulento. Como seu nome sugere, este regime se observa na transição entre o regime laminar e o turbulento. ▶ Ver *regime de escoamento*; *número de Reynolds*.

regime hidrológico / *hydrologic regimen.* Termo que se refere ao comportamento característico e às quantidades totais de águas envolvidas em uma bacia hidrográfica. •» É determinado através de medições de parâmetros como precipitação, armazenamento, fluxo superficial e subsuperficial e evapotranspiração.

regime permanente / *steady state.* Regime de escoamento no qual as suas propriedades não variam com o tempo. •» Matematicamente, em um escoamento em regime permanente ou estacionário, todas as derivadas em relação ao tempo são nulas. Propriedades tais como massa específica e velocidade podem variar ponto a ponto, mas permanecem constantes com o tempo.

regime transiente / *infinite-acting regime.* Momento que ocorre logo após o início da produção de um poço e no qual a mesma produção não permite definir fronteiras físicas ou artificiais no reservatório, este aparentando ser infinitamente extenso.

regime transitório (Port.) (Ang.) / *infinite-acting regime.* O mesmo que *regime transiente*. ▶ Ver *regime transiente*.

regime turbulento / *turbulent regime.* Regime de escoamento caracterizado por um deslocamento desordenado de partículas. •» Nesse regime as trajetórias das partículas se cruzam e as velocidades das mesmas variam de modo irregular e com baixa previsibilidade.

registador (Port.) / *registration unit.* O mesmo que *registrador*; *medidor*. ▶ Ver *registrador*.

registador de pressão de fundo (Port.) / *permanent downhole gauge.* O mesmo que *medidor de pressão de fundo* e *registrador de pressão de fundo*. ▶ Ver *registrador de pressão de fundo*.

registador do nível de lama (Port.) / *mud-level recorder.* O mesmo que *registrador do nível de lama*. ▶ Ver *registrador do nível de lama*; *fluido de perfuração*; *lama de perfuração*.

registador permanente de fundo (Port.) / *permanent downhole gauge.* O mesmo que *medidor permanente de fundo* e *registrador permanente de fundo*. ▶ Ver *registrador permanente de fundo*.

registando diagrafias enquanto se fura (Port.) (Ang.) / *logging while drilling.* O mesmo que *perfilando durante a perfuração*. ▶ Ver *perfilando durante a perfuração*.

registo das características de testemunho (Port.) (Ang.) / *core record.* O mesmo que *registro de testemunho*. ▶ Ver *registro de testemunho*.

registo de controlo da profundidade das perfurações (Port.) (Ang.) / *perforating-depth-control log.* O mesmo que *perfil de controle de profundidade do canhoneio*. ▶ Ver *perfil de controle de profundidade do canhoneio*.

registo de controlo da profundidade do canhoneio (Port.) (Ang.) / *perforating-depth-control log.* O mesmo que *perfil de controle de profundidade do canhoneio*. ▶ Ver *perfil de controle de profundidade do canhoneio*.

registo de decaimento térmico (Port.) / *thermal decay time log.* O mesmo que *perfil de decaimento térmico*. ▶ Ver *perfil de decaimento térmico*.

registo diagráfico das perfurações (Port.) (Ang.) / *perforation log* . O mesmo que *perfil de canhoneio*. ▶ Ver *perfil de canhoneio*.

registo digital (Port.) (Ang.) / *digital recording.* O mesmo que *registro digital*. ▶ Ver *registro digital*.

registo fossilífero (Port.) (Ang.) / *fossil record.* O mesmo que *registro fossilífero*. ▶ Ver *registro fossilífero*.

registo polarizado (Port.) (Ang.) / *bias recording.* O mesmo que *registro polarizado*. ▶ Ver *registro polarizado*.

registrador / *recording unit.* Instrumento utilizado para registrar dados propiciando conhecer o histórico de valores de uma determinada variável. •» Os registradores podem ser montados no campo ou nas salas de controle, como nas salas das sondas ou nas das plataformas de produção ou nas dos caminhões sísmicos. Em Portugal, conhecido também como *medidor*.

registrador de pressão de fundo / *permanent downhole gauge.* Equipamento utilizado para a medição contínua de pressão e temperatura dentro de um poço de petróleo. •» Ao contrário dos instrumentos utilizados nos serviços de avaliação eventual de poços (por exemplo, ferramentas de perfilagem), este tipo de equipamento é colocado permanentemente dentro do poço, normalmente situado em profundidades próximas à do reservatório, sendo utilizado para a avaliação das características do mesmo. São equipamentos de alta precisão, sendo bastante robustos por estarem sujeitos a severas condições dentro de poços de petróleo, com temperaturas e pressões muito elevadas. Normalmente, são sensores eletrônicos baseados em osciladores a cristal de quartzo (*quartz gauges*), embora já existam sensores baseados em tecnologia óptica (*FBG: Fiber Bragg Gratings*).

registrador do nível de lama / *mud-level recorder*. Instrumento que registra, nas sondas, o nível de lama nos tanques para verificar se existe ganho ou perda de fluidos no sistema, com o objetivo de detectar rapidamente se há alguma perda de circulação ou se ocorreu um influxo (*kick*). ▶ Ver *fluido de perfuração*; *lama de perfuração*.

registrador permanente de fundo / *permanent downhole gauge*. Sensor de pressão e temperatura de fundo do poço posicionado na coluna de produção, próximo ao reservatório, para monitorar a pressão e a temperatura do fluido produzido.

registro através do fluido / *mud logging*. Registro do tipo de formação e dos fluidos nela contido que usa vários princípios, tais como resistividade, radioatividade e acústica. Pode-se registrar também os parâmetros de perfuração ou completação, tais como peso sobre broca, vazão, pressão, volume, usando-se sensores de fundo. Em Portugal, utiliza-se o termo *diagrafia das lamas*. ↠ Usualmente é realizado por companhias de serviço especializadas.

registro de testemunho / *core record*. Registro que mostra profundidade, característica, litologia, porosidade, permeabilidade e os fluidos contidos no testemunho.

registro digital / *digital recording*. Registro no qual o sinal analógico de entrada, que pode ser um filme, uma música, ou mesmo um registro sísmico, converte-se em uma série de números discretos (amostras), representados na forma binária, e armazenados em alguma mídia específica. ↠ Quanto menor o intervalo de tempo entre as amostras (*sample rate*), melhor será a qualidade do registro digital, ao custo da necessidade de um maior espaço para o seu armazenamento. O tamanho em *bits* (*word*) utilizado para representar cada amostra também influi na qualidade do registro. Atualmente, o registro que utiliza 24 *bits* é considerado um limite prático, já que esse tamanho permite uma taxa de sinal-ruído que excede a maioria dos circuitos analógicos, presentes em pelo menos dois momentos da cadeia de gravação e reprodução.

registro digital por retorno a zero / *return-to-zero digital recording*. O mesmo que *método retorno a zero*. ▶ Ver *método retorno a zero*.

registro direcional do poço / *well directional survey; well directional log; dog leg severity*. Relatório de todos os registros de inclinação e direção feitos durante a construção do poço até o momento da geração de tal relatório. ↠ É prática normal na indústria que este relatório contenha, além de informações genéricas sobre o poço e a sonda, as informações de cada registro, que incluem a profundidade em que foi feito, sua inclinação e direção (ou azimute) e os valores calculados a partir dele, como a profundidade vertical, as coordenadas norte/sul e leste/oeste, o afastamento ou seção horizontal e o *dog leg severity*. Ao final do relatório, em geral, há a informação referente à posição relativa do último registro com relação à sonda, ou seja, a quantos metros esse ponto se encontra da sonda e em que direção (ou azimute). É também costume ter um gráfico da trajetória do poço em dois planos, um vertical passando pela sonda e na direção planejada do poço e um horizontal (visto de topo). ▶ Ver *poço direcional*; *afastamento*; *seção horizontal*; *inclinação*; *azimute*.

registro fossilífero / *fossil record*. Evidência da vida no passado geológico através de fósseis. O mesmo que *registro paleontológico*. ▶ Ver *paleontologia*.

registro paleontológico / *fossil record*. O mesmo que *registro fossilífero*. ▶ Ver *registro fossilífero*.

registro polarizado / *bias recording*. Sinal de alta frequência na gravação de fitas magnéticas, a ser misturado com o sinal de entrada com o objetivo de minimizar a distorção produzida pela própria fita.

registro processado / *fully-corrected data*. Dado sonográfico que já passou pelas diversas etapas de processamento, resultando em uma imagem bidimensional do fundo marinho na escala 1:1. Estas imagens finais são utilizadas na confecção dos mosaicos sonográficos.

regolito / *regolith*. 1. Material formado pela decomposição das rochas, posicionado *in situ* sobre a rocha fresca. **2.** Camada do manto que perde material de rocha inconsistente por ação do clima, e que está situada sempre abaixo e bem próximo da superfície da Terra e de restos na rocha dura. Ela compreende um vasto e sortido tipo de rochas: cinzas vulcânicas, geleiras glaciais aluviões, depósitos eólicos, acumulações e solos. **3.** Manto de intemperismo.

regressão / *regression*. 1. Dependência funcional entre duas ou mais variáveis aleatórias, sendo seus modelos utilizados amplamente nas mais variadas áreas do conhecimento, tais como nos sistemas computacionais, administração, engenharia, biologia, saúde, sociologia etc. Os modelos de regressão usam variáveis contínuas ou discretas e utilizam-se de equações lineares ou funções não lineares. **2.** Deslocamento da linha de costa em direção ao centro da bacia, podendo ser resultante tanto do rebaixamento do nível do mar quanto do soerguimento isostático do continente, ou, ainda, de uma combinação dos dois.

regressão da resistência / *strength retrogression*. Perda da resistência à compressão do cimento endurecido que se encontra no espaço anular revestimento-formação do poço. ↠ O cimento, quando submetido a temperaturas superiores a 110 °C (> 230 °F), degrada-se, acarretando perda da resistência à compressão e aumento da permeabilidade. Na literatura, é indicada como principal causa dessa degradação a formação do composto α-C_2SH. Este composto é resultante da conversão do gel de silicato de cálcio hidratado em presença de excesso de hidróxido de cálcio, quando sob influência da temperatura. A característica desse composto é o fato de ser fraco e poroso, respondendo, assim, pelos fenômenos da regressão da resistência do cimento e aumento da permeabilidade.
▶ Ver *tampão de fundo*; *tampão de topo*; *permeabilidade*.

régua externa / *external tape and float*. Medidor de nível de líquidos em tanques e vasos, baseado num elemento flutuante na superfície do líquido que é interligado por um cabo a um indicador de comprimento instalado no costado externo do tanque. Geralmente a indicação é sobre uma régua vertical externa que ocupa toda a altura do tanque, com resolução grosseira.

regulação / *regulation*. Procedimento caracterizado como a atribuição legal de poderes a um órgão independente (agência reguladora) para estabelecer diretrizes, dentro de um marco previamente definido, a partir das quais se darão a normatização, a mediação e a arbitragem de conflitos de interesses entre o Poder Público e a empresa particular, e entre estes e os usuários de serviços públicos e demais titulares de interesses difusos.
▶ Ver *agência reguladora*; *Agência Nacional do Petróleo, Gás Natural e Biocombustíveis* (ANP).

regulação de contratos, Brasil / *contract regulation, Brazil*. Regulação de contratos públicos, apoiada por dispositivo legal brasileiro e estabelecida com empresas internacionais, tendo em vista a necessidade de harmonização das condições ofertadas pela Administração Pública com as práticas do mercado internacional da indústria do petróleo. Considera as diretrizes da política monetária e do comércio exterior, em atendimento às exigências dos órgãos brasileiros competentes. ▶ Ver *agência reguladora*; *Agência Nacional do Petróleo, Gás Natural e Biocombustíveis* (ANP); *regulação do setor de petróleo e gás*.

regulação de danos / *abandonment to insurers*. Situação de exceção em que o segurado cede aos seguradores todos os seus direitos, contra pagamento da indenização prevista no contrato para o caso de perda total.

regulação do setor de petróleo e gás / *oil and gas sector regulation*. Intervenção do governo no mercado de petróleo e gás, com o objetivo de provocar nos agentes econômicos comportamento gerador de eficiências, agregando às decisões privadas outras variáveis, além das leis de mercado.
▶ Ver *agência reguladora*; *Agência Nacional do Petróleo, Gás Natural e Biocombustíveis* (ANP).

regulador de contrapressão / *backpressure regulator*. Dispositivo de controle de um fluido, composto por uma válvula normalmente fechada, que é colocada no final de uma linha hidráulica para regular a pressão hidráulica à montante desta. ↠ Este tipo de regulador é utilizado quando se quer manter a pressão constante numa linha hidráulica. Caso a pressão do fluido suba acima do valor ajustado, este é desviado pela válvula para um tanque ou dreno, de modo que se mantenha a pressão predeterminada pelo regulador de contrapressão.

regulador de gás / *gas choke*. Dispositivo de controle, ou válvula, no qual a vazão de um gás é ajustada continuamente.

regulador de vazão / *choke*. Equipamento que restringe o escoamento de um fluido através de restrição fixa ou ajustável, que resulta na queda de pressão de saída e consequente redução da vazão do fluido. ↠ É um tipo de válvula de controle onde alguns modelos se assemelham construtivamente a alguns tipos de válvula globo ou agulha. Um regulador tipo *choke* é projetado para modular uma queda de pressão. O corpo de um regulador *choke* aloja um pistão que desliza dentro de uma luva, ou gaiola, com diversos orifícios, por onde o fluido passa. Dependendo da posição entre o pistão e a gaiola, a passagem pelos furos é parcial. O fluxo pode atingir altas velocidades localizadas, onde a erosão é intensificada, sendo comum o uso de ligas de elevada dureza nos internos e componentes mais críticos. Existe uma condição especial na dinâmica do escoamento, chamada *escoamento crítico*, que ocorre quando a vazão de um regulador *choke* não mais aumenta, ainda que diante de uma maior redução da pressão de jusante (saída).
▶ Ver *válvula de controle*; *válvula globo*; *válvula agulha*.

reinjeção / *reinjection*. Operação de injeção em um reservatório de um fluido, líquido ou gás, previamente produzido do mesmo ou de outro reservatório. ▶ Ver *reinjeção de gás*; *reinjeção de água produzida*.

reinjeção de água produzida / *produced water reinjection* (PWRI). Operação de injeção em um reservatório da água que tenha sido previamente produzida do mesmo ou de outro reservatório. ↠ A reinjeção da água produzida evita o descarte da mesma no meio ambiente e contribui ainda para a manutenção da pressão e deslocamento do óleo no reservatório em produção. ▶ Ver *reinjeção*; *reinjeção de gás*.

reinjeção de gás / *gas reinjection*. Injeção de gás seco, separado do óleo produzido. ↠ Este gás é injetado de volta no reservatório para manter a pressão do mesmo e otimizar a recuperação de óleo. ▶ Ver *reinjeção*; *reinjeção de água produzida*.

relação de desempenho da tubulação / *tubing performance relationship.* Curva que mostra a variação da pressão requerida no fundo do poço com a vazão de líquido produzida. ~ A pressão requerida no fundo do poço depende da geometria do sistema (comprimento e diâmetro da linha de coleta e tubulação de produção) e das características dos fluidos produzidos. Como o diâmetro interno da tubulação de produção influencia significativamente esse valor, usa-se esse nome para se referir à curva de pressão requerida.

relação de incerteza / *uncertainty relation.* Relação entre medidas simultâneas de variáveis conjugadas que envolvem uma limitação intrínseca, definida pelo fato de que, quanto maior a precisão de uma, menor a precisão da outra.

relação entre preço de gás corrente e preço futuro / *current-to-future gas price ratio.* Relação entre os dois preços, que se baseiam em paralelismo e convergência. O paralelismo se dá pelo fato de certos fatores afetarem ambos os preços. A convergência decorre do fato de, ao se aproximar o momento do término do contrato, o preço corrente tender a se igualar ao preço futuro.

relação nº de átomos de carbono/nº de átomos de hidrogênio (C/H) / *ratio between the number of carbon atoms and the number of hydrogen atoms.* Relação entre o número de átomos de carbono e o número de átomos de hidrogênio de um mistura de hidrocarbonetos (um óleo cru ou um gás natural, por exemplo).

relatório de avaliação de risco ambiental / *environmental risk evaluation report.* Relatório elaborado pelo empreendedor, contendo diagnóstico ambiental da área em que já se encontra implantada a atividade (por exemplo: de perfuração ou de produção de petróleo ou gás), descrição dos novos empreendimentos ou ampliações e *revamps*, identificação e avaliação do impacto ambiental e indicação de medidas que venham a atenuar as consequências do impacto apontado. ▶ Ver *impacto ambiental*; *programa de investimento*; *reforma de unidades industriais* (*REVAMP*).

relatório de controle ambiental (RCA) / *environmental control report.* Relatório elaborado pelo empreendedor, contendo a descrição de atividade de perfuração ou de produção, riscos ambientais, identificação dos impactos, medidas minimizadoras destes ou ações inibidoras ou de contrapartida de tal quadro em benefício do meio ambiente em que esteja inserido o empreendimento em questão. ▶ Ver *impacto ambiental*; *programa de investimento*.

Relatório de Impacto Ambiental (RIMA) / *environmental impact report.* Documento em linguagem não técnica que apresenta os resultados dos estudos técnicos e científicos de avaliação de impacto ambiental para comunicá-los a todos os interessados. ▶ Ver *impacto ambiental*; *programa de investimento*; *gerência de empreendimento*.

relatório diário de perfuração (Port.) (Ang.) / *daily drilling report.* Documento que fornece informações diárias sobre os serviços de perfuração.

Relatório Técnico das Condições Ambientais do Trabalho (Port.) / *Technical report on workplace environmental conditions.* O mesmo que *Laudo Técnico das Condições Ambientais do Trabalho* (*LTCAT*). ▶ Ver *Laudo Técnico das Condições Ambientais do Trabalho* (*LTCAT*).

relaxação / *relaxation.* Deformação não elástica apresentada por materiais quando submetidos a um alívio das tensões atuantes. Esta deformação é proporcional à magnitude da tensão removida, de tal forma que as maiores deformações ocorrem nas direções onde previamente estavam aplicadas as maiores tensões. ~ Ensaios de relaxação são normalmente utilizados para determinação das direções de tensões horizontais principais atuantes numa determinada rocha. O ensaio de relaxação é realizado em corpo de prova obtido a partir de testemunho da rocha de interesse. Este corpo de prova, ao ser colocado na célula de relaxação, tem suas deformações medidas em diferentes direções, a fim de se determinarem aquelas em que ocorrerão as deformações máxima e mínima, que corresponderão às direções das tensões máxima e mínima que atuavam no testemunho. Este tipo de teste deve ser realizado logo após a retirada do testemunho, visto que a propriedade de relaxação dura poucas horas após removidas as tensões atuantes. ▶ Ver *tensão-deformação*; *elasticidade*.

relaxação por difusão / *diffusion relaxation.* Processo, em perfilagem de ressonância magnética nuclear, que indica a perda de energia coerente por átomos de hidrogênio quando eles se movem dentro do espaço poroso. ~ Átomos de hidrogênio que se movem significativamente dentro dos poros durante a perfilagem encontrarão diferentes campos magnéticos e precessam-se em diferentes razões, ou se defasam, sendo esta defasagem mais significativa para gás ou óleo leve. Sua magnitude depende do gradiente do campo, do espaçamento do eco e do coeficiente de difusão do fluido. A relaxação por difusão pode ser induzida em água usando longo espaçamento de eco.

relevo / *relief.* Conjunto de saliências e reentrâncias da superfície da Terra, sendo estas definidas pelas diferenças entre os máximos e mínimos topográficos da área considerada.

relevo invertido / *inverted relief.* Configuração topográfica que é o inverso da estrutura geológica que lhe deu origem. ~ Tal situação ocorre quando montanhas ocupam os locais dos sinclinais, os vales ocupam os locais dos anticlinais, ou quando lavas ocupam os vales preexistentes, forçando as correntes superficiais a desenvolverem novos vales. ▶ Ver *geomorfologia*.

relutância / *reluctance.* Relação entre a diferença de potencial magnético e o fluxo magnético.

remanescentes da erosão / *erosion remnants*. Produtos registrados oriundos do processo erosivo. De forma geral, são marcas em formas muito variadas que demonstram a remoção do material. Porém, sob a superfície de erosão, podem-se encontrar restos de material que sofreram o desgaste da ação erosiva com pouco ou nenhum transporte e ficaram como remanescentes desse processo. ▶ Ver *erosão*.

remendo do revestimento / *casing patch*. 1. Reparo feito no revestimento para restabelecer as condições mecânicas do poço. 2. Dispositivo ou ferramenta utilizados para remediar ou corrigir falhas mecânicas em revestimentos devido à corrosão, desconexão ou ruptura. ▶ Ver *revestimento*.

remoção de cera / *wax removal*. Outra denominação, menos comum, para o processo de desparafinação da tubulação de produção ou de transporte de petróleo. ▶ Ver *cera*; *remoção de parafina*; *parafina*.

remoção de gases ácidos / *acid gas removal*. O mesmo que *sistema de tratamento de gás*. ▶ Ver *sistema de tratamento de gás*.

remoção de parafina / *paraffin removal*. Outra denominação, menos comum, para o processo de desparafinação. ▶ Ver *parafina*; *cera*; *remoção de cera*.

removedor de areia / *desander*. O mesmo que *desarenador*. ▶ Ver *desarenador*.

removedor de névoa / *mist extractor*. Dispositivo interno de vasos separadores, situado imediatamente à montante da linha de saída de gás, que objetiva remover gotículas de líquido carreadas pela corrente de gás. ▶ Ver *removedor de névoa com malha de arame*; *removedor de névoa com placas corrugadas*.

removedor de névoa com malha de arame / *wire-mesh demister*. Dispositivo constituído por um pacote de telas de arame trançado, sobrepostas ou enroladas até atingir espessura da ordem de 10 cm a 15 cm. ↝ A grande área superficial criada por este tipo de dispositivo, interposta à corrente de gás, bem como as mudanças de direção que as respectivas malhas de arame impõem a esta mesma corrente, fazem com que as gotículas de líquido carreadas sejam adsorvidas na superfície dos fios de arame e, após coalescerem, gotejem sobre a superfície livre do líquido. ▶ Ver *removedor de névoa*; *removedor de névoa com placas corrugadas*.

removedor de névoa com placas corrugadas / *vane-type demister*. Dispositivo constituído de placas corrugadas montadas em paralelo, de forma a constituir um caminho tortuoso para a corrente de gás. ↝ As mudanças bruscas de direção que a corrente de gás sofre ao atravessar o dispositivo fazem com que as gotículas de líquido carreadas (com maior inércia que o gás) colidam com as superfícies das placas. Sobre essas superfícies, as gotículas coalescem e escoam até atingir a interface gás/líquido. ▶ Ver *removedor de névoa*; *removedor de névoa com malha de arame*.

removedor de pastas / *bailer*. Contêiner cilíndrico, manipulado por um cabo de arame, ao qual é provida uma válvula na extremidade inferior. ↝ Utilizado na operação de perfuração para a remoção de fluido pastoso ou aparas produzidas pela broca durante o corte da formação.

reologia / *rheology*. 1. Ciência que estuda a deformação e o escoamento de matéria. O termo é também utilizado para indicar as propriedades reológicas de um fluido, caracterizando seu comportamento sob condições que incluem os efeitos de temperatura, pressão e taxa de deformação. 2. Estudo das propriedades que determinam as deformações provocadas em um material pela ação de forças mecânicas externas. O material, neste contexto, pode ser sólido, líquido ou gasoso. ↝ Quando materiais ideais são deformados pela ação de uma tensão externa, eles apresentam comportamentos mecânicos (reológicos) que podem ser descritos pelos modelos clássicos de Hook (sólido) ou Newton (líquido). A reologia estuda também os materiais cujo comportamento mecânico depende do tempo de escala do processo de deformação. Este comportamento está diretamente relacionado com a microestrutura interna do material, o que faz da reologia uma ferramenta importante não apenas para a física e a engenharia, mas também para a química, a biologia e suas ramificações. ▶ Ver *reometria*; *reômetro*.

reometria / *rheometry*. Determinação experimental do comportamento de fluxo e das propriedades viscoelásticas a partir do estudo da deformação do material. ▶ Ver *reologia*; *reômetro*.

reômetro / *rheometer*. Equipamento que permite investigar o comportamento reológico sob condição de fluxo contínuo, como também estudar o comportamento viscoelástico de certo material, a partir da determinação quantitativa dos parâmetros reológicos, inclusive as propriedades que determinam o comportamento viscoelástico de fluidos não newtonianos. ↝ A maioria dos reômetros pertence a três categorias específicas: reômetro rotacional, reômetro capilar e reômetro extensional. O reômetro rotacional, que é a categoria mais comumente utilizada na caracterização de fluidos complexos, apresenta três tipos básicos de sensores reológicos: cilindros coaxiais, cone-placa e placas paralelas. Nos três casos o fluido é deformado (cisalhado) entre uma superfície fixa e uma superfície móvel controlada com alta precisão pelo instrumento. ▶ Ver *reometria*; *reologia*.

reômetro cone-placa / *cone-and-plate rheometer*. Reômetro rotativo constituído por um sensor que possui um corpo de forma cônica e outro plano em forma de placa circular. ↝ O ângulo do corpo cônico é, em geral, muito pequeno. A escolha do ângulo do cone leva em consideração o tamanho das partículas dispersas no material em estudo, bem como a faixa de taxa de deformação que se quer estudar. ▶ Ver *reômetro*.

reômetro de placas paralelas / *parallel-plate rheometer*. Reômetro rotativo constituído por um sensor placa-placa circular que é definido pelo raio da placa e pela distância entre elas (*gap*). ↔ Utilizado quando as amostras contêm partículas dispersas muito grandes. Entretanto, o tamanho do *gap* deve ser, pelo menos, três vezes maior do que o tamanho das partículas. ▶ Ver *reômetro*.

reômetro extensional / *extensional rheometer*. 1. Equipamento utilizado na avaliação da resposta mecânica de materiais viscoelásticos em movimentos elongacionais. 2. Reômetro usado na determinação das propriedades extensionais de fluidos não newtonianos. ▶ Ver *reômetro*.

reômetro FISER / *FISER rheometer; filament stretching extensional rheometer*. Reômetro extensional que utiliza o conceito de estiramento de filamento de fluido contido entre duas placas. ↔ Neste equipamento, um movimento exponencial de uma das placas impõe ao fluido uma taxa de extensão constante. A evolução temporal da força de extensão exercida pela coluna de fluido na placa que se movimenta e a evolução do raio no ponto central do filamento são medidas e utilizadas para a avaliação da viscosidade extensional durante o ensaio. ▶ Ver *reômetro*.

reômetro rotacional / *rotational rheometer*. Reômetro que se baseia na rotação de um corpo cilíndrico, cônico ou circular, imerso em um material, o qual experimenta uma força de resistência viscosa ao se impor uma velocidade rotacional ao sistema. Tal força é função da velocidade de rotação do corpo e da natureza do material em estudo. ↔ É um equipamento concebido de modo que o corpo imerso, em contato com o material em estudo, possa ser submetido a uma velocidade de rotação (taxa de deformação) ou a uma tensão predefinida. ▶ Ver *reômetro*.

reopexia / *rheopexy*. Fenômeno do aumento da viscosidade aparente do fluido com o tempo de cisalhamento, sob uma taxa de cisalhamento constante, que ocorre reversível e isotermicamente com uma dependência nítida do tempo. É um fenômeno inverso ao tixotropismo e bem menos frequente. ▶ Ver *reologia*; *fluido de perfuração*.

repetitividade / *repeatability*. Grau de concordância entre os resultados de medições sucessivas de um mesmo mensurando efetuadas sob as mesmas condições de medição. Condições de repetitividade incluem: mesmo procedimento de medição, mesmo observador, mesmo instrumento de medição, utilizado nas mesmas condições, mesmo local e repetição em curto período de tempo.

representação colorida / *color display*. Apresentação gráfica (em papel ou computador) em que são atribuídas diferentes cores (geralmente gradacionais) para diferentes valores de uma determinada grandeza (tempo, amplitude, profundidade etc.).

representação de vídeo / *video display*. Imagem gerada na tela de um terminal gráfico, microcomputador ou *laptop*.

representação galvanométrica / *wiggle display*. Modalidade de representação de dados sísmicos que emprega uma curva sinuosa e contínua para indicar a variação da amplitude em função do tempo. ↔ Esta representação do dado sísmico é mais utilizada quando se procura observar os efeitos de estiramento, empilhamento, arranjo de geofones e efeito-fantasma no comportamento do pulso sísmico.

reprodutibilidade / *reproducibility*. Grau de concordância entre os resultados das medições de um mesmo mensurando, efetuadas sob condições variadas de medição. ↔ As condições variadas podem incluir: princípio de medição, método de medição, observador, instrumento de medição, padrão de referência, local, condições de utilização e tempo.

repulsão eletrostática / *electrostatic repulsion*. 1. Força provocada pela aproximação de dois pontos carregados eletricamente com cargas de mesmo sinal. 2. Força responsável pela definição da geometria mais favorável de moléculas pelo modelo da repulsão do par de elétrons da camada de valência (por exemplo, o metano, CH_4, apresenta geometria tetraédrica devido à repulsão eletrostática entre os quatros pares de elétrons das ligações C-H). ▶ Ver *metano*.

reserva adicional indicada / *indicated additional reserve*. Parte da reserva de óleo e gás de um reservatório conhecido, incapaz de ser produzida com a aplicação de técnicas de recuperação avançada conhecidas. O volume dessa reserva é estimado a partir da aplicação de tecnologias ou técnicas de recuperação avançada futuras. ↔ Existem diversas tabelas de classificação de reservas, no entanto, a maioria é baseada em reservas possíveis, prováveis e provadas. A partir do momento em que um reservatório de petróleo é descoberto, estima-se a quantidade de óleo e gás que pode ser produzida a partir da aplicação de tecnologias conhecidas (reserva provada) e a partir de novas tecnologias ainda não desenvolvidas (reservas prováveis e possíveis).

Reserva Biológica (REBIO) / *biological reserve*. Unidade de conservação de proteção integral criada pelo Poder Público para conciliar a proteção dos recursos ambientais com fins educacionais, recreativos e científicos (Lei n° 5.197/67).

Reserva Ecológica / *ecological reserve*. Unidade de conservação privada ou pública criada pelo Poder Público para manter os ecossistemas naturais de importância regional, regulando os usos admissíveis (Decreto n° 89.336/84).

reserva mineral / *reserved mineral*. Acumulações econômicas de minerais que não são propriedade do dono da terra, mas pertencem ao Estado. ↪ O Estado confere o direito de prospecção e mineração desses minerais para aqueles que propuserem os projetos para a exploração conforme o estabelecido pelo organismo de controle minerário competente. Alguns minerais, como carvão, ferro e ouro, estão incluídos neste grupo. Alguns contratos de Exploração e Produção de Petróleo incluem cláusulas que permitem a exploração destas reservas minerais sob condições especiais.

Reserva Particular do Patrimônio Natural (RPPN) / *private reserve of natural heritage.* Área especialmente protegida por iniciativa do proprietário e assim reconhecida pelo Poder Público pela importância da biodiversidade ou pelo valor paisagístico e para usos educacionais, recreativos e científicos (Decreto n° 1.922/96).

reserva provada não desenvolvida / *proved undeveloped reserves.* Reserva provada capaz de ser produzida a partir da instalação de novos poços ou aplicação de métodos de recuperação avançada conhecidos, mas ainda não implementados.

reservas / *reserves.* Estimativa dentro de um especificado grau de precisão do valor do conteúdo de um bem mineral ou metal de um depósito conhecido e que pode ser produzido sob condições econômicas vigentes e com a tecnologia disponível. ↪ Parte de uma reserva de base que poderia ser economicamente extraída ou produzida em um tempo determinado.

reservas de óleo / *oil reserves.* 1. Recursos descobertos de petróleo e gás natural comercialmente recuperáveis a partir de uma determinada data. 2. Volume de óleo retido em uma rocha-reservatório, que se espera poder ser produzido. ↪ As reservas podem ser subdivididas em provadas, prováveis e possíveis; primárias e secundárias; desenvolvidas e não desenvolvidas. A possibilidade ou não de produção da reserva dependerá da precisão de estimativa do seu volume e da capacidade de extração a partir da aplicação de tecnologias conhecidas e ainda a serem desenvolvidas.

reservas do produtor / *producer's reservations.* Ressalva de alguns direitos no contrato, como decidir sobre suas operações de produção, usar gás nelas, queimar ou vender o gás excedente, extrair os líquidos etc.

reservas inferidas / *inferred reserves.* Reservas estimadas com base apenas em algumas evidências e projeções geológicas.

reservas medidas / *measured reserves.* Reservas estimadas com uma margem de erro inferior a 20% e avaliadas através de trabalhos geológicos detalhados e amostragens, análises sistemáticas e representativas.

reservas não desenvolvidas / *undeveloped reserves.* Reservas provadas que não estão sendo produzidas por uma razão específica. ↪ É comum, por exemplo, a ocorrência de campos de gás, com reservas provadas, que não estão sendo produzidas em função da inexistência de infraestrutura para transporte do gás.

reservas possíveis / *possible reserves.* Reservas de petróleo e gás natural cuja análise dos dados geológicos e de engenharia indica uma maior incerteza na sua recuperação quando comparada com a estimativa de reservas prováveis.

reservas provadas / *proven reserves.* Reservas de petróleo e gás natural onde, com base na análise de dados geológicos e de engenharia, se estima recuperar comercialmente dos reservatórios descobertos e avaliados, com elevado grau de certeza, e cuja estimativa considere as condições econômicas vigentes, os métodos operacionais usualmente viáveis e os regulamentos instituídos pelas legislações petrolífera e tributária. ↪ Quando um reservatório de petróleo é descoberto, estima-se a quantidade de óleo e gás que pode ser produzida a partir da aplicação de tecnologias conhecidas (reserva provada) e de novas tecnologias ainda não desenvolvidas (reservas prováveis e possíveis).

reservas provadas de óleo e gás / *proved oil and gas reserves.* O mesmo que *reservas provadas*. ▶ Ver *reservas provadas*.

reservas provadas desenvolvidas / *proved developed reserves.* Reservas provadas em produção. ▶ Ver *reservas provadas*.

reservas prováveis / *probable reserves.* Reservas de petróleo e gás natural cuja análise dos dados geológicos e de engenharia indica uma maior incerteza na sua recuperação quando comparada com a estimativa de reservas provadas.

reservas secundárias / *secondary reserves.* Volume da reserva economicamente recuperável a partir da injeção de água, ou por métodos de recuperação avançada, levando em consideração os preços vigentes do óleo.

reservas totais / *total reserves.* Soma das reservas provadas, prováveis e possíveis.

reservatório / *reservoir.* 1. Configuração geológica dotada de propriedades específicas, armazenadora de petróleo ou gás em subsuperfície. 2. Rocha porosa e permeável, portadora de hidrocarbonetos. ↪ O reservatório é sempre confinado (selado), de modo a permitir o armazenamento do petróleo. Não se pode confundir com os reservatórios de superfície (artificiais) para armazenar óleo cru e gás natural, às vezes chamados *tanques de armazenamento*. Um reservatório é composto por uma rocha porosa saturada com hidrocarbonetos, por uma rocha sobrejacente impermeável denominada *rocha selante* e por um sistema de aprisionamento denominado *trapa*; possui um único sistema de pressão e não está interligado a outro reservatório. ▶ Ver *rocha-reservatório*; *rocha selante*; *trapa*.

reservatório com influxo de água / *water influx reservoir.* Reservatório de óleo ou gás em que o fluxo de água para dentro do reservatório, substituindo os fluidos produzidos, auxilia na manutenção da pressão do reservatório. ▶Ver *reservatório*.

reservatório com mecanismo de capa de gás / *gas-cap drive reservoir*. Reservatório onde a capa de gás existente na parte superior da estrutura contribui para a produção de óleo. Enquanto a zona de óleo é posta em produção, a zona de gás é preservada, já que a principal fonte de energia para a produção está no gás da capa. ↝ Quanto maior for o volume de gás quando comparado com o de óleo, ambos medidos em condições de reservatório, maior será a atuação da capa. Nesses reservatórios há um crescimento contínuo da razão gás-óleo, sendo mais acentuado nos poços localizados na parte superior da estrutura. Para esse tipo de mecanismo esperam-se recuperações de entre 20% e 30% do óleo originalmente existente. A recuperação é função da vazão de produção. É necessário um tempo para que a queda de pressão se transmita da zona de óleo, acarretando a expansão da capa. Esta expansão não acontecerá apropriadamente caso a vazão de produção de óleo seja muito alta. ▶ Ver *reservatório*; *deslocamento por capa de gás livre*; *capa de gás*; *mecanismo de capa de gás*.

reservatório com mecanismo de gás de cobertura (Port.) / *gas cap drive reservoir*. O mesmo que *reservatório com mecanismo de capa de gás*. ▶ Ver *reservatório com mecanismo de capa de gás*.

reservatório de betume / *bitumen reservoir*. Reservatório de hidrocarbonetos degradados a partir do óleo. A degradação do óleo pode ocorrer pelos processos de craqueamento termal, de asfaltamento, lavagem por água e biodegradação, mas nem sempre é possível identificar o processo responsável pela degradação de um óleo. ↝ Altos preços de petróleo viabilizam projetos de produção e tratamento dos reservatórios betuminosos. A bacia do Athabasca, no Canadá, é detentora da maior reserva do mundo desse tipo de hidrocarboneto. ▶Ver *hidrocarboneto*; *reservatório*.

reservatório de condensado / *condensate reservoir*. Reservatório em que a fase gasosa está composta de gás e condensado a coexisitir numa fase homogênea. Quando o óleo é produzido e a pressão do reservatório é reduzida, ocorre a separação da fase líquida dentro do reservatório. ▶Ver *reservatório*.

reservatório de gás / *gas reservoir*. Jazida de petróleo que nas condições de temperatura e pressão do reservatório possui uma mistura de hidrocarbonetos que se apresenta no estado gasoso. Os reservatórios de gás, dependendo do seu comportamento e de acordo com os fluidos produzidos no equipamento de superfície, podem ser ainda subdivididos em reservatório de gás úmido, reservatório de gás seco e reservatório de gás retrógrado. ▶Ver *reservatório*.

reservatório de gás condensado / *gas-condensate reservoir*. 1. Reservatório de gás em que o gás e o condensado existem em uma fase homogênea. Somente quando o gás é produzido e sua pressão é reduzida ocorre a separação da fase líquida. 2. Reservatório no qual os fluidos existentes, nas condições iniciais de pressão e temperatura, se encontram no estado gasoso (somente gás). São reservatórios de fase única (*single phase reservoir*). ▶Ver *reservatório*.

reservatório de hidrocarbonetos / *hydrocarbon reservoir*. Reservatório contendo rochas porosas e permeáveis existentes no subsolo, devidamente seladas, que armazenam hidrocarbonetos. Podemos encontrar reservatório de gás (gás não associado), reservatório de óleo cru ou condensado (gás em solução) e reservatório de óleo e gás (óleo cru com capa de gás). ▶Ver *reservatório*.

reservatório de óleo / *oil reservoir*. Reservatório ocorrente quando sua temperatura está abaixo da temperatura crítica da mistura de hidrocarbonetos do tipo multicomponente. ↝ Tais reservatórios são então classificados nos seguintes subtipos: óleo comum (*black-oil*), óleo de baixa contração, óleo de alta contração e óleo quase crítico. ▶ Ver *óleo comum*; *óleo de baixa contração*; *óleo de alta contração*; *óleo quase crítico*; *reservatório*.

reservatório fraturado / *fractured reservoir*. Rocha-reservatório que apresenta fraturas naturais. ↝ As fraturas na rocha-reservatório aumentam significativamente a permeabilidade da rocha, sendo responsáveis também pelo aumento da anisotropia da mesma. ▶ Ver *reservatório*.

reservatório geopressurizado / *geopressured reservoir*. Reservatório que apresenta pressão de fluido superior à pressão hidrostática normal. ▶ Ver *reservatório*.

reservatório potencial / *potential reservoir*. Óleo e gás em um reservatório que deverão ser produzidos a partir da implementação de novas técnicas de recuperação avançada, ou seja, reservas que não se espera poderem ser produzidas com a utilização das instalações presentes. ▶ Ver *reservatório*; *reservas possíveis*; *reservas provadas*.

reservatório saturado / *saturated pool*. Reservatório de óleo saturado com capa de gás livre. O óleo presente no reservatório absorveu todo o gás natural (gás em solução) possível para as condições de pressão e temperatura do reservatório. ▶Ver *reservatório*.

reservatório selado / *sealed reservoir*. Reservatório recoberto por uma rocha impermeável (*sealing rock*), a qual impede o escape, em direção à superfície, dos fluidos (óleo e gás) contidos no reservatório. ▶ Ver *reservatório*; *rocha selante*.

reservatório subsaturado / *undersaturated pool*. Reservatório de óleo sem a presença da capa de gás, pois as condições de pressão e temperatura encontradas no reservatório permitem que o óleo mantenha todo o gás dissolvido. ▶Ver *reservatório*.

reservatório vedado (Port.) (Ang.) / *sealed reservoir.* O mesmo que *reservatório selado.* ▶ Ver *reservatório selado*; *rocha selante*.

reservas segundo critérios SEC e SPE-WPC / *SEC and SPE-WPC reserves criteria.* Critérios de medição de reservas estabelecidas pela *SEC* (*Securities and Exchange Commission*) e *SPE-WPC* (*Society of Petroleum Engineers-World Petroleum Congress*). ⟿ O critério *SEC* admite somente as reservas provadas, enquanto o critério *SPE-WPC* admite as reservas totais.

resfriamento adiabático / *adiabatic cooling.* Processo termodinâmico em que o resfriamento de um sistema se dá exclusivamente devido à redução da sua pressão ou da sua expansão. O mesmo que *resfriamento dinâmico.* ▶ Ver *transformação adiabática*.

resfriamento dinâmico / *dynamic cooling.* O mesmo que *resfriamento adiabático.* ▶ Ver *resfriamento adiabático*.

resíduo sólido / *solid waste.* Qualquer produto, substância ou mistura de substâncias que constituam os refugos, sobras ou detritos de consistência sólida, pastosa ou semissólida e que resultam das atividades humanas. ⟿ Os resíduos sólidos são classificados de várias maneiras: quanto ao estado físico podem ser secos ou molhados, quanto à natureza química podem ser orgânicos ou inorgânicos, quanto à geração podem ser industrial, domiciliar, ou segmentado por área de atividade (nuclear, de petróleo, hospitalar etc.). Todavia, a classificação mais relevante do ponto de vista ambiental é em relação ao risco ambiental e, deste ponto de vista, podem ser perigosos, inertes e não inertes (Norma NBR 10.004). Para a classificação segundo o risco ambiental, uma das propriedades mais importantes é a eluição de substâncias solúveis. Quando nenhum dos componentes do resíduo solubiliza-se a ponto de alterar o padrão de potabilidade da água, o resíduo é dito inerte. Quando ocorre o contrário, e a substância dissolvida é prejudicial ao meio ambiente ou à saúde humana, ou o resíduo tem características de inflamabilidade, corrosividade, toxicidade ou patogenicidade, ele é classificado como perigoso. Entre esses dois extremos pode o resíduo se situar como resíduo não inerte. A gestão de resíduos envolve principalmente a redução da sua geração, a reutilização e a reciclagem nos níveis mais altos possíveis, pois, do contrário, o acúmulo de resíduos resulta em passivos ambientais de longa duração, em geral intergeracionais.

resiliência / *resilience.* Capacidade de retornar ao estado de equilíbrio após uma perturbação. Capacidade ubíqua nos sistemas naturais, dos organismos individuais aos ecossistemas.

resina / *resin.* **1.** Composto sólido ou semissólido, de coloração amarela a marrom, amórfico, produzido por plantas. As resinas podem ser recentes ou fósseis e, na indústria petrolífera, ocasionalmente, elas são adicionadas aos fluidos de perfuração ou ao cimento. **2.** Substância viscosa, capaz de solidificar em alguns casos, de origem natural (plantas) ou sintética. As resinas sintéticas são geralmente produzidas por processos de oligomerização ou polimerização de compostos orgânicos. **3.** Classe de compostos polares presente no petróleo, que frequentemente apresenta heteroátomos e grupos funcionais ácidos. Apresentam estruturas bem menores que os asfaltenos e são solúveis em alcanos. ⟿ Algumas classes de resinas sintéticas são utilizadas para tratamento e purificação de água. ▶ Ver *asfalteno*.

resistência à aderência / *bonding strength.* Razão entre a força necessária para romper a aderência do cimento a um tubo ou a um testemunho, simulando a formação, e a área de contato do cimento com este tubo ou testemunho. ▶ Ver *cimento*; *teste de bombeabilidade do cimento*; *teste de tempo de espessamento do cimento*; *tempo de espessamento*.

resistência à compressão simples / *unconfined compressive strength (UCS).* Resistência compressiva da rocha quando não é aplicada pressão confinante à amostra durante um teste geomecânico. Em um ensaio uniaxial determina-se esta propriedade de rocha. Na literatura técnica em inglês é comum se encontrar o termo *UCS* referindo-se à resistência à compressão simples.

resistência à tração do cimento / *cement tensile strength.* Força necessária para a ruptura de uma amostra de cimento, mediante a aplicação de uma carga de tração, gradativamente crescente, unixialmente ao longo do maior eixo do corpo de prova. ⟿ Os esforços de tração podem ser associados às variações de temperatura, contração não uniforme do cimento e ao efeito da própria carga de flexão. O ensaio mais conhecido é o de três pontos, onde o corpo de prova fica apoiado por dois pontos e um carregamento é aplicado no centro. Este parâmetro é mais sensível do que a resistência à compressão aos mecanismos de ataque que geram fissuração na pasta de cimento. ▶ Ver *cimento*; *teste de bombeabilidade do cimento*; *teste de tempo de espessamento do cimento*; *tempo de espessamento*.

resistência ao cisalhamento / *shear resistance; shear strength.* Resistência que o material tem ao carregamento de cisalhamento. Este valor de resistência pode ser estabelecido como o mínimo valor de carregamento necessário para início da deformação permanente ou plástica. ▶ Ver *deformação por cisalhamento*.

resistência ao colapso / *collapse resistance.* Valor da máxima pressão externa que pode ser aplicada a um tubo, com características geométricas e materiais específicos, sem que ocorra o fenômeno de colapso. ⟿ Os valores de resistência ao colapso publicados em normas referem-se aos mínimos valores a que um tubo deve resistir se sujeito a pressão externa pura. Para um tubo sob ação de múltiplos carregamentos (pressão interna, externa e tensão axial), estes valores podem ser alterados. ▶ Ver *tensão axial*.

resistência de filme / *film strength*. Propriedade de um filme lubrificante. ↦ Traduz a capacidade que tem um filme lubrificante de se manter íntegro, evitando o contato entre as superfícies nas condições de operação, assim mitigando o desgaste do equipamento lubrificado. ▶ Ver *lubrificação*.

resistência de ruptura / *rupture strength*. Máxima tensão à qual um material, componente ou equipamento podem ser submetidos sem que ocorra a sua ruptura, levando à perda de sua função mecânica. ▶ Ver *tensão axial*; *tensão cisalhante*.

resistência dielétrica / *dielectric strength*. Termo utilizado para, com base no princípio definido por Ohm, atribuir qualidade a um material isolante. ↦ Quanto maior for a resistência dielétrica do material isolante, melhor será a sua qualidade/funcionalidade, ao contrário do que acontece com o condutor, pois quanto menor for a sua resistência melhor a sua qualidade/funcionalidade. ▶ Ver *resistência fundamental*.

resistência do gel / *gel strength*. Resistência que a pasta de cimento geleificada, ou outro material no estado gel, opõe ao fluxo de um fluido, medida em Pa (N/m²) ou lbf/100 ft². ↦ Sabe-se que existe um nível de força gel da pasta de cimento que impede a percolação de gás. Embora este valor não seja conhecido com precisão, experiências de laboratório indicam que uma força gel de 500 lbf/100 ft² é suficiente para evitar qualquer tipo de migração. Portanto, se a pressão hidrostática puder ser mantida acima da pressão de poros até que a pasta atinja 500 lbf/100 ft², não ocorrerá percolação do gás. Vale salientar que uma vez iniciada a canalização de gás na matriz de cimento, de nada adianta o futuro desenvolvimento da força gel da pasta de cimento. ▶ Ver *resistência do gel após dez minutos*.

resistência do gel após dez minutos / *ten-minute gel strength*. Tensão de cisalhamento medida a baixas taxas de ensaio (3 RPM), após o fluido ser mantido em repouso (estática) por um intervalo de tempo igual a 10 minutos. ↦ O ensaio é padronizado pela Norma API RP-13B (*Recommended Practice for Field Testing Drilling Fluids*). ▶ Ver *resistência do gel*.

resistência dos eletrodos / *electrode resistance*. Resistência entre o eletrodo e o solo onde é colocado.

resistência fundamental / *fundamental strength*. 1. Propriedade que tem toda substância, excluindo os supercondutores, de se opor à passagem de corrente elétrica. 2. Definição de resistência válida para resistores construídos em material homogêneo, linear e isotrópico. ↦ A resistência fundamental é definida pela equação
$$R = \rho L / A,$$
onde
R é a resistência do resistor, ρ é a resistividade do material do qual é fabricado o resistor, L é o comprimento do resistor e A é a área transversal do resistor. A lei de Ohm relaciona a tensão aplicada aos terminais de um resistor com a corrente que flui através do mesmo como sendo
$$R = V / i,$$
onde
R é a resistência do resistor, V a diferença de potencial aplicada ao resistor e i a corrente que flui através do resistor.

resistividade / *resistivity*. Propriedade física de uma substância ou material de reduzir a circulação de corrente elétrica. ↦ O princípio da resistividade é fundamental para a identificação de hidrocarbonetos em perfis, já que os mesmos são maus condutores de eletricidade, registrando elevadas resistividades. Por outro lado, a água é boa condutora devido aos íons presentes dissolvidos (Na⁺ e Cl⁻), registrando, portanto, baixas resistividades. Rochas argilosas também são boas condutoras devido à presença de íons K⁺. Assim, uma rocha saturada com óleo pode ser facilmente diferenciada de uma rocha saturada com água, bem como se podem diferenciar rochas argilosas de arenitos não feldspáticos. ▶ Ver *corrente elétrica*; *perfil*.

resistividade aparente / *apparent resistivity*. Resistividade registrada em um perfil em que podem ocorrer diferenças em relação às suas condições reais, tendo em vista a presença da coluna de lama, zona invadida, camadas adjacentes, cavidades do poço etc. Estes valores podem precisar de correção antes de serem utilizados em qualquer cálculo. ▶ Ver *resistividade*.

resistividade de atenuação / *attenuation resistivity*. Capacidade de uma formação resistir à condução elétrica, quando obtida da redução de amplitude da onda eletromagnética gerada em uma medida de resistividade por propagação. Nas frequências usadas e dentro da faixa de medição, a atenuação depende quase exclusivamente da resistividade. ↦ Para uma medida de 2 MHz, uma faixa típica de medição é 0,2 ohm.m a 50 ohm.m. Acima de 50 ohm.m, a dependência da atenuação na resistividade é muito baixa.

resistividade dielétrica de formações / *formation dielectric resistivity*. Propriedade obtida pela combinação da atenuação e da mudança de fase de uma medida de propagação da resistividade em formações. ↦ Tal prática é particularmente aplicada para formações que exibem altos valores de resistividades (3000 ohm.m).

resistividade elétrica / *electrical resistivity*. 1. Característica de um material de resistir ao fluxo de corrente elétrica ou inibi-lo. 2. Resistividade é o inverso de condutividade elétrica. 3. O mesmo que resistividade. ↦ Relaciona-se aos mecanismos de propagação de corrente elétrica nos materiais. De forma geral, a propagação de corrente elétrica em solos e rochas ocorre em razão do deslocamento de íons dissolvidos na água contida em poros e fissuras, sendo, por consequência, impactada pela composição mineralógica, porosidade, teor em água e quantidade e natureza dos sais dissolvidos. ▶ Ver *resistividade*.

resistividade por propagação em arranjo / ***array propagation resistivity.*** Resistividade registrada por ferramenta de propagação de medidas durante a perfuração, e que consiste em um arranjo de transmissores e receptores, cujos sinais são registrados separadamente e combinados por *software* para fornecer a resposta desejada. ◦→ Em uma configuração típica, cinco transmissores emitem um sinal e a mudança de fase e a atenuação entre dois receptores são registradas. A mudança de fase e a atenuação são combinadas em diferentes modos para gerar perfis compensados pelo poço, com diferentes profundidades de investigação e resolução vertical. ▶ Ver *resistividade dielétrica de formações*.

resistividade por propagação em série (Port.) (Ang.) / ***array propagation resistivity.*** O mesmo que *resistividade por propagação em arranjo*. ▶ Ver *resistividade por propagação em arranjo*.

resolução azimutal / ***azimuthal resolution.*** Ângulo que caracteriza a capacidade de medição de perfilagem azimutal para solucionar mudanças em diferentes direções em volta da ferramenta. ◦→ Alternativamente, pode ser considerado como o menor ângulo para o qual uma mudança significativa pode ser detectada.

resolução de instrumento / ***instrument resolution.*** Menor diferença entre indicações de um dispositivo mostrador que pode ser significativamente percebida.

resolução lateral / ***lateral resolution.*** Capacidade de um sonar de individualizar objetos alinhados em 90 graus com a orientação do equipamento rebocado. ◦→ A resolução lateral é determinada, em parte, pela largura do pulso do sonar. Um pulso curto terá maior capacidade de separar dois objetos posicionados muito próximos um ao outro do que pulsos mais largos.

resolução transversal / ***transverse resolution.*** Capacidade que tem um sistema de sonar de varredura lateral de identificar, de forma distinta, dois objetos posicionados relativamente um ao outro em uma linha paralela à direção de navegação. ◦→ A resolução é determinada em parte pela largura horizontal do feixe do sonar. Feixes mais estreitos permitem maior definição de objetos posicionados muito próximos. A resolução transversal diminui com a distância do equipamento devido ao efeito de espalhamento do sinal.

resolução vertical / ***vertical resolution.*** Resolução que pode ser definida como a capacidade de se separar duas feições muito próximas. Pode ser considerada também a separação mínima necessária entre duas interfaces ou eventos para que suas características individuais não sejam perdidas durante uma observação. ◦→ A pouca resolução vertical é provavelmente a maior limitação dos dados sísmicos de superfície, especialmente para o estudo de reservatórios. Isso ocorre porque a espessura das camadas em subsuperfície geralmente é inferior ao resolvível pelo pulso sísmico, causando uma superposição de sucessivas reflexões, normalmente de difícil, se não impossível, individualização.

respiração anaeróbia (Port.) (Ang.) / ***anaerobic respiration.*** O mesmo que *respiração anaeróbica*. ▶ Ver *respiração anaeróbica*.

respiração anaeróbica / ***anaerobic respiration.*** Processo metabólico no qual os elétrons são transferidos de um organismo ou, em alguns casos, compostos inorgânicos para uma molécula receptora diferente do oxigênio. ◦→ Os organismos utilizam oxigênio para decompor os componentes, produzindo energia e a geração requerida pelas biomoléculas. Os carboidratos são reciclados em água e dióxido de carbono. Os receptores mais comuns são o nitrato, o sulfato e o carbonato.

respiradouro (Port.) (Ang.) / ***vent.*** O mesmo que *sistema de respiro*. ▶ Ver *sistema de respiro*.

resposta de arranjo / ***array response.*** Resultado da convolução de um arranjo com um impulso unitário (*impulse*). ▶ Ver *convolução*.

resposta de fase / ***phase response.*** Gráfico de mudança de fase *versus* frequência, que ilustra as características de fase de um sistema.

resposta de impulso / ***impulsive response; impulse response.*** Resposta de um sistema linear à aplicação de um impulso.

resposta do filtro / ***filter response.*** Resposta a um impulso unitário de um filtro convolutivo.

resposta transiente / ***transient response.*** Resposta transiente ou resposta natural é a resposta de um sistema a uma mudança do estado de equilíbrio.

ressalvas do produtor (Port.) (Ang.) / ***producer's reservations.*** O mesmo que *reservas do produtor*. ▶ Ver *reservas do produtor*.

resseção / ***resection.*** Determinação da localização horizontal de uma estação de levantamento pela interseção de linhas, indicando a posição de outras estações.

ressonância / ***ringing.*** 1. Recepção do pulso de saída no momento da transmissão, em um transdutor sísmico. Em sistemas de sonar ativo, o transdutor emissor é ao mesmo tempo receptor, de forma que o sinal emitido é sentido imediatamente após sua transmissão. No caso de alvos sobre o fundo marinho, representa a recepção de diferentes ecos oriundos do mesmo alvo, provocados por suas características acústicas e pela física do pulso emitido. 2. Oscilação em condições de tendência de máxima amplitude em certas frequências. ◦→ É causada por uma vibração originada externamente (vibração transmitida) em harmonia com a vibração natural da estrutura ou componente vibrante. Caso não seja evitada pode levar a um colapso mecânico. A tendência da condição máxima de amplitude implica em ruptura mecânica do sistema em que esteja considerada esta ressonância. ▶ Ver *frequência*.

ressonância nuclear magnética / *nuclear magnetic resonance (NMR)*. Análise espectroscópica usada na geoquímica orgânica para distinguir os átomos de carbono alifáticos dos aromáticos. A aplicação tem sido particularmente rara, mas pode crescer no futuro, com o estudo dos querogênios.

ressurgência / *upwelling*. Movimento ascendente de águas profundas para a superfície, causado tanto pela rotação da Terra, o que provoca a ressurgência no lado oeste dos continentes, como por correntes de ventos ascendentes e com direções opostas, como ocorre na região do equador.

restauração / *workover*. 1. Intervenção feita com uma sonda no poço após a sua completação para a manutenção. 2. Toda intervenção realizada após o início de produção ou injeção do poço, que não interfere no nome do poço.

restabelecimento da pressão no fundo do poço (Port.) / *pressure buildup test*. O mesmo que *teste de crescimento de pressão*. ▶ Ver *teste de crescimento de pressão*.

restauração leve em poço / *light well intervention; light workover*. Intervenção de manutenção de poço em que não há necessidade de retirada da coluna de produção. São intervenções feitas através da coluna de produção, com uso de unidades de arame, cabo e/ou flexitubo para reparo, perfilagem, recanhoneio, ou de unidade de bombeio para tratamentos químicos da formação. É leve no sentido de não precisarem de muita carga no gancho. São normalmente intervenções de curta duração.

restauro (Port.) (Ang.) / *workover*. O mesmo que *restauração*. ▶ Ver *restauração*.

restauro leve em poço (Port.) (Ang.) / *light well intervention; light workover*. O mesmo que *restauração leve em poço*. ▶ Ver *restauração leve em poço*.

restinga / *beach ridge*. Depósito de areia em forma de um cordão emerso, pouco acima do nível do mar, que cresce paralelo à costa, entre o mar e uma laguna, fechando ou com tendência a fechar uma reentrância mais ou menos extensa da região litorânea.

restritor de curvatura / *bending restrictor*. Dispositivo que é montado em uma linha de produção do tipo flexível e tem a função de, quando em serviço, limitar o dobramento da mesma até um determinado e admissível raio de curvatura.

retardador de endurecimento (Port.) /*cement retarder*. O mesmo que *retardador de pega*. ▶ Ver *retardador de pega*.

retardador de pega / *cement retarder*. Aditivo utilizado na pasta de cimento com o objetivo de retardar a sua pega, de forma a permitir que a pasta permaneça fluida durante o seu deslocamento nas condições de temperatura e de pressão encontradas no poço. Os principais retardadores têm como base ligninos (sais ou ácido lignossulfônico), amidos, resinas, ácidos orgânicos fracos e derivados de celulose. ▶ Ver *aditivo*; *cimento*; *cimentação*; *pasta de cimento*; *tempo de espessamento*.

retardador de velocidade de reação / *reaction velocity retarder*. Substância química destinada a retardar a velocidade de uma reação química entre outras substâncias. ↪ Utilizado nas operações de cimentação e recimentação para retardar a pega do cimento.

retardo / *time lag; lag time*. 1. Intervalo de tempo decorrente do tempo de processamento e da velocidade finita do meio físico pelo qual um sinal se propaga, desde o envio deste sinal pelo transmissor (transdutor) até a chegada do mesmo ao receptor. 2. Intervalo de tempo decorrido entre o momento do corte da rocha pela broca de perfuração e o instante em que o cascalho resultante do corte alcança a superfície.

retenção de área / *retention of area*. O mesmo que *pagamento pela ocupação ou retenção de área*. ▶ Ver *pagamento pela ocupação ou retenção de área*.

retentor de cimento / *cement retainer*. Acessório utilizado em operações de recimentação ou de compressão de cimento por injeção direta (*cement squeeze*) em substituição ao *bridge plug*. Possui características similares ao *bridge plug*, com um orifício no meio, onde fica alojado um *stinger*. Quando o *stinger* é retirado, uma válvula do tipo *flapper valve* é fechada automaticamente, servindo como elemento vedador e evitando, assim, o retorno do cimento. ↪ Este tipo de acessório foi introduzido na indústria em 1939, e um de seus maiores benefícios é a economia de tempo e custo, pois são recuperáveis. Geralmente utilizado em condições em que não há necessidade da manutenção da pressão até a pega do cimento. ▶ Ver *compressão de cimento*.

retiano (Port.) / *rhaetian*. O mesmo que *rhaetiano*. ▶ Ver *rhaetiano*.

retículo / *cross hair*. Linhas de referência perpendiculares entre si, existentes na lente ocular de equipamentos como o teodolito e o microscópio óptico.

retículo cristalino / *crystal lattice*. Arranjo tridimensional regular e periodicamente repetido dos átomos de um cristal. ↪ O retículo é definido pelas três direções e pelas distâncias, ao longo delas, nas quais uma forma básica é repetida. Geometricamente, é possível existirem somente 14 tipos de formas básicas, que são os *retículos de Bravais*.

retificador de corrente / *current rectifier*. Componente caracterizado por um circuito utilizado para transformar corrente alternada em contínua. ↳ Dentre outras, se tem tal componente como fonte de energia nos sistemas de proteção catódica dita *por corrente impressa*. ▶ Ver *proteção catódica por corrente impressa*; *corrente alternada*; *corrente contínua*.

retificador de fluxo / *flow straightener*. Elemento passivo, tipicamente instalado à montante do elemento primário de medição de vazão de fluidos, com o objetivo de modificar o perfil de velocidades de forma a assegurar a inexistência de movimentos de rotação do fluido (*swirl*). ↳ O retificador de fluxo visa tornar o sistema de medição independente das influências da instalação, sendo, normalmente, constituído por um feixe de tubos fabricados conforme normas pertinentes.

retirada da coluna / *pull-out; pulling out of hole (POOH)*. O mesmo que *manobra de retirada da coluna*. ▶ Ver *manobra de retirada da coluna*.

retirada da tubagem (Port.) / *pull out of hole (POOH)*. O mesmo que *manobra de retirada da coluna*. ▶ Ver *manobra de retirada da coluna*.

retorno da superfície / *first-surface return*. Componente de um registro sonográfico que representa o caminho acústico mais curto entre o equipamento rebocado e a superfície do mar imediatamente acima. ↳ Devido ao fato de ser muito aberta a largura vertical do feixe de um sonar de varredura, parte da energia acústica se propaga para cima. Apesar de este sinal ser de baixa energia, a interface ar-água é uma superfície muito refletora, o que faz com que esse sinal seja percebido no registro como uma faixa contínua no meio do registro, movendo-se para dentro ou para fora, à medida que o equipamento se aproxima ou se afasta da superfície do mar. Esse problema é especialmente crítico quando se opera em áreas muito rasas.

retorno de investimento / *return on investment (ROI)*. 1. Indicador usado na análise de projetos na indústria do petróleo, que é calculado dividindo-se o ganho obtido com o projeto/empreendimento pelo montante do mesmo. 2. Medida de desempenho de um projeto/empreendimento. ▶ Ver *project finance*; *índice de cobertura do serviço da dívida*.

retorno de líquido / *fallback*. Parcela da golfada de líquido que não atinge a superfície durante um ciclo na elevação por *gas lift* intermitente. ↳ Evento associado principalmente aos métodos pneumáticos intermitentes sem interface física (pistão mecânico) entre a coluna de líquido e a golfada de gás injetada ou produzida. Os valores normais de retorno de líquido situam-se entre 1,5% a 2% para cada 100 m de elevação. ▶ Ver *escoamento multifásico*.

retrabalhado / *reworked*. Componente derivado de um antigo depósito ou formação sedimentar, incorporado em um depósito ou formação mais nova, normalmente pela ação de processos erosivos.

retrocorrelação / *retrocorrelation*. Operação equivalente à convolução de uma função com ela própria. ▶ Ver *convolução*.

retrogradação / *retrogradation*. Deslocamento da linha de costa em direção à terra, normalmente por erosão provocada pelas ondas. ↳ Estratigraficamente, os depósitos mais recentes vão avançando em direção à terra, o que é muitas vezes facilmente detectado em perfis sísmicos.

retropreenchimento / *backfill*. 1. Preenchimento sedimentar ao longo do tempo em sentido oposto ao do transporte de sedimentos em um canal, quando este sofre um entupimento na sua porção mais distal e obriga os depósitos subsequentes a se colocarem para trás, preenchendo o canal ou vale inciso. Ocorre também como resposta à subida relativa do nível do mar e, neste caso, o vale inciso é preenchido na transgressão. 2. Resto de material arenoso ou rocha utilizado como suporte, teto ou parede de minério no abandono da mina. 3. Processo selante e de preenchimento, ou do material utilizado como selo e preenchimento de um poço quando completado, para prevenir a exudação ou fluxo da água na formação rochosa ou trabalhos de mineração. 4. Areia ou entulho acomodado além de madeira, aço ou forro de concreto de colunas ou túneis. 5. Material escavado de um lugar e reutilizado para preenchimento em lugares com trincheiras esgotadas ou abandonadas.

retropropagação / *retropropagation; backward propagation*. Transformação do campo de onda obtido de maneira a ter acesso a sua forma em um tempo anterior.

return on investment (ROI). O mesmo que *retorno de investimento*. ▶ Ver *retorno de investimento*.

reversão de bens / *reversion of assets*. Transferência da propriedade dos equipamentos e instalações indispensáveis à continuidade das operações ao Poder Público por ocasião da terminação antecipada de contratos de concessão (Lei n° 9.478/97).

reversão de molhabilidade / *wettability reversal*. Processo de reversão à molhabilidade preferencial da água ou do óleo a uma rocha por meio da injeção de produtos químicos durante a aplicação de métodos de recuperação avançada. ▶ Ver *molhabilidade*.

revestimento / *casing*. Coluna de tubos de grande diâmetro, descida logo após a perfuração de determinado trecho (fase) de poço, que tem como função básica a contenção mecânica da parede do poço. O espaço anular entre o revestimento e a parede de poço é cimentado, de forma que o conjunto revestimento-cimento passe a ser uma estrutura mecânica que promove não só a contenção das paredes do poço, como também a estanquidade do poço e o isolamento hidráulico entre as diversas formações atravessadas na perfuração. ↳ Normalmente, a cada fase do poço que é perfurado corresponde um revestimento, de tal forma que a fase seguinte possa ser executada com segurança, sem risco de comunicação entre zonas de diferentes pressões de poros. ▶ Ver *cimentação primária*; *recimentação*; *remendo do revestimento*.

revestimento colapsado / *collapsed casing*. Revestimento que sofreu um colapso, pois o diferencial entre a pressão externa e interna foi maior do que a sua resistência ao colapso. ⇨ A norma API define regimes de colapso que dependem da relação entre diâmetro externo e espessura (D/t). Estes regimes são: (*I*) escoamento, (*II*) plástico, (*III*) transição e (*IV*) elástico.

revestimento condutor / *conductor casing*. Primeiro revestimento do poço, assentado a pequenas profundidades (10 m a 80 m), com a finalidade de sustentar sedimentos superficiais não consolidados, não devendo ultrapassar zonas de óleo ou gás. ⇨ Este revestimento pode ser assentado por cravação (atingindo aproximadamente 10 m), por jateamento (em águas profundas usa-se este método para jatear 36 m) ou cimentação em poço perfurado (atingindo aproximadamente 80 m). Atualmente, tem-se descido o revestimento condutor com a base torpedo. A cabeça de poço de baixa é acoplada no topo de um revestimento condutor de 15 m que, por sua vez. é lançado de uma determinada profundidade no fundo do mar, atingindo e penetrando o solo até o freio mecânico do condutor. Os diâmetros típicos são: (*I*) 30"; (*II*) 20" e (*III*) 13 3/8". ▶ Ver *coluna de revestimento*.

revestimento de alta resistência ao colapso / *high-collapse casing*. Revestimento especial que possui alta resistência ao fenômeno de colapso quando comparado com os revestimentos convencionais. ⇨ Tipicamente o termo *high collapse* é adicionado ao tamanho do revestimento, por exemplo, um revestimento de *9 5/8" high collapse* exibe uma resistência de 10.000 psi ao colapso, cerca de duas vezes mais que a exibida por um revestimento comum.

revestimento de chumbo em cabo elétrico / *lead coating on electrical cable*. Revestimento de chumbo utilizado quando se deseja evitar penetração de gás no isolamento de um cabo redondo ou chato de bombeio centrífugo submerso. ⇨ É um revestimento muito usado em sistemas de bombeio centrífugo submerso submarino. ▶ Ver *bombeio centrífugo submerso*; *cabo redondo*; *cabo chato*.

revestimento de produção / *production casing*. Revestimento descido com a finalidade de prover meios para permitir os trabalhos de produção do poço, suportando suas paredes e possibilitando o isolamento entre os vários intervalos produtores e sua produção seletiva. ⇨ Sua instalação depende da ocorrência de zonas de interesse, e não é descido em poços onde não se identificam zonas potencialmente produtoras. No entanto, devido à necessidade de realização de testes de formação a poço revestido para a análise de tais zonas, é comum ser descido o revestimento de produção em poços que são posteriormente abandonados por se mostrarem não comerciais. Os diâmetros típicos nesses casos são: (*I*) 9 5/8"; (*II*) 7" e (*III*) 5 ½". ▶ Ver *coluna de revestimento*.

revestimento de superfície / *surface casing*. Revestimento que visa proteger os horizontes superficiais de água e prevenir desmoronamento de formações inconsolidadas. Serve ainda como base de apoio para a cabeça de poço e para a instalação dos equipamentos de segurança de poço (ESCP). É cimentado em toda sua extensão para evitar flambagem devido ao grande peso dos ESCP e dos revestimentos subsequentes que nele se apoiam. ⇨ Tem comprimento que varia na faixa de 100 m a 600 m. Os diâmetros típicos são: 20", 18 5/8", 16", 13 3/8", 10 ¾" e 9 5/8". ▶ Ver *coluna de revestimento*.

revestimento intermediário / *intermediate casing*. Revestimento instalado entre o revestimento de superfície e o de produção.

revestimento intermédio (Port.) / *intermediate casing*. O mesmo que *revestimento intermediário*. ▶ Ver *revestimento intermediário*.

revestimento livre / *free casing*. Revestimento de poço em que a pasta de cimento não ficou aderida externamente. ▶ Ver *cimentação*.

revestimento não perfurado / *blank casing*. 1. Seção de tubos de revestimento de um poço que é usada para separar ou posicionar os componentes mais específicos da coluna frente ao(s) ponto(s) de interesse. 2. Termo muito usado para denominar seções de revestimento ou de *liners* não perfuradas ou sem ranhuras.

revestimento orgânico / *organic coating*. Revestimento polimérico utilizado para recobrir a superfície de materiais, notadamente metais, e que normalmente tem por objetivo protegê-los do processo de corrosão. ⇨ A atuação principal desses revestimentos é impedir o acesso do meio corrosivo ao material metálico.

revestimento tipo *liner* / *liner*. Coluna de revestimento que não se estende até a cabeça do poço, ficando, ao invés disso, ancorada internamente ao revestimento imediatamente anterior. Desta forma, o *liner* revestirá somente o trecho correspondente à última fase perfurada, implicando um menor custo, se comparado com o revestimento convencional. ⇨ Os tubos de revestimento tipo *liner* são idênticos ao revestimento convencional, com a única diferença de que possuem um topo (topo de *liner*) que é ancorado próximo à sapata do revestimento anterior. ▶ Ver *revestimento*; tie-back; *liner de produção*; *liner perfurado*; *liner rasgado*.

RGO corrigida / *corrected gas-oil ratio (STD GOR)*. O mesmo que *razão gás-óleo corrigida*. ▶ Ver *razão gás-óleo corrigida*.

rhaetiano / *Rhaetian*. Último andar do Triássico, no limite para o Jurássico, compreendido entre 203.6-199.6 Ma. O mesmo que *retiano*.

rhuddaniano / *Rhuddanian*. 1. Primeiro andar do Siluriano, compreendido entre 443.7-439.0 Ma. O mesmo que *Rhudaniano*. **2.** Idade correspondente à época Llandovery, período Siluriano, era Paleozoico e éon Fanerozoico. Em Portugal é utilizado o termo Rhudaniano ↝ A idade, a época, o período, a era e o éon representam a escala de tempo geológico relativa à linha do tempo desde o presente até a formação da Terra, baseando-se nos grandes eventos geológicos da história do planeta.

rift. O mesmo que *rifte*. ↝ ▶ Ver *rifte*.

rifte / *rift*. 1. Depressão ou vale formado por falhamentos. **2.** Falha do tipo *strike-slip* de escala regional como a de San Andreas (Califórnia, E.U.A.), com o afastamento de blocos medido em centenas de quilômetros. ↝ A formação de *rift valleys* ocorre devido ao movimento divergente de placas tectônicas.

right of refusal. O mesmo que *direito de preferência*. ▶ Ver *direito de preferência*.

risco / *risk*. Probabilidade ou frequência esperada de ocorrência de eventos indesejados associadas às consequências desses eventos (danos). ↝ O risco poderá ser definido em qualquer contexto. Desta forma temos o risco ambiental, quando algum componente do ambiente está sujeito ao fator analisado; o risco ecológico, quando as funções ecológicas são ameaçadas e o risco social, quando é a comunidade o componente sujeito aos perigos.

risco econômico / *economic risk*. Possibilidade de o resultado do projeto ser diferente do esperado. Para o setor de óleo e gás, possibilidade de que as receitas com um projeto de exploração e produção não sejam suficientes para cobrir os custos de exploração (fixos e variáveis), acarretando que o projeto situe-se em um nível inferior ao seu ponto de equilíbrio.

risco geológico (RG) / *geological risk*. 1. Probabilidade de que realmente haja acumulação de hidrocarbonetos em uma área avaliada em função da ocorrência de determinados fatores geológicos. **2.** Risco de que uma ou mais das condições previamente projetadas, em função das probabilidades de acumulação de hidrocarbonetos, e posteriormente não satisfeitas, não permitam que se encontre petróleo. **3.** Risco dependente de fatores geológicos predeterminados. ↝ Em certos casos, mesmo com a ocorrência de todas as condições projetadas, uma ou mais delas podem ter acontecido de modo insuficiente ou inadequado, caso em que a ocorrência do petróleo não se mostra comercial (seria o *risco de comercialidade*). Tal fato é pré-requisito para qualquer projeto ou empreendimento, devendo-se considerar os investimentos necessários, os custos operacionais a incorrer, os impostos e taxas aplicáveis, o preço do produto no mercado visado, o eventual risco político etc. No caso da exploração e produção, há que considerar o risco exploratório (análise de risco). Exemplos de fatores de risco: eventos geológicos naturais ou provocados, tais como escorregamento associado a escavações, inundações, erosão, assoreamento e contaminação do lençol freático.

risco individual / *individual risk*. Frequência esperada, em uma base anual, de que um indivíduo situado nas imediações da instalação venha a sofrer certo nível de dano (morte, ferimentos, perda econômica etc) em decorrência de acidentes na instalação analisada. ↝ Os riscos individuais de uma instalação são normalmente expressos através de curvas de isorrisco individual, as quais fornecem uma indicação gráfica dos níveis de risco individual nas imediações da instalação.

risco regulatório / *regulatory risk*. Ausência de regras claras, estáveis e harmônicas da regulação econômica. A existência de risco regulatório diminui a previsibilidade e aumenta a incerteza do investimento de exploração e produção. ▶ Ver *agência reguladora*.

riser. 1. Duto de escoamento responsável pela ligação entre o poço e a unidade flutuante. **2.** Trecho suspenso de uma tubulação que interliga uma linha de produção submarina (oriunda de uma árvore de natal molhada ou de um *manifold*) a uma unidade estacionária de produção (*UEP*). ↝ De forma abrangente, tal denominação também tem sido utilizada para se referir aos trechos de tubulação, igualmente suspensos em UEP's, mas com função de conduzir fluido da superfície até o leito marinho (Por exemplo, *riser* de exportação), e que no passado eram referidos como *downcomer*. ▶ Ver *árvore de natal molhada*.

riser de completação / *completion riser*. Dispositivo utilizado nas operações de completação, que tem como finalidade iniciar ou garantir a produção de um poço, equipando-o para produzir óleo ou gás. Apresenta geometria vertical e pode ser flexível ou rígido, sendo o primeiro bem mais complexo que o segundo. ▶ Ver riser; *árvore de natal molhada*.

riser de exportação / *export riser*. Trecho suspenso de uma tubulação que interliga uma Unidade Estacionária de Produção (*UEP*) a uma linha de exportação submarina para outra UEP ou diretamente para terra. ↝ No passado, tais trechos suspensos de tubulação que conduzem fluidos no sentido *UEP* para o leito submarino eram mais frequentemente referidos como *downcomer*. ▶ Ver riser *flexível*; riser *rígido em catenária*; riser *híbrido*.

riser de injeção / *injection riser*. Tubulação que tem a função de injetar gás ou água no interior do reservatório, visando melhorar o desempenho do mesmo, ou injetar gás diretamente no poço (*gas lift*), de forma a diminuir a densidade do óleo e facilitar a sua subida à plataforma. ↝ Pode ser rígido, instalado verticalmente, ou em catenária, como também pode ser um flexível instalado em catenária. ▶ Ver riser; gas lift.

riser de perfuração / *drilling riser*. Tubulação que tem a função de proteger e guiar a coluna de perfuração no mar, bem como permitir o retorno do fluido de perfuração do poço para a plataforma, auxiliando nas operações de perfuração. ↝ O *riser* de perfuração apresenta geometria vertical e é fabricado geralmente em aço, apesar de já existirem no mundo *risers* de perfuração de materiais alternativos, como alumínio e compósito. Nas juntas dos *risers* de perfuração são acopladas duas linhas auxiliares, *kill* e *choke*, as quais são usadas no caso de controle de *kick*. Também é descida, acoplada ao *riser* de perfuração, uma mangueira com várias linhas internas com funções hidráulicas e elétricas, para comandar as operações de travamento e destravamento dos conectores hidráulicos e o acionamento dos preventores do BOP (*Blowout Preventers*). ▶ Ver riser; *coluna de perfuração*.

riser de produção / *drillpipe riser*. 1. Coluna de trabalho de 6 5/8" OD, usada como *riser* de completação, ou seja, coluna utilizada para instalar ou retirar o suspensor de coluna de completação submarina ou a árvore de natal molhada (ANM), e/ou ter acesso à coluna de produção ou injeção através da ANM ou do suspensor de coluna. 2. Coluna de trabalho usada para interligar suspensor de coluna, ANM, capa de árvore e ferramentas de instalação destes à superfície. ▶ Ver riser *de completação*.

riser flexível / *flexible riser*. *Riser* fabricado fazendo uso de camadas sobrepostas de perfis de aço intertravados, intercalados com camadas de materiais elastoméricos. ↝ Tal conformação confere relativa flexibilidade ao *riser* se comparado com aqueles em cuja fabricação se faz uso de tubos metálicos rígidos. ▶ Ver riser; riser *rígido em catenária*; riser *híbrido*; riser *híbrido autossustentável*.

riser híbrido / *hybrid riser*. Sistema composto parte por um *riser* rígido (fabricado em aço e assentado no leito submarino) e parte por um *riser* flexível, (que faz uso de materiais elastoméricos) sendo que o *riser* flexível faz a interligação do *riser* rígido com a UEP. ▶ Ver riser; riser *flexível*; riser *rígido em catenária*; riser *híbrido autossustentável*.

riser híbrido autossustentável / *self-supported hybrid riser*. *Riser* vertical suspenso por elemento flutuante e ligado à unidade de produção por intermédio de uma linha flexível. ▶ Ver riser *flexível*; riser *rígido em catenária*; riser *híbrido*.

riser rígido em catenária / *steel catenary riser*. *Riser* fabricado em tubos de aço rígido, que na interligação entre a linha de produção e a unidade estacionária de produção (UEP) assume a conformação de uma catenária livre. ▶ Ver riser; riser *flexível*; riser *híbrido*; riser *híbrido autossustentável*.

ritmito / *rhythmite*. Junção de distintos tipos de rocha sedimentar ou sequência gradada de sedimentos que formam uma unidade de camadas ou lâminas num depósito com arranjo vertical rítmico. Isso não implica limites para a espessura ou a complexidade de camada ou lâmina, mas o termo deveria excluir grupos de camadas tanto como ciclotemas, e não tem conotação de tempo ou sazonalidade. ▶ Ver *rocha sedimentar*.

rocha / *rock*. 1. Agregado de minerais de um ou mais tipos e nas mais variadas proporções. Agregado de material mineral não diferenciado. 2. Material sólido, agregado, formado durante processos geológicos superficiais ou profundos. ↝ As rochas se classificam em ígneas, metamórficas e sedimentares, sendo estas últimas aquelas nas quais preferencialmente se encontram as jazidas de hidrocarbonetos.

rocha ácida / *acid rock*. Termo classificatório aplicado a rochas ígneas que contenham 63% em peso ou mais de SiO_2. ↝ Algumas vezes, o termo é utilizado equivocadamente como equivalente de rocha félsica ou rocha supersaturada; no entanto, esses termos incluem tipos de rochas ígneas, como o leucodiorito e o quartzo basalto, que não são ácidas conforme a definição acima. ▶ Ver *rocha básica*.

rocha alcalina / *alkaline rock*. 1. Rocha ígnea com conteúdo de álcalis maior do que o considerado normal para o grupo de rochas ao qual ela pertence. 2. Rocha ígnea com quantidades essenciais de feldspatoides e/ou piroxênios alcalinos e/ou anfibólios alcalinos e/ou melilita.

rocha alterada / *weathered rock*. Rocha que sofreu exposição aos agentes atmosféricos sendo submetida a processos de intemperismo físico-químico, com pouco ou nenhum transporte do material alterado. Os processos de alteração geralmente ocorrem na superfície, mas podem ocorrer a grandes profundidades, desde que haja infiltração de oxigênio e de águas superficiais.

rocha Archie / *Archie rock*. Rocha cujas propriedades petrofísicas estão bem-descritas pelas equações de Archie, com valores constantes para o expoente de porosidade (m) e para o expoente de saturação (n). ↝ Esta rocha é limpa (sem argila), tem estrutura regular de poros e água de alta salinidade. ▶ Ver *água de formação*; *equações de Archie*.

rocha asfáltica / *asphaltic rock*. 1. Rocha predominantemente sedimentar que contém asfalto nos espaços porosos. 2. Arenito asfáltico, de ocorrência geralmente comum; costuma ser chamado inadequadamente de *tar sand* (*arenito betuminoso*), da mesma forma que um calcário asfáltico costuma receber o nome de *calcário betuminoso*. ↝ A distinção entre os tipos diferentes de rochas costuma ser feita através da análise de biomarcadores que caracterizam o tipo de ambiente em que a rocha em questão se formou. A análise dos cromatogramas obtidos por meio de cromatografia líquida também ajuda na interpretação dos resultados. ▶ Ver *asfalto*.

rocha basáltica / *basaltic rock*. Termo genérico composicional aplicado a rochas quimicamente compatíveis com basalto, isto é, rochas ígneas, compactas, de cor escura, tais como diabase, dolerito e andesito. ▶ Ver *basalto*.

rocha base / *bedrock*. O mesmo que *rocha dura*. ▶ Ver *rocha dura*.

rocha básica / *basic rock*. Rocha ígnea com conteúdo de SiO_2 entre 45% e 52% em peso. ↪ A mineralogia é constituída dominantemente por minerais máficos ferromagnesianos e plagioclásio cálcico. ▶ Ver *rocha ácida*.

rocha biogênica / *biogenic rock*. Rocha orgânica que resulta, diretamente, de atividades de organismos. Dentre estas se citam: recife de coral, calcário conchífero, carvão, turfa e vaza abissal.

rocha branda / *soft rock*. Rocha sedimentar pobremente sedimentada. Este tipo de rocha apresenta baixa resistência e comportamento mecânico similar ao dos solos. Em Portugal é identificada como rocha mole.

rocha calcária / *calcareous rock*. Rocha sedimentar que contém grande quantidade de carbonato de cálcio.

rocha calcossilicatada / *calc-silicate rock*. Rocha metamórfica que consiste principalmente em silicatos de cálcio, como o diopsídio e a wollastonita, formada pelo metarmofismo de calcário ou dolomito impuros.

rocha capa / *cap rock*. Rocha relativamente impermeável, geralmente folhelho ou sal, que forma uma barreira acima ou em redor de uma rocha-reservatório, de forma que seus fluidos não podem migrar ou escapar. ↪ Para que possa atuar como camada selante, durante prazos de tempo geologicamente significativos, sua permeabilidade deve ser da ordem de 10^{-6} a 10^{-8} *darcies*. O mesmo que *rocha capeadora*.

rocha capeadora / *cap rock*. 1. Rocha selante ou tampão. 2. Camada de rocha impermeável que recobre uma estrutura ou reservatório portador de óleo e/ou de gás, formando uma barreira ou selo de modo a impedir que os fluidos contidos no reservatório migrem para fora, podendo ser constituída por folhelhos, carbonatos de granulação fina, como calcilutitos, anidrita ou sal. 3. Rocha resistente, constituída normalmente por carbonatos e sulfatos de cálcio, recobrindo domos de sal. Parte da massa de um domo de sal que se projeta para fora do alto do domo, à semelhança de um cogumelo. 4. Designação da camada impermeável que recobre uma estrutura portadora de óleo ou gás. ↪ A permeabilidade de uma rocha para ser capeadora ou selo de fluidos ao longo do tempo geológico deve estar entre 10-6 a 10-8 *darcies*.

rocha carbonácea (Port.) (Ang.) / *carbonaceous rock*. O mesmo que *rocha carbonosa*. ▶ Ver *rocha carbonosa*.

rocha carbonatada (Port.) (Ang.) / *carbonate rock*. O mesmo que *rocha carbonática*. ▶ Ver *rocha carbonática*.

rocha carbonática / *carbonate rock*. Rocha sedimentar que consiste principalmente em minerais carbonáticos, como calcário, dolomitos ou carbonatitos.

rocha carbonosa / *carbonaceous rock*. Rocha sedimentar que contém uma apreciável quantidade de materia orgânica, original ou subsequentemente introduzida, inclusive restos de plantas e/ou animais e derivados orgânicos extremamente alterados (carbonizados ou betuminizados).

rocha clástica / *clastic rock*. Rocha sedimentar consolidada composta principalmente por fragmentos detríticos de rochas e/ou minerais pre-existentes (de qualquer origem) ou dos produtos sólidos formados durante intemperismo químico e erosão de tais minerais e/ou rochas, e que foram transportados mecanicamente para o local de deposição. ↪ Por exemplo, pode-se citar o conglomerado, arenito, siltito e folhelho. O critério mais importante de classificação de um sedimento clástico é o tamanho do fragmento ou partícula.

rocha compacta / *tight rock*. Nome dado às rochas de muito baixa ou nula porosidade e permeabilidade, tendo os poros e interstícios sido preenchidos por material fino ou cimento.

rocha cresosa (Port.) (Ang.) / *chalk rock*. O mesmo que *rocha giz*. ▶ Ver *rocha giz*.

rocha de cobertura / *cap rock*. O mesmo que *rocha capeadora*; *rocha capa*; *rocha selante*; *selo*. ▶ Ver *rocha capeadora*.

rocha do embasamento / *basement rock*. Termo genérico frequentemente aplicado a uma rocha, geralmente ígnea ou metamórfica, pertencente a um complexo cristalino. ▶ Ver *complexo cristalino*.

rocha do soco (Port.) / *basement rock*. O mesmo que *rocha do embasamento*; *rocha do soco cristalino*. ▶ Ver *rocha do embasamento*.

rocha dolomítica / *dolomite rock*. O mesmo que *dolomito*. ▶ Ver *dolomito*.

rocha dura / *hard rock*. 1. Rocha ígnea e metamórfica. 2. Termo aplicado a qualquer rocha sotoposta a material inconsolidado. Rocha sotoposta a um aquífero aluvial. Base da zona de intemperismo. 3. Rocha de difícil penetração por sondagem. ↪ Em relação às rochas sedimentares, este termo pode ser utilizado para identificar as rochas desse tipo altamente sedimentadas. Grosseiramente, o termo pode ser utilizado para diferençar as rochas ígneas e metamórficas das sedimentares. Já o termo *rocha branda* é exclusivamente utilizado para identificar rochas sedimentares pobremente cimentadas. ▶ Ver *rocha base*.

rocha efusiva / *effusive rock*. Rocha formada pela consolidação de lava. ▶ Ver *efusiva*.

rocha em barreira / *beach rock*. Rocha de friável a bem-cimentada, constituída de arenito em geral cimentado por crosta de carbonato de cálcio de precipitado numa zona intersticial, que ocorre em camadas pouco espessas com mergulho em direção costa afora, com menos de 15 graus, em águas tropicais ou subtropicais. ↪ Esta rocha é depositada por processos químicos e sob influência biológica. Como exemplo, a remoção de CO_2 da água do mar por plantas aquáticas pode ser a causa da precipitação do carbonato do cálcio.

rocha eruptiva / *eruptive rock*. 1. Rocha ígnea formada pela erupção do magma na superfície da Terra. 2. O mesmo que *rocha extrusiva*.

rocha extrusiva / *extrusive rock*. 1. Rocha ígnea formada quando o magma atinge a superfície da Terra. 2. Sinônimo de *rocha eruptiva*. •» Uma rocha extrusiva inclui lavas e depósitos piroclásticos. ▶ Ver *rocha ígnea*.

rocha fitogênica / *phytogenous rock*. Rocha formada de restos de plantas.

rocha fonte / *source rock*. 1. Rocha a partir da qual se originou uma outra. 2. Rocha argilosa com um alto teor de matéria orgânica que, em condições ideais, pode gerar hidrocarbonetos.

rocha geradora / *source rock*. Rocha sedimentar com alto teor de matéria orgânica que, em condições ideais de soterramento (temperatura e pressão), pode gerar hidrocarbonetos. •» Tal rocha pode ser de natureza siliciclástica com altor de argilas, como os folhelhos, ou de natureza carbonática, como as margas, sendo a primeira muito mais prolífica na capacidade de geração. ▶ Ver *rocha sedimentar*.

rocha giz / *chalk rock*. Rocha macia e de coloração esbranquiçada que se assemelha ao giz. ▶ Ver *giz*.

rocha glacial / *rock glacier*. Língua de rocha originada das regiões montanhosas e arrastada para os vales por ação dos processos glaciais. •» Geralmente são marcadas por uma série de superfícies arqueadas e cristas arredondadas que dão o aspecto de terem se comportado como fluxos de massa viscosos.

rocha glaciárea (Port.) (Ang.) / *rock glacier*. O mesmo que *rocha glacial*. ▶ Ver *rocha glacial*.

rocha ígnea / *igneous rock*. 1. Rocha originada a partir da cristalização ou solidificação do magma. 2. Sinônimo de *rocha magmática*.

rocha intermediária / *intermediate rock*. Termo classificatório aplicado a rochas ígneas e metamórficas que contenham SiO_2 entre 52% e 63% em peso.

rocha intrusiva / *intrusive rock*. Rocha ígnea que se formou em subsuperfície a partir da cristalização de um magma que sofreu deslocamento e penetrou numa rocha mais antiga. •» Exclui as rochas formadas por anatexia sem movimentação do magma, conceituando-se anatexia como a fusão parcial ou total de uma rocha em condições naturais, possuindo a mesma um papel importante na formação do magma. ▶ Ver *rocha ígnea*.

rocha isócrona / *isochronous rock*. Rocha depositada no mesmo intervalo tempo geológico. ▶ Ver *isócrono*.

rocha magmática / *magmatic rock*. O mesmo que *rocha ígnea*. ▶ Ver *rocha ígnea*.

rocha matriz / *source rock*. Termo geral que identifica a rocha da qual se originou uma rocha sedimentar. •» Tal rocha é por vezes igualmente denominada rocha-mãe ou rocha fonte. A rocha matriz pode ser de natureza ígnea, metamórfica ou, inclusive, sedimentar. ▶ Ver *rocha sedimentar*; *rocha fonte*.

rocha mole / *soft rock*. 1. Termo genérico para rocha sedimentar. 2. Rocha que apresenta pouca resistência à erosão. 3. Termo utilizado em perfuração para seções sedimentares pouco litificadas. O mesmo que *rocha branda*. ▶ Ver *rocha branda*; *rocha sedimentar*.

rocha molhada por água / *water-wet rock*. Rocha porosa em que a água corresponde ao fluido molhante. Uma rocha contendo água e óleo é considerada molhada pela água caso o ângulo de contato da água seja inferior a 70 °C.

rocha não consolidada / *unconsolidated rock*. Rocha sedimentar cujo arcabouço ainda não apresenta uma estrutura rígida devido, em regra, a uma cimentação deficiente ou inexistente das partículas.

rocha para cimento / *cement rock*. Calcário argiloso não estratificado, contendo alumina, sílica e óxido de cálcio em proporções aproximadas às requeridas para cimento.

rocha permoporosa / *permo-porous rock*. Rocha que pode acumular hidrocarbonetos. •» Os reservatórios são caracterizados pelo tipo de rocha ou estrutura que os compõem; por exemplo, os *siliciclásticos*, os *carbonáticos* e os *fraturados*, ou combinação dos dois primeiros com o terceiro tipo. A qualidade de um reservatório é função de dois parâmetros principais: (*I*) porosidade (capacidade de armazenamento) e (*II*) permeabilidade (capacidade de produção, ao permitir escoamento dos fluidos). ▶ Ver *reservatório*; *rocha-reservatório*; *hidrocarboneto*.

rocha química / *chemical rock*. 1. Rocha sedimentar composta principalmente de material formado diretamente da precipitação a partir de solução ou suspensão coloidal (por evaporação), ou por deposição de precipitados insolúveis (misturando soluções de dois sais). Geralmente apresenta textura cristalina e ocorre em ambiente marinho. 2. Rocha sedimentar que tem menos que 50% de material detrítico.

rocha-reservatório / *reservoir rock*. 1. Rocha permoporosa que possui em seus poros um depósito contínuo de óleo e/ou gás. 2. Rocha capaz de acumular uma grande quantidade de óleo e/ou gás. •» A maioria desses depósitos ocorre em reservatórios de rochas sedimentares clásticas e não clásticas, principalmente arenitos e calcários ▶ Ver *reservatório*; *rocha permoporosa*.

rocha salina / *salt rock*. Rocha formada por cloreto de sódio, cloreto de magnésio, cloreto de potássio e gipso. Dentro dos evaporitos, a halita ou o sal comum (NaCl) é a mais conhecida rocha salina, porém existe uma gama grande de tipos de rochas salinas. •» Os cristais grosseiros de halita, NaCl, são resultado da evaporação de águas salinas, em agregados maciços, fibrosos ou granulares, que ocorrem como rochas sedimentares bastante puras, em extensas camadas, assim como em domos, *plugs* e corpos irregulares. Essa ocorrência encontra-se no subsolo e também em superfície, e são denominadas *sal* ou *rochas salinas*. ▶ Ver *halita*; *evaporito*.

rocha sedimentar / *sedimentary rock*. 1. Rocha resultante da acumulação de materiais (sedimentos) oriundos da desagregação de rochas, da acumulação de restos de animais ou vegetais ou da precipitação de soluções salinas. A estratificação é uma característica singular das rochas sedimentares. **2.** Rocha formada pela litificação de sedimentos acumulados em camadas ao longo dos milhares e milhões de anos. ↝ A quase totalidade das acumulações de óleo e gás ocorre nas rochas sedimentares.

rocha sedimentar bioquímica / *biochemical sedimentary rock*. Rocha sedimentar formada de material resultante de processos bioquímicos (como as conchas) produzidos por organismos vivos.

rocha sedimentar química / *chemical sedimentary rock*. Sedimento proveniente de precipitação química, como carbonatos, sulfatos, entre outros, que, através da litificação do material, forma uma rocha. Geralmente ocorre em ambiente marinho. ▶ Ver *litificação*.

rocha selante / *sealing rock*. Rocha impermeável, como o folhelho, margas e evaporitos (halita), que atua como barreira à fuga ascendente de fluidos (óleo e gás). ↝ Em geral, qualquer rocha com permeabilidade muito baixa pode atuar como uma rocha selante. Em alguns casos, mantém a plasticidade que confere à rocha a capacidade de conservar suas propriedades mesmo após a aplicação de grandes esforços.

rocha silicática / *silicic rock*. Rocha que apresenta em sua composição mais de dois terços de silicatos, normalmente quartzo e feldspato. ▶ Ver *rocha silícica*.

rocha silícica / *silicic rock*. Rocha ígnea rica em sílica, cuja composição apresenta pelo menos 65% de sílica, ou seja, dois terços da rocha. Além da sílica contida nos feldspatos, as rochas silícicas possuem sílica livre na forma de quartzo. Granitos e riolitos são exemplos típicos desse tipo de rocha. Como sinônimo também são utilizados os termos *rocha ácida* ou *rocha supersaturada*. ▶ Ver *rocha silicática*.

rocha siliciosa (Port.) / *silicic rock*. O mesmo que *rocha silícica*. ▶ Ver *rocha silícica*.

rocha tenra (Port.) / *sealing rock*. O mesmo que *rocha mole*. ▶ Ver *rocha mole*.

rocha vedante (Port.) / *sealing rock*. O mesmo que *rocha selante*. ▶ Ver *rocha selante*; *rocha de cobertura*.

***Rock-Eval*.** Método de análise por pirólise que objetiva determinar o potencial petrolífero, ou seja, a quantidade, a qualidade e a maturidade termal de amostras de rochas geradoras. ▶ Ver *pirólise*; *rocha geradora*.

roda de profundidade / *depth wheel*. Roda calibrada que comanda o sistema de registro de profundidade em perfilagem a cabo. ↝ A roda é pressionada contra o cabo quando este é enrolado no tambor e, portanto, gira quando o cabo passa, descendo ou subindo no poço. Depois de zerar a profundidade na superfície (mesa rotativa), a roda de profundidade fornece o sinal de entrada ao sistema de registro. Pequenos erros de calibração ou deslizamento podem introduzir erros sistemáticos na profundidade registrada. Por essa razão, a profundidade é verificada e corrigida pelas marcas de profundidade. A roda de profundidade é também referida como um codificador. Codificadores modernos têm duas rodas, de modo que deslizamentos podem ser detectados por diferenças entre as duas medidas.

rodada de licitações / *bidding round*. Denominação das licitações das concessões para exploração e produção de petróleo e gás natural. O mesmo que *certame licitatório*. ▶ Ver *licitação*; *Agência Nacional do Petróleo, Gás Natural e Biocombustíveis (ANP)*.

rolamento do fundo do mar / *water-bottom roll*. Pseudo-onda de Rayleigh gerada na lâmina d'água nos levantamentos sísmicos marítimos. ▶ Ver *onda de Rayleigh*.

rolamento superficial / *ground roll*. Onda superficial de energia que viaja junto ou perto da superfície do solo. Usualmente caracterizada pela baixa frequência, mas alta amplitude. ▶ Ver *onda de Rayleigh*.

rolete da bucha da haste quadrada / *kelly bushing roller*. Rolete existente no interior da bucha da haste quadrada (*kelly*), através do qual se dá o contato da mesma bucha com a haste quadrada propriamente dita. ↝ Os roletes são montados em eixos horizontais, que permitem o livre movimento vertical da haste quadrada. ▶ Ver *bucha do kelly*; *haste quadrada*.

rosca / *thread*. Perfil usinado na extremidade do tubo (perfuração, revestimento e produção), em forma espiralada, de modo a permitir a união de dois ou mais tubos de maneira estanque, como se fossem uma única peça. ▶ Ver *tubo*; *conexão API*.

rosca butress (Ang.) / *buttress thread connection*. Tipo de conexão API usada normalmente em revestimentos de poços de petróleo.

rosca do pino / *male thread*. O mesmo que *rosca externa* e *rosca macho*. ▶ Ver *rosca externa*; *rosca macho*.

rosca externa / *external thread*. Extremidade do tubo onde a rosca foi usinada em seu exterior e que serve para conectar-se internamente a uma rosca compatível, usinada no interior de outra peça, chamada *rosca fêmea* ou *rosca interna*.

rosca fêmea / *female connection or thread*. Peça com a rosca usinada em seu interior que serve para conectar-se externamente a uma rosca compatível, usinada no exterior de outra peça, chamada *rosca do pino*. O mesmo que *rosca interna*.

rosca interna / *internal thread*. O mesmo que *rosca fêmea*. ▶ Ver *rosca fêmea*.

rosca macho / *male thread*. 1. Extremidade do tubo onde a rosca foi usinada em seu exterior e que serve para conectar-se internamente a uma rosca compatível, usinada no interior de outra peça, chamada *rosca fêmea* ou *rosca interna*. 2. É o mesmo que *rosca do pino*.

rotação de Alford / *Alford rotation*. Técnica de processamento que projeta dados de cisalhamento registrados em duas direções ortogonais não considerando as direções de cisalhamento. ▶ Ver *anisotropia*.

rotação do fluido / *swirl*. Termo qualitativo que descreve os movimentos tangenciais de um fluido num duto, vaso ou tanque.

rotor / *rotor*. Dispositivo provido de pás, conectadas a um eixo apoiado sobre mancais, em torno do qual ele gira. Peça metálica sólida, externamente com formato helicoidal recoberta com uma camada de cromo duro para resistir à abrasão. ↬ A superfície é polida para reduzir o atrito com a borracha do estator e também para promover uma perfeita vedação entre as cavidades. Como exemplo de rotores tem-se a parte não estacionária de um motor elétrico rotativo de indução sob corrente alternada. O rotor é usinado a partir de uma barra cilíndrica sólida, recebendo o formato helicoidal em um torno especial de alta precisão. ▶ Ver *motor elétrico*.

rotulagem ambiental / *environmental labeling*. Forma de certificação de produtos, geralmente baseado em análise do ciclo de vida, voluntário ou não, e feito por órgão certificador credenciado. Consiste na marcação de produtos com selos de significado definido. ↬ A rotulagem ambiental pode se referir a processos de produção (produto orgânico, produto feito de materiais reciclados, produção em condições de justiça social etc.) ou a características do produto (baixo consumo de energia, biodegradabilidade etc.).

rounds. Licitações de âmbito internacional, efetuadas pela *Agência Nacional do Petróleo, Gás Natural e Biocombustíveis* (*ANP*), Brasil, e destinadas à outorga, aos respectivos licitantes vencedores, de concessões para exploração e produção de petróleo e gás natural. ▶ Ver *rodada de licitações*; *Agência Nacional do Petróleo, Gás Natural e Biocombustíveis* (*ANP*).

royalties. Compensação financeira paga pelos concessionários na etapa de produção de petróleo ou gás natural, incidente sobre a receita bruta, calculada, em regra, com base no preço de mercado do produto extraído. ▶ Ver *Agência Nacional do Petróleo, Gás Natural e Biocombustíveis* (*ANP*).

royalties com base em área de concessão / *acreage-based royalty*. Sistema de cobrança de *royalties* com base na área de concessão, e não na produção ou em outro parâmetro.

royalties comerciais / *commercial royalties*. Quaisquer outros *royalties* que não os previstos em documento legal disciplinador da matéria para o setor do petróleo brasileiro, em termos de apuração da participação especial. ▶ Ver royalties.

rudito / *rudite*. Rocha sedimentar composta de fragmentos de tamanho maior que areia, malclassificados, distribuídos em uma matriz que varia em tipo e quantidade. São exemplos os conglomerados e as brechas.

rugosidade / *rugosity*. Aspereza, irregularidades da parede de um poço que podem afetar as leituras de densidade e microrresistividade dos perfis realizados no poço.

ruído aditivo / *additive noise*. Qualquer ruído à exceção daquele correspondente ao sinal desejado. Inclui distúrbios nos dados sísmicos causados por toda a energia sísmica não desejada, tal como o *ground Raul*, gerado pelo tiro, as ondas de superfície *Love* e *Rayleigh*, as múltiplas, os efeitos das condições climáticas (vento, chuva etc.) e da atividade humana, ou ocorrências aleatórias na Terra. ↬ Pode ser minimizado usando disposições da fonte e do receptor, gerando o ruído mínimo durante a aquisição, filtrando e empilhando dados durante o processamento. ▶ Ver *onda de Love*; *onda de Rayleigh*.

ruído ambiental / *ambient noise*. Sinal acústico sentido por ecobatímetros, sonares de varredura lateral e sistemas de sísmica de alta resolução que emanam de uma variedade de fontes do ambiente submarino. ↬ O ruído ambiental sentido por estes sistemas tem origem principalmente no motor das embarcações, cavitação do hélice, atividade biológica, chuva, ventos e ondas, microtremores, interferência eletromagnética, atividades humanas etc.

ruído branco / *white noise*. 1. Ruído cujo espectro de amplitude é aproximadamente plano. 2. Fator utilizado para se estabilizar o cálculo dos filtros de Wiener-Hopf.

ruído coerente / *coherent noise*. Ruído, ou seja, tudo aquilo que não é sinal, presente em dados sísmicos com algum padrão (por exemplo, periodicidade), que pode ser confundido com sinal. ↬ Não é atenuado pelo empilhamento. Os mais comuns são múltiplas (de longo ou curto período), reflexões e difrações em álias, ondas diretas ou superficiais (principalmente o *ground-roll*) e ondas S convertidas. ▶ Ver *álias*; *falseamento*.

ruído colorido / *colored noise*. Ruído que apresenta amplitudes razoavelmente distintas para diferentes frequências, ou seja, cujo espectro não é plano. ↬ Geralmente, as maiores amplitudes estão concentradas ou nas menores (ruídos *vermelhos*) ou maiores (ruídos *azuis*) frequências do espectro. Uma premissa fundamental de algumas etapas do processamento sísmico é que o ruído aleatório é branco. ▶ Ver *espectro de amplitude*; *ruído branco*.

ruído de banda limitada / *band-limited noise*. Ruído que é uma função da banda (ou faixa) de frequência. ▶ Ver *função de banda limitada*.

ruído de contaminação cíclica / *wraparound noise*. Ruído decorrente da recuperação do verdadeiro espectro de fase de uma função discreta, decorrente também da ambiguidade no cálculo trigonométrico do espectro de fase. ▶ Ver *espectro de fase*.

ruído de fundo / *background noise*. Ruído ambiental, natural ou existente nas medições geofísicas. ▶ Ver *ruído ambiental*.

ruído do amplificador / *amplifier noise*. Ruído produzido, em aquisição sísmica, pelo amplificador de sinal, gerado pelo movimento aleatório dos elétrons em um condutor. ↣ A magnitude deste ruído é proporcional à raiz quadrada do produto KRB, onde K = temperatura em Kelvin, R = resistência em ohms e B = largura da faixa em Hz.

ruído do gelo / *ice noise*. Ruído sísmico resultante da expansão e contração do gelo causados pelo aquecimento solar.

ruído elétrico / *electrical noise*. Componente indesejável de um sinal elétrico que obscurece o conteúdo da informação. Qualquer voltagem ou corrente elétrica induzida por fontes externas e que se sobrepõe aos circuitos de um dispositivo de medição. ↣ Em sistemas submarinos de produção é típico o uso do monitoramento por via elétrica dito *Comms on Power* (comunicação sobreposta à alimentação, sendo que, se ocorrerem correntes parasitas nesses sistemas, esses ruídos dificultam a percepção do real sinal elétrico associado à resposta do sensor.

ruído em álias / *aliasing noise*. Falso ruído tipicamente encontrado nos primeiros estágios de processamento de sinais digitais sísmicos. ↣ Ocorrência comum no processamento primeiro de sinais sísmicos, onde objetivando-se celeridade de respostas se faz tal processamento em baixa resolução, daí resultando distorções (serrilhado ou *álias*). A partir da identificação da subárea de interesse, se pratica o processamento em resoluções adequadas e daí fazendo desaparecer tais falsos ruídos. ▶ Ver *álias*.

ruído magnetotelúrico / *magnetotelluric noise*. Sinal indesejado, percebido quando de levantamentos magnetotelúricos, resultante de, tipicamente, descargas elétricas (relâmpagos), proximidade de linhas de transmissão de alta tensão ou oriundo de correntes encontradas na ionosfera.

ruído não correlato / *uncorrelated noise*. Ruído cuja distribuição tem caráter aleatório não guardando relação detectável com o comportamento dos sinais. Tal ruído é também conhecido por ruído aleatório ou randômico (*random noise*).

ruído retrodisperso / *backscattered noise*. Ruído geralmente causado por descontinuidades nos refletores mais rasos que aparecem em levantamentos de reflexão sísmica.

ruído térmico / *thermal noise*. Ruído resultante da agitação térmica dos elétrons, encontrada nos condutores elétricos quando da passagem de corrente, independente do valor da tensão aplicada. Tal ruído é também conhecido por Ruído *Johnson-Nyquist*, Ruído *Johnson* ou Ruído *Nyquist*. ▶ Ver *Frequência de Nyquist*.

S

sabkha. 1. Ambiente sedimentar localizado na região litorânea de supramaré, sob um clima árido a semiárido, em regiões costeiras restritas. 2. Região plana, tanto na costa como no interior, onde sob clima árido e efeito da erosão pelo vento, deflação e evaporação, formam-se crostas salinas por efeito de um processo de cristalização. ↝ Caracteriza-se pela alta salinidade, o que propicia a precipitação de evaporitos, formando crostas de halita na superfície e nódulos de gipsita e anidrita em meio aos sedimentos. As condições oxidantes formam os depósitos terrígenos caracteristicamente avermelhados. Os depósitos evaporíticos formados em ambiente de *sabkha* distinguem-se dos continentais pela presença de sedimentos marinhos, e dos lagunares pela presença de anidrita e gipsita em meio aos sedimentos. A diagênese, por exemplo, na dolomitização de calcários, torna as rochas desse ambiente interessantes no que respeita a reservatórios de petróleo e gás, como, por exemplo, no pré-sal de Angola. ▶ Ver *fácies*.

sacaroidal / *saccharoidal*. 1. Textura cristalina semelhante a cristais de açúcar, encontrada em alguns arenitos, evaporitos, mármores, dolomitos e aplitos (textura aplítica). 2. Rocha branca ou quase branca com a textura sacaroidal. É palavra derivada do latim *saccharum*, ou seja, açúcar.

sacaroide (Port.) / *saccharoidal*. O mesmo que *sacaroidal*. ▶ Ver *sacaroidal*.

saco de cimento americano / *U.S. sack of cement*. Unidade de medida utilizada em campo, que corresponde a 94 libras de cimento e tem volume aparente de um pé cúbico. ↝ No cálculo de pastas de cimento a concentração dos aditivos líquidos é expressa em galões de aditivo por pé cúbico de cimento (*GPC*) e a concentração dos aditivos sólidos é expressa em percentual de massa de aditivo por massa de cimento ou BWOC (*by weight on cement*).

sag. 1. Estrutura ou bacia sedimentar ampla e rasa cujos flancos mergulham suavemente. 2. Depressão produzida pelo arqueamento das camadas no bloco baixo de falha, fazendo com que mergulhem no sentido do plano de falha. Em Portugal, utiliza-se o termo *depressão suave*. ▶ Ver *bacia sedimentar*; *estrutura sedimentar*.

saibro / *gravel*. fragmento de rocha alterada, de tamanho cascalho, resultante da decomposição incompleta de rochas de composição granulítica. O mesmo que *cascalho*.

saída de fluido leve / *overflow*. Saída do hidrociclone situada próximo ao bocal da alimentação, concêntrica com o eixo do equipamento. Mesmo em português é mais utilizado o termo inglês *overflow*. ↝ Nos hidrociclones para tratamento de águas oleosas, essa saída é denominada também *saída de rejeito*. ▶Ver *hidrociclone*.

saída de fluido pesado / *underflow*. Saída do hidrociclone mais afastada do bocal da alimentação, concêntrica com o eixo do equipamento. Mesmo no Brasil é mais utilizado o termo inglês *underflow*. ↝ Nos hidrociclones para tratamento de águas oleosas, essa saída é denominada também *saída de água tratada*. ▶Ver *hidrociclone*.

saída e entrada no poço com a tubagem de forma completa (Port. e Ang.) / *round trip*. O mesmo que *manobra completa*. ▶ Ver *manobra completa*.

saída e entrada no poço com parte da tubagem (Port.) / *short trip*. O mesmo que *manobra curta*. ▶ Ver *manobra curta*.

saída e entrada no poço com a tubagem para limpeza (Port. e Ang.) / *back reaming*. O mesmo que *manobra de limpeza*. ▶ Ver *manobra de limpeza*.

saída em frequência / *frequency output*. Saída de sinal de um instrumento de medição na forma de frequência que varia como função da variável mensurada (por exemplo, velocidade angular e vazão).

Sakmariano / *Sakmarian*. Andar do Permiano entre 294 milhões e 600 mil e 284 milhões e 400 mil anos. ↝ Na escala do tempo geológico, é a idade da época cisuraliana correspondente ao período permiano da era paleozoica do éon fanerozoico.

sal / *salt*. Termo utilizado para descrever depósitos naturais de cloreto de sódio, NaCl. Sinônimo de *sal comum* e *rocha de sal*. ▶ Ver *halita*.

sal cíclico / *cyclic salt*. Sal transportado do mar para o continente por ventos e que retorna ao mar pela drenagem.

sal e pimenta / *salt and peper*. Areia ou arenito que contém uma mistura de grãos claros e escuros.

sal gema (Port.) / *halite*. O mesmo que *halita*. ▶ Ver *halita*; *evaporito*; *rocha salina*; *sal*.

sala de controle / *control room*. Local da plataforma destinado ao controle geral dos equipamentos e da estabilidade da mesma. Espaço físico aonde convergem as informações digitais e analógicas vindas do campo/planta industrial nos sistemas de aquisição de dados, como os controladores lógicos programáveis (*CLPs*). ↝ Nessas salas os dados são disponibilizados aos operadores através de sistemas supervisórios, visando o monitoramento e as tomadas de decisões operacionais. Utilizadas não somente em plataformas mas, genericamente, em qualquer unidade industrial.

sala de visualização / *visualization room*. Sala ou anfiteatro onde várias pessoas podem ver, em uma tela de grandes dimensões, os resultados das pesquisas, exploração ou produção de uma área petrolífera. ↔ Esse tipo de sala é mais utilizado para visualizações em três dimensões de seções sísmicas, especialmente de regiões de águas profundas, na busca de melhores interpretações do sistema petrolífero de uma bacia.

salcrete / *salcrete*. Fina crosta dura, típica de ambiente de praia, formada por cimentação dos grãos de areia por sais a partir da saturação dos poros por águas salinas.

salgema / *rock salt*. Termo aplicado à halita (NaCl). Mineral apresentado sob a forma de cristais ou como massas cristalinas granulares. O mesmo que *rocha salina*. ▶ Ver *halita*; *rocha salina*; *evaporito*; *sal*.

salífero / *saliferous*. Estrato que contém sal, ou está impregnado dele, ou o produz. ▶ Ver *estrato*; *sal*.

salinidade / *salinity*. Concentração de sal na água, expressa em gramas por litro ou em partes por milhão. ↔ Os oceanos têm uma salinidade média de 35 g/l, sendo este valor normalmente chamado de *salinidade normal da água do mar*. A salinidade dos lagos e rios é normalmente inferior a 2 g/l, o que justifica a denominação de *água doce*. O termo *salinidade* se refere à quantidade de sais dissolvidos presentes na água. Sódio e cloreto de sódio são os íons predominantes na água do mar, que ainda apresenta concentrações de íons de magnésio, cálcio e sulfato.

salinífero / *saliniferous*. O mesmo que *salífero*. ▶ Ver *salífero*.

salmoura / *brine*. 1. Solução salina na qual a concentração de substâncias dissolvidas é extremamente elevada. As salmouras estão geralmente associadas a depósitos salinos ou a águas muito antigas situadas a grandes profundidades. 2. Solução de água saturada com cloreto de sódio. 3. Água salgada que preenche os poros de uma formação.

salobre / *brackish*. 1. Água com salinidade inferior à da água do mar. 2. Que contém mais sais minerais do que a água doce. Sinônimo de *salobra*.

saltação / *saltation*. Transporte de grãos no qual partículas maiores são movidas para a frente por meio de uma série de saltos. ↔ Por exemplo, grãos de areia saltando no sentido do vento pelo impacto dos grãos na superfície do deserto. O mesmo ocorre em rios, constituindo neste caso um processo de transporte intermediário entre o rolamento de grãos ao longo do fundo e o transporte em suspensão.

salto de ciclo / *cycle skip*. Fenômeno que ocorre em perfilagem acústica, quando a amplitude da primeira chegada é suficientemente forte para ser detectada pelo receptor próximo ao transmissor, mas não pelo receptor mais distante, o qual poderá ser acionado por ciclos posteriores. ↔ Sua chegada é caracterizada por uma brusca deflexão da curva do tempo de trânsito, que corresponde a um ou mais ciclos que foram *saltados* entre os receptores. O salto de ciclo curto ocorre quando o receptor próximo é acionado por um ciclo demasiadamente tardio, o que resulta em um tempo de trânsito anormalmente baixo.

sangramento de poço (Port. e Ang.) / *bleeding a well*. O mesmo que *drenando o poço*. ▶ Ver *drenando o poço*.

sangria (Port. e Ang.) / *bleeding*. O mesmo que *drenagem*. ▶ Ver *drenagem*.

sapata da âncora / *anchor shoe*. Parte basal da coluna testadora que se apoia diretamente no fundo do poço, suportando o peso da tubulação e, consequentemente, permitindo a expansão da borracha do obturador.

sapata de destruição / *milling shoe*. Sapata construída de tubo de lavagem ou fabricada com maior espessura de parede, que utiliza na sua extremidade inferior um enchimento com carboneto de tungstênio e na parte superior uma rosca do próprio tubo de lavagem, com o objetivo de destruir a parte externa do peixe. ▶ Ver *peixe*; *pescaria*.

sapata de lavagem / *washover shoe*. O mesmo que *sapata de destruição*. ▶ Ver *sapata de destruição*; *peixe*.

sapata de trituração (Port.) / *milling shoe*. O mesmo que *sapata de destruição*. ▶ Ver *sapata de destruição*.

sapropel / *sapropel*. Depósito de sedimento aquático inconsolidado, rico em matéria orgânica lipídea derivada principalmente do fitoplancto putrificado sob condições anaeróbicas. Pode ser comparado com o estágio de turfa de carvões húmicos. Quando consolidado, forma rochas querogênicas ou sapropelitos. Palavra de origem grega que significa 'estragado' ou 'podre'.

sapropélico / *sapropelic*. Derivado ou pertencente a sapropel. Sedimento querogênico. O mesmo que *liptobiolito*. ▶ Ver *sapropel*.

satélite de linhas de produção (Ang.) / *flowline hub*. O mesmo que *conector de linha de fluxo*. ▶ Ver *conector de linha de fluxo*.

saturação / *saturation*. Porcentagem do volume de diferentes fluidos (água, óleo e gás) que ocupam os poros de uma rocha e que, somados, chegam a 100%. Pode ser usado para descrever a saturação de sal na água, gás no óleo, entre outros. ↔ Termo usado para descrever a indicação de alcance de amplitude ou capacidade plena.

saturação crítica / *critical saturation*. 1. Saturação mínima nos poros de uma rocha-reservatório na qual o óleo irá fluir pelo reservatório. 2. Valor de saturação da fase líquida específica (ou gás) em que o líquido (ou gás) começará a fluir quando a saturação aumenta. A propriedade de fluir está relacionada com a continuidade da fase. Uma fase descontínua não fluirá sob condições normais de produção. ⇢ A saturação crítica é de aproximadamente 15%.

saturação crítica de água / *critical water saturation*. 1. Saturação mínima de água de um reservatório, necessária para que ela comece a fluir à medida que a saturação aumenta. Abaixo dessa saturação o fluxo de água é desprezível. 2. Experimentalmente, tida como a saturação de água de um reservatório em que o fluxo dos demais fluidos é pelo menos mil vezes maior que o fluxo de água.

saturação crítica de gás / *critical gas saturation*. Condição mínima de gás, necessária para que ele comece a fluir à medida que a saturação aumenta. ⇢ Como o fluxo de um gás depende da continuidade da fase gasosa, a saturação precisa atingir um valor mínimo, antes que o fluxo ocorra.

saturação de água irredutível / *irreducible water saturation*. Porcentagem do volume poroso do reservatório ocupado por água, com o máximo de saturação de óleo no reservatório.

saturação de gás / *gas saturation*. Relação entre o volume de gás presente em uma rocha e o volume poroso da mesma.

saturação de gás calculada / *calculated gas saturation*. 1. Valor da saturação de gás de uma determinada rocha de um reservatório, geralmente calculado por meio da perfilagem de um poço. 2. Valor da saturação de gás de uma determinada amostra de rocha, geralmente calculado em análises em laboratório.

saturação de gás residual / *residual gas saturation*. Porcentagem do volume de gás natural que não pode ser produzido a partir de métodos convencionais de produção.

saturação de líquidos / *liquid saturation*. Fração volumétrica do espaço poroso da rocha ocupado por óleo ou água.

saturação de óleo residual / *residual oil saturation*. Razão entre o volume de óleo residual V_{or} e o volume poroso da rocha V_p. Representa a quantidade de óleo não removido da rocha-reservatório após a produção. ⇢ A razão é expressa por:

$$S_{OR} = V_{or} / V_p$$

onde:
S_{OR} é a saturação de óleo residual. ▶ Ver *saturação residual*.

saturação em água crítica / *critical water saturation*. Saturação máxima de água em um reservatório, na qual hidrocarbonetos possam fluir sem que haja fluxo de água.

saturação em água imóvel (Port. e Ang.) / *immobile water saturation*. O mesmo que *saturação imóvel da água*. ▶ Ver *saturação imóvel da água*.

saturação em água irredutível (Port. e Ang.) / *irreducible water saturation*. O mesmo que *saturação de água irredutível*. ▶ Ver *saturação de água irredutível*.

saturação em gás (Port. e Ang.) / *gas saturation*. O mesmo que *saturação de gás*. ▶ Ver *saturação de gás*.

saturação em gás calculada (Port.) (Ang.) / *calculated gas saturation*. O mesmo que *saturação de gás calculada*. ▶ Ver *saturação de gás calculada*.

saturação em gás crítica / *critical gas saturation*. Saturação mínima dos poros de uma rocha-reservatório necessária para que o gás flua através da rocha.

saturação em gás residual (Port. e Ang.) / *residual gas saturation*. O mesmo que *saturação de gás residual*. ▶ Ver *saturação de gás residual*.

saturação em líquidos (Port. e Ang.) / *liquid saturation*. O mesmo que *saturação de líquidos*. ▶ Ver *saturação de líquidos*.

saturação em óleo residual (Port. e Ang.) / *residual oil saturation*. O mesmo que *saturação de óleo residual*. ▶ Ver *saturação de óleo residual*.

saturação em óleo residual por injecção de água (Port. e Ang.) / *waterflood residual oil saturation*. Saturação que ocorre na recuperação secundária, sem que a água desloque todo o óleo ⇢ As forças capilares que provocam o deslocamento do óleo também provocam o aprisionamento de uma saturação de óleo residual. Essas forças capilares são as mesmas que fazem a água ascender em tubos de vidro de pequeno diâmetro. ▶ Ver *recuperação secundária*.

saturação imóvel da água / *immobile water saturation*. Saturação mínima de água em um reservatório de tal forma que permita o fluxo de água.

saturação insular / *insular saturation*. Formação na qual os poros da rocha contendo petróleo estão circundados por água. ⇢ Em processos de recuperação de poços de petróleo é utilizado, geralmente, para o aumento da produtividade, o deslocamento de um fluido aquoso acrescido de aditivos surfactantes capazes de reduzir a tensão na interface água/óleo e que deslocam a emulsão para o poço produtor. A utilização dessa tática é inversamente proporcional ao grau de molhabilidade do reservatório por óleo. Isso significa que este método é tão menos eficiente quanto maior for o grau de interação entre a rocha e o óleo nela armazenada. Diferentemente do que ocorre na saturação pendular, dessa vez o fluido aprisionado no meio poroso é o óleo. ▶ Ver *molhabilidade*; *saturação pendular*; *saturação residual*.

saturação pendular / *pendular saturation*. Processo de saturação no qual a água atinge um valor tal que inicie sua fluidez a partir de um meio poroso. ⇢ O aprisionamento de gás pode ocorrer por causa do deslocamento de frentes descontínuas de água no meio poroso da rocha, causado por capilaridade ou simplesmente por injeção. ▶ Ver *saturação insular*; *saturação residual*; *molhabilidade*.

saturação residual / *residual saturation*. Saturação mínima de óleo nos poros, que permite o fluxo de óleo pelo reservatório. Caracteriza-se

pelo aprisionamento de fluido não molhante nos interstícios da rocha junto ao fluido molhante.
•» Se o fluido aprisionado for um gás, este tipo de saturação residual recebe o nome de *saturação pendular*; quando se trata de óleo aprisionado como fluido não molhante, a saturação é denominada *insular*. A saturação residual de óleo é em torno de 15%. ▶ Ver *saturação insular*; *saturação pendular*; *molhabilidade*.

saturação residual de hidrocarbonetos / *residual hydrocarbon saturation*. Porcentagem do volume de óleo e gás deixados na rocha-reservatório após o fim da produção. ▶ Ver *hidrocarboneto*.

saturação residual de óleo / *waterflood residual oil saturation*. Saturação de óleo remanescente nos poros de uma rocha-reservatório após a injeção de água.

saturada / *saturated*. 1. Solo ou rocha impregnados em água quando todos seus interstícios são preenchidos com água. 2. Em se tratando de ácidos graxos e outros compostos orgânicos, refere-se a uma estrutura na qual cada valência de carbono é combinada com um átomo distinto ou com diversas ligações. 3. Termo que descreve uma membrana completamente preenchida com material betuminoso.

saturado / *saturated*. Solução incapaz de dissolver mais soluto.

saturado em sílica / *silica saturated*. 1. Rocha na qual ocorrem cristais de quartzo. 2. Diz-se de um mineral que pode ser formado na presença de sílica livre.

seção ativa / *live section*. Trecho de cabos do tipo *streamer* no qual um hidrofone registra o campo de ondas. Em sísmica de reflexão marinha, representa os segmentos que compõem o cabo sismográfico. Uma seção ativa contém um conjunto de hidrofones interligados. O mesmo que *seção viva* ou *live section*. ▶ Ver *hidrofone*.

seção colunar / *columnar section*. Seção vertical ou representação gráfica de uma coluna, das unidades sucessivas de rochas que ocorrem em uma área ou em um local específico. •» São feitas escalas para delimitar as espessuras das unidades de rocha e a litologia, indicados por símbolos padrões ou convencionais, suplementados geralmente por breves notas descritivas que indicam idade, classificação da rocha, conteúdo fossilífero, dados de paleocorrentes e estruturas.

seção composta / *composite section*. Seção de reconhecimento em levantamento de superfície, construída através da projeção dos resultados dos levantamentos de várias outras seções, que podem ser paralelas ou quase paralelas.

seção condensada / *condensed section*. Intervalo estratigráfico formado por camadas de pequena espessura, gerado pela deposição de sedimentos de granulometria fina durante um longo intervalo de tempo, o que resulta numa taxa média de acumulação muito baixa, ou seja, da ordem de 1 cm a 2 cm/Ka (centímetros depositados a cada mil anos).

seção de afastamento constante / *constant-offset section*. Seção sísmica feita a partir de um único traço de cada registro, sendo a distância fonte-receptor constante.

seção de afastamento zero / *zero-offset section*. 1. Seção de reflexão sísmica na qual a posição da fonte é igual à do receptor. 2. Seção de reflexão sísmica após o empilhamento horizontal. •» A partir da seção de afastamento zero pode-se calcular o tempo de percurso do pulso sísmico de ida e volta entre uma interface e uma camada sedimentar plana e horizontal, isotrópica e homogênea.

seção de amplitude reduzida / *low-amplitude display*. Seção realizada com baixo ganho para evitar manchas brilhantes.

seção de controle de ângulo / *angle-control section*. Trecho do poço direcional onde a inclinação é mantida constante. ▶ Ver *perfuração direcional*; *inclinação*.

seção de ganho de ângulo / *angle-build section or build-up section*. Trecho do poço direcional onde existe um aumento da inclinação. ▶ Ver *perfuração direcional*; *inclinação*.

seção de impedância acústica / *acoustic impedance section*. 1. Seção sísmica de refletividade, ou uma de linhas sísmicas 2D ou 3D, invertidas para a impedância acústica. Os perfis sônicos e de densidade podem ser usados para calibrar seções de impedância acústica. 2. Perfil vertical obtido geralmente por inversão de dados sísmicos e/ou por interpolação entre perfis de poços, com variações laterais que comumente acompanham camadas definidas por horizontes interpretados em dados sísmicos. ▶ Ver *sísmica 2D*; *sísmica 3D*.

seção de *offset* comum / *common-offset section*. Seção sísmica empilhada ou migrada em que todos os traços apresentam o mesmo afastamento fonte-receptor (*offset*). Usada geralmente para controle de qualidade ou entrada de dados para migração.

seção de tubos / *stand*. Conjunto de dois ou três tubos conectados entre si. •» Permite retirar ou colocar uma coluna de perfuração dentro do poço de maneira eficiente. A depender da altura da sonda utilizada, pode-se estaleirar uma seção de dois ou três tubos.

seção geológica / *geologic section*. Forma gráfica de corte vertical da geologia segundo segmento(s) de reta ou caminhos definidos no terreno e/ou marcados em mapa, tendo como resultado a projeção e interpretação de dados superficiais de campo com eventual integração com dados de sondagens, poços, galerias, geofísica e outros. O mesmo que *perfil geológico*.

seção horizontal / *horizontal section*. Trecho do poço cujo eixo forma um ângulo próximo a 90 graus com a vertical. Normalmente este trecho

encontra-se dentro de um reservatório. ▶ Ver *poço direcional*; *poço vertical*.
seção longitudinal / *in-line section*. Em um levantamento de superfície é a seção resultante do mapeamento ao longo do eixo principal de uma bacia sedimentar, seguindo a direção das camadas estratigráficas. O termo pode designar também uma seção longitudinal construída a partir de dados de subsuperfície, obtidos em poços. ⚬ Usa-se para determinar as relações estratigráficas e estruturais em um prospecto exploratório.
seção não migrada / *unmigrated section*. Seção de reflexão sísmica que não passou pela etapa de migração no fluxo de processamento sísmico.
seção passiva / *passive section*. Parte do cabo flutuador que é passiva, ou seja, que não efetua medição em sísmica marítima.
seção transversal / *cross section*. Em um levantamento de superfície é a seção resultante do mapeamento ao longo do eixo perpendicular à direção das camadas de uma bacia sedimentar, segundo o mergulho das mesmas. O termo pode também designar uma seção transversal construída a partir de dados de subsuperfície, obtidos em poços. ⚬ Usa-se para determinar as relações estratigráficas e estruturais em um prospecto exploratório. ▶ Ver *bacia sedimentar*.
seção vertical / *vertical section*. 1. Seção obtida a partir de dados sísmicos que apresentam as variações da reflexão em função do tempo ou da profundidade. 2. Seção obtida pelo empilhamento de dados estratigráficos em um levantamento de geologia de superfície. 3. Seção obtida pelo empilhamento de dados estratigráficos, levantados em diferentes profundidades em um poço, fornecendo informações que possibilitam inferir quanto ao perfil estratigráfico de uma bacia sedimentar. ▶ Ver *empilhamento*.
secção ativa (Port.) (Ang.) / *live section*. O mesmo que *seção ativa*. ▶ Ver *seção ativa*.
secção colunar (Port.) (Ang.) / *columnar section*. O mesmo que *seção colunar*. ▶ Ver *seção colunar*.
secção composta (Port.) (Ang.) / *composite section*. O mesmo que *seção composta*. ▶ Ver *seção composta*.
secção condensada (Port.) (Ang.) / *condensed section*. O mesmo que *seção condensada*. ▶ Ver *seção condensada*.
secção de afastamento zero (Port.) (Ang.) / *zero-offset section*. O mesmo que *seção de afastamento zero*. ▶ Ver *seção de afastamento zero*.
secção de controlo de ângulo (Port.) / *angle-control section*. O mesmo que *seção de controle de ângulo*. ▶ Ver *seção de controle de ângulo*.
secção de ganho de ângulo (Port.) (Ang.) / *angle-build section or build-up section*. O mesmo que *seção de ganho de ângulo*. ▶ Ver *seção de ganho de ângulo*.

secção de impedância acústica (Port.) (Ang.) / *acoustic impedance section*. O mesmo que *seção de impedância acústica*. ▶ Ver *seção de impedância acústica*.
secção de offset comum (Port.) (Ang.) / *common-offset section*. O mesmo que *seção de offset comum*. ▶ Ver *seção de offset comum*.
secção de tubagem (Port.) / *stand*. O mesmo que *seção de tubos*. ▶ Ver *seção de tubos*.
secção horizontal (Port.) (Ang.) / *horizontal section*. O mesmo que *seção horizontal*. ▶ Ver *seção horizontal*.
secção não migrada (Port.) (Ang.) / *unmigrated section*. O mesmo que *seção não migrada*. ▶ Ver *seção não migrada*.
secção transversal (Port.) (Ang.) / *cross section*. O mesmo que *seção transversal*. ▶ Ver *seção transversal*.
secção vertical (Port.) (Ang.) / *vertical section*. O mesmo que *seção vertical*. ▶ Ver *seção vertical*.
securitização / *securitization*. Instrumento financeiro utilizado para transformar uma carteira de ativos em títulos mobiliários negociáveis. ⚬ Utilizado pelo setor financeiro para levantamento de fundos e compartilhamento de riscos. Esses títulos caracterizam-se pela promessa de pagamento futuro de principal e juros, a partir do fluxo de caixa dos ativos integrantes da carteira.
sedes / *seating cups*. Elementos que recebem os sistemas de vedação do conjunto de fundo de bombeio hidráulico ou mecânico, por exemplo.
sedimentação / *sedimentation*. 1. Processo geológico ou mecanismo por meio do qual sedimentos são transportados e depositados. Este processo inclui a deposição por mecanismos glaciais de transporte e deposição, por transporte eólico, fluvial, marés, ondas, correntes tractivas, correntes de turbidez, fluxos gravitacionais, fluxos de detritos, e em alguns casos apenas por influência direta da gravidade em decorrência de queda e rolamento de blocos. 2. Técnica de separação que faz uso da força da gravidade para promover a separação de fases. 3. Processo físico de separação de fases no qual uma mistura de dois líquidos ou de um sólido suspenso num líquido é deixada em repouso. A fase mais densa deposita-se no fundo do recipiente (separador) por ação da gravidade, ou seja, sedimenta, separando-se então da fase menos densa. Tecnicamente pode ser considerada o mesmo que *segregação gravitacional*.
sedimentação cíclica / *cyclic sedimentation*. Sedimentação controlada por uma sucessão de condições recorrentes, tais como as identificadas em um megaciclotema, exibindo acamamento assimétrico. Intercalação de dois ou mais tipos de sedimentos ou rochas sedimentares com forma regular de mudança nas condições de sedimentação, assim como na alternância entre períodos úmido

e seco. Sinônimo de *sedimentação rítmica*. ▶ Ver *sedimentação rítmica*.

sedimentação contemporânea / *cosedimentation*. Sedimentação que ocorre concomitantemente com outro tipo de sedimentação ou deposição.

sedimentação glaciomarinha / *glacial-marine sedimentation*. Sedimentação resultante da interação dos ambientes glacial e marinho.

sedimentação rítmica / *rhythmic sedimentation*. O mesmo que *sedimentação cíclica*. ▶ Ver *sedimentação cíclica*.

sedimento / *sediment*. Material sólido originado pelo intemperismo de rochas, transportado e depositado por gelo, água ou ar, ou acumulado por agentes naturais tais como precipitação química a partir de soluções ou segregação por organismos. ↝ Esse material sólido pode incluir uma combinação de areia, ferrugem e incrustações (parafinas, sulfatos de bário, de estrôncio etc.). ▶ Ver *cascalho*; *areia*; *silte*; *argila*; till; loess; *calcário*.

sedimento biogênico / *biogenic sediment*. Sedimento produzido diretamente por processos de organismos vivos, como plantas e animais. ▶ Ver *sedimento*.

sedimento consolidado / *consolidated sediment*. Sedimento que, por compactação e cimentação, se transformou em uma rocha sedimentar. ▶ Ver *sedimento*.

sedimento de grão fino (Port.) / *fine-grained sediment*. O mesmo que *sedimento fino*. ▶ Ver *sedimento fino*.

sedimento detrital / *detrital sediment*. Sedimento formado pelo acúmulo de detritos derivados de rochas preexistentes e transportado para o local de deposição. Em Portugal, o termo usado é *sedimento detrítico*. ▶ Ver *sedimento*.

sedimento detrítico / *detritic sediment*. O mesmo que *sedimento detrital*. ▶ Ver *sedimento detrital*.

sedimento fino / *fine-grained sediment*. Caracterização, de modo genérico, do sedimento composto por grãos de pequeno tamanho ou de textura sedimentar fina. ↝ Em termos absolutos refere-se sempre aos sedimentos que possuem grãos entre 0,35 mm e 0,275 mm de diâmetro (escala de *Wentworth*). ▶ Ver *sedimento*.

sedimento inorgânico químico / *inorganic chemical sediment*. Sedimento formado quando os produtos de intemperismo químico, dissolvidos e transportados pela corrente aquosa, chegam a um ambiente calmo e se precipitam a partir dessa solução. ▶ Ver *sedimento*.

sedimento mal calibrado (Port. e Ang.) / *unsorted sediment*. O mesmo que *sedimento mal selecionado*. ▶ Ver *sedimento mal selecionado*.

sedimento mal selecionado / *unsorted sediment*. Sedimento constituído por grãos de diferentes granulometrias. ▶ Ver *sedimento*.

sedimento pelágico / *pelagic sediment*. Depósito encontrado em águas profundas longe da costa e que pode ser formado de material com origem tanto orgânica quanto inorgânica. Alguns são claros e coloridos, esverdeados ou marrons, de textura fina e geralmente contêm esqueletos de organismos planctônicos. ↝ Os que contêm menos de aproximadamente 30% de material de origem orgânica são chamados de *argilas vermelhas* e os que ultrapassam esses percentuais de material orgânico, de *vazas*. ▶ Ver *sedimento*.

sedimento quaternário / *quaternary sediment*. Sedimento inconsolidado depositado no período Quaternário, que começa há 1 milhão e 600 mil anos e vem até o presente. ▶ Ver *sedimento*.

sedimento químico / *chemical sediment*. Sedimento composto por minerais previamente dissolvidos, tais como carbonatos e sulfatos, entre outros, que foram precipitados pela evaporação da água ou extraídos desta por organismos que são depositados quando morrem ou quando rejeitam suas carapaças. ▶ Ver *sedimento*.

sedimento silicioso (Port. e Ang.) / *siliceous sediment*. O mesmo que *sedimento silicoso*. ▶ Ver *sedimento silicoso*.

sedimento silicoso / *siliceous sediment*. Sedimento de qualquer origem, orgânica ou inorgânica, composto por material silicoso. Pode-se formar por deposição primária de sílica ou por silicificação secundária e substituição. ▶ Ver *sedimento*.

sedimento-eustasia / *sedimento-eustasy*. Sedimento nas bacias marinhas, existente em função de mudanças de escala global no nível do mar. ↝ Nas transições para épocas glaciais as linhas de costa tornam-se emergentes, o que provoca um rejuvenescimento de processos erosivos. ▶ Ver *sedimento*.

sedimentologia / *sedimentology*. Disciplina que estuda os sedimentos e as rochas sedimentares, seus processos de formação, descrição, classificação, origem, e sua interpretação paleoambiental. ▶ Ver *sedimento*.

sedimentólogo / *sedimentologist*. Profissional que estuda a sedimentologia e seus processos. ▶ Ver *sedimentologia*.

segmento ascendente / *upstream*. Parte da indústria petrolífera que engloba todas as atividades que antecedem a exploração do petróleo ou gás. ↝ As principais atividades inclusas nesta definição são: pesquisa exploratória, geologia de campo, levantamentos sísmicos preliminares, perfuração de poços, análise de amostras e qualificação do petróleo, delimitação do reservatório etc. Já o segmento descendente (*donwstream*) é responsável pelo transporte, refino e comercialização do petróleo e derivados. Em Portugal, usa-se o termo *upstream*.

segmentos da indústria do petróleo / *oil industry segments*. Segmentos que caracterizam a cadeia produtiva do setor petróleo, compreendendo exploração e produção (*upstream*), manuseio por transporte e armazenamento (*midstream*) e

beneficiamento e comercialização (*downstream*).
•➤ Ver *upstream*; *midstream*; *downstream*.

segregação gravitacional / *gravitational segregation*. 1. Deposição de partículas de alto peso molecular, que ocorre pelos efeitos de aglomeração em função da diferença das massas específicas entre os diversos constituintes de um sistema disperso. Nas operações de completação e estimulação em poços de petróleo, o contato dos fluidos utilizados com o óleo da formação pode ocasionar a precipitação de um sedimento asfáltico denominado *borra*. As características das substâncias asfálticas tais como peso molecular, densidade e diâmetro médio provocam a aglomeração dessas partículas, com consequente separação do petróleo. 2. Técnica de separação que faz uso da força da gravidade para promover a separação de fases. 3. Segregação de fluidos dentro de um reservatório causada pela diferença de densidade. 4. Processo de separação no qual a força motriz é a força da gravidade. •➤ Neste tipo de segregação, as fases, quando submetidas a um campo gravitacional, sofrem influências diferenciadas de forças do campo, em função de suas densidades. A fase mais densa estará submetida a uma força de maior intensidade, tendendo a sedimentar com maior velocidade que a fase menos densa, promovendo então a segregação entre elas. A segregação gravitacional ocorre tanto em sistemas gás/óleo quanto em sistemas óleo/água. ➤ Ver *sedimentação*.

seguimento de um horizonte sísmico (Port.) (Ang.) / *automatic picking*. O mesmo que *picagem automática*. ➤ Ver *picagem automática*.

segunda diferença de tensão normal / *second normal stress difference*. Uma das três funções materiais que caracterizam o escoamento simples de cisalhamento. Representa a diferença entre o segundo e o terceiro termo que compõem a diagonal do tensor tensão.

segundo estágio de separação / *second-stage separation*. Processo de separação bi ou trifásica que é realizado no separador situado a jusante do primeiro estágio do processo, e que opera em pressão inferior à daquele.

seguro aduaneiro / *customs insurance*. Seguro utilizado como garantia para viabilizar a obtenção de regimes aduaneiros, como, por exemplo, o regime de admissão temporária. Tem como objetivo garantir a indenização à Receita Federal (Brasil), em suas diversas secretarias, correspondente ao pagamento de tributos suspensos por regulamento aduaneiro específico, nas situações em que o tomador não cumpra suas obrigações. ➤ Ver *admissão temporária*; *Regime Aduaneiro Especial de Exportação e de Importação de Bens*; *Regime Aduaneiro Especial de Exportação e Importação de Bens destinados às Atividades de Pesquisa e de Lavra das Jazidas de Petróleo e de Gás Natural (REPETRO)*.

seguro garantia do concorrente / *bid bond*. Instrumento de cunho jurídico que assegura garantias, por intermédio do mercado segurador e/ou bancário, de que a empresa licitante assinará o contrato objeto da licitação, mantendo os termos de sua proposta. •➤ Garante a participação em concorrência internacional e a assinatura de contrato, se a empresa for vencedora do respectivo certame licitatório.

seixo / *pebble*. Fragmento de rocha maior que um grânulo e menor que um matacão. Possui uma variação *(range)* de diâmetro entre 4 mm e 64 mm (–2 phi a –6 phi); muitas vezes arredondado ou modificado por abrasão no curso do transporte. Na Inglaterra usa-se para o tamanho do seixo um *range* entre 10 mm e 50 mm. Emprega-se o termo para incluir também fragmentos de tamanho matacão e frequentemente usa-se no plural como sinônimo de cascalho.

seixo caído / *dropped pebble*. Seixo encontrado em depósitos laminados, que deforma os estratos abaixo e acima, e é normalmente originado pela queda a partir de *iceberg*. ➤ Ver *seixo*.

seixo de fundo / *lag gravel*. Acumulação de rochas e fragmentos que ficaram retidos na superfície após o material fino ser todo levado mais longe pelo sopro do vento. •➤ No processo aquoso este material é transportado junto com a carga de fundo e sofre tração e rolamento, ou é dragado ao longo do fundo dos canais nos quais há muito pouco material fino, ou é deixado para trás depois de a corrente ter varrido todos os materiais finos para longe. ➤ Ver *seixo*.

seixo facetado / *faceted pebble*. Seixo que teve sua forma moldada pela ação erosiva, devido à ação de agentes naturais. ➤ Ver *seixo*.

seixo grosseiro (Port.) / *coarse pebble*. O mesmo que *seixo grosso*. ➤ Ver *seixo grosso*.

seixo grosso / *coarse pebble*. Seixo cujo diâmetro está entre 16 mm e 33 mm ou –4 a –5 unidades de phi na escala granulométrica utilizada em geologia. ➤ Ver *granulometria*; *seixo*.

sela / *saddle*. 1. Passagem larga e plana, cujos flancos têm aclives suaves, lembrando o formato de uma sela de montaria. 2. Ponto de menor elevação em uma cadeia de montanhas, de formato semelhante ao de uma sela. 3. Feição geomorfológica de elevação topográfica com dois morros arredondados próximos separados por uma baixada, formato que lembra uma sela de montaria. 4. Acessório de tubulação utilizado para execução de derivações de tubos.

sela de reboque / *towing bridle*. Dispositivo que permite a um navio de levantamento sísmico manter o cabo *streamer* na posição adequada, sem roçar com a popa do navio.

seleção de partículas / *particle sorting*. Separação de partículas sólidas em um fluxo de fluido — como a água, o ar etc., — causada pela diferença de densidade ou massa de cada partícula.

seleção sedimentar / *sorting*. Processo sedimentar no qual partículas com características similares tais como tamanho, forma e densidade, são naturalmente selecionadas e separadas de partículas dissimilares durante o seu transporte, que pode dar-se através da água ou do ar. Em Portugal, o mesmo que *calibração*.

selecionado / *sorted*. Relativo ao processo de seleção natural dos sedimentos em função de certas características, como o diâmetro das partículas, sua resistência mecânica à erosão, ou a distância da área fonte. Em Portugal, o mesmo que *calibrado*.

selo / *seal*. Rocha impermeável capeadora do reservatório que atua como uma barreira para a migração do petróleo. ▶ Ver *reservatório*; *petróleo*.

selo mecânico / *mechanical seal*. Componente mecânico constituído basicamente de duas partes: (I) um elemento rotativo solidário ao eixo da bomba e (II) um elemento estacionário, solidário à carcaça da bomba. ↦ Estes elementos têm superfície com alto grau de planicidade e espelhamento. São elementos utilizados em máquinas com o objetivo de isolar suas áreas distintas. Tipicamente, separam a região lubrificada daquela ocupada pelo fluido em bombeamento.

sem cabo-guia / *guidelineless*. Expressão que caracteriza a instalação de um equipamento submarino realizada sem o auxílio de cabos-guia.

sem ganho / *no gain*. Processamento sísmico sem ganho, ou seja, sem mudanças na frequência ou potência do amplificador.

semicondutor / *semiconductor*. Material sólido cristalino cuja condutividade elétrica está entre a de um condutor e a de um isolante.

semicondutor bipolar e complementar com óxido e metal / *bipolar complementary metal-oxide semiconductor*. Tecnologia atual para a fabricação de circuito integrado analógico com digital em uma única pastilha de silício. ↦ Essa tecnologia combina as vantagens oferecidas pela tecnologia de fabricação de transistores de junção bipolar, para circuitos integrados lineares ou analógicos, com as vantagens da tecnologia *CMOS* para a fabricação de circuitos integrados digitais.

semicondutor complementar com óxido e metal / *complementary metal-oxide-semiconductor*. Tecnologia atual para a fabricação de circuito integrado digital em uma pastilha de silício. ↦ Tal tecnologia reúne as vantagens de se utilizarem combinadamente as tecnologias *NMOS* e *PMOS* para a fabricação de circuitos integrados digitais, sejam do tipo combinacional ou sequencial.

sensibilidade / *sensitivity*. Variação da resposta de um instrumento de medição dividida pela correspondente variação do estímulo.

sensor / *sensor*. Instrumento que mede uma quantidade física e a converte em um sinal que pode ser lido por um observador ou por um equipamento.

sensor capacitivo / *capacitive sensor*. Sensor que faz uso do princípio elétrico da capacitância. ↦ Em escoamentos multifásicos, quando da presença de fluidos condutores e não condutores (*dielétricos*) de eletricidade, a exemplo do escoamento de óleo e água, é comum o uso de sensores desse tipo na quantificação da presença do fluido condutor (*água*). ▶ Ver *capacitância*.

sensor de fibra óptica / *fiber-optic sensor*. Sistema físico, com uso de tecnologia de fibra óptica, utilizado para medição de parâmetros físicos (como pressão, temperatura e vazão) dentro de um poço. ▶ Ver *cabo óptico*.

sensor de fundo / *bottom-hole sensor*. Equipamento utilizado quando é necessário um maior controle e monitoração de um conjunto de bombeamento centrífugo submerso (*BCS*). ↦ Equipamento muito utilizado em sistemas de bombeio centrífugo submerso submarino em que são envolvidos altos custos de instalação. ▶ Ver *bombeio centrífugo submerso*.

sensor de movimento / *motion sensor*. Equipamento utilizado para medir os movimentos de uma embarcação ou equipamento rebocado. Os movimentos medidos são arfagem (*heave*), ângulo de balanço (*roll*), ângulo de cabeceio ou de declividade (*pitch*) e ângulo de caturro (*yaw*).

sensor de pressão e temperatura a quartzo / *quartz pressure and temperature sensor*. Equipamento que transforma informações físicas (como a pressão e a temperatura) em sinais elétricos, e que utilizam o quartzo como material piezoelétrico (material que, quando excitado, sofre polarização de suas faces, a qual pode ser medida).

sensor de pressão no fundo / *bottomhole pressure test gage or gauge*. Sensor de pressão, com dispositivo de registro do tempo, que é descido a cabo no poço para medir a pressão estática e de fluxo no poço.

sensor de pressão para limite inferior / *pressure safety low sensor*. Sensor requerido no sistema de compressão de gás, para proteger o compressor ou linhas de gás. ↦ Detecta e comanda a parada do sistema em caso de pressão baixa (limite inferior). Protege a sucção do compressor e os depuradores de gás (*scrubbers*) interestágios. Deve ser condo para atuar (acionar) automaticamente as válvulas de fechamento.

sensor de pressão para limite superior / *pressure safety high sensor*. Sensor de pressão, requerido no sistema de compressão de gás, para proteger o compressor ou linhas de gás. ↦ Protege a sucção do compressor e os depuradores de gás (*scrubbers*) interestágios, devendo atuar (acionar) automaticamente as válvulas de fechamento.

sensor de temperatura distribuída / *distributed temperature sensing*. Elemento primário óptico para medição de temperatura que possibilita o monitoramento contínuo de um perfil de temperatura ao longo de uma extensão de processo. ↦ A temperatura modifica a transmissão da luz no interior da fibra óptica. Outras grandezas físicas como a pressão e a tração também produzem o mesmo efeito. Assim, é possível analisar a ação de influências externas como uma variação da temperatura de forma contínua. A transdução é baseada no *Efeito Raman* que analisa a dispersão óptica inelástica que ocorre na fibra.

sensor de temperatura e pressão de fundo do poço / *downhole pressure and temperature sensor*. Sensor de pressão e temperatura posicionado na coluna de produção, próximo à zona produtora, para monitorar o comportamento do reservatório.

sensor de vibração para bombeio centrífugo submerso / *vibration sensor submersible pumping*. Sensor utilizado para monitorar as vibrações de conjuntos de bombeio centrífugo submerso horizontal. ↔ Conjuntos de bombeio centrífugo submerso horizontal precisam operar com os impulsores da bomba balanceados na faixa correta de bombeamento. No caso de operação fora da faixa de bombeamento recomendada, uma forte vibração aparece e um sensor vibratório precisa ser instalado para detectar o problema e desligar o equipamento antes que ocorra uma falha na bomba. ▶ Ver *bombeio centrífugo submerso*.

sensor óptico de pressão e temperatura / *fiber-optic temperature and pressure sensor*. Sensor de fibra óptica capaz de realizar medições dos parâmetros físicos de pressão e temperatura dentro do poço. ▶ Ver *sensor de fibra óptica*.

sensoriamento distribuído de temperatura / *distributed temperature sensing*. Técnica de medição distribuída de temperatura que emprega fibras ópticas, a partir de um efeito físico conhecido como *efeito* ou *espalhamento Raman*. ▶ Ver *sensor de temperatura distribuída*.

sensoriamento remoto / *remote sensing*. Técnica de obtenção de informações sobre um objeto, uma área, uma feição estrutural ou um fenômeno na Terra sem que haja contato físico com estes, obtidas por meio de sensores que geram imagens, instalados em satélites. ▶ Ver *feição estrutural*.

sensoriamento remoto ativo / *active remote sensing*. Sensoriamento remoto que faz uso de sensores que detectam respostas refletidas de fontes irradiadas da geração de energia artificial, tais como o radar. Este processo é feito por meio de aeronaves e satélites. ↔ O sensoriamento remoto é classificado em três tipos: *(I)* sensoriamento remoto infravermelho reflexivo; *(II)* sensoriamento remoto infravermelho térmico e *(III)* sensoriamento remoto da micro-onda. O sensoriamento remoto é capaz de adquirir informação (espectral, espacial, temporal) sobre objetos materiais, área, ou fenômeno, sem contato físico com os objetos, ou área, ou fenômeno sob investigação, bem como obter a transferência de informações realizadas por meio da radiação eletromagnética (EMR), que é uma forma de energia que revela sua presença pelos efeitos observáveis produzidos.

separação a baixa temperatura / *low-temperature separation*. Operação unitária de uma planta de processamento de gás, em que a remoção de frações pesadas é feita pela redução de temperatura de uma corrente de gás. ↔ A redução de temperatura pode ser obtida por dois processos distintos, a expansão adiabática (*efeito Joule-Thompson*) ou submetendo a corrente de gás a um processo de refrigeração.

separação atmosférica / *atmospheric separation*. Atividade desempenhada pelo separador atmosférico. ↔ O termo não revela um rigor terminológico, pois geralmente a separação atmosférica se dá a uma pressão ligeiramente superior à pressão atmosférica (tipicamente, cerca de 0.2 bar) para permitir que o gás separado possa ser recuperado, comprimido e aproveitado em determinado processo, desde que economicamente viável. ▶ Ver *separador atmosférico*.

separação de gás / *gas separation*. Atividade realizada pelos separadores bifásicos (gás / líquido) e trifásicos (gás, óleo e água), que consiste na remoção do gás em equilíbrio termodinâmico com o líquido nas condições de pressão e temperatura de separação, esteja o gás na forma livre (formando uma camada gasosa em contato com a camada de líquido no interior do equipamento de separação) ou disperso em bolhas no seio da massa do líquido. ▶ Ver *separador bifásico*.

separação diferencial / *differential separation*. Operação de separação realizada por intermédio da redução gradual da pressão ou da elevação, também gradual, da temperatura, de um valor inicial a um valor final, sendo que, em cada passo, o vapor resultante é removido do contato com o líquido. ↔ Trata-se de um processo de separação dificilmente realizável numa instalação industrial. Pode-se chegar à condição de separação diferencial por uma sequência de estágios de separadores em série, onde a corrente líquida efluente de um deles constitui-se na corrente de alimentação do separador situado a jusante. A pressão de operação de cada um deles deve ser ligeiramente inferior à do estágio anterior. Esse tipo de separação minimiza a massa de gás separada e maximiza a massa de líquido separada.

separação do fluxo / *flow separation*. Ação ou efeito indicativo dos diferentes limites definidores da separação granulométrica dos sedimentos transportados em um determinado fluxo. ↔ Ver *granulometria*.

separação eletrostática / *electrostatic separation*. Técnica de separação em que se faz uso de força elétrica para promover separação de fases, sendo esta a força motriz. ↔ Nesse tipo de segregação, as fases, ao serem submetidas a um campo elétrico, sofrem influências diferenciadas de forças do campo, em função de suas densidades e de suas cargas elétricas. Técnica classicamente utilizada para separar gotículas de água do petróleo (desidratação do petróleo). Quando a fase contínua oleosa contendo as gotículas de água emulsionada (fase particulada) é submetida à influência de um campo elétrico (gerado a partir de uma diferença de potencial elétrico variável) promove-se a coalescência dessas gotículas, permitindo que as mesmas sejam separadas gravitacionalmente.

separação em dois estágios / *two-stage separation.* Operação de separação de gás que consiste num sistema (planta) de processamento primário de petróleo, no qual dois separadores de gás são posicionados em série em relação à corrente de hidrocarboneto líquido, sendo que cada um dos separadores situados a jusante opera com pressão sucessivamente reduzida até atingir a pressão de estabilização (separação atmosférica). Esse processo visa a aproximar o processo de separação diferencial. ▶ Ver *separação em estágios*; *separação diferencial*.

separação em estágios / *stage separation.* Operação de separação de gás que consiste num sistema (planta) de processamento primário de petróleo, no qual separadores de gás são posicionados em série em relação à corrente de hidrocarboneto líquido, sendo que os separadores situados a jusante operam com pressão sucessivamente reduzida até atingir a pressão de estabilização (separação atmosférica). ⇢ Esse processo visa aproximar o processo de separação diferencial. Em termos práticos, raramente se justifica a utilização de mais de quatro estágios de separação. A separação em quatro estágios somente é adequada para grandes volumes produzidos, em campos de produção de gás condensado de alta pressão, em que o primeiro estágio de separação tenha pressão elevada (acima de 50 bar), compreendendo um separador de alta pressão, um separador de pressão intermediária e um separador de baixa pressão, além do último estágio, que consiste no tanque de estabilização. ▶ Ver *separação diferencial*.

separação em três estágios / *three-stage separation.* Operação de separação de gás, que consiste em sistema (planta) de processamento primário de petróleo, no qual três separadores de gás, com pressões de operação decrescentes no sentido do fluxo, são posicionados em série relativamente à corrente de hidrocarboneto líquido. ⇢ A pressão do primeiro separador (primeiro estágio) é definida em função da pressão estática do reservatório, do esquema de elevação e produção, e ainda dos equipamentos de compressão do gás separado. O terceiro e último estágio, que é o separador situado mais a jusante na planta, opera com a pressão de estabilização (separação atmosférica). ▶ Ver *separação em estágios*; *separação diferencial*.

separação hidrociclônica / *hydrocyclonic separation.* Técnica de separação que utiliza a força centrífuga para promover separação de fases. ⇢ Processo de separação no qual a força motriz é a força centrífuga. Nesse tipo de segregação, as fases, ao serem submetidas a um campo centrífugo, sofrem influências diferenciadas de forças do campo em função de suas densidades. A diferença básica para a separação que ocorre nas máquinas centrífugas rotativas é que, no caso da separação hidrociclônica, o campo centrífugo é gerado pelo próprio fluido ao entrar no equipamento ciclônico, dito *hidrociclone*. O hidrociclone tem uma geometria especial cuja alimentação tangencial permite que o fluido, ao adentrar a parte cilíndrica do equipamento, seja forçado a fazer um movimento rotacional, com isso gerando um campo centrífugo. A fase mais densa estará submetida a uma força de maior intensidade, e tende a se deslocar para as paredes do equipamento, enquanto que a fase menos densa, por sofrer menor efeito do campo centrífugo, tende a permanecer na parte central, sendo recolhida separadamente. A segregação hidrociclônica é muito utilizada para separar gotículas de óleo (fase particulada) da água (fase contínua) em plataformas de petróleo *offshore*, pois contempla equipamentos compactos e que sofrem pouca influência dos movimentos da unidade estacionária de produção (*UEP*). ▶ Ver *unidade estacionária de produção*.

separação vertical / *vertical separation.* Deslocamento vertical de uma falha geológica, inferida a partir de um elemento de referência, como um horizonte geológico predefinido no mapeamento sísmico.

separador / *separator.* Equipamento destinado a separar as diferentes fases de um fluido e eventuais sólidos presentes.

separador água-óleo / *oil-water skimmer, oil-water separator.* Separador que visa a remover baixos teores de óleo, geralmente disperso sob a forma de pequenas gotículas, de uma corrente de água produzida ou água de lavagem (que teve contato com hidrocarbonetos). Equipamento utilizado no sistema de tratamento de águas oleosas. ⇢ Podem-se constituir em grandes tanques de concreto ou alvenaria construídos em instalações terrestres, também denominados *tanques API* (*American Petroleum Institute*), que promovem a separação exclusivamente por efeito da gravidade; ou, alternativamente, podem-se constituir em tanques de aço dotados de placas coalescedoras internas, que auxiliam o processo de separação gravitacional.

separador atmosférico / *atmospheric separator.* Último estágio de separação, normalmente somente bifásico (gás / óleo) que visa à estabilização da corrente de óleo com remoção do gás residual, e atua também como pulmão das bombas de transferência de óleo. Pode ser também chamado de *segundo estágio de separação* (se não existir estágio intermediário) ou *terceiro estágio de separação* (se existir estágio intermediário).

separador bifásico / *two-phase separator.* Equipamento de separação, geralmente gravitacional ou centrífugo, destinado à separação gás/

líquido. Nesse equipamento, o líquido é tratado como uma única fase, embora possa ser formado por óleo e água. Essas duas fases líquidas são retiradas conjuntamente do equipamento por uma única saída, enquanto o gás é retirado do equipamento por outro bocal. ↠ Tecnicamente o termo *bifásico* poderia representar também um vaso de separação de água livre, que separa água de uma corrente de hidrocarbonetos (óleo e gás), já que também neste caso teríamos a separação de apenas duas fases (água e hidrocarbonetos). Entretanto, o termo é empregado apenas para designar a separação gás / líquido.

separador centrífugo / *centrifugal separator*. Separador que utiliza uma centrífuga para promover a separação das fases. ▶ Ver *centrífuga*.

separador ciclônico / *cyclonic separator*. Ciclone e hidrociclone utilizados no processo de separação. ▶ Ver *ciclone*; *hidrociclone*.

separador cilíndrico ciclônico gás-líquido / *cylindrical cyclone gas-liquid separator*. Dispositivo compacto de separação — notadamente gás-líquido — sem internos e que faz uso de campos gravitacionais e centrífugos em tal ação. ↠ Pode ser descrito como um vaso cilíndrico com uma entrada superior tangencial, por onde chega o fluido de processo, gerando um fluxo em vórtice que tende a segregar a mistura. O gás livre segregado seguirá pela saída superior do vaso e o líquido, pela inferior.

separador de água livre / *free-water knockout*. Separador gravitacional, destinado a remover água produzida, não emulsionada, geralmente posicionado imediatamente a jusante do manifolde de produção, como primeiro ou segundo equipamento do trem de processamento primário.

separador de amostras / *sample splitter*. Equipamento para separação de material incoerente e seco (como sedimentos) em amostras verdadeiramente representativas de um determinado tamanho, destinadas a estudos de laboratório.

separador de fundo / *downhole separator*. Equipamento de separação, geralmente gás-líquido, posicionado no fundo do poço produtor de petróleo. ↠ Devido às restrições físicas quanto ao equipamento, muitas vezes é empregado um separador ciclônico ou centrífugo, que são de menor tamanho e processam vazões superiores. Em método de elevação artificial do tipo BCS (bombeamento centrífugo submerso), para evitar problemas com a bomba, o sistema de bombeamento é dotado de um separador de gás de fundo.

separador de gás / *gas separator*. Equipamento de separação, geralmente gravitacional ou centrífugo, destinado à separação gás/líquido.

separador de gás de bombeio centrífugo submerso / *gas separator for electrical submersible pumping*. Equipamento utilizado para separar as fases líquida e gasosa de fluidos bombeados de poços de petróleo. ↠ O objetivo do uso de tal equipamento é o de assegurar a satisfatória funcionalidade da bomba, uma vez que a presença de gás degrada o funcionamento da mesma. O gás que é separado da corrente seguirá em princípio pelo anular do poço ou poderá ser bombeado e misturado novamente à corrente principal através de um ejetor; neste caso, o fluido líquido bombeado pela BCS é o fluido de trabalho do ejetor, enquanto o fluido gasoso é aquele que é aspirado pelo ejetor. Os separadores podem ser estacionários ou centrífugos. ▶ Ver *bombeio centrífugo submerso*.

separador de gás de fundo de poço / *bottom-hole gas separator*. Equipamento usado para promover a separação do gás dos fluidos produzidos nas condições de fundo de poço. ▶ Ver *separador de fundo*; *separador de gás de bombeio centrífugo submerso*.

separador de gás e óleo / *gas and oil separator*. Equipamento de separação gás/líquido, onde o líquido é predominantemente constituído de hidrocarbonetos (óleo). ↠ A presença de pequenas quantidades de água na massa líquida não descaracteriza o termo, mas se a quantidade de água for elevada, é preferível outra denominação: *separador gás/líquido*. ▶ Ver *hidrocarboneto*.

separador de medição / *metering separator*. Vaso separador destinado à medição das vazões das fases produzidas. ▶ Ver *separador de teste*.

separador de placas / *plate separator*. Vasos ou tanques de tratamento de águas oleosas, dotados de conjuntos de placas paralelas, que visam a incrementar a taxa de coalescência das gotículas de óleo dispersas, aumentando a velocidade de separação sob o efeito da gravidade. ↠ Há várias placas que podem ser utilizadas em separadores, sendo que as mais conhecidas são as paralelas (*PPI, parallel plate interceptor*) e as corrugadas (*CPI, corrugated plate interceptor*). No primeiro, o conjunto de placas é constituído de placas planas colocadas com o seu comprimento na direção do comprimento do tanque (ou vaso). Essas placas são dispostas inclinadamente, das paredes para o centro do tanque, de maneira que, vistas da seção transversal do tanque, as placas assumam a forma de V com o vértice aberto, de forma que o óleo, ao flotar, atinja as superfícies inferiores das placas e, escorrendo sobre essas superfícies, dirija-se para as extremidades superiores dos V, ou seja, para a parte superior do tanque (superfície livre), onde está posicionado um coletor da nata formada. Os sedimentos eventualmente presentes decantam sobre as superfícies superiores das placas e, também por gravidade, escorrem sobre essas superfícies para o centro e fundo do tanque. No segundo tipo, o pacote de placas, que são corrugadas, é colocado de forma que o eixo desse pacote esteja inclinado 45° e o escoamento se dê nessa direção, no sentido do fundo do tanque. O óleo, ao flotar até as superfícies inferiores das placas, adere aos canais (das ondulações das placas) e, também por gravidade escoa, em contracorrente com a água e eventuais sólidos, para o topo do tanque, onde está posicionado um coletor da nata. Diversos fabricantes desse tipo de equipamento fornecem condições alternativas às acima descritas, desenvolvidas com base nos mesmos princípios de funcionamento. ▶ Ver *água oleosa*.

separador de produção / *production separator*. Equipamento de separação gás/líquido (bifásico) ou separação gás/óleo/água (trifásico), destinado a receber a produção de diversos poços do campo produtor. ↬ Essa denominação é normalmente empregada para designar o primeiro estágio de separação no denominado *trem de produção*. Sua operação é geralmente contínua, de forma a assegurar a continuidade da produção do campo. ▶ Ver *trem de produção*.

separador de quatro fases / *four-phase separator*. Equipamento de separação que se destina a separar gás/óleo/água produzidos e sólidos finos da formação. ↬ Os separadores denominados trifásicos, acabam, na maioria das vezes, por decantar sólidos em seu interior. Esses sólidos podem ser removidos por jateamento interno do vaso, por meio de dispositivos de remoção de areia, fazendo com que a mesma seja removida pelos drenos do vaso em operações eventuais, realizadas pelo pessoal da operação.

separador de teste / *test separator*. Equipamento destinado à separação gás/líquido (bifásico) ou à separação gás/óleo/água (trifásico), que tem por objetivo quantificar os volumes de cada fase produzida. ↬ Esse equipamento recebe, por determinado período de tempo, a produção individual de um poço do campo produtor, separando as fases produzidas e permitindo a quantificação dos volumes de cada uma delas. Sua operação não precisa ser contínua, já que tem por função a avaliação esporádica de cada poço do campo produtor.

separador gravitacional / *gravity separator*. Vaso de pressão destinado à separação das fases produzidas (gás, óleo, água e eventuais sedimentos sólidos). A separação ocorre por gravidade.

separador gravitacional trifásico / *three-phase gravity separator*. Separador gravitacional destinado a separação de gás/óleo/água. Nesse equipamento as fases decantam sob o efeito da gravidade, e as correntes formadas essencialmente por cada uma das fases são retiradas do separador, de forma controlada. O gás é removido, geralmente, por uma válvula acionada por um controlador de pressão de operação do vaso, o óleo é removido por uma válvula controlada por um controlador de nível de óleo e a água é removida por uma válvula controlada por um controlador de nível de interface óleo/água. ▶ Ver *separador gravitacional*.

separador horizontal / *horizontal separator*. Separador gravitacional que se constitui num vaso de pressão cilíndrico horizontal. ▶ Ver *separador gravitacional*.

separador instantâneo / *flash separator*. Equipamento de separação de uma corrente bifásica de hidrocarbonetos, no qual a separação das fases (hidrocarboneto líquido e vapor) ocorre nas condições de temperatura e pressão finais requeridas para essas duas correntes monofásicas. ↬ A simulação termodinâmica desse tipo de equipamento não considera a dinâmica do processo de separação, mas admite tratar-se de uma situação de equilíbrio entre as fases líquida e vapor, atingida instantaneamente.

separador trifásico / *three-phase separator*. Separador destinado a separar as fases produzidas óleo, gás e água produzida. ↬ Esse termo é genérico para qualquer tipo de separador, como o gravitacional, o ciclônico, o centrífugo etc. ▶ Ver *separador gravitacional*; *separador ciclônico*; *separador centrífugo*.

separador vertical / *vertical separator*. Separador gravitacional que se constitui num vaso de pressão cilíndrico e vertical.

septo / *septum*. Membrana utilizada para vedar frascos que contêm amostras para serem analisadas por cromatografia a gás, constituída normalmente por polímeros plásticos maleáveis, resistentes a alta temperatura e inertes quimicamente, tais como silicones e similares, cujas propriedades mecânicas fazem com que, mesmo se perfurados, mantenham a vedação ao meio externo. ↬ O septo costuma ser empregado em equipamentos como, por exemplo, de cromatografia gasosa, para vedar o injetor do cromatógrafo ao meio exterior; é geralmente atravessado por uma agulha que transfere a amostra para o interior do cromatógrafo a gás.

sequência alocíclica / *allocyclic sequence or allogenic sequence*. Sequência geneticamente relacionada, formada por unidades deposicionais influenciadas por processos externos à bacia sedimentar, que se reproduz ciclicamente durante determinado período de tempo. ↬ Os elementos externos que influenciam os eventos e processos deposicionais em uma bacia sedimentar, incluindo clima, movimentos tectônicos e a eustasia, são os principais fatores responsáveis pela formação das sequências alocíclicas. As camadas dessas sequências cíclicas têm grande continuidade e ex-

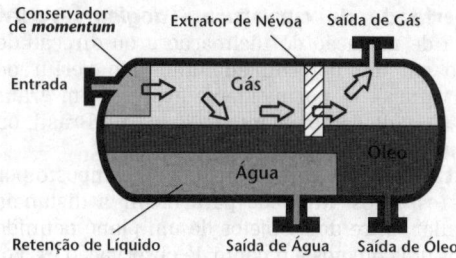

Separador gravitacional trifásico

tensões laterais e se correlacionam com os eventos de outras bacias adjacentes influenciadas pelos mesmos elementos externos, em grande parte de natureza global. ▶ Ver *estratigrafia de sequências*.
sequência autocíclica / *autocyclic sequence*. Sequência caracterizada pelo processo de autociclidade. ▶ Ver *autociclicidade*.
sequência de Bouma / *Bouma sequence*. Sequência de estruturas sedimentares que ocorre em uma camada de rochas sedimentares depositadas por processos de transporte e deposição atribuídos a fluxos gravitacionais na fase de correntes de turbidez, os quais formam depósitos denominados *turbiditos*. ↝ Na teoria, uma sequência de Bouma completa compreende uma camada que se inicia com um intervalo basal denominado *(I) intervalo A*, que consiste em material arenoso grosseiro maciço ou gradacional, representando a fase de alta energia do fluxo, e que vai gradativamente sendo sobreposto pela unidade designada pelo autor de *(II) intervalo B*, representado pela fração arenosa mais bem selecionada e com estruturas de laminações plano-paralelas em regime de fluxo superior. Ocorre então a passagem em direção ao topo da camada ao *(III) intervalo C*, que tem como característica a ocorrência de estruturas com marcas de correntes ondulares cavalgantes, que já denotam a desaceleração avançada do fluxo. Finalmente, tem-se o *(IV) intervalo D*, composto de materiais finos que representam o final da desaceleração do fluxo turbulento, com a deposição já influenciada pelos processos de decantação, até o abandono do fluxo e o início da pura decantação do material hemipelágico representado pelo intervalo designado *E*. Na prática, a sucessiva superposição de fluxos altera esta ordem, pois parte dos intervalos superiores são removidos pelos fluxos mais novos, e o mais comum é encontrar preservadas as camadas com a sequência incompleta. Estas cinco camadas que originalmente definem a sedimentação turbidítica são conhecidas como *(I)* Camada E folhelho pelítico; *(II)* Camada D laminação paralela superior; *(III)* Camada C ondulações de corrente; *(IV)* Camada B laminação paralela inferior; e *(V)* Camada A areias maciças.
sequestrador de H_2S / *H_2S scavenger*. Aditivo de fluido de perfuração com a função de sequestrar sulfeto de hidrogênio introduzido no sistema de circulação de fluido por influxo das formações perfuradas ou alguma outra fonte. O tratamento com aditivo redutor reduz a concentração do gás e/ou sulfeto livre no sistema a níveis que garantam a segurança operacional.
serendipidade / *serendipity*. Circunstância em que uma descoberta é feita por acaso ou como resultado de interpretações incorretas dos dados.
série benzênica / *benzene series*. Série de hidrocarbonetos aromáticos líquidos e sólidos, de fórmula empírica, contendo anel benzênico, isto é, consistindo de benzeno, membro mais simples da série, e de homólogos de benzeno. ▶ Ver *benzeno*.
série estacionária / *stationary series*. Série estatística cujas propriedades não variam com o tempo.
série homóloga / *homologous series*. Série de compostos orgânicos com o mesmo tipo de estrutura em que um composto é distinguido de seu precedente por ter mais um grupo de CH_n. Os membros das séries guardam relações químicas entre si. ▶ Ver *homólogo*.
série isomórfica / *isomorphic series*. Variação contínua da composição química de minerais, que passa de uma espécie para outra sem alterar a estrutura cristalina. Série de diferentes espécies minerais relacionadas entre si por isomorfismo. Sinônimo de *solução sólida*. ▶ Ver *isomorfismo*.
série olefínica / *olefinic series*. Sequência de hidrocarbonetos que possuem pelo menos uma ligação dupla entre átomos de carbono. ↝ A série olefínica tem a mesma nomenclatura da série parafínica; no entanto, o sufixo *ano* é substituído pelo sufixo *eno* e adiciona-se um número ao final do nome para indicar a posição na qual se encontra a ligação dupla. ▶ Ver *hidrocarboneto*.
serviço de cimentação / *cementing service*. Serviço responsável pela pesquisa e desenvolvimento de novos sistemas de pastas de cimento, processos e equipamentos associados à área de cimentação de poços petrolíferos, bem como pela implantação dessas tecnologias no campo. ↝ Além desse desenvolvimento, as operações de cimentação são executadas por companhias especializadas de serviço, encarregadas da cimentação de poços petrolíferos.
serviço de engenharia / *engineering service*. O mesmo que *projeto executivo* ou *construção e montagem*. ▶ Ver *projeto executivo*; *construção e montagem*; *gerência de empreendimento*.
setores econômicos / *economic sectors*. Classificação dos setores da economia com base nas características básicas dos seus processos produtivos. São eles: *(I)* primário (atividades agropecuárias e extrativas); *(II)* secundário (atividades industriais); e *(III)* terciário (atividades comerciais e de serviços). Um novo setor poderá ser considerado, o quaternário, que abrange as atividades de pesquisa e desenvolvimento. O segmento do petróleo, guardando suas particularidades, atua em todos os setores mencionados.
severidade de curvatura / *dogleg severity*. Taxa de variação da inclinação e/ou direção do poço em um determinado intervalo perfurado (curvatura). ↝ normalmente expressa em graus por 30 m de comprimento (°/30 m), no Brasil, ou em graus por 100 pés (°/ft).
sextante / *sextant*. Instrumento composto por dois espelhos, utilizado para medir a distância angular entre dois objetos de um plano definido pelos dois objetos e o ponto de observação. ↝ Foi

originalmente construído para ter um arco de 60 graus e uma variação de 120 graus. Atualmente o termo é utilizado para instrumentos similares, independentemente da variação de ângulo, principalmente os utilizados em navegação para medir as altitudes aparentes de corpos celestes a partir de um navio ou avião em movimento.

SGN hidrato / *SGN hydrate*. 1. Modalidade específica da tecnologia SGN (*sistema gerador de nitrogênio*) aplicada na dissolução de hidratos ou clatratos formados no interior dos oleodutos durante produção de petróleo. 2. Método termoquímico aplicado na dissolução de hidratos, baseado na reação química catalisada e fortemente exotérmica entre dois sais nitrogenados, em proporções estequiométricas, e um ácido, na qual se obtém, de forma controlada, grandes quantidades de nitrogênio e calor, que devidamente combinados com um solvente orgânico promovem a dissolução do hidrato, permitindo o retorno pleno ao escoamento. ▶ Ver *SGN linha*; *SGN tanque*; *SGN poço*; *SGN retardado*; *hidrato*; *clatrato*.

SGN linha / *SGN flowline*. 1. Modalidade específica da tecnologia SGN (*sistema gerador de nitrogênio*) aplicada na remoção de depósitos orgânicos aderidos às paredes dos oleodutos de produção de petróleo. 2. Método termoquímico aplicado para remover depósitos orgânicos em oleodutos de produção e transporte de petróleo, baseado na reação química catalisada, fortemente exotérmica, entre dois sais nitrogenados, em proporções estequiométricas e um ácido, onde obtém-se, de forma controlada, grandes quantidades de nitrogênio e calor, que devidamente combinados com um solvente orgânico promovem a fluidização irreversível do depósito orgânico, restaurando a produção de petróleo. ▶ Ver *SGN tanque*; *SGN poço*; *SGN hidrato*; *SGN retardado*.

SGN poço / *SGN well*. 1. Modalidade específica da tecnologia SGN (*sistema gerador de nitrogênio*) aplicada na remoção de depósitos orgânicos acumulados no interior de poços. 2. Técnica do tipo restauradora de poços e aplicada nos seguintes componentes e/ou regiões: coluna de produção, fundo de poço, canhoneados e reservatório produtor de petróleo nas vizinhanças dos canhoneados. ↝ O método propriamente dito é do tipo termoquímico, aplicado para remover depósitos orgânicos causadores de redução da produção de poços de petróleo, baseado na reação química, fortemente exotérmica, entre dois sais nitrogenados, em proporções estequiométricas, e ácido, catalisada, obtendo-se, de forma controlada, grandes quantidades de nitrogênio e calor, que devidamente combinados com um solvente orgânico promovem a fluidização irreversível do depósito orgânico acumulado no interior do poço e no reservatório produtor nas vizinhanças dos canhoneados. ▶ Ver *SGN linha*; *SGN tanque*; *SGN hidrato*; *SGN retardado*.

SGN retardado / *retarded SGN*. 1. Formulação química especial da reação química do SGN (*sistema gerador de nitrogênio*) aplicada em oleodutos com grande comprimento ou baixa vazão, permitindo o controle da localização da produção de calor e nitrogênio. 2. Formulação química que consiste em retardar a velocidade de reação termoquímica empregando-se agentes químicos que, por mecanismos específicos, liberam gradualmente o ativador, permitindo maior tempo de deslocamento do colchão fluido de tratamento. ▶ Ver *SGN linha*; *SGN tanque*; *SGN poço*; *SGN hidrato*.

SGN tanque / *SGN tank*. 1. Modalidade específica da tecnologia SGN (*sistema gerador de nitrogênio*) aplicada no tratamento e remoção de borras de petróleo acumuladas no interior de tanques de armazenamento de petróleo e correlatos. 2. Método termoquímico aplicado na fluidização e remoção de borras de petróleo acumuladas em tanques de armazenamento e correlatos, baseado na reação química catalisada, fortemente exotérmica, entre dois sais nitrogenados, em proporções estequiométricas, e um ácido, obtendo-se, de forma controlada grandes quantidades de nitrogênio e calor, que devidamente combinados com um solvente orgânico e aditivos dispersantes promovem a segregação de fases óleo, água e compostos inorgânicos, formadoras da borra de petróleo. ▶ Ver *SGN linha*; *SGN poço*; *SGN hidrato*; *SGN retardado*; *borra de petróleo*.

shellstone. Recife formado pela acumulação de conchas, em especial de braquiópodes e pelecípodes, com matriz de fragmentos de conchas e cimento cristalino.

shelly formation. Formação que tem vários níveis de rochas mais duras para a perfuração. O mesmo que *formação de rochas duras*.

shroud. 1. Armadura de proteção de telas de contenção de areia. 2. Camisa usada em torno do motor de bombeamento centrífugo submerso (BCS) para aumentar a velocidade de fluxo nessa região e assim obter o resfriamento do mesmo.

siderita argilosa / *clay ironstone*. Rocha sedimentar de cor cinza a marrom, compacta, formada por uma mistura de material argiloso, até 30%, e carbonato de ferro, siderita. Ocorre em camadas de nódulos ou concreções, ou como camadas delgadas e irregulares comumente associadas a camadas carbonosas, em especial a camadas de carvão.

sigmoide / *sigmoid*. 1. Forma geométrica semelhante à da letra S deitada, utilizada para descrever uma geometria deposicional que se assemelha com a de uma sigmoide, ou seja, tangencial nas duas extremidades e mais espessa na região central. 2. Estrutura sedimentar que tem a geometria de uma forma sigmoidal em decorrência da migração de formas de leito formadas por uma combinação de processo de tração e de suspensão. Isso favorece a preservação da forma de leito, diferentemente das formas de leitos onde os processos tractivos são dominantes, ocasionando a erosão das porções superiores das formas de leito durante a migração dos grãos.

silenciamento / *muting*. Processo de exclusão das contribuições relativas indesejadas de um evento, ou simplesmente de um traço, em processamento de dados sísmicos.

silenciamento de traço / *trace mute*. Limpeza dos dados sísmicos da parte inicial do traço, quando existirem certas condições, como, por exemplo, a relação entre estiramento e a correção de *NMO (normal moveout, sobretempo normal)*.

silenciamento em rampa / *ramped mute*. Forma de abrandamento de dados sísmicos de reflexão na qual a amplitude é reduzida a zero de forma gradual, considerando um determinado intervalo de tempo.

sílex / *chert*. Rocha sedimentar dura, extremamente densa ou compacta, de lustrosa a semivítrea, microcristalina a criptocristalina, que consiste dominantemente em cristais de quartzo, podendo ainda conter sílica amorfa (opala). Algumas vezes contém impurezas como calcita, óxido de ferro e remanescentes de sílica e outros organismos. Possui uma fratura conchoidal dura, e pode ser branca ou de cor cinza, verde, azul, rosa, vermelha, marrom, e preta. ↦ O sílex ocorre principalmente de forma nodular ou de segregação concrecionária (nódulos de sílex) em depósitos acamados de calcário e dolomita. ▶ Ver *rocha sedimentar*.

silexito / *silexite*. Rocha sedimentar composta de sílica criptocristalina granular de natureza muito fina, de diversas origens, principalmente química ou bioquímica. Termo derivado do francês *silexite*. O mesmo que *cherte*. ▶ Ver *sílex*; *rocha sedimentar*.

sílica / *silica*. Produto mineral incolor e esbranquiçado na forma granular ou pulverizado, composto basicamente de quartzo. ↦ Dependendo de seu uso específico, a sílica sofre beneficiamento envolvendo britagem, moagem, lavagem e classificação granulométrica. Quimicamente estável, ocorre naturalmente sob cinco polimorfos cristalinos (quartzo, tridimita, cristobalita, coesita e estishovita), sob formas criptocristalinas (calcedônia), sob formas amorfas e hidratadas (opala), formas mais impuras (areia, diatomitos, trípoli, cherte, flinte), e sob a forma de silicatos como constituintes essenciais de muitos minerais. Dióxido de silício (SiO_2). O quartzo é um constituinte importante das rochas ígneas que possuem excesso de sílica. A desintegração dessas rochas produz grãos que se acumulam e formam a rocha sedimentar (arenito). Ocorre também nas rochas metamórficas como gnaisses e xistos. O quartzo ocorre em grandes quantidades como areia nos leitos dos rios, sobre as praias e como um constituinte do solo. ▶ Ver *cimentação*.

sílica em pó (Port.) (Ang.) / *silica flour*. O mesmo que *sílica* flour. ▶ Ver *sílica* flour.

sílica flour / *silica flour*. Sílica fina utilizada como aditivo na pasta de cimento com o objetivo de se evitar a redução da resistência à compressão e aumento de permeabilidade da pasta quando submetida a uma temperatura igual ou superior a 110 °C (230 °F). A partir dessa temperatura, a sílica *flour* deve ser adicionada na formulação da pasta, na concentração mínima de 30% em relação à massa de cimento. ▶ Ver *aditivo*; *cimento*; *cimentação*; *densidade*; *pasta de cimento*.

sílica gel / *silica gel*. Sílica coloidal em forma de dispersão aquosa estável de partículas compactas de sílica amorfa. Também pode se apresentar na forma de gel. Neste caso, o processo de formação do gel ocorre pela agregação das partículas em longas cadeias tridimensionais uniformes. ↦ Devido a sua alta área superficial (por volta de 800 m²/g), a sílica gel adsorve água com rapidez. Uma vez saturada com água, pode ser facilmente regenerada por aquecimento. A sílica gel é muito utilizada como agente dessecante que ajuda na conservação de produtos armazenados. Também é empregada em filtros de ar para remoção de umidade. ▶ Ver *sílica*; *amorfo*.

silicatação / *silication*. Processo de desenvolvimento de minerais silicatados pela reação com sílica livre.

silicato / *silicate*. Composto mineral que contém a estrutura cristalina SiO_4, tetraédrica. É encontrado tanto isoladamente quanto conectado com um ou mais átomos de oxigênio para formar grupos, cadeias, planos ou estruturas tridimensionais com elementos metálicos. Atualmente é classificado de acordo com sua estrutura cristalina (neossilicato, sorossilicato, ciclossilicato, inossilicato, filossilicato e tectossilicato).

***siliceous limestone*.** O mesmo que *calcário silicioso*. ↦ As rochas reservatório do petróleo são frequentemente formadas por calcários. ▶ Ver *calcário silicioso*.

siliciclástico / *siliciclastic*. Sedimento clástico formado principalmente por silicatos.

silicificação / *silicification*. Processo de substituição de componentes orgânicos ou inorgânicos por sílica, sob a forma de quartzo, calcedônia ou opala, gerando um processo de obliteração dos poros de uma rocha sedimentar.

silicificado / *silicified*. Material que sofreu o processo de silicificação ▶ Ver *silicificação*.

silicinato / *silicinate*. Cimento de sílica de uma rocha sedimentar.

sill de arenito / *sandstone sill*. Massa de arenito, alojada por intrusão ou injeção, paralelamente ao acamamento da rocha preexistente. ▶ Ver *arenito*.

silo de armazenamento por gravidade (Port.) (Ang.) / *atmospheric transportable bulk tank*. O mesmo que *silo de estocagem por gravidade*. ▶ Ver *silo de estocagem por gravidade*.

silo de armazenamento pressurizável (Port.) (Ang.) / *pressurized bulk tank*. O mesmo que *silo de estocagem pressurizável*. ▶ Ver *silo de estocagem pressurizável*.

silo de estocagem por gravidade / *atmospheric transportable bulk tank*. Tanque para estocagem e transporte de cimento ou mistura de cimento e materiais secos que é operado na posição vertical. ⇾ Geralmente, é montado sobre pranchas para efetuar o transporte em caminhões e para a sua instalação na locação do poço. O silo tem um fundo inclinado que contém um material poroso por onde é soprado ar em baixa pressão (ao redor de 3 psi ou 0,2 bar), que faz com que a mistura de cimento seja fluidizada e deslize por um tudo para alimentar o funil misturador de uma unidade de cimentação.

silo de estocagem pressurizável / *pressurized bulk tank*. Tanque para estocagem e transporte de cimento ou mistura de cimento e materiais sólidos que usa pressão ao redor de 44 psi (3 bar) e pode operar tanto na posição horizontal como na vertical. ⇾ Esses silos são montados sobre trenós ou em carretas. O silo possui um dispositivo no fundo por onde, inicialmente, ar em baixa pressão é injetado para fluidizar a mistura de cimento. Em seguida, ar em alta pressão é injetado no silo, e a mistura de cimento flui para o tanque de surgência, que alimenta a unidade de cimentação. Eventualmente, alguns silos pressurizados verticais podem operar em baixa pressão e alimentar diretamente o funil da unidade de cimentação. ▶ Ver *tanque de surgência*; *unidade de cimentação*.

silte / *silt*. Partículas do solo com diâmetro entre 0,053 mm e 0,002 mm. ⇾ As partículas menores são chamadas de *argila* e as maiores de *areia*. O silte de grão mais grosseiro quando puro pode constituir reservatório de petróleo e gás.

silte de grão grosseiro (Port. e Ang.) / *coarse silt*. O mesmo que *silte grosso*. ▶ Ver *silte grosso*; *silte*.

silte grosso / *coarse silt*. Partícula cujo diâmetro varia entre 1/32 mm a 1/16 mm, entre 31 micra e 62 micra ou de 5 a 4 unidades de phi na escala granulométrica utilizada em geologia. ▶ Ver *silte*.

silting. Deposição ou acumulação de silte a partir de material em suspensão num corpo de água parada. ⇾ Ocorre frequentemente em represas, reservatórios ou em locais onde há uma desaceleração do fluxo de água. O termo designa, além do tamanho silte, partículas tamanho areia e argila em forma coloidal. ▶ Ver *argila*; *silte*.

silting up. 1. Preenchimento total ou parcial de uma barragem com silte trazido por rios e por águas superficiais. 2. Sedimentação em barragens ou reservatórios, que pode incluir, além de silte, os tamanhos areia e argila. O mesmo que *silting*. ▶ Ver *silte*; *silting*.

siltito dolomítico / *dolosiltite*. Rocha sedimentar composta por fragmentos dolomíticos de tamanho silte. ▶ Ver *silte*.

simulação de reservatório / *reservoir simulation*. Simulação física (analógicos, modelos reduzidos e protótipos) ou matemática (analítica e numérica) realizada com o objetivo de prever o comportamento de fluidos em reservatórios no que tange à recuperação de hidrocarbonetos. ▶ Ver *reservatório*.

simulador de partida a frio / *cold-cranking simulator*. Aparato padronizado e utilizado para determinar o comportamento da viscosidade de um lubrificante sob certas condições de uso. ⇾ Este comportamento é medido por um equipamento definido no método ASTM D 5293, com o qual se mede a viscosidade aparente do óleo lubrificante na faixa de temperatura de $-5\,°C$ a $-35\,°C$ e sob tensão de cisalhamento.

simulador de processo / *process simulator*. Sistema computacional utilizado para a simulação numérica composicional dos processos de separação e equilíbrio de fases. ⇾ Utiliza equações de estado (correlações de *PVT*) para determinação do equilíbrio termodinâmico dos diversos componentes presentes nas correntes de hidrocarboneto. O termo pode ser também utilizado para outros campos de aplicação, tais como eletrônica, pneumática, etc. ▶ Ver *equação de estado*.

sinal analógico / *analog signal*. Sinal de um instrumento de medição cuja amplitude varia continuamente no tempo, e não em estágios discretos. Pode ser uma corrente elétrica, pressão pneumática etc. ⇾ O sinal será considerado analógico quando puder ser representado por uma variável que tenha como domínio um espectro de valores contínuos.

sinal de medição / *measurement signal*. Grandeza que representa o objeto da medição ao qual está relacionada.

sinal digital / *digital signal*. Sinal de um instrumento de medição que varia discretamente no tempo em amplitude, ou seja, em valores fixos a cada período.

sinal discreto / *discrete signal*. Sinal com um período de amostragem constante, representado por sequência de valores numéricos.

sinal sísmico / *seismic signal*. Parte dos sinais de ondas sísmicas registrada em um levantamento de reflexão, livre de ruídos. ▶ Ver *onda sísmica*.

sinclinal periférico / *rim syncline*. Estrutura geológica em dobra com a concavidade voltada para cima e que não é, por regra, favorável à acumulação comercial de óleo e gás.

singularidade / *singularity*. Valor da variável para o qual a função se torna infinita. Também chamada *polo*. ⇾ O termo *singularidade* foi emprestado da física. Lá, ele designa fenômenos tão extremos que as equações não são mais capazes de descrevê-los. Um exemplo são os buracos negros, lugares de densidade infinita, que levam as leis da ciência ao absurdo. Ou seja, o termo singularidade exprime tudo o que está além da nossa capacidade de cognição e previsibilidade.

sino de mergulho / *diving bell*. Equipamento de transporte de mergulhadores no fundo do mar para trabalho ou inspeções visuais, e que é sustentado por um umbilical.

sinsedimentar / *synsedimentary*. Qualquer processo que ocorra simultaneamente à deposição dos sedimentos.

sintético / *synthetic*. Derivado de uma síntese, ou seja, o que resulta quando se juntam duas ou mais partes, de forma a que seja gerada uma outra parte. ↝ No caso de lubrificantes, refere-se aos óleos básicos produzidos por sínteses químicas, naturais ou não.

sísmica 2D / *2D seismic*. Método utilizado para reconhecimento de uma área, no qual se utiliza um navio com um sistema de fonte e um cabo sismográfico flutuador (*streamer*). As linhas da malha sísmica são espaçadas, com o objetivo de se obter um reconhecimento regional da geologia de subsuperfície.

sísmica 3D / *3D seismic*. Método utilizado na fase do processo exploratório em que se busca maior detalhe, ou seja, quando já existe um conhecimento prévio da geologia de subsuperfície da área. O processamento dos dados e a aplicação de um algoritmo de migração permitem que eventos laterais sejam visualizados nas suas posições verdadeiras, possibilitando a visão tridimensional das camadas.

sísmica 4D / *4D seismic*. Método que engloba diversos levantamentos sísmicos 3D realizados durante a linha produtora de grandes campos de petróleo. ↝ O termo *4D* considera a variável tempo, e consiste em levantamentos sísmicos de 3D realizados em diferentes fases da vida produtora do campo de petróleo. ▶ Ver *sísmica 3D*.

sísmica enquanto se perfura VSP / *seismic-while-drilling VSP*. Técnica que usa o ruído da broca de perfuração como fonte sonora para levantamento sísmico, com o objetivo de se obter o perfil sísmico vertical. *VSP* representa a expressão *vertical seismic profile*. ▶ Ver *sismologia, sismograma*.

sísmica intraformacional / *in-seam seismic*. Método de levantamento sísmico no qual receptor e fonte ficam na mesma camada. ▶ Ver *sismologia, sismograma*.

sísmica passiva / *passive seismic*. Levantamento sísmico que visa a registrar apenas os abalos sísmicos naturais. ▶ Ver *sismologia; sismograma*.

sismicidade / *seismicity*. Fenômeno indicativo da frequência e da intensidade dos movimentos naturais de uma determinada região da Terra.

sismografia / *seismography*. Aplicação de instrumentos que registram os sismos (sismógrafos, sismômetros).

sismógrafo de reflexão / *reflection seismograph*. Gravador ou aparelho que registra os dados de reflexão sísmica.

sismógrafo mecânico / *mechanical seismograph*. Aparelho no qual medidas dos deslocamentos sísmicos são feitas diretamente em relação a uma massa inercial.

sismograma / *seismogram*. Representação gráfica das movimentações das ondas sísmicas em subsuperfície, em um levantameno sísmico de reflexão. ▶ Ver *sismologia*.

sismograma de reflexão / *reflection seismogram*. Registro das ondas refletidas produzidas por um tiro ou outra fonte sísmica. ▶ Ver *sismograma*.

sismograma de refração / *refraction seismogram*. Representação gráfica das movimentações das ondas sísmicas frontais resultantes de uma detonação em um levantamento sísmico de refração. ▶ Ver *sismologia; sismograma*.

sismograma sintético / *synthetic seismogram*. 1. Registro artificial de uma reflexão sísmica, construído a partir de dados de um perfil de velocidades, pela convolução da função de refletividade com uma forma de onda que inclui os efeitos da filtragem pela terra e pelo sistema de gravação. 2. Registro sísmico artificial construído para uma estrutura estratificada onde o perfil de velocidades individuais de formação e as correspondentes espessuras sejam conhecidos. É utilizado para interpretações geológicas e modelos geofísicos. ▶ Ver *sismograma*.

sismologia / *seismology*. Estudo de ondas sísmicas, um braço da geofísica. ↝ Refere-se especialmente aos estudos de terremotos. No setor petróleo, são realizados estudos para conduzir levantamentos sísmicos na exploração de óleo, gás e minerais, além de fornecer informações para a engenharia, de forma geral.

sismologia aplicada / *applied seismology*. Uso de teorias, metodologias e conceitos da sismologia (que estuda a estrutura da Terra através da propagação de ondas sísmicas) na solução de problemas relacionados diretamente a objetivos econômicos (prospecção mineral etc.), meio ambiente e segurança (vulcões etc.) e outros (arqueologia etc.). ▶ Ver *sismologia*.

sismômetro de esforço / *strain seismometer*. Sismômetro que funciona pela medida da distância entre dois pontos de um local, e que serve como um instrumento para gravar movimentos do solo em longos períodos de tempo.

sismômetro de fundo do mar / *ocean-bottom seismometer*. Geofone de bobina móvel utilizado para captação de ondas sísmicas no fundo marinho. ▶ Ver *geofone*.

sismoprecursor (Port.) / *foreshock*. O mesmo que *antechoque*. ▶ Ver *antechoque*.

sistema ambiental / *environmental system*. Sistema no qual a vida interage com os vários componentes físico-químicos existentes: atmosfera, hidrosfera e litosfera.

sistema apontar a broca / *point-the-bit system*. Sistema de navegação rotativo (*rotary steera-*

ble system) composto de um sistema de dois mancais e um excêntrico, comandado por telemetria, que gera uma deflexão no eixo de transmissão de torque conectado à broca, de maneira a apontar a broca para a direção desejada. ▶ Ver *ferramenta defletora*.

Sistema BCSS em base metálica / *subsea ESP on a skid system.* Sistema de bombeio centrífugo submarino (BCSS) em que o conjunto de bombeio centrífugo submerso é instalado em uma estrutura metálica apoiada em uma base (*skid*) no leito marinho e próximo ao poço produtor. ▶ Ver *bombeio centrífugo submerso*; *bombeio centrífugo submerso submarino*.

sistema colaborativo / *collaboration system.* O mesmo que *ambiente colaborativo*. ▶ Ver *ambiente colaborativo*.

sistema com fluido molhante / *water-wet system.* Sistema óleo/água/sólido, onde a água é o fluido molhante, com um ângulo de contato próximo de zero. ▶ Ver *fluido molhante*.

sistema cristalino / *crystal system.* Agrupamento das classes cristalinas baseado em elementos individuais de simetria, comprimento e inclinações relativas dos eixos cristalográficos. ↪ Existem seis sistemas cristalinos: isométrico, tetragonal, hexagonal, ortorrômbico, monoclínico e triclínico.

sistema de ancoragem / *mooring system.* Sistema que permite a uma embarcação manter sua posição dentro de limites de afastamento máximo preestabelecidos. Deve-se observar que o termo em inglês correspondente a *ancoragem* (*mooring*) é o mesmo que corresponde a *amarração*. ↪ Corpos flutuantes, quando em águas oceânicas, estão submetidos a diversos esforços ambientais. Os sistemas de ancoragem são normalmente dimensionados de forma a serem capazes de reagir às componentes quase estáticas dos esforços ambientais, mantendo a unidade dentro de deslocamentos aceitáveis. De maneira geral, os esforços que surgem devido à passagem das ondas pela unidade ancorada são de magnitude muito grande. Entretanto, devido a sua natureza cíclica, não provocam deslocamento que perturbe a operação da unidade. Assim, o sistema de ancoragem deve, em geral, ser complacente com esse tipo de esforço. Caso unidades flutuantes se amarrem a uma determinada unidade ancorada, esta deve ser capaz de absorver os esforços transmitidos por aquelas através da amarração.

sistema de aquisição de dados de perfuração / *drilling data acquisition system.* Pacote de instrumentação e monitoração de perfuração que usa sensores e PLCs (*programmable logic controllers*) para aquisição, análise e processamento de dados de uma grande variedade de parâmetros, incluindo torque de perfuração, posição da catarina e carga no gancho, nível de fuido nos tanques e outros. Estas funções são executadas em tempo real e os resultados mostrados nas telas de computador.

sistema de ar comprimido de instrumentos / *compressed instrument air system.* Sistema constituído por compressores de ar, sistema de remoção de umidade e rede de distribuição, para acionamento de instrumentos de processo. ↪ Os elementos primários de atuação das válvulas de controle e de bloqueio/alívio automático, são cabeçotes constituídos de pistões e/ou diafragmas que comprimem molas por meio da pressão de ar admitida nesses cabeçotes. Assim, a instalação de produção deve contar com uma fonte de ar pressurizada, sem umidade que possa corroer as partes metálicas dos atuadores.

sistema de atuação compartilhada (SAC) / *shared actuator control (SAC).* Ferramenta de atuação de válvulas usada no manifolde de atuação compartilhada (*MAC*). ↪ Para operar a ferramenta de atuação de válvulas usada no manifolde (*MAC*), o *SAC* se desloca ao longo de um trilho e posiciona uma de suas duas ferramentas de torque sobre a válvula desejada, encaixando na haste da válvula e girando-a até a posição desejada. ▶ Ver *manifolde de atuação compartilhada*.

sistema de avaliação e aceitação de navios / *vetting.* Sistema que estabelece padrões mínimos que permitem o acesso aos terminais aquaviários, observadas as regras básicas de qualidade, segurança e proteção ambiental e demais condições administrativas que estejam relacionadas ao processo de avaliação.

sistema de captação e tratamento de água de injeção / *injection water collection and treatment system.* Sistema que visa à captação, ao tratamento e à injeção de água do mar no reservatório para fins de recuperação secundária. ↪ O sistema é constituído por bombas de captação de água do mar, sistema de dosagem química que injeta hipoclorito nas tubulações ou caixas de captação, biocida na água tratada e sequestrante de oxigênio (bissulfito de amônio), filtros para a remoção de particulados e torre desaeradora, para desoxigenação da água.

sistema de cimentação com controle automático / *automatic control cementing system.* Sistema de preparo de pasta de cimento com tanque de recirculação dotado de densímetro e unidade de controle, que atua no ajuste automático do fluxo de água ou cimento no misturador. Este sistema distingue-se do convencional por manter uma maior homogeneidade da pasta de cimento. ▶ Ver *densímetro*; *sistema de mistura com tanque de recirculação*; *pasta de cimento*.

sistema de circulação de lama / *mud circulation system.* Conjunto de equipamentos que permitem a circulação do fluido de perfuração e seu tratamento na superfície com a extração dos cascalhos gerados pela broca. ↪ O fluido de perfuração é bombeado através das bombas de lama pelo interior da mangueira de lama até entrar na coluna de perfuração pela cabeça de injeção. Escoa até o final da coluna, passando pelos jatos da broca e retornando pelo espaço anular carreando os cascalhos gerados pela broca de perfuração. Ao chegar na superfície é realizada a extração de sólidos do fluido de perfuração por meio dos equipamentos de remoção de sólidos e tratamento de fluido, o qual é levado ao tanque de sucção e novamente bombeado para o poço. ▶ Ver *fluido de perfuração*; *cabeça de injeção*.

sistema de coleta / *gathering system*. Conjunto de componentes e processos para coleta, transporte e controle do escoamento da produção a partir do poço até a unidade de produção ou de armazenamento. ↝ É composto por dutos e instalações de produção, e inclui manifoldes, separadores, tanques, compressores, unidades de tratamento de óleo, desidratadores de gás, válvulas e equipamentos associados. ▶ Ver *duto*; *oleoduto*.

sistema de compressão de gás / *gas compression system*. Conjunto de compressores que elevam a pressão do gás efluente dos equipamentos de separação da planta de processamento primário de petróleo. ↝ Compreende geralmente dois ou três conjuntos de compressores, com finalidades distintas. O conjunto principal é geralmente constituído por turbocompressores (com dois a três estágios de compressão), acionados a turbina a gás, que manuseiam a maior parte do gás existente na instalação de produção, ou seja, o gás proveniente do primeiro estágio de separação. Esse conjunto principal eleva a pressão do gás aos níveis necessários à desidratação, ao tratamento (se houver), à elevação artificial e finalmente à exportação para outra instalação industrial situada fora da instalação de produção. O gás do separador atmosférico, na instalação de processamento primário, é manuseado, inicialmente, pelo sistema de recuperação de vapor, que também é constituído por um compressor (compressor de recuperação de vapor) que eleva a pressão desse gás recuperado até o nível de pressão de sucção do conjunto principal de compressão. Pode ainda existir um terceiro conjunto de compressores, que eleva a pressão de parte da corrente de gás a valores ainda mais elevados, para outros fins eventualmente necessários na instalação de produção em questão (por exemplo, injeção no reservatório).

sistema de controle de produção / *production control system*. Sistema que controla e monitora o processo de produção e tratamento de óleo, gás e água.

sistema de controle multiplex de BOP / *multiplex BOP control system*. Sistema de controle de preventor de erupção *(blowout preventer; BOP)* no qual os sinais elétricos são enviados da superfície para comandar a parte hidráulica instalada no LMRP *(low marine riser package)*, de modo a reduzir o tempo de resposta e tornar mais rápido o fechamento dos preventores. Este sistema é adotado principalmente em águas profundas.

sistema de desconexão de emergência / *emergency disconnect system*. Dispositivo submarino que em situações de emergência permite a desconexão e reconexão remota do *riser* do BOP, quando em perfuração, e do BOP e da válvula de teste, quando em teste de formação ou produção temporária. ▶ Ver *riser*; *preventor de erupção*.

sistema de desconexão rápida / *quick disconnection system*. Dispositivo submarino que permite a desconexão e reconexão remota do *riser* de completação, acima da *tree running tool* e/ou do BOP de *workover*, em situações de emergência. ▶ Ver *riser de completação*.

sistema de dosagem química / *chemical injection system*. Sistema que visa ao armazenamento e à dosagem de aditivos químicos aos fluidos produzidos ou a serem injetados. O sistema é constituído de tanques de armazenamento e diluição de produtos, agitadores e bombas dosadoras. Os principais produtos utilizados na produção são: *(I)* desemulsificante; *(II)* antiespumante; *(III)* inibidor de corrosão; *(IV)* anti-incrustante; e *(V)* inibidores de hidrato. As bombas dosadoras são, normalmente, do tipo deslocamento positivo (pistão) com curso variável, o que permite a dosagem variável da vazão injetada. A dosagem adequada do princípio ativo do produto pode ser ajustada utilizando-se uma combinação apropriada da regulagem da bomba com uma diluição prévia do produto.

sistema de drenagem aberta contaminada / *contaminated skid drainage system*. Sistema de coleta de líquido acumulado nas bandejas de acúmulo situadas na parte inferior de cada uma das estruturas de acomodação dos equipamentos, tubulações e instrumentos associados (*skids*), nos equipamentos da planta de processamento primário de petróleo. ↝ O projeto desse sistema considera a contaminação frequente dessas correntes, que são dirigidas ao sistema de tratamento de águas oleosas.

sistema de drenagem aberta não contaminada / *open rain and washing water drainage system*. Sistema de coleta de água de chuva, sistema de combate a incêndio e lavagem, composto por ralos de convés e tubulações de coleta e envio ao tubo de despejo, no caso de unidades marítimas de produção. ↝ O projeto desse sistema não considera a contaminação dessas correntes. Havendo uma eventual contaminação, a separação do óleo se dará no tubo de despejo, e o óleo recuperado é enviado à planta de processamento pela bomba do tubo de despejo.

sistema de drenagem fechada / *closed drainage system*. Sistema de coleta do inventário de líquido e sedimentos provenientes do fundo dos equipamentos da planta de processamento primário de petróleo, quando da parada ou da execução de manobras de limpeza desses equipamentos.

•• O projeto desse sistema considera que as correntes drenadas podem ter alto teor de óleo e devem, portanto, ser enviadas a um tanque ou vaso de drenagem, de onde serão bombeadas de volta à planta de processamento primário de petróleo.

sistema de drenagem interior / *internal drainage system*. 1. Sistema de drenagem que converge para uma bacia fechada e sofre evaporação sem atingir o mar. 2. Drenagem superficial em que a água não alcança o oceano. •• Geralmente situado na parte inferior ou na porção central de bacias interiores em regiões áridas e semiáridas.

sistema de electrobomba submersível submarina em poço de cobertura (Ang.) / *subsea ESP in a hole system*. O mesmo que *BCSS em poço alojador*. ▶ Ver *BCSS em poço alojador*.

sistema de electrobomba submersível submarina em poço falso (Ang.) / *subsea ESP in a dummy well system*. O mesmo que *BCSS em poço falso*. ▶ Ver *BCSS em poço falso*.

sistema de fechamento de emergência / *emergency shutdown system*. Sistema de bloqueio automático dos equipamentos de uma planta de processamento (bloqueio de entradas e saídas de vasos e permutadores de calor, parada de acionadores de bombas e compressores etc.), decorrente de anormalidades operacionais.

sistema de flotação / *flotation system*. Sistema composto de flotador, reservatório e bomba de injeção de polieletrólito, sistema de injeção de gás (para o caso de flotação a gás induzido) e toda a instrumentação associada para promover a retirada do óleo da emulsão.

sistema de flutuação (Port.) / *flotation system*. O mesmo que *sistema de flotação*. ▶ Ver *sistema de flotação*.

sistema de injeção de glicol / *glycol injection system*. Sistema constituído de tanques e bombas de injeção de glicol (mono, di ou trietileno glicol) em uma corrente de hidrocarboneto gasoso que contenha água. •• A injeção de glicol é utilizada como inibidor da formação de hidrato.

sistema de intertravamento / *interlocking system*. Lógica de Boole implementada para evitar que a variável atinja valores não aceitáveis. •• O sistema é acionado quando o controle não funciona por algum motivo, ou seja, é um sistema desenvolvido para segurança e proteção do processo, dos funcionários e dos equipamentos.

sistema de intertravamento e parada de emergência / *emergency shutdown system*. Sistema constituído por detetores de sinistro (detetores de fogo, escape de gás etc.), computadores/programas de controle e atuadores que, em caso de emergência, promovem a parada e o isolamento de equipamentos e sistemas da planta de processamento primário ou de toda a instalação de produção. •• As instalações de produção podem considerar diversos níveis de parada de emergência. *(I)* O denominado *ESD nível 1* refere-se à parada automática de um equipamento individual, normalmente por anormalidade nas variáveis de processo desse equipamento (pressão, temperatura, nível de líquido etc.) que acionam detetores os quais, por sua vez, promovem a parada do equipamento. Deve-se observar que a parada de um determinado equipamento pode, eventualmente, determinar a parada de outros equipamentos situados a montante e a jusante do mesmo, devido à interrupção do fluxo de fluidos; *(II)* o denominado *ESD nível 2* refere-se, usualmente, à parada geral de todo o sistema de processamento primário de petróleo, mas não inclui a parada de algumas utilidades; *(III)* o denominado *ESD nível* 3 refere-se à parada de toda a instalação de produção (processamento e utilidades) e, finalmente; *(IV)* o *ESD nível 4* envolve a situação denominada *de abandono da instalação*, onde além da parada total da instalação os sistemas são totalmente despressurizados. Deve-se observar ainda que a detecção de fogo em alguma área dos sistemas de processamento primário conduz, normalmente, a um ESD nível 2, além do acionamento automático dos sistemas de combate a incêndio. ▶ Ver *parada de emergência*.

sistema de jateamento e lavagem de fundo / *sand washing system*. Sistema de tubulação e bicos injetores, posicionado no fundo de separadores gravitacionais, com a finalidade de permitir a lavagem e remoção, pelos drenos de fundo, dos sólidos depositados, utilizando injeção de água em alta pressão.

sistema de medição / *measuring system*. Conjunto completo de instrumentos de medição e outros equipamentos acoplados para executar uma medição específica.

sistema de mistura com jatos / *jet system*. Sistema de preparo de pasta de cimento em que a água de mistura é injetada através de jatos em um vaso, aspirando por sucção o cimento anidro (ou a mistura do cimento e aditivos secos), que é alimentado por um funil, formando a pasta de cimento. A densidade da pasta é ajustada por meio de um sistema de desvio do fluxo de água dos jatos. Quando o desvio é aberto, a vazão de água nos jatos diminui, o que provoca a redução do fluxo de cimento, ao mesmo tempo em que a água desviada é adicionada à pasta. Como consequência, a densidade da pasta é reduzida. ▶ Ver *jato de mistura*.

sistema de mistura com tanque de recirculação / *recirculating system*. Sistema de preparo de pasta de cimento em que uma pasta previamente misturada recircula e se mistura a uma pasta recém-preparada. ▶ Ver *sistema de mistura com jatos*; *jato de mistura; pasta de cimento*.

sistema de múltiplos registros / *multishot*. Termo genérico para ferramentas de registros múltiplos de inclinação e direção do poço. Caracteriza-se por fazer os registros em tempos regulares. •• Durante a operação, a ferramenta movimenta-se para cima ou para baixo no poço e para a determinadas profundidades, nas quais haja interesse de se fazer o registro. A hora da tomada do registro é anotada. Para o cálculo da trajetória faz-se a correlação do tempo com a profundidade do registro. O sistema pode ser magnético ou giroscópico, a depender do sistema de referência da medida da direção. ▶ Ver *foto*; *registro direcional do poço*.

sistema de navegação / *steerable system*. Sistema usado em perfuração direcional, composto por uma ferramenta defletora e *MWD* (*measuring while drilling* / medição durante a perfuração). •• Este sistema permite que a perfuração direcional seja contínua, sem necessidade de troca de *BHA* (*bottom-hole assembly* / composição de fundo de poço), mais especificamente dos estabilizadores. É denominado *sistema de navegação* porque permite que a broca navegue dentro da formação produtora. Pode usar como ferramenta defletora um motor de fundo com alojador curvo *(mud motor with benthousing)*, e neste caso é denominado *steerable system*, e o controle da perfuração direcional é feito ao se alternarem dois modos de perfuração: o *orientado* (sem giro da coluna) e o *rotativo* (com giro da coluna). ▶ Ver *perfuração direcional*.

sistema de navegação integrado / *integrated navigation system*. Sistema na maioria das vezes composto por um computador que opera um programa de navegação — capaz de processar informações de coordenadas recebidas do sistema de posicionamento (*GPS*) —, de agulha giroscópica, de sensores de movimento e de sistemas de posicionamento acústico submarino, mostrando na tela a posição relativa da embarcação e dos equipamentos rebocados em relação às linhas navegadas e aos alvos fixos e móveis na área do levantamento. ▶ Ver *sistema de posicionamento global*.

sistema de perna atirantada lateral / *taut-leg mooring system*. Sistema flutuante composto de linhas de ancoragem que utilizam, principalmente, o alongamento de seus componentes para fornecer a complacência necessária à acomodação dos esforços aplicados pelas ondas à unidade. •• As linhas do sistema *taut-leg* usualmente fazem um ângulo de cerca de 45 graus com a vertical. Este sistema é alternativo ao catenário e é normalmente utilizado em lâmina de água superior a 500 m. Os cabos de poliéster são os componentes mais empregados hoje para fornecer a complacência requerida por estes sistemas, graças ao balanceamento favorável das seguintes propriedades: resistência última e a fadiga, resistência a hidrólise, rigidez axial suficiente para resistir às cargas ambientais persistentes e custo. Estes sistemas têm como componentes principais os pontos fixos que os ligam ao leito marinho e os cabos de fibras sintéticas, de baixo peso linear imerso, que conferem a complacência adequada ao sistema. Os pontos fixos mais empregados são as âncoras de carga vertical (*VLA, vertical load anchor*), também conhecidas como do tipo *placa*, as estacas de sucção e as estacas cravadas por gravidade (estacas torpedo). ▶ Ver *plataforma de petróleo*.

sistema de posicionamento global / *global positioning system* (GPS). Sistema de posicionamento que pode ser utilizado em qualquer lugar do mundo necessitando apenas de um receptor que capte o sinal emitido pelos satélites. •• O sistema foi desenvolvido e é controlado pelo Departamento de Defesa americano, e atualmente pode ser utilizado por qualquer pessoa gratuitamente. A precisão das coordenadas fornecidas por este sistema pode variar aleatoriamente ao longo do levantamento, em função de qualidade do sinal transmitido, de efeitos atmosféricos e de barreiras proximas às antenas receptoras. ▶ Ver *sistema de posicionamento global diferencial*.

sistema de posicionamento global diferencial / *differential global positioning system* (DGPS). Sistema de posicionamento baseado em sistemas convencionais de GPS, mas que fornecem valores de coordenadas mais precisos pela adição de informações — de uma estação de referência (de coordenadas conhecidas) via conexão remota — aos dados enviados pela rede de satélite. O sinal de correção diferencial é normalmente vendido por empresas especializadas. ▶ Ver *sistema de posicionamento global*.

sistema de produção flutuante / *floating production system* (FPS). Sistema que torna possível que o óleo processado e armazenado seja posteriormente escoado para um outro navio, chamado *aliviador*, ou *shuttle tanker*, que, conectado ao navio *FPSO* (*floating, production, storage and offtaking*), permite que este receba e transporte o óleo até terminais petrolíferos *onshore*. ▶ Ver *sistema flutuante de produção*; *plataforma de petróleo*.

sistema de proteção à pressão de alta integridade / *high integrity pressure protection system* (HIPPS). Aplicação específica de um sistema instrumentado de segurança que protege um sistema de processo contra sobrepressurização. •• O sistema pode ser usado no lugar de válvulas de alívio de pressão.

sistema de recuperação secundária por injeção de água / *deaerator tower*. O mesmo que *torre desaeradora*. ▶ Ver *torre desaeradora*.

sistema de registo de dados de perfuração (Port.) (Ang.) / *drilling data acquisition system*. O mesmo que *sistema de aquisição de dados de perfuração*. ▶ Ver *sistema de aquisição de dados de perfuração*.

sistema de registos múltiplos (Port.) (Ang.) / *multishot*. O mesmo que *sistema de múltiplos registros*. ▶ Ver *sistema de múltiplos registros*.

sistema de respiradouro (Port.) / *vent system*. O mesmo que *sistema de respiro*. ▶ Ver *sistema de respiro*.

sistema de respiro / *vent system*. Sistema que visa a coleta e descarte atmosférico em uma área segura de eventuais vapores de hidrocarbonetos provenientes de tanques que armazenam líquidos pouco voláteis. ↝ Alguns equipamentos das instalações de produção manuseiam líquidos que, em condições normais, não geram vapores de hidrocarbonetos, mas que eventualmente podem gerar tais vapores. Nesse caso, não é conveniente a interligação dos respiros desses tanques ao sistema de tocha (nem mesmo ao sistema de tocha de baixa pressão), pois haveria o risco de que o tanque em questão recebesse vapores de hidrocarbonetos de outras fontes interligadas à tocha. Para esses casos a solução é coletar os eventuais produtos voláteis e conduzi-los a uma área segura da instalação, para descarte atmosférico.

sistema de retificação de corrente / *current rectifier system*. Sistema que contém um dispositivo utilizado para converter uma tensão alternada em corrente contínua por meio de retificadores ou diodos.

sistema de supervisão, controle e aquisição de dados / *supervisory control and data acquisition system*. Sistema de aquisição de dados para supervisão e controle de processos, baseado em um controlador lógico programável (*CLP*) e um computador. ↝ Este tipo de sistema é muito empregado em estações de produção de petróleo e gás, sendo muito utilizado em plataformas de produção. ▶ Ver *controlador lógico programável*.

sistema de tocha / *flare system*. Sistema que tem como objetivo queimar gás liberado nos tanques de óleo da correspondente estação e o gás produzido em uma plataforma de petróleo ou uma determinada unidade industrial em terra. ▶ Ver *tocha*.

sistema de transferência de óleo / *oil pumping system*. Conjunto de bombas para bombeamento do óleo já condicionado pela planta de processamento primário. ↝ Compreende geralmente alguns conjuntos de bombas que operam em paralelo. Cada um desses conjuntos é geralmente composto de bombas em série, sendo que as primeiras são denominadas *auxiliares* e situam-se a montante das chamadas bombas *principais*. Estas, por sua vez, elevam a pressão aos níveis necessários para que o óleo possa atingir sua destinação final (outra unidade de produção, sistema de armazenamento de estação coletora, navio cisterna etc.).

sistema de tratamento de águas oleosas / *oily water treatment system*. Parte da planta de processamento primário que manuseia correntes cuja fase contínua constitui-se de água e que são efluentes dos equipamentos de separação primária, visando a reduzir o teor de óleo contido nessas correntes, previamente ao descarte, reinjeção ou outros usos. ▶ Ver *água oleosa*.

sistema de tratamento de gás / *gas treatment system*. Conjunto de operações unitárias que promovem o processo de remoção de gases ácidos (em geral H_2S e CO_2). ↝ Há também duas classes mais utilizadas nas instalações de produção: *(I)* sistemas que utilizam membranas ou peneiras moleculares e *(II) sistemas* que utilizam reagentes líquidos regeneráveis (aminas).

sistema de unidades Darcy / *Darcy unit system*. Sistema de unidades utilizado para aplicação da lei de Darcy, composto de pressão (atm), vazão (cm^3/s), viscosidade (cP) e permeabilidade (D). ↝ Normalmente utilizado nas determinação laboratorial de propriedades permoporosas ▶ Ver *lei de Darcy*.

sistema deltaico de maré vazante / *ebb-tide delta system*. Sistema deltaico formado pela ação da maré vazante, quando os sedimentos das regiões internas e lamosas da área costeira, formada pelas inundações durante a maré cheia, são levados mar adentro e se redepositam, pela ação dos fluxos da maré vazante.

sistema deposicional / *depositional system*. Disposição tridimensional de sedimentos ou litofácies, geneticamente relacionados por processos e ambientes ativos, se modernos, ou inferidos, se antigos, que preenchem uma bacia. ↝ Os sistemas deposicionais variam de acordo com os tipos de sedimentos disponíveis para a deposição, e com os processos deposicionais e os ambientes em que são depositados. Os sistemas deposicionais dominantes são: aluvial, fluvial, deltaico, marinho, lacustrino e eólico. Esses sistemas são observados quer em rochas-reservatório, quer nas camadas que constituem a rocha-mãe do petróleo e gás. ▶ Ver *litofácies*; *sedimento*.

sistema digital de controle distribuído (SDCD) / *distributed digital control system*. Sistema de controle de processos baseado em estações de trabalho conectadas por algum barramento de campo aos módulos de entrada/saída de dados e aos módulos de controle dispostos próximo ao processo. ↝ A grande vantagem deste sistema, além da economia de cabos devido aos módulos de entrada/saída, é a distribuição do controle em diversas malhas, evitando a parada total do processo no caso de perda de alguma destas.

sistema disperso bifásico / *dispersed system*. 1. Sistema bifásico constituído de dois fluidos ou de um fluido e um sólido. 2. Dispersão de uma mistura homogênea formada por duas fases, uma dispersa e uma contínua. Em alguns casos a dispersão de uma substância se dá pela ação de outra substância chamada *agente dispersante*. ↝ No caso de dois fluidos, um deles é a fase contínua e o outro se apresenta disperso em glóbulos (gotas ou bolhas), no seio do fluido que constitui a fase contínua. No caso do sistema bifásico constituído de um fluido e um sólido, o primeiro será a fase contínua enquanto o segundo, que tem de ser um material granular, deve se apresentar em suspensão no fluido. Sob certas condições o petróleo cru pode ser considerado um sistema disperso, onde as frações mais pesadas, tais como os asfaltenos e as ceras parafínicas, estão dispersas nos demais hidrocarbonetos líquidos. As emulsões do tipo água/óleo e óleo/água também são sistemas dispersos que podem ser formados durante a produção de petróleo.

sistema empurra a broca / *push-the-bit system*. Sistema de navegação rotativa (*rotary steerable system*) que atua mecanicamente contra a parede do poço de maneira a gerar uma força lateral na broca, necessária para que a trajetória do poço seja alterada conforme o desejado. Esse tipo de sistema exige a utilização de brocas de calibre ativo. ▶ Ver *ferramenta defletora*; *broca*; *broca de calibre ativo*.

sistema flutuante de produção / *floating production system (FPS)*. Unidade estacionária de produção de petróleo, flutuante, capaz de controlar os poços, receber fluidos de poços de petróleo e gás e de escoar sua produção. •● De maneira geral se baseia em cascos com forma de navio ou barcaça, ou em estruturas de plataformas semissubmersíveis. Essas unidades normalmente têm facilidades de controle para os poços e demais equipamentos submarinos de coleta da produção. Dispõem também de plantas para separação dos fluidos e seu tratamento. Os principais tipos de sistema flutuante de produção são as plataformas semissubmersíveis de produção e os *FPSOs* (*floating, production, storage and offloading*). Estes últimos são capazes também de estocar o óleo produzido antes de seu despacho. Os sistemas flutuantes de produção podem escoar seus produtos por meio de dutos ou de embarcações de alívio. ▶ Ver *sistema de produção flutuante*; *plataforma de petróleo*.

sistema gerador de azoto (Port.) (Ang.) / *nitrogen generator system*. O mesmo que *sistema gerador de nitrogênio*. ▶ Ver *sistema gerador de nitrogênio*.

sistema gerador de nitrogênio / *nitrogen generator system*. Sistema que considera a reação termoquímica de oxirredução entre sais nitrogenados — usualmente cloreto de amônio e nitrito de sódio — e ácido catalisado, capaz de produzir grandes quantidades de nitrogênio e calor. •● Método termoquímico desenvolvido originalmente para remover depósitos orgânicos, predominantemente de composição parafínica, em oleodutos submarinos de produção e transporte de petróleo, baseado na reação química catalisada, fortemente exotérmica, entre dois sais nitrogenados, em proporções estequiométricas, e um ácido. Obtêm-se, de forma controlada, grandes quantidades de nitrogênio e calor, que devidamente combinados com um solvente orgânico promovem a fluidização irreversível do depósito orgânico. ▶ Ver *SGN linha*; *SGN tanque*; *SGN poço*; *SGN hidrato*; *SGN retardado*.

sistema global de comunicação para aviso de perigo e segurança (GMDSS) / *global maritime distress and safety system (GMDSS)*. Sistema de comunicações que opera em várias faixas de frequência, cobrindo todo o mundo com segurança.

sistema hexagonal / *hexagonal system*. Sistema cristalino baseado em uma estrutura cristalina hexagonal constituída por um eixo vertical de qualquer comprimento e por três eixos horizontais de igual comprimento, formando entre si um ângulo de 120°. •● Esse sistema pode ser subdividido em 12 classes cristalinas, agrupadas em duas divisões: hexagonal e romboédrica. ▶ Ver *sistema cristalino*.

sistema internacional de unidades / *international system of units*. Sistema coerente de unidades de medida estabelecido em 1960 e definido com sete unidades básicas: metro ("m", comprimento), quilograma ("kg", massa), segundo ("s", tempo), ampere ("A", corrente elétrica), kelvin ("K", temperatura termodinâmica), candela ("cd", intensidade luminosa), e mol (quantidade de substância). Todas as unidades existentes podem ser derivadas das unidades básicas deste sistema (SI). ▶ Ver *Instituto Nacional de Metrologia, Padronização e Qualidade Industrial (INMETRO)*.

sistema molhável ao óleo / *oil-wettable system*. Sistema óleo/água/sólido, no qual o óleo é o fluido molhante.

Sistema Nacional do Meio Ambiente (SISNAMA) / *National System for the Environment*. Conjunto de órgãos e entidades da União, dos estados, do Distrito Federal, dos territórios e dos municípios que, com as fundações instituídas pelo Poder Público, são responsáveis pela proteção e pela melhoria da qualidade ambiental (Lei n° 6.938/81).

sistema operacional (SOP) / *operational system*. Associação de equipamentos, materiais e instrumentos cujo funcionamento em conjunto produz ou mantém uma determinada situação, processo, utilidade, condição de segurança ou facilidade operacional. ▶ Ver *condicionamento*; *comissionamento*; *pré-operação*.

sistema parcialmente miscível / *partially miscible system*. Sistema composto por dois fluidos, normalmente imiscíveis a determinada pressão e temperatura, que no entanto apresentam uma pequena porção em solução, como ocorre com o sistema gás/óleo quando estes apresentam-se em equilíbrio. ▶ Ver *imiscível*.

sistema passa-tudo / *all-pass system*. Sistema aberto de filtragem das frequências, onde nenhuma das frequências do espectro de amplitude dos dados é alterada. ▶ Ver *filtro passa-tudo*.

sistema passivo / *passive system*. Sistema que não gera uma saída se não houver uma entrada.

skid de cimentação (Ang.) / *skid-mounted mixing system*. O mesmo que *unidade de cimentação sobre prancha*. ▶ Ver *unidade de cimentação sobre prancha*.

skim oil. Óleo recuperado de água salgada antes que esta seja reinjetada ou disposta no mar.

slip ring. Componente eletromecânico instalado em guinchos que, por sua vez, são utilizados para armazenar cabos também eletromecânicos que têm a função de rebocar sistemas de sonar de varredura lateral. ↦ Quando o guincho é utilizado para aumentar o cabo na água, para que o equipamento rebocado seja posicionado na altitude ideal de operação, acima do fundo marinho, é importante que o sinal não seja interrompido.

slurry. Mistura altamente fluida de sedimento, finamente fragmentado, e água.

slurry pack. Técnica de deslocamento de *gravel pack* que utiliza um fluido gelificado, de alta viscosidade, para o transporte do propante. ↦ Fluidos de *gravel* de maior viscosidade, apesar de apresentarem maior poder de carreamento, têm, normalmente, potencial de dano à formação muito maior do que os fluidos de baixa viscosidade (*water pack*). ▶ Ver gravel pack.

sobrebalanceado / *overbalanced*. Situação em que a pressão exercida pelo fluido contido no poço é superior à pressão de poros da formação rochosa exposta. ▶ Ver *balanceado*; *balanceando*; *sub-balanceado*.

sobrecarga / *overburden*. Refere-se especificamente à sobrecarga exercida pela(s) camada(s) rochosa(s) sobreposta(s) e seus fluidos em um ponto da subsuperfície. ▶ Ver *gradiente de sobrecarga*.

sobre-estadia contratual / *demurrage*. Multa determinada em contrato, a ser paga pela empresa contratante de um navio quando este demora mais do que o acordado nos portos de embarque ou de descarga.

sobrefluxo / *afterflow*. 1. Fluxo associado à estocagem após o fechamento na superfície. 2. Fluxo associado a um poço cuja produção foi suspensa, provisória ou permanentemente, a partir do fechamento de válvulas na superfície. Nesse caso, os fluidos da formação continuam escoando para o poço até que a pressão no poço seja igual à pressão da formação. ↦ Quando um poço é fechado na superfície, o fluxo da formação para o poço continua, sem diminuir, até que a compressão do(s) fluido(s) acarrete um aumento de pressão no poço. Se o fluido for altamente compressível e a vazão no poço for baixa, o período de sobrefluxo pode ser longo. Inversamente, em poços de alta vazão que estão produzindo pouco gás, os períodos de sobrefluxo são desprezíveis.

sobreposição (Port. e Ang.) / *overlap*. O mesmo que *recobrimento*. ▶ Ver *recobrimento*.

sobreposição basal (Port. e Ang.) / *baselap*. O mesmo que *recobrimento basal*. ▶ Ver *recobrimento basal*.

sobreposição progressiva costeira (Port.) (Ang.) / *progressive coastal onlap*. O mesmo que onlape *costeiro*. ▶ Ver onlape *costeiro*.

sobrepressão / *overbalance, overpressure*. Valor de pressão exercida pelo fluido de perfuração ou completação que excede a pressão de poros da formação. ↦ Este diferencial de pressão, adotado como medida de segurança, impede que haja qualquer tipo de fluxo (gás e/ou óleo) da formação para o poço durante a intervenção da sonda no poço. Valores muito altos de *overbalance*, entretanto, podem danificar seriamente a formação, devido ao grande volume de fluido que invadirá a rocha durante as operações de perfuração, completação ou intervenção. ▶ Ver *fluido de perfuração*; *fluido de completação*.

sobretempo / *moveout, excess time*. Diferença dos tempos de chegada em diferentes posições do geofone.

sobretempo normal / *normal moveout (NMO)*. Diferença de tempo entre as sucessivas reflexões do mesmo ponto na técnica CDP. O mesmo que *distância fonte-receptor*. ▶ Ver *ponto comum em profundidade*.

Sociedade Americana de Engenheiros Mecânicos / *American Society of Mechanical Engineers (ASME)*. Sociedade fundada em 1880 que visa a desenvolvimento, pesquisa e estudos técnicos e educacionais no campo da tecnologia e engenharia mecânica. ↦ A ASME edita uma série de códigos de interesse do setor petóleo, tais como o *boiler and pressure vessel code section II, V, VIII e IX*.

Sociedade Americana para a Qualidade / *American Society for Quality (ASQ)*. Entidade norte-americana que congrega profissionais interessados na engenharia da qualidade e na gestão da qualidade. Oferece diversas certificações profissionais voltadas ao tema.

Sociedade Americana para Ensaios de Material / *American Society for Testing Materials (ASTM)*. Entidade americana que elabora normas para diversas áreas de interesse do setor petróleo, como, por exemplo, aquelas utilizadas na padronização de materiais, como ligas de aço, alumínio, polímeros e combustíveis, assim como normas que contemplam procedimentos de análise, tais como para a determinação do tamanho de grãos em ensaios metalográficos. Conhecida pela sigla *ASTM*.

soco (Port.) / *basement rock*. O mesmo que *embasamento*, *soco antigo*. ▶ Ver *embasamento*.

soco acústico (Port.) / *acoustic basement*. O mesmo que *embasamento acústico*. ▶ Ver *embasamento acústico*.

soco cristalino (Port.) / *basement rock*. O mesmo que *embasamento*. ▶ Ver *embasamento*.

soco cristalino por diagrafia elétrica (Port.) / *electrical basement*. O mesmo que *embasamento elétrico*. ▶ Ver *embasamento elétrico*.

soco econômico (Port.) / *economic basement*. O mesmo que *embasamento econômico*. ▶ Ver *embasamento econômico*.

soco magnético (Port.) / *magnetic basement*. O mesmo que *embasamento magnético*. ▶ Ver *embasamento magnético*

soco sísmico (Port.) / *seismic basement*. O mesmo que *embasamento sísmico*. ▶ Ver *embasamento sísmico*.

soda cáustica / *caustic soda*. Nome comum de hidróxido de sódio (NaOH), uma substância cáustica que libera calor quando dissolvida em água. Devido ao fato de ser uma base forte, é comumente utilizada para elevar o pH. ⇒ Usada como aditivo de fluídos de perfuração.

solda a acetileno / *acetylene welding*. Método de união de dois metais por soldagem pelo qual os metais são levados até sua temperatura de fusão por meio de uma fonte de calor que é gerada a partir da queima (combustão) de gás acetileno em contato com gás oxigênio.

soldadura (Port.) (Ang.) / *welding*. O mesmo que *soldagem*. ▶ Ver *soldagem*.

soldadura a acetileno (Port.) / *acetylene welding*. O mesmo que *solda a acetileno* ▶ Ver *solda a acetileno*.

soldadura por fricção (Port.) (Ang.) / *friction welding*. O mesmo que *soldagem por fricção*. ▶ Ver *soldagem por fricção*.

soldagem / *welding*. Processo utilizado para unir duas partes metálicas onde tanto o metal base quanto o metal de adição são aquecidos até sua fusão, de modo que os dois se misturam e formam, ao se resfriarem, uma união de adequada resistência mecânica. ⇒ Processo muto utilizado nas sondas e plataformas de produção para unir solidamente tubos e outros materiais.

soldagem por fricção / *friction welding*. Processo de soldagem que utiliza o calor gerado pela fricção mecânica, causada pelo movimento relativo entre dois corpos. ⇒ Esta soldagem é feita entre a união cônica (conexão ou *tool joint*) e o corpo do tubo de perfuração, com a aplicação de rotação e força na conexão contra o tubo estático. ▶ Ver *tubo*; *tubo de perfuração*; *conexão do tubo de perfuração*; *soldagem*.

sole risk operation. Operação correspondente àquelas ações não aprovadas pelo comitê operacional e que serão suportadas pelas partes componentes de parcerias empresariais que foram voto vencido.

soleira de arenito (Port.) (Ang.) / *sandstone sill*. O mesmo que sill *de arenito*. ▶ Ver sill *de arenito*.

sólido de perfuração / *drilled solid*. Pedaço de rocha gerado pela broca durante a perfuração de um poço de petróleo. ⇒ Os tamanhos desses sólidos variam com a fase que se está perfurando. São também chamados de *cascalhos*.

sólido de Voigt / *Voigt solid*. Sólido no qual a relação esforço-deformação é proporcional à deformação e à razão de mudança de deformação.

solifluxão / *solifluction*, *soil creeping*. **1.** Escoamento de solo supersaturado e de outros tipos de material de superfície provenientes de altas elevações em regiões submetidas a baixas temperaturas, em virtude do degelo ou de chuvas torrenciais. **2.** Conceito estendido para os movimentos de arrasto de solo também em climas tropicais. ⇒ Essa movimentação pode evoluir por cisalhamento para uma avalanche ou escorregamento de terra quando a carga de material ultrapassa o limite de ruptura.

solo / *soil*. **1.** Material inconsolidado situado na área mais superficial da zona de intemperismo. Em solos bem desenvolvidos, pode ser dividido em três níveis, denominados *horizontes de solo A, B e C*. **2.** Corpo tridimensional constituído por minerais e matéria orgânica inconsolidados, com propriedades morfológicas resultantes de efeitos intempéricos causados por clima, flora, fauna, rocha fonte, topografia e tempo. ⇒ Os solos ocupam uma porção da superfície terrestre, são mapeáveis e comumente compostos de horizontes paralelos à superfície do terreno. A seção vertical de todos os horizontes é denominada *perfil de solo*. ▶ Ver *perfil de solo*.

solo ácido / *acid soil*. Solo no qual a medida do pH é menor que 7, pobre em carbonatos. ▶ Ver *solo*.

solo alóctone / *allochthonous soil*. Solo formado em região distinta daquela na qual se encontra.

solo aluvial / *alluvial soil*. Solo normalmente constituído de horizontes pouco desenvolvidos de natureza argilosa, siltosa ou arenosa, dependendo do sedimento original. ⇒ Os horizontes apresentam cores vivas amareladas e/ou avermelhadas. As camadas mais profundas apresentam cores neutras acinzentadas associadas à presença do lençol freático. ▶ Ver *solo*.

solo orgânico / *organic soil*. Solo integrado por indivíduos hidromórficos, constituídos de matéria orgânica produzida pela vegetação natural hidrófila, que tem decomposição bioquímica retardada devido às condições de encharcamento permanente e à consequente deficiência de oxigênio.

solo solonetz / *solonetz soil*. Solo que ocorre na maioria das vezes em condições áridas, mas que pode ser encontrado também em regiões semiáridas e subúmidas. Usualmente encontrado em depressões, onde é originado por evaporação sob condições de lençol freático raso. É caracterizado pela presença de sais de carbonato de sódio e um horizonte B de coloração escura, de pH muito alcalino.

solto (Port.) (Ang.) / *unconsolidated*. O mesmo que *inconsolidado*. ▶ Ver *inconsolidado*.

solubilidade / *solubility*. **1.** Propriedade de uma substância se dissolver em outra. **2.** Concentração de um soluto em solução saturada, considerando uma determinada temperatura.

solubilidade do gás / *gas solubility*. O mesmo que *razão de solubilidade*. ▶ Ver *razão de solubilidade*.

solução / *solution*. mistura homogênea que apresenta pelo menos uma substância dispersa (soluto) e uma substância dispersante (solvente).

solução anticongelante / *antifreeze solution.* Aditivo destinado a evitar o congelamento de um fluido, quando submetido a baixas temperaturas. ↠ Os principais agentes anticongelantes, inclusive de utilização no dito processamento primário de petróleo, são os alcoóis (metanol e etanol), os etileno-glicóis (mono, di e tri) e o propileno glicol.
solução aquosa / *aqueous solution.* Solução na qual a água é o solvente.
solução salina / *brine.* Solução aquosa, isenta de sólidos, saturada com sal, que pode ser à base de sódio, potássio e cloreto de cálcio ou sódio, cálcio e brometo de zinco, por exemplo. Esse tipo de solução é normalmente usado como fluido de completação.
soluto / *solute.* Substância que é dissolvida em outra substância, chamada de *solvente*, formando uma solução. Solutos podem ser sólidos, líquidos ou gasosos. ↠ O petróleo pode ser considerado uma solução complexa de hidrocarbonetos, onde os solutos são as frações minoritárias, tais como asfaltenos, resinas ou as parafinas pesadas. A água de formação é uma solução com uma grande variedade de solutos salinos dissolvidos. ▶ Ver *solvente*.
solvência / *solvency.* Capacidade que tem um solvente de dissolver, ou extrair, um determinado soluto ou componente de uma mistura. ↠ A solvência é um parâmetro importante na escolha do melhor solvente em trabalhos de remoção de borras e depósitos e na purificação de derivados de petróleo. ▶ Ver *soluto*; *solvente*.
solvente / *solvent.* 1. Substância utilizada para dissolver outra substância. 2. Substância que dissolve um soluto sólido, líquido ou gasoso, resultando uma solução. 3. Componente de uma solução presente em excesso ou no estado físico que é o mesmo da solução. ↠ O solvente mais comum de uso doméstico é a água, porém em muitos processos industriais utilizam-se solventes orgânicos. Existe um grande número de solventes orgânicos comerciais que são extraídos do petróleo, geralmente frações leves. Muitos derivados do petróleo são utilizados como solventes nas mais diversas atividades industriais.
sombra acústica / *acoustic shadow.* Região acusticamente opaca que bloqueia a propagação de uma onda sonora. ↠ As sombras são aspectos importantes na interpretação de um dado de sonar de varredura lateral, pois fornecem informações sobre a altura dos objetos.
sombra de baixa frequência / *low-frequency shadow.* Sombra causada por uma acumulação de gás situada acima das reflexões.
sombreamento / *blanking.* Fenômeno no qual um sinal acústico gerado por um sistema de sonar de varredura lateral é bloqueado por descontinuidades na coluna d'água, resultando em uma área vazia no registro sonográfico. ↠ Pode ser causado pela cavitação do hélice ou por bolhas de ar ou gás porventura presentes na coluna d'água. O casco de uma embarcação também pode causar sombreamento se o transdutor estiver sendo rebocado muito próximo à superfície. Este recurso pode ser útil em levantamentos sísmicos de alta resolução em área muito rasas, a fim de evitar a sobreposição da onda direta com o eco do fundo marinho.
sonar (Port.) (Ang.) / *sound navigation ranging.* O mesmo que *ecossonda*. ▶ Ver *ecossonda*.
sonar ativo / *active sonar.* Sistema de sonar constituído por transdutores capazes de transmitir e receber sinais acústicos. Exemplos de sonares ativos incluem ecobatímetros, sonares de varredura lateral e alguns sistemas de perfiladores de subfundo.
sonar Doppler / *Doppler sonar.* Sonar que usa o efeito Doppler nas ondas acústicas que se refletem no fundo do mar. ▶ Ver *efeito Doppler*.
sonar interferométrico / *interferometric sonar.* Sistema baseado no processo pelo qual duas ou mais ondas acústicas com mesma frequência, mas em fases distintas, interagem para aumentar ou diminuir a amplitude da onda resultante.
sonar passivo / *passive sonar.* Sistema de sonar constituído por apenas um transdutor ou hidrofone capaz de receber apenas sinais acústicos. Um exemplo de sonar passivo são os cabos de hidrofones utilizados em levantamentos sísmicos.
sonda / *rig.* Estrutura de aço no formato de uma torre, composta por um conjunto de equipamentos utilizados para realizar operações de perfuração, completação e intervenção de poços. ↠ Pode ser montada em uma unidade marítima ou terrestre.
sonda articulada / *jack-knife rig.* Sonda de pequena capacidade, montada sobre um caminhão, com mastro ou torre tipo canivete. Também chamada *sonda-canivete*. ▶ Ver *torre-canivete*.
sonda de completação / *completion rig.* 1. Equipamento utilizado para intervenção em poços terrestres ou marítimos, atendendo às atividades de completação. 2. Equipamento utilizado em operações realizadas em um poço, com o objetivo de manutenção da produção/injeção ou restabelecimento das condições mecânicas do mesmo. ▶ Ver *completação*; *intervenção em poço*.
sonda de mastro / *jackknife derrick, mast rig.* O mesmo que *torre-canivete*. ▶ Ver *torre-canivete*.
sonda de perfuração / *drilling rig.* Equipamento utilizado para perfurar e completar poços de petróleo. ↠ Os principais sistemas de uma sonda de perfuração são de: geração de energia, rotação da coluna, movimentação de cargas, circulação de fluido, segurança do poço e monitoramento dos parâmetros de perfuração. ▶ Ver *sonda*.
sonda de perfuração convencional / *conventional drilling rig.* Sonda terrestre de perfuração. Chamada *convencional* por ser o tipo de sonda mais comum no mundo. ▶ Ver *sonda*; *sonda de perfuração*.
sonda de perfuração modulada / *modular drilling rig.* Sonda de utilização temporária mon-

tada sobre uma plataforma fixa marítima ou em terra, que normalmente é utilizada nas atividades de perfuração. ⇨ Pode ser desmontada em módulos para facilitar o transporte e montagem em outra plataforma, daí o seu nome. Suporta uma carga no gancho de aproximadamente 1.000.000 lbf. A sonda modulada também é utilizada nas atividades de completação e intervenção. ▶ Ver *sonda de perfuração*.

sonda de perfuração rotativa / *rotary drilling rig*. Sonda utilizada em perfuração rotativa. Possui uma torre, além de equipamentos responsáveis pela sustentação e elevação de cargas, sistema de circulação e tratamento do fluido de perfuração, sistema de rotação da coluna de perfuração, sistema de segurança do poço, sistema de geração e transmissão de energia, além de equipamentos de monitoramento da perfuração. ⇨ Esta sonda pode estar em terra ou ser colocada em uma estrutura marítima, como plataformas fixas ou flutuantes. ▶ Ver *sonda de perfuração; torre de perfuração; mesa rotativa; bloco de coroamento; sonda; plataforma de petróleo*.

sonda de perfuração submersível / *submersible drilling rig*. Sonda de perfuração montada sobre uma plataforma submersível. ⇨ Uma vez que a locação desejada foi alcançada, a embarcação afunda até ficar apoiada no fundo do mar. Após o término do poço, faz-se a plataforma flutuar, por meio de bombeamento de água para fora dos tanques de flutuação, e seguir para a próxima locação. Normalmente usada em lâmina d'água muito rasa. ▶ Ver *sonda de perfuração; plataforma semissubmersível*.

sonda de produção hidráulica / *snubbing rig*. Sonda de produção na qual válvulas de alta pressão, denominadas *frac valves*, são instaladas no topo da cabeça de poço para isolar o equipamento de *snubbing* do poço, sendo que, acima dessas válvulas é montado o preventor de erupção (*blowout preventer — BOP*). ⇨ São usadas em operações de manutenção de poços, predominante em plataformas fixas. Relativamente compactas, possuem grande facilidade de deslocamento entre plataformas. Nestas sondas é possível retirar ou descer coluna sob pressão (poço vivo) usando um elemento selante resiliente, no qual um equipamento especial é usado para aplicar força externa que ou empurra o tubo para dentro do poço ou controla o movimento do tubo para fora do poço.

sonda de produção modulada / *modular-spaced workover rig*. Sonda modulada de intervenção de poço (*workover*), projetada para atividades de completação e restauração de poços marítimos sobre as plataformas fixas de produção. São parecidas com as sondas moduladas de perfuração, mas geralmente a carga suportada no gancho é bem menor (aproximadamente 400.000 lbf).

sonda de produção terrestre / *onshore production rig*. Sonda utilizada nas atividades de completação e restauração de poço terrestre.

sonda mecânica / *mechanical rig*. Sonda de perfuração na qual a energia gerada nos motores diesel é coletada através de uma transmissão principal (*compound*) por acoplamentos hidráulicos (conversores de torque) e embreagens. ⇨ Os principais equipamentos de perfuração, guincho, mesa rotativa e bombas de lama, são conectados ao *compound* via rodas dentadas, correntes e engrenagens. Este tipo de sonda está em desuso. ▶ Ver *sonda*.

sonda modulada / *modular rig*. Sonda de perfuração ou produção concebida em módulos para facilitar a sua montagem e desmontagem, podendo ser utilizada normalmente em plataformas fixas ou helitransportadas em locais de difícil acesso, como na Região Amazônica. ▶ Ver *sonda*.

sonda semissubmersível / *semi-submersible rig*. Sonda flutuante, tipo semissubmersível e itinerante, utilizada, principalmente, nas atividades de perfuração marítima. ⇨ Uma sonda semissubmersível pode ser fundeada por meio de âncoras no fundo do mar (neste caso usualmente definida como *ancorada*) ou por posicionamento dinâmico (*DP*), executado por um sistema de referência atuante, contínua e dinamicamente, através de propulsores de hélice (*thrusters*). Este tipo de sonda pode ser também utilizado nas atividades de produção marítima, inclusive completação e restauração. ▶ Ver *plataforma semissubmersível; sonda, plataforma de petróleo*.

sondador acústico / *acoustic survey*. Método mais comum para determinação do nível de fluido no anular de um poço de bombeio mecânico. ⇨ Este método funciona com base no princípio da propagação e reflexão de ondas de pressão num meio gaseificado. Usando uma fonte de onda, um pulso de pressão — usualmente um pulso acústico — é produzido a partir da superfície no anular revestimento de produção-coluna de produção. Esse pulso de pressão se propaga na forma de ondas de pressão ao longo da coluna de gás. Essas ondas de pressão são refletidas após encontrar qualquer mudança de área de seção transversal durante sua propagação. As ondas refletidas são identificadas e convertidas em impulsos elétricos por um microfone, também instalado na superfície. Uma avaliação desses sinais refletidos permite a determinação da profundidade do nível de líquido no anular, isso ao se correlacionar tais picos de ondas com a equipagem do poço, em termos de tubos e luvas e seus associados, e respectivos comprimentos. ▶ Ver *bombeio mecânico; bombeio centrífugo submerso*.

sondagem com dipolo horizontal / *horizontal-dipole sounding*. Método de levantamento geofísico eletromagnético feito com um dipolo horizontal.

sonic log. O mesmo que *perfil sônico* ou *perfil acústico*. ▶ Ver *perfil acústico*.

sônico em arranjo / *array sonic*. Ferramenta de perfilagem acústica com vários receptores, geralmente de 4 a 12. •• As ferramentas modernas de perfilagem acústica são projetadas para medir não somente a onda compressional, mas também a onda de cisalhamento e outras ondas geradas pelo transmissor. A separação e identificação dessas ondas são facilitadas pelo uso de um arranjo de receptores dispostos de modo a evitar falseamento e mostrar um 'sobretempo' significativo na onda. As formas de onda em cada receptor são registradas e processadas por técnicas de processamento de sinal, tais como coerência tempo-vagarosidade, para medir as velocidades das diferentes ondas. ▶ Ver *perfil acústico*.

sonificação / *insonification*. Exposição de uma área ou porção do fundo marinho a um sinal sonoro. Um trecho do fundo marinho coberto com imageamento de sonar de que resulte um registro interpretável é considerado *sonificado*.

sonograma / *sonograph*. Registro sonográfico que fornece uma imagem gerada por um sistema de sonar de varredura lateral. •• A imagem pode ser obtida tanto em tempo real como a partir de dados gravados e gerados.

sonolog / *acoustic surveior*. O mesmo que *sondador acústico*. ▶ Ver *sondador acústico*.

sopé continental / *continental rise*. Parte da margem continental que está entre o talude e a planície abissal, exceto em áreas de fossa oceânica. •• Tem uma inclinação relativamente suave, com valores variando de 1:40 até 1:2.000, e sua topografia é geralmente lisa, embora possam, em algumas regiões, ocorrer cânions submarinos.

soquete pneumático / *air hammer*. Fonte sísmica terrestre de baixa energia que utiliza um compactador de terra para geração de energia. O soquete pneumático funciona como um vibrador.

sótão / *attic*. Espaço no topo de um reservatório que fica acima da zona de completação de um poço. Esta zona fica, portanto, inacessível, para que os produtos que se deseja recuperar possam ser drenados diretamente. ▶ Ver *reservatório*.

sotavento / *leeward*. 1. Direção para onde sopra o vento. 2. Denominação dada à porção frontal de dunas.

sour gas. O mesmo que *gás ácido*. ▶ Ver *gás ácido*.

soxhlet. Equipamento usado para extração de betume de amostras de rocha. •• Projetado para deixar que um solvente limpo reflua continuamente através de uma amostra de rocha pulverizada, enquanto o betume extraído é acumulado numa porção reservada.

SP diferencial / *differential SP*. O mesmo que *potencial espontâneo*. ▶ Ver *potencial espontâneo*.

spar buoy. O mesmo que *plataforma SPAR*. ▶ Ver *plataforma SPAR*.

spinning drop. Método utilizado para medir a tensão superficial de um líquido.

sponsor. Empresa responsável pela implantação do *project finance*.

spool. Subconjunto de uma linha de tubulações, formado pelo menos por uma conexão e um trecho de tubo, que é pré-fabricado em oficina de campo (*pipe shop*) com o objetivo de gerar facilidades para a montagem definitiva da tubulação à qual pertence. •• Existem *spools* de pequeno comprimento, com manilhas nas duas extremidades, usadas em árvores de natal para separação e apoio de válvulas no empilhamento dos componentes; existem também *spools* compostos de pequenos tubos cortados especialmente para unir as pontas de dois oleodutos situados em lugares de difícil acesso. Em trabalhos submarinos, são usados pequenos *spools* para ligar um tubo no fundo do mar a um *riser* de uma plataforma. ▶ Ver tie-in.

step-in right. Direito de substituição de parceiros contratuais. •• Instrumento importante de garantia dos direitos do investidor.

stock tank. Barril de óleo nas condições de superfície, após a saída do gás em solução. •• Devido à saída do gás em solução, o volume do óleo em condições de pressão e temperatura de superfície é menor que o volume do óleo nas condições de pressão e temperatura do reservatório (óleo *in place*). ▶ Ver *barril em condição de superfície*.

stock tank emulsion breakers. Agentes químicos que molham o óleo, utilizados nos separadores para separar as emulsões de óleo e água. ▶ Ver stock tank.

stock tank gas. Volume do gás separado de um barril de óleo nas condições de superfície. ▶ Ver stock tank; *barril em condição de superfície*.

straticule. Termo francês para designar uma camada delgada ou lâmina.

sub / *substitute, sub*. Pequenos componentes da coluna de perfuração que desempenham várias funções, de acordo com as suas características. •• Como exemplo, tem-se o sub de cruzamento (*XO*), utilizado para mudar o diâmetro ou o tipo de rosca, o sub de elevação e o sub de salvação, empregados na haste quadrada (*kelly*). Em Portugal, usa-se o termo *adaptador* ▶ Ver *adaptador*.

sub com válvula flutuante / *float sub*. Ferramenta tubular com rebaixo interno, utilizada na coluna de perfuração para alojar a válvula flutuante. ▶ Ver *válvula flutuante*.

sub da broca / *bit sub*. Substituto utilizado para converter a conexão pino da broca em caixa, para que esta seja conectada no primeiro. elemento do BHA (*composição de fundo de poço*). ▶ Ver *broca*; *sub*.

sub de cisalhamento por pressão / *shear-out sub*. Substituto instalado na extremidade inferior da cauda de produção para permitir o tamponamento temporário. •• O objetivo principal é pressurizar o interior da coluna para o assentamento do *packer* hidráulico de produção. Após o assentamento, o sub é rompido com a aplicação de uma pressão maior que a usada no assentamento do *packer*, liberando assim a coluna para a produção ou para a injeção. Também chamado *sub de pressurização*. ▶ Ver *sub*; *sub de pressurização*.

sub de cruzamento / *crossover sub*. Adaptador para acoplamento de dois diferentes tipos de conexão.

sub de elevação / *lifting sub*. Seção curta de coluna de perfuração que é temporariamente conectada ao topo de alguma ferramenta ou a outro tubo para permitir a movimentação na sonda. ↦ Este sub pode ter um perfil externo com uma alça ou com um pescoço. No caso da alça pode-se usar um gancho e um cabo de aço conectado a um guincho pequeno da plataforma. No caso do perfil com um pescoço, usa-se o próprio elevador abaixo da catarina. ▶ Ver *catarina*.

sub de pressurização / *shear sub*. Dispositivo instalado na extremidade inferior da coluna de produção para permitir o tamponamento temporário da mesma. O mesmo que *sub de cisalhamento por pressão*. ▶ Ver *sub de cisalhamento por pressão*.

sub de salvação do *kelly* / *kelly-saver sub*. Tubo curto enroscado na extremidade inferior do *kelly* para sofrer o desgaste causado pelas conexões e desconexões com os tubos de perfuração. Dessa forma preserva-se a rosca pino (extremidade inferior) do *kelly*. ▶ Ver *haste quadrada*; *junta do* kelly.

sub torto / *bent sub*. Ferramenta tubular com aproximadamente 80 cm de comprimento que tem como característica o pino inferior inclinado com relação ao seu eixo longitudinal. Conectada imediatamente acima de um motor de fundo permite desviar a trajetória do poço. ▶ Ver *motor de fundo*; *ferramenta defletora*.

subaéreo / *subaerial*. Designa processos e depósito sedimentares formados na superfície sob atuação de agentes atmosféricos.

subamortecimento / *underdamping*. Condição na qual um sistema oscilante apresenta fator de amortecimento menor que 1 (um).

subarranjo / *sub-array*. Distribuição de canhões de ar comprimido (*air-guns*) com diferentes volumes, que procura atenuar o efeito bolha (*bubble effect*).

sub-balanceado / *underbalanced*. Situação em que o diferencial de pressão poço-reservatório é negativo, ou seja, a pressão do reservatório, ou de qualquer formação permeável exposta, é maior que a pressão hidrostática exercida pelo fluido de perfuração ou completação dentro do poço. ↦ Operacionalmente, estar sub-balanceado significa que a pressão exercida pelo fluido contido no poço é inferior à pressão de poros da formação rochosa exposta. ▶ Ver *pressão hidrostática*.

subcompactação / *undercompaction*. Grau de compactação dos sedimentos inferior à esperada, considerando-se a massa de rochas sobrejacente.

subcorreção / *undercorrection*. Operação na qual a correção é menor que a requerida. ↦ Na interpretação sísmica, pode-se conviver com a subcorreção em várias técnicas: nas análises de velocidade NMO (sobretempo normal), em correções estáticas, conversão tempo-profundidade, migração pré-empilhamento, entre outras. ▶ Ver *sobretempo normal*.

subida da coluna (Ang.) / *pull-out*. O mesmo que *retirada da coluna*. ▶ Ver *retirada da coluna*.

submigração / *undermigration*. Migração de dados sísmicos de reflexão nos quais foram utilizados valores de velocidade menores que os corretos.

subpressão / *underpressure*. 1. Termo utilizado em perfuração petrolífera quando o gradiente da pressão de poro da formação fica abaixo de 0,95 g/cm^3, o que é ocasionado geralmente por espaços vazios na formação, tais como cavernas e fraturas abertas. 2. Pressão de reservatório cuja pressão de fluido é inferior à pressão hidrostática normal. ▶ Ver *gradiente de pressão*.

subsaturada / *undersaturated or unsaturated*. 1. Propriedade que tem uma solução em dissolver mais gás, líquido ou sólido nas condições de pressão e temperatura em que se encontra. 2. Propriedade de uma rocha magamática que contém minerais de baixo teor de sílica.

subsidência tectônica / *tectonic subsidence*. Subsidência de uma bacia sedimentar devido a distensão ou a flexuramento da litosfera. ↦ A subsidência devido a distensão é um processo relacionado ao início da formação de bacias *rifte* e é função da quantidade de estiramento, diminuindo de intensidade com o tempo. A subsidência tectônica relacionada ao flexuramento é um processo contínuo, acelerando-se com o tempo. ▶ Ver *rifte*.

substância bombeada para perda de circulação / *lost-circulation pill*. O mesmo que *colchão de perda de circulação*. ▶ Ver *colchão de perda de circulação*.

substância húmica / *humic substance*. Matéria orgânica com uma razão baixa de hidrogênio/carbono, composta principalmente por madeira e celulose de origem terrestre. ↦ As substancias húmicas geram pouco óleo e algum gás, mas não têm altas capacidades de geração de hidrocarbonetos.

substituição completa de vazios / *complete voidage replacement*. Substituição do volume de fluidos contidos nos poros de uma rocha pelo mesmo volume de um outro fluido injetado. Neste caso, a razão de substituição de vazios é unitária. Mais comumente, faz-se necessária uma injeção de fluidos superior ao volume extraído, devido às perdas do fluido injetado para outras formações.

substituição de fluido / *displacement*. Processo de remoção de um fluido de um poço e sua substituição por outro. ↦ Enquanto o novo fluido é bombeado no poço através da coluna de tubos de perfuração ou revestimento, o fluido original escoa pelo anular para fora do poço. Este processo é muito utilizado na indústria do petróleo, principalmente durante a troca de um fluido de perfuração por um fluido de completação ou por outro tipo de fluido de perfuração, e nas operações de cimentação primária.

substrato rochoso (Port.) / hard rock. O mesmo que *rocha dura*. ▶ Ver *rocha dura*.

sucção de fluidos por êmbolo (Port.) (Ang.) / swabbing. O mesmo que *pistoneio*. ▶ Ver *pistoneio*.

SUEZMAX. Navio petroleiro de óleo cru ou de produtos, com dimensões que permitem sua passagem pelo canal de Suez. ↝ A capacidade de carga do navio varia entre 150 mil e 200 mil TPB, ou cerca de 1,1 milhões de barris.

sulfato de bário / barium sulfate. Depósitos inorgânicos ($BaSO_4$) que na produção de petróleo se formam nas paredes de dutos e plantas de processo. ↝ A técnica de reinjeção de água de formação existente no reservatório do poço aliada à injeção de água do mar, é usada para manter a produção eficiente de óleo e gás. Nas águas de formação encontram-se cátions de diversos elementos químicos, entre eles o cálcio e o bário. Ambos, após entrar em contato com a água do mar, precipitam-se como sulfatos que são de baixa reatividade e solubilidade. Os sulfatos de bário propiciam a formação de depósitos inorgânicos nas paredes dos dutos e nas plantas de processo. Os depósitos, conhecidos como *incrustação*, depois de aderidos à parede interna do duto, vão crescendo rapidamente, são muito duros e de difícil remoção. Essas incrustações reduzem o diâmetro interno do duto e aumentam a rugosidade da parede interna, contribuindo muito para o aumento da perda de carga devido à redução do diâmetro interno do duto e ao aumento do atrito ▶ Ver *barita*.

sulfato de cálcio / calcium sulfate. Sulfato de cálcio hidratado, também denominado *gipso*, é um produto de adição final no processo de fabricação do cimento, com a finalidade de regular o tempo de pega. ↝ O sulfato de cálcio denominado *anidrita*, não possui as propriedades necessárias para seu emprego na fabricação do cimento. A presença de $CaSO_4$ no cimento poderá, em certos casos, provocar efeitos expansivos no concreto ou na pasta de cimento endurecida. ▶ Ver *cimento*.

sulfito de hidrogênio / hydrogen sulfide. Gás extremamente tóxico, formado por hidrogênio e enxofre, que pode causar a morte e que provoca a corrosão dos equipamentos. Conhecido também como *gás sulfídrico*.

sulfureto de hidrogénio (Port. e Ang.) / hydrogen sulfide. O mesmo que *sulfito de hidrogênio*. ▶ Ver *sulfito de hidrogênio*.

sump packer. Obturador inferior de um conjunto de equipamentos de *gravel pack*. Sua principal função é servir de base para o *gravel* (areia selecionada com alta permeabilidade) compactado no revestimento de produção, defronte aos canhoneados da formação produtora. ↝ É normalmente assentado por meio de uma ferramenta que contém uma carga explosiva acionada por corrente elétrica. Este processo é preferido pelos programadores de intervenção, pois a descida do *packer* por cabo elétrico é mais rápida que o assentamento hidráulico com coluna de trabalho. ▶ Ver *GP packer com âncora*.

superfície aplanática / aplanatic surface. Lugar geométrico para um mesmo tempo de trânsito em uma onda refletida ou refratada.

superfície clinoforme / clinoform surface. Superfície inclinada, geralmente associada à progradação de um sistema deposicional, sendo comum em frentes deltaicas e na borda da plataforma continental, formando a transição para o talude continental.

superfície correlata / correlative surface. Superfície em posição distal que corresponde a uma discordância ou limite de sequência em posições mais proximais.

superfície de água subterrânea / ground water surface. Superfície considerada em uma zona de saturação de um aquífero não confinado, onde a pressão exercida é a atmosférica. Sinônimos: *superfície freática* e *nível freático*.

superfície de descontinuidade / discontinuity surface. Superfície situada em uma sequência estratigráfica que separa unidades de composição litológicas e propriedades físicas distintas. ↝ Evidencia hiato na sedimentação, normalmente intraformacional. Se interformacional, não envolve processos erosivos de larga escala. Hierarquicamente inferior à disconformidade.

superfície de erosão / erosion surface. 1. Superfície da terra moldada pela ação de agentes erosivos, como aqueles produzidos por correntes aquosas, ventos, movimento de geleiras, etc. O termo geralmente é aplicado a um nível em superfície. 2. Área litorânea aplanada por exposição subaérea ou erosão marinha durante um rebaixamento do nível do mar, formando discordâncias erosivas. ▶ Ver *discordância erosional*.

superfície equipotencial / equipotential surface. Termo referente a superfícies na qual a função potencial de velocidade é constante, ou seja, superfícies normais ao vetor velocidade do escoamento do fluido.

superfície erosional / erosional surface. Linha que marca o limite entre as determinadas unidades geológicas, produzida por uma erosão. ▶ Ver *erosão*.

superfície específica / specific surface. Área de uma superfície (ou interface), como é o caso encontrado em um sistema de emulsão, na qual a interface existe entre uma fase dispersa e uma fase contínua. A superfície específica é a área total da superfície dividida pela massa contida nesta. ↝ A superfície específica é a área total da superfície dividida pela massa contida nesta.

superfície hidrofílica / *hydrophilic surface*. Superfície que apresenta molhabilidade por fluidos aquosos, definidos como de alta energia ou de energia de coesão elevada. ▶ Ver *molhabilidade*; *coesão*; *energia livre de superfície*.

superfície hidrofóbica / *hydrophobic surface*. 1. Superfície que apresenta molhabilidade por fluidos orgânicos, definidos como de baixa energia ou de energia de coesão baixa. 2. O mesmo que *superfície oleofílica*. ▶ Ver *molhabilidade*; *coesão*; *energia livre de superfície*.

superfície isobárica / *isobaric surface*. Superfície contida dentro de uma linha de contorno que apresenta o mesmo valor de pressão.

superfície lipofílica / *lipophilic surface*. 1. Superfície de molhabilidade preferencial pela fase oleosa. 2. O mesmo que *superfície oleofílica*. ↔ A presença de sítios estruturais constituídos de unidades ~C-H~ confere a essa superfície afinidade preferencial pelo óleo ou compostos orgânicos. Esses sítios têm origem estrutural ou são resultado da adsorção de compostos orgânicos. ▶ Ver *molhabilidade*.

superfície livre / *free surface, free boundary*. Superfície de cima de uma camada de líquido, quando a pressão nela for igual à pressão atmosférica externa.

superfície oleofílica / *lipophilic surface*. Superfície que apresenta molhabilidade por fluidos orgânicos, definidos como de baixa energia ou de energia de coesão baixa. ▶ Ver *molhabilidade*; *coesão*; *energia livre de superfície*.

superfície oleofóbica / *lipophobic surface*. Superfície que não apresenta molhabilidade por fluidos orgânicos (oleosos). ↔ Deve-se observar que tal definição tem o mesmo significado de *hidrofílica*, ou seja, superfície que apresenta molhabilidade por fluidos aquosos, definidos como de alta energia ou de energia de coesão elevada. ▶ Ver *molhabilidade*; *coesão*; *energia livre de superfície*.

supergênico / *supergene*. Depósito mineral ou enriquecimento formado próximo à superfície, comumente por soluções descendentes.

superpetroleiro / *ultra large crude carrier*. Navio-tanque para transporte de petróleo cru com 400.000 tpb (toneladas de porte bruto) ou mais.

supersaturação / *supersaturation*. 1. Solução que possua uma concentração de soluto sólido maior do que a saturação normal nas condições de pressão e temperatura vigentes. A supersaturação é uma solução instável, viabilizando a formação de precipitações. 2. Líquido com um conteúdo de gás dissolvido maior do que o permitido pela saturação normal nas condições de pressão e temperatura vigentes. O gás presente no líquido será liberado, borbulhando, com um mínimo de agitação.

supervisor de pesca (Port. e Ang.) / *fishing supervisor*. O mesmo que *supervisor de pescaria*. ▶ Ver *supervisor de pescaria*.

supervisor de pescaria / *fishing supervisor*. Pescador com experiência acumulada ao longo dos anos, que supervisiona uma ou várias pescarias ao mesmo tempo. ▶ Ver *pescaria*.

supervisório / *supervisory*. Equipamento capaz de trocar informações com os equipamentos de controle propiciando a monitoração e o ajuste remotos dos valores das variáveis do processo. ↔ Normalmente, o supervisório é uma estação de trabalho (computador), alojada na sala de controle. Nessa estação são instalados programas especiais capazes de se comunicar com os equipamentos de controle e intertravamento existentes no processo. ▶ Ver *variável de processo*.

suporte de lançamento / *stinger*. Sistema, rígido ou articulado, ligado à rampa de uma balsa de lançamento de dutos rígidos, que serve para apoiar e direcionar o tubo durante o lançamento submarino do mesmo. ↔ O *stinger* propicia o lançamento de dutos rígidos na forma de *S-lay*, o que limita os esforços nos dutos quando de tal instalação em grandes profundidades. Com o advento de maiores lâminas de água para lançamento de dutos rígidos, os esforços no duto nas proximidades do PLSV (*pipe laying support vessel*/embarcação para lançamento de linhas flexíveis) aumentaram consideravelmente, inviabilizando o lançamento em forma de 'S' de dutos rígidos em águas mais profundas.

supply bond. Instrumento de valor contratual que objetiva a geração da garantia de fornecimento de determinado material, equipamento ou sistema. ▶ Ver performance bond.

supracrustal / *supracrustal*. Rocha metamórfica formada a partir de rochas sedimentares e vulcânicas.

supramaré / *supra tidal*. Zona situada acima do nível médio da preamar. A influência da maré se faz notar apenas nos canais que drenam essa região.

supressão de múltiplas / *multiple suppression*. Atenuação parcial ou total das reflexões sísmicas múltiplas.

suprimento de matéria-prima / *feedstock*. Fornecimento de gás como matéria-prima para refinaria ou petroquímica.

surfactante / *surfactant*. 1. Substância constituída de moléculas anfifílicas que têm na sua estrutura uma parte apolar (grupo hidrófobo ou lipófilo) e uma parte ou grupamento polar (grupo hidrófilo) que apresentam afinidade. 2. Outra propriedade fundamental dos surfactantes é a tendência de formar agregados denominados *micelas* que, geralmente, formam-se a baixas concentrações em água. A palavra *surfactante* origina-se da contração da expressão *surface active agent*, que pode ser traduzida como 'agente de atividade superficial'. ↔ A definição de *surfactante* está associada a um tipo de composto que tem a capacidade de alterar as propriedades superficiais e interfaciais de um líquido. O termo *interface* denota o limite entre duas fases imiscíveis, enquanto o termo *superfície* indica que uma das fases é gasosa. Moléculas tensoativas em presença de óleo e água se adsorvem nas interfaces orientando-se de maneira que o grupo polar fique voltado para a fase aquosa e o grupo apolar para fase oleosa, formando um filme interfacial cujas características mecânicas estão ligadas à propriedades do tensoativo e sua função.

surfactante anfótero / *amphoteric surfactant*. Surfactante que ora age como emulsificador, ora como dispersante. ▶ Ver *surfactante*.

surfactante aniônico / *anionic surfactant*. Surfactante no qual a natureza iônica de seu grupo hidrofílico é aniônica, ou seja, esse grupo possui carga negativa. ▶ Ver *surfactante*.

surfactante catiônico / *cationic surfactant*. Surfactante no qual a natureza iônica do grupo hidrofílico é catiônica, ou seja, este grupo possui carga positiva. ▶ Ver *surfactante*.

surfactante não iônico / *nonionic surfactant*. Surfactante que não apresenta carga elétrica e a sua solubilidade é devida às interações entre as moléculas de água e os grupos polares do grupo hidrofílico. ▶ Ver *surfactante*.

surfactante zwiteriônico / *zwitterionic surfactant*. Surfactante que possui grupos moleculares carregados negativamente e positivamente. ▶ Ver *surfactante*.

***surge*.** Fenômeno indesejável e possível de ocorrer na operação de máquinas de escoamento, tipicamente em compressores e bombas rotodinâmicas, e associado à interação máquina-sistema. ⇢ Na operação de máquinas de escoamento rotodinâmicas variações podem ocorrer devido a várias causas, tais como: escoamento descolando das palhetas do impelidor (devido a estrangulamento que resulte em baixíssimas vazões); abrupta variação na rotação da bomba (eventualmente provocadas por uma abrupta variação da frequência de alimentação elétrica de seu motor); rápida variação de consumo das vazões; alteração do estado físico do fluido bombeado, quando do bombeamento multifásico em altas e variáveis frações de gás livre (*FVG*) etc. Tais variações trazem perturbação ao equilíbrio do sistema e, por vezes, resultam numa operação transiente e traduzida por espontâneas flutuações na capacidade de vazão, pressão e/ou potência. Se tais flutuações decrescerem rapidamente, o sistema retorna à estabilidade, por vezes sendo tal comportamento referido por *surging* incipiente. Entretanto, caso as perturbações resultem em flutuações de crescente amplitude, a estabilidade não é retomada e uma autoexcitação (*surging*) se instaura no sistema. Ao longo do sistema, em consequência dessas rápidas flutuações nas vazões e pressões, são igualmente produzidas cargas dinâmicas que podem atingir elevada intensidade e alto poder destrutivo. A depender da resistência oferecida pelo escoamento, em relação à capacidade da máquina, poderá inclusive ocorrer a parada do bombeamento e seu ulterior retorno para a sucção. Então, em função da diminuição de tal resistência, causada pela própria interrupção do escoamento, o bombeamento é reestabelecido até novamente ser interrompido, e assim sucessivamente, de forma cíclica. No que tange à periodicidade do *surge*, quanto mais compressível o fluido, maior o tempo necessário para a pressão variar para cima e para baixo ao longo do sistema, o que acarreta uma baixa frequência do fenômeno oscilatório e uma elevada capacidade de dano. No bombeamento de líquidos a pressões moderadas, a baixa compressibilidade produz oscilações de elevadíssima frequência e pouco perceptíveis, com isso instaurando transitórios de alta frequência e baixa intensidade. Em função da tal resultado, às vezes se afirma erradamente que o fenômeno de *surge* não ocorre em bombas. Quando da aplicação de bombas multifásicas rotodinâmicas do tipo helicoaxial, tal fenômeno também tem sido observado e revela alta capacidade de dano. No caso de bombeio centrífugo submerso (*BCS*), esse fenômeno também tem sido recentemente reportado, embora ainda não seja bem compreendido para esse tipo de bomba, mas já permitindo inferir que sua ocorrência está fortemente atrelada à alteração nas características do fluido bombeado (petróleo), particularmente devido à presença de gás livre. Essa presença, dependendo de seu nível, pode tornar a mistura em bombeamento fortemente compressível, o que aumenta o potencial de dano do fenômeno, bem como, ao reduzir significativamente a densidade dessa mistura, pode reduzir igualmente a capacidade dessas bombas em bombeamento multifásico de realizar o primeiro estágio do trabalho requerido, que é transferir a energia recebida para a mistura, em forma de energia cinética. ▶ Ver *bomba multifásica*; *bomba multifásica hélico-axial*.

***surge tank*.** O mesmo que *tanque de surgência*. ▶ Ver *tanque de surgência*.

surgência / *natural flow*. Regime de produção no qual a pressão do reservatório é suficiente para promover o fluxo de fluidos até a superfície, sem necessidade de um sistema de elevação artificial. ▶ Ver *vazão*; *pressão de fluxo*.

suspensão / *suspension*. Processo sedimentar pelo qual o material é transportado por um fluido, formando um sistema heterogêneo contendo duas fases que se separam espontaneamente pela ação da gravidade.

suspensor / *hanger*. Equipamento conectado na parte superior de uma coluna de revestimento ou de produção, com a finalidade de suportar seu peso, transferindo-o para a cabeça do poço. ▶ Ver *coluna de revestimento*; *coluna de produção*.

suspensor de cabo / *cable hanger*. Dispositivo usado na mesa rotativa para suportar o peso do cabo de perfilagem, geralmente em operações de pescaria. Este dispositivo elimina toda tensão do cabo entre a mesa rotativa e o guincho.

suspensor de coluna / *tubing hanger*. O mesmo que *suspensor de coluna de produção*. ▶ Ver *suspensor de coluna de produção*.

suspensor de coluna de produção / *tubing neck*. 1. Suspensor de coluna de produção usado em plataforma fixa conjuntamente com o adaptador A-5S. 2. Equipamento que sustenta o peso de toda a parte superior de uma coluna de produção, ou de injeção, de um poço e o transfere para a cabeça de poço submarina. Instalado no interior da cabeça de produção, suporta o peso da coluna de produção/injeção e promove vedação do anular entre a coluna de produção e o revestimento de produção. É responsável pela interface entre a coluna de produção e a árvore de natal. ↬ O *tubing hanger* fica travado na cabeça de poço submarina durante a vida produtiva do poço. Um anel de aço é expandido por pressão hidráulica, transmitida da superfície através da ferramenta de instalação, e trava o suspensor na cabeça do poço (ANM de primeira geração) ou na base adaptadora de produção (ANM para lâmina de água superior a 300 m). Tem dois furos (*bores*) principais para a passagem do fluido do poço e de acesso ao espaço anular entre o revestimento e a coluna de produção, este com uma válvula de retenção acoplada. Possui, ainda, orifícios de passagem de linhas hidráulicas para acionar equipamentos de subsuperfície e de passagem de cabo elétrico. O corpo principal apresenta um pino de orientação para que os furos fiquem alinhados com as extensões da ANM instalada sobre ele. ▶ Ver *árvore de natal molhada*; *base adaptadora de produção (BAP)*; *cabeça de poço*; *suspensor de coluna de produção concêntrico*.

suspensor de coluna de produção concêntrico / *concentric tubing hanger*. Equipamento que sustenta o peso de toda a parte superior de uma coluna de produção, ou de injeção, de um poço e o transfere para a cabeça do poço submarina. Difere do *tubing hanger* convencional, onde os furos de passagem de óleo e gás são excêntricos, pois o *bore* principal é centralizado e dispensa mecanismo de orientação. A válvula de retenção do acesso ao anular é do tipo camisa deslizante. ▶ Ver *árvore de natal molhada*; *cabeça de poço*; *suspensor de coluna de produção*.

suspensor de revestimento / *casing hanger*. Dispositivo que assenta no corpo da cabeça de revestimento e tem como finalidade manter suspensa a próxima coluna de revestimento e proporcionar vedação do anular entre o revestimento suspenso e o corpo da cabeça. ↬ O tipo mais usual consiste em um conjunto de cunhas de fixação e engaxetamento de vedação. Seu assentamento é realizado através do BOP (*blowout preventer*), mediante o envolvimento do revestimento com um sistema de travas e dobradiças. Quando o revestimento é liberado após a cimentação do poço, deve ser obtido um perfeito assentamento e vedação do espaço anular entre os dois revestimentos. ▶ Ver *coluna de revestimento*; *preventor de erupção*; *cimentação*.

suspensor de tubing duplo / *double tubing hanger*. Suspensor utilizado em cabeças de poço com completação dupla. Fica conectado à parte superior de duas colunas de produção, com a finalidade de suportar o peso e garantir isolamento hidráulico entre as colunas e o anular simultaneamente. ▶ Ver *suspensor*; *coluna de produção*.

sustentação de fratura / *proppant flowback*. Manutenção da abertura da fratura após cessado o bombeio do fluido de fraturamento, de maneira a garantir um canal permanente para o escoamento de fluidos da formação para o poço. ↬ A sustentação da fratura é obtida por meio de materiais granulares denominados *propantes*, que são bombeados juntamente com o fluido de fraturamento, alojando-se no interior da fratura e mantendo-a permanentemente aberta. ▶ Ver *fraturamento hidráulico*; *propante*; *abertura de fratura*; *fluido de fraturamento*.

swab. O mesmo que *pistoneio*. ▶ Ver *pistoneio*.

swap de gerenciamento de risco / *swap*. 1. Técnica de gerenciamento contratual na qual duas partes trocam diferentes riscos de mercado para assegurar um preço fixo conhecido, usualmente por um período de tempo significativo. 2. Tipo tradicional de *swap* de petróleo que consiste em contrato no qual uma parte compra por determinado preço fixo e vende pela cotação futura flutuante (definição aplicada para regulação e contratos/análise econômica e financiamento).

sweet spot. 1. Porção do reservatório de petróleo que produz a uma taxa relativamente alta, devido às suas excepcionais características de porosidade e permeabilidade ou devido à sua grande espessura (*net pay*). 2. Área onde duas distintas configurações geológicas se intersectam. ▶ Ver *porosidade*; *permeabilidade*; *reservatório*.

swept zone. Volume da rocha-reservatório efetivamente em contato com os fluidos injetados, durante uma injeção de água ou método de recuperação avançada. ▶ Ver *rocha-reservatório*.

swing producer. Redução na cota da produção de um produto, a fim de evitar uma queda maior de preços, amortecendo os desequilíbrios entre a oferta e a demanda.

swivel. Equipamento que faz a conexão de elementos rotativos com aqueles estacionários nas sondas de perfuração, permitindo com isso que a parte superior fique parada enquanto a inferior rotaciona. ▶ Ver *haste quadrada*; *cabeça de injeção*; *junta rotativa*.

syncrude. Óleo sintético, enriquecido a partir de óleos produzidos em areias betuminosas ou xistos pirobetuminosos. ↬ Os óleos produzidos na bacia do Athabasca, no Canadá, e que correspondem à maior produção mundial de óleos sintéticos a partir de areias betuminosas.

tabela de controlo de erupção (Port.) (Ang.) / kill sheet. O mesmo que *planilha de controle de kick*. ▶ Ver *planilha de controle de kick*.

tabela volumétrica de tanque / tank volume table. Tabela que indica o volume contido em um tanque para cada nível de enchimento.

take or pay (TOP). Retirar ou pagar. Retirada ou pagamento pelo gás natural industrial contratado (acertado), respeitando a tolerância contratual. ↝ Nesta cláusula contratual, estabelece-se a obrigação de o comprador pagar o preço acordado para a compra do gás e para a quantidade especificada, quer o comprador o retire ou não. Já a cláusula *take and pay* obriga o comprador a retirar e a pagar o gás, e se não o retirar, incorre em penalidades conforme estabelecido no contrato.

talude / slope. 1. Superfície com forte inclinação, podendo ser natural ou artificial. 2. Parte da margem continental situada entre a plataforma e o sopé, que apresenta um gradiente relativamente elevado, variando entre 3° e 6°.

talude abaixo / downslope. Talude no sentido de sua base. ▶ Ver *talude*.

talude côncavo / concave slope. Talude cujo perfil morfológico apresenta uma concavidade voltada para cima. ▶ Ver *talude*.

talude continental / continental slope. 1. Parede de declividade acentuada que mergulha da extremidade da plataforma continental para os abismos oceânicos. 2. Província fisiográfica da margem continental que separa a plataforma continental da elevação continental. Começa logo após a quebra da plataforma, com a ocorrência de elevadas declividades (gradientes batimétricos maiores que 1:40), podendo estender-se além dos 3.000 m de profundidade. Seu limite ao largo é o pé do talude (*foot of slope*). ▶ Ver *talude*.

talude marinho (Port.) (Ang.) / marine bank. O mesmo que *banco marinho*. ▶ Ver *banco marinho*.

talvegue / thalweg. 1. Linha de maior profundidade no leito de um rio. 2. Linha sinuosa em fundo de vale, resultante da interseção dos planos de duas vertentes e na qual se concentram as águas que delas descem.

tamanho da areia / sand size. Termo utilizado em sedimentologia para grãos cujos diâmetros estejam entre 1/16 mm e 2 mm (62 a 2.000 micras ou 0,0025" a 0,08" (polegada) ou de 4 a −1 unidades de phi). ▶ Ver *silte*.

tamanho das partículas da argila / clay size. Termo utilizado em sedimentologia para grãos menores do que 1/256 mm (0,00016", polegada). ▶ Ver *silte*.

tamanho de bloco / cobble size. 1. Termo utilizado em sedimentologia para classificar fragmentos cujo diâmetro varia entre 64 mm e 256 mm. 2. Sinônimo de *bloco*.

tamanho de partícula / particle size. 1. Representa a fração de partículas sólidas de uma amostra classificadas em diferentes faixas dimensionais. 2. Dimensão geral (como diâmetro e volume) das partículas em um sedimento ou rocha sedimentar, ou grãos de um determinado mineral que fazem parte de um sedimento ou rocha, baseada na premissa de que as partículas são esferas e suas medidas podem ser expressas como o diâmetro equivalente ao de uma esfera. O tamanho de partícula pode ser determinado por análise de peneiras, difração de luz, microscopia e outros métodos. Esse parâmetro é utilizado, por exemplo, para avaliar a qualidade de fluidos de perfuração e a eficiência de equipamentos de controle de sólidos.

tamanho de partículas de silte / silt size. Termo utilizado em sedimentologia para classificar uma partícula cujo diâmetro se situa entre 1/256 mm (0,00016", polegada) e 1/16 mm (0,0025", polegada). ▶ Ver *silte*.

tamanho do burgau (Port.) (Ang.) / cobble size. O mesmo que *tamanho de bloco*. ▶ Ver *tamanho de bloco*.

tamanho médio das partículas (Port.) (Ang.) / mean particle size. O mesmo que *tamanho de partícula*. ▶ Ver *tamanho de partícula*.

tambor de armazenamento / storage drum. Tambor extra de um guincho para armazenamento de cabo de aço. ↝ Por exemplo, o tambor do cabo de perfuração que armazena o cabo ainda não usado, o qual é corrido para o guincho após uma certa quantidade de trabalho, medida por tonelada-milha.

tambor de trabalho / tension drum. Tambor do guincho de âncora da plataforma para controle (manutenção) da tensão na linha de fundeio.

tampa de abandono (Port.) (Ang.) / abandonment cap, corrosion cap. O mesmo que *capa de abandono*. ▶ Ver *capa de abandono*.

tampa do alojador (Port.) (Ang.) / housing cap. O mesmo que *capa do alojador*. ▶ Ver *capa do alojador*.

tampa ou cobertura da árvore de natal (Port.) (Ang.) / tree cap. O mesmo que *capa da árvore de natal*. ▶ Ver *capa da árvore de natal*.

tampão / plug. Acessório de cimentação utilizado para separar os fluidos durante o deslocamento da pasta de cimento, podendo ser de fundo ou de topo. ▶ Ver *tampão de fundo; tampão de topo*.

tampão cego (Port.) / *blank plug*. O mesmo que *plugue cego*. ▶ Ver *plugue cego*; *tampão*.

tampão curto para tubagem ou válvula (Port.) / *bull plug*. O mesmo que bull plug. ▶Ver bull plug; *tampão*.

tampão de abandono / *abandonment plug*. Tampão de cimento feito para abandono, temporário ou permanente, de um poço. ▶Ver *tampão*.

tampão de argila / *clay plug*. Depósito sedimentar que contém argila e silte e que preenche um meandro abandonado. ▶ Ver *silte*.

tampão de cimento / *cement plug*. Determinado volume de pasta bombeado para o poço com a finalidade de cobrir um trecho desse poço. ↠ Pode ser utilizado nos casos em que ocorre perda de circulação, abandono total ou parcial do poço, desvio etc. ▶ Ver *estendedor*.

tampão de coluna (Port.) / *hydro trip*. O mesmo que *plugue de coluna*. ▶ Ver *plugue de coluna*; *tampão*.

tampão de controlo de perda de circulação (Ang.) / *lost-circulation plug or pill*. O mesmo que *tampão de perda de circulação*. ▶ Ver *tampão de perda de circulação*.

tampão de desobstrução de condutas (Port.) / *rabbit*. O mesmo que *gabarito*. ▶ Ver *gabarito*.

tampão de fundo / *bottom plug*. Tampão de borracha com uma membrana de baixa resistência em sua parte central e que é lançado à frente da pasta de cimento na operação de cimentação do poço. ↠ O tampão é empurrado pela pasta até tocar no colar, quando a membrana se rompe permitindo a passagem da pasta. ▶ Ver *colar*; *tampão*.

tampão de perda de circulação / *loss-circulation plug*. Tampão utilizado para remediar ou sanar a ocorrência de perdas de circulação nos poços e que é por norma colocado em frente à zona de perda de circulação. ↠ Pode ter em sua composição uma vasta gama de materiais, tais como mica, carbonato de cálcio, casca de noz, fibras celulósicas etc. Também chamado *tampão de combate à perda* ou *tampão de LCM* (*lost circulation material*). Geralmente essa técnica é mais econômica do que uma cimentação secundária, ou *squeeze*. Neste caso, os aditivos especiais (como, por exemplo, estendedores, agentes tixotrópicos ou fibras sintéticas) incorporam-se à pasta para conter a perda.

tampão de testemunho (Port.) / *core plug*. O mesmo que *plugue de testemunho*. ▶ Ver *plugue de testemunho*.

tampão de topo / *top plug*. Tampão rígido de borracha lançado após a pasta de cimento na operação de cimentação do poço, separando-a do fluido que a deslocará, evitando-se assim sua contaminação. ↠ Quando é retido no colar há um aumento de pressão, indicando o término do deslocamento. ▶ Ver *tampão*.

tampão mecânico / *bridge plug*. 1. Tampão instalado dentro do revestimento de produção para isolar determinados intervalos de poço, que se situam abaixo da profundidade de assentamento do tampão. **2.** Dispositivo instalado em poço revestido para isolamento temporário ou definitivo da parte inferior do poço. ↠ Os tampões mecânicos podem ser do tipo (*I*) recuperável (*BPR*, bridge *plug* recuperável / retrievable bridge plug), que pode ser instalado e desinstalado várias vezes e (*II*) permanente (*BPP*, *bridge plug permanente* / *permanent bridge plug*), que após instalado só pode ser removido por meio de corte. Observa-se que o tampão mecânico recuperável é usado nos poços de óleo e gás, sendo composto de um mecanismo de assentamento e ancoragem, um mecanismo de travamento e destravamento e um mecanismo de vedação e antiaderência. O *bridge plug* com o mecanismo de autotravamento pode ser descido ou com coluna de perfuração (neste caso chamada de coluna de assentamento) ou com uma unidade de cabo (*wireline*), e fornecer vedação confiável nos dois sentidos. Pode ser removido com uma ferramenta especial após o uso, para ser reutilizado repetidamente após uma simples manutenção. ▶ Ver *revestimento de produção*; *tampão*.

tampão mecânico de obstrução de poço / *bridge plug*. Acessório de separação física, por intermédio de barreira sólida mecânica, apto a conter ou isolar os fluidos dos diferentes intervalos de rocha porosa capazes de armazenar e produzir fluidos. ▶ Ver *tampão*.

tamponamento / *tamping, plugging*. Enchimento do furo do tiro com material, para evitar fragmentos da explosão e/ou melhorar o casamento do material explosivo com a terra, com isso melhorando também a conversão da energia explosiva em energia sísmica.

tamponamento de zona de poço por aluimento (Port) / *packoff*. O mesmo que *tamponamento de zona de poço por enchimento*. ▶ Ver *tamponamento de zona de poço por enchimento*.

tamponamento de zona de poço por enchimento / *packoff*. Dispositivo com um elemento vedante de elastômero, que depende da pressão abaixo da vedação para efetivar o selo do anular. Usado principalmente para descer ou retirar coluna sob baixa ou moderada pressão. ↠ Este dispositivo não é confiável para serviço sob alta pressão diferencial.

tamponamento e abandono / *plugging and abandonment*. 1. Conjunto de operações destinadas a isolar, entre si e da superfície, os fluidos de formação. **2.** Realização de tampões de cimento no poço para o isolamento hidráulico do poço.

tamponar com cimento / *plug-back cementing*. Bombear para o poço determinado volume de pasta de cimento com a finalidade de cobrir um trecho do poço. ↠ Os tampões de cimento são utilizados nos casos de perda de circulação, abandono total ou parcial do poço, como base para desvios em poços direcionais, isolamento de intervalos e teste de formação. ▶ Ver *pasta de cimento*; *tampão*.

tanque central aberto para o mar / ***moonpool***. Passagem existente no convés de uma plataforma de perfuração ou intervenção em poços, posicionada logo abaixo da torre de perfuração, pela qual passam as ferramentas e/ou componentes da completação de poços quando da execução dessas operações. ▶ Ver *torre de perfuração*.

tanque de aferição / ***gauge tank***. Tanque situado a jusante do separador, utilizado para aferição de medidores de vazão, para o qual é desviado o fluxo do poço por alguns instantes. ↔ Pode-se obter o fator de correção do medidor por meio da comparação entre o volume efetivamente produzido para o tanque de aferição, medido após o encolhimento (após segregar todo o gás à pressão atmosférica) e o volume medido pelo medidor de vazão do separador em um intervalo de tempo arbitrado. ▶ Ver *fator de acurácia do medidor*; *tanque de medição*.

tanque de armazenamento atmosférico / ***atmospheric storage tank***. Equipamento de caldeiraria pesada, sujeito a pressão atmosférica (aproximadamente), destinado, principalmente, ao armazenamento de petróleo e seus derivados. A construção de um tanque de armazenamento normalmente é regulamentada pela norma americana API 650 *welded steel tanks for oil storage*, do *American Petroleum Institute (API)*. ↔ No Brasil utiliza-se também a norma NBR 7821 'Tanques Soldados para Armazenamento de Petróleo e Derivados', publicada pela Associação Brasileira de Normas Técnicas (ABNT). Os tanques de armazenamento atmosféricos, tipicamente encontrados em refinarias, terminais, bases de distribuição, parques industriais etc., são construídos numa ampla faixa de capacidades, desde 100 barris (16m³) até aproximadamente 550.000 barris (87.500m³). Esses tanques são classificados, conforme a natureza do teto, em tanques de teto fixo, tanques de teto móvel, tanques de teto fixo com diafragma flexível e tanques de teto flutuante.

tanque de aumento súbito de pressão / ***surge tank***. O mesmo que *tanque de surgência* e *separador atmosférico*. ▶ Ver *tanque de surgência*; *separador atmosférico*.

tanque de calibração / ***tank prover***. Medida materializada de volume, utilizada como padrão volumétrico para calibração de medidores de vazão. ↔ O tanque de calibração é também utilizado para calibrar provadores de deslocamento mecânico. Pode ser um vaso aberto ou fechado com volume conhecido. ▶ Ver *tanque de teste*; *tanque de prova*.

tanque de deslocamento / ***displacement tank***. Tanque de pequeno volume utilizado para medida precisa da água de mistura para a produção de pasta de cimento. ↔ Em geral, as unidades de cimentação são dotadas de um tanque dividido internamente em duas partes iguais, formando dois tanques de deslocamento de igual volume (normalmente de 10 barris) que recebem a água de mistura dos tanques de estocagem e alimentam alternadamente o misturador de cimento. Os aditivos líquidos podem ser misturados à água nos tanques de estocagem ou adicionados aos tanques de deslocamento.

tanque de drenagem / ***slop tank***. Tanque ou vaso destinado a receber a drenagem fechada e a drenagem aberta provenientes de bandejas de fundo das bacias de contenção dos equipamentos. ↔ O termo *vaso* deve ser empregado quando o equipamento for projetado para resistir à pressão (seja positiva ou negativa), ou seja, for dimensionado seguindo padronização reconhecida para projeto desse tipo de equipamentos (por exemplo, ASME VIII). Caso o projeto não contemple resistência à pressão, o equipamento é denominado *tanque*.

tanque de lama / ***mud tank***. 1. Tanque utilizado para fabricar ou armazenar fluidos de perfuração ou completação. 2. Buraco ou barragem escavados para armazenar lama de perfuração ou fluidos descartados durante a perfuração de poços.

tanque de manobra / ***trip tank***. Tanque auxiliar, cujo objetivo é o de monitorar os volumes de fluidos deslocados pela tubulação durante as manobras, através de um sistema de circulação fechado.

tanque de medição / ***measuring tank***. Tanque calibrado que mede o volume dos líquidos nele depositados. ▶ Ver *tanque de aferição*.

tanque de óleo morto / ***stock tank***. Tanque de armazenamento de óleo desgaseificado existente nas estações coletoras de petróleo. ▶ Ver *óleo morto*.

tanque de óleo motriz / ***power-oil tank***. Tanque de óleo motriz localizado antes da bomba tríplex nas estações centrais de fluido motriz. Utilizado na elevação de petróleo em poços produzidos pelo método de bombeio hidráulico.

tanque de óleo recuperado / ***recovered-oil tank***. O mesmo que *tanque de drenagem*. ▶ Ver *tanque de drenagem*.

tanque de prova / ***tank prover***. O mesmo que *tanque de calibração*. ▶ Ver *tanque de calibração*; *tanque de teste*.

tanque de quebra de emulsão / ***emulsion breaker tank***. Tanque destinado a promover a quebra da emulsão, com o auxílio de desemulsificantes e, geralmente, com a adição de calor. ↔ O volume do tanque permite um tempo de residência elevado, de modo que o desemulsificante consiga migrar para a interface das gotículas dispersas e atue desestabilizando o filme formado pelos tensoativos naturais presentes no óleo, promovendo a coalescência e decantação da água dispersa.

tanque de *surge* / ***surge tank***. O mesmo que *tanque de surgência*. ▶ Ver *tanque de surgência*.

tanque de surgência / *surge tank.* 1. Tanque utilizado para amortecer pulsações de escoamento multifásico. 2. Tanque utilizado para aferir o retorno do fluido de perfuração em sondas flutuantes devido à movimentação do *riser* de perfuração. 3. O mesmo que *tanque de surge* e *surge tank.* ▶ Ver *surgência*; *separador atmosférico*.

tanque de tampão / *slug pit.* Tanque utilizado para fabricar ou armazenar pequenos volumes de fluidos de perfuração ou completação.

tanque de teste / *tank prover.* O mesmo que *tanque de calibração*. ▶ Ver *tanque de calibração*; *tanque de prova*.

tanque misturador de pasta (Ang.) / *batch mixer tank.* O mesmo que *tanque pré-misturador de pasta*. ▶ Ver *tanque pré-misturador de pasta*.

tanque para aumento de pressão (Port.) / *surge tank.* O mesmo que *tanque de surgência*. ▶ Ver *tanque de surgência*.

tanque pré-misturador de pasta / *batch mixer tank.* 1. Equipamento utilizado para preparar pastas de cimento em operação de cimentação de poços em bateladas, com o objetivo de se obter pastas mais homogêneas e com massa específica mais controlada. 2. Consiste em um vaso com sistema de recirculação, onde o material seco é adicionado a água de mistura previamente preparada, agitadores mecânicos e um sistema de válvulas para controlar a alimentação de água e o direcionamento da pasta preparada. ▶ Ver *pasta de cimento*; *cimentação*; *unidade de cimentação*.

taper mill. Ferramenta de pescaria de destruição, enchida com carbureto de tungstênio, de formato cônico alongado, para abrir ou escarear tubulações fechadas. ▶ Ver *pescaria*.

taper tap. Ferramenta de pescaria de agarramento interno construída como um cilindro cônico com rosca externa ao mesmo, de aço temperado, na qual seu menor diâmetro fica em sua extremidade. ▶ Ver *pescaria*.

tapete algáceo (Port.) (Ang.) / *algal mat.* O mesmo que *tapete algálico*. ▶ Ver *tapete algálico*.

tapete algálico / *algal mat.* Camada produzida pelo crescimento de uma comunidade de algas que forma verdadeiros tapetes, e observada no presente ou em antigos ambientes sedimentares de maré, associados com a sedimentação carbonática. ▶ Ver *rocha carbonática*.

tarifa externa comum (TEC) / *common external tariff.* Tarifa empregada como instrumento de regulação das importações — inclusive de equipamentos para a indústria do petróleo — dos países associados em uma união aduaneira ou em um mercado comum.

tasmanita / *tasmanite.* O mesmo que *folhelho combustível*. ▶ Ver *folhelho combustível*.

tasmanite (Port.) / *tasmanite.* O mesmo que *tasmanita* ou *folhelho combustível*. ▶ Ver *folhelho combustível*.

taut leg. Cabo tensionado utilizado para ancoragem de plataformas.

taxa anual de declínio da produção / *annual production decline rate.* Taxa de declínio da produção de um poço ou campo, que normalmente apresenta uma redução exponencial.

taxa de calibragem (Port.) / *sorting rate.* O mesmo que *índice de seleção*. ▶ Ver *índice de seleção*.

taxa de circulação / *circulation rate.* Vazão com que um determinado fluido escoa no sistema do poço, dentro das colunas e no espaço anular.

taxa de cisalhamento / *shear rate.* Razão de variação da velocidade na direção normal ao escoamento. Em um escoamento laminar, razão de velocidades relativas das lâminas de fluido paralelas quando submetidas a uma força de cisalhamento. ↦ Trata-se da variação de velocidade de uma camada de fluido em relação à camada imediatamente adjacente. As camadas mais próximas da parede da tubulação têm velocidade menor que a das camadas mais próximas ao centro do duto de escoamento. ▶ Ver *força cisalhante*.

taxa de comunicação / *baud rate.* Medida de velocidade de sinalização que representa o número de mudanças na linha de transmissão (frequência, amplitude, fase ou eventos) por segundo. ↦ Para se determinar a taxa de transmissão de um canal em bits por segundos (bps), devem ser levados em consideração o tipo de codificação de dados utilizado e a velocidade de sinalização do canal de comunicação.

taxa de corrosão / *corrosion rate.* Taxa que mede o efeito da corrosão sobre o metal por unidade de tempo. ↦ A unidade que expressa a taxa de corrosão depende do sistema de unidades e do tipo de corrosão. Assim, a taxa de corrosão pode ser expressa em um aumento da profundidade por unidade de tempo (taxa de penetração, mm/ano) ou pela perda de massa causada pela corrosão por unidade de área e de tempo (perda de massa, por exemplo, g/m^2/ano). ▶ Ver *corrosão*.

taxa de crescimento de ângulo / *build-up rate, build up rate.* Taxa de crescimento ou ganho do ângulo em um trecho curvo do poço com aumento de inclinação. Normalmente essa unidade é em graus/30 m ou graus/100 ft.

taxa de deformação / *strain rate.* Razão entre a diferença das velocidades (v) entre duas partículas e a distância (y) entre as mesmas. ↦ A dimensão da taxa de deformação é [T^{-1}].

taxa de detonação / *firing rate.* Intervalo de tempo entre dois tiros consecutivos para geração de uma onda sísmica.

taxa de falhas / *failure rate.* Relação entre o número de falhas que ocorrem em um componente, equipamento ou sistema e o tempo de operação (ou *tempo calendário*) ou entre o número de falhas e o número total de demandas nas quais essas falhas ocorrem. ↦ A taxa de falhas normalmente é representada por λ..

taxa de fluxo ótima / *optimum rate of flow or production.* Máxima taxa de produção de um poço que não reduz o fator de recuperação final.

taxa de ganho de ângulo / *build-up rate, BUR.* É a taxa de aumento de inclinação em um determinado trecho curvo do poço. Geralmente é expressa em graus por cada 30 metros (°/30 m) ou 100 ft (°/100 ft). •» Em trechos onde não haja variação de direção, a taxa de ganho de ângulo se confunde com o *dog leg severity* (*DLS*). O mesmo que *taxa de crescimento de ângulo.* ► Ver *inclinação*; *severidade de curvatura*; *taxa de perda de ângulo.*

taxa de nacionalização (Port.) / *nationalization rate.* O mesmo que *conteúdo local.* ► Ver *conteúdo local*; *índice de nacionalização.*

taxa de nafteno (Port.) (Ang.) / *naphthene rate.* O mesmo que *índice de nafteno.* ► Ver *índice de nafteno.*

taxa de n-parafina (Port.) (Ang.) / *n-paraffin rate.* O mesmo que *índice de n-parafina.* ► Ver *índice de n-parafina.*

taxa de oxigênio (Port.) (Ang.) / *oxygen rate.* O mesmo que *índice de oxigênio.* ► Ver *índice de oxigênio.*

taxa de penetração / *rate of penetration (ROP), penetration rate.* 1. Parâmetro de perfuração que indica a velocidade com que a broca penetra na formação rochosa durante a perfuração de um poço de óleo ou gás. As unidades mais utilizadas são m/h e ft/h. 2. Razão entre o intervalo de rocha perfurada por unidade de tempo. O mesmo que *razão de penetração.* ► Ver *razão de penetração.*

taxa de perda de ângulo / *drop off rate.* Taxa de redução da inclinação com a profundidade. Normalmente mede-se em graus por metro (°/m), graus por 30 metros (°/30 m) ou graus por 100 pés (°/100 ft). ► Ver *taxa de ganho de ângulo.*

taxa de precipitação precedente (Port.) (Ang.) / *antecedent precipitation index (API).* O mesmo que *índice de precipitação precedente.* ► Ver *índice de precipitação precedente.*

taxa de preços para gás (Port.) (Ang.) / *rate pricing approach.* O mesmo que *índice de preços para gás.* ► Ver *índice de preços para gás.*

taxa de preferência de carbono / *carbon preference rate (CPR).* O mesmo que *índice de preferência de carbono.* ► Ver *índice de preferência de carbono.*

taxa de produção / *production rate, production tax.* Taxa que fornece a velocidade da produção de um poço em barris por dia (BPD).

taxa de produção máxima / *maximum production rate.* Taxa máxima de produção permitida para um poço.

taxa de produtividade (Port.) / *productivity rate.* O mesmo que *índice de produtividade.* ► Ver *índice de produtividade*; *índice de injetividade (II).*

taxa de produtividade da fonte (Port.) (Ang.) / *source productivity rate.* O mesmo que *índice de produtividade da fonte.* ► Ver *índice de produtividade da fonte.*

taxa de retorno de capital (Port) / *rate of return on capital.* 1. Índice da rentabilidade das empresas, obtido pela multiplicação da margem operacional líquida (lucro líquido operacional dividido pelas vendas) pelo giro (vendas divididas pelo ativo operacional). 2. Fluxo de caixa ocorrido quando sua taxa de desconto, considerada para a correspondente data-base, é igual a zero e o seu cálculo envolve uma solução por tentativas (*trial-and-error*), pois não pode ser calculada diretamente. •» Especificamente, em análise econômica de projetos internacionais do petróleo, usa-se o *internal rate of return* ou simplesmente *rate of return*, que mede a taxa efetiva de retorno obtida pelo investimento feito no projeto, como se o capital tivesse sido emprestado a essa mesma taxa. ► Ver *taxa interna de retorno (TIR).*

taxa de sucesso exploratório / *exploratory success rate.* O mesmo que *índice de sucesso exploratório.* ► Ver *índice de sucesso exploratório.*

taxa de transmissão de dados / *data rate.* Taxa ou velocidade em que as medidas são transmitidas entre a ferramenta de perfilagem dentro do poço e o equipamento de registro na superfície. •» Nas medidas durante a perfuração (MWD), se a taxa de transmissão for baixa em relação à velocidade de perfuração ou de manobra, o intervalo de amostragem ou quantidade de dados transmitidos deverá ser reduzido para que não haja perda de informações. Em perfilagem a cabo, a taxa de transmissão de dados pode limitar a velocidade de perfilagem ou o número de ferramentas combinadas. ► Ver *telemetria.*

taxa de viscosidade (Port.) (Ang.) / *viscosity rate (VR).* O mesmo que *índice de viscosidade.* ► Ver *índice de viscosidade.*

taxa interna de retorno (TIR) / *internal rate of return.* 1. Taxa que fornece o efetivo retorno de um investimento expresso em um determinado percentual. 2. Taxa efetiva de retorno obtida pelo investimento feito num projeto como se o capital tivesse sido emprestado a essa mesma taxa. ► Ver *retorno de investimento.*

tê de escoamento / *flow T.* Acessório de tubulação, no método de produção por bombeio mecânico, montado na região superior da coluna de produção, abaixo da caixa de gaxetas, e que interconecta o interior dessa coluna à linha de produção, por onde é exportada a produção do poço. O mesmo que *tê de fluxo*, *tê de produção.* ► Ver *bombeio mecânico*; *coluna de produção.*

tê de fluxo / *flow T.* O mesmo que *tê de produção* e *tê de escoamento.* ► Ver *tê de escoamento.*

tê de produção / *flow T.* O mesmo que *tê de escoamento.* ► Ver *tê de escoamento.*

técnica CDP / *CDP (Common Depth Point) technique.* O mesmo que *ponto comum em profundidade.* ► Ver *ponto comum em profundidade.*

técnica de completação / *completion technique*. 1. Termo genérico usado para descrever o conjunto de operações e equipamentos utilizados no poço de forma a transformar o esforço de perfuração de um poço em uma unidade produtora de óleo ou gás, ou ainda uma unidade de injeção de fluidos para o reservatório. 2. Conjunto de técnicas e procedimentos que caracterizam os diferentes tipos de completação: quanto ao *(I)* revestimento de produção (a poço aberto ou revestido); *(II)* número de zonas completadas (completação simples, dupla ou múltipla); e *(III)* posicionamento da cabeça (seca ou molhada). ↝ Modernamente utilizam-se técnicas de completação inteligente, onde através de uma mesma tubulação pode-se produzir controladamente fluidos de diversas zonas. ▶ Ver *completação*.

técnica de controle / *control technique*. Metodologia composta de algoritmos que têm como função gerenciar, comandar, direcionar ou regular o comportamento de um dispositivo ou sistema.

técnica de pescaria por corte e enroscamento / *cut and thread fishing technique*. Método para recuperar ferramenta a cabo presa em um poço. ↝ Na operação de corte e enroscamento, o cabo de perfilagem é inicialmente agarrado firmemente com uma ferramenta especial (barra em T / *T-Bar*) e cortado na superfície. As extremidades do cabo são preparadas para subsequente conexão. A extremidade cortada é introduzida na ferramenta pescadora (*overshot*) e em uma seção de tubos. Esta primeira seção é descida no poço e em seguida o cabo é novamente enroscado em outra seção. A operação se repete até o 'peixe' ser alcançado e recuperado. Esta técnica, embora perigosa e morosa, proporciona grande probabilidade de recuperação. ▶ Ver *pescaria*.

técnica de recuperação avançada / *improved-recovery technique*. Técnica de engenharia utilizada para auxiliar no deslocamento natural dos fluidos de reservatório, incluindo a manutenção da pressão e o deslocamento do óleo por injeção de água e/ou gás, a redução da viscosidade do óleo, a melhoria do varrido, ou a redução da tensão interfacial. ↝ Tais métodos, entre outros, incluem a injeção de vapor, combustão *in situ*, injeção de polímeros, injeção de surfactantes, deslocamento miscível por gás hidrocarboneto ou CO_2. ▶ Ver *método de recuperação avançada*; *reservatório*.

técnico de pesca (Port.) / *fishing hand*. O mesmo que *técnico de pescaria*. ▶ Ver *técnico de pescaria*.

técnico de pescaria / *fishing hand*. Profissional responsável pelo conjunto de operações realizadas com o objetivo de liberar uma coluna presa ou quebrada, ou recuperar ferramentas ou ferros caídos ou deixados em um poço de petróleo. O mesmo que *técnico de pesca*. ▶ Ver *pescaria*.

tectônica sedimentar / *sedimentary tectonics*. Estudo dos aspectos tectônicos envolvidos na sedimentação de um pacote estratificado ou em uma bacia sedimentar. ▶ Ver *bacia sedimentar*.

tefrito / *tephrite*. Rocha extrusiva de carácter basáltico, primariamente constituída por plagioclase cálcica, augita, nefelina ou leucita com sanidina acessória. ▶ Ver *rocha extrusiva*.

tela / *screen, sand screen*. Equipamento, composto basicamente de um filtro metálico, instalado no poço com a finalidade de impedir a produção de areia associada ao óleo e/ou gás, em poços completados em arenitos de baixo grau de consolidação. ↝ Dependendo do tipo de instalação da tela, a completação pode ser classificada em *stand alone*, onde a tela é o dispositivo único de contenção da areia; e *gravel pack*, onde um pacote de areia instalado no espaço anular entre a tela e a parede de poço é o filtro principal, passando a tela a ser o filtro secundário, responsável por manter o *gravel* empacotado. Quanto à concepção da tela, ela pode ser classificada em *wire-wraped*, *premium* e pré-empacotada. ▶ Ver *controle de produção de areia*; *tubo ranhurado*; *gravel pack*.

tela de contenção de areia / *sand control screen*. O mesmo que *tela*. ▶ Ver *tela*; *controle de produção de areia*; *tela expansível*; *tubo ranhurado*; *gravel pack*.

tela expansível / *expandable screen*. Equipamento de exclusão ou controle de areia (tela de contenção de areia) que pode ser expandido radialmente após ser descido dentro do poço, com o auxílio de uma ferramenta de expansão normalmente denominada *expansor cônico*. ▶ Ver *tela de contenção de areia*.

telemetria / *telemetry*. Transmissão de dados a partir de um equipamento localizado em algum local remoto ou de difícil acesso para um lugar onde essas informações podem ser armazenadas e processadas. ↝ Na indústria do petróleo, a telemetria tem formas variadas. Um dos casos é o gerenciamento de poços de petróleo quando sensores de superfície ou instalados no interior do poço geram dados relativos ao comportamento deste e, geralmente usando sinais de rádio, elétricos ou transmitidos por fibra óptica os transmite a um centro de controle que os processa e monitora os resultados. Outra aplicação se dá durante a perfuração de poços, quando ferramentas instaladas na coluna de perfuração geram dados relativos às formações que estão sendo perfuradas (perfis), à trajetória do poço (inclinação e direção), temperatura, pressão e outros parâmetros e os transmite para a superfície, onde são decodificados, processados e armazenados. Para tanto, utiliza-se a telemetria por variação de pressão do fluido de perfuração por dentro da coluna. A telemetria é muito utilizada nos campos de produção em terra, onde os poços estão dispersos geograficamente, o que inviabiliza a comunicação com a sala de controle por meio de cabos. Nesses casos, utiliza-se a comunicação via rádio entre a sala de controle e os poços. ▶ Ver *in-*

dústria do petróleo; coluna de perfuração; sala de controle.

telesismo / *teleseism*. Sismo com epicentro longe do local onde se faz a observação, a uma distância que pode ser da ordem dos milhares de quilômetros.

temperatura absoluta / *absolute temperature*. 1. Temperatura medida numa escala em que zero grau corresponde ao zero absoluto. 2. Temperatura medida em graus Kelvin a partir de –273,16 °C, ou em graus Rankine a partir de –459,69 °F. ↝ Temperatura que não depende de medida nem da substância ou propriedade utilizada para medi-la. ▶ Ver *temperatura crítica*.

temperatura ambiente / *ambient temperature*. Temperatura do meio no qual um sistema (equipamento ou processo) está inserido e que troca calor com este. ↝ Em termos laboratoriais, é a temperatura situada entre 21 °C e 23 °C.

temperatura crítica / *critical temperature*. 1. Temperatura acima da qual uma determinada substância existe apenas na fase gasosa, independentemente da pressão. 2. Temperatura acima da qual um gás real não pode ser liquefeito por compressão isotérmica. A temperatura crítica, juntamente com a pressão crítica, é utilizada para determinar a fase na qual uma substância é encontrada e para calcular o fator de compressibilidade. ▶ Ver *pressão crítica*.

temperatura de aparecimento de cristais / *wax appearance point*. Temperatura na qual os primeiros cristais de parafina saem da solução, provocando mudanças na reologia do petróleo.

temperatura de circulação / *circulating temperature*. Temperatura máxima à qual a pasta está exposta durante a operação de cimentação. ↝ Normalmente é inferior à temperatura estática da formação devido ao efeito de circulação do fluido de perfuração. A temperatura de circulação para as operações de cimentação primária é chamada comumente na literatura mundial de *BHCT* (*bottomhole circulating temperature*; *temperatura de circulação no fundo do poço*).

temperatura de formação de parafina / *wax appearance temperature*. Temperatura em que, num ciclo de resfriamento, o óleo cru precipita a primeira parafina sólida. Essa temperatura é a mais importante característica quando se examina o potencial de deposição de parafina. ↝ A deposição de parafina leva a vários problemas na redução de produção e prejudica o escoamento. Uma deposição severa pode levar à perda de produção e ao bloqueio da linha de produção.

temperatura de fundo / *bottomhole temperature*. 1. Temperatura no fundo do poço, medida na sua profundidade total. 2. Temperatura máxima medida durante a obtenção de um conjunto de dados, quando da perfilagem de um poço.

temperatura de fundo de poço / *bottom-hole temperature (BHT)*. Temperatura estática de fundo de poço, também denominada *BHST* (*bottom hole static temperature*). ↝ Existem diversos métodos para sua obtenção, como, por exemplo, pela estimativa do gradiente geotérmico médio de um campo, pelas informações obtidas de registradores de temperatura descidos no poço ou pelas informações de medidas de temperatura enquanto perfurando.

temperatura e pressão padrões / *standard temperature and pressure*. Condições de referência da indústria do petróleo relativas a pressão e temperatura. ↝ Os padrões normalmente usados nos Estados Unidos são de temperatura de 60 °F e pressão de 14,7 psia. No Brasil, os padrões usados na indústria do petróleo são de temperatura de 20 °C e pressão de 1 atm.

temperatura reduzida / *reduced temperature*. Razão entre a temperatura absoluta de um gás e sua temperatura crítica. ▶ Ver *volume reduzido*; *pressão reduzida*.

template. Estrutura instalada no fundo do mar a partir da qual se perfuram vários poços para desenvolver um campo petrolífero. ▶ Ver *estrutura múltipla*.

tempo absoluto / *absolute time*. Tempo geológico expresso em anos, medido pelo declínio ou decaimento radioativo de elementos. ▶ Ver *datação absoluta*; *tempo geológico*.

tempo da aproximação maior / *time of closest approach*. Tempo em que um satélite de navegação está mais perto e alcança o seu ângulo máximo de elevação durante um passe.

tempo de acesso / *access time*. Tempo decorrido entre o momento em que um determinado dado em um sistema de aquisição ou armazenamento é solicitado e o momento em que o mesmo é disponibilizado.

tempo de aquisição / *acquisition time*. Amostragem no domínio do tempo, para que a onda sísmica seja considerada no modo discretizado ou no modo analógico. ↝ Em aquisição sísmica, significa o tempo de amostragem de uma onda sísmica feito em segundos. Essa onda pode ser mostrada continuamente no modo analógico ou no discretizado. Em geral, a cada 2 milissegundos, parte da onda sísmica é amostrada, indicando-se a razão de amostragem. O tempo total de amostragem para cada pulso emitido é chamado *tempo de aquisição*.

tempo de bombagem (Port.) (Ang.) / *pumping time*. O mesmo que *tempo de bombeabilidade*. ▶ Ver *tempo de bombeabilidade*.

tempo de bombeabilidade / *pumping time*. Tempo requerido para que a pasta de cimento atinja um determinado valor de consistência (geralmente 50 Uc) no ensaio de tempo de espessamento, nas condições de ensaio. ↝ O tempo de bombeabilidade representa o tempo durante o qual uma pasta mantém suas propriedades adequadas para que seja bombeada em uma operação de cimentação de poços de petróleo. ▶ Ver *tempo de espessamento*; *cimentação*.

tempo de chegada / *arrival time*. Tempo decorrido entre o momento da emissão de energia por uma fonte perturbadora e o momento da chegada do sinal associado ao evento decorrente de tal perturbação. •• Em sísmica, tempo decorrido entre a liberação de energia e o registro do evento correspondente.

tempo de ciclo / *cycle time*. Num sistema periódico, o tempo decorrido entre dois eventos subsequentes e relacionados ao mesmo estágio do ciclo. •• Na elevação artificial de poços pelo método de *gas lift* intermitente, corresponde ao tempo entre duas aberturas consecutivas da válvula motora. ▶ Ver gas lift *intermitente*.

tempo de circulação / *circulation time*. Tempo necessário para circular o fluido de perfuração para condicionamento do poço. ▶ Ver *circulação*.

tempo de espessamento / *thickening time*. O tempo de pega de uma pasta de cimento, definido como o tempo requerido para atingir 100 Uc no teste de consistometria. Este valor representa o tempo estimado no qual uma determinada pasta de cimento permanece em estado fluido sob determinadas condições de pressão e temperatura. Adicionalmente, foi definido o tempo de bombeabilidade como o tempo necessário para que a pasta de cimento atinja 50 Uc, representando, assim, o limite em que a pasta é bombeável. Com o resultado do tempo de espessamento e da bombeabilidade, temos uma informação disponível para efetuar com segurança o trabalho de campo. ▶ Ver *consistômetro pressurizado*; *pasta de cimento*.

tempo de fechamento / *shut-in or shutin time*. 1. Tempo durante o qual o poço fica fechado, como, por exemplo, em testes de formação. 2. Tempo de fechamento de uma válvula, como por exemplo, válvulas do *BOP* (*blowout preventers*) controladas remotamente. ▶ Ver *teste de formação a poço revestido*.

tempo de fecho (Port.) (Ang.) / *shut-in or shutin time*. O mesmo que *tempo de fechamento*. ▶ Ver *tempo de fechamento*.

tempo de fluxo ajustado / *adjusted flow time*. Tempo de fluxo aproximado usado em uma análise de teste quando a vazão varia durante o período desse teste. •• É calculado dividindo a produção acumulada a partir do último período de fechamento pela vazão imediatamente antes de o poço ser fechado para um teste de crescimento.

tempo de injeção / *injection time*. Tempo no qual a válvula motora permanece aberta para a passagem de gás. ▶ Ver gas lift *intermitente*.

tempo de intervalo / *interval time*. Diferença de tempo entre duas reflexões sísmicas.

tempo de manobra / *trip time*. Tempo entre o início e o final da retirada ou descida de uma coluna em um poço. •• Uma manobra pode ser realizada por vários motivos, como, por exemplo, para troca de uma broca ou qualquer elemento da composição de fundo de poço (BHA). O tempo de manobra pode ser o da retirada ou o da descida de uma coluna do/no poço. No caso de manobra completa se considera o tempo total de retirada e descida de uma coluna no poço. ▶ Ver BHA.

tempo de mudança de broca (Port.) (Ang.) / *trip time*. O mesmo que *tempo de manobra*. ▶ Ver *tempo de manobra*.

tempo de percurso acústico / *acoustic travel time*. Tempo requerido para que uma onda compressional se desloque de um ponto a outro, separado deste por uma distância de comprimento unitário (geralmente 0,3048 m ou 1 ft). O mesmo que *tempo de trânsito por intervalo*. ▶ Ver *onda compressional*.

tempo de pesca (Port.) (Ang.) / *fishing time*. O mesmo que *tempo de pescaria*. ▶ Ver *tempo de pescaria*.

tempo de pescaria / *fishing time*. Tempo decorrido entre o início da pescaria e a conclusão dos trabalhos e liberação da sonda para os serviços produtivos. ▶ Ver *pescaria*.

tempo de reflexão / *reflection time*. Tempo entre o tiro e a chegada da reflexão sísmica resultante.

tempo de relaxação / *relaxation time, release time*. Conceito geral da física para um tempo característico no qual um sistema muda para uma condição de equilíbrio a partir de um estado de não equilíbrio. •• Em circuitos elétricos, diz-se do tempo em que a corrente reduz o seu valor inicial após a retirada da diferença de potencial.

tempo de residência / *residence time*. Parâmetro característico do processo de separação de determinada fase, que é obtido pela razão entre o volume interno do separador destinado a acomodar essa fase e a vazão volumétrica de alimentação dessa fase. •• Pela definição acima, segue-se que o tempo de residência da fase em questão é o tempo médio em que a fase permanece no interior do equipamento.

tempo de resposta / *response time*. Intervalo de tempo entre o instante em que um estímulo é submetido a uma variação brusca e o instante em que a resposta é obtida.

tempo de retenção / *retention time*. Tempo que um composto leva para sair de uma coluna cromatográfica. •• O tempo de retenção varia em função das mudanças das condições cromatográficas (razão de fluxo, temperatura, natureza das fases móveis e estacionárias etc.).

tempo de retorno da lama / *lag time, time lag*. Tempo necessário para que um elemento de fluido percorra a trajetória do fundo do poço até a superfície, no sistema de remoção de sólidos (peneiras). ▶ Ver *cascalho*; *tempo de retorno dos cascalhos*.

tempo de retorno dos cascalhos / *cuttings lag time, cuttings time lag.* Tempo necessário para que um cascalho percorra a trajetória do fundo do poço até a superfície, no sistema de remoção de sólidos (peneiras). ▶ Ver *cascalho*; *tempo de retorno da lama*.

tempo de sonda parada / *downtime.* Tempo não programado de parada da sonda para que se restabeleçam as condições normais de operação. Geralmente esse tempo de parada ocorre por problemas mecânicos em equipamentos da sonda necessários à operação em vigor, e é solicitado pela companhia operadora. ▶ Ver *sonda*; *sonda de perfuração*; *sonda de completação*.

tempo de testemunhagem / *coring time.* Tempo decorrido entre o início da testemunhagem até a sua conclusão e a liberação da sonda para os serviços normais. ▶ Ver *testemunhagem*.

tempo de trânsito / *acoustic transit time.* Tempo de duração da passagem de um sinal acústico, desde sua emissão de uma fonte emissora através da formação até seu retorno ao receptor.

tempo de trânsito intervalar / *interval transit time.* Tempo de percurso de uma onda sísmica, dividido pela distância percorrida.

tempo de viagem / *traveltime.* Intervalo de tempo que passa entre o tiro, ou início do funcionamento da fonte geradora (*time break*), e o registro da onda sísmica resultante.

tempo fiducial / *fiducial time.* Marcas de tempo numa gravação sísmica que indicam o tempo de gravação.

tempo geológico / *geologic time.* Tempo decorrido desde a formação das rochas mais antigas da superfície terrestre, e que pode ser estudado pela análise do registro geológico. ↝ A sucessão das camadas rochosas é que representa o tempo geológico.

tempo limite / *timeout.* Tempo necessário para se determinar o período máximo de espera por um evento predeterminado permitido a um sistema. ↝ Este tempo é gerado pelo parâmetro de configuração do processo; normalmente, caso o evento esperado não ocorra até o término do tempo limite, uma ação predefinida é executada. ▶ Ver *frequência*; *período*.

tempo médio de reparo / *mean time to repair.* 1. Tempo médio esperado entre a ocorrência de uma falha em um equipamento ou sistema e o retorno do mesmo à condição de operação. 2. Tempo correspondente à média aritmética dos tempos de reparo de um sistema, de um equipamento ou de um item.

tempo médio entre falhas / *mean time between failures.* 1. Tempo correspondente à média aritmética dos tempos existentes entre o fim de cada falha e o início de outra (a próxima falha) em equipamentos reparáveis. Considera somente o tempo de funcionamento do equipamento. Tempo médio entre duas falhas consecutivas. 2. Tempo médio esperado entre a entrada em operação de um equipamento ou sistema e a ocorrência de uma falha.

tempo morto / *dead time.* Tempo que um sistema requer para se recuperar de um evento de contagem, para então contar um evento subsequente. Os eventos que ocorrem durante o tempo morto não são contados. ↝ Esse tempo morto é medido em microssegundos.

tempo poço-acima / *uphole time.* Em reflexão sísmica, representa o tempo que o pulso sísmico leva para ir do ponto de detonação dentro do poço até a superfície. ↝ Essa passagem do pulso não ocorre em um poço normal mas em um furo próprio para detonação de cargas em sísmica exploratória. Em poços normais usa-se a perfilagem acústica.

tempo real / *real time.* Termo que designa o tempo durante o qual operações podem ser visualizadas e acompanhadas em diferentes localidades ao mesmo tempo em que estejam ocorrendo no poço. ↝ As ferramentas e os equipamentos no poço têm a capacidade de transmitir dados gerados para a superfície através de telemetria, que pode ser por sinais eletromagnéticos, elétricos, pulsos de pressão ou sonoros transmitidos através da tubulação ou fibras ópticas. Esses sinais são utilizados por técnicos especializados em operações monitoradas tanto na própria sonda quanto em escritórios localizados em pontos distantes do cenário das operações, por intermédio de transmissão por sinais de rádio, satélite ou elétricos. O mais importante na definição de tempo real (*real time*) é o fato de que os resultados de um processamento de dados estejam disponíveis de imediato, para que não haja perda de tempo. O significado de *tempo real* envolve uma discussão ainda sem consenso, e o termo pode assumir significados diferentes, dependendo da área em que está sendo aplicado.

tempo vertical / *vertical time, uphole time, bug time.* Tempo de reflexão dos dados de reflexão sísmica, obtidos após a correção de sobretempo normal. ▶ Ver *sobretempo normal*.

tempo zero / *zero time.* 1. Momento inicial para a aquisição de dados sísmicos, que corresponde ao instante do tiro. 2. Momento inicial que caracteriza o início de qualquer evento.

tenacidade à fratura / *fracture toughness.* Propriedade que tem um material de absorver energia até sua fratura. ↝ Um material que absorve grande quantidade de energia até sua fratura é considerado como tendo elevada tenacidade à fratura. É comum usar-se o valor da intensidade de tensão sob a qual ocorre a fratura como o valor de tenacidade à fratura do material. É comum também se referir ao valor de intensidade de tensão no momento em que inicia a propagação da trinca que levará à fratura do material. ▶ Ver *fratura*.

tendência de polarização / *polarization bias.* Aumento sistemático do grau de polarização, estimado por intermédio de um *bias* de polarização. •» Entende-se o *bias de polarização* como um sinal aplicado a um componente para assegurar sua operação em uma região de alta linearidade.

tendenciosidade / ***bias***. 1. Erro em uma amostragem ou teste estatístico provocado pelo favorecimento sistemático de alguns resultados em detrimento de outros. 2. Tendência de inclinação ou predisposição que inibe um julgamento imparcial. Uma amostragem é tendenciosa (*biased*) quando dela participam membros da população que têm maior probabilidade de serem escolhidos.

tensão / ***stress***. Força por unidade de área que atua em um determinado plano de um corpo, provocando a sua deformação (*strain*). •» Tal parâmetro, no sistema massa (M), comprimento (L) e tempo (T), é dimensionalmente expresso por $[M/LT]^2$ e suas unidades típicas são *psi*, *bar*, kgf/cm² e *Pa*. Para o caso tridimensional, o tensor de tensões é composto por três tensões normais e três cisalhantes. ▶ Ver *tensão-deformação*.

tensão axial / ***axial tension***. Força por unidade de área que age em um plano perpendicular à direção axial de uma coluna em um ponto. ▶ Ver *compressão axial*; *tensão cisalhante*.

tensão cisalhante / ***shear stress***. 1. Componente da tensão que atua paralelamente ao plano considerado, ou seja, é a força por unidade de área que age tangencialmente a um plano em um ponto. 2. Tensão caracterizada também como uma grandeza física dinâmica responsável pelo movimento. O mesmo que tensão de cisalhamento •» As tensões cisalhantes aplicadas a um sólido isotrópico e homogêneo são responsáveis pela sua mudança de forma sem promover alterações significativas em seu volume. ▶ Ver *tensão-deformação*; *reologia*.

tensão confinante / ***confining stress***. 1. Tensão atuante nas faces da fratura hidráulica. 2. Tensão compressiva, atuante na formação, que tende a fechar a fratura hidráulica, seja durante a propagação, seja após o seu estabelecimento. 3. Tensão atuante sobre o propante, tratando-se, neste caso, de um valor de tensão efetiva (tensão total menos a pressão de fluxo). ▶ Ver *controle de produção de areia*; *tubo ranhurado*; *propante*; *gravel pack*.

tensão de cisalhamento / ***shear stress***. Estado em que a tensão aplicada é paralela ou tangencial à superfície do material, diferentemente da tensão normal, que é perpendicular à superfície do material. •» A ação de cisalhamento pode ocorrer como resultado da aplicação de uma força que faz com que duas partes adjacentes de um corpo deslizem, uma em relação à outra, numa direção paralela ao plano de contato. ▶ Ver *tensão-deformação*.

tensão de cisalhamento da pasta de cimento / ***shear stress of slurry***. Força por unidade de área cisalhante, necessária para manter o escoamento de um fluido. •» A resistência ao escoamento é que solicita esta tensão, que pode ser expressa em t = F/S, em que F é a força aplicada na direção do escoamento e S é a área da superfície exposta ao cisalhamento. ▶ Ver *pasta de cimento*; *tensão de cisalhamento*.

tensão de cisalhamento do fluido / ***fluid shear stress***. Tensão resultante da força aplicada em determinada área do fluido em escoamento. •» Um escoamento é a demonstração do resultado de tensões aplicadas e deformações resultantes. ▶ Ver *tensão de cisalhamento*.

tensão de escoamento / ***yield stress***. Tensão a partir da qual o material começa a se deformar plasticamente. Para carregamentos menores que a tensão de escoamento, o material se deforma elasticamente e retorna à sua forma original após a remoção da tensão aplicada. ▶ Ver *deformação plástica*.

Tensão de escoamento mínima / ***minimum yield stress***. 1. Tensão correspondente àquela de valor mínimo estabelecido pela necessidade de utilização de determinado material tendo em vista os seus fatores de forma (acabamento superficial, temperatura e concentração de tensões) sem que ocorra deformação plástica. 2. Mínima força por unidade de área que um material deve suportar sem a ocorrência de deformação plástica. ▶ Ver *deformação plástica*; *tensão de escoamento*.

tensão de ruptura / ***rupture stress***. Tensão sobre um material no momento em que a aplicação de uma tensão constante sobre ele o leva a um ponto de ruptura. •» A tensão de ruptura é nominal, isto é, refere-se às cargas atuantes nas seções iniciais do elemento que falha.

tensão extensional / ***extensional stress***. Relação entre uma força F e uma determinada área A na qual esteja atuando essa força. •» Assim como a tensão cisalhante, a tensão extensional é uma grandeza física dinâmica responsável pelo movimento. Entretanto, o fluxo extensional produz informações acerca dos materiais que não são obtidas por medidas em escoamento cisalhante. É representada pelo símbolo (σ_e) ▶ Ver *viscosidade extensional*.

tensão in situ / ***in-situ stress***. Tensão principal que atua em uma determinada formação. •» Normalmente a tensão de sobrecarga (overburden) ou vertical (σ_v) é considerada uma tensão principal. Assim, as outras duas tensões principais estão contidas em um plano horizontal. As tensões horizontais principais são denominadas tensão horizontal máxima (σ_H) e *mínima* (σ_h). ▶ Ver *tensão normal*.

tensão interfacial / ***interfacial tension***. 1. Relação entre a energia livre (G) e a área interfacial (A) característica das moléculas da região interfacial de um sistema de emulsão. 2. Quantidade de trabalho realizado para separar um líquido de um gás medida por unidade de área. 3. Fator que controla a molhabilidade, diretamente relacionada com o processo capilar através da interface entre fluidos imiscíveis. •» Quando dois líquidos imiscíveis são colocados em contato, tem-se uma região interfacial com tendência a se contrair. Esse fato é causado pela diferença entre as forças atrativas nas moléculas presentes na interface e as já existentes entre as moléculas contidas no interior de cada líquido. ▶ Ver *molhabilidade*.

tensão normal / *normal stress*. **1.** Tensão que atua perpendicularmente ao plano considerado. **2.** Tensão σ definida como a razão entre uma determinada força F aplicada perpendicularmente a uma área A ($\sigma = F/A$). ↠ Atua como compressão ou tração e tende a modificar o volume do corpo tensionado. Por convenção, na mecânica das rochas, as tensões compressivas são consideradas positivas. As tensões normais aplicadas a um sólido isotrópico e homogêneo são responsáveis pela sua mudança de volume. ▶ Ver *tensão-deformação*; *tensão cisalhante*.

tensão residual / *residual stress*. Tensão resultante em um corpo após cessarem as causas (como forças externas aplicadas ou variação de temperatura) que originaram as tensões. ↠ Ocorre por várias razões, como deformações inelásticas ou tratamento térmico. ▶ Ver *tensão-deformação*.

tensão superficial / *surface tension*. Tensão existente na camada superficial de um líquido, a qual se comporta como uma membrana elástica. ↠ As moléculas da camada superficial do líquido têm energia potencial maior do que as moléculas do interior. Essa energia traduz-se no trabalho realizado pelas forças de atração exercidas pelas moléculas do interior do líquido sobre as que se deslocam pela superfície. Como a energia é mínima em qualquer sistema em equilíbrio, um líquido em equilíbrio deve ter a menor área superficial possível, ou seja, devem existir forças agindo no sentido de reduzir essa área. Um líquido se comporta, portanto, como se existissem forças tangenciais à superfície, chamadas *forças de tensão superficial*, e o coeficiente pode ser tratado como força de tensão superficial por unidade de comprimento.

tensão-deformação / *stress-strain*. Relação de causa e efeito nos materiais, que envolve a tensão cisalhante aplicada e a deformação resultante. No caso de fluidos, o coeficiente de relação entre tais parâmetros denomina-se *viscosidade*, conforme demonstrado no gráfico tensão-deformação a seguir. ↠ Tal conceito engloba materiais desde o dito *sólido ideal* até o *fluido ideal*, e os materiais reais estão contidos nesse intervalo. O sólido ideal é aquele em que nenhuma deformação ocorre qualquer que seja o nível de tensão aplicado. Já para no fluido ideal ocorre deformação mesmo para a tensão nula. No caso de um plástico ideal, nenhuma deformação seria exibida até o valor limite de tensão aplicada, quando então passaria a exibir uma relação constante entre a tensão aplicada e a deformação resultante. Naturalmente, todas essas idealizações são particularmente concebidas para uso no domínio da análise e com o objetivo de determinar o comportamento dos materiais reais. Quanto aos fluidos, aqueles que exibem uma relação linear entre tais parâmetros são ditos *newtonianos*. Outros deformam-se de tal modo que a tensão cisalhante não é mais proporcional à deformação, exceto talvez para tensões cisalhantes muito baixas. Devido a esse comportamento, tais fluidos são ditos *não newtonianos*. ▶ Ver *fluido tixotrópico*; *fluido reopético*; *fluido newtoniano*.

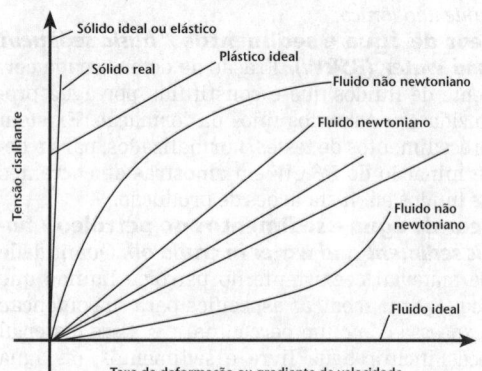

Tensão-deformação

tensiômetro de anel / *ring tensiometer*. Tensiômetro em que o anel é posto na interface entre os líquidos e puxado para cima, para medir a tensão interfacial entre dois fluidos.

tensionador do cabo-guia / *guideline tensioner*. Dispositivo utilizado em sondas flutuantes ancoradas. Tem como objetivo manter os cabos-guias tracionados para evitar que, com a ação do balanço da embarcação (*heave*), os cabos se enrolem. Esses equipamentos funcionam com o mesmo princípio dos tensionadores de *riser*, sendo porém bem menores, uma vez que as cargas a que são submetidos são muito reduzidas. Normalmente são seis, um para cada um dos quatro cabos-guias presos aos postes da base-guia, e mais dois para os cabos da TV da sonda. ▶ Ver *cabo-guia*.

tension-leg wellhead platform. Plataforma de pernas atirantadas ao subsolo marinho por meio de tendões, que não possui planta de processo ou produção no seu convés (*deck*). ↠ Esse tipo de plataforma realiza as funções iniciais de perfuração, seguidas pela de completação e, finalmente, produção, com a instalação das respectivas árvores de natal (completação seca). A combinação dessa plataforma com, por exemplo, uma *FPSO* (*Floating, Production, Storage and Offloading*) adjacente que exerça as funções de processamento, utilidades, armazenamento e exportação da produção, é atraente em áreas com pouca ou nenhuma infraestrutura e para reservatórios e/ou componentes do *BHA* (*bottom-hole asssembly*; *conjunto de fundo de poço*) que requerem considerável frequência de manutenção. ▶ Ver *plataforma de petróleo*.

tensoativo / *surfactant*. O mesmo que *surfactante*. ▶ Ver *surfactante*.

tensoativo aniônico / *anionic surfactant*. O mesmo que *surfactante aniônico*. ▶ Ver *surfactante aniônico*.

tensoativo catiônico / *cationic surfactant*. O mesmo que *surfactante catiônico*. ▶ Ver *surfactante catiônico*.

tensoativo não iônico / *non-ionic surfactant*. O mesmo que *surfactante não iônico*. ▶ Ver *surfactante não iônico*.

teor de água e sedimentos / *basic sediment and water (BS&W)*. Fração de determinada corrente de fluidos que é constituída por água produzida e sedimentos finos da formação. Existem procedimentos de testes, normalizados, para a determinação do *BS&W* em amostras de correntes de fluidos em instalações de produção.

teor de água e sedimentos no petróleo / *basic sediment and water in crude oil*. Quantidade de material coexistente no petróleo líquido que requer uma medição específica para sua obtenção (expressa como um percentual). ↝ Esse material pode incluir água livre e sedimentos, ou água emulsificada e sedimentos. É obtido via análise de laboratório (centrífugas) ou por outros métodos. Dispositivos instalados em linha normalmente medem somente o teor de água no óleo, desprezando os sedimentos.

teor de baritina / *baritine content*. Quantidade percentual de baritina necessária para promover o adensamento, o ajuste da massa específica de fluidos de perfuração para incremento de pressão hidrostática no interior do poço.

teor de cloretos / *chloride ion content*. Quantidade, teor ou conteúdo do ânion cloreto em soluções aquosas. ↝ Na indústria de petróleo, tipicamente, determina-se o teor de cloretos em águas de injeção, água conata, fluidos de perfuração e/ou completação, efluentes de processo etc. Entre os principais métodos utilizados para determinar a concentração de íons cloreto estão o volumétrico (análise volumétrica de precipitação por titulação dos íons cloreto) e a cromatografia iônica. Tipicamente, essa concentração é referida por mg/l, mg/l de NaCl ou ppm de NaCl equivalente. É importante observar que durante a fase de perfuração faz-se, entre outros, o monitoramento da concentração de salinidade (sais de cloreto), que, além de permitir controlar a salinidade dos fluidos de trabalho, faculta a identificação de qualquer eventual influxo de água salgada e permite, por exemplo, identificar se se está perfurando uma rocha ou um domo salino.

teor de folhelho / *shaliness*. Teor caracterizado pela condição de que quanto maior o conteúdo de argila, melhor é a qualidade do folhelho. ↝ Quanto maior o conteúdo de argila, mais fácil se torna a partição da rocha paralelamente ao acamamento, o que caracteriza os folhelhos. ▶ Ver *folhelho*.

teor de óleo e graxa (TOG) / *grease and oil content*. Fração de compostos orgânicos presente numa determinada corrente de água produzida. ↝ O termo é utilizado para caracterizar a qualidade da água efluente dos equipamentos de separação. A legislação brasileira, por exemplo, prescreve que, para descarte ao mar, o *TOG* máximo é de 20 ppm.

teor de óleo e lubrificante (Port.) / *oil and grease content*. O mesmo que *teor de óleo e graxa (TOG)*. ▶ Ver *teor de óleo e graxa (TOG)*.

teor de sulfatos (Port.) (Ang.) / *sulfate content*. O mesmo que *teor de sulfetos*. ▶ Ver *teor de sulfetos*.

teor de sulfetos / *sulfide content*. Presença de materiais em uma determinada amostra, que podem ser originados da decomposição da matéria orgânica, principalmente pela redução dos compostos de sulfato. ↝ Na determinação de sulfetos totais observam-se espécies químicas (H_2S, HS^- e S_2^-), solúveis em meio ácido, presentes na matéria em suspensão. A concentração de cada espécie é função do pH, temperatura e pressão. Os sulfetos podem ser originados da decomposição da matéria orgânica, principalmente pela redução bacteriana dos compostos de sulfato, mas surgem também em compostos presentes no petróleo chamado *mercaptans* e em sais inorgânicos contendo enxofre presentes no reservatório produtor. Sulfetos estão geralmente presentes em águas subterrâneas, sendo comuns em águas residuais. A presença de gás sulfídrico nos fluidos de perfuração pode ser confirmada com papel semiquantitativo de acetato de chumbo.

teor de sulfureto (Port.) / *sulfide content*. O mesmo que *teor de sulfetos*. ▶ Ver *teor de sulfetos*.

teor em xisto argiloso (Port.) (Ang.) / *shaliness*. O mesmo que *teor de folhelho*. ▶ Ver *teor de folhelho*.

teorema da amostragem / *sampling theorem*. 1. Teorema que determina quais funções contínuas limitadas (não infinitas) podem ser reconstruídas de dados equiespaçados, no caso de uma amostragem de pelo menos duas amostras dessa função por período. 2. O teorema fornece a frequência máxima a ser registrada com um intervalo de amostragem determinado, usado na aquisição; no caso de amostragem insuficiente, ocorre o fenômeno de *falseamento* (*álias*). ↝ Como corolário, o intervalo (algumas vezes chamado erroneamente de *razão*) de amostragem (Dt) utilizado no registro de uma onda deve ser igual a pelo menos duas vezes o inverso da maior frequência que se deseja preservar. Essa frequência é denominada *frequência de Nyquist* (fN); a expressão n1/2 = 1/2 (Dt) é também chamada *de Nyquist* ou *cardinal*. ▶ Ver *frequência de Nyquist*.

teoria da dupla camada elétrica / *electrical double layer*. Teoria que trata do arranjo de distribuição dos íons e, portanto, da intensidade de potenciais elétricos ao redor de superfícies carregadas de partículas, principalmente em meio polar. •• Partículas carregadas em meio aquoso promovem adsorção de espécies carregadas, contraíons, a partir do meio, formando assim um arranjo denominado dupla camada elétrica. Essa adsorção é necessária para manter a neutralidade do meio; a dupla camada elétrica é constituída de duas partes, camada fixa e camada difusa. A camada fixa, denominada camada de Stern, resulta da adsorção específica dos contraíons por forças eletrostáticas ou de Van der Waals, suficientemente fortes para se sobrepor à agitação térmica. Na camada difusa, a densidade de contraíons decresce com a distância e estes não se deslocam com a partícula quando submetida a um campo elétrico. Mecanismos que promovem a geração de cargas superficiais são: ionização, adsorção de íons e dissolução de íons da superfície. ▶ Ver *potencial zeta*.

teoria da razão de carbono / *carbon ratio theory*. Razão do carbono fixo em relação ao carbono total (fixo mais volátil) de um determinado carvão. •• Numa dada região, a massa específica do óleo varia em razão inversa à da razão do carbono nos carvões associados. Assim, à medida que a percentagem do carbono fixo no carvão aumenta devido ao metamorfismo, o óleo se torna mais leve, isto é, com a presença aumentada de hidrocarbonetos voláteis e no limite, eventualmente, se transformando em gás.

teoria de Arrhenius / *Arrhenius theory*. **1.** Teoria que define compostos ácidos como aqueles que quando dissociados em água geram íons oxônio (H_3O^+). **2.** Similarmente, define também compostos básicos como aqueles que quando se dissociam em água geram íons hidroxila (OH^-).

teoria de Biot / *Biot theory*. Teoria acerca da propagação acústica num meio poroso e elástico. •• A teoria leva em conta a porosidade da rocha, as propriedades elásticas do fluido e da rocha, as propriedades dos poros, a frequência do sinal, e o coeficiente de arraste inercial entre o fluido e a rocha. Em princípio, toda rocha saturada com qualquer fluido tem seu comportamento mecânico influenciado pelo fluido e pelos poros (poroelasticidade). Entretanto, na prática, modelos mais simples são geralmente utilizados.

teoria do espalhamento do assoalho oceânico / *seafloor spreading theory*. Teoria segundo a qual nas cordilheiras oceânicas, também denominadas *cadeias mesoceânicas*, são acrescidas novas porções em ambos os lados das placas tectônicas limitadas por elas. •• O acréscimo de novo material se dá por intrusão e extrusão de magma basáltico, fazendo com que a crosta oceânica cresça. Segundo essa teoria, as placas seriam mais novas nas cordilheiras e progressivamente mais antigas ao se afastarem delas.

teoria do espalhamento do fundo do mar (Port.) (Ang.) / *seafloor spreading theory*. O mesmo que *teoria do espalhamento do assoalho oceânico*. ▶ Ver *teoria do espalhamento do assoalho oceânico*.

terminação de cabo / *cable termination*. Junção de uma das pontas de um cabo elétrico com um conector de qualquer tipo. •• Sistemas geofísicos marinhos possuem conectores especiais à prova d'água e suas terminações devem ser preparadas levando em consideração esse fator. A qualidade das terminações dos cabos é fator importante na qualidade dos registros obtidos.

terminação de extremidade de oleoduto / *pipeline end termination (PLET)*. Estrutura estável de metal apoiada no fundo do mar, assegurando que a conexão do final da linha de escoamento esteja voltada para cima. •• O *PLET* tem um único *hub*, flange ou conector e uma única válvula, com uma interligação (*jumper*) que nada mais é que uma seção curta de tubo, rígida ou flexível, geralmente usada para conectar a linha de escoamento rígida e o *riser*. O sistema de escoamento submarino normalmente consiste em linha e *riser* flexíveis conectados diretamente, sem a necessidade do uso do *PLET*.

terminação de topo / *toplap termination*. Seção sísmica de camadas na qual estas desaparecem contra uma determinada superfície que tem como referência o limite superior de uma sequência deposicional.

terminação submarina de umbilical / *subsea umbilical termination*. Dispositivo que serve para facilitar a interligação do umbilical no fundo do mar. Provê as interligações elétricas, mecânicas e hidráulicas necessárias para os pontos (*jumpers*) que conectam os condutores elétricos individuais e as linhas hidráulicas e químicas do umbilical ao restante do equipamento submarino.

terminal marítimo, fluvial ou lacustre / *maritime, fluvial or lacustrine terminal*. Conjunto de instalações marítimas, fluviais ou lacustres destinadas ao embarque ou desembarque de petróleo ou gás natural, contendo monoboia(s), quadro de boias, píer de atracação ou cais acostável, podendo esse terminal incluir ainda tanques em terra para armazenamento de petróleo ou vasos e tubulões pressurizados para armazenamento de gás natural comprimido ou liquefeito.

termoclina / *thermocline*. Camada de transição mais brusca entre duas massas d'água de temperaturas diferentes. •• É observada principalmente em regiões de baixa latitude onde a camada superficial dos oceanos é mais quente devido à insolação. A profundidade de uma termoclina pode variar sazonalmente entre 50 m e 300 m, sendo mais profunda nas épocas mais quentes. A termoclina é muitas vezes responsável pela estagnação de água de fundo em bacias sedimentares, e essa estagnação produz fundo anóxico favorável à preservação da matéria orgânica que, depois de um longo tempo geológico sob soterramento, pode se transformar em petróleo.

termopar / *thermocouple*. Elemento de medição de temperatura que consiste num par de fios condutores de metais diferentes, unidos nas suas extremidades, sendo que uma junção é mantida a uma temperatura constante e conhecida e a outra está em contato com a substância que se deseja medir a temperatura. Devido ao efeito Seebeck, a diferença de temperaturas gerará uma diferença de potencial da ordem de milivolts (mV), que pode ser medida e relacionada à temperatura da substância de interesse. ↝ Os termopares são os sensores mais utilizados nas aplicações industriais, devido a sua confiabilidade, seu baixo custo e por serem efetivos numa grande faixa de temperaturas.

termosfera / *thermosphere*. Uma das capas da atmosfera terrestre, assim chamada por causa das temperaturas elevadas que atingem por estarem os gases ionizados (por isso se chama também *ionosfera*). ↝ Se o sol estiver ativo, as temperaturas na termosfera podem chegar a 1.500 °C.

termostato / *temperature switch*. Chave de temperatura utilizada em sistemas de intertravamento, que comuta quando a temperatura atinge determinado valor pré-configurado. ↝ O termostato é normalmente constituído por uma lâmina metálica que se dilata com o calor. A dilatação provoca o afastamento dos contatos elétricos, desligando assim o dispositivo controlado. Alguns termostatos são constituídos por lâminas bimetálicas (feitas de materiais diferentes). A dilatação diferençada de cada metal provoca o dobramento da lâmina que faz o contato.

terpano / *terpene*. Hidrocarboneto que contém duas unidades isoprênicas (10 átomos de carbono). ▶ Ver *terpeno*.

terpeno / *terpene*. Hidrocarboneto insaturado, de baixa toxicidade e formador de uma diversificada família de substâncias naturais, encontrado em resinas e óleos essenciais. Também conhecido como *isoprenoide*, é sintetizado a partir da condensação de múltiplas unidades de isopreno. ↝ Óleo essencial é todo líquido de características hidrofóbicas, concentrado, formado por compostos químicos de aromáticos e voláteis, que é extraído, especialmente, das plantas. Também são conhecidos como *óleos voláteis* ou *etéreos*, ou simplesmente pelo nome da planta da qual foram extraídos. O termo *essencial* indica que o óleo carrega o cheiro ou fragrância distintiva (essência) da planta. Os terpenos têm fórmula química $(C_{10}H_{16})_n$, onde n é a quantidade de unidades isoprênicas. Os terpenos são classificados de acordo com o número de unidades isoprênicas. Exemplo: quando n = 2 definem-se como *monoterpenos*, quando n = 3 definem-se como *sesquiterpenos* e quando n = 4 definem-se como *diterpenos*.

terpenoide / *terpenoid*. Composto que ocorre naturalmente (tanto os cíclicos quanto os não cíclicos), construído por duas ou mais unidades de cinco carbonos ramificados.

terra adentro / *onshore*. Designação de terra firme, em contraposição a *mar adentro*; região da plataforma continental. ▶ Ver *offshore*.

terra árida / *badland*. 1. Região livre de vegetação, cuja erosão produz padrões de drenagens curtas, pois os declives são íngremes, com canais densos e intrincados, e com o ápice do depósito formando cristas agudas. 2. Terreno argiloso e árido, ruim para o cultivo.

terra diatomácea / *diatomaceous earth*. Material de origem organogênica, a diatomita ou terra diatomácea é uma sílica hidratada amorfa, composta de esqueletos das paredes celulares de muitas variedades de algas microscópicas aquáticas, sendo ainda de forte dissolução em meio alcalino. ↝ As diatomáceas pertencem à classe *Bacillariophyceae* de algas. ▶ Ver *aditivo*; *sílica*; *pasta de cimento*.

terraço / *terrace*. Feição geomorfológica em degrau, que apresenta uma superfície levemente inclinada, mais ou menos plana, limitada por dois flancos escarpados, um ascendente e outro descendente, constituída por depósito sedimentar e modelada pela erosão fluvial, marinha ou lacustre.

terraço aluvial / *alluvial terrace*. Banco plano e elevado, composto de material sedimentar inconsolidado, como produto de depósitos aluviais formados durante as cheias e posicionados em ambos os flancos dos canais. ↝ Geralmente formado em áreas nas quais os canais de depósito sedimentar cortam a planície de inundação. ▶ Ver *leque aluvial*.

terraço cíclico / *cyclic terrace*. Cada um de uma série de terraços fluviais representantes de vales antigos formados durante períodos em que o rio parou de escavar o substrato e passou a migrar lateralmente.

terraço de face de praia / *shoreface terrace*. Terraço formado pela ação de ondas em região marinha não aberta, composto de cascalho e areia grossa. ↝ Ocorre em profundidades não superiores a 10 metros.

terraço de praia / *shore terrace*. Terraço formado pela ação de ondas e correntes ao longo das praias de um mar ou lago.

terraço fluvial / *fluvial terrace*. Patamar formado pelos sedimentos fluviais e que, em um momento posterior, é modelado pela erosão do mesmo curso d'água responsável pela deposição, elevando-se nas proximidades dele.

terramoto (Port.) (Ang.) / *earthquake*. O mesmo que *terremoto*. ▶ Ver *terremoto*.

terremoto / *earthquake*. Fenômeno que resulta da súbita liberação de energia acumulada na crosta terrestre com a propagação de ondas sísmicas. ↝ Terremotos ocorrem devido ao escorregamento de uma falha ou por atividade vulcânica, geralmente oriundos de tectonismos, ainda que tam-

bém ocorram em áreas cratônicas. Nos dois casos ocorre vibração da crosta terrestre em função da energia liberada em tais eventos. Em geral trata-se do processo de geração e propagação de ondas sísmicas no interior e na superfície terrestre.
▶ Ver *hipocentro*; *epicentro*; *escala Richter*.

terrestre / onshore. Termo utilizado para caracterizar unidades ou operações relativas às atividades de exploração e produção de petróleo localizadas em terra.

testador do ponto de condensação (Port.) / dew point tester. O mesmo que *testador de ponto de orvalho*. ▶ Ver *testador de ponto de orvalho*.

testador de ponto de orvalho / dew point tester. Instrumento destinado a medir o ponto de orvalho de um gás. As operações em linhas de gás (gasodutos) são severamente impactadas pela condensação, já que os líquidos podem perturbar o escoamento e danificar os equipamentos situados a jusante. Por essa razão, o ponto de orvalho do gás deve ser monitorado, para assegurar que as condições de formação de líquido não sejam atingidas.
▶ Ver *ponto de orvalho*.

teste da razão gás-óleo / gas-oil ratio test. Teste que mede as vazões de gás e de óleo produzidas em um poço, visando definir a razão entre essas duas medidas, que é a razão gás-óleo (RGO), sendo tal razão expressa em condições padrão. ↦ Esse teste é realizado passando a corrente fluida (afluente) proveniente do poço através de um separador gás-óleo, ou gás-óleo-água quando da presença de água. As correntes efluentes dessa separação são então medidas. A de gás é geralmente medida por meio de uma placa de orifício, e a de óleo por um medidor de deslocamento positivo, ou turbina. O medidor de óleo é aferido com um tanque para determinar o encolhimento do óleo quando levado da condição de separação para a condição atmosférica. ▶ Ver *razão gás-óleo (RGO)*.

teste de absorção / leak-off or leakoff test. Teste realizado com o objetivo de definir a pressão de iniciação de fratura ou a pressão de trabalho que pode ser aplicada à formação sem perda de circulação. Os resultados do teste de absorção servem para determinar a pressão máxima ou o peso máximo de fluido que poderão ser utilizados na fase seguinte de perfuração do poço. ▶ Ver *microfraturamento*; *pressão de iniciação de fratura*; *perda de circulação*.

teste de absorção da formação (Ang.) / leak-off or leakoff test. O mesmo que *teste de absorção*. ▶ Ver *teste de absorção*.

teste de aceitação de fábrica (TAF) / factory acceptance testing (FAT). Procedimento relativo à certificação de que os valores de desempenho de determinado equipamento ou sistema, conforme requeridos, estão sendo atendidos. ↦ O *TAF* deve incluir as seguintes atividades, sem se limitar a elas: inspeção visual, energização de todo o sistema, testes de instrumentação, testes dos equipamentos (*hardware*) e da programação (*software*), verificação de parâmetros e da interface com o usuário, geração de arquivos e relatórios, e sistema de alarmes. Para sistemas de medição, são considerados testes de funcionalidade de toda a instrumentação, do computador de vazão e da comunicação digital ao computador de serviço. O serviço pode ainda contemplar a verificação do teste indicando rotinas de testes, verificação de calibração de equipamentos de medição, testemunha de teste e revisão dos cálculos de desempenho.

teste de atrito / rub test. Procedimeno de verificação do funcionamento dos transdutores de um sistema de sonar de varredura lateral ou perfilador de subfundo, através da esfregação manual dos transdutores para verificar a continuidade elétrica do sistema. ↦ Antes do lançamento na água é prática comum a realização de testes dos equipamentos no convés. Devido ao fato de que o ar é um meio de alta impedância para sinais acústicos, o melhor método para examinar o funcionamento do sistema é o de esfregar manualmente os transdutores ou bater neles. Esse teste é realizado separadamente em cada um dos transdutores do sistema para verificação da fiação interna do equipamento.

teste de bombeabilidade do cimento / cement pumpability test. Teste realizado para determinar o tempo de espessamento da pasta, que é aquele no qual a pasta atinge uma consistência de 100 Uc (*unidade de consistência*). ↦ A bombeabilidade é a característica que a pasta tem de permanecer fluida em determinadas condições de temperatura e pressão. O tempo de bombeabilidade, na maioria dos casos, é definido como o tempo necessário para que a pasta atinja 50 Uc. Em alguns casos considera-se que seja o tempo para atingir 70 Uc durante o teste para a determinação do tempo de espessamento. Esses valores representam o limite para que a pasta possa ser bombeável durante a execução de uma operação de cimentação. Isso evita que a pasta possa ser deslocada até alcançar o seu objetivo. É também usual anotar a consistência da pasta de cimento no início do teste, a 25%, 50% e 75% do tempo de espessamento para avaliar a variação desta propriedade ao longo do tempo.
▶ Ver *bombeabilidade do cimento*; *tempo de espessamento*; *consistômetro pressurizado*.

teste de cedência ou fratura da formação (Port.) (Ang.) / leak-off or leakoff test. O mesmo que *teste de absorção*. ▶ Ver *teste de absorção*.

teste de contrapressão / backpressure test. Teste para determinar a capacidade de entrega de um poço de gás. ↦ É realizado fazendo fluir no poço pelo menos quatro vazões distintas, e medindo-se a pressão estabilizada em fluxo em cada uma das vazões. O objetivo do teste é a construção da curva de contrapressão do poço, na qual as diferenças entre os quadrados das pressões estáticas (p_e) e estabilizadas em fluxo (p_f) são grafadas contra as respectivas vazões (Q) num gráfico dilogarítmico (log-log). Ajusta-se através dos pontos a reta dada pela equação $Q = C(p_e^2 - p_f^2)^n$, onde C e n são, respectivamente, o coeficiente e o expoente da equação de contrapressão. Entrando-se nessa equação com a pressão de fluxo igual a zero, obtém-se a vazão máxima que o poço é capaz de produzir, denominada *capacidade de entrega*. As pressões podem ser medidas na superfície ou no fundo do poço. Quando as pressões são medidas no fundo do poço, a capacidade de entrega é denominada *potencial absoluto de fluxo* (*absolute open flow, AOF*). ▶ Ver *contrapressão; teste isócrono*.

teste de crescimento de pressão / *pressure buildup test*. Teste considerado como um processo de medição e de posterior análise de dados de pressão adquiridos no fundo do poço num teste de formação com a finalidade de avaliar o reservatório. Os dados de pressão do teste de crescimento de pressão são adquiridos com o poço fechado imediatamente após o reservatório sob avaliação ter sido submetido a um período de produção. ↝ O fechamento do poço após um período de produção faz com que o fluido no poço atinja a condição estática e haja convergência da pressão de fundo para a pressão atual do reservatório na região drenada pelo poço. Em reservatórios ou regiões ainda não drenadas, a pressão estática deve ser aproximadamente igual à pressão original do reservatório. A análise dos dados de pressão desse teste permite determinar a capacidade produtiva do poço, a permeabilidade do reservatório, a presença de danos à formação, e informações tais como presença e quantidade de fraturas ou fissuras do reservatório, barreiras de permeabilidade situadas nas imediações do poço, presença de aquífero ou capa de gás, limites do reservatório, entre outras. ▶ Ver *crescimento de pressão; avaliação de formação*.

teste de desempenho / *performance test*. O mesmo que *teste de performance*. ▶ Ver *teste de performance*.

teste de diâmetro de passagem / *drift test*. Teste realizado com um pequeno cilindro de diâmetro conhecido para checar o diâmetro de passagem de um tubo ou outra ferramenta cilíndrica. ↝ Este teste permite verificar se não há curvas ou saliências no interior da tubagem, para que se possa manter o seu diâmetro constante e por lá descer tampões, isoladores (*packers*) etc. ▶ Ver *diâmetro de passagem; gabarito*.

teste de dobramento / *bending test*. Teste que consiste em submeter uma seção de uma estrutura ou corpo de prova a um momento fletor constante, medindo suas deformações com auxílio de medidores de deformação, para estudo do comportamento mecânico. ↝ Pode-se também realizar teste de dobramento para medição da aderência de um revestimento aplicado a um corpo ou entre dois corpos colados entre si.

teste de embebição Amott / *Amott imbibition test*. O mesmo que *teste de embebição*. ▶ Ver *embebição*.

teste de filtração / *filtration test*. Teste utilizado na determinação da perda de fluido da pasta de cimento. O equipamento utilizado é um filtro-prensa que consiste em um cilindro onde é aplicada uma pressão diferencial de 1.000 psi para filtração. ↝ O elemento filtrante consiste em uma peneira 325# (mesh), suportada por outra de 60# (mesh). Os filtros-prensa dispõem ainda de uma manta aquecedora com sistema manual, na qual é adaptada uma célula metálica que possui duas tampas com válvulas. A primeira permite a entrada de nitrogênio para a pressurização, e usa-se a segunda como válvula de saída para o filtrado. O filtrado de uma pasta de cimento é definido como a perda de fluido durante 30 minutos. Caso o teste seja interrompido antes desse tempo, devido à desidratação da pasta de cimento ou por outros motivos, pode-se calcular o filtrado da pasta pela perda de fluido, por meio de fórmula apropriada. ▶ Ver *filtração; pasta de cimento*.

teste de fluxo aberto / *open flow test*. Teste realizado em um poço de gás, que consiste em pôr o gás em fluxo com todas as válvulas abertas, objetivando à determinação do potencial de produção do poço. ▶ Ver *teste de contrapressão; teste isócrono; escoamento aberto*.

teste de fluxo após fluxo (Port.) / *flow-after-flow test*. O mesmo que flow-after-flow test. ▶ Ver flow-after-flow test.

teste de formação a cabo / *repeat formation test (RFT)*. 1. Teste aplicado para avaliação da produção de um poço. 2. Operação destinada a colher amostras do fluido e parâmetros da formação por meio de canhoneio de um ponto no revestimento ou diretamente na formação. Um teste de formação a cabo pode fornecer informações úteis prevendo, por exemplo, o índice de produtividade (IP) do poço. ↝ Método e sistema de avaliação do comportamento da pressão de fluido nos poros na região de interesse numa formação de subsuperfície.

teste de formação a poço aberto / *open-hole drill-stem test*. Teste realizado durante a perfuração de um poço, utilizando-se tubulação, e feito em fase anterior à descida do correspondente revestimento de produção, ou mesmo durante a fase de completação desse poço. ↝ Esse tipo de teste não é executado nas sondas flutuantes devido a problemas de segurança.

teste de formação a poço revestido / *cased-hole drill-stem test*. Teste realizado em poço revestido e canhoneado, por intermédio de tubulação. ↝ Este tipo de teste é indicado para as sondas flutuantes por ser um procedimento mais seguro operacionalmente. ▶ Ver *canhoneio*.

teste de formação de longa duração / *long-term formation test*. Teste de formação realizado a poço revestido, planejado para ser de longa duração (três meses ou mais) e que tem por objetivo investigar a extensão (tamanho) e o potencial (produtividade) do reservatório numa nova descoberta. •• Tais dados serão úteis para melhor definir a eventual opção de desenvolvimento para o campo, possivelmente representando ganhos de produção e/ou evitando desperdícios de recursos, devido ao melhor conhecimento do campo. ▶ Ver *teste de longa duração (TLD)*.

teste de fratura hidráulica / *step-rate test*. Teste de injeção no qual se mede a vazão e pressão de injeção para determinar a pressão de quebra da formação. •• O teste é realizado com vazões de injeção crescentes, em intervalos de tempo de mesma duração. Para cada vazão estabilizada é registrada a última pressão de injeção, e um gráfico cartesiano de pressão *versus* vazão é construído. A pressão de quebra da formação é determinada estabelecendo-se o ponto em que há uma mudança na inclinação da reta determinada pelos pares vazão-pressão. Esse teste é geralmente realizado antes de um fraturamento hidráulico.

teste de interferência / *interference test*. 1. Teste de pressão no qual a pressão de um poço fechado é medida ao longo do tempo, enquanto poços vizinhos continuam produzindo. 2. Teste realizado para medir o efeito que a produção de um poço tem sobre a de outro, para melhor caracterizar o reservatório.

teste de longa duração (TLD) / *long-duration test*. Teste de poços com tempo total de fluxo superior a 72 (setenta e duas) horas, realizado durante a fase de exploração com a finalidade exclusiva de obter dados e informações para conhecimento dos reservatórios,. Hidrocarbonetos produzidos durante o TLD estão também sujeitos a *royalties*. ▶ Ver *teste de formação de longa duração*.

teste de performance / *performance test*. Teste para verificar se a unidade industrial, ou parte dela, está apta a atender ao desempenho especificado em contratos, propostas e demais documentos correlatos.

teste de pressão no fundo / *bottomhole pressure test*. Teste que consiste na aquisição de um conjunto de dados de pressão medidos como função do tempo no fundo do poço, onde está situado o intervalo produtivo. O teste é executado de modo a alternar intervalos de tempo durante os quais o poço é aberto e o reservatório produz para a superfície com outros, nos quais o poço é fechado. Esses dados adquiridos no teste são a base para a realização da análise transiente da formação produtora, permitindo determinar propriedades da rocha e limites de produção do reservatório. •• Tanto a pressão de fluxo quanto a pressão estática são medidas e registradas por meio de instrumentos eletrônicos monitorados na superfície ou por medidores de nível no espaço anular, os chamados *sonolog*. ▶ Ver *pressão no fundo do poço*.

teste de produção / *production test*. Teste realizado nos poços de petróleo ou gás, com o objetivo de medir a vazão e definir as características dos fluidos produzidos. •• O teste de produção normalmente é feito uma vez a cada mês, alinhando-se o poço a ser testado para um vaso separador específico onde são feitas as medições de vazão de óleo, gás e água, como também a obtenção das características dos fluidos produzidos, de fundamental importância para um bom gerenciamento do comportamento do reservatório. ▶ Ver *produção*.

teste de redundância cíclica / *cyclic redundancy check*. Técnica de validação de conteúdo e representação da informação, baseada em algoritmos polinomiais, que empregam a própria informação para gerar números que são utilizados na verificação de consistência.

teste de restabelecimento da pressão no fundo do poço (Port.) / *pressure buildup test*. O mesmo que *teste de crescimento de pressão*. ▶ Ver *teste de crescimento de pressão*.

teste de tempo de espessamento do cimento / *cement thickening time test*. Teste realizado para a determinação do tempo de espessamento no consistômetro pressurizado, consistindo em um equipamento que contém um cilindro rotativo no qual a pasta do cimento está contida, equipado com um conjunto de palhetas estacionárias que fica imerso na pasta. •• Todo o conjunto é colocado em uma câmara capaz de alcançar temperaturas e pressões compatíveis com as encontradas em uma situação real de campo. O copo cilíndrico é girado a 150 rpm durante o teste, e o torque exercido nas palhetas pela pasta equivale a uma certa voltagem, que é transformada em unidade de consistência através de uma curva de calibração. Pela carta gerada no teste obtém-se o tempo de espessamento e de bombeabilidade. Com este teste, pode-se também observar a formação de algum tipo de gel ou de outra anomalia com a pasta. ▶ Ver *pasta de cimento*; *tempo de espessamento*.

teste de vazão em degrau / *step-rate test*. Teste de injeção no qual se mede, para diferentes valores de vazão, os valores de pressão correspondentes. •• A curva de vazão *versus* pressão, registrada a partir dos dados obtidos no teste, apresenta uma alteração na declividade no ponto correspondente à pressão de quebra. A partir da pressão de quebra, pode ser inferida a tensão confinante, que é um dado de entrada no projeto de fraturamento.

teste do pulso / *pulse test*. Verificação da saída de um instrumento qualquer, após a alimentação do instrumento com uma onda padrão. ▶ Ver *pulso*.

teste equivalente de azul de metileno / *methylene blue test equivalent standard test (MBTE)*. Ensaio padronizado pelo *API* (*American Petroleum Institute*) que determina a quantidade de sólidos ativos argilosos presentes em um fluido de perfuração à base de água, através da medição da quantidade de corante azul de metileno absor-

teste FZG

vido pela amostra. Expresso em lb/bbl de bentonita equivalente.

teste FZG / *FZG test*. Teste de bancada para avaliar a capacidade que tem um óleo lubrificante de proteger o equipamento contra o desgaste. ⇢ Nesse teste determina-se o desgaste, por meio de um sistema de lubrificação de engrenagens de dentes retos sobre as quais se aplicam cargas crescentes. A avaliação é realizada visualmente pela aparência das cicatrizes presentes nos dentes das engrenagens. Padronizado pelo método ASTM D 5182 e utilizado para medir desempenho de lubrificantes para engrenagens, transmissão e hidráulicos.

teste hidrostático / *hydrostatic test*. Teste empregado em equipamentos e dutos que operam com fluidos em pressões acima da atmosférica, a fim de comprovar sua estanqueidade e sua capacidade de resistir às pressões oriundas de sua operação. Para execução desse tipo de teste o equipamento ou duto é preenchido com água ou outro fluido de baixa compressibilidade. Testes hidrostáticos são obrigatórios em grande parte dos equipamentos, tubulações e dutos ligados à produção e transporte de petróleo e gás. ⇢ Parâmetros tais como frequência, procedimento e pressão máxima desses testes são normalmente especificados em normas e recomendações para cada classe de equipamento e serviço. Equipamentos que operam com gases, se fossem testados com esse fluido, poderiam falhar de forma catastrófica no teste. O uso do teste hidrostático torna aceitável a quantidade de energia elástica acumulada, minimizando as consequências de uma falha durante o teste.

teste isócrono / *isochronal test*. Teste utilizado para determinar a capacidade produtiva de um poço de gás quando este tiver um longo período de estabilização. ⇢ O teste é realizado através de uma sequência isócrona de períodos de produção e fechamento do poço com a duração de quatro a seis horas cada um. Inicialmente o poço é aberto com uma vazão específica, medindo-se a pressão em intervalos de tempo preestabelecidos, e em seguida o poço é fechado. Esta sequência é repetida outras vezes com vazões diferentes, medindo-se as pressões nos mesmos intervalos de tempo.

teste não destrutivo / *non-destructive testing*. Serviço completo de inspeção tanto no campo quanto no laboratório. Nessa categoria de testes não destrutivos (NDT) podem ser incluídos os seguintes: ultrassom (contato, imersão), radiografia (raios X, raios gama, filme e tempo real, radiografia computadorizada), líquido penetrante (molhado/seco, fluorescente, visível), radar penetrante no solo, corrente de Foucault (detecção de falhas, ordenação de materiais), identificação positiva de materiais (XRF), tração, fadiga, compressão, impacto, dureza (Brinell, Rockwell), flexural, e outros. ▶ Ver *ensaio não destrutivo (END)*; *construção e montagem*.

teste quatro esferas / *four-ball test*. O mesmo que *teste FZG*. ▶ Ver *teste FZG*.

teste seco / *dry test*. Teste de vedação de algum componente para verificar se não há vazamento de fluido, ou seja, se há estanqueidade.

teste transiente de pressão / *pressure transient test*. Qualquer teste de pressão no qual se provoca um distúrbio no poço e se observa a resposta do reservatório. ⇢ Geralmente os testes transientes são realizados impondo-se ao poço uma vazão de produção (ou injeção) constante e interpretando a consequente variação da pressão de fluxo. ▶ Ver *teste de crescimento de pressão*.

testemunhador (Port.) (Ang.) / *core barrel*. O mesmo que *barrilete de testemunhagem*. ▶ Ver *barrilete de testemunhagem*.

testemunhador interno (Port.) (Ang.) / *inner core barrel*. O mesmo que *barrilete interno de testemunhagem*. ▶ Ver *barrilete interno de testemunhagem*.

testemunhagem / *coring*. Operação de corte de uma amostra cilíndrica de formações (testemunho) através de um equipamento chamado *coroa de testemunhagem*, que gira solidário ao barrilete externo. A recuperação do testemunho é feita através do barrilete interno.

testemunhagem a pistão / *piston corer*. Testemunhagem oceanográfica feita com um pistão dentro de um cilindro que funciona por gravidade e que reduz a fricção através da criação da sucção. ⇢ Exemplos desse tipo de testemunhagem são a testemunhagem Ewing, a amostragem Mackereth e a testemunhagem Kullenberg.

testemunhagem lateral / *lateral coring or sidewall coring*. 1. Método que utiliza uma ferramenta percussiva para efetivação da testemunhagem. 2. O mesmo que *amostragem lateral* ou *de parede do poço*. ⇢ Ao ocorrerem mudanças inesperadas na coluna estratigráfica, pode haver a necessidade de se testemunhar uma formação já perfurada. Nesse caso é feita a testemunhagem lateral, que se baseia no seguinte método fundamental: cilindros ocos, presos por cabos de aço a um canhão, são arremessados contra a parede do poço para retirar amostras da rocha. Ao se retirar o canhão até a superfície, os cilindros são arrastados e recolhem amostras da formação. ▶ Ver *amostragem lateral*.

testemunhagem orientada / *oriented coring*. Operação em que se registra a inclinação e o azimute de uma geratriz do cilindro de rocha amostrado. ⇢ A orientação de testemunhos é muito utilizada em operações em que se procura determinar as direções das tensões horizontais atuantes na formação, as quais, entre outros usos, orientam ações a serem praticadas nessa formação (por exemplo, operação de fraturamento). ▶ Ver *testemunhagem*.

testemunho / *core*. 1. Cilindro de rocha cortado durante a perfuração de poços, que varia normalmente de 2 cm a 25 cm de diâmetro e em vários metros no comprimento. 2. Cilindro de sedimentos obtido por cravamento de tubulações no fundo do mar, também chamados de *testemunhos a pistão* ou *por vibração*. Amostra cilíndrica cortada da formação. ↝ O barrilete de testemunhagem é basicamente composto de uma coroa de testemunhagem e um *liner* para acondicionamento e proteção do testemunho. À medida que o testemunho vai sendo cortado, ele penetra no *liner*. Para evitar a queda do testemunho durante sua retirada, a sapata do barrilete é provida de garras e/ou conchas. Alguns tipos de testemunho, tais como arenitos friáveis e folhelhos, precisam ser submetidos a um processo de preservação imediatamente após a sua chegada à superfície, para que suas características físicas e/ou químicas sejam preservadas.

testemunho de diâmetro inteiro (Port.) (Ang.) / *whole core*. O mesmo que *testemunho inteiro*. ▶ Ver *testemunho inteiro*.

testemunho de diâmetro máximo (Port.) / *full-diameter core*. O mesmo que full-diameter core. ▶ Ver full-diameter core.

testemunho de sondagem / *drill core*. Cilindro de rocha resultante da amostragem durante a perfuração de um poço. ↝ Na obtenção dessa amostra faz-se uso de uma broca em cujo centro há um orifício circular circundado por uma coroa de materiais abrasivos (ex. diamantes industriais) capazes de cortar a rocha presente no poço em perfuração. Essa coroa é igualmente referida como *coroa de testemunhagem*. ▶ Ver *testemunho*.

testemunho inteiro / *whole core*. Amostra de testemunho com diâmetro igual ao diâmetro da coroa de testemunhagem. Normalmente, para facilitar a descrição geológica da rocha, os testemunhos são cortados longitudinalmente ao meio ou a 2/3 do seu diâmetro. A preservação de algumas seções *whole core* possibilitará a realização de testes em amostras de maior diâmetro. Esse procedimento é muito indicado para rochas que apresentem um alto grau de heterogeneidade. ▶ Ver *testemunhagem*.

testemunho saturado / *saturated core*. Testemunho cujos poros estão totalmente preenchidos por óleo.

testemunho topográfico / *witness mark*. Ponto de referência, como o pico de uma montanha, árvore, edifício ou poste, utilizado como auxiliar de referência em um levantamento topográfico. Em Portugal utiliza-se o termo *marca de referência*.

tetrafone / *tetraphone*. Geofone com quatro sensores, cada um nas diagonais internas de um cubo, usado em sísmica de reflexão. ▶ Ver *geofone*.

textura / *texture*. Aspecto físico geral dos caracteres megascópicos ou microscópicos de uma rocha ou de um agregado mineral, que inclui os aspectos geométricos (tamanho, forma, arredondamento e orientação) e as relações mútuas entre suas partículas componentes ou cristais.

textura de coprólitos (Port.) (Ang.) / *pellet texture*. O mesmo que *textura de* pellets. ▶ Ver *textura de* pellets.

textura de pellets / *pellets texture*. Textura concrecionária caracterizada por minúsculos corpos (esféricos, elípticos e/ou oblongos) de origem orgânica ou química, a depender do ambiente deposicional onde tenha sido formada, e que podem sofrer alterações composicionais ao longo dos processos de litificação. ▶ Ver *litificação*.

textura de rocha (Port.) / *rock texture*. O mesmo que *arcabouço*. ▶ Ver *arcabouço*.

textura em atol / *atoll texture*. 1. Textura caracterizada por um mineral de forma anelar associado a outro mineral, ou minerais, ocupando as porções externa e interna do(s) mesmo(s). 2. Textura frequentemente observada em sulfetos presentes em depósitos minerais.

thixcarb. Fluido de perfuração à base de água, caracterizado pela presença de carbonato de cálcio granulado em sua composição, e cuja função é promover um tamponamento das gargantas de poro, reduzindo a perda de filtrado para a formação perfurada. ↝ A formulação *thixcarb* é classificada como fluido *drill-in*, ou seja, fluido adequado à perfuração da zona de interesse, para minimizar problemas de dano à formação. ▶ Ver *fluido de perfuração*.

threshold. Tamanho-limite estimado dos campos de óleo e gás.

through casing. Expressão usada para operações realizadas por dentro do revestimento. Por exemplo, *through casing logging*, que significa 'perfilagem com poço revestido'.

thruster. Ferramenta descida na coluna de perfuração para eliminar ou reduzir as vibrações nessa coluna e manter o peso sobre a broca usando a pressão hidráulica para transmitir essa força axial. ↝ Ferramenta eliminadora de choques na coluna.

tie-back. 1. Operação realizada com o objetivo de emendar (conectar) duas partes de uma mesma coluna de revestimento. 2. Revestimento usado para complementar uma coluna de *liner* até a superfície, quando limitações técnicas ou operacionais exigem proteção do revestimento anterior. ↝ A operação de *tie-back* pode ocorrer devido às limitações de carga da sonda. Neste caso, primeiramente é descida a parte inferior do revestimento (*liner*), e posteriormente a parte superior conectada ao *liner* e ancorada na superfície. ▶ Ver *revestimento de produção*.

tie-in. 1. Operação de interligação submarina entre dutos (rígidos e flexíveis) ou equipamentos submarinos e dutos. 2. Termo utilizado durante a perfuração de um poço para designar um ponto em um conjunto de dados, a partir do qual os dados seguintes se relacionarão e serão processados. É muito utilizado no cálculo de trajetória de poços. Neste caso, o *tie-in* é a profundidade medida do poço, com a sua inclinação, direção e trajetória calculadas (profundidade vertical, seção horizontal, coordenadas norte-sul e coordenadas leste--oeste) a partir das quais os demais registros de inclinação e direção serão calculados. É o mesmo que *tie-on*. 3. Acessório para derivação/interligação de linhas, entroncamentos de linhas.

tie-on. O mesmo que tie-in. ▶ Ver tie-in; *poço direcional*; *inclinação*.

till. Sedimentos predominantemente não consolidados e não estratificados, depositados pela retração de uma moraina, consistindo numa mistura heterogênea de argila, silte, areia e seixos de tamanho e formas variados.

till de ablação / *ablation till*. Termo genérico usado para sedimentos não consolidados, trazidos por glaciares e depositados pela fusão superficial ou basal destes, ou ainda por erosão ou evaporação, podendo fluir como um fluido viscoso. •◦ Os sedimentos de ablação, ou *till* de ablação, podem originar a rocha consolidada dita *tilito* (*tillite*). ▶ Ver till.

tiofeno / *thiophene*. Líquido análogo ao furano em sua estrutura heterocíclica e semelhante ao benzeno tanto física como quimicamente, exceto por sua grande reatividade.

tiro curto / *short shot*. Levantamento de refração rasa utilizado para se determinar a espessura da *zona de baixa velocidade (ZBV)*. ▶ Ver *refração rasa*; *zona de baixa velocidade (ZBV)*.

tiro de controle / *check shot*. Registro do tempo de trânsito de uma onda direta entre a superfície e uma determinada profundidade (geralmente marcos geológicos e/ou interfaces com forte contraste de impedância acústica). •◦ Tiros de controle são usados em confecção de sismogramas sintéticos e identificação de interfaces entre camadas no dado sísmico. São adquiridos colocando-se receptores em poços a profundidades definidas de acordo com os níveis de interesse (geralmente, de 10 a 20) e o uso de uma fonte próxima à superfície. O tempo de chegada da onda direta é medido, sendo considerado bem próximo à metade do tempo sísmico; as sempre presentes diferenças (geralmente inferiores a 10 milissegundos, ms) estão associadas a diversos fatores, como fase diferente de zero da sísmica, migração imperfeita etc.

tiro de intemperismo / *weathering shot*. Tiro de refração rasa destinado a determinar a espessura da zona de baixa velocidade. •◦ Tiro utilizado em levantamentos de reflexão sísmica terrestre, indispensável na prática das correções de intemperismo realizadas no processamento sísmico. ▶ Ver *correção de intemperismo*.

tiro deslocado / *skidded shot*. Tiro dado com deslocamento horizontal em relação à malha regular prevista no projeto de aquisição sísmica. •◦ O deslocamento de pontos de tiro é sempre causado por problemas operacionais, tais como presença de obras de engenharia, limitações ambientais, dificuldades de acesso, etc. Atualmente, com o fácil acesso a imagens aéreas e/ou imagens de satélites, grande parte dos tiros deslocados já é prevista no projeto de aquisição.

titulação condutométrica / *conductometric titration*. Técnica para estimar a capacidade de troca catiônica de uma amostra medindo-se a condutividade durante a titulação. •◦ A técnica abrange o esmagamento da amostra do testemunho e a mistura por certo tempo com uma solução de acetato de bário, durante a qual os pontos de troca catiônica são substituídos por íons de bário (Ba^{++}). A solução é então titulada com outra solução, como $MgSO_4$; durante essa titulação se observa a mudança na condutividade, quando os íons de magnésio (Mg^{++}) substituem os íons de bário (Ba^{++}). Por várias razões, mas principalmente pelo fato de a amostra ser esmagada, a medida pode diferir daquela que afeta as propriedades elétricas *in-situ* da rocha.

tixotropia / *thixotropy*. 1. Propriedade de fluidos não newtonianos de apresentarem uma relação de variação de viscosidade com o tempo. 2. Fenômeno caracterizado pela diminuição da tensão de cisalhamento ou da viscosidade de um fluido com o tempo de aplicação de uma determinada taxa de cisalhamento. •◦ A viscosidade desse tipo de fluido diminui com o tempo de exposição ao cisalhamento. Tal característica está presente em algumas graxas lubrificantes, fluidos de perfuração e em alguns tipos de gel, onde a consistência dos mesmos se reduz sob forças vibratórias ou simples agitação e retorna ao valor original quando essa força é retirada. A tixotropia é um fenômeno reversível e não deve ser confundida com mudanças permanentes que ocorrem num sistema, tais como reações químicas ou perda de solvente. ▶ Ver *tixotrópico*.

tixotrópico / *thixotropic*. 1. Diz-se de fluido não newtoniano cujas propriedades reológicas dependem do tempo em que a deformação é aplicada ao fluido. 2. Qualidade de um fluido, como pasta de cimento ou fluido de perfuração, em que a viscosidade diminui com o tempo quando submetido a uma taxa de cisalhamento constante, até atingir um equilíbrio. •◦ Nas pastas de cimento, a tixotropia é resultante da interação entre as partículas produzidas por ligações iônicas e pontes de hidrogênio, formando uma estrutura de gel. Quando o sistema é submetido a um efeito cisalhante, ocorre a quebra da estrutura reticular e o sistema adquire fluidez. A tixotropia em pastas de cimento é resultado da reação entre o sulfato de cálcio com o C_3A que forma etringita; os cristais de etringita crescem e formam uma estrutura gel. Pastas de cimento tixotrópicas (com alta força gel) são utilizadas para evitar a migração de gás durante a cura da pasta no poço. Um fluido tixotrópico requer uma quantidade finita de tempo para recuperar a condição de equilíbrio estrutural após uma etapa de cisalhamento. Muitos géis e coloides utilizados na indústria de petróleo, especialmente como fluidos de perfuração, se comportam como fluidos tixotrópicos.

tocha / *flare*. Sistema que visa à coleta e à queima, em área segura, dos vapores de hidrocarbonetos provenientes dos equipamentos de processamento primário de petróleo. ↝ Esse sistema recebe correntes provenientes da operação normal de alguns equipamentos (por exemplo, torre desaeradora de água de injeção por gás em contracorrente, *gas stripping*) e correntes provenientes de equipamentos com problemas operacionais (por exemplo, descarga das válvulas de segurança de vasos que manuseiam hidrocarboneto). Normalmente existem duas tochas (ou queimadores) na instalação: a tocha de baixa pressão (tocha tubular de baixa perda de carga) e a tocha de alta pressão (normalmente tocha multiqueimadores, de maior perda de carga). Para a primeira são alinhados os equipamentos da planta de processo que operam em baixas pressões, e para a segunda são alinhados os equipamentos que operam com maiores pressões.

tolerabilidade de riscos / *risk acceptability*. Critério que define níveis ou intervalos de valores estipulados pela empresa, por órgãos ambientais ou agências reguladoras, para decidir sobre a aceitabilidade ou não dos riscos existentes. ▶ Ver *agência reguladora*.

tolerância ao *kick* / *kick tolerance*. Máximo volume de *kick* que pode ser tomado e circulado sem fraturar a formação mais fraca exposta. ↝ Depende do peso do fluido em uso, do gradiente de fratura da formação mais fraca, do gradiente de pressão de poros, do volume e da densidade do fluido invasor e da geometria do poço.

toluene (Port.) (Ang.) / *toluene*. O mesmo que *tolueno*. ▶ Ver *tolueno*.

tolueno / *toluene, toluol*. Hidrocarboneto aromático semelhante ao benzeno, porém menos volátil e inflamável. Utilizado como solvente e agente antidetonante na gasolina. Constituído por uma cadeia de benzeno em que uma das ligações de hidrogênio é substituída por CH_3, pode ser chamado de *metilbenzeno*.

tomada de pressão / *pressure or pipe taps*. Dispositivo composto de uma ou mais perfurações na parede da tubulação, cuja pressão de escoamento se deseja medir, acoplada(s) a rabicho(s) conectado(s) a um elemento sensor de pressão. ↝ Tipicamente, quando de deseja medir a vazão em uma tubulação através de medição de pressão, faz-se uma tomada dupla, a montante e a jusante de um elemento perturbador — usualmente uma placa de orifício. Os valores capturados permitem conhecer o valor de pressão estática (montante) e o valor da pressão diferencial (entre montante e jusante), os quais, após processamento típico, indicam o valor da vazão ocorrente.

tômbolo / *tombolo*. Faixa de areia ou de cascalho que liga uma ilha ao continente ou a outra ilha.

tomografia computadorizada / *computed tomography*. 1. Diagnóstico por imagem que produz pequena quantidade de radiação. 2. Técnica para imagear um testemunho varrendo-o com uma fonte de raios X altamente focalizada e registrando estes mesmos raios no outro lado do testemunho. ↝ A fonte e o detetor são girados e deslocados ao longo do testemunho. Em uma tomografia computadorizada, os fótons são coletados por um cristal cintilador ou uma fotomultiplicadora, que convertem a energia incidente em corrente elétrica, proporcional à energia dos fótons de raios X incidentes. ▶ Ver *imagem de testemunho*.

tomografia interpoços / *crosshole tomography*. Técnica para medir o sinal acústico transmitido por uma fonte num poço, por meio de um receptor colocado em um outro poço, criando um mapa tomográfico do tempo de trânsito e das amplitudes.

tonometria / *vapor-pressure lowering*. Estudo da redução da pressão máxima de vapor por meio da inserção de um soluto não volátil em meio a um solvente. ↝ A pressão de vapor é calculada pela seguinte expressão:

$$\Delta p/pS = Kt.W.i$$

onde:
Δp = pressão de vapor da solução; pS = pressão de vapor do solvente puro; W = concentração molal; Kt = constante tonoscópica; i = constante de Van't Hoff.

top drive. Equipamento usado para girar a coluna de perfuração no lugar da mesa rotativa. É acoplado ao mastro por meio de guias e barra de torção. Ao girar a coluna, o torque é suportado pelo mastro. A utilização desse equipamento dispensa o uso da mesa rotativa. Em poços direcionais de grande afastamento e em poços horizontais, esse equipamento torna-se imprescindível, pois ao permitir que a coluna seja manobrada com movimento de rotação, reduz o coeficiente de atrito e, consequentemente, o arraste. Por outro lado, a perfuração é feita com juntas e não com tubos unitários de perfuração. ▶ Ver *coluna de perfuração*; *mesa rotativa*.

topo de delta / *delta top*. 1. Superfície de nível que compõe a parte do lado terrestre de um grande delta. 2. É também designada *planície de delta*.

topografia imatura / *immature topography*. Região com um sistema de drenagem acima do nível base de erosão ou com sistemas de drenagem que se encontram em expansão em sua posição mais elevada.

topside de plataforma / *platform topside*. 1. Parte superior de uma plataforma, que inclui a planta de processo, suas utilidades e alojamento. 2. Equipamentos localizados acima do convés da plataforma. Normalmente o *topside* é composto pelos módulos de separação de óleo, compressão de gás, tratamento de gás, geração de energia, acomodação, *deck box* (estruturas e painéis de fechamento do *deck*), *pipe-rack* (dutovia), heliponto e queimador. ▶ Ver *planta de processo*; *plataforma de petróleo*; *dutovia*.

Topside de Plataforma

torre absorvedora / *absorption tower*. Vaso de pressão cilíndrico vertical, de elevada razão de aspecto (relação entre o comprimento — L e o diâmetro — D), no qual ocorre o fenômeno de absorção. ↦ Esse equipamento é dotado de um sistema de bandejas valvuladas ou de algum tipo de recheio (randômico ou estruturado), que visa a aumentar o contato entre a fase gasosa (alimentada pelo fundo) e a fase líquida (alimentada pelo topo). Nesse equipamento ocorre o fenômeno de absorção de um componente do gás ascendente (por exemplo, o vapor-d'água) por um absorvente líquido descendente (por exemplo, trietileno-glicol). ▶ Ver *planta de absorção*; *planta de desidratação*.

torre de absorção / *absorption tower*. O mesmo que *torre absorvedora*. ▶ Ver *torre absorvedora*; *planta de absorção*; *planta de desidratação*.

torre de ancoragem / *turret*. 1. Sistema de ancoragem composto por um corpo cilíndrico ancorado ao leito marinho e conectado ao casco de uma embarcação por meio de rolamentos e juntas rotativas (*swivel*); estes permitem que a embarcação gire 360°, alinhando-se às resultantes ambientais e mantendo-se sempre aproada de acordo com as resultantes das componentes de força de onda, vento e corrente, diminuindo assim o esforço sobre o casco. 2. Torre receptora das linhas flexíveis de produção, injeção, oleoduto e gasoduto e das linhas de ancoragem. ↦ Esta *turret* é responsável pela interligação das linhas de produção (*risers*) com a planta de processo, e é um sistema largamente utilizado em navios-plataformas, ditos *FPSO*, *floating, production, storage and offloading*, permitindo que os mesmos se alinhem com as resultantes ambientais, decorrentes das forças de corrente, de marés e de ventos que atuam sobre a embarcação. ▶ Ver *junta rotativa*; *unidade flutuante de produção*; *estocagem e transferência*; *swivel*.

torre de bandeja / *tray tower*. Vaso de pressão cilíndrico vertical de elevada razão de aspecto (relação entre o comprimento — L e o diâmetro — D), que tem por finalidade permitir a troca de massa entre uma corrente de líquido e uma de gás ou vapor. ↦ Esse equipamento é dotado, ao longo de sua altura, de bandejas com válvulas que permitem o acúmulo do líquido descendente e o borbulhamento do gás/vapor ascendente, promovendo a troca de massa desejada. Esse tipo de equipamento é empregado nas instalações de produção para desidratação do gás produzido, remoção de gases ácidos da corrente de gás produzido, e como torre desaeradora de água captada no mar e utilizada na injeção em reservatórios de hidrocarbonetos (manutenção de pressão estática, mitigação de subsidência etc.).

torre de perfuração / *derrick*. Estrutura de aço em treliça utilizada em sondas de perfuração com o intuito de prover altura necessária ao içamento de uma seção de tubos a ser descida ou retirada de um poço. Exige a desmontagem e a montagem das vigas uma a uma. ↦ As torres mais comuns têm uma altura útil de trabalho na faixa de 40 metros e podem manusear seções de três tubos. Além da altura, as torres são também especificadas por sua resistência aos esforços desenvolvidos na plataforma e à ação do vento. ▶ Ver *sonda de perfuração*.

torre desaeradora / *deaerator tower*. Vaso de pressão na forma de coluna vertical, onde se retira o oxigênio da água do mar, em sistemas de tratamento de água para injeção no reservatório produtor. ↦ Dois tipos de torres desaeradoras são normalmente empregadas em instalações de produção: a mais comum é dotada de internos do tipo bandeja ou recheio (randômico ou estruturado), e nela o fluxo de água é exposto ao contato com hidrocarboneto gasoso (previamente desidratado) em contracorrente, de forma a que se promova a remoção do oxigênio. Outro tipo menos empregado é a torre de desaeração a vácuo, que promove a remoção do oxigênio dissolvido na água por redução de pressão.

torre desarenisadora (Port.) (Ang.) / *deaerator tower*. O mesmo que *torre desaeradora*. ▶ Ver *torre desaeradora*.

torre do queimador / *flare tower*. Estrutura tubular vertical usualmente empregada em plataformas de produção do tipo fixa, cuja base é fixada na estrutura dos conveses da plataforma de forma a sustentar, em sua extremidade superior, o queimador.

torre recheada / *packed tower*. Vaso de pressão cilíndrico vertical que tem por finalidade permitir a troca de massa entre uma corrente de líquido e uma de vapor, e que é dotado ao longo de sua altura de internos de grande superfície específica, o que permite o aumento da área de interface vapor/líquido, facilitando a troca de massa. •» Há duas classes de recheios usualmente empregados: os denominados *recheios randômicos*, constituídos de pequenos sólidos cerâmicos ou poliméricos de formatos variáveis despejados no interior da torre, e os chamados *recheios estruturados*, nos quais um pacote de placas metálicas ou poliméricas é montado dentro do vaso. Esse tipo de equipamento é empregado nas instalações de produção, para desidratação do gás produzido, remoção de gases ácidos da corrente de gás produzido e como torre desaeradora de água do mar para injeção. As torres recheadas são mais adequadas a emprego em unidades flutuantes de produção do que as torres de bandeja, já que estas podem sofrer mais intensamente os efeitos dos movimentos do mar.

torre valvulada / ***bubble-cap tray tower***. O mesmo que *torre de bandeja*. ▶ Ver *torre de bandeja*.

torre-canivete / ***jackknife derrick, mast rig***. Torre de perfuração que pode ser dobrada como um canivete e transportada inteira sobre um caminhão, de uma locação para outra. Também conhecida como *mastro articulado* ou *mastro de tipo canivete*. ▶ Ver *sonda articulada*.

torrista / ***derrickman***. Técnico da sonda de perfuração encarregado da operação de manobra de tubos, que opera na mesa do torrista acoplada na torre, aproximadamente 20 m acima da mesa rotativa nas sondas de três tubos. •» Quando a operação não é de manobra, o torrista passa a ser responsável pelo funcionamento das bombas de lama. ▶Ver *sonda de perfuração*.

totalizador / ***totalizer***. Instrumento de medição que determina o valor de um mensurando por meio da soma dos valores parciais dessa grandeza, obtidos, simultânea ou consecutivamente, de uma ou mais fontes. •» Instrumento ou função de integrar a vazão num determinado período de tempo (hora, dia etc.) com o objetivo de obter o volume de fluido produzido. Exemplos: *(I)* medidor totalizador de vazão de gasolina; *(II)* medidor totalizador de potência elétrica.

total de sólidos em suspensão / ***total suspended solids (TSS)***. A totalidade dos sólidos em suspensão na água, que podem ser trapeados por um filtro. •» Consistem em uma grande variedade de materiais, como silte, matérias orgânicas (resto de plantas e animais), dejetos industriais e esgotos. A alta concentração de sólidos em suspensão pode causar vários problemas ao meio ambiente, como, por exemplo, à saúde da vida aquática. Dá uma ideia da qualidade da água.

trabalho de pesca / ***fishing job***. O mesmo que *pescaria*; *trabalho de pescaria*. ▶ Ver *pescaria*.

trabalho de pescaria / ***fishing job***. O mesmo que *pescaria*; *trabalho de pesca*. ▶ Ver *pescaria*.

trabalho de restauro do poço (Port.) / ***well workover, well intervention***. O mesmo que *intervenção em poço*. ▶ Ver *intervenção em poço*.

traçamento de raio / ***ray tracing***. Técnica de modelagem sísmica direta, na qual a propagação da onda ocorre através de um raio normal localizado à frente de onda que a originou. O percurso da onda é então calculado numa abordagem geométrica com base nas leis de Snell (reflexão e refração). •» Este método apresenta como principal vantagem sua eficiência computacional, mas por ser uma aproximação de alta frequência apresenta limitações relacionadas à fidedignidade das amplitudes e a variações bruscas no modelo. Este método de modelagem é amplamente aplicado em estudos de iluminação e na geração de tabelas de tempo de trânsito para a migração.

traço bobo / ***dummy trace***. Traço sísmico nulo mantido entre traços válidos para efeito de sua separação. •» Também chamado *traço fantasma*.

traço de afastamento nulo / ***zero-offset trace***. Traço teórico utilizado na linguagem da reflexão sísmica, no qual a fonte e o receptor estão no mesmo ponto da superfície. Pode também designar um traço corrigido de *normal moveout* / sobretempo normal (NMO) ou um traço de seção empilhada horizontalmente. •» Definição amplamente utilizada na obtenção de velocidades a partir de dados sísmicos.

traço de afastamento zero / ***zero-offset trace***. O mesmo que *traço de afastamento nulo*. ▶ Ver *traço de afastamento nulo*.

traço de ganho / ***gain trace, log-level indicator***. Traço em uma seção sísmica que indica o ganho, ou a amplificação, usada em um ou mais canais.

traço empilhado / ***stacked trace***. Traço em uma seção sísmica que é formado pelo empilhamento de dois ou mais traços. ▶ Ver *empilhamento*.

traço galvanométrico / ***wiggle trace***. Uma das formas de representação do traço sísmico. •» Neste, o traço sísmico é representado por uma curva contínua no tempo cuja sinuosidade é função da amplitude do sinal. ▶Ver *traço sísmico*.

traço modelo / ***model trace***. Traço sísmico de referência utilizado para a determinação das correções estáticas residuais na correlação com os demais traços da família CMP (*common mid point* ou ponto médio comum). ▶Ver *traço sísmico*.

traço morto / ***dead trace***. Traço sísmico com nenhuma ou muito pouca amplitude. ▶ Ver *traço sísmico*; *amplitude*.

traço piloto / ***pilot trace***. Traço sísmico na direção do qual outros traços são ajustados, na mudança do tempo para correções estáticas ou processos de equalização cruzada. ▶Ver *traço sísmico*.

traço próximo / ***near trace***. Traço sísmico que se situa mais próximo da assinatura da fonte. ▶Ver *traço sísmico*.

traço sintético / *synthetic trace*. Traço sísmico feito a partir dos dados de um poço ou de um modelo matemático. ▶ Ver *traço sísmico*.

traço sísmico / *seismic trace*. Função unidimensional (dimensão tempo ou profundidade) que fornece a variação da amplitude do sinal sísmico. ⇝ Esse traço refere-se tanto àquele obtido de uma estação receptora (geofone ou hidrofone), traço sísmico registrado, quanto àquele oriundo do processamento sísmico, antes ou depois do empilhamento, bem como ao dado sísmico em tempo, convertido para dado sísmico em profundidade ou obtido por migração em profundidade. ▶ Ver *empilhamento*; *geofone*; *hidrofone*.

traço vivo / *live trace*. Traço ou registro sísmico válido. ▶ Ver *traço morto*.

tracto de sistema transgressivo (Port.) / *transgressive system tract*. O mesmo que *trato de sistema transgressivo*. ▶ Ver *trato de sistema transgressivo*.

tracto de sistemas (Port.) (Ang.) / *system tract*. O mesmo que *trato de sistemas*. ▶ Ver *trato de sistemas*.

tracto deltaico (Port.) / *deltaic tract*. O mesmo que *trato deltaico*. ▶ Ver *trato deltaico*.

trajetória do poço / *well trajectory, well path*. Caminho percorrido por um poço durante a sua perfuração. ⇝ Existe a trajetória planejada e existe a trajetória realizada, esta obtida a partir de registros de inclinação e direção a determinadas profundidades (fotos) durante ou após a perfuração. ▶ Ver *perfuração*.

trajetória do raio / *raypath*. Caminho percorrido por um raio sísmico entre dois ou mais pontos. ⇝ Em meio isotrópico, a trajetória do raio é sempre perpendicular à frente de onda em propagação nesse meio. ▶ Ver *traçamento de raio*.

trajetória do tempo mínimo / *least-time path, minimum-time path*. Trajetória que obedece ao princípio de Fermat, que estabelece o conceito físico de que a trajetória de uma onda sempre ocorre em um percurso que minimiza o seu tempo de trânsito. ⇝ Isso implica que, em um meio com um gradiente vertical de velocidade de propagação, a trajetória percorrida por uma onda será curva em qualquer situação, exceto a de incidência normal. ▶ Ver *princípio de Fermat*.

tramo / *jumper*. 1. Conjunto de linhas de escoamento (ou de controle) de interligação entre equipamentos, particularmente as instaladas no leito submarino. **2.** Trecho complementar de uma linha flexível ou cabo. **3.** Segmento curto de tubo flexível usado para conectar equipamentos submarinos, como, por exemplo, um manifolde a uma linha no fundo do mar.

tramo de medição / *measurement length*. Linha ou trecho de medição formado por componentes tais como filtro, medidor de vazão, válvulas, amostrador etc., dedicados a um *range* específico de vazão. ⇝ Uma estação de medição (*EMED*) pode conter um ou mais tramos. ▶ Ver *tramo*.

transdutor / *transducer*. Dispositivo eletrônico ou mecânico que tem a função de converter uma grandeza física em outra. Todos os transmissores possuem transdutores.

transdutor acústico / *acoustic transducer*. Dispositivo que transforma energia elétrica em som e vice-versa. ⇝ Em perfilagem acústica, transdutores acústicos são geralmente de cerâmica piezoelétrica ou materiais magnetostritos, e podem ser usados tanto como transmissores quanto como receptores, em uma faixa de frequência entre 1 kHz e 30 kHz. Em perfilagem ultrassônica, os transdutores operam em frequências de algumas centenas de quilohertz a alguns megahertz e são usados em modo alternado transmissor-receptor. ▶ Ver *transdutor*.

transdutor de monitoramento de pressão / *pressure monitoring transducer*. Transdutor de pressão utilizado apenas para monitoramento e indicação da pressão de um processo, não se utilizando deste para exercer controle ou atuar nele. ⇝ Utilizado em alguns subprocessos dos sistemas de supervisão existentes nas plataformas marítimas de produção, nos quais o operador monitora a pressão e realiza, de forma manual, as devidas correções no processo. ▶ Ver *transdutor*; *transdutor de pressão*; *manômetro*.

transdutor de pressão / *pressure transducer*. 1. Elemento eletromecânico que converte uma pressão, grandeza física, em um sinal eletrônico padrão. **2.** Dispositivo que fornece uma grandeza de saída que tem determinada correlação com a grandeza de entrada. Exemplos: termopar, transformador de corrente, eletrodo de pH e extensômetro elétrico de resistência (*strain gage*). ⇝ Existem diversos princípios de conversão, mas todos eles têm o mesmo fundamento mecânico que é a deformação resultante da força criada pela pressão que se deseja medir. O transdutor, ou sensor de pressão, pode ser classificado como *(I) strain-gage*, que utiliza como princípio de operação a redução da resistência elétrica criada pelo aumento da pressão; *(II) piezoelétricos*, que utilizam como princípio de operação a propriedade de um cristal de quartzo de reduzir a frequência natural com o aumento da pressão; *(III) capacitivos*, que utilizam como princípio de operação a propriedade do aumento da frequência natural de um capacitor a óleo com o aumento da pressão; e o *(IV)* microssistema eletromecânico, *MEMS* (*micro electro mechanical system*). ▶ Ver *transdutor*; *transdutor de monitoramento de pressão*; *manômetro*.

transdutor remoto endereçável / *highway addressable remote transducer (HART)*. Dispositivo que é um híbrido de comunicação analógica entre 4 e 20 miliampères (mA) e comunicação digital, também chamado de "inteligentes", que consiste num protocolo de comunicação mestre-

-escravo desenvolvido no final da década de 1980 para facilitar a comunicação com dispositivos "inteligentes" de campo. ↔ Os dispositivos baseados no protocolo *HART* possibilitam a comunicação digital bidirecional sem interferir no sinal analógico entre 4 e 20 miliampères (mA). Tanto este sinal analógico de 4-20 mA quanto o sinal digital de comunicação *HART* podem ser transmitidos simultaneamente pela mesma fiação. O sinal *HART* torna possível a transmissão e recepção de informações adicionais, além da normal que é a variável de processo em instrumentos "inteligentes". A variável de processo ou o sinal de controle podem ser transmitidos por intermédio de 4-20 mA, enquanto as medições adicionais, os parâmetros de processo, a configuração do instrumento, a calibração e as informações de diagnóstico são disponibilizados na mesma fiação e ao mesmo tempo. O *HART* é um protocolo do tipo mestre-escravo, o que significa que um instrumento de campo (escravo) somente responde quando requisitado por um mestre. Dois mestres (primário e secundário) podem se comunicar com um instrumento escravo em uma rede *HART*. Os mestres secundários, como os terminais portáteis de configuração, podem ser conectados normalmente em qualquer ponto da rede e se comunicar com os instrumentos de campo sem provocar distúrbios na comunicação com o mestre primário (tipicamente um *SDCD, sistema digital de controle distribuído* ou *CLP, controlador lógico programável*).

transferência da concessão / *transfer of concession*. O mesmo que *cessão*. ▶ Ver *cessão*.

transferência de calor / *heat transfer*. Passagem de energia térmica de um corpo quente para um frio. ↔ Quando um corpo (fonte, fluido ou objeto, por exemplo) está numa temperatura diferente da do seu ambiente ou de outro corpo, a transferência de energia térmica ocorre até que o corpo atinja o equilíbrio térmico com o meio (sumidouro). Transferência de calor sempre ocorre do corpo quente para o frio, conforme a segunda lei da termodinâmica. A transferência de calor nunca cessa antes de atingir o equilíbrio; entretanto, sua taxa pode ser fortemente controlada. ▶ Ver *permutador de calor*.

transferência de custódia / *custody transfer measurement*. Sistema que provê informações quantitativas e qualitativas para a documentação de um processo de mudança de propriedade e/ou mudança de responsabilidade relativa a produtos ou *commodities*. ↔ Esta terminologia é empregada em sistemas de medição ou totalização das quantidades (em volume, massa, peso etc.) de produtos transferidos a terceiros por meio de venda, contrato etc.

transferência de massa interfacial / *interface mass transfer*. 1. Quantidade transferida de elementos químicos entre duas ou mais fases. 2. Troca (transferência) promovida por difusão de um ou mais componentes de uma fase para outra, através da interface formada entre elas. Uma das fases pode ser o ar e, neste caso, a interface é denominada *superfície* e a troca envolve substâncias no estado gasoso. ↔ O petróleo por não ser uma substância pura e sim uma mistura, terá forte transferência de massa interfacial durante seus processos de produção, transporte e/ou refino, quando estará submetido a distintos estados termodinâmicos à medida que tais processos são realizados.

transferência de petróleo, gás natural e derivados / *transfer of crude oil, natural gas and petroleum products*. Movimentação de petróleo, seus derivados ou gás natural em meio ou percurso considerado de interesse específico e exclusivo do proprietário ou operador de instalações de produção, processamento ou escoamento.

transferência de voláteis / *volatile transfer*. 1. Fenômeno com ocorrência na tectônica de placas. 2. Fenômeno relativo à passagem de voláteis que ocorre quando da entrada de magmas em zonas com pressão reduzida. ↔ Em margens convergentes de placas, refere-se à passagem de voláteis da placa em subducção, rica em água, dióxido de carbono e elementos voláteis (tais como Zn, Cd, Pb, Ti e halogênios) para a cunha de manto sobreposta e dali, através de processos ígneos, para a litosfera da placa sobrejacente e, eventualmente, para a atmosfera.

transformação adiabática / *adiabatic change*. Processo de transformação termodinâmica de um sistema em que não há troca térmica com o ambiente externo. ↔ Nos processos adiabáticos o aquecimento e o arrefecimento ocorrem exclusivamente devido aos efeitos da pressão, expansão ou compressão. Em plataformas de produção e processamento primário de petróleo é típica a presença de válvula de expansão de gás de alta pressão para geração e tratamento de gás combustível. Nessa válvula, a expansão da corrente de gás de alta pressão é aproximadamente adiabática, pois a mesma ocorre muito rapidamente, e assim não oferece tempo para uma suficiente troca de calor (quando receberia calor do meio externo). Assim, atingem-se temperaturas muito baixas para esse gás expandido, e isso provoca a condensação das frações pesadas e do vapor-d'água eventualmente presentes.

transformador elétrico / *electrical transformer*. 1. Dispositivo utilizado no bombeio centrífugo submerso (BCS) e alojado no leito marinho para transformar o valor da tensão elétrica, transmitida através de umbilical de potência a um conjunto do mencionado bombeio instalado em poço-satélite submarino. 2. Equipamento elétrico, baseado na lei da indução magnética de Faraday, no qual dois circuitos elétricos compostos por solenoides, acoplados por um núcleo magnético comum, transferem energia de um para outro, com relações variáveis de tensão e corrente, através das variações de um campo magnético alternado. ▶ Ver *bombeio centrífugo submerso (BCS)*.

transgressão / *transgression*. O mesmo que *transgressão marinha*. ▶ Ver *transgressão marinha*.

transgressão continental / *continental transgression*. Aumento de área de deposição continental, tal como a de leques aluviais anteriormente sob erosão ou em estado de não deposição. Também denominada *progradação*. ▶ Ver *transgressão marinha*.

transgressão marinha / *marine transgression*. Avanço do mar sobre uma zona emersa durante um determinado período de tempo, deixando evidência de tal avanço no fato de as camadas transgressivas repousarem sobre as camadas subjacentes, independentemente da estrutura destas últimas (muitas vezes em discordância) e ainda porque, do ponto de vista de fácies, a base da transgressão corresponde à ressedimentação de elementos das rochas que afloravam na zona emersa. ▶ Ver *transgressão*; *transgressão continental*.

transiente / *transient*. Pulso não repetitivo de curta duração, conforme um pulso de voltagem ou um determinado pulso sísmico.

transmissão / *transmission*. Passagem de uma onda de um meio para outro através de uma interface. O mesmo que *refração* na física clássica.

transmissividade / *transmissibility or transmissivity*. Característica correspondente ao índice de produtividade de um reservatório, medido por meio da divisão da permeabilidade pela espessura da zona produtora. ▶ Ver *índice de produtividade*.

transmissor / *transmitter*. Dispositivo que converte uma grandeza física em um sinal padrão, de mesma natureza ou não, de acordo com normas específicas e consagradas sobre o assunto. ↔ O sinal padrão eletrônico consiste em um sinal de corrente e o sinal pneumático consiste em uma determinada faixa de pressão. O sinal de transmissão digital ainda não é padronizado, havendo diversos tipos de protocolos de comunicação.

transmissor de pressão e temperatura / *pressure and temperature transmitter*. Instrumento de medição e transmissão de sinais de pressão e temperatura. Utilizado em arranjos submarinos como manifoldes ou em árvores de natal molhadas. ↔ Destina-se à medição de pressão e temperatura em ambiente submarino, até 2.500 m de profundidade. O sensor é intrusivo, instalado com uma proteção (poço). Neste caso não há contato direto do fluido com o elemento sensor.

transmissor de pressão e temperatura de fundo de poço / *downhole pressure and temperature transmitter*. 1. Instrumentação para monitoração de fundo de poço, com sensor e transmissor de pressão e temperatura. 2. Também conhecido como *PDG convencional* (*permanent downhole gauge*).

transmissor-receptor (Port.) / *transponder*. O mesmo que transponder. ▶ Ver transponder.

transparência acústica / *acoustic transparency*. Ausência de reflexão sísmica atribuída à homogeneidade do meio. ↔ Qualidade de um meio cuja impedância acústica seja constante, tal que não contenha nenhuma reflexão sísmica. Exemplo de um meio acústico transparente é a água.

transponder. Dispositivo eletrônico utilizado em comunicações sem fio. A palavra em si é representativa da expressão *transmissão-resposta*. ▶ Ver *receptor e transmissor de resposta*.

transponder UHF / *UHF transponder*. Dispositivo de transmissão de sinal de envio e de sinal de resposta (*transmission and response transmitter*), aplicado às frequências da faixa UHF (*ultra high frequency*). ↔ Frequências UHF (*ultra high frequency*) são aquelas na faixa de 300 a 3.000 MHz. Acima destas estão as frequências de micro-ondas e abaixo delas as frequências de VHF (*very high frequencies*). Um *transponder* UHF, de modo geral, é aquele que opera dentro dessa faixa de frequências. Um *transponder* usado para radioposicionamento, largamente aplicado em operações marítimas, opera na faixa 430-440 MHz e tem alcance relativamente pequeno (dezenas de quilômetros, dependendo das condições ambientais).

transporte de petróleo, derivados e gás natural / *transportation of crude oil, petroleum products and natural gas*. Movimentação de petróleo e seus derivados ou gás natural em meio ou percurso considerado de interesse comum a mais de um proprietário ou operador de instalações de produção, processamento ou escoamento. Movimentação de gás natural através de gasodutos ou vasos, quando em fase liquefeita.

transporte de sedimento / *sediment transport*. Deslocamento de sedimentos por agentes naturais, tais como gelo, água ou ar. O modo de transporte pode ser por suspensão, tração (saltação, rolamento ou arraste), fluxos gravitacionais, de modo combinado (tração mais suspensão) ou em solução.

transporte intermodal / *intermodal transportation*. Transporte de carga que se utiliza de um ou mais modais de transporte. Um exemplo disso seriam as cargas em contêineres, que num primeiro momento são transportadas a um porto por intermédio de caminhões e, em seguida, transportadas por intermédio de navios, posteriormente por malha ferroviária e, finalmente, transferidas novamente para um caminhão para sua entrega final.

transposição / *translocation*. Uso de estações fixas terrestres em posicionamento por satélites, com a finalidade de melhorar a precisão das estações móveis.

transversal magnético / *transverse magnetic*. Modo de propagação da onda perpendicularmente ao campo magnético.

trapa / *trap*. 1. Configuração geométrica de estruturas de rochas sedimentares que retém os fluidos migrantes, oriundos de escoamentos ascensionais de óleo ou gás, de tal forma que não possibilite o escape futuro desses fluidos, obrigando-os a se acumularem. Conhecida também como *armadilha*. 2. Elemento pertencente a uma região retentora de um fluxo de hidrocarboneto gerado em volume significativo. ▶ Ver *rocha sedimentar*.

trapeamento estratigráfico / *stratigraphic trapping*. Barreira de baixa permeabilidade cujo objetivo é deter o petróleo, que ficará assim retido por intermédio de um processo de acunhamento da camada transportadora (terminações laterais em cunha). ⟿ O trapeamento estratigráfico, resultante da presença de trapas, ocorre não somente em função da diagênese, mas igualmente em função da mudança de fácies. ▶ Ver *trapa*.

tratador de emulsão / *oil-emulsion treater*. Vaso destinado à remoção de água emulsionada em óleo, empregado a jusante dos separadores gravitacionais para remoção da água remanescente, em geral com teores inferiores a 20%. ⟿ Nesses equipamentos, além da gravidade são utilizados outros princípios físicos capazes de promover a denominada *quebra da emulsão*, tais como tratamento térmico e químico, internos coalescedores e/ou campo elétrico.

tratador eletrostático / *electrostatic treater*. Tratador de emulsão no qual a coalescência das gotículas da água emulsionada é promovida com o auxílio de campo elétrico. ⟿ O equipamento é dotado de eletrodos posicionados em seu interior de forma a criar um campo elétrico (contínuo, alternado ou ambos) capaz de promover a vibração e o deslocamento das gotículas de água emulsionada no seio do óleo, facilitando a coalescência e decantação das mesmas.

tratamento ácido / *acid treatment*. Tratamento de uma formação por meio da injeção de um fluido que contém uma mistura de ácidos e outros componentes. ⟿ O objetivo desse tratamento é a ampliação dos poros da formação pela dissolução ácida da matriz, especialmente a parte composta de carbonatos, melhorando a permeabilidade da rocha e permitindo o aumento da produção. Os tratamentos ácidos geralmente envolvem o uso de diversos ácidos combinados, como ácido acético, ácido clorídrico, ácido fluobórico, ácido fórmico, ácido fluorídrico etc. ▶ Ver *fraturamento ácido*.

tratamento e bombeamento de superfície / *surface treatment and pumping*. Operação que considera as facilidades de produção de superfície, dispondo de subsistemas capazes de tratar fluidos (tipicamente água produzida ou captada) necessários para injeção ou reinjeção em poços. ⟿ Os procedimentos para o tratamento mencionado estão associados ao teor de óleo ou sólidos envolvidos. Por vezes, quando no caso de injeção de água captada, esse tratamento se faz levando em conta a necessária remoção de sulfatos, quando então se faz uso de membranas semipermeáveis (*molecular sieves*), as quais têm capacidade seletiva em termos moleculares. ▶ Ver *facilidades de produção*; *reinjeção*.

tratamento e processamento de gás natural / *natural gas treatment and processing*. Operações que visam ao transporte, distribuição e utilização do gás natural processado.

trato de sistema transgressivo / *transgressive system tract*. Conjunto de sistemas deposicionais contíguos e contemporâneos, formados durante a subida do nível relativo do mar, com a taxa de acomodação excedendo o aporte sedimentar. Seu limite inferior é marcado pela superfície transgressiva, e o superior pela superfície de inundação máxima.

trato de sistemas / *system tract*. Conjunto de sistemas deposicionais contíguos e contemporâneos, depositados durante fases específicas de ciclos de elevação e definidos pela geometria estratal nas superfícies limitantes, pelo padrão interno de empilhamento e por sua posição dentro de uma sequência deposicional. ▶ Ver *estratigrafia de sequências*; *empilhamento*.

trato deltaico / *deltaic tract*. Conjunto contemporâneo tridimensional de depósitos relativos à deposição de um delta e compreendendo toda a sua extensão, desde os depósitos da planície deltaica até seus correspondentes marinhos, tais como as frentes deltaicas e o prodelta de um rio.

trava / *snap latch*. Equipamento cilíndrico de fundo de poço conectado à extremidade inferior da parte superior de uma coluna de produção. ⟿ Equipamento dotado de garras segmentadas, com dentes de perfil inclinado, encaixado no topo de um *packer*, podendo ser liberado por meio de tração aplicada à coluna acima dele. ▶ Ver *âncora*; *âncora selante*; *extensão selante*.

travamento / *lock*. Dispositivo de fechamento, bloqueio ou tranca que é utilizado em portas, veículos, contêineres, conectores, *BOPs* (*blowout preventers*) e outros equipamentos. Usualmente, pode ser acionado por uma chave, por uma combinação, por um sistema de acionamento hidráulico, por sistema de acionamento mecânico ou por sistema de acionamento elétrico. ▶ Ver *autotravamento*.

travão de bombeamento mecânico (Port.) (Ang.) / *brake (SRP)*. O mesmo que *freio de bombeio mecânico*. ▶ Ver *freio de bombeio mecânico*.

travão magnético (Port.) (Ang.) / *magnetic brake*. O mesmo que *freio magnético*. ▶ Ver *freio magnético*.

travão mecânico (Port.) (Ang.) / *mechanical brake*. O mesmo que *freio mecânico*. ▶ Ver *freio mecânico*.

trecho com crescimento de ângulo / *buildup section*. Trecho do poço onde uma curvatura é feita com aumento de inclinação. Por exemplo, se um trecho está sendo construído com taxa de aumen-

trecho com redução de ângulo

to de ângulo de inclinação, caracterizando uma severidade de curvatura de 3 graus / 30 m, significa que a cada 30 metros o poço aumenta a inclinação em relação à vertical em 3 graus. ▶ Ver *trecho com redução de ângulo*.

trecho com redução de ângulo / *dropoff section*. Trecho do poço com redução de inclinação. ↪ Por exemplo, se uma curvatura está sendo construída com uma taxa de redução de ângulo de inclinação, caracterizando uma severidade de curvatura de 3 graus / 30 m, significa que a cada 30 metros a inclinação do poço é reduzida em 3 graus. ▶ Ver *trecho com crescimento de ângulo*; *severidade de curvatura*.

trecho inclinado / *slant section*. Seção do poço direcional com inclinação constante. Esta seção pode vir após um trecho de ganho de ângulo (*buildup*) ou após um trecho de perda de ângulo (*dropoff*). ▶ Ver *poço direcional*.

trecho reto de medição / *straight pipe run*. Tubulação instalada a montante e a jusante do elemento primário de medição de vazão com a finalidade de garantir a estabilidade do perfil de velocidades e manter a rugosidade dentro dos limites recomendados, entre outros parâmetros definidos por normas pertinentes.

trem de compressão / *compression train*. Arranjo de compressores, combinados com um sistema de geração de energia, para uma unidade industrial como, por exemplo, uma plataforma de petróleo. Há uma infinidade de configurações possíveis, com diferentes níveis de redundância, dependendo do número de equipamentos envolvidos, assim como de suas capacidades.

trem de ondas / *train of waves, wave train*. Série de ondas sucessivas.

trem de produção / *production train*. Conjunto de equipamentos de processamento primário que operam em série em relação à corrente de óleo, numa instalação (plataforma) de processamento primário de petróleo. ↪ Em instalações de produção é comum a existência de mais de um trem de produção (geralmente são dois ou três). Nesse caso, os trens operam em paralelo e cada um deles recebe uma corrente que representa normalmente 1/n da vazão total de produção da instalação, onde *n* é o número de trens de produção.

trem de separação / *separation train*. Sequência de separadores na qual estão dispostos equipamentos para processamento primário (separadores de produção) da plataforma. ↪ Cada trem de separação é por sua vez composto por vasos separadores em série, denominados *de primeiro estágio* e *de segundo estágio*. ▶ Ver *trem de produção*.

trena medidora de nível / *measurement tape*. Medidor de nível de tanques ou vasos baseado em fitas metálicas graduadas em centímetros, normalmente utilizadas em medições regulamentadas ou contratuais.

trenó / *sled*. Sistema de apoio para o mandril de conexão vertical (ou mandril de linha de fluxo, MLF).

tubagem de perfuração pesada

↪ Equipamento de apoio temporário da linha de fluxo. O mandril mencionado fica apoiado no trenó enquanto não é conectado à árvore de natal molhada (ANM). ▶ Ver *mandril de conexão vertical*.

tribologia / *tribology*. Área de estudo dos fenômenos e mecanismos de fricção, lubrificação e desgaste em superfícies em movimento relativo. ▶ Ver *lubrificação*.

trilha de navegação / *path tracking*. Capacidade que tem um equipamento rebocado de seguir a mesma linha percorrida pela embarcação. Essa capacidade é reduzida quando o equipamento é rebocado transversalmente à direção de correntes marinhas.

trinca por sulfito / *sulfide stress cracking*. Trinca gerada a partir da corrosão do ferro em meio aquoso que contém gás. ↪ No processo corrosivo do ferro ocorrido em meio aquoso que contém gás forma-se o sulfeto de ferro (FeS), sendo liberado o átomo de hidrogênio. Tal átomo de hidrogênio poderá migrar para dentro da estrutura cristalina e com isso fragilizar o ferro.

trincamento assistido pelo hidrogênio / *hydrogen-assisted cracking*. Processo que resulta no decréscimo da tenacidade ou ductilidade do metal devido à presença de hidrogênio atômico no interior da rede cristalina desse material, quando não está associado a reações de corrosão. Por exemplo, quando submetido a proteção catódica. ▶ Ver *fragilização por hidrogênio*.

trituração / *milling*. Operação de pescaria em um poço com o objetivo de retirar o peixe, ou parte dele, que está obstruindo o poço. ▶ Ver *pescaria*.

trituração de sapata / *milling shoe*. O mesmo que *sapata de destruição*. ▶ Ver *sapata de destruição*.

triturador com guia (Port.) (Ang.) / *pilot mill*. O mesmo que pilot mill. ▶ Ver pilot mill.

troca de base / *base exchange*. Propriedade que têm alguns argilominerais de trocar ânions e cátions com uma solução. O mesmo que *troca iônica*. ▶ Ver *troca iônica*.

troca iônica / *ion exchange*. Troca de íons entre dois eletrólitos ou entre um eletrólito e um substrato complexante (resinas, membranas, zeólitas etc.). ↪ O termo é aplicado em processos de purificação, separação, extração ou descontaminação de água.

trocador de calor / *heat exchanger*. O mesmo que *permutador de calor*. ▶ Ver *permutador de calor*.

tropodifusão / *tropospheric scattering*. Espalhamento na troposfera das ondas de rádio.

tubagem de perfuração (Port.) (Ang.) / *drill pipe*. O mesmo que *tubo de perfuração*. ▶ Ver *tubo de perfuração*.

tubagem de perfuração e revestimento (Port.) (Ang.) / *drilling pipe and casing*. O mesmo que *tubo de poço de petróleo*. ▶ Ver *tubo de poço de petróleo*.

tubagem de perfuração pesada (Port.) (Ang.) / *heavy-weight drill pipe*. O mesmo que *tubo de perfuração pesado.* ▶ Ver *tubo de perfuração pesado.*

tubagem de poço petrolífero (Port.) (Ang.) / *drilling pipe and casing.* O mesmo que *tubo de poço de petróleo.* ▶ Ver *tubo de poço de petróleo.*

tubagem de produção de pequeno diâmetro (Port.) (Ang.) / *macaroni tubing.* O mesmo que *macarroni.* ▶ Ver *macarroni.*

tubagem de produção (Port.) (Ang.) / *production pipe, tubing.* O mesmo que *tubo de produção.* ▶ Ver *tubo de produção.*

tubagem flambada (Port.) (Ang.) / *buckled pipe.* O mesmo que *tubo flambado.* ▶ Ver *tubo flambado.*

tubagem presa (Port.) (Ang.) / *stuck pipe.* O mesmo que *tubo preso.* ▶ Ver *tubo preso.*

tubagem-cabeça (Port.) (Ang.) / *header.* O mesmo que *tubulação-cabeça.* ▶ Ver *tubulação-cabeça.*

tubing. O mesmo que *tubo de produção.* ▶ Ver *tubo de produção.*

tubing hanger. O mesmo que *suspensor de coluna de bombeio centrífugo submerso.* ⇨ O equipamento é utilizado em instalações de bombeio centrífugo submerso (BCS) de poços-satélites submarinos de petróleo. ▶ Ver *suspensor de coluna.*

tubo / *pipe.* Item de forma cilíndrica que permite a passagem de fluidos pelo seu interior de forma segura e controlada. ⇨ Na etapa de exploração e produção de petróleo é normalmente utilizado como coluna de perfuração, de revestimento, de produção e como meio de transporte de fluidos produzidos ou injetados. Os tubos possuem ampla utilização na indústria do petróleo, em suas etapas de exploração, produção, transporte, refino ou comercialização, sendo sua fabricação e aplicação dependente das tecnologias e dos processos adotados. Os materiais usados são das mais diversas naturezas, tais como aços em geral, plásticos etc. ▶ Ver *coluna de revestimento.*

tubo bengala / *standpipe.* Tubo em forma de bengala instalado verticalmente, que recebe o fluido de perfuração da bomba de lama e o conduz à cabeça de injeção através da mangueira do *kelly.* ▶ Ver *haste quadrada; cabeça de injeção; mangueira do* kelly.

tubo Bourdon / *Bourdon tube.* **1.** Transdutor de pressão que consiste num tubo fechado curvo de seção reta não circular e que tende a retificar quando pressão é aplicada internamente. Assim, em função da movimentação de um indicador numa escala circular, a pressão aplicada pode ser medida. **2.** Conhecido também como *manômetro de Bourdon.* ▶ Ver *transdutor.*

tubo cego / *blank pipe.* Seção curta de tubos comuns de completação (*tubing*) que é usada para separar ou posicionar os componentes mais específicos da coluna em frente ao(s) ponto(s) de interesse do poço.

tubo conector (Port.) / *jumper.* O mesmo que *tramo.* ▶ Ver *tramo.*

tubo curto / *pup joint.* Tubo de perfuração, de produção ou de revestimento de comprimento inferior a 30 ft, ou 9,5 m, em geral, de 2,5 m a 6 m. ⇨ É utilizado para compor a coluna de perfuração, de completação ou de revestimento quando o comprimento desejado não pode ser atingido com o uso de tubos de perfuração de comprimento padrão. O tubo curto ajusta o comprimento total da coluna de maneira que o topo ou qualquer equipamento intermediário dessa coluna fique na posição planejada. ▶ Ver *tubo de perfuração; revestimento; tubo de produção.*

tubo de despejo / *skim pile.* Tubo vertical de grande diâmetro instalado em plataformas marítimas de produção, destinado a receber a drenagem de águas pluviais (drenos abertos de convés) e a água efluente do sistema de tratamento de águas oleosas. ⇨ Esse tubo é instalado no convés inferior da plataforma, parcialmente submerso, e tem uma abertura em sua parte inferior por onde a água tem acesso ao mar. Na extremidade superior do tubo é frequentemente montada uma bomba centrífuga submersa (eixo vertical e motor apoiado sobre o tampo superior do tubo) que se destina a recuperar algum óleo eventualmente segregado por gravidade nesse tubo. A partida e parada dessa bomba pode ser automatizada com a adoção de algum dispositivo de controle de nível de óleo/interface.

tubo de lavagem / *wash pipe or washpipe.* Tubo similar a um tubo de revestimento, com grau de aço variável e peso por pé definido, rosca especial resistente a alto torque, com o objetivo de limpar externamente um peixe em um poço e com diâmetro externo menor que o diâmetro do poço ou do menor revestimento do mesmo.

tubo de medição / *meter tube.* Conjunto formado pelo elemento primário de medição de vazão e seus trechos retos a montante e a jusante, de modo que se configurem como um único dispositivo responsável pela medição da vazão bruta. ⇨ Caso exista retificador ou condicionador de fluxo, este é parte integrante da seção de medição.

tubo de perfuração / *drill pipe.* Tubo que completa a coluna de perfuração além do *BHA* (composição de fundo). Apresenta como principais funções transmitir rotação à broca e fazer circular o fluido de perfuração. Constitui-se de tubo de aço sem costura, tratado internamente com aplicação de resinas para diminuição do desgaste interno e corrosão, com uniões cônicas soldadas em suas extremidades. ⇨ Na especificação de um tubo de perfuração, levam-se em conta as seguintes características: *(I)* diâmetro externo (OD), variando de 2 3/8" a 6 5/8" (polegadas); *(II)* peso nominal, peso por unidade de comprimento ou peso linear, que também é um valor de referência para determinar o diâmetro interno, a espessura da parede e o máximo diâmetro de passagem (*drift*) do tubo; *(III)* tipo de reforço (*upset*), usado na fabricação para soldagem da união cônica ao corpo do tubo, podendo ser do tipo IU (*internal upset*), EU (*external upset*) ou IEU (*internal-external upset*); *(IV)* grau do aço, com limite de escoamento do aço do tubo, definido como a tensão correspondente à elongação total de 0,5%. ▶ Ver *coluna de perfuração; conexão do tubo de perfuração*.

tubo de perfuração pesado / *heavy-weight drill pipe*. Elemento tubular de aço forjado e usinado com peso intermediário entre os tubos de perfuração (*drill pipes*) e os comandos (*drill collars*). Colocado entre os comandos e os tubos de perfuração, permitindo uma mudança mais gradual na rigidez da coluna. ↪ Sua forma é semelhante à dos tubos de perfuração, diferindo apenas no tamanho dos *tool joints*, maiores, e no reforço central do corpo do tubo. São bastante usados em poços direcionais como elementos auxiliares no fornecimento de peso sobre a broca, substituindo parte dos comandos, que, por serem mais pesados e largos, provocam mais torque e arraste (*drag*) durante a movimentação da coluna em trechos inclinados. ▶ Ver *coluna de perfuração; conexão do tubo de perfuração*.

tubo de poço de petróleo / *drilling pipe and casing*. Conjunto das colunas de revestimento e de produção que ficam no poço. ↪ Além dos tubos de perfuração (*drill pipes*), também são considerados os tubos pesados de perfuração (*heavy weight drill pipes*) e comandos de perfuração (*drill collars*), necessários para a perfuração e completação. ▶ Ver *coluna de perfuração; tubo de perfuração; comando de perfuração; coluna de revestimento; revestimento*.

tubo de produção / *production pipe, tubing*. Tubo utilizado no poço para conduzir fluido da formação produtora para a árvore de natal ou vice-versa. ↪ Diferente do revestimento, a coluna de produção é projetada para ser trocada durante a vida do poço, se necessário.

tubo de raios catódicos / *cathode-ray tube* (CRT). Instrumento eletrônico que permite produzir imagens ao deslocar um feixe de elétrons sobre um anteparo fluorescente, com o emprego de uma válvula termiônica especial.

tubo flambado / *buckled pipe*. Tubulação submetida a um esforço compressivo superior a sua força crítica de flambagem. ▶ Ver *flambagem mecânica; força crítica de flambagem*.

tubo preso / *stuck pipe*. Tubulação imobilizada dentro do poço, não podendo ser movimentada para fora por razões mecânicas indesejadas ou não controláveis. ↪ Existem várias razões conhecidas que levam a tal situação, como, por exemplo, desmoronamento do poço, diferencial de pressão entre o fluido de trabalho e a formação permeável causando a aderência da coluna (prisão por diferencial de pressão), colapso da coluna de revestimento, excesso de cascalho no poço em perfuração e malfuncionamento de algum elemento de sustentação ou isolamento de pressão da coluna de produção. ▶ Ver *peixe; pescaria*.

tubo ranhurado / *slotted pipe*. Tubo contendo várias ranhuras, distribuídas segundo um padrão preestabelecido ao longo de todo o seu corpo. ▶ Ver *tubo; ranhura*.

tubo sem costura / *seamless pipe*. Tubo fabricado pelo processo de laminação a quente, pela prensagem de um lingote cilíndrico aquecido até 1.200 °C contra um mandril, sem a necessidade do processo de soldagem. ↪ Os tubos da coluna de perfuração e os tubos de revestimentos de poço de petróleo com diâmetros até 13 3/8" (polegadas) são alguns exemplos. Usualmente, os tubos de revestimentos de 13 3/8" são também fabricados a partir de chapas de aço dobradas e soldadas por arco submerso. ▶ Ver *tubo; revestimento*.

tubo venturi / *venturi tube*. Elemento primário de medição de vazão baseado na pressão diferencial cuja geometria apresenta uma seção de entrada na forma de um cone em redução, uma seção intermediária denominada *garganta* e uma seção de saída na forma de um cone em expansão, construídos de acordo com as normas pertinentes. ↪ A pressão diferencial é medida entre a pressão de entrada e a pressão na garganta do dispositivo.

tubulação-cabeça / *header*. Parte de um sistema de coleta no qual é a tubulação principal que conecta diversos dutos a um único duto tronco (*header*). ↪ De forma geral, possui válvulas de produção e testes que controlam a vazão de cada duto, o que permite direcionar o fluxo para o separador de produção ou o de teste.

tufa calcária / *calcareous tufa*. Rocha sedimentar macia, porosa, semifriável, composta por carbonato de cálcio depositado quimicamente através da evaporação de águas ricas em carbonato de cálcio, oriundas de fontes quentes ou frias. A precipitação também pode ocorrer pela ação de algas ou bactérias. ↪ Travertino é uma variedade de tufa dura e densa.

tufa carbonática / *calcareous tufa*. O mesmo que *tufa calcária*. ▶ Ver *tufa calcária*.

tufo calcário (Port.) (Ang.) / *calcareous tufa*. O mesmo que *tufa calcária*. ▶ Ver *tufa calcária*.

turbidez / *turbidity*. 1. Medida da redução de transparência de um fluido causada pela presença de partículas dispersas. 2. Propriedade de dispersão que causa a redução da transparência de uma fase contínua, medida por espalhamento de luz e absorbância. 3. Função da distribuição de tamanhos e concentração das espécies que formam a fase dispersa. ↪ Parâmetro utilizado para avaliar a qualidade da água de uso doméstico e industrial. A turbidez em água é geralmente obtida por meio de técnica de espalhamento de luz em um equipamento chamado *nefelômetro* (ou *turbidímetro*). A unidade de turbidez obtida por tal equipamento denomina-se UNT (unidade nefelométrica de turbidez).

turbidito / *turbidite*. Rocha sedimentar originada em ambientes subaquáticos de taludes com correntes de turbidez. Os turbiditos são sedimentos cujos fragmentos têm tamanhos que variam desde o conglomerado (alguns clastos possuem vários metros de diâmetro) até as frações siltico-argilosas. •• Em regra, as partículas mais finas encontram-se no topo da formação; os turbiditos constituem muitas vezes bons reservatórios de óleo e gás. ▶ Ver *rocha sedimentar*.

turbina / *turbine*. Equipamento de fundo de poço utilizado para promover alta rotação da broca sem que a coluna tenha de girar na mesma velocidade. Pode ser composto por vários estágios de estator e rotor. O estator é a parte estacionária fixa na carcaça da turbina. O rotor é parte móvel que é conectada ao eixo que gira a broca. A energia para girar a turbina é fornecida pelo fluido de perfuração. Pode promover rotações superiores a 1.000 rpm. •• Genericamente, é componente de um acionador cuja finalidade é extrair a energia cinética proveniente dos gases das câmaras de combustão, transformando-a em energia mecânica. Transforma em trabalho mecânico a energia cinética de um fluido em movimento. De maneira geral, dependendo de suas comdições de aplicabilidade, pode ser a gás, a vapor ou hidráulica.

turfa calcária / *calcareous peat*. Turfa rica em carbonato de cálcio.

turn-key. Expressão que caracteriza a modalidade contratual por preço fixo (global), por meio da qual a empresa contratada realiza as atividades relacionadas não somente às etapas de construção civil e montagem eletromecânica de determinada unidade industrial, mas também aquelas relativas ao projeto executivo e suprimento de materiais e equipamentos da unidade em questão. ▶ Ver *contrato* turn-key; *projeto executivo*; *construção e montagem*.

turret. O mesmo que *torre de ancoragem*. ▶ Ver *torre de ancoragem*.

U

UCM (unresolved, complex mixture). O mesmo que mistura complexa não resolvida. ⇢ Representa a expressão inglesa *unresolved complex mixture*, e diz respeito a uma determinada região de um cromatograma (normalmente obtido a partir do sinal de um detector por ionização em chama de hidrogênio) onde há uma elevação pronunciada da linha de base, caracterizando a presença de uma espécie de 'morro'. Esse 'morro', na verdade, é constituído por compostos orgânicos (especialmente alcanos de cadeia ramificada, cicloalcanos e compostos aromáticos) que eluem ao mesmo tempo da coluna cromatográfica, já que não são separados pela mesma de forma eficiente. A UCM é mais pronunciada em óleos biodegradados. ▶ Ver *mistura complexa não resolvida*.

ultramicroterramoto (Port.) (Ang.) / *ultramicroearthquake*. O mesmo que *ultramicroterremoto*. ▶ Ver *ultramicroterremoto*.

ultramicroterremoto / *ultramicroearthquake*. Terremoto com magnitude igual ou menor que zero da escala Richter. ▶ Ver *escala Richter*.

ultrassônico / *ultrasonic*. Frequência acima do limite superior da audição humana. ⇢ Esse limite situa-se em cerca de 20 kHz.

umbilical de controle / *control umbilical*. Umbilical instalado entre o preventor de erupção (*blowout preventer*, BOP) e a árvore de natal molhada para controle eletrônico ou hidráulico de válvulas, bombas e compressores localizados no leito marinho. ▶ Ver *árvore de natal molhada*; *preventor de erupção*.

umbilical de teste para instalação submarina / *test umbilical for subsea installation*. Umbilical utilizado para teste de integridade do conjunto de bombeio centrífugo submerso (BCS) durante sua instalação em poços de petróleo no mar. ⇢ Durante a instalação de um conjunto de BCS, o umbilical de teste com o respectivo conector de teste para instalação no mar é conectado ao suspensor de coluna de produção e, durante a instalação, várias medições de isolamento são executadas para verificar a integridade do subsistema elétrico do conjunto BCS. ▶ Ver *bombeio centrífugo submerso (BCS)*; *conector de teste*.

umbilical eletro-hidráulico / *electro-hydraulic umbilical*. Componente flexível e composto por veias (normalmente mangueiras em náilon) e pares de cabos de pequena seção transversal. ⇢ O umbilical interliga a unidade estacionária de produção (UEP) aos sistemas submarinos, permitindo, assim, o acionamento hidráulico de equipamentos submarinos, a alimentação elétrica de sensores e a transferência dos sinais elétricos entre os equipamentos instalados em suas extremidades (leito submarino e superfície). Tipicamente, tal umbilical é composto de: (*I*) mangueiras em polímero (poliamida), com reforço de aramida trançado no seu diâmetro externo, para acionamentos hidráulicos, tipicamente fazendo uso de fluidos à base de água; (*II*) pares de cabos elétricos trançados e utilização de transmissão de energia elétrica em baixa tensão alternada (para alimentação de sistemas de controle submarino) e de sinais elétricos (superimpostos em diferentes frequências daquela de alimentação elétrica) de monitoramento; por vezes, pode-se dispor de um cabo contendo fibra óptica de uso nessa transferência de sinais de monitoramento do processo submarino e/ou de controle oriundo da superfície. Igualmente, quando o fluido a ser transportado tem peso específico menor do que o da água, a fim de se evitar um possível colapso da mangueira do umbilical, se faz uso de uma mangueira do tipo HCR (*high compression resistance*); tipicamente tais mangueiras são utilizadas na injeção de aditivos químicos; se por acaso uma HCR não puder ser usada (devido à geração de partículas quando da operação de tal umbilical), são utilizados tubos rígidos de pequeno diâmetro (tipicamente, ½ pol.) fabricados em aço inox. Os primeiros cabos umbilicais eram conhecidos como *flat-packs* devido à aparência achatada dos mesmos. ▶ Ver *unidade estacionária de produção*.

umbilical hidráulico / *hydraulic umbilical*. Linha flexível submarina composta de várias tubulações de pequeno diâmetro, usada para transmitir pressão ou bombear produtos químicos da unidade de produção até a cabeça de poços ou manifoldes submarinos. ▶ Ver *manifolde*.

umbilical submarino de potência / *subsea power umbilical*. Equipamento que contém um cabo elétrico utilizado para transmitir energia elétrica entre a plataforma e a árvore de natal molhada de um poço-satélite submarino. ⇢ O umbilical tem de suportar as tensões mecânicas decorrentes de seu peso próprio e de seus movimentos devido a ondas e correntes marinhas; para isso ele é normalmente revestido de uma estrutura metálica de sustentação. Por vezes, tal umbilical tem concepção estrutural distinta para os tramos que ficarão suspensos (e afixados a uma unidade flutuante) e para aqueles que ficarão no leito marinho. ▶ Ver *bombeio centrífugo submerso (BCS)*; *árvore de natal molhada*.

umbilical submarino integrado / *subsea integrated umbilical*. Equipamento contendo um cabo elétrico, normalmente do tipo trifásico, capilares hidráulicos e ainda cabos de comunicação utilizados, respectivamente, para a transmissão de energia elétrica, comandos hidráulicos e monitoramento e controle entre a plataforma e a árvore de natal molhada de um poço-satélite submarino. A denominação *integrada* advém do fato de tal equipamento prover todas as funções requeridas para o perfeito funcionamento da árvore de natal e do conjunto de bombeamento centrífugo submerso (BCS) instalado no fundo do poço. • O umbilical tem de suportar as tensões mecânicas decorrentes de seu próprio peso e de seus movimentos devido a ondas e correntes marinhas; para isso ele é normalmente revestido por uma estrutura metálica de sustentação. Por vezes, tal umbilical tem concepção estrutural distinta para os tramos que ficarão suspensos (e afixados a uma unidade flutuante) e para aqueles que ficarão no leito marinho. ▶ Ver *bombeio centrífugo submerso (BCS)*; *árvore de natal molhada*.

umidade específica / ***specific humidity***. 1. Quantidade de vapor de água contida em uma determinada massa de ar, medida em g/kg (gramas de vapor por quilograma de ar). 2. Umidade absoluta, ou peso do vapor de água contido por unidade de peso de ar seco.

umidade real / ***actual moisture***. Quantidade de vapor de água contido num gás ou na atmosfera, sem contar as outras formas em que a água pode estar presente, como a líquida ou a sólida, em contraste com a umidade absoluta, que contabiliza essas formas também.

underreamer (Ang.). O mesmo que *alargador de braços móveis*. ▶ Ver *alargador de braços móveis*.

unha / ***claw***. Acessório utilizado para calçar estruturas.

união ajustável para coluna de produção / ***adjustable coupling for production tubing***. Equipamento utilizado para giro e ajuste de coluna de produção de petróleo já montada e instalada no poço. • A união ajustável é normalmente utilizada em instalações de poços submarinos para ajuste de cabo e conector de suspensor de coluna de produção e cabo redondo de bombeio centrífugo submerso (BCS). ▶ Ver *bombeio centrífugo submerso*; *cabo redondo (BCS)*; *coluna de produção*.

união de cabo (Port.) (Ang.) / ***wireline splicing***. O mesmo que *emenda de cabo*. ▶ Ver *emenda de cabo*.

união de cabo elétrico (Port.) (Ang.) / ***electrical cable splice***. O mesmo que *emenda de cabo elétrico*. ▶ Ver *emenda de cabo elétrico*.

união rápida (Port.) (Ang.) / ***quick union***. O mesmo que *engate rápido*. ▶ Ver *engate rápido*.

unidade aloestratigráfica / ***allostratigraphic unit***. Unidade estratigráfica definida por superfícies de descontinuidade que envolvem esta unidade e que permitem o seu mapeamento geológico. Esta unidade é hierarquizada, distinguindo-se em alogrupo, aloformação e alomembro. ▶ Ver *aloestratigrafia*.

unidade API / ***API unit***. Unidade utilizada para estabelecer uma escala para perfis de raios gama e de nêutrons. • Desde a década de 1970, esta unidade para perfis de nêutrons não é mais usada, tendo sido adotado o registro de unidades de porosidade (*u.p.* ou *p.u.*), geralmente para calcário.

unidade biocronológica / ***biochronological unit***. Divisão do tempo geológico definida por dados bioestratigráficos ou paleontológicos.

unidade biocronológica / ***biochronological unit***. Divisão do tempo geológico definida por dados bioestratigráficos ou paleontológicos. ▶ Ver *tempo geológico*.

unidade bioestratigráfica / ***biostratigraphic unit***. Corpo de rocha definida ou caracterizada pelo seu conteúdo fossilífero.

unidade cronoestratigráfica / ***chronostratigraphic unit***. 1. Rochas ou camada de rochas de referência com limites isócronos. 2. Corpo de rocha formado durante um intervalo de tempo geológico e que atende à hierarquia da subdivisão do tempo geológico. • As unidades cronoestratigráficas são divididas em *eontema*, *eratema*, *sistema*, *série*, *andar* (unidade fundamental) e *cronozona* (menor unidade). Por exemplo, fanerozoico / cenozoico / terciário / oligoceno / rupeliano / N-505. Uma unidade cronoestratigráfica independe do tipo litológico e pode ser estabelecida com qualquer evidência que permita determinar uma cronocorrelação. Os limites das unidades cronoestratigráficas são superfícies formadas no mesmo intervalo geológico (isócronas). ▶ Ver *tempo geológico*.

unidade de arame / ***wireline unit; slick line unit***. 1. Equipamento para realizar intervenção no poço através da coluna de produção. 2. Conjunto formado por um guincho com tambor de arame, indicador de profundidade, indicador de peso e motor diesel com descarga úmida, corta-chama e extintor de incêndio apropriado, montados sobre um veículo ou *skid*. ▶ Ver *arame*; *coluna de produção*.

unidade de arranque em baixa corrente (Port.) (Ang.) / ***soft starter driver***. O mesmo que *unidade de partida em baixa corrente*. ▶ Ver *unidade de partida em baixa corrente*.

unidade de cabo de aço (Port.) (Ang.) / ***wireline unit; slick line unit***. O mesmo que *unidade de arame*. ▶ Ver *unidade de arame*.

unidade de cimentação / ***mixing system***. Sistema de preparação de pasta de cimento geralmente montada sobre caminhão de cimentação ou sobre uma unidade de cimentação sobre prancha. ▶ Ver *caminhão de cimentação*; *unidade de cimentação sobre prancha*; *pasta de cimento*.

unidade de cimentação sobre prancha / ***skid-mounted mixing system***. Unidade de cimentação transportável adaptada para utilização em sondas marítimas, barcos de cimentação ou sondas terrestres em locais de difícil acesso. ▶ Ver *unidade de cimentação*.

unidade de conservação / *unit of conservation*. Área de domínio público ou de propriedade privada criada por ato específico e protegida pela legislação federal, estadual ou municipal. ➭ As diversas categorias de unidades se dividem em duas espécies: as de proteção integral e as de uso sustentável. As primeiras — a estação ecológica, a reserva biológica (*REBIO*), o parque nacional (*PARNA*), o monumento natural e o refúgio da vida silvestre — são exclusivamente de proteção ambiental. As segundas – a área de proteção ambiental (*APA*), a área de relevante interesse ecológico, a floresta nacional (*FLONA*), a reserva extrativista (*RESEX*), a reserva de fauna, a reserva de desenvolvimento sustentável e a reserva particular do patrimônio natural (*RPPN*) — admitem outros usos além da preservação dos recursos ambientais. As unidades de conservação, com exceção da *APA* e da *RPPN*, têm uma zona de amortecimento definida no plano de manejo respectivo na qual os usos do solo são disciplinados.

unidade de consistência (Uc) / *consistency unit*. Medida adimensional para caracterização da bombeabilidade ou consistência da pasta de cimento sob condições de pressão e temperatura do poço, expressadas de forma simulada. ▶ Ver *tempo de espessamento*; *consistômetro pressurizado*; *pasta de cimento*.

unidade de diagrafias (Port.) (Ang.) / *logging unit*. O mesmo que *unidade de perfilagem*. ▶ Ver *unidade de perfilagem*.

unidade de fácies sísmicas / *seismic facies unit*. Unidade de reflexões sísmicas tridimensionais, mapeáveis, caracterizadas por parâmetros tais como configuração, continuidade, amplitude, frequência ou velocidade intervalar, os quais diferem dos mencionados parâmetros das unidades adjacentes.

unidade de flexitubo / *coiled tubing unit*. Unidade responsável pela realização de vários tipos de serviços, tais como pescaria, indução de surgência, cimentação, perfilagem, limpeza de poço, acidificação, entre outros. ➭ Unidade composta de carretel de flexitubo, sala de controle, unidade de energia, cabeça injetora, preventor de erupção (*blowout preventer*, *BOP*) de flexitubo. ▶ Ver *pescaria*; *indução de surgência*; *cimentação*; *perfilagem*; *acidificação*.

unidade de flotação / *flotation unit*. 1. Separador que emprega uma fase gasosa (gás ou ar) para auxiliar a flotação das gotículas de óleo dispersas na água oleosa. 2. Equipamento utilizado no sistema de tratamento de águas oleosas. ➭ O flotador a gás pode ser do (*I*) tipo *gás dissolvido*, quando o gás que age como auxiliar da flotação do óleo estava originalmente em solução na água e é gerado por uma redução de pressão (ou, menos comumente, por um aumento de temperatura). Quando o gás é espargido no seio da água oleosa, o flotador é do (*II*) tipo a *gás induzido*. A flotação a ar é normalmente do tipo a *ar induzido*. A eficácia do processo de flotação reside na formação prévia de aglomerados (flocos) formados por gotículas de óleo e bolhas de gás (ou ar). A formação desses aglomerados pode ser provocada com a utilização de aditivos químicos (polieletrólitos). ▶ Ver *sistema de tratamento de águas oleosas*.

unidade de flutuação (Port.) (Ang.) / *floating unit*. O mesmo que *unidade de flotação*. ▶ Ver *unidade de flotação*.

unidade de geração de azoto (Port.) (Ang.) / *nitrogen generation unit*. O mesmo que *unidade de geração de nitrogênio*. ▶ Ver *unidade de geração de nitrogênio*.

unidade de geração de nitrogênio / *nitrogen generation unit*. Unidade de sequestro de nitrogênio do ar. ➭ A mistura de oxigênio na taxa de 5% a 10% é considerada como normal neste tipo de unidade.

unidade de massa atômica / *atomic mass unit*. Unidade de massa (u) que expressa a massa de partículas atômicas, e representa a massa de 1/12 do átomo de ^{12}C. Também chamada de *Dalton*. ➭ Na convenção da União Internacional de Química Pura e Aplicada (IUPAC), em 1961, foi adotada como unidade de massa atômica o isótopo 12 do átomo de carbono.

unidade de medição / *unit of measurement*. Grandeza específica, definida e adotada por convenção, com a qual outras grandezas de mesma natureza são comparadas para expressar suas magnitudes em relação àquela grandeza. ▶ Ver *sistema internacional de unidades*.

unidade de partida em baixa corrente / *soft starter driver*. Equipamento elétrico que tem por objetivo controlar a frequência de alimentação de um motor elétrico, de forma a limitar o consumo de corrente durante a partida. ➭ Os motores de indução, à semelhança dos utilizados em conjuntos de bombeamento centrífugo submerso (BCS), normalmente demandam correntes de partida que podem ser, algumas vezes, maiores que a dita corrente nominal. Com o objetivo de limitar os requisitos em umbilicais de potência no que tange à corrente em propagação, são utilizados os dispositivos ditos *de partida em baixa corrente*, entretanto, tais dispositivos não permitem, ao contrário das *unidades de variação de frequência* (VSD), operar o sistema, pós-partida, numa rotação de interesse e diferente daquela existente na rede de alimentação do sistema (tipicamente 60 Hz). ▶ Ver *bombeio centrífugo submerso (BCS)*; *motor elétrico*.

unidade de perfilagem / *logging unit*. Unidade de cabo elétrico, com carretel de cabo elétrico e sala de controle e processamento, montada num contêiner. ➭ Faz parte da unidade o conjunto de roldanas e equipamentos de pressão e de segurança para cabo, usados na cabeça de poço. Essa unidade é usada para realizar a operação de perfilagem a cabo. ▶ Ver *perfilagem*.

unidade de processamento de gás / *gas processing unit*. Denominação genérica de todos os equipamentos que são utilizados no manuseio superficial dos hidrocarbonetos em fase gasosa. Compreende sistema de compressão de gás, sistema de desidratação de gás, sistema de dessulfurização de gás, planta de gasolina etc.

unidade de sedimentação / *sedimentation unit*. Camada ou depósito resultante de um único e distinto processo de sedimentação, isto é, sob condições físicas constantes. ▶ Ver *sedimentação*.

unidade de tempo geológico / *geologic time unit*. Divisão do tempo geológico caracterizada por um registro rochoso expresso por uma unidade cronoestratigráfica. São exemplos: éon, era, período, idade. ▶ Ver *tempo geológico*; *unidade geocronológica*.

unidade de variação de frequência / *variable frequency drive*. Dispositivo eletrônico utilizado para ajustar (variar) a velocidade de rotação de motores elétricos de indução. •• O ajuste da velocidade de rotação é realizado por meio da variação da frequência da tensão elétrica de alimentação desses motores. ▶ Ver *motor de indução*; *motor elétrico*.

unidade de variador de velocidade / *variable speed drive*. Equipamento baseado em técnicas de retificação e inversão de ondas elétricas de tensão capaz de propiciar a alimentação de motores elétricos sob desejados valores de frequência elétrica num definido intervalo de trabalho. •• Os motores elétricos do tipo síncrono, à semelhança daqueles utilizados nos sistemas de bombeamento centrífugo submerso (BCS), obtêm um valor de rotação proporcional ao valor da frequência da tensão elétrica de alimentação dos mesmos. Com tal variação, modifica-se igualmente a vazão de fluidos oriunda do componente bomba, naturalmente, cada bomba, em função de suas características construtivas, terá uma resposta específica no domínio da vazão, da altura manométrica (carga) e da potência consumida para cada valor de rotação em que a mesma é alimentada. ▶ Ver *bombeio centrífugo submerso (BCS)*; *motor elétrico*.

unidade diacrônica / *diachronic unit*. Unidade ou superfície estratigráfica que, lateralmente, varia em idade. •• Exemplos de diacronia: o contato basal de uma camada de arenito transgressivo terá uma idade mais antiga (diferente) no centro do que nas bordas da bacia geológica; o ápice de um estágio ou evento tectônico, seja tafrogênico, seja orogenético, muitas vezes varia no tempo lateralmente. Quando os eventos ou as unidades ou superfícies estratigráficas são de mesma idade, diz-se que são sincrônicas.

unidade estacionária de produção / *stationary production unit*. Unidade de superfície na qual basicamente se localizam os controles dos equipamentos instalados no leito submarino ou em poços, da geração de energia e do processamento primário dos fluidos produzidos (exportação, descarte e/ou reinjeção). •• Tais unidades podem ser de vários tipos, como: plataforma fixa, plataforma semissubmersível, plataforma de pernas atirantadas, FPSO e FSO. ▶ Ver *plataforma de petróleo*.

unidade flutuante de alto calado / *deep draft caisson vessel*. Unidade estacionária de produção baseada em um vaso vertical flutuante e ancorada no leito submarino. •• É basicamente um cilindro vertical com calado bastante alto para fugir das excitações verticais das ondas do mar. Graças a isso, apresenta excelente resposta em ondas, mesmo em mares extremos. Uma das materializações desse conceito é a unidade de produção no mar baseada num vaso vertical flutuante, conhecido por SPAR, ancorado no leito submarino. Ele também pode ser composto por um corpo cilíndrico sobre uma base treliçada, contendo ou não placas horizontais na parte inferior. Neste caso, recebe o nome de *truss spar*. Por serem cilindros longos, todos eles apresentam problemas de oscilação por formação de vórtices, demandando assim a colocação de supressores helicoidais ao longo do seu corpo (área lateral). ▶ Ver *plataforma de petróleo*; *plataforma SPAR*.

unidade flutuante de armazenamento e transferência (Port). (Ang.) / *floating, storage and offloading unit*. O mesmo que *unidade flutuante de estocagem e transferência*. ▶ Ver *plataforma de petróleo*; *unidade flutuante de estocagem e transferência*.

unidade flutuante de estocagem e transferência / *floating, storage and offloading unit (FSO)*. Sistema flutuante, construído com base em estrutura de navio, dotado de capacidade de armazenamento de líquido e transferência do produto armazenado para navios aliviadores. •• Também conhecida como *navio-cisterna*, não dispõe de instalações de processo, sendo empregada sempre associada a unidades que não dispõem de capacidade de armazenamento (fixa, semissubmersível, TLP). O sistema de ancoragem pode ser do tipo *turret* (um ponto) ou *spread mooring* (distribuído). Há, ainda, unidades que utilizam posicionamento dinâmico. ▶ Ver *plataforma de petróleo*; *torre de ancoragem*; *posicionamento dinâmico*.

unidade flutuante de produção, armazenamento e transferência (Port.) (Ang.) / *floating production, storage and offloading unit (FPSO)*. O mesmo que *unidade flutuante de produção, estocagem e transferência*. ▶ Ver *plataforma de petróleo*; *unidade flutuante de produção, estocagem e transferência*.

unidade flutuante de produção, estocagem e transferência / *floating production, storage and offloading unit (FPSO)*. Sistema flutuante de produção, construído com base em estrutura de navio, dotado de capacidade de processamento da produção, armazenamento de líquido e transferência do produto armazenado para navios aliviadores. ↝ Também conhecidos como *navios de produção*, esses sistemas são utilizados, sobretudo, em regiões em que há dificuldade ou inviabilidade econômica de interligação por oleodutos. O sistema de ancoragem pode ser do tipo *turret* (um ponto) ou *spread mooring* (distribuído). Há, ainda, unidades que utilizam posicionamento dinâmico. ▶ Ver *plataforma de petróleo*; *torre de ancoragem*; *posicionamento dinâmico*.

unidade geocronológica / *geochronologic unit*. Divisão hierárquica do tempo geológico. A maior unidade é o éon, seguida por era, período, época e idade. ▶ Ver *geocronologia*.

unidade hidráulica de bombagem (Port.) (Ang.) / *hydraulic sucker-rod pumping unit*. O mesmo que *unidade hidráulica de bombeio*. ▶ Ver *unidade hidráulica de bombeio*.

unidade hidráulica de bombeio / *hydraulic sucker-rod pumping unit*. Unidade de bombeio acionada por um sistema hidráulico. ↝ A grande diferença, quando comparada com uma unidade de bombeamento dito mecânico (aquele que converte movimento rotativo num movimento alternativo), reside nos componentes de superfície, uma vez que aí se encontra a unidade hidráulica que já provoca um movimento alternativo da coluna de hastes que efetivamente atua na bomba volumétrica de fundo. ▶ Ver *bombeio mecânico*.

unidade hidráulica de força / *hydraulic power unit* (HPU). Unidade hidráulica de força que fornece fluxo pressurizado para motores hidráulicos, cilindros e outros componentes hidráulicos. ↝ A HPU difere das bombas, pois contém um reservatório de fluido, bomba de múltiplo estágio e resfriadores para manter o fluido na temperatura segura de trabalho. Especificações de desempenho e características físicas são importantes parâmetros a serem considerados na busca de uma HPU.

unidade litoestratigráfica / *lithostratigraphic unit*. 1. Conjunto de rochas definido por suas características litológicas e posição estratigráfica. 2. Corpo de rocha relativamente homogêneo e identificado por suas características físicas e químicas e sua posição estratigráfica. A unidade básica é denominada *formação*.

unidade motriz / *prime mover*. Termo usado para descrever a principal fonte de potência para a movimentação de máquinas. Normalmente, motores de combustão interna, motores elétricos ou turbinas. ▶ Ver *motor elétrico*; *turbina*.

unidade móvel de produção marítima / *mobile offshore production unit*. Plataforma autoelevatória com uma planta de separação de água, óleo e gás. ▶ Ver *plataforma de petróleo*; *plataforma autoelevatória*.

unidade pneumática de bombeio / *pneumatic sucker-rod pumping unit*. Unidade de bombeio acionada por um sistema de ar pressurizado.

unidade remota de telemetria / *remote telemetry unit*. Dispositivo capaz de captar e digitalizar os sinais de uma matriz de geofones para serem depois processados. ▶ Ver *geofone*.

unidade sismoestratigráfica / *seismostratigraphic unit*. Conjunto de camadas sedimentares, concordantes e geneticamente relacionadas, limitadas no topo e na base por discordâncias ou concordâncias correlativas.

unidade *soft starter* / *soft starter driver*. O mesmo que *unidade de partida em baixa corrente*. ▶ Ver *unidade de partida em baixa corrente*.

unidade submarina de distribuição de umbilical / *subsea umbilical distribution unit*. Mecanismo para conectar mecânica, elétrica, óptica ou hidraulicamente um umbilical a mais de um sistema submarino. ↝ A unidade submarina de distribuição de umbilical é montada numa estrutura tipo árvore, perto do módulo de controle submarino, onde o umbilical é ligado à unidade. Todas as mangueiras hidráulicas e químicas do umbilical devem ser supridas independentemente no fundo do mar. As linhas elétricas de força também devem terminar em conectores independentes. ▶ Ver *umbilical de controle*; *umbilical de teste para instalação submarina*; *umbilical eletro-hidráulico*; *umbilical hidráulico*; *umbilical submarino de potência*; *umbilical submarino integrado*.

unidade térmica britânica / *British Thermal Unit* (BTU). Unidade de energia do Sistema Britânico de Unidades que corresponde a 1.055,056 joules, do Sistema Internacional de Unidades. ↝ 1 BTU é a quantidade de energia necessária para se elevar a temperatura de uma massa de uma libra de água, em sua máxima densidade, em 1 grau Fahrenheit. ▶ Ver *Sistema Internacional de Unidades*.

uniformitarianismo / *uniformitarianism*. Princípio que estabelece que os processos geológicos atuantes hoje são essencialmente os mesmos que atuaram no passado geológico.

***upstream*.** O mesmo que *exploração e produção de petróleo e gás natural*. ▶ Ver *exploração*; *explotação*; *produção*; *montante*.

utensílio para pesca (Port.) (Ang.) / *fishing neck*. O mesmo que *pescoço para pescaria*. ▶ Ver *pescoço para pescaria*; *pescaria*.

vale em forma de U / *U-shaped valley.* Vale característico da erosão glacial e cuja seção transversal apresenta forma semelhante à letra U. ▶ Ver *vale glacial.*

vale em rifte / *rift valley.* 1. Vale que se desenvolveu ao longo de uma estrutura rifte. 2. Parte profunda e central da cadeia meso-oceânica também denominada *rifte meso-oceânico.* ▶ Ver *rifte.*

vale glacial / *glacial valley.* Vale em U, formado pela erosão causada pela passagem de uma geleira.

vale glaciário (Port.) / *glacial valley.* O mesmo que *vale glacial.* ▶ Ver *vale glacial.*

vale tectônico / *tectonic valley.* Vale alongado e estreito, de dimensão regional, resultante do afundamento de blocos devido à atuação de falhas normais. O mesmo que *rifte.* ▶ Ver *rifte.*

valência / *valence.* 1. Grau de poder de combinação de um elemento químico ou de um radical. 2. Número que indica a capacidade que um átomo de um elemento químico tem de se combinar com outros átomos. ↪ Valência, classicamente, representa a capacidade de combinação do átomo de um determinado elemento químico, ou seja, sua capacidade de estabelecer ligação com outros átomos, tendo como base o número de elétrons de sua camada mais externa. Atualmente o conceito anterior foi substituído pelos de valência iônica, covalência e número de oxidação, considerando as diferentes formas de interação entre os átomos.

valor aparente / *apparent value.* Valor não corrigido lido diretamente na curva registrada em determinado perfil (diagrama).

valor da operação / *operation value.* Preço do produto, acrescido do valor do frete e das demais despesas acessórias, cobradas ou debitadas pelo contribuinte ao comprador ou destinatário.

valor da produção / *production value.* O mesmo que *receita bruta da produção; valor da produção.* ▶ Ver *receita bruta da produção; valor da produção.*

valor indicado / *indicated value.* Valor de uma grandeza fornecido por um instrumento de medição. ↪ Como exemplo de valores indicados podem-se citar as vazões registradas nos medidores de deslocamento positivo, as pressões indicadas nos registradores de pressão de fundo ou de superfície de poço, a corrente elétrica indicada nos amperímetros, sendo que várias dessas medições podem estar associadas à automação da operação.

valor instantâneo / *instantaneous value.* 1. Valor de uma grandeza num dado instante no tempo, fornecido por um instrumento de medição. 2. Pressão verificada no instante de abertura de um poço que produz por surgência.

valor monetário esperado / *expected monetary value.* Média aritmética de todos os resultados possíveis de certos eventos; esses resultados são pesados pela probabilidade de que cada evento possa acontecer.

valor nominal / *nominal value.* 1. Valor aproximado de uma característica de um instrumento de medição, que auxilia na sua utilização. *(I)* Por exemplo, '100' como valor marcado em um resistor padrão; *(II)* '1 litro' como valor marcado em um recipiente volumétrico como indicador de sua capacidade. 2. Valor convencionado para cada ação no momento de sua emissão.

valoração ambiental / *environmental valuation.* Atribuição de valor monetário aos bens ambientais. ↪ Os bens ambientais (*environmental assets*) se constituem do ar, do solo, da água doce, dos *habitats*, das espécies etc. Em muitas circunstâncias é possível e relativamente simples aferir o seu valor monetário, em outras é necessário utilizar meios indiretos para o fazer. De forma geral, o valor dos bens ambientais é composto por mais de uma parcela definível, entre as descritas a seguir. Valor de uso direto é o valor do recurso como fator de produção (por exemplo, o de uma espécie que controla pragas numa cultura e que, se perdida, levaria à perda de produtividade e ao uso de defensivos). O valor de uso indireto é atribuído ao recurso nas circunstâncias em que sua perda ocasiona a inviabilização ou perda de outro recurso usado diretamente (um exemplo é o valor da vegetação em áreas de recarga de aquíferos cuja perda levará à secagem de cursos d'água usada por comunidades ou atividades produtivas). Valor de opção é a denominação do valor econômico atual por possível utilização no futuro (o exemplo mais imediato é o valor da biodiversidade, cujo potencial para usos científicos, estéticos e medicinais é inegável). Valor de existência é componente do valor total que não envolve usos, e por isso classificado como resultado de atitude altruísta; é sua percepção que faz com que as pessoas contribuam financeiramente para a preservação de recursos que não as favoreçem diretamente.

válvula abre quando em falha / *fail-safe open valve.* O mesmo que *válvula de falha segura aberta.* ▶ Ver *válvula de falha segura aberta.*

válvula agulha / *needle valve.* Válvula usada para bloquear o fluxo ou restringir de forma controlada a vazão em escoamentos em tubagem pequena de alta pressão, em que se torna necessário um controle preciso de pequenas quantidades de óleo ou gás. ↪ Variante da válvula tipo globo, na qual o obturador possui formato cônico que lembra uma agulha, e que trabalha contra uma sede circular. Pela geometria cônica do obturador, o movimento da haste longitudinal resulta em menores variações na área de passagem entre obturador e sede, proporcionando ajustes mais precisos da capacidade de vazão (*coeficiente de vazão, Cv*) da válvula em função de sua abertura. Uma variante extrema é a válvula (de agulha) micrométrica, cuja haste de regulagem é dotada de um *vernier*, como o de um micrômetro, permitindo ajustes muito precisos. ▶ Ver *válvula globo*.

válvula angular / *angle valve, angle body*. Variação de configuração de válvulas tipo globo ou *choke*, cujo eixo da tubulação de saída está perpendicular (90°) com o da entrada, diminuindo o número de conexões, pois pode ser colocado no lugar de curva ou joelho da tubulação. ▶ Ver *válvula globo*; *válvula* choke.

válvula blow off / *blow off valve*. Válvula de alívio de pressão, usada para proteger o compressor (centrífugo) da condição dinâmica conhecida como *surge*. ↝ Essa válvula, tipicamente, alivia a pressão de saída do compressor, liberando os gases para a atmosfera; não deve ser confundida com a válvula de recirculação (*by-pass*), a qual libera os gases de saída do compressor em direção à sua entrada, provocando assim uma recirculação do gás em compressão.

válvula borboleta / *flapper or butterfly valve*. Válvula tipicamente bidirecional, de controle ou regulagem de fluxo, mas com aplicações nas quais pode operar como válvula de bloqueio. O nome é oriundo da peculiar configuração e movimentação do obturador, em forma de disco e girando dentro do corpo da válvula, com o fluxo do fluido contornando as faces do obturador de forma quase balanceada e demandando baixo torque de acionamento; por isso é usada principalmente em linhas de grande diâmetro, em aplicações de baixa pressão. ↝ Enquanto a válvula borboleta concêntrica é basicamente usada como válvula de controle, quando o obturador opera entre 0° (válvula fechada) e 70°, a válvula borboleta excêntrica tem contato integral do obturador com a sede, permitindo também o bloqueio mais eficaz do escoamento. Diz-se *válvula borboleta concêntrica* quando o giro do obturador é concêntrico ao eixo de simetria da área de vedação da válvula; estas são mais simples, e nelas a sede usa vedação em material resiliente e opera sob pressões de até 10-19 bar; as válvulas com eixo de giro deslocado em relação à área de vedação são ditas *excêntricas*, *biexcêntricas* ou *triexcêntricas*, e nelas o contato de selagem sede-obturador passa a ser em todo o perímetro, apresentando complexidade e desempenho de selagem crescentes. Quanto à interface sede-obturador, embora a vedação típica seja do tipo resiliente, nas válvulas mais sofisticadas a vedação pode ser do tipo metal-metal.

válvula cega / *dummy valve*. Válvula que impede a comunicação entre o anular e a coluna de produção. ↝ Essa válvula é aplicada em mandris onde o *gas lift* não irá operar, mas se retirada, por operação com arame, poderá ser substituída, por exemplo, por válvula de orifício para *gas lift* contínuo. Sua retirada permitirá, também, uma circulação reversa, para substituição do fluido do anular. ▶ Ver *gas lift*.

válvula *choke* / *choke valve*. **1.** Válvula de controle de fluxo, de abertura gradual, com sentido preferencial de escoamento (unidirecional), capaz de variar o coeficiente de vazão (Cv) e restringir a vazão do sistema de tal forma que variações de pressão a jusante da mesma não afetem a vazão mássica do escoamento, que fica praticamente constante. A designação *choke* vem do termo na língua inglesa *choked flow* que significa 'escoamento crítico', sendo tal condição fluido-dinâmica causada pelo efeito Venturi. **2.** Válvula que produz uma forte queda de pressão localizada e tipicamente utilizada para ajustar a vazão de um escoamento, crítico ou subcrítico. Essa válvula tem sua capacidade máxima definida pelo diâmetro de passagem nos internos e expressa como um diâmetro equivalente ao de um orifício com passagem, em 64 avos da polegada (1/64"). O aspecto construtivo pode ser similar ao da válvula globo, válvula agulha, ou ser do tipo disco rotativo ou tipo pino-gaiola. ↝ Um escoamento crítico tem sua vazão mássica definida basicamente em função da pressão a montante da restrição (por exemplo, válvula *choke* ou placa de orifício), da área de passagem da restrição e da temperatura (para gases), mas não depende da pressão a jusante ou da viscosidade do fluido. O efeito venturi em líquidos atinge sua condição limite quando, para uma dada temperatura, a pressão do fluido diminui até atingir a sua pressão de vapor, quando bolhas de vapor são geradas e logo depois colapsam, produzindo ondas de choque; este fenômeno, conhecido como *cavitação*, produz danos nos componentes do sistema hidráulico, válvula e tubulação, onde ele ocorre. Devido aos grandes diferenciais de pressão, às vazões envolvidas, ao ângulo de impingimento do fluxo com as superfícies e à possibilidade de escoamento multifásico ou à presença de particulados (areia) ou à possibilidade de cavitação, os componentes internos da válvula são fabricados em materiais com maior resistência à erosão, como carboneto de tungstênio, ligas cromo-cobalto (por exemplo, *stellite*), inconel ou cerâmica. Existem diversos tipos de válvula *choke* usados para o controle de escoamento de petróleo e gás, como o *choke* com obturador tipo agulha (*needle or bean type*), o *choke* com par obturador-sede composto por dois discos rotativos com furos excêntricos que variam a área de passagem com a rotação de um dos discos (*rotating disc choke valve*) e ainda o *choke* com par obturador-sede do tipo obturador-gaiola (*plug* *and cage type*), no qual o obturador (*plug*) admite a passagem seletiva do escoamento por uma série de furos numa luva externa (gaiola) à medida que o pino translada dentro da gaiola; este *choke* tipo gaiola permite ajustar a curva de C_v em função da abertura, variando a dimensão e distribuição dos furos na gaiola. A vazão máxima de um *choke* depende da área de passagem equivalente e é usualmente expressa em 64 avos da polegada (1/64"). ▶ Ver *válvula agulha; escoamento crítico*.

válvula de agulha (Port.) (Ang.) / *needle valve*. O mesmo que *válvula agulha*. ▶ Ver *válvula agulha*.

válvula de alívio / *relief valve*. Válvula utilizada para despressurizar, rapidamente, excessos de pressão, particularmente em fluidos no estado líquido. ↔ Dispõe de função de segurança. Em comparação aos aspectos construtivos da válvula de segurança, a válvula de alívio é concebida para atuar quando se faz necessário um controle mais gradual das condições de despressurização, principalmente para fluidos líquidos; ela abre assim que a pressão num líquido ou num gás atinge um nível preestabelecido. ▶ Ver *válvula de segurança*.

válvula de amortecimento / *kill valve, damper valve*. Válvula instalada na coluna de produção dentro de um mandril de *gas lift*, nos poços submarinos surgentes com fluido de completação no anular entre a coluna de produção e o revestimento. ↔ Quando se torna necessário amortecer esses poços, bombeia-se o fluido de amortecimento no anular. Com o aumento da pressão no anular, o diferencial de pressão entre o anular e o interior da coluna de produção aumenta a ponto de se tornar maior que a pressão de calibração da válvula, que se rompe e abre permanentemente a comunicação entre o anular e o interior da coluna de produção para fazer circular o fluido de amortecimento a alta vazão. ▶ Ver *coluna de produção*; *mandril de gas lift*.

válvula de ar / *pneumatic valve*. Válvula para aplicações pneumáticas. ↔ Contração dos termos *válvula de ar comprimido* ou *válvula para serviço com ar*, podendo ter diversos aspectos quanto à construção (por exemplo, diafragma, esfera, gaveta, entre outros) e diferentes atuadores (atuação direta por alavanca, volante, atuador elétrico, entre outros), em função de sua aplicação.

válvula de árvore de natal / *christmas tree valve*. Válvula do tipo gaveta paralela, que permite a passagem plena (*full bore*) e retilínea do escoamento, induzindo um mínimo de queda de pressão quando aberta e proporcionando uma boa vedação metálica entre o obturador (gaveta) e a sede. ↔ As válvulas numa árvore de natal podem ter atuação manual (ou operadas remotamente por veículos de operação remota, *ROV*) ou podem ter atuadores do tipo *fecha quando em falha* (*FSC*). A haste de acionamento transpassa o castelo (*bonnet*) da válvula e dispõe de um sistema de vedação resiliente (feito com elastômeros e/ou plásticos de engenharia). Nas válvulas atuadas hidraulicamente, como a haste se desloca apenas axialmente, também existe uma segunda barreira de vedação da haste, entre esta e o castelo, chamada de *contravedação* (*back-seat*), que só veda quando a válvula estiver na posição fechada. ▶ Ver *válvula gaveta*.

válvula de bloqueio / *ON/OFF valve*. Válvula de duas posições (aberta ou fechada), tal como a válvula esfera ou a válvula gaveta, utilizada em manifoldes e linhas de poço. Acessório de tubulação utilizado para permitir a abertura (sem restrição ou com o mínimo de restrição possível) e, alternativamente, o bloqueio total do fluxo num trecho de tubulação. ↔ O termo é normalmente empregado para válvulas de acionamento manual. Vários tipos de válvula podem ser utilizados como válvulas de bloqueio. A característica principal desejada nesse tipo de válvula é a estanqueidade, ou seja, uma vez fechada, não admitir qualquer fluxo através dela. ▶ Ver *estanqueidade*; *manifolde*.

válvula de contrapressão / *back-pressure valve* (BPV). Dispositivo considerado uma barreira de segurança em plataformas fixas ou terrestres, durante a retirada ou na instalação da árvore de natal.

válvula de controle / *control valve*. Acessório de tubulação que produz um estrangulamento do fluxo de fluidos, com o objetivo de permitir o controle de variável de processo. ↔ Dois elementos distintos compõem o conjunto usualmente denominado *válvula de controle*: (*I*) a válvula propriamente dita e (*II*) o atuador. A válvula pode ser de diversos tipos, embora as empregadas para controle sejam normalmente as do tipo globo, borboleta ou agulha. O atuador pode ser manual, um simples volante operado para deslocar a haste de comando, ou automático, sendo este último usualmente constituído de uma caixa metálica que contém uma mola e um diafragma, ambos deformáveis pela admissão de ar comprimido, que deslocam a haste de comando da válvula. A admissão de ar na cabeça do atuador é realizada por uma pequena válvula de comando elétrico (válvula solenoide), situada na linha de ar comprimido para instrumentos. As válvulas de controle podem ser de acionamento contínuo (modulado) ou do tipo abre-fecha (*on-off*). A seleção do tipo depende da aplicação específica. ▶ Ver *atuador*.

válvula de controle operada eletricamente / *electrically-operated control valve*. **1.** Válvula de controle dotada de posicionador elétrico e que visa a manter a variável controlada do processo dentro dos parâmetros de referência, quer por sistema de controle intrínseco ao posicionador, quer por elementos sensores externos e sistema de controle configurado em malha fechada. **2.** Uma válvula de controle realiza um controle de modulação (proporcional) no sistema fluido, em-

válvula de descarga

bora o jargão também seja usado para processos que são controlados por válvulas que simplesmente interrompem o fluxo, quando é realizada apenas a função de bloqueio (*on-off*). ↝ A válvula de controle é um tipo de válvula cuja curva característica entre o grau de abertura e a capacidade de vazão (*Cv*) é adequada para controlar um sistema hidráulico. Exemplos de válvulas de controle: borboleta, globo, agulha, *choke* e válvula esfera (com gaiola). O atuador de controle pode ser do tipo pneumático, hidráulico ou elétrico, dependendo do seu tipo de acionamento principal. Um atuador ou posicionador de controle permite o posicionamento gradual e controlado da válvula (de controle), desde seu total fechamento até sua total abertura, podendo posicionar e manter a válvula em qualquer posição intermediária. Dependendo do tipo de construção da válvula de controle, o posicionador ou atuador pode ser do tipo multivoltas (por exemplo, para válvula globo), quarto de volta (por exemplo, para válvula borboleta ou esfera) ou linear (por exemplo, para válvula agulha). O controle do posicionador pode ser intrínseco ao conjunto de controle integrado, válvula e atuador, e é mais comum em válvulas de controle de menor diâmetro de passagem, como as usadas em tubulações de instrumentação. Ou o controle pode ser um componente dedicado, alojado junto ao atuador, com algum recurso de retroalimentação, em malha fechada (*closed-loop*). A operação local em malha fechada decide localmente a modulação da válvula para manter o processo sob controle. A variável controlada pela válvula de controle ou seu sistema de controle podem ser grandezas físicas de natureza hidráulica como vazão, pressão de entrada ou pressão de saída, ou de outra natureza, como temperatura ou rotação (por exemplo, de um motor de combustão). O atuador ou posicionador elétrico de uma válvula de controle possui um motor elétrico como acionamento motor principal, um sistema mecânico (engrenagens) para amplificação do seu torque de acionamento, sistema de monitoração do posicionamento, sistema de controle local e eventuais dispositivos auxiliares: frenagem, embreagem ou desacoplamento. O motor elétrico pode ser de indução de corrente alternada, de corrente contínua (*DC*), motor sem escovas (*DC brushless*) ou motor de passo (*step motor*). ▶ Ver *válvula de controle*; *atuador*; *motor de indução*; *variável controlada*; *controle em malha fechada*.

válvula de descarga / *discharge valve, dump valve*. 1. Termo usual de referência à válvula existente na descarga de máquinas de escoamento (por exemplo, bombas). 2. Termo usual de referência à válvula existente em tanques ou vasos de pressão tendo por função controlar uma variável de interesse, normalmente nível, para tanques, e pressão para vasos. ↝ Em relação à primeira definição, essa válvula é do tipo aberta ou fechada (*on* ou *off*) e visa a poder isolar a descarga da máquina quan-

válvula de falha segura aberta

do não em operação. No lado de sucção da mesma, pode se encontrar a válvula dita *de sucção* (*intake valve*). ▶ Ver *escoamento*.

válvula de despressurização automática de emergência / *automatic emergency blow down valve*. Válvula de bloqueio, do tipo à prova de fogo, que é acionada de modo automático pelo sistema de parada de emergência da instalação de produção, desbloqueando instantaneamente o fluxo pelo trecho de tubulação onde está instalada. ↝ O emprego desse tipo de válvula nas instalações de produção é determinado por normas de segurança operacional da instalação (por exemplo, API RP 14C). A válvula é dotada de atuador pneumático no qual a pressão do ar sobre um diafragma mantém comprimida uma mola que atua sobre a haste de fechamento, mantendo a válvula fechada. Na ausência de pressão de ar, a válvula abre. A admissão e a liberação do ar comprimido são feitas através de uma válvula de três vias, de acionamento elétrico (solenoide), situada na linha de ar de instrumentos da instalação de produção. O sinal de comando elétrico da válvula de três vias, para o acionamento da *shutdown valve* / válvula de parada (SDV), é proveniente do sistema de intertravamento e parada de emergência da plataforma. ▶ Ver *válvula de bloqueio*.

válvula de dreno / *bleeding valve*. Válvula usada para drenar a pressão interna de um corpo pressurizado. ↝ Os carretéis de revestimento, de produção e adaptadores dispõem de um acesso para o teste de pressão dos flanges, que normalmente possui uma válvula de dreno.

válvula de dupla vedação / *double sealing valve*. Válvula usada no anular de alguns modelos de suspensor de coluna de cabeça de poço submarino. Ela se fecha automaticamente ao se retirar a árvore de natal molhada (ANM) ou a ferramenta de instalação do suspensor da coluna. ↝ Esta válvula é descontinuada, ou seja, não há como testá-la antes da retirada da ANM.

válvula de duplo bloqueio e dreno / *double block and bleed valve*. Válvula de bloqueio utilizada em estações de medição (*EMEDs*) de forma a garantir que os tramos de medição tenham a estanqueidade apropriada, principalmente nas operações de calibração (de cada medidor/tramo). ↝ Estruturalmente, cada válvula possui duas sedes em série (bloqueio duplo), além de uma pequena válvula de dreno instalada no espaço entre as sedes (para verificar se há fluido pressurizado entre elas). ▶ Ver *válvula de bloqueio*.

válvula de escape (Port.) (Ang.) / *relief valve*. O mesmo que *válvula de alívio*. ▶ Ver *válvula de alívio*.

válvula de falha segura aberta / *fail-safe open valve*. Válvula de bloqueio que é dotada de atuador do tipo 'abre quando em falha' (FSO). Essa válvula abre automaticamente na ausência de um comando de atuação. ↝ A válvula com atuador do tipo 'abre quando em falha' é mais usada quando se deseja manter o escoamento do fluido de processo mesmo quando ocorre falha de atuação, pois nesse caso a válvula é mantida na posição aberta. Por isso, é frequentemente usada em algumas linhas de produção de manifoldes submarinos. Em válvula tipo gaveta, a função FSO é obtida com o furo de passagem na gaveta na posição mais afastada da haste de atuação. Em válvula tipo esfera, a função FSO é conseguida posicionando-se a válvula na posição aberta e nela montando-se o atuador na posição de repouso ou de falha segura. ▶ Ver *válvula esfera*; *válvula gaveta*; *válvula de bloqueio*; *manifolde*.

válvula de falha segura fechada / *fail-safe close valve*. 1. Válvula de bloqueio que é dotada de atuador do tipo 'fecha quando em falha' *(FSC)*. 2. Válvula de bloqueio que fecha automaticamente na ausência de um comando de atuação. ↝ A válvula com atuador do tipo 'fecha quando em falha' é mais usada quando se deseja bloquear o escoamento do fluido de processo sempre que ocorre falha de atuação, pois neste caso a válvula é mantida na posição fechada. Por isso, é frequentemente usada em algumas linhas de produção de árvore de natal secas ou molhadas, para isolar o poço de petróleo (ou gás) da linha de exportação ou mesmo do meio externo.Numa válvula submarina esta funcionalidade é obtida através de atuador específico. Esse atuador atualmente é dotado de pistão hidráulico para a atuação e de mola para o retorno à condição de repouso: pela despressurização do pistão de atuação ou por falha de atuação. O suprimento hidráulico é realizado por umbilical que contém mangueiras ou tubos hidráulicos, nos quais o suprimento é controlado remotamente: diretamente da superfície ou por um sistema de controle submarino. Alternativamente ao atuador hidráulico com retorno por mola, o atuador pode ser do tipo elétrico, em que um motor elétrico e um sistema de engrenamento realizam a atuação, enquanto a energia para o retorno da válvula à posição de falha segura é obtida de uma mola ou de um conjunto de baterias para atuação de emergência. Em válvula tipo gaveta, a função FSC é obtida com o furo de passagem na gaveta na posição mais próxima da haste de atuação. Em válvula tipo esfera, a função FSC é conseguida posicionando-se a válvula na posição aberta e nela montando-se o atuador na posição de repouso ou de falha segura. ▶ Ver *válvula gaveta*; *válvula esfera*; *válvula de bloqueio*; *manifolde*.

válvula de fechamento rápido / *high-closing ratio (HCR) valve*. Válvula gaveta operada hidraulicamente. Essa válvula é usada no sistema *diverter* e na linha de *choke* saindo do preventor de erupção. Sua vantagem é poder ser operada remotamente. ↝ Designação para válvulas de fechamento rápido usadas em linhas de controle de poço. ▶ Ver *válvula gaveta*.

válvula de fluxo unidirecional / *back-pressure valve*. O mesmo que *válvula de contrapressão*. ▶ Ver *válvula de contrapressão*.

válvula de *gas lift* / *gas lift valve*. Válvula que controla a entrada de gás do anular para a coluna, instalada no mandril de *gas lift*, que é um dos componentes da coluna de produção. ↝ Somente admite o fluxo de anular para coluna, impedindo o fluxo reverso. Evita o fluxo da coluna para o anular por mecanismo interno de válvula de retenção (*check valve*). Essa válvula pode ser dos tipos: cega, de pressão ou de orifício. ▶ Ver *mandril de gas lift*; *válvula de amortecimento*.

válvula de *gas lift* recuperável de coluna / *tubing-retrievable gas lift valve*. Válvula especializada em controlar a injeção de gás, que é utilizada como método de elevação artificial em poços de petróleo. ↝ Neste método de elevação por injeção de gás (com sigla GL, do inglês *gas lift*), para cada geometria do poço e condições de escoamento, existe uma vazão ideal de gás que maximiza a produção de petróleo. O gás é injetado pelo espaço anular do poço, entre a coluna de produção e o revestimento do poço. A maioria das válvulas de GL possui atuadores especiais do tipo 'fecha quando em falha' *(FSC)*, utilizando um fole metálico com pré-carga de gás ou uma mola. Assim, a válvula de GL só abre quando a pressão do gás no anular atinge um valor predeterminado, suficiente para injetar gás dentro da coluna de produção. Sistemas de controle otimizam a vazão do poço, medindo a vazão do gás injetado e ajustando a queda de pressão em reguladores tipo *choke*. Quanto ao método de instalação, a válvula de GL é colocada numa seção da coluna de produção, denominada *mandril de GL*, que pode ser do tipo convencional, no qual a válvula de GL é montada no mandril e este desce com a coluna. O mandril dispõe de um alojamento interno que permite a instalação e a recuperação da válvula de GL por dentro da coluna de produção, através de uma intervenção no poço com arame (*wireline well intervention*). ▶ Ver *válvula de gas lift*; *elevação artificial*; *coluna*; *válvula operada por pressão*; *gas lift*.

válvula de injeção de metanol / *methanol injection valve*. Válvula utilizada na injeção de produto químico na coluna de produção. ↝ O produto químico no caso é o álcool (metanol), para com isso se evitar o hidrato na linha de produção. ▶ Ver *coluna de produção*.

válvula de interconexão / *crossover valve*. Válvula usada para interligar dois circuitos hidráulicos. ↝ Numa árvore de natal encontra-se tal tipo de válvula, cuja função é a de interconectar a linha de produção com a linha de anular e, assim, permitir a realização de operações especiais, como a passagem de *pigs* para a limpeza das linhas. ▶ Ver *pig*.

válvula de *kick-off* / *kick-off valve*. 1. Válvula utilizada no processo de descarga do poço, isto é, aquela que permite a circulação do fluido de amortecimento contido no espaço anular para a superfície através da tubulação de produção. **2.** Válvula de pressão alojada numa bolsa lateral (mandril) que possibilita o alívio parcial da coluna de líquido de amortecimento do poço.

válvula de orifício / *orifice valve*. Válvula que possibilita a passagem de gás do revestimento para a coluna de produção através de um orifício com diâmetro previamente definido. Utilizada como operadora do *gas lift* contínuo. Sua única função é controlar a passagem de gás do anular para a coluna de produção. ↪ Dispõe ainda de uma válvula de retenção, não permitindo a passagem de fluido da coluna para o anular. ▶ Ver *válvula de retenção*; *gas lift*.

válvula de parada automática de emergência / *automatic emergency shutdown valve*. Válvula de bloqueio, do tipo à prova de fogo, acionada de modo automático pelo sistema de parada de emergência da instalação de produção, bloqueando instantaneamente o fluxo pelo trecho de tubulação onde está localizada. ↪ O emprego desse tipo de válvula nas instalações de produção é determinado por normas de segurança operacional da instalação (por exemplo, API RP 14C). A válvula é dotada de atuador pneumático em que a pressão do ar sobre um diafragma mantém comprimida uma mola que atua sobre a haste de fechamento, mantendo a válvula fechada. Na ausência de pressão de ar, a válvula abre. A admissão e a liberação do ar comprimido são feitas através uma válvula de três vias, de acionamento elétrico (solenoide) situada na linha de ar de instrumentos da instalação de produção. O sinal de comando elétrico da válvula de três vias (para o acionamento da *shutdown valve* / válvula de parada, SDV) é proveniente do sistema de intertravamento e parada de emergência da plataforma. ▶ Ver *válvula de bloqueio*.

válvula de parada de emergência / *emergency shutdown valve*. Válvula que trabalha normalmente aberta. Quando a energia de atuação é retirada, a válvula fecha sozinha, automaticamente. ↪ Este tipo de válvula é usado para isolar uma estação, um componente ou um sistema de processo.

válvula de paragem automática de emergência (Port.) / *emergency shutdown valve*. O mesmo que *válvula de parada de emergência*. ▶ Ver *válvula de parada de emergência*.

válvula de passeio / *traveling valve*. Válvula existente nos conjuntos de fundo de bombeio hidráulico, responsável pela descarga de fluidos produzidos na câmara inferior da bomba.

válvula de passeio da coluna / *tubing standing valve*. Válvula de pé da coluna de produção de um poço equipado para produção por bombeio hidráulico tipo alternativo, localizada na parte mais inferior da bomba e responsável pela admissão de fluido oriundo do reservatório para dentro da coluna de tubos.

válvula de pé / *check valve, standing valve*. Válvula que permite a transmissão de pressão em um único sentido. ↪ Pode ser utilizada numa grande variedade de equipamentos de poço (elevação artificial, ferramentas de assentamento, ferramentas de teste etc.). Dispositivo mecânico que permite o fluxo em um único sentido. ▶ Ver *gas lift*; *bombeio mecânico*.

válvula de pé da bomba / *pump standing valve*. Válvula de pé do conjunto de fundo de bombeio hidráulico tipo alternativo, localizada na parte mais inferior da bomba, responsável pela admissão de fluidos oriundos do reservatório para dentro da bomba. ▶ Ver *válvula de pé*.

válvula de pistoneio / *swab valve*. Válvula de topo, localizada acima da saída lateral, na posição mais superior da linha vertical de uma árvore de natal. ↪ Essa válvula é utilizada para controlar o acesso de ferramentas de arame, cabo ou flexitubo ao poço. ▶ Ver *pistoneio*.

válvula de pistoneio do anular da árvore de natal molhada (ANM) / *annulus swab valve*. Válvula situada no topo da árvore de natal molhada (ANM), acima da derivação lateral, que permite acesso vertical ao poço. ▶ Ver *árvore de natal molhada*; *pistoneio*.

válvula de pressão / *pressure valve*. 1. Válvula de *gas lift* onde a abertura/fechamento é controlada por pressão. Válvula utilizada para a descarga dos poços e como operadora do *gas lift* intermitente (*GLI*). **2.** Equipamento que tem por finalidade controlar o fluxo de gás do anular para a coluna de produção num poço utilizando o *gas lift* como método de elevação artificial. ↪ Válvula de *gas lift* (*VGL*) que possui domo e fole pressurizados com gás inerte. A pressão do fole é denominada *pressão de calibração*. Existem dois tipos de válvula de pressão: a que controla a injeção de gás durante a operação normal do poço e a válvula de descarga, comumente denominada *válvula de* kick-off, usada durante o processo de partida do poço. Esta válvula, quando utilizada como válvula operadora, tem por função controlar a injeção de gás na coluna de produção. Essas válvulas são normalmente fechadas e mantidas fechadas com uma carga de nitrogênio. ▶ Ver *válvula de* gas lift.

válvula de pressão e vácuo / *pressure vacuum relief valve*. Dispositivo de proteção contra a elevação de pressão ou de formação de vácuo em tanques atmosféricos de armazenamento, utilizado quando o ponto de fulgor do fluido armazenado é inferior a 38 °C. ↪ Consiste em duas válvulas similares a válvulas de alívio, que, em condições normais, permanecem fechadas. A pressão de abertura de cada válvula é definida pela área de vedação e pelo peso do disco da válvula. Embora as saídas dessas válvulas possam ser ligadas em linhas de respiro isoladas, também podem ser ligadas à atmosfera se for utilizado um elemento corta-chamas, a fim de evitar que uma eventual deflagração atmosférica possa fazer com que vapores inflamáveis penetrem no tanque. ▶ Ver *corta-chama*.

válvula de pressão operada pela pressão da coluna / *tubing pressure operated valve.* Válvula de *gas lift* cuja atuação se processa pela pressão de líquido existente na coluna de produção. ▶ Ver *válvula de pressão*.

válvula de pressão operada pelo revestimento / *casing pressure-operated valve.* Válvula de *gas lift* cuja atuação se processa pela pressão de gás no revestimento do poço. ▶ Ver *válvula de pressão*.

válvula de retenção / *flow safety valve, check valve.* Válvula que permite o fluxo livre de fluido (líquido ou gás) em um único sentido e contém um mecanismo automático para evitar o fluxo no sentido contrário. •• Se o gás ou líquido começa a reverter o fluxo, a válvula se fecha automaticamente, evitando o movimento reverso. Válvula existente na parte superior de conjuntos de fundo de bombeio hidráulico alternativo, com a finalidade de evitar o retorno de fluido motriz para a coluna de produção.

válvula de retenção de contrapressão / *back-pressure check valve.* Válvula instalada na coluna de poços injetores de água, que permite o fluxo somente de cima para baixo. Utilizada para evitar o refluxo de areia e gás para dentro do poço quando a injeção é interrompida. •• Válvula de segurança de subsuperfície utilizada em poços injetores de água.

válvula de reversão / *reversing valve.* Válvula componente de um conjunto de fundo de bombeio hidráulico alternativo, responsável pela mudança de sentido do êmbolo que bombeia o fluido produzido.

válvula de segurança / *safety valve.* Válvula utilizada para despressurizar, de forma muito rápida, excessos de pressão, particularmente em sistemas com fluidos do tipo gasoso. •• O aspecto da construção dessa válvula é similar ao de uma válvula de controle automática e auto-operada, permanecendo normalmente fechada. Seu funcionamento típico é de abertura ou fechamento pleno, sendo mais usada para a rápida despressurização de gás e vapor. Numa válvula de segurança, graças ao seu aspecto de construção, quando a pressão ultrapassa o valor de ajuste para abertura, a mesma abre totalmente e de forma abrupta, com um som característico (*pop*). A válvula permanece aberta até que a pressão fique abaixo da pressão de reassentamento, e então se fecha totalmente. Quando a válvula de segurança é dita *balanceada*, a pressão de ajuste é insensível à contrapressão na linha de saída, permitindo que a linha de descarga seja mais longa ou canalizada para outra parte do processo. ▶ Ver *válvula de controle*.

válvula de segurança a pressão / *pressure safety valve.* Válvula normalmente colocada em vasos de pressão. •• Essa válvula abre automaticamente quando a pressão chega a um determinado nível crítico. É utilizada para controlar ou limitar a pressão num sistema ou vaso de pressão, nos quais a pressão pode aumentar por causa de uma falha do processo, de um instrumento, de um equipamento ou pelo aumento de temperatura. A pressão é liberada pelo fluxo do fluido pressurizado através de uma passagem auxiliar para a parte externa do sistema. Também chamada de *válvula de alívio*. ▶ Ver *válvula de alívio*; *válvula de segurança*.

válvula de segurança de abertura máxima (Port.) (Ang.) / *full-opening safety valve.* O mesmo que full-opening safety valve. ▶ Ver full-opening safety valve.

válvula de segurança de subsuperfície / *downhole safety valve.* 1. Válvula cuja função projetada é prevenir o fluxo de poço descontrolado quando fechado. Utilizada como barreira de segurança em poço de petróleo. Este dispositivo isola a pressão e os fluxos do poço no caso de uma falha catastrófica. Os sistemas de controle são geralmente do tipo *fail-safe*, o que significa que a válvula no caso de interrupção do sistema é fechada. 2. Válvula instalada no interior de um poço de petróleo, na coluna de produção e abaixo da árvore de natal e que tem a função de interromper a produção frente a situações de risco operacional. •• É utilizada em completação de poços no mar e instalada na coluna de produção, enroscada na coluna ou insertável na mesma; para tanto, a instalação se faz em operação com arame após a descida da coluna. Essa válvula tem a função de fechar o poço em caso de emergência. Contém uma mola que tende a fechá-la, sendo mantida aberta por meio da pressurização de uma linha dedicada de controle hidráulico conectada à superfície. No caso de um queda, intencional ou não, do valor da pressão nessa linha dedicada, a válvula se fecha e veda a coluna de produção. Essa válvula especial permite interromper o escoamento de um poço numa emergência, mesmo que a árvore de natal esteja seriamente danificada ou inoperante. Possui um atuador hidráulico do tipo 'fecha quando em falha' *(FSC)*. ▶ Ver *válvula de segurança*.

válvula de segurança de subsuperfície com camisão / *DHSV with sleeve.* Válvula de segurança de subsuperfície (DHSV) aberta mecanicamente através de uma camisa interna. ▶ Ver *válvula de segurança*.

válvula de segurança de subsuperfície controlada na superfície / *surface-controlled subsurface safety valve.* Válvula de segurança de subsuperfície controlada na superfície, posicionada na coluna de produção, abaixo do fundo do mar. É acionada através de uma linha hidráulica de alta pressão (com pressão na linha = Válvula

ABERTA, sem pressão na linha = Válvula FECHADA). Sua função principal é fechar o poço em caso de acidente, quando a linha hidráulica fica sem pressão. ▶ Ver *válvula de segurança*.

válvula de segurança de subsuperfície / *downhole safety valve.* 1. Válvula cuja função é interromper o fluxo do poço quando houver um descontrole. Utilizada como barreira de segurança em poço de petróleo. Os sistemas de controle são geralmente do tipo *fail-safe*, o que significa que a válvula no caso de interrupção do sistema é fechada. 2. Válvula de segurança do tipo normalmente fechada, mantida aberta pela contínua pressurização de uma linha hidráulica direcionada a si, instalada no interior de poços no mar a aproximadamente 150 m abaixo do leito marinho. •• Faz parte obrigatória da *coluna de completação de poços* no mar e pode ser enroscada ou insertável na mesma — para tanto se faz tal instalação por operação com arame após a descida da coluna. No caso de uma queda da pressão nessa linha dedicada, a válvula se fecha e veda a coluna de produção. Esta válvula especial permite interromper o escoamento mesmo que a árvore de natal esteja seriamente danificada ou inoperante. ▶ Ver *barreira de segurança; válvula de segurança*.

válvula de segurança submarina / *underwater safety valve.* Conjunto automático de válvula e seu atuador, instalado na árvore da natal molhada, que se fecha ao perder o suprimento de força. É um dispositivo de segurança controlado por uma linha hidráulica de superfície. Essa válvula de segurança se fecha ao se perder a pressão da linha de controle, isto é, se fecha em caso de falha. ▶ Ver *barreira de segurança; válvula de segurança*.

válvula de sucção (Port.) (Ang.) / *swab valve.* O mesmo que *válvula de pistoneio*. ▶ Ver *válvula de pistoneio*.

válvula de sucção do anular da árvore de natal molhada (Port.) / *annulus swab valve.* O mesmo que *válvula de pistoneio do anular da árvore de natal molhada (ANM)*. ▶ Ver *válvula de pistoneio do anular da árvore de natal molhada (ANM)*.

válvula diafragma / *diaphragm valve, membrane valve.* Válvula bidirecional, tipicamente de bloqueio (*on-off*), mas que pode operar como válvula de controle em aplicações de baixa pressão, nas quais um diafragma flexível obstrui o escoamento contra uma sede em forma de sela. •• Quanto ao material, o corpo da válvula pode ser de metal ou plástico; quanto ao perfil, pode ser reto, para fluidos com sólido em suspensão, ou em perfil angular, para fluidos limpos em geral. O diafragma é de material elastomérico ou plastomérico e funciona como um fole, pois o fluido não tem contato com o outro lado do diafragma; assim, essa válvula não precisa de engaxetamento na sua haste. Pelo seu aspecto construtivo, é mais utilizada em aplicações que não admitem vazamentos de fluidos para o meio externo nem o ingresso de contaminantes. ▶ Ver *válvula de bloqueio; válvula de controle*.

válvula direcional de êmbolo / *directional spool valve.* Válvula de bloqueio especializada no redirecionamento do fluxo de linhas hidráulicas, e que opera com óleo hidráulico. •• Tipicamente, tal tipo de válvula possui um corpo metálico que aloja um êmbolo cilíndrico com ranhuras radiais, de forma que seu deslocamento axial considera passagens hidráulicas, criadas por canais e sulcos no interior do corpo. O número de linhas hidráulicas (*vias*) geralmente é de três ou quatro, podendo assumir duas ou três posições, frequentemente retornando a uma posição de repouso por meio de uma mola interna. São usadas para as mais diversas funções, como servir de interface entre sistemas elétricos e hidráulicos, acionar ou reverter o giro de motores e pistões hidráulicos etc. ▶ Ver *válvula de bloqueio*.

válvula do *kelly* **/** *kelly cock.* 1. Válvula instalada entre a cabeça de injeção (*swivel*) e a haste quadrada (*kelly*). 2. Obturador de segurança dentro da coluna de perfuração e acima do *kelly*. Quando a pressão do poço está atuando no interior da coluna de perfuração, a válvula do *kelly* é fechada para proteger a cabeça de injeção e a mangueira flexível. É um obturador de segurança dentro da coluna de perfuração e acima do *kelly*. Há duas válvulas instaladas na haste do *kelly*, uma na extremidade superior e outra na inferior. É uma válvula do tipo esfera, vedação metal-metal, com sede superior fixa e esfera flutuante para permitir o equilíbrio de pressão ao se abrir essa válvula sob pressão. Esta abertura é ocasionada por um processo de pressurização que ocorre no poço. ▶ Ver *haste quadrada; junta do* kelly*; mangueira do* kelly*; válvula inferior do* kelly.

válvula esfera / *ball valve.* Válvula de vedação constituída de uma esfera vazada assentada numa sede do tipo metálica ou elastomérica. •• Normalmente, o acionamento é do tipo manual e com curso do tipo circular (tipicamente em quadratura, ou seja, de 90 graus). ▶ Ver *válvula de bloqueio*.

válvula 'fecha quando em falha' / *fail-close valve.* Válvula cuja designação é geralmente associada ao modo de operação de uma válvula de bloqueio, dotada de atuador que a mantém aberta na presença de comando e a fecha automaticamente quando o atuador não recebe o comando de atuação ou quando houve falha na recepção do comando de atuação. •• A válvula com atuador do tipo 'fecha quando em falha' é mais usada quando se deseja bloquear o escoamento do fluido de processo sempre que ocorre falha de atuação, pois neste caso a válvula é mantida na posição fechada. Por isso, é frequentemente usada em algumas linhas de produção de árvores de natal secas ou molhadas, para isolar o poço de petróleo (ou gás) da linha de exportação ou mesmo do meio externo. Numa válvula submarina esta funcionalidade é obtida através de atuador específico. Este atuador atualmente é dotado de pistão hidráulico para a atuação e de mola para o retorno à condição de repouso, a qual ocorre pela despressurização do pistão de atuação ou por falha de atuação. O suprimento hidráulico é realizado por umbilical que contém mangueiras ou tubos hidráulicos, em que o suprimento é controlado remotamente, diretamente da superfície ou por um sistema de controle submarino. Alternativamente ao atuador hidráulico com retorno por mola, o atuador pode ser do tipo elétrico, em que um motor elétrico e um sistema de engrenamento realizam a atuação, enquanto que a energia para o retorno da válvula à posição de falha segura é obtida de uma mola ou de um conjunto de baterias para atuação de emergência. Em válvula tipo gaveta, a função FSC ('fecha quando em falha') é obtida com o furo de passagem na gaveta na posição mais próxima da haste de atuação. Em válvula tipo esfera, a função FSC é conseguida posicionando-se a válvula na posição aberta e nela montando-se o atuador na posição de repouso ou de falha segura. ▶ Ver *válvula gaveta*; *válvula de bloqueio*.

válvula flutuante / *float valve*. Válvula usada na coluna de perfuração, que impede o retorno de fluido do anular para dentro da coluna. As mais usadas são do tipo *flapper* e pistão. ▶ Ver *sub com válvula flutuante*.

válvula gaveta / *gate valve*. Válvula bidirecional, apenas para bloqueio de fluxo, que permite passagem integral (*full bore*). Consiste num obturador que desliza guiado dentro do corpo, como uma gaveta, interrompendo o fluxo através das sedes quando a válvula está fechada e geralmente estando recolhido acima do escoamento, no castelo da válvula, quando a válvula está aberta. ⇨ Diz-se *gaveta paralela* (*slab gate valve*) quando as faces do obturador são paralelas entre si e a vedação da gaveta com as sedes, flutuantes em relação ao corpo, ocorre apenas por energização gerada pelas forças de pressão. A capacidade de vedação não é afetada pelas forças de acionamento da haste da gaveta. Quando a válvula é acionada, o furo da gaveta paralela se alinha com as sedes, permitindo a passagem integral e mantendo o escoamento totalmente guiado dentro da passagem do furo (*through conduit*). Por isso é o tipo de válvula gaveta mais usado em aplicações submarinas, permitindo a passagem de ferramentas de limpeza (*pigs*) e o fechamento de poço através da árvore de natal molhada. Diz-se *gaveta em cunha* (*wedge gate valve*) quando as superfícies das sedes não são paralelas entre si, formando um ângulo de acunhamento, no qual as faces da gaveta tocarão. A capacidade de vedação ocorre por energização mecânica, pois depende da força de acionamento transmitida pela haste à gaveta. Quando a válvula gaveta está aberta, a gaveta fica recolhida no castelo da válvula e permite a passagem plena do escoamento, mas não mais totalmente guiado dentro da passagem do furo (*non through conduit*). Diz-se *válvula gaveta expansível* (*expanding gate*) quando as faces de vedação da gaveta são paralelas e tocam as sedes fixadas ao corpo, mas a gaveta em si é dividida em duas seções que deslizam entre si por uma superfície inclinada, a qual permite gerar a 'expansão' da distância entre as faces externas da gaveta e gerar energização mecânica entre gaveta e sedes. A principal classificação é decorrente do tipo do obturador: gaveta em cunha sólida, em cunha flexível, em cunha bipartida; gaveta paralela (sólida); gaveta paralela expansível. É o modelo de válvula mais usado pela indústria de petróleo e gás, em ampla faixa de pressões e temperaturas, mas não deve ser usado para controle de fluxo. A válvula deve ser operada sempre totalmente aberta ou fechada, sob o risco de o escoamento gerar vibrações na gaveta que venham a danificar sua guiagem ou mesmo a área de vedação. ▶ Ver *válvula de bloqueio*.

válvula gaveta tipo FSO / *FSO gate valve*. Válvula desmontada com a gaveta ainda ligada à haste de um atuador submarino com atuação hidráulica e retorno por mola. ▶ Ver *válvula gaveta*.

válvula globo / *globe valve*. Válvula de controle de fluxo, que opera num sentido preferencial de escoamento (unidirecional), de abertura gradual, capaz de variar o coeficiente de vazão (Cv) e restringir a vazão do sistema. ⇨ Composta por um obturador plano ou esférico ou cônico (para maiores diferenciais de pressão), que se assenta e é pressionado contra uma sede circular por uma haste dotada de rosca, a qual pode ser interna à válvula (fluido de processo tem contato com a rosca) ou externa.

válvula HCR / *HCR valve*. O mesmo que *válvula de fechamento rápido*. HCR representa *high closing ratio*. ▶ Ver *válvula de fechamento rápido*.

válvula hidráulica / *hydraulic valve*. Válvula que opera basicamente com fluidos líquidos com a função de bloqueio ou direcional, podendo ser do tipo globo, gaveta, esfera, retenção, agulha, entre outros, cada um com suas características e limitações. ⇨ Refere-se ao conjunto formado de válvula e atuador hidráulico. É uma contração de válvula (de bloqueio) acionada por atuador do tipo hidráulico.

válvula inferior do *kelly* / *lower kelly valve*. Válvula instalada na extremidade inferior do *kelly*. Quando a pressão do poço está atuando no interior da coluna de perfuração, essa válvula é fechada para proteger o *kelly*. ⇨ A válvula inferior é a primeira a ser fechada caso haja necessidade de proteger as linhas de superfície, ou haja vazamento nas mesmas. Caso a broca esteja acima do fundo e seja necessário descer a coluna para combater um *kick*, é possível realizar um *stripping* (retirar ou descer tubos com o preventor anular do BOP fechado), seguindo a sequência a seguir, com a válvula inferior fechada: *(I)* desconecta-se o *kelly*;

(II) conecta-se o *inside* BOP acima da válvula; *(III)* abre-se a válvula inferior; *(IV)* conectam-se tubos acima do *inside* BOP para fazer o *stripping*. ▶ Ver *haste quadrada*; *junta do kelly*; *mangueira do kelly*; *válvula do kelly*.

válvula lateral / *wing valve*. Válvula localizada na saída lateral de uma árvore de natal. Essa válvula também pode ser usada para fechar o poço.

válvula lateral de produção / *production wing valve*. 1. Válvula componente da árvore de natal molhada (*ANM*), posicionada na derivação lateral da linha de produção desta árvore. 2. Também chamada *válvula lateral de produção* e *válvula wing um*. Essa válvula é considerada uma das válvulas submarinas de segurança (*USV*). ▶Ver *válvula mestra de anular*.

válvula lateral do anular / *annulus wing valve*. Válvula componente da árvore de natal molhada (*ANM*) posicionada na derivação lateral da linha de acesso ao anular.

válvula macho / *plug valve*. Válvula de bloqueio, similar a uma válvula esfera, utilizada no estabelecimento ou interrupção do fluxo, só funcionando completamente aberta ou fechada. ▶ Ver *válvula de bloqueio*; *válvula esfera*.

válvula mestra / *master valve*. Válvula principal de uma árvore de natal. ↝ Válvula localizada na árvore de natal, utilizada para fechar o poço. Normalmente a válvula fica na posição mais inferior na linha vertical de uma árvore.

válvula mestra de anular / *annular master valve*. Válvula de abertura plena, localizada na linha vertical da árvore de natal molhada, usada para abrir ou fechar o anular do poço. ↝ Também denominada *válvula master dois* (*M2*). Componente da àrvore de natal molhada (*ANM*), posicionada na vertical da linha de anular. Esta válvula é considerada uma das válvulas submarinas de segurança (*USV*). ▶ Ver *válvula lateral de produção*; *válvula mestra de produção*.

válvula motorizada / *motor-operated valve*. Defínção: Válvula utilizada na superfície, instalada próximo ao poço, e que tem por finalidade controlar a vazão de gás usado na elevação por *gas lift* intermitente, permitindo a passagem de gás de maneira não contínua. Válvula com atuador acionado por um dispositivo eletrônico em que o tempo de injeção de gás e o período de injeção de gás são predeterminados, visando sempre à produção otimizada do poço. ▶ Ver *gas lift*.

válvula mestra de produção / *production master valve*. Válvula componente da árvore de natal molhada (*ANM*), posicionada na vertical da linha de produção. O mesmo que *válvula mestra de produção* e *válvula master um* (*M1*) ↝ Essa válvula é considerada uma das válvulas submarinas de segurança (*underwater safety valve*, *USV*).

válvula móvel (Port.) (Ang.) / *traveling valve*. O mesmo que *válvula de passeio*. ▶ Ver *válvula de passeio*.

válvula normalmente aberta / *normally-open valve*. O mesmo que *válvula de falha segura aberta*. ▶ Ver *válvula de falha segura aberta*.

válvula normalmente fechada / *normally-closed valve*. O mesmo que *válvula de falha segura fechada*. ▶ Ver *válvula de falha segura fechada*.

válvula operada por pressão / *pressure-operated valve*. Válvula de bloqueio ou de controle, na qual o curso do atuador ou posicionador é feito por uma pressão numa linha de controle ou na própria linha de processo, a montante ou a jusante da válvula em questão. ↝ Exemplos de válvulas operadas por pressão: *(I)* válvula de falha segura fechada, usada em árvore de natal, onde a pressão na linha de controle do atuador precisa ser mantida para que a válvula permaneça aberta; *(II)* válvula de *gas lift* (*GL*), onde a pressão de abertura é determinada pela pressão de nitrogênio no fole; *(III)* válvula de segurança, onde a própria pressão do processo controla a abertura e o fechamento da válvula. ▶ Ver *válvula de bloqueio*; *válvula de controle*.

válvula piloto / *pilot valve*. Válvula de bloqueio ou de controle, de menor dimensão, que controla, geralmente com o próprio fluido de processo, uma válvula com maior capacidade de vazão, que é a válvula pilotada. ↝ A vantagem dessa configuração de maior complexidade é realizar o bloqueio (ou controle) do fluxo com menor potência de acionamento, pois o piloto é menor, eventualmente obtendo-se também melhor desempenho de atuação, às vezes com redução de custos para as aplicações em que a válvula principal (pilotada) é de maior porte. Em gasodutos de grande diâmetro é comum o uso de tal válvula, aplicada na equalização de pressão (montante, jusante) antes do acionamento da válvula de bloqueio. ▶ Ver *válvula de bloqueio*; *válvula de controle*.

válvula reguladora de cabeça de poço / *wellhead choke valve*. Válvula de controle específica, utilizada para balancear a produção de fluidos (*choke* de produção: petróleo ou gás natural) ou a injeção de fluidos (*choke* de injeção: água ou gás para *gas lift*) de dois ou mais poços com necessidades diferentes de pressão. ▶ Ver *válvula de controle*; *regulador de vazão*.

válvula reguladora de contrapressão / *back-pressure regulator valve*. Componente hidráulico que mantém o controle da pressão na sua entrada (montante), funcionando de modo similar a uma válvula de alívio proporcional. ↝ O sistema de controle desse tipo de válvula tem como base o equilíbrio entre a força gerada por um pistão submetido à pressão de entrada e a força de uma mola, cuja compressão é ajustável pelo usuário. No caso de um desequilíbrio de forças, ocorre mudança no grau de abertura do obturador contra sua sede, modificando-se a vazão escoada até que se atinja o restabelecimento da pressão de entrada. Em outras palavras, tal válvula funciona de forma oposta a uma fonte de pressão; enquanto uma fonte de pressão fornece fluido sob pressão constante a um circuito hidráulico, independentemente da vazão requerida, uma válvula reguladora de pressão drena o fluido necessário para manter constante o valor da pressão de um dado circuito a montante da mesma. Assim, se a pressão do circuito tende a subir, a válvula reguladora de contrapressão detecta essa variação e aumenta sua vazão de passagem para reduzir a pressão de entrada e restabelecer a pressão inicialmente ajustada.

válvula S1 / *S1, S1 valve.* Código usado para denominar a válvula de pistoneio (*SWAB*) de produção da árvore de natal molhada (*ANM*). ▶ Ver *válvula de pistoneio.*

válvula S2 / *S2, S2 valve.* Código usado para denominar a válvula de pistoneio (*SWAB*) do anular da árvore de natal molhada (*ANM*). ▶ Ver *válvula de pistoneio.*

válvula solenoide / *solenoid valve.* Válvula com dispositivo eletromecânico de controle de fluxo de um fluido, pela ação de um campo magnético criado por uma bobina do tipo solenoide. •• Equipamento utilizado em sistemas de produção submarina, em unidades remotas submarinas de supervisão e controle, em sistemas de controle de plataformas e refinarias. Utilizada normalmente como unidade de comando e atuação hidráulica de outras válvulas de controle de fluxo. Pode ser classificada como *válvula de ação direta*, quando atuada apenas pelo solenoide; e *pilotada* ou *servo-operada*, quando existe outra linha de controle (piloto) além do solenoide.

válvula venturi / *venturi valve.* Válvula de *gas lift* que tem por finalidade permitir a passagem controlada de gás através de um orifício tipo venturi (seção transversal progressivamente reduzida), de modo que o fluxo de gás através deste ocorra com menor diferencial de pressão quando comparado àquele que utiliza válvulas com orifícios convencionais. ▶ Ver *válvula de* gas lift.

válvula W1 / *wing 1, production wing valve.* Código usado para denominar a válvula lateral da linha de produção na árvore de natal molhada (*ANM*). ▶ Ver *válvula lateral de produção; árvore de natal molhada.*

válvula W2 / *wing 2, annulus wing valve.* Código usado para denominar a válvula lateral da linha do anular na árvore de natal molhada (*ANM*). ▶ Ver *válvula lateral do anular; árvore de natal molhada.*

vão-livre / *free span.* Trecho no qual parte de um duto submarino não está em contato direto com o fundo marinho. •• Essa situação é facilmente localizada em registros de sonar de varredura lateral através da análise da sombra acústica. Em uma situação de vão-livre a sombra acústica referente ao duto afasta-se deste criando uma linha clara que terá seu ponto máximo de afastamento onde este vão for mais alto. Esse tipo de avaliação é comum em levantamentos geofísicos que visam à avaliação da integridade estrutural de dutos submarinos. ▶ Ver *duto.*

vaporização instantânea / *instantaneous flash.* 1. Súbita mudança do estado líquido para vapor, geralmente obtida pela brusca redução de pressão da corrente de líquido. 2. Separação gás/líquido que ocorre pela sujeição da corrente de alimentação a uma determinada condição de P (pressão) e T (temperatura), em um único equipamento de separação (vaso separador), sem que o líquido efluente desse vaso sofra subsequentes reduções de pressão; neste caso, opõe-se à separação diferencial. O mesmo que *expansão instantânea*. ▶ Ver *separação diferencial.*

vara de carregamento / *loading pole.* Vara comprida, geralmente em seções, utilizada para forçar explosivos para dentro do buraco onde vai ser dado o tiro, numa linha de levantamento sísmico, ou onde se realizará uma explosão no interior de uma rocha, em mineração.

vareta de pescar esfera / *core picker.* Vareta usada para pescar manualmente a esfera do barrilete de testemunhagem que ficou presa no poço. ▶ Ver *pescaria.*

variação de amplitude com incidência / *amplitude variation with incidence angle.* O mesmo que *variação da amplitude com ângulo de incidência/amplitude variation with incidence angle (AVA)*. ▶ Ver *AVA de ângulo de incidência.*

variação diurna / *diurnal variation.* Variação diária da intensidade de uma grandeza como, por exemplo, o campo geomagnético. Também no levantamento geofísico por gravimetria faz-se a *correção de maré* para compensar a influência das massas do Sol e da Lua no pêndulo do gravímetro.

variação eustática do nível do mar / *eustatic sea level change.* Subida ou descida no nível do mar que afeta a Terra de forma global. •• Acredita-se que a causa principal dessa variação no nível dos mares é o aumento ou a diminuição do volume de água disponível nos oceanos, mas efeitos de ação tectônica também podem influenciar na variação global do nível marinho. Portanto, usa-se mais comumente o termo *variação relativa do nível do mar*, pois, neste caso, independentemente de ter origem em movimentos tectônicos ou no derretimento das geleiras. ▶ Ver *estratigrafia; estratigrafia de sequências; variação relativa do nível do mar.*

variação relativa do nível do mar / *relative sea-level change.* Variação que corresponde à alteração da distância vertical entre a posição da superfície do mar e um *datum* situado no leito marinho. ▶ Ver *variação eustática do nível do mar.*

variável com o tempo / *time variant.* Descrição de uma operação na qual os parâmetros variam com o tempo.

variável controlada / *control variable*. Grandeza física que assume um valor determinado pela ação do controlador. ↬ A variável controlada não é, necessariamente, a variável atuada pelo controlador; por exemplo, em um sistema de nível, a variável controlada é o nível, porém em alguns processos o controle se dá pelo ajuste da vazão de fluidos (variável manipulada) que entra no tanque, ou seja, a variável controlada é o nível, mas a ação do controlador é sobre a vazão de entrada.

variável de Markov / *Markov's variable*. Processo estocástico no qual o estado de um sistema num dado tempo depende em parte do estado do sistema num tempo imediatamente anterior.

variável de processo / *process variable*. Grandezas características do sistema de processamento que devem ser monitoradas e controladas visando à obtenção dos produtos dentro das especificações desejadas. ↬ Nas plantas de processamento primário de petróleo, considerando os equipamentos que utilizam a gravidade como força motriz da separação, as principais variáveis de processo são: pressão, temperatura, vazão e nível de líquido (posição da superfície livre líquido-vapor) e interface óleo/água. No caso de hidrociclones, que utilizam a força centrífuga em lugar da gravidade como força motriz da separação, em geral não há interesse na posição interna da interface, ou mesmo da superfície livre (se existir); assim, a variável nível perde importância. Nesse caso, outra variável de processo passa a ser importante, é a denominada *razão de perda de carga*, que é o valor do cociente entre a perda de carga da alimentação ao bocal de saída de fluido leve e a perda da alimentação ao bocal de saída de fluido pesado.

variável manipulada / *manipulated variable*. Grandeza física cujo valor é utilizado na supervisão ou no controle de determinado processo. ↬ Em muitos processos, a ação do controlador ocorre nesse tipo de variável, pois uma ação direta sobre uma determinada variável é impossível ou impraticável. Por exemplo, em um sistema de nível, a ação do controlador incide sobre a vazão de saída ou de entrada do sistema (variáveis manipuladas). ▶ Ver *variável de processo*.

variômetro / *variometer*. Nas atividades de geofísica, instrumento utilizado para medir as forças magnéticas ou determinar as variações da mesma, particularmente em diferentes locais da Terra. ▶ Ver *magnetômetro*.

variômetro magnético / *magnetic variometer*. Instrumento utilizado até meados do século XX para medição de variações de componentes do campo magnético terrestre, principalmente da componente vertical. ▶ Ver *variômetro*.

varredura / *range*. Item configurável de um sistema de sonar equivalente à máxima distância em metros a partir do equipamento rebocado. ↬ A distância mencionada é aquela efetivamente mapeada pelo sonar, sendo essa varredura normalmente referida a um determinado canal.

varredura ascendente / *upsweep*. Termo utilizado no método de vibroseis, no qual a frequência da varredura aumenta com o tempo. ▶ Ver *vibroseis*; *varredura*.

varredura colorida / *colored sweep*. Sinal piloto em levantamento vibroseis, ou seja, método utilizado para propagar os sinais de uma fonte em um determinado período significativo de tempo. ▶ Ver *varredura*.

varredura de velocidade / *velocity scan*. O mesmo que *perfil de velocidade*. ▶ Ver *perfil de velocidade*.

varredura linear / *linear sweep*. Varredura do vibroseis quando a frequência do vibrador varia linearmente com o tempo. ▶ Ver *varredura; vibroseis*.

varredura multiespectral / *multispectral scanner*. Ação relativa a um sensor colocado em satélites para aquisição de imagens (fotografias) da Terra em diferentes faixas de frequências. ▶ Ver *varredura*.

varredura não linear / *nonlinear sweep*. Variação da frequência de modo não linear com o tempo, no vibroseis. ▶ Ver *varredura; vibroseis*.

varvito / *varvite*. Ritmito de origem lacustre-glacial, formado por intercalações de lâminas horizontais claras e escuras, compostas respectivamente por areias muito finas e siltes-argilas com matéria orgânica. ↬ A alternância referida é devida a modificações climáticas periódicas. ▶ Ver *ritmito*.

vasa calcária / *calcareous ooze*. Finos depósitos de carbonato de cálcio depositados no fundo do mar. ↬ Em águas rasas é composta de microfósseis de conchas e precipitados de carbonato de cálcio de origem orgânica e inorgânica. Em águas profundas é composta de microfósseis de conchas foraminíferas. ▶ Ver *carbonato de cálcio*.

vasa de diatomáceas / *diatomaceous ooze*. Sedimento de mares profundos formado por carapaças silicosas de diatomáceas. ↬ Diatomáceas são algas unicelulares que vivem em águas doces ou salgadas, ou em solos úmidos. Suas carapaças são feitas de sílica hidratada amorfa.

vasa de globigerina / *globigerina ooze*. Sedimento da zona pelágica marinha que contém, no mínimo, 30% de conchas de foraminíferos, predominantemente do gênero *Globigerina*. É uma vasa calcária e um tipo particular de vasa de foraminíferos.

vaso de ar comprimido / *air pressure vessel*. Vaso utilizado como acumulador de pressão em compensadores de movimento (sondas flutuantes), ou vaso para suprimento de pressão nas linhas de controle pneumático.

vaso *slug catcher* / *slug catcher vessel*. Vaso de grande porte destinado a receber um elevado volume de líquido, proveniente de escoamentos em golfadas. O mesmo que *coletor de golfadas*. ▶ Ver *coletor de golfadas*.

vazador de limpeza (Port.) (Ang.) / *bailer*. O mesmo que *removedor de pastas*. ▶ Ver *removedor de pastas*.

vazão / *flow rate*. Cociente entre um volume ou uma massa de um fluido que escoa em um ponto numa linha de processo, por unidade de tempo (por exemplo, m³/h, kg/h etc.).

vazão constante / *constant rate*. Vazão que não varia apreciavelmente durante um período de teste. ↝ Vazões nunca são realmente constantes, mas mudanças de apenas alguns pontos percentuais não afetam os resultados da análise do teste, se a vazão for uma média ao longo do período de fluxo. ▶ Ver *vazão*.

vazão crítica / *critical flow, critical rate*. 1. Vazão máxima de produção que pode ser mantida sem que o arraste de areia e finos do reservatório para o poço de produção seja excessivo. 2. Vazão mínima necessária para manter um regime de fluxo turbulento, especialmente desejável para os fluidos de perfuração. 3. Vazão necessária de um fluido de perfuração para efetuar a remoção completa dos cascalhos em um poço. 4. Vazão de fluido em que a velocidade do fluxo é igual à velocidade do som nesse fluido. 5. Velocidade máxima de um fluido em um orifício. Para controlar os problemas de produção de areia, a vazão deve ser limitada a valores abaixo da vazão crítica. 6. Vazão requerida para que a pasta de cimento alcance o regime turbulento de escoamento. ↝ No que se refere à vazão requerida para que a pasta de cimento alcance o regime turbulento, sendo que o regime é considerado turbulento quando seu número de Reynolds atinge um valor crítico, tem-se que uma pasta, com peso equivalente a 15,6 lbm/gal (n = 0.30, K = 0.195) escoando no interior de um revestimento de 5½ polegadas, alcança o regime turbulento com uma velocidade de 9,7 pés/seg. Já considerando a região anular, revestimento de 5½ polegadas. e poço de 7 7/8 polegadas, a mesma pasta necessita de velocidades superiores a 11,2 ft/seg, para atingir o regime turbulento. Em geral, quanto mais fluida é a pasta, mais facilmente será bombeada, atingindo o regime turbulento mais rapidamente. Do ponto de vista de remoção de fluido (lavagem), o regime turbulento melhora a eficiência de deslocamento. A partir do momento em que o fluxo crítico é atingido, a velocidade de fluxo permanecerá constante, independentemente da variação de pressão. ▶ Ver *velocidade crítica*; *vazão*.

vazão crítica de produção / *critical production rate*. 1. Máxima taxa de produção de um poço horizontal ou com completação parcial que evita a produção de água ou gás causados pela formação de cone. 2. Vazão abaixo da qual podem ocorrer problemas provocados pela descontinuidade da produção (por exemplo, parada da produção por acúmulo de líquido em poços de gás). ▶ Ver *vazão*.

vazão da fase / *phase flow rate*. Quantidade de uma fase (óleo, água ou gás) de uma mistura multifásica que escoa em uma seção reta de um duto por unidade de tempo. ↝ Pode ser especificada como *volumétrica* ou *mássica*. ▶ Ver *vazão*; *vazão mássica*; *vazão volumétrica*.

vazão de fluxo crítico / *critical flow rate*. Vazão máxima de produção em operações de controle de areia, abaixo da qual a produção de sólidos e o fluido produzido são uniformes. ↝ Quando a vazão excede esse limite, a produção de areia e de finos aumenta significativamente. O controle de produção de areia é importante para evitar dano à formação, possível colapso de revestimento e deterioração dos equipamentos de superfície, em virtude das forças de atrito. ▶ Ver *vazão*.

vazão de fluxo crítico de gás / *critical gas flow rate*. Vazão de gás equivalente à velocidade do som naquele fluido. A produção de gás além desse limite acelera a corrosão em gasodutos. ▶ Ver *vazão*.

vazão mássica / *mass flow rate*. Massa de fluido que escoa através de uma seção reta de um duto por unidade de tempo (por exemplo, kg/h). ▶ Ver *vazão*; *vazão da fase*; *vazão volumétrica*.

vazão máxima absoluta / *absolute open flow (AOF)*. Vazão máxima que um poço teoricamente poderia produzir sem qualquer contrapressão, ou seja, somente sob a influência da pressão atmosférica. O termo é comumente abreviado como *AOF*. ↝ Às vezes, há referência ao potencial de vazão máxima, e a abreviatura neste caso é *AOFP* (*absolute open flow potential*). Esse valor comumente é determinado em testes com alta vazão de gás. ▶ Ver *vazão*.

vazão volumétrica / *volumetric flow rate*. Volume de fluido que escoa através de uma seção reta de um duto por unidade de tempo (por exemplo, m³/h). ▶ Ver *vazão*.

vazio acústico / *acoustic void*. Ausência da reflexão sísmica atribuída à homogeneidade do meio. ▶ Ver *transparência acústica*.

vedante / *sealant*. O mesmo que *selo*. ▶ Ver *selo*.

vedante de âncoras (Port.) / *anchor seal*. O mesmo que *âncora selante*. ▶ Ver *âncora selante*.

vedante mecânico (Port.) / *mechanical sealant*. O mesmo que *selo mecânico*. ▶ Ver *selo mecânico*.

vegetação primária / *primary vegetation*. Vegetação de máxima expressão local em diversidade biológica, sendo as ações antrópicas mínimas e sem efeito sobre suas características originais de estrutura e de composição (Resolução CONAMA n° 010/93).

vegetação secundária / *secondary vegetation*. Vegetação que sucede naturalmente à cobertura vegetal primária suprimida por ação antrópica ou por causas naturais. O mesmo que *vegetação em regeneração* (Resolução CONAMA n° 010/93). ▶ Ver *vegetação primária*.

veículo de controle remoto / *remotely-controlled vehicle (ROV)*. O mesmo que *veículo operado remotamente*. ▶ Ver *veículo operado remotamente*.

veículo de operação remota / *remotely-operated vehicle (ROV)*. O mesmo que *veículo operado remotamente*. ▶ Ver *veículo operado remotamente*.

veículo operado remotamente / *remotely-operated vehicle (ROV)*. 1. Veículo utilizado em operações no fundo do mar em profundidades nas quais o trabalho com mergulhadores não é possível. 2. Robô submarino utilizado para inspeção e atuação de equipamentos submarinos. Dotado de câmera de TV e manipuladores (normalmente dois, sendo um com maior potência e outro com mais flexibilidade de movimentos). 3. Veículo dotado de propulsão, operado e controlado remotamente da superfície, que tem como função principal propiciar a realização de operações de auxílio às instalações, intervenções e manutenções de equipamentos submarinos. Esse veículo dispõe de dois braços com capacidade (força) e habilidades (funções) distintas. Largamente utilizado em todo o mundo.

veículo subaquático autônomo (Port.) (Ang.) / *autonomous underwater vehicle (AUV)*. O mesmo que *veículo submarino autônomo*. ▶ Ver *veículo submarino autônomo*.

veículo submarino autônomo / *autonomous underwater vehicle*. Veículo utilizado na identificação de rotas de dutos de produção, exportação de óleo e gás, coleta de dados oceanográficos e serviços específicos de exploração marinha.

veio de argila / *clay vein*. Corpo argiloso, geralmente tabular, em forma de veio ou dique, que preenche uma fenda numa sequência de camadas sedimentares. Acredita-se ser o resultado do preenchimento de fissuras por argilas oriundas de camadas sotopostas ou sobrepostas. ▶ Ver *dique clástico*.

velocidade acústica / *acoustic velocity*. Velocidade com que uma onda acústica se propaga por um determinado meio. É o inverso do *tempo de trânsito* ou *vagarosidade*. ▶ Ver *tempo de trânsito*.

velocidade anular / *annular velocity*. 1. Velocidade com que o fluido percorre o espaço anular do poço, normalmente expressa com a adoção do conceito de diâmetro hidráulico equivalente dessa seção. 2. Velocidade das fases ocorrentes no escoamento bifásico do tipo anular. ▶ Ver *escoamento anular*.

velocidade aparente / *apparent velocity*. Velocidade de uma onda que inclui pontos adjacentes que têm a mesma fase, tipicamente medida ao longo de uma linha de receptores. ↔ A velocidade aparente e a velocidade são relacionadas pelo cosseno do ângulo com o qual a onda aproxima-se dos receptores.

velocidade crítica / *critical velocity*. 1. Velocidade do escoamento de um fluido que atinge o mesmo valor que a velocidade do som nesse escoamento. 2. Velocidade de um fluido que, quando aumentada, faz o escoamento atingir o estágio do tipo turbulento. 3. Máxima velocidade de um fluido através de um orifício. Uma vez atingida, a velocidade permanece constante e não é afetada por alterações na pressão a jusante desse escoamento. ▶ Ver *vazão crítica*.

velocidade da migração / *migration velocity*. Velocidade utilizada para a migração dos dados sísmicos seguida da inversão, ou seja, da reflexão da onda sísmica.

velocidade da onda / *wave velocity*. Velocidade de propagação sísmica medida na direção perpendicular à frente de onda.

velocidade da subsuperfície / *subsurface velocity*. O mesmo que velocidade das ondas P. ▶ Ver *onda P*.

velocidade de empilhamento / *stacking velocity*. Velocidade definida tomando como referência as medidas de sobretempo normal. A velocidade de empilhamento aproxima-se da velocidade *rms*, enquanto o afastamento aproxima-se de zero se a estratificação de velocidades e os refletores são paralelos e as camadas são isotrópicas. ↔ Considera-se *rms* (*root mean square*) como o valor quadrático médio em relação a uma medida estatística da magnitude para uma quantidade variável. ▶ Ver *empilhamento*.

velocidade de escorregamento / *slip velocity*. Diferença entre a velocidade de duas fases adjacentes num escoamento bifásico. ↔ Em um escoamento bifásico do tipo líquido-gás, essas fases poderão exibir velocidades *in situ* diferentes e assim existir uma velocidade relativa entre tais fases, denominada velocidade de escorregamento. Tal tipo de escoamento difere daquele dito homogêneo, em que os fluidos exibem iguais velocidades *in situ* e, portanto, a velocidade de escorregamento (*slip*) é nula. O escoamento bifásico líquido-gás do tipo golfadas, fortemente ocorrente na produção de petróleo, exibe altos valores de velocidade de escorregamento.

velocidade de fase / *phase velocity*. 1. Velocidade com a qual uma onda sísmica ou seu pico se propaga em um meio, ou a velocidade de um ponto de fase constante. 2. Velocidade exibida por uma fase, *in situ* ou superficial, num escoamento multifásico.

velocidade de grupo / *group velocity*. Velocidade com a qual a energia de uma onda sísmica se propaga. ↔ Considera-se que esta onda advém de uma sucessão pertencente a uma mesma fonte.

velocidade de propagação / *propagation velocity*. Velocidade com a qual qualquer vibração ondulatória se propaga num meio qualquer.

velocidade de substituição / *replacement velocity*. Velocidade de um material hipotético de preenchimento usado na análise das reflexões sísmicas para calcular as correções estáticas, principalmente quando o *datum* se encontra acima da superfície.

velocidade do som / *speed of sound*. Velocidade correspondente à distância percorrida pelo som por unidade de tempo em um determinado meio. ↦ No ar, pode ser calculada pela fórmula: v = 331,5 + 0,607 t.

velocidade em relação ao fundo / *speed over ground (SOG)*. Velocidade real da embarcação ou do equipamento rebocado em relação ao fundo marinho, sem considerar efeitos de vento ou correntes marinhas. ↦ Atualmente essa velocidade é determinada diretamente por sistemas *DGPS* (*differential global positioning system/sistema de posicionamento global diferencial*).

velocidade erosional / *erosional velocity*. Velocidade do fluido no escoamento, com ou sem a presença de sólidos, capaz de remover material do conduto que delimita e confina tal escoamento.

velocidade instantânea / *instantaneous velocity*. Limite da velocidade num intervalo de distância, ou entre dois tempos de reflexão, quando o intervalo tende para zero.

velocidade intervalar / *interval velocity*. Velocidade (v) que corresponde à relação entre a distância existente (e) num intervalo estratigráfico e o tempo (t) que uma onda sísmica leva para atravessá-la (v = e/t). O inverso do tempo de trânsito intervalar.

velocidade NMO / *NMO velocity, normal moveout velocity*. Variação do tempo de chegada da reflexão sísmica causada pela distância entre a fonte de tiro e o geofone. ↦ Esse parâmetro traduz o tempo decorrido para que uma onda, oriunda de uma fonte, reflita numa camada plana e retorne ao geofone, instalado a uma distância da fonte emissora, em relação ao tempo decorrido quando o geofone é posicionado junto à fonte emissora. ▶ Ver *geofone*.

velocidade sísmica / *seismic velocity*. Taxa de propagação de uma onda elástica, de modo geral medida em km/s. ↦ A velocidade da onda depende do tipo da onda e também das propriedades elásticas e da densidade do meio por onde viaja.

velocidade superficial / *superficial velocity*. Velocidade de uma fase num escoamento, definida como sendo a razão entre a vazão volumétrica dessa fase e a área da seção desse escoamento. ↦ Em escoamentos multifásicos, onde as fases podem exibir velocidades *in situ* distintas entre si e igualmente distintas daquela que a fase possuía ao entrar no escoamento, o conceito de velocidade superficial é largamente utilizado. Nesse caso, se conceitua também ser a velocidade superficial aquela que uma fase, em particular, exibiria caso escoasse sozinha nesse escoamento multifásico.

velocidade superficial da fase / *superficial phase velocity*. Velocidade de uma fase (por exemplo, óleo, água ou gás) num escoamento multifásico, assumindo que a fase ocupa todo o duto. A velocidade de fase pode ser definida como a relação vazão volumétrica da fase/área da seção reta do duto.

velocidade terminal / *terminal velocity*. Valor máximo da velocidade atingida por uma partícula dispersa em escoamento num fluido contínuo. ↦ Essa velocidade é atingida quando há um equilíbrio entre as forças de corpo (gravidade ou aceleração centrífuga) e as forças de superfície (arrasto) que atuam sobre a partícula.

velocidade vertical / *vertical velocity*. Velocidade sísmica com referência à vertical. ▶ Ver *velocidade sísmica*.

venda de concessão ou parte dela a terceiros / *farm-out*. Processo de venda parcial ou total dos direitos de concessão. A empresa que vende os direitos de concessão está em processo de *farm-out* e a empresa que os adquire está em processo de *farm-in*. ▶ Ver *farm-in*; *farm-out*.

vendor city. Modelo de suprimento para materiais de manutenção, reparos e operação de unidades, que consiste na entrega do ciclo completo de suprimentos de determinadas famílias de materiais a supridores instalados fisicamente em área próxima à unidade ou a complexos industriais.

vendor list. Relação de empresas qualificadas, por especialidade ou por item de fornecimento, para consulta e eventual fornecimento dos itens previstos especificamente em um empreendimento ou projeto. ▶ Ver *projeto básico*; *projeto executivo*; *construção e montagem*; *licitação*; *gerência de empreendimento*.

ventar / *vent*. Anglicismo que diz respeito à expulsão do ar de linhas hidráulicas. ↦ *Vent* é termo associado ao ponto de teste em válvulas ou outros componentes de um circuito hidráulico, dedicado a expulsar os gases retidos e permitir a execução de testes hidrostáticos ou operação apenas com líquido.

venture capital. Termo utilizado em finanças para designar novos projetos com todos os riscos inerentes a esse novo investimento.

vergência / *vergence*. Característica relacionada à inclinação do plano axial de uma dobra assimétrica.

verificação de duplicação / *duplication check*. Verificação de resultados idênticos obtidos em uma operação geofísica repetida.

verificação de volume de líquido / *liquid volume checking*. O mesmo que *provação de volume de líquido*. ▶ Ver *provação de volume de líquido*.

verificação metrológica / *metrological verification*. Conjunto de operações — compreendendo o exame, a marcação ou selagem ou emissão de um certificado — que constate que o instrumento de medir (ou sistema de medição) ou medida materializada satisfaz as exigências regulamentares. ▶ Ver *Instituto Nacional de Metrologia, Padronização e Qualidade Industrial (INMETRO)*.

verificador (Port.) (Ang.) / *prover*. O mesmo que *provador*. ▶ Ver *provador*.

verificador medidor padrão (Port.) (Ang.) / ***master meter prover.*** O mesmo que *medidor padrão*. ▶ Ver *medidor padrão*; *medidor mestre*.

verificador tipo compacto (Port.) (Ang.) / ***compact or small volume prover.*** O mesmo que *provador tipo compacto*. ▶ Ver *provador tipo compacto*.

verificador tipo convencional /(Port.) (Ang.) / ***conventional pipe prover.*** O mesmo que *provador tipo convencional*. ▶ Ver *provador tipo convencional*.

vermiculita / ***vermiculite.*** Mineral natural tipo mica que tem a propriedade de perder água e de se expandir com a aplicação de calor. Tem fórmula química típica $(Mg,Fe,Al)_3 (Al,Si)_4 O_{10} (OH)_2 4H_2O$. ↝ A vermiculita tem alta capacidade de troca iônica e é utilizada comercialmente como isolante térmico e sonoro e contra fogo

vermiculite (Port.) (Ang.) / ***vermiculite.*** O mesmo que *vermiculita*. ▶ Ver *vermiculita*.

verniê / ***vernier.*** Instrumento composto de duas réguas justapostas com o objetivo de aumentar a precisão na medida de distâncias e ângulos. ↝ Seu funcionamento baseia-se no fato de que o intervalo com 10 divisões da régua índice equivale a 9 divisões da régua comum. Assim, se a régua comum indicar um valor entre 20 e 21, e o melhor alinhamento corresponder à sexta divisão da régua índice, o valor da medida será de 20,6.

vertedor / ***weir.*** Dispositivo interno de separador gravitacional que consiste numa placa de separação entre a câmara de decantação de líquido do vaso e a câmara de óleo. ↝ A camada de óleo separado verte, pela soleira dessa placa, da câmara de decantação para a câmara de óleo.

vibração axial da broca / ***bit bouncing.*** Vibração axial gerada pelo movimento oscilatório da broca. ↝ Pode ocorrer por peso excessivo sobre a broca, quando perfurando rochas de grande dureza.

vibração torsional agarra e solta / ***slip-stick vibration.*** Modo de vibração em que a coluna de perfuração armazena energia por se prender (*stick*) normalmente na parte inferior (broca e estabilizadores) enquanto o restante da coluna continua girando. Em um determinado momento a broca e estabilizadores se soltam e toda esta energia é liberada (*slip*). ↝ Este tipo de vibração normalmente cria problemas para a operação de perfuração por não manter constantes os parâmetros de torque e rotação. Além disso, pode levar um elemento da coluna à fadiga.

vibrador / ***vibrator.*** Oscilador mecânico utilizado para gerar o sinal de varredura nos levantamentos de vibroseis. ▶ Ver *vibroseis*.

vibrador sísmico (Port.) / ***vibrator.*** O mesmo que *soquete pneumático* ▶ Ver *soquete pneumático*.

vibrador vertical / ***vertical vibrator.*** Equipamento que provoca vibrações sísmicas cujo objetivo é a geração de ondas P para investigação de anomalias estruturais em subsuperfícies.

vibroseis. Fonte sísmica terrestre equipada com potentes vibradores mecânicos que geram um sinal de longa duração. ↝ A técnica *vibroseis* usa de 4 a 10 caminhões com fonte vibradora, que, em contato com o solo, emite um pulso de longa duração (7 s a 35 s) e não muito potente. Essa técnica é pouco utilizada no Brasil, sendo mais aplicada em regiões abertas e com topografia suave (desertos, Ártico, planícies e planaltos).

vida à fadiga / ***fatigue life.*** Característica física que indica que todo material tem uma determinada vida até a fadiga. Normalmente, pode-se obter a linha base de fadiga de um material através de ensaios de laboratório. ↝ As curvas podem ser SN ou EN, dependendo de o tipo de medição ser de tensão (S) ou de deformação (E). O valor de N representa o número de ciclos para falhar a um determinado valor de tensão cíclica ou de deformação cíclica. No caso de carregamentos dentro do regime elástico, as curvas de tensão funcionam bem. Caso se pretenda trabalhar no regime plástico, deve-se então usar as curvas de deformação. A vida à fadiga é acumulativa e sempre que se consome parte dessa vida deve-se conhecer o que restou para evitar que falhas aconteçam dentro do poço.

vida útil de uma reserva / ***reserve life index.*** Estimativa do tempo, em anos, durante o qual uma reserva produzirá, medida com a divisão do volume da reserva em um dado ano (R) pela produção atingida no mesmo ano (P). Também conhecida como relação R/P.

vidro basáltico / ***basalt glass.*** **1.** Vidro vulcânico de composição basáltica. **2.** Sinônimo de *sideromelano*.

viscoelasticidade / ***viscoelasticity.*** Propriedade que descreve materiais complexos que apresentam simultaneamente características viscosas e elásticas. ↝ A viscoelasticidade é estudada através de técnicas de reologia dinâmica, na qual pequenas tensões ou deformações oscilatórias são aplicadas na amostra. ▶ Ver *reologia*.

viscosidade / ***viscosity.*** **1.** Propriedade dos fluidos correspondente ao transporte microscópico de quantidade de movimento por difusão molecular. **2.** Medida da resistência de um fluido a uma taxa de deformação causada por um torque ou uma tensão, podendo ser representada ou definida como a relação entre a tensão de cisalhamento e a taxa de deformação. Um fluido newtoniano não depende da taxa de deformação; já no caso de um fluido não newtoniano, a taxa de deformação pode variar. **3.** Medida da resistência de um fluido a fluir devido à aderência mútua de suas moléculas, ou seja, da resistência de um fluido a mudar de forma. É afetada por temperatura, pressão, quantidade de gás dissolvido no fluido e tamanho das moléculas existentes no fluido, e calculada em centipoise (cp). ↝ Por ser uma função da composição molecular do fluido, também é reflexo da densidade e °API. A viscosidade de um óleo é medida em laboratório através de um funil Marsh, medindo-se o tempo necessário para que 1.000 cm³ do óleo escoem pelo funil. É expressa em milipascal-segundo (unidade do SI) ou centipoise (unidade cgs). Nas perfurações para extração de petróleo, a viscosidade da lama é medida pelo tempo que ¼ de galão de lama leva para escoar de um funil de Marsh, sabendo-se que o ensaio com esse funil mede o tempo que um litro da mistura leva para escorrer, determinando-se a fluidez. ▶ Ver *densidade API*; *grau API*; *viscosidade Marsh*.

viscosidade a alta temperatura e alto cisalhamento / *high-temperature and high-shear viscosity*. Viscosidade determinada para um lubrificante sob condições de alta temperatura e alto cisalhamento. ⇨ Essa determinação é executada pelo método ASTM D 4741, no qual se mede a viscosidade do óleo lubrificante a 150 °C e sob alta taxa de cisalhamento. ▶ Ver *taxa de cisalhamento*; *viscosidade*.

viscosidade absoluta / *absolute viscosity*. Propriedade de um fluido associada à resistência que o mesmo apresenta para escoar. O mesmo que *viscosidade dinâmica*. ⇨ Normalmente, essa propriedade é determinada em instrumentos ditos *viscosímetros*, sua dimensão é [M/LT] e suas unidades usuais são P (Poise) ou cP (centipoise) e no sistema SI, Pa.s (Pascal.segundo). A viscosidade absoluta (h) é determinada pela razão entre a força (F), por unidade de área (A), necessária para deslocar um fluido segundo uma variação de velocidade (dV), no espaço considerado (dγ). Os parâmetros estão relacionados pela seguinte relação:

$$F/A = \mu \cdot (dV/d\gamma)$$

onde:

μ é a viscosidade absoluta ou dinâmica. Num fluido newtoniano, a viscosidade absoluta independe da taxa de cisalhamento (D = dV/dγ) à qual ele é submetido, dependendo apenas da temperatura e pressão a que está submetido. Dessa forma, para os fluidos newtonianos, a tensão de cisalhamento τ mantém uma relação de proporcionalidade com a taxa de cisalhamento (D = dV/dγ). ▶ Ver *viscosidade*; *viscosidade aparente*.

viscosidade aparente / *apparent viscosity*. Viscosidade de um fluido exibida em função dos valores de temperatura, pressão e da taxa de deformação aplicada. ⇨ Para fluidos newtonianos, a viscosidade aparente é igual à viscosidade absoluta para as mesmas condições de temperatura e pressão, pois tal propriedade nesse tipo de fluido independe da taxa de cisalhamento aplicada. Já nos fluidos não newtonianos, tal propriedade além de depender da temperatura e pressão existentes, depende igualmente do valor da tensão de cisalhamento e apresenta uma curva típica, crescente ou decrescente, conforme as propriedades do fluido. A curva da viscosidade em função da taxa de cisalhamento descreve seu comportamento para diferentes fluidos. ▶ Ver *viscosidade*.

viscosidade cinemática / *kinematic viscosity*. Razão entre a viscosidade absoluta e a massa específica do fluido (ρ), ambas à mesma temperatura e pressão. ⇨ Em regime laminar e permanente para fluidos newtonianos e incompressíveis, a expressão para determinação de viscosidade cinemática é dada por $v = \eta/\rho$ ▶ Ver *viscosidade absoluta*; *emulsão*; *emulsão água-óleo*.

viscosidade dinâmica / *dynamic viscosity*. O mesmo que *viscosidade absoluta*. ▶ Ver *viscosidade absoluta*.

viscosidade efetiva / *effective viscosity*. O mesmo que *viscosidade aparente*. ▶ Ver *viscosidade aparente*.

viscosidade extensional / *extensional viscosity*. Medida de resistência a uma taxa de alongamento causada por uma tensão extensional, e que por isso mesmo pode ser definida como a razão entre a tensão extensional e a taxa de extensão (e). ⇨ A viscosidade extensional está basicamente relacionada às características elásticas dos fluidos viscoelásticos e é fortemente influenciada pelo peso molecular do material. ▶ Ver *tensão extensional*.

viscosidade interfacial / *interfacial viscosity*. Viscosidade do filme interfacial separador entre dois fluidos. ▶ Ver *viscosidade*.

viscosidade Marsh / *Marsh-funnel viscosity*. Medida do tempo em segundos para que um volume equivalente a 946 ml de fluido escoe através de um funil padronizado, denominado *funil Marsh*. ⇨ Seu princípio fundamental tem por base a medição do tempo de escoamento (em segundos) de um volume definido de fluido de perfuração (lama) através de um determinado funil calibrado previamente. Como exemplo, a viscosidade Marsh da água doce a 70 °F é de 26 s e para a lama bentonítica, durante seu uso na perfuração, não é recomendável que fique abaixo de 30 s. Na realidade, a propriedade 'viscosidade Marsh' não é um valor de viscosidade, uma vez que o funil Marsh apresenta uma medida para apenas uma condição de escoamento, mas expressa uma medida qualitativa da consistência de um fluido e é utilizada para fins comparativos. O ensaio é padronizado pela Norma API RP-13B (*recommended practice for field testing drilling fluids*). ▶ Ver *viscosidade*.

viscosidade plástica / *plastic viscosity*. Parâmetro do modelo reológico de Bingham que define a proporcionalidade entre a tensão de cisalhamento e a taxa de cisalhamento para tensões superiores ao limite de escoamento. ⇨ É o coeficiente angular da equação matemática que define o comportamento de um fluido que obedece ao modelo de Bingham. As unidades de medida da viscosidade plástica mais usuais são o centipoise (cP), submúltiplo do poise (1 P = 1 g.cm^{-1}.s^{-1}) e o milipascalmsegundo (mPa.s), sendo que 1 cP é igual a 1 mPa.s. ▶ Ver *reologia*; *pasta de cimento*; *fluido de perfuração*.

viscosidade plástica da calda de cimento (Port.) (Ang.) / *slurry plastic viscosity*. O mesmo que *viscosidade plástica da pasta de cimento*. ▶ Ver *viscosidade plástica da pasta de cimento*.

viscosidade plástica da pasta de cimento / *slurry plastic viscosity*. Constante de proporcionalidade entre a tensão de cisalhamento e a taxa de deformação para tensões superiores ao limite de escoamento. ↠ Matematicamente, é o coeficiente angular da reta obtida do modelo de Bingham. A viscosidade plástica é uma das propriedades reológicas que é obtida através da utilização de um viscosímetro rotativo. Um baixo valor de viscosidade indica que o fluido é fácilmente bombeável, enquanto que um alto valor indica um fluido viscoso com alto teor de sólidos coloidais em suspensão. ▶ Ver *viscosidade plástica*; *pasta do cimento*.

viscosidade Saybolt / *Saybolt viscosity*. Unidade e metodologia para medir viscosidade cinemática de fluidos. ↠ Esse método faz uso de um dispositivo padrão (viscosímetro Saybolt) e consiste no tempo (em segundos) em que 60 mililitros de fluido escoam por um tubo capilar padrão numa determinada temperatura. É um método utilizado para petróleos leves e lubrificantes e padronizado pela ASTM D 156. ▶ Ver *viscosidade cinemática*.

viscosificante / *viscosifier*. Aditivo usado no fluido para aumentar sua viscosidade.

viscosimetria / *viscosimetry*. 1. Área da reologia que estuda o comportamento dos fluidos sob condições internas de cisalhamento. 2. Conhecimento e técnicas de determinação da viscosidade dos fluidos. ▶ Ver *reologia*.

viscosímetro / *viscometer*. Equipamento projetado para medir ou determinar a viscosidade ou parâmetros viscosos dos fluidos sob ação de um cisalhamento contínuo. Alguns exemplos de viscosímetro: viscosímetro de esfera, viscosímetro rotativo de cone-placa, viscosímetro rotativo de placa-placa, viscosímetro rotativo de cilindros coaxiais. ▶ Ver *viscosidade*.

viscosímetro absoluto / *absolute viscometer*. Viscosímetro que tem a determinação da viscosidade baseada na medida das grandezas absolutas básicas, tais como força, comprimento e tempo. ↠ Para realização de medições absolutas da viscosidade se faz necessário conhecer e definir bem o perfil de fluxo. ▶ Ver *viscosímetro*.

viscosímetro capilar / *capillary viscometer*. Equipamento para medir viscosidade no qual o fluido flui por um tubo capilar. ▶ Ver *viscosímetro*.

viscosímetro Fann / *Fann viscosimeter or V-G meter*. Viscosímetro rotativo de cilindros coaxiais, com taxa de cisalhamento controlada. ↠ Instrumento de leitura direta comumente utilizado para a determinação das propriedades reológicas de fluidos de perfuração. ▶ Ver *viscosímetro*.

viscosímetro mini-rotary / *mini-rotary viscometer*. Viscosímetro aplicado na determinação de viscosidade a baixa temperatura. ↠ A viscosidade é medida por um equipamento definido no método ASTM D 4684 e no qual se mede a viscosidade de óleos lubrificantes para motor após resfriamento controlado por um período de 45 horas. A temperatura final pode atingir de 10 °C a 40 °C. A viscosidade é medida sob alta taxa de cisalhamento. ▶ Ver *viscosímetro*; *taxa de cisalhamento*.

viscosímetro relativo / *relative viscometer*. Viscosímetro que se baseia na medida de uma única grandeza física, como, por exemplo, o tempo, para medir o escoamento de um determinado volume de fluido, sem contudo utilizar equações paramétricas que transformem esse tempo em viscosidade absoluta. ▶ Ver *viscosímetro*.

viscosímetro rotativo / *rotational viscometer*. Equipamento usualmente empregado na indústria de petróleo para a determinação das propriedades reológicas. ↠ Mede a tensão de cisalhamento em presença de diversas taxas de deformação selecionadas, referentes a diferentes rotações. Um rotor e um cilindro acoplado a uma mola são imersos na pasta contida em um copo estacionário. O rotor provoca o movimento da pasta para as várias taxas de deformação, e no cilindro, por meio da mola, mede-se o torque exercido através da leitura direta da deflexão da mola. De acordo com o modelo adotado, são definidos os parâmetros reológicos da pasta. Usualmente adota-se o modelo de Bingham, o qual assume uma relação linear entre a tensão cisalhante e a taxa de deformação. ▶ Ver *viscosímetro*; *tensão de cisalhamento*.

viscoso / *viscous*. Diz-se de um fluido que exibe viscosidade normalmente de alto valor. ▶ Ver *viscosidade*.

vitrinita / *vitrinite*. Componente orgânico dos carvões e sedimentos. ↠ Por intermédio desse componente pode-se detectar o estágio de maturação dos sedimentos, classificado sob o nome generalizado de *maceral*. A vitrinita é utilizada como parâmetro para as determinações paleotermométricas, sendo suas partículas empregadas para indicar a reflectância (Ro), objetivando assim a determinação de maturidade termal; a aplicação dessa reflectância está relacionada com ocorrências de óleo e gás, permitindo, assim, definir seus limites nas bacias petrolíferas. ▶ Ver *carvão betuminoso*.

vitrinite (Port.) (Ang.) / *vitrinite*. O mesmo que *vitrinita*. ▶ Ver *vitrinita*.

volátil / *volatile*. Diz-se de substância ou substância que irá evaporar a uma temperatura relativamente baixa.

volatilidade / *volatility*. Facilidade que tem um líquido para evaporar. A volatilidade em um líquido é indicada por um baixo ponto de ebulição e uma alta pressão de vapor. ↠ Alta volatilidade indica evaporação rápida.

voltímetro / *voltmeter*. Instrumento que realiza medições de tensão elétrica em um circuito, geralmente usando a unidade *volt*. ↠ Muitos voltímetros na verdade não são nada mais do que amperímetros com alta resistência interna. O projeto dos voltímetros é tal que, com sua alta resistência interna, introduz o mínimo de alterações no circuito que está sendo monitorado. Para aferir a diferença de tensão entre dois pontos de um circuito, o voltímetro deve ser conectado em paralelo com a seção do circuito compreendida entre esses dois pontos. Por isso, para que as medições sejam precisas, espera-se que o voltímetro tenha uma resistência muito grande comparada à do circuito. Voltímetros podem medir tensões contínuas ou alternadas, dependendo das qualidades do aparelho. Pode-se também implementar um voltímetro através do uso de um potenciômetro linear. Esse tipo de voltímetro é conhecido como *passivo*.

voltímetro a válvula / *vacuum-tube voltmeter*. Voltímetro que pode medir valores de tensão sem drenar a corrente do circuito, graças a uma válvula eletrônica. ▶ Ver *voltímetro*.

volume aparente / *bulk volume*. Volume total de um agregado que inclui o somatório do volume das partículas individuais com o volume de vazios entre essas partículas. ↝ O volume de vazios corresponde ao espaço entre as partículas sólidas que não é ocupado por material sólido.

volume bruto de petróleo corrigido em tanque / *tank gross standard volume*. Volume bruto de petróleo corrigido pelos fatores de dilatação térmica da parede do tanque e para as condições de referência de pressão e de temperatura.

volume bruto de petróleo em tanque / *gross tank volume*. Volume nas condições de operação, determinado a partir do nível de petróleo medido no tanque, após descontar o volume de água livre.

volume corrigido em linha / *gross volume*. Volume obtido pelo produto da leitura feita no registrador do medidor de vazão, pelo fator de calibração. ↝ Em testes de formação a poço aberto ou revestido, quando tipicamente se usa um medidor de deslocamento positivo a fim de conhecer os valores efetivamente produzidos de líquido, corrige-se o valor indicado no medidor por meio da aplicação de um fator inicialmente determinado. Tal fator é obtido através do envio da produção para uma separação gás-líquido e ulterior determinação do volume efluente de líquido, medido num tanque.

volume da calda de cimento (Ang.) / *slurry volume*. O mesmo que *volume da pasta de cimento*. ▶ Ver *volume da pasta de cimento*.

volume da pasta de cimento / *slurry volume*. Somatório dos volumes de cimento, água doce e/ou do mar, aditivos líquidos e aditivos sólidos misturados no cimento ou na água, utilizados no preparo da pasta. ▶ Ver *pasta de cimento*.

volume de deslocamento / *displacement volume*. Volume de fluido bombeado da superfície para o interior do poço de modo a deslocar os fluidos existentes dentro do poço, ou de um conjunto de tubos para uma posição desejada em uma operação (por exemplo, cimentação primária e controle de areia ou acidificação). ▶ Ver *cimentação primária*; *acidificação*; *empacotamento de areia*.

volume de lama na superfície / *surface mud volume*. Volume de fluido armazenado nos tanques de lama da sonda. Inclui o volume existente nos tanques ativos e nos tanques reservas.

volume de óleo *in situ* / *volume of oil in place (VOIP)*. Volume estimado de petróleo no reservatório e expresso em condições ditas padrão. ↝ Esse volume é continuamente estimado e contribui nas decisões acerca da explotação desse reservatório ao longo do tempo. Quando dito *original* tal volume se refere àquele estimado antes de iniciada a produção desse reservatório. ▶ Ver *volume original*.

volume de óleo relativo / *relative oil volume*. Volume de óleo em uma célula dividido pelo volume do óleo residual, durante um teste de vaporização diferencial (BOP).

volume de petróleo equivalente / *oil volume equivalent*. Volume de petróleo, expresso em condições padrão, que contém a mesma quantidade combinada de energia de um dado volume de petróleo e gás natural. ↝ A quantidade de energia é calculada com base nos valores do poder calorífico superior apresentados pelo petróleo e pelo gás natural. Para campos onde ocorra somente a produção de gás natural, deverá ser adotado o valor de 40×10^3 MJ/m^3 para o poder calorífico superior do petróleo, na determinação do respectivo volume de petróleo equivalente. ▶ Ver *barril de óleo equivalente (BOE)*.

volume de poço / *borehole volume*. Volume de fluido necessário para preenchimento completo de um poço, através da operação de circulação, em qualquer fase de operação no mesmo. ▶ Ver *circulação*.

volume de poros / *pore volume*. Volume do espaço vazio existente em um meio poroso, que depende da forma, arrumação, variação dos tamanhos dos grãos desse meio e da pressão dos fluidos ocupantes desse espaço. ↝ O volume de poros da rocha-reservatório determina, entre outros aspectos, o volume de petróleo existente nessa rocha. ▶ Ver *porosidade*; *pressão de poro*; *rocha-reservatório*; *volume de óleo* in situ.

volume de produção fiscalizada / *inspected production volume*. Soma das quantidades de petróleo ou de gás natural, relativas a cada campo, expressas nas unidades métricas de volume adotadas no Brasil pela Agência Nacional do Petróleo, Gás Natural e Biocombustíveis (ANP), que tenham sido efetivamente medidas nos respectivos pontos de medição da produção e em outros países pelas entidades que regulam a indústria. ▶ Ver *Agência Nacional do Petróleo, Gás Natural e Biocombustíveis (ANP)*.

volume líquido padrão / *net standard volume*. Volume de petróleo em condições de referência de pressão e de temperatura, após descontar o volume de água e sedimentos (já considerado o fator de calibração ou fator do medidor).

volume original / *original volume.* Quantidade de fluido existente no reservatório no momento de sua descoberta. Se existem hidrocarbonetos no estado gasoso, denomina-se *volume original de gás*. ↝ Se os hidrocarbonetos estão no estado líquido, denomina-se *volume original de líquido*.

volume poroso / *pore volume.* Volume total dos espaços porosos em um reservatório.

volume real de gás / *actual gas volume.* Volume de gás medido em condições de pressão e temperatura locais. Geralmente é convertido para o volume de gás em condições padrão, para efeitos de controle fiscal e de produção.

volume recuperável / *recoverable volume.* Quantidade de óleo ou gás que se estima produzir em uma jazida de petróleo pelos métodos disponíveis. ▶ Ver *recuperação primária*; *recuperação secundária*; *recuperação terciária*.

volume reduzido / *reduced volume.* Volume relativo a uma massa de um determinado gás dividido pelo volume crítico dessa massa. ↝ Diferentes gases com o mesmo volume reduzido e com a mesma temperatura reduzida exercem a mesma pressão reduzida. ▶ Ver *temperatura reduzida*; *pressão reduzida*

volume total da produção / *total production volume.* Soma de todas e quaisquer quantidades de petróleo ou de gás natural extraídas e expressas em unidades de medida e em conformidade com as determinações das existentes instituições responsáveis. ↝ No Brasil, através de sua Agência Reguladora (*ANP*), esse volume total da produção, informado mensalmente e relativo a cada campo, expressa os volumes métricos produzidos e que incluem: *(I)* as quantidades de petróleo ou gás natural perdidas sob a responsabilidade do concessionário; *(II)* as quantidades de petróleo ou gás natural utilizadas na execução das operações no próprio campo; *(III)* as quantidades de gás natural queimadas em *flares* em prejuízo de sua comercialização. São excluídas dos volumes mencionados somente as quantidades de gás natural reinjetadas na jazida e as queimadas em *flares* por razões de segurança ou de necessidade operacional. Tais queimas devem ainda ter sido em quantidades razoáveis e compatíveis com as práticas usuais da indústria do petróleo e, igual e previamente aprovadas pela ANP, ou posteriormente perante esta justificada pelo concessionário, por escrito e até quarenta e oito horas após a sua ocorrência. ▶ Ver *Agência Nacional do Petróleo, Gás Natural e Biocombustíveis (ANP)*.

volume total de óleo / *oil in place.* Volume total de óleo cru existente no reservatório, bem maior que a correspondente reserva, já que a reserva se traduz no volume a recuperar.

volume total dos poros (Port.) (Ang.) / *pore volume.* O mesmo que *volume poroso*. ▶ Ver *volume poroso*.

VSP com afastamento lateral / *offset VSP, offset vertical seismic profiling.* Perfilagem sísmica vertical em que a fonte de energia está localizada a certa distância da cabeça do poço, enquanto os geofones se encontram instalados no interior do mesmo. ▶ Ver *VSP de afastamento zero*; *VSP com caminhamento*.

VSP com caminhamento / *walkaway VSP.* Modalidade de *vertical seismic profile* (perfil sísmico vertical), na qual a posição da fonte é movida sucessivamente a distâncias cada vez maiores a partir da boca do poço. O VSP com caminhamento é usado para analisar a região em torno do poço, para verificar a existência de alguma grande mudança em relação à posição do poço, como a presença de uma falha ou recife. A maior resolução do VSP pode ajudar a delinear a presença de pequenas falhas, mudanças estratigráficas e reservatórios pouco espessos e permite verificar se o poço foi posicionado corretamente em relação às falhas. ▶ Ver *VSP com afastamento lateral*; *VSP de afastamento zero*.

VSP de afastamento zero / *zero-offset VSP.* Perfil sísmico vertical no qual a distância da fonte à boca do poço é nula ou muito pequena. ↝ Técnica de VSP utilizada para correlacionar eventos sísmicos com interfaces específicas em subsuperfície, pois a posição dos geofones é bem definida nos poços. As relações tempo-profundidade são precisamente definidas, permitindo a correta identificação de refletores e a determinação precisa de velocidades sísmicas. Esses levantamentos são usados também para identificar múltiplas e outros eventos, e para estudar reflexões situadas abaixo da base do poço, possibilitando uma análise das possibilidades de avançar com a perfuração.

vulcanismo / *vulcanism.* Processos e fenômenos naturais associados ao derrame superficial de rocha fundida ou de água quente e vapor, por vulcões ou gêiseres. Ocorrência em formações geológicas das mais diversas naturezas, predominantemente em regiões de contato entre as placas rígidas que compõem a litosfera. ▶ Ver *vulcanismo sedimentar*.

vulcanismo sedimentar / *sedimentary volcanism.* Fenômeno geológico caracterizado pela expulsão ou extrusão de vulcões de areia ou lama, por intermédio de formações terrestres ocasionadas por uma mistura de sedimentos, água e gás, impulsionada por gás sob pressão. ↝ Pode também ser resultado de extrusão associada a um vulcanismo em estágio de fumarola, escape de hidrocarbonetos ou de alívio de pressão em regiões orogênicas. ▶ Ver *fumarola*; *vulcanismo*.

vulcão ativo / *active volcano.* Vulcão que causou uma erupção no registro geológico — com probabilidade de que isso volte a acontecer no futuro — ou que é continuamente eruptivo. ▶ Ver *vulcanismo*.

xisto / *shale*. Camada de rocha sedimentar, originada sob temperaturas e pressões elevadas, contendo matéria orgânica e disseminada em seu meio mineral. ▶ Ver *rocha sedimentar*.

xisto argiloso / *shale*. O mesmo que *xisto*. ▶ Ver *xisto*.

xisto argiloso betuminoso (Port. e Ang.) / *bituminous clayey shale*. O mesmo que *folhelho betuminoso*. ▶ Ver *folhelho betuminoso*; *xisto*.

xisto argiloso calcífero (Port. e Ang.) / *calcareous clayey shale*. O mesmo que *folhelho calcífero*. ▶ Ver *folhelho calcífero*.

xisto argiloso carbonoso (Port. e Ang.) / *carbonaceous clayey shale*. O mesmo que *folhelho carbonoso*. ▶ Ver *folhelho carbonoso*; *xisto*.

xisto argiloso clorítico (Port. e Ang.) / *chloritic clayey shale*. O mesmo que *folhelho clorítico*. ▶ Ver *folhelho clorítico*; *xisto*.

xisto argiloso combustível (Port. e Ang.) / *combustible clayey shale*. O mesmo que *folhelho combustível*. ▶ Ver *folhelho combustível*; *xisto*.

xisto argiloso rico em diatomáceas (Port. e Ang.) / *diatomaceous clayey shale*. O mesmo que *folhelho rico em diatomáceas*. ▶ Ver *folhelho rico em diatomáceas*; *xisto*.

xisto betuminoso / *bituminous shale*. Xisto que contém elevados teores de betume, geralmente formando grandes depósitos que são minerados a céu aberto, como nas reservas brasileiras do Paraná. Seu valor energético pode ser realizado de diversas formas, especialmente através da extração do óleo com aquecimento elevado. ▶ Ver *xisto*.

ZZ

zênite / *zenith*. Ponto da esfera celeste diretamente na vertical acima do observador e oposto ao nadir, sendo este a direção diretamente abaixo do observador. ↠ O zênite é também designado por *auge*, *apogeu* ou *culminância*.

zeólita / *zeolite*. Mineral que apresenta uma estrutura microporosa. Existem zeólitas de ocorrência natural, porém um número expressivo de tipos diferentes de zeólitas tem sido sintetizado para diferentes aplicações. ↠ São compostas basicamente de aluminossilicatos com estruturas abertas que podem acomodar uma ampla variedade de cátions. Zeólitas sintéticas são amplamente utilizadas na indústria petroquímica como catalisadores, especialmente em processos de craqueamento catalítico. Também são utilizadas como trocadores iônicos ou peneiras moleculares (somente moléculas de certos tamanhos e conformações podem passar pelos microporos).

zeolite (Port.) / *zeolite*. O mesmo que *zeólita*. ▶ Ver *zeólita*.

zero absoluto / *absolute zero*. Conceito segundo o qual um corpo não conteria energia alguma. O ponto zero da escala da temperatura absoluta é –273,15 °C, que equivale a 0 °K ou –459,69 °F. ↠ Teoricamente, é a temperatura na qual o movimento molecular cessa. As leis da termodinâmica mostram que a temperatura do zero absoluto jamais pode ser obtida. Este é o mesmo princípio que garante que nenhum sistema tem uma eficiência de 100%, apesar de ser possível alcançar temperaturas próximas de 0 °K.

zona abissal / *abyssal zone*. 1. Zona de vida marinha em região profunda, numa faixa da lâmina d'água bem próxima ao fundo e abaixo de 1.830 m. Caracteriza-se pela ausência de luz e por temperatura próxima de 0 °C, condições nas quais poucas espécies são encontradas. 2. Faixa em que estão as zonas abissopelágica (das áreas mais profundas do leito oceânico) e hadalpelágica (interior das fossas abissais). ▶ Ver *abissal*.

zona aerada / *aerated layer*. Região das camadas de solos próximas à superfície, onde houve intemperismo. O mesmo que *zona de aeração*. ↠ Geralmente se estende até o nível do aquífero, se existente, e apresenta um perfil acústico de baixas velocidades. ▶ Ver *aeração*.

zona alterada / *altered zone*. Zona próxima ao poço, com algumas polegadas de espessura, cuja velocidade acústica é afetada por impregnação de fluido de perfuração, alívio de tensão ou ambos. ↠ A velocidade acústica nessa zona pode ser muito mais baixa do que na formação virgem. Para medir a velocidade na zona alterada é necessário usar uma ferramenta com espaçamento entre transmissor e receptor maior (3 m a 4,5 m ou 10 ft a 15 ft) do que o da ferramenta padrão (0,9 m a 1,5 m ou 3 ft a 5 ft). ▶ Ver *velocidade acústica*.

zona anamórfica / *anamorphic zone*. Zona profunda na crosta continental onde ocorre compactação da estrutura cristalina dos minerais e recristalização de minerais de baixa densidade para formarem minerais mais densos. ↠ Uma rocha presente na zona anamórfica tem um comportamento mecânico plástico.

zona bioestratigráfica / *biostratigraphic zone*. Termo genérico para qualquer tipo de unidade bioestratigráfica, que é um conjunto de camadas que contém tipos específicos de fósseis, preferencialmente contemporâneos da correspondente acumulação. ▶ Ver *unidade bioestratigráfica*.

zona cega / *blind zone*. Zona onde a resistividade é demasiado baixa para ser adequadamente observada, em perfis de resistividade. ▶ Ver *perfil de resistividade*.

zona contígua brasileira / *Brazilian contiguous zone*. Zona que compreende uma faixa que se estende das 12 às 24 milhas marítimas, contadas a partir das linhas de base que servem para medir a largura do mar territorial. ▶ Ver *mar territorial*.

zona costeira / *coastal zone*. Espaço geográfico de interação do ar, do mar e da terra, incluindo seus recursos, renováveis ou não, abrangendo uma faixa marítima e outra terrestre que serão definidas no Plano Nacional de Gerenciamento Costeiro (Lei n° 7.661/88).

zona cronoestratigráfica / *chronostratigraphic zone*. 1. Conjunto de estratos, denominado *unidade cronoestratigráfica*, que contém rochas formadas durante determinado intervalo de tempo geológico. 2. Corpo de rochas formadas durante uma determinada unidade estratigráfica. ▶ Ver *cronozona*; *tempo geológico*; *unidade cronoestratigráfica*.

zona danificada / *damaged zone*. Zona ao redor do poço que teve sua permeabilidade diminuída pelo fluido de perfuração, completação ou cimentação. Esse dano próximo ao poço pode afetar substancialmente a sua *performance* de produção. A severidade do dano pode ser avaliada pelo fator de película (*skin factor*). Normalmente requer que seja realizado algum tipo de estimulação para restabelecer o potencial produtivo da formação. ▶ Ver *fluido de perfuração*; *completação*; *cimentação*; *dano da formação*.

zona de aeração / *zone of aeration*. O mesmo que *zona aerada*. ▶ Ver *zona aerada*.

zona de assembleia / *assemblage zone*. O mesmo que *zona de associação*. ▶ Ver *zona de associação*.

zona de associação / *assemblage zone*. Biozona caracterizada pela associação de três ou mais grupos de seres de qualquer categoria, tais como uma espécie particular, ou uma família, ou uma classe, também identificados como *unidades taxonômicas* (*táxons*). ▶ Ver *biozona*.

zona de baixa velocidade (ZBV) / *low-velocity zone (LVZ)*. Representação de uma descontinuidade sísmica, com extensão aproximada de 250 km e situada 100 km abaixo da superfície da terra, onde, em função da predominância do aumento da temperatura em relação ao aumento da pressão, as rochas se apresentam em estado parcialmente pastoso. ▶ Ver *refração rasa*.

zona de Benioff-Wadati / *Benioff-Wadati zone*. 1. Área de convergência de placas tectônicas, onde uma das placas desliza para baixo da outra. O mesmo que *zona* ou *região de subducção*. 2. Região de junção de placas tectônicas, caracterizada pelo movimento de placas convergentes. •• São áreas nas quais o alastramento oceânico inicia-se nos *rifts* e encontra compensação com o desaparecimento das placas; a ocorrência desse movimento descendente provoca a fusão parcial do manto subjacente e induz, consequentemente, ao vulcanismo. Possuem altos potenciais para focos sísmicos, constituindo uma ambiência para terremotos de consequências catastróficas, pois estão normalmente associadas a essa condição geológica. O movimento de placas convergentes ocorre quando do choque entre duas placas tectônicas, uma delas deslizando por baixo da outra. ▶ Ver *vulcanismo*; *rifte*.

zona de biointervalo / *biointerval zone*. Biozona que consiste em grupos de estratos fossilíferos entre dois horizontes bioestratigráficos. ▶ Ver *biozona*; *zona de intervalo*.

zona de capilaridade / *zone of capillarity*. Zona de subsuperfície, situada acima da zona de saturação, na qual os vacúolos capilares retêm a água por atrações moleculares que atuam contra a gravidade.

zona de cimentação / *zone of cementation*. Camada da crosta terrestre situada abaixo da zona de intemperismo, na qual as águas percolantes cimentam os depósitos inconsolidados através da deposição de minerais dissolvidos.

zona de combustão / *combustion zone*. 1. Região de um sistema onde ocorre a combustão, situada após região de mistura do combustível e antes da região de exaustão. 2. Região da frente de combustão, gerada em um processo de combustão *in situ*. ▶ Ver *combustão* in situ.

zona de deposição / *deposition zone*. Região ou área geográfica onde o processo sedimentar dominante é a deposição de sedimentos.

zona de fornecedores (Port. e Ang.) / *vendor city*. O mesmo que vendor city. ▶ Ver vendor city.

zona de ganho / *gain zone*. Zona sísmica que contém amplitudes fracas, ladeada por refletores fortes.

zona de iluviação / *zone of illuviation*. Porção do solo situada no horizonte B, onde ocorre o processo de iluviação, ou seja, deposição do material decomposto do horizonte A, superior, promovendo o enriquecimento de particulados finos como argilas, sesquióxidos, carbonatos etc. ▶ Ver *horizonte*; *horizonte A de solo*; *horizonte B de solo*.

zona de intemperismo / *zone of weathering*. Camada superficial da crosta terrestre acima do lençol freático sujeita a agentes transformadores físicos, químicos e biológicos da atmosfera, e onde os solos se desenvolvem. •• Região próxima à superfície na qual os processos atmosféricos interagem com as rochas, alterando-as. ▶ Ver *intemperismo*.

zona de intemperismo duplo / *double-layer weathering*. Região de preservação de um paleossolo entre duas camadas. ▶ Ver *zona de intemperismo*; *intemperismo*.

zona de intervalo / *interval zone*. Biozona entre dois horizontes bioestratigráficos específicos. ▶ Ver *biozona*; *horizonte bioestratigráfico*; *zona de biointervalo*.

zona de meia-luz / *twilight zone*. 1. Região oceânica localizada entre 150 m e 1.000 m de profundidade. 2. Camada mesopelágica cuja temperatura fica em torno de 6 °C e na qual a luz tem grande dificuldade de penetração, aumentando a pressão, enquanto os níveis de oxigênio da água caem significativamente.

zona de produção / *production zone*. Conjunto de rochas permoporosas que contêm petróleo ou gás em fase contínua, dentro de um mesmo campo. •• A área entre duas profundidades em um poço que contém um reservatório ou outras características. ▶ Ver *rocha-reservatório*; *reservatório*; *rocha*.

zona de produção principal, Brasil / *principal production zone, Brazil*. Termo utilizado para efeito de pagamento da parcela de 5% dos *royalties* gerados pela produção de petróleo. •• Essa zona é composta pelos municípios confrontantes da zona limítrofe com poços produtores e pelos municípios onde estiverem localizadas três ou mais instalações dos seguintes tipos: *(I)* instalações industriais para processamento, tratamento, armazenamento e escoamento de petróleo e gás natural, excluindo os dutos; *(II)* instalações relacionadas às atividades de apoio à exploração, produção e ao escoamento do petróleo e gás natural, tais como: portos, aeroportos, oficinas de manutenção e fabricação, almoxarifados, armazéns e escritórios. ▶ Ver royalties.

zona de produção secundária, Brasil / *secondary production zone, Brazil*. Conjunto de municípios atravessados por oleodutos ou gasodutos, incluindo as respectivas estações de compressão e bombeio, destinados, exclusivamente, ao escoamento da produção. •» Conceito utilizado para efeito de pagamento da parcela de 5% dos *royalties* gerados pela produção de petróleo. ▶ Ver royalties.

zona de saturação / *zone of saturation*. 1. Região das rochas de subsuperfície preenchidas por água, óleo ou gás. 2. Região em subsuperfície na qual os vazios são preenchidos com água, óleo ou gás. O topo da zona de saturação denomina-se *lençol freático*. A água contida no interior da zona de saturação é chamada de *água subterrânea*.

zona de silêncio / *wipe-out zone*. Zona desprovida de sinais em uma seção de reflexão sísmica. •» Um dos principais motivos que causam o aparecimento dessas zonas são falhas ocorridas na etapa da aquisição sísmica, como obstáculos marítimos, defeitos nos cabos na aquisição marítima e geofones defeituosos na aquisição terrestre.

zona de subducção / *subduction zone*. O mesmo que *zona de Benioff-Wadati*. ▶ Ver *zona de Benioff-Wadati*; *vulcanismo*.

zona econômica exclusiva / *exclusive economic zone*. Faixa que se estende das 12 às 200 milhas marítimas na costa brasileira, contadas a partir das linhas de base que servem para medir a largura do mar territorial. •» Na zona econômica exclusiva, o Brasil tem direitos de soberania no tocante a exploração, aproveitamento, conservação e gestão dos recursos naturais, vivos ou não vivos, das águas sobrejacentes ao leito do mar, do leito do mar e seu subsolo, e no que se refere a outras atividades com vistas à exploração e ao aproveitamento da zona para fins econômicos no exercício de sua jurisdição, tendo o direito exclusivo de regulamentar a investigação científica marinha, a proteção e preservação do meio marítimo, bem como a construção, operação e uso de todos os tipos de ilhas artificiais, instalações e estruturas.

zona estéril / *barren zone, barren interval*. Intervalo estratigráfico sem fósseis representativos.

zona invadida / *invaded zone*. Volume da região próxima a interface poço-formação em que parte ou a totalidade dos fluidos redutíveis foi deslocada por sólidos e filtrada do fluido de perfuração. Nos modelos de avaliação de formação, a zona invadida compreende a zona varrida (*flushed zone*) e a zona de transição ou anular (*transition zone* ou *annulus*). •» Em modelos simples, a zona invadida e a zona varrida são consideradas uma única zona.

zona ladra / *thief zone*. 1. Zona com relativamente alta permeabilidade do reservatório, na qual o fluido injetado canaliza em direção ao poço produtor. 2. Zona que não era planejada para receber fluidos injetados.

zona limítrofe à zona de produção principal, Brasil / *areas affected by oil production activities, Brazil*. Instrumento necessário para efeito de pagamento da parcela de 5% dos *royalties* gerados pela produção de petróleo. Essa zona é composta dos municípios contíguos aos municípios que integram a zona de produção, bem como os municípios que sofrem as consequências sociais ou econômicas da produção ou da exploração de petróleo ou de gás natural. ▶ Ver royalties.

zona nerítica / *neritic zone*. Zona do fundo do mar compreendida entre a linha de maré baixa e a profundidade de 200 m.

zona opaca / *opaque zone*. Zona em que as ondas sísmicas não passam, ou de profundidade tal que não é possível detectar mais as ondas sísmicas.

zona sem sinais (Port. e Ang.) / *wipe-out zone*. O mesmo que *zona de silêncio*. ▶ Ver *zona de silêncio*.

zona sobrepressurizada / *overpressurized zone*. Formação que apresenta pressão anormalmente alta, superior à pressão hidrostática da água a uma determinada profundidade. •» Sobrepressões ocorrem, normalmente, em formações submetidas a tectonismo, como falhamentos e dobramentos, e depósitos lenticulares, preservados após a erosão das rochas sedimentares superiores. Formações sobrepressurizadas podem representar altos riscos operacionais para a perfuração de poços, sendo necessária a adoção de procedimentos de segurança mais rígidos. ▶ Ver *pressão anormalmente alta*.

zona terrestre (Port.) / *onshore*. O mesmo que *terra adentro*. ▶ Ver *terra adentro*; *terrestre*.

zona UTM / *UTM zone*. O mesmo que *projeção UTM*. ▶ Ver *projeção UTM*.

zona vadosa / *vadose zone*. 1. Zona não saturada situada entre a superfície e o nível freático, em que os poros da rocha podem estar preenchidos por ar ou pela água vadosa. 2. Zona de aeração. ▶ Ver *água vadosa*.

zoneamento / *zonation*. Subdivisão do reservatório de hidrocarbonetos em unidades menores, baseada nas características geológicas do mesmo. •» Um reservatório de petróleo pode ser constituído de várias zonas produtoras independentes.

zoneamento ecológico-econômico / *ecological-economic zonation*. Potencialidades de uso do território que levam em conta a dinâmica ambiental, o desenvolvimento econômico, o patrimônio biológico e os bens culturais. •» O zoneamento ecológico-econômico em suas diferentes escalas é insumo básico de planejamento nacional e regional de ordenamento do território e de desenvolvimento econômico e social (Decreto n° 99.540/90).

zoom / *zoom*. Termo derivado de Zoomar, marca da primeira objetiva usada nas câmeras cinematográficas e de televisão capaz de variar continuamente a abertura angular. •» Na linguagem geofísica, a locução *dar um zoom* significa ampliar uma imagem ou seção sísmica exibida em tela de computador.

Glossário

τ-τ *domain* | domínio τ-τ
2D seismic | sísmica 2D
3D exploration | exploração em três dimensões
3D seismic | sísmica 3D
3Dsurvey | levantamento 3D
4C seismic survey | levantamento sísmico 4C
4D seismic | sísmica 4D
50 ppm ULSD | 50 ppm ULSD
a | a
A horizon of soil | horizonte A de solo
A layer | camada A
a project site with no constructions | projecto sem construções anteriores (Port.) (Ang.)
A5S adapter | adaptador A5S
aa | aa
Aalenian | aaleniano
A-B electrode. | eletrodo A-B
abandoned meander | meandro abandonado
abandonment cap, corrosion cap | capa de abandono
abandonment cap, corrosion cap | tampa de abandono (Port.) (Ang.)
abandonment costs | custo de abandono
abandonment plug | tampão de abandono
abandonment pressure | pressão de abandono
abandonment to insurers | regulação de danos
aberration | aberração
abiogenic | abiogênico
abiotic | abiótico
ablation | ablação
ablation breccia | brecha de ablação
ablation debris. | detritos de ablação
ablation till | till de ablação
abnormal amplitude | amplitude anormal
abnormal high pressure | pressão anormalmente alta
abnormal high pressure; overpressure | pressão anormal elevada
abnormal low pressure | pressão anormal baixa
abnormal low pressure | pressão anormalmente baixa
abnormal pore pressure | pressão anormal de poro
abnormal pressure | pressão anormal
abrasion | abrasão
abrasion drilling | desgaste por perfuração
abrasion drilling | perfuração por abrasão
absolute | absoluto
absolute age | idade absoluta
absolute age determination | determinação da idade absoluta
absolute amplitude | amplitude absoluta
absolute chronology | cronologia absoluta
absolute dating | datação absoluta
absolute entropy of a substance | entropia absoluta de uma substância
absolute error | erro absoluto
absolute frequency | frequência absoluta
absolute gravity | gravidade absoluta
absolute open flow (AOF) | vazão máxima absoluta
absolute open flow potential | potencial de fluxo máximo absoluto
absolute permeability | permeabilidade absoluta
absolute porosity | porosidade absoluta
absolute pressure | pressão absoluta
absolute specific gravity | gravidade especifica absoluta
absolute temperature | temperatura absoluta
absolute time | tempo absoluto
absolute viscometer | viscosímetro absoluto
absolute viscosity | viscosidade absoluta
absolute zero | zero absoluto
absolute-gravity instrument | instrumento de medição da gravidade absoluta
absorber, damper | amortecedor
absorptance | absorvência
absorption | absorção
absorption coefficient | coeficiente de absorção
absorption loss | perda por absorção
absorption plant | instalação de absorção (Port.)
absorption plant | planta de absorção
absorption spectrum. | espectro de absorção
absorption tower | torre absorvedora
absorption tower | torre de absorção
abyssal | abissal
abyssal deposit | depósito abissal
abyssal pelagic | pelágico abissal
abyssal plain | planície abissal
abyssal zone | zona abissal
ac demagnetization | desmagnetização por corrente alternada
ac-bias | polarização por corrente alternada
accelerated depreciation. | depreciação acelerada
acceleration clause | cláusula de aceleração
acceleration geophone | geofone de aceleração
accelerator | acelerador
accelerator, set accelerator | endurecimento do cimento (Port.)
accelerator, set accelerator | acelerador de pega
accelerometer | acelerômetro
acceptance of systems | aceitação de sistemas

glossário

acceptance radius ı raio de aceitação
access time ı tempo de acesso
accessory element ı elemento acessório
accessory mineral ı mineral acessório
accident ı acidente
accidental event ı evento acidental
accommodation ı acomodação
accommodation module ı módulo de acomodação
accord fund ı fundo consórtil
accord fund ı fundo de consórcio (Port.)
accreditation ı acreditação
accumulation ı acumulação
accumulator ı acumulador
accuracy ı acurácia
accuracy class ı classe de exatidão
accuracy. ı exatidão
acetaldehyde ı acetaldeído
acetylene welding ı solda a acetileno
acetylene welding. ı soldadura a acetileno (Port.)
acid ı ácido
acid additive ı aditivo ácido
acid bottle ı bulbo de ácido
acid bottle ı garrafa de ácido (Port.)
acid dispersion ı dispersão ácida
acid effect. ı efeito ácido
acid frac ı fraturamento ácido
acid frac ı fraturamento por ácido (Port.)
acid gas removal ı remoção de gases ácidos
acid inhibitor ı inibidor de ácido
acid rain ı chuva ácida
acid rock ı rocha ácida
acid sludge ı borra ácida
acid soil ı solo ácido
acid stimulation ı estimulação ácida
acid treatment ı tratamento ácido
acidification ı acidificação
acidity ı acidez
acidize ı acidificar
acidophilous ı acidófilo
aclinic line ı linha de declividade nula
acoustic analysis ı análise acústica
acoustic basement ı soco acústico (Port.)
acoustic basement ı embasamento acústico
acoustic density log ı diagrafia de densidade acústica (Port.)
acoustic density log ı *log* de densidade acústica (Port.) (Ang.)
acoustic density log ı perfil de densidade acústica
acoustic Doppler current profiler ı medidor de corrente acústico Doppler
acoustic emission. ı emissão acústica
acoustic horizon ı horizonte acústico
acoustic impedance ı impedância acústica
acoustic impedance log ı diagrafia de impedância acústica (Port.)
acoustic impedance log ı *log* de impedância acústica (Port.) (Ang.)
acoustic impedance log ı perfil de impedância acústica

acoustic impedance section ı seção de impedância acústica
acoustic impedance section ı secção de impedância acústica (Port.) (Ang.)
acoustic log ı diagrafia acústica (Port.)
acoustic log ı diagrafia do som (Port.)
acoustic log ı *log* acústico (Port.) (Ang.)
acoustic log ı *log* do som (Port.) (Ang.)
acoustic log ı perfil acústico
acoustic mode ı modo acústico
acoustic modeling ı modelagem acústica
acoustic positioning ı posicionamento acústico
acoustic shadow ı sombra acústica
acoustic surveior ı sonolog
acoustic survey ı sondador acústico
acoustic transducer ı transdutor acústico
acoustic transit time ı tempo de trânsito
acoustic transparency ı transparência acústica
acoustic transponder ı baliza emétrica
acoustic travel time ı tempo de percurso acústico
acoustic velocity log ı diagrafia acústica de velocidade (Port.)
acoustic velocity log ı *log* acústico de velocidade (Port.) (Ang.)
acoustic velocity log ı perfil acústico de velocidade
acoustic velocity. ı velocidade acústica
acoustic void ı vazio acústico
acoustic wave ı onda acústica
acoustic wave ı onda sonora
acquisition costs ı custo de aquisição
acquisition frequency ı frequência de aquisição
acquisition log ı diagrafia de aquisição (Port.)
acquisition log ı *log* de aquisição (Port.) (Ang.)
acquisition log ı perfil de aquisição
acquisition time ı tempo de aquisição
acreage ı área medida em acres
acreage-based royalty ı *royalties* com base em área de concessão
across-track ı direção transversal
actinide ı actinídeo
actinolite ı actinolita
actinolite ı actinolite (Port.)
activated charcoal ı carvão ativado
activation ı ativação
activation analysis ı análise de ativação
activation energy ı energia de ativação
activation log ı diagrafia ativada (Port.)
activation log ı diagrafia de ativação (Port.)
activation log ı *log* ativado (Port.) (Ang.)
activation log ı *log* de ativação (Port.) (Ang.)
activation log ı perfil ativado
activation log ı perfil de ativação
active barrier ı barreira ativa
active channel ı canal ativo
active geophone ı geofone ativo
active metal ı metal ativo
active method ı método ativo
active remote sensing ı sensoriamento remoto ativo

glossário

active sonar | sonar ativo
active volcano | vulcão ativo
active well | poço ativo
active-gauge bit | broca de calibre ativo
actual gas volume | volume real de gás
actual moisture | umidade real
actualism | atualismo
actuator | acionador
actuator | atuador
acyclic | acíclica
adapter | adaptador do carretel de ligação (Port.)
adapter bowl, adapter bushing | bucha adaptadora
adapter production base running tool | ferramenta de instalação da base adptadora de produção
adapter spool | carretel adaptador
adapter spool. | carretel (Port.)
adapter, substitute, sub | adaptador
adaptive control | controle adaptativo
adaptive deconvolution | desconvolução adaptativa (Port.)
adaptive deconvolution | deconvolução adaptativa
adaptive filter | filtro adaptativo
adaptive processing | processamento adaptativo
additive | aditivo
additive level | nível de aditivação
additive noise | ruído aditivo
adhesion | adesão
adhesive force | força adesiva
adiabatic | adiabático
adiabatic change | transformação adiabática
adiabatic cooling | resfriamento adiabático
adiabatic heating | aquecimento adiabático
adjacent bed effect. | efeito de leito adjacente
adjacent well | poço adjacente
adjustable bent housing | alojador com curvatura ajustável
adjustable bent housing | cobertura com curva ajustável
adjustable bent housing | cobertura com curvatura ajustável (Port.)
adjustable choke | *choke* ajustável
adjustable coupling for production tubing | união ajustável para coluna de produção
adjusted flow time | tempo de fluxo ajustado
adjustment (of a measuring instrument) | ajuste de instrumento de medição
ADR well, reservoir data acquisition well | poço ADR
adsorbate | adsorbato
adsorbent | adsorvente
adsorption | adsorção
adsorption isotherm | isoterma de adsorção
adsorption isotherm | isotérmica de adsorção (Port.)
adsorption plant | instalação de adsorção (Port.)
adsorption plant | planta de adsorção

advanced control | controle avançado
advanced payment bond | garantia bancária do empreiteiro (Port.)
advanced payment bond |
advanced recovery method, enhanced oil recovery (EOR) method | método de recuperação avançada
advection | advecção
adverse mobility ratio | razão de mobilidade adversa
aerated layer | camada areada
aerated layer | zona aerada
aerated layer. | camada de aeração
aeration | aeração
aerial magnetometer | magnetômetro aéreo
aerobic bacteria | bactéria aeróbica
aerobic bacteria | bactéria aeróbia (Port.)
aerobic decay | decaimento aeróbico
aerobic decay | declínio aeróbico (Port.)
aeromagnetic survey | levantamento aeromagnético
aeromagnetometric survey, airborne magnetic survey | levantamento aeromagnetométrico
aerosol | aerossol
aerosol particles | partículas de aerossol
affiliated producer | produtor afiliado
affluent | afluente
AFMAG method | método AFMAG
AFRAMAX |
after production |
after-cooler | pós-resfriador
afterflow | sobrefluxo
after-stack deconvolution | deconvolução pós-empilhamento
after-stack deconvolution | desconvolução pós-empilhamento (Port.)
after-stack migration | migração pós-empilhamento
after-stack, post-stack | após o empilhamento
AGC constant, attack time | constante de AGC
age | idade
agglutinate | aglutinado
agglutination | aglutinação
aggradational parasequence set | agradação do conjunto de parassequências
aggregate | agregado
aging | envelhecimento
agonic line | linha agônica
air drilling | perfuração a ar
air entrainment | entranhamento de ar
air gun | canhão de ar
air hammer | martelo pneumático (Port.) (Ang.)
air hammer | soquete pneumático
air or gas drilling | perfuração com ar ou gás
air pollution | poluição aérea
air porosity | porosidade ao ar
air pressure | pressão de ar
air pressure vessel | vaso de ar comprimido
air shooting | detonação aérea
air wave | onda aérea

527

glossário

airborne gravity survey | levantamento aerogravimétrico
airborne magnetometer | magnetômetro aerotransportado
airborne profile recorder | medidor de registro aerotransportado
air-gun array | arranjo de canhões
air-gun array | arranjo de canhões de ar
air-sea gravity meter | medidor de gravidade ar e mar
Airy phase | fase de Airy
Airy's wave | onda de Airy
albedo | albedo
albedo effect. | efeito albedo
albertite | albertita
alcohol-slug process | processo de injeção de álcool
Alford rotation | rotação de Alford
algal | algálico
algal mat | tapete algáceo (Port.) (Ang.)
algal mat | tapete algálico
algal reef | recife de algas
algal ridge | crista algálica
algal stromatolite | estromatólito algáceo (Port.)
algal stromatolite. | estromatólito algálico
álias |
alias filter | filtro álias
alias, aliasing | falseamento
aliasing noise | ruído em álias
aliphatic | alifático
alkali | álcali
alkaline | alcalino
alkaline basalt | basalto alcalino
alkaline flooding | injeção alcalina
alkaline rock | rocha alcalina
alkalinity | alcalinidade
alkalinity control | controle da alcalinidade
alkane | alcano
alkene | alceno
alkyne | alcino
allocation measurement | medição de apropriação
allochthonous | alóctone
allochthonous soil | solo alóctone
allocyclic sequence or allogenic sequence | sequência alocíclica
allogenic | alogênico
allogenic | halogênico
allomorphism | alomorfismo
allostratigraphic unit | unidade aloestratigráfica
allostratigraphy | aloestratigrafia
allotment of production | partilha de produção
all-pass deconvolution | desconvolução passa-tudo (Port.)
all-pass deconvolution | deconvolução passa-tudo
all-pass filter | filtro passa-tudo
all-pass system | sistema passa-tudo
alluvial | aluvial
alluvial channel | canal aluvial
alluvial cone | cone aluvial

alluvial dam lake | lago de represa aluvial
alluvial deposit | depósito aluvial
alluvial fan | leque aluvial
alluvial flat | plano aluvial
alluvial plain | planície aluvial
alluvial soil | solo aluvial
alluvial terrace | terraço aluvial
alluvium | aluvião
along-track | direção longitudinal
alpha decay | decaimento alfa
alpha decay | declínio alfa (Port.)
alpha particle | partícula alfa
alpha processing | processamento alfa
alpha wave | onda alfa
alphaltic crude oil | óleo cru asfáltico
alpine glacier | geleira alpina
altered zone | zona alterada
alternating current. | corrente alternada
alternating hammer | martelo alternado
alternating-field demagnetization | desmagnetização por campo alternado
altitude | altitude
aluminum activation log | diagrafia de ativação de alumínio (Port.)
aluminum activation log | log de ativação de alumínio (Port.) (Ang.)
aluminum anode | anodo de alumínio
aluminum-activation log | perfil de ativação de alumínio
AM spacing | espaçamento AM
amber | âmbar
ambient noise | ruído ambiental
ambient temperature | temperatura ambiente
amblygonite | ambligonite (Port.)
amblygonite (Lithium Sodium Aluminum Phosphate Fluoride Hydroxide) | ambligonita
American Association of Oil-well Drilling Contractors (AAODC) | Associação Americana de Empreiteiros de Perfuração de Poços de Petróleo
American Petroleum Institute (API) | Instituto Americano do Petróleo
American Society for Quality (ASQ) | Sociedade Americana para a Qualidade
American Society for Testing and Materials (ASTM) | Associação Americana para Testes e Materiais
American Society for Testing Materials (ASTM) | Sociedade Americana para Ensaios de Material
American Society of Mechanical Engineers (ASME) | Sociedade Americana de Engenheiros Mecânicos
ammeter chart. | carta amperimétrica
ammonium nitrate | nitrato de amônia
amorphous | amorfo
amorphous kerogen | querogênio amorfo
amorphous organic matter | matéria orgânica amorfa
amortization | amortização
Amott imbibition test | teste de embebição Amott
amphibole | anfibola (Port.)
amphibole | anfibólio

glossário

amphibolite | anfibolito (Port.)
amphoteric | anfotérico
amphoteric surfactant | surfactante anfótero
amplifier noise | ruído do amplificador
amplitude | amplitude
amplitude anomaly | amplitude anômala
amplitude anomaly | anomalia de amplitude
amplitude distortion | distorção de amplitude
amplitude equalization | equalização de amplitude
amplitude log | diagrafia de amplitude (Port.)
amplitude log | *log* de amplitude (Port.) (Ang.)
amplitude log | perfil de amplitude
amplitude modulation (AM) | modulação em amplitude
amplitude normalization | normalização de amplitude
amplitude preservation | preservação de amplitude
amplitude spectrum | espectro de amplitude
amplitude variation with incidence angle | variação de amplitude com incidência
amplitude versus angle (AVA) | amplitude *versus* ângulo (AVA)
amplitude versus offset | amplitude *versus* offset
amplitude versus offset (AVO) | amplitude *versus* afastamento (AVO)
amplitude-time | amplitude-tempo
amygdale | amígdala
amygdaloid | amigdaloide
amygdaloidal | amigdaloidal
anadiagenesis | anadiagênese
anaerobic | anaeróbico
anaerobic | anaeróbio
anaerobic bacteria | bactéria anaeróbica
anaerobic decay | decaimento anaeróbico
anaerobic decay | declínio anaeróbico (Port.)
anaerobic respiration | respiração anaeróbia (Port.) (Ang.)
anaerobic respiration | respiração anaeróbica
analog | analógico
analog indicating instrument | instrumento de indicação analógica
analog signal | sinal analógico
anamorphic zone. | zona anamórfica
anastomosed | anastomosado
anastomosing stream | canal anastomosado
anchimetamorphism | anquimetamorfismo
anchor | âncora
anchor chain | amarra de ancoragem
anchor handling tug supply (AHTS) vessel | barco de apoio para manuseio de âncoras
anchor handling tug supply (AHTS) vessel | barco de manuseio de âncora
anchor handling tug supply vessel | rebocador manuseador de âncoras
anchor handling, towing, and supply (AHTS) vessel. | embarcação de manuseio de âncoras
anchor pattern | plano de ancoragem
anchor seal | âncora selante

anchor seal | vedante de âncoras (Port.)
anchor shoe | sapata da âncora
anchoring handling tug supply vessel | navio de manuseio de âncoras
AND gate | porta AND
anelasticity | inelasticidade
angle of attack or back-rake angle | ângulo de ataque
angle of incidence | ângulo de incidência
angle valve, angle body | válvula angular
angle-build assembly | coluna de perfuração de aumento do desvio (Ang.)
angle-build assembly | BHA para ganho de ângulo
angle-build section or build-up section | seção de ganho de ângulo
angle-build section or build-up section | secção de ganho de ângulo (Port.) (Ang.)
angle-control section | seção de controle de ângulo
angle-control section | secção de controlo de ângulo (Port.)
angle-dropping assembly | BHA para perda de ângulo
angle-dropping assembly | coluna de perfuração de redução do desvio (Ang.)
angular unconformity | discordância angular
anhedral | anédrico
anhydrite | anidrita
anhydrite | anidrite (Port.) (Ang.)
anhydrous | anidro
anhydrous ethanol | álcool anidro
anhydrous fuel ethanol | álcool etílico anidro carburante
aniline point | ponto de anilina
anionic surfactant | surfactante aniônico
anionic surfactant | tensoativo aniônico
anisotropic | anisotrópico
anisotropic formation | formação anisotrópica
anisotropy | anisotropia
annealing | recozimento
Annual Plan for Strategic Fuel Stocks | Plano Anual de Estoques Estratégicos de Combustíveis, Brasil
annual production decline rate | taxa anual de declínio da produção
annual work program | programa anual de trabalho
annubar |
annular barrier tool (ABT) | ferramenta de bloqueio de fluxo
annular flow | escoamento anular
annular flow pattern | padrão de escoamento anular
annular flux | fluxo anular (Port.)
annular gas | gás no anular
annular master valve | válvula mestra de anular
annular pressure | pressão anular
annular production | produção anular
annular space | espaço anular

glossário

annular velocity | velocidade anular
annulus | anular
annulus | ânulo
annulus swab valve | válvula de pistoneio do anular da árvore de natal molhada (ANM)
annulus swab valve | válvula de sucção do anular da árvore de natal molhada (Port.)
annulus wing valve | válvula lateral do anular
anode | anodo
anodic protection | protecção anódica (Port.) (Ang.)
anomaly | anomalia
anoxic | anóxico
antecedent precipitation index (API) | taxa de precipitação precedente (Port.) (Ang.)
antecedent precipitation índex (API) | índice de precipitação precedente
anthracite | antracito
anthraxylous coal | carvão antraxílico
antialias filter | filtro antialias (Port.)
antialias filter | filtro antifalseamento
antialias filter |
anticausal filter | filtro anticausal
anticipation clause | cláusula de antecipação
anti-electrostatic agent | agente antieletrostático
antifoam agent | agente antiespumante
antifreeze solution | solução anticongelante
anti-knock | antidetonante
antioxidant | antioxidante
antisinging filter | filtro antirressonante
antisqueeze | anticompressão
anti-wear | antidesgaste
anti-whirl drill bit | broca *antiwhirl*
apatite | apatita
apatite | apatite (Port.)
aphron |
API cement classes | classes de cimento API
API connection | conexão API
API gravity. | densidade API
API log grid | grade API
API log grid | malha API (Port.) (Ang.)
API recommended practice | prática recomendada API
API rod grade | grau API das hastes
API standard | padrão API
API test pits | poços-teste API
API unit | unidade API
aplanatic surface | superfície aplanática
apodization function | função de apodização
apophysis (intrusive rocks) | apófise
apparent anisotropy | anisotropia aparente
apparent bed thickness | espessura aparente de camada
apparent crater | cratera aparente
apparent grain density | densidade aparente de grãos
apparent liquid density. | densidade aparente de líquido
apparent matrix | matriz aparente
apparent resistivity | resistividade aparente
apparent thickness | espessura aparente
apparent value | valor aparente
apparent velocity | velocidade aparente
apparent viscosity | viscosidade aparente
apparent wave number | número de onda aparente
apparent wavelength | comprimento de onda aparente
applied geology | geologia aplicada
applied geophysics | geofísica aplicada
applied seismology | sismologia aplicada
appraisal curve | curva de avaliação
appropriation of reserves or reserves appropriation | apropriação de reserva
apron | falda
aqueous | aquoso
aqueous solution | solução aquosa
aquifer | aquífero
aquitard | aquitardo
aragonite | aragonite (Port.)
aragonite | aragonita
arbitration | arbitragem
arbitration agreement | acordo de arbitragem
Archie equations. | equações de Archie
Archie rock | rocha Archie
arc-plasma torch | maçarico a arco-plasma
area emergency plan | plano de área
area evacuation | evacuação de área
area to be avoided | área a ser evitada
areal sweep efficiency | eficiência de varrido areal
areal sweep efficiency | eficiência de varrimento areal (Ang.)
areas affected by oil production activities, Brazil | zona limítrofe à zona de produção principal, Brasil
arenaceous | arenoso
arkose | arcose (Port.)
arkose | arcósio
arkose-quartzite, arkosite | quartzito arcóseo
arkose-quartzite, arkosite | quartzito arcósico (Port.)
arm | armar canhão
arm | braço
armor | armadura
aromatic | aromático
aromatic crude oil | óleo cru aromático
aromatic hydrocarbon | hidrocarboneto aromático
aromatization | aromatização
around the conservation unit | entorno de unidade de conservação
array | arranjo
array | matriz de instrumentos geofísicos
array induction | indução em arranjo
array laterolog | lateroperfil em arranjo
array propagation resistivity | resistividade por propagação em arranjo
array propagation resistivity | resistividade por propagação em série (Port.) (Ang.)
array response | resposta de arranjo

glossário

array sonic | sônico em arranjo
array station | estação de arranjos
array-sonic log | diagrafia acústica de receptores múltiplos (Port.)
Arrhenius theory | teoria de Arrhenius
arrival time | tempo de chegada
arrow plot | plote de flecha
artesian | artesiano
artesian well | poço artesiano
artifact | artefato
artificial illumination | iluminação artificial
artificial lift | elevação artificial
as built | como construído
as built |
As Low As Reasonably Achievable | ALARA
As Low As Reasonably Practicable | ALARP
ash | cinza
ash flow | escoamento de cinzas
ash flux | fluxo de cinzas (Port.)
aspect ratio | razão de aspecto
asphalt | asfalto
asphalt-base crude oil | petróleo cru asfáltico
asphaltene | asfalteno
asphaltic | asfáltico
asphaltic bitumen | betume asfáltico
asphaltic crude oil | petróleo bruto asfáltico
asphaltic pyrobitumen | asfalto pirobetuminoso
asphaltic rock | rocha asfáltica
asphaltic sand, tar sand | areia asfáltica
asphaltic sand, tar sand | arenito asfáltico (Port.)
asphaltic sands, tar sands | grés asfáltico (Port.)
asphaltite | asfaltito
assemblage | assembleia
assemblage zone | zona de assembleia
assemblage zone | zona de associação
assets | ativos
assignment | cessão
assimilation | assimilação
assistance to pre-operation, start-up and operation | assistência a pré-operação, partida e operação
assistance to pre-operation, start-up and operation | assistência a pré-operação, arranque e operação (Port.)
assisted operation | operação assistida
assisted recovery | recuperação assistida
associated free gas. | gás livre associado
associated gas in solution | gás em solução associado
asymmetric information | informação assimétrica
asynchronous communication | comunicação assíncrona
atmospheric consistometer | consistômetro atmosférico
atmospheric corrosion | corrosão atmosférica
atmospheric pressure | pressão atmosférica
atmospheric separation | separação atmosférica
atmospheric separator | separador atmosférico
atmospheric storage tank | tanque de armazenamento atmosférico

atmospheric transportable bulk tank | silo de armazenamento por gravidade (Port.) (Ang.)
atmospheric transportable bulk tank | silo de estocagem por gravidade
A-to-D conversion | conversão analógico-digital
atoll | atol
atoll texture | textura em atol
atom | átomo
atomic absorption spectrometry | espectrometria de absorção atômica
atomic absorption spectrophotometer | espectrofotômetro de absorção atômica
atomic absorption spectroscopy. | espectroscopia de absorção atômica
atomic mass unit | unidade de massa atômica
atomic number (Z) | número atômico (Z)
atomic weight | peso atômico
attapulgite | atalpulgite (Port.)
attapulgite | atapulgita
attenuation | atenuação
attenuation coefficient | coeficiente de atenuação
attenuation resistivity | resistividade de atenuação
attic | sótão
attic gas | gás de sótão
attic oil | óleo de sótão
attribute | atributo
attribute map | mapa de atributos
audio-magnetotelluric | áudio magnetotelúrico
audit | auditoria
aureole | auréola
austenite | austenita
austenite | austenite (Port.)
austenitic | austenítico
authigenesis | autigênese
authigenic | autigênico
authigenic | autígeno
authorization for expenditure | autorização de despesas
authorization to carry out activities | autorização de exercício
authorization to purchase | autorização de compra
auto lock | autotravamento
autochthonous | autóctone
autocorrelation | autocorrelação
autocyclic sequence | sequência autocíclica
autocyclicity | autociclicidade
auto-ignition | autoignição
auto-injection | autoinjeção
automated statics | estática automática
automated well | poço automatizado
automatic control cementing system | sistema de cimentação com controle automático
automatic emergency blow down valve | válvula de despressurização automática de emergência
automatic emergency shutdown valve | válvula de parada automática de emergência
automatic gain control | controle de ganho automático

glossário

automatic migration | migração automática
automatic picking | marcação de um horizonte sísmico (Port.) (Ang.)
automatic picking | picagem automática
automatic picking | seguimento de um horizonte sísmico (Port.) (Ang.)
automatic sampler | amostrador automático
automatic stacking | empilhamento automático
automatic tank level gauge | medidor automático de nível de tanque
automatic well testing | coleta automática de dados de poço
automation | automação
autonomous underwater vehicle | veículo submarino autônomo
autonomous underwater vehicle (AUV) | veículo subaquático autônomo (Port.) (Ang.)
autoregressive filter, feedback filter | filtro autorregressivo, filtro de retroalimentação
auxiliary channel | canal auxiliar
availability | disponibilidade
available associated gas well | poço de gás associado disponível
available gas cap | cobertura de gás disponível
available pressure curve | curva da pressão disponível
avalanche bedding | acumulação sedimentar por avalanche
avalanche cycle | ciclo de avalanche
average bond | carta de garantia (Port.)
average bond |
average heating value | poder calorífico médio
average reservoir pressure | pressão média do reservatório
Avogadro number (N) | número de Avogadro (N)
avulsion | avulsão
axial compression | compressão axial
axial tension | tensão axial
azimuth | azimute
azimuth angle | ângulo de azimute
azimuth frequency | frequência de azimute
azimuthal | azimutal
azimuthal density | densidade azimutal
azimuthal laterolog | lateroperfil azimutal
azimuthal resolution | resolução azimutal
azimuthal survey | levantamento azimutal
azimuthal thruster, rudder propeller | leme-propulsor
azimuthal VSP | perfil azimutal VSP
azurite (copper carbonate hydroxide) | azurita
azurite (copper carbonate hydroxide) | azurite (Port.)
B horizon of soil | horizonte B de solo
B layer | camada B
back radiation (counterradiation) | radiação refletida
back reaming | manobra de limpeza
back reaming | saída e entrada no poço com a tubagem para limpeza (Port.) (Ang.)
back reef | recife interno

back to back |
backfill | retropreenchimento
backflow | fluxo inverso
backflow | refluxo
backflow |
background noise | ruído de fundo
background processing | processamento em segundo plano
background radiation | radiação de background
background radiation | radiação de fundo (Port.) (Ang.)
backpressure | contrapressão
back-pressure check valve | válvula de retenção de contrapressão
backpressure equation | equação de contrapressão
backpressure regulator | regulador de contrapressão
back-pressure regulator valve | válvula reguladora de contrapressão
backpressure test | teste de contrapressão
back-pressure valve (BPV) | válvula de contrapressão
back-pressure valve | válvula de fluxo unidirecional
backscattered noise | ruído retrodisperso
backshore | atrás da costa
backup |
back-up man | porta-tenaz
Backus filter | filtro de Backus
backward propagation | propagação reversa
backwardation |
backwash | contracorrente
backwash ripple mark | marca de ondulação contracorrente (Port.) (Ang.)
backwash ripple mark | marca ondulada contracorrente
bacterial degradation | degradação bacteriana
bactericide | bactericida
bacteriogenic | bacteriogênico
bacteriostatic | bacteriostático
bacterium | bactéria
badland | terra árida
baffle | chicana
baffle | placa defletora
baffle collar | colar de retenção
baffle plate | disco retentor de plugue de cimentação
baffle plate | disco retentor de tampão de cimentação (Port.)
bahamite | bahamito
bailer | removedor de pastas
bailer | vazador de limpeza (Port.) (Ang.)
balance of payments | balança de pagamentos (Port.)
balance of payments | balanço de pagamentos
balance sucker-rod pumping unit | balanceamento da unidade de bombeio
balanced | balanceado
balancing | acerto de entrega
balancing | balanceando

glossário

balancing of sucker-rod string | balanceamento de coluna de hastes
balangeroite | balangeroíta
ball | bola
ball | esfera
ball valve | válvula esfera
ballast engineer. | engenheiro de lastro
band | banda
band strapping tool | cintadeira
band-it | cinta metálica
band-limited function | função de banda limitada
band-limited noise | ruído de banda limitada
band-pass |
band-pass filter | filtro passa-banda
band-pass, passband. | faixa de passagem
band-reject filter | filtro corta-banda
band-stop filter | filtro corta-faixa
bandwidth | largura de banda
bank | banco
banksman | portaló
bar | barra
barchan | barcana
barchan dune | duna barcana
barefoot completion | completação sem revestimento
barefoot completion | completamento sem revestimento (Port.)
barge | balsa
barge | barcaça (Port.)
barite | barita
barite | barite (Port.)
barite | baritina
baritine content | teor de baritina
barium sulfate | sulfato de bário
barometer | barômetro
barometric | barométrico
barometric pressure | pressão barométrica
barrel | barril
barrel coupling | luva da camisa
barrel of oil equivalent (boe) | barril de óleo equivalente (boe)
barrel tube | camisa
barren zone, barren interval | zona estéril
barrier | barreira
barrier island | ilha em barreira
barrel at stock tank conditions | condições-padrão de tanque
basal conglomerate | conglomerado basal
basal tar mat | camada de fundo betuminosa
basalt | basalto
basalt glass | vidro basáltico
basaltic | basáltico
basaltic rock | rocha basáltica
base correction | correção de base
base discordance | discordância basal
base exchange | troca de base
base level | nível de base
base of weathering | base da camada de intemperismo
base oil | óleo base

base period of incidence | período-base de incidência
base pressure | pressão de base
base station | estação-base
base stock | óleo básico
baselap | recobrimento basal
baselap | sobreposição basal (Port.) (Ang.)
baseline | linha de base
basement complex | complexo cristalino
basement rock | rocha do embasamento
basement rock | rocha do soco (Port.)
basement rock | soco (Port.)
basement rock | soco cristalino (Port.)
basement rock. | embasamento
basic design | projeto básico
basic production conditions | condições básicas de produção
basic rock | rocha básica
basic sediment and water | percentual de sedimentos *versus* água (Ang.)
basic sediment and water (BS&W) | teor de água e sedimentos
basic sediment and water in crude oil | teor de água e sedimentos no petróleo
basin | bacia
basket of currencies | cesta de moedas
batch | batelada
batch cementing | mistura de cimento (Ang.)
batch mixer | misturador de batelada
batch mixer tank | tanque misturador de pasta (Ang.)
batch mixer tank | tanque pré-misturador de pasta
batch of cement | batelada de cimento
batch processing | processamento em lotes
batholith | batólito
bathymetric chart | carta batimétrica
bathymetric contour | curva batimétrica
bathymetric map | mapa batimétrico
bathymetric profile | diagrafia batimétrica (Port.)
bathymetric profile | *log* batimétrico (Port.) (Ang.)
bathymetric profile | perfil batimétrico
bathymetry | batimetria
bathythermogram | batitermograma
battery or bank of meters | estação de medição
baud rate | taxa de comunicação
Baumé density | densidade Baumé
bauxite | bauxita
bauxite | bauxite (Port.)
beach deposits | depósito de praia
beach ridge | restinga
beach rock | rocha em barreira
bead |
beam angle | ângulo do feixe
beam forming | formação do feixe
beam spreading. | espalhamento do feixe
beam width | largura do feixe
bean | agulha

glossário

bean, flow bean | orifício medidor de vazão
bean, flow bean |
Becquerel ray | raio Becquerel
bed load | camada de fundo
bed surface markings | marcas na superfície da camada
bedded | estratificado
bedding | acamamento
bedding plane | plano de acamamento
bedrock | rocha base
behavior index | índice de comportamento
belemnite | belemnita
belemnite | belemnite (Port.)
bell mouth, reentry guide | boca de sino
bell nipple | niple sino
bell nipple |
belt | correia
belt cover | protetor de correia
benchmark crude | petróleo de referência
benchmark crude |
bending restrictor | restritor de curvatura
bending test | teste de dobramento
Benioff-Wadati zone | zona de Benioff-Wadati
bent housing | alojador com curvatura
bent housing | cobertura com curvatura (Port.)
bent sub | adaptador torto (Port.)
bent sub | sub torto
bent sub | adaptador de desvio (Port.)
benthic | bêntico
benthonic | bentônico
benthos | bentos
bentonite | bentonita
bentonite | bentonite (Port.)
bentonite cement slurry | pasta de cimento bentonítico
benzene | benzeno
benzene insoluble | insolúvel em benzeno
benzene ring | anel benzênico
benzene series | série benzênica
benzol | benzol
berm | berma
Bernoulli's equation. | equação de Bernoulli
Bessel filter | filtro de Bessel
best composite time (BCT) | melhor tempo composto
beta decay | decaimento beta
beta decay | declínio beta (Port.)
beta particle | partícula beta
beta wave | onda beta
BHA (Bottom-Hole Assembly) |
bias | tendenciosidade
bias recording | registo polarizado (Port.) (Ang.)
bias recording | registro polarizado
bicentric bit | broca bicêntrica
bicone bit | broca bicônica
bid bond | carta de garantia em licitações (Port.)
bid bond | seguro garantia do concorrente
bid bond |

bidding | licitação
bidding for exploratory blocks | licitação de blocos exploratórios
bidding round | certame licitatório
bidding round | leilão (Port.)
bidding round | rodada de licitações
bilinear interpolation | interpolação bilinear
bin | cela
binary | binário (Port.)
binary-gain amplifier | amplificador de ganho binário
binder | aglomerante
Bingham fluid | fluido binghamiano
Binghamian plastic fluid | fluido plástico binghamiano
binning | distribuição por celas
binomial distribution. | distribuição binomial
binomial filter, doublet filter | filtro binomial
biochemical oxygen demand (BOD) | demanda bioquímica de oxigênio (DBO)
biochemical oxygen demand (BOD) | procura bioquímica de oxigênio
biochemical precipitate | precipitado bioquímico
biochemical sedimentary rock | rocha sedimentar bioquímica
biochronological unit | unidade biocronológica
biochronological unit | unidade biocronológica
biochronozone | biocronozona
biodegradable | biodegradável
biodegradation | biodegradação
biodiesel | biodiesel
biodiversity | biodiversidade
biofacies | biofácies
biogas | biogás
biogenic | biogênico
biogenic gas | gás biogênico
biogenic rock | rocha biogênica
biogenic sediment | sedimento biogênico
biogeochemical cycle | ciclo biogeoquímico
biohorizon | bio-horizonte
biointerval zone | zona de biointervalo
biologic facies | fácies biológica
biologic marker | marcador biológico
biological oxygen demand (BOD) | demanda biológica de oxigênio (DBO)
biological reserve | Reserva Biológica (REBIO)
biological resource | recurso biológico
biomarker | biomarcador
biomass | biomassa
biome | bioma
biopolymer | biopolímero
biosphere | biosfera
biostratigraphic horizon | horizonte bioestratigráfico
biostratigraphic unit | unidade bioestratigráfica
biostratigraphic zone | zona bioestratigráfica
biostratigraphy | bioestratigrafia
Biot theory | teoria de Biot
Biot wave | onda de Biot
biota | biota

glossário

Biot-Gassmann equations. | equações de Biot-Gassmann
biozone | biozona
bipolar complementary metal-oxide semiconductor. | semicondutor bipolar e complementar com óxido e metal
biquinary | biquinário
bird | pássaro
bird cage | gaiola de transbordo (Port.) (Ang.)
bisection method | método da bisseção
bit | broca
bit balling | encravamento da broca (Port.)
bit balling. | embolamento da broca (Port.)
bit balling. | enceramento da broca
bit bouncing | vibração axial da broca
bit breaker box, bit box | chave de broca
bit density | densidade de gravação
bit hydraulic horsepower (BHHP) | potência hidráulica da broca
bit nozzle jet | jato de broca
bit pressure drop, bit nozzle pressure drop | perda de carga na broca
bit pressure drop, bit nozzle pressure drop | perda de pressão na broca (Port.) (Ang.)
bit sub | adaptador da broca (Port.)
bit sub | sub da broca
bit walk | giro natural de um poço
bit wear or abrasion | desgaste da broca por perfuração (Port.)
bitumastic material | material betumástico
bitumen | betume
bitumen reservoir | reservatório de betume
bituminous | betuminoso
bituminous clayey shale | xisto argiloso betuminoso (Port.) (Ang.)
bituminous coal | carvão betuminoso
bituminous material | material betuminoso
bituminous sand | areia betuminosa
bituminous sand | arenito betuminoso (Port.)
bituminous sand | grés betuminoso (Port.)
bituminous shale | folhelho betuminoso
bituminous shale | xisto betuminoso
black gold | ouro negro
black oil | óleo asfáltico (Port.) (Ang.)
black oil | óleo residual lubrificante (Port.) (Ang.)
black oil |
black tide | maré negra
black-oil model | modelo *black-oil*
blackriverian | blackriveriano
blank casing | revestimento não perfurado
blank flange, blind flange | flange cego
blank liner |
blank pipe | tubo cego
blank plug | plugue cego
blank plug. | tampão cego (Port.)
blank ram, blind ram | pistão de controlo (Port.)
blank ram, blind ram. | gaveta cega
blanking | sombreamento
blasting | abrasão por efeito de pressão
blasting | extração por explosão
blasting |
blasting cap, firing device | detonador
bleed off |
bleeder valve | dreno
bleeding | drenagem
bleeding | sangria (Port.) (Ang.)
bleeding a well | drenando o poço
bleeding a well | sangramento de poço (Port.) (Ang.)
bleeding valve | válvula de dreno
blender | misturador
blending plant | instalação de mistura
blending plant | instalação de mistura de sólidos (Port.)
blending plant | planta de mistura de sólidos
blind deconvolution | deconvolução cega
blind layer | camada cega
blind zone | zona cega
block | bloco
block diagram | diagrama de bloco
blooey line, blooie line |
blooey pit, blooie pit |
blooey, blooie line | linha de descarga em perfuração a ar
blow off valve | válvula blow-off
blowdown |
blowout | erupção
blowout |
blowout preventer (BOP) | obturador de segurança (Port.)
blowout preventer (BOP) | preventor de erupção
blowout preventer test tool | ferramenta de teste do *BOP*
blowout production | irrupção de produção
blowout-preventer control panel | painel de controle do *BOP*
blowout-preventer control panel | painel de controlo de prevenção de erupções (Port.)
blowout-preventer stack, BOP stack | *BOP* stack
blowout-preventer stack, BOP stack | conjunto de elementos do *BOP* (Port.)
blowout-preventer test tool | ferramenta de teste de prevenção de erupções (Port.)
blowout-preventer test tool | instrumento de teste de prevenção de erupções
blue sky |
blue sky law | lei *blue sky*
body-centered cubic | cúbico de corpo centrado
boiling point | ponto de ebulição
boiling-point elevation | ebuliometria
bond index | índice de aderência da pasta de cimento
bonding strength | resistência à aderência
bonnet |
bonnet. | capa da válvula
bonus contract | contrato por bônus
boomer |
booster | bomba de carga (Ang.)
booster | compressor de carga (Ang.)

535

glossário

booster | estação de bombagem intermediária (Port.)
booster | estação de carga (Ang.)
booster | intensificador de carga (Port.)
booster |
booster compressor | compressor de bombagem ou de intensificação (Port.)
booster compressor |
booster jar | intensificador de *jar*
booster, primer. | cartucho-escorva
boot | bota
BOP | BOP
BOP bottle | Garrafa de *BOP*
borehole effect | efeito de poço
borehole gravimeter | gravímetro de poço
borehole televiewer log | perfil de tv de poço
borehole volume | volume de poço
borehole-compensated sonic log | perfilagem compensada
bottle |
bottom fluid | fluido de fundo (Port.)
bottom hold-down | ancoragem de fundo
bottom-hole (BH) | fundo do poço
bottom-hole assembly (BHA) | extremidade inferior da coluna de perfuração
bottom-hole gas separator | separador de gás de fundo de poço
bottom-hole pressure | pressão de fundo de poço
bottom-hole pressure gage or gauge | manômetro de fundo
bottom-hole sensor | sensor de fundo
bottom-hole temperature (BHT) | temperatura de fundo de poço
bottom plug | tampão de fundo
bottom sample | amostra de fundo
bottom track | marcação do fundo
bottom water | água de fundo
bottom-hole assembly | composição de fundo de poço
bottom-hole assembly. | conjunto de fundo de poço
bottomhole pressure | pressão no fundo do poço
bottomhole pressure (BHP) | pressão de fundo
bottom-hole pressure test | teste de pressão no fundo
bottomhole pressure test gage or gauge. | sensor de pressão no fundo
bottom-hole pump | bomba de fundo
bottom-hole sampling, bottom-hole bailing | amostragem de fundo
bottomhole temperature | temperatura de fundo
bottom-intake pump | bomba invertida
bottoms | fundo
bottoms up |
Bouguer anomaly | anomalia de Bouguer
Bouguer correction | correção de Bouguer
Bouguer plate | placa de Bouguer
boulder | matacão
Bouma sequence | sequência de Bouma

bound water | água aprisionada
boundary lubrication | lubrificação limítrofe
boundary pressure | pressão de fronteira
boundary pressure | pressão na fronteira
boundary wave | onda limite
Bourdon tube | tubo Bourdon
bowl |
box connection | conexão caixa
Boyle's law | lei de Boyle
Boyle-Charles's law | lei de Boyle-Charles
brackish | salobre
braided drainage pattern | padrão de drenagem entrelaçado
braided stream | canal entrelaçado
brake | freio de bombeio mecânico
brake (SRP) | travão de bombeamento mecânico (Port.) (Ang.)
brake cable | cabo de freio
brake lever | alavanca de freio
Brazilian contiguous zone | zona contígua brasileira
Brazilian Institute for Environment and Renewable Natural Resources | Instituto Brasileiro do Meio Ambiente e dos Recursos Naturais Renováveis (IBAMA)
Brazilian Institute of Oil, Gas and Biofuels | Instituto Brasileiro de Petróleo, Gás e Biocombustíveis (IBP)
Brazilian Technical Standards Association | Associação Brasileira de Normas Técnicas (ABNT)
Brazilian test | ensaio brasileiro
brazing | brasagem
breakdown pressure | pressão de iniciação de fratura
breakout | ovalização do poço
breathing formation | formação respirando
breccia | brecha
brent |
Brent crude oil | petróleo Brent
Brent Dated |
bridge plug | tampão mecânico
bridge plug | tampão mecânico de obstrução de poço
bridging agent | agente de obstrução (Ang.)
bridging agent | agente obturante
bridging agent or plugging material | material de tamponamento
bridle | cabresto
bright spot | mancha brilhante
bright spot (BS) | ponto brilhante
bright stock |
brine | salmoura
brine | solução salina
brine disposal well | poço para descarte de salmoura
Brinell hardness | dureza Brinell
British Thermal Unit (BTU) | unidade térmica britânica
brittle | frágil
brittle | quebradiça (Port.) (Ang.)

glossário

broom charge | carga de vassoura
BTEX (benzene, toluene, ethyl benzene, and xylene) | BTEX (benzeno, tolueno, etil-benzeno, xileno)
BTX | BTX
bubble break-up | quebra de gotas
bubble effect. | efeito bolha
bubble point | ponto de bolha
bubble-cap tray tower | torre valvulada
bubble-point curve | curva de ponto de bolha
bubble-point pressure | pressão de ponto de bolha
buckled pipe | tubagem flambada (Port.) (Ang.)
buckled pipe | tubo flambado
buckling | flambagem mecânica
buckling | flambagem
build and transfer contract (BT) | contrato com construção e transferência
build, lease and transfer (BLT) contract | contrato de construção, arrendamento e transferência
build, operate and transfer (BOT) contract | contrato de construção, operação e transferência de ativos
build, operate, train and transfer (BOTT) contract | contrato de construção, operação, treinamento e transferência de ativos
build, own and operate (BOO) contract | contrato de construção, posse e operação
build, own, operate and transfer (BOOT) contract | contrato de construção, posse, operação e transferência
build, transfer and operate (BTO) contract | contrato de construção, transferência e operação
buildup |
build-up rate, build up rate | taxa de crescimento de ângulo
build-up rate, BUR | taxa de ganho de ângulo
buildup section | trecho com crescimento de ângulo
bulk density | densidade aparente
bulk density | densidade bruta
bulk fluid composition | composição da carga
bulk material | material a granel (Port.) (Ang.)
bulk material | material produzido pela indústria primária
bulk material | material transportado a granel (Port.) (Ang.)
bulk material | material volumoso (Port.) (Ang.)
bulk material |
bulk volume | volume aparente
bull plug | tampão curto para tubagem ou válvula (Port.)
bull plug |
bullheading |
bullnose |
bunker |
buoyancy | flutuabilidade
buoyancy | força ascensional (Port.)
buoyancy effect. | efeito de flutuação
buoyancy. | empuxo

buried horizon | horizonte soterrado
burner | queimador de petróleo
burst pressure | limite de resistência à pressão interna
bushing | bucha
butane | butano
buttress thread connection | rosca butress (Ang.)
buy-back provision | cláusula de compra de óleo
buy-back provision | cláusula de compra de óleo pelo produtor (Port.)
buy-back provision |
buyer's credit | crédito ao comprador
buyer's credit | crédito ao importador
bypass |
C horizon of soil | horizonte C de solo
C layer | camada C
C5 + current | corrente C 5 +
C5+ |
cable clamp | braçadeira de cabo
cable drilling | perfuração a cabo
cable electrode | eletrodo de cabo
cable feathering, streamer feathering | desvio do cabo
cable hanger | suspensor de cabo
cable head | cabeça de cabo
cable rollover | mixagem de grupo
cable shield | armadura de cabo
cable termination | terminação de cabo
cage | gaiola
cage shooting | detonação confinada
Cagniard impedance | impedância de Cagniard
caisson |
cake thickness | espessura do reboco
calcarenaceous sandstone | arenito calcítico
calcarenite, calcareous sandstone | calcarenito
calcareous algae | alga calcária
calcareous clay | argila calcária
calcareous clayey shale | xisto argiloso calcífero (Port.) (Ang.)
calcareous crust | crosta calcária
calcareous dolomite | dolomito calcário
calcareous ooze | vasa calcária
calcareous peat | turfa calcária
calcareous rock | rocha calcária
calcareous sandstone | arenito calcário
calcareous shale | folhelho calcífero
calcareous tufa | tufa calcária
calcareous tufa | tufa carbonática
calcareous tufa | tufo calcário (Port.) (Ang.)
calcian dolomite | dolomita cálcica
calcian dolomite | dolomite cálcica (Port.)
calcibreccia | brecha calcária
calciclastic | clastos calcários
calciferous | calcífero
calcigravel | fragmento calcário
calcilutite | calcilutito
calcirudite | calcirrudito
calcite | calcita
calcite. | calcite (Port.)
calcitic dolomite | dolomito calcítico

glossário

calcitic limestone | calcário calcítico
calcitite, limestone | calcário
calcitization | calcitização
calcium carbonate. | carbonato de cálcio
calcium chloride | cloreto de cálcio
calcium mud | lama de cálcio
calcium sulfate | sulfato de cálcio
calcolistolith | olistolito carbonático
calcrete | calcrete
calc-silicate rock | rocha calcossilicatada
calculated absolute open flow | potencial calculado de vazão (Port.) (Ang.)
calculated absolute open flow | potencial calculado do fluxo (Port.) (Ang.)
calculated absolute open flow | potencial de produção do poço calculado
calculated gas saturation | saturação de gás calculada
calculated gas saturation | saturação em gás calculada (Port.) (Ang.)
caldera | caldeira
calibrated | calibrado (Port.)
calibration buoy | boia de calibração
calibration curve | curva de calibração
calibration loop | circuito de calibração
calibration point | ponto de calibração
calibration tail | rabicho de calibração
calibration, gaging | calibração
caliche | caliche
caliper log | diagrafia de *caliper* (Port.)
caliper log | *log* de calibra (Port.) (Ang.)
caliper log | *log* de calibre (Port.) (Ang.)
caliper log | *log* de *caliper*
caliper log | perfil de calibre
caliper log | perfil de *caliper*
caliper log | diagrafia de calibra (ou de calibre) (Port.)
CALM Buoy | boia CALM
calorie | caloria
calorimeter | calorímetro
Calvo clause | cláusula de Calvo
CAMAI |
camera | câmera
Canada balsam | bálsamo do Canadá
canned motor | motor hermético
canyon | canhão
canyon fill | preenchimento de canhão (Port.) (Ang.)
canyon fill | preenchimento de cânion
cap rock | rocha capa
cap rock | rocha capeadora
cap rock | rocha de cobertura
capacitance | capacitância
capacitance in multiphase metering | capacitância na medição multifásica
capacitance log | diagrafia de capacitância (Port.)
capacitance log | *log* de capacitância (Port.) (Ang.)
capacitance log | perfil de capacitância

capacitive sensor | sensor capacitivo
capacitor | capacitor
capillarity. | capilaridade
capillary column | coluna capilar
capillary fingering | digitação capilar
capillary force | força capilar
capillary fringe | franja capilar
capillary number | número capilar
capillary pressure | pressão capilar
capillary ripple | ondulação capilar
capillary rise | ascensão capilar
capillary viscometer | viscosímetro capilar
capillary. | capilar
capital expenditure | despesas de investimento (Ang.)
capital expenditure | dispêndio de capital (Port.)
capital expenditure | dispêndio de investimento (Port.)
Capital Expenditure (CAPEX) | custos de investimento
capital good | bem de capital (BK)
capital structure | estrutura de capital
capture | captura
carbon | carbono
carbon black | negro de fumo
carbon chain | cadeia de carbono
carbon cycle | ciclo do carbono
carbon dioxide | dióxido de carbono
carbon dioxide flooding | inundação com dióxido de carbono
carbon isotope fractionation | fracionamento dos isótopos do carbono
carbon isotope ratio | razão de isótopos de carbono
carbon monoxide | monóxido de carbono
carbon preference index (CPI) | índice de preferência de carbono (IPC)
carbon preference rate (CPR) | taxa de preferência de carbono
carbon ratio theory | teoria da razão de carbono
carbon steel | aço carbono
carbon-14 | C14 carbono
carbonaceous | carbonáceo (Port.)
carbonaceous clayey shale | xisto argiloso carbonoso (Port.) (Ang.)
carbonaceous coal | carvão carbonoso
carbonaceous rock | rocha carbonácea (Port.) (Ang.)
carbonaceous rock | rocha carbonosa
carbonaceous shale | folhelho carbonoso
carbonaceous. | carbonoso
carbonate buildup | construção carbonática
carbonate compensation depth (CCD) | profundidade de compensação de carbonato
carbonate platform | plataforma carbonática
carbonate ramp | rampa carbonática
carbonate rock | rocha carbonatada (Port.) (Ang.)
carbonate rock | rocha carbonática
carbonate. | carbonato

glossário

carbonate-arenite | arenito carbonático
carbonated waterflooding | inundação com água carbonada
carbonization | carbonização
carbon-oxygen log | diagrafia carbono-oxigênio(Port.)
carbon-oxygen log | *log* carbono-oxigênio (Port.) (Ang.)
carbon-oxygen log | perfil carbono-oxigênio
carboxymethylcellulose | carboximetilcelulose
carburizing of steel | cimentação sólida do aço
carburizing of steel. | carbonetação do aço
Carreau's model. | modelo de Carreau
carrier bar | mesa do cabresto
carrier fluid | fluido carreador de propante
carst. | carste
cartridge | cartucho
CASAM, completion fluid | CASAM
cascaded filter | filtro em cascata
cascaded migration | migração em cascata
cased hole | poço revestido
cased-hole drill-stem test. | teste de formação a poço revestido
cash call | pedido de capital (Port.)
cash call. | chamada de capital
cash calls | pedidos de fundos (Port.) (Ang.)
cash calls /
casing | revestimento
casing burst pressure | limite de pressão interna do revestimento
casing centralizer. | centralizador de revestimento
casing collapse | colapso do revestimento
casing collar | colar de revestimento
casing collar locator log | diagrafia de localização dos colares ou manilhas do revestimento (Port.)
casing collar locator log (CCL) | colar da tubagem de revestimento (Port.)
casing collar locator log (CCL) | localizador de juntas
casing cutter | cortador de revestimento
casing gun | canhão para revestimento (Ang.)
casing gun. | canhão
casing hanger | suspensor de revestimento
casing hardware | acessório da coluna de revestimento
casing head spool. | carretel de revestimento
casing inspection log | diagrafia de inspeção de revestimento(Port.)
casing inspection log | *log* de inspeção de revestimento (Port.) (Ang.)
casing inspection log | perfil de inspeção de revestimento
casing patch | remendo do revestimento
casing potential profile | diagrafia de potencial do revestimento (Port.)
casing potential profile | *log* de potencial do revestimento (Port.) (Ang.)
casing pressure | pressão no revestimento

casing pressure-operated valve | válvula de pressão operada pelo revestimento
casing profile nipple (CPN). |
casing program | programa de revestimento
casing roller | descolapsador de revestimento
casing scraper, scratcher | arranhador
casing scraper; scratcher | raspadeira (Port.)
casing scraper; scratcher | raspador (Port.)
casing slips | cunha para revestimento
casing string | coluna de revestimento
casing-collar locator log | diagrafia de localização dos colares (Port.)
casing-collar locator log | diagrafia de revestimento (Port.)
casing-collar locator log | *log* de revestimento (Port.) (Ang.)
casing-collar locator log (CCL) | perfil localizador de luva
casing-collar log | perfil de luvas de revestimento
casing-potential profile | perfil de potencial do revestimento
Casson's model. | modelo de Casson
cast | molde
cast | contramolde
cat line. | cat line
catagenesis | catagênese
catalyst. | catalisador
catastrophism | catastrofismo
catenary | catenária
catenary anchor leg mooring | linha de ancoragem em catenária
catenary ripple mark | marca de ondulação catenária (Port.) (Ang.)
catenary ripple mark | marca ondulada catenária
cathead | molinete
cathode. | catodo
cathode-ray oscilloscope | osciloscópio de raios catódicos
cathode-ray tube (CRT) | tubo de raios catódicos
cathodic disbonding | descolamento catódico
cathodic protection | proteção catódica
cathodoluminescence | catodoluminescência
cation | catião (Port.)
cation | cátion
cation-exchange capacity (CEC) | capacidade de troca de catiões (Port.)
cation-exchange capacity (CEC). | capacidade de troca catiônica (CTC)
cationic polymer drilling fluid | fluido catiônico
cationic polymer drilling fluid | lama catiônica
cationic surfactant | tensoativo catiônico
cationic surfactant. | surfactante catiônico
causal wavelet | pulsação causal (Port.)
causal wavelet | pulso causal
cause-and-effect matrix | matriz de causa e efeito
caustic | cáustico
caustic flooding | injeção cáustica
caustic line | linha cáustica
caustic soda | soda cáustica

539

glossário

cave effect | efeito de caverna
cave, Brazil | caverna, Brasil
cavitation. | cavitação
CDP (Common Depth Point) technique | técnica CDP
CDP family | família CDP
CDP point | ponto de reflexão em profundidade
CDP stacking | empilhamento CDP
CDP switch, roll-along switch | chave CDP
cellar deck. | convés inferior
cellar deck. |
cellulose | celulose
cement | cimento
cement additive | aditivo de cimento
cement bond | aderência da pasta de cimento
cement bond log | diagrafia de aderência da pasta de cimento (Port.)
cement bond log | diagrafia de aderência do cimento (Port.)
cement bond log | diagrafia de cimento (Port.)
cement bond log | diagrafia do estado ou do enrijamento do cimento (Port.)
cement bond log | *log* de aderência do cimento (Port.) (Ang.)
cement bond log | *log* de cimento (Port.) (Ang.)
cement bond log | perfil de aderência da pasta de cimento
cement bond log (CBL) | perfil de aderência do cimento
cement consistometer | consistômetro
cement consistometer | medidor de consistência do cimento (Port)
cement density | densidade do cimento (Ang.)
cement density | massa específica do cimento
cement dump bailer | caçambeio
cement evaluation log | diagrafia de avalição do cimento (Port.)
cement evaluation log | *log* de avaliação do cimento (Port.) (Ang.)
cement filter cake | reboco de cimento
cement packer | obturador de cimento
cement plug | tampão de cimento
cement pumpability | bombeabilidade do cimento
cement pumpability test | teste de bombeabilidade do cimento
cement retainer | retentor de cimento
cement retainer. |
cement retarder | retardador de endurecimento (Port.)
cement retarder | retardador de pega
cement rock | rocha para cimento
cement sheath | bainha de cimento
cement slurry | pasta de cimento
cement tensile strength | resistência à tração do cimento
cement thickening time test | teste de tempo de espessamento do cimento
cementation | cimentação de rochas

cementation exponent | expoente de cimentação
cement-evaluation log | perfil de avaliação do cimento
cementing | cimentação
cementing basket | cesta de cimentação
cementing equipment. | equipamento para cimentação
cementing head | cabeça de cimentação
cementing laboratory equipment | equipamento de laboratório de cimentação
cementing pump | bomba de cimentação
cementing service | serviço de cimentação
cement-mixing device | misturador de cimento (Port.) (Ang.)
cement-mixing device | misturador de palhetas
cenozone | cenozona
centistokes |
central eruption | erupção central
centralizer. | centralizador
centrifugal pump | bomba centrífuga
centrifugal pump | bomba centrifugadora (Port.) (Ang.)
centrifugal separator | separador centrífugo
centrifuge | centrifugador (Port.)
centrifuge | centrifugadora (Ang.)
centrifuge | centrífuga
certification of reserves. | certificação de reservas
Certified Bonded Deposit | Depósito Alfandegado Certificado (DAC)
cesium magnetometer | magnetômetro de césio
chalcedony | calcedônia
chalk | cré (Port.)
chalk | giz
chalk | greda
chalk rock | rocha cresosa (Port.) (Ang.)
chalk rock | rocha giz
chalk stream | córrego
chalky marl | marga com nanofósseis
channel | canal
channel bar | barra de canal
channel erosion | erosão de canal
channel fill | preenchimento de canal
channel flow. | escoamento de canal
channel flux | fluxo de canal (Port.)
channel geometry | geometria de canal
channel gradient ratio | razão de gradiente de canal
channel length | comprimento de canal
channel morphology | morfologia de canal
channel net; channel network | rede de canais
channel pattern | padrão de canal
channel sand | areia de canal
channel sand | arenito de canal (Port.)
channel sand | canal de areia
channel sand | grés de canal (Port.)
channel wave | onda canalizada
channel width | largura de canal
channeling | canalização
channel-mouth bar | barra de desembocadura de canal

channelway | caminho de canal
character | caráter
charge. | carga
chart | carta
chart factor | fator de carta
charter | afretamento
chaser trap | armadilha para caçador de amarras
Chebyshev array | arranjo de Chebyshev
Chebyshev filter | filtro de Chebyshev
check shot | tiro de controle
check valve, standing valve | válvula de pé
chelation | quelação
chemical activity | atividade química
chemical cutter | cortador químico
chemical diagenesis | diagênese química
chemical equilibrium | equilíbrio químico
chemical erosion | erosão química
chemical flood | inundação química
chemical flood processes | recuperação secundária por injeção de produtos químicos
chemical injection mandrel | mandril de injeção química
chemical injection system | sistema de dosagem química
chemical injection tubing | capilar de injeção de química
chemical limestone | calcário químico
chemical marker injection | injeção de marcador químico
chemical neutron source | fonte química de neutrões (Port.)
chemical neutron source | fonte química de nêutrons
chemical oxygen demand (COD) | demanda química de oxigênio (DQO)
chemical oxygen demand (COD) | procura química de oxigênio
chemical reduction | redução química
chemical rock | rocha química
chemical sediment | sedimento químico
chemical sedimentary rock | rocha sedimentar química
chemical unconformity | discordância definida quimicamente (Port.)
chemical unconformity | não conformidade química
chemical washer, washer | colchão lavador
chemical water | água química
chemical weathering | intemperismo químico
chemostratigraphy. | estratigrafia química
chernozem. | cernozem
chert | cherte (Port.)
chert | sílex
chert nodule | nódulo de cherte
chertification | chertificação
chevron cast | molde em *chevron*
chevron cast | molde em espinha (Port.) (Ang.)
chevron cross-bedding | estratificação cruzada em *chevron*
chevron cross-bedding | estratificação entrecruzada em *chevron* (Port.)
chevron dune | duna em *chevron*
chevron dune | duna em espinha de peixe (Port.)
chevron mark | marca em *chevron*
chimney | chaminé
china stone [sed] | pedra da china
chirp |
chloride ion content | teor de cloretos
chloritic clayey shale | xisto argiloso clorítico (Port.) (Ang.)
chloritic shale | folhelho clorítico
choke | estrangulador
choke | regulador de vazão
choke and kill lines | linhas de *choke* e *kill*
choke and kill lines | linhas de estrangulamento e de ataque
choke aperture | abertura do *choke*
choke aperture | abertura do estrangulador (Port.)
choke line | linha de *choke*
choke line | linha de estrangulamento
choke manifold |
choke valve | válvula *choke*
chondrite | condrito
christmas tree valve | válvula de árvore de natal
christmas tree. | árvore de natal
chromatograph | cromatógrafo
chromatograph | cromatograma
chromatography | cromatografia
chromitite | cromitito
chronostratigraphic chart. | carta cronoestratigráfica
chronostratigraphic classification | classificação cronoestratigráfica
chronostratigraphic horizon | horizonte cronoestratigráfico
chronostratigraphic unit | unidade cronoestratigráfica
chronostratigraphic zone | zona cronoestratigráfica
chronostratigraphy | cronoestratigrafia
chronotaxis | cronotaxia
chronozone | cronozona
chute, chute cutoff | canal de atalho
circular convolution | convolução circular
circulating pressure | pressão de circulação
circulating temperature | temperatura de circulação
circulation | circulação
circulation rate | débito de circulação (Ang.)
circulation rate | taxa de circulação
circulation time | tempo de circulação
city gate | estação de entrega e recebimento de gás natural
city gate |
cladding | cladeamento
clamp | braçadeira
clamp | grampo
classified area | área classificada

glossário

clastic breccia | brecha clástica
clastic dike | dique clástico
clastic ratio | razão clástica
clastic rock | rocha clástica
clastic wedge | cunha clástica
clathrate | clatrato
claw | unha
clay | argila
clay ball or clayball | bola de argila
clay band or clayband | banda de argila
clay colloid | coloide de argila
clay dune | duna de argila
clay fill | preenchimento de argila
clay gravel | cascalho de argila
clay ironstone | siderita argilosa
clay ironstone |
clay marl | marga argilosa
clay plug | tampão de argila
clay size | tamanho das partículas da argila
clay vein | veio de argila
clay-bound water | água adsorvida à argila
clayey breccia | brecha argilosa
clayey sand | areia argilosa
clayey sand | arenito argiloso (Port.)
clayey sand | grés argiloso (Port.)
clayey, argillaceous. | argiloso
claystone, clay rock | argilito
clean petroleum product | produto claro
clean petroleum products | claros
clean sandstone | arenito limpo
clearance | folga
climate | clima
climate classification | classificação climática
climatic cycle | ciclo climático
climbing dune | duna cavalgante
climbing ripple | ondulação cavalgante
clinoform | clinoforme
clinoform surface | superfície clinoforme
clipping, flat-topping, peak shaving | ceifamento
clogging, void filling | colmatação
closed basin | bacia fechada
closed bay | baía fechada
closed bottom pressure | pressão de fundo com poço fechado
closed drainage system | sistema de drenagem fechada
closed lake | lago fechado
closed plunger cage | gaiola fechada
closed pressure, close-in pressure | pressão de fechamento de poço
closed well | poço fechado
closeout netting | compensação de encerramento
cloud drilling | perfuração com névoa
cloud point | ponto de névoa
cluster analysis | análise de *cluster*
CMP family | família CMP
CMP stack | empilhamento CMP
CO2 augmented waterflooding | injeção de água com CO2

CO2 flooding, CO2 injection, CO2 miscible flooding | injeção de CO2
coal basin | bacia de carvão
coal basin | bacia carbonífera (Port.)
coal bed | camada de carvão
coal bench | banco de carvão
coal clay | argila de carvão
coal gas. | gás de carvão
coal gravel | cascalho de carvão
coalescence | coalescência
coalescing fan | leque coalescente
coalescing pack | placa coalescedora
coalescing pediment | pedimento coalescente
coarse fragment | fragmento grande
coarse pebble | seixo grosseiro (Port.)
coarse pebble | seixo grosso
coarse sand | areia de grão grosseiro (Port.)
coarse sand | areia grossa
coarse sand | arenito de grão grosseiro (Port.)
coarse sand | arenito grosso (Port.)
coarse silt | silte de grão grosseiro (Port.) (Ang.)
coarse silt | silte grosso
coarse-grained | granulometria grossa
coastal | costeiro
coastal aggradation | agradação costeira
coastal area | área costeira
coastal current | corrente costeira
coastal desert | deserto costeiro
coastal dune | duna costeira
coastal encroachment | avanço costeiro
coastal lake | lago costeiro
coastal mangrove | mangrove costeiro
coastal marsh | banhado costeiro
coastal navigation | cabotagem
coastal onlap | onlape costeiro
coastal zone | zona costeira
coastline | linha de costa
coastline effect. | efeito de costa
cobble | calhau
cobble conglomerate | conglomerado de blocos
cobble size | tamanho de bloco
cobble size | tamanho do burgau (Port.) (Ang.)
coccolith | cocólito
coda. | cauda
coding | legenda
coefficient of isothermal compressibility | coeficiente de compressibilidade isotérmica
co-generation | cogeração
coherence | coerência
coherence cube | cubo de coerência
coherence filter | filtro de coerência
coherence stack | empilhamento de coerência
coherent noise | ruído coerente
cohesion | coesão
coiled tubing | flexitubo
coiled tubing drilling | perfuração com flexitubo
coiled tubing unit | unidade de flexitubo
coke | coque
coking | coqueamento
cold finger | dedo frio

glossário

cold working. | deformação a frio
cold-cranking simulator | arranque a frio (Port.)
cold-cranking simulator | simulador de partida a frio
collaboration management, collaboration platform | ambiente colaborativo
collaboration system | sistema colaborativo
collapse | colapso
collapse crater | cratera de colapso
collapse pressure | pressão de colapso
collapse resistance | resistência ao colapso
collapse resistance or pressure | limite de resistência ao colapso
collapsed casing | revestimento colapsado
collar | colar
collect point | ponto de coleta
collecting station. | estação coletora
colligative properties | propriedade coligativa
collinear array | arranjo colinear
colloid | coloide
colluvial | coluvial
colluviation | coluviação
colluvium | coluvião
colluvium | colúvio
color display | representação colorida
colored noise | ruído colorido
colored spectrum | espectro colorido
colored sweep | varredura colorida
column chromatography | coluna cromatográfica
columnar section | seção colunar
columnar section | secção colunar (Port.) (Ang.)
column-stabilized drilling unit | plataforma de perfuração tipo coluna estabilizada
combination drive | caixa de câmbio combinada
combination gas | gás de cidade
combined cycle | ciclo combinado
combined cycle co-generation | cogeração com ciclo combinado
combined gas | gás combinado
combined standard uncertainty | incerteza padronizada combinada
combustible clayey shale | xisto argiloso combustível (Port.) (Ang.)
combustible shale | folhelho combustível
combustion zone | zona de combustão
commercial bond | garantia comercial
commercial discovery | descoberta comercial
commercial production | produção comercial
commercial royalties | *royalties* comerciais
commercial well | poço comercial
Commission on the Limits of the Continental Shelf | Comissão de Limites da Plataforma Continental
commissioning | comissionamento
commissioning | condicionamento
commissioning | preparação para a operação de navios
commissioning plan | plano de condicionamento
commodity |
common depth | profundidade comum

common depth point (CDP) | ponto comum em profundidade
common external tariff | tarifa externa comum (TEC)
common midpoint | ponto médio comum
common midpoint family | família de ponto médio comum
common oil | óleo comum
common-depth point stack | empilhamento de pontos comuns em profundidade
common-midpoint method | método do ponto médio comum
common-midpoint stack | empilhamento de pontos médios comuns
common-offset family | família de *offset* comum
common-offset section | seção de *offset* comum
common-offset section | secção de *offset* comum (Port.) (Ang.)
common-receiver family | família de receptor comum
common-reflection family | família de reflexão comum
common-reflection point | ponto de reflexão comum
common-shot family | família de tiro comum
common-source family | família de fonte comum
communication protocol | protocolo de comunicação
compact | compacto
compact or small volume gauger | aferidor tipo compacto (Port.)
compact or small volume prover | provador tipo compacto
compact or small volume prover | verificador tipo compacto (Port.) (Ang.)
compaction | compactação
compaction correction | correção de compactação
compartment | compartimento
compatible scale. | escala compatível
compensated density log | diagrafia de densidade compensada (Port.)
compensated density log | *log* de densidade compensada (Port.) (Ang.)
compensated neutron log | diagrafia de neutrões compensada (Port.)
compensated neutron log | diagrafia neutrônica compensada (Port.)
compensated neutron log | *log* de neutrões compensado (Port.) (Ang.)
compensated neutron log | perfil neutrônico compensado
compensated-density log | perfil de densidade compensado
compensation depth | profundidade de compensação
compensation level | nível de compensação
compiler | compilador
complementary metal-oxide-semiconductor. | semicondutor complementar com óxido e metal

543

glossário

complete voidage replacement | substituição completa de vazios
completion | completação
completion | completamento (Port.)
completion fluid , workover fluid | fluido de completação
completion fluid, workover fluid | lama de completação
completion rig | sonda de completação
completion riser | riser de completação
completion technique | técnica de completação
complex deconvolution | deconvolução complexa
complex dune | duna complexa
complex emulsion | emulsão complexa
complex Wiener filter | filtro de Wiener complexo
complexing | complexante
complexing agent | agente complexante
complexing compound | composto complexante
component-stratotype | componente de estrato-tipo
composite log | diagrafia composta (Port.)
composite log | log composto (Port.) (Ang.)
composite log | perfil composto
composite material | material compósito
composite section | seção composta
composite section | secção composta (Port.) (Ang.)
composite stratotype | estrato-tipo composto
composite time-distance curve | curva tempo-distância composta
composition map | diagrama de composição
composition map | mapa de composição
compositional maturity | maturidade composicional
compositional model | modelo composicional
compositional property | propriedade composicional
compound alluvial fan | leque aluvial composto
compound cross-stratification | estratificação cruzada composta
compound cross-stratification | estratificação entrecruzada composta (Port.)
compound cuspate bar | barra cuspada composta
compound engine | motor composto
compound foreset bedding | estratificação entrecruzada tabular composta (Port.)
compound foreset bedding. | estratificação cruzada tabular composta
compressed instrument air system | sistema de ar comprimido de instrumentos
compressibility | compressibilidade
compressible fluid | fluido compressível
compression | compressão
compression module | módulo de compressão
compression ratio | razão de compressão
compression train | trem de compressão
compressional wave | onda compressional
compressive strength testing machine | prensa de compressão uniaxial
compressor station | estação de compressores

Compton scattering. | espalhamento Compton
computed tomography | tomografia computadorizada
concave cross-bedding | estratificação cruzada côncava
concave cross-bedding | estratificação entrecruzada côncava (Port.)
concave slope | talude côncavo
concentric tubing hanger | suspensor de coluna de produção concêntrico
conceptual design | projeto conceitual
concession | concessão
concession contract | contrato de concessão
concessionnaire | concessionário
concordant | concordante
concordant bedding | acamamento concordante
concordant stratification | estratificação concordante
concordant summit level | nível de peneplanização
concrete | betão (Port.)
concrete | concreto
concretion | concreção
condensate | condensado
condensate liquid | líquido condensado
condensate ratio | razão de condensado
condensate reservoir | reservatório de condensado
condensate stabilization. | estabilização do condensado
condensate water | água condensada
condensate well | poço de condensado
condensation | condensação
condensed gas | gás condensado
condensed section | seção condensada
condensed section | secção condensada (Port.) (Ang.)
condenser | condensador
condensing-gas drive | recuperação por condensação de gás
condition ratio | razão de produtividade
conditional barrier | barreira condicional
conductance in multiphase metering | indutância na medição multifásica
conductive invasion | invasão condutiva
conductive rock matrix model | modelo de matriz de rocha condutiva
conductivity | condutividade
conductivity, temperature and depth (CTD) measurement equipment | equipamento de medição da velocidade do som da coluna d'água (CTD)
conductometric titration | titulação condutométrica
conductor casing | revestimento condutor
cone | cone
cone delta | cone delta
cone of depression | cone de depressão
cone of detritus | cone de detritos
cone penetrometer | penetrâmetro de cone (Port.) (Ang.)

glossário

cone penetrometer | penetrômetro de cone
cone-and-plate rheometer | reômetro cone-placa
cone-in-cone structure | estrutura cone em cone
confidence interval | intervalo de confiança
confidence level | nível de confiança
confined aquifer | aquífero confinado
confining bed | camada confinante
confining stress | tensão confinante
confirmation well | poço de confirmação
conformable | conforme
conformance |
conformity | conformidade
conglomerate | conglomerado
conglomeratic mudstone | lamito conglomerático
conical wave | onda cônica
connate | conata
connate water | água conata
connected well | poço conectado
consistency | consistência
consistency index. | índice de consistência
consistency unit | unidade de consistência (Uc)
consolidated | consolidado
consolidated sediment | sedimento consolidado
consolidation | consolidação
constant composition expansion | expansão a composição constante
constant rate | vazão constante
constant-curvature method | método da curvatura constante
constant-offset section | seção de afastamento constante
constant-percentage decline | declínio em percentual constante
construction and installation | construção e montagem
constructive interference | interferência construtiva
consumer good | bem de consumo
contact angle | ângulo de contato
contact halo, contact aureole | auréola de contato
contact line | linha de contato
contact metamorphism | metamorfismo de contato
contaminated skid drainage system | sistema de drenagem aberta contaminada
contaminating formation | formação contaminante
contaminating gas | gás contaminante
contaminating oil | óleo contaminante
contango | contango
contemporaneous erosion | erosão contemporânea
contigency plan | plano de contingência
continental | continental
continental apron | leque continental
continental deposit | depósito continental
continental glacier | geleira continental
continental margin | margem continental
continental rise | elevação continental
continental rise | sopé continental

continental sea | mar continental
continental shelf | plataforma continental
continental slope | talude continental
continental transgression | transgressão continental
continuity equation | equação da continuidade
continuous gas lift | gas lift contínuo
continuous or intermittent operation | acionamento contínuo ou intermitente
continuous phase. | fase contínua
continuous-flow gas lift | elevação contínua a gás
continuous-velocity log | perfil de velocidade contínua
contour current | corrente de contorno
contour interval | intervalo de contorno
contour interval | intervalo entre curvas de nível (Port.)
contour map | mapa de contorno
contour map | mapa de curvas de nível (Port.) (Ang.)
contourites | contornitos
contract amendment | aditivo contratual
contract regulation, Brazil | regulação de contratos, Brasil
contract work, job work | empreitada
contract, add and operate (CAO) | contrato de modernização e operação
contracting regime | regime de contratação
control chart | gráfico de controle
control line | linha de controle
control line, kill line | conduta de controlo (Port.)
control room | sala de controle
control strategy | estratégia de controle
control technique | técnica de controle
control umbilical | umbilical de controle
control valve | válvula de controle
control variable | variável controlada
controlled area | área controlada
controller | controlador
convection. | convecção
Convention on International Trade in Endangered Species | CITES
Convention on International Trade of Endangered Species | Convenção sobre Comércio Internacional de Espécies Ameaçadas de Extinção
conventional drilling rig | sonda de perfuração convencional
conventional pipe gauger | aferidor tipo convencional (Port.)
conventional pipe prover | verificador tipo convencional /(Port.) (Ang.)
conventional pipe prover Provador de deslocamento mecânico que possui um volume suficiente entre seus detetores de posição de tal forma que permite uma medição mínima de 10.000 pulsos, em forma direta e inalterada. | provador tipo convencional
conventional recovery | recuperação convencional
conventional type gauger | gás convencional

545

glossário

convergence | convergência
convergence pressure | pressão de convergência
converted wave | onda convertida
convex cross-bedding | estratificação cruzada convexa
convex cross-bedding | estratificação entrecruzada convexa (Port.)
convolute bedding, curly bedding | acamamento convoluto
convolute bedding, curly bedding | estratificação convoluta (Port.)
convolute lamination | laminação convoluta
convolution | convolução
convulsionism | convulsionismo
cooling halo | borda resfriada
cooling shroud | camisa de refrigeração
copolymer | copolímero
copper-strip corrosion | corrosividade ao cobre
coquina | coquina
coquinoid limestone | calcário coquinoide
coral | coral
coral cap | capa de coral
coral crust | crosta de coral
coral reef | recife de coral
coralgal | coral-alga
coralgal ridge | crista de coral-alga
coral-reef coast | costa de recifes de coral
core | testemunho
core analysis | análise de testemunho
core barrel | barrilete de testemunhagem
core barrel | caroteiro(Port.)
core barrel | testemunhador (Port.) (Ang.)
core bit | broca de testemunhagem
core bit, core head | coroa de testemunhagem
core box | caixa de testemunho
core catcher | agarrador de testemunho
core flow efficiency | eficiência de fluxo em testemunho
core gamma log | diagrafia gama de testemunho (Port.)
core gamma log | diagrafia raios gama de testemunho (Port.)
core gamma log | *log* raios gama de testemunho (Port.) (Ang.)
core gamma log: | perfil gama de testemunho
core hole | poço para recolha de testemunhos (Port.) (Ang.)
core hole | poço testemunhado
core image | imagem de testemunho
core picker | vareta de pescar esfera
core plug | plugue de testemunho
core plug | tampão de testemunho (Port.)
core record | registo das características de testemunho (Port.) (Ang.)
core record | registro de testemunho
core recovey | recuperação de testemunho
core sample | amostra de testemunho
core slicer | cortador lateral
core test well | poço para testemunhagem

coreflood, core flushing | análise de testemunho por lavagem
corer | amostrador de testemunhos
coring | testemunhagem
coring time | tempo de testemunhagem
Coriolis flow meter | medidor de vazão do tipo Coriolis
Coriolis force | força de Coriolis
corkscrew flute cast | marca de fluxo espiralada
corkscrew hole | poço espiralado
corod | haste contínua
corrected gamma ray | raio gama corrigido
corrected gas-oil ratio (STD GOR) | razão gás-óleo corrigida
corrected gas-oil ratio (STD GOR) | RGO corrigida
correction factor | fator de correção
corrective maintenance | manutenção corretiva
correlation | correlação
correlation coefficient | coeficiente de correlação
correlation ghost | fantasma da correlação
correlation log | diagrafia de correlação (Port.)
correlation log | *log* de correlação (Port.) (Ang.)
correlation log | perfil de correlação
correlative conformity | conformidade correlata
correlative surface | superfície correlata
corrosion | corrosão
corrosion agent | agente corrosivo
corrosion cap | capa de corrosão
corrosion coupon | cupão de corrosão (Port.)
corrosion coupon | cupom de corrosão
corrosion fatigue | corrosão fadiga
corrosion fatigue | fadiga por corrosão
corrosion inhibitor | inibidor de corrosão
corrosion potential | potencial de corrosão
corrosion rate | taxa de corrosão
corrosion-resistant alloy | liga resistente à corrosão
corrosive gas | gás corrosivo
corrosive product | produto corrosivo
corrosiveness | corrosividade
corrugated lamination | laminação corrugada
corrugation | corrugação
cosedimentation | sedimentação contemporânea
cost engineering | engenharia de custos
cost, insurance and freight (CIF) | custo, seguro e frete
cost-plus-incentive-fee contract | contrato de custo mais remuneração de incentivo
cost-reimbursable contract | contrato por administração
cost-reimbursable contract | contrato por preço móvel
cost-reimbursable contract | contrato por reembolso de custo (Port.)
cosurfactant | cossurfactante
counterbalance effect. | efeito de contrabalanceio
counterbalancing | contrabalanceamento
counterbalancing | contrabalanceio
counterweight | contrapeso

glossário

coupling | luva
coupling | acoplamento
covariance | covariância
covenants |
coverage | cobertura
coverage factor | fator de abrangência
cradle | berço de linhas
crane | guindaste
crane barge | balsa-guindaste
crane barge | barcaça guindaste (Port.)
crane boom | lança de guindaste
crank | manivela
crank arm | braço da manivela
crater | cratera
cratogene | escudo
craton | cratão (Port.)
craton |
creaming | cremagem
crescent beach | praia em crescente
crescentic lake | lago em crescente
crescentic levee lake | lago formado por dique marginal em crescente
crescentic mark | marca em crescente
crescent-type cross-bedding | estratificação cruzada acanalada
crescent-type cross-bedding | estratificação entrecruzada acanalada (Port.)
crevasse | crevassa
crevasse | crevasse (Port.)
crevasse channel | canal de crevassa
crevasse channel | canal de crevasse (Port.)
crevasse filling | preenchimento de crevassa
crevasse filling | preenchimento de crevasse (Port.) (Ang.)
crevasse splay | lobo de crevassa
crevice corrosion | corrosão por fresta
crevice corrosion | corrosão sob contato
crevice corrosion | corrosão sob fresta
crew boat and utility vessel | embarcação de passageiros
crew boat and utility vessel | barco de passageiros (Port.)
cricondenbar | cricondenbar
cricondenbar | cricondenbárica
cricondentherm | cricondenterma
cricondentherm | cricondentérmica
crinkled bedding | acamamento corrugado
crinkled bedding | estratificação corrugada (Port.)
crisscross bedding | estrato *crisscross*
critical angle | ângulo crítico
critical buckling force | força crítica de flambagem
critical coagulation concentration (CCC) | concentração de coagulação crítica
critical depth | profundidade crítica
critical dip | inclinação crítica
critical distance, crossover distance. | distância crítica
critical flow | escoamento crítico

critical flow | fluxo crítico
critical flow rate | vazão de fluxo crítico
critical flow, critical rate. | vazão crítica
critical gas flow rate | vazão de fluxo crítico de gás
critical gas saturation | saturação crítica de gás
critical gas saturation | saturação em gás crítica
critical micelle concentration | concentração micelar crítica
critical point | ponto crítico
critical pressure | pressão crítica
critical production rate | vazão crítica de produção
critical rate | débito crítico (Port.)
critical reflection | reflexão crítica
critical saturation | saturação crítica
critical state | estado crítico
critical temperature | temperatura crítica
critical velocity | velocidade crítica
critical water saturation | saturação crítica de água
critical water saturation | saturação em água crítica
crooked hole | poço tortuoso
cross array | arranjo cruzado
cross bar | barra transversal
cross dipole | dipolo cruzado
cross equalization. | equalização cruzada
cross hair | retículo
Cross model | modelo de Cross
cross section | seção transversal
cross section | secção transversal (Port.) (Ang.)
cross-correlation | correlação cruzada
cross-correlation flowmeter | medidor de fluxo por correlação cruzada
crosshole survey | levantamento interpoços
crosshole tomography | tomografia interpoços
cross-lamination, diagonal lamination | laminação cruzada
crossover sub | conversor de rosca
crossover sub | sub de cruzamento
crossover sub. | adaptador de cruzamento (Port.)
crossover valve | válvula de interconexão
crossplot porosity | porosidade de gráfico cruzado
cross-stratification, cross-bedding | estratificação cruzada
cross-stratification, cross-bedding | estratificação entrecruzada (Port.)
crown block | bloco cimeiro (Port.)
crown block | bloco de coroamento
crown block | bloco no cimo da torre de sonda (Port.)
crown-mounted compensator | compensador do bloco de coroamento
crude | cru
crude oil | óleo bruto
crude oil | óleo cru
crude oil | petróleo bruto
crude oil | petróleo cru

glossário

crude oil analysis | análise de óleo cru
crude oil tank farm | estação de armazenamento de petróleo
crude-oil base. | base do petróleo bruto
cryogenic plant | instalação criogênica (Port.)
cryogenic plant | planta criogênica
cryogenics | criogenia
cryptocrystalline | criptocristalino
crystal | cristal
crystal axis | eixo cristalográfico
crystal cell | cela cristalina
crystal class | classe cristalográfica
crystal face | face cristalográfica
crystal form | forma cristalina
crystal lattice | retículo cristalino
crystal system | sistema cristalino
crystalline | cristalino
crystalline limestone | calcário cristalino
crystallization | cristalização
crystallography | cristalografia
CT BOP, coiled tubing BOP | BOP de flexitubo
cubic packing | empacotamento cúbico
cuesta |
cumulative production | produção acumulada
cumulative taxation | cumulatividade
curing | cura
current assets | ativo circulante
current assets | ativo realizável (Port.)
current chart | gráfico de corrente
current electrode | eletrodo de corrente
current gain | ganho de corrente
current mark | marca de corrente
current price | preço corrente
current rectifier | retificador de corrente
current rectifier system. | sistema de retificação de corrente
current ripple | ondulação de corrente
current ripple mark | marca de ondulações de corrente
current-to-future gas price ratio | relação entre preço de gás corrente e preço futuro
cushion. | colchão
cusp | cúspide
cuspate bar | barra em cúspide
cuspate delta | delta cúspite
custody transfer measurement | transferência de custódia
custody transfer station | estação de transferência de custódia
customs insurance | seguro aduaneiro
cut | corte
cut and thread fishing technique | técnica de pescaria por corte e enroscamento
cut point | ponto de corte
cutoff | atalho
cutoff | linha de corte
cut-off frequency, roll-off frequency | frequência de corte
cutoff lake | lago de abandono de canal
cutout | incisão

cuttings | amostras de calha
cuttings lag time, cuttings time lag | tempo de retorno dos cascalhos
cycle of erosion | ciclo de erosão
cycle skip | salto de ciclo
cycle time | tempo de ciclo
cyclic load factor | fator de carga cíclica
cyclic loading. | carregamento cíclico
cyclic redundancy check | teste de redundância cíclica
cyclic salt | sal cíclico
cyclic sedimentation | sedimentação cíclica
cyclic terrace | terraço cíclico
cyclic water injection | injeção cíclica de água
cyclone | ciclone
cyclonic separator | separador ciclônico
cyclonite | ciclonita
cycloparaffin | cicloparafina
cylinder liner | camisa de cilindro
cylindrical cyclone gas-liquid separator. | separador cilíndrico ciclônico gás-líquido
daily drilling report | relatório diário de perfuração (Port.) (Ang.)
daily report | boletim diário de operações
Dalton's law | lei de Dalton
damage factor | fator de dano
damaged zone | zona danificada
Darcy unit system | sistema de unidades Darcy
darcy. |
Darcy's equation. | equação de Darcy
Darcy's law | lei de Darcy
Darcy-Weisbach formula | fórmula de Darcy-Weisbach
dart. | dardo
data book | livro técnico de projeto
data book |
data channel | canal de dados
data rate | taxa de transmissão de dados
data reconciliation | reconciliação de dados
dating | datação
datum correction | correção ao *datum*
datum level | nível de *datum*
datum migration, redatuming | migração do *datum*
datum plane | plano de *datum*
datum. |
daughter element | elemento filho
dead oil | óleo morto
dead space. | espaço morto
dead time | tempo morto
dead trace | traço morto
deadweight depressor. | depressor
deaerator tower | sistema de recuperação secundária por injeção de água
deaerator tower | torre desaeradora
deaerator tower | torre desarenisadora (Port.) (Ang.)
dealias | desfalseamento
dean-stark extraction | extração pelo *dean-stark*
debris avalanche | avalanche de detritos

548

glossário

debris dam | barragem de detritos
debris fall | queda de detritos
debris flood | inundação de detritos
debris flux or debris stream | fluxo de detritos (Port.)
debt service coverage ratio (DSCR) | índice de cobertura do serviço da dívida
decentralization. | descentralização
decision tree | árvore de decisão
deck cable | deck cable
deck. | convés
declaration of commerciality. | declaração de comercialidade
decline curve analysis | análise de curva de declínio
decommissioning | desativação da plataforma de produção
decommissioning | desativação de instalações
decommissioning | descomissionamento
decomposition | decomposição
decorrelation | decorrelação
deep dip | inclinação profunda (Port.)
deep dip | mergulho profundo
deep draft caisson vessel | unidade flutuante de alto calado
deep induction | indução profunda
deep investigation | investigação profunda
deep propagation log | diagrafia de propagação profunda (Port.)
deep propagation log | log de propagação profunda (Port.) (Ang.)
deep propagation log (DPL) | perfil de propagação profunda
deep-sea deposit | depósito de mar profundo
deep-sea environment | ambiente de fundo submarino
deep-tow survey | levantamento de reboque fundo
deepwater well | poço em águas profundas
deepwaters | águas profundas
defender fluid | fluido defensor
deflation basin | base de deflação
deflection. | deflexão
defloculation | defloculação
defloculation | desfloculação (Port.)
defoamer | antiespuma (Port.)
defoamer |
degasser, mud/gas separator | desgaseificador
deghosting | defantasmização
degree API | grau API
degree of freedom | grau de liberdade
degree of pseudoplasticity | grau de pseudoplasticidade
degree of slope | grau de inclinação
degree of sorting | grau de seleção
dehydration | desidratação
dehydration plant | instalação de desidratação (Port.)
dehydration plant | planta de desidratação
dehydrator | desidratador

dejection cone | cone de dejeção
Delaware gradient | gradiente Delaware
delay cap | espoleta de retardo
delay filter | filtro de retardo
delivery failure/receiving failure | falha de entrega/recebimento
delivery point | ponto de entrega
delta | delta
delta bedding | acamamento deltaico
delta bedding | estratificação deltática (Port.)
delta cap | capa de delta
delta complex | complexo deltaico
delta cycle | ciclo deltaico
delta front | frente deltaica
delta function | função delta
delta lake | lago deltaico
delta levee lake | lago de recepção de delta
delta levee lake |
delta lobe | lobo deltaico
delta plain | planície deltaica
delta plateau | planalto deltaico (Port.) (Ang.)
delta plateau | platô deltaico
delta shoreline | linha de costa de delta
delta structure | estrutura deltaica
delta top | topo de delta
delta-flank depression | depressão adjacente a um delta
delta-front platform | plataforma de frente deltaica
delta-front trough | calha de frente deltaica
deltaic coastal plain | planície costeira deltaica
deltaic deposit | depósito deltaico
deltaic tract | tracto deltaico (Port.)
deltaic tract | trato deltaico
demagnetization, degaussing | desmagnetização
demister |
demodulation | demodulação
demulsification | desemulsificação
demulsifier | desemulsificador
demulsifier | desemulsificante
demultiplexing | demultiplexação
demultiplexing | desmultiplexagem (Port.)
demurrage | sobre-estadia contratual
dendritic drainage | drenagem dendrítica
densimeter or densitometer | densímetro
densitometer | densitômetro (Port.)
density | densidade
density | massa específica
density contrast | contraste de densidade
density current | corrente de densidade
density log | diagrafia de densidade (Port.)
density log | log de densidade (Port.) (Ang.)
density log | perfil de densidade
density stratification | estratificação por densidade
density-reducing additive | aditivo redutor de densidade
denudation | denudação
denudation | desnudação (Port.)
departure curve | curva de partida

glossário

depletion | depleção
depletion | esgotamento (Port.)
depoaxis | eixo deposicional
deposit | jazida
deposit. | depósito
deposition | deposição
deposition zone | zona de deposição
depositional | deposicional
depositional dip | mergulho deposicional
depositional energy | energia de deposição
depositional environment | ambiente de deposição
depositional inclination | inclinação deposicional (Port.)
depositional magnetization | magnetização deposicional
depositional remanent magnetization | magnetização remanente deposicional
depositional system | sistema deposicional
depreciation. | depreciação
depressed flute cast | molde achatado em forma de flauta
depressurization | despressurização
depth column | coluna de profundidade
depth control log | *log* de controle de profundidade (Port.) (Ang.)
depth controller | controlador de profundidade
depth datum | nível de referência de profundidade
depth mark | marca de profundidade
depth of invasion | profundidade de invasão
depth of investigation | profundidade de investigação
depth of penetration | profundidade de penetração
depth probe | levantamento de profundidade
depth reference | referência de profundidade
depth slice | corte em profundidade
depth step | incremento de profundidade
depth wheel | roda de profundidade
depth-control log | perfil controle de profundidade
depth-to-time conversion. | conversão profundidade-tempo
deregulation | desregulamentação
dereverberation, deringing | derreverberação
derrick | torre de perfuração
derrickman. | torrista
desalinization | dessalinização
desalinization unit | dessalinizadora
desalter. | dessalgadora
desalting plant | instalação de dessalinização (Port.)
desalting plant | planta de dessalinização
desander | removedor de areia
desander | desarenisador (Port.)
desander. | desareador
desander. | desarenador
desert | deserto
desertification | desertificação
desiccation crack | greta de dessecação

desiccation mark | marca de dessecação
desiccation polygon | polígono de dessecação
design basis | base de projeto
design, build, finance and operate (DBFO) contract | contrato de projeto, construção, financiamento e operação
design, construct, manage and finance (DCMF) contract | contrato de projeto, construção, gerência e financiamento
designature | dessignatação
desorption. | dessorção
despatch | presteza contratual
detail log | diagrafia de detalhe (Port.)
detail log | *log* de detalhe (Port.) (Ang.)
detail log | perfil de detalhe
detailed design | engenharia de detalhes (Ang.)
detailed design | projeto de detalhamento
detailed design | projeto executivo
detailed engineering design | projeto de detalhamento de engenharia (Port.) (Ang.)
detectability | detectabilidade
detector | detector
detectors array | arranjo de detetores
detergency | detergência
detergent | detergente
deterministic deconvolution | desconvolução determinística (Port.)
deterministic deconvolution | deconvolução determinística
deterministic process | processo determinístico
detonating cord, explosive cord | cordel detonante
detrital | detrital
detrital mineral | mineral detrítico
detrital sediment | sedimento detrital
detritic sediment | sedimento detrítico
detritu, debri | detrito
development agency | agência de fomento
development agency | agência financeira de fomento (Port.)
development costs | custos de desenvolvimento
development plan | plano de desenvolvimento
development well | poço de desenvolvimento
deviated well | poço desviado
deviation angle | ângulo de desvio
deviation device | ferramenta de desvio (Port.)
deviation device | ferramenta defletora
deviation drilling | perfuração com desvio
deviation survey | levantamento de desvio
dew point | ponto de orvalho
dew point tester | testador de ponto de orvalho
dew point tester | testador do ponto de condensação (Port.)
dew-point curve | curva de ponto de orvalho
DHSV with sleeve | válvula de segurança de subsuperfície com camisão
diabase | diabásio
diachronic | diacrônico
diachronic unit | unidade diacrônica
diachronism | diacronismo

diachronous | diacrônica
diagenesis | diagênese
diagenetic | diagenético
diagenetic differentiation | diferenciação diagenética
diagenetic porosity | porosidade diagenética
diagnostic mineral | mineral de diagnóstico
diagnostic mineral | mineral diagnóstico
diagonal scour mark | marca de escavação diagonal
diamagnetic | diamagnético
diameter of invasion | diâmetro de invasão
diameter of investigation. | diâmetro de investigação
diamictite | diamictito
diamond array | matriz diamante
diamond bit | broca de diamante
diaphragm valve, membrane valve | válvula diafragma
diaphthoresis, retrograde metamorphism | metamorfismo retrogressivo
diapir | diápiro
diastem | diastema
diatomaceous clayey shale | xisto argiloso rico em diatomáceas (Port.) (Ang.)
diatomaceous earth | terra diatomácea
diatomaceous ooze | vasa de diatomáceas
diatomaceous shale | folhelho rico em diatomáceas
diatomite | diatomito
dichroism | dicroísmo
die collar. |
dielectric constant | constante dielétrica
dielectric log | perfil dielétrico
dielectric oil | óleo dielétrico
dielectric permittivity | permissividade dielétrica
dielectric propagation log | diagrafia de propagação dielétrica (Port.)
dielectric propagation log | *log* de propagação dielétrica (Port.) (Ang.)
dielectric propagation log | perfil de propagação dielétrica
dielectric strength | resistência dielétrica
diesel plug | colchão de diesel
difference map | mapa diferença
differential compaction | compactação diferencial
differential erosion | erosão diferencial
differential global positioning system (DGPS). | sistema de posicionamento global diferencial
differential log | diagrafia diferencial (Port.)
differential log | *log* diferencial (Port.) (Ang.)
differential log | perfil diferencial
differential separation. | separação diferencial
differential SP | SP diferencial
differential spectrum | espectro diferencial
differential sticking | prisão por diferencial de pressão
differential temperature log | diagrafia diferencial de temperatura (Port.)

differential temperature log | *log* diferencial de temperatura (Port.) (Ang.)
differential weathering correction | correção de diferencial da camada de intemperismo
differential-temperature log | perfil diferencial de temperatura
differentiated compliance anchoring (DICAS) | ancoragem com complacência diferenciada (DICAS)
diffracted reflection | reflexão difratada
diffraction | difração
diffuse layer | camada difusa
diffusion | difusão
diffusion equation | equação da difusão
diffusion relaxation | relaxação por difusão
digital filter | filtro digital
digital measuring instrument | instrumento de medição digital
digital recording | registo digital (Port.) (Ang.)
digital recording | registro digital
digital signal | sinal digital
digital-to-analog conversion. | conversão digital analógica
digital-to-analog converter | conversor digital-analógico
digitate delta | delta digitiforme
digitized map | mapa digitalizado
digitizer | digitalizador
dike set, dike swarm | enxame de diques
dike. | dique
dilatancy. | dilatância
dilatant fluid | fluido dilatante
dimensionless pressure | pressão adimensional
dip | inclinação de camadas geológicas (Port.)
dip | mergulho de camadas geológicas
dip correction | correção do mergulho
dip log, dipmeter log, stick plot | perfil de mergulho
dip map | mapa de mergulhos
dip moveout (DMO) |
dipmeter | medidor de mergulho
dipole | dipolo
Dirac's pulse | pulso de Dirac
direct current | corrente contínua
direct emulsion. | emulsão direta
direct hydrocarbon indicator (DHI) | indicador direto de hidrocarboneto
direct stratification | estratificação direta
directional charge | carga direcional
directional drilling | furo direcional
directional drilling | perfuração direcional
directional filtering | filtragem direcional
directional hole | poço direcional
directional load cast | marca de carga direcional
directional log | diagrafia direcional (Port.)
directional log | *log* direcional (Port.) (Ang.)
directional log | perfil direcional
directional plot | diagrafia de acompanhamento da trajetória do poço (Port.)
directional plot | *log* de acompanhamento da trajetória do poço (Port.) (Ang.)

551

glossário

directional plot | perfil de acompanhamento da trajetória do poço
directional spool valve | válvula direcional de êmbolo
directional structure | estrutura direcional
directivity | diretividade
dirty arkose | arcose impura (Port.)
dirty sand | areia suja
dirty sand | arenito sujo (Port.)
dirty sand | grés sujo (Port.)
disc bit | broca de disco
disc hydrophone | hidrofone de disco
discharge coefficient | coeficiente de descarga
discharge head | cabeça de descarga
discharge valve, dump valve | válvula de descarga
discharge. | descarga
disconformity | desconformidade
discontinuity | descontinuidade
discontinuity surface | superfície de descontinuidade
discordance | discordância
discordance index | índice de discordância
discordance or nonconformity | discordância ou não concordância (Port.)
discordant | discordante
discordant bedding | acamamento discordante
discordant bedding | estratificação discordante (Port.)
discovered by chance | descoberta ao acaso (Port.)
discovery | descoberta
discovery cost | custo de descoberta
discovery costs | custos de descoberta
discovery development | desenvolvimento produtivo
discovery evaluation | avaliação de descoberta
discovery notification | notificação de descoberta
discovery well | poço descobridor
discovery well | poço-descoberta (Port.) (Ang.)
discrete signal | sinal discreto
dish structure | estrutura em prato
dismicrite | dismicrita
dismicrite | dismicrite (Port.)
dismounting, movement and mounting | desmontagem, movimentação e montagem (DMM)
dismounting, transport and mounting | desmontagem, transporte e montagem (DTM)
dispersant | dispersante
dispersed bubble flow | escoamento bolhas dispersas
dispersed bubble flow pattern | padrão de escoamento em bolhas dispersas
dispersed drilling fluid | fluido de perfuração disperso
dispersed drilling fluid | lama de perfuração dispersa
dispersed phase. | fase dispersa
dispersed system | sistema disperso bifásico
dispersion | dispersão
displacement | substituição de fluido

displacement efficiency. | eficiência de deslocamento
displacement tank | tanque de deslocamento
displacement volume | volume de deslocamento
disposal well | poço de descarte
dissection | dissecação
dissolution | dissolução
dissolved gas | gás dissolvido
dissolved gas flotation | flotação a gás dissolvido
dissolved gas flotation | flutuação a gás dissolvido (Port.)
distal. | distal
distance meter | distancímetro
distributary | distributário
distributary mouth bar | barra de desembocadura de distributário
distributed digital control system | sistema digital de controle distribuído (SDCD)
distributed temperature sensing. | sensor de temperatura distribuída
distributed temperature sensing. | sensoriamento distribuído de temperatura
distribution manifold | manifolde de distribuição
diterpane | diterpano
diterpane | diterpeno (Port.)
diurnal variation | variação diurna
diver assisted | assistida por mergulhador
diversion, divergence | divergência
diversity stack | empilhamento diversificado
diverter | BOP de baixa pressão
diverter | preventor anular de baixa pressão
diving bell | sino de mergulho
diving support vessel | barco de apoio a mergulho (Port.)
diving support vessel | barco de mergulho (Port.)
diving support vessel | embarcação de mergulho
diving support vessel | embarcação de suporte ao mergulho
diving support vessel. | embarcação de apoio a mergulho
dog leg severity (DLS) | aumento crítico do desvio
dog leg severity (DLS). | intensidade da variação da trajetória
dogleg severity | severidade de curvatura
dogleg, hole curvature | curvatura do poço
dogleg, hole curvature | mudança brusca de direção do poço (Port.) (Ang.)
dogleg, hole curvature | perna de cão (Port.) (Ang.)
dolarenite | dolarenito
dolerite | dolerito
doline | dolina
dolocast | molde de dolomita
dolocast | molde de dolomite (Port.) (Ang.)
dololithite | dololitito
dololutite | dololutito
dolomicrite | dolomicrita
dolomicrite | dolomicrito (Port.)
dolomite | dolomita

glossário

dolomite | dolomito
dolomite mudstone | dolomito lamoso
dolomite rock | rocha dolomítica
dolomitic marble | mármore dolomítico
dolosiltite | siltito dolomítico
domain | domínio
domain area | área de domínio
dome | domo
domestic crude oil stream | corrente de petróleo nacional
dominant frequency | frequência dominante
dominant period | período dominante
Doppler count | contagem Doppler
Doppler effect. | efeito Doppler
Doppler navigation | navegação Doppler
Doppler radar | radar Doppler
Doppler sonar | sonar Doppler
double block and bleed valve | válvula de duplo bloqueio e dreno
double sealing valve | válvula de dupla vedação
double time slice | corte temporal duplo
double tubing hanger | suspensor de *tubing* duplo
double-layer weathering | zona de intemperismo duplo
down thrust | empuxo para baixo
down thrust | força ascensional para baixo (Port.)
down thrust operation | operação em *down thrust*
downbowing, pull-down, time sag | pseudodepressão
downdip | mergulho abaixo
downdip | mergulho em posição inferior no plano inclinado (Port.) (Ang.)
downhole grounding | aterramento intrafuro
downhole motor with bent housing | motor de fundo com carcaça curva
downhole pressure and temperature sensor. | sensor de temperatura e pressão de fundo do poço
downhole pressure and temperature transmitter | transmissor de pressão e temperatura de fundo de poço
downhole receiver | receptor intrafuro
downhole safety valve | válvula de segurança de subsuperfície
downhole safety valve. | válvula de segurança de subsuperfície
downhole separator | separador de fundo
downhole source | fonte intrafuro
downslope. | talude abaixo
downstream | jusante
downstream |
downstroke | curso descendente
downtime | tempo de sonda parada
downward continuation | continuação descendente
DP ship | navio aliviador DP
drag | arraste

drain well | poço de drenagem
drainage area | área de drenagem
drainage relative permeability | permeabilidade relativa na drenagem
drape lamination | laminação drapejante
draping | drapeamento
drawback | reembolso de direitos de importação (Port.)
drawback | draubaque (Port.)
drawback |
drawback regime | regime de draubaque (Port.)
drawback regime | regime de drawback
drawdown | diferencial de pressão entre reservatório e poço
drawdown |
drawwork. | guincho
drift | deriva
drift diameter | diâmetro de passagem
drift test | teste de diâmetro de passagem
drifting | desobstruir condutas (Port.)
drifting | gabaritar
drill a hole, make a hole | perfurar o poço
drill bit | broca de perfuração
drill collar | comando de perfuração
drill collar | drill collar de fundo (Port.)
drill core | testemunho de sondagem
drill cuttings | amostra de calha
drill floor | piso da sonda
drill lock assembly | conjunto de travamento do BHA, revestimento
drill lock assembly (DLA) |
drill on paper | perfurar no papel
drill pipe | tubagem de perfuração (Port.) (Ang.)
drill pipe | tubo de perfuração
drill string | coluna de perfuração
drill string compensator | compensador da coluna de perfuração (Port.) (Ang.)
drill string design | projeto da coluna de perfuração
drill water | água para perfuração
drilled solid | sólido de perfuração
driller´s depth | profundidade do sondador
driller's control panel | painel de controle do sondador
driller's control panel | painel de controlo do sondador (Port.)
drilling | perfuração
drilling ahead | continuando a perfurar (Port.)
drilling ahead | perfuração em andamento (Port.) (Ang.)
drilling ahead | perfurar adiante
drilling capacity. | capacidade de perfuração
drilling cost | custo da perfuração
drilling crew | equipa de perfuração (Port.)
drilling crew | equipe de perfuração
drilling data acquisition system | sistema de aquisição de dados de perfuração
drilling data acquisition system | sistema de registo de dados de perfuração (Port.) (Ang.)

553

glossário

drilling fluid specialist, mud engineer | especialista de fluido de perfuração
drilling fluid weight or mud weight | densidade da lama de perfuração (Port.)
drilling fluid weight or mud weight | densidade do fluido de perfuração
drilling instrumentation package (DIP) | pacote de instrumentação de perfuração
drilling jar | articulação flexibilizadora da coluna de perfuração (Port.)
drilling jar | intensificador de força axial
drilling mud | lama de perfuração
drilling mud, mud, drilling fluid | fluido de perfuração
drilling operations | operações de perfuração
drilling parameters | parâmetros de perfuração
drilling permit | licença de perfuração
drilling permit | permissão para perfuração
drilling pipe and casing | tubagem de perfuração e revestimento (Port.) (Ang.)
drilling pipe and casing | tubagem de poço petrolífero (Port.) (Ang.)
drilling pipe and casing | tubo de poço de petróleo
drilling program | programa de perfuração
drilling rig | sonda de perfuração
drilling riser | *riser* de perfuração
drilling tender | barco de apoio a perfuração
drillpipe riser | *riser* de produção
drillpipe riser (DPR) | coluna de trabalho de interligação de coluna
drillship | navio-sonda
drillship | barco sonda (Port.)
drop off | queda da inclinação
drop off | redução da inclinação do poço
drop off point (DOP) | ponto de início da queda da inclinação
drop off rate | taxa de perda de ângulo
drop point | ponto de queda
droplet break-up | quebra de bolhas
droplet size | diâmetro de gotícula
dropoff section | trecho com redução de ângulo
dropout | perda
dropped pebble | seixo caído
dropping point | ponto de gota
dry calibration | calibração a seco
dry cell | pilha seca
dry completion | completação seca
dry completion | completamento seco (Port.)
dry delta | delta seco
dry gas | gás seco
dry lubricant | lubrificante seco
dry test | teste seco
dry well | poço seco
dry-mateable connector | conector seco
dry-mateable electrical connector for signals | conector elétrico seco para sinais
dry-mateable optical connector for signals | conector óptico seco para sinais
dual cable | cabo duplo

dual completion, parallel tubing-string completion | completação dupla
dual completion, parallel tubing-string completion | completamento duplo (Port.)
dual laterolog | perfil lateral duplo
dual packer | packer duplo
dual-gradient drilling | perfuração com gradiente duplo
dual-guard log | perfil de dupla localização
dual-induction log | perfil de indução dupla
dual-polarity display | gráfico de polaridade dupla
dubai | dubai
duct. | duto
ductile | dúctil
ductility of cement paste. | dutilidade da pasta
ductility of cement slurry | dutilidade da calda (Ang.)
dummy trace | traço bobo
dummy valve | válvula cega
dump. | descarte
dumped deposit | depósito amontoado
dune | duna
dune complex | complexo de dunas
dune field | campo de dunas
dune lake | lago de duna
dune movement | movimento de duna
dune ridge | crista de duna
dune sand | areia de duna
dune sand | arenito de duna (Port.)
dune sand | grés de duna (Port.)
duplication check | verificação de duplicação
Dupré equation | equação de Dupré
dynamic calibration | calibração dinâmica
dynamic cooling | resfriamento dinâmico
dynamic filtration | filtração dinâmica
dynamic geophone | geofone dinâmico
dynamic heating | aquecimento dinâmico
dynamic positioning | posicionamento dinâmico
dynamic positioning ship | navio DP
dynamic positioning vessel | barco de posicionamento dinâmico (Port.)
dynamic range | faixa dinâmica
dynamic recrystallization | recristalização dinâmica
dynamic viscosity | viscosidade dinâmica
dynamometer | dinamômetro
dynamometer card. | carta dinamométrica
E layer | camada E
E&P | E&P
early diagenesis | diagênese precoce
earth flow | fluxo de terra (Port.)
Earth layering. | estrutura interna da Terra
earth tide | maré terrestre
earthflow | escoamento de terra
earthquake | terramoto (Port.) (Ang.)
earthquake | terremoto
ebb channel | canal de maré vazante
ebb current | corrente de maré vazante
ebb tide | maré vazante

glossário

ebb-tide delta system | sistema deltaico de maré vazante
eccentric. | excêntrico
eccentricity cycle | ciclo de excentricidade
eccentricity. | excentricidade
echogram | ecograma
echosounder. | ecobatímetro
echo-sounding sonar | ecossonar
ecological amplitude | amplitude ecológica
ecological barrier | barreira ecológica
ecological- economic zonation | zoneamento ecológico-econômico
ecological niche | nicho ecológico
ecological reserve | Reserva Ecológica
ecological station | estação ecológica
ecology | ecologia
economic and technical feasibilty study | estudo de viabilidade técnica e econômica (EVTE)
economic basement | soco econômico (Port.)
economic basement. | embasamento econômico
economic exploitation | aproveitamento econômico
economic geology | geologia econômica
economic point | ponto econômico
economic risk | risco econômico
economic sectors | setores econômicos
ecosystem | ecossistema
ecotone | ecótono
ecozone | ecozona
effective permeability | permeabilidade efetiva
effective porosity | porosidade efetiva
effective viscosity | viscosidade efetiva
effluent | efluente
effluent stream | canal efluente
effusive | efusiva
effusive rock | rocha efusiva
eikonal equation | equação iconal
Ekman spiral | espiral de Ekman
elastic constant | constante elástica
elastic discontinuity | descontinuidade elástica
elastic impedance | impedância elástica
elastic limit | limite de elasticidade
elastic modeling | modelagem elástica
elastic wave | onda elástica
elasticity | elasticidade
elasticity modulus | módulo de elasticidade
elasto-hydrodynamic lubrication | lubrificação elasto-hidrodinâmica
elastomer | elastômero
electric log | perfil elétrico
electric motor | motor elétrico
electric motor protector | protetor do motor elétrico
electric motor slip | escorregamento em um motor elétrico
electric stability | estabilidade elétrica
electrical anisotropy | anisotropia elétrica
electrical basement | soco cristalino por diagrafia elétrica (Port.)
electrical basement. | embasamento elétrico

electrical cable belt | cinta de cabo elétrico
electrical cable clamp | braçadeira de cabo elétrico
electrical cable clamp | clamp de cabo elétrico
electrical cable splice | emenda de cabo elétrico
electrical cable splice | união de cabo elétrico (Port.) (Ang.)
electrical command panel | quadro de comando elétrico
electrical current | corrente elétrica
electrical discharge source | fonte de descarga elétrica
electrical double layer | teoria da dupla camada elétrica
electrical generator | gerador elétrico
electrical imaging log | perfil de imageamento elétrico
electrical megger | medição de isolamento elétrico
electrical method | método elétrico
electrical noise | ruído elétrico
electrical pothead | conector elétrico
electrical profiling, electrical trenching | perfilagem elétrica
electrical resistivity | resistividade elétrica
electrical submersible pump | electrobomba submersível (Ang.)
electrical submersible pump, ESP | bomba centrífuga submersa
electrical submersible pump, ESP | bomba centrifugadora submersa (Port.) (Ang.)
electrical submersible pumping | bombagem centrífuga submersa (Port.)
electrical submersible pumping | bombeamento centrífugo submerso (BCS)
electrical submersible pumping | bombeio centrífugo submerso (BCS)
electrical submersible pumping cable | cabo elétrico para bombeamento centrífugo submerso
electrical submersible pumping. | bombeamento elétrico submersível (Ang.)
electrical transformer | transformador elétrico
electrically erasable programmable read-only memory (EEPROM) | memória apenas de leitura e apagamento elétrico programável
electrically-operated control valve | válvula de controle operada eletricamente
electric-motor stator | estator de motor elétrico
electrochemical corrosion | corrosão eletroquímica
electrode | eletrodo
electrode array | arranjo de eletrodos
electrode array | matriz de eletrodos
electrode configuration | configuração de eletrodos
electrode effect | efeito eletrodo
electrode polarization | polarização dos eletrodos
electrode resistance | resistência dos eletrodos
electrofacies | eletrofácies
electro-hydraulic distribution module | módulo de distribuição eletro-hidráulica

electro-hydraulic umbilical | umbilical eletro-hidráulico
electrolyte | eletrólito
electrolytic contact potential | potencial eletrolítico de contato
electrolytic corrosion | corrosão eletrolítica
electromagnetic method (EM) | método eletromagnético
electromagnetic propagation log | diagrafia de propagação eletromagnética (Port.)
electromagnetic propagation log | log de propagação eletromagnética (Port.) (Ang.)
electromagnetic propagation log (EPL) | perfil de propagação eletromagnética
electromagnetic propagation measurement | medida de propagação eletromagnética
electromechanical switch | chave eletromecânica
electron microscopy | microscopia eletrônica
electronegativity | eletronegatividade
electronic balance | balança eletrônica
electronic conductor | condutor eletrônico
electronic data interchange (EDI) | movimento eletrônico de documentos e dados
electrophoretic mobility | mobilidade eletroforética
electropolarization potential | potencial de eletropolarização
electroseismic prospecting | prospecção eletrossísmica
electrostatic coalescer | coalescedor eletrostático
electrostatic repulsion | repulsão eletrostática
electrostatic separation | separação eletrostática
electrostatic stabilization | estabilização eletrostática
electrostatic treater | tratador eletrostático
electrosub mandrel | mandril *eletrosub*
element. | elemento
elemental analysis | análise elemental
elevation correction | correção da elevação
elevation correction factor | fator de correção da elevação
elevator | elevador
Ellis model. | modelo de Ellis
elongated charge | carga alongada
eluant or eluent | eluente
eluate | eluato
elutriation | decantação
eluvial | eluvial
eluvial deposit | depósito de eluvião
eluviation | eluviação
eluvium | elúvio
emergence angle | ângulo de emergência
emergency | emergência
emergency disconnect package | conjunto de desconexão de emergência
emergency disconnect package | ferramenta de desconexão de emergência (Ang.)
emergency disconnect system. | sistema de desconexão de emergência
emergency plan | plano de emergência

emergency shut down | fecho de emergência (Port.)
emergency shutdown | parada de emergência
emergency shutdown | paragem de emergência (Port.) (Ang.)
emergency shutdown system | sistema de fechamento de emergência
emergency shutdown system | sistema de intertravamento e parada de emergência
emergency shutdown valve | válvula de parada de emergência
emergency shutdown valve | válvula de paragem automática de emergência (Port.)
emission | emissão
emission spectrum | espectro de emissão
emissivity | emissividade
empty pipe calibration | calibração com tubo vazio
emulsifier | emulsificante
emulsifier | emulsionador (Ang.)
emulsifier | emulsionante
emulsion break | quebra de emulsão
emulsion breaker tank | tanque de quebra de emulsão
emulsion inversion | inversão da emulsão
emulsion point | ponto de emulsão
emulsion. | emulsão
emulsionability | emulsionabilidade
end effect | efeito de extremidade
endogenous | endógeno
end-on spread | levantamento sísmico tipo lanço lateral
endothermic | endotérmico
energizing coil | bobina de excitação
energy reflection coefficient | coeficiente de reflexão de energia
energy source | fonte de energia
engine oil API classification | classificação API para óleo de motor
engineering | engenharia consultiva
engineering service | serviço de engenharia
Engineering, Procurement and Construction (EPC) Contract | contrato EPC
Engler degree | grau Engler
enhanced crude oil recovery | recuperação avançada de petróleo
enhanced oil recovery (EOR) | recuperação melhorada de óleo
enriched-gas injection | injeção de gás enriquecido
enterolithic | enterolítica
enterolithic anhydrite | anidrita enterolítica
enterolithic anhydrite | anidrite enterolítica (Port.)
enthalpy | entalpia
entrainment | ejeção
entropy | entropia
entry barriers | barreiras a entrada
entry point | ponto de captação
envelope | envoltória

envelope amplitude | amplitude da envoltória
environment | meio ambiente
environmental accounting | contabilidade ambiental
environmental assessment | diagnóstico ambiental
environmental assessment | estudo ambiental
environmental certification. | certificação ambiental
environmental conditions | condições ambientais
environmental control project | projeto de controle ambiental (PCA)
environmental control report | relatório de controle ambiental (RCA)
environmental cost | custo ambiental
environmental damage | dano ambiental
environmental degradation | degradação ambiental
environmental effect | efeito ambiental
environmental feasibility study, Brazil | Estudo de Viabilidade Ambiental (EVA), Brasil
environmental impact | impacto ambiental
environmental impact assessment | avaliação de impacto ambiental
environmental impact report | Relatório de Impacto Ambiental (RIMA)
environmental impact study, Brazil | Estudo de Impacto Ambiental, Brasil (EIA)
environmental installation license | licença de Instalação (LI)
environmental labeling | rotulagem ambiental
environmental liability | passivo ambiental
environmental licensing guide | guia de licenciamento ambiental
environmental management | gestão ambiental
environmental management | ordenamento ambiental
environmental monitoring | monitoramento ambiental
environmental operating license | licença de operação (LO)
environmental performance assessment | avaliação de desempenho ambiental
environmental performance. | desempenho ambiental
environmental permit (or license) | licença ambiental
environmental permit (or license) | licença prévia (LP)
environmental permitting | licenciamento ambiental (EVA)
Environmental Protection Agency | Agência de Proteção Ambiental
environmental protection area, Brazil | área de proteção ambiental, Brasil
environmental quality | qualidade ambiental
environmental recovering | recuperação ambiental
environmental resource | recurso ambiental
environmental risk evaluation report | relatório de avaliação de risco ambiental
environmental seismic assessment, Brazil | Estudo Ambiental de Sismica (EAS), Brasil
environmental system | sistema ambiental
environmental valuation | valoração ambiental
environmentalism | ambientalismo
eolian deposit | depósito eólico
eolian landform | forma eólica terrestre
eolianite. | eolianito
eolic | eólico
eon or aeon | éon
eonothem | eonotema
EP lubricant | lubrificante EP
ephemeral stream | corrente efêmera
epicenter. | epicentro
epigenesis | epigênese
epigenetic | epigenético
episodic event | evento episódico
epithermal deposit | depósito epitermal
epizone | epizona
epoch | época
epsilon cross-bedding | estratificação cruzada epsilon
equal-ripple filter | filtro equiondulado
equatorial array | arranjo equatorial
equilibrium constant | constante de equilíbrio
equilibrium gas drive |
equilibrium line | linha de equilíbrio
equilibrium profile, profile of equilibrium | diagrafia de equilíbrio (Port.)
equilibrium profile, profile of equilibrium | *log* de equilíbrio (Port.) (Ang.)
equilibrium profile, profile of equilibrium | perfil de equilíbrio
equipotential surface | superfície equipotencial
equity investors | investidores de capital próprio (Port.)
equity investors |
equity joint venture | associação por ações de capital (Port.)
equity joint venture | parceria por ações de capital (Port.) (Ang.)
equity joint venture. |
equivalent circulating density | densidade equivalente de fluido de perfuração
equivalent wavelet | pulso equivalente
erathem | eratema
erosion | erosão
erosion corrosion | corrosão por erosão
erosion corrosion | corrosão-erosão
erosion groove | calha erosional
erosion intensity | intensidade de erosão
erosion plane | plano de erosão
erosion remnants | remanescentes da erosão
erosion ridge | crista erosiva
erosion scarp | escarpa de erosão
erosion surface | superfície de erosão
erosional coast | costa erosiva
erosional hiatus | hiato erosional
erosional landform | forma de superfície erosional

glossário

erosional surface | superfície erosional
erosional unconformity | discordância erosional
erosional velocity | velocidade erosional
eruption breccia | brecha de erupção
eruption cycle | ciclo de erupção
eruption magnitude | magnitude da erupção
eruption rain | chuva de erupção
eruptive rock | rocha eruptiva
escalator clause | cláusula de escala móvel
esker |
ESP horizontal electric motor | motor elétrico para bombeio centrífugo submerso horizontal
ESP in dry completion | BCS em completação seca
ESP in dry completion | BCS em completamento seco (Port.)
ESP in wet completion | BCS em completação molhada
ESP in wet completion | BCS em completamento molhado (Port.)
ESP shroud | BCS *shroud*
ESP shroud adapter | adaptador para camisa de bombeamento centrífugo submerso
estuarine | estuarino
estuarine delta | delta de estuário
estuarine deposit | depósito de estuário
estuary. | estuário
ethane. | etano
ethernet | ethernet
ethylene. | etileno
euhedral | euédrico
Euro Interbank Offered Rate | euribor
eurobond. | euro-obrigação (Port.)
eurobonds | eurobônus
eurodollar. | eurodólar
eustasy. | eustasia
eustatic change | mudança eustática
eustatic cycle | ciclo eustático
eustatic sea level change | variação eustática do nível do mar
euxinic. | euxínico
evacuation | evacuação
evaporite | evaporito
event | evento
event | evento geológico
event tree | árvore de eventos
ex works (EXW) |
excess mass. | excesso de massa
exclusive economic zone | zona econômica exclusiva
exfoliation | esfoliação
exothermic | exotérmico
expandable screen | crivo expansível (Port.)
expandable screen | tela expansível
expanded spread | lanço expandido
expanded uncertainty | incerteza expandida
expanding cement slurry | pasta de cimento expandida
expansible. | expansível
expansion factor | fator de expansão

expected monetary value | valor monetário esperado
explicit operator | operador explícito
exploding reflector | refletor explosivo
exploding-reflector migration | migração tipo refletor explosivo
exploitation | explotação
exploitation well | poço de explotação
exploration | exploração
exploration assets | ativos de exploração
exploration geophysics | geofísica da exploração
exploration or research | exploração ou pesquisa
exploratory success index | índice de sucesso exploratório
exploratory success rate | taxa de sucesso exploratório
exploratory well | poço exploratório
explosive eruption | erupção explosiva
exponential decline. | declínio exponencial
export downcomer |
export riser | *riser* de exportação
extended-reach drilling | perfuração com objectivo a grande distância (Port.) (Ang.)
extended-reach drilling | perfuração de grande afastamento
extended-reach well (ERW) | poço de longo alcance
extender | estendedor
extender | redutor da densidade da lama (Port.) (Ang.)
extension well | poço de extensão
extensional rheometer | reômetro extensional
extensional stress | tensão extensional
extensional viscosity | viscosidade extensional
external casing packer | obturador externo de anular
external casing packer (ECP) |
external filter cake | reboco externo
external tape and float | régua externa
external thread | rosca externa
external upset joint | conexão EU
extraclast. | extraclasto
extra-heavy oil | óleo cru extrapesado
extra-heavy oil | óleo extrapesado
extreme pressure agent | agente de extrema pressão
extrusive rock | rocha extrusiva
F layer | camada F
F/N curve | curva FxN
fabric | arcabouço
faceted pebble | seixo facetado
facies | fácies
facies analysis | análise de fácies
facies association | associação de fácies
facies change | mudança de fácies
facies contour | contorno de fácies
facies fauna | fauna faciológica
facies map | mapa de fácies
facing of strata | face do estrato

glossário

factory acceptance testing (FAT) | teste de aceitação de fábrica (TAF)
factory calibration | calibração de fábrica
fail as-is | falha estacionária
fail as-is | falha na posição
fail as-is | falha no estado
fail safe | falha segura
fail-close valve | válvula 'fecha quando em falha'
fail-safe close valve | válvula de falha segura fechada
fail-safe open valve | válvula abre quando em falha
fail-safe open valve | válvula de falha segura aberta
failure envelope | envelope de ruptura
failure envelope | envoltório de ruptura (Port.)
failure mode | modo de falha
failure modes and effects analysis (FMEA) | análise de modos e efeitos de falhas
failure modes, effects and criticality analysis (FMECA) | análise de modos, efeitos e criticidade de falhas
failure rate | taxa de falhas
fair-weather deposit | depósito de tempos normais
fall back | queda de líquido
fallback | retorno de líquido
falloff test |
false bedding | falsa estratificação (Port.)
false bedding | pseudoacamamento
fan | leque
fan delta | leque deltaico
fan filter | filtro em leque
fan shooting | levantamento em leque
fanglomerate | leque conglomerático
Fann viscosimeter or V-G meter | viscosímetro Fann
far-field | campo remoto
farm-in | aquisição de parte de concessão por terceiros
farm-in |
farm-out | venda de concessão ou parte dela a terceiros
farm-out |
fatigue | fadiga
fatigue damage | dano por fadiga
fatigue endurance limit | limite de resistência à fadiga
fatigue life | vida a fadiga
fatty acid | ácido gordo (Port.)
fatty acid | ácido graxo
fault | falta
fault tree | árvore de falhas
fault tree analysis (FTA) | análise por árvore de falhas
feather pattern | arranjo pluma
feathering | deriva de cabos
federal technical register of activities and instruments for environmental protection | cadastro técnico federal de atividades e instrumentos de defesa ambiental, Brasil

federal technical register of potentially polluting activities and users of environmental resources consumer, Brazil | cadastro técnico federal de atividades potencialmente poluidoras ou utilizadoras de recursos ambientais, Brasil
feedback control, closed loop-control | controle em malha fechada
feedback control, closed loop-control | controle em malha fechada
feedforward filter | filtro proativo
feedstock | suprimento de matéria-prima
feedstock. | carga de entrada
feldspathization | feldspatização
female connection or thread | rosca fêmea
fence diagram | diagrama tipo cerca
Fermat's principle | princípio de Fermat
ferricrete | ferricrete
ferricrete | ferricreto (Port.)
festoon | festão
Fiber Bragg Grating | rede de Bragg
fiber-optic cable | cabo óptico
fiber-optic sensor | sensor de fibra óptica
fiber-optic temperature and pressure sensor | sensor óptico de pressão e temperatura
fiducial time | tempo fiducial
field abandonment | abandono do campo
field appraisal | avaliação de campo petrolífero
field calibration | calibração de campo
field correction | correção de campo
field delineation well | poço de delineamento de campo (Port.) (Ang.)
field development well | poço de desenvolvimento de campo
field filter | filtro de campo
field production | produção de campo
field shot identifier | identificador de tiro
field stati | estática de campo
fieldbus | barramento industrial
fill-up | recuperação por injecção de água (Port.) (Ang.)
fill-up |
fill-up period | período de injecção de água para recuperação secundária (Port.) (Ang.)
fill-up period |
film strength | resistência de filme
filter correction | correção de filtro
filter element. | elemento de filtro
filter press | filtro prensa
filter response | resposta do filtro
filter slope | gradiente do filtro
filter-cake permeability | permeabilidade do reboco
filtrate | filtrado
filtrate loss | perda de filtrado
filtrate reducer | redutor de filtrado
filtration | filtração
filtration test | teste de filtração
filtration-control agent | aditivo controlador da filtração
final gain | ganho final

glossário

final gel strength | força final do gel (Port.)
final gel strength | gel final (Gf)
financial contract equation principle | princípio de equação financeira do contrato
financial schedule | cronograma financeiro
financing for projects | financiamento a empreendimentos
fine-grained sediment | sedimento fino
fine-grained sediment | sedimento de grão fino (Port.)
fingering | digitação
fining upward | diminuição do tamanho do grão para cima
finite-conductivity fracture | fratura de condutividade finita
fire flood |
fire point | ponto de combustão
firing head | cabeça de disparo
firing line | linha de fogo
firing rate | taxa de detonação
firm delivery | entrega/recebimento firme
firmware |
first bottom return | primeiro retorno
first normal stress difference | primeira diferença de tensão normal
first of refusal |
first oil production | primeira parcela de óleo
first stage separation | primeiro estágio de separação
first-surface return | retorno da superfície
fiscal metering | medição fiscal
FISER rheometer; filament stretching extensional rheometer | reômetro FISER
fish | peixe
fish height | altura do peixe
fisherman | pescador
fishing | pesca (Port.) (Ang.)
fishing | pescaria
fishing assembly | coluna de pesca (Port.) (Ang.)
fishing assembly | coluna de pescaria
fishing hand | técnico de pesca (Port.)
fishing hand | técnico de pescaria
fishing head | cabeça de pesca (Port.)
fishing head | cabeça de pescaria
fishing jar | articulação usada em pesca (Port.)
fishing jar | percussor para pescaria
fishing job | trabalho de pesca
fishing job | trabalho de pescaria
fishing neck | pescoço de pesca (Ang.)
fishing neck | pescoço para pescaria
fishing neck | utensílio para pesca (Port.) (Ang.)
fishing operation | operação de pesca
fishing operation | operação de pescaria
fishing specialist | especialista de pesca (Port.)
fishing specialist | especialista de pescaria
fishing supervisor | supervisor de pesca (Port.) (Ang.)
fishing supervisor | supervisor de pescaria
fishing time | tempo de pesca (Port.) (Ang.)

fishing time | tempo de pescaria
fishing tool | ferramenta de pesca (Port.)
fishing tool | ferramenta de pescaria
fishing-tool operator | operador de ferramenta de pesca (Port.) (Ang.)
fishing-tool operator | operador de ferramenta de pescaria
fishtail bit | broca rabo de peixe
fissile | físsil
fissility | fissilidade
five spot | malha de cinco pontos
fixed assets | ativo fixo
fixed assets | ativo imobilizado (Port.)
fixed platform | plataforma fixa
fixed-price contract | contrato de serviços em regime de preço global
fixed-price contract | contrato por empreitada global
fixed-price contract, | contrato por preço global
fjord | fiorde
f-k analysis | análise f-k
f-k domain. | domínio f-k
f-k filter | filtro f-k
f-k migration | migração f-k
f-k space | espaço f-k
flame arrester for PVRV | corta-chama para válvulas de pressão e vácuo
flame arrestor | corta-chama
flame detector | detector de chama
flame ionization detector | detector de ionização de chama
flame structure. | estrutura em chama
flammability limit | limite de inflamabilidade
flange | flange
flange | manilha (Port.) (Ang.)
flank water | água de flanco
flapper or butterfly valve | válvula borboleta
flare | tocha
flare boom | braço do queimador
flare boom | lança do queimador
flare bridge | ponte do queimador
flare system. | sistema de tocha
flare tower | torre do queimador
flared or vented | queimado ou descarregado (Port.)
flared or vented |
flaser bedding. | estrutura flaser
flash calculation | cálculo *flash*
flash flood | inundação instantânea
flash gas | gás ventilado
flash memory | memória *flash*
flash point | ponto de fulgor
flash release | liberação *flash*
flash separator | separador instantâneo
flat cable | cabo chato
flat spot | mancha horizontal
flat-pebble conglomerate | conglomerado de seixos planos
flat-topped ripple mark | marca de ondulações com topo plano (Port.)

glossário

flat-topped ripple mark | marca ondulada com topo plano
flexible centralizer, spring-bow centralizer | centralizador flexível
flexible joint | junta flexível
flexible riser | riser flexível
flip-flop | oscilador biestável
flip-flop method | método do tiro alternado
float collar | colar flutuante
float sub | adaptador de válvula flutuante (Port.)
float sub | sub com válvula flutuante
float valve | válvula flutuante
floating hose | mangote
floating hotel | hotel flutuante (Port.)
floating production system (FPS) | sistema de produção flutuante
floating production system (FPS) | sistema flutuante de produção
floating production, storage and offloading unit (FPSO) | unidade flutuante de produção, armazenamento e transferência (Port.) (Ang.)
floating production, storage and offloading unit (FPSO) | unidade flutuante de produção, estocagem e transferência
floating unit | unidade de flutuação (Port.) (Ang.)
floating, storage and offloading unit | unidade flutuante de armazenamento e transferência (Port.). (Ang.)
floating, storage and offloading unit (FSO) | unidade flutuante de estocagem e transferência
floating-point amplifier | amplificador de ponto flutuante
floc point | ponto de floculação
flocculant | floculante
flocculation | floculação
flood delta | delta de inundação
flood ou flooding | recuperação secundária por injecção de água (Port.)
flood tide | inundação de maré
flood, flooding |
flooding | inundação
floodplain | planície de desnudação (Port.) (Ang.)
floodplain | planície de erosão (Port.) (Ang.)
floodplain | planície de inundação
flotation process | processo de flotação
flotation system | sistema de flotação
flotation system | sistema de flutuação (Port.)
flotation unit | unidade de flotação
flotator | flotador
flotator | flutuador (Port.)
flotel | flotel
flow | escoamento
flow assurance | garantia de escoamento
flow capacity. | capacidade de fluxo
flow computer | computador de vazão
flow conditioner | condicionador de escoamento
flow correlation | correlação de escoamento

flow coupling | luva de fluxo
flow efficiency | eficiência de fluxo
flow for wellbore cleanup, flow for cleanout treatment | fluxo para limpeza do poço (Port.)
flow line | linha de produção
flow line bundle | feixe de linhas de fluxo
flow line connector | conector de linha de fluxo
flow line connector | mandril de linhas de fluxo
flow nozzle | bocal de medição
flow nozzle | bocal de vazão
flow nozzle | bocal sônico
flow pattern | padrão de escoamento
flow range | amplitude do fluxo (Port.)
flow range | faixa de trabalho
flow range | faixa ou amplitude do fluxo (Port.)
flow range | range
flow rate | vazão
flow regime | regime de escoamento
flow regime | regime de fluxo
flow safety valve, check valve | válvula de retenção
flow separation | separação do fluxo
flow straightener | retificador de fluxo
flow T | tê de escoamento
flow T | tê de produção
flow T. | tê de fluxo
flow tree | cruzeta
flow tree, flow tee, surface flowhead | árvore de pistoneio
flow tree, flow tree, surface flowhead | árvore de sucção de fluidos por êmbolo (Port.)
flow-after-flow test | teste de fluxo após fluxo (Port.)
flow-after-flow test |
flowing artesian well | poço artesiano surgente
flowing bottomhole pressure | pressão de fundo em escoamento
flowing gas | gás em escoamento
flowing pressure | pressão de fluxo
flowing tubing pressure | pressão de fluxo na coluna
flowline hub | central de ligações de condutas (Port.)
flowline hub | mandril das linhas de fluxo
flowline hub | satélite de linhas de produção (Ang.)
flowmeter | medidor de vazão
flow-rate gauging | aferição de débito (Ang.)
flow-rate gauging | aferição de vazão
fluctuation process | processo de flutuação
fluid displacement | deslocamento de fluido (Port.)
fluid drag | fluido de arrasto
fluid inclusion | inclusão fluida
fluid loss | perda de fluido
fluid physical properties | propriedades físicas dos fluidos
fluid pound | pancada de fluido
fluid shear stress | tensão de cisalhamento do fluido
fluidal structure. | estrutura fluidal

561

glossário

fluid-expansion drive | mecanismo de expansão de fluido
fluid-injection well | poço de injeção
fluid-injection well | poço de injeção de fluido
fluidization | fluidização
fluid-loss additive or filtration-control additive | controlador de perda de fluido
fluid-loss additive, filtration-control additive | aditivo para perda de fluidos (Port.)
fluid-loss additive, filtration-control additive | aditivo para perda de lama (Port.)
fluid-loss additive, filtration-control additive | controlador de filtrado
fluid-loss control material | material de controlo de perda de lama (Port.) (Ang.)
fluid-loss reducing additive | aditivo redutor de perda de fluido
fluid-loss reducing additive | aditivo redutor de perda de lama (Port.)
flume | corrente artificial
fluorescence | fluorescência
flushing of lines | limpeza de linhas
flushing of lines | limpeza de tubagem
flute cast | marca de flauta
flute cast | molde de flauta
fluvial denudation | denudação fluvial
fluvial denudation | desnudação fluvial (Port.)
fluvial deposit | depósito fluvial
fluvial discharge | descarga fluvial
fluvial terrace | terraço fluvial
fluvioeolian environment | ambiente fluvioeólico
fluvioglacial environment | ambiente fluvioglacial
fluviolacustrine environment. | ambiente fluviolacustre
fluviomarine environment | ambiente fluviomarinho
flux | fluxo
fly ash | cinza de combustão
foam | espuma
foam drilling | perfuração com espuma
foam inhibitor | antiespumante
foam inhibitor | inibidor de espuma
foam mark | marca de espuma
foam-breaker device | dispositivo de quebra de espuma
foamed cement slurry | pasta de cimento espumada
focus | foco
foliation | foliação
Folk classification | classificação de Folk
footprint | pegada
force majeure | força maior
force-majeure clause | cláusula de força maior
foreset bedding | acamamento do conjunto de lâminas frontais
foreset bedding | estratificação do conjunto de lâminas frontais (Port.)
foreshock | antechoque
foreshock | sismoprecursor (Port.)

foreshore | costa afora
formal safety assessment (FSA) | avaliação formal de segurança
formation | formação
formation damage | dano da formação
formation damage ratio | razão de dano
formation dielectric resistivity | resistividade dielétrica de formações
formation evaluation, well testing, drill stem testing | avaliação de formação
formation fracture pressure | pressão de fratura da formação
formation fracture pressure | pressão de fraturamento da formação (Port.)
formation gas-oil ratio | razão gás-óleo de formação
formation pressure | pressão da formação
formation resistivity factor | fator de resistividade da formação
formation volume factor | fator de volume de formação
formation water | água de formação
formation water | água em formação
forward combustion | combustão direta
fossil | fóssil
fossil fuel | combustível fóssil
fossil record | registo fossilífero (Port.) (Ang.)
fossil record | registro fossilífero
fossil record | registro paleontológico
fossil water | água fóssil
fossiliferous | fossilífero
fossilization | fossilização
four-ball test | teste quatro esferas
four-phase separator | separador de quatro fases
frac fluid efficiency | eficiência da lama de fraturação (Port.)
frac fluid efficiency | eficiência do fluido de fraturação (Port.)
frac fluid efficiency | eficiência do fluido de fraturamento
frack pack |
fraction | fração
fractional flow | escoamento fracionário
fractional flow | fluxo fracionário (Port.)
fractional flow curve | curva de fluxo fracionário
fracture | fratura
fracture conductivity | condutividade de fratura
fracture density | densidade de fratura
fracture direction | direção de fratura
fracture extension | extensão de fratura
fracture geometry | geometria de fracturação (Port.)
fracture geometry | geometria de fratura
fracture gradient | gradiente de fracturação (Port.)
fracture gradient | gradiente de fratura
fracture height | altura de fratura
fracture length | comprimento de fratura
fracture log | perfil de fratura
fracture porosity | porosidade da fratura

glossário

fracture propagation | propagação de fratura
fracture reopening pressure | pressão de reabertura de fratura
fracture toughness | tenacidade à fratura
fracture width | abertura de fratura
fracture width | largura de fratura
fractured reservoir | reservatório fraturado
fracture-flow capacity | capacidade de fluxo em fraturas
fracturing fluid | fluido de fraturamento
fracturing fluid | lama de fraturamento
fracturing pressure | pressão de fratura
fracturing pressure | pressão de fraturamento (Port.) (Ang.)
fragmented bed | camada fragmentada
fragmentogram | fragmentograma
Fraunhofer's migration | migração de Fraunhofer
free casing | revestimento livre
free fall | queda livre
free fluid index | índice de água livre
free gas | gás livre
free gas-cap drive | deslocamento por capa de gás livre
free interstitial water | água intersticial livre
free lime | cal livre
free of particular average | livre de avaria particular (LAP)
free oscillation | oscilação livre
free span | vão-livre
free surface, free boundary | superfície livre
free water | água livre
free-air correction | correção de ar livre
free-gas cap. | capa de gás livre
free-space field | campo de espaço livre
free-water content | conteúdo de água livre
free-water knockout | separador de água livre
free-water level | nível de água livre
freezing-point depression | criometria
frequency | frequência
frequency curve | curva de frequência
frequency dispersion. | dispersão de frequência
frequency distribution | distribuição de frequência
frequency domain | domínio da frequência
frequency effect | efeito da frequência
frequency filter | filtro de frequência
frequency filtering | filtragem de frequência
frequency output | saída em frequência
frequency-elimination filter | filtro eliminador de frequências (Port.)
fresh water | água doce
fretting corrosion. | desgaste corrosivo
friability | friabilidade
friable | friável
friction | fricção
friction factor | fator de fricção
friction loss | perda por fricção
friction power | potência de atrito
friction reducer; friction-reducing agent | redutor de fricção

friction welding | soldadura por fricção (Port.) (Ang.)
friction welding | soldagem por fricção
fringing reef | recife de borda
front or frontal dune | duna frontal
front-loaded wavelet | pulso de carga frontal
froth | escuma
Froude number (Fr) | número de Froude (Fr)
FSO gate valve | válvula gaveta tipo FSO
fuel gas | gás combustível
fuel gas or waste gas | gás de queima
fuel, combustible | combustível
fugacity | fugacidade
fugacity coefficient | coeficiente de fugacidade
fugitive emission | emissão fugitiva
full-diameter core | testemunho de diâmetro máximo (Port.)
full-diameter core |
full-gage bit | broca de diâmetro máximo (Port.)
full-gage bit |
full-gage hole | poço com o diâmetro máximo (Port.) (Ang.)
full-gage hole |
full-opening safety valve | válvula de segurança de abertura máxima (Port.) (Ang.)
full-opening safety valve |
fully-corrected data | registro processado
fumarole | fumarola
fundamental frequency | frequência fundamental
fundamental strength | resistência fundamental
furan | furano
furnace | forno
future price | preço futuro
fuzzy logic | lógica nebulosa
f-x migration | migração f-x
FZG test | teste FZG
G (gas) mandrel | mandril G ('gás')
Gabor's wavelet | pulsação de Gabor (Port.) (Ang.)
Gabor's wavelet | pulso de Gabor
gain | ganho
gain control | controle de ganho
gain trace, log-level indicator | traço de ganho
gain zone | zona de ganho
galvanic anode | anodo galvânico
galvanic cell | célula galvânica
galvanic cell | pilha galvânica
galvanic corrosion | corrosão galvânica
galvanized steel | aço galvanizado
galvanometer | galvanômetro
gamma spectrum. | espectro gama
gamma.ray | raio gama
gammacerane | gamacerano
gamma-gamma log | diagrafia gama-gama (Port.)
gamma-gamma log | *log* gama-gama (Port.) (Ang.)
gamma-gamma log | perfil gama-gama
gamma-ray attenuation | atenuação por raios gama

glossário

gamma-ray log | diagrafia de raios gama (Port.)
gamma-ray log | *log* de raios gama (Port.) (Ang.)
gamma-ray log | perfil de raios gama
gamma-ray spectrometer. | espectrômetro de raios gama
gamma-ray surveying | pesquisa com raios gama
gapped operator | operador lacunar
gas | gás
gas anchor | âncora de gás
gas and oil separation plant | instalação de separação gás-óleo (Port.)
gas and oil separation plant | planta de separação gás-óleo
gas and oil separator | separador de gás e óleo
gas area fraction | fração de área de gás
Gas Balancing Agreement | contrato de balanceamento de gás (Port.)
gas balancing agreement |
gas beach price | preço de despacho de gás
gas bubble | bolha de gás
gas cap | gás de cobertura (Port.)
gas cap drive reservoir | reservatório com mecanismo de gás de cobertura (Port.)
gas cap. | capa de gás
gas carry-under | carreamento de gás pelo líquido
gas chimney | chaminé de gás
gas chimney effect. | efeito de chaminé de gás
gas choke | regulador de gás
gas chromatography | cromatografia gasosa
gas column | coluna de gás
gas compressibility | compressibilidade do gás
gas compressibility factor | fator de compressibilidade do gás
gas compression system | sistema de compressão de gás
gas compressor | compressor de gás
gas condensate reservoir | reservatório de gás condensado
gas conditioning | condicionamento do gás
gas cone. | cone de gás
gas dehydration | desidratação do gás
gas dehydrator | desidratador de gás
gas detector. | detector de gás
gas formation volume factor | fator de volume de formação do gás (Bg)
gas from gas well. | gás de reservatório saturado
gas handler | manuseio de gás
gas hydrate | gás de hidrato
gas hydrate | hidrato de gás
gas injection | injeção de gás
gas injection well | poço de injeção de gás
gas kick | irrupção de gás (Port.)
gas kick | *kick* de gás
gas kick | pulso de gás
gas lift |
gas lift | ascensão de óleo por meio de gás injetado (Port.)
gas -lift chamber | câmara de elevação a gás

gas lift mandrel | mandril de *gas lift*
gas lift manifold | manifolde de *gas lift*
gas lift valve | válvula de *gas lift*
gas lift. | elevação com gás
gas line, gas pipeline | conduta de gás (Port.)
gas line, gas pipeline | linha de gás (Port.)
gas liquid extraction plant, liquefied-petroleum-gas recovery plant | planta de extração de líquidos do gás
gas lock | bloqueio de gás em bombeio mecânico
gas lock | bloqueio de gás em bombeio centrífugo submerso
gas measurement | medição de gás
gas meter | medidor de gás
gas migration | migração de gás
gas penetration | penetração de gás
gas pipeline | gasoduto
gas plant | instalação de gás (Port.)
gas plant | planta de gás
gas plant product | produto de instalação de gás (Port.)
gas plant product | produto de planta de gás
gas porosity | porosidade ao gás
gas processing | processamento do gás
gas processing plant | instalação de processamento de gás (Port.)
gas processing plant | planta de processamento de gás
gas processing unit | unidade de processamento de gás
gas quality | qualidade do gás
gas reinjection | reinjeção de gás
gas reservoir | reservatório de gás
gas saturation | saturação de gás
gas saturation | saturação em gás (Port.) (Ang.)
gas scrubber | depurador de gás
gas separation | separação de gás
gas separator | separador de gás
gas separator for electrical submersible pumping | separador de gás de bombeio centrífugo submerso
gas show | aparecimento de gás
gas show | indícios de gás (Port.)
gas solubility | solubilidade do gás
gas state equation | equação de estado de gás (Port.)
gas stripping | estripagem por gás
gas sweetening | adoçamento de gás
gas trap | armadilha de gás
gas treatment system | sistema de tratamento de gás
gas volume fraction | fração volumétrica de gás
gas well | poço de gás
gas/oil contact | contato gás/óleo
gas/water contact | contato gás/água
gas-cap drive | deslocamento por capa de gás
gas-cap drive | mecanismo de produção através do gás de cobertura (Port.)
gas-cap drive | mecanismo de capa de gás

glossário

gas-cap drive | mecanismo de produção através da expansão do gás de cobertura (Port.) (Ang.)
gas-cap drive reservoir | reservatório com mecanismo de capa de gás
gas-cut mud | lama com indícios de gás (Port.)
gas-cut mud | lama cortada por gás
gaseous flotation | flotação gasosa
gaseous flotation | flutuação gasosa (Port.)
gas-ift backup mandrel | mandril *backup* de *gas lift*
gas-injection manifold | manifolde de injeção de gás
gasket | anel de vedação
gas-lift column | coluna para *gas lift*
gas-lift compressor | compressor de *gas lift*
gas-lift manifold | manifolde de gás de elevação
gas-lift method | método *gas lift*
gas-lift method | produção por injeção de gás (Port.) (Ang.)
gas-liquid injection ratio | razão gás-líquido de injeção
gas-liquid ratio | razão gás-líquido
gas-liquid ratio (GLR) | rácio gás-líquido (Port.)
gas-oil ratio | razão gás-óleo (RGO)
gas-oil ratio (GOR) | rácio gás-óleo (Port.)
gas-oil ratio test | teste da razão gás-óleo
gas-oil ratio under surface conditions | razão gás-óleo em condições de superfície
gas-oil reflection | reflexão gás-óleo
gas-to-water ratio, gas-water ratio (GWR) | rácio gás-água (Port.)
gas-water ratio | razão gás-água
gas-water reflection | reflexão gás-água
gate valve | válvula gaveta
gathering system | sistema de coleta
gauge pressure | pressão manométrica
gauge ring | anel de calibração
gauge tank. | tanque de aferição
gauger | aferidor (Port.)
gaussian distribution. | distribuição gaussiana
gear box | caixa de redução
gear reducer | redutor de bombeio mecânico
gel strength | força gel
gel strength | resistência do gel
gelification | gelificação
generalized corrosion | corrosão generalizada
generalized two-pass 3D migration | migração 3D generalizada de dois passos
generation module | módulo de geração
geochronologic unit | unidade geocronológica
geochronological interval | intervalo geocronológico
geochronology | geocronologia
geoid | geoide
geoidal height | altura geoidal
geologic column | coluna geológica
geologic formation | formação geológica
geologic section | seção geológica
geologic time | tempo geológico

geologic time scale | escala de tempo geológico
geologic time unit | unidade de tempo geológico
geological risk | risco geológico (RG)
geological structure | estrutura geológica
geological uncertainty | incerteza geológica
geomagnetism | geomagnetismo
geomechanics | geomecânica
geometric sounding | perfilagem geométrica
geomorphic cycle | ciclo geomórfico
geomorphology | geomorfologia
geophone | geofone
geophone cable | cabo do geofone
geophone interval | intervalo do geofone
geophone offset | afastamento do geofone
geophone spread | lanço de geofones
geophone station | estação de geofones
geophone string, string of geophones | cordão de geofones
geophone-to-ground coupling | acoplamento geofone-terreno
geophysical log | perfil geofísico
geophysical prospecting | prospecção geofísica
geophysical survey | levantamento geofísico
geopolymer | geopolímero
geopressure aquifer | aquífero geopressurizado
geopressured reservoir | reservatório geopressurizado
geoprocessing | geoprocessamento
geostrophic current | corrente geostrófica
geotechnology | geotecnologia
geothermal gradient. | gradiente geotérmico
geyser | gêiser
Gibbs effect | efeito de Gibbs
glacial cycle | ciclo glacial
glacial deposit | depósito glacial
glacial erosion. | erosão glacial
glacial geology | glaciologia
glacial lake | lago glacial
glacial valley | vale glacial
glacial valley | vale glaciário (Port.)
glacially striated rock. | estria glacial
glacially-striated rocks. | canelura glacial
glacial-marine sedimentation | sedimentação glaciomarinha
glaciation | glaciação
glacier | geleira
glacier outburst flood | inundação por rompimento glacial
glacio-eustasy | glacioeustasia
glauconite | glauconita
glauconite | glauconite (Port.)
global maritime distress and safety system (GMDSS) | sistema global de comunicação para aviso de perigo e segurança (GMDSS)
global positioning system (GPS) | sistema de posicionamento global
globe valve | válvula globo
globigerina ooze | vasa de globigerina
glycerin | glicerina

glossário

glycerol | glicerol
glycol injection system | sistema de injeção de glicol
Gondwana. |
good | bem
Goodman diagram | diagrama de Goodman
Goupillaud medium | meio de Goupillaud
government participation | participação governamental
government take |
GP packer | obturador para *gravel packer*
GP packer with anchor | GP *packer* com âncora
GP packer with anchor | obturador para *gravel packer* com âncora
graded bedding | acamamento gradacional
gradiometer | gradiômetro
gradualism | gradualismo
graduated glass cylinder | proveta graduada
granite | granito
granulation | granulação
granulometry | granulometria
granulometry particle-size distribution | granulometria de amostra
grapple | garra
graptolite | graptolite
gravel | cascalho
gravel | saibro
gravel pack | filtração de zona com cascalho calibrado
gravel pack fluid | lama de *gravel pack*
gravel pack log | perfil de *gravel pack*
gravel pack. |
gravel packing | enchimento com cascalho (Port.)
gravel packing. | empacotamento
gravel packing. | empacotamento de areia
gravel-pack fluid | fluido de *gravel pack*
gravel-pack log | diagrafia de *gravel pack* (Port.)
gravel-pack log | *log* de *gravel pack* (Port.) (Ang.)
gravimeter | gravímetro
gravimetry, gravity method | gravimetria
gravitational potential | potencial gravitacional
gravitational segregation | segregação gravitacional
gravitational wave | onda gravitacional
gravity drainage | drenagem gravitacional
gravity drive | mecanismo de drenagem gravitacional
gravity platform | plataforma de gravidade
gravity processing | processamento gravimétrico
gravity separator. | separador gravitacional
gravity survey | levantamento gravimétrico
gravity-stable displacement |
grease and oil content | teor de óleo e graxa (TOG)
greenfield |
greenhouse effect | efeito estufa
grid effect | efeito da malha

gross tank volume | olume bruto de petróleo em tanque
gross volume | volume corrigido em linha
ground line | linha de terra
ground mix | mixagem superficial
ground roll | rolamento superficial
ground truth | fiel de terra
ground unrest | agitação do solo
ground water | água subterrânea
ground water surface | superfície de água subterrânea
ground water table | nível freático
ground wave | onda terrestre
grounding strap | aterramento da proteção catódica
group delay | atraso de grupo
group interval | intervalo de grupo
group velocity. | velocidade de grupo
guard electrode. | eletrodo focalizador
guide base | base-guia
guide fossil | fóssil-guia (Port.)
guide ring | anel guia
guide ring |
guided wave | onda guiada
guide-line | cabo-guia
guideline tensioner | tensionador do cabo-guia
guidelineless | sem cabo-guia
gusher | poço descontrolado
gypsum | gesso (Port.) (Ang.)
gypsum | gipsita
gypsum | gipsite (Port.)
gypsum | hidróxido de cálcio
gypsum mud | lama à base de gipsite ou gesso
gypsum mud | lama de gesso
gypsum mud | lama de gipsita
gyroscope, gyro | giroscópio
gyroscopic single shot | foto giroscópica
H ('Hoje') mandrel | mandril H ('Hoje')
H2S scavenger | sequestrador de H2S
H2S-reducing agent. | aditivo redutor de H2S
habit | hábito
habitat |
Hale's method | método de Hale
half width | meia distância
half-wave dipole | dipolo de meia-onda
halite | halita
halite | halite (Port.)
halite | sal gema (Port.)
hammer | martelo
handling tool | ferramenta de manuseio
hanger | suspensor
Hanning filter | filtro de Hanning
hard rock | rocha dura
hard rock | substrato rochoso (Port.)
hardening. | endurecimento
hardfacing . | capeamento contra desgaste
hardground | crosta de solo
hardness | dureza
hardness scale | escala de dureza
harmonic | harmônico

harmonic decline | declínio harmônico
harmonic distortion | distorção harmônica
harmonic frequency | frequência harmônica
harness | chicote
hatch | escotilha
hazard and operability (HAZOP) | HAZOP
hazard and operability (HAZOP) study | análise de perigos em operação
hazard and operability (HAZOP) study | estudo de perigos e operabilidade
hazard identification study. | estudo de identificação de perigos
HCR valve | válvula HCR
head | altura manométrica
head | cabeça (Port.)
head |
head alliance agreement | contrato do tipo 'aliança'
head degradation | degradação de altura manométrica
head loss | perda de pressão (Port.) (Ang.)
head wave | onda frontal
head. | cabeceio
header | tubagem-cabeça (Port.) (Ang.)
header | tubulação-cabeça
headspace |
heat capacity. | capacidade calorífica
heat exchanger | permutador de calor
heat exchanger | trocador de calor
heat flow. | escoamento de calor
heat flux | fluxo de calor (Port.)
heat of hydration | calor de hidratação
heat radiation | radiação de calor
heat transfer | transferência de calor
heater | aquecedor
heating fluid | arrasto de fluido
heating value | poder calorífico
heave | arfagem
heave | balanço
heave |
heave motion compensator | compensador de movimentos
heavy crude oil | óleo cru pesado
heavy crude oil | petróleo pesado
heavy hydrocarbon (HHC) | hidrocarboneto pesado
heavy mineral | mineral pesado
heavy oil | óleo pesado
heavy wall | parede grossa
heavy-weight drill pipe | tubagem de perfuração pesada (Port.) (Ang.)
heavy-weight drill pipe | tubo de perfuração pesado
hedge | proteção contra perdas por flutuação de preços (Port.) (Ang.)
hedge |
height of thread | altura do fio de rosca
helical buckling | flambagem helicoidal
helico-axial multiphase pump | bomba multifásica helicoaxial
helideck, helipad | heliponto

helideck, helipad | heliporto (Port.)
Helmholtz coil | bobina de Hemholtz
hematite | hematita
hematite | hematite (Port.)
hemicrystalline | hemicristalino
Henry's law | lei de Henry
heptane | heptano
Herschel demulsibility number | número de demulsibilidade Herschel
Herschell- Buckley model | modelo de Herschell-Buckley
hesitation, squeeze | cimentação com alternância de bombagem e períodos de paragem (Port.)
hesitation, squeeze | hesitação
heteroatom | heteroátomo
heterocompound | heterocomposto
hexagonal system | sistema hexagonal
hexane | hexano
hidden layer, masked layer | camada oculta
high integrity pressure protection system (HIPPS) | sistema de proteção à pressão de alta integridade
high-alkalinity drilling mud | lama de alta alcalinidade
high-alloy steel | aço de alta liga
high-alloy steel | aço de liga especial (Ang.)
high-alumina cement | cimento com alto teor de alumina
high-closing ratio (HCR) valve | válvula de fechamento rápido
high-collapse casing | revestimento de alta resistência ao colapso
high-cut filter | filtro corta-altas
higher heating value | poder calorífico superior
higher heating value of natural gas | poder calorífico superior do gás natural
high-line noise | linha de alto ruído
highly volatile liquid | líquido altamente volátil
high-pass filter | filtro de altas frequências (Port.)
high-pass filter | filtro passa-alta
high-performance liquid chromatography (HPLC) | cromatografia líquida de alta performance
high-pressure housing | alojador de alta pressão
high-pressure housing | cobertura de alta pressão (Port.)
high-pressure squeeze | cimentação sob alta pressão
high-pressure squeeze | compressão de cimento a alta pressão
high-pressure squeeze | injecção de cimento a alta pressão (Port.)
high-shot density gun | canhão de alta densidade
high-shrinkage oil | óleo de alta contração
high-temperature and high-shear viscosity | viscosidade a alta temperatura e alto cisalhamento
high-temperature corrosion | corrosão a alta temperatura
high-torque down hole motor, low-speed positive-displacement motor | binário

glossário

high-torque down hole motor, low-speed positive-displacement motor | motor de fundo de alto torque
high-torque down hole motor, low-speed positive-displacement motor | motor de fundo de binário elevado (Port.)
high-velocity layer | camada de alta velocidade
highway addressable remote transducer (HART) | transdutor remoto endereçável
hiydrogen index (HI) | índice de hidrogênio
hogback |
holocrystalline | holocristalino
homeostasis | homeostase
homogeneous multiphase flow | escoamento multifásico homogêneo
homolog | homólogo
homologous series | série homóloga
homopycnal flow | escoamento homopicnal
homopycnal flow | fluxo homopicnal (Port.)
homotaxy | homotaxia
hook | gancho
hook load capacity | capacidade de carga no gancho
hook load capacity | carga máxima de suporte da torre da sonda (Port.)
hook load. | carga no gancho
Hooke's law | lei de Hooke
hoop-up platform | hoop-up de plataforma
hopane | hopano
horizon | horizonte
horizon velocity analysis | análise lateral de velocidade
horizontal beam width | largura horizontal do feixe
horizontal displacement | afastamento horizontal
horizontal drilling | perfuração horizontal
horizontal flow | escoamento horizontal
horizontal hammer | martelo horizontal
horizontal section | corte horizontal
horizontal section | seção horizontal
horizontal section | secção horizontal (Port.) (Ang.)
horizontal separator | separador horizontal
horizontal subsea ESP | BCSS horizontal
horizontal subsea ESP | electrobomba submersível horizontal (Ang.)
horizontal well | poço horizontal
horizontal-dipole sounding | sondagem com dipolo horizontal
Horner analysis | análise pelo método de Horner
horsehead | cabeça da unidade de bombeio
horsepower | potência em cavalos (Port.) (Ang.)
horsepower (hp) | cavalo de potência
housing | alojador
housing cap | tampa do alojador (Port.) (Ang.)
housing cap. | capa do alojador
HPHT well | poço HPHT
HTHP fluid loss cell | célula de filtração HTHP
HTHP well | poço HTHP
humbucking circuit | circuito antizumbido

humbucking geophone | geofone corta-zumbido
humic acid | ácido húmico
humic organic matter | matéria orgânica húmica
humic substance | substância húmica
hummocky cross-stratification | estratificação entrecruzada *hummocky* (Port.)
hummocky cross-stratification. | estratificação cruzada *hummocky*
hyaloclastite, aquagene tuff | hialoclastito
hybrid migration | migração híbrida
hybrid riser | *riser* híbrido
hydrate | hidrato
hydrate envelope | envelope de formação de hidratos
hydrate envelope | envoltório de formação de hidratos (Port.)
hydrate inhibitor | inibidor de hidrato
hydrated lime | cal livre hidratada
hydration | hidratação
hydraulic actuator | atuador hidráulico
hydraulic connector or coupler | conector hidráulico
hydraulic drilling jar | intensificador de força axial hidráulico
hydraulic fluid | fluido hidráulico
hydraulic fracturing | fraturamento hidráulico
hydraulic fracturing efficiency | eficiência de fraturamento hidráulico
hydraulic fracturing efficiency | eficiência do fluido de fraturação hidráulico (Port.)
hydraulic gradient | gradiente hidráulico
hydraulic jet pump | bomba ejetora
hydraulic jet pumping | bomba hidráulica de jato (Ang.)
hydraulic jet pumping | bombeio hidráulico a jato
hydraulic power unit (HPU) | unidade hidráulica de força
hydraulic pump | bomba hidráulica
hydraulic pumping | bombagem hidráulica (Port.) (Ang.)
hydraulic pumping | bombagem ou bombeamento hidráulico (Port.)
hydraulic pumping | bombeio hidráulico
hydraulic sucker-rod pumping unit | unidade hidráulica de bombagem (Port.) (Ang.)
hydraulic sucker-rod pumping unit | unidade hidráulica de bombeio
hydraulic umbilical | umbilical hidráulico
hydraulic valve | válvula hidráulica
hydraulic wedging | cunha hidráulica
hydro trip | plugue de coluna
hydro trip | tampão de coluna (Port.)
hydro trip |
hydrocarbon | hidrocarboneto
hydrocarbon deadline | linha-limite de hidrocarbonetos
hydrocarbon reservoir | reservatório de hidrocarbonetos

hydrocarbons in the gasoline range | hidrocarbonetos na faixa da gasolina
hydrocyclone | hidrociclone
hydrocyclonic separation | separação hidrociclônica
hydrodesulfurization | hidrodessulfurização
hydrodynamic depressor | depressor hidrodinâmico
hydrodynamic lubrication | lubrificação hidrodinâmica
hydrogen | hidrogênio
hydrogen damage | dano pelo hidrogênio
hydrogen embrittlement | fragilização por hidrogênio
hydrogen potential | potencial hidrogeniônico (pH)
hydrogen sulfide | sulfito de hidrogênio
hydrogen sulfide | sulfureto de hidrogénio (Port.) (Ang.)
hydrogen-assisted cracking | trincamento assistido pelo hidrogênio
hydrogenation | hidrogenação
hydrographic basin | bacia hidrográfica
hydrologic cycle | ciclo hidrológico
hydrologic regimen | regime hidrológico
hydrophilic | hidrofilia
hydrophilic | hidrofílico
hydrophilic surface | superfície hidrofílica
hydrophilic-lipophilic balance (HLB) | balanço hidrofílico-lipofílico
hydrophilic-lipophilic balance. | equilíbrio hidrofílico-lipofílico
hydrophobe | hidrofóbica
hydrophobe | hidrófobo
hydrophobic | hidrofobia
hydrophobic | hidrofóbico
hydrophobic surface | superfície hidrofóbica
hydrophone | hidrofone
hydrophone array | arranjo de hidrofones
hydrophone streamer. | cabo de hidrofones
hydropressure |
hydrostatic column or hydrostatic head | coluna hidrostática
hydrostatic gradient | gradiente hidrostático
hydrostatic head | carga hidrostática
hydrostatic pressure | pressão hidrostática
hydrostatic test | teste hidrostático
hydrostatics | hidrostática
hydrothermal source | fonte hidrotermal
hydrotrope | hidrótopo
hydrous pyrolysis | hidropirólise
hygroscopic | higroscópico
hyperbolic decline | declínio hiperbólico
hyperbolic mode | modo hiperbólico
hyperpycnal flow | escoamento hiperpicnal
hyperpycnal flow | fluxo hiperpicnal (Port.)
hypersaline | hipersalino
hypocenter | hipocentro
hypoid gear | engrenagem hipoide
hypoid gear lubricant | lubrificante para engrenagem hipoide
hypopycnal flow | escoamento hipopicnal
hypopycnal flow | fluxo hipopicnal (Port.)
hysteresis | isterese
ice age | idade do gelo
ice cap | capa de gelo
ice noise | ruído do gelo
ice-bridge effect | efeito ponte de gelo
ichnofacies | icnofácies
ichnofossil | icnofóssil
ideal filter | filtro ideal
ideal gas | gás ideal
ideal gas law | lei dos gases ideais
idle field with marginal accumulations | área inativa com acumulações marginais
igneous rock | rocha ígnea
illuviation | iluviação
image well | poço imagem
imbibition | embebição
imbibition relative permeability | permeabilidade relativa na embebição
imbricate structure | estrutura imbricada
imbrication, shingling | imbricação (Port.)
imbrication, shingling | imbricamento
imiscible | imiscível
immature topography | topografia imatura
immiscible displacement | deslocamento imiscível
immobile water saturation | saturação em água imóvel (Port.) (Ang.)
immobile water saturation | saturação imóvel da água
impact cast | molde de impacto
impactite | impactito
impeller | impulsor
impermeable | impermeável
IMPES method | método IMPES
impingement | impingidela
implosive source | fonte implosiva
impressed current cathodic protection | proteção catódica por corrente impressa
impression block | estampador
improved-recovery technique | técnica de recuperação avançada
impulse | impulso (Port.)
impulse factor | fator de impulso
impulsive response; impulse response | resposta de impulso
impulsive source | fonte impulsiva
in fill, infill or infilling well | poço de refinamento de malha
in fill; infill; ou infilling well | redução de espaçamento
in situ |
incidence-angle AVA | AVA de ângulo de incidência
incident angle |
inclination | inclinação
inclination angle | ângulo de inclinação
inclined bedding | camada inclinada
incompressible fluid | fluido incompressível
incorporation | incorporação

glossário

incremental ultimate recovery | recuperação final incremental
independent companie. | empresa independente
independent evaluation | avaliação independente
independent third-party evaluation | avaliação por entidade independente (Port.)
index fossil | fóssil-índice
index mineral | mineral-índice
index pricing approach | índice de preços para gás
indicated additional reserve | reserva adicional indicada
indicated value | valor indicado
indicator | indicador
indigenous microorganism | microrganismo indígena
individual emergency plan | plano de emergência individual (PEI)
individual risk | risco individual
induced flow | escoamento induzido
induced flow | fluxo induzido (Port.)
induced fracture | fratura induzida
induced gamma-ray log | perfil de raios gama induzidos
induced gas flotation | flotação a gás induzido
induced gas flotation | flutuação a gás induzido (Port.)
induced magnetization | magnetização induzida
induced porosity | porosidade induzida
induction log | diagrafia de indução (Port.)
induction log | log de indução (Port.) (Ang.)
induction log | perfil de indução
induction method | método de indução
induction motor | motor de indução
industrial water | água industrial
inert gas | gás inerte
inert-gas injection | injeção de gás inerte
inferred reserves | reservas inferidas
in-fill line | linha de preenchimento
infiltrating water | água infiltrante
infiltration | infiltração
infinite-acting regime | regime transiente
infinite-acting regime | regime transitório (Port.) (Ang.)
infinite-conductivity fracture | fratura de condutividade infinita
inflow performance relationship | curva de pressão disponível
inflow performance relationship |
inflow performance relationship curve | curva de pressão de débito (Ang.)
influx curve | curva de influxo
infrared survey | levantamento infravermelho
inhibited acid | ácido com aditivo redutor de corrosão (Port.)
inhibited acid | ácido inibido
inhibited drilling fluid | fluido de perfuração inibido
inhibited drilling fluid | lama de perfuração inibida

inhibitor | inibidor
initial circulating pressure | pressão inicial de circulação
initial gain, early gain | ganho inicial
initial gas-oil ratio | razão inicial gás-óleo
initial gel strength | força inicial do gel (Port.)
initial gel strength | gel inicial (Gi)
initial operation | operação inicial
initial potential (IP) | potencial inicial
initial producing gas-oil ratio | razão gás-óleo inicial
initial production | produção inicial
initial reservoir pressure | pressão inicial do reservatório
initial set | pega inicial
initial work program | programa de trabalho inicial
injection dike | dique de injeção
injection fluid | fluido de injeção
injection manifold | manifolde de injeção
injection pattern | malha de injeção
injection riser | riser de injeção
injection string | coluna de injeção
injection time | tempo de injeção
injection water collection and treatment system | sistema de captação e tratamento de água de injeção
injection well | poço injetor
injectivity | injetividade
injectivity index (II). | índice de injetividade (II)
in-line multiphase meter | medidor em linha multifásico
in-line offset | afastamento longitudinal
in-line section | seção longitudinal
inner core barrel | caroteiro interno (Port.)
inner core barrel | testemunhador interno (Port.) (Ang.)
inner core barrel | barrilete interno de testemunhagem
inorganic chemical sediment | sedimento inorgânico químico
in-seam seismic. | sísmica intraformacional
inside BOP |
inside diameter (ID) | diâmetro interno
in-situ calibration | calibração *in situ*
in-situ combustion | combustão *in situ*
in-situ stress | tensão *in situ*
insonification | sonificação
inspected production volume | volume de produção fiscalizada
instability | instabilidade
instantaneous attributes | atributos instantâneos
instantaneous envelope | envoltório instantâneo (Port.)
instantaneous expansion | expansão instantânea
instantaneous flash | vaporização instantânea
instantaneous frequency | frequência instantânea
instantaneous gas-oil ratio | razão instantânea gás-óleo
instantaneous value | valor instantâneo

glossário

instantaneous velocity | velocidade instantânea
Institute of Petroleum (IP) | Instituto de Petróleo (IP)
instrument resolution | resolução de instrumento
instrument stability | estabilidade de instrumento
instrumented well | poço instrumentado
insular saturation. | saturação insular
insurance contract | contrato de seguro
intake | admissão
integrated geophysics | geofísica integrada
integrated logistics | logística integrada
integrated navigation system | sistema de navegação integrado
integration company | empresa integradora
integrity | integridade
intelligent control | controle inteligente
intensity of magnetization | intensidade de magnetização
interactive interpretation | interpretação interativa
intercalated bedding | camada intercalada
interface mass transfer | transferência de massa interfacial
interfacial area | área interfacial
interfacial film | filme interfacial
interfacial tension | tensão interfacial
interfacial viscosity | viscosidade interfacial
interference | interferência
interference test | teste de interferência
interferometric sonar | sonar interferométrico
interfluve | entre rios
intergranular corrosion | corrosão intergranular
interior plain | planície interior
interlock and emergency shutdown | intertravamento e parada de emergência
interlocking | intertravamento
interlocking system. | sistema de intertravamento
intermediate casing | revestimento intermediário
intermediate casing | revestimento intermédio (Port.)
intermediate good | bem intermediário
intermediate rock | rocha intermediária
intermediate wettability |
intermittent flow | escoamento intermitente
intermittent gas lift | *gas lift* intermitente
intermittent gas-lift cycle | método de *gas lift* intermitente
intermittent-flow gas lift | elevação intermitente a gás
intermodal transportation | transporte intermodal
intermolecular force | força intermolecular
Internacional Environmental Convention | Convenção Ambiental Internacional
internal device | dispositivo interno
internal drainage system | sistema de drenagem interior
internal filter cake | reboco interno
internal or self consumption | consumo interno

internal rate of return. | taxa interna de retorno (TIR)
internal thread | rosca interna
internal-gas drive | mecanismo de gás em solução
internal-gas drive pool |
International Convention for the Prevention of Pollution from Ships (Marpol 73/78). | Convenção Internacional para a Prevenção da Poluição por Navios (Marpol 73/78)
international ellipsoid | elipsoide internacional
International Organization for Standardization | Organização Internacional de Padronização (ISO)
International Organization of Legal Metrology | Organização Internacional de Metrologia Legal (OIML)
international standard | padrão internacional
international system of units | sistema internacional de unidades
intersticial | intersticial
interval density | densidade intervalar
interval time | tempo de intervalo
interval transit time | tempo de trânsito intervalar
interval velocity | velocidade intervalar
interval zone. | zona de intervalo
intrabasement anomaly | anomalia intraembasamento
intrabasement reflection | reflexão intraembasamento
intraformational conglomerate | conglomerado intraformacional
intrinsic calibration | calibração intrínseca
intrinsic conduction | condução intrínseca
intrinsically safe | intrinsecamente seguro
introduced fossil | fóssil introduzido
intrusion | intrusão
intrusive | intrusivo
intrusive contact | contato intrusivo
intrusive rock | rocha intrusiva
invaded zone | zona invadida
invader fluid | fluido invasor
invader fluid | lama invasora
inverse dispersion | dispersão inversa
inverse filter | filtro inverso
inverse modeling | modelagem inversa
inverse-Q filter | filtro-Q inverso
inversion | inversão
inversion point | ponto de inversão
invert emulsion | emulsão inversa
inverted relief | relevo invertido
inverted rotation range | operação em rotação inversa
investment grade | grau de investimento
investment in the oil and natural gas sectors | investimento petrolífero
investment program | programa de investimento
inviscid flow | escoamento invíscido
invitation to bid | edital de licitação
in-water cable | cabo na água

glossário

ion exchange | troca iônica
ionization chamber | câmara de ionização
ionospheric refraction | refração ionosférica
ionospheric scintillation | cintilação ionosférica
IP curve | curva do IP
IPR curve | curva de IPR
irreducible water saturation | saturação de água irredutível
irreducible water saturation | saturação em água irredutível (Port.) (Ang.)
irretrievable fixed cost | custo fixo irrecuperável
isoanomaly | isoanomalia
isobar | isóbara
isobaric surface | superfície isobárica
isobaric thermal expansion coefficient | coeficiente de expansão térmica isobárica
isobutane | isobutano
isocapacity map | mapa de isocapacidade
isochore | isócora
isochore map | mapa de isócoras
isochronal or isochronic |
isochronal test | teste isócrono
isochrone, isochron | isócrona
isochronou stratum | camada isócrona
isochronous | isócrono
isochronous rock | rocha isócrona
isogal | isogal
isogon | isógona
isograd | isógrada
isokinetic sample | amostra isocinética
isokinetic sampler. | amostrador isocinético
isolith | isólita
isolith map | mapa de isólitas
isomer | isômero
isomerization | isomerização
iso-molar line | linha isomolar
isomorphic series | série isomórfica
isomorphism | isomorfismo
isopach | isópaca
isopach map | mapa de isópacas
isopotential map | mapa isopotenciométrico
isoprenoid index. | índice de isoprenoide
isosalinity map | mapa de isosalinidade
isosaturation map | mapa de isossaturação
isostatic anomaly | anomalia isostática
isostatic correction | correção isostática
isostatic rebound | reação isostática
isotherm | isoterma
isothermal | isotérmico
isothermal remanent magnetism | magnetismo isotermal remanente
isotope | isótopo
isotope fractionation | fracionamento isotópico
isotope geology | geologia isotópica
isotropic | isotrópico
isotropic layer | camada isotrópica
isotropic material | material isotrópico
isovelocity plot | gráfico de isovelocidade
isovolumetric line | linha isovolumétrica
isthmus | istmo

iterative deconvolution | deconvolução iterativa
iterative migration | migração iterativa
iterative modeling | modelagem iterativa
jack up |
jacket | jaqueta
jackknife derrick, mast rig | sonda de mastro
jackknife derrick, mast rig | torre-canivete
jack-knife rig | sonda articulada
jack-up platform | plataforma autoelevável
jack-up, jack-up platform | plataforma autoelevatória
Jamin effect | efeito Jamin
Janus configuration | configuração Janus
jar | ferramenta de percussão
jar | percussor
jar intensifier | acelerador de *jar*
jarring string | coluna de percussão
jaw | mordente
jet | jato
jet | orifício (Port.) (Ang.)
jet (engine) compressor | compressor a jato
jet charge | carga de jato
jet cutter | corte a jato
jet cutter | cortador a jato
jet drilling | perfuração por jateamento
jet drilling | perfuração a jacto (Ang.)
jet drilling | perfuração a jato
jet lifting | indução de surgência
jet lifting |
jet mixer | jato de mistura
jet mixer | misturador a jacto (Port.) (Ang.)
jet perforating | jato de canhão
jet perforating | perfuração por cargas explosivas ou a jacto (Port.)
jet system | sistema de mistura com jatos
jet-bit deflection | deflexão pelos jatos de broca
jetting | jateamento
jetting base | base de jateamento
jetting tool | ferramenta de jateamento
jitter | piti
joint development agreement | acordo comum de desenvolvimento
joint development agreement |
joint inversion | inversão conjugada
joint operating agreement | acordo de operações conjuntas
joint operating agreement | acordo de unificação de operações
Joint Supervision Committee (CSC) | Comissão de Supervisão Conjunta (CSC) (Port.)
Joint Supervision Committee (CSC) | Comitê de Supervisão Conjunta (CSC)
joint venture corporation |
jointed pipe drilling | perfuração com colunas
Josephson junction | junção de Josephson
Joule-Thompson effect. | efeito Joule-Thompson
Joule-Thompson expansion coefficient | coeficiente de expansão Joule-Thompson
jump correlation, spot correlation | correlação por saltos

glossário

jumper | tramo
jumper | tubo conector (Port.)
junction box | caixa de junção
junk basket | cesta de pesca (Port.)
junk basket | cesta de pescaria
junk catcher. | coletor de detrito
junk sub, junk basket | canguru
junk sub, junk basket |
juvenile water | água juvenil
K factor | fator K
Kalman filter | filtro de Kalman
kataseism | catasismo
K-bentonite | K-bentonita
keel hauling | içamento sob a quilha
kelly | haste quadrada
kelly |
kelly bushing | bucha do *kelly*
kelly bushing roller | rolete da bucha da haste quadrada
kelly cock | válvula do *kelly*
kelly hose | mangueira do *kelly*
kelly joint | junta do *kelly*
kelly spinner |
kelly sub | adaptador do *kelly* (Port.)
kelly sub, kelly saver | adaptador de preservação do *kelly* (Port.)
kelly-saver sub | adaptador de salvação do *kelly* (Port.)
kelly-saver sub | sub de salvação do *kelly*
kerogen | querogênio
key reflection | reflexão-chave
key seat pipe sticking | prisão por chaveta
key seat wiper | ferramenta destruidora de chavetas
kick | influxo indesejado de fluido
kick off point | ponto de arranque (Ang.)
kick off point (KOP) | ponto de desvio
kick off, kick-off point, kick-off depth | profundidade de início do desvio de poço
kick tolerance | tolerância ao *kick*
kick-off compressor | compressor de arranque de poços (Port.)
kick-off compressor | compressor de partida de poços
kick-off pressure | pressão de irrupção
kick-off pressure (KOP) | pressão de *kick-off*
kick-off valve | válvula de *kick-off*
kickover tool. | desviador
kill a well | amortecer um poço
kill a well | controlar um poço (Port.) (Ang.)
kill fluid, kill mud, load fluid | lama do controle da pressão
kill fluid, kill mud, load fluid | fluido de amortecimento
kill fluid, kill mud, load fluid | fluido do controle da pressão (Port.)
kill line | linha de matar
kill line |
kill sheet | planilha de controle de *kick*
kill sheet | tabela de controlo de erupção (Port.) (Ang.)

kill string | coluna de amortecimento
kill valve, damper valve | válvula de amortecimento
killer well | poço de amortecimento
killer well | poço para controlo de outro (Port.) (Ang.)
kinematic viscosity | viscosidade cinemática
kinetic inhibitor | inibidor cinético
Kirchhoff migration | migração de Kirchhoff
k-k domain. | domínio k-k
Klauder wavelet | pulso de Klauder
Klinkenberg effect | efeito Klinkenberg
Klinkenberg permeability factor | fator de permeabilidade Klinkenberg
Klinkenberg scale | escala Klinkenberg
Klinkenberg-corrected permeability | permeabilidade corrigida pelo efeito Klinkenberg
knot | nó
knuckle joint | junta defletora
Kobe porosimeter | porosímetro Kobe
Kozeny's equation. | equação de Kozeny
kriging | krigagem
laboratory calibration | calibração de laboratório
laccolith | lacólito
LaCoste-Romberg gravimeter | gravímetro de LaCoste-Romberg
lacustrine | lacustre
lacustrine | lacustrino
ladder logic | lógica de relés
ladder. | escada
lag gravel | seixo de fundo
lag time, time lag | tempo de retorno da lama
lagoon | laguna
lake stratification | estratificação de águas em lagos
Lamb's wave | onda de Lamb
Lamé constants | constantes de Lamé
laminae | lâmina
laminar flow | fluxo laminar (Port.)
laminar flow. | escoamento laminar
lamination | laminação
land air gun. | canhão de ar terrestre
land occupancy or retention payment | pagamento pela ocupação ou retenção de área
landing | assentamento
landowner participation | participação do superficiário
landslide | deslizamento de terra
landslide. | deslizamento
Larmor frequency | frequência de Larmor
late youth | adolescência geológica
latent heat | calor latente
lateral core | amostra lateral
lateral coring or sidewall coring | testemunhagem lateral
lateral offset | afastamento lateral
lateral resolution | resolução lateral
lateral well | poço lateral
lateritic crust | crosta laterítica
laterization | laterização

glossário

laterolog | diagrafia laterolog (Port.)
laterolog | laterolog
laterolog | perfil lateral
latitude correction | correção da latitude
lava | lava
law of faunal assemblages | lei da assembleia faunística
law of faunal succession | lei da sucessão faunística
law of superposition | lei da sobreposição (Port.)
law of superposition | lei da superposição
lay barge | navio de lançamento de linhas
lay-away |
layback. | distância horizontal
lay-down rack for pipe, rods or tubing | estaleiro de tubos
layer | camada
laying down of pipe, rods or tubing | armazenamento de tubos (Port.)
laying down of pipe, rods or tubing | empilhamento de tubagem (Ang.)
laying down of pipe, rods or tubing | empilhamento de tubos (Port.)
laying down of pipe, rods or tubing | desmonte de tubos (Ang.)
laying support vessel | barco de lançamento de linhas (Port.)
LD/50 | DL/50
leaching | lixiviação
lead angle | ângulo guia
lead coating on electrical cable | revestimento de chumbo em cabo elétrico
lead impression block | estampador de chumbo
leakage corrosion | fuga de corrente
leak-off or leakoff test | teste de absorção
leak-off or leakoff test | teste de absorção da formação (Ang.)
leak-off or leakoff test | teste de cedência ou fratura da formação (Port.) (Ang.)
leakoff pressure | pressão de absorção
leakoff pressure | pressão de cedência da formação (Port.) (Ang.)
leakoff pressure | pressão de fractura ou rompimento da formação (Port.) (Ang.)
lean gas | gás pobre
least-time path, minimum-time path | trajetória do tempo mínimo
LECO carbon analyzer | analisador de carbono LECO
Lee partitioning method | método particional de Lee
leeward | sotavento
legal metrology | metrologia legal
legal oil or gas | óleo ou gás legal
lens | lente
lenticular | lenticular
lenticular bedding | camada lenticular
lentiform | forma lenticular
levee | ombreira
level indicator | indicador de nível

level meter | medidor de nível (Port.) (Ang.)
life cycle analysis | análise de ciclo de vida
lifeboat | baleeira
lifeboat | barco salva-vidas
life-cycle cost (LCC) analysis | análise de custo de ciclo de vida
lift gas | gás de elevação
lifting | levantamento de petróleo
lifting |
lifting agreement | acordo de retirada ordenada de produção
lifting sub | adaptador de elevação (Port.)
lifting sub | sub de elevação
light crude oil | óleo cru leve
light diffraction | difração de luz
light hydrocarbon | hidrocarboneto leve
light oil | óleo leve
light petroleum | petróleo leve
light well | poço fraco
light well intervention; light workover | restauração leve em poço
light well intervention; light workover | restauro leve em poço (Port.) (Ang.)
light-weight source | fonte de baixa potência
lignin | lignina
lignite | lignite
lignite | lignito
lignite | linhito
lignosulfonate | lignossulfonato
lignosulfonate mud | lama de lignosulfonato
lime-based mud | fluido à base de cal
lime-based mud | lama à base de cal
limited-recourse financing structure | financiamento com recursos limitados (Port.)
limited-recourse financing structure |
Lindblad-Malmquist gravimeter | gravímetro de Lindblad-Malmquist
line bundle | feixe de linhas
line drive or flood | injeção em linha direta
line gas, pipeline gas | gás de linha
line of outcrop | linha de afloramentos
line oil, pipeline oil | óleo de linha
line shooting | detonação em linha
line source, linear source | fonte linear
line spacing. | espaçamento entre linhas
line spectrum | espectro de linhas
linear absorption | absorção linear
linear circuit | circuito linear
linear filter | filtro linear
linear phase filter | filtro de fase linear
linear sweep | varredura linear
line-handling tug | rebocador de manuseio de linhas
liner | revestimento tipo *liner*
lipid | lipídio
lipophilic surface | superfície lipofílica
lipophilic surface | superfície oleofílica
lipophobic surface | superfície oleofóbica
liptinite | liptinito
liquefied natural gas | gás natural liquefeito

glossário

liquefied natural gas product | produto do gás natural liquefeito
liquefied petroleum gas (LPG). | gás liquefeito de petróleo (GLP)
liquefied-petroleum-gas recovery plant | instalação de extração de líquidos do gás (Port.)
liquid area fraction | fração de área de líquido
liquid carry-over | carreamento de líquido pelo gás
liquid constituents | hidrocarbonetos líquidos do gás
liquid meniscus | menisco líquido
liquid porosity | porosidade ao líquido
liquid saturation | saturação de líquidos
liquid saturation | saturação em líquidos (Port.) (Ang.)
liquid volume checking | verificação de volume de líquido
liquid volume fraction | fração volumétrica de líquido
liquid volume gauging | aferição de volume de líquido (Port.)
liquid volume proving | provação de volume de líquido
liquid-gas ratio | razão líquido-gás
liquid-junction potential | potencial de junção líquida
listening period | período de escuta
lithification | litificação
lithochronozone | litocronozona
lithodensity log | diagrafia de litodensidade (Port.)
lithodensity log | *log* de litodensidade (Port.) (Ang.)
lithodensity log | perfil de litodensidade
lithofacies | litofácies
lithologic | litológico
lithologic correlation | correlação litológica
lithology. | litologia
lithostatic pressure | pressão litostática
lithostratigraphic unit | unidade litoestratigráfica
lithotype | litotipo
littoral current | corrente litorânea
littoral drift | deriva litorânea
live oil | óleo vivo
live section | seção ativa
live section | secção ativa (Port.) (Ang.)
live trace | traço vivo
load capacity | capacidade de carga
load cell. | célula de carga
loading pole | vara de carregamento
loan agreement |
local content certification. | certificação de conteúdo local
local content measurement | aferição de conteúdo local
local content or national content | conteúdo local
local contingency plan | plano de contingência local

local pressure drop | perda de carga localizada
local pressure drop | perda de pressão localizada (Port.) (Ang.)
local productive arrangement | arranjo produtivo local
location area | área de locação
location area | área de localização (Port.)
location restriction map | mapa de restrições da locação
locator seal assembly | conjunto selante
lock | travamento
Lockhart-Martinelli parameter (LM or X) | parâmetro de Lockhart-Martinelli (LM ou X)
loess | loess
log | diagrafia (Port.)
log | *log* (Port.) (Ang.)
log | perfil
log curve | curva de diagrafia (Port.)
logging | perfilagem
logging cable, survey cable | cabo de diagrafias (Port.)
logging cable, survey cable | cabo de perfilagem
logging tool | ferramenta de diagrafias (Port.)
logging tool | ferramenta de perfilagem
logging unit | unidade de diagrafias (Port.) (Ang.)
logging unit | unidade de perfilagem
logging while drilling | perfilando durante a perfuração
logging while drilling | registando diagrafias enquanto se fura (Port.) (Ang.)
logging while drilling (LWD), | perfilagem contínua
logistic chain | cadeia logística
logistic chain | canal logístico (Port.)
long string | coluna longa
long-duration test | teste de longa duração (TLD)
longitudinal conductance | condutância longitudinal
longitudinal seam | costura longitudinal
long-normal curve | curva longo-normal
long-radius curvature | curvatura de raio longo
long-radius horizontal well | poço horizontal de raio longo
long-spaced sonic log | perfil sônico de espaçamento longo
long-term formation test | teste de formação de longa duração
long-term or slow loop | malha lenta
look-out regime, Brazil | regime de sobreaviso, Brasil
loop | malha
loop conditioning | condicionamento de malhas
loops | malhas
lopolith | lopólito
lose a hole | perder um poço
loss control material (LCM) | material de controle de perda de circulação

glossário

loss-circulation plug | tampão de perda de circulação
lost mud return, lost circulation | perda de retorno do fluido
lost mud return, lost circulation (partial or total) | perda de retorno de lama (Port.) (Ang.)
lost or loss circulation | perda de circulação
lost well | poço perdido
lost-circulation material | material de controlo de perda de circulação (Port.) (Ang.)
lost-circulation material | material de perda de circulação
lost-circulation material | material para combater a perda de circulação
lost-circulation pill | substância bombeada para perda de circulação
lost-circulation pill | colchão de perda de circulação
lost-circulation plug or pill | tampão de controlo de perda de circulação (Ang.)
Love's wave | onda de Love
low tide | maré baixa
low-amplitude display | seção de amplitude reduzida
low-angle cross-bedding | estratificação cruzada de baixo ângulo
low-angle cross-bedding | estratificação entrecruzada de baixo ângulo (Port.)
low-drag rigid centralizer | centralizador rígido com mínimo arraste
lower extension coupling | bocal roscado inferior (Port.)
lower extension coupling | niple de extensão inferior
lower heating value | poder calorífico inferior
lower kelly valve | válvula inferior do *kelly*
lower marine riser package (LMRP) | conjunto da extremidade inferior do *riser* de perfuração
lower workover riser package (LWRP) | conjunto de extremidade de *riser* de completação
low-frequency shadow | sombra de baixa frequência
low-pressure housing | alojador de baixa pressão
low-pressure housing | cobertura de baixa pressão (Port.)
low-pressure squeeze | cimentação sob baixa pressão
low-pressure squeeze | compressão de cimento a baixa pressão
low-pressure squeeze | injecção de cimento a baixa pressão (Port.)
low-shrinkage oil | óleo de baixa contração
low-solids nondispersed mud | lama não dispersa com baixa quantidade de sólidos
lowstand | mar baixo
lowstand wedge | cunha de mar baixo
low-temperature separation | separação a baixa temperatura
low-torque rigid centralizer | centralizador rígido com mínimo binário (Port.)
low-torque rigid centralizer. | centralizador rígido com mínimo torque
low-velocity layer | camada de baixa velocidade
low-velocity zone (LVZ) | zona de baixa velocidade (ZBV)
LPG or LP-GAS drive | deslocamento por gás rico
lubricant | lubrificante
lubrication | lubrificação
lubricator | engraxadeira
lubricator | lubrificador (Port.)
lubricity | lubricidade
Lucas-Washburn model | modelo de Lucas-Washburn
lump sum | modalidade de contrato 'pagamento de uma só vez, chave na mão' (Port.) (Ang.)
lump sum |
Lump Sum Turn Key contract. | contrato LSTK
lutite | lutito
lyophilic | liofílico
lyophobic | liofóbico
macaroni string | coluna macaroni
macaroni tubing | tubagem de produção de pequeno diâmetro (Port.) (Ang.)
macaroni tubing | macarroni
maceral | maceral
macrobenthos | macrobentos
macrofauna | macrofauna
macro-seep | macroexsudação
mafic | máfico
magmatic rock | rocha magmática
magnet | gerador ligado a motor (Port.)
magnet | magneto
magnetic anomaly | anomalia magnética
magnetic balance | balança magnética
magnetic basement | embasamento magnético
magnetic basement | soco magnético (Port.)
magnetic brake | travão magnético (Port.) (Ang.)
magnetic brake | freio magnético
magnetic declination | declinação magnética
magnetic epoch | época magnética
magnetic flow meter | medidor de vazão do tipo magnético
magnetic interference | interferência magnética
magnetic prospecting | prospecção magnética
magnetic survey | levantamento magnético
magnetic variometer | variômetro magnético
magnetometer | magnetômetro
magnetomotive force | força magnetomotiva
magnetostratigraphy | magnetoestratigrafia
magnetotelluric method | método magnetotelúrico
magnetotelluric noise | ruído magnetotelúrico
main players | agentes da indústria do gás natural
mainhole | poço mãe
maintainability | mantenabilidade
maintenance bond | garantia de manutenção (Port.)
maintenance bond |

glossário

maintenance, repair and operating (MRO) material | material MRO
major incident event | evento principal de alto grau de incidência (Port.)
major incident event | evento principal de incidente
major oil company |
make up crossover | adaptador de conexão
makeup tongs | chaves flutuantes
makeup torque | binário da conexão (Port.)
male thread | rosca do pino
male thread | rosca macho
management plan | plano de manejo
mangrove | manguezal
manifold | manifolde
manifold | piano de válvulas (Port.)
manipulated variable | variável manipulada
manufacturer | fabricante
manufacturing | fabricação
mareograph | mareógrafo
margin of overpull | margem de tração
marginal basin | bacia marginal
marginal field | campo marginal
marginal natural gas field | campo marginal de gás natural
marginal oil field | campo marginal de petróleo
marginal sea | mar marginal
marginal well | poço marginal
marine authigenic carbonate | carbonato autigênico marinho
marine bank | banco marinho
marine bank | talude marinho (Port.) (Ang.)
marine conductor | condutor marinho
marine deposit | depósito marinho
marine erosion | erosão marinha
marine geology | geologia marinha
marine humus | húmus marinho
marine riser connection | conexão do *riser* de perfuração
marine riser connection | conexão do *riser* de perfuração marinho (Port.)
marine seismic source | fonte sísmica marítima
marine transgression | transgressão marinha
marinization | marinização
maritime, fluvial or lacustrine terminal | terminal marítimo, fluvial ou lacustre
marker | marcador (Port.) (Ang.)
marker | marco
marker band | faixa de marcação
marker bed | camada guia
marker buoy | boia de marcação
marker horizon | horizonte guia
Markov's variable | variável de Markov
marl | marga
Marsh funnel | funil Marsh
marsh paludal | pantanal
Marsh-funnel viscosity | viscosidade Marsh
mass | massa
mass absorption coefficient | coeficiente de absorção de massa

mass flow meter | medidor mássico
mass flow rate | vazão mássica
mass spectrometry. | espectrometria de massa
massive | maciço
master bushing | bucha da mesa rotativa
master clutch | embraiagem mestra (Port.)
master clutch | embreagem mestre
master meter | medidor mestre
master meter | medidor padrão
master meter gauger | aferidor medidor padrão (Port.)
master meter prover | provador medidor padrão
master meter prover | verificador medidor padrão (Port.) (Ang.)
master station} | estação-mestre
master valve | válvula mestra
master-slave | mestre-escravo
matched filter | filtro casado
material balance equation | equação de balanço de materiais
matrix | matriz
matrix acidizing. | acidificação de matriz
mature | maturo
mature field | campo maduro
mature oil | óleo maduro
maturity | maturidade
maturity index | índice de maturidade
maximum allowable error | erro máximo admissível
maximum allowable error | erro máximo permissível
maximum allowable operating pressure | pressão máxima admissível de operação
maximum allowable pressure | máxima pressão permitida
maximum allowable working pressure | pressão admissível máxima de trabalho
maximum allowable working pressure | pressão máxima de trabalho permitida (Ang.)
maximum anticipated surface pressure | pressão esperada máxima na superfície
maximum capacity well |
maximum convexity curve | curva de convexidade máxima
maximum economic recovery | máxima recuperação econômica
maximum efficiency rate (MER) | MER
maximum efficient rate | máxima taxa de eficiência
maximum entropy filter | filtro em entropia máxima
maximum production rate | taxa de produção máxima
maximum pump pressure | máxima pressão de bombeamento (Port.) (Ang.)
maximum pump pressure | máxima pressão de bombeio
maximum water cut | máxima produção de água

577

glossário

maximum well capacity | máxima capacidade de poço
mean obliquity | obliquidade média
mean particle size | principal tamanho de partícula
mean particle size | tamanho médio das partículas (Port.) (Ang.)
mean sea level (MSL) | nível médio do mar
mean time between failures | tempo médio entre falhas
mean time to repair | tempo médio de reparo
measurable quantity | grandeza mensurável
measurand | mensurando
measured depth | profundidade medida
measured reserves | reservas medidas
measurement | medição
measurement error | erro de medição
measurement length | tramo de medição
measurement signal | sinal de medição
measurement tape | fita medidora de nível (Port.)
measurement tape. | trena medidora de nível
measurement while drilling | medição durante a perfuração
measuring envelope | envelope de medição
measuring envelope | envoltório de medição (Port.)
measuring point | ponto de medição
measuring range | faixa de medição
measuring system | sistema de medição
measuring tank | tanque de medição
measuring tape | fita de medição (Port.)
mechanical agitator | agitador mecânico
mechanical brake | travão mecânico (Port.) (Ang.)
mechanical brake | freio mecânico
mechanical damage. | dano mecânico
mechanical degradation | degradação mecânica
mechanical diversion perforation | furação diversiva
mechanical rig | sonda mecânica
mechanical seal. | selo mecânico
mechanical sealant | vedante mecânico (Port.)
mechanical seismograph | sismógrafo mecânico
mechanical source | fonte mecânica
mechanistic modeling | modelagem mecanicista
medium crude oil | óleo cru médio
medium oil | óleo médio
medium oil | petróleo do tipo médio
megger meter | medidor de megaohms
M-electrode. | eletrodo M
memory map | mapa de memória
mercantile leasing | arrendamento mercantil
mercaptan | mercaptano
mercury column | coluna de mercúrio
mercury-injection porosity | porosidade por injeção de mercúrio
mercury-vacuum capillary pressure curve | pressão capilar por mercúrio
mesophilic sulfate-reducing bacteria | bactéria redutora de sulfato mesofílico

mesoregion | mesorregião
metagenesis | metagênese
metallic bonding | ligação metálica
metal-to-metal casing packoff | conjunto de vedação universal-metal (CVU)
meteoric water | água meteórica
meter accuracy factor | fator de acurácia do medidor
meter accuracy factor | fator de precisão do medidor (Port.)
meter calibration | calibração do medidor
meter factor | fator do medidor
meter proving run | corrida de calibração
meter tube | tubo de medição
metering separator | separador de medição
methane | metano
methanol | metanol
methanol injection valve | válvula de injeção de metanol
methyl orange alkalinity of filtrate | alcalinidade a metil orange do filtrado
methylene blue test equivalent standard test (MBTE) | teste equivalente de azul de metileno
methylphenanthrene index (MPI) | índice de metilfenantreno (IMF)
metrological verification | verificação metrológica
metrology | metrologia
micellar flood | inundação micelar
micellar flood | recuperação secundária por injecção de água com micelas (Port.)
micellar fluid | fluido micelar (Port.)
micelle | micela
micro-annulus, micro-annuli | microanular
micro-anullus, micro-annuli | microânulo (Port.) (Ang.)
microbar | microbar
microbial flooding ou enhanced oil recovery | recuperação microbiológica
microbiological induced corrosion | corrosão induzida por microrganismos
microcontroller | microcontrolador
micro-electromechanical system (MEMS) | microssistema eletromecânico
microemulsion | microemulsão
microfrac | microfraturamento
microprocessor | microprocessador
microresistivity log | diagrafia de microrresistividade (Port.)
microresistivity log | *log* de microrresistividade (Port.) (Ang.)
microresistivity log | perfil de microrresistividade
microseep | microexsudação
microseism | microssismo
microspread | microlanço
microwave | micro-ondas
midstream |
migration velocity. | velocidade da migração
Milankovitch cycles | ciclos de Milankovitch
milled bit | broca gasta (Port.)

glossário

milled bit | broca para destruição
milled bit. | broca moída (Port.)
Miller indexes | índices de Miller
milling | trituração
milling |
milling shoe | sapata de destruição
milling shoe | sapata de trituração (Port.)
milling shoe | trituração de sapata
milling tool | ferramenta de destruição
milling tool | ferramenta de trituração (Port.)
mineral association | associação mineral
mineral oil | óleo mineral
mineral resources | recursos minerais
mineralization | mineralização
minifrac | minifraturamento
mini-max criterion | critério mini-max
minimum exploratory program | programa exploratório mínimo
minimum miscibility pressure | pressão de miscibilidade mínima
minimum oil price | preço mínimo do petróleo
minimum phase | fase mínima
minimum polished-rod load | carga mínima na haste polida
minimum prediction distance | distância mínima de predição
minimum take | levantamento mínimo de gás
minimum take |
minimum yield stress. | Tensão de escoamento mínima
minimum-phase function | função de fase mínima
minimum-variance deconvolution | deconvolução de variação mínima
mini-rotary viscometer | viscosímetro mini-rotary
Mintrop's wave | onda de Mintrop
miscibility | miscibilidade
miscibility pressure | pressão de miscibilidade
miscible | miscível
miscible displacement mechanism | método miscível
miscible drive | influxo miscível
miscible flooding, miscible displacement | deslocamento miscível
misclosure | erro de fechamento
misfire | falha de detonação
mist extractor | eliminador de névoa
mist extractor | removedor de névoa
mist extractor | desembaciador
mixed butane | butano misto
mixed string | coluna mista
mixing system | unidade de cimentação
mixture water | água de mistura (Ang.)
mixture water | água de mistura para cimento
MN spacing | espaçamento MN
mobile offshore production unit | unidade móvel de produção marítima
mobility | mobilidade
mobility control | controle de mobilidade
mobility ratio | razão de mobilidade
modal diameter | diâmetro modal

modbus |
mode conversion | conversão de modo
model trace | traço modelo
modem | modem
modernize, operate, transfer or own contract (MOT/O) | contrato de modernização, operação, transferência ou manutenção
modified power-law model | modelo de potência modificado
modular drilling rig | sonda de perfuração modulada
modular rig. | sonda modulada
modular-spaced workover rig | sonda de produção modulada
modulation | modulação
module lifting | lifting de módulos
modules integration | integração de módulos
Mohr circle | círculo de Mohr
Mohs hardness scale. | escala de dureza Mohs
molecular fossil | fóssil molecular
molecular mass | massa molecular
molecular sieves | peneiras moleculares
momentum breaker | quebrador de momento
monazite | monazita
monazite | monazite (Port.) (Ang.)
monel | monel
monitor hydrophone | hidrofone monitor
monitor record | gravação monitor
monitoring well | poço de monitoramento
monkey board | mesa do torrista
monkey face | placa triangular
monobuoy | monoboia
monocolumn hull, production, storage and offloading | monocoluna de produção, estocagem e transferência
monoethylene glycol | glicol monoetileno
monograde | monograu
Monte Carlo method | método de Monte Carlo
montmorillonite | montmorilonita
montmorillonite | montmorilonite (Port.) (Ang.)
monument | monumento
Moody diagram | diagrama de Moody
moonpool | abertura em barco para a tubagem de perfuração (Port.)
moonpool | abertura em barco-sonda para a tubagem de perfuração (Port.)
moonpool | tanque central aberto para o mar
moonpool |
moonpool. | abertura central da plataforma
mooring | amarração
mooring | ancoragem
mooring rope. | cabo de ancoragem
mooring system | sistema de ancoragem
moraine | morena
morphosequent | morfosequente
morphostructure | morfoestrutura
mosaic | mosaico
motion sensor | sensor de movimento
motor insulation meter | medidor do isolamento de motores

579

glossário

motor-operated valve | válvula motorizada
Mott Smith gravimeter | gravímetro de Mott Smith
Mounce potential | potencial de Mounce
moveout filter | filtro de sobretempo
moveout, excess time | sobretempo
moving average, running average | média móvel
mud | lama
mud acid | lama ácida
mud additive | aditivo de lama
mud analysis | análise de lama
mud analysis, drilling fluid analysis | análise da lama de perfuração (Port.)
mud analysis, drilling fluid analysis | análise de fluido de perfuração
mud anchor | âncora de fundo
mud cake consistency | consistência do reboco
mud cake consistency | consistência do reboco do poço (Port.)
mud cake; filter cake | reboco
mud cake; filter cake | reboco de lama (Port.)
mud circulation system | sistema de circulação de lama
mud cleaner | depurador da lama (Port.)
mud cleaner |
mud conditioning | condicionamento da lama
mud crack | greta de contração
mud decontaminant | descontaminante da lama
mud ditch | calha de retorno da lama
mud engineer | químico de fluidos
mud engineer | engenheiro de lamas (Port.)
mud filtrate | filtrado da lama
mud gun | pistola de fundo
mud laboratory | laboratório das lamas de perfuração
mud laboratory | laboratório de fluido de perfuração
mud logger | operador de diagrafia de lamas (Port.) (Ang.)
mud logger | operador de mudlogging
mud logging | diagrafia de lamas (Port.)
mud logging | registro através do fluido
mud logging |
mud motor, downhole motor, dyna-drill, turbo-drill | motor de fundo
mud program | programa de lama
mud pump fluid efficiency | eficiência da bomba de lama
mud tank | tanque de lama
mud weight | densidade da lama (Port.) (Ang.)
mud weight | massa específica do fluido de perfuração
mud weight | peso da lama
mud weight | peso do fluido de perfuração
mud-level recorder | registador do nível de lama (Port.)
mud-level recorder | registrador do nível de lama
mule shoe | pata de mula
multibeam echosounder. | ecobatímetro multifeixe
multichannel convolution | convolução de multicanal

multicomponent geophone | geofone de multicomponentes
multicomponent processing | processamento multicomponente
multi-flare | queimador múltiplo
multigrade | multigrau
multi-loop | multimalha
multiphase | multifásico
multiphase flow | escoamento multifásico
multiphase flow | fluxo multifásico (Port.)
multiphase flowmeter | medidor de vazão multifásico
multiphase fraction meter | medidor de fração multifásica
multiphase impedance metering | medição multifásica de impedância elétrica
multiphase metering | medição multifásica
multiphase pump | bomba multifásica
multiphase separation meter | medidor do tipo separação multifásico
multiple | múltipla
multiple | múltiplo
multiple coverage | cobertura múltipla
multiple detector. | detector múltiplo
multiple geophones | geofones múltiplos
multiple reflection | reflexão múltipla
multiple source | fonte múltipla
multiple suppression | supressão de múltiplas
multiplex BOP control system | sistema de controle multiplex de BOP
multiplex control | controle multiplexado
multiplicity | multiplicidade
multi-service vessel, multipurpose support vessel | barco multiuso (Port.)
multi-service vessel, multipurpose support vessel | embarcação multiuso
multishot | foto abrangendo vários pontos (Port.)
multishot | foto múltipla
multishot | sistema de múltiplos registros
multishot | sistema de registos múltiplos (Port.) (Ang.)
multisize pig | escovilhão de multi-tamanho (Ang.)
multisize pig | pig de multitamanho
multisize pig | porco de multitamanho
multispectral scanner | varredura multiespectral
multistage centrifugal pump | bomba centrífuga de múltiplos estágios
multistage centrifugal pump | bomba centrifugadora de múltiplos estágios (Port.) (Ang.)
multistage pump | bomba multiestágios
multi-vane pump | bomba de múltiplas palhetas
multizone completion | completação múltipla
multizone completion | completamento múltiplo (Port.)
Munroe effect | efeito de Munroe
muscovite | moscovite (Port.)
muscovite | muscovita
muting | silenciamento

glossário

muting function | função de silenciamento
mylonite | milonito
N mandrel | mandril N
naphtha | nafta
naphthene | nafteno
naphthene hydrocarbon | hidrocarboneto naftênico
naphthene index | índice de nafteno
naphthene rate | taxa de nafteno (Port.) (Ang.)
naphthene-base crude oil | óleo à base de nafta
naphthenic | naftênico
naphthenic acid | ácido naftênico
naphthenic crude oil | óleo cru naftênico
naphthenic oil, naphthenic crude oil | petróleo naftênico
National Bank for Economic and Social Development, Brazil | Banco Nacional de Desenvolvimento Econômico e Social (BNDES), Brasil
national content or local content | conteúdo nacional
National Contingency Plan | Plano Nacional de Contingência
National Environment Fund, Brazil | Fundo Nacional do Meio Ambiente (FNMA), Brasil
National Institute for Industrial Property, Brazil | Instituto Nacional da Propriedade Industrial (INPI), Brasil
National Institute of Metrology, Standardization and Industrial Quality, Brazil | Instituto Nacional de Metrologia, Padronização e Qualidade Industrial (INMETRO), Brasil
National Lubricating Grease Institute (NLGI) | Instituto Nacional de Graxas Lubrificantes
National Organization of the Petroleum Industry | Organização Nacional da Indústria do Petróleo (ONIP)
national park. | parque nacional (PARNA)
National Petroleum, Natural Gas and Biofuels Agency (ANP), Brazil | Agência Nacional do Petróleo, Gás Natural e Biocombustíveis (ANP), Brasil
national standard | padrão nacional
National System for the Environment | Sistema Nacional do Meio Ambiente (SISNAMA)
nationalization index, Brazil | índice de nacionalização, Brasil
nationalization rate | taxa de nacionalização (Port.)
native asphalt | asfalto nativo
native gas | gás nativo
natural completion | completação natural
natural completion | completamento natural (Port.)
natural flow | escoamento natural
natural flow | fluxo natural (Port.)
natural flow | surgência
natural fracture | fratura natural
natural frequency | frequência natural
natural gas | gás natural
natural gas anchor | âncora natural de gás

natural gas industry | indústria do gás natural
natural gas liquid (NGL) | líquido de gás natural (LGN)
natural gas liquid (NGL) potential production | potencial de produção de líquido de gás natural (LGN)
natural gas plant | planta de gasolina natural
natural gas price | preço de gás natural
natural gas processing | processamento de gás natural
natural gas processing plant | instalação de gás natural (Port.)
natural gas processing plant | planta de gás natural
natural gas production | produção de gás natural
natural gas storage | estocagem de gás natural
natural gas tank farm | estação de armazenamento de gás natural
natural gas treatment and processing | tratamento e processamento de gás natural
natural gasoline | gasolina natural
natural lift | elevação natural
natural-flow well | poço surgente
naturally deviated well | poço desviado naturalmente
Naudy's method | método de Naudy
near trace | traço próximo
near-bit stabilizer | estabilizador próximo à broca
near-critical oil | óleo quase crítico
near-field corrections | correções do campo próximo
near-surface multiple | múltipla de superfície
neat cement | cimento puro
needle valve | válvula agulha
needle valve | válvula de agulha (Port.) (Ang.)
negative adsorption | adsorção negativa
negative area | área negativa
nekton | nécton
N-electrode | eletrodo-N
neritic | nerítico
neritic zone | zona nerítica
nest of geophones | ninho de geofones
net pay | camada produtora
Net Production Revenue, Brazil | Receita Líquida da Produção, Brasil
net standard volume | volume líquido padrão
neutron generator | gerador de neutrões (Port.)
neutron generator | gerador de nêutrons
new frontiers | novas fronteiras
new well | poço novo
New York Mercantile Exchange (NYMEX) |
Newton's model | modelo de Newton
Newtonian fluid | fluido newtoniano
nine-spot pattern | padrão de nove pontos
nipple | bocal roscado
nipple | niple
nitrogen | azoto
nitrogen | nitrogênio

glossário

nitrogen generation unit | unidade de geração de azoto (Port.) (Ang.)
nitrogen generation unit | unidade de geração de nitrogênio
nitrogen generator system | sistema gerador de azoto (Port.) (Ang.)
nitrogen generator system | sistema gerador de nitrogênio
n-layered model | modelo de n camadas
NLGI grease classification | classificação NLGI para graxas
NMO stretching | estiramento do NMO
NMO velocity, normal moveout velocity. | velocidade NMO
no gain | sem ganho
noise analysis | análise de ruído
noise log | perfil de ruído
nominal diameter | diâmetro nominal
nominal seat protector | protetor nominal de housing
nominal seat protector (NSP) | protetor nominal do alojador
nominal value. | valor nominal
nominal weight | peso nominal
non-associated gas | gás não associado
non-associated natural gas | gás natural não associado
non-classified area | área não classificada
nonconductive mud | lama não condutiva
nonconformity | não conformidade
non-consent operation |
non-consent operations | operações não aprovadas por todos os parceiros (Port.) (Ang.)
non-destructive testing | ensaio não destrutivo (END)
non-destructive testing | teste não destrutivo
non-instrumented well | poço não instrumentado
non-ionic surfactant | tensoativo não iônico
nonionic surfactant. | surfactante não iônico
nonlinear filter | filtro não linear
nonlinear sweep | varredura não linear
non-magnetic collar, K-Monel | colar não magnético (Port.)
non-magnetic collar, K-Monel | comando não magnético
non-Newtonian fluid | fluido não newtoniano
nonpolarizable electrode. | eletrodo não polarizável
nonproductive formation | formação não produtiva
nonrealizable filter | filtro não realizável
nonsequential | não sequencial
nontabular deposit | depósito não tabular
nonuniform flow | escoamento não uniforme
non-uniform flow | fluxo não uniforme (Port.)
non-volatile memory | memória não volátil
non-volatile random access memory | memória não volátil de acesso randômico
non-welded centralizer | centralizador não soldado

nonwetting fluid | fluido não molhante
non-wetting fluid | lama não molhante
non-wetting fluid or phase | lama ou fase não molhante
nonwetting phase | fase não molhante
normal device | dispositivo normal
normal dispersion. | dispersão normal
normal mode | modo normal
normal moveout (NMO) | sobretempo normal
normal pore pressure | pressão de poro normal
normal potential (NP) | potencial normal
normal pressure | pressão normal
normal stress | tensão normal
normal stress. | tensão normal
normally consolidated | normalmente consolidado
normally-closed valve | válvula normalmente fechada
normally-open valve | válvula normalmente aberta
normal-moveout spectrum | espectro normal de NMO
normal-pressure gradient | gradiente de pressão normal
North Atlantic deep water | corrente de águas profundas do Atlântico Norte
north-seeking gyro (NSG) | giroscópio de orientação automática
NOS compunds | compostos NOS
no-slip liquid holdup | carreamento de líquido sem escorregamento
notch filter | filtro cunha
n-paraffin index | índice de n-parafina
n-paraffin rate | taxa de n-parafina (Port.) (Ang.)
nuclear geology | geologia nuclear
nuclear magnetic resonance (NMR) | ressonância nuclear magnética
nuclear magnetic resonance log | diagrafia de ressonância magnética (Port.)
nuclear magnetic resonance log | perfil de ressonância magnética
nudge |
null coupling | acoplamento nulo
nummulite limestone | calcário com numulites
NWE/basis ARA, market | mercado NWE/basis ARA
Nyquist frequency, folding frequency | frequência de Nyquist
Nyquist wave number | número de onda de Nyquist
object to be measured | objeto a medir (Port.) (Ang.)
oblique configuration | configuração oblíqua
obliquity factor | fator de obliquidade
observation well | poço de observação
observation well | poço observador
ocean-bottom cable | cabo de fundo do mar
ocean-bottom seismometer. | sismômetro de fundo do mar

glossário

ocean-floor metamorphism | metamorfismo de fundo oceânico
oceanic crust | crosta oceânica
odd predominance | predominância de ímpares
off balance sheet financing | financiamento fora do balanço (Port.)
off balance sheet financing | financiamento próprio (Port.)
off balance sheet financing |
official finance agency | agência financeira oficial de fomento
offset | afastamento
offset shooting | levantamento lateral
offset VSP, offset vertical seismic profiling | VSP com afastamento lateral
offset well | poço de correlação
offset well | poço de delimitação de reservatório (Port.) (Ang.)
offset-angle AVO | AVO de ângulo de afastamento
offshore |
offshore E&P. | E&P *offshore*
offshore production platform | plataforma de produção *offshore*
offtake agreement | acordo de levantamento de petróleo (Port.)
offtake agreement | acordo de participação
oil | óleo
oil and gas in place | óleo e gás *in place*
oil and gas recombination | recombinação de óleo e gás
oil and gas sector regulation | regulação do setor de petróleo e gás
oil and grease content | teor de óleo e lubrificante (Port.)
oil and grease meter | medidor de TOG
oil and natural gas industry | indústria de petróleo e gás natural
oil and natural gas loading and unloading facilities | instalações de embarque e desembarque de petróleo e gás natural, Brasil
Oil and Natural Gas Sectorial Fund, Brazil | Fundo Setorial do Petróleo e Gás Natural (CTPETRO), Brasil
oil and/or natural gas discovery evaluation plan | plano de avaliação de descobertas de petróleo ou gás natural
oil column | coluna de óleo
oil compressibility | compressibilidade do óleo
oil cut | corte de óleo
oil equivalent | óleo equivalente
oil exploration and production phases | fase da exploração e produção de petróleo
oil field | campo de petróleo
oil flowline | conduta de óleo (Port.)
oil formation volume factor | fator de volume de formação do óleo (Bo)
oil formation volume factor at bubble point (Bob) | fator volume de formação no ponto de bolha
oil holdup | holdup de óleo

oil horizon | orizonte de óleo
oil in place | óleo existente na formação (Port.) (Ang.)
oil in place | óleo *in place*
oil in place | óleo não produzido (Port.) (Ang.)
oil in place | óleo no reservatório
oil in place | volume total de óleo
oil industry segments | segmentos da indústria do petróleo
oil pipeline | oleoduto
oil policy, Brazil | política de petróleo, Brasil
oil pumping system | sistema de transferência de óleo
oil reserves | reservas de óleo
oil reservoir | reservatório de óleo
oil sector legislation, Brazil | legislação do setor petróleo, Brasil
oil seep. | exsudação de petróleo
oil spill | derramamento de petróleo
oil spill sensitivity map | mapa de sensibilidade ambiental a derramamento de óleo
oil volume equivalent | volume de petróleo equivalente
oil volume fraction | fração volumétrica de óleo
oil well | poço de óleo
oil well | poço de petrolífero (Port.) (Ang.)
oil wettability index | índice de molhabilidade de óleo
oil/water contact | contato óleo/água
oil-base drilling mud | lama à base de óleo
oil-continuous flow | escoamento óleo-contínuo
oil-cut mud | lama com indícios de óleo
oil-cut mud | lama cortada com óleo
oil-emulsion drilling mud | lama de emulsão de óleo
oil-emulsion treater | tratador de emulsão
oil-in-water emulsion. | emulsão de óleo em água
oil-water ratio | razão óleo-água
oil-water skimmer, oil-water separator | separador água-óleo
oil-wettable system | sistema molhável ao óleo
oily water | água oleosa
oily water treatment system | sistema de tratamento de águas oleosas
olefin | olefina
olefinic series | série olefínica
ON/OFF valve | válvula de bloqueio
one-of-a-kind good | bem de capital sob encomenda (BKE)
on-line processing | processamento em linha
onshore | terra adentro
onshore | terrestre
onshore | zona terrestre (Port.)
onshore |
onshore E&P. | E&P *onshore*
onshore production rig | sonda de produção terrestre
opaque zone | zona opaca
OPEC countries | países da OPEP

glossário

OPEC reference basket | cesta de referência da OPEP
open access | acesso livre
open access |
open access to gas pipelines belonging to third parties | livre acesso à rede de terceiros
open cycle | ciclo aberto
open flow | escoamento aberto
open flow test | teste de fluxo aberto
open flux | fluxo aberto (Port.)
open hole | poço aberto
open loop control. | controle em malha aberta
open loop control. | controle em malha aberta
open rain and washing water drainage system | sistema de drenagem aberta não contaminada
open systems interconnection (OSI) model | modelo OSI
open-chamber detonator | detonador de câmara aberta
open-flow capacity | capacidade de fluxo aberto
open-flow capacity | capacidade em débito máximo (Ang.)
open-flow capacity | capacidade em fluxo pleno
open-flow potential | potencial em fluxo pleno
open-flow pressure | pressão de fluxo aberto
open-hole completion | completação a poço aberto
open-hole drill-stem test | teste de formação a poço aberto
open-hole or openhole log | diagrafia de poço aberto (Port.)
open-hole or openhole log | log de poço aberto (Port.) (Ang.)
open-hole or openhole log | perfil de poço aberto
opening pressure | pressão de abertura
Operating Committee (OPCOM) |
operating companie. | empresa operadora
operating costs | custo das operações (Port.)
Operating Expenditure (OPEX) | custos operacionais
operation cycle | ciclo de operação
operation parameters | parâmetros de operação
operation value | valor da operação
operational area | área de operação
operational leasing | arrendamento operacional
operational leasing |
operational procedure | padrão de execução
operational system | sistema operacional (SOP)
operator | operador
operator | operadora
operator length | comprimento do operador
optical connector | conector óptico
optimal point | ponto ótimo
optimum damping | amortecimento ótimo
optimum filter | filtro ótimo
optimum gas-liquid injection ratio | razão ótima gás-líquido de injeção
optimum operation range | faixa ótima de operação
optimum rate of flow or production | taxa de fluxo ótima

optimum stack. | empilhamento otimizado
option contract | contrato de opção
organic | orgânico
organic acid | ácido orgânico
organic carbon | carbono orgânico
organic coating | revestimento orgânico
organic deposit. | depósito orgânico
organic soil | solo orgânico
Organization of Petroleum Exporting Countries (OPEC) | Organização dos Países Exportadores de Petróleo (OPEP)
oriented coring | testemunhagem orientada
oriented perforating | perfuração orientada (Port.) (Ang.)
oriented perforating. | canhoneio orientado
orifice flange | flange de orifício
orifice meter | medidor de orifício
orifice plate holder | porta-placa de orifício
orifice valve | válvula de orifício
original oil in place | óleo original *in place*
original pressure | pressão original
original volume | volume original
o-ring |
Ormsby filter | filtro de Ormsby
orthochronology | ortocronologia
oscillation ripple mark | marca ondulada oscilatória
oscillation ripple mark | marcas de ondulações oscilatórias (Port.)
osmosis | osmose
osmotic pressure | pressão osmótica
Ostwald de Waale model | modelo de Ostwald de Waale
outage measurement | arqueação
outcrop | afloramento
outer continental shelf | plataforma continental externa
output-energy filter | filtro de energia de saída
outside diameter (OD) | diâmetro externo
overbalance, overpressure | sobrepressão
overbalanced | sobrebalanceado
overbalanced drilling | perfuração com diferencial de pressão positivo
overbalanced drilling | perfuração com sobrepressão
overburden | sobrecarga
overburden gradient | gradiente de sobrecarga
overcurrent protection | proteção contra sobrecorrente
overflow | saída de fluido leve
overlap | recobrimento
overlap | sobreposição (Port.) (Ang.)
overpressurized zone | zona sobrepressurizada
overshot | ferramenta agarradora externa
overshot | instrumento de pesca (Port.)
oxidation | oxidação
oxidizing agent | agente oxidante
oxidoreduction potential (Eh) | potencial de oxirredução (Eh)
oxygen index | índice de oxigênio

glossário

oxygen rate | taxa de oxigênio (Port.) (Ang.)
oxygen-minimum layer | camada de oxigênio mínimo
P wave | onda P
P/T profile | diagrafia P/T (Port.)
P/T profile | log P/T (Port.) (Ang.)
P/T profile | perfil P/T
packed tower | torre recheada
packer | obturador
packer |
packer fluid | fluido do obturador (Port.)
packer fluid | fluido obturador
packer seating | assentamento do obturador
packoff | tamponamento de zona de poço por aluimento (Port)
packoff | tamponamento de zona de poço por enchimento
packoff |
pad eye | olhal
paleocurrent | paleocorrente
paleogeography | paleogeografia
paleolithologic map | mapa paleolitológico
paleontology | paleontologia
paleosoil | paleossolo
palimpsest | palimpsesto
paludal | pantanoso
palynology | palinologia
palynomorphs | palinomorfos
palynostratigraphy | palinoestratigrafia
PANAMAX |
pangea, pangaea | pangeia
panthalassa | pantalassa
parabolic dune | duna parabólica
paraconformity | paraconformidade
paraconglomerate | paraconglomerado
paraffin deposition | deposição de parafina
paraffin knife | faca para retirada de parafina
paraffin removal | remoção de parafina
paraffin scale | depósito de parafina (Ang.)
paraffin scale | incrustação de parafina
paraffin scraper; paraffin scratcher | raspador de parafina
paraffin, wax | parafina
paraffin-base crude oil | óleo parafínico
paralic | parálico
paralic coal | carvão parálico
paralic swamp | alagado parálico
parallax | paralaxe
parallel-plate rheometer | reômetro de placas paralelas
parametric sounding | perfilagem paramétrica
parapetroleum industry | indústria parapetrolífera
parasequence | parassequência
parasite pressure drop | perda de carga parasita
parasite pressure drop | perda de pressão parasita (Port.) (Ang.)
paravane | defletor
partial pressure | pressão parcial
partial separation multiphase metering | medidor multifásico por separação parcial

partially miscible system | sistema parcialmente miscível
particle | partícula
particle calibration | calibração de partículas (Port.)
particle diameter | diâmetro de partícula
particle size. | tamanho de partícula
particle sorting | seleção de partículas
particle-induced gamma-ray emission. | emissão de raios gama induzida por partículas
particle-size analysis | análise do tamanho das partículas
particle-size distribution | distribuição de tamanho de partícula
partnership | consórcio
partnerships in oil and gas production-sharing contract | contrato de parceria na produção
parts per million by volume (PPMV). | parte por milhão por volume
parts per million by weight (PPMW) | parte por milhão por peso
pass | passada
pass | passagem (Port.) (Ang.)
pass region | região de passagem
passive filter | filtro passivo
passive section | seção passiva
passive seismic | sísmica passiva
passive seismic method | método sísmico passivo
passive sonar | sonar passivo
passive system | sistema passivo
PAT/OAT document. | documento PAT/OAT
PAT/PAP document. | documento PAT/PAP
patch shooting | levantamento tabuleiro
path tracking | trilha de navegação
payment for landowners | pagamento aos proprietários de terra
P-code | código P
PDC bit | broca PDC
peak polished-rod load | carga máxima na haste polida
pear link | anel pera
pebble | seixo
pebble armor | armadura de seixo
pediment | pedimento
pediment pass | passagem de pedimento
pedimentation | pedimentação
pediplane | pediplano
pedogenesis | pedogênese
pedology | pedologia
peg-leg multiple | múltipla assimétrica
pegmatite | pegmatito
pelagic | pelágico
pelagic deposit | depósito pelágico
pelagic sediment | sedimento pelágico
pelite | pelito
pelitic | pelítico
pellet texture | textura de coprólitos (Port.) (Ang.)
pellets texture | textura de pellets
pendant drop |

glossário

pendular saturation. | saturação pendular
pendulum effect. | efeito pêndulo
penetration | penetração
penetrator | penetrador
pentane insoluble | insolúvel em pentano
pentolite | pentolite
peptization | peptização
percentage (%) gas-cut mud | percentual (%) de gás na lama (Ang.)
percentage (%) oil-cut mud | percentual (%) de óleo na lama (Ang.)
percolated water | água de percolação
percolation | percolação
percussion drilling | perfuração a percussão
percussion drilling | perfuração por percussão (Port.) (Ang.)
perforated liner | liner perfurado
perforating. | canhoneio
perforating-depth-control log | diagrafia de controle de profundidade das perfurações (Port.)
perforating-depth-control log | diagrafia de controle de profundidade do canhoneio (Port.)
perforating-depth-control log | log de controle de profundidade das perfurações (Port.) (Ang.)
perforating-depth-control log | perfil de controle de profundidade do canhoneio
perforating-depth-control log | registo de controlo da profundidade das perfurações (Port.)
perforating-depth-control log | registo de controlo da profundidade do canhoneio (Port.) (Ang.)
perforation log | diagrafia de canhoneio (Port.)
perforation log | diagrafia de perfurações (Port.)
perforation log | log de perfurações (Ang.)
perforation log | perfil de canhoneio
perforation log | registo diagráfico das perfurações (Port.) (Ang.)
perforation. | canhoneado
performance bond | garantia de boa execução (Port.)
performance bond | garantia de desempenho
performance bond |
performance contract | contrato por desempenho
performance standard | padrão de desempenho
performance test | teste de desempenho
performance test | teste de performance
period | período
permafrost | camada congelada
permanent chaser | pescador permanente
permanent downhole gauge | medidor de fundo de poço
permanent downhole gauge | medidor de pressão de fundo (Port.)
permanent downhole gauge | registador de pressão de fundo (Port.)
permanent downhole gauge | registador permanente de fundo (Port.)
permanent downhole gauge | registrador de pressão de fundo
permanent downhole gauge | registrador permanente de fundo
permanent downhole gauge | medidor permanente de fundo (Port.)
permanent guide base | base-guia permanente
permanent guide structure | estrutura-guia permanente (Port.)
permanent well completion | completação permanente
permanent well completion | completamento permanente (Port.)
permeability | permeabilidade
permeability coefficient | coeficiente de permeabilidade
permeability ratio | razão de permeabilidade
permeameter | permeabilímetro
permeameter | permeâmetro
permittivity | permissividade
permo-porous rock | rocha permoporosa
petrodollars | petrodólares
petrogenesis | petrogênese
petroleum | petróleo
petroleum engineer | engenheiro de petróleo
petroleum industry | indústria do petróleo
petroleum industry activities | atividades da indústria do petróleo
petroleum law, Brazil | lei do petróleo, Brasil
petroleum platform, offshore platform | plataforma de petróleo
petroleum production | lavra do petróleo
petroleum products | derivados de petróleo
Petroleum Revenue Tax (PRT) |
petroleum sludge | borra de petróleo
petroleum well, hole, wellbore, borehole | poço de petróleo
petroleum well, hole, wellbore, borehole | poço petrolífero (Port.) (Ang.)
petroliferous block | bloco petrolífero
phantom horizon | horizonte fantasma
phase | fase
phase area fraction | fração de área da fase
phase cementing | cimentação por fases (Port.)
phase coherence | coerência de fase
phase delay, phase lag | atraso de fase
phase diagram. | diagrama de fases
phase distortion. | distorção de fase
phase envelope | envelope de fases
phase equilibrium | equilíbrio de fases
phase filter | filtro de fase
phase flow rate | vazão da fase
phase mass fraction | fração mássica da fase
phase properties | propriedade das fases
phase response | resposta de fase
phase spectrum | espectro de fase
phase velocity | velocidade de fase
phase volume fraction | fração volumétrica da fase
phase-correction filter | filtro de correção de fase

phosphorescence | fosforescência
photoclinometer | fotoclinômetro
photoelectric effect | efeito fotelétrico
photoelectric-absorption log | perfil de absorção fotoelétrica
photo-multiplier | fotomultiplicador
photon log | perfil de fótons
physical communication medium | meio físico de comunicação
physical geology | geologia física
physical oceanography | oceanografia física
phytogenous rock | rocha fitogênica
pick-up line | cabo mensageiro
PID controller | controlador PID
piedmont gravel | cascalho de *piedmont*
piedmont plateau | planalto de *piedmont* (Port.) (Ang.)
piedmont plateau | platô de *piedmont*
pie-slice filter | filtro corta-torta
pie-slice filter | filtro corta-torta f-k
pig | escovilhão (Ang.)
pig | porco
pig | raspador (Port.)
pig | raspador de oleodutos (Port.)
pig |
pig launcher | lançador de escovilhão
pig launcher | lançador de *pig*
pig launcher | lançador de porco
pig receiver | recebedor de escovilhão (Port.)
pig receiver | recebedor de *pig*
pig receiver | recebedor de porco
piggable | pigável
piggable | raspável (Port.)
piggyback | configuração de poços próximos
pigtail | ponta do escovilhão (Port.) (Ang.)
pigtail | raspador de tubos (Port.)
pigtail |
pilot bit | broca-piloto
pilot mill | triturador com guia (Port.) (Ang.)
pilot mill |
pilot trace | traço piloto
pilot valve | válvula piloto
pilot well | poço piloto
pin connection | conexão pino
pinch-out | acunhamento
pinch-out | biselamento (Port.)
pinch-out |
ping | pulsação (Port.) (Ang.)
ping | pulso
pipe | tubo
pipe |
pipe analysis log | diagrafia de análise da tubagem (Port.)
pipe analysis log | *log* de análise do tubo (Port.) (Ang.)
pipe analysis log | perfil de análise do tubo
pipe capacity | capacidade da tubagem (Port.)
pipe capacity | capacidade do tubo
pipe flare | queimador tubular
pipe flow | escoamento tubular

pipe laying support vessel | barco para lançamento de condutas (Port.)
pipe laying support vessel | barco para lançamento de linhas (Port.)
pipe laying support vessel | embarcação para lançamento de linhas
pipe rack |
pipe ram. | gaveta de tubo
pipe sticking | prisão de tubagem (Port.) (Ang.)
pipe sticking | prisão de tubo
pipeline | conduta (Port.)
pipeline end manifold (PLEM) | manifolde submarino na extremidade de dutos
pipeline end termination (PLET) | terminação de extremidade de oleoduto
pipeline gas | gás comerciável
pipe-rack | dutovia
piping and instrumentation diagram | diagrama de tubulação e instrumentação
piping and instrumentation diagram | fluxograma de engenharia
piston corer | testemunhagem a pistão
piston rod | haste do pistão
piston sampler | equipamento de amostras de pistão
pitch | cabeceio do barco
pitch | passo
pitch | piche
pitman | biela
pitman | braço do equalizador
Pitot-tube meter | medidor de vazão tipo tubo Pitot
pitting corrosion | corrosão alveolar
pitting corrosion | corrosão por pite
place for the rendering of services | estabelecimento prestador de serviço
plain of marine denudation | planície de denudação marinha
plain-table, drafting board | prancheta topográfica
plain-type fold | dobra tipo plana
planar cross-bedding | estratificação cruzada planar
planar cross-bedding | estratificação entrecruzada planar
plastic deformation | deformação plástica
plastic viscosity | viscosidade plástica
Plataform Supply Vessel (PSV) | barco de apoio à plataforma
plate coalescer | coalescedor de placas
plate separator | separador de placas
plateau | planalto (Port.) (Ang.)
plateau | platô
platform jacket | jaqueta de plataforma
platform load-in | *load-in* de plataforma
platform load-out | *load-out* de plataforma
platform modules | módulos de plataforma
platform topside | topside de plataforma
Platt's crude oil marketwire |
Platt's european marketscan |

glossário

plug | tampão
plug cementing and remedial cementing equipment. | equipamento para tamponamento e correção da cimentação
plug flow | escoamento pistonado
plug flow | escoamento-tampão
plug valve | válvula macho
plug-back cementing | tamponar com cimento
plugged and abandoned well | poço tamponado e abandonado
plugging and abandonment | tamponamento e abandono
plugging and abandonment. | abandono permanente
plus-minus method | método mais-menos
pluvial basin | bacia fluvial
pneumatic sucker-rod pumping unit | unidade pneumática de bombeio
pneumatic valve | válvula de ar
point bar | barra em pontal
point of closest approach | ponto de aproximação máxima
point-the-bit system | sistema apontar a broca
polarity | polaridade
polarization bias | tendência de polarização
polarization diagram | diagrama de polarização
polarization filter | filtro de polarização
pole-dipole array | matriz polo-dipolo
pole-pole array | matriz polo-polo
polished rod. | haste polida
pollutant | poluente
polluter-payer principle | princípio do poluidor-pagador
pollution prevention | prevenção da poluição
polyacrylamide | poliacrilamida
polycyclic | policíclico
polydispersion index | índice de polidispersão
polymer | polímero
polymerization | polimerização
pony collar, short drill collar | colar de perfuração curto (Port.)
pony collar; short drill collar | comando curto
pony rod | haste curta
poor boy degasser. | desgaseificador atmosférico
pore | poro
pore collapse | colapso de poros
pore pressure | pressão de poro
pore volume | volume de poros
pore volume | volume poroso
pore volume | volume total dos poros (Port.) (Ang.)
pore water | água de poro
pore-volume compressibility | compressibilidade do volume poroso
porosimeter | porosímetro
porosity | porosidade
porphyrin | porfirina
port advantages | facilidades portuárias
port advantages | instalações portuárias (Port.)

Portland cement clinker | clínquer de cimento Portland
positioning antenna | antena de posicionamento
positive adsorption | adsorção positiva
positive buoyancy | flutuação positiva
positive displacement pump | bomba de deslocamento positivo
positive-displacement flow meter | medidor de vazão do tipo deslocamento positivo
positive-displacement meter | medidor de deslocamento positivo
positive-displacement motor | motor de deslocamento positivo
possible reserves | reservas possíveis
post-processing | pós-processamento
post-stack | pós-empilhamento
poteclinometer | poteclinômetro
potential electrode. | eletrodo de potencial
potential flow. | escoamento potencial
potential reservoir | reservatório potencial
pour point | ponto de fluidez
pour-point depressant | abaixador de ponto de fluidez
pour-point inhibitor | inibidor de ponto de fluidez
pour-point stability. | estabilidade do ponto de fluidez
power gain | ganho de potência
power purchase agreement | contrato de compra de energia (Port.)
power purchase agreement |
power-oil tank | tanque de óleo motriz
Pratt's hypothesis | hipótese de Pratt
precession | precessão
precipitation hardening | endurecimento por precipitação
precision | precisão
predatory development. | desenvolvimento predatório
predictive deconvolution | deconvolução preditiva
predictive maintenance | manutenção preditiva
preliminary drilling permit | licença pPrévia para pPerfuração (LPper)
preliminary hazard analysis | análise preliminar de riscos
preliminary hazard assessment | análise preliminar de perigos
preliminary import license or permit | licença prévia de importação
preliminary research production license | licença prévia de produção para pesquisa (LPpro)
premium gasoline | gasolina *premium*
pre-operation | pré-operação
pre-plot | pré-plote
pre-plot | pré-traçado (Port.)
pre-project | pré-empreendimento
pre-salt | infrassalífero (Port.)
pre-salt | pré-sal
pre-salt layer | camada infrassalífera (Port.)
pre-salt layer | camada pré-sal
pressure | pressão

588

glossário

pressure and temperature profile | diagrafia de pressão e temperatura (Port.)
pressure and temperature profile | perfil de pressão e temperatura
pressure and temperature recorder model | modelo de registrador de pressão e temperatura
pressure and temperature transmitter | transmissor de pressão e temperatura
pressure buildup | crescimento de pressão
pressure buildup test | restabelecimento da pressão no fundo do poço (Port.)
pressure buildup test | teste de crescimento de pressão
pressure buildup test | teste de restabelecimento da pressão no fundo do poço (Port.)
pressure drawdown | abaixamento da pressão (Port.)
pressure drop | perda de carga
pressure drop ratio | razão de perda de carga
pressure gauge | manômetro
pressure gradient | gradiente de pressão
pressure maintenance | manutenção de pressão
pressure monitoring transducer | transdutor de monitoramento de pressão
pressure or pipe taps | tomada de pressão
pressure safety element | elemento de segurança a pressão
pressure safety high sensor. | sensor de pressão para limite superior
pressure safety low sensor. | sensor de pressão para limite inferior
pressure safety valve | válvula de segurança a pressão
pressure switch | pressostato
pressure transducer | transdutor de pressão
pressure transient test | teste transiente de pressão
pressure vacuum relief valve | válvula de pressão e vácuo
pressure valve | válvula de pressão
pressure while drilling (PWD) tool | medidor de pressão ao perfurar
pressure-buildup curve or plot | curva de crescimento de pressão
pressure-controlled drilling | perfuração com pressão controlada
pressure-depletion drive | mecanismo de produção por despressurização
pressure-operated valve | válvula operada por pressão
pressurized bulk tank | silo de armazenamento pressurizável (Port.) (Ang.)
pressurized bulk tank | silo de estocagem pressurizável
pressurized consistometer | consistômetro pressurizado
pressurized curing vessel | câmara de cura
pressurized fluid density balance | balança pressurizada
pressurized fluid density balance | balanço da densidade do fluido a pressão (Port.)

pre-stack deconvolution | deconvolução pré-empilhamento
prestack migration, before-stack migration | migração pré-empilhamento
preventive maintenance | manutenção preventiva
price cap | preço-limite (Port.) (Ang.)
price cap |
price elasticity. | elasticidade-preço
primary barrier | barreira primária
primary calibration | calibração primária
primary cementing | cimentação primária
primary drive | mecanismo de produção primária
primary element (primary detector) | elemento primário de medição
primary oil recovery | recuperação primária de óleo
primary porosity | porosidade primária
primary production | produção primária
primary recovery | recuperação primária
primary reflection | reflexão primária
primary separation device | dispositivo de separação primária
primary standard | padrão primário de medição
primary vegetation | vegetação primária
primary-to-bubble ratio | razão primária-bolha
prime mover | unidade motriz
priming | escorva
principal alias | álias principal
principal production zone, Brazil | zona de produção principal, Brasil
principle of tax equality | princípio da isonomia tributária
principle of uniformitarianism | princípio do uniformitarismo
private reserve of natural heritage | Reserva Particular do Patrimônio Natural (RPPN)
probable reserves | reservas prováveis
probe sampling | amostragem por sonda
process diagram | diagrama de processo
process flow diagram | fluxograma de processo
process plant | planta de processo
process simulator | simulador de processo
process variable | variável de processo
processed gas | gás processado
prodelta | prodelta
produced gas | gás produzido
produced water | água produzida
produced water reinjection (PWRI) | reinjeção de água produzida
producer's reservations | reservas do produtor
producer's reservations | ressalvas do produtor (Port.) (Ang.)
producing gas-oil ratio | razão gás-óleo produzido
product quality specifications. | especificação da qualidade de produtos
production | produção
production adapter base (PAB) | base adaptadora de produção (BAP)

glossário

production bonus | bônus de produção
production casing | revestimento de produção
production control system | sistema de controle de produção
production cost factor | fator de custo de produção
production curve | curva de produção
production development | desenvolvimento da produção
production facilities | facilidades de produção
production facilities | instalações de produção
production field | campo de produção
Production Gross Revenue or Production Value, Brazil | Receita Bruta da Produção ou Valor da Produção, Brasil
production head | cabeça de produção
production horizon | horizonte de produção
production liner | liner de produção
production log | diagrafia de produção (Port.)
production log | perfil de produção
production log | log de produção (Port.) (Ang.)
production manifold | manifolde de produção
production master valve | válvula mestra de produção
production measurement points | pontos de medição da produção, Brasil
production optimization | otimização da produção
production packer | obturador de fundo de poço
production packer | obturador de segurança de produção de fundo de poço (Port.)
production packer | packer de produção
production pipe, tubing | tubagem de produção (Port.) (Ang.)
production pipe, tubing | tubo de produção
production projection | projeção de produção (Port.) (Ang.)
production rate, production tax | taxa de produção
production separator | separador de produção
production sharing agreement (PSA) or production sharing contract (PSC) | Contrato de partilha de produção (CPP)
production shutdown | parada de produção
production shutdown | paragem de produção (Port.) (Ang.)
production start date | data de início da produção
production test | teste de produção
production train | trem de produção
production tree | árvore de produção
production value | valor da produção
production well | poço produtor
production wing valve | válvula lateral de produção
production zone | zona de produção
productive efficiency. | eficiência produtiva
productivity factor | fator de produtividade
productivity index | índice de produtividade
productivity index curve | curva do índice de produtividade

productivity rate | taxa de produtividade (Port.)
profile operation | operação diagráfica (Port.) (Ang.)
profiler | perfilador
progradation | progradação
programmable logic controller | controlador lógico programável
programmable read-only memory | memória PROM
progress curve | curva de progresso
progressive cavity pump (PCP) | bomba de cavidade progressiva (BCP)
progressive coastal onlap | sobreposição progressiva costeira (Port.) (Ang.)
project breakdown structure | estrutura de detalhamento de projeto (Port.)
project breakdown structure |
Project Breakdown Structure, Work Breakdown Structure | estrutura analítica de projeto (EAP)
project definition rating index, project success rate | indicador de sucesso de empreendimento
project feasibility study | estudo de viabilidade de projeto (Port.)
project finance | financiamento de projetos sem direitos aos ativos (Port.)
project finance | projeto financeiro
project finance |
project management | gerência de empreendimento
project management | gerência de projecto (Port.)
project schedule | cronograma físico
propagation pressure | pressão de propagação
propagation velocity | velocidade de propagação
propane | propane (Port.) (Ang.)
propane | propano
proportional integral and derivative | proporcional-integral-derivativo
proppant | agente de sustentação
proppant | propante
proppant flowback | sustentação de fratura
proppant pack | pacote de propante
proppant tracer | propante traçador
propping agent | agente de escoramento
prospect | prospecto
proton-precession magnetometer (PPM) | magnetômetro de precessão de prótons
proved developed reserves | reservas provadas desenvolvidas
proved oil and gas reserves | reservas provadas de óleo e gás
proved undeveloped reserves | reserva provada não desenvolvida
proven reserves | reservas provadas
provenance | proveniência
prover | provador
prover | verificador (Port.) (Ang.)
psammite | psamito
pseudo illumination | pseudoiluminação

glossário

pseudobreccia | pseudobrecha
pseudoconglomerate | pseudoconglomerado
pseudodepth section | pseudosseção de profundidade
pseudoplastic fluid | fluido pseudoplástico
pseudo-range | pseudodistância
pseudo-steady-state flow | escoamento pseudopermanente
pseudo-steady-state flow | fluxo pseudopermanente (Port.)
pseudo-sun-illumination | pseudoiluminação do Sol
public company | empresa pública
pull out of hole (POOH) | manobra de retirada da coluna
pull out of hole (POOH) | retirada da tubagem (Port.)
pull-in into FPS | conexão de linhas na unidade estacionária de produção
pull-out | subida da coluna (Ang.)
pull-out from FPS | desconexão de linhas da UEP
pull-out; pulling out of hole (POOH) | retirada da coluna
pulsation dampener | amortecedor de pulsação
pulse generator | gerador de pulsos
pulse interpolation | interpolação de pulsações (Port.)
pulse interpolation | interpolação de pulsos
pulse length | comprimento do pulso
pulse recovery | recuperação do pulso
pulse stretching | estiramento do pulso
pulse test | teste do pulso
pulse width | largura de pulso
pulsed-neutron-capture log | perfil pulsante de captura de nêutrons
pulverulent | pulverulento
pump | bomba
pump diffuser | difusor da bomba
pump impeller | impulsor de bomba
pump intake | admissão da bomba
pump phase | fase de bomba (Port.)
pump pressure | pressão da bomba
pump scaling | incrustação em bomba
pump stage | estágio de bomba
pump standing valve | válvula de pé da bomba
pump stator | estator de bomba
pump volume factor | fator de volume de bomba
pumpability | bombeabilidade
pumping jack | balancim da bomba embutida
pumping the plug | bombagem do tampão (Port.)
pumping the plug | bombeio do tampão
pumping time | tempo de bombagem (Port.) (Ang.)
pumping time | tempo de bombeabilidade
pump-off | bombagem em vazio (Port.)
pump-off | bombeamento em vazio
pup joint | tubo curto
pusher, tool pusher | encarregado da sonda
push-the-bit system | sistema empurra a broca

pyrolysis | pirólise
pyrolysis (FID) | pirólise (FID)
pyrolysis GSC | pirólise GSC
pyrolysis MS | pirólise MS
pyrolysis-colorimetry | pirólise colorimétrica
pyrolysis-fluorescence | pirólise por fluorescência
pyrolysis-sniffing | pirólise de cheiro
pyrolytic gas ratio | razão pirolítica de gás
Q-correction | correção-Q
Q-factor | fator-Q
quadrature filter | filtro de quadratura
quality line | linha de qualidade
quality, health, safety and environment (QHSE) | qualidade, saúde, meio ambiente e segurança (QSMS)
quantitative risk assessment | análise quantitativa de risco
quarter-wave antenna | antena de um quarto de onda
quartz pressure and temperature sensor | sensor de pressão e temperatura a quartzo
quartzose | quartzoso
quaternary | quaternário
quaternary sediment | sedimento quaternário
quenching | abafamento
quick disconnect | desconexão rápida
quick disconnection system | sistema de desconexão rápida
quick union | engate rápido
quick union | junção rápida
quick union | união rápida (Port.) (Ang.)
quicksand | areia movediça
quicksand | arenito movediço (Port.)
R nipple | bocal roscado R (Port.)
R nipple | niple R
rabbit | tampão de desobstrução de condutas (Port.)
rabbit | gabarito
radar altimetry | altimetria por radar
radar imagery | imageamento por radar
radar level meter | radar medidor de nível
radial bearing | mancal radial
radial flow | escoamento radial
radial flow | fluxo radial (Port.)
radiated mud crack | greta de contração radial
radiation attenuation | atenuação radioativa
radioactivity | radioatividade
radioactivity log | perfil de radioatividade
radiometric dating | datação radiométrica
radius of drainage | raio de drenagem
radius of invasion | raio de invasão
radius of investigation | raio de investigação
RAM analysis | análise RAM
ramped mute. | silenciamento em rampa
random access memory | memória de acesso randômico
random access memory | memória RAM
random error | erro aleatório
random error | erro randômico
range | alcance (Port.)

591

glossário

range | faixa de valores
range | varredura
range overlap | faixa de recobrimento
rangeability or turndown ratio | extensão (Port.)
rangeability; turndown ratio | rangeabilidade
Rankine scale | escala Rankine
rat hole | buraco do rato
rate of penetration | razão de penetração
rate of penetration (ROP), penetration rate | taxa de penetração
rate of return on capital | taxa de retorno de capital (Port)
rate pricing approach | taxa de preços para gás (Port.) (Ang.)
ratio between the number of carbon atoms and the number of hydrogen atoms | relação nº de átomos de carbono/nº de átomos de hidrogênio (C/H)
raw gas | gás cru
raw gas | gás na saída do poço
raw gravity | gravidade bruta
raw material | insumo
raw material | matéria-prima
raw natural gas | gás natural cru
raw stack, brute stack | empilhamento de teste
ray | raio
ray bending | desvio do feixe
ray tracing | traçamento de raio
Rayleigh's wave | onda de Rayleigh
raypath | trajetória do raio
reaction velocity retarder | retardador de velocidade de reação
read-only memory | memória ROM
real gas specific gravity | gravidade específica do gás
real time | tempo real
reamer | alargador de poço
reamer | escareador
reamer | mandril de alargamento do poço (Port.) (Ang.)
reaming | escareamento
rebel tool | ferramenta rebelde
receiving and transmission device | receptor e transmissor de resposta
recementing | recimentação
reciprocating pump | bomba alternativa
recirculating system | sistema de mistura com tanque de recirculação
recommended practice (RP) | prática recomendada
reconciliation factor | fator de reconciliação
recording truck | camião de gravação (Port.)
recording truck | caminhão de gravação
recording unit | medidor (Port.)
recording unit | registrador
recoverable oil-in-place | óleo *in place* recuperável
recoverable oil-in-place | óleo recuperável
recoverable volume | olume recuperável
recovered-oil tank | tanque de óleo recuperado
recovery factor | fator de recuperação

recovery of costs/cost oil | recuperação dos custos; óleo-custo
recumbent fold | dobra deitada (Port.)
recumbent fold | dobra recumbente
recursive filter | filtro recursivo
redox potential | potencial de redução
reduced pressure | pressão reduzida
reduced temperature | temperatura reduzida
reduced volume | volume reduzido
reentry | reentrada
reference conditions | condições de referência
reference electrode | eletrodo de referência
reference ellipsoid | elipsoide de referência
reference price | preço de referência
reference standard | padrão de referência
reflecting point | ponto refletor
reflection amplitude | amplitude de reflexão
reflection angle | ângulo de reflexão
reflection character | caráter de reflexão
reflection coefficient | coeficiente de reflexão
reflection continuity | continuidade da reflexão
reflection map | mapa de reflexão
reflection plane | plano de reflexão
reflection polarity | polaridade de reflexão
reflection seismogram | sismograma de reflexão
reflection seismograph | sismógrafo de reflexão
reflection strength | magnitude de reflexão
reflection survey, reflection method | levantamento de reflexão
reflection time. | tempo de reflexão
reflection-point dispersal | dispersão do ponto de reflexão
refraction angle | ângulo de refração
refraction map | mapa de refração
refraction profile | perfil de refração
refraction seismogram | sismograma de refração
refraction statics | estática de refração
refraction survey | pesquisa de refração
refractor | refrator
refundment bond | bônus de reembolso
refundment bond | obrigação de reembolso (Port.)
refundment bond |
regenerated gas | gás regenerado
regeneration | regeneração
regional environmental impact, Brazil | impacto ambiental regional, Brasil
regional unconformity | discordância regional
registration unit | registador (Port.)
regolith | regolito
regression | regressão
regressive analysis | análise regressiva
regulation | regulação
regulatory agency | agência reguladora
regulatory agency | órgão regulador
regulatory framework | marco regulatório
regulatory risk | risco regulatório
rehabilitation | reabilitação
Reid vapor pressure | pressão de vapor de Reid
reinjection | reinjeção

glossário

reject filter | filtro de rejeição
rejection region | região de rejeição
relative age | idade relativa
relative dating | datação relativa
relative error | erro relativo
relative frequency | frequência relativa
relative oil volume | volume de óleo relativo
relative permeability | permeabilidade relativa
relative permittivity | permitividade relativa
relative sea-level change | mudança relativa do nível do mar
relative sea-level change | variação relativa do nível do mar
relative sea-level chart | diagrama da variação relativa do nível do mar
relative viscometer | viscosímetro relativo
relaxation | relaxação
relaxation test | ensaio de relaxação
relaxation time, release time | tempo de relaxação
relevant ecological interest area, Brazil | área de relevante interesse ecológico, Brasil
reliability-centered maintenance | manutenção centrada em confiabilidade
relief | relevo
relief valve | válvula de alívio
relief valve | válvula de escape (Port.) (Ang.)
relief well | poço de alívio
reluctance | relutância
remote sensing | sensoriamento remoto
remote telemetry unit | unidade remota de telemetria
remotely-controlled vehicle (ROV) | veículo de controle remoto
remotely-operated vehicle (ROV) | veículo de operação remota
remotely-operated vehicle (ROV) | veículo operado remotamente
remove paraffin | desparafinar
renewable energy | energia renovável
rented capital good | bem de arrendamento (Port.)
rented capital good | bem para uso temporal
repeat formation test (RFT) | teste de formação a cabo
repeatability | repetitividade
replacement velocity | velocidade de substituição
replicating function | função replicadora
representative sample | amostra representativa
reproducibility | reprodutibilidade
resampling | reamostragem
resaturation method | método de ressaturação
Research Supply Vessel (RSV) | barco de apoio a desenvolvimento
resection | resseção
reserve life index | vida útil de uma reserva
reserve measurement criteria | critério de medição de reservas
reserved mineral | reserva mineral
reserves | reservas

reserves-production ratio | razão reserva-produção
reservoir | reservatório
reservoir drive | mecanismo de deslocamento em um reservatório
reservoir engineer | engenheiro de reservatório
reservoir exploration | pesquisa de jazidas
reservoir fluid | fluido de reservatório
reservoir fluid | fluido do reservatório
reservoir fluid study | estudo de fluidos do reservatório
reservoir interval, pay zone. | intervalo de reservatório
reservoir modeling | modelagem de reservatório
reservoir pressure | pressão de reservatório
reservoir pressure drawdown | diferencial de pressão de reservatório
reservoir rock | rocha-reservatório
reservoir simulation | simulação de reservatório
residence time | tempo de residência
residual gas saturation | saturação de gás residual
residual gas saturation | saturação em gás residual (Port.) (Ang.)
residual gravity map | mapa gravimétrico residual
residual hydrocarbon saturation | saturação residual de hidrocarbonetos
residual oil | óleo residual
residual oil saturation | saturação de óleo residual
residual oil saturation | saturação em óleo residual (Port.) (Ang.)
residual resistance factor | fator de resistência residual
residual saturation | saturação residual
residual static correction | correção estática residual
residual stress | tensão residual
residual water | água residual
residue gas | gás residual
resilience | resiliência
resin | resina
resin cement | cimento de resina
resistance thermometer detector | detector termorresistência
resistivity | resistividade
resistivity index | índice de resistividade
resistivity profile | diagrafia de resistividade (Port.)
resistivity profile | *log* de resistividade (Port.) (Ang.)
resistivity profile | perfil de resistividade
resonant frequency | frequência de ressonância
response time. | tempo de resposta
restricted access area | área de acesso restrito (Port.)
restricted navigation area | área de navegação restrita (Port.)
restriction diagram | bolha assassina

593

glossário

restriction diagram | diagrama de restrição
result contracting | contratação por resultados
retention of area | retenção de área
retention time | tempo de retenção
retrievable equipment. | equipamento recuperável
retrievable test packer, treat-squeeze packer | packer de operação
retrocorrelation | retrocorrelação
retrogradation | retrogradação
retrograde condensate | condensado retrógrado
retrograde gas | gás retrógrado
retrograde gas condensate | gás condensado retrógrado
retrograde liquid | líquido retrógrado
retrograde metamorphism | metamorfismo retrógrado
retropropagation; backward propagation | retropropagação
return on investment (ROI) | retorno de investimento
return on investment (ROI) |
return-to-zero digital recording | registro digital por retorno a zero
return-to-zero method | método retorno a zero
reverse circulation | circulação reversa
reverse circulation drilling | perfuração com circulação reversa
reverse combustion | combustão reversa
reverse logistics | logística reversa
reverse migration | migração reversa
reversed magnetic field | campo magnético reverso
reversing valve | válvula de reversão
reversion of assets | reversão de bens
reworked | retrabalhado
Reynolds number | número de Reynolds
Rg wave | onda Rg
rhaetian | retiano (Port.)
Rhaetian | rhaetiano
rheological model | modelo reológico
rheology | reologia
rheometer | reômetro
rheometry | reometria
rheopectic fluid | fluido reopético
rheopexy | reopexia
Rhuddanian | rhuddaniano
rhythmic sedimentation | sedimentação rítmica
rhythmite | ritmito
rich gas | gás rico
Richards-Frasier formula | fórmula de Richards-Frasier
Richter scale | escala Richter
rift | rifte
rift |
rift valley | vale em rifte
rig | sonda
rig down. | desmontagem da sonda
rig floor | piso da plataforma
rig up | montagem da sonda

right of first refusal | direito de preferência
right of refusal |
rigid centralizer | centralizador rígido
rim syncline | sinclinal periférico
ring dyke | dique anelar
ring tensiometer | tensiômetro de anel
ring tensiometer method | método do tensiômetro de anel
ringing | ressonância
ripple mark | marca de ondulação (Port.) (Ang.)
ripple mark | marca ondulada
riser |
riser angle | ângulo do *riser*
riser joint | junta de *riser*
riser-mounted ESP | BCS *riser-mounted*
riser safety margin | margem de segurança de *riser*
riser tensioner line | cabo do tensionador do *riser*
riser tensioner line | cabo esticador do *riser* (Port.)
riser tensioner line | cabo tensor do *riser* (Port.)
riser-mounted ESP | BCS instalado em *riser*
risk | risco
risk acceptability | tolerabilidade de riscos
risk analysis | análise de risco
risk and failure analysis | análise de perigos e falhas operacionais
risk aversion | aversão ao risco
river bar | barra fluvial
river drift | deriva fluvial
river plain | planície fluvial
river sand | areia fluvial
river sand | arenito fluvial (Port.)
river sand | grés fluvial (Port.)
river-dominated delta | delta dominado por rio
rms amplitude | amplitude rms
Robertson-Stiff model | modelo de Robertson-Stiff
rock | rocha
rock association | associação de rochas
rock cutting | apara de rocha (Port.)
rock density | massa específica da rocha
rock evaluation instrument | instrumento de avaliação de rochas (Port.)
rock formation | formação rochosa
rock glacier | rocha glacial
rock glacier | rocha glaciárea (Port.) (Ang.)
rock pressure | pressão rochosa
rock salt | salgema
rock specific weight | peso específico da rocha
rock texture | textura de rocha (Port.)
Rock-Eval |
rocking of the boat | balanço do barco (Port.)
Rockwell hardness | dureza Rockwell
rod pump | bomba de inserção (Port.)
rod pump, insert pump, insert sucker-rod pump | bomba insertável
rod stretch | alongamento da coluna de hastes
roll | ângulo de balanço
roller stabilizer, roller reamer | estabilizador de roletes

glossário

roller-cone bit | broca de cones
rolling wave planning | planeamento em ciclos progressivos (Port.) (Ang.)
rolling wave planning | planejamento em ciclos progressivos
rope spear | lança de recuperação
rotary drilling | perfuração rotativa
rotary drilling rig | sonda de perfuração rotativa
rotary horsepower | potência de rotação
rotary kelly bushing | bucha da haste quadrada
rotary slips | cunha de tubagem (Port.)
rotary slips | cunha de tubos
rotary steerable tool | ferramenta de desvio rotativa (Port.)
rotary steerable tool | ferramenta defletora rotativa
rotary table | mesa rotativa
rotating BOP | BOP rotativo
rotating-mode drilling | perfuração no modo rotativo
rotation regime | regime de revezamento
rotational rheometer | reômetro rotacional
rotational viscometer | viscosímetro rotativo
rotodynamic pump. | bomba rotodinâmica
rotor | rotor
roughneck, tong man | ajudante de sondador (Port.)
roughneck, tong man | plataformista
round cable | cabo redondo
round trip | manobra completa
round trip | saída e entrada no poço com a tubagem de forma completa (Port.) (Ang.)
roundness | arredondamento
rounds |
ROV support vessel | barco de ROV (Port.)
ROV support vessel. | barco de apoio a ROV (Port.)
ROV support vessel. | embarcação de apoio a ROV
ROV support vessel. | embarcação de ROV
royalties |
royalty rate | alíquota de *royalties*
royalty rate above 5% (five per cent) | parcela acima de 5 %
rub test | teste de atrito
rudite | rudito
rugosity | rugosidade
run a rabbit | correr gabarito
run a rabbit | desobstrução de condutas (Port.)
run a rabbit | instalação de tampão para limpeza (Port.)
running in hole | descida no poço (Ang.)
running in hole | entrada no poço (Port.)
running in hole (RIH) | manobra de descida
running string into hole | descida da coluna
running tool | ferramenta de descida
rupture load | carga de ruptura
rupture strength | resistência de ruptura
rupture stress | tensão de ruptura
S curve | curva 'S'
S wave | onda S

S1,S1 valve | válvula S1
S2, S2 valve. | válvula S2
sabkha |
saccharoidal | sacaroidal
saccharoidal | sacaroide (Port.)
sacrificial anode | anodo de sacrifício
saddle. | sela
SAE J 300. | especificação SAE J 300
safe job analysis (SJA) | análise de tarefa segura
safety and environmental management | gerenciamento de segurança e ambiente
safety barrier | barreira de segurança
safety collar | colar de segurança
safety factor | fator de segurança
safety integrity level | grau de integridade de segurança
safety level | nível de segurança
safety management certificate. | certificado de gerenciamento de segurança
safety valve | válvula de segurança
sag | depressão
sag |
sagittal plane | plano sagital
Sakmarian | Sakmariano
salcrete | salcrete
saliferous | salífero
saline deposit | depósito salino
saline mud | lama com sal
saline water | água salina
saliniferous | salinífero
salinity | salinidade
salinity log | diagrafia de salinidade (Port.)
salinity log | log de salinidade (Port.) (Ang.)
salinity log | perfil de salinidade
salt | sal
salt and peper | sal e pimenta
salt dome | domo de sal
salt rock | rocha salina
salt table | mesa de sal
salt wall | muralha de sal
salt water disposal well | poço de descarte de água salgada
saltation | saltação
saltation mark | marca de saltação
salt-dome breccia | brecha de diápiro de sal
salt-saturated drilling mud | lama saturada de sal
saltwater disposal well | poço para descarte de água salgada
saltwater disposal. | descarte de água salgada
saltwater-base drilling mud | fluido de perfuração à base de água salgada
saltwater-base drilling mud | lama à base de água salgada
saltwater-base drilling mud | lama de perfuração à base de água salgada
sample and hold | blocagem
sample log | diagrafia de amostra de calha (Port.)
sample log | perfil de amostra de calha

glossário

sample log | log de amostra de calha (Port.) (Ang.)
sample splitter | quarteador
sample splitter | separador de amostras
sample-and-hold capacitor | capacitor de armazenamento e retenção
sample-and-hold condenser | condensador de armazenamento e retenção (Port.)
sampler | amostrador
sampling | amostragem
sampling frequency | frequência de amostragem
sampling function | função amostradora
sampling theorem. | teorema da amostragem
sand | areia
sand | grés (Port.)
sand blasting | jateamento de areia
sand blasting | jato de areia
sand consolidation | consolidação de areia
sand control | controle de produção de areia
sand control screen | controlo de areias (Port.)
sand control screen | crivo de contenção (Port.)
sand control screen | crivo de controlo de areias (Port.)
sand control screen | crivo-controlo de areias (Ang.) (Port.)
sand control screen | tela de contenção de areia
sand count | espessura efetiva de areia
sand dike | dique de areia
sand dome | domo de areia
sand drain | dreno de areia
sand dune | duna de areia
sand exclusion. | exclusão de areia
sand flow | fluxo de areia
sand line | linha de areia
sand production | produção de areia
sand reef | recife de areia
sand ripple | ondulação arenosa
sand size | tamanho da areia
sand washing | jateamento e lavagem de fundo
sand washing system | sistema de jateamento e lavagem de fundo
sand wave | onda de areia
sand wave | ondulação de areia
sand with gas | areia com gás
sand with gas | arenito com gás (Port.)
sand with gas | grés com gás (Port.)
sandbank | banco de areia
sandshale | arenito-folhelho
sandshale | arenito-xisto argiloso (Port.)
sand-shale ratio | razão arenito xisto-argiloso (Port.)
sand-shale ratio | razão arenito-folhelho
sandstone | arenito
sandstone dike | dique de arenito
sandstone sill | sill de arenito
sandstone sill | soleira de arenito (Port.) (Ang.)
sandy chert | cherte arenoso
sandy debris flow | fluxo de detritos arenoso (Port.)

sandy debris flow. | escoamento de detritos arenosos
sanitary landfill | aterro sanitário
sapropel | sapropel
sapropelic | sapropélico
sapropelic coal | carvão sapropélico
sapropelic organic matter | matéria orgânica sapropélica
satellite well | poço satélite
saturated | saturada
saturated | saturado
saturated chain | cadeia saturada
saturated core | testemunho saturado
saturated hydrocarbon | hidrocarboneto saturado
saturated oil | óleo saturado
saturated pool | reservatório saturado
saturation | saturação
saturation factor | fator de saturação
saturation pressure | pressão de saturação
Saybolt viscosity | viscosidade Saybolt
scale mark | marca de escala
scattering | espalhamento
scenario | cenário
Schmidt vertical balance | balança vertical Schmidt
scientific and industrial metrology | metrologia científica e industrial
scoriaceous | escoriáceo
scour and fill | corte e preenchimento
scouring. | escavação
screen centralizer | centralizador de crivo (Ang.)
screen centralizer. | centralizador de tela
screen mesh | densidade de aberturas da tela da peneira
screen mesh | malha do crivo (Ang.)
screen, sand screen | crivo (Ang.)
screen, sand screen | tela
screenout, tip screenout | embuchamento
screenout, tip screenout | entupimento das fraturas (Port.)
screw multiphase pump | bomba multifásica de parafuso
sea clutter | dispersão de superfície
sea-floor spreading | distensão do fundo oceânico
seafloor spreading theory | teoria do espalhamento do assoalho oceânico
seafloor spreading theory | teoria do espalhamento do fundo do mar (Port.) (Ang.)
seal | selo
seal extension | extensão da cobertura reservatorial (Port.)
seal extension | extensão selante
sealant | vedante
sealed bearing | mancal selado
sealed reservoir | reservatório selado
sealed reservoir | reservatório vedado (Port.) (Ang.)
sealing agent | agente selante
sealing agent | agente vedante (Port.) (Ang.)
sealing rock | rocha selante

glossário

sealing rock | rocha tenra (Port.)
sealing rock | rocha vedante (Port.)
seam | leito
seamless pipe | tubo sem costura
seam-to-seam length | comprimento entre tangentes
seating cup | assento (Port.)
seating cup | assentamento tipo copo
seating cup nipple | niple de assentamento
seating cup nipple | bocal roscado de assentamento (Port.)
seating cups. | sedes
seating ring | assentamento tipo anel
seawater corrosion | corrosão pela água do mar
seawater drilling mud | fluido de perfuração à base de água do mar
seawater drilling mud | lama de perfuração à base de água do mar
sea-water drilling mud | lama à base de água do mar
SEC and SPE-WPC reserves criteria | reservas segundo critérios SEC e SPE-WPC
second normal stress difference. | segunda diferença de tensão normal
secondary arrivals, later arrivals | evento secundário
secondary barrier | barreira secundária
secondary cementing | cimentação secundária
secondary dispersion. | dispersão secundária
secondary field | campo secundário
secondary geochemical cycle | ciclo secundário geoquímico
secondary migration | migração secundária
secondary mineral | mineral secundário
secondary mineral deposit | depósito mineral secundário
secondary porosity | porosidade secundária
secondary production zone, Brazil | zona de produção secundária, Brasil
secondary recovery | recuperação secundária
secondary recovery by chemical injection | método químico
secondary recovery by CO2 or natural gas miscibility | recuperação secundária por miscibilidade de CO2 ou gás natural
secondary reserves | reservas secundárias
secondary standard | padrão secundário de medição
secondary structure | estrutura secundária
secondary vegetation | vegetação secundária
second-crop oil | óleo de segunda safra
second-derivative map | mapa das derivadas segundas
second-stage separation | segundo estágio de separação
second-zero deconvolution | deconvolução de segundo zero
securitization | securitização
security deposit | caução
sediment | sedimento

sediment concentration | concentração de sedimentos
sediment transport | transporte de sedimento
sedimentary basin | bacia sedimentar
sedimentary bed | camada sedimentar
sedimentary breccia | brecha sedimentar
sedimentary environment | ambiente sedimentar
sedimentary facies | fácies sedimentar
sedimentary fault | falha sedimentar
sedimentary fault, growth fault | falha de crescimento
sedimentary fault, growth fault | falha sinsedimentar (Port.)
sedimentary injection | injeção sedimentar
sedimentary intrusion | intrusão sedimentar
sedimentary laccolith | lacólito sedimentar
sedimentary marble | mármore sedimentar
sedimentary petrography | petrografia sedimentar
sedimentary petrology | petrologia sedimentar
sedimentary quartzite | quartzito sedimentar
sedimentary rock | rocha sedimentar
sedimentary structure | estrutura sedimentar
sedimentary tectonics | tectônica sedimentar
sedimentary trap | armadilha sedimentar
sedimentary volcanism | vulcanismo sedimentar
sedimentation | sedimentação
sedimentation analysis | análise de sedimentação
sedimentation cycle, sedimentary cycle | ciclo sedimentar
sedimentation unit | unidade de sedimentação
sedimento-eustasy. | sedimento-eustasia
sedimentologist | sedimentólogo
sedimentology | sedimentologia
seed point | ponto-semente
seep | exsudação
segregation drive | mecanismo de produção por segregação
seif dune | duna longitudinal (Port.)
seif dune | duna seife
seismic acquisition | aquisição sísmica
seismic amplitude | amplitude sísmica
seismic array | matriz sísmica
seismic basement | embasamento sísmico
seismic basement | soco sísmico (Port.)
seismic crew. | equipe sísmica
seismic data | dado sísmico
seismic datum | datum sísmico
seismic detector | detector sísmico
seismic discontinuity | descontinuidade sísmica
seismic event | evento sísmico
seismic exploration | exploração sísmica
seismic facies | fácies sísmica
seismic facies analysis | análise das fácies sísmicas
seismic facies unit | unidade de fácies sísmicas
seismic gap | lacuna sismológica
seismic horizon | horizonte sísmico
seismic imaging | imageamento sísmico
seismic interpretation | interpretação sísmica
seismic line | linha sísmica

glossário

seismic method | método sísmico
seismic migration | migração sísmica
seismic modeling | modelagem sísmica
seismic processing | processamento sísmico
seismic prospecting | prospecção sísmica
seismic pulse | pulso sísmico
seismic recognition | reconhecimento sismográfico
seismic sequence analysis | análise de sequência
seismic shock | choque sísmico
seismic signal | sinal sísmico
seismic signature | assinatura sísmica
seismic source | fonte sísmica
seismic spectrum | espectro sísmico
seismic stratigraphy, seismostratigraphy. | estratigrafia sísmica
seismic trace | traço sísmico
seismic velocity | velocidade sísmica
seismic wave | onda sísmica
seismicity | sismicidade
seismic-while-drilling VSP | sísmica enquanto se perfura VSP
seismoelectric effect | efeito sismoelétrico
seismogram | sismograma
seismograph cable | cabo de sismógrafo
seismograph gelatin | gelatina de sismógrafo
seismography | sismografia
seismology | sismologia
seismostratigraphic attribute | atributo sismoestratigráfico
seismostratigraphic unit | unidade sismoestatigráfica
self or internal consumption | consumo próprio
self-damped geophone | geofone autoamortecido
self-diagnostics | autodiagnóstico
self-potential method | método do potencial espontâneo
self-supported hybrid riser | riser híbrido autossustentável
semiconductor | semicondutor
semi-permeable membrane | membrana seletivamente permeável
semi-permeable membrane | membrana semipermeável
semi-submersible platform. | plataforma semissubmersível
semi-submersible rig | sonda semissubmersível
sensing element | elemento sensor
sensitivity | sensibilidade
sensitivity analysis | análise de sensibilidade
sensor | sensor
separable diameter | diâmetro de corte
separated flow | escoamento segregado
separation efficiency | eficiência de separação
separation train | trem de separação
separator | separador
septum. | septo
sequence stratigraphy | estratigrafia de sequências
Seraphin can prover | caneca de prova Seraphin
serendipity | serendipidade

serial capital good | bem de capital seriado (BKS)
serial capital good | bem de série (BKS) (Port.)
serial number | número de série
serial port | porta de série (Port.) (Ang.)
serial port | porta serial
sericitic sandstone | arenito sericito
service category | categoria de serviços
service contract | contrato de prestação de serviços
set accelerator, cement bond | presa do cimento
setting | pega
setting down a bit | acamamento da broca
setting down the bit | assentamento da broca (Port.)
setting of slips | assentamento de cunhas
setting point | ponto de assentamento
seven-spot pattern or seven spot | padrão de sete pontos
sextant | sextante
SGN flowline | SGN linha
SGN hydrate | SGN hidrato
SGN retarded | SGN retardado
SGN tank | SGN tanque
SGN well | SGN poço
shadow effect | efeito de sombra
shale | folhelho
shale | xisto
shale | xisto argiloso
shale baseline | linha-base de folhelho
shale baseline | linha-base de xisto argiloso
shale break | intercalação de folhelho
shale break | intercalação de xisto betuminoso (Port.)
shale crescent | crescente de folhelho
shale crescent | crescente de xisto argiloso (Port.)
shale flowage | argilocinese
shale line | linha de folhelho
shale line | linha de xisto argiloso
shale potential | potencial de folhelho
shale potential | potencial de xisto argiloso (Port.) (Ang.)
shale shaker | peneira vibratória
shale-out | passagem a folhelho
shaliness | argilosidade
shaliness | teor de folhelho
shaliness | teor em xisto argiloso (Port.) (Ang.)
shallow refraction | refração rasa
shallow waters | águas rasas
shallow well | poço de baixa profundidade (Port.) (Ang.)
shallow well | poço raso
shallow-water survey | pesquisa em águas rasas
shared actuator control (SAC) | sistema de atuação compartilhada (SAC)
shared actuator manifold | manifolde de atuação compartilhada
shared development agreement | acordo de desenvolvimento compartilhado

glossário

shared development agreement | acordo de unificação da produção
shared development agreement | Acordo de Individualização da Produção (Port.)
shared fiscal metering | medição fiscal compartilhada
shear force | força cisalhante
shear force | força de cisalhamento
shear pin | pino de cisalhamento
shear ram | gaveta cisalhante
shear ram | mecanismo de controlo no obturador de segurança (Port.) (Ang.)
shear rate | taxa de cisalhamento
shear resistance; shear strength | resistência ao cisalhamento
shear strain | deformação por cisalhamento
shear stress | tensão cisalhante
shear stress of slurry | tensão de cisalhamento da pasta de cimento
shear stress. | tensão de cisalhamento
shear sub | adaptador de pressurização (Port.)
shear sub | sub de pressurização
shear thickening | engrossar com cisalhamento
shear thinning | afinamento com cisalhamento
shear wave | onda cisalhante
shearing | cisalhamento
shear-out sub | adaptador de cisalhamento por pressão (Port.)
shear-out sub | sub de cisalhamento por pressão
sheet sand | areia em lençol
sheet sand | arenito em lençol (Ang.) (Port.)
sheet sand | grés em lençol (Port.)
shelf break | quebra da plataforma continental (Port.) (Ang.)
shelf break | quebra de plataforma
shelf channel | canal em plataforma
shelf edge | borda da plataforma
shelf facies | fácies de plataforma
shelf lagoon | plataforma tipo laguna
shelf sea, shallow sea | mar tipo plataforma
shelf-edge reef | recife de borda de plataforma
shelf-margin delta | delta de margem de plataforma
shelf-valley complex | complexo plataforma-vale
shell | camada dura
shell marl | marga coquinoide
shellstone | recife conquífero (Port.) (Ang.)
shellstone |
shelly facies | fácies coquinoide
shelly formation | formação de rochas duras (Port.)
shelly formation |
sheltered sea area | área marítima abrigada
sheltered sea area | área marítima protegida (Port.)
shipboard gravimeter | gravímetro de bordo
shipment costs | custo de carregamento
shock absorber, shock sub | absorvedor de choque

shock absorber, shock sub | amortecedor de choque
shock wave | onda de choque
shooter | atirador
shooting truck | camião de tiro (Port.)
shooting truck | caminhão de tiro
shore cliff | penhasco costeiro
shore dune | duna litoral (Port.)
shore dune | duna litorânea
shore profile | perfil de praia
shore reef; barrier reef | recife costeiro
shore terrace | terraço de praia
shoreface | face de praia
shoreface terrace | terraço de face de praia
shoreline | linha de praia
shoreline cycle | ciclo de linha de praia
shoreline of depression | linha de costa com subsidência
shoreline of depression | praia depressionada
shoreline of elevation | praia soerguida
shoreline of emergence | praia por emergência
shoreline of submergence | praia por submergência
short shot | tiro curto
short string | coluna curta
short trip | manobra curta
short trip | saída e entrada no poço com parte da tubagem (Port.)
short-normal log | perfil curto-normal
short-radius curvature | curvatura de raio curto
short-radius horizontal well | poço horizontal de raio curto
short-term or fast loop | malha rápida
shot density | densidade de cargas de um canhão
shot density | densidade de tiro
shot elevation. | elevação do tiro
shot hole | furo da detonação
shot point seismometer | geofone de boca de poço
shot-hole elevation | altura do ponto de tiro
shotpoint gap | afastamento do ponto de tiro
shotpoint geophone, jug | geofone do ponto de tiro
shot-to-geophone distance | distância tiro-geofone
shot-to-receiver distance | distância tiro-receptor
shrinkage | encolhimento
shrinkage factor | fator de encolhimento
shroud |
shut-in or shutin time | tempo de fechamento
shut-in or shutin time | tempo de fecho (Port.) (Ang.)
shut-in tubing head pressure | pressão de fechamento na coluna
shut-in wellhead pressure | pressão de fechamento na cabeça
side rake angle | ângulo de saída lateral
side reflection; sideswipe reflection | reflexão lateral

glossário

side-pocket mandrel, side-door mandrel | mandril com bolsa lateral
sidetrack | desvio
sidewall coring | amostragem lateral
sieve analysis | análise granulométrica
sigma-delta converter | conversor sigma-delta
sigmoid | sigmoide
sigmoidal dune | duna sigmoidal
sigmoidal fold | dobra sigmoide
sigmoidal progradation | progradação sigmoide
signal compression | compressão de sinal
signal-noise ratio | razão sinal-ruído
signature | assinatura
signature bonus | bônus de assinatura
silexite | silexito
silica | sílica
silica flour | sílica em pó (Port.) (Ang.)
silica flour | sílica flour
silica gel | sílica gel
silica saturated | saturado em sílica
silica-lime cement | cimento pozolânico
silica-lime cement | cimento sílico-calcário (Port.)
silicate | silicato
silication | silicatação
siliceous limestone | calcário silicioso
siliceous limestone |
siliceous sandstone | arenito silicioso (Port.)
siliceous sandstone | arenito silicoso
siliceous sediment | sedimento silicioso (Port.) (Ang.)
siliceous sediment | sedimento silicoso
silicic rock | rocha silicática
silicic rock | rocha silícica
silicic rock | rocha siliciosa (Port.)
siliciclastic | siliciclástico
silicification | silicificação
silicified | silicificado
silicified material | material silicificado
silicinate | silicinato
silicon-32 age method | método de determinação de idade com silício-32
silt | silte
silt load | carga de silte
silt size. | tamanho de partículas de silte
silting | deposição de silte (Port.)
silting |
silting up | enchimento por silte (Port.)
silting up |
silty clay | argila síltica
simple fold | dobra simples (Port.)
simple multiple | múltipla simples
single coverage, single fold | cobertura singela
single shot | foto simples
single-phase flow | escoamento monofásico
single-stage cementing | cimentação em um estágio
single-stage cementing | cimentação em uma fase (Port.)

singularity | singularidade
sinker bar | haste pesada
sismic anisotropy | anisotropia sísmica
size distribution, size-frequency distribution | distribuição granulométrica
size-frequency analysis | análise de frequência granulométrica
size-frequency distribution | distribuição de frequência de tamanho
skid | base da unidade de bombeio
skid mounted | montagem em base
skidded shot | tiro deslocado
skid-mounted mixing system | skid de cimentação (Ang.)
skid-mounted mixing system | unidade de cimentação sobre prancha
skid-mounted subsea | electrobomba submersível submarina (Ang.)
skid-mounted subsea ESP | BCSS montado em skid
skim oil | óleo escumado (Port.) (Ang.)
skim oil |
skim pile | tubo de despejo
skin damage | dano por efeito película
skip mixing | mixagem alternada
sky wave | onda ionosférica
sky-wave interference | interferência ionosférica
slack off | arriar peso
slag fluid | fluido que 'dá pega'
slag. | escória
slant drilling or slant-hole drilling | perfuração com inclinação constante
slant drilling, slant hole drilling | perfuração de trecho inclinado
slant range | alcance
slant section | trecho inclinado
slant well | poço inclinado
slant-range correction | correção de varredura
slant-type directional well | poço direcional tipo slant
slate | ardósia
slaty cleavage | clivagem ardosiana
sled | trenó
sleeve stabilizer | estabilizador de camisa
sleeve stabilizer | manga (Port.) (Ang.)
slender well | poço fino
slick bottomhole assembly | BHA sem estabilizadores
slickenside | espelho de falha
slickline operation | operação com arame
slickline operation | operação com arame de fundo de poço com cabo de aço (Port.) (Ang.)
slickline operation | operação com cabo de aço (Ang.)
slickline operation | operação de fundo de poço com cabo de aço (Port.) (Ang.)
slide | escorregão
slide cast | molde de escorregamento
slide mark | marca de escorregamento
sliding sleeve | camisa deslizante

glossário

sliding-mode drilling, slide-mode drilling | perfuração no modo orientado
slim hole | poço de pequeno diâmetro (Port.) (Ang.)
slim hole | poço delgado
sling | eslinga
sling | fisga (Port.)
slip ratio | razão de escorregamento
slip ring. |
slip velocity | velocidade de escorregamento
slippage, slumping | escorregamento
slips, rotary slips | cunha
slips, rotary slips | cunha para suspensão da tubagem na mesa rotativa (Port.)
slip-stick vibration | vibração torsional agarra e solta
slop tank | tanque de drenagem
slope | gradiente
slope | talude
slope curvature | curvatura de talude
slope fan | leque de talude
slope-front fill | depósito de frente de talude
slot | ranhura
slotted liner | liner rasgado
slotted pipe | tubo ranhurado
slough | mangue
slug | golfada
slug catcher | coletor de golfadas
slug catcher vessel | vaso slug catcher
slug flow pattern | padrão de escoamento em golfadas
slug flow. | escoamento em golfadas
slug pit | bacia de tampão (Ang.)
slug pit | pit de tampão (Ang.)
slug pit | tanque de tampão
slug pit | aterro de tampão (Ang.)
slugging production | produção em golfada
slump | deslizamento ou escorregamento de massa
slump breccia | brecha de escorregamento
slump fold | dobra de escorregamento
slump structure | estrutura de escorregamento
slump. | escorregamento de terra
slurried bed, slurry bedding | acamamento indistinto
slurried bed, slurry bedding | estratificação indistinta (Port.)
slurry | calda de cimento (Ang.)
slurry | cimento pastoso
slurry | mistura de água e cimento (Port.) (Ang.)
slurry |
slurry densimeter | densímetro da pasta de cimento
slurry density | densidade da calda de cimento (Ang.)
slurry density | densidade da pasta de cimento
slurry displacement | deslocamento da pasta
slurry pack |
slurry plastic viscosity | viscosidade plástica da calda de cimento (Port.) (Ang.)
slurry plastic viscosity. | viscosidade plástica da pasta de cimento
slurry slump | escorregamento fluido
slurry volume | volume da calda de cimento (Ang.)
slurry volume | volume da pasta de cimento
slurry weight | peso específico da pasta de cimento
slush pump | bomba de lama
small cobble | pequeno seixo
smaltite | esmaltita
smaltite | esmaltite (Port.)
smart completion | completação inteligente
smart completion | completamento inteligente (Port.)
smart field | campo inteligente
smart instrumentation | instrumentação inteligente
smart well, intelligent well | poço inteligente
smectite | esmectita
smectite | esmectite (Port.)
smoothing filter | filtro de suavização
snap latch | trava
snubbing rig. | sonda de produção hidráulica
Society of American Engineers (SAE) | Associação Americana de Engenheiros
soft depression | depressão suave (Port.)
soft rock | rocha branda
soft rock | rocha mole
soft starter driver | arranque em baixa corrente (Port.)
soft starter driver | unidade de arranque em baixa corrente (Port.) (Ang.)
soft starter driver | unidade de partida em baixa corrente
soft starter driver | unidade soft starter
soil | solo
soil horizon | horizonte de solo
soil profile | perfil de solo
sole cast | molde de marca de sola
sole fault | falha de baixo ângulo
sole mark | marca de sola
sole risk operation |
sole risk operations | operações de risco único (Port.) (Ang.)
solenoid valve | válvula solenoide
solid waste | resíduo sólido
solid wire line, slick line | arame
solifluction, soil creeping | solifluxão
solonetz soil | solo solonetz
solubility | solubilidade
solubility ratio | razão de solubilidade
solute | soluto
solution | solução
solution gas | gás em solução
solution gas-oil ratio | razão gás dissolvido-óleo
solution-gas expansion drive | mecanismo de produção por expansão de gás em solução
solution-gas expansion pool | mecanismo de expansão de gás em solução

601

glossário

solvency | solvência
solvent | solvente
solvent extraction | extração solvente
sonar geometry | geometria de sonar
sonic log | diagrafia de acústica (Port.)
sonic log | diagrafia de som (Port.)
sonic log | diagrafia sônica (Port.)
sonic log | *log* sônico (Port.) (Ang.)
sonic log | perfil sônico
sonic log |
sonograph | sonograma
sorted | selecionado
sorting | seleção sedimentar
sorting index | índice de seleção
sorting rate | taxa de calibragem (Port.)
sound navigation ranging | ecossonda
sound navigation ranging | sonar (Port.) (Ang.)
sounding and contour plan | carta isobática
sour corrosion | corrosão sulfurosa
sour corrosion: Processo corrosivo que ocorre na presença de um eletrólito que contém usualmente compostos de enxofre. | corrosão ácida
sour crude oil | petróleo sulfuroso
sour gas | gás sulfuroso (Port.)
sour gas |
sour gas | gás ácido
sour oil | óleo ácido
sour water | água ácida
source area | área fonte
source pattern | padrão da fonte
source productivity index | índice de produtividade da fonte
source productivity rate | taxa de produtividade da fonte (Port.) (Ang.)
source rock | rocha fonte
source rock | rocha geradora
source rock | rocha matriz
source signature | assinatura da fonte
source-antenna distance. | distância fonte-antena
source-receiver deconvolution | deconvolução fonte-receptor
source-receiver product | produto fonte-receptor
source-to-receiver offset | afastamento fonte-receptor
Soxhlet |
S-P interval | intervalo S-P
space out | balanceio
spacer | colchão espaçador
spacer | espaçador
spacer tool | carretel espaçador
space-time filter | filtro espaço-tempo
SPAR buoy | plataforma *SPAR*
spar buoy |
sparker | faiscador
spatial aliasing | falseamento espacial
spatial frequency | frequência espacial
spatial interpolation | interpolação espacial
spear | ferramenta de pesca com cunha interna (Port.)

spear | ferramenta de pescaria com cunha interna
Special Customs System for Export and Import of Goods destined to Activities of Research and Mining of Natural Gas and Petroleum Oil Deposits, Brazil | Regime Aduaneiro Especial de Exportação e Importação de Bens destinados às Atividades de Pesquisa e de Lavra das Jazidas de Petróleo e de Gás Natural (REPETRO), Brasil
Special Customs System for Export and Import of Goods, Brazil | Regime Aduaneiro Especial de Exportação e de Importação de Bens, Brasil
special participation | participação especial
special participation calculation statement | demonstrativo da apuração da participação especial
Special Remuneratory Benefit (SRB) | benefício remuneratório especial
species | espécie
specific adsorption | adsorção específica
specific gravity | densidade relativa
specific heat | calor específico
specific humidity | umidade específica
specific magnetization | magnetização específica
specific surface | superfície específica
specstroscopy | espectroscopia
spectral analysis | análise espectral
spectral gamma-ray log | perfil espectral de raios gama
spectrofluorescence | espectrofluorescência
spectrometer. | espectrômetro
spectrophotometer. | espectrofotômetro
spectrum, spectra | espectro, espectros
specular reflector | refletor especular
speed correction | correção de velocidade
speed of sound. | velocidade do som
speed over ground (SOG). | velocidade em relação ao fundo
speleology | espeleologia
sphere launcher | lançador de esfera
sphere receiver | recebedor de esfera
spherical cap | capa esférica
spherical divergence. | divergência esférica
spherical wave | onda esférica
spherically-focused log | perfil esfericamente focalizado
sphericity. | esfericidade
spheroid. | esferoide
spider | mesa auxiliar
spike | impulso unitário
spike filtering | filtragem corta-pulsos
spine mark | marca em espinha (Port.) (Ang.)
spinning drop |
spiral or spiral-grooved drill collar | comando de perfuração espiralado
spline interpolation. | interpolação de *spline*
split range | divisão de faixa
splitting | birrefringência
sponsor | patrocinador financeiro (Port.) (Ang.)
sponsor |

spontaneous combustion. | combustão espontânea
spontaneous potential (SP) | potencial espontâneo
spool | bobine (Port.)
spool |
spot market | mercado à vista (Port.) (Ang.)
spot market | mercado de pagamento a pronto e entrega imediata (Port.)
spot market | mercado *spot*
spread | lanço
spread geometry | geometria do lanço
spread mooring | quadro de boias
spring effect. | efeito elástico
sprinkler fusible plug | detector de chama plugue fusível
spud a well | iniciar o poço
spud mud | fluido inicial de perfuração
spud mud | lama inicial de perfuração
squeeze | compressão de cimento
squeeze | injecção de cimento (Port.)
squid magnetometer | magnetômetro squid
STA drilling fluid | fluido de perfuração STA
stabilized condensate | condensado estabilizado
stabilized crude oil | óleo estável
stabilized flow | escoamento estabilizado
stabilized flow | fluxo estabilizado (Port.)
stabilized pressure | pressão estabilizada
stabilizer | estabilizador
stab-in cementing | cimentação através da tubagem de perfuração assente na sapata (Port.)
stab-in cementing | cimentação stab in
stable emulsion | emulsão estável
stable filter | filtro estável
stable gravimeter | gravímetro estável
stable isotope | isótopo estável
stable magnetization | magnetização estável
stack | pilha
stacked profiles | perfis de pilhas
stacked trace | traço empilhado
stacking | empilhamento
stacking chart, layout chart | mapa de empilhamento
stacking monitor | monitor de empilhamento
stacking velocity. | velocidade de empilhamento
stage cementing | cimentação em estágios
stage collar | colar de estágio
stage separation. | separação em estágios
stainless steel | aço inoxidável
stalactite. | estalactite
stalagmite | estalagmite
stand | seção de tubos
stand | secção de tubagem (Port.)
stand-alone completion | completação *stand alone*
stand-alone completion | completamento isolado do poço (Port.)
stand-alone completion | completamento *stand alone* (Port.)
standard | padrão

standard conditions | condições-padrão
standard cubic foot | pé cúbico padrão de gás (SCF)
standard intruder | penetrâmetro padrão (Port.) (Ang.)
standard intruder | penetrômetro padrão
standard master meter | medidor padrão de referência
standard measurement | medida padrão
standard temperature and pressure | temperatura e pressão padrões
standard uncertainty | incerteza padronizada
standing valve cage | gaiola da válvula de pé
standing valve cage (SRP) | gaiola de válvula e retenção (Ang.)
standpipe | tubo bengala
starch | amido
state equation. | equação de estado
static calibration | calibração estática
static correction | correção estática
static filtration | filtração estática
static fluid level | nível de fluido estático
static gauge pressure | pressão manométrica estática
static mud pressure | pressão estática do fluido de perfuração
static pressure | pressão estática
static self-potential | potencial espontâneo estático
static. | estática
station | estação
stationary filter | filtro estacionário
stationary process | processo estacionário
stationary production unit | unidade estacionária de produção
stationary series | série estacionária
statistical stacking | empilhamento estatístico
statistics | estatística
steady state | regime permanente
steady state flow | escoamento permanente
steady-state flow | fluxo permanente (Port.)
steam flood or flooding | deslocamento por vapor
steam injection | injeção de vapor
steel catenary riser | *riser* rígido em catenária
steel-tooth bit | broca de dentes de aço
steerable motor | motor de fundo para navegação
steerable system | sistema de navegação
stepback | recuo
step-in right | direito de substituição de parceiros (Port.)
step-in right |
step-rate test | teste de fratura hidráulica
step-rate test | teste de vazão em degrau
sterane. | esterano
stereochemistry | estereoquímica
stereoscopic image | imagem estereoscópica
steroid | esteroide
sterols. | esteróis

glossário

stiff bottomhole assembly | BHA rígido
stiff bottom-hole assembly | conjunto de fundo de poço rígido (Ang.)
stimulation vessel | barco de estimulação
stinger | cauda para cimentação
stinger | esporão
stinger | suporte de lançamento
stirred fluid loss cell | célula de filtrado com agitação
stock tank | tanque de óleo morto
stock tank |
stock tank gas |
stock tank barrel | barril à superfície (Port.)
stock tank barrel | barril em condições de tanque
stock tank conditions | barril em condição de superfície
stock tank emulsion breaker | agente desemulsificador (Port.)
stock tank emulsion breakers | agentes desemulsificadores (Port.)
stock tank emulsion breakers |
Stokes' law | lei de Stokes
Stolt's migration | migração de Stolt
Stoneley's wave | onda de Stoneley
storage drum | tambor de armazenamento
straight pipe run | trecho reto de medição
strain gage, strain gauge | medidor de deformação
strain hardening. | encruamento
strain rate | taxa de deformação
strain seismometer | sismômetro de esforço
strainer | filtro de linha
stranded costs. | custo irrecuperável (Port.)
straticule | estratículo (Port.)
straticule |
stratification plane | plano de estratificação
stratification, bedding | estratificação
stratigraphic code | código estratigráfico
stratigraphic column | coluna estratigráfica
stratigraphic correlation | correlação estratigráfica
stratigraphic trap | armadilha estratigráfica (Port.)
stratigraphic trapping | trapeamento estratigráfico
stratigraphy | estratigrafia
stratosphere. | estratosfera
stratum | estrato
stream capture | captura de drenagem
streamer | cabo flutuador
strength retrogression | regressão da resistência
stress | tensão
stress corrosion | corrosão sob tensão
stress intensifier factor | fator de intensificação de tensão
stress profile | diagrafia de tensões (Port.)
stress profile | *log* de tensões (Port.) (Ang.)
stress profile | perfil de tensões
stress-strain | tensão-deformação

stress-strain curve | curva tensão-deformação
string | coluna
string shot | desconexão por explosão
strip log | perfil de acompanhamento
stroke length | curso
stromatolite | estromatólito
structural basin | bacia estrutural
structural datum. | datum estrutural
structural depression. | depressão estrutural
structural dome | domo estrutural
structural element | elemento estrutural
structural feature | feição estrutural
stuck pipe | tubagem presa (Port.) (Ang.)
stuck pipe | tubo preso
stuck point | ponto de prisão da ferramenta
stuffing box | caixa de vedação
stylolite | estilolito
S-type wellbore | poço tipo 'S'
sub coupling | luva de redução
subaerial | subaéreo
sub-array | subarranjo
subduction zone | zona de subducção
submarine canyon | canhão submarino
submarine pipeline | oleoduto submarino
submarine satellite well | poço satélite submarino
submerged weight, buoyancy weight | peso flutuado
submersible drilling rig | sonda de perfuração submersível
subsea completion | completação submarina
subsea completion | completamento submarino (Port.)
subsea electrical submersible pumping | bombagem centrífuga submersa submarina (Port.)
subsea electrical submersible pumping | bombeio centrífugo submerso submarino
subsea electronic module | módulo eletrônico submarino
subsea ESP | BCS submarino
subsea ESP in a dummy well | BCSS em poço falso
subsea ESP in a dummy well system | sistema de electrobomba submersível submarina em poço falso (Ang.)
subsea ESP in a hole system | sistema de electrobomba submersível submarina em poço de cobertura (Ang.)
subsea ESP on a hole | BCSS em poço alojador
subsea ESP on a skid (system) | electrobomba submersível submarina em base metálica (sistema) (Ang.)
subsea ESP on a skid system | Sistema BCSS em base metálica
subsea integrated umbilical | umbilical submarino integrado
subsea intervention tree | árvore submarina de intervenção
subsea multiphase pumping | bombagem multifásica submarina (Port.)
subsea multiphase pumping | bombeamento multifásico submarino

glossário

subsea power connector | conector de potência submarino
subsea power umbilical | umbilical submarino de potência
subsea production and injection manifold | manifolde submarino de produção e injeção
subsea production manifold | manifolde submarino de produção
subsea test tree | árvore submarina de teste
subsea test tree | cabeça de teste submarina (Ang.)
subsea tree | árvore submarina
subsea umbilical distribution unit | unidade submarina de distribuição de umbilical
subsea umbilical termination | terminação submarina de umbilical
subsea wellhead, subsea housing | cabeça de poço submarina
substitute well | poço substituto
substitute, sub | sub
subsurface geology | geologia de subsuperfície
subsurface safety device | dispositivo de segurança de subsuperfície
subsurface velocity | velocidade da subsuperfície
sucker rod | haste de bombeio
sucker rod BOP | BOP de haste de bombeamento (Port.)
sucker rod BOP | BOP de haste de bombeio
sucker rod BOP | BOP de vara de bomba mecânica (Ang.)
sucker rod centralizer. | centralizador de hastes
sucker rod coupling | luva de hastes
sucker rod pump | bomba de bombeamento mecânico
sucker rod pump | cavalo de pau
sucker rod string, stem | coluna de hastes
sucker-rod coupling | acoplamento de bombeio mecânico
sucker-rod pumping | bombeio mecânico
suction pile | estaca de sucção
SUEZMAX |
suitable final disposal | disposição final adequada
sulfate content | teor de sulfatos (Port.) (Ang.)
sulfate-reducing bacteria | bactéria sulfatorredutora
sulfide content | teor de sulfetos
sulfide content | teor de sulfureto (Port.)
sulfide stress cracking | trinca por sulfito
sulfur dioxide, SO2. | dióxido de enxofre, SO2
sulfur environment, sour environment | ambiente sulfurado
sulfur environment, sour environment | ambiente sulfuroso (Port.)
sump packer |
super 13-chrome steel | aço supercromo 13
superficial deposit | depósito superficial
superficial phase velocity | velocidade superficial da fase
superficial velocity | velocidade superficial
supergene | supergênico

supergene enrichment | enriquecimento supergênico
superimposed mode | modo superimposto
supersaturation | supersaturação
supervision well | poço supervisionado
supervisory | supervisório
supervisory control and data acquisition system | sistema de supervisão, controle e aquisição de dados
supply boat | barco de apoio (Port.)
supply boat | barco graneleiro pressurizável
supply bond | garantia de fornecimento (Port.)
supply bond | garantia de suprimento
supply bond |
supply chain management | gerenciamento da cadeia de suprimentos
supply vessel | barco de abastecimento
supply vessel | barco de suprimento (Port.)
supply vessel | navio de suprimento
supply vessel | embarcação de suprimento
support on beam | apoiar na viga
supra tidal | supramaré
supracrustal | supracrustal
surface anomaly | anomalia superficial
surface BOP | BOP de superfície
surface casing | revestimento de superfície
surface correction | correção de superfície
surface fitting | ajuste de superfície
surface flow tree | árvore de fluxo de superfície
surface free energy | energia livre de superfície
surface ghost | fantasma de superfície
surface mud volume | volume de lama na superfície
surface pressure | pressão de superfície
surface prospecting | prospecção de superfície
surface sampling | amostragem de superfície
surface shooting | levantamento superficial
surface tension. | tensão superficial
surface treatment and pumping | tratamento e bombeamento de superfície
surface tree | árvore de natal seca
surface tree | árvore de superfície
surface-controlled subsurface safety valve | válvula de segurança de subsuperfície controlada na superfície
surface-tension reducer, surface tension additive | redutor da tensão superficial
surfactant | surfactante
surfactant | tensoativo
surge |
surge | aumento súbito de pressão do bombeio centrífugo submerso (Port.)
surge effect | efeito de surto
surge line | linha de surgência
surge tank | tanque de aumento súbito de pressão
surge tank | tanque de surge
surge tank | tanque para aumento de pressão (Port.)
surge tank |

605

glossário

surge tank. | tanque de surgência
survey | foto
survey | levantamento
survey | prospecção
survey line, lane | linha de sondagem
survival capsule, brucker survival capsule | cápsula de salvamento
suspension | suspensão
swab |
swab valve | válvula de sucção (Port.) (Ang.)
swab valve. | válvula de pistoneio
swab. | êmbolo de sucção (Port.)
swabbing | pistoneio
swabbing | sucção de fluidos por êmbolo (Port.) (Ang.)
swabbing for artificial lift | elevação artificial por pistoneio
swaging | expansão de tubagem (Port.)
swaging | expansão de tubo
swap | swap de gerenciamento de risco
Swap contract | contrato de troca de fluxos de pagamento
sweep efficiency | eficiência da recuperação secundária de óleo com uso de aditivos (Port.)
sweep efficiency | eficiência de varrimento (Ang.)
sweep efficiency. | eficiência de varrido
sweet | doce
sweet corrosion | corrosão pelo dióxido de carbono
sweet crude | óleo doce bruto
sweet crude oil | óleo doce
sweet crude petroleum | petróleo doce
sweet gas | gás doce
sweet spot |
swelling | inchamento
swept zone |
swing producer |
swirl | redemoinho
swirl | rotação do fluido
swivel | cabeça de injeção
swivel | junta rotativa
swivel |
symmetric ripple marks | marcas de onda simétricas
symmetrical bedding | acamamento simétrico
symmetrical bedding | estratificação simétrica (Port.)
synchronous communication | comunicação síncrona
syncrude |
syndepositional fold | dobra sindeposicional
syndepositional fold | dobra sinsedimentar (Port.)
synsedimentary | sinsedimentar
synthetic | sintético
synthetic oil | óleo sintético
synthetic seismogram | sismograma sintético
synthetic trace | traço sintético
synthetic-based drilling fluid | fluido de perfuração à base sintética

synthetic-based drilling fluid | lama de perfuração de base sintética (Port.)
system tract | tracto de sistemas (Port.) (Ang.)
system tract | trato de sistemas
systematic error | erro sistemático
syzygy tide | maré de sizígia
tag | identificação
Tagg's method | método de Tagg
tail cement slurry | pasta de cimento de sacrifício
take or pay (TOP) |
tamping, plugging. | tamponamento
tandem configuration | configuração *tandem*
tandem survey | levantamento revezado
tank farm | parque de armazenamento de petróleo
tank farm | parque de tanques de armazenamento (Port.) (Ang.)
tank gross standard volume | volume bruto de petróleo corrigido em tanque
tank measurement | arqueação de tanques
tank prover | tanque de calibração
tank prover | tanque de prova
tank prover | tanque de teste
tank volume table | tabela volumétrica de tanque
taper mill |
taper tap |
tar | alcatrão
target location | locação do alvo
target location | localização do alvo
Tarrant's method | método de Tarrant
tasmanite | tasmanita
tasmanite | tasmanite (Port.)
taut leg |
taut-leg mooring system | sistema de perna atirantada lateral
tax burden | carga tributária
Technical Report on Workplace Environmental Conditions | Laudo Técnico das Condições Ambientais do Trabalho (LTCAT)
Technical report on workplace environmental conditions | Relatório Técnico das Condições Ambientais do Trabalho (Port.)
technical specification. | especificação técnica
technologically-enhanced naturally occurring radioactive material (TENORM) | material radioativo de ocorrência natural tecnologicamente concentrado
tectonic accretion | acresção tectônica
tectonic mélange | melange tectônica
tectonic plate | placa tectônica
tectonic subsidence | subsidência tectônica
tectonic valley | vale tectônico
telemetric buoy | boia telemétrica
telemetry | telemetria
teleseism | telesismo
temperature gradient | gradiente de temperatura
temperature profile | diagrafia de temperatura (Port.)

glossário

temperature profile | *log* de temperatura (Port.) (Ang.)
temperature profile | perfil de temperatura
temperature safety element | elemento de segurança a temperatura
temperature switch | termostato
template | estrutura de perfuração (Port.)
template | estrutura múltipla
template |
temporal frequency | frequência temporal
temporary admission | admissão temporária
temporary guide base | base-guia temporária
temporary safe work permit | permissão de trabalho temporária
tender support vessel | barco de suporte tipo balsa (Port.)
tender support vessel | barco de suporte tipo barcaça (Port.)
tender support vessel. | embarcação de suporte tipo balsa
ten-minute gel strength | resistência do gel após dez minutos
tension drum | tambor de trabalho
tensioner ring | anel tensionador
tension-leg platform (TLP) | plataforma de pernas atirantadas
tension-leg wellhead platform |
tepee structure | estrutura *tepee*
tephrite | tefrito
terminal velocity | velocidade terminal
terpene | terpano
terpene. | terpeno
terpenoid | terpenoide
terrace | terraço
terrain correction | correção do terreno
territorial waters | mar territorial
tertiary migration | migração terciária
tertiary recovery | recuperação terciária
test connector | conector de teste
test coupon | cupão de teste (Port.)
test coupon | cupom de teste
test separator | separador de teste
test umbilical for subsea installation | umbilical de teste para instalação submarina
test well | poço teste
tetraphone | tetrafone
texture | textura
thalweg | talvegue
thermal alteration index (TAI) | índice de alteração termal
thermal capacity. | capacidade térmica
thermal conductivity | condutividade térmica
thermal decay time log | diagrafia de decaimento térmico (Port.)
thermal decay time log | *log* de decaimento térmico (Port.) (Ang.)
thermal decay time log | perfil de decaimento térmico
thermal decay time log | registo de decaimento térmico (Port.)

thermal expansion factor | fator de expansão térmica
thermal expansion. | expansão térmica
thermal fatigue | fadiga térmica
thermal flow meter | medidor de vazão do tipo termal
thermal fracture | fratura térmica
thermal gradient | gradiente térmico
thermal method | método térmico
thermal noise | ruído térmico
thermal shock | choque térmico
thermal spallation drilling | perfuração por descamação térmica
thermocapillary diffusion | difusão termocapilar
thermocline | termoclina
thermocouple | termopar
thermodynamic inhibitor | inibidor termodinâmico
thermosphere | termosfera
thermowell | poço termométrico
thick well | poço espesso
thickening time | tempo de espessamento
thief zone | zona ladra
thin bed, thin layer | camada delgada
thin section | lâmina delgada
thin wall | parede fina
thiophene | tiofeno
third-party evaluation | avaliação de terceira parte
third-party evaluation | avaliação por terceiros (Port.)
third-party participation | participação de terceiros
thixcarb |
thixotropic | tixotrópico
thixotropic cement slurry | pasta de cimento tixotrópica
thixotropic fluid | fluido tixotrópico
thixotropy | tixotropia
thread | rosca
three-component data | dado de três componentes
three-component geophone | geofone de três componentes
three-cone bit, tricone bit | broca tricônica
three-phase gravity separator | separador gravitacional trifásico
three-phase separator | separador trifásico
three-spot pattern | padrão de três pontos
three-stage compressor | compressor de três estágios
three-stage separation | separação em três estágios
threshold | limiar
threshold |
throat | garganta
throttling | gargarejo
through casing | operação no interior da tubagem de revestimento (Port.) (Ang.)
through casing |
through flow ESP | BCS a cabo

607

glossário

thrust bearing | mancal de escora
thruster |
tidal correction | correção de maré
tidal current | corrente de maré
tie-back |
tie-in | interligação
tie-in |
tie-line | linha de amarração
tie-on |
tight hole or tight well | poço estreito
tight rock | rocha compacta
tightness | estanqueidade
till |
time break | quebra de tempo
time lag | demora (Port.)
time lag | atraso (Port.)
time lag; lag time | retardo
time migration | migração de tempo
time of closest approach | tempo da aproximação maior
time slice | corte temporal
time tie | amarração de tempo
time variant | variável com o tempo
time-depth chart | mapa tempo-profundidade
time-depth curve | curva tempo-profundidade
time-domain method | método do domínio do tempo
time-lapse survey | levantamento em intervalos de tempo
timeout | tempo limite
time-to-depth conversion. | conversão tempo-profundidade
time-variant filter | filtro variável com o tempo
time-varied-gain (TVG) | ganho de tempo variado
to patch up or restore, renovate revamp | reforma de unidades industriais (REVAMP)
toluene | toluene (Port.) (Ang.)
toluene insoluble | insolúvel em tolueno
toluene, toluol | tolueno
tombolo | tômbolo
tombolo. | cordão litoral (Port.)
tool face | face da ferramenta
tool joint | conexão do tubo de perfuração
tool pusher | ferramenta para diagrafias com tubagem de perfuração (Port.)
tool pusher | ferramenta para perfilagem com tubo de perfuração
tool-face angle | ângulo da face da ferramenta
top critical event | evento de topo
top drive |
top event | evento topo
top hold-down | ancoragem de topo
top open cage | gaiola aberta superior
top plug | tampão de topo
toplap termination | terminação de topo
torpedo pile | estaca-torpedo
torpedo stake | base-torpedo
torsion balance | balança de torção
torsion-head magnetometer | magnetômetro de torção

total acid number | índice de acidez total
total base number | índice de basicidade total
total depth | profundidade final
total depth | profundidade total
total gas-liquid ratio | razão gás-líquido total
total gas-oil ratio | razão total gás-óleo
total instantaneous gas-oil ratio | razão total instantânea gás-óleo
total organic carbon (TOC) | carbono orgânico total
total porosity | porosidade total
total production volume | volume total da produção
total reflection | reflexão total
total reserves | reservas totais
total shrinkage factor | fator de encolhimento total
total suspended solids (TSS) | total de sólidos em suspensão
total target penetration | penetração total do alvo
totalizer | totalizador
touch down point | ponto de contato
touch down point | ponto de toque
touch down point (TDP) | ponto de contato no solo marinho
towing bridle | sela de reboque
t-phase | fase t
TPR curve | curva de TPR
trace balancing | balanceamento de traço
trace element in biogenic sediments | elemento vestigial em sedimentos biogênicos (Port.)
trace element in biogenic sediments | elemento-traço em sedimentos biogênicos
trace element in oil and bitumen | elemento-traço em óleo e betume
trace element in oil and bitumen. | elemento vestigial em óleo e betume (Port.)
trace element. | elemento vestigial (Port.)
trace element. | elemento-traço
trace equalization. | equalização de traço
trace fossil | fóssil-traço
trace header | cabeçalho do traço
trace interpolation | interpolação de traço
trace mute | silenciamento de traço
trace spacing | espaçamento de traços
traceability | rastreabilidade
train of waves, wave train | trem de ondas
transducer | transdutor
transfer cost | custo de transferência
transfer of concession | transferência da concessão
transfer of crude oil, natural gas and petroleum products | transferência de petróleo, gás natural e derivados
transferable credit | crédito transferível
transform boundary | limite transformante
transform margin | margem transformante
transgression | transgressão
transgressive system tract | tracto de sistema transgressivo (Port.)

glossário

transgressive system tract | trato de sistema transgressivo
transient | transiente
transient decline | declínio transiente
transient flow | escoamento transiente
transient flow | fluxo transitório (Port.)
transient response | resposta transiente
transient state | estado transitório (Port.)
transient state. | estado transiente
transition regime | regime de transição
translocation | transposição
transmissibility coefficient | coeficiente de transmissibilidade
transmissibility or transmissivity | transmissividade
transmission | transmissão
transmission coefficient | coeficiente de transmissão
transmission loss | perda por transmissão
transmitted ray | raio transmitido
transmitted wave | onda transmitida
transmitter | transmissor
transnational company | empresa transnacional
transponder | transmissor-receptor (Port.)
transponder |
transportation of crude oil, petroleum products and natural gas | transporte de petróleo, derivados e gás natural
transpressional fault | falha transpressiva
transverse electric mode | modo elétrico transversal
transverse electric mode | modo elétrico transverso
transverse magnetic | transversal magnético
transverse resolution | resolução transversal
transverse scour mark | marca de escavação transversa
transversely isotropic material | material transversalmente isotrópico
trap | armadilha (Port.)
trap | trapa
trapezoidal filter | filtro trapezoidal
traveling valve | válvula de passeio
traveling valve | válvula móvel (Port.) (Ang.)
travelling block | bloco viajante (Port)
travellng block | catarina
traveltime | tempo de viagem
tray tower | torre de bandeja
tree cap | capa da árvore de natal
tree cap | tampa ou cobertura da árvore de natal (Port.) (Ang.)
tree running tool | ferramenta de descida de árvore de natal molhada (ANM) (Ang.)
tree running tool | ferramenta de instalação de árvore de natal molhada (ANM)
tribology | tribologia
trigger pulse | pulsação de disparo (Port.) (Ang.)
trigger pulse | pulso de disparo
trimmed mean stack. | empilhamento cotado
trip | manobra
trip gas | gás entrado no poço durante uma mudança de broca (Port.)
trip gas | gás de manobra
trip margin | margem de manobra
trip tank | tanque de manobra
trip time | tempo de manobra
trip time | tempo de mudança de broca (Port.) (Ang.)
triple point | ponto triplo
triplex plunger pump | bomba de três cilindros de êmbolo (Port.)
triplex plunger pump | bomba triplex de êmbolo
triplex pump | bomba de três cilindros (Port.)
triplex pump | bomba triplex
tropospheric correction | correção troposférica
tropospheric scattering | espalhamento troposférico
tropospheric scattering | tropodifusão
truck-mounted mixing system | camião de cimentação (Port.)
truck-mounted mixing system. | caminhão de cimentação
true boiling point analysis | análise de pontos de ebulição verdadeiros (PEV)
true vertical depth (TVD) | profundidade vertical
TSP drill bit | broca TSP
tubing |
tubing anchor | âncora de tubulação
tubing coupling | luva da coluna de produção
tubing hanger | suspensor de coluna
tubing hanger |
tubing hanger electrical connector | conector elétrico do suspensor de coluna
tubing hanger running tool | ferramenta de instalação do suspensor de coluna de produção
tubing head | alojador de coluna
tubing head | cobertura de tubagem de produção (Port.)
tubing mounted installation | instalação em cápsula
tubing neck | suspensor de coluna de produção
tubing performance relationship | curva de pressão requerida
tubing performance relationship | relação de desempenho da tubulação
tubing pressure operated valve | válvula de pressão operada pela pressão da coluna
tubing pump | bomba tubular
tubing standing valve | válvula de passeio da coluna
tubing stretch | alongamento da coluna de produção
tubing string | coluna de tubagem de produção (Port.)
tubing string | coluna de *tubing*
tubing; production string | coluna de produção
tubing-casing annulus | anular revestimento-coluna de produção
tubing-retrievable gas lift valve. | válvula de *gas lift* recuperável de coluna

609

glossário

tug; supply tug; tug vessel | rebocador
tuned array | arranjo sincronizado
tuning effect. | efeito de afinação
turbidite | turbidito
turbidity | turbidez
turbidity current | corrente de turbidez
turbine | turbina
turbine flow meter | medidor de vazão do tipo turbina
turbine gas meter | medidor de vazão de gás tipo turbina
turbulent flow | escoamento turbulento
turbulent flow | fluxo turbulento (Port.)
turbulent regime | regime turbulento
turndown ratio | razão de uso
turning point | ponto de inflexão
turn-key |
turnkey contract | contrato *turnkey*
turn-key contract | contrato chave na mão (Port.)
turn-key. | chave na mão (Port.)
turret | torre de ancoragem
turret |
twilight zone | zona de meia-luz
twin wells | poços gêmeos
twin-screw multiphase pump | bomba multifásica duplo-parafuso
two-dimensional seismic data | dado sísmico 2-D
two-phase | bifásico
two-phase flow. | escoamento bifásico
two-phase separator | separador bifásico
two-stage compressor | compressor de dois estágios
two-stage separation | separação em dois estágios
t-x curve | curva t-x
t-x domain. | domínio t-x
type II directional hole | poço direcional tipo II
type of bidding | modalidade de licitação
U.S. sack of cement | saco de cimento americano
UCM (unresolved, complex mixture) |
Udden-Wentworth scale | escala de Udden-Wentworth
UHF transponder | transponder UHF
ultimate strength | limite de resistência à tração
ultra deep waters or ultra-deep waters | águas ultraprofundas
ultra large crude carrier | superpetroleiro
ultra long-spaced electric log | log elétrico do espaço ultralongo (Port.) (Ang.)
ultra long-spaced electric log | perfil elétrico ultralongo
ultra long-spaced electric log (ULSEL) | diagrafia elétrica de espaço ultralongo (Port.)
ultra long-spaced electric log (ULSEL) | diagrafia elétrica ultralonga (Port.)
ultra sonic imager tool | ferramenta ultrassônica de imageamento
ultra-heavy oil | óleo ultrapesado
ultramicroearthquake | ultramicroterremoto (Port.) (Ang.)

ultramicroearthquake | ultramicroterremoto
ultrasonic | ultrassônico
ultrasonic cement analyzer equipment (UCA) | equipamento de análise ultrassônica de cimento (UCA)
ultrasonic flow meter | medidor de vazão do tipo ultrassônico
ultrasonic method | método ultrassônico
ultrasonic seismic method | método sísmico ultrassônico (Port.) (Ang.)
ultraviolet radiation | radiação ultravioleta
umbilical power connector | conector de potência do umbilical
umbrella chart | diagrama tipo guarda-chuva
unanchoring, movement and anchoring | desancoragem, movimentação e ancoragem (DMA)
uncertainty | incerteza
uncertainty of measurement | incerteza de medição
uncertainty relation | relação de incerteza
Unconfined Compressive Strength (UCS) | resistência à compressão simples
unconsolidated | inconsolidado
unconsolidated | não consolidado (Port)
unconsolidated | solto (Port.) (Ang.)
unconsolidated rock | rocha não consolidada
uncontrolled mosaic | mosaico não controlado
uncorrelated noise | ruído não correlato
underbalanced | sub-balanceado
underbalanced drilling | perfuração sub-balanceada
underbalanced perforating | perfuração balanceada (Port.) (Ang.)
underbalanced perforating. | canhoneio sub-balanceado
undercompaction | subcompactação
undercorrection | subcorreção
undercurrent protection | proteção contra subcorrente
underdamping | subamortecimento
underflow | saída de fluido pesado
undermigration | submigração
underpressure | subpressão
underreamer | alargador de braços móveis
underreamer (Ang.) |
undersaturated or unsaturated | subsaturada
undersaturated pool | reservatório subsaturado
undershooting | detonação periférica
underwater cutting and welding | corte e solda submarina
underwater gravimeter | gravímetro subaquático
underwater safety valve | válvula de segurança submarina
underwater source | fonte subaquática
undeveloped reserves | reservas não desenvolvidas
unforeseeable circumstance | caso fortuito
unified magnitude | magnitude unificada
uniform corrosion | corrosão uniforme
uniformitarianism | uniformitarianismo

uniformity coefficient | coeficiente de uniformidade
unit of conservation | unidade de conservação
unit of measurement | unidade de medição
unit spike | pulsação unitária (Port.) (Ang.)
unit spike | pulso unitário
unitization agreement | acordo de unitização (Port.)
unit-prediction operator | operador de predição unitária
unit-price contract | contrato por empreitada por preços unitários
unit-price contract | contrato por preços unitários
universal gas constant | constante universal dos gases
universal orifice plate | placa de orifício universal
universal pH indicator | indicador universal de pH
universal seal assembly | conjunto de vedação universal
unmigrated map | mapa não migrado
unmigrated section | seção não migrada
unmigrated section | secção não migrada (Port.) (Ang.)
unnormalized cross-correlation | correlação não normalizada
unresolved complex mixture (UCM). | mistura complexa não resolvida (MCNR)
unsaturated bond | ligação subsaturada
unsaturated chain | cadeia insaturada
unsorted sediment | sedimento mal calibrado (Port.) (Ang.)
unsorted sediment | sedimento mal selecionado
unstable emulsion | emulsão instável
unstable filter | filtro instável
unstable gravimeter | gravímetro instável
unstratified | não estratificado
up thrust | empuxo para cima
up thrust | força ascensional para cima (Port.)
updip | mergulho acima
updip | mergulho em posição superior no plano inclinado (Port.) (Ang.)
upgoing wave | onda ascendente
uphole correction | correção de poço
uphole stack. | empilhamento furo-acima
uphole survey | levantamento poço-acima
uphole time | tempo poço-acima
upper extension coupling | bocal roscado superior (Port.)
upper extension coupling | niple de extensão superior
upper pipe ram | gaveta superior de tubo
upper pipe ram | pistão de controlo superior de tubagem (Port.)
upstream | montante
upstream | segmento ascendente
upstream |
upstroke | curso ascendente
upsweep | varredura ascendente

upthrust operation | operação em *up thrust*
upward continuation | continuação ascendente
upwelling | ressurgência
useful pressure drop | perda de carga útil
useful pressure drop | perda de pressão útil (Port.) (Ang.)
user-defined line | linha definida pelo usuário
U-shaped valley. | vale em forma de U
utilities module | módulo de utilidades
UTM coordinates | coordenadas UTM
UTM projection | projeção UTM
UTM zone | zona UTM
UV flame detector | detector de chama tipo UV
UV radiation | radiação UV
vacuum degasser. | desgaseificador a vácuo
vacuum-tube voltmeter | voltímetro a válvula
vadose water | água vadosa
vadose zone | zona vadosa
valence | valência
validity check | cheque de validade
valve bellows | fole da válvula
valve calibration pressure | pressão de calibração da válvula
van Krevelen diagram | diagrama de van Krevelen
vane-type-demister | removedor de névoa com placas corrugadas
vanishing point | ponto de fuga
vapor pressure | pressão de vapor
vapor recovery | recuperação de vapor
vaporazing-gas drive | recuperação por vaporização de gás
vaporizing-gas drive | mecanismo de produção pela vaporização de gás
vapor-liquid equilibrium. | equilíbrio vapor-líquido
vapor-pressure lowering | tonometria
variable choke | choke variável
variable density | densidade variável
variable density log (VDL) | perfil de densidade variável
variable frequency drive | unidade de variação de frequência
variable pipe ram | pistão de controlo de tubagem variável (Port.)
variable pipe ram. | gaveta de tubo variável
variable ram | gaveta variável de tubos
variable ram | pistão de controlo variável de tubagem (Port.)
variable speed drive | unidade de variador de velocidade
variable-density log | diagrafia de densidade variável (Port.)
variable-density log | diagrafia de densidades (Port.)
variable-density log (VDL) | *log* de densidade variável (Port.) (Ang.)
variometer. | variômetro
varvite. | varvito
vault | abaulamento (Port.)
V-belt | correia em V
V-Cone meter | medidor de vazão do tipo V-Cone

glossário

vector filter | filtro vetorial
vector graphics | gráfico tipo vetor
vector processor, vector facility | processador de vetores
vector wave | onda vetor
velocity analysis | análise de velocidade
velocity anisotropy | anisotropia de velocidade
velocity anomaly | anomalia de velocidade
velocity contrast | contraste de velocidade
velocity distribution | distribuição de velocidade
velocity fall | queda de velocidade
velocity filter | filtro de velocidade
velocity focusing | focalização de velocidade
velocity function | função de velocidade
velocity gradient | gradiente de velocidade
velocity head | carga de velocidade
velocity inversion | inversão de velocidade
velocity layering | estratificação de velocidade
velocity log | *log* de velocidade
velocity panel | painel de velocidade
velocity profile | diagrafia de velocidade (Port.)
velocity profile | perfil de velocidade
velocity profile | perfil de velocidades
velocity sag | depressão de velocidade
velocity scan | varredura de velocidade
vendor city | zona de fornecedores (Port.) (Ang.)
vendor city |
vendor list | lista de fornecedores
vendor list |
vent | escape de ar (Port.)
vent | respiradouro (Port.) (Ang.)
vent | ventar
vent system | sistema de respiradouro (Port.)
vent system | sistema de respiro
venture capital | capital de especulação (Port.)
venture capital |
venture capital. | capital de risco
venturi tube | tubo venturi
venturi valve | válvula venturi
vergence | vergência
vermiculite | vermiculite (Port.) (Ang.)
vermiculite. | vermiculita
vernal point | ponto vernal
vernier | nónio (Port.) (Ang.)
vernier | verniê
vertical beam width | largura vertical do feixe
vertical connection mandrel | mandril de conexão vertical
vertical connection module | módulo de conexão vertical
vertical drilling | perfuração vertical
vertical flow | escoamento vertical
vertical hole, vertical well | poço vertical
vertical load anchor (VLA) | âncora de carga vertical
vertical parity | paridade vertical
vertical permeability | permeabilidade vertical
vertical photograph | fotografia vertical
vertical resolution | resolução vertical

vertical section | seção vertical
vertical section | secção vertical (Port.) (Ang.)
vertical seismic profile | diagrafia sísmica vertical (Port.)
vertical seismic profile | diagrafia vertical de sísmica (Port.)
vertical seismic profile | *log* sísmico vertical (Port.) (Ang.)
vertical seismic profile | *log* vertical de sísmica (Port.) (Ang.)
vertical seismic profile | perfil sísmico vertical
vertical seismic profile | perfil vertical de sísmica
vertical separation | separação vertical
vertical separator | separador vertical
vertical stack | empilhamento vertical
vertical sweep efficiency | eficiência de varrimento vertical (Ang.)
vertical sweep efficiency. | eficiência de varrido vertical
vertical time, uphole time, bug time | tempo vertical
vertical velocity | velocidade vertical
vertical vibrator | vibrador vertical
vertical-field balance | balança vertical
very large crude carrier (VLCC) | navio-tanque de petróleo
very large gas carrier (VLGC) | navio-tanque de gás
vesicular porosity | porosidade vesicular
vessel experience factor | fator de experiência
vetting | sistema de avaliação e aceitação de navios
vibrated point | ponto vibrado
vibration acceleration | aceleração de vibração
vibration gravimeter | gravímetro de vibração
vibration magnetometer | magnetômetro de vibração
vibration monitor | monitor de vibração
vibration sensor submersible pumping | sensor de vibração para bombeio centrífugo submerso
vibrator | vibrador
vibrator | vibrador sísmico (Port.)
vibroseis |
Vickers hardness. | dureza Vickers
video display | representação de vídeo
Virial Equation of State | equação de estado do virial
virtual geomagnetic pole | polo magnético virtual
virtual image | imagem virtual
virtual metering | medição virtual
visaed commercial invoice | fatura comercial visada
viscoelasticity | viscoelasticidade
viscometer | viscosímetro
viscosifier | viscosificante
viscosimetry | viscosimetria
viscosity | viscosidade
viscosity index (VI) | índice de viscosidade
viscosity index improver | melhorador do índice de viscosidade

glossário

viscosity rate (VR) | taxa de viscosidade (Port.) (Ang.)
viscosity rate improver | melhorador da taxa de viscosidade (Port.) (Ang.)
viscosity ratio | razão de viscosidade
viscosity-reducing additive | aditivo redutor de viscosidade
viscous | viscoso
viscous flow | escoamento viscoso
viscous flow | fluxo viscoso
viscous fluid | fluido viscoso
viscous magnetization | magnetização viscosa
viscous-remanent magnetization | magnetização viscorremanente
visible light | luz visível
visualization room | sala de visualização
vitrinite | vitrinita
vitrinite | vitrinite (Port.) (Ang.)
void fraction | fração de vazios
Voigt solid | sólido de Voigt
Voigt wave | onda de Voigt
volatile | volátil
volatile oil | óleo volátil
volatile transfer | transferência de voláteis
volatility | volatilidade
volcanic chimney | chaminé vulcânica
voltage gain | ganho de tensão
voltaic cell. | célula voltaica
voltmeter | voltímetro
volume of oil in place (VOIP) | volume de óleo *in situ*
volume variation | fator de variação de volume
volumetric decline . | declínio volumétrico
volumetric displacement. | deslocamento volumétrico
volumetric efficiency. | eficiência volumétrica
volumetric flow meter | medidor volumétrico
volumetric flow rate | vazão volumétrica
vortex breaker | quebra-vórtice
vortex meter | medidor de vazão do tipo vórtex
vugular porosity | porosidade vacuolar (Port.) (Ang.)
vugular porosity | porosidade vugular
vulcanism | ulcanismo
waiting on cement | aguardamento da pega do cimento
waiting on cement (WOC) | aguardando pega do cimento
walkaway VSP | VSP com caminhamento
walking beam | balancim
walking stick | eletrodo volante
wall coefficient | coeficiente de reboco
Warburg impedance | impedância de Warburg
Warburg's region (W) | região de Warburg (W)
warehouse-to-warehouse clause | cláusula de seguro de transporte
warehouse-to-warehouse clause | cláusula de seguro de transporte de armazém a armazém (Port.)
wash pipe or washpipe | tubo de lavagem
wash transaction | operação fictícia
wash transaction. | exportação ficta
washing | lavagem
washover shoe | sapata de lavagem
wastewater treatment plant | estação de tratamento de despejos industriais (ETDI)
water breakthrough | irrupção de água
water column | coluna d'água
water coning | cone de água
water cut | corte de água
water cut measurement | medição de corte de água
water cut. | mistura de água no óleo ou gás (Port.)
water depth | lâmina d'água
water depth | profundidade de água (Ang.)
water formation volume factor | fator de volume de formação de água
water influx reservoir | reservatório com influxo de água
water pressure maintenance | manutenção de pressão de água
water table | lençol freático
water volume fraction | fração volumétrica de água
water wettability index | índice de molhabilidade da água
water-base drilling mud | lama à base de água
water-bottom anomaly | anomalia de fundo
water-bottom anomaly | anomalia do fundo do mar
water-bottom multiple | múltipla da lâmina d'água
water-bottom multiple | múltipla de fundo
water-bottom roll | agitação do fundo do mar (Port.)
water-bottom roll | rolamento do fundo do mar
waterbreak | quebra-d'água
waterbreak detector | detector de quebra d'água
water-cement ratio | razão água-cimento
water-curing bath | banho termostático
water-curing bath | banho-maria
water-cut meter | medidor de fração de água
waterflood mobility ratio | razão mobilidade de injeção de água
waterflood residual oil saturation | saturação em óleo residual por injecção de água (Port.) (Ang.)
waterflood residual oil saturation | saturação residual de óleo
waterflooding | injeção de água
water-injection manifold | manifolde de injeção de água
water-in-liquid ratio | razão água-líquido
water-oil emulsion | emulsão água-óleo
water-oil ratio | razão água-óleo
water-wet rock | rocha molhada por água
water-wet system | sistema com fluido molhante
wave amplitude | amplitude da onda
wave attenuation | atenuação da onda

613

glossário

wave breaker | quebra-ondas
wave conversion | conversão de onda
wave extinction. | extinção ondulatória
wave impedance | impedância da onda
wave number | número de onda
wave partition | partição da onda
wave peak | pico da onda
wave polarization | polarização da onda
wave reflection | reflexão de onda
wave spreading | espalhamento da onda
wave tilt | inclinação da onda
wave velocity | velocidade da onda
wave-equation migration | migração por equação da onda
wave-equation modeling | modelagem por equação da onda
wavefield | campo de onda
wavefield extrapolation | extrapolação de campo de onda
waveform, waveshape, wavelet | forma de onda
wavefront | frente de onda
wavefront chart | diagrama de frente de onda
wavefront healing | recomposição da frente de onda
wavefront migration | migração por frentes de onda
wavelength | comprimento de onda
wavelength filter | filtro de comprimento de onda
wavelet equalization | equalização do pulso
wavelet extraction | extração da forma de onda
wavelet extraction. | extração do pulso
wavelet processing | processamento de pulso
wavelet processing | processamento por pulsação (Port.) (Ang.)
wavelet recovery | recuperação de pulsação (Port.) (Ang.)
wavelet shaping | conformação do pulso
wavenumber filter | filtro de número de onda
wax appearance point | temperatura de aparecimento de cristais
wax appearance temperature | temperatura de formação de parafina
wax removal | remoção de cera
wax. | cera
WBOP, workover BOP | conjunto de trabalhos de restauro do poço (Port.)
WBOP, workover BOP | obturador de segurança para trabalhos de restauro do poço (Port.)
WCT | árvore de natal submarina (Ang.)
WCT guide frame, utility guide frame | estrutura guia de ANM
wear bushing | bucha de desgaste
wear bushing running tool (WBRT) | ferramenta de assentamento da bucha de desgaste
wear bushing running tool (WBRT) | ferramenta para bucha de desgaste
wear gauge | medidor de desgaste
wear inhibitor | inibidor de desgaste
weathered rock | rocha alterada

weathering | intemperismo
weathering correction | correção de intemperismo
weathering layer | camada de intemperismo
weathering map | mapa da zona de intemperismo
weathering profile | diagrafia de intemperismo (Port.)
weathering profile | perfil de intemperismo
weathering shot | tiro de intemperismo
weight dropping | queda de peso
weight in air | peso no ar
weight on bit (WOB) | peso sobre a broca
weighted array, tapered array | arranjo ponderado
weighted average cost of capital | custo médio ponderado de capital
weighted cement slurry | pasta de cimento adensada
weighted stack | empilhamento ponderado
weighting agent | adensante
weighting agent | material de aumento de densidade (Port.) (Ang.)
weighting material | material de adensamento
weighting material | material para aumentar a densidade (Port.) (Ang.)
weir | vertedor
Weissenberg effect. | efeito de Weissenberg
welded centralizer | centralizador soldado
welded joint | junta soldada
welded-blade stabilizer | estabilizador com lâminas soldadas
welding | soldadura (Port.) (Ang.)
welding | soldagem
well automation | automação de poços
well cement evaluation | avaliação da cimentação de poço
well completion | completação de poços
well completion | completamento de poços (Port.)
well control equipment. | equipamento de controle de poço
well control system equipment. | equipamento de segurança de poço
well cuttings | cascalho de poço
well directional survey, well directional log | levantamento direcional do poço
well directional survey; well directional log; dog leg severity | registro direcional do poço
well geophone, uphole geophone, bug | geofone de poço
well in production | poço em escoamento
well location | locação de poço
well location | localização de poço (Port.)
well operations management plan (WOMP) | plano de gerenciamento de operações no poço
well plugging, well abandonment | abandono de poço
well production | produção de poço
well production | produção por poço

glossário

well productivity | produtividade de poço
well project group. | grupo de empreendimento de poço (GEP)
well stimulation | estimulação do poço
well stimulation vessel | barco de estimulação de poços
well stimulation vessel | navio de estimulação de poços
well survey, check shot, hole probe | levantamento de poço
well suspension, temporary abandonment. | abandono temporário
well tie | amarração de poço
well trajectory, well path | trajetória do poço
well workover, well intervention | intervenção em poço
well workover, well intervention | trabalho de restauro do poço (Port.)
wellbore | parede do poço
wellbore cleanup, cleanout treatment. | escoamento para limpeza do poço
wellbore damage | dano no poço
wellbore storage | estocagem de poço
wellhead | cabeça de poço
wellhead choke valve | válvula reguladora de cabeça de poço
wellhead flowing pressure | pressão de fluxo na cabeça do poço
wellhead pressure | pressão na cabeça do poço
well-log curve | curva de perfilagem de poço
wellsite information transfer specification (WITS) | protocolo de intercâmbio de dados
well-velocity survey | levantamento de velocidade de poço
Wenner's array | arranjo de Wenner
West Texas Intermediate (WTI) | Referência Norte-Americana de Qualidade de Óleo Cru
wet christmas tree | árvore de natal molhada
wet christmas tree connector | conector de árvore de natal molhada
wet completion | completação molhada
wet completion | completamento molhado (Port.)
wet gas | gás úmido
wet gas flow meter | medidor de vazão de gás úmido
wet mateable optical connector for signals | conector óptico molhado para sinais
wet oil | óleo úmido
wet-mateable connector | conector molhado
wet-mateable electrical connector for signals | conector elétrico molhado para sinais
wettability | molhabilidade
wettability number | índice de molhabilidade
wettability reversal | reversão de molhabilidade
wetting | molhante
wetting agent. | Agente molhante
wetting fluid | fluido molhante
wetting fluid | lama molhante
wetting fluid or phase | lama ou fase molhante
wetting phase | fase molhante
wetting the gas cap | invasão da capa de gás
whipstock | cunha de desvio (Ang.)
whipstock | cunha para iniciar desvio
whipstock anchor | âncora do whipstock
white noise | ruído branco
whitening coefficient | coeficiente de branqueamento
whitening deconvolution | deconvolução branqueadora
whitening deconvolution | desconvolução branqueadora (Port.)
whole core | testemunho de diâmetro inteiro (Port.) (Ang.)
whole core | testemunho inteiro
wide-angle reflection | reflexão de grande ângulo
Widmanstatten figures | figuras de Widmanstatten
Wiechert-Gutenberg discontinuity | descontinuidade de Wiechert-Gutenberg
Wiener shaping filter | filtro conformador de Wiener
wiggle display | mostra sinuosa
wiggle display | representação galvanométrica
wiggle trace | traço galvanométrico
wild cat well, blue sky exploratory well | poço pioneiro
windless | cabrestante
window | janela
window function | função de janelamento
window milling | abertura de janela
window milling | corte de abertura (Port.)
windward | barlavento
wing 1, production wing valve. | válvula W1
wing 2, annulus wing valve | válvula W2
wing valve | válvula lateral
wipe-out zone | zona de silêncio
wipe-out zone | zona sem sinais (Port.) (Ang.)
wire | cabo de aço (Port.)
wireline log | diagrafia a cabo (Port.)
wireline log | *log* a cabo (Port.) (Ang.)
wireline log | perfil a cabo
wireline splicing | união de cabo (Port.) (Ang.)
wireline splicing. | emenda de cabo
wireline tool | ferramenta corrida com arame
wireline tool | ferramenta usada com cabo de aço (Port.)
wireline unit; slick line unit | unidade de arame
wireline unit; slick line unit | unidade de cabo de aço (Port.) (Ang.)
wire-mesh demister | removedor de névoa com malha de arame
witness mark | marca de referência (Port.)
witness mark | testemunho topográfico
Worden gravimeter | gravímetro Worden
work permit | permissão de trabalho (PT)
work string | coluna de trabalho
worked penetration | penetração trabalhada
working fluid level | nível dinâmico de fluido

615

glossário

working master meter | medidor padrão de trabalho
working pressure | pressão de trabalho
working standard | padrão de trabalho
workover | manutenção de poço
workover | restauração
workover | restauro (Port.) (Ang.)
workover BOP | BOP de trabalhos de restauro de poço (Port.)
workover BOP | BOP de *workover*
workover job. | intervenção
wraparound noise | ruído de contaminação cíclica
WTI (West Texas Intermediate) crude oil | petróleo WTI
Wyoming bentonite | bentonita de Wyoming
Wyoming bentonite | bentonite de Wyoming (Port.)
Wyrobek's method | método de Wyrobek
x band | faixa x
X²-T² method | método X²-T²
xanthan gum. | goma xantana
x-omega migration | migração x-ômega
X-ray | raio X
yagi. | antena direcional
yardstick competition. | incentivo ao desempenho
yaw | ângulo de guinada
yaw | guinada
yaw | movimento de inclinação da embarcação
yaw | movimento de inclinação do barco (Port.) (Ang.)
Y-block | bloco Y
Y-code | código Y
yield stress | tensão de escoamento
yield-power-law model | modelo de potência
Young equation. | equação de Young
Young's modulus | módulo de Young
Zeeman effect | efeito Zeeman
zenith | zênite
zenith distance | distância zenital

zeolite | zeólita
zeolite | zeolite (Port.)
zero effluent | efluente zero
zero error of a measuring instrument | erro no zero de um instrumento de medição
zero frequency | frequência zero
zero time | tempo zero
zero-length spring | mola de comprimento zero
zero-length spring gravimeter | gravímetro de mola de comprimento zero
zero-offset modeling | modelagem de afastamento zero
zero-offset profile | diagrafia de afastamento zero (Port.)
zero-offset profile | *log* de afastamento zero (Port.) (Ang.)
zero-offset profile | perfil de afastamento zero
zero-offset section | seção de afastamento zero
zero-offset section | secção de afastamento zero (Port.) (Ang.)
zero-offset trace | traço de afastamento nulo
zero-offset trace | traço de afastamento zero
zero-offset VSP | VSP de afastamento zero
zero-phase filter | filtro de fase zero
zero-phase function | função de fase zero
zero-phase pulse, zero-phase wavelet | pulsação de fase zero (Port.) (Ang.)
zero-phase pulse, zero-phase wavelet | pulso de fase zero
zeta potential | potencial zeta
zinc anode | anodo de zinco
zonation | zoneamento
zone chart. | diagrama de zona
zone of aeration | zona de aeração
zone of capillarity | zona de capilaridade
zone of cementation | zona de cimentação
zone of illuviation | zona de iluviação
zone of saturation | zona de saturação
zone of weathering | zona de intemperismo
zoom | zoom
zwitterionic surfactant. | surfactante zwiteriônico

Siglário

AAODC. American Association of Oilwell Drilling Contractors (Associação Americana de Empresas de Perfuração de Poços de Petróleo)
AAPG. American Association of Petroleum Geologists (Associação Americana de Geólogos de Petróleo)
ABCE. Associação Brasileira de Consultores de Engenharia (Brazilian Association of Engineering Consultants)
ABDIB. Associação Brasileira da Infra-Estrutura e Indústria de Base (Brazilian Association of Infrastructure and Basic Industries)
ABEMI. Associação Brasileira de Engenharia Industrial (Brazilian Industrial Engineering Association)
ABIMAQ. Associação Brasileira da Indústria de Máquinas e Equipamentos (Brazilian Machinery Manufacturers Association)
ABINEE. Associação Brasileira da Indústria Elétrica e Eletrônica (Brazilian Electrical and Electronics Industry Association)
ABITAM. Associação Brasileira da Indústria de Tubos e Acessórios de Metal (Brazilian Pipe and Metal Fitting Industry Association)
ABM. Associação Brasileira de Metalurgia e Materiais (Brazilian Association of Metallurgy and Materials)
ABNT. Associação Brasileira de Normas Técnicas (Brazilian Technical Standards Association)
ABPIP. Associação Brasileira de Produtores Independentes (Brazilian Independent Producers Association)
ABRACO. Associação Brasileira de Corrosão (Brazilian Corrosion Association)
ABRAMAN. Associação Brasileira de Manutenção (Brazilian Maintenance Association)
ABRAPET. Associação Brasileira dos Perfuradores de Petróleo (Brazilian Association of Oil Drillers)
ABT. Annular Barrier Tool (Ferramenta de Bloqueio de Fluxo)
Acrg, ACRG. Acreage (Área em acres)
Acz, ACZ. Acidizing (Acidificação)
ADC. Analog-to-Digital Converter (Conversor Analógico-Digital)
AEAC. Álcool Etílico Anidro Carburante (Anhydrous Fuel Ethanol)
AEHC. Álcool Etílico Hidratado Carburante (Hydrated Fuel Ethanol)
AFE. Approval for Expenditure (Aprovação de Gastos) (Autorização de Dispêndio ou Despesa, Port)

AFMAG. Audio-Frequency Magnetic (Áudio-Frequência Magnética)
AGA. American Gas Association (Associação Americana de Gás)
AGC. Automatic Gain Control (Controle Automático de Ganho)
Aggl. Agglomerate (Aglomerado)
AHTS. Anchor Handling Tug Supply (Barco de Apoio para Manuseio de Âncoras)
AIA. Avaliação de Impacto Ambiental (Environmental Impact Assessment)
ALARA. As Low as Reasonably Achievable (Tão Baixo Quanto Razoavelmente Atingível)
ALARP. As Low as Reasonably Possible (Tão Baixo Quanto Razoavelmente Possível)
Alt. Altered (alterado)
Amt. Amount (total, quantidade, quantia)
AMT. Audio-Magnetotelluric Method (Método Áudio-Magnetotelúrico)
AMV. Annulus Master Valve (Válvula Mestra do Anular)
AN. Árvore de Natal (Christmas Tree)
ANC. Árvore de Natal Convencional (Conventional Christmas Tree)
Ang. Angular (Angular)
Anhy, ANHY. Anhydrite (Anidrita) (Anidrite, Port.)
ANM. Árvore de Natal Molhada (Wet Christmas Tree ou Wet Xmas Tree)
ANM-ANM. Árvore de Natal Molhada-Árvore de Natal Molhada (Wet Christmas Tree-Wet Christmas Tree, Wet Xmas Tree-Wet Xmas Tree). Representa a configuração em que duas árvores de natal molhadas são ligadas uma à outra em casos de poços próximos (Piggyback)
ANM-H. Árvore de Natal Molhada Horizontal (Horizontal Christmas Tree)
ANP. Agência Nacional do Petróleo, Gás Natural e Biocombustíveis, Brasil (National Petroleum, Natural Gas and Biofuels Agency, Brazil)
ANS. Árvore de Natal Seca (Dry Christmas Tree)
ANSI. American National Standards Institute (Instituto Nacional Americano de Padronização)
APEX. Agência Brasileira de Promoção de Exportações e Investimentos (Brazilian Export and Investment Promotion Agency)
API. American Petroleum Institute (Instituto Americano de Petróleo)
API. Antecedent Precipitation Index (Índice de Precipitação Precedente)
APR. Análise Preliminar de Riscos (Preliminary Risk Analysis)

APV. Air Pressure Vessel (Vaso de Ar Comprimido)
AQR. Análise Quantitativa de Riscos (Quantitative Risk Analysis)
Argil. Argillaceous (Argiloso)
ASME. American Society of Mechanical Engineers (Associação Americana de Engenheiros Mecânicos)
ASQ. American Society for Quality (Sociedade Americana da Qualidade)
ASQC. American Society for Quality Control (Sociedade Americana de Controle da Qualidade)
ASSESPRO. Associação das Empresas Brasileiras de Tecnologia da Informação (Association of Brazilian Information Technology Companies)
ASSV. Annulus Subsurface Safety Valve (Válvula de Segurança de Fundo)
AST. Árvore Submarina de Teste (Subsea Test Tree)
ASTM. American Society for Testing Materials (Sociedade Americana de Ensaios de Materiais)
ASV. Annulus Swab Valve (Válvula de Pistoneio de Anular)
ATC. Additives Technical Committee (Comitê Técnico de Fabricantes de Aditivos)
ATD. Authorized Total Depth (Profundidade Total Autorizada)
Atm. Atmosfera (Atmosphere)
AUV. Autonomous Underwater Vehicle (Veículo Autônomo Submarino)
AVA. Amplitude Variation with Angle of Incidence (Variação da Amplitude com Ângulo de Incidência)
Avg. Average (Média)
AVO. Amplitude Variation with Offset (Variação da Amplitude com Afastamento)
AWD. Analysis While Drilling (Análise Durante a Perfuração)
AWV. Annulus Wing Valve (Válvula Lateral do Anular)
B/D. Barris por Dia (Barrels per Day)
BAJA. Base de Jateamento (Jetting Base)
BAP. Base Adaptadora de Produção (Production Adapter Base)
Bar. Barite (Baritina) (Barite, Port.)
BBBL. Bilhões de Barris (Billion Barrels) (Billion of Barrels, Port.)
BBL. Barril (Barrel). Unidade de medida de volume de líquido
BCD. Barrels of Condensate per Day (Barris de Condensado por Dia)
BCD. Binary Coded Decimal (Decimal Codificado em Binário)
BCF. Billion Cubic Feet (Bilhões de Pés Cúbicos) (Biliões de Pés Cúbicos, Port.)
BCF/D. Billion Cubic Feet per Day (Bilhões de Pés Cúbicos por Dia) (Biliões de Pés Cúbicos por Dia, Port.)
BCM. Billion Cubic Metres (Bilhões de Metros Cúbicos) (Biliões de Metros Cúbicos, Port.)
BCP. Bombeamento de Cavidades Progressivas (Progressive Cavity Pumping)
BCPD. Barrels of Condensate per Day (Barris de Condensado por Dia)
BCPMM. Barrels of Condensate per Million (Barris de Condensado por Milhões de Pés Cúbicos)
BCS. Bombeamento Centrífugo Submerso (Electrical Submersible Pumping)
BCSS. Bombeamento Centrífugo Submerso Submarino (Subsea Electrical Submersible Pumping)
BCT. Best Composite Time (Melhor Tempo Composto)
BDP. Boletim Diário de Perfuração (Daily Drilling Report)
BDV. Blow Down Valve (Válvula de Despressurização Automática de Emergência)
BFPD. Barrels of Fluid per Day (Barris de Fluido por Dia)
BG. Bottom Gas (Fator Volume de Formação de Gás)
BGP. Base Guia Permanente (Permanent Guide Base)
BGT. Base Guia Temporária (Temporary Guide Base)
BH. Bottom Hole (Fundo do Poço)
BHA. Bottom-Hole Assembly (Composição de Fundo de Poço)
BHC. Bottom-Hole Choke (Estrangulador de Fundo de Poço)
BHFP. Bottom-Hole Flow Pressure (Pressão de Fluxo no Fundo do Poço)
BHHP. Bit Hydraulic Horsepower (Potência Hidráulica da Broca)
BHJ. Bombeio Hidráulico a Jato (Hydraulic Jet Pumping)
BHP. Bottom-Hole Pressure (Pressão de Fundo de Poço)
BHPSI. Bottom-Hole Pressure Shut-in (Pressão de Fundo em Poço Fechado)
BHS. Bottom-Hole Sample (Amostra de Fundo do Poço)
BHT. Bottom-Hole Temperature (Temperatura de Fundo de Poço)
BICMOS. Bipolar Complementary Metal-Oxide Semiconductor (Semicondutor Complementar de Metal-Óxido Bipolar)
BK. Bem de Capital (Capital Good)
BKE. Bem de Capital sob Encomenda (One-of-a-kind Capital Good)
BKS. Bem de Capital Seriado (Serial Capital Good)
bldr. boulder (pedregulho)
Blk. Block (Bloco)
BLPD. Barris de Líquido por Dia (Barrels of Liquid per Day)
BLT. Build, Lease and Transfer (Construção, Arrendamento e Transferência)
BM. Bombeamento Mecânico, Método de Elevação Artificial por Bombeamento Mecânico (Sucker-Rod Pumping, Sucker-Rod Pumping Artificial Lift Method)

BMS. Bombeamento Multifásico Submarino (Subsea Multiphase Pumping)
BNDES. Banco Nacional de Desenvolvimento Econômico e Social, Brasil (National Bank for Economic and Social Development, Brazil)
BO. Barrels of Oil (Barris de Óleo) (Barris de Óleo de Fundo de Poço, Port.)
BO. Bottom Oil (Fator Volume de Formação de Óleo)
BOB. Oil Formation Volume Factor at Bubble Point Pressure in psia (Fator Volume de Formação do Óleo na pressão de saturação, Psat, em psia)
BOE. Barrels of Oil Equivalent (Barris de Óleo Equivalente)
BOEPD. Barrels of Oil Equivalent per Day (Barris de Óleo Equivalente por Dia)
BOO. Build, Own and Operate (Construção, Posse e Operação)
BOOT. Build, Own, Operate and Transfer (Construção, Posse, Operação e Transferência)
BOP. Blowout Preventer (Preventor de Erupção, Obturador de Segurança)
BOP WO. Workover Blowout Preventer (BOP de Workover)
BOPD. Barris de Óleo por Dia (Barrels of Oil per Day)
BOPE. Barrels of Oil Per Day Equivalent (Barris de Óleo Equivalente por Dia)
BOPE, BOPDE (Port.). Barrels of Oil Per Day Equivalent (Barris de Óleo Equivalente por Dia)
BOT. Build, Operate and Transfer (Construção, Operação e Transferência)
BOTT. Build, Operate, Train and Transfer (Construção, Operação, Treinamento e Transferência)
BP. Bridge Plug (Tampão Mecânico de Poço)
BPD. Barris Por Dia (Barrels per Day)
BPV. Back-Pressure Valve (Válvula de Contra-Pressão)
brn, Brn. brown (castanho, marrom)
BRV. Back-Pressure Retainer Valve (Válvula de Retenção de Contrapressão)
BS. Bright Spot (Ponto Brilhante) (Ponto Brilhante em Sísmica, Port)
BSW. Basic Sediments and Water (Medida de Quantidade de Água e Sedimentos na Amostra de Óleo)
BT. Build and Transfer (Construção e Transferência)
BTC. British Technical Committee (Comitê Técnico Britânico)
BTC. Buttress Thread Connection (Suporte de Conexão de Linhas)
BTEX. Benzeno, Tolueno, Etilbenzeno e Xileno (Benzene, Toluene, Ethylbenzene and Xylene)
Btm. Bottom (Fundo)
BTO. Build, Transfer and Operate (Construção, Transferência e Operação)
BTU. British Thermal Unit (Unidade Térmica Britânica)
BWPD. Barrels of Water per Day (Barris de Água Por Dia)
Byte. Binary Term (Termo Binário)

C&CM. Circulate and Condition the Mud (Circular e Condicionar a Lama)
C&F. Cost and Freight (Custo e Frete)
C&K. Choke and Kill (Estrangulamento e Paralisação)
C&M. Construção & Montagem (Construction & Installation)
C/H. Relação n° de átomos de carbono/n° de átomos de hidrogênio (ratio between the number of carbon atoms and the number of hydrogen atoms)
C/WO. Completion/Workover (Completação e Restauração, Intervenção)
calc, Calc, CALC. calcareous (calcário)
CALM. Catenary Anchor Leg Mooring (Ancoragem com Linhas em Catenária)
CAO. Contract, Add and Operate (Contrato de Modernização e Operação)
CAP. Contract Agreement Price (Preço Contratual Acordado)
CAPEX. Capital Expenditure (Custos de Investimento)
carb, Carb, CARB. carbonaceous (carbonáceo)
CBL. Core Barrel (Testemunhador, Caroteiro) (Perfil de Aderência de Cimento, Port)
CBL (Port.). Cement Bond Log (Diagrafia de Cimentação)
CCCL. Casing Collar Counter Log (Perfil Contador de Luvas de Revestimento)
CCL. Casing Collar Locator (Localizador de Juntas ou Colares do Revestimento)
CD. Contract Depth (Profundidade do Contrato)
CDP. Common Depth Point (Ponto Comum em Profundidade)
CDRS. Common Drilling Reporting System (Sistema de Relatório Diário da Sonda)
CEC. Coordinating European Council (Conselho de Coordenação Europeu)
CFGPD. Cubic Feet of Gas per Day (Pés Cúbicos de Gás por Dia)
CFM. Cubic Feet per Minute (Pés Cúbicos por Minuto)
CH. Casing Head (Cabeça do Revestimento)
chk, Chk. choke (Estrangulador)
CHP. Casing Head Pressure (Pressão na Cabeça de Revestimento)
CIF. Cost, Insurance and Freight (Custo, Seguro e Frete)
CIP. Closed-In Pressure (Pressão de Fecho, Pressão com o Poço Fechado)
CITES. Convention on International Trade in Endangered Species (Convenção sobre Comércio Internacional de Espécies Ameaçadas de Extinção)
CLF. Conector de Linha de Fluxo (Flowline Hub)
CLP. Controlador Lógico Programável (Programmable Logic Controller)
Clr. Clear (Hialino, Transparente)
CMC. Carboxi Metil Celulose (Carboxy Methyl Cellulose)
CMC. Crown-Mounted Compensator (Compensador Montado no Bloco de Coroamento)

CMOS. Complementary Metal-Oxide Semiconductor (Semicondutor de Metal-Óxido Complementar)
CMP. Common Midpoint (Ponto Médio Comum)
Cmt, CMT. Cimento (Cement)
CMT. Cubo de Manuseio e Teste (Handling and Testing Unit)
CNI. Confederação Nacional da Indústria, Brasil (National Industry Confederation, Brazil)
CNPE. Conselho Nacional de Política Energética, Brasil (National Energy Policy Council, Brazil)
CNTP. Condições Normais de Temperatura e Pressão (Standard Temperature and Pressure).
COFINS. Contribuição para Financiamento da Seguridade Social, Brasil (Contribution for Financing of Social Security, Brazil)
COI. Coluna de Injeção (Injection String)
COM. Component Object Model (Modelo de Objetos de Componentes)
CONAMA. Conselho Nacional do Meio Ambiente, Brasil (National Environmental Council, Brazil)
Congl. Conglomerate (Conglomerado)
Consol. Consolidated (Consolidado)
Contr. Contractor (Empreiteiro)
COP. Coluna de Produção (Production String)
CP (Port.). Casing Pressure (Pressão na Tubagem de Revestimento)
CPI. Corrugated Plate Interceptor (Interceptor de Placa Corrugada)
CPL. Custo de Produção mais Lucro (Production Cost Plus Profit, similar to Cost Plus)
CPSI (Port.). Casing Pressure Shut-In (Pressão de Fecho na Tubagem de Revestimento)
CPT. Cone Penetrometer (Penetrômetro de Cone)
CRA. Corrosion-Resistant Alloy (Liga Resistente à Corrosão)
CRE. Calcarenito (Calcarenite)
Crg. Coring (Testemunhando, Recolhendo Testemunho)
Crs. Coarse (Grosseiro)
Csg. Casing (Revestimento)
CT. Coiled Tubing (Flexitubo)
CTD. Coiled Tubing Drilling (Perfuração com Flexitubo)
CTD. Conductivity,Temperature and Depth (Condutividade, Temperatura e Profundidade)
Ctgs. Cuttings (Amostras brocadas, amostras de calha)
CTM. Coiled Tubing Measurement (Medição com Flexitubo)
CT-PETRO. Fundo Setorial de Petróleo e Gás Natural, Brasil (Oil and Natural Gas Sectorial Fund, Brazil)
cu ft/bbl. cubic feet per barrel (pés cúbicos por barril)
CV. Cavalo-Vapor (Horsepower)
Cvgs. Cavings (Aluimento)
CVU. Conjunto de Vedação Universal Metal-Metal (Metal-to-Metal Casing Packoff)
CW. Commercial Well (Poço Comercial)

D&A. Dry and Abandoned (Seco e Abandonado)
D/A. Digital-to-Analog Converter (Conversor Digital-Analógico)
DA. Diver Assisted (Assistido por Mergulhador)
DA. Drilling Ahead (Prosseguindo a Perfuração)
DAC. Depósito Alfandegado Certificado, Brasil (Certified Bonded Deposit, Brazil)
DBFO. Design, Build, Finance and Operate (Projeto, Construção, Financiamento e Operação)
DC. Drill Collar (Comando de Perfuração) (Colar ou Junta de Perfuração, Port.)
DCMF. Design, Construct, Manage and Finance (Projeto, Construção, Gerenciamento e Financiamento)
DCOM. Distributed Component Object Model (Modelo de Objetos de Componentes Distribuídos)
DCP. Driller's Control Panel (Painel de Controle do Sondador)
DD. Drilling Deeper, Drilled Deeper (Aprofundando, Aprofundado)
DDA. Drilling Data Acquisition System (Sistema de Aquisição de Dados de Perfuração)
DDCV. Deep Draft Caisson Vessel (Unidade Flutuante de Grande Calado)
DEF. Dull Even Fluorescence (Fluorescência Fosca Regular)
Deg. Degree (Grau)
DEO. Diesel Engine Oil (Óleo para Motor a Diesel)
DF. Derrick Floor (Plataforma da Mesa Rotativa)
DGA (Port.). Direcção-Geral do Ambiente (General Directorate for Environment)
DGD. Dual-Gradient Drilling (Perfuração com Duplo Gradiente)
DGEG (Port.). Direcção-Geral de Energia e Geologia (General Directorate for Energy and Geology)
DGF. Dull Gold Fluorescence (Fluorescência Fosca Dourada)
DGPS. Differential Global Positioning System (Sistema de Posicionamento Global Diferencial)
DHPT. Downhole Pressure&Temperature (Temperatura e Pressão no Fundo do Poço)
DHSV. Downhole Safety Valve (Válvula de Segurança de Subsuperfície)
DICAS. Differentiated Compliance Anchoring System (Sistema de Ancoragem com Complacência Diferenciada)
DIP. Drilling Instrumentation Package (Pacote de Instrumentação de Perfuração)
Displ. Displacement (Deslocamento)
DL. Diverless (Não Assistido por Mergulhador)
DLA. Drill Lock Assembly (conjunto de travamento do BHA)
DLL. Dynamic Link Library (Biblioteca de Ligação Dinâmica)
DLS. Dogleg Severity (Severidade da Taxa de Variação da Inclinação e da Direção do Poço)
DMA. Desancoragem, Movimentação e Ancoragem (Unmooring, Movement, and Mooring)

DMM. Desmontagem, Movimentação e Montagem (Dismounting, Movement and Mounting)
DOC. Document of Compliance (Documento de Conformidade)
Dolic. Dolomitic (Dolomítico)
Dolo. Dolomite (Dolomita) (Dolomite, Port.)
DOT. Deepwater Offshore Technology (Tecnologia em Águas Profundas)
DP. Deslocamento Positivo (Positive Displacement)
DP. Dynamic Positioning (Posicionamento Dinâmico)
DPP. Drill Pipe Pressure (Pressão no Tubo de Perfuração)
DPR. Drill Pipe Riser (Coluna de trabalho usada para interligar o suspensor de coluna, a árvore de natal molhada, a capa de árvore e as ferramentas de instalação à superfície)
DPTT. Downhole Pressure and Temperature Transmitter (Transmissor de Pressão e Temperatura de Fundo de Poço)
Drld. Drilled (Perfurado)
Drlg. Drilling (Perfurando)
DSC. Drill String Compensator (Compensador da Coluna de Perfuração)
DSCR. Debt Service Coverage Ratio (Índice de Cobertura do Serviço da Dívida)
DSN. Dual-Spaced Neutron log (Perfil de neutrons de duplo espaçamento) (Diagrafia de Neutrões de Espaçamento Duplo, Port.)
DSSS. Dispositivo de Segurança de Subsuperfície (Subsurface Safety Device)
DST. Drill Stem Test (Teste de Formação)
DSV. Diving Support Vessel (Embarcação de Apoio a Mergulho)
DT. Downtime (Tempo de Parada)
DTM. Desmontagem, Transporte e Montagem (Dismounting, Transport and Mounting)
DTS. Distributed Temperature Sensing (Sensoreamento de Temperatura Distribuída)
DWT. Dead Weight Tonnage (Tonelagem de Porte Bruto) (Tonelagem Bruta, Port.)
DYF. Dull Yellow Fluorescence (Fluorescência Amarela Baça)
E log. Electric Log (Diagrafia Eléctrica ou de Resistividade) (Diagrafia Eléctrica, Port.)
E&P. Exploration and Production (Exploração e Produção)
EAP. Estrutura Analítica de Projeto (Project Breakdown Structure, Work Breakdown Structure)
EBDV. Emergency Blow Down Valve (Válvula de Despressurização Automática de Emergência)
EC&ECII. Energy Conserving and Energy Conserving Level II (Conservação de Energia e Conservação de Energia Nível II)
ECD. Equivalent Circulating Density (Densidade Equivalente de Circulação)
ECOS. Estação Central de Operação e Controle (Central Operation and Control Station)
EDI. Electronic Data Interchange (Intercâmbio Eletrônico de Dados)
EDP. Emergency Disconnect Package (Conjunto de Desconexão de Emergência)
EDS. Emergency Disconnect Sequence, Emergency Disconnect System (Sequência de Desconexão de Emergência, Sistema de Desconexão de Emergência)
EEPROM. Electrically Erasable Programmable Read-Only Memory (Memória Apenas de Leitura Programável e Apagável Eletricamente)
Eh. Redox Potential, Oxidoreduction Potential (Potencial de Redução, Potencial de Oxi-redução)
EHDM. Electro-Hydraulic Distribution Module (Módulo de Distribuição Eletro-hidráulico)
EIA-RIMA. Estudo de Impacto Ambiental e Relatório de Impacto ao Meio Ambiente (Environmental Impact Study and Environmental Impact Report)
EM. Equipment Manufacturer (Fabricante de Equipamento)
EMED. Estação de Medição (Battery, Bank of Meters)
EN. Extended Neck (Pescoço Estendido). Refere-se a uma parte do suspensor de coluna de produção.
END. Ensaio Não Destrutivo (Non-Destructive Testing)
Eng. Engine (Motor)
Eoc. Eocene (Eoceno) (Eocénico, Port)
EOLCS. Engine Oil Licensing and Certification System (Sistema de Licenciamento e Certificação de Óleo de Motor)
EOR. Enhanced Oil Recovery (Recuperação Avançada de Óleo)
EP. Extreme Pressure (Extrema Pressão)
EPC. Engineering, Procurement, Construction (Engenharia, Suprimento, Construção&Montagem)
ERW. Extended Reach Well (Poço de Longo Alcance)
ESCP. Equipamentos do Sistema de Controle de Poço (Well Control System Equipment)
ESD. Emergency Shutdown (Parada de Emergência) (Fecho de Emergência, Port)
ESDV. Emergency Shutdown Valve (Válvula de Parada de Emergência) (Válvula de Fecho de Emergência, Port.)
ESP. Electrical Submersible Pump (Bomba Centrífuga Submersa)
ETA. Estimated Time of Arrival (Horário Previsto de Chegada)
ETA. Event Tree Analysis (Análise por Árvore de Eventos)
EVA. Estudo de Viabilidade Ambiental (Environmental Feasibility Study)
EVT. Envelope de Viabilidade Térmica (Thermal Viability Shell)
EVTE. Estudo de Viabilidade Técnica e Econômica (Technical and Economic Feasibility Study)
EVTEA. Estudo de Viabilidade Técnica, Econômica e Ambiental (Technical, Economic and Environmental Feasibility Study)
EXW. Ex Works (A Partir do Local de Produção) (à Porta da Fábrica / à Porta do Local de Produção, Port.)

**F GAS. ** Formation Gas (Gás de Formação)
F, D&H. Freight, Duty and Handling (Frete, Taxas e Manuseamento)
FAB. Faint Air Blow (Sopro Fraco de Ar)
FAL. Formation Analysis Log (Perfil de Análise de Formação) (Diagrafia de Análise da Formação, Port.)
FAP. Free of Particular Average (Livre de Avaria Particular)
FAT. Factory Acceptance Test (Teste de Aceitação de Fábrica)
FBCF. Formação Bruta de Capital Fixo (Gross Fixed Capital Formation)
FBH. Flowing By Heads (Fluindo à Cabeça, Fluindo pelo Topo)
FC. Fail Close (Fecha Quando em Falha)
FC. Filter Cake (Reboco)
FDC. Formation Density Compensated (Perfil de Densidade de Formação Compensado) (Diagrafia de Densidade Compensada da Formação, Port.)
FDL. Formation Density Log (Perfil de Densidade de Formação) (Diagrafia de Densidade da Formação, Port.)
FEED. Front-End Engineering Design (Engenharia e Projeto Básico)
FERJAT. Ferramenta de Jateamento da Cabeça de Poço (Wellhead Jetting Tool)
FET. Field Effect Transistor (Transistor de Efeito de Campo)
FFP. Final Flowing Pressure (Pressão Final de Fluxo)
FGLR. Formation Gas/Liquid Ratio (Relação Gás/Líquido de Formação)
FGOR. Formation Gas/Produced Oil Ratio (Relação Gás de Formação/Óleo Produzido)
FHP. Final Hydrostatic Pressure (Pressão Hidrostática Final)
FIBAP. Ferramenta de Instalação da Base Adaptadora de Produção (Production Adapter Base Running Tool)
FIEX. Fundos de Investimentos no Exterior, Brasil (Investment Funds Abroad, Brazil)
FL. Flow Line (Linha de Fluxo)
FL. Fluid Level (Nível do Fluido)
FLH. Flowline Hub (Conector de Linhas de Fluxo, Mandril de Linhas de Fluxo)
Flh, FLH. Folhelho (Shale)
Fm. Formation (Formação)
FMEA. Failure Modes and Effects Analysis (Análise de Modos e Efeitos de Falhas)
FMECA. Failure Modes, Effects and Criticality Analysis (Análise de Modo de Falha, Efeitos e Criticidade)
FNMA. Fundo Nacional do Meio Ambiente, Brasil (National Environment Fund, Brazil)
FO. Fail Open (Abre Quando em Falha)
FOB. Free on Board (Livre a Bordo) (Franco a Bordo, Port.)
Foram. Foraminifera (Foraminíferos)
FP. Flowing Pressure (Pressão de Fluxo)
FPS. Floating Production System (Sistema de Produção Flutuante)
FPSO. Floating, Production, Storage and Offloading (Unidade Flutuante de Produção, Estocagem e Transferência de Óleo)
FPU. Floating Production Unit (Unidade Flutuante de Produção)
FR. Flow Rate (Vazão)
Fr. Número de Froude (Froude Number)
Frac. Fractured (Fraturado)
Fri. Friable (Friável)
FS. Float Shoe (Sapata Flutuante)
FSA. Formal Safety Assessment (Avaliação de Segurança)
FSC. Fail Safe Close (Fecha Quando em Falha)
FSIP. Final Shut-In Pressure (Pressão Final de Fechamento)
FSO. Fail Safe Open (Abre Quando em Falha)
FSO. Floating, Storage and Offloading (Unidade Flutuante de Estocagem e Transferência de Óleo)
FSV. Flow Safety Valve (Válvula de Segurança de Fluxo)
FTA. Fault Tree Analysis (Análise por Árvore de Falhas)
FTHP. Flowing Tubing Head Pressure (Pressão de Fluxo na Cabeça do Poço)
FTP. Flowing Tubing Pressure (Pressão de Fluxo na Coluna)
FVB. Fator Volume de Bomba (Pump Volume Factor)
FVG. Fração Volumétrica de Gás (Gas Volume Fraction)
FW. Free Water (Água Livre)
G/C. Gas/Condensate (Razão Gás/Condensado)
G/L. Gas/Liquid Ratio (Razão Gás/Líquido)
GC. Gas Cut (Solução Emulsionada, em parte, por gás)
GCM. Gas Cut Mud (Lama em Circulação contendo gás arrastado do reservatório para dentro da coluna de perfuração)
GCU. Gas Carried Under (Carreamento de Gás pelo Líquido)
GEP. Grupo de Empreendimento de Poço (Well Project Group)
GI. Gas Injection (Injeção de Gás)
GIH. Going In Hole (Entrando com a tubulação ou outro material no poço)
GIR. Gas Injection Rate (Taxa ou velocidade de Injeção do Gás)
GIS. Geographic Information System (Sistema de Informação Geográfica)
GLC. Gas Lift Contínuo (Continuous Gas Lift)
GLCC. Gas-Liquid Cylindrical Cyclone (Ciclone Cilíndrico de Separação Gás-Líquido)
GLI. Gas Lift Intermitente (Intermittent Gas Lift)
GLL. Guidelineless (Sem Cabos Guias)
GLP. Gás Liquefeito de Petróleo (Liquefied Petroleum Gas)
GLR. Gas-Liquid Ratio (Razão Gás-Líquido)
GMDSS. Global Maritime Distress and Safety System (Sistema Global Marítimo de Comunicação para Aviso de Perigo e Segurança)

GNL. Gás Natural Liquefeito (Liquefied Natural Gas)
GOC. Gas-Oil Contact (Contato Gás-Óleo)
GOR. Gas/Oil Ratio (Razão Gás/Óleo)
GPM. Galões por Minuto (Gallons per Minute)
GPR. Ground Penetrating Radar (Radar de Penetração no Solo)
GPS. Global Positioning System (Sistema de Posicionamento Global)
GR. Gamma Ray (Raio Gama)
gr. grain (grão)
gran. granular (granular)
grav, Grav. gravity (densidade, gravidade)
GS. Gathering Station (Estação Coletora)
GTL. Gas to Liquid (Gás para Líquido)
GTS. Gas to Surface (Gás à Superfície)
GVF. Gas Void Fraction (Fração de Gás)
gyp. gypsum, gypsiferous (gesso, gipsífero)
HART. Highway Addressable Remote Transducer (Transdutor Remoto Endereçável por Via de Comunicação)
HAZID. Hazard Identification (Identificação de Perigos)
HAZOP. Hazard and Operability Study ou Hazards in Operation Analysis (Estudo de Perigos e Operabilidade ou Análise de Perigos na Operação)
HB. Brinell Hardness (Dureza Brinell)
Hc, HC. Hydrocarbon (Hidrocarboneto)
HCR. High Closing Ratio (Alta Velocidade de Fechamento)
HHP. Hydraulic Horsepower (Potência Hidráulica medida em HP)
HIPPS. High Integrity Pressure Protection System (Sistema de Proteção de Pressão de Alta Integridade)
HLB. Hydrophilic-Lipophilic Balance (Balanço Hidrofílico-Lipofílico)
HO. Heavy Oil (Óleo pesado)
HP. Horsepower (Unidade de Potência, Cavalo-Vapor)
HP. Hydrostatic Pressure (Pressão Hidrostática)
HP/HT. High Pressure / High Temperature (Alta Pressão e Alta Temperatura)
HPA. Hidrocarboneto Policíclico Aromático (Polycyclic Aromatic Hydrocarbon)
HPU. Hydraulic Power Unit (Unidade de Potência Hidráulica)
HR. High Resolution (Alta Resolução)
HSE. Health, Safety and Environment (Saúde, Segurança e Meio Ambiente)
Hsg. Housing (Alojamento)
h-SRB. hyperthermophilic Sulfate-Reducing Bacteria (Bactéria Sulfato-Redutora Hipertermofílica)
HT/HP. High Temperature / High Pressure (Alta Temperatura e Alta Pressão)
HTHS. High Temperature and High Shear (Alta Temperatura e Alto Cisalhamento)
HUB. Flowline Hub (Mandril das Linhas de Fluxo, Conector das Linhas de Fluxo)
HVL. Highly Volatile Liquid (Líquido Altamente Volátil)
hvy. heavy (pesado)
HW. Heavy Weight, Heavy Weight Drillpipe (Pesado, Tubo de Perfuração Pesado)
H-WCT. Horizontal Wet Christmas Tree (Árvore de Natal Molhada Horizontal)
HWDP. Heavy Weight Drillpipe (Tubo de Perfuração Pesado)
HXT. Horizontal Christmas Tree (Árvore de Natal Horizontal)
hydc, Hydc. hydrocarbon (hidrocarboneto)
IAB. Initial Air Blow (Sopro de Ar Inicial)
IBAMA. Instituto Brasileiro do Meio Ambiente e dos Recursos Naturais Renováveis (Brazilian Institute for Environment and Renewable Natural Resources)
IBEC. Instituto Brasileiro de Engenharia de Custos (Brazilian Institute of Cost Engineers)
IBGE. Instituto Brasileiro de Geografia e Estatística (Brazilian Institute of Geography and Statistics)
IBOP. Internal Blowout Preventer (BOP Interno)
IBP. Instituto Brasileiro de Petróleo, Gás e Biocombustíveis (Brazilian Institute of Oil, Gas and Biofuels)
IBS. Instituto Brasileiro de Siderurgia (Brazilian Steel Institute)
ICMS. Imposto sobre Circulação de Mercadorias e Serviços, Brasil (State Value-Added Tax on Sales and Services, Brazil)
ID. Inside Diameter, Inner Diameter (Diâmetro Interno)
IDC. Intangible Drilling Costs (Custos de Perfuração Incorpóreos)
IEA. International Energy Agency (Agência Internacional de Energia)
IFP. Initial Flowing Pressure (Pressão de Fluxo Inicial)
IFT. Interfacial Tension (Tensão Interfacial)
II. Imposto de Importação, Brasil (Import Tax, Brazil)
IMO. International Maritime Organization (Organização Marítima Internacional)
INMETRO. Instituto Nacional de Metrologia, Padronização e Qualidade Industrial, Brasil (National Institute of Metrology, Standardization and Industrial Quality, Brazil)
INPI. Instituto Nacional da Propriedade Industrial, Brasil (National Institute for Industrial Property, Brazil)
IP. Induced Polarization (Polarização Induzida)
IP. Initial Potential (Potencial Inicial)
IP. Initial Pressure (Pressão Inicial)
IPI. Imposto sobre Produtos Industrializados, Brasil (Tax on Industrialized Products, Brazil)
IPR. Inflow Performance Relationship (Relação de Desempenho de Fluxo do Poço)
IRR. Índice de Reposição da Reserva (Reserve Replacement Ratio)

ISA. Instrumentation, Systems and Automation Society (Sociedade de Instrumentação, Sistemas e Automação)
ISBL. Inside Battery Limits (Dentro do Limite de Bateria)
ISIP. Initial Shut-In Pressure (Pressão de Fechamento Inicial)
ISM Code. International Safety Management Code (Código Internacional de Gerenciamento de Segurança)
ISO. International Organization for Standardization (Organização Internacional de Normalização)
ISS. Imposto Sobre Serviços, Brasil, O mesmo que **ISSQN**, Imposto Sobre Serviços de Qualquer Natureza (Tax on Services, Brazil, the same as ISSQN, Tax on Services of Any Nature).
ITT. Isolation Test Tool (Ferramenta de Teste de Pressão do BOP)
IV. Índice de Viscosidade (Viscosity Index)
IWCF. International Well Control Forum (Fórum Internacional de Controle de Poço)
IWOCS. Installation and Workover Control System (Sistema de Controle de Instalação e Workover)
J&A. Junked and Abandoned (Abandonado por impossibilidade de pesca de material deixado no interior do poço)
JB. Junk Basket (Cesta para Sucata)
JIP. Joint Industry Project (Projeto Multi-Cliente)
JOA (Port.). Joint Operating Agreement (Acordo de Operações Conjuntas)
JPD. Jointed Pipe Drilling (Perfuração com Colunas Formadas pela União de Tubos de Perfuração)
jt. joint (junta)
K. Permeability symbol (símbolo de permeabilidade)
KB. Kelly Bushing (Bucha do Kelly)
KO. Kicked Off (Desviado Direcionalmente). Referente ao poço.
KOP. Kick off Point (Profundidade de Início de Desvio do Poço)
KT. Kick Tolerance (Tolerância ao Kick)
LA. Lâmina D'água (Water Depth) (Profundidade da Água, Port.)
LACT. Lease Automatic Custody Transfer (Sistema Automático de Transferência Custodiada)
lam. laminated (laminado)
LAN. Local Area Network (Rede de Área Local)
LAP. Livre de Avaria Particular (Free of Particular Average)
LART. Livre Acesso à Rede de Terceiros (Free Access to Third-Party System)
LCC. Life Cycle Cost (Custo do Ciclo de Vida)
LCM. Loss Control Material (Material de controle de perda de circulação)
LCO. Liquid Carried Over (Carreamento de Líquido pelo Gás)

LDA. Lâmina d'Água (Water Depth) (Profundidade da Água, Port.)
LDDP. Lay Down Drill Pipe (armazenar a tubulação de perfuração)
LGN. Líquido de Gás Natural (Natural Gas Liquid)
LGR. Liquid-Gas Ratio (Razão Líquido-Gás)
LI. Licença Ambiental de Instalação (Environmental Installation License)
LII. Limite Inferior de Inflamabilidade (Lower Flammability Limit)
lith. lithology, lithologic (litologia, litológico)
LMRP. Lower Marine Riser Package (Conjunto da Extremidade Inferior do Riser de Perfuração)
LNG. Liquefied Natural Gas (Gás Liquefeito Natural)
lnr. liner (liner)
LO. Licença Ambiental de Operação (Environmental Operation License)
LOT. Leak Off Test (Teste de Cedência da Formação à Pressão)
LP. Licença Ambiental Prévia (Preliminary Environmental License)
LPG. Liquefied Petroleum Gas (Gás Liquefeito de Petróleo)
LPper. Licença Ambiental Prévia para Perfuração (Preliminary Environmental Drilling License)
LPpro. Licença Ambiental Prévia de Produção e Pesquisa (Preliminary Environmental Production and Research License)
LPR. Lower Pipe Ram (Gaveta Inferior de Tubo)
LRP. Lower Riser Package (Conjunto de Extremidade do Riser de Perfuração) (Pistão Inferior de Controlo da Tubagem, Port.)
ls. limestone (calcário)
lse. loose (solto, não consolidado)
LSH. Level Safety High (Nível de Segurança Alto)
LSI. Limite Superior de Inflamabilidade (Upper Flammability Limit)
LSL. Level Safety Low (Nível de Segurança Baixo)
LSTK. Lump Sum Turn Key (Regime de contratação de empreitada integral por preço global)
LSV. Laying Support Vessel (Embarcação de Lançamento de Linhas)
LVF. Liquid Volume Fraction (Fração Volumétrica de Liquido)
LWD. Logging While Drilling (Perfilando Durante a Perfuração) (Operação de Diagrafias durante a Perfuração, Port.)
LWI. Light Well Intervention (Intervenção Leve em Poço)
LWRP. Lower Workover Riser Package (Conjunto da Extremidade do Riser de Completação)
M/V. Mobile Vessel (Embarcação Móvel)
M1. Válvula Master 1 da Árvore de Natal Molhada (Master 1, Production Master Valve)
M2. Válvula Master 2 da Árvore de Natal Molhada (Master 2, annular master valve)
MAC. Manifolde de Atuação Compartilhada (Shared Actuator Manifold)

MAOP. Maximum Allowable Operating Pressure (Pressão Máxima Admissível de Operação)
Marpol 73/78. Convenção Internacional para a Prevenção da Poluição Causada por Navios, 1973 e modificada pelo Protocolo de 1978 (International Convention for the Prevention of Pollution from Ships, 1973 as modified by the Protocol of 1978)
MASP. Maximum Anticipated Surface Pressure (Pressão Esperada Máxima na Superfície)
MASP. Método de Análise e Solução de Problemas (Problem Analysis and Troubleshooting Method)
MAWP. Maximum Allowable Working Pressure (Pressão Máxima de Trabalho Admissível)
MBTE. Methylene Blue Test Equivalent (Teste Equivalente de Azul de Metileno)
MCC. Manutenção Centrada em Confiabilidade (Reliability-Centered Maintenance)
MCF. Thousand Cubic Feet (Mil Pés Cúbicos) (Milhares de Pés Cúbicos, Port.)
MCF/B. Thousand Cubic Feet per Barrel (Mil Pés Cúbicos por Barril) (Milhares de Pés Cúbicos por Barril, Port.)
MCFD. Thousand Cubic Feet per Day (Mil Pés Cúbicos por Dia) (Milhares de Pés Cúbicos por Dia, Port.)
MCFGPD. Thousand Cubic Feet of Gas Per Day (Mil Pés Cúbicos de Gás Por Dia) (Milhares de Pés Cúbicos de Gás Por Dia, Port.)
MCV. Mandril de Conexão Vertical (Vertical Connection Mandrel)
MCV. Módulo de Conexão Vertical (Vertical Connection Module)
MCVI. Módulo de Conexão Vertical de Importação (Vertical Importation Connection Module)
MD. Measured Depth (Profundidade Medida)
MEG. Monoethylene Glycol (Monoetileno Glicol)
MEMS. Micro Electromechanical System (Micro Sistema Eletromecânico)
MER. Maximum Efficient Rate (Máxima Taxa de Eficiência)
MERCOSUL. Mercado Comum do Sul (Common Market of the South, MERCOSUR)
meth. methane (metano)
Mf, MF. Methyl Orange Alkalinity of Filtrate (Alcalinidade a Metil Orange do Filtrado)
mf. mud filtrate (filtrado de lama)
mg. medium grained (de grão médio)
MGL. Mandril de Gas Lift (Gas-Lift Mandrel)
MI. Moving In (ação de deslocamento). Deslocamento referido ao novo posicionamento de uma sonda.
micac. micaceous (micáceo)
micxln. microcrystalline (microcristalino)
MIT. Materials In Transit (Materiais em Trânsito)
MIV. Methanol Injection Valve (Válvula de Injeção de Metanol)
ML. Mud Logging (Registro de Lama) (Diagrafia de Lamas, Port.)
MLF. Mandril das Linhas de Fluxo (Flowline Hub)
MLP. Mudlift Pump (Bomba de Elevação de Lama)
MMBBL. Milhões de Barris (Million Barrels)
MMBD. Milhões de Barris por Dia (Million Barrels per Day)
MMBO. Milhões de Barris de Óleo (Million Barrels of Oil)
MMBOE. Milhões de Barris de Óleo Equivalente (Million Barrels of Oil Equivalent)
MMBTU. Milhões de BTU (Million British Thermal Units)
MMCF. Million Cubic Feet (Milhões de Pés Cúbicos)
MMCFD. Million Cubic Feet per Day (Milhões de Pés Cúbicos por Dia)
MMS. Minerals Management Service (Serviço de Gestão de Minerais)
MMSCF. Million Standard Cubic Feet (Milhões de Pés Cúbicos Padrão)
MMSCFD. Million Standard Cubic Feet per Day (Milhões de Pés Cúbicos Padrão por Dia)
MOH. Materials On Hand (Materiais Disponíveis Existentes)
MOPU. Mobile Offshore Producing Unit (Unidade Marítima Móvel de Produção)
MOT/O. Modernize, Operate, Transfer or Own (Modernização, Operação, Transferência ou Posse)
MOU. Memorandum of Understanding (Memorando de Entendimento)
MPFM. Multiphase Flowmeter (Medidor de Vazão Multifásico)
MPP. Multiphase Pump (Bomba Multifásica)
MPRL. Minimum Polished-Rod Load (Carga Mínima na Haste Polida)
MPSO. Monocolumn Hull, Production, Storage and Offloading (Monocoluna de Produção, Estocagem e Transferência)
MRO. Maintenance, Repair and Operating Materials (Materiais para Manutenção, Reparos e Operação)
MSL. Mean Sea Level (Nível Médio do Mar)
MSPI. Manifolde Submarino de Produção e Injeção (Subsea Production and Injection Manifold)
MSR. Margem de Segurança de Riser (Riser Kick Tolerance)
m-SRB. mesophilic Sulfate-Reducing Bacteria (Bactéria Redutora de Sulfato mesofílica)
MSV. Multi Service Vessel (Embarcação Multiuso)
MTBF. Mean Time Between Failures (Tempo Médio entre Falhas)
MTS. Mud to Surface (Lama à Superfície)
MTTF. Mean Time to Failure (Tempo Médio até a Falha)
MTTR. Mean Time to Repair (Tempo Médio para Reparo)
mtx. matrix (matriz)
MUT. Makeup Torque (Torque de Conexão)
MUX. Make up Crossover (Adaptador de Conexão)

MUX. Multiplex BOP Control System (Sistema de Controle Multiplex de BOP)
MV. Master Valve (Válvula Mestra)
MVP. Multi-Vane Pump (Bomba de Múltiplas Palhetas)
MWD. Measure While Drilling (Medição Durante a Perfuração)
NB. New Bit (Nova Broca)
NCM. Nomeclatura Comum do Mercosul (Mercosur Common Nomenclature)
NDE. Non-Destructive Exam (Exame Não-Destrutivo)
NDT. Non-Destructive Testing (Ensaio Não-Destrutivo)
NLGI. National Lubricating Grease Institute (Instituto Nacional de Graxas Lubrificantes)
NMO. Normal Moveout (Sobretempo Normal)
NMR. Nuclear Magnetic Resonance (Ressonância Magnética Nuclear)
NORM. Naturally Occurring Radioactive Material (Material Radioativo de Ocorrência Natural)
NOS. No Oil Shows (Nenhum Indício de Óleo)
NS. Navio-Sonda (Drill Ship)
NS. No Show (Nenhum Indício de Hidrocarbonetos)
NS. Número de Série (Serial Number)
NSO. No Show of Oil (Nenhum Indício de Óleo)
NSP. Nominal Seat Protector (Protetor Nominal da Sede)
NSV. Net Standard Volume (Volume Líquido Padrão)
NU. Nippling Up (Atarrachando o obturador de segurança à tubagem de revestimento)
NUCI. Nível de Utilização de Capacidade Instalada (Installed Capacity Utilization Level)
NVRAM. Non-Volatile Random Access Memory (Memória Não Volátil de Acesso Randômico)
O. Óleo (Oil)
O&G. Oil&Gas (Óleo e Gás)
OBC. Ocean Bottom Cable (Cabo de Fundo do Mar)
OBM. Oil Base Mud (Lama à Base de Óleo)
OCE. Organização para Controle de Emergência (Emergency Control Organization)
OCS. Outer Continental Shelf (Plataforma Continental Externa)
OD. Outer Diameter, Outside Diameter (Diâmetro Externo)
OEM. Original Equipment Manufacturer (Fabricante de Equipamento Original)
OF. Open Flow (Fluxo em poço aberto, sem estrangulador)
OH. Open Hole (Poço Aberto)
OIML. Organização Internacional de Metrologia Legal (International Organization of Legal Metrology)
ONIP. Organização Nacional da Indústria do Petróleo, Brasil (National Organization of the Petroleum Industry, Brazil)
OO. Oil Odor (Cheiro a Óleo)
OOIP. Original Oil In Place (Reservas Iniciais de Óleo)
ool. oolitic (oolítico)
OPEC. Organization of Petroleum Exporting Countries (Organização dos Países Exportadores de Petróleo)
OPEP. Organização dos Países Exportadores de Petróleo (Organization of Petroleum Exporting Countries)
OPEX. Operating Expenditure (Custos Operacionais)
org. organic (orgânico)
OS. Oil Show (Indício de Óleo)
OSBL. Outside Batery Limits (Fora dos Limites de Bateria)
OTD. Old Total Depth (Profundidade Total Antiga)
OTS. Oil to Surface (Óleo à Superfície)
OWC. Oil-Water Contact (Contato Óleo-Água)
OWDD. Old Well Drilled Deeper (Poço Antigo Aprofundado)
OWPB. Old Well Plugged Back (Poço Antigo Tamponado)
P&A. Plugged and Abandoned (Tamponado e Abandonado)
P&ID. Piping and Instrumentation Diagram (Fluxograma de Tubulação e Instrumentação)
P&T. Pressure&Temperature (Pressão e Temperatura)
PA. Plataforma Auto-elevatória (Jack Up)
Pab. Pressão de Abertura (Opening Pressure)
PAC. Pacific Outer Continental Shelf Region (Plataforma Continental Externa do Oceano Pacífico)
PB. Plug Back (Tapar ou tamponar a seção inferior num poço)
PBD. Plug-Back Depth (Profundidade do Tampão)
pbl, Pbl, PBL. pebble (cascalho)
PBR. Polished Bore Receptacle (Receptáculo com Acesso Polido)
PBS. Project Breakdown Structure (Estrutura Analítica de Projeto)
PC. Plano de Contingência (Contingency Plan)
PCA. Projeto de Controle Ambiental (Environmental Control Project)
PCD. Pressure Controlled Drilling (Perfuração com Pressão Controlada)
PCI. Poder Calorífico Inferior (Lower Heating Value)
PCL. Plano de Contingência Local (Local Contingency Plan)
PCM. Poder Calorífico Médio (Average Heating Value)
PCMO. Passenger Car Motor Oil (Óleo de Motor de Carro de Passageiro)
PCP. Progressive Cavity Pump (Bomba de Cavidade Progressiva)
PCS. Production Control System (Sistema de Controle de Produção)
PCS. Poder Calorífico Superior (Higher Heating Value)

PD. Positive Displacement (Deslocamento Positivo)
PD METER. Positive-Displacement Meter (Medidor de Deslocamento Positivo)
PDA. Profundidade de Água (Water Depth)
PDG. Permanent Downhole Gauge (Registrador de Pressão de Fundo) (Medidor de Pressão de Fundo, Port.)
PDRI. Project Definition Rating Index (Indicador de Grau de Detalhamento de Escopo de Empreendimento)
PE. Ponto de Ebulição (Boiling Point)
PE. Participações Especiais, Brasil (Government Take, Brazil)
PEV. Análise de Pontos de Ebulição Verdadeiros (True Boiling Point Analysis)
PF. Ponto de Fulgor (Flash Point)
PF. Profundidade Final (Final Depth)
PFD. Process Flow Diagram (Fluxograma de Processo)
PGB. Permanent Guide Base (Base Guia Permanente)
PIC. Preços Independentes Comparados (Comparable Indepentent Prices)
PIC. Pressão Inicial de Circulação (Initial Circulating Pressure)
PID. Proportional, Integral and Derivative (Proporcional, Integral e Derivativo)
Pkr, PKR. Packer (Obturador)
PLC. Programmable Logic Controller (Controlador Lógico Programável)
PLEM. Pipeline End Manifold (Manifolde Submarino de Extremidade de Dutos)
PLET. Pipeline End Termination (Terminação de Extremidade de Dutos)
PLSV. Pipe Laying Support Vessel (Embarcação para Lançamento de Linhas Flexíveis)
PM. Profundidade Medida (Measured Depth)
Pmax, P_{max}. Pressão Máxima (Maximum Pressure)
PMV. Production Master Valve (Válvula Mestra de Produção)
P0, p (0). Pressão Manométrica Zero (Zero Gauge Pressure)
POH. Pull Out of Hole (Manobra de Retirada da Coluna do Poço)
POOH. Pulling Out of Hole (Retirada de Coluna de Perfuração, Produção ou de Assentamento do Poço)
por. porous (poroso)
PP. Production Platform (Plataforma de Produção)
PP&E. Property, Plant and Equipment (Ativo Imobilizado)
PPA. Power Purchase Agreement (Contrato de Aquisição de Energia Elétrica)
PPE. Parcela de Preço Específica, Brasil (Specific Price Portion, Brazil)
PPG. Pounds Per Gallon (Libras por Galão)
PPI. Parallel Plate Interceptor (Interceptor de Placas Paralelas)
PPM. Parts per Million (Partes por Milhão)

PPM. Proton Precession Magnetometer (Magnetômetro de Precessão de Prótons)
PPMV. Parts per Million by Volume (Partes por Milhão, em Volume)
PPMW. Parts per Million by Weight (Partes por Milhão, em Peso)
PPRL. Peak Polished Rod Load (Carga Máxima na Haste Polida)
PRL. Preço de Revenda menos Lucro (Resale Price Less Profit)
PRT. Petroleum Revenue Tax (Imposto sobre o Rendimento do Petróleo)
PSA. Production Sharing Agreement (Contrato de Partilha de Produção)
Psat. Pressão de saturação, em psia (Bubble Point or Saturation Pressure, in psia)
PSB. Peso sobre Broca (Weight on Bit)
PSC. Production Sharing Contract (Contrato de Partilha de Produção)
PSD. Production Shutdown (Parada de Produção) (Fecho da Produção, Port.)
PSE. Pressure Safety Element (Elemento de Segurança de Pressão)
PSH. Pressure Safety High (Limite Superior de Segurança de Pressão)
PSI. Production Shut-In (Fechamento de Produção)
psi. pounds per square inch (libra-força por polegada quadrada)
psia. pounds per square inch absolute (libra-força por polegada quadrada absoluta)
psid. pounds per square inch differential (libra-força por polegada quadrada diferencial)
PSL. Pressure Safety Low (Limite Inferior de Segurança de Pressão)
PSP. Pseudostatic Potential (Potencial Pseudoestático)
PSV. Pressure Safety Valve (Válvula de Segurança de Pressão)
PSV. Production Swab Valve (Válvula de Pistoneio de Produção)
PSV. Platform Supply Vessel (Barco de Apoio à Plataforma de Petróleo)
PTB. Pounds of Salt per Thousand Barrels of Crude Oil (Libras de Sal por Mil Barris de Óleo)
PTN (Port.). Pressão e Temperatura Normais (Standard Temperature and Pressure).
PU. Pumping Unit (Unidade de Bombeio) (Unidade de Bombagem, Port.)
PV. Profundidade Vertical (True Vertical Depth)
PVC. Polyvinyl Chloride (Polivinil Clorídrico)
PVM. Proton Vector Magnetometer (Magnetômetro Vetorial de Prótons)
PVRV. Pressure Vacuum Relief Valve (Válvula de Alívio de Pressão e Vácuo)
PVT. Pressure, Volume and Temperature (Pressão, Volume e Temperatura)
PWD. Pressure While Drilling (Pressão ao Perfurar). Refere-se à ferramenta de medição de pressão no fundo.

PWRI. Produced Water Reinjecton (Reinjeção de Água Produzida)
PWV. Production Wing Valve (Válvula Lateral de Produção)
QCDC. Quick Disconnect (Desconexão Rápida)
QRA. Quantitative Risk Assessment (Análise Quantitativa de Risco)
QSMS. Qualidade, Saúde, Meio Ambiente e Segurança, Brasil (Quality, Health, Safety and Environment, Brazil)
R&O. Rust and Oxidation (Ferrugem e Oxidação)
RAM. Random Access Memory (Memória de Acesso Aleatório)
RAM. Reliability, Availability, Maintainability (Confiabilidade, Disponibilidade, Manutenabilidade)
RAO. Razão Agua-Óleo (Water-Oil Ratio)
RBP. Retrievable Bridge Plug (Bridge Plug Recuperável)
RC. Rockwell Hardness Coefficient (Coeficiente de Dureza Rockwell C)
RCA. Relatório de Controle Ambiental (Environmental Control Report)
RCV. Remotely-Controlled Vehicle (Veículo Controlado Remotamente)
rd. round (redondo)
rdd. rounded (arredondado)
Re. Número de Reynolds (Reynolds Number)
REDOX. Redução/Oxidação (Reduction/Oxidation)
REPETRO. Regime Aduaneiro Especial de Exportação e Importação de Bens destinados às Atividades de Pesquisa e de Lavra das Jazidas de Petróleo e de Gás Natural, Brasil (Special Customs System for Export and Import of Goods destined to Activities of Research and Mining of Natural Gas and Oil Deposits, Brazil)
Resv, RESV. Reservas (Reserves)
RFT. Repeat Formation Test (Teste de Formação Repetido)
RGL. Razão Gás-Líquido (Gas-Liquid Ratio)
RGLI. Razão Gás-Líquido de Injeção (Injection Gas-Liquid Ratio)
RGO. Razão Gás-Óleo (Gas-Oil Ratio)
RHAS. Riser Híbrido Auto-Sustentável (Free Standing Hybrid Riser)
RHP. Rotary Horsepower (Potência de Rotação)
RIH. Running In Hole (Manobra de Descida para dentro do poço)
RKB. Rotary Kelly Bushing (Bucha da Haste Quadrada)
RLG. Razão Líquido-Gás (Liquid-Gas Ratio)
ROI. Return on Investment (Retorno sobre o Investimento)
ROP. Rate of Penetration (Velocidade de Penetração)
ROS. Residual Oil Saturation (Saturação Residual de Óleo)
ROV. Remotely Operated Vehicle (Veículo Operado Remotamente)
RP. Recommended Practice (Prática Recomendada)
RPM, rpm. Rotações por Minuto (Revolutions per Minute)
RRAA. Relatório de Avaliação de Risco Ambiental (Environmental Risk Evaluation Report)
Rs, RSG. Razão de Solubilidade do Gás (Gas Solubility Ratio)
RSV. ROV Support Vessel (Embarcação de Apoio a ROV)
RSV. Research Supply Vessel (Barco de Apoio à Pesquisa e Coleta de Dados Sísmicos)
RT. Rotary Table (Mesa Rotativa)
RTA. Relatório de Tratamento de Anomalias (Anomaly Treatment Report)
RTCB. Round Trip to Change the Bit (Manobra de Tubos para Mudança de Broca)
RTD. Resistance Temperature Detector (Detector de Temperatura de Resistência)
rtr. retainer (retentor)
RU. Rigging Up (Montagem da Sonda)
S&H. Sample, or Sampling, and Hold (Amostra, ou Amostragem, e Estocagem)
S&W. Sediment and Water (Sedimento e Água)
S/N. Signal-to-Noise Ratio (Relação Sinal-Ruído)
SAB. Strong Air Blow (Sopro de Ar Forte)
SAC. Sistema de Atuação Compartilhada (Shared Actuator Control)
SACODE. Sistema de Ancoragem com Complacência Diferenciada (Differentiated Compliance Anchoring System)
SADCP. Sistema de Aquisição de Dados e Controle de Processos (Data Acquisition and Process Control System)
SAE. Society of American Engineers (Sociedade dos Engenheiros Americanos)
SAO. Separador Água-Óleo (Water-Oil Separator)
SBM. Synthetic Base Mud (Fluido de Perfuração à Base de Óleo Sintético)
SBMS. Sistema de Bombeamento Multifásico Submarino (Subsea Multiphase Pumping System)
SBP. Sub-Bottom Profile (Perfil de Fundo)
SBR. Shear Blind Ram (Gaveta Cega Cisalhante) (Pistão de Controlo para Cisalhamento Completo da Tubagem, Port.)
SC. Sonda Convencional (Conventional Rig)
SCADA. Supervisory Control and Data Acquisition (Supervisão e Controle e Aquisição de Dados, Sistema de Aquisição de Dados e Controle de Processos)
SCF, Scf, scf. Standard Cubic Foot (Pé Cúbico Padrão)
SCR. Steel Catenary Riser (Riser Rígido em Catenária)
SCSSV. Surface-Controlled Subsurface Safety Valve (Válvula de Segurança de Subsuperfície Controlada na Superfície)
sd. sand (areia)
SD. Shutdown (Parado ou suspenso temporariamente) (Fechado ou parado temporariamente, Port)

SDCD. Sistema Digital de Controle Distribuído (Distributed Digital Control System)
SDP. Simultaneous Drilling and Production (Perfuração e Produção Simultâneas)
SDR. Shut Down for Repairs (Parado para Reparações) (Paragem para Reparações,Port.)
SDR. Sistema de Desconexão Rápida (Quick Disconnection System)
SDV. Shutdown Valve (Válvula de Parada) (Válvula de Fecho, Port.)
SEM. Safety and Environment Management (Gestão de Segurança e Meio Ambiente)
SEM. Subsea Electronic Module (Módulo Eletrônico Submarino)
SFP. Sistema Flutuante de Produção (Floating Production System)
SFT. Surface Flow Tree (Árvore de Fluxo de Superfície)
SG. Show of Gas (Indícios de Gás)
SG. Specific Gravity (Densidade Relativa)
SG&C. Show of Gas and Condensate (Indícios de Gás e Condensado)
SGN. Sistema Gerador de Nitrogênio (Nitrogen Generating System)
sh, Sh, SH. shale (xisto, folhelho) (xisto argiloso)
SI. Shut-In (Fechado)
SI. Sistema Internacional de Unidades (International System of Units)
SIBHP. Shut-In Bottom-Hole Pressure (Pressão de Fechamento no Fundo do Poço)
SICP. Shut-In Casing Pressure (Pressão de Fechamento do Revestimento)
SIDPP. Shut-in Drill Pipe Pressure (Pressão de Fechamento no Tubo de Perfuração)
SIL. Safety Integrity Level (Nível de Integridade de Segurança)
SITHP. Shut-in Tubing Head Pressure (Pressão de Fechamento na Coluna de Produção)
SITP. Shut-in Tubing Pressure (Pressão de Fechamento na Coluna de Produção)
SIWH. Stabilized Shut-in Well Head Pressure (Pressão Estabilizada de Fechamento na Cabeça)
SJA. Safe Job Analysis (Análise de Tarefa Segura)
SMD. Subsea Mudlift Drilling (Perfuração com Elevação Submarina de Fluido de Perfuração)
SMPS. Subsea Multiphase Pumping System (Sistema de Bombeamento Multifásico Submarino)
SMS. Segurança, Meio Ambiente e Saúde (Safety, Environment and Health)
SMS. Safety Management System (Sistema de Gerenciamento de Segurança)
SNR. Signal-to-Noise Ratio (Relação Sinal-Ruído)
SO. Shear Out (Cisalhamento por Pressão, Cisalhar)
SO. Show of Oil (Indícios de Óleo)
SO&G. Show of Oil and Gas (Indícios de Óleo e Gás)
SO&W. Show of Oil and Water (Indícios de Óleo e Água)
SOLAS. Safety of Life at Sea (Segurança da Vida no Mar)
SOP. Sistema Operacional (Operational System)
SP. Shot Point (Intervalo entre Tiros)
SP. Spontaneous Potential (Potencial Espontâneo)
SPE. Sociedade de Propósito Específico (Special Purpose Company)
SPE. Society of Petroleum Engineers (Sociedade dos Engenheiros de Petróleo)
SpGr. Specific Gravity (Densidade Relativa)
SPH. Sonda de Produção Hidráulica (Hydraulic Production Rig)
SPM. Single Point Mooring (Atracação em Ponto Único)
SPM. Sonda de Produção Modulada (Modular Production Rig)
SPT. Sonda de Produção Terrestre (Onshore Production Rig)
SPT. Standard Penetrometer (Penetrômetro Padrão)
sq. square (quadrado)
SRB. Special Remuneratory Benefit (Benefício Remuneratório Especial)
SRP. Sucker-Rod Pumping (Bombeio Mecânico)
SRT. Step Rate Test (Teste de Fratura Hidráulica)
srtd. sorted (calibrado)
SS. Ship Shoal (Zona de Difícil Navegação)
SS. Sólidos em Suspensão (Suspended Solids)
SS. Sonda Semi-submersível (Semi-Submersible Rig)
SS. Stainless Steel (Aço Inoxidável)
Ss. Sandstone (Arenito) (Grés, Port.)
SSCSV. Subsurface Controlled Safety Valve (Válvula de Segurança Controlada na Subsuperfície)
SSG. Slight Show of Gas (Indícios Leves de Gás)
SSO. Slight Show of Oil (Indícios Leves de Óleo)
SSP. Subsea Processing (Processamento Submarino)
SSS. Sistema de Separação Submarina (Subsea Separation System)
SSSV. Subsurface Safety Valve (Válvula de Segurança de Subsuperfície)
SSTT. Subsea Test Tree (Árvore Submarina de Teste)
SSV. Surface Safety Valve (Válvula de Segurança de Superfície)
Stb. Stabilizer (Estabilizador)
STB. Stock Tank Barrel (Barril em Condições de Tanque)
STLE. Society of Tribologists and Lubrication Engineers (Sociedade dos Tribologistas e Engenheiros de Lubrificação)
STV. Standing Valve (Válvula de Pé)
SUDU. Subsea Umbilical Distribution Unit (Unidade de Distribuição Submarina de Umbilical)
SUS. Saybolt Universal Seconds (Segundos Saybolt Universal)
SUT. Subsea Umbilical Termination (Terminação Submarina de Umbilical)

SW. Salt Water (Água Salgada)
SWC. Sidewall Core (Testemunho Lateral)
TA. Temporarily Abandoned (Temporariamente Abandonado)
TAF. Teste de Aceitação de Fábrica (Factory Acceptance Test)
TAN. Total Acid Number (Índice de Acidez Total)
TBG HGR. Tubing Hanger (Suspensor de Coluna de Produção)
TBN. Total Base Number (Índice de Basicidade Total)
TC. Turbo Compressor (Turbo Compressor)
TCF. Trillion Cubic Feet (Trilhões de Pés Cúbicos)
TCP. Tubing Conveyed Perforation (Canhoneio Através da Coluna de Produção) (Perfuração feita com Tubagem de Produção, Port.)
TD. Total Depth (Profundidade Total)
TDC. Tangible Drilling Costs (Custos Tangíveis de Perfuração)
TDEM. Time-Domain Electromagnetic (Indução Eletromagnética no Domínio do Tempo)
TDP. Touch Down Point (Ponto de Contato no Solo Marinho)
TEP. Tonelada Equivalente de Petróleo (Ton of Oil Equivalent)
TF. Teste de Formação a Poço Aberto (Open Hole DST)
TFL. Through Flowline System (Sistema de Controle de Poço Através de Linha de Fluxo)
TFR. Teste de Formação em Poço Revestido (Cased Hole Drill Stem Test)
TG. Turbo Gerador (Turbo Generator)
TGB. Temporary Guide Base (Base Guia Temporária)
TGLR. Total Gas / Liquid Ratio (Razão Gás / Líquido Total)
TH. Tubing Hanger (Suspensor de Coluna de Produção)
THP. Tubing Head Pressure (Pressão na Cabeça do Tubo de Produção)
THRT. Tubing Hanger Running Tool (Ferramenta de Instalação de Suspensor de Coluna de Produção)
TIAC. Temperatura Inicial de Aparecimento dos Cristais (Wax Appearance Point Temperature)
TIH. Trip in Hole (Realizar a manobra de descida no poço)
TIR. Taxa Interna de Retorno (Internal Rate of Return)
TIT. Tree Installation Tool (Ferramenta de Instalação de Árvore de Natal)
TKV. Tubing Kill Valve (Válvula de Amortecimento da Coluna de Produção)
TLD. Teste de Longa Duração (Long Duration Test, Long Term Test)
TLP. Tension Leg Platform (Plataforma de Pernas Atirantadas)
TLWP. Tension Leg Wellhead Platform (Plataforma de Pernas Atirantadas Suporte de Cabeça de Poço)
TOC. Top of Cement (Topo do Cimento)

TOC. Total Organic Carbon (Carbono Orgânico Total)
TOG. Teor de Óleo e Graxa (Oil and Grease Content)
TOH. Trip Out of the Hole (Saída do Poço)
TOL (Port.). Teor de Óleo e Lubrificante (Oil and Grease Content)
TP. Tubing Pressure (Pressão no Tubo de Produção)
TPA. Third Party Access (Livre Acesso à Rede de Terceiros)
TPR. Tubing Pressure Relationship (Relação Tubulação e Pressão)
TPSI. Tubing Pressure Shut-In (Pressão de Fechamento no Tubo de Produção)
TPT. Temperature and Pressure Transducer (Transdutor de Pressão e Temperatura)
tr. trace (vestígio)
TRT. Tree Running Tool (Ferramenta de Instalação da Árvore de Natal Molhada)
TS. Temperature Survey (Levantamento de Temperatura)
TSE. Temperature Safety Element (Elemento de Segurança de Temperatura)
TSH. Temperature Safety High (Segurança de Temperatura Alta)
TSL. Temperature Safety Low (Segurança de Temperatura Baixa)
t-SRB. thermophilic Sulfate-Reducing Bacteria (Bactéria Termofílica Redutora de Sulfato)
TSS. Total Suspended Solids (Total de Sólidos em Suspensão)
TSTM. Too Small to Measure (Pequeno Demais para ser Medido)
TSV. Tender Support Vessel (Embarcação de Suporte a Balsa)
TVD. True Vertical Depth (Profundidade Vertical Real, Profundidade Medida na Vertical)
TWC. Total Well Costs (Custos Totais do Poço)
UBM. Unidade de Bombeamento Mecânico (Sucker-Rod Pumping Unit)
UC. Unidade de Consistência (Consistency Unit)
UCA. Ultrasonic Cement Analyzer (Análisador Ultrasônico de Cimento)
UCM. Unresolved Complex Mixture (Mistura Complexa não Resolvida)
UEP. Unidade Estacionária de Produção (Stationary Production Unit)
ULSD. Ultra-Low Sulfur Diesel (Diesel Ultra Baixo Enxofre)
UPGN. Unidade de Processamento de Gás Natural (Natural Gas Processing Unit)
UPR. Upper Pipe Ram (Gaveta Superior de Tubo) (Pistão de Controlo Superior da Tubagem, Port.)
UPS. Uninterrupted Power Supply (Fornecimento Ininterrupto de Energia)
USV. Underwater Safety Valve (Válvula Submarina de Segurança)
UTM. Universal Transverse Mercator (Projeção Universal Transversal de Mercator)

V. Volume (Volume)

VASPS. Vertical Annular Separation and Pumping System (Sistema de Separação Vertical Anular com Bombeamento)

VBR. Variable Bore Rams (Gaveta Variável de Tubos)

VD. Vertical Depth (Profundidade Vertical)

VDL. Variable Density Log (Perfil de Densidade Variável)

VDV. Válvula de Dupla Vedação (Double Seal Valve)

VFD. Variable Frequency Drive (Variador de Frequência)

vfg. very fine grain (grão muito fino)

VGL. Válvula de Gas Lift (Gas Lift Valve)

VGP. Virtual Geomagnetic Pole (Polo Geomagnético Virtual)

VI. Viscosity Index (Índice de Viscosidade)

Visc, VISC, visc. Viscosidade (Viscosity)

VIV. Vortex-Induced Vibration (Vibração Induzida por Vórtices)

VLA. Vertical Load Anchor (Âncora de Carga Vertical)

VLCC. Very Large Crude Carrier (Navio-tanque de Petróleo) (Navio-tanque de Petróleo de Grandes Dimensões e Volume, Port.)

VLF. Very Low Frequency (Frequência Muito Baixa) (Diagrafia de Densidade Variável, Port.)

VLGC. Very Large Gas Carrier (Navio Tanque de Gás) (Navio-tanque de Gás de Grandes Dimensões e Volume, Port.)

VP. Vibrated Point (Ponto Vibrado)

VPL. Valor Presente Líquido (Net Present Value)

Vs/Vp. Razão Vs/Vp, entre as velocidades das ondas S e P (Vs/Vp ratio, between the speeds of waves S and P)

VSD. Variable Speed Drive (Unidade de Velocidade Variável)

VSP. Vertical Seismic Profiling (Perfilagem de Sísmica Vertical)

W/C. Water Cushion (Almofada de Água)

W/O. Workover (Trabalhos de restauro de poço)

W1. Wing 1 (Válvula Lateral da Linha de Produção na Árvore de Natal Molhada)

W2. Wing 2 (Válvula Lateral da Linha do Anular na Árvore de Natal Molhada)

WAB. Weak Air Blow (Sopro de Ar Fraco)

WAP. Wax Apperance Point (Ponto de Formação de Parafina)

WAT. Wax Appearance Temperature (Temperatura de Formação de Parafina)

WB. Wear Bushing (Bucha de Desgaste)

WBRT. Wear Bushing Running Tool (Ferramenta para Instalar, Desassentar a Bucha de Desgaste na Cabeça do Poço)

WBS. Work Breakdown Structure (Estrutura Analítica de Projeto)

WC. Water Cut (Corte de Água) (Corte com Água Misturada, Port.)

WC. Wildcat (Poço Pioneiro)

WCM. Water Cut Mud (Lama com Água)

WCO. Water Cut Oil (Óleo com Água)

WD. Water Depth (Lâmina D'água, Profundidade D'água) (Lâmina de Água, Profundidade de Água, Port.)

WellCAP. Well Control Accreditation Program (Programa de Credenciamento em Segurança de Poço)

WFM. Water Fraction Meter (Medidor de Fração de Água)

WGR. Water-Gas Ratio (Razão Água-Gás)

WHP. Wellhead Pressure (Pressão na Cabeça de Poço)

WIH. Went in Hole (Entrou no Poço). Normalmente depois de mudança de broca.

WITS. Wellsite Information Transfer Specification (Protocolo para Intercâmbio de Dados do Poço Coletados por Diferentes Companhias de Serviços)

WKO. Workover (Trabalhos de restauro de poço)

WL. Wireline (Cabo de Aço)

WLR. Water-Liquid Ratio (Razão Água-Líquido)

WO. Workover (Trabalhos de restauro de poço)

WOB. Weight on Bit (Peso ou Pressão Sobre a Broca)

WOC. Waiting on Cement (Tempo de Espera da Pega do Cimento)

WOCS. Workover Control System (Sistema de Controle de Workover)

WOMP. Well Operations Management Plan (Plano de Gestão de Operações em Poço)

WOR. Waiting on Rig (À Espera da Sonda)

WOR. Workover Riser (Riser de Completação)

WOW. Waiting on Weather (À Espera de Melhoria do Tempo)

WP. Working Pressure (Pressão de Trabalho)

WPC. World Petroleum Congress (Congresso Mundial de Petróleo)

WTI. West Texas Intermediate (Referência Norte-Americana de Qualidade de Óleo Cru)

WTS. Water to Surface (Água à Superfície)

WXT. Wet Christmas Tree (Árvore de Natal Molhada)

xbd. crossbedded (camada com estratificação cruzada) (camada com estratificação entrecruzada, Port.)

XO. Crossover (Sub de Cruzamento)

XOV. Crossover Valve (Válvula de Interligação)

XT. Christmas Tree (Árvore de Natal)

XTRT. Christmas Tree Running Tool (Ferramenta de Instalação da Árvore de Natal)

ZBV. Zona de Baixa Velocidade (Low-Velocity Zone)

η **inf (%).** Limite Inferior de Eficiência Volumétrica, % nas Condições de Teste de Recebimento (Lower Volumetric Efficiency Limit, % Under Receiving Test Conditions)

η **sup (%).** Limite Superior de Eficiência Volumétrica, % nas Condições de Teste de Recebimento (Upper Volumetric Efficiency Limit, % Under Receiving Test Conditions)

Unidades legais de medida

SISTEMA INTERNACIONAL DE UNIDADES — SI

As informações aqui apresentadas foram gentilmente disponibilizadas pelo INMETRO com o objetivo de auxiliar a compreensão das unidades de medida adotadas no Brasil e aplicadas ao Dicionário.

Nome e símbolo — Como escrever as unidades SI
Os nomes das unidades SI são escritos sempre em letra minúscula.

Exemplos:
quilograma, newton, metro cúbico

Exceção:
no início da frase e "grau Celsius"
As unidades SI podem ser escritas por seus nomes ou representadas por meio de símbolos.

Exemplos:
Unidade de comprimento
nome: metro
símbolo: m
Unidade de tempo
nome: segundo
símbolo: s

Principais unidades SI

Grandeza	Nome	Plural	Símbolo
comprimento	metro	metros	m
área	metro quadrado	metros quadrados	m²
volume	metro cúbico	metros cúbicos	m³
ângulo plano	radiano	radianos	rad
tempo	segundo	segundos	s
frequência	hertz	hertz	Hz
velocidade	metro por segundo	metros por segundo	m/s
aceleração	metro por segundo por segundo	metros por segundo por segundo	m/s²
massa	quilograma	quilogramas	kg
massa específica	quilograma por metro cúbico	quilogramas por metro cúbico	kg/m³

vazão	metro cúbico por segundo	metros cúbicos por segundo	m³/s
quantidade de matéria	mol	mols	mol
força	newton	newtons	N
pressão	pascal	pascals	Pa
trabalho, energia quantidade de calor	joule	joules	J
potência, fluxo de energia	watt	watts	W
corrente elétrica	ampère	ampères	A
carga elétrica	coulomb	coulombs	C
tensão elétrica	volt	volts	V
resistência elétrica	ohm	ohms	Ω
condutância	siemens	siemens	S
capacitância	farad	farads	F
temperatura Celsius	grau Celsius	graus Celsius	°C
temp. termodinâmica	kelvin	kelvins	K
intensidade luminosa	candela	candelas	cd
fluxo luminoso	lúmen	lúmens	lm
iluminamento	lux	lux	lx

Algumas unidades em uso com o SI, sem restrição de prazo

Grandeza	Nome	Plural	Símbolo	Equivalência
volume	litro	litros	l ou L	0,001 m³
ângulo plano	grau	graus	°	$\pi/180$ rad
ângulo plano	minuto	minutos	'	$\pi/10\,800$ rad
ângulo plano	segundo	segundos	"	$\pi/648\,000$ rad
massa	tonelada	toneladas	t	1 000 kg
tempo	minuto	minutos	min	60 s
tempo	hora	horas	h	3 600 s
velocidade angular	rotação por minuto	rotações por minuto	rpm	$\pi/30$ rad/s

Algumas unidades fora do SI, admitidas temporariamente

Grandeza	Nome	Plural	Símbolo	Equivalência
pressão	atmosfera	atmosferas	atm	101 325 Pa
pressão	bar	bars	bar	10^5 Pa
pressão	milímetro de mercúrio	milímetros de mercúrio	mmHg	133,322 Pa aprox.
quantidade de calor	caloria	calorias	cal	4,186 8 J
área	hectare	hectares	ha	$10^4 \, m^2$
força	quilograma-força	quilogramas-força	kgf	9,806 65 N
comprimento	milha marítima	milhas marítimas		1 852 m
velocidade	nó	nós		(1852/3600)m/s

Prefixos das unidades SI

Nome	Símbolo	Fator de multiplicação da unidade
yotta	Y	10^{24} = 1 000 000 000 000 000 000 000 000
zetta	Z	10^{21} = 1 000 000 000 000 000 000 000
exa	E	10^{18} = 1 000 000 000 000 000 000
peta	P	10^{15} = 1 000 000 000 000 000
tera	T	10^{12} = 1 000 000 000 000
giga	G	10^9 = 1 000 000 000
mega	M	10^6 = 1 000 000
quilo	k	10^3 = 1 000
hecto	h	10^2 = 100
deca	da	10
deci	d	10^{-1} = 0,1
centi	c	10^{-2} = 0,01
mili	m	10^{-3} = 0,001
micro	μ	10^{-6} = 0,000 001

nano	n	10^{-9} = 0,000 000 001
pico	p	10^{-12} = 0,000 000 000 001
femto	f	10^{-15} = 0,000 000 000 000 001
atto	a	10^{-18} = 0,000 000 000 000 000 001
zepto	z	10^{-21} = 0,000 000 000 000 000 000 001
yocto	y	10^{-24} = 0,000 000 000 000 000 000 000 001

A - Para formar o múltiplo ou submúltiplo de uma unidade, basta colocar o nome do prefixo desejado na frente do nome desta unidade. O mesmo se dá com o símbolo.

Exemplo:
Para multiplicar e dividir a unidade volt por mil
quilo + volt = quilovolt ; k + V = kV
mili + volt = milivolt ; m + V = mV

B - Os prefixos SI também podem ser empregados com unidades fora do SI.

Exemplo:
milibar; quilocaloria; megatonelada; hectolitro

C - Por motivos históricos, o nome da unidade SI de massa contém um prefixo: quilograma. Por isso, os múltiplos e submúltiplos dessa unidade são formados a partir do grama.

Fonte:

http://www.inmetro.gov.br/consumidor/Resumo_SI.pdf

Há de se observar que o setor petróleo também utiliza, em sua base de medidas, o Sistema Inglês de Unidades, independente da maciça adesão internacional ao Sistema Internacional de Unidades (SI).

Assim sendo, várias grandezas, fórmulas, equações, etc, envolvidas com o setor, ainda são expressas e aceitas no Sistema Inglês, razão pela qual, na presente obra são encontradas várias citações a este Sistema.

Também, a título de melhor entendimento sobre o assunto, é indicada a seguir, uma tabela contendo fatores de conversão aproximados em uma base de equivalência energética:

PARA CONVERTER, multiplique PARA → DE ↓	1 Barril óleo equivalente	1 m^3 óleo equivalente	1 tEP (tonelada equivalente de petróleo)	1000 m^3 de gás natural	10^6 kcal	10^6 BTU	1 MWh	1000 ft^3 de gás natural
1 Barril óleo equivalente	1	0,159	0,137	0,151	1,484	5,888	1,725	5,317
1 m^3 óleo equivalente	6,290	1	0,864	0,947	9,332	37,03	10,85	33,45
1 tEP (tonelada equivalente de petróleo)	7,279	1,157	1	1,097	10,80	42,86	12,56	38,73
1000 m^3 de gás natural	6,641	1,056	0,912	1	9,849	39,08	11,45	35,31
10^6 kcal	0,674	0,107	0,093	0,102	1	3,968	1,163	3,586
10^6 BTU	0,170	0,027	0,023	0,026	0,252	1	0,293	0,904
1 MWh	0,580	0,092	0,080	0,087	0,860	3,412	1	3,083
1000 ft^3 de gás natural	1,188	0,030	0,026	0,028	0,279	1,107	0,324	1

Este livro foi impresso em São Paulo, em junho de 2014, pela
Imprensa da Fé para a Lexikon Editora.
A fonte usada no miolo é a Nimrod, em corpo 8/8.
O papel do miolo é offset 63g/m² e o da capa é cartão 250g/m².